♦**chat up** V/T *infml* anmachen, anquatschen

Blaue Raute markiert phrasal verbs

tar·get 'au
'tar·get da

t

cri·te·ri·on
[kraɪ'tɪərɪə]〉 Kr

entrennung

vis·u·al·ize ['vɪzjʊəlaɪz] V/T sich vorstellen

Aussprache in internationaler Lautschrift

pet [pet] **A** N *dog, cat* Haustier *n*; *favourite person* Liebling *m* **B** ADJ Lieblings-

'chat-up line N *infml* Anmache *f*

Erklärende Hinweise und Stilebenenangaben in Kursivschrift

'cell phone N *US* Handy *n*

Länderspezifische Verwendung

the·a·tre, the·a·ter *US* ['θɪətə(r)] N Theater *n*; MED Operationssaal *m*

au·dio card N COMPUT Soundkarte *f*

Sachgebiete in Großbuchstaben

bal·ance ['bæləns] **A** N Gleichgewicht *n*; *missing amount* Restbetrag *m*; *of account* Kontostand *m* **B** V/T balancieren; **~ the books** die Bilanz ziehen **C** V/I balancieren; *columns* übereinstimmen

Buchstaben zur Unterscheidung von Wortarten

Langenscheidt

Euro-Wörterbuch Englisch
Eurodictionary German

Langenscheidt
Eurodictionary German

English – German
German – English

Completely revised edition

edited by the
Langenscheidt editorial staff

Langenscheidt

Berlin · Munich · Vienna · Zurich
London · Madrid · New York · Warsaw

Langenscheidt
Euro-Wörterbuch Englisch

Englisch – Deutsch
Deutsch – Englisch

Völlige Neubearbeitung

Herausgegeben von der
Langenscheidt-Redaktion

Langenscheidt

Berlin · München · Wien · Zürich
London · Madrid · New York · Warschau

Bearbeiter: Dr. Helen Galloway, Gudrun Pradier, Veronika Schnorr
Business-Extrateil: Elisabeth Graf-Riemann; Übersetzung von Joaquín A. Blasco
Projektleitung: Heike Pleisteiner

Neue deutsche Rechtschreibung nach den gültigen amtlichen Regeln und DUDEN-Empfehlungen

Ergänzende Hinweise, für die wir jederzeit dankbar sind, bitten wir zu richten an:
Langenscheidt Verlag, Postfach 40 11 20, 80711 München
redaktion.wb@langenscheidt.de

Typografisches Konzept nach: KOCHAN & PARTNER GmbH, München
Satz: Hagedorn [medien]design, Stuttgart
Druck: Graphische Betriebe Langenscheidt, Berchtesgaden / Obb.
Printed in Germany
ISBN 978-3-468-12126-5

11011

Inhalt | Contents

Vorwort

Der politische, wirtschaftliche und kulturelle Austausch innerhalb Europas gewinnt ständig an Bedeutung. Die Kommunikation über die Länder- und Sprachgrenzen hinweg gehört vielerorts bereits untrennbar zum beruflichen und privaten Alltag sowie zur Freizeitgestaltung zahlreicher Menschen.

Das bedeutet auch, dass Fremdsprachenkenntnisse, insbesondere der in der EU gesprochenen Sprachen, heute wichtiger sind denn je. Dies gilt nicht nur für Urlaubsreisende, sondern auch für Geschäftsleute ebenso wie für Techniker, Politiker, Sportler und Medienschaffende.

Deshalb wurde in der Wörterbuchredaktion von Langenscheidt das Konzept der Euro-Wörterbücher entwickelt, das den sprachlichen Bedürfnissen des modernen Europa Rechnung trägt.

Charakteristisches und wichtigstes Merkmal der vorliegenden Neubearbeitung ist die Wortschatzauswahl: Neben dem breiten allgemeinsprachlichen Wortschatz lag dabei der Schwerpunkt auf den Bereichen Wirtschaft, Handel, Reise und Bürokommunikation, wobei aber auch so wichtige Gebiete wie Politik, Technik und Kultur ausführlich berücksichtigt sind.

Sowohl deutsch- als auch englischsprachige Benutzer finden in diesem Wörterbuch zahlreiche Grammatik- und Ausspracheinweise. Ein praktischer Business-Extrateil in der Buchmitte mit nützlichen Hilfsmitteln zur geschäftlichen Kommunikation rundet das Gesamtkonzept ab und macht das **Langenscheidt Euro-Wörterbuch Englisch** zum idealen Nachschlagewerk für Beruf, Alltag und Reise in Europa.

LANGENSCHEIDT VERLAG

Preface

Interaction on a political, economic and cultural level with our European neighbours is becoming increasingly important. In many places, the ability to communicate across national and linguistic boundaries is already an essential part of the working and private lives, as well as the leisure activities, of large numbers of people.

This also means that a knowledge of foreign languages, particularly those spoken within the EU, is more important today than ever before. This is not only the case for tourists, but also for business people, technical experts, politicians, sportspeople and people working in the media.

The editorial staff at Langenscheidt have therefore developed the Eurodictionaries to meet the language needs of a modern Europe.

The most important and distinctive feature of this revised edition is the range of vocabulary selected for inclusion. As well as covering a wide range of everyday vocabulary, these dictionaries focus on the fields of economics, trade, travel and office communications, as well as providing in-depth coverage of other important fields such as politics, technology and culture.

Both German- and English-speaking users will find numerous tips on grammar and pronunciation in this dictionary. A practical section in the centre, containing a useful guide to business communication, completes the basic concept of the **Langenscheidt Eurodictionary**, making it an ideal reference book for work, travel and everyday life in Europe.

LANGENSCHEIDT

Hinweise für die Benutzer

1 Alphabetische Reihenfolge

Die Stichwörter sind streng alphabetisch geordnet. Ausgenommen davon sind die englischen phrasal verbs, die ihrem jeweiligen Grundverb zugeordnet sind. So stehen beispielsweise **fly away**, **fly in**, **fly off**, **fly out** und **fly past** direkt im Anschluss an das Verb **fly**, jedoch vor dem nächsten Hauptstichwort **flyer**, das ja alphabetisch korrekt zwischen **fly away** und **fly in** eingeordnet werden müsste. Die deutschen Umlaute **ä**, **ö**, **ü** werden wie **a**, **o**, **u**, das **ß** wie **ss** behandelt. Dementsprechend stehen z. B. **träumen, Träumer(in) und Träumerei** hinter **Traum** und vor **traumhaft**. Redensarten und feste Wendungen sind in der Regel unter dem ersten bedeutungstragenden Element der Wendung zu finden, **schon gut**! und **es geht mir gut** findet man also unter **gut**.

2 Rechtschreibung

Die Schreibung der deutschen Wörter richtet sich nach den gültigen amtlichen Regeln und DUDEN-Empfehlungen der neuen deutschen Rechtschreibung, gültig seit dem 1. 8. 2006.

In diesem Wörterbuch wird der Bindestrich am Zeilenanfang wiederholt, wenn mit Bindestrich geschriebene Wörter getrennt werden.

3 Grammatische Hinweise

Angaben zu den Stammformen der unregelmäßigen englischen Verben, zu unregelmäßigen Pluralformen bei den Substantiven sowie zu den unregelmäßigen Steigerungen bei den Adjektiven stehen nach dem jeweiligen Stichwort in Spitzklammern.

> **swim** [swɪm] A VI ⟨-mm-; swam, swum⟩ schwimmen
> **child** [tʃaɪld] N ⟨*pl* children [ˈtʃɪldrən]⟩ Kind *n*
> **good** [gʊd] A ADJ ⟨better, best⟩ gut

Eine Liste der im Wörterbuch enthaltenen englischen unregelmäßigen Verben befindet sich außerdem im Anhang des Wörterbuchs.

Nach Stichwörtern ist immer deren Wortart (z. B. ADJ, ADV, PRON) bzw. Genus (F, M, N) angegeben. Das Genus der Substantive steht auch nach den Übersetzungen (*m, f, n*).

> **Handy** N [ˈhɛndi] ⟨~(s); ~s⟩ mobile (phone), *US* cell(ular) phone

con·sum·er·ist [kən'sjuːmərɪst] ADJ konsumfreudig
bulk 'dis·count N ECON Mengenrabatt *m*

Bei den deutschen Substantiven ist in der Regel der Genitiv Singular sowie der Nominativ Plural in spitzen Klammern angegeben, ggf. mit Varianten:

Haus N [haus] ⟨~es; Häuser⟩ house
= des Hauses; die Häuser
Bonus M ['boːnʊs] ⟨~(ses); ~se *od* Boni⟩ bonus, premium
= des Bonus bzw. des Bonusses; die Bonusse bzw. die Boni

Ist nur der Genitiv Singular angegeben, so gibt es keinen Plural:

Langeweile F ['laŋəvailə] ⟨~⟩ boredom
= der Langeweile; kein Plural

Bei den zusammengesetzten deutschen Substantiven stehen diese Angaben nur, wenn die Formenbildung von der der Grundwörter abweicht:

'Landsmann M ⟨*pl* Landsleute⟩ fellow countryman, compatriot
= des Landsmannes bzw. des Landsmanns muss unter dem Stichwort Mann nachgeschlagen werden; die Landsleute
Mann M [man] ⟨~(e)s; Männer⟩ man

Bei den deutschen Verben ist es wichtig, ob das Perfekt mit **haben** oder **sein** gebildet wird. Alle Verben, die mit **sein** gebildet werden, sind mit ⟨s⟩ (= sein) gekennzeichnet. Steht keine Angabe bei dem Verb, so wird es mit **haben** gebildet. Wird das Verb je nach Bedeutung mit **haben** ⟨h⟩ oder **sein** ⟨s⟩ gebildet, so ist dies ebenfalls angegeben:

joggen V/I ['dʒɔgən] ⟨s⟩ jog
aktivieren V/T [akti'viːrən] ⟨*kein ge*⟩ activate
'folgen V/I ⟨s⟩ follow (*a. fig*); ⟨h⟩ (...)

Verben, deren Partizip nicht mit vorangestelltem **ge-** gebildet wird, sind mit ⟨kein ge⟩ gekennzeichnet:

diskutieren V/T & V/I [dɪsku'tiːrən] ⟨*kein ge*⟩ discuss

Bei unregelmäßigen Grundverben stehen in Klammen die wichtigsten unregelmäßigen Formen, meist Imperfekt und Partizip:

schreiben V/T & V/I ['ʃraibən] ⟨schrieb, geschrieben⟩ write* (**j-m** to sb)

Bei zusammengesetzten unregelmäßigen Verben ist zusätzlich ⟨irr⟩ (= irregular, unregelmäßig) angegeben:

> **'einbiegen** VI ⟨*irr*, s⟩ turn (**in** into)

Prinzipiell muss hier aber unter dem Grundverb nachgeschlagen werden:

> **biegen** VI ⟨s⟩ & VT ['bi:gən] ⟨bog, gebogen⟩ bend*

Die zum Stichwort gehörenden Präpositionen bzw. die Kasusangaben im Deutschen werden vor allem dann aufgeführt, wenn sich beide Sprachen hierin unterscheiden. Bei deutschen Präpositionen, denen verschiedene Kasus folgen können, ist in den Beispielen der jeweils vom Verb oder Substantiv verlangte Kasus angegeben:

> **let·ter** ['letə(r)] N Brief *m* (**to** an)
> **'umrüsten** VT TECH convert (**auf** *akk* to)
> **'Umsetzung** F ⟨~; ~en⟩ *Realisierung* realization (…) *Umwandlung* conversion (**in** *akk* into)

4 Erläuternde Hinweise und Sachgebiete

Erläuternde Hinweise in kursiver Schrift und Sachgebiete erleichtern die Wahl der richtigen Übersetzung.

Zur Bedeutungsdifferenzierung dienen zugehörige Objekte, Subjekte, Synonyme oder auch Angaben, die einen Bezug zum allgemeinen Verwendungskontext herstellen:

> **com·pet·i·tive** [kəm'petətɪv] ADJ *company, price* wettbewerbsfähig; *offer* konkurrenzfähig; *attitude* ehrgeizig, konkurrenzbewusst
> ♦**let out** VT *of room, building* herauslassen; *hem* auslassen; *cry* ausstoßen; *room* vermieten (**to** an)
> **'Umsetzung** F ⟨~; ~en⟩ *Realisierung* realization; *eines Plans* implementation; *eines Gesetzes* transposition; *Umwandlung* conversion (**in** *akk* into)
> **'auslagern** VT *Produktion* outsource

Sachgebiete sind meist abgekürzt in verkleinerten Großbuchstaben angegeben:

> **'einspurig** ADJ BAHN single-track; AUTO single-lane
> **footer** ['futə(r)] N IT Fußzeile *f*

Bezeichnungen der sprachlichen oder stilistischen Ebene stehen bei Ausdrücken, die von der Standardsprache abweichen:

fig steht für figurativen Gebrauch,
pej für abwertenden Sprachgebrauch,
sl für Slang,
umgl/
infml für umgangssprachlichen Gebrauch und
vulg für vulgär.

Ebenfalls kursiv erscheinen umschreibende Entsprechungen für ein Stichwort oder eine Wendung, für die es keine direkte Übersetzung gibt:

> **cold 'call·ing** N ECON *Kundenwerbung durch unaufgeforderten Vertreteranruf od -besuch*

5 Lexikografische Zeichen

· Ein Punkt im englischen Stichwort markiert die Stelle, an der es getrennt werden kann:

> **in·ter·im so'lu·tion** N Übergangslösung *f*

~ Die Tilde (das Wiederholungszeichen) vertritt das Stichwort innerhalb des Artikels:

> **Agenda** F [a'gɛnda] ⟨~; Agenden⟩ agenda; **~ 2000** Agenda 2000
> **in·ter·view** ['ɪntəvju:] A N Interview *n*; *for job* Vorstellungsgespräch *n*; **get/have an ~** zu einem Vorstellungsgespräch eingeladen werden/ein Vorstellungsgespräch haben

; Der Strichpunkt trennt Übersetzungen, die sich in der Bedeutung unterscheiden:

> **Er'schließung** F ⟨~⟩ development; *von Markt* opening up⟩

, Das Komma verbindet ähnliche Übersetzungen, oft auch britische und amerikanische Varianten:

> **low-'cost** ADJ preiswert, preisgünstig
> **'Aufzug** M *Fahrstuhl* lift, *US* elevator; *Akt* act; *pej*: *Kleidung* get-up

/ Der Schrägstrich zeigt alternative Elemente innerhalb einer Struktur:

> **tax** [tæks] A N Steuer *f* (**on** auf); **taxes** *pl* Steuern *pl*, Steuergelder *pl*; **before/after ~** vor/nach Abzug von Steuern

1,2,3 Gleichlautende Stichwörter mit völlig unterschiedlicher Bedeutung sind getrennt aufgeführt und mit Hochzahlen gekennzeichnet:

Steuer[1] N ['ʃtɔyər] ⟨~s; ~⟩ AUTO (steering) wheel; SCHIFF helm; FLUG controls *pl*
'Steuer[2] F ⟨~; ~n⟩ tax (**auf** on)

A B Großbuchstaben grenzen unterschiedliche Wortarten und transitive, intransitive und reflexive Verben voneinander ab:

love [lʌv] A N Liebe *f* (**for** zu); *in tennis* null; **be in ~ with sb** in j-n verliebt sein (...) B V/T lieben
kündigen ['kʏndɪgən] A V/T *Vertrag* terminate; *Mitgliedschaft, Abonnement* cancel; *Freundschaft* break* off B V/I *von Mieter* give* notice that one is moving out; *von Arbeitnehmer* hand in one's notice

⟨ ⟩ Die spitzen Klammern enthalten grammatische Angaben:

Innovation F [ɪnovatsi'oːn] ⟨~; ~en⟩ innovation
ref·e·ren·dum [refə'rendəm] N ⟨*pl* referenda [refə'rendə] *or* referendums⟩ Referendum *n*

→ Der Pfeil bedeutet *siehe* und verweist auf einen anderen Worteintrag.

How to use the dictionary

1 Alphabetical order

The headwords are arranged in strict alphabetical order with the exception of English phrasal verbs. These are listed in a separate group immediately following the basic verb they share. For example, **fly away, fly in, fly off, fly out** and **fly past** appear as a group directly after the verb **fly**, but before the next headword, **flyer**. In normal alphabetical order, **flyer** would come between **fly away** and **fly in**. The German umlauts **ä**, **ö**, **ü** are treated as if they were **a**, **o**, **u**, and **ß** as **ss**. For example, the entries **träumen, Träumer(in)** and **Träumerei** are listed after **Traum** and before **traumhaft**. As a rule, idioms and phrases are given at the entry for the first meaningful element in the phrase. So, **schon gut!** and **es geht mir gut** can be found at the entry **gut**.

2 Spelling

The spelling of German words in this dictionary is based on the official rules and the DUDEN recommendations for the new German spelling system which have been in effect since 1. 8. 2006.

Hyphens in this dictionary are repeated at the start of a line in cases where hy- phenated words run on to the line below.

3 Grammatical information

Information on the basic forms of irregular English verbs, irregular plurals of nouns and irregular comparative and superlative forms of adjectives is given in angle brackets after the relevant headword.

> **swim** [swɪm] **A** V/I ⟨-mm-; swam, swum⟩ schwimmen
> **child** [tʃaɪld] N ⟨*pl* children ['tʃɪldrən]⟩ Kind *n*
> **good** [gʊd] **A** ADJ ⟨better, best⟩ gut

In addition, a list of irregular English verbs appearing in the dictionary is provided in the appendix.

Information on the part of speech (e. g. ADJ, ADV, PRON) and, in the case of German nouns, the gender (F, M, N) is provided after every headword. The gender of German nouns (*m, f, n*) is also given where they appear as translations.

> **Handy** N ['hɛndi] ⟨~(s); ~s⟩ mobile (phone), *US* cell(ular) phone
> **con·sum·er·ist** [kən'sju:mərɪst] ADJ konsumfreudig
> **bulk 'dis·count** N ECON Mengenrabatt *m*

As a rule, the genitive singular and nominative plural forms of German nouns are shown in angle brackets, as are any variations:

Haus N [haus] ⟨~es; Häuser⟩ house
= des Hauses; die Häuser
Bonus M ['bo:nʊs] ⟨~(ses); ~se *od* Boni⟩ bonus, premium
= des Bonus bzw. des Bonusses; die Bonusse bzw. die Boni

In the case of nouns which do not have a plural, only the genitive singular is given:

Langeweile F ['laŋəvailə] ⟨~⟩ boredom
= der Langeweile; kein Plural

In the case of German compound nouns, this information is only provided on those occasions where the genitive or plural forms differ from those of the basic components of the compound:

'Landsmann M ⟨*pl* Landsleute⟩ fellow countryman, compatriot
= des Landsmannes bzw. des Landsmanns muss unter dem Stichwort Mann nachgeschlagen werden; die Landsleute
Mann M [man] ⟨~(e)s; Männer⟩ man

It is essential to know if German verbs form the perfect tense with **haben** or **sein**. All verbs that take **sein**, are labelled ⟨s⟩ (= sein). If the verb takes **haben**, it does not have a label. However, verbs that can take both **haben** ⟨h⟩ or **sein** ⟨s⟩ depending on their meaning, are labelled accordingly:

joggen V/I ['dʒɔgən] ⟨s⟩ jog
aktivieren V/T [akti'vi:rən] ⟨*kein ge*⟩ activate
'folgen V/I ⟨s⟩ follow (*a. fig*); ⟨h⟩ (...)

Those verbs which do not form their past participles by adding a **ge**- prefix are labelled ⟨kein ge⟩:

diskutieren V/T & V/I [dɪsku'ti:rən] ⟨*kein ge*⟩ discuss

In the case of basic irregular verbs, the most important irregular forms (in most cases the imperfect and past participle) are shown in brackets:

schreiben V/T & V/I ['ʃraibən] ⟨schrieb, geschrieben⟩ write* (**j-m** to sb)

Irregular compound verbs are also labelled ⟨irr⟩ (= irregular):

'einbiegen V/I ⟨*irr*, s⟩ turn (**in** into)

However, the irregular forms are usually only listed at the entry for the basic verb:

biegen VI ⟨s⟩ & VT ['bi:gən] ⟨bog, gebogen⟩ bend*

Information is provided on any prepositions which are used in combination with the headword, particularly on those occasions where the two languages differ from one another. Information on cases is also given for German prepositions. Where German prepositions can take different cases, the case required by each particular verb or noun is shown in the examples:

let·ter ['letə(r)] N Brief *m* (**to** an)
'umrüsten VT TECH convert (**auf** *akk* to)
'Umsetzung F ⟨~; ~en⟩ *Realisierung* realization (...) *Umwandlung* conversion (**in** *akk* into)

4 Indicators and field labels

The inclusion of field labels, as well as indicators, register labels and glosses which appear in italics, make it easier for the user to select the right translation.

Indicators are designed to help the user distinguish between the different senses of a word. They can be subjects, objects or synonyms, or else provide information about the general context in which a word is used:

com·pet·i·tive [kəm'petətɪv] ADJ *company, price* wettbewerbsfähig; *offer* konkurrenzfähig; *attitude* ehrgeizig, konkurrenzbewusst
♦**let out** VT *of room, building* herauslassen; *hem* auslassen; *cry* ausstoßen; *room* vermieten (**to** an)
'Umsetzung F ⟨~; ~en⟩ *Realisierung* realization; *eines Plans* implementation; *eines Gesetzes* transposition; *Umwandlung* conversion (**in** *akk* into)
'auslagern VT *Produktion* outsource

Register labels mostly appear in small capitals and in abbreviated form:

'einspurig ADJ BAHN single-track; AUTO single-lane
footer ['fʊtə(r)] N IT Fußzeile *f*

Style labels are provided for terms or expressions which are not considered part of the standard language:

fig stands for figurative use,
pej stands for pejorative term,
sl stands for slang,

umg/
infml stand for informal use, and
vulg denotes a vulgar term or expression.

If no direct translation for a word or phrase exists, a descriptive gloss is provided in italics:

cold 'call·ing N ECON *Kundenwerbung durch unaufgeforderten Vertreteranruf od -besuch*

5 Lexicographical symbols

• A dot in an English headword marks the place where it can by hyphenated:

in·ter·im so'lu·tion N Übergangslösung *f*

~ A tilde represents the headword within the entry:

Agenda F [a'gɛnda] ⟨~; Agenden⟩ agenda; **~ 2000** Agenda 2000
in·ter·view ['ɪntəvjuː] A N Interview *n*; *for job* Vorstellungsgespräch *n*; **get/have an ~** zu einem Vorstellungsgespräch eingeladen werden/ein Vorstellungsgespräch haben

; A semicolon is used to separate translations which differ in meaning:

Er'schließung F ⟨~⟩ development; *von Markt* opening up

, A comma is used to separate interchangeable translations, and often British and American variants too:

low-'cost ADJ preiswert, preisgünstig
'Aufzug M *Fahrstuhl* lift, *US* elevator; *Akt* act; *pej*: *Kleidung* get-up

/ A forward slash is used to divide alternative elements within a structure such as a phrase:

tax [tæks] A N Steuer *f* (**on** auf); **taxes** *pl* Steuern *pl*, Steuergelder *pl*; **before/after ~** vor/nach Abzug von Steuern

1, 2, 3 Headwords which look and sound the same but which are completely different in meaning are presented as separate entries, each with a superscript number:

Steuer[1] N ['ʃtɔyər] ⟨~s; ~⟩ AUTO (steering) wheel; SCHIFF helm; FLUG controls *pl*
'Steuer[2] F ⟨~; ~n⟩ tax (**auf** on)

A B Capital letters are used to separate different parts of speech as well as transitive, intransitive and reflexive verbs from one another:

love [lʌv] A N Liebe *f* (**for** zu); *in tennis* null; **be in ~ with sb** in j-n verliebt sein (…) B V/T lieben
kündigen ['kʏndɪgən] A V/T *Vertrag* terminate; *Mitgliedschaft, Abonnement* cancel; *Freundschaft* break* off B V/I *von Mieter* give* notice that one is moving out; *von Arbeitnehmer* hand in one's notice

⟨⟩ Angle brackets contain grammatical information:

Innovation F [ɪnovatsi'o:n] ⟨~; ~en⟩ innovation
ref·e·ren·dum [refə'rendəm] N ⟨*pl* referenda [refə'rendə] *or* referendums⟩ Referendum *n*

→ An arrow means *see* and is used to cross-refer the user to another entry.

Die Aussprache des Englischen

Die Aussprache der Stichwörter steht in eckigen Klammern [ ], jeweils direkt nach dem Stichwort. Die Umschrift wird mit den unten aufgelisteten Zeichen der *International Phonetic Association* (*IPA*) wiedergegeben:

> **e·tic·ket** ['iːtɪkɪt] N E-Ticket *n*, elektronisches Ticket

Keine Lautschrift steht bei zusammengesetzten oder abgeleiteten Stichwörtern, wenn sich ihre Aussprache leicht aus den Wortelementen herleiten lässt (**eyelash**, **Geschirrtuch** usw.).
Die Betonung der deutschen und englischen Stichwörter wird bei Stichwörtern ohne Lautschriftangabe durch das Zeichen ' vor der betonten Silbe angegeben: **'Englischunterricht**, **im'mune system**.

1 Vokale

[ʌ]	kurzes *a* wie in *Matsch, Kamm,* aber dunkler	**much** [mʌtʃ], **come** [kʌm]
[ɑː]	langes *a*, etwa wie in *Bahn*	**after** ['ɑːftə(r)], **park** [pɑːk]
[æ]	mehr zum *a* hin als *ä* in *Wäsche*	**flat** [flæt], **madam** ['mædəm]
[ə]	wie das End-*e* in *Berge, mache, bitte*	**after** ['ɑːftə(r)], **arrival** [ə'raɪvl]
[e]	*e* wie in *Brett*	**let** [let], **men** [men]
[ɜː]	etwa wie *ir* in *flirten*, aber offener	**first** [fɜːst], **learn** [lɜːn]
[ɪ]	kurzes *i* wie in *Mitte, billig*	**in** [ɪn], **city** ['sɪtɪ]
[iː]	langes *i* wie in *nie, lieben*	**see** [siː], **evening** ['iːvnɪŋ]
[ɒ]	wie *o* in *Gott*, aber offener	**shop** [ʃɒp], **job** [dʒɒb]
[ɔː]	wie *o* in *Hose*	**morning** ['mɔːnɪŋ], **course** [kɔːs]
[ʊ]	kurzes *u* wie in *Mutter*	**good** [gʊd], **look** [lʊk]
[uː]	langes *u* wie in *Schuh*, aber offener	**too** [tuː], **shoot** [ʃuːt]

2 Diphthonge

[aɪ]	etwa wie in *Mai, Neid*	**my** [maɪ], **night** [naɪt]
[aʊ]	etwa wie in *blau, Couch*	**now** [naʊ], **about** [ə'baʊt]
[əʊ]	von [ə] zu [ʊ] gleiten	**home** [həʊm], **know** [nəʊ]
[eə]	wie *är* in *Bär*, aber kein *r* sprechen	**air** [eə(r)], **square** [skweə(r)]
[eɪ]	klingt wie *äi*	**eight** [eɪt], **stay** [steɪ]
[ɪə]	von [ɪ] zu [ə] gleiten	**near** [nɪə(r)], **here** [hɪə(r)]
[ɔɪ]	etwa wie *eu* in *neu*	**join** [dʒɔɪn], **choice** [tʃɔɪs]
[ʊə]	wie *ur* in *Kur*, aber kein *r* sprechen	**you're** [jʊə(r)], **tour** [tʊə(r)]

3 Halbvokale

[j]	wie *j* in *jetzt*	**yes** [jes], **tube** [tju:b]
[w]	mit gerundeten Lippen ähnlich wie [u:] gebildet. Kein deutsches *w*!	**way** [weɪ], **one** [wʌn], **quick** [kwɪk]

4 Konsonanten

[ŋ]	wie *ng* in *Ding*	**thing** [θɪŋ], **English** ['ɪŋglɪʃ]
[r]	Zunge liegt zurückgebogen am Gaumen auf. Nicht gerollt und nicht im Rachen gebildet!	**room** [ru:m], **hurry** ['hʌrɪ]
[s]	stimmloses *s* wie in *lassen, Liste*	**see** [si:], **famous** ['feɪməs]
[z]	stimmhaftes *s* wie in *lesen, Linsen*	**zero** ['zɪərəʊ], **is** [ɪz], **runs** [rʌnz]
[ʃ]	wie *sch* in *Scholle, Fisch*	**shop** [ʃɒp], **fish** [fɪʃ]
[tʃ]	wie *tsch* in *tschüs, Matsch*	**cheap** [tʃi:p], **much** [mʌtʃ]
[ʒ]	stimmhaftes *sch* wie in *Genie, Etage*	**television** ['telɪvɪʒn]
[dʒ]	wie in *Job, Gin*	**just** [dʒʌst], **bridge** [brɪdʒ]
[θ]	wie *ss* in *Fass*, aber mit der Zungenspitze hinten an den Schneidezähnen	**thanks** [θæŋks], **both** [bəʊθ]
[ð]	wie *s* in *Sense*, aber mit der Zungenspitze hinten an den Schneidezähnen	**that** [ðæt], **with** [wɪð]
[v]	etwa wie deutsches *w*, Oberzähne auf Oberkante der Unterlippe	**very** ['verɪ], **over** ['əʊvə(r)]
[x]	wie *ch* in *ach*	**loch** [lɒx]

5 Sonstiges

[']	bedeutet Betonung (Hauptton) der folgenden Silbe
[:]	bedeutet Längung des voranstehenden Vokals

German pronunciation

The pronunciation of the headwords is given in square brackets [ ] and normally appears directly after the headword. The symbols of the *International Phonetic Association* (*IPA*) are used for the transcription, and are listed below:

Brötchen N ['brø:tçən] ⟨~s; ~⟩ roll

Phonetics are not provided for headwords which are compounds or derivatives in cases where the pronunciation can easily be deduced from the elements making up the word (**Handynummer** etc.). There are also no phonetics provided for the most common German prefixes and suffixes. Information on their pronunciation can be found at the end of this chapter.
In cases where no phonetics are given for a German headword, the stress is indicated by the symbol ' before the stressed syllable:

'übergehen[1], **über'gehen**[2].

1 Vowels

[a:]	long, resembles English *a* in *father*	**Vase** ['va:zə]
[a]	short, otherwise like [a:]	**Hand** [hant]
[e:]	long, resembles the first sound in English *ay*, e.g. *day*	**weh** [ve:]
[e]	short, otherwise like [e:]	**Theater** [te'a:tər]
[ə]	short, resembles English *a* in *ago*	**Schale** ['ʃa:lə]
[ɛ:]	long, resembles English *e* in *bed*	**Zähne** ['tsɛ:nə]
[ɛ]	short, resembles English [e]	**wenn** [vɛn]
[i:]	long, resembles English *ee* in *see*	**Vieh** [fi:]
[i]	short, otherwise like [i:]	**Bilanz** [bi'lants]
[ɪ]	short, resembles English *i* in *hit*	**mit** [mɪt]
[o:]	long, resembles English *aw* in *law*	**Boot** [bo:t]
[o]	short, otherwise like [o:]	**Modell** [mo'dɛl]
[ɔ]	short, resembles English *o* in *got*	**Gott** [gɔt]
[ø:]	long, resembles French *eu* in *deux*	**böse** ['bø:zə]
[ø]	short, otherwise like [ø:]	**Ökologe** [øko'lo:gə]
[œ]	short, more open than [ø:]	**Hölle** ['hœlə]
[u:]	long, resembles English *oo* in *boot*	**gut** [gu:t]
[u]	short, otherwise like [u:]	**Musik** [mu'zi:k]
[ʊ]	short, resembles English *u* in *bull*	**Bulle** ['bʊlə]

[y:]	long, resembles French *u* in *muse*	**Düse** ['dy:zə]
[y]	short, otherwise like [y:]	**Büro** [by'ro:]
[ʏ]	short, more open than [y]	**Hütte** ['hʏtə]

2 Diphthongs

[aɪ]	resembles English *i* in *while*	**bei** [baɪ]
[aʊ]	resembles English *ou* in *house*	**Haus** [haʊs]
[ɔɪ]	resembles English *oi* in *join*	**heute** ['hɔɪtə]

3 Semivowels

[j]	resembles English *y* in *yes*	**ja** [ja:]

4 Consonants

[ŋ]	like English *ng* in *thing*	**Ding** [dɪŋ]
[l]	similar to English *l* in *light*	**lila** ['li:la]
[r]	guttural consonant formed at the back of the throat	**Ring** [rɪŋ]
	mostly weak after long vowels	**Bar** [ba:r], **Meer** [me:r]
	very weak in [ər] in final position or before consonant	**Wasser** ['vasər], **Werk** [vɛrk]
[v]	resembles English *v* in *vice*	**Welt** [vɛlt]
[s]	resembles English *s* in *kiss*	**lassen** ['lasən], **Kiste** ['kɪstə]
[z]	similar to English *z* in *zoo*	**lesen** ['lezən], **sanft** [zanft]
[ʃ]	resembles English *sh* in *cash*	**Masche** ['maʃə]
[ʒ]	resembles English *s* in *measure*	**Genie** [ʒe'ni:]
[ç]	also used by some English speakers instead of [hj], e.g. *human* ['çu:mən] instead of ['hju:mən]	**mich** [mɪç], **wenig** [ve:nɪç]
[x]	similar to Scottish *ch* in *loch*	**Bach** [bax]

5 Other

ʔ	glottal stop	**beeinträchtigen** [bəˈʔaɪntrɛçtɪgən]
˜	indicates nasalization in French loanwords	**Teint** [tɛ̃ː], **Fonds** [fõː]
ˈ	main stress	

6 German prefixes

be-	[bə]	**miss-**	[mɪs]
ent-	[ɛnt]	**un-**	[ʊn]
er-	[ɛr]	**ver-**	[fɛr]
ge-	[gə]	**zer-**	[tsɛr]

7 German suffixes

-bar	[baːr]	**-isch**	[ɪʃ]
-chen	[çən]	**-ist**	[ɪst]
-d	[t]	**-keit**	[kaɪt]
-ei	[aɪ]	**-lich**	[lɪç]
-en	[ən]	**-los**	[loːs]
-end	[ənt]	**-losigkeit**	[loːzɪçkaɪt]
-er	[ər]	**-nis**	[nɪs]
-haft	[haft]	**-sal**	[zaːl]
-heit	[haɪt]	**-sam**	[zaːm]
-ie	[iː]	**-schaft**	[ʃaft]
-ieren	[iːrən]	**-ste**	[stə]
-ig	[ɪç]	**-tät**	[tɛːt]
-ik	[ɪk]	**-tum**	[tuːm]
-in	[ɪn]	**-ung**	[ʊŋ]

Englisch – Deutsch

A

A, **a** [eɪ] N A, a *n*
a [ə, *stressed* eɪ] ART ein(e); **not a/an …** kein(e) …; **twice ~ week** zweimal die Woche; **£5 ~ ride** £5 pro Fahrt
a·back [ə'bæk] ADV **taken ~** erstaunt
a·ban·don [ə'bændən] V/T *person* verlassen; *car* (einfach) stehen lassen; *hope, project* aufgeben; *child, pet* aussetzen; *game* abbrechen
a·bate [ə'beɪt] V/I *storm* nachlassen; *flood* zurückgehen
ab·at·toir ['æbətwɑː(r)] N Schlachthof *m*
ab·bey ['æbɪ] N Abtei *f*
abbr *only written* ABBR *for* abbreviation Abk., Abkürzung *f*
ab·bre·vi·ate [ə'briːvɪeɪt] V/T abkürzen
ab·bre·vi·a·tion [əbriːvɪ'eɪʃn] N Abkürzung *f*
ab·di·cate ['æbdɪkeɪt] V/I abdanken
ab·do·men ['æbdəmən] N Unterleib *m*
ab·dom·i·nal [æb'dɒmɪnl] ADJ *pain* Unterleibs-; *muscles* Bauch-
ab·duct [əb'dʌkt] V/T entführen
ab·duc·tion [əb'dʌkʃn] N Entführung *f*
a·bet [ə'bet] V/T ‹-tt-› → aid
ab·hor·rent [əb'hɒrənt] ADJ *formal* abscheulich
♦**a·bide by** [ə'baɪdbaɪ] V/T *rules, conditions* sich halten an
a·bil·i·ty [ə'bɪlətɪ] N Fähigkeit *f*
ab·ject ['æbdʒekt] ADJ verächtlich, erbärmlich; **~ poverty** äußerste Armut
a·blaze [ə'bleɪz] ADJ **be ~** in Flammen stehen
a·ble ['eɪbl] ADJ *capable* fähig; **be ~ to do sth** etw tun können, in der Lage sein, etw zu tun
a·ble-bod·ied [eɪbl'bɒdɪd] ADJ kräftig; MIL tauglich
ab·nor·mal [æb'nɔːml] ADJ anormal
ab·nor·mal·ly [æb'nɔːməlɪ] ADV ungewöhnlich
a·board [ə'bɔːd] **A** PREP *ship, plane* an Bord **B** ADV *go* an Bord
a·bode [ə'bəʊd] N *formal a.* **place of ~** Aufenthaltsort *m*, Wohnsitz *m*; **of** *or* **with no fixed ~** ohne festen Wohnsitz
a·bol·ish [ə'bɒlɪʃ] V/T abschaffen
ab·o·li·tion [æbə'lɪʃn] N Abschaffung *f*
a·bort [ə'bɔːt] V/T *start, company, computer program* abbrechen
a·bor·tion [ə'bɔːʃn] N Abtreibung *f*; **have an ~** abtreiben
a·bor·tive [ə'bɔːtɪv] ADJ gescheitert
♦**abound in** [ə'baʊnd] V/T Überfluss haben an, reich sein an
a·bout [ə'baʊt] **A** PREP *relating to* über; **be angry ~ sth** wütend über etw sein; **there is nothing you can do ~ it** da kann man nichts machen; **what's it ~?** *book, film* wovon handelt es/er? **B** ADV *not precise* ungefähr; **be ~ to …** gerade im Begriff sein zu …; **be ~** *not be far away* (irgendwo) in der Nähe sein; **there are a lot of people ~** es sind e-e Menge Leute da
a·bove [ə'bʌv] **A** PREP *higher than* über; **~ all** vor allem **B** ADV oben; **on the floor ~** ein Stockwerk höher; **all those aged 15 and ~** alle, die 15 und älter sind **C** ADJ *formal* obig, oben erwähnt
a·bove-men·tioned [əbʌv'menʃnd] ADJ oben genannt
ab·ra·sive [ə'breɪsɪv] ADJ *fig: character* aggressiv
a·breast [ə'brest] ADV Seite an Seite; **march six ~** zu sechst nebeneinander marschieren; MIL in Sechserreihen marschieren; **keep ~ of sth** sich über etw auf dem Laufenden halten
a·broad [ə'brɔːd] ADV *live* im Ausland; *go* ins Ausland
a·brupt [ə'brʌpt] ADJ *departure* unvermittelt; *manner* schroff
a·brupt·ly [ə'brʌptlɪ] ADV abrupt
ab·scess ['æbses] N Abszess *m*

ab·sence ['æbsəns] N *of person* Abwesenheit *f*; *of will* Fehlen *n*
ab·sent ['æbsənt] ADJ abwesend
ab·sen·tee [æbsən'ti:] N Abwesende(r) *m/f(m)*
ab·sen·tee·ism [æbsən'ti:ɪzm] N häufige Abwesenheit
ab·sent-mind·ed [æbsənt'maɪndɪd] ADJ zerstreut, geistesabwesend
ab·so·lute ['æbsəlu:t] ADJ absolut; *power, support a.* uneingeschränkt; *idiot, chaos* total
ab·so·lute·ly ['æbsəlu:tlɪ] ADV *completely* absolut, vollkommen; **~ not!** auf gar keinen Fall!; **do you agree? – ~** meinst du nicht auch? – auf jeden Fall!
ab·solve [əb'zɒlv] V/T freisprechen (**from** von)
ab·sorb [əb'sɔ:b] V/T absorbieren; **be absorbed in sth** in etw vertieft sein
ab·sorb·ent [əb'sɔ:bənt] ADJ saugfähig
ab·sorb·ing [əb'sɔ:bɪŋ] ADJ fesselnd
ab·stain [əb'steɪn] V/I **~ (from voting)** sich der Stimme enthalten; **~ from smoking** das Rauchen unterlassen
ab·sten·tion [əb'stenʃn] N *in vote* Enthaltung *f*
ab·sti·nence ['æbstɪnəns] N Abstinenz *f*
ab·stract ['æbstrækt] ADJ abstrakt
ab·surd [əb'sɜ:d] ADJ absurd; **don't be ~!** sei nicht albern!
ab·surd·i·ty [əb'sɜ:dətɪ] N Absurdität *f*
a·bun·dance [ə'bʌndəns] N Reichtum *m*; **in ~** in Hülle und Fülle
a·bun·dant [ə'bʌndənt] ADJ üppig
a·buse[1] [ə'bju:s] N *verbal* Beschimpfungen *pl*; *physical* Misshandlung *f*; *sexual, of drugs* Missbrauch *m*
a·buse[2] [ə'bju:z] V/T *verbally* beschimpfen; *physically* misshandeln; *sexually* missbrauchen
a·bu·sive [ə'bju:sɪv] ADJ *language* beleidigend; **become ~** ausfallend werden
a·bys·mal [ə'bɪʒml] ADJ *infml: very bad* grauenhaft, abgrundtief schlecht
a·byss [ə'bɪs] N Abgrund *m*
a/c, A/C *only written* ABBR *for* account Konto *n*
AC ['eɪsi:] ABBR *for* alternating current Wechselstrom *m*
ac·a·dem·ic [ækə'demɪk] **A** ADJ *year* akademisch; *person, interest* intellektuell; *studies* wissenschaftlich **B** N Akademiker(in) *m(f)*
a·cad·e·my [ə'kædəmɪ] N Akademie *f*
ac·cede [ək'si:d] V/I **~ to** *EU* beitreten
ac·ce·ding coun·try [əksi:dɪŋ'kʌntrɪ] N *to the EU* Beitrittsland *n*
ac·cel·e·rate [ək'seləreɪt] **A** V/I beschleunigen **B** V/T *production* erhöhen
ac·cel·e·ra·tion [əkselə'reɪʃn] N *of car* Beschleunigung *f*
ac·cel·e·ra·tor [əkselə'reɪtə(r)] N *in car* Gaspedal *n*
ac·cent ['æksənt] N *regional, above letter* Akzent *m*; *on syllable* Betonung *f*
ac·cen·tu·a·te [ək'sentjʊeɪt] V/T betonen
ac·cept [ək'sept] **A** V/T *offer, gift* annehmen; *behaviour, fate* hinnehmen; *new colleague* akzeptieren **B** V/I zusagen
ac·cep·ta·ble [ək'septəbl] ADJ akzeptabel; *quality, performance a.* annehmbar; *behaviour a.* hinnehmbar
ac·cept·ance [ək'septəns] N *of offer* Annahme *f*; *of behaviour, fate* Hinnahme *f*; *of person* Akzeptierung *f*
ac·cess ['ækses] **A** N *to information* Zugang *m*; *to building a.* Zutritt *m*; IT Zugriff *m*; **have ~ to one's children** Besuchsrecht für s-e Kinder haben; **do you have ~ to a computer?** hast du die Möglichkeit, e-n Computer zu benutzen? **B** V/T IT zugreifen auf; *information* Zugang haben zu
ac·ces·si·ble [ək'sesəbl] ADJ zugänglich
ac·ces·sion [ək'seʃn] N *to EU* Beitritt *m*
ac'ces·sion coun·try N *to the EU* Beitrittsland *n* **ac·ces·sion cri'te·ri·a** N *pl EU* Beitrittskriterien *pl* **ac'ces·sion trea·ty** N *EU* Beitrittsvertrag *m*
ac·ces·so·ry [ək'sesərɪ] N *jewellery* Accessoire *n*; **be an ~ to a crime** JUR sich der Beihilfe zu e-m Verbrechen schuldig machen
'ac·cess road N Zufahrt(sstraße) *f*
'ac·cess time N IT Zugriffszeit *f*
ac·ci·dent ['æksɪdənt] N Unfall *m*; **by ~** *unintentionally* versehentlich, aus Versehen; *by chance* durch Zufall, zufällig
ac·ci·den·tal [æksɪ'dentl] ADJ *unintentional* versehentlich; *unplanned* zufällig
ac·ci·den·tal·ly [æksɪ'dentlɪ] ADV *unintentionally* versehentlich; *by chance* zufällig

ac·ci·dent-prone ['æksɪdentprəʊn] ADJ tollpatschig
ac·claim [ə'kleɪm] **A** N Anerkennung *f* **B** V/T *of critics* feiern
ac·cli·mate [ə'klaɪmət], **ac·cli·ma·tize** [ə'klaɪmətaɪz] V/I sich gewöhnen (**to** an); **have you acclimatized yet?** hast du dich schon akklimatisiert *or* eingewöhnt?
ac·com·mo·date [ə'kɒmədeɪt] V/T *provide lodging for* unterbringen; *have room for* Platz bieten für; *needs* berücksichtigen
ac·com·mo·da·tion [əkɒmə'deɪʃn] N Unterkunft *f*
ac·com·pa·ny [ə'kʌmpənɪ] V/T ⟨-ied⟩ *a.* MUS begleiten
ac·com·plice [ə'kʌmplɪs] N Komplize *m*, Komplizin *f*
ac·com·plish [ə'kʌmplɪʃ] V/T *achieve* erreichen; *task, undertaking* vollbringen, erledigen
ac·com·plished [ə'kʌmplɪʃt] ADJ *musician etc* vollendet
ac·com·plish·ment [ə'kʌmplɪʃmənt] N *achievement* Leistung *f*; *talent* Fähigkeit *f*; *of task* Vollendung *f*
ac·cord [ə'kɔ:d] N Übereinstimmung *f*; **of one's own ~** freiwillig
ac·cord·ance [ə'kɔ:dəns] N **in ~ with** entsprechend
ac·cord·ing [ə'kɔ:dɪŋ] ADV **~ to** laut
ac·cord·ing·ly [ə'kɔ:dɪŋlɪ] ADV *as a consequence* folglich; *act, behave* (dem)entsprechend
ac·cost [ə'kɒst] V/T *approach* belästigen
ac·count [ə'kaʊnt] N *at bank* Konto *n* (**with** bei); *description* Darstellung *f*; **give an ~ of** berichten über, schildern; **on no ~** auf (gar) keinen Fall; **on my ~** meinetwegen, wegen mir; **on ~ of** wegen; **take sth into ~, take ~ of sth** etw in Betracht ziehen
♦**account for** V/T *explain, be source of* erklären; **it accounts for 30% of ...** das macht 30% der/des ... aus
ac·count·a·bil·i·ty [əkaʊntə'bɪlətɪ] N Verantwortlichkeit *f*
ac·count·a·ble [ə'kaʊntəbl] ADJ verantwortlich; **be held ~** verantwortlich gemacht werden
ac·count·ant [ə'kaʊntənt] N Buchhalter(in) *m(f)*
ac'count hold·er N Kontoinhaber(in) *m(f)*
ac·count·ing [ə'kaʊntɪŋ] N Buchführung *f*
ac'count·ing pe·ri·od N Abrechnungszeitraum *m*
ac'count num·ber N Kontonummer *f*
ac·counts [ə'kaʊnts] N *pl* Buchhaltung *f*; **the ~ are wrong** die Bücher stimmen nicht
ac'counts de·part·ment N Buchhaltung *f*
acct *only written* ABBR *for* account Konto *n*
ac·cu·mu·late [ə'kju:mjʊleɪt] **A** V/T *wealth* ansammeln; *evidence* sammeln **B** V/I *pressure* sich aufbauen; *dust, evidence* sich ansammeln
ac·cu·mu·la·tion [əkju:mjʊ'leɪʃn] N *of wealth* Ansammlung *f*
ac·cu·ra·cy ['ækjʊrəsɪ] N Genauigkeit *f*
ac·cu·rate ['ækjʊrət] ADJ genau
ac·cu·rate·ly ['ækjʊrətlɪ] ADV genau
ac·cu·sa·tion [ækju:'zeɪʃn] N Vorwurf *m*, Beschuldigung *f*
ac·cuse [ə'kju:z] V/T JUR anklagen (**of** wegen); **~ sb of sth** j-n e-r Sache beschuldigen; **he accused me of lying** er behauptete, dass ich log
ac·cused [ə'kju:zd] N JUR **the ~** der *or* die Angeklagte; die Angeklagten *pl*
ac·cus·ing [ə'kju:zɪŋ] ADJ *look* vorwurfsvoll
ac·cus·tom [ə'kʌstəm] V/T **get accustomed to** sich gewöhnen an; **be accustomed to** gewöhnt sein an
ace [eɪs] N *in card game, in tennis* Ass *n*; **have an ~ up one's sleeve** noch e-n Trumpf im Ärmel haben
ache [eɪk] **A** N Schmerz *m* **B** V/I wehtun
a·chieve [ə'tʃi:v] V/T *aim* erreichen; *deed* vollbringen; *success* erzielen
a·chieve·ment [ə'tʃi:vmənt] N *of aim* Erreichen *n*; *achieved aim* Leistung *f*; **that's quite an ~** das ist schon was (Besonderes)
ac·id ['æsɪd] **A** N Säure *f* **B** ADJ *taste* sauer; *comment* bissig
a·cid·i·ty [ə'sɪdətɪ] N Säuregehalt *m*
ac·id 'rain N saurer Regen
'ac·id test N *fig* Feuerprobe *f*
ac·knowl·edge [ək'nɒlɪdʒ] V/T *mistake*

zugeben; *achievement, authority* anerkennen; *receipt of letter* bestätigen
ac·knowl·edg(e)·ment [ək'nɒlɪdʒmənt] N *of achievement* Anerkennung *f*; *of letter, receipt* Empfangsbestätigung *f*
ac·ne ['æknɪ] N MED Akne *f*
a·cous·tics [ə'ku:stɪks] N *pl* Akustik *f*
ACP [eɪsi:'pi:] ABBR *for* Africa, Caribbean and Pacific AKP
AC'P coun·try N AKP-Staat *m*
ac·quaint [ə'kweɪnt] V/T **be acquainted with** *formal* bekannt sein mit; *text, poem* vertraut sein mit
ac·quaint·ance [ə'kweɪntəns] N *person* Bekannte(r) *m/f(m)*; **make sb's ~** j-s Bekanntschaft machen
ac·qui·esce [ækwɪ'es] V/I *formal* einwilligen
ac·quire [ə'kwaɪə(r)] V/T erwerben, sich aneignen
ac·qui·si·tion [ækwɪ'zɪʃn] N *of wealth, power* Erwerb *m*; *acquired object* Anschaffung *f*
ac·quis·i·tive [æ'kwɪzətɪv] ADJ habgierig
ac·quit [ə'kwɪt] V/T ⟨-tt-⟩ JUR freisprechen (**of** von)
ac·quit·tal [ə'kwɪtl] N JUR Freispruch *m*
a·cre ['eɪkə(r)] N *Flächenmaß, 4047m²*
ac·rid ['ækrɪd] ADJ *smoke* beißend; *smell* säuerlich
ac·ri·mo·ni·ous [ækrɪ'məʊnɪəs] ADJ erbittert
ac·ro·bat·ic [ækrə'bætɪk] ADJ akrobatisch
a·cross [ə'krɒs] **A** PREP über; **~ Britain** *travel* quer durch Großbritannien; **(all) ~ Britain** überall in Großbritannien; **~ the street** gegenüber **B** ADV hinüber; herüber; drüben; **10 m ~** 10 m breit; **3 ~** *in crossword* 3 waagerecht
act [ækt] **A** V/I *behave* sich verhalten, sich benehmen; *take action* handeln; THEAT *etc* Schauspieler(in) sein; *actor* spielen; *pretend* schauspielern; **~ in a play/film** in e-m Theaterstück/Film mitspielen; **~ as** fungieren als **B** N *deed* Tat *f*; *of play* Akt *m*; *in circus* Nummer *f*; *pretence* Schau *f*; *law* Gesetz *n*; **~ of God** höhere Gewalt; **it's all a big ~ with him** er spielt nur Theater, er macht uns/ihnen nur etwas vor
act·ing ['æktɪŋ] **A** ADJ *manager* stellvertretend **B** N *career* Schauspielerei *f*; **the ~ was wonderful** die Schauspieler haben wunderbar gespielt; **go into ~** Schauspieler(in) werden
ac·tion ['ækʃn] N *of film, novel* Handlung *f*; *of person* Handeln *n*; **out of ~** *machine* außer Betrieb; **take ~** Schritte unternehmen; **put sth into ~** etw in die Tat umsetzen; **bring an ~ against** JUR e-e Klage anstrengen gegen
ac·tion 're·play N TV Wiederholung *f*
ac·ti·vate ['æktɪveɪt] V/T aktivieren
ac·tive ['æktɪv] ADJ *a.* LING aktiv
ac·tiv·ist ['æktɪvɪst] N POL Aktivist(in) *m(f)*
ac·tiv·i·ty [æk'tɪvətɪ] N Aktivität *f*; *in street, on stock market a.* Geschäftigkeit *f*; *pastime* Beschäftigung *f*, Betätigung *f*
ac'tiv·i·ty hol·i·day N Aktivurlaub *m*
ac·tor ['æktə(r)] N Schauspieler *m*
ac·tress ['æktrɪs] N Schauspielerin *f*
ac·tu·al ['æktʃʊəl] ADJ eigentlich
ac·tu·al·ly ['æktʃʊəlɪ] ADV eigentlich; *expressing surprise* tatsächlich; **~ I do like it** *emphasizing the opposite* doch, ich mag es
ac·tu·ar·y ['æktʃʊərɪ] N ECON Aktuar(in) *m(f)*
a·cute [ə'kju:t] ADJ *pain* akut, intensiv; *sense of smell* fein; *embarrassment* riesig
a·cute·ly [ə'kju:tlɪ] ADV *extremely* äußerst
ad [æd] N → advertisement
ad·a·mant ['ædəmənt] ADJ **be ~ that ...** darauf bestehen, dass…
a·dapt [ə'dæpt] **A** V/T anpassen; *for the stage etc* bearbeiten; *machine* umstellen (**to** auf) **B** V/I *person* sich anpassen (**to** *dat*, an)
a·dapt·a·bil·i·ty [ədæptə'bɪlətɪ] N Anpassungsfähigkeit *f*
a·dapt·a·ble [ə'dæptəbl] ADJ *person, plant* anpassungsfähig; *vehicle* vielseitig
a·dap·ta·tion [ædæp'teɪʃn] N *of play etc* Bearbeitung *f*
a·dapt·er [ə'dæptə(r)] N ELEC Adapter *m*
add [æd] **A** V/T *ingredients, to collection* hinzufügen; MATH addieren **B** V/I *person* rechnen
♦**add on** V/T *15% etc* dazurechnen
♦**add up** **A** V/T zusammenzählen **B** V/I *make sense* stimmen; **it just doesn't**

add up das kommt einfach nicht hin
ad·dict ['ædɪkt] N Süchtige(r) *m/f(m)*; **be a TV ~** fernsehsüchtig sein
ad·dic·ted [ə'dɪktɪd] ADJ süchtig; **be ~ to sth** *a. fig* nach etw süchtig sein
ad·dic·tion [ə'dɪkʃn] N Sucht *f*
ad·dic·tive [ə'dɪktɪv] ADJ **be ~** süchtig machen
ad·di·tion [ə'dɪʃn] N Hinzufügen *n*; MATH Addition *f*; *to family, collection* Erweiterung *f* (**to** *gen*); **in ~** außerdem; **in ~ to** zusätzlich zu
ad·di·tion·al [ə'dɪʃnl] ADJ zusätzlich
ad·di·tive ['ædɪtɪv] N Zusatz *m*
add-on ['ædɒn] N Ergänzung *f*, Zusatz *m*
ad·dress [ə'dres] **A** N *on letter etc* Adresse *f*, Anschrift *f*; **form of ~** Form *f* der Anrede **B** V/T *letter* adressieren; *audience* sprechen zu; *person* anreden; *problem* angehen
ad'dress book N Adressbuch *n*
ad·dress·ee [ædre'siː] N Empfänger(in) *m(f)*
a·dept [æ'dept] ADJ geschickt; **be ~ at** ein Talent haben für
ad·e·quate ['ædɪkwət] ADJ *supplies, quality, performance* ausreichend; **that's more than ~** das ist mehr als genug
ad·e·quate·ly ['ædɪkwətlɪ] ADV *fed* ausreichend; *paid* angemessen; *dressed* warm genug
♦**adhere to** [əd'hɪə(r)] V/T *rules* sich halten an; *surface* kleben an; *principles* festhalten an
ad·her·ent [əd'hɪərənt] N Anhänger(in) *m(f)*
ad·he·sive [əd'hiːsɪv] N Klebstoff *m*
ad·he·sive 'tape N Klebestreifen *m*
ad·ja·cent [ə'dʒeɪsnt] ADJ angrenzend
ad·jec·tive ['ædʒɪktɪv] N Adjektiv *n*
ad·join [ə'dʒɔɪn] V/T grenzen an
ad·join·ing [ə'dʒɔɪnɪŋ] ADJ *rooms* nebeneinanderliegend; **the ~ room** das Zimmer nebenan
ad·journ [ə'dʒɜːn] V/I *law court* sich vertagen
ad·journ·ment [ə'dʒɜːnmənt] N Unterbrechung *f*
ad·just [ə'dʒʌst] **A** V/T *machine, speed, volume* einstellen; *jacket etc* ändern; *behaviour* anpassen (**to** an); *carburettor etc* nachstellen **B** V/I *person* sich einstellen (**to** auf), sich anpassen (**to** an)
ad·just·a·ble [ə'dʒʌstəbl] ADJ *tool* verstellbar; *temperature* regulierbar
ad·just·ment [ə'dʒʌstmənt] N *of device* Einstellung *f*; *to jacket etc* Änderung *f*; *psychological* Umstellung *f* (**to** auf); *to situation* Anpassung *f* (**to** an)
ad lib [æd'lɪb] **A** ADJ improvisiert **B** ADV aus dem Stegreif **C** V/I <-bb-> improvisieren
ad·min·is·ter [əd'mɪnɪstə(r)] V/T *medicine* verabreichen; *company, country* verwalten
ad·min·is·tra·tion [ədmɪnɪ'streɪʃn] N *of company, institution* Verwaltung *f*; *administrative work* Verwaltungsarbeit *f*; **the Obama ~** die Regierung Obama; **go into ~** *company* unter Insolvenzverwaltung gestellt werden
ad·min·is·tra·tive [əd'mɪnɪstrətɪv] ADJ Verwaltungs-
ad·min·is·tra·tor [əd'mɪnɪstreɪtə(r)] N Verwalter(in) *m(f)*; *in case of insolvency* Insolvenzverwalter(in) *m(f)*
ad·mi·ra·ble ['ædmərəbl] ADJ *worthy of admiration* bewundernswert; *excellent* ausgezeichnet
ad·mi·ra·bly ['ædmərəblɪ] ADV *behave* vorbildlich
ad·mi·ra·tion [ædmə'reɪʃn] N Bewunderung *f*
ad·mire [əd'maɪə(r)] V/T bewundern
ad·mir·er [əd'maɪərə(r)] N Verehrer(in) *m(f)*
ad·mir·ing [əd'maɪərɪŋ] ADJ bewundernd
ad·mis·si·ble [əd'mɪsəbl] ADJ zulässig
ad·mis·sion [əd'mɪʃn] N *confession* Eingeständnis *n*; *entrance* Einlass *m*; *of new member* Aufnahme *f*; *to university* Zulassung *f*; **~ free** Eintritt frei
ad'mis·sion charge N Eintrittspreis *m*
ad·mit [əd'mɪt] V/T <-tt-> *mistake* (ein)gestehen, zugeben; *accept* zugeben; *to school, club* aufnehmen (**to** in); *to university* zulassen (**to** zu); *in disco, museum* hineinlassen (**to** in); **be admitted to hospital** ins Krankenhaus eingeliefert werden
ad·mit·tance [əd'mɪtəns] N Zutritt *m*; **no ~** Zutritt verboten
ad·mit·ted·ly [əd'mɪtedlɪ] ADV zugegebenermaßen

a·do [ə'duː] N **without further ~** ohne weiteres Trara
ad·o·les·cence [ædə'lesns] N Jugend *f*; *sexual maturity* Pubertät *f*
ad·o·les·cent [ædə'lesnt] **A** ADJ pubertär; *love* jugendlich **B** N Jugendliche(r) *m/f(m)*
a·dopt [ə'dɒpt] V/T *child* adoptieren; *plan, policy* annehmen; **be adopted** ein Adoptivkind sein
a·dop·tion [ə'dɒpʃn] N *of child* Adoption *f*; *of plan, policy* Annahme *f*
a·dop·tive par·ents [ədɒptɪv'peərənts] N *pl* Adoptiveltern *pl*
a·dor·a·ble [ə'dɔːrəbl] ADJ bezaubernd, hinreißend
ad·o·ra·tion [ædə'reɪʃn] N REL Anbetung *f*; *fig* grenzenlose Liebe
a·dore [ə'dɔː(r)] V/T REL, *a. fig* anbeten; *chocolate, city* (über alles) lieben
a·dor·ing [ə'dɔːrɪŋ] ADJ *expression* bewundernd; **his ~ fans** s-e ihn anbetenden Fans
a·dorn [ə'dɔːn] V/T schmücken, zieren
ad·ren·al·in [ə'drenəlɪn] N Adrenalin *n*; **rush of ~** Adrenalinstoß *m*
a·drift [ə'drɪft] ADJ **be ~** treiben; *fig* sich ziellos treiben lassen; **come ~** *piece of wire etc* lose sein; *plan* ins Wanken geraten
a·dult ['ædʌlt] **A** ADJ erwachsen **B** N Erwachsene(r) *m/f(m)*
a·dult ed·u'ca·tion N Erwachsenenbildung *f*
a·dul·ter·ate [ə'dʌltəreɪt] V/T verfälschen; *wine* panschen
a·dul·ter·ous [ə'dʌltərəs] ADJ *relationship* ehebrecherisch
a·dul·ter·y [ə'dʌltərɪ] N Ehebruch *m*
a·dult 'film N *euph* Pornofilm *m*
ad·vance [əd'vaːns] **A** N *money* Vorschuss *m*; *in science etc* Fortschritt *m*; MIL Vormarsch *m*; **in ~** im Voraus; **make advances** *in science etc* Fortschritte machen; *sexually* Annäherungsversuche machen **B** V/I MIL vorrücken; *science, society* sich weiterentwickeln **C** V/T *theory* vertreten, vorbringen; *money* vorstrecken; *human knowledge etc* vorantreiben
ad·vance 'book·ing N Reservierung *f*
ad·vanced [əd'vaːnst] ADJ *country* (hoch) entwickelt; *level, learner* fortgeschritten
ad·vance·ment [əd'vaːnsmənt] N *of science etc* Förderung *f*; **personal ~** persönliche Weiterentwicklung
ad·vance 'no·tice N Vorwarnung *f*; **give sb ~ of sth** j-n im Voraus von etw in Kenntnis setzen
ad·vance 'pay·ment N Vorauszahlung *f*
ad·van·tage [əd'vaːntɪdʒ] N Vorteil *m*; **it's to your ~** das ist zu deinem Vorteil; **take ~ of** (aus)nutzen
ad·van·ta·geous [ædvən'teɪdʒəs] ADJ vorteilhaft
ad·vent ['ædvent] N Aufkommen *n*
'ad·vent cal·en·dar N Adventskalender *m*
ad·ven·ture [əd'ventʃə(r)] N Abenteuer *n*
ad·ven·tur·ous [əd'ventʃərəs] ADJ abenteuerlustig; *journey* abenteuerlich; *plan* gewagt; **that was quite ~ of you** das war sehr mutig von dir
ad·verb ['ædvɜːb] N Adverb *n*, Umstandswort *n*
ad·ver·sa·ry ['ædvəsərɪ] N Gegner(in) *m(f)*
ad·verse ['ædvɜːs] ADJ ungünstig; *comment* negativ
ad·vert ['ædvɜːt] N → advertisement
ad·ver·tise ['ædvətaɪz] **A** V/T *job* ausschreiben; *product* werben für **B** V/I *in newspaper* annoncieren, inserieren
ad·ver·tise·ment [əd'vɜːtɪsmənt] N *for job* Anzeige *f*, Inserat *n*; *for product* Werbung *f*
ad·ver·tis·er ['ædvətaɪzə(r)] N *in newspaper* Inserent(in) *m(f)*
ad·ver·tis·ing ['ædvətaɪzɪŋ] N Werbung *f*
'ad·ver·tis·ing a·gen·cy N Werbeagentur *f* **'ad·ver·tis·ing budg·et** N Werbeetat *m* **'ad·ver·tis·ing cam·paign** N Werbekampagne *f* **'ad·ver·tis·ing rev·e·nue** N Werbeeinnahmen *pl* **'ad·ver·tis·ing slo·gan** N Werbeslogan *m*
ad·vice [əd'vaɪs] N *no pl* Rat(schlag) *m*; **take sb's ~** auf j-n hören, j-s Rat annehmen; **a piece of ~** ein Ratschlag; **that's good ~** das sind gute Ratschläge
ad·vis·a·ble [əd'vaɪzəbl] ADJ ratsam
ad·vise [əd'vaɪz] V/T *person* beraten; *care,*

restraint raten zu; **~ sb to do sth** j-m raten, etw zu tun; **~ sb against sth** j-m von etw abraten
ad·vis·er [əd'vaɪzə(r)] N Berater(in) *m(f)*
ad·vi·so·ry [əd'vaɪzərɪ] ADJ beratend
ad·vo·cate ['ædvəkeɪt] V/T befürworten
aer·i·al ['eərɪəl] N Antenne *f*
aer·i·al 'pho·to·graph N Luftaufnahme *f*
aer·o·bics [eə'rəʊbɪks] N *sg* Aerobic *n*
aer·o·dy·nam·ic [eərəʊdaɪ'næmɪk] ADJ aerodynamisch
aer·o·nau·ti·cal [eərə'nɔːtɪkl] ADJ Luftfahrt-
aer·o·plane ['eərəpleɪn] N Flugzeug *n*
aer·o·sol ['eərəsɒl] N *container* Spraydose *f*
aer·o·space in·dus·try ['eərəspeɪs] N Luft- und Raumfahrtindustrie *f*
aes·thet·ic [iːs'θetɪk] ADJ ästhetisch
af·fa·ble ['æfəbl] ADJ freundlich
af·fair [ə'feə(r)] N *thing* Angelegenheit *f*; *scandalous* Affäre *f*; *relationship* Verhältnis *n*, Affäre *f*; **foreign affairs** *pl* Außenpolitik *f*
af·fect [ə'fekt] V/T MED angreifen; *influence* beeinflussen; *concern* betreffen
af·fec·tion [ə'fekʃn] N Zuneigung *f*
af·fec·tion·ate [ə'fekʃnət] ADJ liebevoll, zärtlich
af·fil·i·a·ted [ə'fɪlɪeɪtɪd] ADJ angegliedert, angeschlossen; **~ company** Schwesterfirma *f*
af·fin·i·ty [ə'fɪnətɪ] N Affinität *f*; *relationship* Verwandtschaft *f*
af·fir·ma·tive [ə'fɜːmətɪv] **A** ADJ bejahend **B** N **answer in the ~** (etw) bejahen
af·flict [ə'flɪkt] V/T *plague* plagen; **be afflicted with** leiden an
af·flu·ence ['æflʊəns] N Wohlstand *m*
af·flu·ent ['æflʊənt] ADJ wohlhabend; **~ society** Wohlstandsgesellschaft *m*
af·ford [ə'fɔːd] V/T **I can ~ it** ich kann es mir leisten; **be able to ~ sth** sich etw leisten können; **I can't ~ the time** ich habe (einfach) nicht die Zeit dafür
af·ford·a·ble [ə'fɔːdəbl] ADJ bezahlbar
af·front [ə'frʌnt] N Beleidigung *f*
a·float [ə'fləʊt] ADJ **be ~** schwimmen; **keep sb/sth ~** j-n/etw über Wasser halten
a·fraid [ə'freɪd] ADJ **be ~** Angst haben (**of** vor); **I'm ~ he's very ill** leider ist er sehr krank; **I'm ~ so** ich (be)fürchte ja, leider ja; **I'm ~ not** ich (be)fürchte nein, leider nicht
a·fresh [ə'freʃ] ADV (noch einmal) von vorn
Af·ri·ca ['æfrɪkə] N Afrika *n*
Af·ri·can ['æfrɪkən] **A** ADJ afrikanisch **B** N Afrikaner(in) *m(f)*
AFSJ [eɪefes'dʒeɪ] ABBR *for* Area of Freedom, Security and Justice *EU* RFSR, Raum *m* der Freiheit, der Sicherheit und des Rechts
af·ter ['ɑːftə(r)] **A** PREP nach; **~ all** immerhin, schließlich; **be ~ sb** hinter j-m her sein; **~ that** danach **B** ADV danach, hinterher **C** CJ nachdem
'af·ter·ef·fect N MED Nachwirkung *f*; *fig a.* Folge *f*
af·ter·math ['ɑːftəmɑːθ] N Nachwirkungen *pl*; **in the ~ of** nach
af·ter·noon [ɑːftə'nuːn] N Nachmittag *m*; **this ~** heute Nachmittag; **good ~** *formal* guten Tag
'af·ter sales serv·ice N Kundendienst *m* **'af·ter·shave** N Rasierwasser *n* **'af·ter·shock** N Nachbeben *n* **'af·ter·taste** N Nachgeschmack *m*
af·ter·wards ['ɑːftəwədz] ADV danach, nachher
a·gain [ə'geɪn] ADV wieder; **~ and ~** immer wieder; **say that ~** sag das noch (ein)mal; **but then ~, ...** aber andererseits ...
a·gainst [ə'geɪnst] PREP gegen; **it was leaning ~ the fence** es lehnte am Zaun; **~ the law** illegal; **as ~** verglichen mit
age [eɪdʒ] N **A** N *of person, object* Alter *n*; *period* Zeitalter *n*, Zeit *f*; **at the ~ of** im Alter von; **under ~** minderjährig; **he's ten years of ~** er ist zehn Jahre alt; **for ages** *infml* seit Ewigkeiten **B** V/I *person* altern, alt werden; *cheese, wine* reifen
aged[1] [eɪdʒd] ADJ **be ~ 16** 16 Jahre alt sein; **a boy ~ 16** ein 16-jähriger Junge
aged[2] ['eɪdʒɪd] **A** ADJ **her ~ parents** ihre alten Eltern **B** N *pl* **the ~** alte Menschen
'age group N Altersgruppe *f*
age·ism ['eɪdʒɪzm] N Altersdiskriminierung *f*
'age lim·it N Altersgrenze *f*
a·gen·cy ['eɪdʒənsɪ] N Agentur *f*

a·gen·da [ə'dʒendə] N Tagesordnung *f*; **be on the ~** auf der Tagesordnung stehen; *fig* auf dem Programm stehen
a·gent ['eɪdʒənt] N ECON Vertreter(in) *m(f)*
ag·gra·vate ['ægrəveɪt] V/T *situation* verschlimmern; *person* verärgern
ag·gres·sion [ə'greʃn] N Aggression *f*
ag·gres·sive [ə'gresɪv] ADJ aggressiv
ag·gres·sive·ly [ə'gresɪvlɪ] ADV aggressiv
ag·grieved [ə'gri:vd] ADJ verletzt, gekränkt
ag·gro ['ægrəʊ] N *sl* Ärger *m*, Stunk *m*
a·ghast [ə'gɑ:st] ADJ entgeistert
ag·ile ['ædʒaɪl] ADJ beweglich
a·gil·i·ty [ə'dʒɪlətɪ] N Beweglichkeit *f*
ag·i·tate ['ædʒɪteɪt] V/I **~ for** agitieren für
ag·i·tat·ed ['ædʒɪteɪtɪd] ADJ aufgeregt, erregt
ag·i·ta·tion [ædʒɪ'teɪʃn] N Aufruhr *m*
ag·i·ta·tor ['ædʒɪteɪtə(r)] N Agitator(in) *m(f)*
AGM [eɪdʒi:'em] ABBR *for* annual general meeting Jahreshauptversammlung *f*
a·go [ə'gəʊ] ADV **2 days ~** vor 2 Tagen; **long ~** vor langer Zeit; **how long ~ was that?** wie lange ist das her?; **not long ~** (erst) vor Kurzem
ag·o·nize ['ægənaɪz] V/I sich herumquälen (**over** mit); **~ over** sich den Kopf zerbrechen über
ag·o·niz·ing ['ægənaɪzɪŋ] ADJ quälend
ag·o·ny ['ægənɪ] N Qual *f*; **he was in ~** er hatte sehr starke Schmerzen; **it's ~** es tut wahnsinnig weh
a·gra·ri·an po·li·cy [əgreərɪən'pɒlɪsɪ] N Agrarpolitik *f*
a·gree [ə'gri:] **A** V/I *to proposal, plan etc* zustimmen (**to, with** *dat*); *group* übereinstimmen, sich einig sein; **~ on sth** sich auf etw einigen; **I ~** der Meinung bin ich auch, ich stimme zu; **I don't ~** da bin ich anderer Meinung; **agreed!** einverstanden!; **it doesn't ~ with me** *food* das vertrage ich nicht **B** V/T *price* vereinbaren; **~ to do sth** sich (dazu) bereit erklären, etw zu tun; **I ~ that something should be done** ich bin auch der Meinung, dass etwas getan werden muss
a·gree·a·ble [ə'gri:əbl] ADJ *pleasant* angenehm; **be ~** *in agreement* einverstanden sein
a·gree·ment [ə'gri:mənt] N Zustimmung *f*; *treaty, contract etc* Abkommen *n*, Vereinbarung *f*; **reach ~ on sth** zu e-r Einigung über etw kommen; **be in ~** e-r Meinung sein
ag·ri·cul·tur·al [ægrɪ'kʌltʃərəl] ADJ landwirtschaftlich; *country, policy* Agrar-; **~ worker** Landarbeiter(in) *m(f)*; **~ policy** Agrarpolitik *f*
ag·ri·cul·ture ['ægrɪkʌltʃə(r)] N Landwirtschaft *f*
a·head [ə'hed] ADV **be ~** *in competition, race* führen, vorne liegen; **be ~ of sb** vor j-m sein; **look straight ~** nach vorne sehen; **go straight ~** geradeaus gehen; **plan ~** vorausplanen
aid [eɪd] N **A** N Hilfe *f*; *for other countries* Entwicklungshilfe *f*; **come to sb's ~** j-m zu Hilfe kommen **B** V/T helfen
'aid a·gen·cy N Hilfsorganisation *f*
aide [eɪd] N Berater(in) *m(f)*
Aids [eɪdz] N *sg* Aids *n*
'Aids victim N Aidskranke(r) *m/f(m)*
ail·ing ['eɪlɪŋ] ADJ *person* kränklich; *economy* kränkelnd
ail·ment ['eɪlmənt] N Leiden *n*
aim [eɪm] **A** N *goal* Ziel *n*, Absicht *f*; **take ~ (at sth)** *with gun etc* (auf etw) zielen **B** V/I *with gun etc* zielen (**at** auf); **~ at doing sth, ~ to do sth** vorhaben, etw zu tun; **the goals we're aiming at** die Ziele, die wir erreichen wollen; **you should ~ higher** du solltest ehrgeiziger sein **C** V/T **be aimed at** *remark etc* gerichtet sein gegen, gemünzt sein auf; *gun* gerichtet sein auf
aim·less ['eɪmlɪs] ADJ ziellos
air [eə(r)] **A** N Luft *f*; **by ~** *travel* mit dem Flugzeug; *mail* mit Luftpost; **be on the ~** RADIO, TV auf Sendung sein; *programme* gesendet werden; **B** V/T *room* (aus)lüften; *fig*: *opinion* äußern
'air·bag N Airbag *m* **'air·base** N Luftwaffenstützpunkt *m* **'air·borne** ADJ *troops* Luftlande-; *bacteria* in der Luft befindlich; **be ~** *plane* in der Luft sein **'air-con·di·tioned** ADJ klimatisiert **'air-con·di·tion·ing** N Klimaanlage *f* **'air·craft** N Flugzeug *n* **'air·craft car·ri·er** N Flugzeugträger *m* **'air fare** N Flugpreis *m* **'air·field** N Flugplatz *m* **'air force** N Luftwaffe *f* **'air**

freight N Luftfracht *f* **'air host·ess** N Stewardess *f* **'air·lift** A N Luftbrücke *f* B V/T *into a country* einfliegen; *out of a country* ausfliegen **'air·line** N Fluggesellschaft *f* **'air·lin·er** N Verkehrsflugzeug *n* **'air·mail** N **by ~** mit Luftpost **'air·plane** N *US* Flugzeug *n* **'air pol·lu·tion** N Luftverschmutzung *f* **'air·port** N Flughafen *m* **'air raid** N Luftangriff *m* **'air-raid shel·ter** N Luftschutzraum *m* **'air·space** N Luftraum *m* **'air-strip** N (behelfsmäßige) Start- und Landebahn *f* **'air-tight** ADJ *container* luftdicht **'air-traf·fic con·trol** N Flugsicherung *f* **air-traf·fic con'trol·ler** N Fluglotse *m*, -lotsin *f* **'air·wor·thy** ADJ flugtüchtig

air·y ['eərı] ADJ *room* luftig

aisle [aıl] N *in plane, theatre* Gang *m*

a·jar [ə'dʒɑː(r)] ADJ **be ~** angelehnt sein

a·kin [ə'kın] ADJ ähnlich (**to** *dat*)

a·larm [ə'lɑːm] A N Alarm *m*; *device* Alarmanlage *f*; *unease* Beunruhigung *f*; *clock* Wecker *m*; **raise the ~** Alarm schlagen B V/T beunruhigen, alarmieren

a'larm clock N Wecker *m*

a·larm·ing [ə'lɑːmıŋ] ADJ *news, situation* beunruhigend, alarmierend; **at an ~ rate** erschreckend schnell

a·larm·ing·ly [ə'lɑːmıŋlı] ADV erschreckend

Al·ba·ni·a [æl'beınıə] N Albanien *n*

Al·ba·ni·an [æl'beınıən] A ADJ albanisch B N *language* Albanisch *n*; *person* Albaner(in) *m(f)*

al·bum ['ælbəm] N *for photos*, MUS Album *n*

al·co·hol ['ælkəhɒl] N Alkohol *m*

al·co·hol·ic [ælkə'hɒlık] A ADJ *drink* alkoholisch B N Alkoholiker(in) *m(f)*

a·lert [ə'lɜːt] A ADJ *person* aufgeweckt, aufmerksam; *mind* scharf B N *signal* Alarm *m*; **be on the ~** *troops* einsatzbereit sein; *goalkeeper etc* wachsam sein C V/T warnen (**to** vor)

A-lev·el ['eılevl] N *dem Abitur entsprechende Prüfung in einem Fach*

al·i·bi ['æləbaı] N Alibi *n*

a·li·en ['eılıən] A ADJ fremd B N *from another country* Ausländer(in) *m(f)*; *from outer space* Außerirdische(r) *m/f(m)*

a·li·en·ate ['eılıəneıt] V/T befremden

a·light [ə'laıt] ADJ **be ~** brennen; **set ~** in Brand stecken

a·lign [ə'laın] V/T in e-e Linie bringen, ausrichten (**with** auf); **~ o.s. with a party** sich e-r Partei anschließen

a·like [ə'laık] A ADJ **be ~** ähnlich sein B ADV **old and young ~** Alt und Jung gleichermaßen

al·i·mo·ny ['ælımənı] N Unterhaltszahlung *f*

a·live [ə'laıv] ADJ **be ~** leben, am Leben sein

all [ɔːl] A ADJ alle, die ganzen; der/die/das ganze B PRON alles; alle *pl*; **for ~ I care** von mir aus; **for ~ I know** soweit ich weiß C ADV ganz, völlig; **~ at once** *suddenly* ganz plötzlich; *at the same time* alle gleichzeitig; **~ but** *except for* alle außer; *as good as* fast; **~ the better** umso besser; **~ over the world** überall auf der Welt; **not at ~!** ganz und gar nicht!; **that's not at ~ funny** das ist überhaupt nicht lustig; **two ~** SPORTS zwei zu zwei; **~ right** → alright

al·lay [ə'leı] V/T *fears* abbauen

al·le·ga·tion [ælı'geıʃn] N Behauptung *f*

al·lege [ə'ledʒ] V/T behaupten

al·leged [ə'ledʒd] ADJ angeblich

al·le·giance [ə'liːdʒəns] N Treue *f* (**to** zu)

al·ler·gic [ə'lɜːdʒık] ADJ allergisch (**to** gegen)

al·ler·gy ['ælədʒı] N Allergie *f*

al·le·vi·ate [ə'liːvıeıt] V/T lindern

al·ley ['ælı] N Gasse *f*

al·li·ance [ə'laıəns] N Bündnis *n*

al·lied ['ælaıd] ADJ MIL verbündet

Al·lies ['ælaız] N *pl* **the ~** die Alliierten *pl*

all-in·clu·sive 'of·fer N Pauschalangebot *n*

all-in·clu·sive 'price N Inklusivpreis *m*

al·lo·cate ['æləkeıt] V/T *tasks, money* zuteilen, vergeben; *seats* zuweisen

al·lo·ca·tion [ælə'keıʃn] N *of tasks, money* Zuteilung *f*, Vergabe *f*; *of cards* Verteilung *f*; *of seats* Zuweisung *f*; *portion allocated* Anteil *m*

al·lot [ə'lɒt] V/T ⟨-tt-⟩ *tasks, money* zuteilen, vergeben; *cards* verteilen

al·lot·ment [ə'lɒtmənt] N Schrebergarten *m*

al·low [ə'laʊ] VT erlauben; *time, amount* einplanen; **it's not allowed** das ist verboten
♦ **allow for** VT einkalkulieren
al·low·ance [ə'laʊəns] N *money* finanzielle Unterstützung; *for child, teenager* Taschengeld *n*; **make allowances for sth** etw berücksichtigen; **make allowances for sb** j-m Zugeständnisse machen
al·loy ['ælɔɪ] N Legierung *f*
'all-pur·pose ADJ Allzweck- **'all-round** ADJ vielseitig **all-'round·er** N Allroundtalent *n* **'all-time** ADJ **be at an ~ low** auf dem niedrigsten Stand aller Zeiten sein
♦ **al·lude to** [ə'lu:dtu:] VT anspielen auf
al·lur·ing [ə'lu:rɪŋ] ADJ verführerisch
al·lu·sion [ə'lu:ʒn] N Anspielung *f*
all-wheel 'drive N Allradantrieb *m*
al·ly ['ælaɪ] N Verbündete(r) *m/f(m)*
Al·might·y [ɔ:l'maɪtɪ] N **the ~** der Allmächtige
al·mond ['ɑ:mənd] N Mandel *f*
al·most ['ɔ:lməʊst] ADV fast
a·loft [ə'lɒft] ADV (hoch) oben
a·lone [ə'ləʊn] ADJ allein; **leave sb ~** j-n in Ruhe lassen; **leave sth ~** etw bleiben lassen
a·long [ə'lɒŋ] **A** PREP entlang **B** ADV **come/bring ~** mitkommen/mitbringen; **~ with** zusammen mit; **all ~** *the whole time* die ganze Zeit (über), von Anfang an
a·long·side [əlɒŋ'saɪd] PREP neben; *with verbs of motion* neben; **work ~ sb** Seite an Seite mit j-m arbeiten
a·loof [ə'lu:f] ADJ unnahbar; **remain ~** sich abseits halten
a·loud [ə'laʊd] ADV laut
al·pha·bet ['ælfəbet] N Alphabet *n*
al·pha·bet·i·cal [ælfə'betɪkl] ADJ alphabetisch
al·pine ['ælpaɪn] ADJ Alpen-; **~ skiing** Abfahrtslauf *m*, Alpinski *m*
Alps [ælps] N *pl* **the ~** *pl* die Alpen *pl*
al·read·y [ɔ:l'redɪ] ADV schon
al·right [ɔ:l'raɪt] ADJ **is it ~ to leave now?** *permitted* kann ich jetzt gehen?; **is the quality ~?** *acceptable* ist die Qualität in Ordnung?; **do I look ~?** sehe ich so gut aus?; **is he ~?** *unhurt* ist ihm etwas passiert?; **is the monitor ~?** *not broken* funktioniert der Monitor?; **~, I heard you!** schon gut, ich habe dich gehört!; **that's ~** *after thanks* gern geschehen; *after apology* schon gut, das macht nichts
Al·sace [æl'zæs] N das Elsass
al·so ['ɔ:lsəʊ] ADV auch
al·tar ['ɒltə(r)] N Altar *m*
al·ter ['ɒltə(r)] **A** VT ändern; *appearance* verändern **B** VI sich ändern; *appearance* sich verändern
al·ter·a·tion [ɒltə'reɪʃn] N Änderung *f*; *of appearance* Veränderung *f*
al·ter·nate **A** VI ['ɒltəneɪt] (sich) abwechseln **B** ADJ [ɒl'tɜ:nət] abwechselnd; **on ~ Mondays** jeden zweiten Montag
al·ter·nat·ing cur·rent [ɒltəneɪtɪŋ'kʌrənt] N Wechselstrom *m*
al·ter·na·tive [ɒl'tɜ:nətɪv] **A** ADJ Alternativ- **B** N Alternative *f*; **we had no ~ but to ...** uns blieb nichts anderes übrig, als ...
al·ter·na·tive 'en·er·gy N Alternativenergie *f*
al·ter·na·tive·ly [ɒl'tɜ:nətɪvlɪ] ADV oder aber
al·though [ɔ:l'ðəʊ] CJ obwohl, obgleich
al·ti·tude ['æltɪtju:d] N Höhe *f*
al·to·geth·er [ɔ:ltə'geðə(r)] ADV *completely* vollkommen; *in total* insgesamt
al·tru·is·tic [æltru:'ɪstɪk] ADJ altruistisch, selbstlos
a·lu·min·i·um [æljʊ'mɪnɪəm], **a·lu·min·um** [æ'lu:mɪnəm] *US* N Aluminium *n*
al·ways ['ɔ:lweɪz] ADV immer; **you can ~ change your mind** du kannst es dir jederzeit anders überlegen
a. m. [eɪ'em] ABBR *for* ante meridiem morgens, vormittags; **at 9 ~** um 9 Uhr (morgens)
a·mal·gam·ate [ə'mælgəmeɪt] VI *companies* fusionieren
a·mass [ə'mæs] VT anhäufen
am·a·teur ['æmətə(r)] N Amateur(in) *m(f)*; *pej* Dilettant(in) *m(f)*
am·a·teur·ish ['æmətərɪʃ] ADJ *pej* dilettantisch, amateurhaft
a·maze [ə'meɪz] VT erstaunen, in Erstaunen versetzen
a·mazed [ə'meɪzd] ADJ erstaunt; **you'll be ~** du wirst dich wundern
a·maze·ment [ə'meɪzmənt] N Erstaunen *n*

a·maz·ing [ə'meɪzɪŋ] ADJ *surprising* erstaunlich; *infml: very good* toll
a·maz·ing·ly [ə'meɪzɪŋlɪ] ADV erstaunlich
am·bas·sa·dor [æm'bæsədə(r)] N Botschafter(in) *m(f)*
am·ber ['æmbə(r)] N Bernstein *m*; **at ~** AUTO bei Gelb
am·bi·ence ['æmbɪəns] N Atmosphäre *f*
am·bi·gu·i·ty [æmbɪ'gju:ətɪ] N Zweideutigkeit *f*
am·big·u·ous [æm'bɪgjʊəs] ADJ zweideutig
am·bi·tion [æm'bɪʃn] N Ehrgeiz *m*; **it has always been my ~ to ...** ich wollte schon immer ...
am·bi·tious [æm'bɪʃəs] ADJ ehrgeizig
am·ble ['æmbl] VI schlendern
am·bu·lance ['æmbjʊləns] N Krankenwagen *m*
am·bush ['æmbʊʃ] **A** N Hinterhalt *m* **B** VT aus dem Hinterhalt überfallen
a·mend [ə'mend] VT abändern
a·mend·ment [ə'mendmənt] N Änderung *f*
a·mends [ə'mendz] N *pl* **make ~** es wiedergutmachen; **make ~ for sth** etw wiedergutmachen
a·men·i·ties [ə'mi:nətɪz] N *pl* Einrichtungen *pl*; *for leisure* Freizeiteinrichtungen *pl*; **the lack of ~ here** die hier mangelnde Infrastruktur
A·mer·i·ca [ə'merɪkə] N Amerika *n*
A·mer·i·can [ə'merɪkən] **A** ADJ amerikanisch **B** N Amerikaner(in) *m(f)*
A·mer·i·can·is·m [ə'merɪkənɪzəm] N Amerikanismus *m*
A·mer·i·can·ize [ə'merɪkənaɪz] VT amerikanisieren
a·mi·a·ble ['eɪmɪəbl] ADJ freundlich
a·mi·ca·ble ['æmɪkəbl] ADJ *conversation* freundschaftlich; *agreement, divorce* gütlich
a·mi·ca·bly ['æmɪkəblɪ] ADV in aller Freundschaft
a·mid(st) [ə'mɪd(st)] PREP inmitten, (mitten) in *or* unter
a·miss [ə'mɪs] ADJ verkehrt, falsch; **take sth ~** etw übel nehmen
am·mu·ni·tion [æmjʊ'nɪʃn] N *a. fig* Munition *f*
am·ne·sia [æm'ni:zɪə] N Amnesie *f*
am·nes·ty ['æmnəstɪ] N Amnestie *f*
a·mong(st) [ə'mʌŋ(st)] PREP unter; zwischen; **~ other things** unter anderem; **they were talking ~ themselves** sie redeten miteinander
a·mor·al [eɪ'mɒrəl] ADJ amoralisch
am·o·rous ['æmərəs] ADJ verliebt; **he was getting ~** *infml* er machte Annäherungsversuche
a·mount [ə'maʊnt] N Menge *f*; *of money* Betrag *m*
♦**amount to** VT *income etc* sich belaufen auf, betragen; *behaviour* hinauslaufen auf; **it does not ~ much** das ist nicht gerade viel; **he'll never ~ much** er wird es nie(mals) zu etwas bringen
am·phib·i·an [æm'fɪbɪən] N Amphibie *f*
am·ple ['æmpl] ADJ reichlich; *bosom* üppig
am·pli·fi·er ['æmplɪfaɪə(r)] N Verstärker *m*
am·pli·fy ['æmplɪfaɪ] VT ⟨-ied⟩ *music* verstärken
am·pu·tate ['æmpjʊteɪt] VT amputieren
Am·ster·dam [æmstə'dæm] N Amsterdam *n*
Am·ster·dam 'Trea·ty N *EU* Vertrag *m* von Amsterdam
a·muse [ə'mju:z] VT *cause to laugh* belustigen; *help pass the time* unterhalten; **be able to ~ o.s.** sich allein beschäftigen können; **they weren't very amused** sie waren nicht sehr erfreut
a·muse·ment [ə'mju:zmənt] N *joy* Vergnügen *n*; *for passing the time* Unterhaltung *f*; **amusements** *pl games* Unterhaltungsmöglichkeiten *pl*; **cause a lot of ~** große Heiterkeit hervorrufen; **to everyone's ~** zur allgemeinen Heiterkeit *or* Belustigung
a'muse·ment ar·cade N Spielhalle *f*
a'muse·ment park N Vergnügungspark *m*
a·mus·ing [ə'mju:zɪŋ] ADJ unterhaltsam, amüsant; **he didn't think that was very ~** er fand das nicht gerade lustig
an [ən] ART → a
an·ae·mi·a [ə'ni:mɪə] N Blutarmut *f*, Anämie *f*
an·aem·ic [ə'ni:mɪk] ADJ **be ~** an Blutarmut leiden

an·aes·thet·ic [ænəs'θetɪk] N Narkose *f*
an·aes·the·tist [ə'ni:sθətɪst] N Anästhesist(in) *m(f)*
a·nal·o·gy [ə'nælədʒɪ] N Analogie *f*
an·a·lyse ['ænəlaɪz] V/T analysieren, untersuchen; PSYCH psychoanalytisch behandeln
an·a·ly·sis [ə'næləsɪs] (*pl* **analyses** [ə'næləsi:z]) N Analyse *f*; *of substance a.* Untersuchung *f*; *of situation* Einschätzung *f*; PSYCH (Psycho)Analyse *f*
an·a·lyst ['ænəlɪst] N *economic, political* Experte *m*, Expertin *f*; PSYCH (Psycho)-Analytiker(in) *m(f)*
an·a·lyt·i·cal [ænə'lɪtɪkl] ADJ analytisch
an·a·lyze *US* → analyse
an·arch·y ['ænəkɪ] N Anarchie *f*
a·nat·o·my [ə'nætəmɪ] N Anatomie *f*
an·ces·tor ['ænsestə(r)] N Vorfahr(in) *m(f)*, Ahn(in) *m(f)*
an·chor ['æŋkə(r)] NAUT **A** N Anker *m* **B** V/I ankern
an·cient ['eɪnʃənt] ADJ (ur)alt; **~ Rome** das antike *or* alte Rom
an·cil·lar·y [æn'sɪlərɪ] ADJ Hilfs-
and [ənd, *stressed* ænd] CJ und; **it's getting smaller ~ smaller** es wird immer kleiner
an·ec·dote ['ænɪkdəʊt] N Anekdote *f*
a·ne·mi·a *etc US* → anaemia
an·es·thet·ic *etc US* → anaesthetic
an·gel ['eɪndʒl] N REL, *a. fig* Engel *m*
an·ger ['æŋgə(r)] **A** N Zorn *m* **B** V/T ärgern
an·gi·na [æn'dʒaɪnə] N Angina pectoris *f*
an·gle ['æŋgl] N Winkel *m*; **at an ~** schräg
♦**angle for** V/T angeln nach; **be angling for compliments** *fig* auf Komplimente aus sein
an·gler ['æŋglə(r)] N Angler(in) *m(f)*
An·gli·can ['æŋglɪkən] **A** ADJ anglikanisch **B** N Anglikaner(in) *m(f)*
an·gry ['æŋgrɪ] ADJ ⟨-ier, -iest⟩ verärgert; *furious* wütend, zornig (**with** auf)
an·guish ['æŋgwɪʃ] N *no pl* Qual *f*
an·gu·lar ['æŋgjʊlə(r)] ADJ *shape* eckig; *features* kantig
an·i·mal ['ænɪml] N Tier *n*
an·i·mal 'wel·fare N Tierschutz *m*
an·i·mat·ed ['ænɪmeɪtɪd] ADJ lebhaft
an·i·mat·ed car'toon N Zeichentrickfilm *m*
an·i·ma·tion [ænɪ'meɪʃn] N *liveliness* Lebhaftigkeit *f*; *cartoon* Animation *f*
an·i·mos·i·ty [ænɪ'mɒsətɪ] N Feindseligkeit *f*
An·ka·ra ['æŋkərə] N Ankara *n*
an·kle ['æŋkl] N Knöchel *m*
an·nex [ə'neks] V/T *country, area* annektieren
an·nexe ['æneks] N *building* Anbau *m*; *to document* Anhang *m*
an·ni·hi·late [ə'naɪəleɪt] V/T vernichten
an·ni·hi·la·tion [ənaɪə'leɪʃn] N Vernichtung *f*
an·ni·ver·sa·ry [ænɪ'vɜ:sərɪ] N Jahrestag *m*; **wedding ~** Hochzeitstag *m*
an·no·tate ['ænəteɪt] V/T kommentieren, mit Anmerkungen versehen
an·nounce [ə'naʊns] V/T ankündigen; *flight* aufrufen; *departure time* durchsagen
an·nounce·ment [ə'naʊnsmənt] N Ankündigung *f*; *at station etc* Ansage *f*, Durchsage *f*; *of birth, death* Anzeige *f*
an·nounc·er [ə'naʊnsə(r)] N TV, RADIO Ansager(in) *m(f)*
an·noy [ə'nɔɪ] V/T (ver)ärgern; **be annoyed about sth/with sb** sich über etw/j-n ärgern
an·noy·ance [ə'nɔɪəns] N *irritation* Ärger *m*; *cause of irritation* Ärgernis *n*
an·noy·ing [ə'nɔɪɪŋ] ADJ *situation, disturbance* ärgerlich; *person, matter* irritierend
an·nu·al ['ænjʊəl] ADJ *event* jährlich; *report, salary* Jahres-
an·nu·al ac'counts N *pl* ECON Jahresabschluss *m* **an·nu·al 'ba·lance sheet** N ECON Jahresbilanz *f* **an·nu·al gen·er·al 'meet·ing** N Jahreshauptversammlung *f*
an·nu·i·ty [ə'nju:ətɪ] N Jahresrente *f*
an·nul [ə'nʌl] V/T ⟨-ll-⟩ *marriage* annullieren, für ungültig erklären
an·nul·ment [ə'nʌlmənt] N Annullierung *f*
a·nom·a·lous [ə'nɒmələs] ADJ anomal
a·non·y·mous [ə'nɒnɪməs] ADJ anonym
an·o·rak ['ænəræk] N Anorak *m*; *pej sl* Fachidiot(in) *m(f)*
an·o·rex·i·a [ænə'reksɪə] N Magersucht

f
an·o·rex·ic [ænə'reksık] ADJ magersüchtig
an·oth·er [ə'nʌðə(r)] **A** ADJ *different* ein anderer, eine andere, ein anderes; *additional* noch ein(e); **let me put it ~ way** lass es mich anders sagen; **~ time** ein andermal **B** PRON *different* ein anderer, eine andere, ein anderes; *additional* noch eine(r, -s); **one ~** einander; **know one ~** sich kennen
an·swer ['ɑ:nsə(r)] **A** N Antwort *f* (**to** auf); *to a problem* Lösung *f* (**to** *gen*) **B** V/T *question, letter* beantworten; **~ the door** an die Tür gehen; **~ the telephone** ans Telefon gehen; **~ me!** antwortet mir!
♦**answer back** V/T & V/I widersprechen
♦**answer for** V/T *one's actions* die Verantwortung übernehmen für; *another person a.* sich verbürgen für
an·swer·a·ble ['ɑ:nsərəbl] ADJ verantwortlich; **be ~ to sb for sth** j-m gegenüber für etw verantwortlich sein
an·swer·ing ma·chine ['ɑ:nsərıŋ] N TEL Anrufbeantworter *m*
an·swer·phone ['ɑ:nsəfəʊn] N TEL Anrufbeantworter *m*
ant [ænt] N Ameise *f*
an·tag·o·nism [æn'tægənızm] N Feindseligkeit *f*
an·tag·o·nis·tic [æntægə'nıstık] ADJ feindselig
an·tag·o·nize [æn'tægənaız] V/T reizen, verärgern
Ant·arc·tic [ænt'ɑ:ktık] N **the ~** die Antarktis
an·te·na·tal [æntı'neıtl] ADJ pränatal
an·ten·na [æn'tenə] N ⟨*pl* antennae [æn'tenı]⟩ *of insect* Fühler *m*; *US: for television* Antenne *f*
an·them ['ænθəm] N Hymne *f*
an·ti·bi·ot·ic [æntıbaı'ɒtık] N Antibiotikum *n*
an·ti·bod·y ['æntıbɒdı] N Antikörper *m*
an·tic·i·pate [æn'tısıpeıt] V/T erwarten; *predict a.* voraussehen
an·tic·i·pa·tion [æntısı'peıʃn] N Erwartung *f*
an·ti·clock·wise [æntı'klɒkwaız] ADJ & ADV gegen den Uhrzeigersinn
an·ti·com·pe·ti·tive [æntıkəm'petıtıv] ADJ wettbewerbswidrig
an·tics ['æntıks] N *pl* Mätzchen *pl*
an·ti·dote ['æntıdəʊt] N Gegenmittel *n* (**for, to** gegen)
an·ti·freeze ['æntıfri:z] N Frostschutzmittel *n*
an·ti-glo·bal·ist [æntı'gləʊbəlıst], **anti-glo·bal·i·za·tion pro·test·er** [æntıgləʊbəlaı'zeıʃənprətestə(r)] N POL Globalisierungsgegner(in) *m(f)*
an·ti-nu·cle·ar [æntı'nju:klıə(r)] ADJ Anti-Atomkraft-; **~ protester** Kernkraftgegner(in) *m(f)*
an·tip·a·thy [æn'tıpəθı] N Abneigung *f*
an·ti·quat·ed ['æntıkweıtıd] ADJ antiquiert
an·tique [æn'ti:k] N Antiquität *f*
an·tiq·ui·ty [æn'tıkwətı] N Antike *f*, Altertum *n*
an·ti·sep·tic [æntı'septık] **A** ADJ antiseptisch **B** N Antiseptikum *n*
an·ti·so·cial [æntı'səʊʃl] ADJ *person* ungesellig; *behaviour* asozial; **be feeling ~** sich nicht nach Leuten fühlen
an·ti-trust law [æntı'trʌstlɔ:] N Kartellgesetz *n*
an·ti-vi·rus soft·ware [æntı'vaıərəs-sɒftweə(r)] N IT Antivirenprogramm *n*, Virenschutzprogramm *n*
ant·lers ['æntləz] N *pl* Geweih *n*
a·nus ['eınəs] N After *m*
anx·i·e·ty [æŋ'zaıətı] N Sorge *f*
anx·ious ['æŋkʃəs] ADJ besorgt (**about** um); **be ~ to do sth** sehr darauf bedacht sein, etw zu tun; **be ~ for news** sehnsüchtig auf Nachrichten warten
an·y ['enı] **A** ADJ irgendein(e); irgendwelche *pl*; jede(r, -s) (beliebige); *with negative* kein(e); **is there ~ bread?** hast du Brot?; **take ~ one you like** nimm irgendeins, das du magst **B** PRON einer, eine, eins, welche *pl*; jede(r, -s); *with negative* keiner, keine, keins; **~ of them could be guilty** jede(r) (Einzelne) von ihnen könnte Schuld haben **C** ADV noch; **it won't get ~ colder** es wird nicht noch kälter; **is that ~ better?** ist das (etwas) besser?; **I don't like it ~ more** ich mag es nicht mehr
an·y·bod·y ['enıbɒdı] PRON jemand; *for emphasis* irgendjemand; *whoever* jeder; *with negative* niemand
an·y·how ['enıhaʊ] ADV **~, that's what he said** das hat er jedenfalls gesagt;

I'm going ~ ich gehe sowieso
an·y·one ['enɪwʌn] → anybody
an·y·thing ['enɪθɪŋ] PRON *in questions* (irgend)etwas; *with negatives* nichts; **~ but** alles andere als; **~ else?** noch (et)-was?; **~ you want** alles, was du willst
an·y·way ['enɪweɪ] → anyhow
an·y·where ['enɪweə(r)] ADV irgendwo; *with negatives* nirgends; **~ you go** überall, wo du hingehst
AOB [eɪəʊ'bi:] ABBR *for* any other business Sonstiges
a·part [ə'pɑ:t] ADV *lie, hold* auseinander; **be miles ~** *towns etc* Meilen voneinander entfernt liegen; **live ~** getrennt leben; **~ from** *except for* außer, abgesehen von; *as well as* außer
a·part·ment [ə'pɑ:tmənt] N Wohnung *f*
a'part·ment block N *US* Wohnblock *m*
ap·a·thet·ic [æpə'θetɪk] ADJ apathisch
ap·a·thy ['æpəθɪ] N Apathie *f*, Teilnahmslosigkeit *f*
ape [eɪp] N Menschenaffe *m*
ap·er·ture ['æpətʃə(r)] N PHOT Blende *f*
a·piece [ə'pi:s] ADV pro Stück
A-point pro·ce·dure ['eɪpɔɪntprəsi:-dʒə(r)] N *EU* A-Punkt-Verfahren *n*
a·po·li·ti·cal [eɪpə'lɪtɪkl] ADJ unpolitisch
a·pol·o·get·ic [əpɒlə'dʒetɪk] ADJ entschuldigend; **he was very ~** er entschuldigte sich vielmals
a·pol·o·gize [ə'pɒlədʒaɪz] VI sich entschuldigen
a·pol·o·gy [ə'pɒlədʒɪ] N Entschuldigung *f*
a·pos·tro·phe [ə'pɒstrəfɪ] N LING Apostroph *m*
ap·pal [ə'pɔ:l] VT ⟨-ll-⟩ entsetzen
ap·pal·ling [ə'pɔ:lɪŋ] ADJ entsetzlich
ap·pa·ra·tus [æpə'reɪtəs] N *in gym* Gerät *n*; *in laboratory* a. Apparat *m*
ap·par·ent [ə'pærənt] ADJ *obvious* offenbar; **become ~ that ...** sich zeigen, dass ...
ap·par·ent·ly [ə'pærəntlɪ] ADV anscheinend
ap·pa·ri·tion [æpə'rɪʃn] N *ghost* Erscheinung *f*
ap·peal [ə'pi:l] **A** N *attraction* Anziehungskraft *f*; *by charity* Spendenaufruf *m*; JUR Berufung *f*, Revision *f* **B** VI JUR in Berufung gehen
♦ **appeal for** VT dringend bitten um
♦ **appeal to** VT *be attractive to* ansprechen
ap·peal·ing [ə'pi:lɪŋ] ADJ *idea, offer* attraktiv; *look* flehend
ap·pear [ə'pɪə(r)] VI erscheinen; *in film etc* auftreten; *product* auftauchen; *look as if* scheinen; **it appears that ...** es hat den Anschein, dass ...
ap·pear·ance [ə'pɪərəns] N Erscheinen *n* Auftauchen *n*; *in film etc, in court* Auftritt *m*; *look* Aussehen *n*; **put in an ~** sich sehen lassen
ap·pease [ə'pi:z] VT beschwichtigen, besänftigen
ap·pend [ə'pend] VT hinzufügen
ap·pend·age [ə'pendɪdʒ] N *a. fig* Anhang *m*; *for device* Zubehör *n*
ap·pen·di·ci·tis [əpendɪ'saɪtɪs] N Blinddarmentzündung *f*
ap·pen·dix [ə'pendɪks] N ⟨*pl* appendices [ə'pendɪsi:z]⟩ MED Blinddarm *m*; *of book etc* Anhang *m*
ap·pe·tite ['æpɪtaɪt] N Appetit *m*; *fig* Lust *f* (**for** auf)
ap·pe·tiz·er ['æpɪtaɪzə(r)] N *food* Vorspeise *f*; *drink* Aperitif *m*
ap·pe·tiz·ing ['æpɪtaɪzɪŋ] ADJ appetitlich
ap·plaud [ə'plɔ:d] **A** VI klatschen **B** VT applaudieren, Beifall klatschen; *fig: praise* loben
ap·plause [ə'plɔ:z] N Beifall *m*; *praise* Lob *n*
ap·ple ['æpl] N Apfel *m*
'ap·ple juice N Apfelsaft *m* **ap·ple 'pie** N gedeckter Apfelkuchen **ap·ple 'sauce** N Apfelmus *n*
ap·pli·ance [ə'plaɪəns] N Gerät *n*; *of method etc* Anwendung *f*
ap·plic·a·ble [ə'plɪkəbl] ADJ anwendbar; **not ~** *on form* entfällt; **be ~ to sb/sth** auf j-n/etw zutreffen
ap·pli·cant ['æplɪkənt] N *for job, college place* Bewerber(in) *m(f)* (**for** um); *for passport, social security* Antragsteller(in) *m(f)*
'ap·pli·cant coun·try N *EU* Beitrittsland *n*
ap·pli·ca·tion [æplɪ'keɪʃn] N *for job, college place* Bewerbung *f* (**for** um); *for passport, social security* Antrag *m* (**for** auf); *of method etc* Anwendung *f*; *of ointment* Auftragen *n*

ap·pli'ca·tion do·cu·ments N *pl for job* Bewerbungsmappe *f*
ap·pli'ca·tion form N *for job* Bewerbungsformular *n*; *for passport, social security* Antragsformular *n*
ap·ply [ə'plaɪ] ‹-ied› **A** V/T *rule, knowledge etc* anwenden (**to** auf); *ointment* auftragen (**to** auf) **B** V/I *law, rule* gelten
♦ **apply for** V/T *job, college place* sich bewerben um; *passport, social security* beantragen
♦ **apply to** V/T *contact* sich wenden an; *company* sich bewerben bei; *be relevant to* betreffen, gelten für
ap·point [ə'pɔɪnt] V/T *employee* einstellen; *minister* ernennen
ap·point·ment [ə'pɔɪntmənt] N *of employee* Einstellung *f*; *of minister* Ernennung *f*; *meeting* Termin *m*
ap'point·ments di·a·ry N Terminkalender *m*
ap·prais·al [ə'preɪzl] N Beurteilung *f*
ap·pre·cia·ble [ə'pri:ʃəbl] ADJ beträchtlich
ap·pre·ci·ate [ə'pri:ʃieɪt] **A** V/T *advice, help* dankbar sein für; *know how to value* zu schätzen wissen; *enjoy* schätzen; **I ~ that I'm late but ...** mir ist klar, dass ich zu spät komme, aber ... **B** V/I ECON im Wert steigen
ap·pre·ci·a·tion [əpri:ʃɪ'eɪʃn] N *for help, kindness* Dankbarkeit *f*; *for effort* Anerkennung *f*; *of music, good food etc* Sinn *m* (**of** für)
ap·pre·ci·a·tive [ə'pri:ʃətɪv] ADJ anerkennend
ap·pre·hend [æprɪ'hend] V/T *formal* festnehmen
ap·pre·hen·sion [æprɪ'henʃn] N Besorgnis *f* (**about** wegen, über)
ap·pre·hen·sive [æprɪ'hensɪv] ADJ besorgt (**about** wegen, über)
ap·pren·tice [ə'prentɪs] N Lehrling *m*
ap·pren·tice·ship [ə'prentɪsʃɪp] N Lehrzeit *f*, Lehre *f*
ap·proach [ə'prəʊtʃ] **A** N *drawing near* Herannahen *n*; *making contact* Kontaktaufnahme *f*; *to solution* Ansatz *m*, Herangehensweise *f* (**to** an) **B** V/T *draw closer to* sich nähern; *make contact with* ansprechen; *problem* angehen **C** V/I (heran)nahen, sich nähern
ap·proach·a·ble [ə'prəʊtʃəbl] ADJ *person* umgänglich
ap·pro·pri·ate¹ [ə'prəʊprɪət] ADJ *person, measure* geeignet, passend; *behaviour* angemessen; *office* zuständig
ap·pro·pri·ate² [ə'prəʊprɪeɪt] V/T beschlagnahmen; *euph* in Beschlag nehmen
ap·prov·al [ə'pru:vl] N Zustimmung *f*
ap·prove [ə'pru:v] **A** V/I einverstanden sein; **my parents don't ~** meine Eltern halten nichts davon **B** V/T *application, plan* genehmigen
♦ **approve of** V/T *plan* einverstanden sein mit; **they don't approve of me** sie halten nichts von mir
ap·proved [ə'pru:vd] ADJ anerkannt
ap·prox·i·mate [ə'prɒksɪmət] ADJ ungefähr
ap·prox·i·mate·ly [ə'prɒksɪmətlɪ] ADV ungefähr, zirka
ap·prox·i·ma·tion [əprɒksɪ'meɪʃn] N Schätzung *f*
APR [eɪpi:'ɑ:(r)] ABBR *for* annual percentage rate Jahreszinssatz *m*
a·pri·cot ['eɪprɪkɒt] N Aprikose *f*
A·pril ['eɪprəl] N April *m*
a·pron ['eɪprən] N Schürze *f*
apt [æpt] ADJ *comment* passend; *student* begabt; **be ~ to do sth** dazu neigen, etw zu tun
ap·ti·tude ['æptɪtju:d] N Begabung *f*
'ap·ti·tude test N Eignungsprüfung *f*
a·quar·i·um [ə'kweərɪəm] N Aquarium *n*
A·quar·i·us [ə'kweərɪəs] N ASTROL Wassermann *m*
a·quat·ic [ə'kwætɪk] ADJ Wasser-
aq·ue·duct ['ækwɪdʌkt] N Aquädukt *m or n*
Ar·ab ['ærəb] **A** ADJ arabisch **B** N Araber(in) *m(f)*
Ar·a·bic ['ærəbɪk] **A** ADJ arabisch **B** N Arabisch *n*
ar·a·ble ['ærəbl] ADJ **~ land** Ackerland *n*
ar·bi·tra·ry ['ɑ:bɪtrərɪ] ADJ willkürlich
ar·bi·trate ['ɑ:bɪtreɪt] V/I schlichten
ar·bi·tra·tion [ɑ:bɪ'treɪʃn] N Schlichtung *f*
ar·bi'tra·tion pro·cee·dings N *pl* JUR Schiedsverfahren *n*
ar·bi·tra·tor ['ɑ:bɪtreɪtə(r)] N Schlichter(in) *m(f)*
arc [ɑ:k] N Bogen *m*

ar·cade [ɑːˈkeɪd] N Spielhalle *f; with shops* Einkaufspassage *f*
arch[1] [ɑːtʃ] N Bogen *m*
arch[2] [ɑːtʃ] ADJ *enemy* Erz-
ar·chae·ol·o·gist [ɑːkɪˈɒlədʒɪst] N Archäologe *m*, Archäologin *f*
ar·chae·ol·o·gy [ɑːkɪˈɒlədʒɪ] N Archäologie *f*
ar·cha·ic [ɑːˈkeɪɪk] ADJ veraltet
arch·bish·op [ɑːtʃˈbɪʃəp] N Erzbischof *m*
ar·che·ol·o·gy *etc US* → archaeology *etc*
ar·chi·tect [ˈɑːkɪtekt] N Architekt(in) *m(f)*
ar·chi·tec·tur·al [ɑːkɪˈtektʃərəl] ADJ architektonisch
ar·chi·tec·ture [ˈɑːkɪtektʃə(r)] N Architektur *f*
ar·chives [ˈɑːkaɪvz] N *pl* Archiv *n*
ˈarch·way N Torbogen *m*
Arc·tic [ˈɑːktɪk] N **the ~** die Arktis
ar·dent [ˈɑːdənt] ADJ leidenschaftlich
ar·du·ous [ˈɑːdjʊəs] ADJ *ascent* beschwerlich; *task* mühsam
ar·e·a [ˈeərɪə] N *region* Gegend *f*; *of work, study* Bereich *m*; *in square metres etc* Fläche *f*; **~ of research** Forschungsgebiet *f*
ˈar·e·a code N TEL Vorwahl(nummer) *f*
Ar·e·a of Free·dom, Se·cur·i·ty and ˈJus·tice N *EU* Raum *m* der Freiheit, der Sicherheit und des Rechts
a·re·na [əˈriːnə] N SPORTS Arena *f*
Ar·gen·ti·na [ɑːdʒənˈtiːnə] N Argentinien *n*
Ar·gen·tin·i·an [ɑːdʒənˈtɪnɪən] **A** ADJ argentinisch **B** N Argentinier(in) *m(f)*
ar·gu·a·bly [ˈɑːgjʊəblɪ] ADV möglicherweise; **this is ~ the best restaurant in town** dies dürfte wohl das beste Restaurant am Ort sein
ar·gue [ˈɑːgjuː] **A** V/I *quarrel* streiten (**about** über); *maintain* argumentieren **B** V/T **~ that ...** behaupten, dass ...; **~ the case for sth** für etw eintreten, für etw plädieren
ar·gu·ment [ˈɑːgjʊmənt] N Streit *m*, Auseinandersetzung *f*; *reasoning* Argument *n*; **have an ~** sich streiten
ar·gu·men·ta·tive [ɑːgjʊˈmentətɪv] ADJ streitsüchtig
ar·id [ˈærɪd] ADJ *country* dürr
Ar·ies [ˈeəriːz] N ASTROL Widder *m*
a·rise [əˈraɪz] V/I ⟨arose, arisen⟩ *situation, problem* entstehen, sich ergeben (**from, out of** aus); *doubt* aufkommen
a·ris·en [əˈrɪzn] PAST PART → arise
ar·is·toc·ra·cy [ærɪˈstɒkrəsɪ] N Aristokratie *f*
ar·is·to·crat [ˈærɪstəkræt] N Aristokrat(in) *m(f)*
a·rith·me·tic **A** N [əˈrɪθmətɪk] Rechnen *n* **B** ADJ [ærɪθˈmetɪk] arithmetisch, Rechen-
arm[1] [ɑːm] N Arm *m*; *of armchair, chair* Armlehne *f*
arm[2] [ɑːm] V/T bewaffnen
ar·ma·ments [ˈɑːməmənts] N *pl* Waffen *pl*
ˈarm·chair N Lehnstuhl *m*, Sessel *m*
armed [ɑːmd] ADJ bewaffnet
armed ˈforc·es N *pl* Streitkräfte *pl*
armed ˈrob·ber·y N bewaffneter Raubüberfall
ar·mour, ar·mor *US* [ˈɑːmə(r)] N Rüstung *f*; *of vehicle* Panzerung *f*
ar·moured ve·hi·cle, ar·mored ve·hi·cle *US* [ɑːmədˈviːɪkl] N gepanzertes Fahrzeug
ˈarm·pit N Achselhöhle *f*
arms [ɑːmz] N *pl weapons etc* Waffen *pl*
ˈarms con·trol N Rüstungskontrolle *f*
ˈarms race N Wettrüsten *n*, Rüstungswettlauf *m*
ar·my [ˈɑːmɪ] N Armee *f*; **be in the ~** Soldat sein; **join the ~** zum Militär gehen
a·ro·ma [əˈrəʊmə] N Aroma *n*, Duft *m*
a·rose [əˈrəʊz] PRET → arise
a·round [əˈraʊnd] **A** PREP *in a circle round, surrounding* um, um ... herum; **walk ~ town** in der Stadt herumlaufen **B** ADV in der Nähe; *in a circle, here and there* (drum) herum; *approximately* etwa; **is he ~?** ist er da?; **he's ~ here somewhere** er steckt hier irgendwo; **she has been ~** *well-travelled, experienced* sie ist viel herumgekommen
a·rouse [əˈraʊz] V/T *interest, feelings* wecken; *sexually* erregen
ar·range [əˈreɪndʒ] V/T (an)ordnen; *furniture* (richtig) hinstellen; *flowers* arrangieren; *music* bearbeiten; *party* organisieren; *place, time, meeting* vereinbaren, abmachen

♦**arrange for** VT **I've arranged for her to pick us up** ich habe mit ihr abgemacht, dass sie uns abholt
ar·range·ment [ə'reındʒmənt] N *agreement* Vereinbarung *f*; *of furniture etc* Anordnung *f*; *of flowers* Arrangement *n*; *of music* Bearbeitung *f*; **make arrangements** Vorkehrungen treffen
ar·rears [ə'rıəz] N *pl* Rückstand *m*; **be in ~** *person* im Rückstand sein
ar·rest [ə'rest] **A** N Verhaftung *f*, Festnahme *f*; **be under ~** verhaftet sein **B** VT verhaften, festnehmen
ar·riv·al [ə'raıvl] N Ankunft *f*; **on ~** bei Ankunft; **arrivals** *pl at airport* Ankunftshalle *f*
ar·rive [ə'raıv] VI ankommen
♦**arrive at** VT *decision* kommen zu; **arrive at the station/a town** am Bahnhof/in e-r Stadt ankommen
ar·ro·gance ['ærəgəns] N Arroganz *f*, Überheblichkeit *f*
ar·ro·gant ['ærəgənt] ADJ arrogant, überheblich
ar·row ['ærəʊ] N Pfeil *m*
'ar·row key N COMPUT Pfeiltaste *f*
arse [ɑ:s] N *vulg* Arsch *m*
ar·son ['ɑ:sn] N Brandstiftung *f*
ar·son·ist ['ɑ:sənıst] N Brandstifter(in) *m(f)*
art [ɑ:t] N Kunst *f*; **the arts** *pl* die Geisteswissenschaften *pl*
ar·ter·i·al road [ɑ:'tıərıəlrəʊd] N Hauptverkehrsstraße *f*
ar·te·ry ['ɑ:tərı] N ANAT Arterie *f*
'art gal·ler·y N Kunstgalerie *f*
ar·thri·tis [ɑ:'θraıtıs] N Arthritis *f*, Gelenkentzündung *f*
ar·ti·choke ['ɑ:tıtʃəʊk] N Artischocke *f*
ar·ti·cle ['ɑ:tıkl] N Gegenstand *m*; *text* (Zeitungs)Artikel *m*; LING, *in agreement, treaty* Artikel *m*; **~ of clothing** Kleidungsstück *n*
ar·tic·u·late [ɑ:'tıkjʊlət] ADJ *speech* gut formuliert; **be very ~** *person* sich sehr gut ausdrücken können
ar·tic·u·lat·ed lor·ry [ɑ:tıkjʊleıtıd'lɒrı] N Sattelschlepper *m*
ar·ti·fi·cial [ɑ:tı'fıʃl] ADJ künstlich; *person, smile* gekünstelt; **~ limb** Prothese *f*
ar·til·le·ry [ɑ:'tılərı] N Artillerie *f*
ar·ti·san ['ɑ:tızæn] N Handwerker(in) *m(f)*
ar·tist ['ɑ:tıst] N Künstler(in) *m(f)*
ar·tis·tic [ɑ:'tıstık] ADJ künstlerisch
'art school N Kunsthochschule *f*
as [æz] **A** CJ *when, while* als; während; *since* da; *like* wie; **~ if** als ob; **~ usual** wie immer; **~ necessary** nach Bedarf **B** ADV **~ high/pretty ~ ...** (genau)so groß/hübsch wie ...; **~ much ~ that?** so viel? **C** PREP als; **~ a child** als Kind; **~ for you** was dich betrifft; **~ from tomorrow** ab morgen
asap [eıeseı'pi:, 'eızæp] ABBR *for* as soon as possible so schnell wie möglich, baldmöglichst
as·bes·tos [æz'bestɒs] N Asbest *m*
as·cend [ə'send] VI *balloon* (auf)steigen; *mountain* steigen; *Christ* auffahren
as·cen·dan·cy [ə'sendənsı] N **gain the ~ over sb** Überlegenheit über j-n gewinnen
As·cen·sion [ə'senʃn] N REL Himmelfahrt *f*
as·cent [ə'sent] N Aufstieg *m*
ash¹ [æʃ] N BOT Esche *f*
ash² [æʃ] N Asche *f*; **ashes** *pl* Asche *f*
a·shamed [ə'ʃeımd] ADJ beschämt; **be ~ of** sich schämen für
a·shore [ə'ʃɔ:(r)] ADV an Land
ash·tray ['æʃtreı] N Aschenbecher *m*
Ash 'Wednes·day N Aschermittwoch *m*
A·sia ['eıʃə] N Asien *n*
A·sian ['eıʃən] **A** ADJ asiatisch **B** N Asiate *m*, Asiatin *f*; *in Großbritannien lebende(r) Inder(in)/Pakistaner(in)*
a·side [ə'saıd] ADV zur Seite; **~ from** außer
ask [ɑ:sk] **A** VT fragen; *question* stellen; *to a party* einladen; *favour* bitten um; **~ sb about sth** j-n nach etw fragen; **~ sb for sth** j-n um etw bitten; **~ sb to do sth** j-n bitten, etw zu tun; **~ a lot of sb** viel von j-m verlangen **B** VI fragen; **you only have to ~** du musst ihn/mich nur bitten
♦**ask after** VT *person* sich erkundigen nach
♦**ask for** VT bitten um; *person* fragen nach; **that's asking for trouble** das bringt nichts als Ärger; **you asked for that!** du hast es so gewollt!
♦**ask out** VT *for meal etc* einladen (**for** zu)

a·skance [əˈskɑːns] ADV **look ~ at sb** j-n schief ansehen
a·skew [əˈskjuː] ADV schief
ask·ing price [ˈɑːskɪŋ] N Verkaufspreis *m*
a·sleep [əˈsliːp] ADJ **be (fast) ~** (fest) schlafen; **fall ~** einschlafen
as·par·a·gus [əˈspærəgəs] N Spargel *m*
as·pect [ˈæspekt] N Aspekt *m*
as·phalt [ˈæsfælt] N Asphalt *m*
as·phyx·i·ate [æˈsfɪksɪeɪt] V/T ersticken
as·pi·ra·tions [æspəˈreɪʃnz] N *pl ambitions* Ehrgeiz *m*
ass [æs] N *infml idiot* Esel *m*; *US vulg*: *buttocks* Arsch *m*
as·sail [əˈseɪl] V/T angreifen; *by doubt* befallen
as·sai·lant [əˈseɪlənt] N Angreifer(in) *m(f)*
as·sas·sin [əˈsæsɪn] N Attentäter(in) *m(f)*
as·sas·sin·ate [əˈsæsɪneɪt] V/T ermorden; **be assassinated** e-m Attentat zum Opfer fallen
as·sas·sin·a·tion [əsæsɪˈneɪʃn] N Attentat *n*, Ermordung *f*
as·sas·sin'a·tion at·tempt N Attentat *n*
as·sault [əˈsɒlt] A N Angriff *m* (**on** auf); JUR Körperverletzung *f*; JUR: *sexual* sexueller Übergriff B V/T angreifen; JUR tätlich werden gegen; JUR: *sexually* missbrauchen
as·sem·ble [əˈsembl] A V/T *components* zusammenbauen, zusammensetzen B V/I *people* sich versammeln
as·sem·bly [əˈsemblɪ] N POL, *in school* Versammlung *f*; *of components* Zusammensetzen *n*, Montage *f*
as'sem·bly line N Montageband *n*
as'sem·bly plant N Montagewerk *n*
as·sent [əˈsent] V/I zustimmen
as'sent pro·ce·dure N POL Zustimmungsverfahren *n*
as·sert [əˈsɜːt] V/T behaupten; **~ o.s.** sich behaupten, sich durchsetzen
as·ser·tion [əˈsɜːʃn] N Behauptung *f*
as·ser·tive [əˈsɜːtɪv] ADJ **be more ~** bestimmter auftreten
as·sess [əˈses] V/T einschätzen
as·sess·ment [əˈsesmənt] N Einschätzung *f*; SCHOOL Beurteilung *f*
as·ses·sor [əˈsesə(r)] N ECON Schadensgutachter(in) *m(f)*
as·set [ˈæset] N ECON Vermögenswert *m*; *fig* Vorteil *m*; **he's a real ~ to the team** er ist wirklich ein Gewinn für die Mannschaft
as·sets [ˈæsets] N *pl* Vermögen *n*; *in bankruptcy* Konkursmasse *f*; ECON Aktiva *pl*
as·sign [əˈsaɪn] V/T *room* zuweisen; **~ sth to sb** *work, task* j-n mit etw beauftragen; **be assigned to work with sb** dazu eingeteilt werden, mit j-m zu arbeiten
as·sign·ment [əˈsaɪnmənt] N Auftrag *m*; *in school* Aufgabe *f*; Referat *n*
as·sim·i·late [əˈsɪmɪleɪt] V/T *information* aufnehmen; *integrate* integrieren
as·sist [əˈsɪst] V/T helfen
as·sist·ance [əˈsɪstəns] N Hilfe *f*
as·sis·tant [əˈsɪstənt] N Assistent(in) *m(f)*; *in shop* Verkäufer(in) *m(f)*
as·sis·tant di'rec·tor N *of organization* stellvertretende(r) Direktor(in) **as·sis·tant 'man·ag·er** N stellvertretende(r) Geschäftsführer(in) **as·sis·tant ref·er'ee** N Linienrichter(in) *m(f)*
as·so·ci·ate A V/T [əˈsəʊʃɪeɪt] in Verbindung bringen, assoziieren (**with** mit) B V/I [əˈsəʊʃɪeɪt] **~ with** verkehren mit C N [əˈsəʊʃɪət] (Geschäfts)Partner(in) *m(f)*; *of employee* Kollege *m*, Kollegin *f*
as·so·ci·ate 'mem·ber N *EU* assoziiertes Mitglied
as·so·ci·a·tion [əsəʊsɪˈeɪʃn] N *organization* Vereinigung *f*, Verband *m*; *EU* Assoziierung *f*; **in ~ with** in Zusammenarbeit mit; **~ of ideas** Gedankenassoziation *f*
as·sort·ed [əˈsɔːtɪd] ADJ gemischt
as·sort·ment [əˈsɔːtmənt] N *of objects* Sortiment *n*, Auswahl *f*; **a whole ~ of people** viele verschiedene Leute
as·sume [əˈsjuːm] V/T *suppose* annehmen, vermuten
as·sump·tion [əˈsʌmpʃn] N Annahme *f*, Vermutung *f*
as·sur·ance [əˈʃʊərəns] N *guarantee* Zusicherung *f*; *confidence* Selbstsicherheit *f*
as·sure [əˈʃʊə(r)] V/T *promise* versichern; **~ sb of sth** j-m etw zusichern
as·sured [əˈʃʊəd] ADJ *speaker, person* selbstsicher
as·ter·isk [ˈæstərɪsk] N *in text* Sternchen *n*

asth·ma ['æsmə] N Asthma *n*
asth·mat·ic [æs'mætɪk] ADJ asthmatisch
as·ton·ish [ə'stɒnɪʃ] V/T erstaunen; **be astonished** erstaunt sein
as·ton·ish·ing [ə'stɒnɪʃɪŋ] ADJ erstaunlich
as·ton·ish·ing·ly [ə'stɒnɪʃɪŋlɪ] ADV erstaunlich; **~, no one had ...** erstaunlicherweise hatte niemand ...
as·ton·ish·ment [ə'stɒnɪʃmənt] N Erstaunen *n*
as·tound [ə'staʊnd] V/T in Erstaunen versetzen
as·tound·ing [ə'staʊndɪŋ] ADJ erstaunlich
a·stray [ə'streɪ] ADV **go ~** vom Weg abkommen; *morally* auf Abwege geraten
a·stride [ə'straɪd] **A** ADV rittlings **B** PREP rittlings auf
as·trol·o·gy [ə'strɒlədʒɪ] N Astrologie *f*
as·tro·naut ['æstrənɔːt] N Astronaut(in) *m(f)*
as·tron·o·mer [ə'strɒnəmə(r)] N Astronom(in) *m(f)*
as·tro·nom·i·cal [æstrə'nɒmɪkl] ADJ *infml: price etc* astronomisch
as·tron·o·my [ə'strɒnəmɪ] N Astronomie *f*
as·tute [ə'stjuːt] ADJ scharfsinnig
a·sy·lum [ə'saɪləm] N *political* Asyl *n*; *for psychiatric patients* Anstalt *f*
a·sy·lum-seek·er [ə'saɪləmsiːkə(r)] N Asylsuchende(r) *m/f(m)*
at [ət, *stressed* æt] PREP *indicating place* in; an; *indicating time* um; **~ Joe's** bei Joe; **~ 10 pounds** für 10 Pfund; **~ the age of 18** im Alter von 18; **~ 150 km/h** mit 150 km/h; **~ lunch** beim Mittagessen; **be good ~ sth** in etw gut sein
ate [eɪt] PRET → eat
a·the·ist ['eɪθɪɪst] N Atheist(in) *m(f)*
A·thens ['æθənz] N Athen *n*
ath·lete ['æθliːt] N Athlet(in) *m(f)*
ath·let·ic [æθ'letɪk] ADJ leichtathletisch; *person* sportlich, athletisch
ath·let·ics [æθ'letɪks] N *sg* Leichtathletik *f*
At·lan·tic [ət'læntɪk] N **the ~** der Atlantik
ATM [eɪtiː'em] ABBR *for* automatic teller machine Geldautomat *m*
at·mos·phere ['ætməsfɪə(r)] N *a. fig* Atmosphäre *f*
at·mos·pher·ic pol·lu·tion [ætməsferɪkpə'luːʃn] N Luftverschmutzung *f*
at·om ['ætəm] N Atom *n*
'at·om bomb N Atombombe *f*
a·tom·ic [ə'tɒmɪk] ADJ Atom-
a·tom·ic 'en·er·gy N Atomenergie *f*
a·tom·ic 'waste N Atommüll *m*
a·tone [ə'təʊn] V/I **~ for** büßen für
a·tro·cious [ə'trəʊʃəs] ADJ *infml: smell* grauenhaft; *result* miserabel
a·troc·i·ty [ə'trɒsətɪ] N Gräueltat *f*, Grausamkeit *f*
at sign ['ætsaɪn] N IT At-Zeichen *n*, Klammeraffe *m*
at·tach [ə'tætʃ] V/T *fix* befestigen (**to** an); *importance* beimessen (**to** *dat*); **be attached to** *like* hängen an; **the attached file** *with e-mail* die beigefügte Datei
at·ta·ché case [ə'tæʃeɪkeɪs] N Aktenkoffer *m*, Diplomatenkoffer *m*
at·tach·ment [ə'tætʃmənt] N *love* Zuneigung *f* (**to** zu); *with e-mail* Anhang *m*
at·tack [ə'tæk] **A** N Angriff *m* (**on** auf) **B** V/T angreifen; *with intent to rob* überfallen
at·tain [ə'teɪn] V/T *goal* erreichen, erlangen
at·tempt [ə'tempt] **A** N Versuch *m* **B** V/T versuchen
at·temp·ted coup [ətemptɪd'kuː] N Putschversuch *m*
at·tend [ə'tend] V/T *wedding, school* besuchen; *seminar* teilnehmen an
♦ **attend to** V/T sich kümmern um
at·tend·ance [ə'tendəns] N *presence* Anwesenheit *f*; *at concert* Besucherzahl *f*; *at meeting, conference* Teilnehmerzahl *f*
at·tend·ant [ə'tendənt] N *in museum* Aufseher(in) *m(f)*
at·ten·tion [ə'tenʃn] N Aufmerksamkeit *f*; **bring sth to sb's ~** j-n auf etw aufmerksam machen; **pay ~!** pass auf!; **don't pay any ~ to it** beachte es (einfach) nicht
at·ten·tive [ə'tentɪv] ADJ aufmerksam
at·tic ['ætɪk] N Dachboden *m*
at·ti·tude ['ætɪtjuːd] N *mental* Einstellung *f*; *in behaviour* Verhalten *n*
attn *only written* ABBR *for* for the attention of z. Hd.
at·tor·ney [ə'tɜːnɪ] N *US* (Rechts)Anwalt *m*, (Rechts)Anwältin *f*; **power of ~** Voll-

macht *f*

At·tor·ney 'Gen·e·ral N Generalstaatsanwalt *m*, -staatsanwältin *f*; *US* Justizminister(in) *m(f)*

at·tract [ə'trækt] V/T *person, with magnetism* anziehen; *visitors, animals* anlocken; *customers* gewinnen; *interest, attention* auf sich ziehen; **be attracted to sb** sich zu j-m hingezogen fühlen, sich von j-m angezogen fühlen

at·trac·tion [ə'trækʃn] N *of magnet* Anziehungskraft *f*; *of city, work* Reiz *m*; *of solution etc* Vorzug *m*; *for tourists* Attraktion *f*; *romantic* Zuneigung *f*, Anziehung *f*

at·trac·tive [ə'træktɪv] ADJ *person* attraktiv; *personality, smile* anziehend; *idea, place* reizvoll; *proposal* verlockend

at·trib·ute¹ [ə'trɪbju:t] V/T *disease, success* zurückführen (**to** auf); *painting* zuschreiben (**to** *dat*)

at·tri·bute² ['ætrɪbju:t] N LING Attribut *n*; *quality* Merkmal *n*

at·tune [ə'tju:n] V/T **be attuned to** *fig* eingestellt sein auf

au·ber·gine ['əʊbəʒi:n] N Aubergine *f*

au·burn ['ɔ:bən] ADJ *hair* kastanienbraun

auc·tion ['ɔ:kʃn] **A** N Versteigerung *f*, Auktion *f* **B** V/T versteigern

♦**auction off** V/T versteigern

auc·tion·eer [ɔ:kʃə'nɪə(r)] N Auktionator(in) *m(f)*

au·da·cious [ɔ:'deɪʃəs] ADJ *plan* kühn, waghalsig

au·dac·i·ty [ɔ:'dæsətɪ] N *courage* Kühnheit *f*; *cheek* Dreistigkeit *f*, Unverfrorenheit *f*

au·di·ble ['ɔ:dəbl] ADJ hörbar

au·di·ence ['ɔ:dɪəns] N *at concert* Publikum *n*, Zuhörer *pl*; *at theatre, of TV programme* Zuschauer *pl*, Publikum *n*; *of radio programme* Hörer *pl*

au·di·o ['ɔ:dɪəʊ] ADJ Audio-; **~ equipment** Hi-Fi-Geräte *pl*; **~ tape** Tonband *n*

au·dio card N COMPUT Soundkarte *f*

au·di·o·vi·su·al [ɔ:dɪəʊ'vɪʒʊəl] ADJ audiovisuell

au·dit ['ɔ:dɪt] **A** N ECON Buchprüfung *f* **B** V/T ECON prüfen; *US: course* Gasthörer sein bei

au·di·tion [ɔ:'dɪʃn] **A** N *of actor* Vorsprechen *n*; *of musician* Vorspiel *n*; *of singer* Vorsingen *n* **B** V/I *actor* vorsprechen; *musician* vorspielen; *singer* vorsingen

au·di·tor ['ɔ:dɪtə(r)] N Buchprüfer(in) *m(f)*

au·di·to·ri·um [ɔ:dɪ'tɔ:rɪəm] N *of theatre etc* Zuschauerraum *m*

Au·gust ['ɔ:gəst] N August *m*

aunt [ɑ:nt] N Tante *f*

au·ra ['ɔ:rə] N Aura *f*

aus·pic·es ['ɔ:spɪsɪz] N *pl* **under the ~ of** unter der Schirmherrschaft von

aus·pi·cious [ɔ:'spɪʃəs] ADJ *day* günstig; *start* vielversprechend

aus·tere [ɔ:'stɪə(r)] ADJ *person, face, style* streng; *room etc* karg

aus·ter·i·ty [ɒ'sterətɪ] N *economic* Entbehrung *f*

aus'ter·i·ty pack·age N POL Sparpaket *n*

Aus·tra·li·a [ɒ'streɪlɪə] N Australien *n*

Aus·tra·li·an [ɒ'streɪlɪən] **A** ADJ australisch **B** N Australier(in) *m(f)*

Aus·tri·a ['ɒstrɪə] N Österreich *n*

Aus·tri·an ['ɒstrɪən] **A** ADJ österreichisch **B** N Österreicher(in) *m(f)*

au·then·tic [ɔ:'θentɪk] ADJ authentisch

au·then·tic·i·ty [ɔ:θen'tɪsətɪ] N Authentizität *f*

au·thor ['ɔ:θə(r)] N Schriftsteller(in) *m(f)*, Autor(in) *m(f)*; *of report, article* Verfasser(in) *m(f)*, Autor(in) *m(f)*

au·thor·i·tar·i·an [ɔ:θɒrɪ'teərɪən] ADJ autoritär

au·thor·i·ta·tive [ɔ:'θɒrɪtətɪv] ADJ *person* Respekt einflößend; *manner* bestimmt, entschieden; *source* zuverlässig

au·thor·i·ty [ɔ:'θɒrətɪ] N Autorität *f*; *authorization* Befugnis *f*; **people in ~** die Verantwortlichen; **the authorities** *pl* die Behörden *pl*; **wanted by the authorities** (von der Polizei) gesucht

au·thor·i·za·tion [ɔ:θəraɪ'zeɪʃn] N Genehmigung *f*

au·thor·ize ['ɔ:θəraɪz] V/T genehmigen; **be authorized to do sth** berechtigt sein, etw zu tun

au·thor·ized sig·na·to·ry [ɔ:θəraɪzd-'sɪgnətrɪ] N Prokurist(in) *m(f)*

au·thor·ship ['ɔ:θəʃɪp] N Urheberschaft *f*

au·tis·tic [ɔ:'tɪstɪk] ADJ autistisch

au·to·bi·og·ra·phy [ɔ:təbaɪ'ɒgrəfɪ] N

Autobiografie *f*
au·to·crat·ic [ɔ:tə'krætɪk] ADJ autokratisch
au·to·graph ['ɔ:təgrɑ:f] N Autogramm *n*
au·to·mate ['ɔ:təmeɪt] V/T automatisieren
au·to·mat·ic [ɔ:tə'mætɪk] **A** ADJ automatisch **B** N *vehicle* Automatikwagen *m; pistol etc* automatische Waffe
au·to·mat·i·cal·ly [ɔ:tə'mætɪklɪ] ADV automatisch
au·to·mat·ic 'tel·ler ma·chine N Geldautomat *m*
au·to·ma·tion [ɔ:tə'meɪʃn] N Automatisierung *f*
au·tom·a·ton [ɔ:'tɒmətən] N ⟨*pl* automata [ɔ:'tɒmətə] *or* automatons⟩ Roboter *m*
au·to·mo·bile ['ɔ:təməbi:l] N Auto (-mobil) *n*
au·ton·o·mous [ɔ:'tɒnəməs] ADJ autonom
au·ton·o·my [ɔ:'tɒnəmɪ] N Autonomie *f*
au·to·pi·lot ['ɔ:təʊpaɪlət] N Autopilot *m*; **do sth on ~** *fig* etw ganz automatisch tun
au·top·sy ['ɔ:tɒpsɪ] N Autopsie *f*
'au·to·tel·ler N Geldautomat *m*
au·tumn ['ɔ:təm] N Herbst *m*
au·tumnal [ɔ:'tʌmnəl] ADJ herbstlich, Herbst-
aux·il·ia·ry [ɔ:g'zɪlɪərɪ] ADJ *nurse* Aushilfs-; *energy, supplies* zusätzlich
a·vail [ə'veɪl] **A** N **to no ~** vergeblich **B** V/T **~ o.s. of** *formal* Gebrauch machen von
a·vail·a·bil·i·ty [əveɪlə'bɪlətɪ] N Verfügbarkeit *f*
a·vail·a·ble [ə'veɪləbl] ADJ *product, information* erhältlich; *hotel room, seat on plane* frei; *person* erreichbar; **are you ~ for Saturday?** hast du am Samstag Zeit?
av·a·lanche ['ævəlɑ:nʃ] N Lawine *f*
Ave *only written* ABBR *for* Avenue → avenue
a·venge [ə'vendʒ] V/T rächen
av·e·nue ['ævənju:] N Allee *f*, Boulevard *m*; *fig* Weg *m*
av·e·rage ['ævərɪdʒ] **A** ADJ durchschnittlich, Durchschnitts-; *not particularly good a.* mittelmäßig **B** N Durchschnitt *m*; **above/below ~** über-/unterdurchschnittlich; **on ~** im Durchschnitt **C** V/T **~ six hours of sleep** durchschnittlich sechs Stunden schlafen
♦ **average out** V/T den Durchschnitt ermitteln von
♦ **average out at** V/T sich im Durchschnitt belaufen auf
a·verse [ə'vɜ:s] ADJ **not be ~ to sth** etw nicht abgeneigt sein
a·ver·sion [ə'vɜ:ʃn] N Abneigung *f* (**to** gegen)
a·vert [ə'vɜ:t] V/T *crisis etc* abwenden
a·vi·an flu [eɪvɪən'flu:], **a·vi·an in·flu'en·za** N Vogelgrippe *f*
a·vi·a·tion [eɪvɪ'eɪʃn] N Luftfahrt *f*
av·id ['ævɪd] ADJ begeistert
av·o·ca·do [ævə'kɑ:dəʊ] N ⟨*pl* -os, -oes⟩ Avocado *f*
a·void [ə'vɔɪd] V/T vermeiden; *place* meiden; *obstacle* ausweichen; **~ sb** j-m aus dem Weg gehen
a·void·a·ble [ə'vɔɪdəbl] ADJ vermeidbar
a·wait [ə'weɪt] V/T *formal* erwarten
a·wake [ə'weɪk] **A** ADJ wach **B** V/I ⟨awoke, awoken⟩ erwachen
a·wak·en·ing [ə'weɪkənɪŋ] N Erwachen *n*
a·ward [ə'wɔ:d] **A** N Preis *m*, Auszeichnung *f* **B** V/T *honour, prize* verleihen; **be awarded damages** Schadenersatz zugesprochen bekommen
a'wards cer·e·mo·ny N Preisverleihung *f*, Verleihungsfeierlichkeiten *pl*
a·ware [ə'weə(r)] ADJ **be ~ of sth** sich e-r Sache bewusst sein, etw wissen
a·ware·ness [ə'weənɪs] N Bewusstsein *n*
a·way [ə'weɪ] ADV weg; **it's 2 miles ~** es ist 2 Meilen von hier (entfernt); **Christmas is still six weeks ~** bis Weihnachten sind es noch sechs Wochen; **be ~ to ...** SPORTS ein Auswärtsspiel gegen ... haben; **ask ~** frag einfach drauflos; **sing/work ~** vor sich hin singen/arbeiten
a'way match N SPORTS Auswärtsspiel *n*
awe [ɔ:] N Ehrfurcht *f*
awe·some ['ɔ:sm] ADJ *infml: very good* irre, toll
aw·ful ['ɔ:fl] ADJ schrecklich
aw·ful·ly ['ɔ:flɪ] ADV *very* furchtbar
awk·ward ['ɔ:kwəd] ADJ *clumsy* unge-

schickt; *not easy* schwierig; *silence, situation etc* peinlich
awn·ing ['ɔ:nɪŋ] N *for shade* Markise *f*
a·woke [ə'wəʊk] PRET → awake
a·wok·en [ə'wəʊkən] PAST PART → awake
AWOL ['eɪwɒl] ABBR *for* absent without leave unerlaubt abwesend; *fig* verschwunden
a·wry [ə'raɪ] ADV schief
axe, ax *US* [æks] **A** N Axt *f*, Beil *n* **B** V/T *jobs* streichen
ax·is ['æksɪs] N ⟨*pl* axes ['æksi:z]⟩ Achse *f*
ax·le ['æksl] N *of vehicle* Achse *f*
ay(e) [aɪ] N PARL Jastimme *f*
A-Z [eɪtə'zed] N Stadtplan *m*

B

B, b [bi:] N B, b *n*
BA [bi:'eɪ] ABBR *for* Bachelor of Arts *erster universitärer Abschluss in den Geisteswissenschaften*
bab·ble ['bæbl] **A** V/I stammeln; *child* plappern; *stream* plätschern **B** N Geplapper *n*
ba·by ['beɪbɪ] N Baby *n*; **don't be such a ~** sei nicht so kindisch
'ba·by bug·gy N *US* Kinderwagen *m*
'ba·by food N Säuglingsnahrung *f*
ba·by·ish ['beɪbɪɪʃ] ADJ kindisch
'ba·by·sit V/I ⟨-tt-; baby-sat, baby-sat⟩ babysitten
ba·by·sit·ter ['beɪbɪsɪtə(r)] N Babysitter(in) *m(f)*
bach·e·lor ['bætʃələ(r)] N Junggeselle *m*
back [bæk] **A** N *of body* Rücken *m*; SPORTS Verteidiger(in) *m(f)*; **in the ~ (of the car)** hinten (im Auto); **at the ~ of the building** hinten im Gebäude; *outside* hinter dem Gebäude; **~ to front** falsch (he)rum; **at the ~ of beyond** am Ende der Welt **B** ADJ Hinter-; *payment* rückständig; **~ road** Landstraße, Nebenstraße *f* **C** ADV zurück; **please move/stand ~** bitte zurücktreten!; **~ in 1990** damals 1990; **~ home** zu Hause; **take sth ~ to the shop** etw umtauschen **D** V/T unterstützen; *car* zurückfahren, zurücksetzen; **~ a horse** auf ein Pferd setzen **E** V/I *in vehicle* rückwärtsfahren
♦ **back away** V/I zurückweichen
♦ **back down** V/I nachgeben
♦ **back off** V/I zurücktreten; *in fear* zurückweichen
♦ **back on to** V/T hinten angrenzen an
♦ **back out** V/I *of obligation* zurücktreten
♦ **back up** **A** V/T *person* unterstützen; *assertion* untermauern; *file* e-e Sicherungskopie machen von; **be backed up** *traffic* sich stauen **B** V/I *in car* zurückfahren
'back·ache N Rückenschmerzen *pl* **back·bench·er** [bæk'bentʃə(r)] N Hinterbänkler(in) *m(f)* (*eine(r) der einfachen Abgeordneten in Parlament, die keine wichtige Funktion ausüben*) **back·bit·ing** ['bækbaɪtɪŋ] N Lästern *n* **'back·bone** N ANAT, *a. fig*: *courage, strength* Rückgrat *n* **back-break·ing** ['bækbreɪkɪŋ] ADJ erschöpfend **back burn·er** [bæk'bɜ:nə(r)] N **put sth on the ~** *fig* etw zurückstellen **'back·chat** N freche Antworten *pl* **back'date** V/T *cheque* zurückdatieren **'back·door** N Hintertür *f*
back·er ['bækə(r)] N Geldgeber(in) *m(f)*
back'fire V/I fehlzünden; *fig* fehlschlagen; **it backfired on us** der Schuss ging nach hinten los **'back·ground** N *of picture, situation* Hintergrund *m*; *of person* Herkunft *f*; **what's your educational ~?** was für e-e Ausbildung haben Sie? **back·hand·er** [bæk'hændə(r)] N *infml* Schmiergeld *n*
back·ing ['bækɪŋ] N *support* Unterstützung *f*; MUS Begleitung *f*
'back·ing group N MUS Begleitband *f*
'back·lash N Gegenreaktion *f* **'back·log** N Rückstand *m* **'back·pack** **A** N Rucksack *m* **B** V/I als Rucksacktourist(in) reisen **'back·pack·er** N Rucksacktourist(in) *m(f)* **back'ped·al** V/I ⟨-ll-, *US* -l-⟩ *fig* zurückrudern, e-n Rückzieher machen **back 'seat** N *of car* Rücksitz *m* **back-seat 'driv·er** N *Beifahrer(in), der/die ungefragt Ratschläge erteilt* **'back·side** N *infml* Hintern *m* **'back·space (key)** N Rücktaste *f* **'back·stairs** N *pl* Hintertreppe *f*

B

'back street N Seitenstraße *f* **'back·stroke** N SPORTS Rückenschwimmen *n* **'back·track** V/I denselben Weg zurückgehen; *fig*: *in project etc* e-n Rückzieher machen (**on** bei) **'back·up** N *assistance* Unterstützung *f*; IT Back-up *n*, Sicherungskopie *f*; **take a ~ of sth** IT etw sichern **'back·up disk** N COMPUT Sicherungsdiskette *f*

back·ward ['bækwəd] ADJ *child* zurückgeblieben; *society* rückständig; *look* rückwärtsgerichtet

back·wards ['bækwədz] ADV rückwärts

back'yard N *a. fig* Hinterhof *m*

ba·con ['beɪkən] N Schinkenspeck *m*

bac·te·ri·a [bæk'tɪərɪə] N *pl* Bakterien *pl*

bad [bæd] ADJ ⟨worse, worst⟩ schlecht; *mistake, accident* schlimm; *cold, headache a.* stark; *habit, smell* übel; **go ~** *food* schlecht werden; **that's really too ~** so ein Pech!; **feel ~ about sth** ein schlechtes Gewissen wegen etw haben; **be ~ at sth** schlecht in etw sein; **be ~ at doing sth** etw nicht gut tun können, schlecht darin sein, etw zu tun

bad 'debt N nicht eintreibbare Schulden *pl*

badge [bædʒ] N Abzeichen *n*

bad·ger ['bædʒə(r)] V/T zusetzen

bad hair day [bæd'heədeɪ] N *infml Tag, an dem alles schiefgeht*

bad 'lan·guage N Schimpfwörter *pl*

bad·ly ['bædlɪ] ADV *done, written etc* schlecht; *injured* schlimm; *damaged* schwer; **~ need sth** etw dringend brauchen; **he is ~ off** *financially* er ist (finanziell) schlecht dran

bad-man·nered [bæd'mænəd] ADJ unhöflich

bad-tem·pered [bæd'tempəd] ADJ schlecht gelaunt

baf·fle ['bæfl] V/T verblüffen; **be baffled** vor e-m Rätsel stehen

baf·fling ['bæflɪŋ] ADJ *mystery* rätselhaft; *software etc* verwirrend

bag [bæg] N Tasche *f*; *handbag* Handtasche *f*; *with drawstring* Beutel *m*; *made of plastic, paper* Tüte *f*; *suitcase* Koffer *m*; *for coal etc* Sack *m*; **she's an old ~** *infml* sie ist e-e alte Schachtel

bag·gage ['bægɪdʒ] N Gepäck *n* **'bag·gage car** N *US* Gepäckwagen **'bag·gage check** N *US* Gepäckschein *m* **bag·gage 'check-in** N Gepäckabfertigung *f* **bag·gage reclaim** ['bægɪdʒri:kleɪm] N Gepäckausgabe *f* **'bag·gage room** N *US* Gepäckaufbewahrung *f* **'bag·gage trol·ley** N Gepäckwagen *m*, Kofferkuli *m*

bag·gy ['bægɪ] ADJ ⟨-ier, -iest⟩ *trousers, pullover* weit; *pej* ausgebeult

bail [beɪl] N JUR Kaution *f*; **on ~** gegen Kaution

♦**bail out** A V/T JUR gegen e-e Kaution freibekommen; *fig* aus der Patsche helfen B V/I *of plane* abspringen (**of** aus)

bai·liff ['beɪlɪf] N Gerichtsvollzieher(in) *m(f)*

bait [beɪt] N Köder *m*

bake [beɪk] V/T backen

baked 'beans [beɪkt] N *pl* weiße Bohnen *pl* in Tomatensoße

baked po'ta·to N ⟨*pl* -oes⟩ Ofenkartoffel *f*

bak·er ['beɪkə(r)] N Bäcker(in) *m(f)*

bak·er·y ['beɪkərɪ] N Bäckerei *f*

bak·ing pow·der ['beɪkɪŋ] N Backpulver *n*

bal·ance ['bæləns] A N Gleichgewicht *n*; *missing amount* Restbetrag *m*; *of account* Kontostand *m* B V/T balancieren; **~ the books** die Bilanz ziehen C V/I balancieren; *columns* übereinstimmen

bal·anced ['bælənst] ADJ *report, diet* ausgewogen; *character* ausgeglichen

bal·ance of 'pay·ments N Zahlungsbilanz *f* **bal·ance of 'payments de·fi·cit** N Zahlungsbilanzdefizit *n* **bal·ance of 'trade** N Handelsbilanz *f* **'bal·ance sheet** N Bilanzaufstellung *f*

bal·co·ny ['bælkənɪ] N Balkon *m*

bald [bɔ:ld] ADJ *man, head* kahl; **be going ~** e-e Glatze bekommen

bald·ing ['bɔ:ldɪŋ] ADJ **be ~** e-e Glatze bekommen

♦**bale out** [beɪl'aʊt] V/I (mit dem Fallschirm) abspringen

balk → baulk

Bal·kan ['bɔ:lkən] ADJ Balkan-

Bal·kans ['bɔ:lkənz] N *pl* **the ~** der Balkan

ball[1] [bɔ:l] N Ball *m*; **be on the ~** *fig* auf Zack sein; **play ~** *fig* mitspielen; **the ball's in his court** jetzt ist er am Ball

ball[2] [bɔ:l] N *dance* Ball *m*

B

ball 'bear·ing N Kugellager *n*
bal·let ['bæleı] N Ballett *n*
'bal·let danc·er N Balletttänzer(in) *m(f)*
'ball game N **that's a whole different ~** *infml* das ist e-e ganz andere Sache
bal·loon [bə'lu:n] N *of child* (Luft)Ballon *m*; *hot-air balloon* Ballon *m*
bal·lot ['bælət] A N Abstimmung *f* B VT *members* abstimmen lassen
'bal·lot box N Wahlurne *f*
'bal·lot pa·per N Stimmzettel *m*
'ball·park N **be in the right ~** *infml* sich in der richtigen Größenordnung bewegen **'ball·park fig·ure** N *infml* Richtzahl *f* **'ball·point (pen)** N Kugelschreiber *m* **'ball·room** N Ballsaal *m*, Tanzsaal *m* **ball·room 'danc·ing** N Gesellschaftstänze *pl*
balls [bɔ:lz] N *pl vulg*: *testicles* Eier *pl*; *courage* Mumm *m*; *nonsense* Blödsinn *m*
balm·y ['bɑ:mı] ADJ ⟨-ier, -iest⟩ mild
ba·lo·ney [bə'ləʊnı] N *sl* Quatsch *m*
Bal·tic ['bɔ:ltık] N Ostsee *f*
bam·boo [bæm'bu:] N Bambus *m*
bam·boo·zle [bæm'bu:zl] VT verblüffen
ban [bæn] A N Verbot *n* B VT ⟨-nn-⟩ verbieten; **~ sb from doing sth** j-m verbieten, etw zu tun
ba·nal [bə'nɑ:l] ADJ banal
ba·na·na [bə'nɑ:nə] N Banane *f*; **go bananas** *sl* durchdrehen
band [bænd] N *classical, traditional* (Musik)Kapelle *f*; *pop, jazz* Band *f*; *made of rubber etc* Band *n*
ban·dage ['bændıdʒ] A N Verband *m* B VT verbinden
'Band-Aid® N *US* (Heft)Pflaster *n*
B & B [bi:ən'bi:] ABBR *for* bed and breakfast Zimmer *n* mit Frühstück
ban·dit ['bændıt] N Bandit *m*
'band·wagon N **jump on the ~** *infml* auf den fahrenden Zug aufspringen
ban·dy ['bændı] ADJ ⟨-ier, -iest⟩ krumm
bang [bæŋ] A N *sound* Knall *m*; *on head etc* Schlag *m* B VT *door* zuknallen; *head, knee* sich stoßen C VI knallen, schlagen
bang·er ['bæŋə(r)] N *infml*: *sausage* Wurst *f*; **old ~** *infml*: *car* Klapperkiste *f*
ban·gle ['bæŋgl] N Armreif *m*
ban·ish ['bænıʃ] VT verbannen
'ban·ish·ment N Verbannung *f*
ban·is·ters ['bænıstəz] N *pl* Geländer *n*
bank¹ [bæŋk] N *of river* Ufer *n*
bank² [bæŋk] A N ECON Bank *f* B VI **~ with** ein Konto haben bei C VT *money* auf die Bank bringen
♦**bank on** VT rechnen mit; **don't bank on it** darauf würde ich mich nicht verlassen
'bank ac·count N Bankkonto *n*
'bank bal·ance N Kontostand *m*
'bank·book N Sparbuch *n* **'bank card** N Scheckkarte *f*
bank·er ['bæŋkə(r)] N Bankier *m*, Banker(in) *m(f)*
'bank·er's card N Scheckkarte *f*
bank·er's 'or·der N Dauerauftrag *m*
bank 'hol·i·day N öffentlicher Feiertag
bank·ing ['bæŋkıŋ] N Bankwesen *n*
'bank·ing reg·u·la·tion, 'bank·ing su·per·vi·sion N *control* Bankenaufsicht *f* **bank·ing reg·u'la·to·ry au·thor·i·ty, bank·ing su·per'vi·so·ry au·thor·i·ty** N *authority* Bankenaufsicht *f* **'bank·ing sec·tor** N Banksektor *m*
'bank loan N Bankkredit *m* **'bank man·ag·er** N Filialleiter(in) *m(f)*
'bank note N Banknote *f*, Geldschein *m* **'bank rate** N Diskontsatz *m*
'bank·roll VT finanzieren
bank·rupt ['bæŋkrʌpt] A ADJ bankrott; **go ~** in Konkurs gehen, Bankrott machen B VT *person* zu Grunde richten; *company* in den Konkurs treiben
bank·rupt·cy ['bæŋkrʌpsı] N Bankrott *m*, Konkurs *m*
'bank state·ment N Kontoauszug *m*
ban·ner ['bænə(r)] N Banner *n*, Fahne *f*; *at demonstration* Transparent *n* Spruchband *n*
ban·quet ['bæŋkwıt] N Festessen *n*
ban·ter ['bæntə(r)] N Geplänkel *n*
bap·tism ['bæptızm] N Taufe *f*
bap·tize [bæp'taız] VT taufen
bar¹ [bɑ:(r)] N *made of iron* Stange *f*; *of gold* Barren *m*; *of chocolate* Tafel *f*, Riegel *m*; *pub* Bar *f*, Kneipe *f*; *counter in pub* Theke *f*; *in football* Querlatte *f*; **a ~ of soap** ein Stück Seife; **be behind bars** hinter Gittern sitzen
bar² [bɑ:(r)] VT ⟨-rr-⟩ *person* ausschließen; *action* untersagen

bar[3] [bɑː(r)] PREP **~ these** außer diesen
barb [bɑːb] N Widerhaken *m*
bar·bar·i·an [bɑːˈbeərɪən] N *a. fig* Barbar(in) *m(f)*
bar·ba·ric [bɑːˈbærɪk] ADJ barbarisch
bar·be·cue [ˈbɑːbɪkjuː] **A** N *occasion* Grillparty *f*; *device* Grill *m* **B** V/T grillen
barbed ˈwire [bɑːbd] N Stacheldraht *m*
bar·ber [ˈbɑːbə(r)] N (Herren)Friseur *m*
Bar·celo·na Pro·cess [bɑːsəˈləʊnəprəʊses] N *EU* Barcelona-Prozess *m*
ˈbar chart N Balkendiagramm *n*
ˈbar code N Strichkode *m*
bare [beə(r)] ADJ *arms, feet* nackt; *head* unbedeckt; *landscape* kahl; *room, shelf* leer
bare·faced [beəˈfeɪst] ADJ unverschämt, schamlos **ˈbare·foot** ADJ **be ~** barfuß sein **bare-head·ed** [beəˈhedɪd] ADJ ohne Kopfbedeckung
bare·ly [ˈbeəlɪ] ADV kaum
bar·gain [ˈbɑːgɪn] **A** N *transaction* Geschäft *n*; *cheap purchase* Schnäppchen *n*; **it's a ~!** *agreement* abgemacht!; *cheap purchase* das ist geschenkt!; **into the ~** noch dazu, obendrein **B** V/I feilschen
♦**bargain for** V/T *expect* rechnen mit; **get more than one bargained for** *infml* sein blaues Wunder erleben
bar·gain ˈprice N Sonderpreis *m*, Schnäppchenpreis *m*
barge [bɑːdʒ] N NAUT Schleppkahn *m*
♦**barge into** V/T anrempeln
bark[1] [bɑːk] **A** N *of dog* Bellen *n* **B** V/I bellen
bark[2] [bɑːk] N *of tree* Borke *f*, Rinde *f*
bar·ley [ˈbɑːlɪ] N Gerste *f*
ˈbar·maid N Bardame *f*
ˈbar·man N Barkeeper *m*
barm·y [ˈbɑːmɪ] ADJ ⟨-ier, -iest⟩ *infml* bekloppt
barn [bɑːn] N Scheune *f*
ba·rom·e·ter [bəˈrɒmɪtə(r)] N *a. fig* Barometer *n*
Ba·roque [bəˈrɒk] ADJ Barock-
bar·racks [ˈbærəks] N *pl* MIL Kaserne *f*
bar·rage [ˈbærɑːʒ] N MIL Sperrfeuer *n*; *fig* Hagel *m*
bar·rel [ˈbærəl] N *container* Fass *n*
bar·ren [ˈbærən] ADJ *land* unfruchtbar
bar·ri·cade [ˈbærɪkeɪd] N Barrikade *f*
bar·ri·er [ˈbærɪə(r)] N *on road* Absperrung *f*, Barriere *f*; *at railway crossing* Schranke *f*; *at border* Schlagbaum *m*; **language ~** Sprachbarriere *f*
bar·ring [ˈbɑːrɪŋ] PREP außer; **~ accidents** falls nichts passiert
bar·ris·ter [ˈbærɪstə(r)] N Rechtsanwalt *m*, -anwältin *f* (*vor höheren Gerichten zugelassen*)
bar·row [ˈbærəʊ] N (Schub)Karre *f*
ˈbar ten·der N Barkeeper(in) *m(f)*
bar·ter [ˈbɑːtə(r)] **A** N Tausch(handel) *m* **B** V/T tauschen (**for** gegen)
base [beɪs] **A** N *bottom* Boden *m*; *of column, mountain* Fuß *m*; *camp* Basis *f*; *of theory, principle* Ausgangspunkt *m*; MIL Stützpunkt *m*; *of substance* Hauptbestandteil *m*; **at the ~ of …** unten an … **B** V/T **be based on** *theory, story, character* beruhen auf, basieren auf; **~ sth on sth** *theory, opinion* etw auf etw stützen; **be based in** *have headquarters in* s-n Sitz haben in; *live in* wohnen in
ˈbase·ball N *game, ball* Baseball *m*
ˈbase·ball bat N Baseballschläger *m*
ˈbase·ball cap N Baseballmütze *f*
ˈbase·ball play·er N Baseballspieler(in) *m(f)*
base·less [ˈbeɪslɪs] ADJ unbegründet, grundlos
base·ment [ˈbeɪsmənt] N *of house* Keller *m*; *of department store* Untergeschoss *n*
ˈbase rate N ECON Leitzins *m*
bash [bæʃ] **A** N *infml* Schlag *m* **B** V/T **~ one's knee** sich das Knie stoßen
bash·ful [ˈbæʃfl] ADJ scheu, schüchtern
ba·sic [ˈbeɪsɪk] ADJ *problem, difference etc* grundlegend; *hotel, facilities* einfach; **~ salary** Grundgehalt *n*; **my French is pretty ~** ich habe nur Grundkenntnisse in Französisch
ba·sic·al·ly [ˈbeɪsɪklɪ] ADV im Grunde
ba·sic ˈknow·ledge N *no pl* Grundkenntnisse *pl*
ba·sic ˈlaw N Grundrecht *n*
ba·sics [ˈbeɪsɪks] N *pl* **the ~** die Grundlagen; **get down to ~** zum Kern der Sache kommen
bas·il [ˈbæzɪl] N Basilikum *n*
ba·sin [ˈbeɪsn] N (Wasch)Becken *n*
ba·sis [ˈbeɪsɪs] N ⟨*pl* **bases** [ˈbeɪsiːz]⟩ *of relationship, agreement etc* Basis *f*, Grundlage *f*; **on the ~ of** aufgrund von; **on a**

B

regular ~ regelmäßig
bask [bɑ:sk] VI **~ in the sun** sich in der Sonne aalen, sich sonnen
bas·ket ['bɑ:skɪt] N Korb *m*
bass [beɪs] **A** ADJ Bass- **B** N *part* Bassstimme *f*; *singer, instrument* Bass *m*
bas·tard ['bɑ:stəd] N *sl* Scheißkerl *m*; **poor ~** armes Schwein; **stupid ~** dumme Sau
bat¹ [bæt] **A** N *in table tennis* Schläger *m*; *in cricket* Schlagholz *n*; *in baseball* Baseballschläger *m* **B** VI ‹-tt-› *in baseball, cricket* schlagen
bat² [bæt] VT ‹-tt-› **not ~ an eyelid** nicht mal mit der Wimper zucken
bat³ [bæt] N *animal* Fledermaus *f*
batch [bætʃ] N *of people* Schwung *m*; *of goods* Ladung *f*; *of books, letters* Stapel *m*
ba·ted ['beɪtɪd] ADJ **with ~ breath** mit angehaltenem Atem
bath [bɑ:θ] N Bad *n*; *in bathroom* Badewanne *f*
bathe [beɪð] VI schwimmen, baden; *in bathtub* baden
bath·ing ['beɪðɪŋ] N Baden *n*
bath·ing cost·ume, bath·ing suit ['beɪðɪŋ] N Badeanzug *m*
'bath mat N Bodematte *f* **'bath·robe** N Bademantel *m* **'bath·room** N Badezimmer *n*; Toilette *f*
baths [bɑ:θz] N *pl* Badeanstalt *f*
'bath tow·el N Badetuch *n*
'bath·tub N Badewanne *f*
bat·on ['bætən] N *of conductor* Taktstock *m*; *in relay race* Stab *m*
bat·tal·i·on [bə'tælɪən] N MIL Bataillon *n*
bat·ten ['bætn] N Latte *f*
bat·ter¹ ['bætə(r)] N COOK (Ausback)Teig *m*
bat·ter² ['bætə(r)] VT *door etc* heftig einschlagen auf; *object, person* übel zurichten; *woman, child* misshandeln
♦ **batter down** VT *door* einschlagen
bat·tered ['bætəd] ADJ *wife, child* misshandelt
bat·ter·y ['bætrɪ] N Batterie *f*
'bat·ter·y charg·er [tʃɑ:dʒə(r)] N Ladegerät *n*
bat·ter·y-op·e·rat·ed [bætrɪ'ɒpəreɪtɪd] ADJ batteriebetrieben
bat·tle ['bætl] **A** N *in war* Schlacht *f*; *struggle* Kampf *m* (**for** um) **B** VI *struggle* kämpfen (**for** für); *over money, inheritance etc* (sich) streiten (**over** um)
'bat·tle·field, 'bat·tle·ground N Schlachtfeld *n*
bat·tle·ments ['bætlmənts] N *pl* Zinnen *pl*
'bat·tle·ship N Schlachtschiff *n*
baulk [bɔ:k] VI *horse* scheuen; **~ at sth** etw widerwillig tun
Ba·var·i·a [bə'veərɪə] N Bayern *n*
Ba·var·i·an [bə'veərɪən] **A** ADJ bay(e)risch **B** N Bayer(in) *m(f)*
bawd·y ['bɔ:dɪ] ADJ ‹-ier, -iest› derb
bawl [bɔ:l] VI brüllen, schreien; *weep* plärren
♦ **bawl out** VT *infml* ausschimpfen, zusammenstauchen
bay¹ [beɪ] N *of lake, sea* Bucht *f*
bay N² [beɪ] **hold** *or* **keep at ~** *person* in Schach halten; *something unpleasant* von sich fernhalten
bay³ [beɪ] **A** ADJ rotbraun **B** N *horse* Braune(r) *m*
bay⁴ [beɪ] N **~ (tree)** Lorbeer(baum) *m*
bay 'win·dow N Erkerfenster *n*
BBC [bi:bi:'si:] ABBR *for* British Broadcasting Corporation BBC *f* (*öffentlich-rechtliche Rundfunkanstalt in Großbritannien*)
BC [bi:'si:] ABBR *for* before Christ v. Chr., vor Christi Geburt
be [bi:] VI ‹was/were, been› sein; *expressing compulsion* müssen, haben zu, sollen; *in tag questions* nicht (wahr)?; *in passive* werden; **how much is/are …?** wie viel kostet/kosten …?; **there is/are** es gibt; **how are you?** wie geht es dir?; **what do you want to ~?** *as a career* was willst du werden?; **has the postman been?** war der Postbote schon da?; **I was to tell you this** ich sollte dir das sagen; **that's right, isn't it?** das stimmt doch, oder?; V/AUX **I am thinking** ich denke (gerade) nach; **you're being silly** du benimmst dich (gerade) dumm; **he was killed** er wurde getötet
♦ **be in for** VT **he's in for a big surprise** auf ihn wartet e-e Überraschung; *threatening* er kann was erleben; **be in for trouble** Ärger bekommen
beach [bi:tʃ] N Strand *m*
'beach·wear N Strandkleidung *f*
bea·con ['bi:kən] N Leuchtfeuer *n*, Signalfeuer *n*

B

beads [biːdz] N *pl necklace* Perlenkette *f*
'bead·y ['biːdɪ] ADJ ⟨-ier, -iest⟩ *eyes* Knopf-
beak [biːk] N Schnabel *m*
bea·ker ['biːkə(r)] N Becher *m*
'be-all N **the ~ and end-all** das A und O
beam [biːm] **A** N *in ceiling, as support* Balken *m*; *of light* (Licht)Strahl *m* **B** V/I *smile* strahlen **C** V/T *picture, signal* ausstrahlen, senden
bean [biːn] N Bohne *f*
bear¹ [beə(r)] N *animal* Bär *m*
bear² [beə(r)] ⟨bore, borne⟩ **A** V/T *weight, burden* tragen; *cost* tragen, übernehmen; *tolerate: pain, noise, person* ertragen; *child* gebären **B** V/I **~ left/right** sich links/rechts halten; **you should ~ in mind that ...** du solltest berücksichtigen, dass ...
♦**bear out** V/T *statement* bestätigen
bear·a·ble ['beərəbl] ADJ erträglich
beard [bɪəd] N Bart *m*
beard·ed ['bɪədɪd] ADJ bärtig
bear·er ['beərə(r)] N Träger(in) *m(f)*; *of news etc* Überbringer(in) *m(f)*; *of passport etc* Inhaber(in) *m(f)*
bear·ing ['beərɪŋ] N *posture, behaviour* Haltung *f*; *in machine* Lager *n*; **lose one's bearings** die Orientierung verlieren; **that has no ~ on the case** das ist für diesen Fall ohne Bedeutung
'bear mar·ket N ECON Baissemarkt *m*
beast [biːst] N Tier *n*; *fig* Biest *n*, Ekel *n*; *mass murderer* Bestie *f*
beat [biːt] **A** N *of heart* Schlag *m*; *in music* Takt *m* **B** V/I ⟨beat, beaten⟩ *heart* schlagen; *rain* prasseln; **~ about the bush** um den heißen Brei herumreden **C** V/T ⟨beat, beaten⟩ *in contest* schlagen, besiegen; *because of experience etc* besser sein als, übertreffen; *hit* schlagen, (ver)prügeln; *hammer* hämmern auf; **~ it!** *infml* hau ab!; **it beats me** *infml* es ist mir ein Rätsel
♦**beat up** V/T zusammenschlagen
beat·en ['biːtən] **A** PAST PART → beat **B** ADJ *army* geschlagen; **off the ~ track** *place* abgelegen
beat·ing ['biːtɪŋ] N Prügel *pl*; **give sb a ~** j-n verprügeln; *as punishment* j-m e-e Tracht Prügel geben
beau·ti·cian [bjuː'tɪʃn] N Kosmetiker(in) *m(f)*
beau·ti·ful ['bjuːtɪfʊl] ADJ schön; *food* sehr gut; **thanks, that's just ~!** danke, das ist genau richtig!
beau·ti·ful·ly ['bjuːtɪflɪ] ADV wunderbar
'beaut·y ['bjuːtɪ] N Schönheit *f*; **that's the ~ of it** das ist das Schöne daran
'beaut·y sal·on N Schönheitssalon *m*
♦**beaver away** ['biːvə(r)] V/I *infml* schuften
be·came [bɪ'keɪm] PRET → become
be·cause [bɪ'kɒz] CJ weil; **~ of** *prep* wegen
beck·on ['bekn] V/I winken
be·come [bɪ'kʌm] V/I ⟨became, become⟩ werden; **what's ~ of her?** was ist aus ihr geworden?
bed [bed] N Bett *n*; *of flowers* Beet *n*; *of river* Bett *n*; *of sea* Grund *m*; **go to ~** zu Bett gehen; **go to ~ with ...** ins Bett gehen mit ...
bed and 'break·fast N Zimmer *n* mit Frühstück; *place* Frühstückspension *f*
'bed·clothes N *pl* Bettbezüge *pl*
bed·ding ['bedɪŋ] N Bettzeug *n*
bed·lam ['bedləm] N *infml* Chaos *n*
bed·rid·den ['bedrɪdən] ADJ bettlägerig
'bed·room N Schlafzimmer *n* **'bed·side** N **be at the ~ of** am Bett von j-m sein **bed·side 'lamp** N Nachttischlampe *f* **bed·side 'ta·ble** N Nachttisch *m* **'bed-sit**, **bed-sit·ter** ['bedsɪtə(r)] N möbliertes Zimmer **'bed·spread** N Tagesdecke *f* **bed·stead** ['bedsted] N Bettgestell *n* **'bed·time** N Schlafenszeit *f*
bee [biː] N Biene *f*
beech [biːtʃ] N Buche *f*
beef [biːf] **A** N Rindfleisch *n* **B** V/I *infml: complain* meckern (**about** über)
♦**beef up** V/T *infml* aufmotzen
'beef·bur·ger N Hamburger *m*
beef·y ['biːfɪ] ADJ ⟨-ier, -iest⟩ stämmig
'bee·hive N Bienenstock *m* **'bee·keep·er** N Imker(in) *m(f)* **'bee·line** N **make a ~ for** schnurstracks zugehen auf
been [biːn] PAST PART → be
beep [biːp] **A** N *of phone, pager* Piepton *m* **B** V/I *phone* tuten; *pager* piepsen **C** V/T *with pager* anpiepsen
beep·er ['biːpə(r)] N Piepser *m*
beer [bɪə(r)] N Bier *n*
beet [biːt] N *US* Rote Bete

B

bee·tle ['bi:tl] N Käfer *m*
beet·root ['bi:tru:t] N Rote Bete; **as red as a ~** *infml* knallrot
be·fore [bɪ'fɔ:(r)] **A** PREP *in time, place* vor **B** ADV **have you been to Canada ~?** warst du schon einmal in Kanada?; **never ~** noch nie; **the week ~** in der Woche davor **C** CJ **~ we start** bevor wir anfangen
be'fore·hand ADV im Voraus
be·friend [bɪ'frend] V/T sich annehmen
beg [beg] ⟨-gg-⟩ **A** V/I *for money* betteln (**for** um) **B** V/T bitten; *entreat* anflehen
be·gan [bɪ'gæn] PRET → begin
beg·gar ['begə(r)] N Bettler(in) *m(f)*
be·gin [bɪ'gɪn] ⟨began, begun⟩ **A** V/I beginnen, anfangen; **to ~ with** anfangs; *listing reasons* zunächst (einmal) **B** V/T beginnen, anfangen mit
be·gin·ner [bɪ'gɪnə(r)] N Anfänger(in) *m(f)*
be·gin·ning [bɪ'gɪnɪŋ] N *of book, story* Anfang *m*, Beginn *m*; *starting point* Ursprung *m*
be·grudge [bɪ'grʌdʒ] V/T **~ sb sth** j-m etw nicht gönnen; *right, privilege* j-m etw widerwillig zugestehen; *money, holiday* j-m etw nur widerwillig geben
be·guil·ing [bɪ'gaɪlɪŋ] ADJ verführerisch; *beauty* betörend
be·gun [bɪ'gʌn] PAST PART → begin
be·half [bɪ'hɑ:f] N **on my/his ~** in meinem/s-m Namen; **sign on ~ of sb** im Auftrag von j-m unterschreiben; **we're collecting on ~ of the blind** wir sammeln für die Blinden; **don't worry on my ~** mach dir keine Sorgen um mich
be·have [bɪ'heɪv] V/I sich verhalten; **~ (o.s.)** sich (gut) benehmen; **~ (yourself)!** benimm dich anständig!
be·hav·iour, **be·hav·ior** *US* [bɪ'heɪvjə(r)] N Benehmen *n*, Verhalten *n* (**towards** gegenüber)
be·hav·iour·al, **be·hav·ior·al** *US* [bɪ'heɪvjərəl] ADJ PSYCH Verhaltens-
be·head [bɪ'hed] V/T enthaupten
be·hind [bɪ'haɪnd] **A** PREP hinter; **be ~ sb** *in sequence, contest* hinter j-m liegen; *support sb* hinter j-m stehen; **be ~ sth** *be responsible for sth* hinter etw stecken **B** ADV *not in front of* hinten; **stay ~** zurückbleiben; **be ~** *in game* hinten liegen; **be ~ with sth** *with work etc* im Rückstand mit etw sein
beige [beɪʒ] ADJ beige
be·ing ['bi:ɪŋ] N *existence* Dasein *n*; *creature* (Lebe)Wesen *n*
be·lat·ed [bɪ'leɪtɪd] ADJ verspätet
belch [beltʃ] **A** N Rülpser *m* **B** V/I rülpsen
Bel·gian ['beldʒən] **A** ADJ belgisch **B** N Belgier(in) *m(f)*
Bel·gium ['beldʒəm] N Belgien *n*
be·lief [bɪ'li:f] N Glaube *m* (**in** an)
be·liev·able [bɪ'li:vəbl] ADJ glaubhaft
be·lieve [bɪ'li:v] V/T glauben
♦**believe in** V/T glauben an; **I don't believe in making bets** ich halte nichts vom Wetten
be·liev·er [bɪ'li:və(r)] N REL Gläubige(r) *m/f(m)*; *fig* Anhänger(in) *m(f)* (**in** von)
be·lit·tle [bɪ'lɪtl] V/T herabsetzen
bell [bel] N Klingel *f*; *in church* Glocke *f*; **it rings a ~** *fig* das kommt mir irgendwie bekannt vor
'bell·boy, **'bell·hop** *US* N (Hotel)Page *m*
bel·lig·er·ent [bɪ'lɪdʒərənt] ADJ kampflustig
bel·low ['beləʊ] **A** N Gebrüll *n* **B** V/I brüllen
bel·ly ['belɪ] N Bauch *m*
'bel·ly·ache *infml* **A** N Bauchschmerzen *pl* **B** V/I meckern
be·long [bɪ'lɒŋ] V/I **where does this ~?** wohin gehört das?, wohin kommt das?
♦**belong to** V/T *be possession of* gehören; *to group* gehören zu; *club* angehören
be·long·ings [bɪ'lɒŋɪŋz] N *pl* Sachen *pl*; **all their ~** ihr ganzes Hab und Gut
be·lov·ed [bɪ'lʌvɪd] ADJ geliebt
be·low [bɪ'ləʊ] **A** PREP unter **B** ADV unten; **10 degrees ~** 10 Grad unter null
belt [belt] N Gürtel *m*
♦**belt up** V/I AUTO sich anschnallen; **belt up!** *infml* halt die Klappe!
'belt·way N *US* Umgehungsstraße *f*
be·moan [bɪ'məʊn] V/T beklagen
bench [bentʃ] N *for sitting on* Bank *f*; *of carpenter* Werkbank *f*
'bench·mark N Standard *m*
'bench·mark·ing N Benchmarking *n*
bend [bend] **A** N *in river* Biegung *f*; *in pipe etc* Krümmung *f*; *in road* Kurve *f* **B** V/T ⟨bent, bent⟩ *arm, knee* beugen; *metal*

biegen; *head* neigen **C** VI ‹bent, bent› *road, river* e-e Biegung machen; *pipe etc* sich biegen; *person* sich bücken
♦ **bend down** VI sich bücken
bend·er ['bendə(r)] N *infml* Sauftour *f*
be·neath [bɪ'ni:θ] **A** PREP unter; **he thinks it's ~ him** *fig* er denkt, dass es unter s-r Würde ist **B** ADV unten; **in the valley ~** im Tal unterhalb
ben·e·fac·tor ['benɪfæktə(r)] N Wohltäter(in) *m(f)*
be·nef·i·cent [bɪ'nefɪsnt] ADJ wohltätig
ben·e·fi·cial [benɪ'fɪʃl] ADJ *advice, lesson* nützlich (**to** für); *advantageous* vorteilhaft (**to** für)
ben·e·fit ['benɪfɪt] **A** N Vorteil *m*, Nutzen *m*; *from state* Unterstützung *f*; **be of ~ to sb** j-m nützen; **for your own ~** zu deinem Besten **B** VT ‹-tt-› nützen **C** VI ‹-tt-› profitieren (**from** von)
'ben·e·fit con·cert N Benefizkonzert *n*
Be·ne·lux co·op·er·a·tion [benɪlʌkskəʊɒpə'reɪʃn] N *EU* Benelux-Kooperation *f*
'Be·ne·lux coun·tries N *pl EU* Beneluxstaaten *pl*
be·nev·o·lence [bɪ'nevələns] N Wohlwollen *n*
be·nev·o·lent [bɪ'nevələnt] ADJ wohlwollend
be·nign [bɪ'naɪn] ADJ *expression, smile* gütig; MED gutartig
bent [bent] **A** ADJ *infml* korrupt **B** PRET & PAST PART → bend
be·queath [bɪ'kwi:ð] VT **~ sth to sb** j-m etw vermachen; *fig* j-m etw hinterlassen
be·quest [bɪ'kwest] N Vermächtnis *n*
be·reaved [bɪ'ri:vd] **A** ADJ trauernd **B** N *pl* **the ~** die Hinterbliebenen *pl*
be·ret ['bereɪ] N Baskenmütze *f*
Ber·lin [bɜ:'lɪn] N Berlin *n*
ber·ry ['berɪ] N Beere *f*
ber·serk [bə'sɜ:k] ADV **go ~** durchdrehen
berth [bɜ:θ] N *on ship* Koje *f*; *on train* Schlafwagenplatz *m*; *for ship* Liegeplatz *m*; **give sb a wide ~** e-n großen Bogen um j-n machen
be·set [bɪ'set] VT ‹-tt-; beset, beset› heimsuchen; **~ with difficulties** mit vielen Schwierigkeiten verbunden; **~ by doubts** von Zweifeln befallen
be·side [bɪ'saɪd] PREP neben; **be ~ o.s. with** *rage, grief* außer sich sein vor; **that's ~ the point** das hat damit nichts zu tun
be·sides [bɪ'saɪdz] **A** ADV außerdem **B** PREP *except for* außer
be·siege [bɪ'si:dʒ] VT *a. fig* belagern
best [best] **A** ADJ beste(r, -s); **it would be ~ if ...** es wäre (wohl) am besten, wenn ... **B** ADV am besten; **like sb/sth ~** j-n/etw am liebsten mögen **C** N **the ~** der/die/das Beste; **all the ~!** alles Gute!
best be'fore date N Haltbarkeitsdatum *n* **best 'man** N *Trauzeuge des Bräutigams*
be·stow [bɪ'stəʊ] VT *title* verleihen (**on** *dat*)
best-'sell·er N Bestseller *m*
bet [bet] **A** N Wette *f* **B** VT & VI ‹-tt-; bet, bet *or* betted, betted› wetten (**on** auf); **you ~!** *infml* und ob!
be·tray [bɪ'treɪ] VT *country, friend* verraten; *trust* enttäuschen; *lover, principles* untreu werden
be·tray·al [bɪ'treɪəl] N Verrat *m* (**of** an); **a ~ of trust** ein Vertrauensbruch *m*
bet·ter ['betə(r)] **A** ADJ besser; **he's ~** *with regard to health* es geht ihm besser **B** ADV besser; **you'd ~ leave now** du solltest jetzt besser *or* lieber gehen; **I'd really ~ not** das sollte ich lieber nicht; **like sb ~** j-n lieber mögen
bet·ter-'off ADJ besser dran; *financially* wohlhabender
be·tween [bɪ'twi:n] PREP zwischen; **~ you and me** *in confidence* (nur) unter uns
bev·er·age ['bevərɪdʒ] N *formal* Getränk *n*
be·ware [bɪ'weə(r)] VT **~ of** sich in Acht nehmen vor; **~ of the bull** Vorsicht, (frei laufender) Bulle
be·wil·der [bɪ'wɪldə(r)] VT verwirren
be·wil·der·ment [bɪ'wɪldəmənt] N Verwirrung *f*
be·witch [bɪ'wɪtʃ] VT *a. fig* verzaubern
be·yond [bɪ'jɒnd] **A** PREP *in space* jenseits; *in time* über ... hinaus; **it's ~ me** *decision, behaviour* ich verstehe es nicht; *task* ich schaffe das nicht; **it's ~ my control** das liegt nicht in meiner Hand **B** ADV *in space* jenseits
bi·as ['baɪəs] N Vorurteil *n*, Voreinge-

B

nommenheit *f*
bi·as(s)ed ['baɪəst] ADJ voreingenommen; *judge* befangen
bib [bɪb] N *for baby* Lätzchen *n*
Bi·ble ['baɪbl] N Bibel *f*
bib·li·cal ['bɪblɪkl] ADJ biblisch
bib·li·og·ra·phy [bɪblɪ'ɒgrəfɪ] N Bibliografie *f*
bi·car·bon·ate of so·da [baɪkɑ:bəneɪtəv'səʊdə] N Natron *n*
bi·cen·te·na·ry [baɪsen'ti:nərɪ] N Zweihundertjahrfeier *f*
bi·ceps ['baɪseps] N *pl* Bizeps *m*
bi·cy·cle ['baɪsɪkl] N Fahrrad *n*
bid [bɪd] **A** N Versuch *m*; *at auction* Gebot *n*; *for tender* Offerte *f* **B** V/T & V/I ⟨-dd-; bid, bid⟩ bieten
bid·der ['bɪdə(r)] N Bietende(r) *m/f(m)*
bi·en·ni·al [baɪ'enɪəl] ADJ zweijährlich
bi·fo·cals [baɪ'fəʊkəlz] N *pl* Bifokalbrille *f*
big [bɪg] **A** ADJ ⟨-gg-⟩ groß, Groß-; *person a.* kräftig gebaut; *food* reichlich; **a ~ name** ein bedeutender Name; **that's ~ of you** *esp ironically* wie nobel von dir **B** ADV **talk ~** große Töne spucken
big·a·my ['bɪgəmɪ] N Bigamie *f*
big dip·per [bɪg'dɪpə(r)] N Achterbahn *f*
'big·head N *infml* Angeber(in) *m(f)*
big-headed [bɪg'hedɪd] ADJ *infml* angeberisch
big·ot ['bɪgət] N bigotter Mensch
'big shot N *infml*: *person* hohes Tier
bike [baɪk] **A** N *infml* Rad *n*; Motorrad *n* **B** V/I *infml* radeln, Rad fahren
bik·er ['baɪkə(r)] N *with motorcycle* Biker(in) *m(f)*; *with bicycle* Radfahrer(in) *m(f)*
bi·lat·er·al [baɪ'lætərəl] ADJ bilateral
bile [baɪl] N *a. fig* Galle *f*
bi·lin·gual [baɪ'lɪŋgwəl] ADJ zweisprachig
bi·lin·gual 'sec·re·ta·ry N Fremdsprachensekretär(in) *m(f)*
bill [bɪl] **A** N *amount of money owed* Rechnung *f*; *US*: *piece of paper money* Banknote *f*, Schein *m*; POL Gesetzesvorlage *f*; Gesetz *n*; *poster* Plakat *n*; **can I have the ~, please** kann ich bitte zahlen? **B** V/T **~ sb** j-m e-e Rechnung stellen
'bill·board N Reklametafel *f*
'bill·fold N *US* Brieftasche *f*
bil·liards ['bɪljədz] N *sg* Billard *n*
bil·lion ['bɪljən] N *thousand million* Milliarde *f*
bill of ex'change N ECON Wechsel *m*
bill of la·ding [bɪləv'leɪdɪŋ] N ECON Frachtbrief *m*
bim·bo ['bɪmbəʊ] N *infml* Schaufensterpuppe *f*
bin [bɪn] N Mülleimer *m*; Papierkorb *m*; *for storage* Behälter *m*
bi·na·ry ['baɪnərɪ] ADJ binär
bind [baɪnd] V/T ⟨bound, bound⟩ binden (**to** an); *wound, arm* verbinden; *with rope* fesseln; *compel, with treaty etc* verpflichten
bind·er ['baɪndə(r)] N *person* Buchbinder(in) *m(f)*; *for paper* Mappe *f*, Hefter *m*
bind·ing ['baɪndɪŋ] **A** ADJ *agreement, promise* bindend **B** N *of book* Einband *m*; SPORTS Bindung *f*
binge drink·ing ['bɪndʒdrɪŋkɪŋ] N *infml* Kampftrinken *n*
bi·noc·u·lars [bɪ'nɒkjʊləz] N *pl* Fernglas *n*
bi·o·chem·ist [baɪəʊ'kemɪst] N Biochemiker(in) *m(f)*
bi·o·chem·is·try [baɪəʊ'kemɪstrɪ] N Biochemie *f*
bi·o·de·grad·a·ble [baɪəʊdɪ'greɪdəbl] ADJ biologisch abbaubar
bi·og·ra·pher [baɪ'ɒgrəfə(r)] N Biograf(in) *m(f)*
bi·og·ra·phy [baɪ'ɒgrəfɪ] N Biografie *f*
bi·o·log·i·cal [baɪə'lɒdʒɪkl] ADJ biologisch; **~ detergent** Biowaschmittel *n*; **~ waste** Bioabfall *m*
bi·ol·o·gist [baɪ'ɒlədʒɪst] N Biologe *m*, Biologin *f*
bi·ol·o·gy [baɪ'ɒlədʒɪ] N Biologie *f*
bi·o·mass ['baɪəʊmæs] N Biomasse *f*
birch [bɜ:tʃ] N Birke *f*
bird [bɜ:d] N Vogel *m*; *infml*: *girl* Puppe *f*
'bird flu N Vogelgrippe *f* **bird of 'prey** N Raubvogel *m* **bird's eye 'view** N Vogelperspektive *f*
bi·ro® ['baɪrəʊ] N Kugelschreiber *m*, Kuli *m*
birth [bɜ:θ] N Geburt *f*; *fig*: *of nation, party* Entstehung *f*; **give ~ to** *child* gebären; **he is Swiss by ~** er ist gebürtiger Schweizer *or* Schweizer von Geburt
'birth cer·tif·i·cate N Geburtsurkunde *f* **'birth con·trol** N Geburtenkontrolle *f* **'birth·day** N Geburtstag *m*;

happy ~! herzlichen Glückwunsch zum Geburtstag! **'birth·mark** N Muttermal *n* **'birth·place** N Geburtsort *m* **'birth·rate** N Geburtenrate *f*

bis·cuit ['bɪskɪt] N Keks *m*

bi·sex·u·al [baɪ'seksjʊəl] **A** ADJ bisexuell **B** N Bisexuelle(r) *m/f(m)*

bish·op ['bɪʃəp] N REL Bischof *m*

bit¹ [bɪt] N Stück(chen) *n; of garden, road etc a.* Teil *m; in text, play, music* Stelle *f;* IT Bit *n;* **a ~** *expensive, tired* etwas, ein bisschen; *length of time* e-e Weile; **not a ~ different** kein bisschen anders; **a ~ of** *bread, headache, luck* ein bisschen; **a ~ of news/advice** e-e Neuigkeit/ein Rat; ein paar Neuigkeiten/Ratschläge; **have a ~ on the side** fremdgehen; **~ by ~** nach und nach; **I'll be there in a ~** ich bin gleich da

bit² [bɪt] PRET → bite

bitch [bɪtʃ] **A** N *animal* Hündin *f; sl pej: woman* Miststück *n;* **silly ~** *sl* dumme Kuh **B** V/I *infml* meckern (**about** über)

bitch·y ['bɪtʃɪ] ADJ ⟨-ier, -iest⟩ *infml* gehässig

bite [baɪt] **A** N *of dog, snake* Biss *m; of insect* Stich *m; of food* Bissen *m,* Happen *m;* **let's have a ~ (to eat)** lass uns was essen **B** V/T ⟨bit, bitten⟩ beißen; *sting* stechen; *fingernails* kauen an **C** V/I ⟨bit, bitten⟩ *dog, snake, person* (zu)beißen; *insect* stechen; *fish* anbeißen

bit·ten ['bɪtn] PAST PART → bite

bit·ter ['bɪtə(r)] ADJ *taste, memory* bitter; *person* verbittert; *dispute* erbittert; *weather* bitterkalt

bi·zarre [bɪ'zɑː(r)] ADJ bizarr

blab [blæb] V/I ⟨-bb-⟩ *infml* tratschen

black [blæk] **A** ADJ schwarz; **he is ~** *person* er ist Schwarzer **B** N *colour* Schwarz *n; person* Schwarze(r) *m/f(m);* **in the ~** ECON in den schwarzen Zahlen; **in ~ and white** *fig* schwarz auf weiß

♦ **black out** V/I das Bewusstsein verlieren, ohnmächtig werden

'black·ber·ry N Brombeere *f* **'black·bird** N Amsel *f* **'black·board** N Tafel *f;* **on the ~** an der Tafel **black 'box** N Flugschreiber *m* **black'cur·rant** N Schwarze Johannisbeere **black e'con·o·my** N Schattenwirtschaft *f*

black·en ['blækn] V/T **~ a person's name** *fig* j-n schlechtmachen

black 'eye N blaues Auge **'black·head** N Mitesser *m* **black 'ice** N Glatteis *n* **'black·leg** N Streikbrecher(in) *m(f)* **'black·list** **A** N schwarze Liste **B** V/T auf die schwarze Liste setzen **'black·mail** **A** N Erpressung *f* **B** V/T erpressen **'black·mail·er** N Erpresser(in) *m(f)* **black 'mar·ket** N Schwarzmarkt **black mar·ket·eer·ing** [blækmɑːkə'tiːrɪŋ] N *activity* Schwarzhandel *m* **black-mar·ket 'price** N Schwarzmarktpreis *m*

black·ness N ['blæknɪs] Schwärze *f*

'black·out N ELEC Stromausfall *m;* MED Ohnmachtsanfall *m* **black 'pud·ding** N Blutwurst *f* **black·smith** ['blæksmɪθ] N Schmied *m*

blad·der ['blædə(r)] N ANAT Blase *f*

blade [bleɪd] N *of knife* Klinge *f; of helicopter* Flügel *m; of grass* Halm *m*

blame [bleɪm] **A** N Schuld *f* **B** V/T **~ sb for sth** j-m die Schuld an etw geben; **be to ~ for sth** schuld an etw sein

blame·less ['bleɪmlɪs] ADJ schuldlos; *life* untadelig

blanch V/I [blɑːntʃ] erbleichen

blanc·mange [blə'mɒnʒ] N Pudding *m*

bland [blænd] ADJ *person* langweilig; *food* fad(e)

blank [blæŋk] **A** ADJ *page* leer; *look* ausdruckslos; **~ CD** CD-Rohling *m* **B** N *gap* Lücke *f; in typed text* Leerstelle *f,* Leerschlag *m;* **my mind's a ~** ich hab e-n totalen Aussetzer

blank 'cheque, blank 'check *US* N Blankoscheck *m*

blan·ket ['blæŋkɪt] N Decke *f*

blare [bleə(r)] V/I *of radio* plärren

♦ **blare out** **A** V/I *music, voices* schallen **B** V/T *song* hinausschmettern

blas·phe·my ['blæsfəmɪ] N Gotteslästerung *f*

blast [blɑːst] **A** N Explosion *f; gust* Windstoß *m* **B** V/T sprengen; **~!** *infml* verdammt!

♦ **blast off** V/I *into space* abheben

'blast fur·nace N Hochofen *m*

'blast-off N Start *m*

bla·tant ['bleɪtənt] ADJ *attempt, mistake, lie* offensichtlich; **be ~ about sth** aus etw kein Geheimnis machen

blaze [bleɪz] **A** N *fire* Brand *m;* **a ~ of**

B

colour ein Meer von Farben **B** VI *fire* brennen
bleach [bli:tʃ] **A** N Bleichmittel *n* **B** VT *hair* bleichen, blondieren
bleak [bli:k] ADJ *landscape* öde; *weather* rau; *future* trostlos
blear·y-eyed ['blɪərɪaɪd] ADJ **be ~** verschlafene Augen haben
bleat [bli:t] VI *sheep* blöken
bled [bled] PRET & PAST PART → bleed
bleed [bli:d] ⟨bled, bled⟩ **A** VI bluten; **~ to death** verbluten **B** VT *fig* schröpfen, bluten lassen
bleed·ing ['bli:dɪŋ] **A** N Blutung *f* **B** ADJ *infml* verdammt
bleep [bli:p] **A** N Piepton *m* **B** VI piepsen **C** VT *on pager* anpiepsen
blee·per ['bli:pə(r)] N Piepser *m*
blem·ish ['blemɪʃ] **A** N Fleck *m*; *fig* Makel *m* **B** VT *reputation* beflecken, schaden
blend [blend] **A** N *of tea, coffee, cultures* Mischung *f* **B** VT (ver)mischen
♦ **blend in** **A** VI passen (**with** zu) **B** VT *in cooking* untermischen
blend·er ['blendə(r)] N *device* Mixer *m*
bless [bles] VT segnen; **(God) ~ you!** Gott behüte dich!; **~ you!** *after sneeze* Gesundheit!
bless·ed ['blesɪd] ADJ REL selig; *infml* verflixt
bless·ing ['blesɪŋ] N REL, *fig* Segen *m*
blew [blu:] PRET → blow²
blind [blaɪnd] **A** ADJ blind; *corner* unübersichtlich; **be ~ to** *fig* blind sein für **B** N *pl* **the ~** die Blinden *pl* **C** VT blenden; **be blinded** *in accident* blind werden; **~ sb to sth** *fig* j-n etw nicht sehen lassen
blind 'al·ley N Sackgasse *f* **blind 'date** N Blind Date *n* (*Rendezvous mit e-r unbekannten Person*) **'blind·fold** **A** N Augenbinde *f* **B** VT **~ sb** j-m die Augen verbinden **C** ADV mit verbundenen Augen
blind·ing ['blaɪndɪŋ] ADJ *light, headache* stechend
blind·ly ['blaɪndlɪ] ADV blind(lings); *obey* blind
'blind spot N *on road* toter Winkel; *weakness* Schwachpunkt *m*
blink [blɪŋk] VI *with eyes* blinzeln; *light* blinken
blink·ered ['blɪŋkəd] ADJ *fig* engstirnig
blink·ers ['blɪŋkəz] N *pl a. fig* Scheuklappen *pl*
blip [blɪp] N *on radar screen* leuchtender Punkt; **it's just a ~** *fig* das ist nur ein kleiner Ausreißer
bliss [blɪs] N Glück *n*, Wonne *f*
blis·ter ['blɪstə(r)] **A** N Blase *f* **B** VI *skin* Blasen bekommen; *paint* Blasen werfen
blitz N [blɪts] heftiger Luftangriff; *fig* Blitzaktion *f*
bloat·ed ['bləʊtɪd] ADJ *face* aufgedunsen; *with food* zum Platzen voll
blob [blɒb] N *of liquid* Tropfen *m*; *of paint* Tupfer *m*; *of ice cream* Klacks *m*
bloc [blɒk] N POL Block *m*
block [blɒk] **A** N *of ice, wood, stone* Klotz *m*, Block *m*; *building* (Häuser)Block *m*; *of shares* Paket *n*; *embargo* Blockade *f*; **~ of flats** Wohnblock *m* **B** VT blockieren; *view a.* versperren; *drain* verstopfen
♦ **block in** VT *with vehicle* einkeilen
♦ **block out** VT *light* wegnehmen; *intentionally* nicht durchlassen
♦ **block up** VT *drain etc* verstopfen; **I'm feeling all blocked up** meine Nase ist total verstopft
block·ade [blɒ'keɪd] **A** N Blockade *f* **B** VT blockieren
block·age ['blɒkɪdʒ] N Verstopfung *f*
block·bust·er ['blɒkbʌstə(r)] N *film* Kinohit *m*; *book* Bestseller *m* **'block·head** N Dummkopf *m* **block 'let·ters** N *pl* Blockschrift *f*
blog [blɒg] N IT Blog *m or n*
blog·ger ['blɒgə(r)] N IT Blogger(in) *m(f)*
blo·go·sphere ['blɒgəsfɪə(r)] N IT Blogosphäre *f*
bloke [bləʊk] N *infml* Kerl *m*, Typ *m*
blond [blɒnd] ADJ blond
blonde [blɒnd] N *woman* Blondine *f*
blood [blʌd] N Blut *n*; **in cold ~** kaltblütig
'blood al·co·hol lev·el N Alkoholspiegel *m* **'blood bank** N Blutbank *f* **'blood bath** N Blutbad *n* **blood-cur·dling** ['blʌdkɜ:dlɪŋ] ADJ grauenhaft **'blood do·nor** N Blutspender(in) *m(f)* **'blood group** N Blutgruppe *f*
blood·less ['blʌdlɪs] ADJ *coup* unblutig
blood poi·son·ing ['blʌdpɔɪzənɪŋ] N Blutvergiftung *f* **'blood pres·sure** N Blutdruck *m* **'blood re·la·tion,**

'blood rel·a·tive N Blutsverwandte(r) *m/f(m)* **'blood sam·ple** N Blutprobe *f* **'blood·shed** N Blutvergießen *n* **'blood·shot** ADJ blutunterlaufen **'blood·stain** N Blutfleck *m* **'blood-stained** ADJ blutig, blutbefleckt **'blood·stream** N Blutkreislauf *m* **'blood test** N Blutprobe *f* **'blood-thirst·y** ADJ ‹-ier, -iest› blutrünstig **'blood ves·sel** N Blutgefäß *n*

blood·y ['blʌdɪ] ADJ ‹-ier, -iest› *hands, battle* blutig; *infml* verdammt; **~ hell!** verdammter Mist!

blood·y-mind·ed [blʌdɪ'maɪndɪd] ADJ *infml* stur, hartnäckig

bloom [blu:m] **A** N *of flower* Blüte *f*; **in full ~** in voller Blüte **B** V/I *flower* blühen; *fig* s-e Blütezeit haben

blos·som ['blɒsəm] **A** N *of tree* Blüte *f* **B** V/I *tree* blühen; *fig* aufblühen

blot [blɒt] **A** N Klecks *m* **B** V/T ‹-tt-› *face, skin* abtupfen; *ink* aufnehmen

♦ **blot out** V/T *memory* auslöschen; *sun* verdecken

blotch [blɒtʃ] N Fleck *m*

blotch·y ['blɒtʃɪ] ADJ ‹-ier, -iest› fleckig

blouse [blaʊz] N Bluse *f*

blow[1] [bləʊ] N Schlag *m*

blow[2] [bləʊ] ‹blew, blown› **A** V/T *subject: wind* wehen; *smoke, trumpet* blasen; *infml: money* verpulvern (**on** für); **he blew his whistle** er pfiff; **~ one's nose** sich die Nase putzen; **~ one's chances of doing sth** *infml* es sich verscherzen, etw zu tun; **I blew it** *infml* ich hab's versaut **B** V/I *wind* wehen; *person* blasen; *fuse* durchbrennen; *tyre* platzen; **wait till the whistle blows** warte auf den Pfiff

♦ **blow off** **A** V/T wegblasen **B** V/I *hat, roof* wegfliegen

♦ **blow out** **A** V/T *candle* ausblasen **B** V/I *candle* ausgehen

♦ **blow over** **A** V/T *tree* umwehen **B** V/I umfallen; *storm, disagreement* sich legen

♦ **blow up** **A** V/T *with explosives* in die Luft jagen; *balloon* aufblasen; *photo, picture* vergrößern **B** V/I *car, kettle etc* in die Luft fliegen, explodieren; *infml: become angry* explodieren

'blow-dry V/T ‹-ied› föhnen

blown [bləʊn] PAST PART → blow[2]

'blow-out N *of car* geplatzter Reifen; *infml: large meal* Schlemmerei *f*

'blow-up N *of photo* Vergrößerung *f*

BLT [bi:el'ti:] ABBR *for* bacon, lettuce and tomato *mit Frühstücksspeck, Salat und Tomaten belegtes Brötchen*

blue [blu:] **A** ADJ blau; *infml: film* Porno-; **be feeling ~** *infml* down sein **B** N Blau *n*

'blue·ber·ry N Blaubeere *f*, Heidelbeere *f* **blue-chip 'stock** N sichere Anlage **blue-'col·lar work·er** N Arbeiter(in) *m(f)* **'blue·print** N *fig* Plan *m*, Entwurf *m*

blues [blu:z] N *pl* MUS Blues *m*; **have the ~** down sein

bluff [blʌf] **A** N *deception* Bluff *m* **B** V/I bluffen

blun·der ['blʌndə(r)] **A** N Fehler *m* **B** V/I sich blamieren

blunt [blʌnt] ADJ stumpf; *person* geradeheraus, offen

blunt·ly ['blʌntlɪ] ADV *speak* geradeheraus; **to put it ~** ganz offen gesagt

blur [blɜ:(r)] **A** N verschwommener Fleck **B** V/T ‹-rr-› verschwimmen lassen; **a blurred photo** ein unscharfes Foto

blurb [blɜ:b] N *of book* Klappentext *m*

♦ **blurt out** [blɜ:t'aʊt] V/T herausplatzen mit

blush [blʌʃ] **A** N Erröten *n* **B** V/I erröten, rot werden

blush·er ['blʌʃə(r)] N *make-up* Rouge *n*

BO [bi:'əʊ] ABBR *for* body odour Körpergeruch *m*

boar [bɔ:(r)] N Eber *m*; *wild pig* Keiler *m*

board [bɔ:d] **A** N Brett *n*; *cardboard* (dicke) Pappe; *for game* Spielbrett *n*; *for notices* Schwarzes Brett; *in classroom* Tafel *f*; **~ (of directors)** *of company* Vorstand *m*; **on ~** *on ship, plane* an Bord; **take on ~** berücksichtigen; *understand* begreifen; **across the ~** allgemein **B** V/T *plane, ship, train* einsteigen in **C** V/I *passengers* an Bord gehen

♦ **board up** V/T mit Brettern vernageln

♦ **board with** V/T in Pension sein bei

board and 'lodg·ing N Verpflegung *f* und Unterkunft *f*

'board game N Brettspiel *n*

'board·ing card N Bordkarte *f* **'board·ing house** N Pension *f* **'board·ing pass** N Bordkarte *f* **'board·ing school** N Internat *n* **'board meet·ing** N Vorstandssitzung

B

f **'board room** N Sitzungssaal *m*
'board·walk N *esp US* Strandpromenade *f*
boast [bəʊst] **A** N Prahlerei *f* **B** V/I prahlen (**about** mit)
boat [bəʊt] N Boot *n*; *larger* Schiff *n*; **go by ~** mit dem Schiff fahren
bob[1] [bɒb] N *haircut* Bubikopf *m*
bob[2] [bɒb] V/I ⟨-bb-⟩ *ship etc* sich auf und ab bewegen
♦ **bob up** V/I auftauchen
bob·bin ['bɒbɪn] N *a.* ELEC Spule *f*
bod·i·ly ['bɒdɪlɪ] **A** ADJ *needs, functions* körperlich **B** ADV *throw out* gewaltsam
bod·y ['bɒdɪ] N *of person*, PHYS Körper *m*; *dead body* Leiche *f*; *institution* Körperschaft *f*; **~ (suit)** *piece of clothing* Body *m*
'bod·y ar·mour, **'bod·y ar·mor** *US* N kugelsichere Weste **'bod·y·guard** N Leibwächter(in) *m(f)* **'bod·y language** N Körpersprache *f* **'bod·y odour**, **'bod·y o·dor** *US* N Körpergeruch *m* **'bod·y pierc·ing** N Piercing *n* **'bod·y shop** N AUTO Karosseriewerkstatt *f* **'bod·y·work** N AUTO Karosserie *f*
bog·gle ['bɒgl] V/I **the mind boggles!** *infml* das ist nicht zu fassen!
bo·gus ['bəʊgəs] ADJ falsch; **~ asylum-seeker** Scheinasylant(in) *m(f)*; **~ company** Schwindelfirma *f*
boil[1] [bɔɪl] N *on skin* Furunkel *m*
boil[2] [bɔɪl] V/T & V/I kochen
♦ **boil down to** V/T *fig* hinauslaufen auf
♦ **boil over** V/I *milk* überkochen
boil·er ['bɔɪlə(r)] N *on ship etc* (Dampf)-Kessel *m*; *in house etc* Boiler *m*
'boil·er suit N Overall *m*
boil·ing point ['bɔɪlɪŋ] N *a. fig* Siedepunkt *m*
bois·ter·ous ['bɔɪstərəs] ADJ ausgelassen, wild
bold [bəʊld] **A** ADJ *person, plan* mutig; *handwriting* fett **B** N Fettdruck *m*; **in ~** fett gedruckt
Bo·lo·gna Pro·cess [bə'lɒnjəprəʊses] N *EU* Bologna-Prozess *m*
bol·ster ['bəʊlstə(r)] V/T stärken
bolt [bəʊlt] **A** N Schraube *f*, Bolzen *m*; *on door* Riegel *m*; **~ of lightning** Blitz *m* **B** ADV **~ upright** kerzengerade **C** V/T *secure* verschrauben; *door* verriegeln **D** V/I losrennen; *horse* durchgehen; **~ for the door** e-n Satz zur Tür machen
bomb [bɒm] **A** N Bombe *f* **B** V/T *by army* bombardieren; *by terrorists* ein Bombenattentat verüben auf
bom·bard [bɒm'bɑːd] V/T *a. fig* bombardieren
'bomb at·tack N Bombenangriff *m*
bomb·er ['bɒmə(r)] N *plane* Bomber *m*; *terrorist* Bombenattentäter(in) *m(f)*
'bomb·proof ADJ bombensicher
'bomb scare N Bombendrohung *f*
'bomb·shell N *fig* Bombe *f*
bond [bɒnd] **A** N *attachment* Bindung *f*; ECON festverzinsliches Wertpapier **B** V/I *glue* binden; *people* sich gut verstehen
bond·age ['bɒndɪdʒ] N Sklaverei *f*; *sexual practice* Fesseln *n*
bone [bəʊn] **A** N Knochen *m* **B** V/T *meat* die Knochen lösen aus; *fish* entgräten
bon·fire ['bɒnfaɪə(r)] N Feuer *n (um Laub zu verbrennen etc)*; *at party* Freudenfeuer *n*
bonk [bɒŋk] V/T & V/I *sl: have sex* bumsen
bon·net N *of car* Motorhaube *f*
bo·nus ['bəʊnəs] N *money* Prämie *f*; *extra* Zugabe *f*; **Christmas ~** Weihnachtsgeld *n*
bon·y ['bəʊnɪ] ADJ ⟨-ier, -iest⟩ knochig; *fish* grätig
boo [buː] **A** N Buhruf *m* **B** V/T *actor, speaker* ausbuhen **C** V/I buhen
boob[1] [buːb] **A** N *infml: mistake* Schnitzer *m* **B** V/I *make a mistake* Mist bauen
boob[2] [buːb] N *infml* Busen *m*
boo·boo ['buːbuː] N *infml* Schnitzer *m* → boob[1]
book [bʊk] **A** N Buch *n*; **~ of matches** Streichholzheftchen *n* **B** V/T *ticket* bestellen; *flight, hotel room, holiday* buchen; *table, seat* reservieren (lassen); *musician* engagieren; *ticket for concert, theatre* (vor)bestellen; *driver for speeding* e-n Strafzettel verpassen; *in football* verwarnen **C** V/I *person* bestellen, reservieren; *passenger* buchen
♦ **book in** **A** V/I *into hotel* absteigen; *at reception* sich eintragen **B** V/T **book sb in** ein Zimmer für j-n reservieren
'book·case N Bücherregal *n*
booked up [bʊkt'ʌp] ADJ *hotel, flight, restaurant, person* ausgebucht; *performance, concert* ausverkauft
book·ing ['bʊkɪŋ] N *for flight, hotel*

room Buchung *f*; *for table, hotel room* Reservierung *f*; *of musician, artist* Engagement *n*; *of concert tickets* (Vor)Bestellung *f*; *in football* Verwarnung *f*
'book·ing clerk N Schalterbeamte(r) *m*, -beamtin *f*
'book·ing of·fice N THEAT Vorverkaufsstelle *f*
'book·keep·er N Buchhalter(in) *m(f)*
'book·keep·ing N Buchhaltung *f*
book·let ['bʊklɪt] N Broschüre *f*
'book·mak·er N Buchmacher *m*
'book·mark(·er) N Lesezeichen *n*
books [bʊks] N *pl of company* (Geschäfts)Bücher *pl*; **do the ~** die Buchhaltung machen
'book·sell·er N Buchhändler(in) *m(f)*
'book·shelf N ⟨*pl* bookshelves⟩ Bücherregal *n* **'book·shop** N Buchhandlung *f* **'book to·ken** N Büchergutschein *m*
boom¹ [bu:m] **A** N *of economy* Aufschwung *m*, Boom *m* **B** V/I *company* boomen, sich sprunghaft entwickeln
boom² [bu:m] N *sound* Donnern *n*
boor·ish ['bɔ:rɪʃ] ADJ rüpelhaft
boost [bu:st] **A** N Auftrieb *m* **B** V/T *production, sales figures* ankurbeln; *prices* in die Höhe treiben; *morale* heben
boot¹ [bu:t] N Stiefel *m*
boot² [bu:t] N *of car* Kofferraum *m*
♦**boot out** V/T *infml* rausschmeißen
♦**boot up** V/T & V/I IT starten, hochfahren, booten
booth [bu:ð] N *at market* Bude *f*; *at trade fair* Stand *m*; *at election* Kabine *f*; TEL Zelle *f*
'boot·lace N Schnürsenkel *m*
boot·y ['bu:tɪ] N Beute *f*
booze [bu:z] N *infml* Alkohol *m*
booz·er ['bu:zə(r)] N *infml*: *bar* Kneipe *f*; *person* Säufer(in) *m(f)*
'booze-up N *infml* Besäufnis *n*
bor·der ['bɔ:də(r)] **A** N *between countries* Grenze *f*; *edge* Rand *m* **B** V/T *country, piece of land* grenzen an
♦**border on** V/T *country, a. fig* grenzen an
'bor·der check, **'bor·der con·trol** N Grenzkontrolle *f*
'bor·der·line ADJ **be ~** ein Grenzfall sein
bore¹ [bɔ:(r)] V/T *hole* bohren
bore² [bɔ:(r)] **A** N Langweiler(in) *m(f)*; **it's such a ~** es ist so lästig **B** V/T langweilen
bore³ [bɔ:(r)] PRET → bear²
bored [bɔ:d] ADJ gelangweilt; **I'm ~** mir ist langweilig, ich langweile mich
bore·dom ['bɔ:dəm] N Langeweile *f*
bor·ing ['bɔ:rɪŋ] ADJ langweilig
born [bɔ:n] ADJ **be ~** geboren werden
borne [bɔ:n] PAST PART → bear²
bo·rough ['bʌrə] N Stadtteil *m*; Stadtbezirk *m*
bor·row ['bɒrəʊ] V/T (sich) leihen, (sich) borgen; **~ sth from sb** (sich) etw von j-m (aus)leihen
Bos·ni·a ['bɒznɪə] N Bosnien *n*; **~ and Herzegovina** Bosnien-Herzegowina *n*
Bos·ni·an ['bɒznɪən] **A** ADJ bosnisch **B** N *person* Bosnier(in) *m(f)*
bos·om ['bʊzm] N *of woman* Busen *m*
boss [bɒs] N Chef(in) *m(f)*
♦**boss about** V/T herumkommandieren
boss·y ['bɒsɪ] ADJ ⟨-ier, -iest⟩ herrisch
bo·tan·i·cal [bə'tænɪkl] ADJ botanisch
bot·a·ny ['bɒtənɪ] N Botanik *f*
botch [bɒtʃ] V/T verpfuschen
both [bəʊθ] **A** ADJ beide **B** PRON beide; beides **C** ADV **~ ... and ...** sowohl ... als auch ...
both·er ['bɒðə(r)] **A** N Mühe *f*; **it's no ~** das mache ich (doch) gern **B** V/T *annoy* belästigen, stören; *worry* Sorgen machen; **stop bothering me!** lass mich in Ruhe! **C** V/I sich kümmern (**about** um); **don't ~!** du brauchst das nicht zu tun; *annoyed* das kannst du dir sparen; **you needn't have bothered** das wäre nicht nötig gewesen
bot·tle ['bɒtl] **A** N Flasche *f* **B** V/T in Flaschen abfüllen
♦**bottle out** V/I *sl* die Nerven verlieren
♦**bottle up** V/T *feelings* in sich hineinfressen
'bot·tle bank N Altglascontainer *m*
bot·tled wa·ter [bɒtld'wɔ:tə(r)] N (in Flaschen) abgefülltes Wasser
'bot·tle·neck N Engpass *m*
'bot·tle-o·pen·er N Flaschenöffner *m*
bot·tom ['bɒtəm] **A** ADJ unterste(r, -s) **B** N *of container, glass etc* Boden *m*; *of plate, table* Unterseite *f*; *of page, pile* unteres Ende; *of mountain, hill* Fuß *m*; *of*

B

road Ende *n*; *buttocks* Hintern *m*; **at the ~ of the garden** hinten im Garten; **at the ~ of the sea** auf dem Meeresboden; **at the ~ of the screen** unten auf dem Bildschirm

♦**bottom out** V/I die Talsohle erreichen

bot·tom 'line N **that's the ~** *significant point* das ist der springende Punkt

bough [baʊ] N Ast *m*, Zweig *m*

bought [bɔːt] PRET & PAST PART → buy

boul·der ['bəʊldə(r)] N Felsblock *m*

bounce [baʊns] **A** V/T *ball* aufspringen lassen, prellen; *against wall* werfen **B** V/I *ball* aufspringen; *on sofa* herumhüpfen; *infml*: *cheque* platzen

♦**bounce back** V/T **be bounced back** *e-mail* zurückkommen

bounc·er ['baʊnsə(r)] N Türsteher(in) *m(f)*

bounc·y ['baʊnsɪ] ADJ ‹-ier, -iest› *ball* gut springend; *bed, mattress* federnd

bound[1] [baʊnd] ADJ **be ~ to do sth** etw bestimmt tun; *have to do sth* verpflichtet sein, etw zu tun; **the train is ~ to be late** der Zug kommt mit Sicherheit zu spät

bound[2] [baʊnd] ADJ **be ~ for** *on journey* unterwegs sein nach

bound[3] [baʊnd] **A** N *leap* Sprung *m*; **bounds** *pl* Grenzen *pl*; **out of bounds!** Zutritt verboten! **B** V/I springen

bound[4] [baʊnd] PRET & PAST PART → bind

bound·a·ry ['baʊndərɪ] N Grenze *f*

bound·less ['baʊndlɪs] ADJ grenzenlos

boun·ty[1] ['baʊntɪ] N *poet* Freigebigkeit *f*; *of nature* Fülle *f*

boun·ty[2] ['baʊntɪ] N *reward* Kopfgeld *n*

bou·quet [bʊ'keɪ] N *flowers* Strauß *m*, Bukett *n*; *of wine* Bukett *n*, Blume *f*

bout [baʊt] N MED Anfall *m*; *in boxing* Kampf *m*

bow[1] [baʊ] **A** N *as greeting* Verbeugung *f* **B** V/I sich verbeugen **C** V/T *head* senken

bow[2] [bəʊ] N *knot* Schleife *f*; MUS Bogen *m*

bow[3] [baʊ] N *of ship* Bug *m*

bow·els ['baʊəlz] N *pl* Eingeweide *pl*

bowl[1] [bəʊl] N *container* Schüssel *f*

bowl[2] [bəʊl] V/I *in cricket* werfen

♦**bowl over** V/T *a. fig* umwerfen

bow-leg·ged [bəʊ'legɪd] ADJ o-beinig

bowl·er ['bəʊlə(r)] N *hat* Melone *f*; *in cricket* Werfer *m*

'bowl·ing al·ley N Bowlingbahn *f*

bowls [bəʊlz] N *sg* Bowls *pl* (*englisches Kugelspiel, das auf dem Rasen gespielt wird*); Boule *n*

bow tie [bəʊ'taɪ] N Fliege *f*

box[1] [bɒks] N Schachtel *f*; *larger* Karton *m*; *of wood* Kiste *f*; *on form* Kästchen *n*

box[2] [bɒks] V/I boxen

box·er ['bɒksə(r)] N SPORTS Boxer(in) *m(f)*

box·ing ['bɒksɪŋ] N Boxen *n*

'Box·ing Day N zweiter Weihnachtsfeiertag

'box·ing glove N Boxhandschuh *m*

'box num·ber N Chiffre *f*

'box of·fice N THEAT Kasse *f*

boy [bɔɪ] N *a. son* Junge *m*

boy·cott ['bɔɪkɒt] **A** N Boykott *m* **B** V/T boykottieren

'boy·friend N Freund *m* (*Liebesbeziehung*)

boy·ish ['bɔɪɪʃ] ADJ jungenhaft

B-point pro·ce·dure ['biːpɔɪntprəsiːdʒə(r)] N *EU* B-Punkt-Verfahren *n*

bra [brɑː] N Büstenhalter *m*, BH *m*

brace [breɪs] N *for teeth* Spange *f*

brace·let ['breɪslɪt] N Armband *n*

brac·es ['breɪsɪs] N *pl* Hosenträger *pl*

brack·et ['brækɪt] N *for shelf* (Regal)Träger *m*; *in text* Klammer *f*

brag [bræg] V/I ‹-gg-› prahlen (**about** mit)

brag·gart ['brægət] N Prahler(in) *m(f)*

braid [breɪd] N *in hair* Zopf *m*; *on uniform, curtain* Borte *f*

braille [breɪl] N Blindenschrift *f*

brain [breɪn] N ANAT Gehirn *n*; **use your ~** streng deinen Verstand an

'brain dead ADJ MED hirntot

brain·less ['breɪnlɪs] ADJ *infml* hirnlos

brains [breɪnz] N *pl intelligence* Verstand *m*; **have ~** Köpfchen haben

'brain·storm N **have a ~** geistig völlig weggetreten sein; *US* e-n Geistesblitz haben **brain·storm·ing** ['breɪnstɔːmɪŋ] N Brainstorming *n* **'brain sur·geon** N Neurochirurg(in) *m(f)* **'brain sur·ger·y** N Neurochirurgie *f* **'brain tu·mour**, **'brain tu·mor** *US* N Gehirntumor *m* **'brain·wash** V/T e-r Gehirnwäsche unterziehen **'brain·wave** N Geistesblitz *m*

brain·y ['breɪnɪ] ADJ ‹-ier, -iest› *infml* schlau, helle

brake [breɪk] **A** N Bremse *f* **B** VI bremsen

'brake flu·id N Bremsflüssigkeit *f*

'brake light N Bremslicht *n*

'brake ped·al N Bremspedal *n*

bram·ble ['bræmbl] N Brombeerstrauch *m*

bran [bræn] N Kleie *f*

branch [brɑːntʃ] N *a. fig* Zweig *m*; *thicker* Ast *m*; *of bank, shop* Zweigstelle *f*

♦ **branch off** VI *road* abzweigen

♦ **branch out** VI sich erweitern

brand [brænd] **A** N Marke *f* **B** VT **be branded a liar** als Lügner gebrandmarkt werden

brand a'ware·ness N Markenbewusstsein *n*

brand 'con·scious ADJ markenbewusst

bran·ded pro·duct [brændɪd'prɒdʌkt] N Markenartikel *m*, Markenerzeugnis *n*

brand 'im·age N Markenimage *n*

bran·dish ['brændɪʃ] VT schwingen

brand 'lead·er N Markenführer *m*

brand 'loy·al·ty N Markentreue *f*

'brand name N Markenname *m*

brand 'new ADJ nagelneu

bran·dy ['brændɪ] N Weinbrand *m*

brass [brɑːs] N Messing *n*; **the ~** MUS die Blechbläser *pl*

brass 'band N Blaskapelle *f*

bras·sière [bræ'zɪər] N *US* Büstenhalter *m*

brat [bræt] N *pej* Balg *m or n*

Bra·tis·la·va [brætɪs'lɑːvə] N Bratislava *n*

bra·va·do [brə'vɑːdəʊ] N **it's all ~** das ist alles nur geblufft

brave [breɪv] ADJ mutig, tapfer

brav·er·y ['breɪvərɪ] N Mut *m*, Tapferkeit *f*

brawl [brɔːl] **A** N Schlägerei *f* **B** VI sich schlagen

brawn·y ['brɔːnɪ] ADJ ‹-ier, -iest› muskulös

bra·zen ['breɪzn] ADJ unverfroren, frech

Bra·zil [brə'zɪl] N Brasilien *n*

Bra·zil·ian [brə'zɪlɪən] **A** ADJ brasilianisch **B** N Brasilianer(in) *m(f)*

breach [briːtʃ] N Verstoß *m* (**of** gegen), Verletzung *f* (**of** *gen*); *in party, group* Bruch *m*

breach of 'con·tract N JUR Vertragsbruch *m*

breach of the 'peace N JUR Landfriedensbruch *m*

bread [bred] N Brot *n*

'bread·crumbs N *pl* Brotkrümel *pl*; COOK Paniermehl *n*

'bread knife N Brotmesser *n*

breadth [bredθ] N Breite *f*

'bread·win·ner N Ernährer(in) *m(f)*

break [breɪk] **A** N *of bone, in relationship* Bruch *m*; *interruption* Pause *f*; **give sb a ~** *infml*: *opportunity* j-m e-e Chance geben; **take a ~** (e-e) Pause machen; **without a ~** *work, travel* ohne Unterbrechung, pausenlos **B** VT ‹broke, broken› *device, toy* kaputt machen; *stick, cup, egg* zerbrechen; *windowpane* einschlagen; *law, promise, contract* brechen; *rules* verletzen; *intentionally* missachten; *news* mitteilen; *record* brechen; **~ one's arm** sich den Arm brechen **C** VI ‹broke, broken› *machine, device, toy* kaputtgehen; *stick, cup, egg* zerbrechen; *news* bekannt werden; *storm* ausbrechen; *day* anbrechen; **his voice is going to ~ soon** er wird bald in den Stimmbruch kommen

♦ **break away** VI *escape* weglaufen; *organization* sich lossagen; *from tradition* ausbrechen (**from** aus)

♦ **break down** **A** VI *in car* e-e Panne haben; *machine* kaputtgehen; *of talks* scheitern; *in tears, mentally* zusammenbrechen **B** VT *door* einschlagen; *figures* aufgliedern

♦ **break even** VI ECON die Kosten decken

♦ **break in** VI *interviewer* unterbrechen; *burglar* einbrechen (**to** in)

♦ **break off** **A** VT abbrechen; **they've broken it off** sie haben sich getrennt **B** VI *speaker* aufhören zu reden

♦ **break out** VI *fight, disease* ausbrechen; *prisoners* ausbrechen (**of** aus); **break out in a rash** e-n Ausschlag bekommen

♦ **break up** **A** VT *oil slick, gathering* auflösen; *ice, soil* aufbrechen; *fight* abbrechen **B** VI *ice* aufbrechen; *couple* sich trennen; *group, gathering* sich auflösen; *meeting* enden; **you're breaking up** TEL

B

ich höre dich kaum
break·a·ble ['breɪkəbl] ADJ zerbrechlich
break·age ['breɪkɪdʒ] N Bruch *m*
'break·down N *of system* Zusammenbruch *m*; *of vehicle* Panne *f*; *of machine* Störung *f*; *of talks* Abbruch *m*; *of person* Nervenzusammenbruch *m*; *of figures* Aufschlüsselung *f*
'break·down serv·ice N Pannendienst *n*
'break·down truck N Abschleppwagen *m*
break-'e·ven point N Gewinnschwelle *f*
break·fast ['brekfəst] N Frühstück *n*; **have ~** frühstücken
'break-in N Einbruch *m* **'break·through** N Durchbruch *m* **'break·up** N *of marriage, relationship* Zerbrechen *n*
breast [brest] N *of woman* Brust *f*
'breast·feed V/T ⟨breastfed, breastfed⟩ *baby* stillen
'breast·stroke N Brustschwimmen *n*
breath [breθ] N Atem *m*; **be out of ~** außer Atem sein; **take a deep ~** tief einatmen
breath·a·lyse, **breath·a·lyze** *US* ['breθəlaɪz] V/T (ins Röhrchen) blasen lassen
Breath·a·lys·er®, **Breath·a·lyz·er®** *US* ['breθəlaɪzə(r)] N Promillemesser *m*
breathe [bri:ð] **A** V/I atmen **B** V/T *smoke etc* einatmen
♦ **breathe in** V/T & V/I einatmen
♦ **breathe out** V/I ausatmen
breath·ing ['bri:ðɪŋ] N Atmung *f*, Atmen *n*
breath·less ['breθlɪs] ADJ atemlos
breath·less·ness ['breθlɪsnɪs] N Kurzatmigkeit *f*
breath·tak·ing ['breθteɪkɪŋ] ADJ atemberaubend
bred [bred] PRET & PAST PART → breed
breed [bri:d] **A** N Rasse *f* **B** V/T ⟨bred, bred⟩ *animals, plants* züchten; *fig: suspicion* erzeugen **C** V/I ⟨bred, bred⟩ *reproduce* sich fortpflanzen; *animal* Junge haben; *bird* brüten
breed·er ['bri:də(r)] N Züchter(in) *m(f)*
breed·ing ['bri:dɪŋ] N *of animals, plants* Zucht *f*; *of person* Erziehung *f*
'breed·ing ground N *fig* Nährboden *m* (**for** für)
breeze [bri:z] N Brise *f*
breez·y ['bri:zɪ] ADJ ⟨-ier, -iest⟩ windig; *fig* heiter, unbeschwert
brew [bru:] **A** V/T *beer* brauen; *tea* zubereiten **B** V/I *storm, trouble* sich zusammenbrauen
brew·er·y ['bru:ərɪ] N Brauerei *f*
bribe [braɪb] **A** N Bestechung *f* **B** V/T bestechen
brib·er·y ['braɪbərɪ] N Bestechung *f*
brick [brɪk] N Ziegelstein *m*
'brick·lay·er N Maurer(in) *m(f)*
brid·al suite ['braɪdl] N Hochzeitssuite *f*
bride [braɪd] N Braut *f*
'bride·groom N Bräutigam *m*
'brides·maid N Brautjungfer *f*
bridge[1] [brɪdʒ] **A** N Brücke *f*; *of nose* (Nasen)Rücken *m*; *of ship* (Kommando)-Brücke *f* **B** V/T *gap* überbrücken
bridge[2] [brɪdʒ] N *card game* Bridge *n*
bri·dle ['braɪdl] **A** N Zaumzeug *n* **B** V/I entrüstet sein (**at** wegen)
'bri·dle path N Reitweg *m*
brief[1] [bri:f] ADJ kurz; **be ~** *express oneself briefly* sich kurzfassen
brief[2] [bri:f] **A** N *mission* Auftrag *m*; *sl* Anwalt *m*, Anwältin *f* **B** V/T **~ sb on sth** j-n über etw unterrichten
'brief·case N Aktenmappe *f*
brief·ing ['bri:fɪŋ] N (Einsatz)Besprechung *f*; *of politician* Unterrichtung *f*
brief·ly ['bri:flɪ] ADV kurz
briefs [bri:fs] N *pl underwear* Slip *m*
bright [braɪt] ADJ *colour* leuchtend; *smile* strahlend; *future* glänzend; *sunny* heiter; *clever* intelligent
♦ **bright·en up** [braɪtn'ʌp] **A** V/T *person, atmosphere* aufheitern **B** V/I *weather* sich aufheitern; *face, person* fröhlicher werden
bright·ly ['braɪtlɪ] ADV *smile* fröhlich; *shine* hell; **~ coloured** in leuchtend bunten Farben; in e-r leuchtenden Farbe
bright·ness ['braɪtnɪs] N *of weather* Heiterkeit *f*; *of smile* Strahlen *n*; *of light* Helligkeit *f*; *intelligence* Aufgewecktheit *f*
bril·liance ['brɪljəns] N *of person* Genialität *f*; *of performance* Brillanz *f*; *of colour* Leuchten *n*, Glanz *m*
bril·liant ['brɪljənt] ADJ *sunlight etc*

strahlend; *idea, performance, achievement, book, student* glänzend, brillant; **~!** großartig!
brim [brɪm] N *of container* Rand *m; of hat* Krempe *f*
brim·ful ['brɪmfʊl] ADJ randvoll
bring [brɪŋ] V/T ⟨brought, brought⟩ bringen; *take along* mitbringen; **~ sb to do sth** j-n dazu bringen, etw zu tun; **~ o.s. to do sth** sich dazu durchringen, etw zu tun
♦ **bring about** V/T herbeiführen
♦ **bring back** V/T *return* zurückbringen; *death penalty etc* wieder einführen; *memories* wecken
♦ **bring down** V/T herunterbringen; *fence, tree* umwerfen; *government* zu Fall bringen; *bird, plane* abschießen; *inflation, prices* reduzieren
♦ **bring in** V/T *interest, profit* einbringen; *fetch inside* hereinholen; *laws* einführen; *verdict* fällen; *police, experts* einschalten
♦ **bring on** V/T *illness* auslösen; *in football* einwechseln
♦ **bring out** V/T *produce* herausbringen
♦ **bring round** V/T *from unconscious state* wieder zu sich bringen; *persuade* umstimmen
♦ **bring up** V/T *child* großziehen; erziehen; *subject* zur Sprache bringen; *food* erbrechen
brink [brɪŋk] N *a. fig* Rand *m*
brisk [brɪsk] ADJ *manner* forsch; *voice* energisch; *walk, rate* flott; *trade* lebhaft
brist·les ['brɪslz] N *pl on face* (Bart)Stoppeln *pl; of brush* Borsten *pl*
bris·tly ['brɪslɪ] ADJ ⟨-ier, -iest⟩ stoppelig
Brit [brɪt] N *infml* Brite *m*, Britin *f*
Brit·ain ['brɪtn] N Großbritannien *n*
Brit·ish ['brɪtɪʃ] **A** ADJ britisch **B** *pl* **the ~** die Briten *pl*
Brit·ish 're·bate N *EU* Britenrabatt *m*
Brit·on ['brɪtn] N Brite *m*, Britin *f*
brit·tle ['brɪtl] ADJ spröde, zerbrechlich
broach [brəʊtʃ] V/T *subject* anschneiden
broad [brɔːd] ADJ breit; *general* allgemein
'broad·cast **A** N Sendung *f* **B** V/T ⟨broadcast, broadcast⟩ senden
'broad·cast·er N Rundfunksprecher(in) *m(f)*; Fernsehsprecher(in) *m(f)*
broad·cast·ing ['brɔːdkɑːstɪŋ] N *of programme* Übertragung *f*; **a career in ~** e-e Karriere beim Radio/Fernsehen
broad·en ['brɔːdn] **A** V/I breiter werden **B** V/T *road* verbreitern; *curriculum, horizons* erweitern
broad·ly ['brɔːdlɪ] ADV **~ speaking** ganz allgemein gesprochen
broad·mind·ed [brɔːd'maɪndɪd] ADJ tolerant
broc·co·li ['brɒkəlɪ] N Brokkoli *m or pl*
bro·chure ['brəʊʃə(r)] N Broschüre *f*, Prospekt *m*
broil [brɔɪl] V/T *esp US* grillen
broke [brəʊk] **A** ADJ *infml* pleite, abgebrannt **B** PRET → break
bro·ken ['brəʊkn] **A** ADJ *toy, machine* kaputt; *glass, window* zerbrochen; *neck, arm* gebrochen; *home, marriage* zerrüttet; *English* gebrochen **B** PAST PART → break
bro·ken-heart·ed [brəʊkn'hɑːtɪd] ADJ untröstlich
bro·ker ['brəʊkə(r)] N (Finanz)Makler(in) *m(f)*
brol·ly ['brɒlɪ] N *infml* Schirm *m*
bronze [brɒnz] N *metal* Bronze *f*; *medal* Bronzemedaille *f*
brooch [brəʊtʃ] N Brosche *f*
brood [bruːd] V/I grübeln (**about** über)
broom [bruːm] N Besen *m*
Bros. [brɒs] ABBR *for* brothers Gebr., Gebrüder *pl* (*in Firmennamen*)
broth [brɒθ] N Suppe *f*, Brühe *f*
broth·el ['brɒθl] N Bordell *n*
broth·er ['brʌðə(r)] N Bruder *m*; **brothers and sisters** *pl* Geschwister *pl*
'broth·er-in-law N ⟨*pl* brothers-in-law⟩ Schwager *m*
broth·er·ly ['brʌðəlɪ] ADJ brüderlich
brought [brɔːt] PRET & PAST PART → bring
brow [braʊ] N *of head* Stirn *f*; *of hill* Bergkuppe *f*
'brow·beat V/T ⟨browbeat, browbeaten⟩ einschüchtern
brown [braʊn] **A** ADJ braun **B** N Braun *n* **C** V/T *vegetables, meat* anbraten, anbräunen **D** V/I braun werden
brown 'pa·per N Packpapier *n*
brown 'sug·ar N brauner Zucker
browse [braʊz] V/I *in shop* herumstöbern; **~ through a book** in e-m Buch schmökern
brows·er ['braʊzə(r)] N IT Browser *m*
bruise [bruːz] **A** N *on body* blauer Fleck;

B

on *fruit* Druckstelle *f* **B** VT *fruit* quetschen, drücken; **~ one's knee** sich e-n blauen Fleck am Knie holen **C** VI *person* e-n blauen Fleck bekommen; *fruit* e-e Druckstelle bekommen
bruis·ing ['bru:zɪŋ] ADJ *fig* verletzend
bru·nette [bru:'net] N Brünette *f*
brunt [brʌnt] N Hauptlast *f*; **bear the ~ of …** das meiste abbekommen von …
brush [brʌʃ] **A** N Bürste *f*; *for painting* Pinsel *m*; *confrontation* Zusammenstoß *m* **B** VT bürsten; *touch lightly* streifen; **~ one's teeth** sich die Zähne putzen
♦**brush against** VT streifen, leicht berühren
♦**brush aside** VT *comment* abtun
♦**brush off** VT *with brush* abbürsten; *with hand* wegstreichen; *insect* verscheuchen; *criticism* zurückweisen
♦**brush up** VT *fig* aufpolieren
'**brush·off** N **get the ~** *infml* e-n Korb bekommen
brusque [brʊsk] ADJ brüsk
Brus·sels ['brʌslz] N Brüssel *n*
Brus·sels 'sprouts N *pl* Rosenkohl *m*
bru·tal ['bru:tl] ADJ brutal
bru·tal·i·ty [bru:'tælətɪ] N Brutalität *f*
bru·tal·ly ['bru:təlɪ] ADV brutal; **be ~ frank** schonungslos offen sein
brute [bru:t] N *person* Bestie *f*
brute 'force N rohe Gewalt
BSc [bi:es'si:] ABBR *for* Bachelor of Science *erster universitärer Abschluss in den Naturwissenschaften*
BSE [bi:es'i:] ABBR *for* bovine spongiform encephalopathy BSE *n*
BST [bi:es'ti:] ABBR *for* British Summer Time Britische Sommerzeit
BT [bi:'ti:] ABBR *for* British Telecom Britische Telekom (*Britisches Fernmeldeunternehmen*)
bub·ble ['bʌbl] N (Luft)Blase *f*
'**bub·ble bath** N Schaumbad *n*
'**bub·ble gum** N Kaugummi *m*
'**bub·ble wrap** N Luftpolsterfolie *f*
bub·bly ['bʌblɪ] N *infml: champagne* Schampus *m*
Bu·cha·rest [bu:kə'rest] N Bukarest *n*
buck[1] [bʌk] N *US infml* Dollar *m*
buck[2] [bʌk] N **pass the ~** den schwarzen Peter weitergeben
buck·et ['bʌkɪt] N Eimer *m*
buck·le[1] ['bʌkl] **A** N Schnalle *f*, Spange *f* **B** VT *belt etc* zuschnallen
buck·le[2] ['bʌkl] VI *under pressure* sich biegen; **the wheel is buckled** das Rad ist verbogen
♦**buckle down** VI sich dranmachen
'**buck·skin** N Wildleder *n*
bud [bʌd] N BOT Knospe *f*
Bu·da·pest [bu:də'pest] N Budapest *n*
bud·dy ['bʌdɪ] N *infml* Kumpel *m*
budge [bʌdʒ] **A** VT *piece of furniture etc* (vom Fleck) bewegen; *fig: person* zum Nachgeben bringen, umstimmen **B** VI *move* sich rühren; *comply* nachgeben
bud·get ['bʌdʒɪt] **A** N POL Haushalt *m*; *of family a.* Budget *n*; **be on a ~** sparen müssen **B** VI haushalten, wirtschaften
♦**budget for** VT (finanziell) einplanen
'**bud·get de·fi·cit** N Haushaltsdefizit *n*
buff[1] [bʌf] ADJ *colour* gelbbraun
buff[2] [bʌf] N *fan* Fan *m*; **a movie/jazz ~** ein Kino-/Jazzfan
buff·er ['bʌfə(r)] N RAIL Prellbock *m*; IT, *fig* Puffer *m*
buf·fet[1] ['bʊfeɪ] N *food* Büfett *n*
buf·fet[2] ['bʌfɪt] VT *shake* rütteln
bug [bʌg] **A** N Insekt *n*; MED Bazillus *m*, Virus *n*; IT Programmfehler *m*; *listening device* Wanze *f* **B** VT ‹-gg-› verwanzen; *infml: annoy* nerven
bug·ging de·vice ['bʌgɪŋ] N Abhörgerät *n*
'**bug·ging op·e·ra·tion** N Lauschangriff *m*
bug·gy ['bʌgɪ] N *for child* Buggy *m*, Kinderwagen *m*
build [bɪld] **A** N *of person* Körperbau *m* **B** VT ‹built, built› bauen, errichten
♦**build up** **A** VT *production, pressure* steigern; *relationship, collection* aufbauen, entwickeln; **build up one's strength** trainieren, Krafttraining machen; *after illness* wieder zu Kräften kommen **B** VI entstehen; *dust* sich ansammeln
build·er ['bɪldə(r)] N Bauarbeiter(in) *m(f)*; *company* Bauunternehmen *n*
build·ing ['bɪldɪŋ] N Gebäude *n*; *activity* Bauen *n*
'**build·ing site** N Baustelle *f* '**build·ing so·ci·e·ty** N Bausparkasse *f*
'**build·ing trade** N Baugewerbe *n*
'**build-up** N Steigerung *f*; *publicity* Werbung *f*; **arms ~** Aufrüstung *f*

B

built [bɪlt] PRET & PAST PART → build
'built-in ADJ *cupboard* Einbau-; *flash* eingebaut
built-up 'ar·e·a N bebautes Gebiet
bulb [bʌlb] N BOT Zwiebel *f*; *for electric light* (Glüh)Birne *f*
Bul·ga·ri·a [bʌl'geərɪə] N Bulgarien *n*
Bul·ga·ri·an [bʌl'geərɪən] **A** ADJ bulgarisch **B** N *language* Bulgarisch; *person* Bulgare *m*, Bulgarin *f*
bulge [bʌldʒ] **A** N Wölbung *f* **B** V/I sich wölben
bulk [bʌlk] N Größe *f*; **the ~ of** der Hauptteil (+ *gen*); **in ~** en gros, in großen Mengen
bulk 'dis·count N ECON Mengenrabatt *m*
bulk·y ['bʌlkɪ] ADJ ⟨-ier, -iest⟩ *parcel* sperrig; *pullover* weit
bull [bʊl] N Stier *m*, Bulle *m*
bull·doze ['bʊldəʊz] V/T *rubble etc* mit e-m Bulldozer wegräumen; **~ sb into sth** *fig* j-n zu etw zwingen
bull·do·zer ['bʊldəʊzə(r)] N Planierraupe *f*
bul·let ['bʊlɪt] N Kugel *f*
bul·le·tin ['bʊlɪtɪn] N Bulletin *n*
'bul·le·tin board N *US* Schwarzes Brett
'bul·let-proof ADJ kugelsicher
bul·lion ['bʊljən] N Goldbarren *m*; Silberbarren *m*
'bull mar·ket N ECON Haussemarkt *m*
bul·lock ['bʊlək] N Ochse *m*
'bull's-eye N *on target* Scheibenmitte *f*; *in darts* Bull's Eye *n*; **hit the ~** *a. fig* ins Schwarze treffen
'bull·shit *vulg* **A** N Scheiß *m* **B** V/I e-n Scheiß erzählen
bul·ly ['bʊlɪ] **A** N Tyrann *m*; **he's a real ~** *schoolchild* er schikaniert immer alle **B** V/T ⟨-ied⟩ tyrannisieren; *fellow pupils etc* schikanieren, einschüchtern; *work colleagues* mobben
bul·ly·ing ['bʊlɪɪŋ] N Schikanieren *n*; *at work* Mobbing *n*
bum [bʌm] **A** N *infml*: *useless person* Penner(in) *m(f)*, Niete *f*; *buttocks* Hintern *m*; *US*: *tramp* Penner(in) *m(f)* **B** V/T ⟨-mm-⟩ *infml*: *cigarette etc* schnorren
♦**bum about**, **bum around** V/I *infml*: *travel* herumziehen; *laze around* herumgammeln
'bum·bag N *infml* Gürteltasche *f*
bum·ble·bee ['bʌmblbi:] N Hummel *f*
bump [bʌmp] **A** N *on body, in car* Beule *f*; *on road* Unebenheit *f*; *blow* Stoß *m* **B** V/T stoßen (**against, into** gegen, an); **~ one's head on the cupboard** sich den Kopf am Schrank stoßen
♦**bump into** V/T stoßen gegen; *car* auffahren auf; *meet* (zufällig) treffen
♦**bump off** V/T *infml*: *kill* abmurksen
♦**bump up** V/T *infml*: *prices* raufsetzen
bump·er ['bʌmpə(r)] **A** N AUTO Stoßstange *f* **B** ADJ *year, crop* Rekord-
bumph [bʌmf] N *infml* Papierkram *m*
bump·y ['bʌmpɪ] ADJ ⟨-ier, -iest⟩ *road* holp(e)rig; *flight* unruhig
bun [bʌn] N *in hair* Knoten *m*; *small cake* Törtchen *n*; *breadroll* Milchbrötchen *n*
bunch [bʌntʃ] N *of people* Haufen *m*; *of keys* Bund *m or n*; *of berries* Traube *f*; *of flowers* Strauß *m*; **thanks a ~** *ironically* schönen Dank auch
bun·dle ['bʌndl] N Bündel *n*
♦**bundle up** V/T bündeln; *dress warmly* einmummeln
bung [bʌŋ] V/T *infml* schmeißen
bun·gle ['bʌŋgl] V/T verpfuschen
bunk [bʌŋk] N Koje *f*
'bunk beds N *pl* Stockbett *n*
bun·ny ['bʌnɪ] N Häschen *n*
buoy [bɔɪ] N NAUT Boje *f*
buoy·ant ['bɔɪənt] ADJ *mood* heiter; *economy* boomend
bur·den ['bɜ:dn] **A** N *a. fig* Last *f* **B** V/T **~ sb with sth** *fig* j-n mit etw belasten
bu·reau ['bjʊərəʊ] N *agency* Büro *n*; *of government* Amt *n*
bu·reauc·ra·cy [bjʊə'rɒkrəsɪ] N Bürokratie *f*
bu·reau·crat ['bjʊərəkræt] N Bürokrat(in) *m(f)*
bu·reau·crat·ic [bjʊərə'krætɪk] ADJ bürokratisch
burg·er ['bɜ:gə(r)] N Hamburger *m*
bur·glar ['bɜ:glə(r)] N Einbrecher(in) *m(f)*
'bur·glar a·larm N Alarmanlage *f*
bur·glar·ize ['bɜ:rgləraɪz] V/T *US* einbrechen in
bur·glar·y ['bɜ:glərɪ] N Einbruch *m*
bur·gle ['bɜ:gl] V/T einbrechen in
bur·i·al ['berɪəl] N Beerdigung *f*
bur·ly ['bɜ:lɪ] ADJ ⟨-ier, -iest⟩ kräftig

B

burn [bɜːn] **A** N Brandwunde *f* **B** V/T ⟨burnt *or* burned, burnt *or* burned⟩ verbrennen; *meat, toast* anbrennen lassen, verbrennen lassen; **get burned (by the sun)** e-n Sonnenbrand bekommen; **a stove that burns wood** ein Ofen, der mit Holz befeuert werden kann **C** V/I ⟨burnt *or* burned, burnt *or* burned⟩ *fire, wood, coal* brennen; *meat, toast* anbrennen, verbrennen; *get sunburnt* e-n Sonnenbrand bekommen

♦**burn down** **A** V/T niederbrennen **B** V/I abbrennen

♦**burn out** V/T **burn o.s. out** sich völlig verausgaben; **a burned-out car** ein ausgebranntes Auto

'**burn·out** N *infml* totale Erschöpfung

burnt [bɜːnt] PRET & PAST PART → burn

burp [bɜːp] **A** N Rülpser *m* **B** V/I rülpsen

bur·row ['bʌrəʊ] **A** N *of rabbit* Bau *m* **B** V/I graben

burst [bɜːst] **A** N *in water main etc* Bruch *m*; *of gunfire* Salve *f*; **~ of energy** Anfall *m* von Energie **B** ADJ *tyre* geplatzt **C** V/T ⟨burst, burst⟩ *balloon* platzen lassen **D** V/I ⟨burst, burst⟩ *balloon, tyre* platzen; **~ into a room** in ein Zimmer hereinplatzen; **~ into tears** in Tränen ausbrechen; **~ out laughing** in Gelächter ausbrechen

bur·y ['beri] V/T ⟨-ied⟩ *person* begraben, beerdigen; *treasure* vergraben; **be buried under** ... *be covered with* unter ... vergraben sein

bus [bʌs] **A** N Bus *m* **B** V/T ⟨-ss-⟩ mit dem Bus befördern

'**bus driv·er** N Busfahrer(in) *m(f)*

bush [bʊʃ] N *plant* Busch *m*, Strauch *m*

bush·y ['bʊʃi] ADJ ⟨-ier, -iest⟩ buschig

busi·ness ['bɪznɪs] N Geschäft *n*; *company* Betrieb *m*, Geschäft *n*; *matter* Sache *f*; *subject* Betriebswirtschaft *f*; **what's your line of ~?** was machen Sie beruflich?; **in the computer ~** in der Computerbranche; **on ~** geschäftlich; **any other ~** *on agenda* Sonstiges; **that's none of your ~!** das geht dich gar nichts an!; **mind your own ~!** kümmere dich um deinen eigenen Kram!

'**busi·ness card** N (Visiten)Karte *f* '**busi·ness con·nec·tions** N *pl* Geschäftsbeziehungen *pl* (**zu** with) '**busi·ness hours** N *pl* Geschäftszeit *f* '**busi·ness·like** ADJ geschäftsmäßig '**busi·ness lunch** N Geschäftsessen *n* '**busi·ness·man** N Geschäftsmann *m* '**busi·ness meet·ing** N Geschäftstreffen *n* '**busi·ness park** N Gewerbepark *m* '**busi·ness school** N Wirtschaftsschule *f* '**busi·ness sec·tion** N *of newspaper* Wirtschaftsteil *m* '**busi·ness stud·ies** N *sg subject* Betriebswirtschaft *f* '**busi·ness trip** N Geschäftsreise *f* '**busi·ness·wom·an** N Geschäftsfrau *f*

busk·er ['bʌskə(r)] N Straßenmusiker(in) *m(f)*

'**bus lane** N Busspur *f* '**bus ser·vice** N Busverbindung *f* '**bus shel·ter** N Wartehäuschen *n* '**bus sta·tion** N Busbahnhof *m* '**bus stop** N Bushaltestelle *f*

bust¹ [bʌst] N *of woman* Busen *m*; *size* Oberweite *f*

bust² [bʌst] **A** ADJ *infml*: *not working* kaputt; **go ~** pleitegehen **B** V/T ⟨bust, bust⟩ *infml object* kaputt machen; *marriage etc* kaputtmachen

'**bus tick·et** N Busfahrkarte *f*

♦**bus·tle about** [bʌslə'baʊt] V/I geschäftig hin und her eilen

'**bust-up** N *infml*: *of marriage* Ende *n*; *confrontation* Streit *m*

bus·y ['bɪzi] **A** ADJ beschäftigt; *life, time* bewegt; *with cars* stark befahren; *pub, department store, road* voll; TEL besetzt; **I'm ~ on Wednesday** am Mittwoch habe ich schon was vor; **he's had a ~ day** er hat heute viel zu tun gehabt, er hatte heute e-n anstrengenden Tag **B** V/T **~ o.s. with** sich beschäftigen mit

'**bus·y·bod·y** N **do you have to be such a ~?** musst du dich immer überall einmischen?

'**bus·y sig·nal** N *US* TEL Besetztzeichen *n*

but [bʌt, *unstressed* bət] **A** CJ aber; **not you ~ your father** nicht du, sondern dein Vater; **~ then (again)** aber andererseits; **he could not help ~ think** ... er musste unwillkürlich denken, ... **B** PREP **all ~ him** alle außer ihm; **the last ~ one** der/die/das Vorletzte; **the next ~ one** der/die/das Übernächste; **~ for you** ohne dich; **nothing ~ the best** nur das Beste **C** ADV nur; **there are ~ two** ... **left** es gibt nur noch zwei …

butch·er ['bʊtʃə(r)] N Fleischer(in) *m(f)*, Schlachter(in) *m(f)*; *murderer* Schlächter(in) *m(f)*

butt [bʌt] **A** N *of cigarette* Stummel *m*; *of joke* Zielscheibe *f*; *US sl*: *buttocks* Hintern *m* **B** V/T (mit dem Kopf/den Hörnern) stoßen

♦ **butt in** V/I sich einmischen

but·ter ['bʌtə(r)] **A** N Butter *f* **B** V/T *bread* mit Butter bestreichen

♦ **butter up** V/T **butter sb up** *infml* j-m um den Bart gehen

'but·ter·fly N Schmetterling *m*

'but·ter moun·tain N *EU* Butterberg *m*

but·tocks ['bʌtəks] N *pl* Gesäß *n*

but·ton ['bʌtn] **A** N *on jacket, machine* Knopf *m*; *esp US*: *badge* Button *m* **B** V/T zuknöpfen

♦ **button up** → button B

'but·ton·hole **A** N Knopfloch *n* **B** V/T sich schnappen, zu fassen bekommen

but·tress ['bʌtrəs] N Strebepfeiler *m*

bux·om ['bʌksəm] ADJ vollbusig

buy [baɪ] **A** N Kauf *m* **B** V/T ⟨bought, bought⟩ kaufen; *ticket* lösen; **can I ~ you an ice cream?** kann ich dich auf ein Eis einladen?; **I don't ~ that** *infml* das nehm ich dir/ihm nicht ab

♦ **buy off** V/T bestechen

♦ **buy out** V/T ECON auszahlen

♦ **buy up** V/T aufkaufen

buy·er ['baɪə(r)] N Käufer(in) *m(f)*; *for department store* Einkäufer(in) *m(f)*

'buy·out N ECON Aufkauf *m*, Buy-out *m*

buzz [bʌz] **A** N Summen *n*; **get a ~ out of sth** *infml* Spaß an etw haben **B** V/I *insect* summen, brummen; *with buzzer* läuten **C** V/T **~ sb** bei j-m klingeln

♦ **buzz off** V/I *infml* abhauen

buzz·er ['bʌzə(r)] N Klingel *f*; *on door* Summer *m*

by [baɪ] **A** PREP *indicating cause, agent* von, durch; *near* an, bei; *no later than* bis; *go, run* vorbei an; *means of transport* mit; **side ~ side** Seite an Seite; **~ day/night** bei Tag/Nacht; **~ the hour** pro Stunde; **~ the ton** tonnenweise; **~ my watch** nach meiner Uhr; **a play ~ …** ein Theaterstück von …; **~ o.s.** allein; **~ a couple of minutes** um ein paar Minuten; **2 ~ 4** *measurement* 2 mal 4; **~ this time tomorrow** morgen um diese… **B** ADV **~ and ~** mit der Zeit; **~ and la…** im Großen und Ganzen

bye(-bye) ['baɪ(baɪ)] INT tschüs(s)

'by-e·lec·tion N Nachwahl *f* **by·gones** ['baɪgɒnz] N *pl* **let ~ be ~!** lass(t) das Vergangene ruhen! **'by·pass** **A** N *road* Umgehungsstraße *f*; MED Bypass *m* **B** V/T umfahren **'by-prod·uct** N Nebenprodukt *n* **by·stand·er** ['baɪstændə(r)] N Zuschauer(in) *m(f)* **'by·word** N **be a ~ for sth** mit etw gleichbedeutend sein

C

C, c [siː] N C, c *n*

cab [kæb] N Taxi *n*; *of lorry* Führerhaus *n*

cab·a·ret ['kæbəreɪ] N Varieté *n*; *satirical* Kabarett *n*

cab·bage ['kæbɪdʒ] N Kohl *m*

'cab driv·er N Taxifahrer(in) *m(f)*

cab·in ['kæbɪn] N *of plane, ship* Kabine *f*

'cab·in at·tend·ant N Steward(ess) *m(f)*

'cab·in crew N Kabinenpersonal *n*

cab·i·net ['kæbɪnɪt] N Schrank *m*; *with glass* Vitrine *f*; POL Kabinett *n*

'cab·i·net meet·ing N Kabinettssitzung *f* **'cab·i·net min·is·ter** N Minister(in) *m(f)* **cab·i·net 're·shuf·fle** N Kabinettsumbildung *f*

ca·ble ['keɪbl] N Kabel *n*; **~ (TV)** Kabelfernsehen *n*

'ca·ble car N Drahtseilbahn *f*; *US* Straßenbahn *f* **ca·ble 'rail·way** N Drahtseilbahn *f* **ca·ble 'tel·e·vi·sion** N Kabelfernsehen *n* **ca·ble T'V con·nec·tion** N TV Kabelanschluss *m* **ca·ble T'V net·work** N Kabelfernsehnetz *n*

cac·tus ['kæktəs] N ⟨*pl* -es *or* cacti ['kæktaɪ]⟩ Kaktus *m*

ca·det [kə'det] N MIL Kadett(in) *m(f)*

cadge [kædʒ] V/T **~ sth from** *or* **off sb** *infml* etw von j-m schnorren

Cae·sar·e·an [sɪ'zeərɪən] N Kaiser-

schnitt *m*
caf·é ['kæfeı] N Café *n*
caf·e·te·ri·a [kæfə'tıərıə] N Cafeteria *f*
caf·feine ['kæfi:n] N Koffein *n*
cage [keıdʒ] N Käfig *m*
ca·gey ['keıdʒı] ADJ ⟨-ier, -iest⟩ *infml* zurückhaltend, zugeknöpft
ca·goule [kə'gu:l] N Windjacke *f*
ca·hoots [kə'hu:ts] N **be in ~ with sb** *infml* mit j-m unter e-r Decke stecken
ca·jole [kə'dʒəʊl] V/T **~ sb into doing sth** j-m einreden, etw zu tun
cake [keık] **A** N Kuchen *m*; *gateau* Torte *f*; *pastry, bun* Teilchen *n*; **be a piece of ~** *infml* kinderleicht sein **B** V/I verkrusten
ca·lam·i·ty [kə'læmətı] N Katastrophe *f*
cal·ci·um ['kælsıəm] N Kalzium *n*
cal·cu·late ['kælkjʊleıt] V/T *work out* berechnen; *estimate* kalkulieren
cal·cu·lat·ing ['kælkjʊleıtıŋ] ADJ berechnend
cal·cu·la·tion [kælkjʊ'leıʃn] N (Be)-Rechnung *f*
cal·cu·la·tor ['kælkjʊleıtə(r)] N Taschenrechner *m*
cal·en·dar ['kælındə(r)] N Kalender *m*
calf[1] [kɑ:f] N ⟨*pl* calves [kɑ:vz]⟩ *young cow* Kalb *n*
calf[2] [kɑ:f] N ⟨*pl* calves [kɑ:vz]⟩ *of leg* Wade *f*
'calf·skin N Kalbsleder *n*
cal·i·bre, **cal·i·ber** *US* ['kælıbə(r)] N *of pistol, a. fig* Kaliber *n*
call [kɔ:l] **A** N *on phone* Anruf *m*; *shout, demand* Ruf *m* (**for** nach); **give sb a ~** *on phone* j-n anrufen; **be on ~** *doctor etc* in Rufbereitschaft sein; **there's no ~ to be aggressive** es gibt keinen Grund, aggressiv zu werden **B** V/T *on phone* anrufen; *manager, police, taxi* rufen; *meeting* einberufen; *witness* vorladen; *election* ansetzen; *shout* rufen; *describe, name* nennen; **I am called Charlotte** ich heiße Charlotte; **and you ~ yourself fair!** und du willst gerecht sein! **C** V/I *on phone* anrufen; *shout* rufen (**for** um); *visit* vorbeikommen; **who is calling, please?** mit wem spreche ich, bitte?, wer ist am Apparat?
♦**call at** V/T *subject: train* halten in; *friends, relations* vorbeischauen bei, vorbeigehen bei; *bakery etc* halten bei
♦**call back** **A** V/T zurückrufen **B** V/I *on phone* noch einmal anrufen; zurückrufen; *revisit* noch einmal (wieder)kommen
♦**call for** V/T *sb at station, shopping* abholen; *demand* verlangen; *tact, ingredient* erfordern; **this calls for a celebration!** das muss gefeiert werden!
♦**call in** **A** V/T *experts, doctor* hinzuziehen; *army* herbeirufen; **the boss called me in** der Chef hat mich zu sich bestellt **B** V/I *on phone* anrufen, sich melden; *visit* vorbeischauen (**on** bei); **call in sick** sich krank melden
♦**call off** V/T *strike, wedding* absagen
♦**call on** V/T *friends, relations* besuchen; **call on sb to do sth** j-n (dazu) auffordern, etw zu tun
♦**call out** V/T *shout* rufen; *troops, fire brigade* alarmieren
♦**call up** V/T *on phone* anrufen; IT abrufen
'call box N Telefonzelle *f*
call·er ['kɔ:lə(r)] N TEL Anrufer(in) *m(f)*; *guest* Besucher(in) *m(f)*
call·er dis'play N TEL Rufnummernanzeige *f*
call·er I'D N TEL Anruferkennung *f*
'call-in *US* → phone-in
call·ing ['kɔ:lıŋ] N Berufung *f*
cal·lous ['kæləs] ADJ herzlos, gefühllos
calm [kɑ:m] **A** ADJ ruhig **B** N Ruhe *f*
♦**calm down** **A** V/T beruhigen **B** V/I sich beruhigen
calm·ly ['kɑ:mlı] ADV ruhig, gelassen
cal·o·rie ['kælərı] N Kalorie *f*
calves [kɑ:vz] PL → calf[1], calf[2]
CAM [si:eı'em] ABBR *for* computer-aided manufacture computergestützte Fertigung
came [keım] PRET → come
cam·e·ra ['kæmərə] N Kamera *f*; *for photos a.* Fotoapparat *m*; **on ~** vor der Kamera
'cam·e·ra·man N Kameramann *m*
'cam·e·ra·phone N Fotohandy *n*
cam·i·sole ['kæmısəʊl] N *underwear* Mieder *n*, Leibchen *n*
cam·ou·flage ['kæməflɑ:ʒ] **A** N Tarnung *f* **B** V/T tarnen
camp [kæmp] **A** N Lager *n* **B** V/I campen, zelten
cam·paign [kæm'peın] **A** N Kampagne *f*; *of army* Feldzug *m* **B** V/I kämpfen
cam·paign·er [kæm'peınə(r)] N Vor-

kämpfer(in) *m(f)*

'camp bed N Feldbett *n*

camp·er ['kæmpə(r)] N *person* Camper(in) *m(f)*; *vehicle* Wohnmobil *n*

camp·ing ['kæmpɪŋ] N Camping *n*; **go ~** zelten gehen

'camp·site N Campingplatz *m*

cam·pus ['kæmpəs] N Campus *m*, Universitätsgelände *n*

can¹ [kæn, *unstressed* kən] V/AUX ‹*pret* could; *negative* cannot, can't› *indicating ability* können; *indicating permission a.* dürfen

can² [kæn] **A** N *container* Dose *f*; **a ~ of paint** ein Topf *m* Farbe **B** V/T ‹-nn-› einmachen

Can·a·da ['kænədə] N Kanada *n*

Ca·na·di·an [kə'neɪdɪən] **A** ADJ kanadisch **B** N Kanadier(in) *m(f)*

ca·nal [kə'næl] N *waterway* Kanal *m*

can·cel ['kænsl] V/T ‹-ll-, *US* -l-› *meeting, date, performance, flight* absagen; *holiday, order* stornieren; *debts* streichen; *subscription* kündigen; IT abbrechen; **the flight/train has been cancelled** der Flug/Zug fällt aus, der Flug/Zug ist gestrichen worden

can·cel·la·tion [kænsə'leɪʃn] N *of meeting, date, performance* Absage *f*; *of holiday, order* Stornierung *f*; *of train, bus, flight* Ausfall *m*, Streichung *f*; *of subscription* Kündigung *f*

can·cel'la·tion fee N Stornierungsgebühr *f*

can·cer ['kænsə(r)] N Krebs *m*

Can·cer ['kænsə(r)] N ASTROL Krebs *m*

can·cer·ous ['kænsərəs] ADJ Krebs-, krebsartig

c and f [si:ənd'ef] ABBR *for* cost and freight Waren- und Frachtkosten *pl*

can·did ['kændɪd] ADJ offen

can·di·da·cy ['kændɪdəsɪ] N Kandidatur *f*

can·di·date ['kændɪdət] N *for job* Bewerber(in) *m(f)*; *in exam* (Prüfungs)Kandidat(in) *m(f)*, Prüfling *m*; POL Kandidat(in) *m(f)*

'can·di·date coun·try N *for EU* Beitrittsland *n*

can·dle ['kændl] N Kerze *f*

'can·dle·stick N Kerzenhalter *m*, Kerzenleuchter *m*

can·dour, **can·dor** *US* ['kændə(r)] N Offenheit *f*

can·dy ['kændɪ] N *US* Bonbon *n or m*; Süßigkeiten *pl*

cane [keɪn] N *made of wood* (Rohr)Stock *m*; *walking stick* Spazierstock *m*

ca·nine ['keɪnaɪn] ADJ Hunde-

can·is·ter ['kænɪstə(r)] N *for tea, hair spray* Dose *f*; *for oil, petrol* Kanister *m*

canned [kænd] ADJ *fruit, tomatoes* Dosen-, in Dosen; *taped: laughter etc* aufgezeichnet; *sl*: *drunk* zu, voll; **~ fruit** Obstkonserven *pl*

can·ni·bal·ize ['kænɪbəlaɪz] V/T *old car etc* ausschlachten

can·non ['kænən] N Kanone *f*

can·not ['kænɒt] → can¹

can·ny ['kænɪ] ADJ ‹-ier, -iest› klug

ca·noe [kə'nu:] N Kanu *n*

'can o·pen·er N Dosenöffner *m*, Büchsenöffner *m*

can·o·py ['kænəpɪ] N Baldachin *m*

can't [kɑ:nt] → can¹

can·tan·ker·ous [kæn'tæŋkərəs] ADJ mürrisch

can·teen [kæn'ti:n] N Kantine *f*

can·vas ['kænvəs] N *for painting on* Leinwand *f*; *material* Segeltuch *n*

can·vass ['kænvəs] **A** V/T *ask for opinion* befragen **B** V/I POL Wahlkampf machen

can·yon ['kænjən] N Cañon *m*

cap [kæp] N Mütze *f*; *with peak* Kappe *f*; *of nurse* Haube *f*; *of bottle, container* Verschluss *m*, Deckel *m*; *of pen, lens etc* (Verschluss)Kappe *f*

CAP [si:eɪ'pi:] ABBR *for* Common Agricultural Policy *EU* GAP, Gemeinsame Agrarpolitik

ca·pa·bil·i·ty [keɪpə'bɪlətɪ] N *of person* Fähigkeit *f*; MIL Potenzial *n*

ca·pa·ble ['keɪpəbl] ADJ *person* tüchtig, fähig; *competent* kompetent; **be ~ of sth** zu etw fähig sein; **be ~ of doing sth** imstande *or* fähig sein, etw zu tun

ca·pac·i·ty [kə'pæsətɪ] N *of container* Fassungsvermögen *n*; *of engine* Leistung *f*; *of factory* (Produktions)Kapazität *f*; *ability* Fähigkeit *f*; **the stadium has a ~ of 10,000** das Stadium hat 10.000 Plätze; **full to ~** *theatre* bis auf den letzten Platz besetzt; **in my ~ as ...** in meiner Eigenschaft als ...

ca·pa·ci·ty u·til·i'za·tion N Kapazitätsauslastung *f*

cap·i·tal ['kæpɪtl] N *of state, country* Hauptstadt *f*; *in text* Großbuchstabe *m*; *money* Kapital *n*
cap·i·tal 'as·sets N *pl* Kapitalvermögen *n*, Anlagevermögen *n* **cap·i·tal 'base** N Eigenkapitalausstattung *f* **cap·i·tal ex'pend·i·ture** N Investitionsaufwand *m* **cap·i·tal 'flight** N Kapitalflucht *f* **cap·i·tal 'gains tax** N Kapitalertragssteuer *f* **cap·i·tal 'goods** N *pl* Investitionsgüter *pl* **cap·i·tal 'growth** N Kapitalzuwachs *m* **cap·i·tal in'vest·ment** N Kapitalanlage *f*
cap·i·tal·ism ['kæpɪtəlɪzm] N Kapitalismus *m*
cap·i·tal·ist ['kæpɪtəlɪst] **A** ADJ kapitalistisch **B** N Kapitalist(in) *m(f)*
♦**cap·i·tal·ize on** ['kæpɪtəlaɪzɒn] V/T profitieren von
cap·i·tal 'let·ter N Großbuchstabe *m* **cap·i·tal 'mar·ket** N Kapitalmarkt *m* **cap·i·tal 'pun·ish·ment** N Todesstrafe *f* **cap·i·tal 'stock** N Grundkapital *n* **cap·i·tal 'yield** N Kapitalertrag *m*
ca·pit·u·late [kə'pɪtjʊleɪt] V/I kapitulieren
ca·pit·u·la·tion [kæpɪtjʊ'leɪʃn] N Kapitulation *f*
ca·pri·cious [kə'prɪʃəs] ADJ launisch
Cap·ri·corn ['kæprɪkɔːn] N ASTROL Steinbock *m*
cap·size [kæp'saɪz] **A** V/I kentern **B** V/T zum Kentern bringen
cap·sule ['kæpsjʊl] N Kapsel *f*
cap·tain ['kæptɪn] N Kapitän *m*
cap·tion ['kæpʃn] N Bildunterschrift *f*
cap·ti·vate ['kæptɪveɪt] V/T bezaubern, fesseln
cap·tive ['kæptɪv] N Gefangene(r) *m/f(m)*; **hold sb ~** j-n gefangen halten
cap·tive 'mar·ket N monopolistischer Absatzmarkt
cap·tiv·i·ty [kæp'tɪvətɪ] N Gefangenschaft *f*
cap·ture ['kæptʃə(r)] **A** N *of city* Einnahme *f*; *of criminal* Festnahme *f*, Gefangennahme *f*; *of animal* Einfangen *n* **B** V/T *person, animal* (ein)fangen; *city, building* einnehmen, erobern; *market share* erobern; *mood, moment* einfangen
car [kɑː(r)] N Auto *n*, Wagen *m*; *of train* Wagen *m*, Waggon *m*; **by ~** mit dem Auto *or* Wagen
ca·rafe [kə'ræf] N Karaffe *f*
car·a·mel ['kærəmel] N Karamellbonbon *n or m*; *burnt sugar* Karamell *m*
car·at ['kærət] N Karat *n*; **18-carat gold** 18-karätiges Gold
car·a·van ['kærəvæn] N Wohnwagen *m*
'car·a·van site N Campingplatz *m* für Wohnwagen
car·a·way ['kærəweɪ] N BOT Kümmel *m*
car·bo·hy·drate [kɑːbə'haɪdreɪt] N Kohle(n)hydrat *n*
'car bomb N Autobombe *f*
car·bon ['kɑːbən] N Kohlenstoff *m*
car·bon di·ox·ide [kɑːbəndaɪ'ɒksaɪd] N Kohlendioxid *n*
car·bon mon·ox·ide [kɑːbənmɒn-'ɒksaɪd] N Kohlenmonoxid *n*
car·bu·ret·tor, car·bu·ret·or *US* [kɑːbə'retə(r)] N Vergaser *m*
car·cass ['kɑːkəs] N Kadaver *m*
'car chase N Verfolgungsjagd *f*
car·cin·o·gen·ic [kɑːsɪnə'dʒenɪk] ADJ karzinogen, krebserregend
card [kɑːd] N *with greeting* (Glückwunsch)Karte *f*; *postcard* Postkarte *f*; *for payment* Kreditkarte *f*; ECON: *business card* Geschäftskarte *f*, Visitenkarte *f*; *playing card* (Spiel)Karte *f*; COMPUT Karte *f*
'card·board N Pappe *f*
card·board 'box N (Papp)Karton *m*; *smaller* Pappschachtel *f*
car·di·ac ['kɑːdɪæk] ADJ Herz-
car·di·ac ar'rest N Herzstillstand *m*
Car·diff Pro·cess ['kɑːdɪfprəʊses] N EU Cardiff-Prozess *m*
car·di·gan ['kɑːdɪgən] N Strickjacke *f*
car·di·nal ['kɑːdɪnl] N REL Kardinal *m*
car·di·nal 'num·ber N Kardinalzahl *f*
'card in·dex N Kartei *f* **'card key** N *in hotel* Chipkarte *f* **'card phone** N Kartentelefon *n*
care [keə(r)] **A** N *of elderly people, children, sick people* Betreuung *f*, Pflege *f*; *of skin, animals, plants* Pflege *f*; *problem* Sorge *f*; *carefulness: over work* Sorgfalt *f*; *carefulness: in dangerous situation* Vorsicht *f*; *in hospital* Versorgung *f*; **she doesn't have a ~ in the world** sie hat keinerlei Sorgen; **~ of** → c/o; **take ~**

be careful aufpassen; **take ~ (of yourself)!** *on taking leave* mach's gut!; **take ~ of** sich kümmern um, aufpassen auf; *bill, business* sich kümmern um; **drive without due ~** sich fahrlässig im Straßenverkehr verhalten **B** VI **I don't ~** das ist mir gleichgültig, das ist mir egal; **I couldn't ~ less** das ist mir völlig egal

♦**care about** VT sich interessieren für, sich sorgen um; **he cares about her** sie bedeutet ihm viel, sie ist ihm wichtig; **you don't really care about me** eigentlich bin ich dir doch gleichgültig

♦**care for** VT *look after* sich kümmern um; *like* mögen

ca·reer[1] [kəˈrɪə(r)] N *in work* Laufbahn *f*; *in life* Werdegang *m*; **choose a ~** sich für e-n Beruf entscheiden

ca·reer[2] [kəˈrɪə(r)] VI rasen

caˈreers ad·vice N Berufsberatung *f*

caˈreers ad·vis·er N Berufsberater(in) *m(f)* **caˈreers of·fi·cer** N Berufsberater(in) *m(f)*

ˈcare·free ADJ sorglos

care·ful [ˈkeəfʊl] ADJ *watchful, cautious* vorsichtig; *thorough* sorgfältig, gewissenhaft; **(be) ~!** pass auf!; **be ~ with the spelling** achte auf die Rechtschreibung

care·ful·ly [ˈkeəfʊlɪ] ADV *watchfully, cautiously* vorsichtig; *thoroughly* sorgfältig

care·less [ˈkeəlɪs] ADJ *driver* leichtsinnig, unvorsichtig; *work* nachlässig; *remark* unvorsichtig; **a ~ mistake** ein Flüchtigkeitsfehler

care·less·ly [ˈkeəlɪslɪ] ADV nachlässig; **~ leave the door open** leichtsinnigerweise die Tür offen lassen

care·less·ness [ˈkeəlɪsnəs] N *with work* Nachlässigkeit *f*; *thoughtlessness* Leichtsinn *m*

car·er [ˈkeərə(r)] N Betreuer(in) *m(f)*

ca·ress [kəˈres] **A** N Liebkosung *f* **B** VT liebkosen

care·tak·er [ˈkeəteɪkə(r)] N Hausmeister(in) *m(f)*

care·tak·er ˈgov·ern·ment N Übergangsregierung *f*

ˈcare·worn ADJ verhärmt, von Sorgen gezeichnet

ˈcar fer·ry N Autofähre *f*

car·go [ˈkɑːgəʊ] N ⟨*pl* -os, oes⟩ Ladung *f*

ˈcar·go ship N Frachtschiff *n*

ˈcar hire N Autovermietung *f*

ˈcar hire com·pa·ny N Leihwagenfirma *f*

car·i·ca·ture [ˈkærɪkətjʊə(r)] N Karikatur *f*

car·ing [ˈkeərɪŋ] ADJ fürsorglich; **a ~ society** e-e Gesellschaft, die sich um das Wohl ihrer Bürger kümmert

ˈcar me·chan·ic N Automechaniker(in) *m(f)*

car·nage [ˈkɑːnɪdʒ] N Gemetzel *n*

car·na·tion [kɑːˈneɪʃn] N Nelke *f*

car·ni·val [ˈkɑːnɪvl] N Volksfest *n*; Karneval *m*

car·niv·o·rous [kɑːˈnɪvərəs] ADJ fleischfressend

car·ol [ˈkærəl] N Weihnachtslied *n*

car·ou·sel [kærəˈsel] N *at airport* Gepäckband *n*; *for slides* Rundmagazin *n*

ˈcar park N Parkplatz *m*

car·pen·ter [ˈkɑːpəntə(r)] N Tischler(in) *m(f)*

car·pen·try [ˈkɑːpəntrɪ] N Tischlerhandwerk *n*; *as subject* Werken *n*

car·pet [ˈkɑːpɪt] N Teppich *m*

ˈcar phone N Autotelefon *n* **ˈcarpool** N Fahrgemeinschaft *f* **ˈcar port** N Carport *m* (*überdachter Abstellplatz für ein Auto*) **car ˈra·di·o** N Autoradio *n*

ˈcar rent·al N *US* Autovermietung *f*

car·riage [ˈkærɪdʒ] N *of train* Wagen *m*, Waggon *m*; *with horses* Kutsche *f*; ECON *transporting* Transport *m*; *cost* Frachtkosten *pl*

ˈcar·riage·way N Fahrbahn *f*

car·ri·er [ˈkærɪə(r)] N *company* Transportunternehmen *n*; *only for goods* Spedition *f*; *of disease* Überträger(in) *m(f)*

ˈcar·ri·er bag N Tragetasche *f*, Tragetüte *f*

car·ri·on [ˈkærɪən] N Aas *n*

car·rot [ˈkærət] N Karotte *f*, Möhre *f*

car·ry [ˈkærɪ] ⟨-ied⟩ **A** VT tragen; *driving licence, money etc* bei sich haben *or* tragen; *virus* tragen; *passengers* befördern; *bring* bringen; *motion* annehmen; **she's carrying my child** sie erwartet ein Kind von mir; **~ five** MATH 5 im Sinn, behalte 5 **B** VI *sound* zu hören sein

♦**carry away** VT wegtragen; **get carried away** mitgerissen werden, sich hinreißen lassen; **don't get carried away**

übertreib's nicht;
♦ **carry forward** VT *amount* übertragen, vortragen; **balance carried forward** Saldoübertrag *m*
♦ **carry on** A VI *continue* weitermachen; *infml: make a fuss* Theater machen; *be unfaithful* ein Verhältnis haben B VT *business, conversation* fortführen
♦ **carry on with** VT *continue with* weitermachen mit; *be unfaithful with* ein Verhältnis haben mit
♦ **carry out** VT *investigation etc* durchführen; *orders etc* ausführen
♦ **carry over** VT *amount* übertragen, vortragen
'car·ry·cot N Babytragetasche *f*
cart [kɑ:t] N Karren *m*; **put the ~ before the horse** das Pferd am Schwanz aufzäumen
car·tel [kɑ:'tel] N Kartell *n*
car·ti·lage ['kɑ:tɪlɪdʒ] N ANAT Knorpel *m*
car·ton ['kɑ:tn] N *for transporting, storage* Karton *m*; *for milk, eggs etc* Packung *f*; *of cigarettes* Stange *f*
car·toon [kɑ:'tu:n] N *drawing* Cartoon *m*; *caricature* Karikatur *f*; *on television, at cinema* Zeichentrickfilm *m*, Cartoon *m*
car·toon·ist [kɑ:'tu:nɪst] N Cartoonist(in) *m(f)*; *of caricatures* Karikaturist(in) *m(f)*
car·tridge ['kɑ:trɪdʒ] N *for gun, printer* Patrone *f*
carve [kɑ:v] VT *meat* tranchieren, zerlegen; *wood* schnitzen; *initials* (ein)ritzen
carv·ing ['kɑ:vɪŋ] N *figure* Schnitzerei *f*
'car wash N Autowaschanlage *f*, Waschstraße *f*
cas·cade [kæ'skeɪd] N Wasserfall *m*
case[1] [keɪs] N *made of wood* Kiste *f*; *for glasses* Etui *n*; *in museum, shop* Vitrine *f*, Schaukasten *m*; *suitcase* Koffer *m*
case[2] [keɪs] N *matter for police, doctor* Fall *m*; *argument* Gründe *pl*, Argumente *pl*; JUR (Gerichts)Verfahren *n*, Prozess *m*; **make a ~ for sth** Argumente für etw anführen; **it is not the ~ that ...** es trifft nicht zu, dass ...; **as the ~ may be** je nachdem; **in ~ ...** falls, für den Fall, dass ...; **leave me your key just in ~** lass für alle Fälle deinen Schlüssel da; **in any ~** jedenfalls, auf jeden Fall; **he won't come in any ~** er kommt sowieso nicht; **in that ~** in diesem Fall
case 'his·to·ry N MED Krankengeschichte *f*
'case·load N *sg* Fälle *pl*; **a heavy ~** sehr viele Fälle
cash [kæʃ] A N *notes and coins* Bargeld *n*; *infml* Geld *n*; **~ down** Anzahlung *f*; **pay (in) ~** (in) bar bezahlen; **be short of ~** knapp bei Kasse sein; **~ in advance** Vorauszahlung *f*; **~ on delivery** → COD B VT *cheque* einlösen
♦ **cash in on** VT profitieren von
cash ad'vance N Vorschuss *m* **cash-and-'car·ry** N Verbrauchermarkt *m* **cash 'ba·lance** N Kassenbestand *m* **'cash card** N Bankkarte *f*, Geldautomatenkarte *f* **'cash cow** N Melkkuh *f* **'cash desk** N Kasse *f* **cash 'dis·count** N Barzahlungsrabatt *m*, Skonto *m or n* **'cash di·spens·er** N Geldautomat *m* **'cash flow** N Cashflow *m*
cash·ier [kæ'ʃɪə(r)] N Kassierer(in) *m(f)*
cash·less ['kæʃlɪs] ADJ bargeldlos
'cash ma·chine N Geldautomat *m*
cash·mere ['kæʃmɪə(r)] N Kaschmir *m*
'cash·point N Geldautomat *m* **'cash re·gis·ter** N Registrierkasse *f* **cash 'sale** N Barverkauf *m*
cas·ing ['keɪsɪŋ] N *of clock, device* Gehäuse *n*; *of tyre* Mantel *m*
ca·si·no [kə'si:nəʊ] N Kasino *n*
cask [kɑ:sk] N Fass *n*
cas·ket ['kɑ:skɪt] N *US* Sarg *m*
cas·se·role ['kæsərəʊl] N *food* Auflauf *m*; *piece of crockery* Auflaufform *f*
cas·sette [kə'set] N Kassette *f*
cas'sette re·cord·er N Kassettenrekorder *m*
cas·sock ['kæsək] N REL Soutane *f*
cast [kɑ:st] A N *of play, film* Besetzung *f*; *mould* Form *f*; *of footprint, tyre print* Abdruck *m* B VT ⟨cast, cast⟩ *suspicion, shade, glance* werfen (**on, at** auf); *net* auswerfen; *metal* gießen; *play* besetzen; **she was badly ~** sie war die falsche Besetzung; **~ a vote** e-e Stimme abgeben
♦ **cast off** VI *ship* losmachen, ablegen
cast·a·way ['kɑ:stəweɪ] N Schiffbrüchige(r) *m/f(m)*
cast·er ['kɑ:stə(r)] N *on chair* (Lauf)Rolle *f*
'cast·er sug·ar N Raffinade *f*
cast·ing vote [kɑ:stɪŋ'vəʊt] N aus-

schlaggebende Stimme

cast 'i·ron N Gusseisen *n*

cast-'i·ron ADJ gusseisern; *fig*: *alibi etc* wasserdicht

cas·tle ['kɑːsl] N Schloss *n*, Burg *f*

'cast·or → caster

cas·trate [kæ'streɪt] VT kastrieren

cas·u·al ['kæʒʊəl] ADJ *remark* beiläufig; *manner, behaviour* unbekümmert, lässig; *clothes* leger, zwanglos; *work, worker* Gelegenheits-; **~ sex** Gelegenheitssex *m*

cas·u·al·ly ['kæʒʊəlɪ] ADV *dressed* leger, zwanglos; *say sth* beiläufig

cas·u·al·ty ['kæʒʊəltɪ] N *of accident, fighting, a. fig* Opfer *n*; *injured victim* Verletzte(r) *m/f(m)*; *injured in war* Verwundete(r) *m/f(m)*; *person killed in war, accident* Todesopfer *n*, Tote(r) *m/f(m)*; *in hospital* Notaufnahme *f*; **casualties** *pl* Tote *pl* und Verletzte *pl*

'cas·u·al wear N Freizeitkleidung *f*

cat [kæt] N Katze *f*

cat·a·logue, **cat·a·log** *US* ['kætəlɒg] N Katalog *m*

cat·a·lyst ['kætəlɪst] N *a. fig* Katalysator *m*

cat·a·lyt·ic con·vert·er [kætəlɪtɪkkən'vɜːtə(r)] N Katalysator *m*

cat·a·pult ['kætəpʌlt] A VT *fig*: *to fame* katapultieren B N Katapult *n*

cat·a·ract ['kætərækt] N MED grauer Star

ca·tas·tro·phe [kə'tæstrəfɪ] N Katastrophe *f*

cat·a·stroph·ic [kætə'strɒfɪk] ADJ katastrophal

catch [kætʃ] A N *of fish* Fang *m*; *on door* Schnappschloss *n*; **there's just one ~** *problem* die Sache hat nur e-n Haken; **good ~!** gut gefangen! B VT ⟨caught, caught⟩ *ball etc, fish, criminal* fangen; *bus, train* nehmen; *not miss: bus, train* erreichen; *just in time* erwischen; *hear* verstehen, mitbekommen; *disease* bekommen, sich holen; **~ sb's eye** *object* j-m auffallen, j-m ins Auge fallen; **try to ~ sb's eye** versuchen, j-s Aufmerksamkeit auf sich zu lenken; **~ sight of, ~ a glimpse of** e-n Blick auf etw erhaschen, etw zu sehen kriegen; **~ sb doing sth** j-n (dabei) erwischen, wie er/sie etw tut

♦**catch on** VI *become popular* (gut) ankommen; *new method* sich durchsetzen; *understand* verstehen

♦**catch up** VI aufholen

♦**catch up on** VT nachholen

♦**catch up with** VT einholen

catch-22 [kætʃtwentɪ'tuː] N Dilemma *n*; **it's a ~ situation** es ist ein Teufelskreis

catch·er ['kætʃtə(r)] N Fänger(in) *m(f)*

catch·ing ['kætʃɪŋ] ADJ *a. fig* ansteckend

'catch·word N Schlagwort *m*

catch·y ['kætʃɪ] ADJ ⟨-ier, -iest⟩ *tune* eingängig

cat·e·go·ric [kætə'gɒrɪk] ADJ kategorisch; **she was very ~ about it** sie hat es sehr bestimmt gesagt

cat·e·go·ry ['kætɪgərɪ] N Kategorie *f*

♦**ca·ter for** ['keɪtə(r)fɔː] VT *needs* eingestellt sein auf; *party, function* Speisen und Getränke liefern für; **cater for weddings** Hochzeiten ausrichten

ca·ter·er ['keɪtərə(r)] N Cateringservice *m*; *for parties a.* Partyservice *m*

ca·ter·ing ['keɪtərɪŋ] N Versorgung *f* mit Speisen und Getränke; *trade* Gastronomie *f*

ca·ter·pil·lar ['kætəpɪlə(r)] N Raupe *f*

ca·the·dral [kə'θiːdrl] N Dom *m*, Kathedrale *f*

Cath·o·lic ['kæθəlɪk] A ADJ katholisch B N Katholik(in) *m(f)*

Ca·thol·i·cism [kə'θɒlɪsɪzm] N Katholizismus *m*

'cat·nap N Nickerchen *n*

'cat's eyes N *pl in road* Katzenaugen *pl*, Reflektoren *pl*

cat·tle ['kætl] N *pl* Vieh *n*, Rinder *pl*

cat·ty ['kætɪ] ADJ ⟨-ier, -iest⟩ gehässig

'cat·walk N *at fashion show* Laufsteg *m*

caught [kɔːt] PRET & PAST PART → catch

ca(u)l·dron ['kɔːldrən] N großer Kessel

cau·li·flow·er ['kɒlɪflaʊə(r)] N Blumenkohl *m*

cause [kɔːz] A N Ursache *f* (**of** *gen*); *reason* Grund *m* (**of** für); *matter, goal* Sache *f*, Anliegen *n* B VT verursachen; **~ sb to do sth** j-n veranlassen, etw zu tun; **~ sb trouble** j-m Umstände machen

caus·tic ['kɔːstɪk] ADJ *fig* bissig

cau·tion ['kɔːʃn] A N *circumspection* Vorsicht *f*; *warning* Warnung *f*; *from police, judge, superior* Verwarnung *f* B VT *warn* warnen (**against** vor); *officially* verwarnen

cau·tious ['kɔːʃəs] ADJ vorsichtig

C

cav·al·ry ['kævlrı] N Kavallerie *f*
cave [keıv] N Höhle *f*
♦ **cave in** V/I *roof* einstürzen; *fig* nachgeben
'cave·man N Höhlenmensch *m*
cav·ern ['kævən] N (große) Höhle
cav·i·ar ['kævıɑ:(r)] N Kaviar *m*
cav·i·ty ['kævətı] N Loch *n*
cc[1] [si:'si:] ABBR *for* carbon copy Kopie *f*
cc[2] [si:'si:] ABBR *for* cubic centimetres cm³ (Kubikzentimeter *pl*)
CCTV [si:si:tı'vi:] ABBR *for* closed circuit television Videoüberwachung *f*
CD [si:'di:] ABBR *for* compact disc CD *f*, Compact Disc *f*
C'D play·er N CD-Player *m*, CD-Spieler *m* **CD-ROM** [si:di:'rɒm] N CD-ROM *f* **CD-'ROM drive** N CD-ROM-Laufwerk *n* **C'D writ·er** N CD-Brenner *m*
cease [si:s] **A** V/I aufhören **B** V/T aufhören mit; *production* einstellen
'cease·fire N Waffenruhe *f*
cease·less ['si:slıs] ADJ unaufhörlich
ceil·ing ['si:lıŋ] N (Zimmer)Decke *f*; *limit* Höchstgrenze *f*
ce·leb [sə'leb] N *infml* Promi *m/f*
cel·e·brate ['selıbreıt] V/T & V/I feiern
cel·e·brat·ed ['selıbreıtıd] ADJ gefeiert, berühmt
cel·e·bra·tion [selı'breıʃn] N Feier *f*
ce·leb·ri·ty [sı'lebrətı] N Berühmtheit *f*; *person* Prominente(r) *m/f(m)*, Promi *m/f*
cel·er·y ['selərı] N (Stangen)Sellerie *m*
cel·i·ba·cy ['selıbəsı] N Zölibat *m*
cel·i·bate ['selıbət] ADJ zölibatär
cell [sel] N Zelle *f*
cel·lar ['selə(r)] N Keller *m*; (Wein)Keller *m*
cel·list ['tʃelıst] N Cellist(in) *m(f)*
cel·lo ['tʃeləʊ] N Cello *n*
cel·lo·phane® ['seləfeın] N Cellophan® *n*
'cell phone N *US* Handy *n*
'cell phone num·ber N *US* Handynummer *f*
cel·lu·lar phone [seljʊlər'fəʊn] N *US* Handy *n*, Mobiltelefon *n*
cel·lu·lite ['seljʊlaıt] N Cellulitis *f*
ce·ment [sı'ment] **A** N *building material* Zement *m* **B** V/T *a. fig* zementieren
cem·e·ter·y ['semətrı] N Friedhof *m*
cen·sor ['sensə(r)] **A** V/T zensieren **B** N *assessor* Zensor(in) *m(f)*
cen·sor·ship ['sensəʃıp] N Zensur *f*
cen·sure ['senʃə(r)] **A** N Tadel *m*, Verweis *m* **B** V/T tadeln
cen·sus ['sensəs] N Volkszählung *f*
cent [sent] N FIN Cent *m*
cen·te·nar·y [sen'ti:nərı] N Hundertjahrfeier *f*
cen·ten·ni·al [sen'tenjəl] **A** ADJ hundertjährig **B** N *US* → centenary
'cen·ter *US* → centre
cen·ti·grade ['sentıgreıd] N **10 degrees ~** 10 Grad Celsius
cen·ti·me·tre, **cen·ti·me·ter** *US* ['sentımi:tə(r)] N Zentimeter *m or n*
cen·ti·pede ['sentıpi:d] N Tausendfüß(l)er *m*
cen·tral ['sentrəl] ADJ zentral; *role, idea* Haupt-; **in ~ London** im Zentrum von London; **be ~ to sth** von zentraler Bedeutung für etw sein
cen·tral 'bank N Zentralbank *f* **Cen·tral Eu·ro·pe·an Free 'Trade A·gree·ment** N Zentraleuropäisches Freihandelsabkommen **Cen·tral Eu·ro·pe·an 'Time** N mitteleuropäische Zeit **cen·tral 'heat·ing** N Zentralheizung *f*
cen·tral·ism ['sentrəlızm] N POL Zentralismus *m*
cen·tral·ize ['sentrəlaız] V/T *decision-making process etc* zentralisieren
cen·tral 'lock·ing N AUTO Zentralverriegelung *f* **cen·tral 'pro·ces·sing u·nit** N Zentraleinheit *f* **cen·tral res·er'va·tion** N AUTO Mittelstreifen *m*
cen·tre ['sentə(r)] **A** N Mitte *f*; *geographical, political a.* Zentrum *n*; *building, area* Zentrum *n*; **at the ~ of the row** im Mittelpunkt des Streit(e)s **B** V/T *heading, text* zentrieren; *picture* in der Mitte anbringen
♦ **centre on** V/T sich konzentrieren auf
cen·tre 'for·ward N Mittelstürmer(in) *m(f)* **cen·tre 'half** N (Vor-)Stopper(in) *m(f)* **cen·tre of 'grav·i·ty** N Schwerpunkt *m*
cen·tu·ry ['sentʃərı] N Jahrhundert *n*
CEO [si:i:'əʊ] ABBR *for* Chief Executive Officer geschäftsführende(r) Direktor(in)
ce·ram·ic [sı'ræmık] ADJ keramisch
ce·ram·ics [sı'ræmıks] N *pl objects* Keramik *f*; *sg art* Keramik *f*

ce·re·al ['sɪərɪəl] N *wheat, barley etc* Getreide *n*; *muesli, cornflakes etc* Frühstücksflocken *pl*, Zerealien *pl*
cer·e·bral ['serɪbrəl] ADJ ANAT Gehirn-; *work* geistig
cer·e·mo·ni·al [serɪ'məʊnɪəl] **A** ADJ zeremoniell **B** N Zeremoniell *n*
cer·e·mo·ni·ous [serɪ'məʊnjəs] ADJ zeremoniell, förmlich
cer·e·mo·ny ['serəmənɪ] N Feier *f*, Zeremonie *f*; *formality, pomp* Förmlichkeit *f*
cer·tain ['sɜːtn] ADJ sicher; *time, age etc* bestimmt; **it's ~ that ...** es steht fest, dass ...; **a ~ Mr S** ein gewisser Herr S.; **make ~** sich vergewissern; **it's ~ to happen** es wird mit Sicherheit geschehen; **know for ~** genau wissen; **say for ~** mit Bestimmtheit sagen
cer·tain·ly ['sɜːtnlɪ] ADV *for sure* sicherlich, auf jeden Fall; *of course* natürlich; **~ not!** auf keinen Fall!
cer·tain·ty ['sɜːtntɪ] N Gewissheit *f*; **be a ~** feststehen
cer·tif·i·cate [sə'tɪfɪkət] N *from school, for course participants* Zeugnis *n*; *of birth, death* Urkunde *f*
cer·ti·fy ['sɜːtɪfaɪ] V/T ⟨-ied⟩ bescheinigen
cer·ti·tude ['sɜːtɪtjuːd] N Sicherheit *f*, Gewissheit *f*
Ce·sar·e·an *US* → Caesarean
ces·sa·tion [se'seɪʃn] N Ende *n*, Beendigung *f*
CET [siːiː'tiː] ABBR *for* Central European Time MEZ, mitteleuropäische Zeit
cf (*Latin* **confer**) *only written* ABBR *for* compare vgl., vergleiche
c/f [siːənd'ef] ABBR *for* cost and freight Waren- und Frachtkosten *pl*
CFC [siːef'siː] ABBR *for* chlorofluorocarbon FCKW *n*
CFSP [siːefes'piː] ABBR *for* Common Foreign and Security Policy *EU* GASP, Gemeinsame Außen- und Sicherheitspolitik
chafe [tʃeɪf] **A** V/T aufscheuern, wund reiben **B** V/I reiben, scheuern; *skin* sich wund reiben
chain [tʃeɪn] **A** N Kette *f* **B** V/T **~ sth/sb to sth** etw/j-n an etw (fest)ketten
chain re'ac·tion N Kettenreaktion *f* **'chain smoke** V/I Kette rauchen **'chain smok·er** N Kettenraucher(in) *m(f)* **'chain store** N Ladenkette *f*
chair [tʃeə(r)] **A** N Stuhl *m*; *armchair* Sessel *m*; *at university* Lehrstuhl *m*; **the ~** *for execution* der elektrische Stuhl; *at meeting* der/die Vorsitzende; **take the ~** den Vorsitz übernehmen **B** V/T *meeting* den Vorsitz führen bei
'chair lift N Sessellift *m*
'chair·man N Vorsitzende(r) *m*
chair·man·ship ['tʃeəmənʃɪp] N Vorsitz *m*
'chair·per·son N Vorsitzende(r) *m/f(m)*
'chair·wom·an N Vorsitzende *f*
chalk [tʃɔːk] N *for writing with* Kreide *f*; *in soil* Kalk *m*
chal·lenge ['tʃælɪndʒ] **A** N Herausforderung *f* **B** V/T *sb to contest* herausfordern; *assertion* bezweifeln, infrage stellen
chal·leng·er ['tʃælɪndʒə(r)] N Herausforderer *m*, Herausforderin *f*
chal·leng·ing ['tʃælɪndʒɪŋ] ADJ *task* herausfordernd, anspruchsvoll
cham·ber·maid ['tʃeɪmbəmeɪd] N Zimmermädchen *n* **'cham·ber mu·sic** N Kammermusik *f* **Cham·ber of 'Com·merce** N Handelskammer *f* **Cham·ber of In·dus·try and 'Com·merce** N Industrie- und Handelskammer *f*
cham·pagne [ʃæm'peɪn] N Champagner *m*
cham·pi·on ['tʃæmpɪən] **A** N SPORTS Meister(in) *m(f)*; *of cause* Verfechter(in) *m(f)* **B** V/T *aim, cause* kämpfen für
cham·pi·on·ship ['tʃæmpɪənʃɪp] N Meisterschaft *f*
chance [tʃɑːns] N *possibility* Möglichkeit *f*, Chance *f*; *opportunity* Gelegenheit *f*, Chance *f*; *risk* Risiko *n*; *coincidence* Zufall *m*; **by ~** zufällig; **take a ~** ein Risiko eingehen, es riskieren; **I'm not taking any chances** ich lasse es nicht darauf ankommen; **any ~ of a lift?** können Sie mich vielleicht mitnehmen?
Chan·cel·lor ['tʃɑːnsələ(r)] N *in Germany* Kanzler(in) *m(f)*; **~ (of the Exchequer)** *in Britain* Schatzkanzler(in) *m(f)*
chan·de·lier [ʃændə'lɪə(r)] N Kronleuchter *m*
change [tʃeɪndʒ] **A** N Änderung *f*, Veränderung *f*; *new situation* Veränderung *f*; *coins* Kleingeld *n*; *from purchase* Wech-

C

selgeld *n*; **for a ~** zur Abwechslung; **a ~ of clothes** Kleidung *f* zum Wechseln; **~ of government** Regierungswechsel *m*; **give sb ~ for a pound** j-m ein Pfund wechseln **B** VT ändern, verändern; *money, clothes, nappy* wechseln; *light bulb* auswechseln, austauschen; **we had to ~ trains** wir mussten umsteigen **C** VI sich (ver)ändern; *traffic light* umspringen (**to** auf); *put on other clothes* sich umziehen; *to different train, bus* umsteigen
change·a·ble ['tʃeɪndʒəbl] ADJ wechselhaft
'change ma·chine N Münzwechsler *m*
'change·o·ver N Umstellung *f* (**to** auf); *in race* Stabwechsel *m*
chang·ing room ['tʃeɪndʒɪŋ] N SPORTS Umkleideraum *m*; *in shop* Umkleidekabine *f*
chan·nel ['tʃænl] N Kanal *m*
Chan·nel 'Tun·nel N Kanaltunnel *m*
chant [tʃɑːnt] **A** N *of fans, demonstrators* Sprechchor *m* **B** VI Sprechchöre anstimmen
cha·os ['keɪɒs] N Chaos *n*
cha·ot·ic [keɪ'ɒtɪk] ADJ chaotisch
chap [tʃæp] N *infml* Kerl *m*
chap·el ['tʃæpl] N Kapelle *f*
chap·lain ['tʃæplɪn] N Kaplan *m*
chapped [tʃæpt] ADJ aufgesprungen, rissig
chap·ter ['tʃæptə(r)] N *of book* Kapitel *n*; *of organization* Zweig *m*, Sektion *f*
char·ac·ter ['kærəktə(r)] N Charakter *m*, Persönlichkeit *f*; *person* Mensch *m*, Typ *m*; *in novel, play* Figur *f*, Charakter *m*; *in text* Schriftzeichen *n*; IT Zeichen *n*; **he's a real ~** er ist ein richtiges Original
char·ac·ter·is·tic [kærəktə'rɪstɪk] **A** ADJ charakteristisch (**of** für) **B** N Charakteristikum *n*, charakteristisches Merkmal
char·ac·ter·is·ti·cal·ly [kærəktə'rɪstɪklɪ] ADV in charakteristischer Weise, typischerweise
char·ac·ter·ize ['kærəktəraɪz] VT *be typical of* kennzeichnen; *describe* charakterisieren
cha·rade [ʃə'rɑːd] N *fig* Farce *f*
char·coal ['tʃɑːkəʊl] N *for barbecue* Holzkohle *f*; *for drawing* Kohle *f*
charge [tʃɑːdʒ] **A** N *fee* Gebühr *f*; JUR Anklage *f*; **free of ~** kostenlos; **be in ~** verantwortlich sein, zuständig sein; **take ~** die Verantwortung übernehmen; **arrested on a ~ of ...** verhaftet wegen ... **B** VT *money* fordern, verlangen; *account* belasten; JUR anklagen (**with** *gen*); *battery* aufladen; **~ sb with murder** j-n des Mordes anklagen; **~ sb sth** j-m etw berechnen, j-m etw in Rechnung stellen **C** VI *attack* angreifen
'charge ac·count N Kreditkonto *n*
'charge card N Kundenkreditkarte *f*
char·gé d'af·faires [ʃɑːʒeɪdæ'feə(r)] N ⟨*pl* chargés d'affaires [ʃɑːʒeɪdæ'feə(r)]⟩ POL Geschäftsträger(in) *m(f)*
char·ger ['tʃɑːdʒə(r)] N Aufladegerät *n*
cha·ris·ma [kə'rɪzmə] N Charisma *n*
char·is·mat·ic [kærɪz'mætɪk] ADJ charismatisch
char·i·ta·ble ['tʃærɪtəbl] ADJ *organization, gift* wohltätig, karitativ; *person, demeanour* (menschen)freundlich
char·i·ty ['tʃærətɪ] N Wohltätigkeit *f*, Nächstenliebe *f*; *institution* wohltätige Organisation; **I'm not asking for ~** ich will keine Almosen; **do sth for ~** etw für wohltätige Zwecke tun
char·la·tan ['ʃɑːlətən] N Scharlatan *m*
charm [tʃɑːm] **A** N Charme *m*; *object* Talisman *m* **B** VT bezaubern
charm·ing ['tʃɑːmɪŋ] ADJ *house* bezaubernd; *person a.* charmant; **well, that's ~** *ironical* na, das ist aber nett!
charred [tʃɑːd] ADJ verkohlt
chart [tʃɑːt] N *graph* Diagramm *n*; *for pilots, sailors* Karte *f*; **the charts** *pl* MUS die Charts, die Hitliste
char·ter ['tʃɑːtə(r)] **A** VT chartern **B** N POL Charta *f*; *of association* Satzung *f*
'char·ter flight N Charterflug *m*
Char·ter of Fun·da·men·tal 'Rights N *EU* Grundrechtecharta *f*
char·wom·an ['tʃɑːwʊmən] N Putzfrau *f*
chase [tʃeɪs] **A** N Verfolgungsjagd *f* **B** VT jagen
♦ **chase away** VT verjagen, wegjagen
chas·er ['tʃeɪsə(r)] N **drink sth as a ~** etw zum Nachspülen trinken
chas·m ['kæzəm] N Kluft *f*, Abgrund *m*
chas·sis ['ʃæsɪ] N Chassis *n*, Fahrgestell *n*
chaste [tʃeɪst] ADJ keusch; *style* schlicht
chas·tise [tʃæ'staɪz] VT züchtigen

chas·ti·ty ['tʃæstətɪ] N Keuschheit *f*

chat [tʃæt] **A** N Schwätzchen *n; on Internet* Chat *m;* **have a ~** plaudern **B** V/I ‹-tt-› plaudern; *on Internet* chatten

♦ **chat up** V/T *infml* anmachen, anquatschen

'chat show N Talkshow *f*

'chat show host N Talkmaster *m*, Talkshow- Moderator(in) *m(f)*

chat·tels ['tʃætlz] N *pl* **goods and ~** bewegliches Eigentum

chat·ter ['tʃætə(r)] **A** N Schwatzen *n*, Geplapper *n* **B** V/I plappern, schwatzen; *teeth* klappern

'chat·ter·box N *infml* Plappermaul *n*

chat·ty ['tʃætɪ] ADJ ‹-ier, -iest› geschwätzig

'chat-up line N *infml* Anmache *f*

chauf·feur-driv·en ['ʃəʊfədrɪvn] ADJ mit Chauffeur

chau·vin·ist ['ʃəʊvɪnɪst] N Chauvi *m*

chau·vin·is·tic [ʃəʊvɪ'nɪstɪk] ADJ chauvinistisch

cheap [tʃi:p] ADJ *not expensive* billig; *of bad quality* billig, minderwertig; *trick, joke* gemein, schäbig

cheap 'flight N Billigflug *m*

cheat [tʃi:t] **A** N *person* Schwindler(in) *m(f)* **B** V/T betrügen; **~ sb out of sth** j-n um etw betrügen **C** V/I mogeln; **~ on one's girlfriend** s-e Freundin betrügen

check¹ [tʃek] **A** ADJ *shirt etc* kariert **B** N Karo *n*

check² [tʃek] **A** N *examination* Überprüfung *f*, Kontrolle *f*; **keep in ~, hold in ~** unter Kontrolle (be)halten; **keep a ~ on** überprüfen, überwachen **B** V/T nachprüfen, überprüfen; *feeling, impulse* unterdrücken; *box on form* abhaken; **I'll call and ~ what time we're needed** ich rufe an und frage nach, wann wir kommen sollen; **~ sth for signs of rust** etwas auf Rostspuren untersuchen **C** V/I nachsehen

♦ **check in** V/I *at airport* einchecken; *at hotel a.* sich anmelden

♦ **check off** V/T *on list* abhaken

♦ **check on** V/T *person* sehen nach; *object* überprüfen

♦ **check out** **A** V/I *of hotel* abreisen; *statement* Sinn ergeben; *infml*: *suspect* sauber sein **B** V/T *rumours* (über)prüfen; *restaurant, disco* ausprobieren; *person* mehr herausfinden über

♦ **check up on** V/T überprüfen; *person* kontrollieren

♦ **check with** V/T nachfragen bei; *agree with* sich decken mit, übereinstimmen mit

check³ [tʃek] N *US* → cheque; *in restaurant* Rechnung *f*; **~, please** bezahlen bitte

checked [tʃekt] ADJ *material* kariert

check·ers ['tʃekəz] N *sg US* Damespiel *n*

'check-in N *at hotel* Anmeldung *f*; AVIAT Abfertigung *f*, Check-in *m*

'check-in coun·ter N AVIAT Abfertigungsschalter *m*

'check·ing ac·count N *US* Girokonto *n*

'check-in time N Eincheckzeit *f* **'check·list** N Checkliste *f* **'check-mark** N *US* Häkchen *n* **'check-mate** N Schachmatt *n* **'check-out** N Kasse *f* **'check-out time** N *at hotel* Abreise(zeit) *f* **'check·point** N *of military, police* Kontrollpunkt *m*; *in race* Streckenposten *m* **'check·room** N *US*: *for coats* Garderobe *f* **'check·up** N Untersuchung *f*, Check-up *m*; **have a ~** sich untersuchen lassen; *at dentist's* sich die Zähne nachsehen lassen

cheek [tʃi:k] N ANAT Backe *f*, Wange *f*; *infml*: *insolence* Frechheit *f*

'cheek·bone N Wangenknochen *m*

cheek·y ['tʃi:kɪ] ADJ ‹-ier, -iest› frech

cheer [tʃɪə(r)] **A** N Beifallsruf *m*, Jubel (-ruf) *m*; **cheers!** *when drinking* prost!; *infml* danke!; **three cheers for ...!** ein dreifaches Hurra für ...! **B** V/T *person* zujubeln; *victory etc* bejubeln **C** V/I jubeln

♦ **cheer on** V/T anfeuern

♦ **cheer up** **A** V/I bessere Laune bekommen; **cheer up!** Kopf hoch! **B** V/T aufheitern

cheer·ful ['tʃɪəfʊl] ADJ fröhlich, heiter

cheer·ing ['tʃɪərɪŋ] N Jubeln *n*

cheer·i·o [tʃɪərɪ'əʊ] INT *infml* tschüs(s)

cheer·less ['tʃɪəlɪs] ADJ freudlos

cheer·y ['tʃɪərɪ] ADJ ‹-ier, -iest› fröhlich, heiter

cheese [tʃi:z] N Käse *m*

'cheese·cake N COOK Käsekuchen *m*

chees·y ['tʃi:zɪ] ADJ ‹-ier, -iest› *sl* blöd, übel; *smile* künstlich

C

chef [ʃef] N Küchenchef(in) *m(f)*, Koch *m*, Köchin *f*
chem·i·cal ['kemɪkl] **A** ADJ chemisch **B** N Chemikalie *f*
chem·ist ['kemɪst] N Apotheker(in) *m(f)*; *in laboratory* Chemiker(in) *m(f)*
chem·is·try ['kemɪstrɪ] N *a. fig* Chemie *f*
'chem·ist's (shop) N Apotheke *f*, Drogerie *f*
chem·o·ther·a·py [ki:məʊ'θerəpɪ] N Chemotherapie *f*
cheque [tʃek] N Scheck *m* (**for** über)
'cheque·book N Scheckheft *n*
cheque guar·an'tee card N Scheckkarte *f*
cher·ish ['tʃerɪʃ] V/T in Ehren halten
cher·ry ['tʃerɪ] N Kirsche *f*
chess [tʃes] N Schach *n*
'chess·board N Schachbrett *n*
'chess·man, 'chess·piece N Schachfigur *f*
chest [tʃest] N *of person* Brust *f*; *container* Truhe *f*; **get sth off one's ~** sich etw von der Seele reden, etw loswerden
chest·nut ['tʃesnʌt] N Kastanie *f*
chest of 'draw·ers N Kommode *f*
chew [tʃu:] V/T kauen
chew·ing gum ['tʃu:ɪŋ] N Kaugummi *m*
chic [ʃi:k] ADJ schick
chick [tʃɪk] N *of hen* Küken *n*; *of other birds* (Vogel)Junge(s) *n*; *infml*: *girl* Puppe *f*, Schnecke *f*
chick·en ['tʃɪkɪn] **A** N *bird* Huhn *n*; *as food* Hähnchen *n*; *infml*: *coward* Angsthase *m* **B** ADJ *infml* feige
♦**chicken out** V/I *infml* kneifen (**of** vor)
'chick·en·feed N *infml* Peanuts *pl*, Klacks *m*
chick·en·pox ['tʃɪkɪnpɒks] N Windpocken *pl*
chief [tʃi:f] **A** N *of party, union* Vorsitzende(r) *m*; *of tribe* Häuptling *m*; *of department* Leiter(in) *m(f)*; **~ of police** *US* Polizeipräsident(in) *m(f)* **B** ADJ Haupt-, hauptsächlich
chief ex'ec·u·tive, chief ex·ec·u·tive 'of·fi·cer N geschäftsführende(r) Direktor(in)
chief·ly ['tʃi:flɪ] ADV hauptsächlich
child [tʃaɪld] N ⟨*pl* children ['tʃɪldrən]⟩ Kind *n*; *pej* Kindskopf *m*
'child a·buse N Kindesmisshandlung *f* **child al'low·ance** N Kinderfreibetrag *m* **child 'ben·e·fit** N Kindergeld *n* **'child·birth** N Geburt *f* **'child-care pro·vis·ion** N Kinderbetreuung *f*
child·hood ['tʃaɪldhʊd] N Kindheit *f*
child·ish ['tʃaɪldɪʃ] ADJ *pej* kindisch
child·ish·ness ['tʃaɪldɪʃnɪs] N *pej* kindisches Benehmen
child·less ['tʃaɪldlɪs] ADJ kinderlos
child·like ['tʃaɪldlaɪk] ADJ kindlich
child·mind·er ['tʃaɪldmaɪndə(r)] N Tagesmutter *f* **child·mind·ing** ['tʃaɪldmaɪndɪŋ] N Kinderbetreuung *f* **'child-proof** ADJ kindersicher
chil·dren ['tʃɪldrən] PL → child
'chil·dren's al·low·ance N *US* Kinderfreibetrag *m*
chill [tʃɪl] **A** N *illness* Erkältung *f*; **there's a ~ in the air** es ist ziemlich kühl **B** V/T *wine* kühlen
♦**chill out** V/I *sl*: *relax* abhängen, chillen
chil·li (pep·per) ['tʃɪlɪ] N Chili *m*
chill·y ['tʃɪlɪ] ADJ ⟨-ier, -iest⟩ kühl
chime [tʃaɪm] V/I *clock* schlagen; *bell* läuten
chim·ney ['tʃɪmnɪ] N Schornstein *m*
chin [tʃɪn] N Kinn *n*
chi·na ['tʃaɪnə] N Porzellan *n*
Chi·na ['tʃaɪnə] N China *n*
Chi·nese [tʃaɪ'ni:z] **A** ADJ chinesisch **B** N *language* Chinesisch *n*; *person* Chinese *m*, Chinesin *f*
chink [tʃɪŋk] N *gap* Spalt *m*; *sound* Klirren *n*
chip [tʃɪp] **A** N *of wood* Splitter *m*; *in gambling*, COMPUT Chip *m*; *in cup etc* Sprung *m*; *in football* Heber *m*; **chips** *pl* Pommes frites *pl*; *US* (Kartoffel)Chips *pl*; **he's a ~ off the old block** er ist ganz der Vater **B** V/T ⟨-pp-⟩ *cup, vase* anschlagen
♦**chip in** V/I *in conversation* unterbrechen; *for present* beissteuern (**for** zu)
'chip·board N Spanplatte *f*
'chip shop N Imbissbude *f*
chi·rop·o·dist [kɪ'rɒpədɪst] N Fußpfleger(in) *m(f)*
chi·ro·prac·tor ['kaɪrəʊpræktə(r)] N Chiropraktiker(in) *m(f)*
chirp [tʃɜ:p] V/I zwitschern
chis·el ['tʃɪzl] N Meißel *m*

chit·chat ['tʃɪtʃæt] N Plauderei *f*, Geplauder *n*

chiv·al·rous ['ʃɪvlrəs] ADJ ritterlich

chives [tʃaɪvs] N *pl* Schnittlauch *m*

chlo·rine ['klɔ:ri:n] N Chlor *n*

choc·a·hol·ic [tʃɒkə'hɒlɪk] N **be a ~** *infml* nach Schokolade süchtig sein

chock-a-block [tʃɒkə'blɒk] ADJ *infml* proppenvoll (**with** mit)

chock-full [tʃɒk'fʊl] ADJ *infml* gerammelt voll (**with** mit)

choc·o·late ['tʃɒklət] N Schokolade *f*; **a box of chocolates** e-e Schachtel Pralinen

choice [tʃɔɪs] A N Wahl *f*; *of products* Auswahl *f* (**of** an); **make a ~** wählen; **have a ~** die Wahl haben; **I don't have any ~** mir bleibt nichts anderes übrig B ADJ ausgewählt, erlesen

choir ['kwaɪə(r)] N Chor *m*

'choir boy N Chorknabe *m*

choke [tʃəʊk] A N AUTO Choke *m* B VT & VI ersticken (**on** an)

cho·les·ter·ol [kə'lestərɒl] N Cholesterin *n*

choose [tʃu:z] A VT ⟨chose, chosen⟩ (aus)wählen, (sich) aussuchen; **~ to do sth** sich dafür entscheiden, etw zu tun B VI wählen; **do as you ~** mach, was du willst; **there are five to ~ from** es stehen fünf zur Auswahl

choos·ey ['tʃu:zɪ] ADJ ⟨-ier, -iest⟩ *infml* wählerisch (**about** bei)

chop [tʃɒp] A N *with axe* Hieb *m*; *meat* Kotelett *n* B VT ⟨-pp-⟩ *wood* hacken; *food* klein schneiden

♦**chop down** VT *tree* fällen

♦**chop up** VT *wood* zerhacken; *food* klein schneiden

chop·per ['tʃɒpə(r)] N *tool* Beil *n*, Axt *f*; *infml* Hubschrauber *m*

chop·ping board ['tʃɒpɪŋ] N Hackbrett *n*

'chop·stick N (Ess)Stäbchen *n*

cho·ral ['kɔ:rəl] ADJ Chor-

chord [kɔ:d] N MUS Akkord *m*

chore [tʃɔ:(r)] N Aufgabe *f*; **household chores** *pl* Hausarbeit *f*

chor·e·og·ra·pher [kɒrɪ'ɒgrəfə(r)] N Choreograf(in) *m(f)*

chor·e·og·ra·phy [kɒrɪ'ɒgrəfɪ] N Choreografie *f*

cho·rus ['kɔ:rəs] N *choir* Chor *m*; *of song* Refrain *m*

chose [tʃəʊz] PRET → choose

cho·sen ['tʃəʊzn] PAST PART → choose

Christ [kraɪst] N Christus *m*; **~!, for Christ's sake!** *infml* verdammt noch mal!, Herrgott noch mal!

chris·ten ['krɪsn] VT taufen

chris·ten·ing ['krɪsnɪŋ] N Taufe *f*

Chris·tian ['krɪstʃən] A ADJ christlich B N Christ(in) *m(f)*

Chris·ti·an·i·ty [krɪstɪ'ænətɪ] N Christentum *n*; *all Christians* Christenheit *f*

'Chris·tian name N Vorname *m*

Christ·mas ['krɪsməs] N Weihnachten *n*; **Merry ~!** Fröhliche Weihnachten!

'Christ·mas card N Weihnachtskarte *f* **Christ·mas 'Day** N erster Weihnachtsfeiertag **Christ·mas 'Eve** N Heiligabend *m* **'Christ·mas present** N Weihnachtsgeschenk *n* **'Christ·mas tree** N Weihnachtsbaum *m*

chrome, chro·mi·um [krəʊm, 'krəʊmɪəm] N Chrom *n*

chron·ic ['krɒnɪk] ADJ chronisch; *infml: very bad* miserabel

chron·o·log·i·cal [krɒnə'lɒdʒɪkl] ADJ chronologisch

chrys·an·the·mum [krɪ'sænθəməm] N Chrysantheme *f*

chub·by ['tʃʌbɪ] ADJ ⟨-ier, -iest⟩ rundlich

chuck [tʃʌk] VT *infml* schmeißen; *boyfriend, girlfriend* abservieren

♦**chuck out** VT *infml*: *person* rausschmeißen; *object* wegschmeißen

chuck·le ['tʃʌkl] A N leises Lachen B VI leise lachen

chuffed [tʃʌft] ADJ *infml* hocherfreut

chum [tʃʌm] N *infml* Kamerad(in) *m(f)*, Kumpel *m*

chum·my ['tʃʌmɪ] ADJ *infml* freundlich; **be ~ with** dick befreundet sein mit, dick(e) sein mit

chunk [tʃʌŋk] N Stück *n*

chunk·y ['tʃʌŋkɪ] ADJ ⟨-ier, -iest⟩ *pullover* dick; *glass* klobig; *person* stämmig

church [tʃɜ:tʃ] N Kirche *f*

church 'hall N Gemeindehaus *n*

'church serv·ice N Gottesdienst *m*

'church·yard N Friedhof *m*

churl·ish ['tʃɜ:lɪʃ] ADJ *behaviour* ungehobelt; *insolent* unhöflich

churn VI **my stomach was churning** *fig*

mir drehte sich der Magen um

chute [ʃuːt] N Rutsche *f*; *for rubbish* Müllschlucker *m*; *for emergency* Notrutsche *f*; *in industry* Schütte *f*

C

CIA [siːaɪ'eɪ] ABBR *for* Central Intelligence Agency CIA *f*

CID [siːaɪ'diː] ABBR *for* Criminal Investigation Department *britische Kriminalpolizei*

ci·der ['saɪdə(r)] N Apfelwein *m*

CIF [siːaɪ'ef] ABBR *for* cost, insurance, freight Kosten, Fracht und Versicherung

ci·gar [sɪ'gɑː(r)] N Zigarre *f*

cig·a·rette [sɪgə'ret] N Zigarette *f*

cig·a'rette end N Zigarettenstummel *m*

cig·a'rette light·er N Feuerzeug *n*

cinch [sɪntʃ] N *infml* todsichere Sache; *simple* Kinderspiel *n*

cin·der ['sɪndə(r)] N Schlacke *f*; **cinders** *pl* Asche *f*

Cin·de·rel·la [sɪndə'relə] N Aschenputtel *n*

cin·e·ma ['sɪnɪmə] N Kino *n*

cin·na·mon ['sɪnəmən] N Zimt *m*

cir·cle ['sɜːkl] **A** N Kreis *m*; THEAT Rang *m*; **his ~ of friends** sein Freundeskreis **B** V/T *with pen* einkreisen; *plane* umkreisen **C** V/I *fly round* kreisen

cir·cuit ['sɜːkɪt] N ELEC Stromkreis *m*; *of stadium* Runde *f*

'cir·cuit board N COMPUT Leiterplatte *f*

cir·cu·i·tous [sə'kjuːɪtəs] ADJ *river course etc* gewunden; *speech* weitschweifig; *method, route* umständlich

'cir·cuit train·ing N SPORTS Zirkeltraining *n*

cir·cu·lar ['sɜːkjʊlə(r)] **A** N Rundschreiben *n*, Rundbrief *m* **B** ADJ kreisförmig

cir·cu·late ['sɜːkjʊleɪt] **A** V/I *blood, money* zirkulieren, fließen; *rumour, memo* kursieren, herumgehen **B** V/T *memo* herumgehen lassen

cir·cu·la·tion [sɜːkjʊ'leɪʃn] N BIOL Kreislauf *m*; *of newspaper, magazine* Auflage *f*; **be in ~** *money* im Umlauf sein

cir·cum·fer·ence [ʃə'kʌmfərəns] N Umfang *m*

cir·cum·nav·i·gate [sɜːkəm'nævɪgeɪt] V/T umsegeln

cir·cum·spect ['sɜːkəmspekt] ADJ *formal* umsichtig

cir·cum·stan·ces ['sɜːkəmstənsɪs] N *pl* Umstände *pl*; *financial* Verhältnisse *pl*; **under the ~** unter diesen Umständen

cir·cum·stan·tial ev·i·dence [sɜːkəmstænʃəl'evɪdəns] N JUR Indizien *pl*, Indizienbeweis *m*

cir·cus ['sɜːkəs] N Zirkus *m*

cir·rho·sis of the liv·er [sɪrəʊsɪsəvðə'lɪvə(r)] N Leberzirrhose *f*

cis·tern ['sɪstən] N Tank *m*; *of toilet* Spülkasten *m*

cite [saɪt] V/T *author* zitieren

cit·i·zen ['sɪtɪzn] N Bürger(in) *m(f)*

cit·i·zen·ship ['sɪtɪznʃɪp] N Staatsbürgerschaft *f*

cit·rus ['sɪtrəs] ADJ Zitrus-

cit·y ['sɪtɪ] N Stadt *f*, Großstadt *f*

cit·y 'cen·tre N Stadtzentrum *n* **cit·y 'coun·cil·lor**, **cit·y 'coun·cil·or** *US* N Stadtrat *m*, -rätin *f* **cit·y 'hall** N Rathaus *n*

civ·ic ['sɪvɪk] ADJ *building, administration* städtisch; *rights, responsibility* staatsbürgerlich

civ·il ['ʃɪvl] ADJ *not military, resistance* zivil; *unrest* bürgerlich; *polite* höflich

civ·il en·gi'neer N Bauingenieur(in) *m(f)*

ci·vil·ian [sɪ'vɪljən] **A** N Zivilist(in) *m(f)* **B** ADJ *clothes* Zivil-; **in ~ clothes** in Zivil

ci·vil·i·ty [sɪ'vɪlɪtɪ] N Höflichkeit *f*

civ·i·li·za·tion [sɪvəlaɪ'zeɪʃn] N Zivilisation *f*; *of Greeks etc* Kultur *f*

civ·i·lize ['sɪvəlaɪz] V/T zivilisieren

civ·i·lized ['sɪvəlaɪzd] ADJ *world, country* zivilisiert; *lifestyle* kultiviert

civ·il 'rights N *pl* Bürgerrechte *pl* **civ·il 'rights move·ment** N Bürgerrechtsbewegung *f* **civ·il 'ser·vant** N Beamte(r) *m*, Beamtin *f* **civ·il 'serv·ice** N Staatsdienst *m* **civ·il 'war** N Bürgerkrieg *m*

claim [kleɪm] **A** N *for compensation etc* Anspruch *m* (**for** auf); *for better conditions etc* Forderung *f* (**for** nach); *to inheritance* Anrecht *n* (**to** auf); *assertion* Behauptung *f* **B** V/T *compensation* fordern; *social security etc* beantragen; *prize, right* beanspruchen; *assert* behaupten; *lost property* abholen; *responsibility* übernehmen; **the accident claimed more than 20 lives** das Unglück forderte mehr als 20 Menschenleben

claim·ant ['kleɪmənt] N Antragsteller(in) *m(f)*
clair·voy·ant [kleə'vɔɪənt] N Hellseher(in) *m(f)*
♦**clam up** V/I ⟨-mm-⟩ *infml* schweigen
clam·ber ['klæmbə(r)] V/I klettern
clam·my ['klæmɪ] ADJ ⟨-ier, -iest⟩ feucht
clam·our, **clam·or** *US* ['klæmə(r)] N *sound* Lärm *m*; *shout* Aufschrei *m*
♦**clamour for** V/T *food etc* schreien nach; *lower taxes* lautstark fordern
clamp [klæmp] **A** N *for securing* Klammer *f*; AUTO Parkkralle *f* **B** V/T *secure* festklemmen; *car* e-e Parkkralle anbringen an
♦**clamp down** V/I hart durchgreifen
♦**clamp down on** V/T radikal vorgehen gegen
clam·shell phone [klæmʃel'fəʊn] N Klapphandy *n*
clan·des·tine [klæn'destɪn] ADJ heimlich
clang [klæŋ] **A** N Knall *m*, metallisches Geräusch **B** V/I knallen
clang·er ['klæŋə(r)] N *infml* Schnitzer *m*; **drop a ~** sich e-n Schnitzer leisten
clap [klæp] ⟨-pp-⟩ **A** V/I (Beifall) klatschen **B** V/T *musician, artist* Beifall klatschen; *performance* beklatschen; **~ one's hands** in die Hände klatschen
clar·et ['klærɪt] N *roter Bordeauxwein*
clar·i·fi·ca·tion [klærɪfɪ'keɪʃn] N Klarstellung *f*
clar·i·fy ['klærɪfaɪ] V/T ⟨-ied⟩ klarstellen
clar·i·net [klærɪ'net] N Klarinette *f*
clar·i·ty ['klærətɪ] N Klarheit *f*
clash [klæʃ] **A** N *fight, argument* Zusammenstoß *m* **B** V/I *involving two parties* aufeinanderstoßen, aufeinanderprallen; *personalities* aneinandergeraten; *colours* nicht zusammenpassen, sich beißen; *events* zusammenfallen, kollidieren (**with** mit)
clasp [klɑːsp] **A** N Verschluss *m* **B** V/T ergreifen; **~ sb's hand** j-s Hand ganz fest halten
class [klɑːs] **A** N *in school* Klasse *f*; *category* Kategorie *f*; *on timetable* Stunde *f*; **the middle classes** *pl* die Mittelschicht; **social ~** Gesellschaftsschicht *f* **B** V/T einstufen (**as** als)
clas·sic ['klæsɪk] **A** ADJ klassisch **B** N Klassiker *m*
clas·si·cal ['klæsɪkl] ADJ klassisch
clas·si·fi·ca·tion [klæsɪfɪ'keɪʃn] N Klassifizierung *f*
clas·si·fied ['klæsɪfaɪd] ADJ *information* vertraulich; **~ ad(vertisement)** Kleinanzeige *f*
clas·si·fy ['klæsɪfaɪ] V/T ⟨-ied⟩ klassifizieren, einordnen
'class·room N Klassenzimmer *n*
class 'war·fare N Klassenkampf *m*
class·y ['klɑːsɪ] ADJ ⟨-ier, -iest⟩ *infml* Spitzen-, vornehm
clat·ter ['klætə(r)] **A** N Klappern *n*, Geklapper *n* **B** V/I klappern; **~ down the stairs** die Treppen hinunterpoltern
clause [klɔːz] N *in agreement* Klausel *f*; LING Satz *m*
claus·tro·pho·bi·a [klɔːstrə'fəʊbɪə] N Klaustrophobie *f*
claw [klɔː] **A** N *of cat, bird* Kralle *f*; *of crab etc* Schere *f* **B** V/T *with fingernails, talons etc* kratzen
clay [kleɪ] N *soil* Lehm *m*; *for pottery* Ton *m*
clean [kliːn] **A** ADJ sauber; *clothes* sauber, frisch; *piece of paper* neu **B** ADV *infml*: *completely* glatt **C** V/T putzen, sauber machen; *car, face, hands* waschen; **~ one's teeth** sich die Zähne putzen; **have sth cleaned** etw reinigen lassen
♦**clean out** V/T *room, cupboard* gründlich sauber machen; *fig* ausnehmen (wie e-e Weihnachtsgans)
♦**clean up** **A** V/T *room* aufräumen; *liquid* aufwischen; *police etc* die Korruption beseitigen in **B** V/I aufräumen; *have a wash* sich waschen; *make a profit* abräumen
clean·er ['kliːnə(r)] N *person* Reinigungskraft *f*; *business* Reinigung *f*
'clean·ing wom·an N Putzfrau *f*
clean·li·ness ['klenlɪnɪs] N Reinlichkeit *f*
cleanse [klenz] V/T *skin* reinigen
cleans·er ['klenzə(r)] N *for skin* Reinigungsmilch *f*
clear [klɪə(r)] **A** ADJ *water, sky, eyes* klar; *voice* deutlich; *photo* scharf; *skin, conscience, profit* rein; *obvious* klar; **I'm not ~ about it** ich bin mir noch nicht darüber im Klaren **B** ADV **stand ~ of the doors!** bitte von den Türen zurücktre-

C

ten!; **steer ~ of** sich fernhalten von **C** VT *road, room* räumen; *broken glass, rubbish* wegräumen; *accused* freisprechen; *for take-off, landing* freigeben; *earn* netto verdienen; *table* abräumen; *in football* klären, abwehren; **be cleared to do sth** die Genehmigung bekommen, etw zu tun; **~ one's throat** sich räuspern **D** VI *sky* aufklaren; *fog, haze* sich auflösen

♦**clear away** VT wegräumen

♦**clear off** VI *infml* abhauen

♦**clear out** **A** VT *cupboard* ausräumen **B** VI *infml* verschwinden

♦**clear up** **A** VI aufräumen; *weather* aufklaren; *illness* verschwinden **B** VT *room etc* aufräumen; *mystery, problem* aufklären

clear·ance ['klıərəns] N *space* Spielraum *m*; *above* lichte Höhe; *permission* Erlaubnis *f*, Genehmigung *f*; *in football* Befreiungsschlag *m*

'clear·ance sale N Räumungsverkauf *m*

clear·ing ['klıərıŋ] N Lichtung *f*

clear·ly ['klıəlı] ADV *speak, write* deutlich, klar; *without doubt* offensichtlich

cleav·age ['kli:vıdʒ] N Ausschnitt *m*

cleav·er ['kli:və(r)] N Hackbeil *n*

clem·en·cy ['klemənsı] N Milde *f*

clench [klentʃ] VT *teeth* zusammenbeißen; *fist* ballen

cler·gy ['klɜ:dʒı] N *pl* Klerus *m*

'cler·gy·man N Geistliche(r) *m*

cler·i·cal ['klerıkl] ADJ *staff* Büro-; **~ work** Büroarbeit *f*

clerk [klɑ:k, *US* klɜ:k] N *in administration, company* Büroangestellte(r) *m/f(m)*; *US*: *in department store* Verkäufer(in) *m(f)*; *US*: *in hotel* Empfangschef(in) *m(f)*

clerk of the 'court N JUR Protokollführer(in) *m(f)*

clev·er ['klevə(r)] ADJ klug, intelligent; *device* raffiniert

cli·ché ['kli:ʃeı] N Klischee *n*

click [klık] **A** N IT Klick *m* **B** VI klicken

♦**click on** VT IT anklicken

cli·ent ['klaıənt] N *of business* Kunde *m*, Kundin *f*; *of lawyer* Klient(in) *m(f)*, Mandant(in) *m(f)*

cli·en·tele [kli:ən'tel] N Kundschaft *f*, Klientel *f*

cliff [klıf] N Klippe *f*

cli·mate ['klaımət] N *a. fig* Klima *n*

'cli·mate change N Klimaveränderung *f*

'cli·mate con·fe·rence N POL Klimakonferenz *f*, Klimagipfel *m*

cli·mat·ic [klaı'mætık] ADJ klimatisch

cli·max ['klaımæks] N Höhepunkt *m*

climb [klaım] **A** N Aufstieg *m* **B** VT *mountain, ladder* klettern auf; *hill* hinaufsteigen **C** VI klettern; *plane* steigen; *road, inflation* (an)steigen

♦**climb down** VI hinunterklettern; *fig* nachgeben

climb·er ['klaımə(r)] N Bergsteiger(in) *m(f)*

climb·ing ['klaımıŋ] N Bergsteigen *n*, Klettern *n*

clinch [klıntʃ] VT *business* abschließen; **that clinches it** damit ist die Sache entschieden

cling [klıŋ] VI ⟨clung, clung⟩ *clothes* eng anliegen

♦**cling to** VT *person, branch* sich klammern an; *idea, tradition* festhalten an

'cling·film® N Frischhaltefolie *f*

cling·y ['klıŋı] ADJ ⟨-ier, -iest⟩ *child, friend* sehr anhänglich

clin·ic ['klınık] N Klinik *f*

clin·i·cal ['klınıkl] ADJ MED klinisch

clink [klıŋk] **A** N *sound* Klirren *n*; *infml*: *prison* Knast *m* **B** VI klirren

clip[1] [klıp] **A** N *for securing* Klammer *f* **B** VT ⟨-pp-⟩ klammern (**to** an)

clip[2] [klıp] **A** N *of film* Ausschnitt *m* (**from** aus) **B** VT ⟨-pp-⟩ schneiden

'clip·board N Klemmbrett *n*; IT Zwischenablage *f*

clip·pers ['klıpəz] N *pl* Schere *f*

clip·ping ['klıpıŋ] N *from newspaper* Ausschnitt *m* (**from** aus)

cliqu·ey ['kli:kı] ADJ ⟨-ier, -iest⟩ cliquenhaft

cloak [kləʊk] N Umhang *m*

'cloak·room N Garderobe *f*; *euph* Toilette *f*

clock [klɒk] N Uhr *f*; AUTO *infml* Tacho *m*

clock 'ra·di·o N Radiowecker *m*

'clock·wise ADV im Uhrzeigersinn

'clock·work N Uhrwerk *n*; **it went like ~** es klappte wie am Schnürchen

♦**clog up** [klɒg] VT & VI ⟨-gg-⟩ verstopfen

clone [kləʊn] **A** N Klon *m* **B** VT klonen

close[1] [kləʊs] **A** ADJ *family, friend* nahe, eng; *similarity* groß; **be ~ to sb** *emotionally* j-m nahestehen; **that was ~!** das war knapp! **B** ADV nahe (**to, by** bei, an); **~ at hand** in Reichweite; **stay ~** bleib in meiner Nähe; **~ to the office** in der Nähe des Büros; **~ by** in der Nähe

close[2] [kləʊz] VT & VI schließen, zumachen; IT schließen; **~ a deal** ein Geschäft zum Abschluss bringen

♦**close down** **A** VT *shop* schließen; *factory a.* stilllegen **B** VI *factory, shop* schließen

♦**close in** VI *get nearer* näher kommen *or* rücken; *get shorter* kürzer werden

♦**close in on** VT *get nearer to* näher rücken an

♦**close up** **A** VT *building* abschließen **B** VI (näher) zusammenrücken

closed [kləʊzd] ADJ geschlossen

closed-cir·cuit 'tel·e·vi·sion N Videoüberwachung *f*

close-'knit ADJ fest zusammengewachsen; **a ~ family** e-e Familie, die fest zusammenhält

close·ly ['kləʊslɪ] ADV *listen, observe* genau; *collaborate* eng

clos·et ['klɒzɪt] N US Wandschrank *m*

close-up ['kləʊsʌp] N Nahaufnahme *f*

clos·ing date ['kləʊzɪŋ] N Einsendeschluss *m* **clos·ing-'down sale** N Totalausverkauf *m*, Räumungsverkauf *m* **'clos·ing price** N ECON Schlusskurs *m* **'clos·ing time** N *of shop* Ladenschluss *m*

clo·sure ['kləʊʒə(r)] N Schließung *f*

clot [klɒt] **A** N Blutgerinnsel *n*; *infml* Depp *m* **B** VI ⟨-tt-⟩ *blood* gerinnen

cloth [klɒθ] N Stoff *m*; *for cleaning* Lappen *m*; *for table* Tischtuch *n*; *for drying* Geschirrtuch *n*

clothe [kləʊð] VT ankleiden; *family* einkleiden

clothes [kləʊðz] N *pl* Kleidung *f*, Kleider *pl*

'clothes brush N Kleiderbürste *f*

'clothes hang·er N Kleiderbügel *m*

'clothes·horse N Wäscheständer *m*

'clothes·line N Wäscheleine *f*

'clothes peg, **'clothes·pin** US N Wäscheklammer *f*

cloth·ing ['kləʊðɪŋ] N Kleidung *f*

cloud [klaʊd] N Wolke *f*

♦**cloud over** VI *sky* sich bewölken

cloud·less ['klaʊdlɪs] ADJ *sky* wolkenlos

cloud·y ['klaʊdɪ] ADJ ⟨-ier, -iest⟩ *sky* bewölkt; *weather* trübe

clout [klaʊt] N *infml*: *blow* Schlag *m*; *fig*: *power* Einfluss *m* (**with** auf)

clove of 'gar·lic [kləʊv] N Knoblauchzehe *f*

clo·ver ['kləʊvə(r)] N Klee *m*

clown [klaʊn] N *in circus* Clown *m*; *fig* Witzbold *m*; *pej* Dummkopf *m*

club [klʌb] N *organization* Klub *m*, Verein *m*; *weapon* Keule *f*; *for golf* Golfschläger *m*; **clubs** *pl*; *in card game* Kreuz *n*

club·bing ['klʌbɪŋ] N **go ~** eine Tour durch die Discos machen

clue [klu:] N *to crime* Hinweis *m* (**to** auf), Anhaltspunkt *m* (**to** für); **he hasn't a ~** *infml* ich hat keine Ahnung (**about sth** von etw)

clued-up [klu:d'ʌp] ADJ **be ~** *infml* sich auskennen

clump [klʌmp] N *of earth* Klumpen *m*; *of trees, flowers* Gruppe *f*

clum·si·ness ['klʌmzɪnɪs] N Ungeschicklichkeit *f*

clum·sy ['klʌmzɪ] ADJ ⟨-ier, -iest⟩ *person* ungeschickt

clung [klʌŋ] PRET & PAST PART → cling

clunk [klʌŋk] N dumpfes Geräusch

clus·ter ['klʌstə(r)] **A** N *of people* Traube *f*; *of houses* Gruppe *f*; *of trees* Baumgruppe *f*; *of cells* Zellhaufen *m* **B** VI sich drängen, sich scharen (**around** um)

clutch [klʌtʃ] **A** N AUTO Kupplung *f* **B** VT umklammern

♦**clutch at** VT greifen nach

clut·ter ['klʌtə(r)] **A** N Kram *m* **B** VT **be cluttered (up) with** vollgestopft sein mit

CMO [si:em'əʊ] ABBR *for* Common Market Organization GMO, gemeinsame Marktorganisation

Co. [kəʊ] ABBR *for* Company Fa., Firma

c/o [si:'əʊ] ABBR *for* care of c/o, bei

coach [kəʊtʃ] **A** N SPORTS Trainer(in) *m(f)*, Coach *m*; *of singer* Gesang(s)lehrer(in) *m(f)*; *of train* Wagen *m*; *vehicle* Reisebus *m* **B** VT SPORTS trainieren; *singer* ausbilden

coach·ing ['kəʊtʃɪŋ] N Training *n*

'coach par·ty N Reisegruppe *f*

'coach sta·tion N Busbahnhof *m*

'coach tour N Busreise *f* (**of** durch)

co·ag·u·late [kəʊ'ægjʊleɪt] VI *blood* gerinnen
coal [kəʊl] N Kohle *f*
co·a·li·tion [kəʊə'lɪʃn] N Koalition *f*; **form a ~ with sb** mit j-m koalieren
co·a·li·tion 'gov·ern·ment N Koalitionsregierung *f*
co·a·li·tion 'par·tner N Koalitionspartner *m*
'coal·mine N Kohlebergwerk *n*
coarse [kɔːs] ADJ *skin* rau; *material* grob; *hair* stumpf; *vulgar: person* ungehobelt; *language* derb; *remark* gemein
coast [kəʊst] N Küste *f*
coast·al ['kəʊstl] ADJ Küsten-
coast·er ['kəʊstə(r)] N Untersetzer *m*
'coast·guard(s) N (*pl*) Küstenwache *f*
'coast·line N Küste *f*
coat [kəʊt] **A** N Mantel *m*; *jacket* Jacke *f*; *of animal* Fell *n*; *of paint* Schicht *f*; **it needs a ~ of paint** es hat mal wieder e-n Anstrich nötig **B** VT *cover* überziehen; **coated with dust** staubbedeckt
'coat·hang·er N Kleiderbügel *m*
coat·ing ['kəʊtɪŋ] N *of dust etc* Schicht *f*; *of chocolate* Überzug *m*
co-au·thor ['kəʊɔːθə(r)] **A** N Mitverfasser(in) *m(f)*, Koautor(in) *m(f)* **B** VT gemeinsam verfassen
coax [kəʊks] VT überreden; **~ sth out of sb** j-m etw entlocken
cob·bled ['kɒbld] ADJ gepflastert; **~ street** Straße *f* mit Kopfsteinpflaster
cob·bler ['kɒblə(r)] N (Flick)Schuster *m*
cob·ble·stone ['kɒblstəʊn] N Pflasterstein *m*; **cobblestones** *pl* Kopfsteinpflaster *n*
cob·web ['kɒbweb] N Spinnennetz *n*, Spinn(en)gewebe *n*
co·caine [kəʊ'keɪn] N Kokain *n*
cock [kɒk] N *chicken* Hahn *m*; *male bird* Männchen *n*; *sl* Schwanz *m*
cock·eyed ['kɒkaɪd] ADJ *infml*: *idea etc* verrückt
cock·roach ['kɒkrəʊtʃ] N Küchenschabe *f*, Kakerlak *m*
cock-up ['kɒkʌp] N *sl* Schlamassel *m*; **make a ~ of sth** bei etw Mist bauen
cock·y ['kɒkɪ] ADJ ‹-ier, -iest› *infml* großspurig
co·coa ['kəʊkəʊ] N Kakao *m*
co·co·nut ['kəʊkənʌt] N Kokosnuss *f*
co·coon [kə'kuːn] N *a. fig* Kokon *m*
cod [kɒd] N Kabeljau *m*, Dorsch *m*
COD [siːəʊ'diː] ABBR *for* cash on delivery per Nachnahme
code [kəʊd] N Kode *m*; *in address* Postleitzahl *f*; TEL Vorwahl *f*; **in ~** chiffriert, verschlüsselt; **~ of conduct** Verhaltenskodex *m*
co·de·ci·sion pro·ce·dure [kəʊdɪ'sɪʒnprəsiːdʒə(r)] N POL Mitentscheidungsverfahren *n*
co·de·ter·min·a·tion [kəʊdɪtɜːmɪ'neɪʃn] N Mitbestimmung *f*
co·erce [kəʊ'ɜːs] VT zwingen
co·er·cion [kəʊ'ɜːʃn] N Zwang *m*
co·ex·ist [kəʊɪg'zɪst] VI nebeneinander bestehen, koexistieren
co·ex·ist·ence [kəʊɪg'zɪstəns] N Koexistenz *f*
C of E [siːəv'iː] ABBR *for* Church of England *englische Staatskirche*
cof·fee ['kɒfɪ] N Kaffee *m*
'cof·fee bar N Café *n* **'cof·fee bean** N Kaffeebohne *f* **'cof·fee break** N Kaffeepause *f* **'cof·fee cup** N Kaffeetasse *f* **'cof·fee grind·er** N Kaffeemühle *f* **'cof·fee mak·er** N Kaffeemaschine *f* **'cof·fee pot** N Kaffeekanne *f* **'cof·fee shop** N Café *n* **'cof·fee ta·ble** N Couchtisch *m*
cof·fin ['kɒfɪn] N Sarg *m*
cog [kɒg] N TECH Zahnrad *n*; Zahn *m*
'cog·wheel N Zahnrad *n*
co·hab·it [kəʊ'hæbɪt] VI zusammenleben, in eheähnlicher Gemeinschaft leben
co·her·ent [kəʊ'hɪərənt] ADJ *report, theory etc* zusammenhängend, kohärent
co·he·sion [kəʊ'hiːʒn] N Zusammenhalt *m*
co'he·sion fund N Kohäsionsfonds *m*
co·he·sive [kəʊ'hiːsɪv] ADJ (fest) zusammenhaltend
coil [kɔɪl] **A** N *of rope, wire* Rolle *f*; *of smoke* Kringel *m*; *of snake* Spirale *f* **B** VT **~ (up)** aufrollen
coin [kɔɪn] N Münze *f*
co·in·cide [kəʊɪn'saɪd] VI *events* zusammenfallen
co·in·ci·dence [kəʊ'ɪnsɪdəns] N Zufall *m*
coke [kəʊk] N *sl*: *cocain* Koks *m or n*
Coke® [kəʊk] N Cola *n or f*
cold [kəʊld] **A** ADJ *a. fig* kalt **B** N Kälte

f; MED Erkältung *f*; **catch (a) ~** sich erkälten
cold ˈcall·ing N ECON *Kundenwerbung durch unaufgeforderten Vertreteranruf od -besuch*
ˈcold cuts N *pl US: meat* Aufschnitt *m*
cold·ly [ˈkəʊldlɪ] ADV kalt
cold ˈmeat N Aufschnitt *m*
cold·ness [ˈkəʊldnɪs] N *fig* Kälte *f*
ˈcold sore N Bläschenausschlag *m*, Herpes *m*
cole·slaw [ˈkəʊlslɔː] N Krautsalat *m*
col·lab·o·rate [kəˈlæbəreɪt] V/I *on project* zusammenarbeiten (**on** an); *with enemy* kollaborieren
col·lab·o·ra·tion [kəlæbəˈreɪʃn] N *on project* Zusammenarbeit *f*; *with enemy* Kollaboration *f*
col·lab·o·ra·tor [kəˈlæbəreɪtə(r)] N *on project* Mitarbeiter(in) *m(f)*; *with enemy* Kollaborateur(in) *m(f)*
col·lapse [kəˈlæps] **A** N *of floor, building* Einsturz *m*; *of person, company* Zusammenbruch *m* **B** V/I *floor, building* einstürzen; *person, company* zusammenbrechen
col·lap·si·ble [kəˈlæpsəbl] ADJ zusammenklappbar
col·lar [ˈkɒlə(r)] N *of shirt, jacket* Kragen *m*; *of dog, cat* Halsband *n*
ˈcol·lar-bone N Schlüsselbein *n*
col·league [ˈkɒliːg] N Kollege *m*, Kollegin *f*
col·lect [kəˈlekt] **A** V/T *person, tickets* abholen; *donations, stamps, rainwater* sammeln; *wood* aufsammeln; *exam papers* einsammeln; **go and ~ your things** such deine Sachen zusammen **B** V/I *gather* sich versammeln; **~ for charity** für e-n wohltätigen Zweck sammeln **C** ADV *US* **call ~** ein R-Gespräch führen (*der Angerufene übernimmt die Kosten*)
col·lect·ed [kəˈlektɪd] ADJ *works* gesammelt; *person* gefasst, gelassen
col·lec·tion [kəˈlekʃn] N *of paintings, stamps, donations etc* Sammlung *f*; *of clothes* Kollektion *f*; *of people, objects* Ansammlung *f*; *in church* Kollekte *f*
col·lec·tive [kəˈlektɪv] ADJ gemeinsam, kollektiv
col·lec·tive aˈgree·ment N Tarifvertrag *m*
col·lec·tive bar·gain·ing [ˈbɑːgɪnɪŋ] N Tarifverhandlungen *pl*
col·lec·tive·ly [kəˈlektɪvlɪ] ADV *act etc* kollektiv
col·lec·tor [kəˈlektə(r)] N *of paintings, stamps etc* Sammler(in) *m(f)*
col·lege [ˈkɒlɪdʒ] N Fachhochschule *f*; *as part of a university* College *n*; **go to ~** studieren
col·lide [kəˈlaɪd] V/I zusammenstoßen
col·lie·ry [ˈkɒljərɪ] N Kohlengrube *f*
col·li·sion [kəˈlɪʒn] N Zusammenstoß *m*
col·lo·qui·al [kəˈləʊkwɪəl] ADJ umgangssprachlich
Cologne [kəˈləʊn] N Köln *n*
co·lon [ˈkəʊlən] N *punctuation mark* Doppelpunkt *m*; ANAT Dickdarm *m*
colo·nel [ˈkɜːnl] N Oberst *m*
co·lo·ni·al [kəˈləʊnɪəl] ADJ Kolonial-, kolonial
co·lo·nize [ˈkɒlənaɪz] V/T kolonisieren
co·lo·ny [ˈkɒlənɪ] N Kolonie *f*
col·or *etc US* → colour *etc*
co·los·sal [kəˈlɒsl] ADJ riesig
col·our [ˈkʌlə(r)] **A** N Farbe *f*; **colours** *pl* MIL Fahne *f*; **what ~ is ...?** welche Farbe hat ...? **B** V/T *dye* färben **C** V/I *blush* erröten, rot werden
♦ **colour in** V/T ausmalen
ˈcol·our-blind ADJ farbenblind
col·oured [ˈkʌləd] ADJ *person* farbig
ˈcol·our fast ADJ farbecht
col·our·ful [ˈkʌləful] ADJ farbenfroh, bunt; *fig: report, description* farbig
col·our·ing [ˈkʌlərɪŋ] N *of skin* Teint *m*, Gesichtsfarbe *f*; *of hair* Haarfarbe *f*
col·our·less [ˈkʌləlɪs] ADJ *a. fig* farblos
col·our ˈpho·to·graph N Farbfoto *n*
ˈcol·our scheme N Farbzusammenstellung *f*
col·umn [ˈkɒləm] N *of figures, people* Kolonne *f*; *of building* Säule *f*; *in text* Spalte *f*; *in newspaper* Kolumne *f*
col·um·nist [ˈkɒləm(n)ɪst] N Kolumnist(in) *m(f)*
co·ma [ˈkəʊmə] N Koma *n*
comb [kəʊm] **A** N Kamm *m* **B** V/T kämmen; *fig: area* durchkämmen
com·bat [ˈkɒmbæt] **A** N Kampf *m* **B** V/T ‹-tt-› bekämpfen
com·ba·tant [ˈkɒmbətənt] N Kämpfer(in) *m(f)*
ˈcom·bat force N Kampfgruppe *f*

C

com·bi·na·tion [kɒmbɪ'neɪʃn] N Kombination *f*; *of safe* Zahlenkombination *f*

com·bine [kəm'baɪn] A VT verbinden, kombinieren; *ingredients* vermischen B VI sich verbinden C N ['kɒmbaɪn] ECON Interessengemeinschaft *f*

com·bine har·vest·er ['hɑːvɪstə(r)] N Mähdrescher *m*

com·bus·ti·ble [kəm'bʌstɪbl] ADJ brennbar

com·bus·tion [kəm'bʌstʃn] N Verbrennung *f*

come [kʌm] VI ⟨came, come⟩ kommen; **coming!** ich komme (schon)!; **in the years to ~** in den kommenden Jahren; **you'll ~ to like it** du wirst es schon noch mögen; **how ~?** *infml* wieso?; **~ to think of it ...** wenn ich es mir recht überlege ...; **you'll be starving ~ lunchtime** bis zum Mittagessen wirst du am Verhungern sein; **~ again?** *infml* wie bitte?; **where did you ~?** *in race* wie hast du abgeschnitten?

♦**come about** VI passieren

♦**come across** A VT *discover* zufällig finden, stoßen auf B VI *be understood* verstanden werden, ankommen; **she comes across as being ...** sie wirkt ...

♦**come along** VI *accompany* mitkommen; *appear* auftauchen; *make progress* vorangehen, vorankommen

♦**come apart** VI auseinanderfallen; *cup etc* zerbrechen

♦**come at** VT *person* losgehen auf, angreifen

♦**come away** VI weggehen; *button etc* sich lösen, abgehen

♦**come back** VI zurückkommen; *in match* ein Come-back feiern; **it came back to me** es fiel mir wieder ein

♦**come back to** VT *subject* zurückkommen auf

♦**come by** A VI vorbeikommen B VT *acquire* bekommen, kriegen; *illness, bruise* sich holen

♦**come down** VI herunterkommen; *price, rain, snow* fallen

♦**come down with** VT *flu etc* bekommen, sich holen

♦**come for** VT abholen; *attack* losgehen auf

♦**come forward** VI *to police, authorities* sich melden

♦**come from** VT kommen aus; *be derived from* abstammen von; **where do you come from?** woher kommst du?; **I see where you're coming from** ich verstehe, warum du das sagst

♦**come in** VI *into room, building* hereinkommen; *pull into station* einfahren; **come in second** *in race* Zweite(r) werden; **come in!** herein!; *on walkie-talkie* bitte melden

♦**come in for** VT **come in for criticism** kritisiert werden

♦**come in on** VT **come in on a deal** sich an e-m Geschäft beteiligen

♦**come into** VT *money, inheritance* erben; **come into existence** entstehen

♦**come off** A VI *fall off* abgehen; *be successful* klappen B VT **come off it!** *infml* nun mach aber mal halblang!

♦**come on** VI *work etc* vorankommen, vorangehen; *onto stage* auftreten; *in football* eingewechselt werden; **come on!** *hurry up, encouraging, disbelieving* komm schon!

♦**come out** VI *person, sun* (he)rauskommen; *book, CD etc* erscheinen, herauskommen; *stain* (he)rausgehen; *as homosexual* sich öffentlich zu s-r Homosexualität bekennen, sich outen; **the photo didn't come out well** das Foto ist nichts geworden; **come out in favour of sth** sich für etw aussprechen

♦**come over** A VI herüberkommen; *from abroad* kommen (**from** aus); **come over very quiet** mit e-m Mal ganz still werden; **come over as being arrogant** arrogant wirken B VT **what's come over him?** was ist in ihn gefahren?

♦**come round** VI *to sb's house* vorbeikommen; *from unconscious state* wieder zu sich kommen

♦**come through** A VI *e-mail etc* ankommen; *patient* durchkommen B VT bestehen; *operation* überstehen

♦**come to** A VT *place* kommen zu, erreichen; *reach to* reichen bis zu; **that comes to £70** das macht 70 Pfund; **come to the same thing** auf dasselbe hinauslaufen; **when it comes to maths ...** wenn es um Mathe geht ... B VI *from unconscious state* wieder zu sich kommen

♦**come up** VI *upwards* heraufkommen,

hochkommen; *sun* aufgehen; *plant* herauskommen; *problem* dazwischenkommen; **come up to sb** auf j-n zukommen
♦ **come up with** V/T *idea* haben; *answer* kommen auf; *suggestion* machen
co·me·di·an [kəˈmiːdɪən] N Komiker(in) *m(f)*; *pej a.* Witzbold *m*
ˈcome·down N Abstieg *m*
com·e·dy [ˈkɒmədɪ] N *film, play* Komödie *f*; *humour* Komik *f*
com·et [ˈkɒmɪt] N Komet *m*
come·up·pance [kʌmˈʌpəns] N **get one's ~** *infml* die Quittung kriegen
com·fort [ˈkʌmfət] **A** N Komfort *m*; *help* Trost *m* **B** V/T trösten
com·fort·a·ble [ˈkʌmftəbl] ADJ *shoes, armchair* bequem; *hotel, majority* komfortabel; *life* sorgenfrei; **be ~** *in armchair, situation* sich wohlfühlen; *financially* es gut haben; **make o.s. ~** es sich bequem machen
com·fort·a·bly [ˈkʌmfətəblɪ] ADV bequem; **he's ~ off** es geht ihm (finanziell) sehr gut
com·fort·er [ˈkʌmfətə(r)] N Tröster(in) *m(f)*; *US*: *for bed* Steppdecke *f*
ˈcom·fort station N *US* Bedürfnisanstalt *f*
com·fy [ˈkʌmfɪ] ADJ ‹-ier, -iest› *infml* → comfortable
com·ic [ˈkɒmɪk] **A** ADJ komisch **B** N *for reading* Comic *n*, Comicheft *n*; *person* Komiker(in) *m(f)*
com·i·cal [ˈkɒmɪkl] ADJ komisch
ˈcom·ic book N Comicheft *n*
ˈcom·ic strip N Comicstrip *m*
com·ing [ˈkʌmɪŋ] **A** N *of new age* Anbrechen *n*; **~ and going** Hin und Her *n* **B** ADJ *week* kommend
co·mi·to·lo·gy [kɒmɪˈtɒlədʒɪ] N *EU* Komitologie *f*, Ausschusswesen *n*
com·ma [ˈkɒmə] N Komma *n*
com·mand [kəˈmɑːnd] **A** N *a.* IT Befehl *m*; *of language* Beherrschung *f*; MIL Kommando *n*; **her ~ of English** ihre Englischkenntnisse **B** V/T befehlen
com·man·deer [kɒmənˈdɪə(r)] V/T beschlagnahmen
com·mand·er [kəˈmɑːndə(r)] N Kommandant(in) *m(f)*
command·er-in-ˈchief N Oberbefehlshaber(in) *m(f)*
com·mand·ing of·fi·cer [kəmɑːndɪŋˈɒfɪsə(r)] N befehlshabende(r) Offizier(in)
com·mand·ment [kəˈmɑːndmənt] N REL Gebot *n*
com·mem·o·rate [kəˈmeməreɪt] V/T gedenken
com·mem·o·ra·tion [kəmeməˈreɪʃn] N Gedenken *n*; **in ~ of** zum Gedenken an
com·mem·o·ra·tive [kəˈmemərətɪv] ADJ Gedenk-
com·mence [kəˈmens] V/T & V/I beginnen, anfangen
com·mend [kəˈmend] V/T loben
com·mend·a·ble [kəˈmendəbl] ADJ lobenswert
com·men·da·tion [kɒmenˈdeɪʃn] N *for courage* Belobigung *f*
com·men·su·rate [kəˈmenʃərət] ADJ **~ with** entsprechend
com·ment [ˈkɒment] **A** N Bemerkung *f* (**on** zu, über); *official* Stellungnahme *f* (**on** zu); **no ~!** kein Kommentar! **B** V/I e-e Bemerkung machen, etwas sagen (**on** zu); *on situation* s-e Meinung äußern (**on** zu); *official* e-e Stellungnahme abgeben (**on** zu)
com·men·ta·ry [ˈkɒməntrɪ] N *on football match* Kommentar *m* (**on** zu)
com·men·tate [ˈkɒmənteɪt] V/I kommentieren; **~ on a match** ein Spiel kommentieren
com·men·ta·tor [ˈkɒmənteɪtə(r)] N Kommentator(in) *m(f)*
com·merce [ˈkɒmɜːs] N Handel *m*
com·mer·cial [kəˈmɜːʃl] **A** ADJ Handels-; *success* kommerziell, wirtschaftlich **B** N Werbung *f*, Werbespot *m*
com·mer·cial ˈart·ist N Gebrauchsgrafiker(in) *m(f)* **com·mer·cial ˈbank** N Handelsbank *f* **com·mer·cial ˈbreak** N Werbepause *f*
com·mer·cial·ism [kəˈmɜːʃlɪzm] N Kommerz *m*
com·mer·cial·ize [kəˈmɜːʃlaɪz] V/T *Christmas etc* kommerzialisieren
com·mer·cial ˈtel·e·vi·sion N kommerzielles Fernsehen **com·mer·cial ˈtrav·el·ler, com·mer·cial ˈtrav·el·er** *US* N Handelsvertreter(in) *m(f)*
com·mis·e·rate [kəˈmɪzəreɪt] V/I **~ with sb** mit j-m mitfühlen
com·mis·e·ra·tion [kəmɪzəˈreɪʃn] N Mitleid *n* (**for** mit)

C

com·mis·sion [kə'mɪʃn] **A** N *payment* Provision *f*; *work* Auftrag *m*; *committee* Kommission *f*, Ausschuss *m*; **on a ~ basis** auf Provisionsbasis; **the Commission** *EU* die Kommission **B** V/T *with work* beauftragen (**for sth** mit etw)

com·mis·sion·aire [kəmɪʃə'neə(r)] N Pförtner *m*

Com·mis·sion·er [kə'mɪʃənə(r)] N Polizeipräsident(in) *m(f)*; *in EU* EU-Kommissar(in) *m(f)*

com·mit [kə'mɪt] V/T ‹-tt-› *crime* begehen; *money* zuteilen (**to** *dat*); **~ o.s. to sth** sich zu etw verpflichten, sich auf etw festlegen; **be committed to sth** *work etc* in etw aufgehen

com·mit·ment [kə'mɪtmənt] N *dedication* Engagement *n*; *responsibility* Verpflichtung *f* (**to** gegenüber)

com·mit·tee [kə'mɪtɪ] N Ausschuss *m*

com·mit·tee of ex·perts [kəmɪtɪəv-'ekspɜ:ts] N *EU* Fachausschuss *m*

com·mod·i·ty [kə'mɒdətɪ] N Gebrauchsgegenstand *m*; Handelsware *f*

com·mon ['kɒmən] ADJ *not rare* häufig; *interests etc* gemeinsam; **in ~ with** ebenso wie; **have sth in ~ with sb** etw mit j-m gemeinsam haben; **the ~ cold** die gewöhnliche Erkältung

Com·mon Ag·ri cul·tur·al 'Po·li·cy N *EU* Gemeinsame Agrarpolitik

com·mon·er ['kɒmənə(r)] N Bürgerliche(r) *m/f(m)*

Com·mon For·eign and Se'cur·i·ty Po·li·cy N *EU* Gemeinsame Außen- und Sicherheitspolitik **com·mon law 'hus·band** N Lebenspartner *m* **common law 'wife** N Lebenspartnerin *f*

com·mon·ly ['kɒmənlɪ] ADV allgemein

Com·mon 'Mar·ket N Gemeinsamer Markt **Com·mon Mar·ket Or·gan·i'za·tion** N gemeinsame Marktorganisation **'com·mon·place** ADJ alltäglich

Com·mons ['kɒmənz] N *pl* POL **the ~** das Unterhaus

com·mon 'sense N gesunder Menschenverstand **com·mon 'stock** N *US* ECON Stammaktie *f* **com·mon·wealth** ['kɒmənwelθ]: N **the Commonwealth (of Nations)** das Commonwealth

com·mo·tion [kə'məʊʃn] N Aufruhr *m*, Tumult *m*

com·mu·nal ['kɒmjʊnl] ADJ *area, garden* gemeinsam; *room, kitchen a.* Gemeinschafts-

com·mu·ni·cate [kə'mju:nɪkeɪt] **A** V/I miteinander reden, miteinander kommunizieren; **~ by signs** sich mit Zeichen verständigen **B** V/T mitteilen (**to** *dat*)

com·mu·ni·ca·tion [kəmju:nɪ'keɪʃn] N Kommunikation *f*, Verständigung *f*

com·mu·ni'ca·tions N *pl* Telekommunikation *f*

com·mu·ni'ca·tions sat·el·lite N Nachrichtensatellit *m*

com·mu·ni·ca·tive [kə'mju:nɪkətɪv] ADJ *person* mitteilsam, gesprächig

Com·mun·ion [kə'mju:nɪən] N REL *in Protestant Church* Abendmahl *n*; *in Catholic Church* Kommunion *f*

Com·mu·nism ['kɒmjʊnɪzm] N Kommunismus *m*

Com·mu·nist ['kɒmjʊnɪst] **A** ADJ kommunistisch **B** N Kommunist(in) *m(f)*

com·mu·ni·ty [kə'mju:nətɪ] N *people living in same area* Gemeinschaft *f*; *Chinese, Jewish etc* Gemeinde *f*

com'mu·ni·ty cen·tre, **com'mu·ni·ty cen·ter** *US* N Gemeindezentrum *n* **Com mu·ni·ty 'law** N *of EU* Gemeinschaftsrecht *n* **Com·mu·ni·ty pro'ce·dure** N *of EU* Gemeinschaftsmethode *f* **com·mu·ni·ty 'serv·ice** N gemeinnützige Arbeit **Com mu·ni·ty 'tax** N *of EU* Gemeinschaftssteuer *f*

com·mute [kə'mju:t] **A** V/I pendeln **B** V/T JUR umwandeln

com·mut·er [kə'mju:tə(r)] N Pendler(in) *m(f)*

com'mut·er traf·fic N Pendlerverkehr *m*

com'mut·er train N Pendlerzug *m*

com·pact **A** ADJ [kəm'pækt] kompakt **B** N ['kɒmpækt] *make-up* Puderdose *f*; AUTO Kompaktwagen *m*

com·pact 'disc N → CD

com·pan·ion [kəm'pænjən] N Gefährte *m*, Gefährtin *f*

com·pan·ion·ship [kəm'pænjənʃɪp] N Gesellschaft *f*

com·pa·ny ['kʌmpənɪ] N *firm* Unternehmen *n*; *at theatre, ballet* Ensemble *n*; *of person, pet* Gesellschaft *f*; *guests* Besuch *m*; **keep sb ~** j-m Gesellschaft leisten; **enjoy sb's ~** gern mit j-m zusammen

sein
com·pa·ny 'car N Firmenwagen *m* **com·pa·ny di'rec·tor** N Firmenchef(in) *m(f)* **com·pa·ny 'law** N Gesellschaftsrecht *n* **com·pa·ny 'pen·sion** N Betriebsrente *f* **com·pa·ny 'po·li·cy** N Geschäftspolitik *f*
com·pa·ra·ble ['kɒmpərəbl] ADJ vergleichbar
com·par·a·tive [kəm'pærətɪv] **A** ADJ *beginner* relativ; *study, examination etc* vergleichend; LING Komparativ- **B** N LING Komparativ *m*
com·par·a·tive·ly [kəm'pærətɪvlɪ] ADV vergleichsweise
com·pare [kəm'peə(r)] **A** V/T vergleichen (**to, with** mit); **compared with …** im Vergleich zu …, verglichen mit … **B** V/I sich vergleichen lassen
com·par·i·son [kəm'pærɪsn] N Vergleich *m*
com·part·ment [kəm'pɑ:tmənt] N *in desk etc* Fach *n*; RAIL Abteil *n*
com·pass ['kʌmpəs] N Kompass *m*; GEOM Zirkel *m*
com·pas·sion [kəm'pæʃn] N Mitgefühl *n*
com·pas·sion·ate [kəm'pæʃənət] ADJ mitfühlend; **~ leave** Sonderurlaub *m* aus familiären Gründen
com·pat·i·bil·i·ty [kəmpætə'bɪlɪtɪ] N *of characters* Vereinbarkeit *f*, Zusammenpassen *n*; *of blood groups* Verträglichkeit *f*; *of software* Kompatibilität *f*
com·pat·i·ble [kəm'pætəbl] ADJ *people, blood groups* (zueinander)passend, zusammenpassend; *blood groups a.* verträglich; *software* kompatibel
com·pat·ri·ot [kəm'pætrɪət] N Landsmann *m*, -männin *f*
com·pel [kəm'pel] V/T ⟨-ll-⟩ zwingen
com·pel·ling [kəm'pelɪŋ] ADJ *argument* zwingend; *film, book* fesselnd
com·pen·sate ['kɒmpənseɪt] **A** V/T *with money* entschädigen **B** V/I **~ for sth** etw ausgleichen; PSYCH etw kompensieren
com·pen·sa·tion [kɒmpən'seɪʃn] N *money* Entschädigung *f*; **have its compensations** auch s-e guten Seiten haben
com·père ['kɒmpeə(r)] N Conférencier *m*, Ansager(in) *m(f)*
com·pete [kəm'pi:t] V/I konkurrieren (**with** mit, **for** um); *in tournament etc* teilnehmen
com·pe·tence ['kɒmpɪtəns] N Fähigkeit *f*, Kompetenz *f*
com·pe·tent ['kɒmpɪtənt] ADJ *person* fähig, kompetent; *work* recht gut
com·pe·ti·tion [kɒmpə'tɪʃn] N Wettbewerb *m*; SPORTS *a.* Wettkampf *m*; *for job, in economy, competitors* Konkurrenz *f*
com·pet·i·tive [kəm'petətɪv] ADJ *company, price* wettbewerbsfähig; *offer* konkurrenzfähig; *attitude* ehrgeizig, konkurrenzbewusst; **~ sport** Leistungssport *m*; **~ disadvantage** Wettbewerbsnachteil *m*
com·pet·i·tive·ness [kəm'petətɪvnəs] N ECON Wettbewerbsfähigkeit *f*; *of person* Konkurrenzdenken *n*, Konkurrenzbewusstsein *n*
com·pet·i·tor [kəm'petɪtə(r)] N *in contest* Teilnehmer(in) *m(f)*; ECON Konkurrent(in) *m(f)*
com·pile [kəm'paɪl] V/T *list etc* zusammenstellen; *material etc* zusammentragen
com·pla·cen·cy [kəm'pleɪsənsɪ] N Selbstzufriedenheit *f*
com·pla·cent [kəm'pleɪsənt] ADJ selbstzufrieden
com·plain [kəm'pleɪn] V/I sich beklagen, klagen (**about** über, **to** bei); *in shop etc* sich beschweren (**about** über); **~ of** MED klagen über
com·plaint [kəm'pleɪnt] N Beschwerde *f*; MED Leiden *n* Beschwerden *pl*; **make a ~** sich beschweren
com·ple·ment ['kɒmplɪmənt] V/T ergänzen
com·ple·men·ta·ry [kɒmplɪ'mentərɪ] ADJ Ergänzungs-, (einander) ergänzend; **the two are ~** die beiden ergänzen sich
com·plete [kəm'pli:t] **A** ADJ völlig; *list, sentence* vollständig, komplett; *finished* fertig; **the ~ works of Hesse** die gesammelten Werke Hesses; **a ~ beginner** ein blutiger Anfänger **B** V/T *building, work etc* fertigstellen; *task* fertig sein mit; *course* abschließen; *form* ausfüllen
com·plete·ly [kəm'pli:tlɪ] ADV völlig
com·ple·tion [kəm'pli:ʃn] N Fertigstellung *f*
com·plex ['kɒmpleks] **A** ADJ komplex, vielschichtig; *situation, theory a.* kompliziert **B** N PSYCH Komplex *m*; *of buildings* Gebäudekomplex *m*

C

com·plex·ion [kəm'plekʃn] N Teint *m*, Gesichtsfarbe *f*
com·plex·i·ty [kəm'pleksɪtɪ] N *of personality, problem* Komplexität *f*, Vielschichtigkeit *f*; *of theory, situation a.* Kompliziertheit *f*
com·pli·ance [kəm'plaɪəns] N Zustimmung *f* (**with** zu); **~ with the law** Befolgung *f* der Gesetze
com·pli·cate ['kɒmplɪkeɪt] V/T komplizieren
com·pli·cat·ed ['kɒmplɪkeɪtɪd] ADJ kompliziert
com·pli·ca·tion [kɒmplɪ'keɪʃn] N Komplikation *f*
com·pli·ment ['kɒmplɪmənt] **A** N Kompliment *n* **B** V/T **~ sb on sth** j-m Komplimente wegen etw machen
com·pli·men·ta·ry [kɒmplɪ'mentərɪ] ADJ *speech etc* lobend; *free* Gratis-; **a ~ copy** ein Freiexemplar
com·ply [kəm'plaɪ] V/I ⟨-ied⟩ einwilligen
♦ **comply with** V/T *wishes* entsprechen; *law* halten; *treaty* erfüllen
com·po·nent [kəm'pəʊnənt] N Bestandteil *m*, Komponente *f*
com·pose [kəm'pəʊz] V/T *constitute* bilden; MUS komponieren; **be composed of** bestehen aus; **~ o.s.** sich zusammennehmen
com·posed [kəm'pəʊzd] ADJ *calm* gelassen, gefasst
com·pos·er [kəm'pəʊzə(r)] N MUS Komponist(in) *m(f)*
com·po·si·tion [kɒmpə'zɪʃn] N *of group etc* Zusammensetzung *f*; MUS Komposition *f*; *in school* Aufsatz *m*
com·po'si·tion pro·cee·dings N *pl* JUR Vergleichsverfahren *n*
com·po·sure [kəm'pəʊʒə(r)] N Fassung *f*
com·pound ['kɒmpaʊnd] N CHEM Verbindung *f*; *word* Kompositum *n*, zusammengesetztes Wort
com·pound 'in·ter·est N Zinseszins *m*
com·pre·hend [kɒmprɪ'hend] V/T *problem etc* begreifen, verstehen
com·pre·hen·si·ble [kɒmprɪ'hensəbl] ADJ verständlich
com·pre·hen·sion [kɒmprɪ'henʃn] N Verständnis *n*
com·pre·hen·sive [kɒmprɪ'hensɪv] ADJ umfassend
com·pre·hen·sive in'sur·ance N Vollkaskoversicherung *f*
com·pre'hen·sive school N Gesamtschule *f*
com·press **A** N ['kɒmpres] MED Kompresse *f* **B** V/T [kəm'pres] TECH komprimieren; *information* zusammenfassen (**into** auf)
com·prise [kəm'praɪz] V/T *consist of* umfassen; *constitute* bilden, ausmachen; **be comprised of** sich zusammensetzen aus
com·pro·mise ['kɒmprəmaɪz] **A** N Kompromiss *m* **B** V/I e-n Kompromiss schließen **C** V/T *person* bloßstellen; *endanger* gefährden; **~ o.s.** sich selbst schaden, sich kompromittieren
com·pul·sion [kəm'pʌlʃn] N PSYCH Zwang *m*
com·pul·sive [kəm'pʌlsɪv] ADJ *behaviour etc* zwanghaft, Zwangs-; **I found the book ~ reading** ich konnte mich von dem Buch nicht losreißen
com·pul·so·ry [kəm'pʌlsərɪ] ADJ obligatorisch; **~ education** Schulpflicht *f*; **~ subject** Pflichtfach *n*
com·put·er [kəm'pju:tə(r)] N Computer *m*, Rechner *m*
com·put·er-aid·ed [kəmpju:tər'eɪdɪd] ADJ computergestützt; **~ manufacture** computergestützte Fertigung **com·put·er-con'trolled** ADJ computergesteuert **com'put·er game** N Computerspiel *n* **com·put·er 'graph·ics** N *pl* Computergrafik *f*
com·put·er·ize [kəm'pju:təraɪz] V/T *job, process* computerisieren, auf Computer umstellen; *information* in e-n Computer eingeben
com·put·er 'lit·er·ate ADJ **be ~** mit dem Computer umgehen können **com·put·er 'sci·ence** N Informatik *f*
com·put·er 'sci·en·tist N Informatiker(in) *m(f)*
com·put·ing [kəm'pju:tɪŋ] N EDV *f*, elektronische Datenverarbeitung
com·rade ['kɒmreɪd] N Kamerad(in) *m(f)*; POL Genosse *m*, Genossin *f*
com·rade·ship ['kɒmreɪdʃɪp] N Kameradschaft *f*
con [kɒn] *infml* **A** N Schwindel *m*, Betrug *m* **B** V/T ⟨-nn-⟩ reinlegen, anschmieren; **~ sb out of sth** j-m etw ab-

gaunern; **~ sb into doing sth** j-n durch e-n Trick dazu bringen, etw zu tun
con·ceal [kən'si:l] VT verbergen; *news* vorenthalten; *evidence* unterschlagen; *truth* verheimlichen
con·ceal·ment [kən'si:lmənt] N *of facts* Verheimlichung *f*; *of objects* Verbergen *n*, Verstecken *n*
con·cede [kən'si:d] VT *mistake etc* eingestehen, zugeben; *goal* zulassen
con·ceit [kən'si:t] N Einbildung *f*
con·ceit·ed [kən'si:tɪd] ADJ eingebildet
con·ceiv·a·ble [kən'si:vəbl] ADJ denkbar
con·ceive [kən'si:v] VI *become pregnant* schwanger werden; **~ of** *imagine* sich vorstellen
con·cen·trate ['kɒnsəntreɪt] **A** VI sich konzentrieren (**on** auf) **B** VT konzentrieren (**on** auf)
con·cen·trat·ed ['kɒnsəntreɪtɪd] ADJ *juice etc* konzentriert
con·cen·tra·tion [kɒnsən'treɪʃn] N Konzentration *f*
con·cept ['kɒnsept] N Begriff *m*; *idea* Vorstellung *f*
con·cep·tion [kən'sepʃn] N *of child* Empfängnis *f*
con·cern [kən'sɜ:n] **A** N *fear* Besorgnis *f*, Sorge *f* (**for** um); *matter* Angelegenheit *f*; *company* Konzern *m*; **it's none of your ~** das geht dich nichts an; **that's his ~** das ist s-e Sache; **there's no cause for ~** es gibt keinen Grund zur Beunruhigung **B** VT *affect* betreffen; *worry* beunruhigen; **~ o.s. with** sich befassen mit; **the story concerns ...** die Geschichte handelt von ...
con·cerned [kən'sɜ:nd] ADJ *worried* besorgt (**about** über); *affected* betroffen; **he's only ~ about himself** er ist nur an sich selbst interessiert; **as far as I'm ~** was mich betrifft
con·cern·ing [kən'sɜ:nɪŋ] PREP bezüglich, hinsichtlich
con·cert ['kɒnsət] N Konzert *n*
con·cert·ed [kən'sɜ:tɪd] ADJ *effort etc* gemeinsam, vereint; **~ action** konzertierte Aktion
con·ces·sion [kən'seʃn] N Zugeständnis *n*; *reduced price* Ermäßigung *f*
con·cil·i·a·tion com·mit·tee [kənsɪlɪ'eɪʃnkəmɪtɪ] N POL Vermittlungsausschuss *m*
con·cil·i·a·to·ry [kənsɪlɪ'eɪtərɪ] ADJ versöhnlich
con·cise [kən'saɪs] ADJ kurz, aber prägnant
con·clude [kən'klu:d] **A** VT *logically* schließen, folgern (**from** aus); *finish* (be)schließen **B** VI schließen
con·clu·sion [kən'klu:ʒn] N *after logical deliberation* Schluss *m*, (Schluss)Folgerung *f* (**from** aus); *end* (Ab)Schluss *m*
con·clu·sive [kən'klu:sɪv] ADJ eindeutig, schlüssig
con·coct [kən'kɒkt] VT *food* zusammenstellen, kreieren; *drink* zusammenbrauen; *excuse* sich ausdenken
con·coc·tion [kən'kɒkʃn] N *drink* Gebräu *n*; *food* Kreation *f*
con·crete[1] ['kɒnkri:t] ADJ *examples, proof* konkret
con·crete[2] ['kɒnkri:t] N Beton *m*
con·cur [kən'kɜ:(r)] VI ‹-rr-› *esp formal* zustimmen; *as group* übereinstimmen
con·cus·sion [kən'kʌʃn] N Gehirnerschütterung *f*
con·demn [kən'dem] VT JUR verurteilen; *behaviour, person a.* verdammen; *building* für unbewohnbar erklären
con·dem·na·tion [kɒndəm'neɪʃn] N Verurteilung *f*
con·den·sa·tion [kɒnden'seɪʃn] N Kondenswasser *n*; **there was ~ on the windows** die Fenster waren beschlagen
con·dense [kən'dens] **A** VT *text* zusammenfassen, komprimieren **B** VI *steam* kondensieren
con·de·scend [kɒndɪ'send] VI **~ to do sth** sich dazu herablassen, etw zu tun
con·de·scend·ing [kɒndɪ'sendɪŋ] ADJ *arrogant* herablassend
con·di·ment ['kɒndɪmənt] N Gewürz *n*
con·di·tion [kən'dɪʃn] **A** N Zustand *m*; *of health* Verfassung *f*; *illness* Leiden *n*; *clause, stipulation* Bedingung *f*; **conditions** *pl circumstances* Bedingungen *pl*; **conditions of accession** *pl to EU* Beitrittsbedingungen *pl*; **I'm out of ~** ich habe keine Kondition; **on ~ that ...** unter der Bedingung *or* Voraussetzung, dass ...; **on no ~ must you ...** auf keinen Fall darfst du ... **B** VT PSYCH konditionieren; **we are conditioned to believe that ...** uns wird ständig vermittelt, dass

C

...
con·di·tion·al [kən'dɪʃnl] **A** ADJ abhängig (**on** von); **a ~ acceptance** e-e Zustimmung unter Vorbehalt **B** N LING Konditional *n*
con·di·tion·er [kən'dɪʃnə(r)] N *for hair* Pflegespülung *f*; *for laundry* Weichspüler *m*
con·di·tion·ing [kən'dɪʃnɪŋ] N PSYCH Konditionierung *f*
con·do ['kɒndəʊ] N *US* Eigentumswohnanlage *f*; Eigentumswohnung *f*
con·do·len·ces [kən'dəʊlənsɪz] N *pl* Beileid *n*, Anteilnahme *f*
con·dom ['kɒndəm] N Kondom *n*
con·do·min·i·um [kɒndə'mɪnɪəm] N *US* Eigentumswohnanlage *f*; Eigentumswohnung *f*
con·done [kən'dəʊn] V/T dulden
con·du·cive [kən'dju:sɪv] ADJ *formal* **~ to** dienlich, förderlich
con·duct **A** N ['kɒndʌkt] *behaviour* Verhalten *n* **B** V/T [kən'dʌkt] *survey, experiment* durchführen; *electricity, investigation* leiten; MUS dirigieren; **~ o.s.** sich benehmen, sich verhalten
con·duct·ed tour [kəndʌktɪd'tʊə(r)] N Führung *f*
con·duc·tor [kən'dʌktə(r)] N MUS Dirigent(in) *m(f)*; *on bus* Schaffner *m*; PHYS Leiter *m*
cone [kəʊn] N *shape* Kegel *m*; *for ice cream* Waffel *f*; *with ice cream* Eistüte *f*; *of pine tree* Zapfen *m*; *on motorway* Kegel *m*, Pylon *m*
♦ **cone off** V/T mit Kegeln absperren
con·fec·tion·e·ry [kən'fekʃənərɪ] N Süßwaren *pl*
con·fed·e·ra·tion [kənfedə'reɪʃn] N Bund *m*, Bündnis *n*
con·fer [kən'fɜ:(r)] ⟨-rr-⟩ **A** V/T *title etc* verleihen (**on** *dat*) **B** V/I *discuss* sich beraten (**about** über)
con·fer·ence ['kɒnfərəns] N Konferenz *f*
'con·fer·ence call N TEL Konferenzschaltung *f* **'con·fer·ence hall** N Sitzungssaal *m* **'con·fer·ence room** N Sitzungszimmer *n* **'con·fer·ence ven·ue** N Tagungsort *m*
con·fess [kən'fes] **A** V/T (ein)gestehen, zugeben; REL beichten **B** V/I gestehen
con·fes·sion [kən'feʃn] N Geständnis *n*; REL Beichte *f*; *religious persuasion* Konfession *f*
con·fide [kən'faɪd] **A** V/T anvertrauen (**to** *dat*) **B** V/I **~ in sb** sich j-m anvertrauen
con·fi·dence ['kɒnfɪdəns] N Zuversicht *f*; *self-belief* Selbstsicherheit *f*; *trust, belief* Vertrauen *n* (**in sb** in j-n, zu j-m, **in sth** in etw); *secret* vertrauliche Mitteilung; **in ~** im Vertrauen
'con·fi·dence trick N Schwindel *m*
con·fi·dent ['kɒnfɪdənt] ADJ *having self--belief* selbstsicher; *optimistic* zuversichtlich, überzeugt (**of** von); **are you ~ that ...?** bist du (dir) sicher, dass ...?
con·fi·den·tial [kɒnfɪ'denʃl] ADJ *information, message* vertraulich
con·fi·den·tial·ly [kɒnfɪ'denʃlɪ] ADV im Vertrauen
con·fine [kən'faɪn] V/T *keep in* einsperren (**to** in); *limit* beschränken (**to** auf); **be confined to one's room** *as punishment* Stubenarrest haben; **be confined to one's bed** ans Bett gefesselt sein
con·fined [kən'faɪnd] ADJ begrenzt
con·fine·ment [kən'faɪnmənt] N *in prison* Haft *f*, Gefangenschaft *f*; MED Entbindung *f*
con·firm [kən'fɜ:m] V/T bestätigen; **be confirmed** REL konfirmiert werden
con·fir·ma·tion [kɒnfə'meɪʃn] N Bestätigung *f*; REL Konfirmation *f*; **~ of the European Commission** Zustimmungsvotum *n* zur Ernennung der Europäischen Kommission
con·firmed [kɒn'fɜ:md] ADJ *fan, bachelor* überzeugt
con·fis·cate ['kɒnfɪskeɪt] V/T konfiszieren, beschlagnahmen
con·flict **A** N ['kɒnflɪkt] *of opinions, war* Konflikt *m*; *clash* (Interessen)Konflikt *m* **B** V/I [kən'flɪkt] *event, time* zusammenfallen, kollidieren (**with** mit); *obligations etc* im Widerspruch stehen (**with** zu)
con·flict·ing [kən'flɪktɪŋ] ADJ widersprüchlich
con·form [kən'fɔ:m] V/I *person* sich anpassen (**to** *dat*); **~ to** *norm* entsprechen
con·found [kən'faʊnd] V/T verwirren, durcheinanderbringen
con·front [kən'frʌnt] V/T *fear, problem* sich stellen; *person* gegenübertreten; *with situation* konfrontieren (**with** mit);

be confronted with sth *task, problem* etw gegenüberstehen
con·fron·ta·tion [kɒnfrənˈteɪʃn] N Auseinandersetzung *f*
con·fron·ta·tion·al [kɒnfrənˈteɪʃnl] ADJ konfrontativ
con·fuse [kənˈfjuːz] VT *bewilder, make unclear* durcheinanderbringen; *mix-up* verwechseln
con·fused [kənˈfjuːzd] ADJ *person* verwirrt; *situation, thoughts* verworren
con·fus·ing [kənˈfjuːzɪŋ] ADJ verwirrend
con·fu·sion [kənˈfjuːʒn] N *chaos* Durcheinander *n*; *lack of clarity, bewilderment* Verwirrung *f*, Unklarheit *f*
con·geal [kənˈdʒiːl] VI *blood* gerinnen; *fat* erstarren, fest werden
con·ge·nial [kənˈdʒiːnɪəl] ADJ *atmosphere, colleague* angenehm
con·gen·i·tal [kənˈdʒenɪtl] ADJ MED angeboren
con·gest·ed [kənˈdʒestɪd] ADJ *road, nose* verstopft
con·ges·tion [kənˈdʒestʃn] N *in nose* Verstopfung *f*; *on road a.* Stau *m*; **traffic ~** Verkehrschaos *n*
con·grat·u·late [kənˈgrætjʊleɪt] VT gratulieren
con·grat·u·la·tions [kəngrætjʊˈleɪʃnz] N *pl* Glückwünsche *pl*; **~ on …** herzlichen Glückwunsch zu …
con·grat·u·la·to·ry [kəngrætjʊˈleɪtərɪ] ADJ Glückwunsch-
con·gre·gate [ˈkɒŋgrɪgeɪt] VI sich versammeln
con·gre·ga·tion [kɒŋgrɪˈgeɪʃn] N REL Gemeinde *f*
con·gress [ˈkɒŋgres] N *conference* Kongress *m*; **Congress** *in USA* der Kongress
con·i·cal [ˈkɒnɪkl] ADJ konisch, kegelförmig
con·i·fer [ˈkɒnɪfə(r)] N Nadelbaum *m*
con·jec·ture [kənˈdʒektʃə(r)] N Vermutung *f*
con·ju·gal [ˈkɒndʒʊgl] ADJ ehelich
con·ju·gate [ˈkɒndʒʊgeɪt] VT LING konjugieren, beugen
con·junc·tion [kənˈdʒʌŋkʃn] N LING Konjunktion *f*, Bindewort *n*; **in ~ with** in Verbindung mit
con·junc·ti·vi·tis [kəndʒʌŋktɪˈvaɪtɪs] N Bindehautentzündung *f*
♦ **con·jure up** [ˈkʌndʒərʌp] VT *meal* hervorzaubern; *image* heraufbeschwören
con·jur·ing tricks [ˈkʌndʒərɪŋ] N *pl* Zauberkunststücke *pl*, Zaubertricks *pl*
ˈcon man N *infml* Schwindler *m*, Hochstapler *m*
con·nect [kəˈnekt] VT verbinden (**to** mit); *with place, crime etc* in Verbindung bringen (**with** mit); *to power network etc* anschließen (**to** an)
con·nect·ed [kəˈnektɪd] ADJ **be well-connected** gute Verbindungen haben; **be ~ with** in Verbindung stehen mit
con·nect·ing flight [kənektɪŋˈflaɪt] N Anschlussflug *m*
con·nec·tion [kəˈnekʃn] N Verbindung *f*; *between two events* Zusammenhang *m*; *on journey, to power network, telephone network* Anschluss *m*; ELEC (Verbindungs)Kabel *n*; *personal contact* Beziehung *f*; **in ~ with** im Zusammenhang mit
con·nect·or [kəˈnektə(r)] N COMPUT Stecker *m*
con·nois·seur [kɒnəˈsɜː(r)] N Kenner(in) *m(f)*
con·quer [ˈkɒŋkə(r)] VT *area* erobern; *fig: fear etc* überwinden
con·quer·or [ˈkɒŋkərə(r)] N Eroberer *m*, Eroberin *f*
con·quest [ˈkɒŋkwest] N Eroberung *f*
con·science [ˈkɒnʃəns] N Gewissen *n*; **have a clear/guilty ~** ein gutes/schlechtes Gewissen haben; **it has been on my ~** ich habe deswegen ein schlechtes Gewissen
con·sci·en·tious [kɒnʃɪˈenʃəs] ADJ gewissenhaft
con·sci·en·tious·ness [kɒnʃɪˈenʃəsnəs] N Gewissenhaftigkeit *f*
con·sci·en·tious obˈject·or N Wehrdienstverweigerer *m*, -verweigerin *f*
con·scious [ˈkɒnʃəs] ADJ bewusst; MED bei Bewusstsein
con·scious·ly [ˈkɒnʃəslɪ] ADV bewusst
con·scious·ness [ˈkɒnʃəsnɪs] N Bewusstsein *n*
con·script [ˈkɒnskrɪpt] N MIL Wehrpflichtige(r) *m/f(m)*
con·scrip·tion [kənˈskrɪpʃn] N MIL Einberufung *f*; Wehrpflicht *f*
con·se·crate [ˈkɒnsɪkreɪt] VT REL, *a. fig* weihen

con·sec·u·tive [kən'sekjʊtɪv] ADJ aufeinanderfolgend

C

con·sen·sus [kən'sensəs] N Einigkeit *f*, Übereinstimmung *f*; **the ~ of opinion is that ...** es besteht allgemeine Einigkeit darüber, dass ...

con·sent [kən'sent] **A** N Zustimmung *f*; **the age of ~** *das Alter, ab dem man als sexuell mündig gilt* **B** V/I zustimmen (**to** *dat*)

con·se·quence ['kɒnsɪkwəns] N *result* Folge *f*, Konsequenz *f*; **as a ~ of ...** infolge ... (+ *gen*)

con·se·quent·ly ['kɒnsɪkwəntlɪ] ADV folglich

con·ser·va·tion [kɒnsə'veɪʃn] N *of nature, building* Erhaltung *f*

con·ser'va·tion ar·e·a N Naturschutzgebiet *n*

con·ser·va·tion·ist [kɒnsə'veɪʃnɪst] N Naturschützer(in) *m(f)*

con·ser·va·tive [kən'sɜːvətɪv] ADJ konservativ; *estimate* vorsichtig

Con·ser·va·tive [kən'sɜːvətɪv] POL **A** ADJ konservativ **B** N Konservative(r) *m/f(m)*

con·ser·va·to·ry [kən'sɜːvətrɪ] N *for plants* Wintergarten *m*; MUS Konservatorium *n*

con·serve **A** N ['kɒnsɜːv] *jam* Marmelade *f* **B** V/T [kən'sɜːv] *energy* sparen; *strength a.* schonen; *nature, building* erhalten, bewahren

con·sid·er [kən'sɪdə(r)] V/T *regard as* betrachten als, halten für; *reflect on* in Erwägung *or* Betracht ziehen; *other people's feelings, possibility, difficulties* denken an, berücksichtigen; **she is considered to be ...** sie gilt als ...

con·sid·er·a·ble [kən'sɪdrəbl] ADJ beträchtlich, erheblich

con·sid·er·a·bly [kən'sɪdrəblɪ] ADV erheblich

con·sid·er·ate [kən'sɪdərət] ADJ aufmerksam, rücksichtsvoll (**of, towards** gegenüber)

con·sid·er·a·tion [kənsɪdə'reɪʃn] N *reflection* Überlegung *f*; *of feelings, other people* Rücksicht *f* (**for** auf); *factor* Gesichtspunkt *m*, Faktor *m*; **take sth into ~** etw in Betracht ziehen; *include* etw berücksichtigen

con·sid·er·ing [kən'sɪdərɪŋ] **A** CJ in Anbetracht (der Tatsache, dass) **B** ADV **not bad, ~** eigentlich gar nicht schlecht

con·sign·ment [kən'saɪnmənt] N *of goods* Lieferung *f*, Sendung *f*

con'sign·ment note N Frachtbrief *m*

con·sign·ment of 'goods N Warensendung *f*

♦**con·sist of** [kən'sɪstəv] V/T bestehen aus

con·sis·ten·cy [kən'sɪstənsɪ] N *of mixture* Konsistenz *f*; *of behaviour, approach* Konsequenz *f*

con·sis·tent [kən'sɪstənt] ADJ *remaining the same* beständig; *improvement* stetig; **be ~ in sth** in etw konsequent sein

con·sis·tent·ly [kən'sɪstəntlɪ] ADV (be)ständig, stetig

con·so·la·tion [kɒnsə'leɪʃn] N Trost *m*

con·sole [kən'səʊl] V/T trösten

con·sol·i·date [kən'sɒlɪdeɪt] V/T stärken, festigen

con·sol·i·da·tion of leg·is·la·tion [kənsɒlɪdeɪʃnəvledʒɪs'leɪʃn] N *EU* Kodifikation *f* der Rechtsvorschriften

con·so·nant ['kɒnsənənt] N LING Konsonant *m*, Mitlaut *m*

con·spic·u·ous [kən'spɪkjʊəs] ADJ auffallend, auffällig; **look very ~** sehr auffallen

con·spir·a·cy [kən'spɪrəsɪ] N Verschwörung *f*

con·spir·a·tor [kən'spɪrətə(r)] N Verschwörer(in) *m(f)*

con·spire [kən'spaɪə(r)] V/I sich verschwören (**against** gegen)

con·sta·ble ['kʌnstəbl] N Polizist(in) *m(f)*

con·stant ['kɒnstənt] ADJ *the whole time* ständig; *temperature* konstant, gleichbleibend

con·stant·ly ['kɒnstəntlɪ] ADV ständig

con·ster·na·tion [kɒnstə'neɪʃn] N Bestürzung *f*

con·sti·pat·ed ['kɒnstɪpeɪtɪd] ADJ **be ~** an Verstopfung leiden

con·sti·pa·tion [kɒnstɪ'peɪʃn] N Verstopfung *f*

con·sti·tu·en·cy [kən'stɪtjʊənsɪ] N POL Wahlkreis *m*

con·sti·tu·ent [kən'stɪtjʊənt] N *element* Bestandteil *m*; POL Wähler(in) *m(f)*

con·sti·tute ['kɒnstɪtjuːt] V/T *majority etc*

bilden, ausmachen; *comprise* darstellen, sein

con·sti·tu·tion [kɒnstɪˈtjuːʃn] N POL Verfassung *f*; *of person* Konstitution *f*

con·sti·tu·tion·al [kɒnstɪˈtjuːʃənl] ADJ POL Verfassungs-, verfassungsmäßig

con·sti·tu·tion·al 'state N Rechtsstaat *m*

con·straint [kənˈstreɪnt] N *limit* Einschränkung *f* (**on** bei), Beschränkung *f* (**on** von)

con·struct [kənˈstrʌkt] V/T *building etc* bauen; *essay* aufbauen

con·struc·tion [kənˈstrʌkʃn] N *of building, bridge* Bau *m*; *type of building* Konstruktion *f*; *house, bridge etc* Bau *m*, Bauwerk *n*; *building industry* Bauindustrie *f*; **under ~** im Bau

con'struc·tion in·dus·try N Bauindustrie *f* **con'struc·tion site** N Baustelle *f* **con'struc·tion work·er** N Bauarbeiter(in) *m(f)*

con·struc·tive [kənˈstrʌktɪv] ADJ konstruktiv

con·sul [ˈkɒnsl] N Konsul(in) *m(f)*

con·su·late [ˈkɒnsjʊlət] N Konsulat *n*

con·sult [kənˈsʌlt] **A** V/T *friend* um Rat fragen; *lawyer, doctor* zurate ziehen, konsultieren; *dictionary* nachschlagen in **B** V/I **~ with** sich beraten mit

con·sul·tan·cy [kənˈsʌltənsɪ] N Beratungsbüro *n*; *advice* Beratung *f*

con·sul·tant [kənˈsʌltənt] N Berater(in) *m(f)*; MED Facharzt *m*, -ärztin *f*

con·sul·ta·tion [kɒnslˈteɪʃn] N Beratung *f*

con·sul'ta·tion pro·ce·dure N POL Anhörungsverfahren *n*

con·sult·ing hours [kənˈsʌltɪŋ] N *pl* Sprechstunde *f*

con'sult·ing room N Sprechzimmer *n*

con·sume [kɒnˈsjuːm] V/T *eat, drink* konsumieren; *petrol, energy* verbrauchen

con·sum·er [kənˈsjuːmə(r)] N Verbraucher(in) *m(f)*, Konsument(in) *m(f)*

con·sum·er 'con·fi·dence N Konsumbereitschaft *f* **con·sum·er 'cre·dit** N Verbraucherkredit *m* **con·sum·er 'goods** N *pl* Konsumgüter *pl* **con·sum·er 'hab·its** N *pl* Konsumverhalten *n*

con·sum·er·ist [kənˈsjuːmərɪst] ADJ konsumfreudig

con·sum·er so'ci·e·ty N Konsumgesellschaft *f*

con·sum·mate **A** ADJ [kənˈsʌmɪt] vollendet **B** V/T [ˈkɒnsəmeɪt] *marriage* vollziehen

con·sump·tion [kənˈsʌmpʃn] N *of energy, goods etc* Verbrauch *m*; *of food, drink* Verzehr *m*, Konsum *m*

con·tact [ˈkɒntækt] **A** N *person* Kontaktperson *f*, Verbindungsmann *m*; *relationship* Kontakt *m*; *physical* Berührung *f*; **be/keep in ~ with sb** mit j-m in Verbindung stehen/bleiben; **come into ~ with** *have dealings with* zu tun haben mit; *with part of body* berühren **B** V/T Kontakt aufnehmen mit, sich in Verbindung setzen mit; TEL erreichen

'con·tact lens N Kontaktlinse *f*

'con·tact num·ber N Telefonnummer *f*

con·ta·gious [kənˈteɪdʒəs] ADJ MED, *a. fig* ansteckend

con·tain [kənˈteɪn] V/T enthalten; *flood, epidemic* aufhalten, eindämmen; *laughter, anger* unterdrücken; **~ o.s.** sich beherrschen

con·tain·er [kənˈteɪnə(r)] N Behälter *m*; ECON Container *m*

con·tain·er·ize [kənˈteɪnəraɪz] V/T *port* auf Containerbetrieb umstellen; *goods* in Containern transportieren

con'tain·er ship N Containerschiff *n*

con·tam·i·nate [kənˈtæmɪneɪt] V/T verschmutzen, verunreinigen; *with radioactivity, chemicals* verseuchen

con·tam·i·na·tion [kəntæmɪˈneɪʃn] N Verschmutzung *f*, Verunreinigung *f*; *radioactive, chemical* Verseuchung *f*

contd *only written* ABBR *for* continued Forts., Fortsetzung

con·tem·plate [ˈkɒntəmpleɪt] V/T betrachten; *reflect on* denken an; *idea* nachdenken über

con·tem·po·ra·ry [kənˈtempərərɪ] **A** ADJ zeitgenössisch **B** N Altersgenosse *m*, -genossin *f*; *living at the same time* Zeitgenosse *m*, -genossin *f*

con·tempt [kənˈtempt] N Verachtung *f*; **be beneath ~** unter aller Kritik sein

con·temp·ti·ble [kənˈtemptəbl] ADJ verachtenswert

con·temp·tu·ous [kənˈtemptjʊəs] ADJ

smile, remark verächtlich; *person* überheblich

C

con·tend [kən'tend] VI ~ **for** kämpfen um; ~ **with** *problem, difficulties etc* fertig werden mit

con·tend·er [kən'tendə(r)] N *in contest, for job* Bewerber(in) *m(f)* (**for** um); SPORTS Wettkämpfer(in) *m(f)*; *for title* (Titel)Anwärter(in) *m(f)*; POL Kandidat(in) *m(f)*

con·tent[1] ['kɒntent] N Inhalt *m*

con·tent[2] [kən'tent] **A** ADJ zufrieden (**with** mit) **B** VT ~ **o.s. with ...** sich begnügen mit ...

con·tent·ed [kən'tentɪd] ADJ zufrieden

con·ten·tious [kən'tenʃəs] ADJ strittig, umstritten

con·tent·ment [kən'tentmənt] N Zufriedenheit *f*

con·tents ['kɒntents] N *pl* Inhalt *m*

con·test[1] ['kɒntest] N Wettbewerb *m*, Wettkampf *m*; *for power etc* Kampf *m* (**for** um)

con·test[2] [kən'test] VT *leadership* kämpfen um; *assertion* bestreiten; *will* anfechten

con·tes·tant [kən'testənt] N *in contest* Teilnehmer(in) *m(f)*; *in* SPORTS *a.* Wettkämpfer(in) *m(f)*; *in quiz show* Kandidat(in) *m(f)*

con·text ['kɒntekst] N Zusammenhang *m*, Kontext *m*

con·ti·nent ['kɒntɪnənt] N Kontinent *m*, Erdteil *m*; **the Continent** das europäische Festland, Kontinentaleuropa *n*

con·ti·nen·tal [kɒntɪ'nentl] ADJ kontinental, Kontinental-

con·ti·nen·tal 'break·fast N kleines Frühstück

con·ti·nen·tal 'Eu·rope N Kontinentaleuropa *n*

con·tin·gen·cy [kən'tɪndʒənsɪ] N Eventualität *f*

con'tin·gen·cy plan N Notfallplan *m*

con·tin·u·al [kən'tɪnjʊəl] ADJ ständig, unaufhörlich

con·tin·u·a·tion [kəntɪnjʊ'eɪʃn] N Fortsetzung *f*

con·tin·ue [kən'tɪnju:] **A** VT *meal, activity* fortsetzen, weitermachen mit; ~ **to do sth** etw weiterhin tun; ~ **reading** weiterlesen; **to be continued** Fortsetzung folgt **B** VI *rain* andauern, anhalten; ~ **with sth** mit etw weitermachen *or* fortfahren; ~ **in power** an der Macht bleiben

con·ti·nu·i·ty [kɒntɪ'nju:ətɪ] N Kontinuität *f*

con·tin·u·ous [kən'tɪnjʊəs] ADJ ununterbrochen, anhaltend; ~ **rain** Dauerregen *m*; ~ **form** GRAM Verlaufsform *f*

con·tort [kən'tɔ:t] VT *face* verzerren (**with** vor); *body* verrenken, verdrehen

con·tor·tion [kən'tɔ:ʃn] N Verdrehung *f*, Verrenkung *f*

con·tour ['kɒntʊə(r)] N Kontur *f*

con·tra·band ['kɒntrəbænd] N Schmuggelware *f*

con·tra·cep·tion [kɒntrə'sepʃn] N Empfängnisverhütung *f*

con·tra·cep·tive [kɒntrə'septɪv] N Verhütungsmittel *n*

con·tract[1] ['kɒntrækt] N Vertrag *m*

con·tract[2] [kən'trækt] **A** VI *become smaller* sich zusammenziehen **B** VT *disease* sich zuziehen

con·trac·tion [kən'trækʃn] N Zusammenziehung *f*; **contractions** MED Wehen *pl*

con·trac·tor [kən'træktə(r)] N Bauunternehmer(in) *m(f)*

con·trac·tu·al [kən'træktjʊəl] ADJ vertraglich

con·tra·dict [kɒntrə'dɪkt] VT widersprechen

con·tra·dic·tion [kɒntrə'dɪkʃn] N Widerspruch *m*

con·tra·dic·to·ry [kɒntrə'dɪktrɪ] ADJ *report etc* widersprüchlich, sich widersprechend

con·tra·in·di·ca·tion [kɒntrəɪndɪ'keɪʃn] N MED Gegenanzeige *f*

con·trap·tion [kən'træpʃn] N *infml* (komischer) Apparat

con·tra·ry[1] ['kɒntrərɪ] **A** ADJ entgegengesetzt; ~ **to** im Gegensatz zu **B** N **on the ~** im Gegenteil

con·tra·ry[2] [kən'treərɪ] ADJ *person* widerspenstig

con·trast **A** N ['kɒntrɑ:st] *between two people, to situation* Gegensatz *m* (**with, to** zwischen, zu); *optical, striking difference* Kontrast *m* (**with, to** mit, zu); **by/in ~** im Gegensatz dazu **B** VT [kən'trɑ:st] gegenüberstellen, vergleichen **C** VI

[kən'trɑːst] im Gegensatz stehen (**with** zu), kontrastieren (**with** mit); *colour* sich abheben (**with** von)
con·trast·ing [kən'trɑːstɪŋ] ADJ *personalities, opinions* gegensätzlich; *colours* kontrastierend
con·tra·vene [kɒntrə'viːn] VT verstoßen gegen
con·trib·ute [kən'trɪbjuːt] **A** VI *with money, time, to discussion* beitragen (**to** zu); *to charity* spenden (**to** für); *to book, project* mitwirken (**to** an); **~ to a magazine** für e-e Zeitschrift schreiben **B** VT *money, material* beisteuern; *money to charity* spenden
con·tri·bu·tion [kɒntrɪ'bjuːʃn] N *to debate, magazine* Beitrag *m* (**to** zu); *to charity* Spende *f*
con·trib·u·tor [kən'trɪbjʊtə(r)] N Spender(in) *m(f)*; *to magazine* Autor(in) *m(f)*
con·trib·u·to·ry [kən'trɪbjʊtərɪ] ADJ beitragend
con·trive [kən'traɪv] VT *meeting* arrangieren; **~ to do sth** es fertigbringen, etw zu tun
con·trived [kən'traɪvd] ADJ gekünstelt
con·trol [kən'trəʊl] **A** N Kontrolle *f*; *of company* Leitung *f*, Aufsicht *f*; *of feelings* Beherrschung *f*; SPORTS: *of ball* Ballführung *f*; *on keyboard* Kontrolltaste *f*; *for heating etc* Regler *m*; **take ~ of a company** die Leitung e-r Firma übernehmen; **take ~ of the situation** die Situation in den Griff bekommen; **circumstances beyond our ~** unvorhersehbare Umstände; **be in ~ of sth** etw unter Kontrolle haben; **get out of ~** außer Kontrolle geraten; **be under ~** unter Kontrolle sein; **controls** *pl of plane, vehicle* Steuerung *f*; *limits* Beschränkungen *pl* (**on** auf) **B** VT ‹-ll-› *people, country* beherrschen; *pupils, situation, feelings* unter Kontrolle *or* im Griff haben; *wages, prices* kontrollieren; *vehicle, instruments etc* steuern; *child, animal* fertig werden mit; **~ o.s.** *remain calm* sich beherrschen, sich kontrollieren
con'trol cen·tre, con'trol cen·ter *US* N Kontrollzentrum *n* **con'trol freak** N *infml* Kontrollfreak *m* **con'trol key** N COMPUT Kontrolltaste *f*, Steuerungstaste *f*
con·trolled sub·stance [kəntrəʊld'sʌbstəns] N illegale Droge
con·trol·ling in·terest [kəntrəʊlɪŋ'ɪntrəst] N ECON Mehrheitsanteil *m*, Mehrheitsbeteiligung *f*
con'trol pan·el N Schalttafel *f*
con'trol tow·er N Kontrollturm *m*
con·tro·ver·sial [kɒntrə'vɜːʃl] ADJ *question* strittig, umstritten; *exhibition, author* kontrovers, umstritten
con·tro·ver·sy ['kɒntrəvɜːsɪ] N Streit *m*
con·va·lesce [kɒnvə'les] VI genesen
con·va·les·cence [kɒnvə'lesns] N Genesung *f*
con·vene [kən'viːn] VT *meeting* einberufen
con·ve·ni·ence [kən'viːnɪəns] N Annehmlichkeit *f*; **at your ~** wann es dir passt, wann es dir recht ist; **do sth for ~** etw nur aus Bequemlichkeit machen; **with all (modern) conveniences** mit allem (modernen) Komfort
con've·ni·ence food N Fertiggerichte *pl*
con·ve·ni·ent [kən'viːnɪənt] ADJ *device* praktisch; *time, arrangement, situation a.* günstig; **be ~ for sb** j-m passen; **be ~ for the station** *flat etc* günstig in Bahnhofsnähe liegen
con·ve·ni·ent·ly [kən'viːnɪəntlɪ] ADV *situated* günstig; **she very ~ forgot** *ironic* sie hat es geschickterweise vergessen
con·vent ['kɒnvənt] N (Nonnen)Kloster *n*
con·ven·tion [kən'venʃn] N Konvention *f*, Übereinkommen *n*; *meeting* Konferenz *f*; **~ on human rights** Menschenrechtskonvention *f*
con·ven·tion·al [kən'venʃnl] ADJ *corresponding to the rules* konventionell, üblich; *traditional* herkömmlich; *person* konservativ
♦**con·verge on** [kən'vɜːdʒɒn] VT **converge on York** *people* von überall her nach York strömen; *roads* sich in York treffen
con·ver·gence [kən'vɜːdʒəns] N Konvergenz *f*
con'ver·gence cri·ter·i·a N *pl EU* Konvergenzkriterien *pl*
con·ver·sant [kən'vɜːsənt] ADJ **be ~ with ...** vertraut sein mit ...
con·ver·sa·tion [kɒnvə'seɪʃn] N Gespräch *n*, Unterhaltung *f*; **I was just**

making ~ ich habe mich nur unterhalten

C

con·ver·sa·tion·al [kɒnvəˈseɪʃnl] ADJ ~ Italian gesprochenes Italienisch

con·verse·ly [kənˈvɜːslɪ] ADV umgekehrt, andererseits

con·ver·sion [kənˈvɜːʃn] N Umwandlung *f* (**into** in); *of currency, measurement* Umrechnung *f* (**into** in); *of building, room* Umbau *m* (**to** zu); REL Bekehrung *f* (**to** zu)

con·vert **A** N [ˈkɒnvɜːt] Bekehrte(r) *m/f(m)* (**to** zu); REL Konvertit(in) *m(f)* **B** VT [kənˈvɜːt] umwandeln (**into** in); *measurement, currency* umrechnen (**into** in); *building, room* umbauen (**into** zu); *person* bekehren (**to** zu) **C** VI *to another religion* übertreten (**to** zu)

con·ver·ti·ble [kənˈvɜːtəbl] **A** ADJ konvertierbar **B** N *car* Cabrio *n*, Cabriolet *n*

con·vey [kənˈveɪ] VT *news* übermitteln; *impression, feeling* vermitteln; *goods* transportieren

con·vey·ance [kənˈveɪəns] N *esp formal* Beförderung *f*, Transport *m*; *vehicle* Verkehrsmittel *n*

con·vey·or belt [kənˈveɪə(r)] N Förderband *n*, Fließband *n*

con·vict **A** N [ˈkɒnvɪkt] Strafgefangene(r) *m/f(m)* **B** VT [kənˈvɪkt] schuldig sprechen, verurteilen

con·vic·tion [kənˈvɪkʃn] N JUR Verurteilung *f*; *belief* Überzeugung *f*

con·vince [kənˈvɪns] VT überzeugen

con·vinc·ing [kənˈvɪnsɪŋ] ADJ überzeugend

con·viv·i·al [kənˈvɪvɪəl] ADJ gesellig; *carefree* fröhlich

con·voy [ˈkɒnvɔɪ] N Konvoi *m*

con·vul·sion [kənˈvʌlʃn] N MED Schüttelkrampf *m*

con·vul·sive [kənˈvʌlsɪv] ADJ krampfhaft, krampfartig

cook [kʊk] **A** N Koch *m*, Köchin *f* **B** VT kochen; *food, meal* machen, zubereiten; *in water* kochen; *in frying pan* braten; *bake* backen; **a cooked meal** e-e warme Mahlzeit; **~ the books** *infml* die Bücher frisieren **C** VI kochen; *in frying pan* braten

ˈcook·book N Kochbuch *n*

cook·er [ˈkʊkə(r)] N Herd *m*

cook·e·ry [ˈkʊkərɪ] N Kochen *n*, Kochkunst *f*

ˈcook·e·ry book N Kochbuch *n*

cook·ie [ˈkʊkɪ] N *US* Keks *m*, Plätzchen *n*; IT Cookie *n*

cook·ing [ˈkʊkɪŋ] N *food* Küche *f*

cool [kuːl] **A** N **keep one's ~** *infml* cool bleiben; **lose one's ~** *infml* durchdrehen **B** ADJ *not hot, unfriendly* kühl; *casual, calm* ruhig, besonnen; *infml* cool, stark **C** VI *food* abkühlen; *anger* verrauchen, sich legen; **~ towards sb** das Interesse an j-m verlieren **D** VT **~ it!** *infml* reg dich ab!

♦ **cool down** **A** VI *food, drink* abkühlen; *oven, weather* sich abkühlen; *fig*: *person* sich beruhigen; *fig*: *anger* sich legen **B** VT *food* abkühlen; *fig*: *person* beruhigen

cool·ing-off pe·ri·od [kuːlɪŋˈɒf] N *after signing contract* Rücktrittsfrist *f*

♦ **coop up** VT einsperren; *in small space* einpferchen

co·op·e·rate [kəʊˈɒpəreɪt] VI kooperieren, zusammenarbeiten

co·op·e·ra·tion [kəʊɒpəˈreɪʃn] N *between countries, companies* Zusammenarbeit *f*, Kooperation *f*; *assistance* Mitarbeit *f*, Kooperation *f*

co·op·e·ra·tive [kəʊˈɒpərətɪv] **A** ADJ hilfsbereit, kooperativ; ECON genossenschaftlich, Genossenschafts- **B** N ECON Genossenschaft *f*

co·or·di·nate [kəʊˈɔːdɪneɪt] VT *activities, processes* koordinieren

co·or·di·na·tion [kəʊɔːdɪˈneɪʃn] N *of body* Koordination *f*; *of activities, processes a.* Koordinierung *f*

co·or·diˈna·tion com·mit·tee, **co·or·diˈna·tion group** N *EU* Koordinierungskreis *m*

cop [kɒp] N *infml* Polizist(in) *m(f)*, Bulle *m*

co·part·ner [ˈkəʊpɑːtnə(r)] N ECON Teilhaber(in) *m(f)*

cope [kəʊp] VI zurechtkommen

Co·pen·ha·gen [kəʊpənˈheɪgən] N Kopenhagen *n*

Co·pen·ha·gen criˈte·ri·a N *pl EU* Kopenhagener Kriterien *pl*

cop·i·er [ˈkɒpɪə(r)] N *device* Kopierer *m*

co·pi·lot [ˈkəʊpaɪlət] N Kopilot(in) *m(f)*

co·pi·ous [ˈkəʊpɪəs] ADJ *notes* umfassend; *food* reichhaltig

cop·per [ˈkɒpə(r)] N *metal* Kupfer *n*;

infml Polizist(in) *m(f)*, Bulle *m*
cop·y ['kɒpɪ] **A** N Kopie *f*; *of key* Nachschlüssel *m*; *of book, CD* Exemplar *n*; *text* Manuskript *n*; *duplicate* Abschrift *f*; *copy for printing* Druckvorlage *f*; **advertising ~** *no pl* Werbetext *m*; Werbetexte *pl* **B** V/T ⟨-ied⟩ *imitate* nachmachen, nachahmen; *file* kopieren; *tape* überspielen; *with photocopier* (foto)kopieren; *text from blackboard etc, from neighbour* abschreiben
'cop·y cat N *infml* Nachmacher(in) *m(f)*
'cop·y·cat crime N Nachahmungstat *f*, Nachahmungsverbrechen *n* **cop·y-pro·tec·ted** [kɒpɪprə'tektɪd] ADJ *CD-ROM etc* kopiergeschützt **'cop·y·right** N Urheberrecht *n* Copyright *n*
'cop·y-writ·er N (Werbe)Texter(in) *m(f)*
cord [kɔːd] N *string* Schnur *f*, Kordel *f*; *of phone* Schnur *f*
cor·di·al¹ ['kɔːdɪəl] ADJ herzlich
cor·di·al² ['kɔːdɪəl] N Fruchtsaftkonzentrat *n*
cord·less phone [kɔːdlɪs'fəʊn] N schnurloses Telefon
cor·don ['kɔːdn] N Kordon *m*, Postenkette *f*
♦**cordon off** V/T abriegeln, absperren
cords [kɔːdz] N *pl* Kordhose *f*
cor·du·roy ['kɔːdərɔɪ] N Kordsamt *m*
core [kɔː(r)] **A** ADJ *question* Kern-; *meaning, subject* Haupt-; **~ Europe** Kerneuropa *n*; **~ business** Kerngeschäft *n* **B** N *of fruit* Kern *m*, Kerngehäuse *n*; *of problem* Kern *m* **C** V/T *fruit* entkernen
cork [kɔːk] N Korken *m*; *material* Kork *m*
'cork·screw N Korkenzieher *m*
corn¹ [kɔːn] N Korn *n*, Getreide *n*; *US* Mais *m*
corn² [kɔːn] N MED Hühnerauge *n*
cor·ner ['kɔːnə(r)] **A** N Ecke *f*; *bend in road* Kurve *f*; *in football* Ecke *f*, Eckball *m* **B** V/T *person* in die Enge treiben; *market* monopolisieren
cor·ner 'shop N Laden *m*, Tante-Emma-Laden *m*
cor·net ['kɔːnɪt] N MUS Kornett *n*; *for ice cream* Eistüte *f*
'corn·flour N Maismehl *n*, Maisstärke *f*
corn·y ['kɔːnɪ] ADJ ⟨-ier, -iest⟩ *infml*: *joke* abgedroschen; *sentimental* kitschig
cor·o·na·ry ['kɒrənərɪ] **A** ADJ Herz-, Koronar-; **~ artery** Kranzarterie *f* **B** N Herzinfarkt *m*
cor·o·na·tion [kɒrə'neɪʃn] N Krönung *f*
cor·o·ner ['kɒrənə(r)] N *Beamte/Beamtin, der/die gewaltsame od unnatürliche Todesfälle untersucht*
cor·po·ral ['kɔːpərəl] N Unteroffizier(in) *m(f)*
cor·po·rate ['kɔːpərət] ADJ ECON körperschaftlich; **~ strategy** Unternehmensstrategie *f*; **~ image** Firmenimage *n*; **~ law** *US* Gesellschaftsrecht *n*; **~ tax** Körperschaftssteuer *f*
cor·po·ra·tion [kɔːpə'reɪʃn] N Körperschaft *f*; ECON Handelsgesellschaft *f*
cor·po'ra·tion tax N Körperschaftssteuer *f*
corps [kɔː(r)] N *sg* Korps *n*
corpse [kɔːps] N Leiche *f*
cor·rect [kə'rekt] **A** ADJ richtig; **she's quite ~** sie hat ganz recht **B** V/T *test* korrigieren; *pronunciation, statement a.* berichtigen
cor·rec·tion [kə'rekʃn] N Korrektur *f*, Berichtigung *f*
cor·rect·ly [kə'rektlɪ] ADV richtig; *assume* zu Recht
cor·re·spond [kɒrɪ'spɒnd] V/I übereinstimmen, sich entsprechen; *by letter* sich schreiben, Briefkontakt haben; **~ to** entsprechen; **~ with** *match* übereinstimmen mit
cor·re·spon·dence [kɒrɪ'spɒndəns] N Übereinstimmung *f*; *letters* Korrespondenz *f*, Briefe *pl*; *exchange of letters* Briefwechsel *m*
cor·re'spon·dence course N Fernkurs *m*
cor·re·spon·dent [kɒrɪ'spɒndənt] N Briefpartner(in) *m(f)*; *reporter* Korrespondent(in) *m(f)*
cor·re·spon·ding [kɒrɪ'spɒndɪŋ] ADJ entsprechend
cor·ri·dor ['kɒrɪdɔː(r)] N *in building* Flur *m*, Korridor *m*; *on train* Gang *m*
cor·rob·o·rate [kə'rɒbəreɪt] V/T bestätigen
cor·rode [kə'rəʊd] **A** V/T korrodieren, zerfressen **B** V/I korrodieren, zerfressen werden
cor·ro·sion [kə'rəʊʒn] N Korrosion *f*
cor·ro·sive [kə'rəʊsɪv] ADJ ätzend; *fig* zerstörerisch

cor·ru·gat·ed i·ron [kɒrəgeɪtɪd'aɪən] N Wellblech *n*

C

cor·rupt [kə'rʌpt] **A** ADJ verdorben; *society a.* korrupt; *person* korrupt, bestechlich; IT fehlerhaft; nicht lesbar **B** V/T verderben; *with money* bestechen

cor·rup·tion [kə'rʌpʃn] N Verdorbenheit *f*; *in police force, amongst politicians* Korruption *f*; *bribery* Bestechung *f*; *openness to bribery* Bestechlichkeit *f*

'cos [kɒz] *infml* → because

cos·met·ic [kɒz'metɪk] ADJ *a. fig* kosmetisch

cos·met·ics [kɒz'metɪks] N *pl* Kosmetikartikel *pl*, Kosmetika *pl*

cos·met·ic 'sur·ger·y N Schönheitschirurgie *f*

cos·mo·pol·i·tan [kɒzmə'pɒlɪtən] ADJ kosmopolitisch; **~ city** Weltstadt *f*

cost[1] [kɒst] **A** N Kosten *pl*; *fig* Preis *m*; **at all costs** um jeden Preis; **as I've learnt to my ~** wie ich aus bitterer Erfahrung weiß; **sell sth at ~** etw zum Selbstkostenpreis verkaufen **B** V/T ⟨cost, cost⟩ *money, time* kosten; **how much does it ~?** was *or* wie viel kostet es?

cost[2] [kɒst] V/T ⟨costed, costed⟩ *proposal, project* veranschlagen; **I costed it all out** ich habe die Gesamtkosten berechnet

cost and 'freight N ECON Kosten *pl* und Fracht *f* **'cost-con·scious** ADJ kostenbewusst **cost-ef'fec·tive** ADJ kosteneffektiv

cost·ings ['kɒstɪŋz] N *pl* Kalkulation *f*

cost·ly ['kɒstlɪ] ADJ ⟨-ier, -iest⟩ kostspielig, teuer

cost of 'liv·ing N Lebenshaltungskosten *pl*

'cost price N Selbstkostenpreis *m*

cos·tume ['kɒstju:m] N *of actor* Kostüm *n*

co·sy ['kəʊzɪ] ADJ ⟨-ier, -iest⟩ gemütlich, bequem

cot [kɒt] N *for child* Kinderbett *n*

Co·to·nou A·gree·ment [kəʊtənu:ə'gri:mənt] N Cotonou-Abkommen *n*

cot·tage cheese [kɒtɪdʒ'tʃi:z] N Hüttenkäse *m*

cot·ton ['kɒtn] **A** ADJ Baumwoll- **B** N Baumwolle *f*

♦**cotton on** V/I *infml* kapieren

♦**cotton on to** V/T *infml* kapieren

cot·ton 'wool N Watte *f*

couch [kaʊtʃ] N Sofa *n*

cou·chette [ku:'ʃet] N Liegewagenplatz *m*

couch po'ta·to N **she's such a ~** *infml* sie hängt den ganzen Tag vor der Glotze (rum)

cough [kɒf] **A** N Husten *m* **B** V/I husten; *to gain attention* sich räuspern, hüsteln

♦**cough up** **A** V/T *blood etc* aushusten; *infml: money* rausrücken mit **B** V/I *infml: pay* blechen

'cough med·i·cine, **'cough syr·up** N Hustenmittel *n*, Hustensaft *m*

could [kʊd] **A** V/AUX **~ you help me?** könnten Sie mir helfen?; **this ~ be our bus** das könnte unser Bus sein; **he ~ have got lost** vielleicht hat er sich verlaufen; **you ~ have warned me!** du hättest mich warnen können! **B** PRET → can[1]

coun·cil ['kaʊnsl] N POL Rat *m*, Ratsversammlung *f*; *of town* Stadtrat *m*

'coun·cil house N Sozialwohnung *f*

coun·cil·lor ['kaʊnsələ(r)] N Stadtrat *m*, -rätin *f*

Coun·cil of 'Eu·rope N Europarat *m* **Coun·cil of 'Mi·ni·sters** N *EU* Ministerrat *m* **Coun·cil of the Eu·ro·pe·an 'U·nion** N Rat *m* der Europäischen Union **'coun·cil tax** N Gemeindesteuer *f*

coun·sel ['kaʊnsl] **A** N Rat(schlag) *m*, Beratung *f*; JUR (Rechts)Anwalt *m*, (Rechts)Anwältin *f* **B** V/T ⟨-ll-, *US* -l-⟩ *course of action* raten zu, empfehlen; *person* beraten

coun·sel·ling, **coun·sel·ing** *US* ['kaʊnslɪŋ] N Beratung *f*

coun·sel·lor, **coun·sel·or** *US* ['kaʊnslə(r)] N Berater(in) *m(f)*

count [kaʊnt] **A** N *of numbers* Zählung *f*; *in boxing* Auszählen *n*; **keep ~ of** (mit)zählen; **lose ~ of sth** die Übersicht über etw verlieren **B** V/I zählen; *add up* rechnen; *be important, belong* zählen; **that doesn't ~** das zählt nicht; **~ against sb** gegen j-n sprechen **C** V/T (zusammen)zählen; *include* mitzählen, mitrechnen; **not counting myself** mich selbst nicht eingerechnet

♦**count on** V/T sich verlassen auf

C

♦ **count out** VT **well, count me out** ich mache/komme nicht mit, ohne mich
♦ **count up** VT zusammenzählen
coun·ter[1] ['kaʊntə(r)] N *in bar* Theke *f*; *in shop a.* Ladentisch *m*; *in bank, post office* Schalter *m*; *in board game* Spielstein *m*
coun·ter[2] ['kaʊntə(r)] **A** VT begegnen **B** VI *react* kontern
coun·ter[3] ['kaʊntə(r)] ADV **run ~ to** im Widerspruch stehen zu
coun·ter'act VT entgegenwirken
coun·ter-at'tack **A** N Gegenangriff *m*; *in football* Konter *m* **B** VI zurückschlagen
'coun·ter·bal·ance **A** N Gegengewicht *n* **B** VT ausgleichen
coun·ter·clock·wise [kaʊntə'klɒkwaɪz] ADJ & ADV *US* gegen den Uhrzeigersinn
coun·ter'es·pi·o·nage N Spionageabwehr *f*
coun·ter·feit ['kaʊntəfɪt] **A** VT fälschen **B** ADJ gefälscht, falsch; **~ money** Falschgeld *n*
coun·ter·foil ['kaʊntəfɔɪl] N Kontrollabschnitt *m*
coun·ter·mand [kaʊntə'mɑːnd] VT *order* widerrufen
'coun·ter·part N *person* Gegenstück *n*, Pendant *n*; **his European counterparts** *pl* s-e europäischen Kollegen *pl*
coun·ter·pro'duc·tive ADJ kontraproduktiv
'coun·ter·sign VT gegenzeichnen
count·less ['kaʊntlɪs] ADJ zahllos
coun·try ['kʌntrɪ] N Land *n*; **in this ~** hierzulande; **in your/our ~** bei dir/uns; **in the ~** auf dem Land
'coun·try·man N Landbewohner *m*; Landsmann *m*; **his fellow countrymen** *pl* s-e Landsleute *pl* **coun·try of 'o·ri·gin** N ECON Herkunftsland *n*, Ursprungsland *n*; **~ principle** Ursprungslandprinzip *n* **coun·try 'road** N kleine Landstraße **'coun·try·side** N Landschaft *f* **'coun·try·wom·an** N Landbewohnerin *f*; Landsmännin *f*
coun·ty ['kaʊntɪ] N Grafschaft *f*
coup [kuː] N POL Staatsstreich *m*; *fig* Coup *m*
cou·ple ['kʌpl] N Paar *n*; **a ~ of** ein paar
cou·pon ['kuːpɒn] N *form* Zettel *m*; *for sample, cinema visit* Gutschein *m*
cour·age ['kʌrɪdʒ] N Mut *m*
cou·ra·geous [kə'reɪdʒəs] ADJ mutig
cour·gette [kʊər'ʒet] N Zucchini *f or pl*
cou·ri·er ['kʊrɪə(r)] N *messenger* Kurier(in) *m(f)*; *company* Kurierdienst *m*; *with tourists* Reiseleiter(in) *m(f)*
course [kɔːs] N *for learning sth* Kurs *m*, Lehrgang *m*; *part of meal* Gang *m*; *of ship, plane* Kurs *m*; *for sporting contest* Strecke *f*; *for motor racing, horse racing* (Renn)Bahn *f*; *for golf* (Golf)Platz *m*; **of ~** natürlich, selbstverständlich; **~ of action** Handlungsweise *f*; **~ of treatment** Kur *f*; **in the ~ of time** im Laufe der Zeit
court [kɔːt] N JUR Gericht *n*; *place a.* Gerichtsgebäude *n*; SPORTS Platz *m*; **take sb to ~** j-n vor Gericht bringen, j-n verklagen
'court case N (Gerichts)Verfahren *n*, Prozess *m*
cour·te·ous ['kɜːtɪəs] ADJ höflich
cour·te·sy ['kɜːtəsɪ] N Höflichkeit *f*
cour·te·sy bus N gebührenfreier Bus
'court·house N Gerichtsgebäude *n*
court 'mar·tial **A** N ⟨*pl* courts martial⟩ Kriegsgericht *n* **B** VT ⟨-ll-, *US* -l-⟩ vor ein Kriegsgericht stellen **court of ar·bi'tra·tion** N Schiedsgericht *n* **Court of Jus·tice of the Eu·ro·pe·an 'U·nion** N Gerichtshof *m* der Europäischen Union **court 'or·der** N Gerichtsbeschluss *m* **'court·room** N Gerichtssaal *m*
'court·yard N Hof *m*
cous·in ['kʌzn] N Cousin *m*, Cousine *f*
cov·er ['kʌvə(r)] **A** N *for protection* Abdeckung *f*; *on sofa, cushion etc* Bezug *m*; *of container* Deckel *m*; *of book* Umschlag *m*; *of magazine* Titelseite *f*; *for bed* (Bett)Decke *f*; *from rain* Schutz *m*, Zuflucht *f* (**from** vor); *from gunfire* Deckung *f*; *against risk* Versicherungsschutz *m*; **take ~** *from rain* sich unterstellen, Schutz suchen (**from** vor); *from gunfire* in Deckung gehen **B** VT bedecken; *for protection* abdecken; *with blanket* zudecken; *against fire, theft etc* versichern (**for** gegen); *stretch of road etc* zurücklegen; *news, event etc* berichten über; **be covered in blood** blutüberströmt sein; **you're covered in mud** du bist voller Dreck

C

♦ **cover up** A V/T zudecken; *fig* vertuschen B V/I *fig* alles vertuschen; **cover up for sb** j-n decken

cov·er·age ['kʌvərɪdʒ] N *by media* Berichterstattung *f*

'cov·er charge N COOK *pro Gedeck berechneter Betrag*

cov·er·ing let·ter ['kʌvrɪŋ] N Begleitbrief *m*

'cov·er sto·ry N Titelgeschichte *f*

cov·ert ['kəʊvɜːt] ADJ versteckt, heimlich

'cov·er-up N Vertuschung *f*, Verschleierung *f*

cov·et ['kʌvət] V/T begehren

cow[1] [kaʊ] N *a. pej* Kuh *f*

cow[2] [kaʊ] V/T einschüchtern

cow·ard ['kaʊəd] N Feigling *m*

cow·ard·ice ['kaʊədɪs] N Feigheit *f*

cow·ard·ly ['kaʊədlɪ] ADJ ⟨-ier, -iest⟩ feig(e)

'cow·boy N Cowboy *m*; *fig infml* Gauner *m*

cow·er ['kaʊə(r)] V/I sich ducken; *crouching* kauern

co·work·er ['kəʊwɜːkə(r)] N Kollege *m*, Kollegin *f*

'cow·shed N Kuhstall *m*

'co·zy *US* → cosy

CPU [siːpiː'juː] ABBR *for* central processing unit Zentraleinheit *f*

crab [kræb] N Krebs *m*, Krabbe *f*; *as food* Krabbe *f*

crack [kræk] A N *in wall, ceiling* Riss *m*; *in cup, glass* Sprung *m*; *in wood, earth* Spalte *f*, Spalt *m*; *joke* Witz *m*; **have a ~ at sth** *infml* etw ausprobieren B V/T *glass* e-n Sprung machen in; *nut* knacken; *infml*: *solve* knacken; *joke* reißen C V/I *glass* e-n Sprung/Sprünge bekommen; *wall* e-n Riss/Risse bekommen; *under pressure* zusammenbrechen; **get cracking** *infml* loslegen

♦ **crack down on** V/T hart durchgreifen bei

♦ **crack up** V/I *after shock etc* zusammenbrechen; *infml*: *at joke* sich vor Lachen krümmen

'crack·down N hartes Durchgreifen (**on** gegen)

cracked [krækt] ADJ *cup* gesprungen; *infml*: *crazy* übergeschnappt

crack·er ['krækə(r)] N *as food* Cracker *m*

crack·ers ['krækəz] ADJ *infml* bekloppt

crack·le ['krækl] V/I *fire* knistern

cra·dle ['kreɪdl] N *for baby* Wiege *f*

craft[1] [krɑːft] N ⟨*pl* craft⟩ NAUT Boot *n*

craft[2] [krɑːft] N *weaving, pottery etc* Kunsthandwerk *n*; *trade* Handwerk *n*

'crafts·man N Handwerker *m*

craft·y ['krɑːftɪ] ADJ ⟨-ier, -iest⟩ schlau, listig

cram [kræm] A V/T ⟨-mm-⟩ *stuff* stopfen (**into** in) B V/I pauken

cramp [kræmp] N Krampf *m*

cramped [kræmpt] ADJ *room* eng

cran·ber·ry ['krænbərɪ] N Preiselbeere *f*

crane [kreɪn] A N *for lifting* Kran *m* B V/T **~ one's neck** den Hals recken

crank [kræŋk] N *person* Spinner(in) *m(f)*

'crank·shaft N Kurbelwelle *f*

crank·y ['kræŋkɪ] ADJ ⟨-ier, -iest⟩ *person* verschroben; *US* griesgrämig

crap [kræp] *sl* A N Scheiße *f* B V/I ⟨-pp-⟩ scheißen C ADJ Scheiß-, beschissen

crap·py ['kræpɪ] ADJ ⟨-ier, -iest⟩ *sl* Scheiß-, beschissen

crash [kræʃ] A N *sound* Krachen *n*; *car accident* Unfall *m*; *of train, plane* Unglück *n*; *of plane, computer* Absturz *m*; *of company* Zusammenbruch *m*; *of stock market* Börsenkrach *m* B V/I *fall noisily, thunder* krachen; *car* verunglücken; *plane* verunglücken, abstürzen; *market* zusammenbrechen; IT abstürzen; *infml*: *sleep* pennen; **he crashed into me** *in car* er ist in mich reingefahren C V/T *car* e-n Unfall haben mit

♦ **crash out** V/I *infml*: *fall asleep* einpennen

'crash bar·ri·er N Leitplanke *f* **'crash course** N Intensivkurs *m* **crash 'di·et** N Nulldiät *f*, Radikalkur *f* **'crash hel·met** N Sturzhelm *m* **'crash-land** V/I e-e Bruchlandung machen **crash 'land·ing** N Bruchlandung *f*

crate [kreɪt] N Kiste *f*; *of beer a.* Kasten *m*

cra·ter ['kreɪtə(r)] N *of volcano* Krater *m*

crave [kreɪv] V/T ein starkes Bedürfnis haben nach

crav·ing ['kreɪvɪŋ] N *for attention, fame* starkes Verlangen *or* Bedürfnis (**for** nach); *for food* großer Appetit, Gelüste

pl (**for** auf)
crawl [krɔ:l] **A** N *swimming stroke* Kraulstil *m*, Kraulen *n*; **at a ~** *very slowly* im Schneckentempo **B** V/I *on floor* kriechen; *child* krabbeln; *car* im Schneckentempo fahren
♦**crawl with** V/T wimmeln von
cray·on ['kreɪən] N Buntstift *m*
craze [kreɪz] N Modebegeisterung *f*; **be the ~** groß in Mode sein, total in sein; **the latest ~** der letzte Schrei
cra·zy ['kreɪzɪ] ADJ ⟨-ier, -iest⟩ verrückt (**about** nach)
creak [kri:k] **A** N *of door, shoes* Quietschen *n*; *of floorboard* Knarren *n* **B** V/I *floorboard* knarren; *door, shoes* quietschen
cream [kri:m] **A** ADJ *as colour* creme (-farben) **B** N *colour, for skin* Creme *f*; *for coffee, cooking* Sahne *f*
cream 'cheese N Frischkäse *m*
cream·er ['kri:mə(r)] N Kaffeeweißer *m*
cream·y ['kri:mɪ] ADJ ⟨-ier, -iest⟩ sahnig
crease [kri:s] **A** N *in clothes* Falte *f*; *in trousers* Bügelfalte *f* **B** V/T *clothes* zerknittern
cre·ate [kri:'eɪt] **A** V/T schaffen; *piece of art, new fashion, dish* kreieren; REL erschaffen; *think up* sich ausdenken, erschaffen; *uncertainty, anxiety* verursachen **B** V/I kreativ tätig sein
cre·a·tion [kri:'eɪʃn] N Schaffung *f*; *of piece of art, new fashion, dish* Kreation *f*; *created thing* Werk *n*; **Creation** REL die Schöpfung
cre·a·tive [kri:'eɪtɪv] ADJ kreativ; **~ impulse** Schaffensdrang *m*
cre·a·tor [kri:'eɪtə(r)] N Schöpfer(in) *m(f)*
crea·ture ['kri:tʃə(r)] N Lebewesen *n*, Geschöpf *n*
crèche [kreʃ] N *for children* (Kinder)Krippe *f*; REL Krippe *f*
cre·dence ['kri:dns] N **give ~ to** Glauben schenken
cre·den·tials [krɪ'denʃlz] N *pl* Beglaubigungsschreiben *n*; *references* Referenzen *pl*
cred·i·bil·i·ty [kredə'bɪlətɪ] N *of story* Glaubhaftigkeit *f*; *of person* Glaubwürdigkeit *f*
cred·i·ble ['kredəbl] ADJ *excuse, story etc* glaubhaft; *candidate, politician etc* glaubwürdig
cred·it ['kredɪt] **A** N ECON Kredit *m*; *for work, achievement* Anerkennung *f*, Ehre *f*; *in account* Guthaben *n*; *US: in school* Punkt *m*; **credits and debits** *pl* Soll und Haben; **be in ~** *bank account* im Plus sein; *person* Geld auf dem Konto haben; **I can't take all the ~** das ist nicht alles mein Verdienst; **the credits** *pl of film etc* der Abspann **B** V/T *believe* glauben; **~ sb with sth** j-m etw zutrauen; *amount* gutschreiben (lassen)
cred·i·ta·ble ['kredɪtəbl] ADJ anerkennenswert, lobenswert
'cred·it card N Kreditkarte *f* **'cred·it crunch** N Kreditkrise *f* **'cred·it lim·it** N Kreditgrenze *f*
cred·i·tor ['kredɪtə(r)] N Gläubiger(in) *m(f)*
'cred·it side N ECON Habenseite *f*
'cred·it·wor·thy ADJ kreditwürdig
cred·u·lous ['kredjʊləs] ADJ leichtgläubig
creep [kri:p] **A** N *pej* widerlicher Typ, Fiesling *m*; *crawler* Kriecher(in) *m(f)* **B** V/I ⟨crept, crept⟩ schleichen; *insect* kriechen; *water level* klettern
♦**creep up on** V/T sich (her)anschleichen an
creeps [kri:ps] N *pl* **he gives me the ~** *infml* er ist mir nicht ganz geheuer
creep·y ['kri:pɪ] ADJ ⟨-ier, -iest⟩ *infml* unheimlich
cre·mate [krɪ'meɪt] V/T einäschern
cre·ma·tion [krɪ'meɪʃn] N Einäscherung *f*
cre·ma·to·ri·um [kremə'tɔ:rɪəm] N Krematorium *n*
crept [krept] PRET & PAST PART → creep
cres·cent ['kresənt] N *shape* Halbmond *m*
cress [kres] N Kresse *f*
crest [krest] N *of hill* (Berg)Kamm *m*; *of bird* Haube *f*; *of chicken* Kamm *m*
'crest·fal·len ADJ niedergeschlagen
cre·vasse [krɪ'væs] N (Gletscher)Spalte *f*
crev·ice ['krevɪs] N Spalte *f*
crew [kru:] N *of plane* Besatzung *f*, Crew *f*; *of ship a.* Mannschaft *f*; *of workers, colleagues etc* Gruppe *f*
'crew cut N Bürstenschnitt *m*
crew 'neck N runder Halsausschnitt
crick [krɪk] N **have a ~ in one's neck** e-n steifen Hals haben

crick·et ['krɪkɪt] N *insect* Grille *f*; *game* Kricket *n*

crime [kraɪm] N Verbrechen *n*; *criminal offence a.* Straftat *f*; **the problem of ~** das Kriminalitätsproblem; **lead a life of ~** ein kriminelles Leben führen

crim·i·nal ['krɪmɪnl] **A** ADJ *relating to criminal offences* kriminell, verbrecherisch; *action* strafbar; *law, process* Straf-; *detestable* schändlich; **~ offence** strafbare Handlung, Straftat *f*; **take ~ proceedings against sb** strafrechtlich gegen j-n vorgehen; **that's just ~!** *infml* das ist einfach kriminell! **B** N Straftäter(in) *m(f)*, Kriminelle(r) *m/f(m)*

crim·son ['krɪmzn] ADJ purpurrot

cringe [krɪndʒ] VI **it makes me ~** *embarrassing situation* da wird's mir ganz schlecht

crin·kle ['krɪŋkl] **A** N Falte *f* **B** VI *material* knittern; *paper* sich wellen; *hair* sich kräuseln

crin·kly ['krɪŋklɪ] ADJ ‹-ier, -iest› faltig; *surface* wellig; *material* zerknittert; *hair* kraus

crip·ple ['krɪpl] **A** N *pej*: *disabled person* Krüppel *m* **B** VT *person* zum Krüppel machen; *fig* lähmen

cri·sis ['kraɪsɪs] N ‹*pl* crises ['kraɪsi:z]› Krise *f*

cri·sis 'man·age·ment N Krisenmanagement *n*

crisp [krɪsp] ADJ *toast* knusprig; *salad* knackig; *air, shirt* frisch; *bank note* (druck)-frisch; *snow* knirschend

'crisp·bread N Knäckebrot *n*

crisps [krɪsps] N *pl* (Kartoffel)Chips *pl*

criss-cross ['krɪskrɒs] VT kreuz und quer verlaufen durch

cri·te·ri·on [kraɪ'tɪərɪən] N ‹*pl* criteria [kraɪ'tɪərɪə]› Kriterium *n*

crit·ic ['krɪtɪk] N Kritiker(in) *m(f)*

crit·i·cal ['krɪtɪkl] ADJ MED kritisch; *situation a.* bedenklich; *moment* entscheidend; **be ~ of sb/sth** j-n/etw kritisieren

crit·i·cal·ly ['krɪtɪklɪ] ADV kritisch; **~ ill** schwer krank

crit·i·cism ['krɪtɪsɪzm] N Kritik *f* (**of** an)

crit·i·cize ['krɪtɪsaɪz] VT kritisieren (**for** wegen)

croak [krəʊk] **A** N *of frog* Quaken *n*; *of person* Krächzen *n* **B** VI *frog* quaken; *person* krächzen

Cro·at ['krəʊæt] **A** ADJ kroatisch **B** N *person* Kroate *m*, Kroatin *f*

Cro·a·tia [krəʊ'eɪʃə] N Kroatien *n*

Cro·a·tian [krəʊ'eɪʃən] **A** ADJ kroatisch **B** N *language* Kroatisch *n*; *person* Kroate *m*, Kroatin *f*

crock·e·ry ['krɒkərɪ] N Geschirr *n*

cro·ny ['krəʊnɪ] N *infml* Kumpel *m*

crook [krʊk] N *infml* Gauner *m*

crook·ed ['krʊkɪd] ADJ *not straight* krumm; *infml*: *dishonest* betrügerisch

crop [krɒp] **A** N *of cereals, potatoes etc* Ernte *f*; **crops** *pl types of plants* Feldfrüchte *pl*; *wheat, oats etc* Getreide *n* **B** VT ‹-pp-› *hair* stutzen; *photo* zuschneiden

♦**crop up** VI auftauchen

cross [krɒs] **A** ADJ *annoyed* böse, sauer (**with** auf) **B** N *mark* Kreuz(chen) *n*; *Christian symbol* Kreuz *n*; *in football* Flanke *f* **C** VT *road, border* überqueren; *desert* durchqueren; *room* gehen durch; *in football* flanken; **~ o.s.** REL sich bekreuzigen; **~ one's legs** die Beine übereinanderschlagen; **keep one's fingers crossed** die Daumen drücken; **it never crossed my mind** es kam mir nie in den Sinn **D** VI hinübergehen; *intersect* sich kreuzen

♦**cross off, cross out** VT (durch)-streichen

'cross·bar N *of goal* Querlatte *f*; *of bicycle* Stange *f*; *in high jump* Latte *f* **'cross-bor·der** ADJ grenzüberschreitend **'cross·breed** N Mischling *m*, Kreuzung *f* **'cross·check** **A** N Gegenprobe *f* **B** VT überprüfen, nachprüfen **cross-coun·try ('ski·ing)** N (Ski)-Langlauf *m*

crossed 'cheque, crossed 'check *US* [krɒst] N Verrechnungsscheck *m*

cross-ex·am·i'na·tion N JUR Kreuzverhör *n* **cross-ex'am·ine** VT JUR ins Kreuzverhör nehmen **cross-eyed** ['krɒsaɪd] ADJ **be ~** schielen

cross·ing ['krɒsɪŋ] N NAUT Überfahrt *f*; *over road* Fußgängerüberweg *m*

'cross-me·di·a ADJ medienübergreifend **'cross·roads** N *sg or pl* Kreuzung *f*; *fig* Scheideweg *m* **'cross-sec·tion** N *of population* Querschnitt *m* (**of** durch) **'cross-sec·tor** ADJ branchenübergreifend **'cross-walk** N *US* Fuß-

gängerüberweg *m* **'cross·wise** ADV kreuzweise **'cross·word (puz·zle)** N Kreuzworträtsel *n*
crotch [krɒtʃ] N *of person, trousers* Schritt *m*
crouch [kraʊtʃ] V/I sich (hin)hocken
crow [krəʊ] N *bird* Krähe *f*; **25 miles as the ~ flies** 25 Meilen Luftlinie
'crow·bar N Brecheisen *n*
crowd [kraʊd] N (Menschen)Menge *f*; *at event* Publikum *n*, Zuschauermenge *f*; *infml*: *group* Clique *f*
♦**crowd around** V/T sich drängen um
crowd·ed ['kraʊdɪd] ADJ voll (**with** von), überfüllt (**with** mit)
crown [kraʊn] A N *of king, for tooth* Krone *f* B V/T *tooth* überkronen; *king* krönen; **and then to ~ it all ...** *infml* und zur Krönung des Ganzen ...
cru·cial ['kru:ʃl] ADJ äußerst wichtig, *decisive* entscheidend; *sl* stark
cru·ci·fix ['kru:sɪfɪks] N Kruzifix *n*
cru·ci·fix·ion [kru:sɪ'fɪkʃn] N Kreuzigung *f*
crude [kru:d] A ADJ *language, joke* ordinär, derb; *tool, method* primitiv B N **~ (oil)** Rohöl *n*
cru·el ['kru:əl] ADJ grausam
cru·el·ty ['kru:əltɪ] N Grausamkeit *f*; **~ to animals** Tierquälerei *f*
cruise [kru:z] A N Kreuzfahrt *f* B V/I *ship* kreuzen; *passenger on ship* e-e Kreuzfahrt machen; *car* mit Reisegeschwindigkeit fahren; *plane* mit Reisegeschwindigkeit fliegen
'cruise lin·er N Kreuzfahrtschiff *n*
cruise 'mis·sile N MIL Marschflugkörper *m*
cruis·er ['kru:zə(r)] N NAUT Kreuzer *m*; *US* (Funk)Streifenwagen *m*
cruis·ing speed ['kru:zɪŋ] N Reisegeschwindigkeit *f*
crumb [krʌm] N Krümel *m*
crum·ble ['krʌmbl] A V/T zerbröckeln, zerkrümeln B V/I *bread* zerkrümeln; *wall etc* (zer)bröckeln, zerfallen; *fig*: *resistance* bröckeln, sich auflösen C N; *Art Streuselkuchen*
crum·bly ['krʌmblɪ] ADJ ⟨-ier, -iest⟩ krüm(e)lig; *wall etc* bröck(e)lig
crum·my ['krʌmɪ] ADJ ⟨-ier, -iest⟩ *infml* mies
crum·ple ['krʌmpl] A V/T *piece of clothing, paper* zerknittern, verknittern B V/I *person* zusammenbrechen
♦**crumple up** V/T zusammenknüllen
crunch [krʌntʃ] A N **when it comes to the ~** *infml* wenn es darauf ankommt B V/I *snow, gravel* knirschen
crunch·y ['krʌntʃɪ] ADJ ⟨-ier, -iest⟩ knusprig
cru·sade [kru:'seɪd] N *a. fig* Kreuzzug *m*
crush [krʌʃ] A N *of people* Gedränge *n*; **have a ~ on sb** in j-n verknallt sein B V/T *person, part of body* (zer)quetschen; *garlic* zerdrücken; *clothes* zerknittern; *rebellion* niederschlagen C V/I *material, shirt* knittern
'crush bar·ri·er N Barriere *f*, Absperrung *f*
crush·ing ['krʌʃɪŋ] ADJ *defeat, remark* vernichtend
crust [krʌst] N *of bread etc* Kruste *f*
crust·y ['krʌstɪ] ADJ ⟨-ier, -iest⟩ *bread* knusprig
crutch [krʌtʃ] N *for walking* Krücke *f*
cry [kraɪ] A N Ruf *m*, Schrei *m*; **have a ~** sich ausweinen B V/T ⟨-ied⟩ rufen, schreien C V/I ⟨-ied⟩ weinen (**for** um, vor); **~ for help** um Hilfe rufen
♦**cry out** A V/T ausrufen B V/I *in pain* aufschreien
♦**cry out for** V/T dringend brauchen; **it's crying out for it** es schreit geradezu danach
crypt [krɪpt] N Gruft *f*, Krypta *f*
cryp·tic ['krɪptɪk] ADJ rätselhaft, kryptisch
crys·tal ['krɪstl] N *mineral* Kristall *m*; *glass* Kristallglas *n*
crys·tal·lize ['krɪstlaɪz] A V/T *thought, conviction* konkretisieren B V/I *thought, conviction* feste Formen annehmen, sich konkretisieren
ct(s) *only written* ABBR *for* **cent(s** *pl*) Cent *m*
cu ['si:ju:] ABBR *for* **see you** *in text message etc* bis dann, bis später
cub [kʌb] N *young animal* Junge(s) *n*
Cu·ba ['kju:bə] N Kuba *n*
cube [kju:b] N *shape* Würfel *m*; MATH dritte Potenz
cu·bic ['kju:bɪk] ADJ Kubik-
cu·bic ca'pac·i·ty N TECH Hubraum *m*
cu·bi·cle ['kju:bɪkl] N *for changing* Kabi-

ne *f*
cuck·oo ['kʊku:] N Kuckuck *m*
cu·cum·ber ['kju:kʌmbə(r)] N Gurke *f*
cud·dle ['kʌdl] **A** N Liebkosung *f*, Umarmung *f*; **give sb a ~** j-n in den Arm nehmen; **I need a ~** ich brauch ein bisschen Zärtlichkeit **B** V/I *couple* schmusen, kuscheln
cud·dly ['kʌdlɪ] ADJ ‹-ier, -iest› *kitten* knuddelig; *child* verschmust
cue [kju:] N *for actor* Stichwort *n*; *for snooker* Queue *n or m*; **right on ~** genau rechtzeitig
cuff [kʌf] **A** N *of shirt* Manschette *f*; *US: of trousers* (Hosen)Aufschlag *m*; *blow* Klaps *m*; **off the ~** aus dem Stegreif **B** V/T **~ sb round the ear** j-m eins hinter die Ohren geben
'cuff link N Manschettenknopf *m*
cul-de-sac ['kʌldəsæk] N Sackgasse *f*
cu·li·nar·y ['kʌlɪnərɪ] ADJ kulinarisch
♦ **cul·mi·nate in** ['kʌlmɪneɪtɪn] V/T gipfeln in
cul·mi·na·tion [kʌlmɪ'neɪʃn] N Höhepunkt *m*
cul·prit ['kʌlprɪt] N Schuldige(r) *m/f(m)*
cult [kʌlt] N REL Kult *m*; **~ movie** Kultfilm *m*
cul·ti·vate ['kʌltɪveɪt] V/T *land* kultivieren, bestellen; *friendship* pflegen; *talent* entwickeln
cul·ti·vat·ed ['kʌltɪveɪtɪd] ADJ *person* kultiviert
cul·ti·va·tion [kʌltɪ'veɪʃn] N *of land* Kultivierung *f*
cul·tu·ral ['kʌltʃərəl] ADJ kulturell, Kultur-
cul·tur·al ex'change N Kulturaustausch *m*
cul·ture ['kʌltʃə(r)] N Kultur *f*
cul·tured ['kʌltʃəd] ADJ gebildet
cum·ber·some ['kʌmbəsəm] ADJ *package* sperrig, unhandlich; *fig: process* mühselig, umständlich
cu·mu·la·tive ['kju:mjʊlətɪv] ADJ Gesamt-
cun·ning ['kʌnɪŋ] **A** ADJ schlau **B** N Schlauheit *f*
cup [kʌp] N Tasse *f*; *trophy* Pokal *m*; **it's not my ~ of tea** *fig* das ist nicht mein Fall
cup·board ['kʌbəd] N Schrank *m*
cup 'fi·nal N Pokalendspiel *n*
cur·a·ble ['kjʊərəbl] ADJ heilbar
cu·rate ['kjʊərət] N Hilfsgeistliche(r) *m/f(m)*
cu·ra·tor [kjʊə'reɪtə(r)] N *of museum* Direktor(in) *m(f)*, Kurator(in) *m(f)*
curb [kɜ:b] **A** N *of power* Beschränkung *f* **B** V/T *anger* zügeln; *inflation* in Schranken halten
cur·dle ['kɜ:dl] V/I *milk* gerinnen
cure [kjʊə(r)] **A** N MED Heilmittel *n* (**for** für, gegen); *of disease* Heilung *f* **B** V/T MED heilen; *meat, fish* haltbar machen; *using salt* pökeln; *smoke* räuchern; *dry* trocknen
cur·few ['kɜ:fju:] N MIL Ausgangssperre *f*; *for teenager* Ausgehverbot *n*
cu·ri·os·i·ty [kjʊərɪ'ɒsətɪ] N *for knowledge* Neugier *f*
cu·ri·ous ['kjʊərɪəs] ADJ neugierig; *strange* merkwürdig, kurios; **I'd be ~ to know ...** ich wüsste gern ...
cu·ri·ous·ly ['kjʊərɪəslɪ] ADV neugierig; *strangely* merkwürdig; **~ enough** merkwürdigerweise
curl [kɜ:l] **A** N *in hair* Locke *f*; *of smoke* Kringel *m* **B** V/T *hair* eindrehen; *ball* anschneiden **C** V/I *hair* sich kräuseln, sich locken; *leaf* sich zusammenrollen; *paper* sich wellen
♦ **curl up** V/I sich zusammenrollen
curl·y ['kɜ:lɪ] ADJ ‹-ier, -iest› *hair* lockig; *tail* geringelt, gekringelt
cur·rant ['kʌrənt] N Korinthe *f*
cur·ren·cy ['kʌrənsɪ] N ECON Währung *f*; **foreign ~** Devisen *pl*
'cur·ren·cy con·ver·sion N Währungsumstellung *f* **'cur·ren·cy fluc·tu·a·tions** N *pl* Wechselkursschwankungen *pl* **'cur·ren·cy mar·ket** N Devisenmarkt *m* **'cur·ren·cy re·form** N Währungsreform *f* **'cur·ren·cy snake** N Währungsschlange *f* **'cur·ren·cy u·nit** N Währungseinheit *f*
cur·rent ['kʌrənt] **A** ADJ *fashion, situation* aktuell, gegenwärtig **B** N *in sea* Strömung *f*; ELEC Strom *m*
'cur·rent ac·count N Girokonto *n*
cur·rent af'fairs, cur·rent e'vents N *pl* aktuelles Geschehen; *as title* Ereignisse *pl* des Tages; **current affairs programme** Magazinsendung *f*
cur·rent ex'change rate N *of for-*

eign currencies Tageskurs *m*
cur·rent·ly ['kʌrəntlɪ] ADV zurzeit, momentan
cur·rent 'price N *of securities* Tageskurs *m*
cur·ric·u·lum [kə'rɪkjʊləm] N ⟨*pl* curricula [kə'rɪkjʊlə] *or* curriculums⟩ Lehrplan *m*
cur·ric·u·lum vi·tae ['vi:taɪ] N Lebenslauf *m*
cur·ry ['kʌrɪ] N *dish, spice* Curry *n*
curse [kɜ:s] **A** N *bringing bad luck, swearword* Fluch *m* **B** V/T verfluchen, verwünschen; *swear about* fluchen über **C** V/I *swear* fluchen (**at** über)
cur·sor ['kɜ:sə(r)] N IT Cursor *m*
cur·so·ry ['kɜ:sərɪ] ADJ flüchtig
curt [kɜ:t] ADJ *person* kurz angebunden; *reply, letter* barsch, knapp
cur·tail [kɜ:'teɪl] V/T kürzen; *journey* abkürzen
cur·tain ['kɜ:tn] N Gardine *f*, Vorhang *m*; THEAT Vorhang *m*
cur·va·ture ['kɜ:vətʃə(r)] N Krümmung *f*
curve [kɜ:v] **A** N *of road* Kurve *f*; *of body* a. Rundung *f*; *of coast* Bogen *m*; *of river* Biegung *f* **B** V/I *river, road* e-n Bogen machen
cush·ion ['kʊʃn] **A** N *for sofa etc* Kissen *n* **B** V/T *blow* abfangen; *fall* dämpfen
cus·tard ['kʌstəd] N Vanillesoße *f*
cus·to·dy ['kʌstədɪ] N *of children* Sorgerecht *n*; **in ~** JUR inhaftiert
cus·tom ['kʌstəm] N *tradition* Sitte *f*, Brauch *m*; ECON Kundschaft *f*; **as was his ~** wie er es gewohnt war
cus·tom·a·ry ['kʌstəmərɪ] ADJ üblich
cus·tom-'built ADJ nach Kundenangaben gefertigt
cus·tom·er ['kʌstəmə(r)] N Kunde *m*, Kundin *f*
cus·tom·er re'la·tions N *pl* Kundenkontakte *pl*, Kundenbeziehungen *pl*
cus·tom·er 'serv·ice N Kundendienst *m*, Kundenservice *m*
cus·tom-'made ADJ maßgefertigt, Maß-
cus·toms ['kʌstəmz] N *pl* Zoll *m*
Cus·toms and Ex·cise ['eksaɪz] N *Behörde für Zölle und Verbrauchssteuern*
'cus·toms clear·ance N Zollabfertigung *f* **'cus·toms dec·la·ra·tion** N Zollerklärung *f* **'cus·toms du·ty** N Zollabgabe *f* **'cus·toms in·spec·tion** N Zollkontrolle *f* **'cus·toms of·fi·cer** N Zollbeamte(r) *m*, -beamtin *f* **'cus·toms tar·iff** N Zolltarif *m*
cut [kʌt] **A** N *with knife, of piece of clothing, hair* Schnitt *m*; *injury* Schnittwunde *f*; *in spending, salary, working hours* Kürzung *f* (**in** *gen*); *in taxes* Senkung *f* (**in** *gen*) **B** V/T ⟨-tt-; cut, cut⟩ schneiden; *rope, throat etc* durchschneiden; *grass* mähen; IT ausschneiden; *reduce* kürzen; **get one's hair ~** sich die Haare schneiden lassen
♦**cut back** **A** V/I *in spending* sich einschränken **B** V/T *staff* reduzieren, verringern
♦**cut down** **A** V/T *tree* fällen; *text* kürzen (**to** auf) **B** V/I *on smoking etc* sich einschränken
♦**cut down on** V/T *smoking etc* einschränken; **cut down on sugar** weniger Zucker essen
♦**cut in** V/I *in conversation* unterbrechen; **the motorcycle cut in in front of us** das Motorrad hat uns geschnitten
♦**cut off** V/T *with knife, scissors etc* abschneiden; *gas, electricity* abstellen; *isolate* abschneiden; **feel cut off** sich isoliert fühlen; **I've been cut off** TEL unsere Verbindung ist unterbrochen worden
♦**cut out** **A** V/T *with scissors* ausschneiden; *smoking, drinking* aufhören mit; *probability, risk* ausschließen; **cut that out!** *infml* lass das sein!; **be cut out for sth** für etw geeignet sein **B** V/I *motor* ausgehen; *engine* ausfallen
♦**cut up** V/T *meat etc* (klein) schneiden
'cut·back N Kürzung *f*
cute [kju:t] ADJ *sweet, pretty* niedlich, süß; *attractive* süß; *intelligent* schlau, gerissen
cut·le·ry ['kʌtlərɪ] N Besteck *n*
'cut-off date N Stichtag *m* **cut-'price** ADJ herabgesetzt **'cut-throat** ADJ *competition* mörderisch, gnadenlos
cut·ting ['kʌtɪŋ] **A** ADJ *remark* verletzend, beißend **B** N *from newspaper etc* Ausschnitt *m* (**from** aus)
CV [si:'vi:] ABBR *for* curriculum vitae Lebenslauf *m*
cwt *only written* ABBR *for* hundredweight Zentner *m*
cy·ber·crime ['saɪbəkraɪm] N Compu-

terkriminalität *f*
cy·cle ['saɪkl] **A** N (Fahr)Rad *n*; *of events* Zyklus *m* **B** V/I (Fahr)Rad fahren; **~ to work** mit dem Rad zur Arbeit fahren
'cy·cle lane, **'cy·cle path** N (Fahr)-Radweg *m*
cy·cling ['saɪklɪŋ] N Radfahren *n*
cy·clist ['saɪklɪst] N Radfahrer(in) *m(f)*
cy·clone ['saɪkləʊn] N Wirbelsturm *m*
cyl·in·der ['sɪlɪndə(r)] N *container* (Stahl)Flasche *f*; *in engine* Zylinder *m*
cy·lin·dri·cal [sɪ'lɪndrɪkl] ADJ zylindrisch
cyn·ic ['sɪnɪk] N Zyniker(in) *m(f)*
cyn·i·cal ['sɪnɪkl] ADJ zynisch
cyn·i·cism ['sɪnɪsɪzm] N Zynismus *m*
Cyp·ri·ot ['sɪprɪət] **A** ADJ zyprisch **B** N *person* Zyprer(in) *m(f)*
Cy·prus ['saɪprəs] N Zypern *n*
cyst [sɪst] N Zyste *f*
Czech [tʃek] **A** ADJ tschechisch; **the ~ Republic** die Tschechische Republik **B** N *person* Tscheche *m*, Tschechin *f*; *language* Tschechisch *n*

D

D, d [di:] N D, d *n*
DA [di:'eɪ] ABBR *for* District Attorney *US* Staatsanwalt *m*, -anwältin *f*
dab [dæb] N **a ~ of** ein bisschen; **a ~ of paint** ein Klecks *m* Farbe
♦ **dab off** V/T ⟨-bb-⟩ abtupfen
♦ **dab on** V/T ⟨-bb-⟩ auftragen
♦ **dab·ble in** ['dæblɪn] V/T sich nebenbei beschäftigen mit
dad [dæd] N *infml* Papa *m*, Vati *m*
dad·dy ['dædɪ] N *infml* Papa *m*, Vati *m*
daf·fo·dil ['dæfədɪl] N Osterglocke *f*
daft [dɑ:ft] ADJ *infml* verrückt; *stupid* doof
dai·ly ['deɪlɪ] **A** ADJ täglich **B** N Tageszeitung *f*; *person* Putzfrau *f*
dain·ty ['deɪntɪ] ADJ ⟨-ier, -iest⟩ zierlich; *shoes etc* fein
dair·y ['deərɪ] N Molkerei *f*
'dair·y prod·ucts N *pl* Milchprodukte *pl*
dais ['deɪɪs] N Podium *n*
dai·sy ['deɪsɪ] N Gänseblümchen *n*
dam [dæm] **A** N Damm *m*; *water* Stausee *m* **B** V/T ⟨-mm-⟩ *river* stauen
dam·age ['dæmɪdʒ] **A** N *a. fig* Schaden *m* **B** V/T beschädigen; *fig*: *reputation* schaden
dam·aged ['dæmɪdʒd] ADJ *goods* schadhaft, beschädigt
dam·ag·es ['dæmɪdʒɪz] N *pl* JUR Schadenersatz *m*
dam·ag·ing ['dæmɪdʒɪŋ] ADJ schädlich (**to** für)
damn [dæm] **A** INT *infml* verdammt **B** N *infml* **I don't give a ~!** das ist mir so was von egal! **C** ADJ *infml* verdammt **D** ADV *infml* verdammt **E** V/T *criticize* verurteilen; REL verdammen; **~ it!** *infml* verdammt!; **I'm damned if ...** *infml* ich denke nicht im Traum daran zu ...
damned [dæmd] ADJ & ADV → damn
damn·ing ['dæmɪŋ] ADJ belastend; *devastating* vernichtend
damp [dæmp] ADJ feucht
damp·en ['dæmpən] V/T befeuchten
dance [dɑ:ns] **A** N Tanz *m* **B** V/I tanzen
danc·er ['dɑ:nsə(r)] N Tänzer(in) *m(f)*
danc·ing ['dɑ:nsɪŋ] N Tanzen *n*
dan·de·li·on ['dændɪlaɪən] N Löwenzahn *m*
dan·druff ['dændrʌf] N *no pl* Schuppen *pl*
Dane [deɪn] N Däne *m*, Dänin *f*
dan·ger ['deɪndʒə(r)] N Gefahr *f*
dan·ger·ous ['deɪndʒərəs] ADJ gefährlich; **that's a ~ assumption** davon kann man nicht ohne Weiteres ausgehen
dan·ger·ous 'driv·ing N Gefährdung *f* des Straßenverkehrs
dan·ger·ous·ly ['deɪndʒərəslɪ] ADV gefährlich; *drive* rücksichtslos; **~ ill** ernsthaft krank
dan·gle ['dæŋgl] **A** V/T baumeln lassen **B** V/I baumeln
Da·nish ['deɪnɪʃ] **A** ADJ dänisch **B** N *language* Dänisch *n*
Da·nish 'pas·try N Plundergebäck *n*
dank [dæŋk] ADJ feucht, nasskalt
Dan·ube [dæn'ju:b] N Donau *f*
dare [deə(r)] **A** V/I sich trauen; **~ to do sth** es wagen, etw zu tun; **how ~ you!** was fällt dir ein! **B** V/T **I ~ you to ...** wetten, dass du dich nicht traust, ...

dare·dev·il ['deədevɪl] N Draufgänger(in) *m(f)*
dar·ing ['deərɪŋ] ADJ gewagt
dark [dɑːk] **A** ADJ dunkel **B** N Dunkel *n*; **after ~** nach Einbruch der Dunkelheit; **keep sb in the ~** *fig* j-n im Ungewissen lassen
dark·en ['dɑːkn] V/I dunkel werden; *sky* sich verdunkeln; *atmosphere etc* sich verdüstern; *face etc* sich verfinstern
dark 'glass·es N *pl* Sonnenbrille *f*
dark·ness ['dɑːknɪs] N Dunkelheit *f*
dar·ling ['dɑːlɪŋ] **A** ADJ lieb **B** N Schatz *m*, Liebling *m*
dart [dɑːt] **A** N Wurfpfeil *m* **B** V/I flitzen
'dart·board N Dartscheibe *f*
darts [dɑːts] N *sg game* Darts *n*
dash [dæʃ] **A** N *punctuation mark* Gedankenstrich *m*; *in car* Armaturenbrett *n*; **a ~ of salt** e-e Prise Salz; **a ~ of brandy** ein Schuss *m* Brandy; **make a ~ for the door** zur Tür stürmen **B** V/I rennen; **I must ~** ich muss los **C** V/T *hopes* zunichtemachen
♦ **dash off** **A** V/I davonstürzen **B** V/T *letter* schnell schreiben
'dash·board N Armaturenbrett *n*
dash·ing ['dæʃɪŋ] ADJ schneidig, flott
da·ta ['deɪtə] N *sg or pl* Daten *pl*
da·ta a'nal·y·sis N Datenanalyse *f* **'da·ta·base** N Datenbank *f* **da·ta 'cap·ture** N Datenerfassung *f* **'da·ta car·ri·er** N Datenträger *m* **da·ta 'pro·cess·ing** N Datenverarbeitung *f* **da·ta pro'jec·tor** N Beamer *m* **da·ta pro'tec·tion** N Datenschutz *m* **da·ta 'stor·age** N Datenspeicherung *f* **da·ta 'trans·fer** N Datenübertragung *f*, Datentransfer *m*
date¹ [deɪt] N *fruit* Dattel *f*
date² [deɪt] **A** N Datum *n*; *for meeting* Termin *n*; *with boyfriend/girlfriend* Verabredung *f*, Date *n*; *person* Freund(in) *m(f)*; **what's the ~ today?** der Wievielte ist heute?; **out of ~** *clothes* altmodisch; *passport, ID card* abgelaufen; **up to ~** *information* aktuell; *style* modern; *ID card* gültig **B** V/T *letter, cheque* datieren; *girl, boy* ausgehen mit, gehen mit
dat·ed ['deɪtɪd] ADJ veraltet
'date stamp N Datumsstempel *m*; *for incoming mail* Eingangsstempel *m*
daub [dɔːb] V/T schmieren
daugh·ter ['dɔːtə(r)] N Tochter *f*
'daugh·ter-in-law N ⟨*pl* daughters-in-law⟩ Schwiegertochter *f*
daunt [dɔːnt] V/T entmutigen
daw·dle ['dɔːdl] V/I trödeln, bummeln
dawn [dɔːn] **A** N (Morgen)Dämmerung *f*; *fig: of age etc* Beginn *m*; **at ~** im Morgengrauen, bei Tagesanbruch **B** V/I **day was dawning** es wurde Tag, es dämmerte; **it dawned on me that ...** es wurde mir klar, dass ...
day [deɪ] N Tag *m*; **by ~** tagsüber; **~ by ~** täglich; **the ~ after** am Tag darauf; **the ~ before** am Tag davor; **~ in ~ out** Tag für Tag; **in those days** damals; **one ~** e-s Tages; **the other ~** neulich, vor ein paar Tagen; **let's call it a ~!** Schluss für heute!; *in relationship* lass uns Schluss machen; *if sth isn't working* vergessen wir's!
'day·break N Tagesanbruch *m* **'day care** N (Tages)Betreuung *f* **'day-care cen·tre**, **'day-care cen·ter** *US* N Kindertagesstätte *f*; Altentagesstätte *f* **'day·dream** **A** N Tagtraum *m* **B** V/I (mit offenen Augen) träumen **'day dream·er** N Träumer(in) *m(f)* **'day·light** N Tageslicht *n*; **in broad ~** am helllichten Tag **day·light 'rob·ber·y** N Wucher *m* **day·light 'sav·ing time** N Sommerzeit *f* **day 'out** N (Tages)Ausflug *m* **day re'turn** N Tagesrückfahrkarte *f* **'day·time** N **in the ~** bei Tag(e) **day 'tra·ding** N ECON Daytrading *n*, Tagesspekulation *f* **'day trip** N Tagesausflug *m*
daze [deɪz] N **in a ~** wie betäubt
dazed [deɪzd] ADJ benommen
daz·zle ['dæzl] V/T *a. fig* blenden
DC [diː'siː] ABBR *for* direct current Gleichstrom *m*; **District of Columbia** *Bundesdistrikt der USA*
dead [ded] **A** ADJ tot; *battery* leer; *light bulb* kaputt; *flowers* verwelkt; *finger* abgestorben; *infml: place* wie ausgestorben **B** ADV *infml: very* total; **~ beat, ~ tired** todmüde; **that's ~ right** absolut richtig **C** N **in the ~ of night** mitten in der Nacht; **the ~** *pl* die Toten *pl*
dead·en ['dedn] V/T *pain, sound* dämpfen
dead 'end N *street* Sackgasse *f* **dead-end 'job** N Job *m* ohne Aufstiegschan-

cen **dead 'heat** N totes Rennen **'dead·line** N letzter Termin; *for handing in work* Abgabetermin *m*; *for newspaper etc* Redaktionsschluss *m*; **meet the ~** den Termin *or* die Frist einhalten; **~ for applications** Bewerbungsfrist *f* **'dead·lock** N *in talks* Sackgasse *f* **'dead·locked** ADJ *negotiations* festgefahren **dead 'loss** N Totalverlust *m*; **be a ~** zu nichts nutz sein

dead·ly ['dedlɪ] ADJ ‹-ier, -iest› tödlich; *infml: not interesting* todlangweilig

deaf [def] ADJ taub

deaf-and-'dumb ADJ taubstumm *neg!*

deaf·en ['defn] V/T taub machen

deaf·en·ing ['defnɪŋ] ADJ ohrenbetäubend

deaf·ness ['defnɪs] N Taubheit *f*

deal [diːl] **A** N *agreement* Abkommen *n*, Abmachung *f*; *in business* Geschäft *n*; **make a ~ with sb** mit j-m e-e Vereinbarung treffen; **it's a ~!** abgemacht!; **a good** *or* **great ~** *travel, read* ziemlich viel; *change* ziemlich; **a good** *or* **great ~ of** sehr viel(e) **B** V/T ‹dealt, dealt› *cards* geben; **~ a blow to sth** etw e-n Schlag versetzen

♦**deal in** V/T *products* handeln mit

♦**deal out** V/T *cards* geben

♦**deal with** V/T *situation* fertig werden mit; *customers etc* sich kümmern um; *application etc* sich befassen mit; *do business with* verhandeln mit, Geschäfte machen mit

deal·er ['diːlə(r)] N Händler(in) *m(f)*; *of drugs* Dealer(in) *m(f)*

deal·ing ['diːlɪŋ] N *in drugs* Drogenhandel *m*

deal·ings ['diːlɪŋz] N *pl contact* Umgang *m*; **have ~ with sb** mit j-m zu tun haben

dealt [delt] PRET & PAST PART → deal

dear [dɪə(r)] **A** ADJ lieb; *not cheap* teuer; **Dear Sir** *formal* Sehr geehrter Herr; **Dear Simon/Dear Rachel** Lieber Simon/Liebe Rachel; **(oh) ~!**, **~ me!** ach du liebe Zeit! **B** N Schatz *m*

dear·ly ['dɪəlɪ] ADV *love each other* innig, sehr; **I would ~ like to …** ich würde für mein Leben gern …

death [deθ] N Tod *m*; **a ~ in the family** ein Todesfall *m* in der Familie

'death·bed N Sterbebett *n*

'death cer·tif·i·cate N Totenschein *m*

death·ly ['deθlɪ] ADJ ‹-ier, -iest› tödlich

'death pen·al·ty N Todesstrafe *f*

death 'row N Todestrakt *m*; **on ~** in den Todeszellen **'death toll** N Zahl *f* der Todesopfer **'death war·rant** N JUR Hinrichtungsbefehl *m*; *fig* Todesurteil *n*

de·ba·ta·ble [dɪ'beɪtəbl] ADJ fraglich, umstritten

de·bate [dɪ'beɪt] **A** N Debatte *f*; **be open to ~** umstritten sein **B** V/I diskutieren, debattieren **C** V/T diskutieren über

de·bauch·er·y [dɪ'bɔːtʃərɪ] N Ausschweifung *f*

de·ben·ture [dɪ'bentʃə(r)] N ECON Obligation *f*

deb·it ['debɪt] **A** N Abbuchung *f*; **be in ~** *account* im Minus sein **B** V/T *account* belasten mit; *sum* abbuchen

'deb·it card N Debitkarte *f* (*Zahlungskarte, bei deren Nutzung das Konto sofort belastet wird*) **'deb·it en·try** N Lastschrift *f* **'deb·it side** N Sollseite *f*

deb·ris ['debriː] N *sg* Trümmer *pl*

debt [det] N Schulden *pl*; **be in ~** verschuldet sein

debt·or ['detə(r)] N Schuldner(in) *m(f)*

debt·or 'in·ter·est N Sollzinsen *pl*

de·bug [diː'bʌg] V/T ‹-gg-› *room* entwanzen; IT die Fehler beheben bei

dé·but ['deɪbjuː] N Debüt *n*

dec·ade ['dekeɪd] N Jahrzehnt *n*

dec·a·dence ['dekədəns] N Dekadenz *f*

dec·a·dent ['dekədənt] ADJ dekadent

de·caf ['diːkæf] N *infml* koffeinfreier Kaffee

de·caf·fein·at·ed [dɪ'kæfɪneɪtɪd] ADJ koffeinfrei

de·camp [dɪ'kæmp] V/I *infml* verschwinden

de·cant·er [dɪ'kæntə(r)] N Karaffe *f*

de·cay [dɪ'keɪ] **A** N *a. fig* Verfall *m*; *of old buildings a.* Zerfall *m*; *of teeth* Karies *f*; *of organic substance* Verwesung *f*; *of wood* Vermodern *n*; *fig: of civilization etc* Niedergang *m*; *decayed substance* Fäulnis *f* **B** V/I *a. fig* verfallen; *old buildings a.* zerfallen; *teeth* (ver)faulen; *organic substance* verwesen; *wood* vermodern; *fig: civilization* zugrunde gehen

de·ceased [dɪ'siːst] N **the ~** der/die Verstorbene; *pl* die Verstorbenen *pl*

de·ceit [dɪ'siːt] N Betrug *m*
de·ceit·ful [dɪ'siːtfʊl] ADJ betrügerisch
de·ceive [dɪ'siːv] V/T täuschen, betrügen; **~ o.s.** sich etwas vormachen
De·cem·ber [dɪ'sembə(r)] N Dezember *m*
de·cen·cy ['diːsnsɪ] N Anstand *m*
de·cent ['diːsənt] ADJ *person* anständig; *price, salary a.* annehmbar
de·cen·tral·ize [diː'sentrəlaɪz] V/T dezentralisieren
de·cep·tion [dɪ'sepʃn] N Täuschung *f*, Betrug *m*
de·cep·tive [dɪ'septɪv] ADJ irreführend; **be ~** täuschen
de·cep·tive·ly [dɪ'septɪvlɪ] ADV täuschend
dec·i·bel ['desɪbel] N Dezibel *n*
de·cide [dɪ'saɪd] **A** V/T (sich) entscheiden, beschließen; *matter* entscheiden **B** V/I (sich) entscheiden (**on** für)
de·cid·ed [dɪ'saɪdɪd] ADJ *improvement* deutlich; *opinion* fest
de·cid·u·ous [dɪ'sɪdjʊəs] ADJ **~ tree** Laubbaum *m*
dec·i·mal ['desɪml] N Dezimalzahl *f*
dec·i·mal 'point N Komma *n* (vor der ersten Dezimalstelle)
dec·i·mate ['desɪmeɪt] V/T dezimieren
de·ci·pher [dɪ'saɪfə(r)] V/T entziffern
de·ci·sion [dɪ'sɪʒn] N Entscheidung *f*; **make** *or* **take a ~** e-e Entscheidung treffen
de'ci·sion-mak·er N Entscheidungsträger(in) *m(f)* **de·ci·sion-mak·ing 'bo·dy** N Entscheidungsinstanz *f* **de·ci·sion-mak·ing 'pro·cess** N Entscheidungsverfahren *n*
de·ci·sive [dɪ'saɪsɪv] ADJ *tone, voice* bestimmt, resolut; *person* entschlussfreudig; *significant* entscheidend, ausschlaggebend
deck [dek] N *of ship, bus* Deck *n*; *of cards* Kartenspiel *n*
'deck·chair N Liegestuhl *m*
dec·la·ra·tion [deklə'reɪʃn] N Erklärung *f*; *of results* Bekanngabe *f*, Verkündung *f*
de·clare [dɪ'kleə(r)] V/T erklären; *results etc* bekannt geben; *at customs* angeben, deklarieren
de·cline [dɪ'klaɪn] **A** N *in numbers etc* Rückgang *m*; *of company, country* Niedergang *m*; *in health* Verschlechterung *f* **B** V/T *invitation* ablehnen **C** V/I *refuse* ablehnen; *numbers* sinken, zurückgehen; *health* sich verschlechtern
de·code [diː'kəʊd] V/T entschlüsseln
de·com·pose [diːkəm'pəʊz] V/I verfaulen; *body* verwesen
de·con·tam·i·nate [diːkən'tæmɪneɪt] V/T entgiften; *radioactive substance* entseuchen
dé·cor ['deɪkɔː(r)] N Ausstattung *f*
dec·o·rate ['dekəreɪt] V/T *with paint* streichen; *with wallpaper* tapezieren; *with balloons, paper chains* schmücken; *soldier* auszeichnen
dec·o·ra·tion [dekə'reɪʃn] N *of interior* Ausstattung *f*; *for special occasion* Dekoration *f*; **Christmas ~** *pl* Weihnachtsschmuck *m*
dec·o·ra·tive ['dekərətɪv] ADJ dekorativ
dec·o·ra·tor ['dekəreɪtə(r)] N *tradesman* Maler(in) *m(f)*
de·co·rum [dɪ'kɔːrəm] N Anstand *m*
de·coy ['diːkɔɪ] N Lockvogel *m*
de·crease **A** N ['diːkriːs] Rückgang *m* (**in** von); **~ in value** Wertverlust *m* **B** V/T [dɪ'kriːs] verringern, reduzieren **C** V/I [dɪ'kriːs] *production, numbers, speed* zurückgehen, abnehmen; **the share value has decreased** die Aktien haben an Wert verloren
de·crep·it [dɪ'krepɪt] ADJ *car etc* schäbig; *person* altersschwach
ded·i·cate ['dedɪkeɪt] V/T *book etc* widmen
ded·i·ca·ted ['dedɪkeɪtɪd] ADJ engagiert
ded·i·ca·tion [dedɪ'keɪʃn] N *in book* Widmung *f*; *to cause, work* Hingabe *f* (**to sth** an etw)
de·duce [dɪ'djuːs] V/T folgern (**from** aus)
de·duct [dɪ'dʌkt] V/T abziehen (**from** von)
de·duct·i·ble [dɪ'dʌktɪbl] ADJ *for tax purposes* absetzbar
de·duc·tion [dɪ'dʌkʃn] N *of salary* Abzug *m*; *conclusion* (Schluss)Folgerung *f*
deed [diːd] N *act* Tat *f*; JUR Übertragungsurkunde *f*
deem [diːm] V/T halten für
deep [diːp] ADJ tief; *thinker, book* tiefsinnig; **~ in thought** in Gedanken vertieft
deep·en ['diːpn] **A** V/T vertiefen **B** V/I tiefer werden; *crisis* sich verschärfen; *mystery* größer werden

deep 'freeze N Tiefkühltruhe *f*
deep-'fry VT ⟨-ied⟩ frittieren **deep 'fry·er** N Fritteuse *f*

deer [dɪə(r)] N ⟨*pl* deer⟩ Reh *n*; Hirsch *m*; *collectively* Rotwild *n*

D

de·face [dɪ'feɪs] VT verunstalten

def·a·ma·tion [defə'meɪʃn] N Verleumdung *f*

de·fam·a·to·ry [dɪ'fæmətərɪ] ADJ verleumderisch

de·fault **A** ADJ ['di:fɒlt] IT voreingestellt; **~ drive** Standardlaufwerk *n* **B** N [dɪ'fɒlt] *failure to appear* Nichterscheinen *n*; *failure to pay* Nichtzahlung *f*; **win by ~** kampflos gewinnen **C** VI **~ on one's payments** seinen Zahlungsverpflichtungen nicht nachkommen

de·feat [dɪ'fi:t] **A** N Niederlage *f*; **her ~ of ...** ihr Sieg über ...; **admit ~** sich geschlagen geben **B** VT *opponent* besiegen

de·feat·ist [dɪ'fi:tɪst] ADJ defätistisch

de·fect ['di:fekt] N Fehler *m*

de·fec·tive [dɪ'fektɪv] ADJ *products, part* fehlerhaft; *machine, gene* defekt

de·fence [dɪ'fens] N *a.* JUR Verteidigung *f*; SPORTS Abwehr *f*, Verteidigung *f*; **come to sb's ~** j-n verteidigen

de'fence budg·et N POL Verteidigungsetat *m*

de'fence law·yer N Verteidiger(in) *m(f)*

de·fence·less [dɪ'fenslɪs] ADJ schutzlos

de'fence wit·ness N JUR Zeuge *m* der Verteidigung, Zeugin *f* der Verteidigung

de·fend [dɪ'fend] VT *a.* JUR verteidigen; *behaviour* rechtfertigen; **~ sb** *in confrontation* j-m beistehen

de·fend·ant [dɪ'fendənt] N *in criminal case* Angeklagte(r) *m/f(m)*; *in civil case* Beklagte(r) *m/f(m)*

de·fend·er N Verteidiger(in) *m(f)*; SPORTS *a.* Abwehrspieler(in) *m(f)*

de'fense *etc US* → defence *etc*

de·fen·sive [dɪ'fensɪv] **A** ADJ *weapon* Verteidigungs-, Abwehr-; *behaviour* defensiv; **he's always so ~** er meint, sich ständig rechtfertigen zu müssen **B** N **on the ~** in der Defensive

de·fen·sive·ly [dɪ'fensɪvlɪ] ADV *play* defensiv; *say* sich verteidigend

de·fer [dɪ'fɜ:(r)] VT ⟨-rr-⟩ *decision* verschieben

de·fer·ence ['defərəns] N Achtung *f*, Respekt *m*

def·er·en·tial [defə'renʃl] ADJ ehrerbietig, respektvoll

de·fer·ment of pay·ment [dɪfɜ:məntəv'peɪmənt] N Stundung *f*

de·fi·ance [dɪ'faɪəns] N Trotz *m*; **in ~ of sb/sth** j-m/etw zum Trotz

de·fi·ant [dɪ'faɪənt] ADJ trotzig

de·fi·cien·cy [dɪ'fɪʃənsɪ] N Mangel *m* (of an)

de·fi·cient [dɪ'fɪʃənt] ADJ unzulänglich; **be ~ in sth** an etw fehlen; **~ in vitamins** vitaminarm

def·i·cit ['defɪsɪt] N Defizit *n*

de·fine [dɪ'faɪn] VT *concept* definieren; *goal a.* festlegen, bestimmen

def·i·nite ['defɪnɪt] ADJ *deadline, time, reply* fest, verbindlich; *improvement* deutlich; *certain* sicher; LING: *article* bestimmt; **can't you be a bit more ~?** kannst du nicht etwas genauer sein?

def·i·nite·ly ['defɪnɪtlɪ] ADV bestimmt

def·i·ni·tion [defɪ'nɪʃn] N *of concept* Definition *f*; *of goal, duties a.* Festlegung *f*, Bestimmung *f*

de·fin·i·tive [dɪ'fɪnətɪv] ADJ definitiv

de·fla·tion [di:'fleɪʃn] N ECON Deflation *f*

de·flect [dɪ'flekt] VT *blow* ablenken; *ball a.* abfälschen; *criticism* abwenden

de·for·est·a·tion [dɪfɒrɪs'teɪʃn] N Entwaldung *f*

de·form [dɪ'fɔ:m] VT deformieren

de·form·i·ty [dɪ'fɔ:mɪtɪ] N Missbildung *f*; *after accident* Entstellung *f*

de·fraud [dɪ'frɔ:d] VT betrügen

de·frost [di:'frɒst] VT *food* auftauen; *freezer* abtauen

deft [deft] ADJ geschickt

de·fuse [di:'fju:z] VT entschärfen

de·fy [dɪ'faɪ] VT ⟨-ied⟩ sich widersetzen

de·gen·e·rate [dɪ'dʒenəreɪt] VI degenerieren; **~ into** ausarten in

de·grade [dɪ'greɪd] VT erniedrigen

de·grad·ing [dɪ'greɪdɪŋ] ADJ *situation, work* erniedrigend

de·gree [dɪ'gri:] N UNIV akademischer Grad, (Hochschul)Abschluss *m*; *of temperature, angle* Grad *m or n*; **a ~ of** ein gewisses Maß an; **by degrees** nach und nach; **do a ~ in law** Jura studieren

de·hy·drat·ed [diːhaɪˈdreɪtɪd] ADJ dehydriert

de-ice [diːˈaɪs] VT enteisen

de-ic·er [diːˈaɪsə(r)] N *spray* Entfroster *m*

deign [deɪn] VI **~ to do sth** sich dazu herablassen, etw zu tun

de·in·dus·tri·al·i·za·tion [diːɪndʌstrɪəlaɪˈzeɪʃn] N Deindustrialisierung *f*

de·ject·ed [dɪˈdʒektɪd] ADJ niedergeschlagen, deprimiert

de·jec·tion [dɪˈdʒekʃn] N Niedergeschlagenheit *f*

de·lay [dɪˈleɪ] **A** N Verspätung *f* **B** VT *decision, deed* verschieben, aufschieben; *person, traffic* aufhalten; **be delayed** *train, plane* Verspätung haben **C** VI (ab)warten; **don't ~** zögern Sie nicht

del·e·gate **A** N [ˈdelɪgət] Delegierte(r) *m/f(m)* **B** VT [ˈdelɪgeɪt] *task* delegieren; *person a.* beauftragen

del·e·ga·tion [delɪˈgeɪʃn] N Delegieren *n*, Delegation *f*; *group of people* Delegation *f*, Abordnung *f*

de·lete [dɪˈliːt] VT streichen; IT löschen, entfernen; **~ as applicable** Nichtzutreffendes streichen

de·le·tion [dɪˈliːʃn] N Streichung *f*; IT Löschung *f*

del·i [ˈdelɪ] → delicatessen

de·lib·e·rate **A** ADJ [dɪˈlɪbərət] absichtlich **B** VI [dɪˈlɪbəreɪt] nachdenken (**on** über)

de·lib·e·rate·ly [dɪˈlɪbərətlɪ] ADV absichtlich

de·lib·e·ra·tion [dɪlɪbəˈreɪʃn] N Überlegung *f*; **deliberations** *pl* Beratungen *pl*

del·i·ca·cy [ˈdelɪkəsɪ] N *of material* Empfindlichkeit *f*; *of health* Anfälligkeit *f*; *tact* Feingefühl *n*, Takt *m*; *food* Delikatesse *f*

del·i·cate [ˈdelɪkət] ADJ *material* empfindlich; *matter* heikel, delikat; *health* anfällig; *tactful* feinfühlig, taktvoll

del·i·ca·tes·sen [delɪkəˈtesn] N Feinkostgeschäft *n*

de·li·cious [dɪˈlɪʃəs] ADJ köstlich, lecker; **that was ~** das hat sehr gut geschmeckt

de·light [dɪˈlaɪt] N Freude *f*

de·light·ed [dɪˈlaɪtɪd] ADJ sehr erfreut; **I'd be ~ to come** ich komme sehr gern

de·light·ful [dɪˈlaɪtfʊl] ADJ reizend

de·lim·it [diːˈlɪmɪt] VT abgrenzen

de·lin·quen·cy [dɪˈlɪŋkwənsɪ] N Kriminalität *f*

de·lin·quent [dɪˈlɪŋkwənt] N Delinquent(in) *m(f)*

de·lir·i·ous [dɪˈlɪrɪəs] ADJ MED im Delirium; *ecstatic* im (Freuden)Taumel, verzückt

de·liv·er [dɪˈlɪvə(r)] **A** VT *goods* liefern; *parcel, letter* zustellen, bringen; *message* überbringen; *child* zur Welt bringen; *speech* halten **B** VI halten, was man versprochen hat

de·liv·er·ance [dɪˈlɪvərəns] N Rettung *f*

de·liv·er·y [dɪˈlɪvərɪ] N *of goods* (Aus)Lieferung *f*; *of mail* Zustellung *f*; *of child* Entbindung *f*

de'liv·er·y charge N Zustell(ungs)gebühr *f* **de'liv·er·y date** N Lieferdatum *n* **de'liv·er·y man** N Lieferant *m* **de'liv·er·y note** N Lieferschein *m* **de'liv·er·y serv·ice** N Zustelldienst *m* **de'liv·er·y van** N Lieferwagen *m*

de·lude [dɪˈluːd] VT täuschen; **you're deluding yourself** du machst dir etwas vor

del·uge [ˈdeljuːdʒ] **A** N *rain* Guss *m*; *fig* Flut *f* **B** VT *fig* überfluten

de·lu·sion [dɪˈluːʒn] N Wahn *m*, Irrglaube *m*

♦**delve into** [delv] VT *bag etc* hineingreifen in, wühlen in; *subject etc* sich eingehend befassen mit; *past* erforschen

de·mand [dɪˈmɑːnd] **A** N Forderung *f*; ECON Nachfrage *f* (**for** nach); **in ~** sehr gefragt **B** VT verlangen, fordern; *require* erfordern, verlangen

de·mand·ing [dɪˈmɑːndɪŋ] ADJ *work* anstrengend; *boss* anspruchsvoll

de'mand-led ADJ ECON nachfrageorientiert

de·mean·ing [dɪˈmiːnɪŋ] ADJ erniedrigend

de·ment·ed [dɪˈmentɪd] ADJ wahnsinnig, verrückt

de·mil·i·ta·rize [diːˈmɪlɪtəraɪz] VT entmilitarisieren

de·mise [dɪˈmaɪz] N *esp formal* Tod *m*, Ableben *n*; *of institution* Ende *n*

de·moc·ra·cy [dɪˈmɒkrəsɪ] N Demokratie *f*

dem·o·crat [ˈdeməkræt] N Demokrat(in) *m(f)*

dem·o·crat·ic [deməˈkrætɪk] ADJ demokratisch

dem·o·cra·tic 'de·fi·cit N POL Öf-

fentlichkeitsdefizit *n*, Demokratiedefizit *n*
de·mo·graph·ic [demə'græfɪk] ADJ demografisch
D
de·mol·ish [dɪ'mɒlɪʃ] VT *building* abreißen; *opposition* zerschlagen, vernichten; *argument etc* auseinandernehmen
dem·o·li·tion [demə'lɪʃn] N *of building* Abriss *m*; *of opposition* Zerschlagung *f*, Vernichtung *f*; *of argument* Auseinandernehmen *n*
de·mon ['di:mən] N Dämon *m*
dem·on·strate ['demənstreɪt] A VT *prove* zeigen, demonstrieren; *device* vorführen, demonstrieren B VI *protest* demonstrieren
dem·on·stra·tion [demən'streɪʃn] N Demonstration *f*; *of device* Vorführung *f*
de·mon·stra·tive [dɪ'mɒnstrətɪv] ADJ LING demonstrativ; **you should be more ~** du solltest nicht so zurückhaltend sein
de·mon·stra·tor ['demənstreɪtə(r)] N Demonstrant(in) *m(f)*
de·mor·al·ized [dɪ'mɒrəlaɪzd] ADJ entmutigt
de·mor·al·iz·ing [dɪ'mɒrəlaɪzɪŋ] ADJ entmutigend
de·mote [dɪ'məʊt] VT MIL degradieren; *member of staff a.* zurückstufen
den [den] N *of lion, bear* Höhle *f*; *of fox a.* Bau *m*; *room* eigenes Zimmer, Bude *f*; *in woods etc* Höhle *f*
de·na·tion·al·i·za·tion [di:næʃənəlaɪ'zeɪʃn] N ECON Reprivatisierung *f*
de·na·tion·al·ize [di:'næʃənəlaɪz] VT ECON reprivatisieren
de·ni·al [dɪ'naɪəl] N *of rumour, accusation* Leugnung *f*; *official a.* Dementi *n*; *of right* Verweigerung *f*; *of request* Ablehnung *f*; **be in ~ about sth** etw verdrängen
den·im ['denɪm] N Jeansstoff *m*; **~ jacket** Jeansjacke *f*
den·ims ['denɪmz] N *pl trousers* Jeans *pl*
Den·mark ['denma:k] N Dänemark *n*
de·nom·i·na·tion [dɪnɒmɪ'neɪʃn] N *of money* Nennwert *m*; REL Konfession *f*; **in small denominations** in kleinen Scheinen
de·note [dɪ'nəʊt] VT bezeichnen; *mean* bedeuten
de·nounce [dɪ'naʊns] VT *criticize* anprangern
dense [dens] ADJ dicht; *crowd* dicht gedrängt; *infml: not intelligent* dumm
dense·ly ['densli] ADV **~ populated** dicht besiedelt
den·si·ty ['densɪtɪ] N Dichte *f*
dent [dent] A N Delle *f*, Beule *f* B VT einbeulen; *self-confidence* anknacksen
den·tal ['dentl] ADJ Zahn-
den·ted ['dentɪd] ADJ eingebeult
den·tist ['dentɪst] N Zahnarzt *m*, -ärztin *f*
den·tist·ry ['dentɪstrɪ] N Zahnmedizin *f*
den·tures ['dentʃəz] N *pl* Gebiss *n*, dritte Zähne *pl*
de·ny [dɪ'naɪ] VT ⟨-ied⟩ bestreiten, leugnen; *official a.* dementieren; *right, access* verweigern; *request* ablehnen
de·part [dɪ'pa:t] VI abfahren; *plane* abfliegen; *person* abreisen; **~ from** *course, method* abweichen von
de·part·ment [dɪ'pa:tmənt] N *of company, in department store* Abteilung *f*; *of university* Fachbereich *m*; *of government* Ministerium *n*; *of municipal authority* Amt *n*
de'part·ment store N Kaufhaus *n*
de·par·ture [dɪ'pa:tʃə(r)] N *of train, bus* Abfahrt *f*; *of plane* Abflug *m*; *of person* Abreise *f*; *of member of staff* Weggang *m*; *from method etc* Abweichen *n*; **a new ~** *fig* e-e neue Richtung
de'par·ture gate N AVIAT Flugsteig *m* **de'par·ture lounge** N Abflugbereich *m* (*nur für Passagiere*); *at departure gate* Wartebereich *m* **de'par·ture time** N Abfahrtszeit *f*; *of plane* Abflugzeit *f*
de·pend [dɪ'pend] VI **that depends** das kommt darauf an; **~ on sb/sth** von j-m/etw abhängen, von j-m/etw abhängig sein; **I'm depending on you** ich verlasse mich auf dich
de·pend·a·ble [dɪ'pendəbl] ADJ zuverlässig
de·pend·ant → dependent B
de·pend·ence [dɪ'pendəns], **de·pend·en·cy** [dɪ'pendənsɪ] N Abhängigkeit *f* (**on** von)
de·pend·ent [dɪ'pendənt] A ADJ abhängig (**on** von) B N Abhängige(r) *m/f(m)*; **dependents** *pl* Kinder und pflegebedürftige Angehörige *pl*
de·pict [dɪ'pɪkt] VT darstellen (**as** als)

de·plete [dɪ'pliːt] VT *supplies, reserves* erschöpfen; *reduce* vermindern
de·plor·a·ble [dɪ'plɔːrəbl] ADJ schrecklich
de·plore [dɪ'plɔː(r)] VT klagen über
de·ploy [dɪ'plɔɪ] VT *use* einsetzen; *position* aufstellen
de·pop·u·la·tion [dɪpɒpjʊ'leɪʃn] N Entvölkerung *f*
de·port [dɪ'pɔːt] VT abschieben
de·por·ta·tion [diːpɔː'teɪʃn] N Abschiebung *f*
de·por'ta·tion or·der N Abschiebungsanordnung *f*
de·pose [dɪ'pəʊz] VT absetzen
de·pos·it [dɪ'pɒzɪt] **A** N *in bank* Einzahlung *f*; *of mineral* Ablagerung *f*; *on purchase* Anzahlung *f*; *for house* Kaution *f* **B** VT *money in account* einzahlen; *suitcase, bag* hinstellen; *rocks, mud* ablagern
de'pos·it ac·count N Sparkonto *n*
dep·ot ['depəʊ] N Lager(haus) *n*, Depot *n*; *for vehicles* Depot *n*; *US* Bahnhof *m*
de·praved [dɪ'preɪvd] ADJ verkommen, verdorben
de·pre·ci·ate [dɪ'priːʃɪeɪt] VI ECON an Wert verlieren
de·pre·ci·a·tion [dɪpriːʃɪ'eɪʃn] N ECON Wertminderung *f*
de·press [dɪ'pres] VT *person* deprimieren
de·pressed [dɪ'prest] ADJ *person* deprimiert; MED depressiv
de·pressed 'ar·e·a N Notstandsgebiet *n*
de·press·ing [dɪ'presɪŋ] ADJ deprimierend
de·pres·sion [dɪ'preʃn] N MED Depression *f*; Depressionen *pl*; *economic* Depression *f*, Flaute *f*; *meteorological* Tief(-druckgebiet) *n*
dep·ri·va·tion [deprɪ'veɪʃn] N Entbehrung *f*; *of sleep, water* Mangel *m* (**of** an)
de·prive [dɪ'praɪv] VT **~ sb of sth** j-n e-r Sache berauben
de·prived [dɪ'praɪvd] ADJ *child, area* benachteiligt
dept, **Dept** *only written* ABBR *for* department Abt., Abteilung
depth [depθ] N Tiefe *f*; **in ~** *study, analyse* eingehend, gründlich; **in the depths of winter** im tiefsten Winter; **be out of one's ~** *in water* zu tief hineingegangen sein; *fig*: *in discussion etc* keine Ahnung haben
dep·u·ta·tion [depjʊ'teɪʃn] N Abordnung *f*
♦**dep·u·tize for** ['depjʊtaɪzfɔː(r)] VT vertreten
dep·u·ty ['depjʊtɪ] N Stellvertreter(in) *m(f)*
dep·u·ty 'lead·er N stellvertretende(r) Vorsitzende(r)
de·rail [dɪ'reɪl] VT zum Entgleisen bringen; **be derailed** *train* entgleisen
de·ranged [dɪ'reɪndʒd] ADJ *person* geistesgestört
de·reg·u·late [dɪ'regjʊleɪt] VT deregulieren, dem freien Wettbewerb überlassen
der·e·lict ['derəlɪkt] ADJ verfallen, heruntergekommen
de·ri·sion [dɪ'rɪʒn] N Hohn *m*, Spott *m*
de·ri·sive [dɪ'raɪsɪv] ADJ *remark, laugh* höhnisch, spöttisch
de·ri·so·ry [dɪ'raɪzərɪ] ADJ *amount, salary* lächerlich
de·riv·a·tive [dɪ'rɪvətɪv] ADJ *not original* nachgeahmt
de·rive [dɪ'raɪv] VT *energy* gewinnen (**from** aus); *joy* finden, haben (**from** an); **be derived from** *word* abgeleitet sein von
der·ma·tol·o·gist [dɜːmə'tɒlədʒɪst] N Hautarzt *m*, -ärztin *f*
de·rog·a·to·ry [dɪ'rɒgətrɪ] ADJ abfällig
de·scend [dɪ'send] **A** VT hinuntergehen; **be descended from** abstammen von **B** VI *person* hinuntergehen; *road* hinunterführen; *climber* (hin)absteigen; *plane* die Flughöhe verringern; *darkness* sich herabsenken; *into chaos etc* versinken
♦**descend on** VT *a. fig* überfallen
de·scend·ant [dɪ'sendənt] N Nachkomme *m*
de·scent [dɪ'sent] N *of mountain* Abstieg *m*; *of plane* Landeanflug *m*; *of family* Herkunft *f*, Abstammung *f*
de·scribe [dɪ'skraɪb] VT beschreiben; **~ sth as sth** etw als etw bezeichnen
de·scrip·tion [dɪ'skrɪpʃn] N Beschreibung *f*
de·scrip·tive [dɪ'skrɪptɪv] ADJ beschreibend; *report etc* anschaulich
des·e·crate ['desɪkreɪt] VT entweihen

des·e·cra·tion [desɪ'kreɪʃn] N Entweihung *f*
des·ert¹ ['dezət] N *a. fig* Wüste *f*
de·sert² [dɪ'zɜ:t] **A** V/T im Stich lassen **B** V/I *soldier* desertieren
de·sert·ed [dɪ'zɜ:tɪd] ADJ *streets* menschenleer
de·sert·er [dɪ'zɜ:tə(r)] N MIL Deserteur(in) *m(f)*
de·ser·tion [dɪ'zɜ:ʃn] N *of partner, friend* Verlassen *n;* MIL Fahnenflucht *f*
des·ert 'is·land N einsame Insel
de·serve [dɪ'zɜ:v] V/T verdienen
de·serv·ed·ly [dɪ'zɜ:vɪdlɪ] ADV verdientermaßen
de·serv·ing [dɪ'zɜ:vɪŋ] ADJ verdienstvoll
de·sign [dɪ'zaɪn] **A** N *subject at college etc* Design *n; of particular object* Modell *n; drawing* Entwurf *m; on material* Muster *n*, Design *n* **B** V/T *house, car, clothes* entwerfen, designen; *machine etc* konstruieren; **not designed for heavy use** nicht für den häufigen Gebrauch geeignet
des·ig·nate ['dezɪgneɪt] V/T *person* ernennen; *area* bestimmen; **~ as a no smoking area** zur Nichtraucherzone erklären
de·sign·er [dɪ'zaɪnə(r)] N Designer(in) *m(f); of clothes a.* Modeschöpfer(in) *m(f); for house interior* Innenarchitekt(in) *m(f);* THEAT Kostümbildner(in) *m(f)*
design·er 'clothes N *pl* Designerkleidung *f*
de'sign fault N Konstruktionsfehler *m*
de·sir·a·ble [dɪ'zaɪrəbl] ADJ wünschenswert; *offer, place to live* attraktiv; *person* begehrenswert
de·sire [dɪ'zaɪə(r)] **A** N Wunsch *m* (**for** nach); *longing* Sehnsucht *f; sexual* Begierde *f*, Verlangen *n* **B** V/T wünschen; *sexually* begehren; **leave a lot to be desired** viel zu wünschen übrig lassen
de·sist [dɪ'zɪst] V/I *formal* Abstand nehmen (**from** von)
desk [desk] N Schreibtisch *m; in classroom* Tisch *m; in hotel* Empfang *m;* **pay at the ~** an der Kasse bezahlen
'desk clerk N *US* Empfangschef(in) *m(f)* **'desk di·a·ry** N Tischkalender *m* **'desk·top** N Schreibtisch *m*, Schreibtischfläche *f;* COMPUT Desktop-Computer *m; on screen* Benutzeroberfläche *f*
des·o·late ['desələt] ADJ *place* trostlos
de·spair [dɪ'speə(r)] **A** N Verzweiflung *f;* **in ~** verzweifelt **B** V/I verzweifeln (**of** an); **~ of ever doing sth** alle Hoffnung aufgeben, jemals etw zu tun
de·spair·ing [dɪ'speərɪŋ] ADJ verzweifelt
de·spatch [dɪ'spætʃ] → dispatch
des·per·ate ['despərət] ADJ verzweifelt; **be ~ for a drink** dringend etwas zu trinken brauchen
des·per·ate·ly ['despərətlɪ] ADV verzweifelt; *infml: very* furchtbar
des·per·a·tion [despə'reɪʃn] N Verzweiflung *f*
des·pic·a·ble [dɪs'pɪkəbl] ADJ verabscheuenswürdig
de·spise [dɪ'spaɪz] V/T verachten; *hate* verabscheuen
de·spite [dɪ'spaɪt] PREP trotz
de·spon·dent [dɪ'spɒndənt] ADJ mutlos
des·pot ['despɒt] N Despot(in) *m(f)*
des·sert [dɪ'zɜ:t] N Nachtisch *m*, Dessert *n*
des·ti·na·tion [destɪ'neɪʃn] N *of goods* Bestimmungsort *m; of person* Reiseziel *n*
des·ti'na·tion prin·ci·ple N ECON Bestimmungslandprinzip *n*
des·tined ['destɪnd] ADJ **be ~ for** *fig* bestimmt sein zu; **be ~ to do sth** dazu ausersehen sein, etw zu tun
des·ti·ny ['destɪnɪ] N Schicksal *n*
des·ti·tute ['destɪtju:t] ADJ mittellos
de·stroy [dɪ'strɔɪ] V/T *a. fig* zerstören
de·stroy·er [dɪ'strɔɪə(r)] N NAUT Zerstörer *m*
de·struc·tion [dɪ'strʌkʃn] N *a. fig* Zerstörung *f*
de·struc·tive [dɪ'strʌktɪv] ADJ zerstörerisch
de·tach [dɪ'tætʃ] V/T abnehmen; *rope* lösen
de·tach·a·ble [dɪ'tætʃəbl] ADJ abnehmbar
de·tached [dɪ'tætʃt] ADJ *emotionally* distanziert
de'tached house N Einzelhaus *n*, Einfamilienhaus *n*
de·tail ['di:teɪl] N Detail *n*, Einzelheit *f;* **in ~** im Einzelnen, im Detail
de·tailed ['di:teɪld] ADJ detailliert, ausführlich
de·tain [dɪ'teɪn] V/T *delay* aufhalten; *lock*

up inhaftieren

de·tain·ee [diːteɪˈiː] N Häftling *m*, Gefangene(r) *m/f(m)*

de·tect [dɪˈtekt] V/T entdecken; *smoke etc* wahrnehmen; *mines* aufspüren

de·tec·tion [dɪˈtekʃn] N *of swindler* Entlarvung *f*; *of crime* Entdeckung *f*; *of smoke* Wahrnehmung *f*; *of mines* Aufspürung *f*

de·tec·tive [dɪˈtektɪv] N *in police force* Kriminalbeamte(r) *m*, -beamtin *f*; **(private) ~** (Privat)Detektiv(in) *m(f)*

de'tec·tive nov·el N Kriminalroman *m*

de·tec·tor [dɪˈtektə(r)] N *device* Detektor *m*

dé·tente [ˈdeɪtɒnt] N POL Entspannung *f*

de·ten·tion [dɪˈtenʃn] N *in prison* Haft *f*

de·ter [dɪˈtɜː(r)] V/T ⟨-rr-⟩ abhalten

de·ter·gent [dɪˈtɜːdʒənt] N Waschmittel *n*

de·te·ri·o·rate [dɪˈtɪərɪəreɪt] V/I sich verschlechtern

de·te·ri·o·ra·tion [dɪtɪərɪəˈreɪʃn] N Verschlechterung *f*

de·ter·mi·na·tion [dɪtɜːmɪˈneɪʃn] N Entschlossenheit *f*

de·ter·mine [dɪˈtɜːmɪn] V/T *cause etc* bestimmen, ermitteln; *condition, price* festlegen

de·ter·mined [dɪˈtɜːmɪnd] ADJ entschlossen; **be ~ to do sth** fest entschlossen sein, etw zu tun, etw unbedingt tun wollen

de·ter·rent [dɪˈterənt] N Abschreckungsmittel *n*

de·test [dɪˈtest] V/T verabscheuen

de·test·a·ble [dɪˈtestəbl] ADJ abscheulich, widerwärtig

det·o·nate [ˈdetəneɪt] **A** V/T zur Detonation bringen **B** V/I detonieren

det·o·na·tion [ˈdetəneɪʃn] N Zündung *f*; *explosion* Detonation *f*

de·tour [ˈdiːtʊə(r)] N Umweg *m*; *of traffic* Umleitung *f*

♦**de·tract from** [dɪˈtræktfrɒm] V/T beeinträchtigen

det·ri·ment [ˈdetrɪmənt] N **to the ~ of** zum Schaden von

det·ri·men·tal [detrɪˈmentl] ADJ schädlich

de·val·u·a·tion [diːvæljʊˈeɪʃn] N Abwertung *f*

de·val·ue [diːˈvæljuː] V/T abwerten

dev·as·tate [ˈdevəsteɪt] V/T *fields, area etc* verwüsten; *fig: person* niederschmettern

dev·as·tat·ing [ˈdevəsteɪtɪŋ] ADJ *effect, storm* verheerend; *news* niederschmetternd; *report, criticism* vernichtend

de·vel·op [dɪˈveləp] **A** V/T entwickeln; *activity, business* erweitern, ausbauen; *area, piece of land* erschließen; *improve* weiterentwickeln; *disease, cold* sich zuziehen **B** V/I sich entwickeln; **~ into** sich entwickeln zu

de·vel·op·er [dɪˈveləpə(r)] N *of land* Immobilienmakler(in) *m(f)*

de·vel·op·ing 'coun·try N Entwicklungsland *n*

de·vel·op·ment [dɪˈveləpmənt] N Entwicklung *f*; *of area, piece of land* Erschließung *f*; *of business* Ausbau *m*; *improvement* Weiterentwicklung *f*; *of film* Entwicklung *f*

de'vel·op·ment fund N Entwicklungsfonds *m*

de·vi·ate [ˈdiːvɪeɪt] V/I abweichen (**from** von)

de·vi·a·tion [diːvɪˈeɪʃn] N Abweichung *f*

de·vice [dɪˈvaɪs] N Gerät *n*

dev·il [ˈdevl] N Teufel *m*

de·vi·ous [ˈdiːvɪəs] ADJ *person* hinterhältig; *means* fragwürdig

de·vise [dɪˈvaɪz] V/T *plan* sich ausdenken; *method, way* finden; *strategy, policy, device* entwickeln

de·void [dɪˈvɔɪd] ADJ **be ~ of** bar + *gen* sein; **~ of meaning** bedeutungslos

dev·o·lu·tion [diːvəˈluːʃn] N POL Dezentralisierung *f*

de·vote [dɪˈvəʊt] V/T widmen (**to** *dat*); **~ o.s. to sth** sich etw widmen

de·vot·ed [dɪˈvəʊtɪd] ADJ *son, fan* treu; **be ~ to sb** j-n innig lieben

dev·o·tee [dɪvəʊˈtiː] N *of person* Verehrer(in) *m(f)*, Anhänger(in) *m(f)*; *of music, literature* Liebhaber(in) *m(f)*

de·vo·tion [dɪˈvəʊʃn] N *to boyfriend, wife* Ergebenheit *f* (**to** gegenüber); *to work* Hingabe *f* (**to** an)

de·vour [dɪˈvaʊə(r)] V/T *a. fig* verschlingen

de·vout [dɪˈvaʊt] ADJ fromm

dew [djuː] N Tau *m*

dex·ter·i·ty [dek'sterətı] N Geschicklichkeit *f*
DG [di:'dʒi:] ABBR *for* Directorate-General *EU* GD, Generaldirektion *f*

D

di·a·be·tes [daıə'bi:ti:z] N *sg* Diabetes *m*
di·a·bet·ic [daıə'betık] **A** ADJ Diabetiker- **B** N Diabetiker(in) *m(f)*
di·a·bol·i·cal [daıə'bɒlıkl] ADJ *sl* grauenvoll
di·ag·nose ['daıəgnəʊz] V/T diagnostizieren
di·ag·no·sis [daıəg'nəʊsıs] N ⟨*pl* diagnoses [daıəg'nəʊsi:z]⟩ Diagnose *f*
di·ag·o·nal [daı'ægənl] ADJ diagonal
di·ag·o·nal·ly [daı'ægənəlı] ADV diagonal; **~ opposite** schräg gegenüber
di·a·gram ['daıəgræm] N Diagramm *n*
di·al ['daıəl] **A** N *of clock* Zifferblatt *n*; *of gauge etc* Skala *f*; TEL Wählscheibe *f* **B** V/T & V/I ⟨-ll-, *US* -l-⟩ TEL wählen
di·a·lect ['daıəlekt] N Dialekt *m*
di·al·ling code ['daılıŋ] N Vorwahl (-nummer) *f*
'di·al·ling tone N Wählton *m*
di·a·logue, **di·a·log** *US* ['daıəlɒg] N Dialog *m*
'di·al tone *US* → **dialling tone**
di·am·e·ter [daı'æmıtə(r)] N Durchmesser *m*
di·a·met·ri·cal·ly [daıə'metrıkəlı] ADV **~ opposed** genau entgegengesetzt
di·a·mond ['daıəmənd] N Diamant *m*; *shape* Raute *f*; *in card game* Karo *n*
di·a·per ['daıəpər] N *US* Windel *f*
di·a·phragm ['daıəfræm] N ANAT Zwerchfell *n*; *for contraception* Diaphragma *n*
di·ar·rhoe·a, **di·ar·rhe·a** *US* [daıə'ri:ə] N Durchfall *m*
di·a·ry ['daıərı] N *of personal experiences* Tagebuch *n*; *for appointments* Terminkalender *m*
dice [daıs] **A** N ⟨*pl* dice⟩ Würfel *m* **B** V/T *vegetables etc* würfeln, in Würfel schneiden
di·chot·o·my [daı'kɒtəmı] N Gegensatz *m*
dic·tate [dık'teıt] V/T *text* diktieren (**to** *dat*); *action, approach a.* vorschreiben; **~ to sb** j-m Vorschriften machen
dic·ta·tion [dık'teıʃn] N Diktat *n*
dic·ta·tor [dık'teıtə(r)] N POL, *a. fig* Diktator(in) *m(f)*
dic·ta·to·ri·al [dıktə'tɔ:rıəl] ADJ diktatorisch
dic·ta·tor·ship [dık'teıtəʃıp] N Diktatur *f*
dic·tion·ar·y ['dıkʃənrı] N Wörterbuch *n*
did [dıd] PRET → **do**
die [daı] V/I sterben (**of** an); *in war* fallen; **~ of hunger** verhungern; **be dying to do sth** etw unbedingt tun wollen
♦**die away** V/I *sound* leiser *or* schwächer werden
♦**die down** V/I *sound* leiser *or* schwächer werden; *storm* nachlassen; *fire* herunterbrennen; *excitement* sich legen
♦**die out** V/I aussterben
die·sel ['di:zl] N Diesel(kraftstoff) *m*
di·et ['daıət] **A** N Nahrung *f*, Ernährung *f*; *to lose weight, for medical reasons* Diät *f* **B** V/I *to lose weight* e-e Diät machen
di·e·ti·tian [daıə'tıʃn] N Ernährungswissenschaftler(in) *m(f)*
dif·fer ['dıfə(r)] V/I *be different* sich unterscheiden; *disagree* anderer Meinung sein (**over** über)
dif·fe·rence ['dıfrəns] N Unterschied *m* (**between** zwischen); *disagreement* Differenz *f*, Meinungsverschiedenheit *f*; MATH Differenz *f*; **it doesn't make any ~** *changes nothing* es macht keinen Unterschied; *is not important* das ist egal; **you can make a ~** du kannst etwas bewirken; **software with a ~** e-e etwas andere Software
dif·fe·rent ['dıfrənt] ADJ andere(r, -s), anders; *two people, things* verschieden, unterschiedlich; *various* verschieden
dif·fe·ren·ti·ate [dıfə'renʃıeıt] V/I unterscheiden, differenzieren; *treat differently* e-n Unterschied machen
dif·fe·rent·ly ['dıfrəntlı] ADV anders (**from** als)
dif·fi·cult ['dıfıkəlt] ADJ schwierig
dif·fi·cul·ty ['dıfıkəltı] N Schwierigkeit *f*
dif·fi·dence ['dıfıdəns] N Zaghaftigkeit *f*
dif·fi·dent ['dıfıdənt] ADJ zurückhaltend, zaghaft
dif·fuse **A** V/T [dı'fju:z] verbreiten **B** ADJ [dı'fju:s] *style etc* weitschweifig
dig [dıg] ⟨dug, dug⟩ **A** V/T *hole* graben; *soil* umgraben **B** V/I graben (**for** nach);

the strap was digging into my shoulder der Riemen hat in meine Schulter eingeschnitten

♦**dig out** VT *produce* ausgraben

♦**dig up** VT *garden etc* umgraben; *plant, a. fig* ausgraben

di·gest [daɪ'dʒest] VT *a. fig* verdauen

di·gest·i·ble [daɪ'dʒestəbl] ADJ *food* verdaulich

di·ges·tion [daɪ'dʒestʃən] N Verdauung *f*

di·ges·tive [daɪ'dʒestɪv] ADJ Verdauungs-

dig·ger ['dɪgə(r)] N *machine* Bagger *m*

dig·it ['dɪdʒɪt] N Ziffer *f*; **a three ~ number** e-e dreistellige Zahl

dig·i·tal ['dɪdʒɪtl] ADJ Digital-, digital

dig·i·tal cam·e·ra N Digitalkamera *f*

dig·i·tal pro·jec·tor N Beamer *m*

dig·i·tal 'tel·e·vi·sion N Digitalfernsehen *n*

dig·ni·fied ['dɪgnɪfaɪd] ADJ würdevoll

dig·ni·tar·y ['dɪgnɪtərɪ] N Würdenträger(in) *m(f)*

dig·ni·ty ['dɪgnɪtɪ] N Würde *f*

di·gress [daɪ'gres] VI abschweifen

di·gres·sion [daɪ'greʃn] N Abschweifung *f*

digs [dɪgz] N *pl infml* möbliertes Zimmer

dike[1] [daɪk] N Deich *m*, Damm *m*

dike[2] [daɪk] N *sl* Lesbe *f*

di·lap·i·dat·ed [dɪ'læpɪdeɪtɪd] ADJ heruntergekommen

di·late [daɪ'leɪt] VI sich weiten

dil·i·gent ['dɪlɪdʒənt] ADJ *person* fleißig; *work* sorgfältig

di·lute [daɪ'lu:t] VT verdünnen

dim [dɪm] ‹-mm-› **A** ADJ *light, lamp* schwach; *outline* undeutlich; *room* dunkel; *stupid* beschränkt; *prospects* schlecht, düster; **take a ~ view of sth** nicht viel von etw halten **B** VT *light* dämpfen; **~ the headlights** abblenden **C** VI *light* verlöschen

dime [daɪm] N *US* Zehn-Cent-Stück *n*

di·men·sion [daɪ'menʃn] N *a. fig* Dimension *f*; *measurement* Maß *n*, Abmessung *f*

di·min·ish [dɪ'mɪnɪʃ] **A** VT *value* verringern; *authority* herabsetzen; *enthusiasm* dämpfen **B** VI *numbers, value* sich vermindern, sich verringern; *supplies* weniger werden, abnehmen; *importance* abnehmen

di·min·u·tive [dɪ'mɪnjʊtɪv] **A** ADJ winzig **B** N Verkleinerungsform *f*; *of name* Kurzform *f*

dim·mer switch ['dɪməswɪtʃ] N Dimmer *m*

dim·ple ['dɪmpl] N Grübchen *n*

din [dɪn] N Getöse *n*

dine [daɪn] VI *formal* zu Abend essen

din·er ['daɪnə(r)] N *person* Gast *m*; *US* kleines Restaurant

din·ghy ['dɪŋgɪ] N Schlauchboot *n*; *small sailing boat* Dingi *n*, Jolle *f*

din·gy ['dɪndʒɪ] ADJ ‹-ier, -iest› *room* düster; *dirty* schmuddelig

din·ing car ['daɪnɪŋ] N RAIL Speisewagen *m* **'din·ing room** N Esszimmer *n*; *in hotel* Speiseraum *m*; *in school* Esssaal *m* **'din·ing ta·ble** N Esstisch *m*

din·ner ['dɪnə(r)] N *in the evening* Abendessen *n*; *at noon* Mittagessen *n*; *formal* Festessen *n*

'din·ner guest N Gast *m* zum Abendessen **'din·ner jack·et** N Smoking *m* **'din·ner serv·ice, 'din·ner set** N Tafelservice *n*

di·no·saur ['daɪnəsɔ:(r)] N Dinosaurier *m*

dip [dɪp] **A** N *sauce* Dip *m*; *in road* Bodensenke *f*; **go for a ~** schwimmen gehen **B** VT ‹-pp-› *in liquid* tauchen (**in, into** in); *bread in sauce* eintauchen, eintunken; **~ the headlights** abblenden **C** VI ‹-pp-› *road* abfallen

♦**dip into** VT *book* ab und zu e-n Blick werfen in

dip·lo·ma [dɪ'pləʊmə] N Diplom *n*

dip·lo·ma·cy [dɪ'pləʊməsɪ] N Diplomatie *f*

di·plo·mat ['dɪpləmæt] N Diplomat(in) *m(f)*

di·plo·mat·ic [dɪplə'mætɪk] ADJ diplomatisch

dip·stick ['dɪpstɪk] N AUTO Ölmessstab *m*

dire ['daɪə(r)] ADJ *situation, consequences* schrecklich, katastrophal; **be in ~ need of sth** etw dringend brauchen

di·rect [daɪ'rekt] **A** ADJ direkt **B** VT *to a place* den Weg zeigen (**sb** j-m); *play, film* Regie führen bei; *attention* richten (**to** auf); *remark* richten (**at** an)

di·rect 'cur·rent N ELEC Gleichstrom

D

m
di·rect 'deb·it N ECON Bankeinzugsverfahren *n*
di·rec·tion [dɪ'rekʃn] N Richtung *f*; *of film, play* Regie *f*; **directions** *pl*; *instructions* Anweisungen *pl*; *to a place* Wegbeschreibung *f*; **ask sb for directions** j-n nach dem Weg fragen
di·rec·tive [dɪ'rektɪv] N Direktive *f*, (An)-Weisung *f*
direct 'line N TEL Durchwahl *f*
di·rect·ly [dɪ'rektlɪ] A ADV direkt; *at once* gleich, sofort B CJ sobald
di·rec·tor [dɪ'rektə(r)] N Direktor(in) *m(f)*, Leiter(in) *m(f)*; *of play, film* Regisseur(in) *m(f)*
Di·rec·tor·ate-Gen·er·al [dɪrektərət'dʒenrəl] N *of EU* Generaldirektion *f*
di·rec·to·ry [dɪ'rektərɪ] N IT *a.* Verzeichnis *n*; TEL Telefonbuch *n*
di·rect 'sell·ing N Direktverkauf *m*
dirt [dɜ:t] N Schmutz *m*
dirt 'cheap ADJ *infml* spottbillig
dirt·y ['dɜ:tɪ] A ADJ ⟨-ier, -iest⟩ schmutzig; *obscene* unanständig, schmutzig; *trick* gemein B V/T ⟨-ied⟩ beschmutzen
dis·a·bil·i·ty [dɪsə'bɪlətɪ] N Behinderung *f*
dis·a'bil·i·ty pen·sion N Invalidenrente *f*
dis·a·bled [dɪs'eɪbld] A ADJ behindert B N *pl* **the ~** die Behinderten *pl*
dis·ad·van·tage [dɪsəd'vɑ:ntɪdʒ] N Nachteil *m*; **put sb at a ~** j-n benachteiligen
dis·ad·van·taged [dɪsəd'vɑ:ntɪdʒd] ADJ benachteiligt
dis·ad·van·ta·geous [dɪsədvən'teɪdʒəs] ADJ nachteilig
dis·a·gree [dɪsə'gri:] V/I *with proposal* nicht einverstanden sein (**with** mit); *have different opinion* anderer Meinung sein (**with** als), nicht übereinstimmen (**with** mit); *two people* sich nicht einig sein
♦ **disagree with** V/T **lobster disagrees with me** ich vertrage keinen Hummer
dis·a·gree·a·ble [dɪsə'gri:əbl] ADJ *task* unangenehm; *person a.* unsympathisch
dis·a·gree·ment [dɪsə'gri:mənt] N Uneinigkeit *f*; *argument* Meinungsverschiedenheit *f*
dis·ap·pear [dɪsə'pɪə(r)] V/I verschwinden
dis·ap·pear·ance [dɪsə'pɪərəns] N Verschwinden *n*
dis·ap·point [dɪsə'pɔɪnt] V/T enttäuschen
dis·ap·point·ed [dɪsə'pɔɪntɪd] ADJ enttäuscht (**with** von)
dis·ap·point·ing [dɪsə'pɔɪntɪŋ] ADJ enttäuschend
dis·ap·point·ment [dɪsə'pɔɪntmənt] N Enttäuschung *f*
dis·ap·prov·al [dɪsə'pru:vl] N Missbilligung *f*
dis·ap·prove [dɪsə'pru:v] V/I dagegen sein; **~ of sth** etw missbilligen; **~ of sb** j-n ablehnen
dis·ap·prov·ing [dɪsə'pru:vɪŋ] ADJ missbilligend
dis·arm [dɪs'ɑ:m] A V/T entwaffnen B V/I abrüsten
dis·ar·ma·ment [dɪs'ɑ:məmənt] N Abrüstung *f*
dis·arm·ing [dɪs'ɑ:mɪŋ] ADJ entwaffnend
dis·ar·ray [dɪsə'reɪ] N Unordnung *f*; **be in ~** im Zustand des Chaos sein
dis·as·ter [dɪ'zɑ:stə(r)] N Katastrophe *f*; *fig* Desaster *n*
di'sas·ter ar·e·a N Katastrophengebiet *n*; *fig*: *person* Katastrophe *f*
dis·as·trous [dɪ'zɑ:strəs] ADJ katastrophal
dis·band [dɪs'bænd] A V/T auflösen B V/I sich auflösen
dis·be·lief [dɪsbə'li:f] N Ungläubigkeit *f*; **in ~** ungläubig
disc [dɪsk] N Scheibe *f*; MUS (Schall)Platte *f*
dis·card [dɪ'skɑ:d] V/T *old possessions* ausrangieren; *theory, plan* verwerfen
di·scern [dɪ'sɜ:n] V/T erkennen
di·scern·i·ble [dɪ'sɜ:nəbl] ADJ erkennbar
di·scern·ing [dɪ'sɜ:nɪŋ] ADJ anspruchsvoll
dis·charge A N ['dɪstʃɑ:dʒ] *from hospital* Entlassung *f* (**from** aus); *from army* Abschied *m* (**from** aus) B V/T [dɪs'tʃɑ:dʒ] *patient, soldier* entlassen; *gas, toxic substance* ausstoßen
dis·ci·ple [dɪ'saɪpl] N REL Jünger *m*
dis·ci·pli·nar·y [dɪsɪ'plɪnərɪ] ADJ Disziplinar-; **~ problems** *pl* Schwierigkeiten *pl* mit der Disziplin

dis·ci·pline ['dɪsɪplɪn] **A** N SPORTS *a.* Disziplin *f* **B** V/T disziplinieren; *for bad behaviour* bestrafen
'disc jock·ey N Discjockey *m*
dis·claim [dɪs'kleɪm] V/T abstreiten
dis·close [dɪs'kləʊs] V/T enthüllen
dis·clo·sure [dɪs'kləʊʒə(r)] N *of information, plan* Bekanntgabe *f*; *of scandal, secret* Enthüllung *f*
dis·co ['dɪskəʊ] N Disco *f*
dis·col·our, **dis·col·or** *US* [dɪs'kʌlə(r)] **A** V/T verfärben **B** V/I sich verfärben
dis·com·fort [dɪs'kʌmfət] N Beschwerden *pl*; *unease* Unbehagen *n*
dis·con·cert·ed [dɪskən'sɜːtɪd] ADJ *confused* verwirrt; *annoyed* irritiert
dis·con·nect [dɪskə'nekt] V/T *power, device* abstellen; **I was disconnected** TEL die Verbindung wurde unterbrochen
dis·con·tent [dɪskən'tent] N Unzufriedenheit *f*
dis·con·tent·ed [dɪskən'tentɪd] ADJ unzufrieden
dis·con·tin·ue [dɪskən'tɪnjuː] V/T *service* einstellen; *product* nicht mehr herstellen
dis·cord ['dɪskɔːd] N MUS Disharmonie *f*; *in relationship* Uneinigkeit *f*
dis·cord·ant [dɪ'skɔːdənt] ADJ unharmonisch; MUS disharmonisch, misstönend
dis·co·theque ['dɪskətek] N Diskothek *f*
dis·count **A** N ['dɪskaʊnt] Rabatt *m* **B** V/T [dɪs'kaʊnt] *goods* im Preis nachlassen; *theory* unberücksichtigt lassen
dis·cour·age [dɪs'kʌrɪdʒ] V/T *dissuade* abraten; *dispirit* entmutigen
dis·cour·age·ment [dɪs'kʌrɪdʒmənt] N Entmutigung *f*; *state* Mutlosigkeit *f*
dis·cov·er [dɪ'skʌvə(r)] V/T entdecken; *by searching a.* ausfindig machen; *truth a.* herausfinden
dis·cov·er·er [dɪ'skʌvərə(r)] N Entdecker(in) *m(f)*
dis·cov·er·y [dɪ'skʌvərɪ] N Entdeckung *f*
dis·cred·it [dɪs'kredɪt] V/T diskreditieren, in Verruf bringen; *theory* widerlegen
dis·creet [dɪ'skriːt] ADJ diskret
dis·crep·an·cy [dɪ'skrepənsɪ] N Diskrepanz *f*
dis·cre·tion [dɪ'skreʃn] N Diskretion *f*; **this is at your ~** das steht in Ihrem eigenen Ermessen
dis·crim·i·nate [dɪ'skrɪmɪneɪt] V/I **~ against sb** j-n diskriminieren, j-n benachteiligen; **~ between** *two things* unterscheiden zwischen; *in behaviour, treatment* e-n Unterschied machen zwischen
dis·crim·i·nat·ing [dɪ'skrɪmɪneɪtɪŋ] ADJ kritisch
dis·crim·i·na·tion [dɪskrɪmɪ'neɪʃn] N *sexual, racial* Diskriminierung *f*
dis·cuss [dɪ'skʌs] V/T *subject, problem* besprechen; *debate* diskutieren; *in article* erörtern; *at dinner* sich unterhalten
dis·cus·sion [dɪ'skʌʃn] N *of subject, problem* Besprechung *f*; *debate* Diskussion *f*; *in article* Erörterung *f*; *at dinner* Gespräch *n*; **we were just having a ~ about that** wir haben uns gerade darüber unterhalten; **be under ~** in der Diskussion sein
dis·dain [dɪs'deɪn] N Verachtung *f*
dis·ease [dɪ'ziːz] N Krankheit *f*
dis·eased [dɪ'ziːzd] ADJ krank; *tree a.* befallen
dis·em·bark [dɪsəm'bɑːk] V/I *passenger* von Bord gehen
dis·en·chant·ed [dɪsən'tʃɑːntɪd] ADJ ernüchtert, desillusioniert (**with** von)
dis·en·gage [dɪsən'geɪdʒ] V/T lösen
dis·en·tan·gle [dɪsən'tæŋgl] V/T entwirren; **~ o.s. from sth** *from undergrowth* sich aus etw lösen *or* befreien
dis·fig·ure [dɪs'fɪgə(r)] V/T *person* entstellen; *landscape* verunstalten
dis·grace [dɪs'greɪs] **A** N Schande *f* **B** V/T Schande bringen über
dis·grace·ful [dɪs'greɪsfʊl] ADJ *behaviour* schändlich; *situation* skandalös
dis·grunt·led [dɪs'grʌntld] ADJ verstimmt
dis·guise [dɪs'gaɪz] **A** N Verkleidung *f*; **be in ~** verkleidet sein **B** V/T *voice, handwriting* verstellen; *fear, anxiety* verbergen; **~ o.s.** sich verkleiden (**as** als); **be disguised as a …** als … verkleidet sein
dis·gust [dɪs'gʌst] **A** N Ekel *m* (**at** vor); *at behaviour* Empörung *f*, Entrüstung *f* (**at, with** über) **B** V/T anekeln, anwidern; *make indignant* empören
dis·gust·ing [dɪs'gʌstɪŋ] ADJ ekelhaft, widerlich; **it's ~ that …** es ist unerhört, dass …
dish [dɪʃ] N Gericht *n*; *container* Schüssel *f*, Schale *f*; **dishes** *pl* Geschirr *n*; **wash** *or*

do the dishes abwaschen
'dish·cloth N Spüllappen *m; for drying* Geschirrtuch *n*
dis·heart·ened [dɪs'hɑ:tnd] ADJ entmutigt
dis·heart·en·ing [dɪs'hɑ:tnɪŋ] ADJ entmutigend
di·shev·eled [dɪ'ʃevld] ADJ *person* unordentlich; *hair* zerzaust
dis·hon·est [dɪs'ɒnɪst] ADJ unehrlich
dis·hon·est·y [dɪs'ɒnɪstɪ] N Unehrlichkeit *f*
dis·hon·or *etc US* → dishonour *etc*
dis·hon·our [dɪs'ɒnə(r)] N Schande *f*; **bring ~ on** Schande bringen über
dis·hon·our·a·ble [dɪs'ɒnərəbl] ADJ unehrenhaft
dis·hon·oured [dɪs'ɒnəd] ADJ *loan* notleidend
'dish·wash·er N Geschirrspülmaschine *f* **'dish·wash·ing liq·uid** N *US* Spülmittel *n* **'dish·wa·ter** N Spülwasser *n*
dis·il·lu·sion [dɪsɪ'lu:ʒn] V/T desillusionieren
dis·il·lu·sion·ment [dɪsɪ'lu:ʒnmənt] N Desillusionierung *f*
dis·in·clined [dɪsɪn'klaɪnd] ADJ abgeneigt
dis·in·fect [dɪsɪn'fekt] V/T desinfizieren
dis·in·fec·tant [dɪsɪn'fektənt] N Desinfektionsmittel *n*
dis·in·her·it [dɪsɪn'herɪt] V/T enterben
dis·in·te·grate [dɪs'ɪntəgreɪt] V/I zerfallen; *marriage, friendship* zerbrechen; *group, project* sich auflösen
dis·in·terest·ed [dɪs'ɪntərestɪd] ADJ *neutral* unvoreingenommen
dis·joint·ed [dɪs'dʒɔɪntɪd] ADJ unzusammenhängend
disk [dɪsk] N COMPUT Diskette *f*; *hard disk* Festplatte *f*; *US* → disc
'disk drive N COMPUT Diskettenlaufwerk *n*
disk·ette [dɪs'ket] N Diskette *f*
dis·like [dɪs'laɪk] **A** N Abneigung *f* (**of** gegen) **B** V/T nicht mögen; **~ doing sth** etw nicht gern tun
dis·lo·cate ['dɪsləkeɪt] V/T ausrenken
dis·lodge [dɪs'lɒdʒ] V/T lösen
dis·loy·al [dɪs'lɔɪəl] ADJ illoyal
dis·loy·al·ty [dɪs'lɔɪəltɪ] N Illoyalität *f*
dis·mal ['dɪzməl] ADJ *weather, prospects, day* trüb, trostlos; *news* bedrückend; *person* bedrückt; *attitude* negativ; *performance, state* kläglich
dis·man·tle [dɪs'mæntl] V/T *cupboard, shelves, engine* auseinanderbauen *or* -nehmen; *organization* auflösen
dis·may [dɪs'meɪ] **A** N Bestürzung *f* **B** V/T bestürzen
dis·miss [dɪs'mɪs] V/T *employee* entlassen; *class* gehen lassen; *proposal, thought* verwerfen; *possibility* von der Hand weisen
dis·miss·al [dɪs'mɪsl] N *of employee* Entlassung *f*; *of proposal* Ablehnung *f*
dis·mount [dɪs'maʊnt] V/I absteigen
dis·o·be·di·ence [dɪsə'bi:dɪəns] N Ungehorsam *m*
dis·o·be·di·ent [dɪsə'bi:dɪənt] ADJ ungehorsam
dis·o·bey [dɪsə'beɪ] V/T nicht gehorchen; *rule, law* nicht befolgen
dis·or·der [dɪs'ɔ:də(r)] N *in room, on desk* Unordnung *f*; *at demonstration etc* Aufruhr *m*; MED Störung *f*
dis·or·der·ly [dɪs'ɔ:dəlɪ] ADJ *room, desk* unordentlich; *class* undiszipliniert; *crowd* wild randalierend
dis·or·gan·ized [dɪs'ɔ:gənaɪzd] ADJ chaotisch
dis·o·ri·ent·ed [dɪs'ɔ:rɪəntɪd] ADJ desorientiert, verwirrt
dis·own [dɪs'əʊn] V/T verleugnen
dis·par·ag·ing [dɪ'spærɪdʒɪŋ] ADJ geringschätzig
dis·par·i·ty [dɪ'spærətɪ] N Ungleichheit *f*
dis·pas·sion·ate [dɪ'spæʃənət] ADJ *neutral* objektiv
dis·patch [dɪ'spætʃ] V/T *goods, letter* (ver)schicken, (ver)senden
di·spel [dɪ'spel] V/T ⟨-ll-⟩ *crowd, a. fig: fears etc* zerstreuen; *fog* auflösen; *idea* ein Ende machen
di·spen·sa·ble [dɪ'spensəbl] ADJ entbehrlich
di·spen·sa·ry [dɪ'spensərɪ] N *in hospital, pharmacy* Arzneiausgabe *f*
♦ **di·spense with** [dɪ'spenswɪð] V/T verzichten auf
di·spens·er [dɪ'spensə(r)] N Spender *m*; *for sellotape a.* Abroller *m*; *for drinks, condoms etc* Automat *m*
di·sperse [dɪ'spɜ:s] **A** V/T auflösen **B** V/I sich auflösen; *crowd a.* sich zerstreuen

dis·place [dɪs'pleɪs] V/T ablösen, ersetzen
dis·play [dɪ'spleɪ] **A** N *in museum* Ausstellung *f*; *of feelings* Zurschaustellung *f*; *demonstration* Vorführung *f*; *of team* Leistung *f*; *in shop window* Auslage *f*; IT Anzeige *f*; **be on ~** *goods, paintings* ausgestellt werden *or* sein **B** V/T *feelings* zeigen, zur Schau stellen; *goods, paintings* ausstellen; *in shop window* auslegen; *notice* aushängen; IT anzeigen
dis'play cab·i·net N Schaukasten *m*
dis'play mod·el N Vorführmodell *n*
dis·please [dɪs'pli:z] V/T missfallen; **be displeased** verärgert sein
dis·plea·sure [dɪs'pleʒə(r)] N Missfallen *n*
dis·po·sa·ble [dɪ'spəʊzəbl] ADJ Wegwerf-
dis·po·sa·ble 'in·come N verfügbares Einkommen
dis·pos·al [dɪ'spəʊzl] N *of rubbish etc* Beseitigung *f*; **I am at your ~** ich stehe zu Ihrer Verfügung; **put sth at sb's ~** j-m etw zur Verfügung stellen
♦ **dis·pose of** [dɪ'spəʊzəv] V/T *rubbish etc* beseitigen
dis·posed [dɪ'spəʊzd] ADJ **be ~ to do sth** geneigt sein, etw zu tun; **be well ~ towards sb** j-m wohlgesonnen sein
dis·po·si·tion [dɪspə'zɪʃn] N *character* Veranlagung *f*, Temperament *n*
dis·pro·por·tion·ate [dɪsprə'pɔ:ʃənət] ADJ unverhältnismäßig; **be ~ to sth** in keinem Verhältnis zu etw stehen
dis·prove [dɪs'pru:v] V/T widerlegen
dis·pute [dɪ'spju:t] **A** N Streit *m*; *between management and unions* Auseinandersetzung *f*; **be in ~** *issue* umstritten sein; **be in ~ over sth** Unstimmigkeiten über etw haben; **territorial disputes** *pl* Grenzstreitigkeiten *pl* **B** V/T *opinion* bestreiten
dis·qual·i·fy [dɪs'kwɒlɪfaɪ] V/T ⟨-ied⟩ disqualifizieren
dis·re·gard [dɪsrə'gɑ:d] **A** N Missachtung *f* (**for** *gen*) **B** V/T ignorieren, nicht beachten
dis·re·pair [dɪsrə'peə(r)] N **in a state of ~** baufällig
dis·rep·u·ta·ble [dɪs'repjʊtəbl] ADJ *person* verrufen; *area* anrüchig
dis·re·pute [dɪsrɪ'pju:t] N schlechter Ruf
dis·re·spect [dɪsrə'spekt] N Respektlosigkeit *f*
dis·re·spect·ful [dɪsrə'spektfʊl] ADJ respektlos
dis·rupt [dɪs'rʌpt] V/T unterbrechen; *intentionally* stören
dis·rup·tion [dɪs'rʌpʃn] N Unterbrechung *f*; *intentional* Störung *f*
dis·rup·tive [dɪs'rʌptɪv] ADJ störend
dis·sat·is·fac·tion [dɪssætɪs'fækʃn] N Unzufriedenheit *f*
dis·sat·is·fied [dɪs'sætɪsfaɪd] ADJ unzufrieden (**with** mit)
dis·sen·sion [dɪ'senʃn] N Meinungsverschiedenheit *f*
dis·sent [dɪ'sent] **A** N Dissens *m*, Meinungsverschiedenheit *f* **B** V/I **~ from** abweichen von
dis·sent·er [dɪ'sentə(r)] N Andersdenkende(r) *m/f(m)*; POL *a.* Abweichler(in) *m(f)*
dis·si·dent ['dɪsɪdənt] N Dissident(in) *m(f)*
dis·sim·i·lar [dɪs'sɪmɪlə(r)] ADJ unterschiedlich; **be ~ in sth** sich in etw unterscheiden
dis·sim·u·la·tion [dɪsɪmjʊ'leɪʃn] N Verstellung *f*
dis·si·pat·ed ['dɪsɪpeɪtɪd] ADJ ausschweifend
dis·so·ci·ate [dɪ'səʊʃɪeɪt] V/T **~ o.s. from** sich distanzieren von
dis·so·lute ['dɪsəlu:t] ADJ zügellos
dis·so·lu·tion ['dɪsəlu:ʃn] N POL Auflösung *f*
dis·solve [dɪ'zɒlv] **A** V/T *substance, parliament* auflösen; *marriage* annullieren **B** V/I *substance* sich auflösen
dis·suade [dɪ'sweɪd] V/T abbringen (**from** von)
dis·tance ['dɪstəns] **A** N Entfernung *f*; *covered* Strecke *f*; *between two points* Abstand *m*; **at a ~** in einiger Entfernung; **in the ~** in der Ferne **B** V/T **~ o.s. from** sich distanzieren von
dis·tant ['dɪstənt] ADJ *in space* weit entfernt; *in time* fern; *relative* entfernt; *fig: person* reserviert, distanziert
dis·taste [dɪs'teɪst] N Widerwille *m* (**for** gegen)
dis·taste·ful [dɪs'teɪstfʊl] ADJ *matter, task* sehr unangenehm

D

dis·till·er·y [dɪs'tɪlərɪ] N Brennerei *f*
dis·tinct [dɪ'stɪŋkt] ADJ *improvement, sound* deutlich; *characteristic* ausgeprägt; *type* unterschiedlich; *possibility* eindeutig; **as ~ from** im Unterschied zu
dis·tinc·tion [dɪ'stɪŋkʃn] N Unterschied *m*; *process* Unterscheidung *f*; *in exam, test* Auszeichnung *f*; **hotel of ~** herausragendes Hotel
dis·tinc·tive [dɪ'stɪŋktɪv] ADJ unverwechselbar, unverkennbar
dis·tinct·ly [dɪ'stɪŋktlɪ] ADV *remember, hear* deutlich; *better, different* eindeutig; *odd, suspicious* ausgesprochen
dis·tin·guish [dɪ'stɪŋgwɪʃ] V/T *perceive* erkennen; *instrument, tune* heraushören; **~ sth from sth** etw von etw unterscheiden; **~ between** unterscheiden zwischen
dis·tin·guished [dɪ'stɪŋgwɪʃt] ADJ *scientist, author* angesehen; *appearance, lady* vornehm
dis·tort [dɪ'stɔ:t] V/T *sound, shape* verzerren; *facts* verdrehen
dis·tract [dɪ'strækt] V/T *person* ablenken
dis·tract·ed [dɪ'stræktɪd] ADJ *preoccupied* abwesend, zerstreut; *worried* besorgt, beunruhigt
dis·trac·tion [dɪ'strækʃn] N *of attention* Ablenkung *f*; *entertainment* Zerstreuung *f*; **drive sb to ~** j-n in den Wahnsinn treiben
dis·traught [dɪ'strɔ:t] ADJ verzweifelt
dis·tress [dɪ'stres] **A** N *mental* Kummer *m*, Leid *n*; *physical* Leiden *pl*, Schmerzen *pl*; **be in ~** *be in pain* leiden; *ship* in Seenot sein; *plane* in e-r Notlage sein **B** V/T **don't ~ yourself** mach dich nicht verrückt
dis·tress·ing [dɪ'stresɪŋ] ADJ bestürzend
dis'tress sig·nal N Notsignal *n*
dis·trib·ute [dɪ'strɪbju:t] V/T verteilen (**to** an); ECON vertreiben
dis·tri·bu·tion [dɪstrɪ'bju:ʃn] N Verteilung *f* (**to** an); Verbreitung *f*; ECON Vertrieb *m*
dis·tri'bu·tion chan·nels N *pl* ECON Vertriebswege *pl*
dis·trib·u·tor [dɪs'trɪbju:tə(r)] N AUTO, ECON Verteiler *m*
dis·trict ['dɪstrɪkt] N *area* Gegend *f*; *of city* Viertel *n*; POL Bezirk *m*
dis·trict at'tor·ney N *US* (Bezirks-)Staatsanwalt *m*, -anwältin *f*
dis·trict 'heat·ing N Fernheizung *f*
dis·trust [dɪs'trʌst] **A** N Misstrauen *n* (**of** gegenüber) **B** V/T misstrauen
dis·trust·ful [dɪs'trʌstfl] ADJ misstrauisch
dis·turb [dɪ'stɜ:b] V/T *interrupt* stören; *alarm* beunruhigen
dis·turb·ance [dɪ'stɜ:bəns] N *of person, work* Störung *f*; **disturbances** *pl* POL Unruhen *pl*, Ausschreitungen *pl*
dis·turbed [dɪ'stɜ:bd] ADJ *alarmed* besorgt; *mentally* gestört
dis·turb·ing [dɪ'stɜ:bɪŋ] ADJ beunruhigend
dis·used [dɪs'ju:zd] ADJ *factory, mine* stillgelegt; *building* leer stehend
ditch [dɪtʃ] **A** N Graben *m* **B** V/T *infml*: *boyfriend* den Laufpass geben; *stolen car* stehen lassen; *plan* verwerfen
dith·er ['dɪθə(r)] V/I zaudern (**over** mit)
dive [daɪv] **A** N *into water* Kopfsprung *m*; *under water* Tauchgang *m*; *of plane* Sturzflug *m*; *infml*: *bar etc* Spelunke *f*; **take a ~** *infml*: *currency, share price* absacken **B** V/I ⟨dived *or US a.* dove, dived⟩ e-n Kopfsprung machen (**in, into** in); *under water* tauchen; *submarine* abtauchen; *plane* e-n Sturzflug machen; *goalkeeper* hechten (**for** nach); *footballer* sich fallen lassen
div·er ['daɪvə(r)] N Turmspringer(in) *m(f)*; *under water* Taucher(in) *m(f)*
di·verge [daɪ'vɜ:dʒ] V/I abweichen (**from** von)
di·verse [daɪ'vɜ:s] ADJ *opinions, people* unterschiedlich, verschieden; *interests a.* vielfältig; *group* (bunt) gemischt
di·ver·si·fi·ca·tion [daɪvɜ:sɪfɪ'keɪʃn] N Abwechslung *f*; ECON Diversifikation *f*
di·ver·si·fy [daɪ'vɜ:sɪfaɪ] V/I ⟨-ied⟩ abwechslungsreicher gestalten; *company* diversifizieren
di·ver·sion [daɪ'vɜ:ʃn] N *of traffic* Umleitung *f*; *of attention* Ablenkung *f*
di·ver·si·ty [daɪ'vɜ:sətɪ] N Vielfalt *f*
di·vert [daɪ'vɜ:t] V/T *traffic* umleiten; *attention* ablenken
di·vest [daɪ'vest] V/T **~ sb of his office** j-n s-s Amtes entheben
di·vide [dɪ'vaɪd] **A** V/T *into two* trennen, teilen; *amongst people* aufteilen, verteilen; MATH teilen, dividieren (**by** durch); *fig*: *because of disagreement, differing*

opinion spalten; **10 divided by 2 is 5** 10 (geteilt) durch 2 ist 5 **B** N Kluft *f*, Trennung *f*

♦ **divide up** VT (auf)teilen (**into** in)

div·i·dend ['dɪvɪdend] N ECON Dividende *f*; **pay dividends** *fig* sich auszahlen, sich bezahlt machen

di·vine [dɪ'vaɪn] ADJ *a. fig infml* göttlich

div·ing ['daɪvɪŋ] N *off diving board* Springen *n*; *under water* Tauchen *n*

'div·ing board N Sprungbrett *n*

di·vis·i·ble [dɪ'vɪzəbl] ADJ teilbar (**by** durch)

di·vi·sion [dɪ'vɪʒn] N MATH Division *f*; *in party* Uneinigkeit *f*; *into groups* (Auf)-Teilung *f*; *part of organization* Abteilung *f*; SPORTS Liga *f*

di·vi·sion of 'la·bour, **di·vi·sion of 'la·bor** *US* N Arbeitsteilung *f*

di·vorce [dɪ'vɔːs] **A** N Scheidung *f* **B** VT *husband, wife* sich scheiden lassen von; **get divorced** sich scheiden lassen **C** VI sich scheiden lassen

di·vorced [dɪ'vɔːst] ADJ geschieden

di·vor·cee [dɪvɔː'siː] N Geschiedene(r) *m/f(m)*

di·vulge [daɪ'vʌldʒ] VT preisgeben

DIY [diːaɪ'waɪ] ABBR *for* do-it-yourself Heimwerken *n*

DI'Y store N Baumarkt *m*

diz·zi·ness ['dɪzɪnɪs] N Schwindel *m*

diz·zy ['dɪzɪ] ADJ ⟨-ier, -iest⟩ schwind(e)-lig

DJ ['diːdʒeɪ] ABBR *for* disc jockey DJ *m*; **dinner jacket** Smoking *m*

DNA [diːen'eɪ] ABBR *for* deoxyribonucleic acid DNS *f*

do [duː] ⟨did, done⟩ **A** VT tun, machen; *French, chemistry* haben; *at college* studieren; *speed* schaffen; **she was doing sixty** sie fuhr sechzig; **~ the ironing** bügeln; **have one's hair done** zum Friseur gehen **B** VI *suffice* reichen; **that will ~!** *stop it* es reicht!; **that'll ~ nicely** das ist prima; **he's doing well** *at school* er macht sich gut; *with regard to health* es geht ihm (wieder) gut; **the team's doing well this season** die Mannschaft spielt e-e gute Saison; **well done!** gut gemacht!; **how ~ you ~?** guten Tag! **C** V/AUX **~ you know him? – no, I don't** kennst du ihn? – nein; **I don't know** ich weiß (es) nicht; **~ be quick!** beeil dich doch!; **he works hard, doesn't he?** er arbeitet sehr viel, nicht wahr *or* oder?

♦ **do about** VT **do something about sth** etwas gegen etw unternehmen; **what are we going to do about him?** was sollen wir jetzt mit ihm machen?

♦ **do away with** VT *law etc* abschaffen

♦ **do in** VT *infml* erschöpfen; *kill* umbringen

♦ **do out of** VT **do sb out of sth** j-n um etw bringen

♦ **do up** VT *make more attractive* herrichten; *modernize* sanieren; *coat* zumachen; *buttons* zuknöpfen; *shoelaces* binden

♦ **do with** VT **I could do with a cup of coffee** ich könnte e-e Tasse Kaffee (ge)-brauchen

♦ **do without** **A** VI ohne auskommen **B** VT verzichten auf

doc·ile ['dəʊsaɪl] ADJ *person* sanftmütig; *animal* gefügig

dock[1] [dɒk] **A** N NAUT Dock *n*, Kai *m* **B** VI *ship* anlegen; *spaceship* ankoppeln, andocken

dock[2] [dɒk] N JUR Anklagebank *f*

dock·er ['dɒkə(r)] N Hafenarbeiter *m*

docks [dɒks] N *pl* Hafenanlagen *pl*

'dock·yard N Werft *f*

doc·tor ['dɒktə(r)] N MED Arzt *m*, Ärztin *f*; *academic* Doktor *m*; *as address* Herr/Frau Doktor; **doctor's receptionist** Arzthelferin *f*

doc·tor·ate ['dɒktərət] N Doktorwürde *f*

doc·trine ['dɒktrɪn] N Doktrin *f*, Lehre *f*

doc·u·ment ['dɒkjʊmənt] N Dokument *n*; *official* Urkunde *f*; **car documents** *pl* Autopapiere *pl*

doc·u·men·ta·ry [dɒkjʊ'mentərɪ] N *on television, at cinema* Dokumentarfilm *m*

doc·u·men·ta·tion [dɒkjʊmen'teɪʃn] N Dokumentation *f*

dodge [dɒdʒ] VT *blow, question* ausweichen; *person, problem* aus dem Weg(e) gehen

dodg·y ['dɒdʒɪ] ADJ ⟨-ier, -iest⟩ nicht ganz in Ordnung; *spelling* unsicher; *trader* zwielichtig

dog [dɒg] **A** N Hund *m* **B** VT ⟨-gg-⟩ verfolgen

dog-eared ['dɒgɪəd] ADJ *book* mit Eselsohren

dog·ged ['dɒgɪd] ADJ hartnäckig
dog·gie ['dɒgɪ] N *in child's language* Hündchen *n*
dog·gy bag ['dɒgɪbæg] N *Tüte für Essensreste, die man aus dem Restaurant mit nach Hause nehmen will*
dog·ma ['dɒgmə] N Dogma *n*
dog·mat·ic [dɒg'mætɪk] ADJ dogmatisch
do-good·er ['du:gʊdə(r)] N *pej* Gutmensch *m*
dogs·bod·y ['dɒgzbɒdɪ] N *infml* Mädchen *n* für alles
dog-'tired ADJ *infml* hundemüde
do-it-your'self N Heimwerken *n*
dol·drums ['dɒldrəmz] N *pl* **be in the ~** *economy* in e-r Flaute stecken; *person a.* in e-m Tief sein
dole [dəʊl] N *infml: unemployment benefit* Stütze *f*; **be on the ~** stempeln gehen
♦ **dole out** V/T *infml* austeilen
'dole mon·ey N *infml* Stütze *f*
doll [dɒl] N *toy* Puppe *f*; *infml: woman* Puppe *f*
♦ **doll up** V/T **get dolled up** *infml* sich aufdonnern
dol·lar ['dɒlə(r)] N Dollar *m*
dol·lop ['dɒləp] N *infml: of cream etc* Klecks *m*
dol·phin ['dɒlfɪn] N Delfin *m*
dome [dəʊm] N *of building* Kuppel *f*
do·mes·tic [də'mestɪk] ADJ *duties, tasks* häuslich; *politics* Innen-; *flight* Inlands-
do·mes·tic 'an·i·mal N Haustier *n*
do·mes·ti·cate [də'mestɪkeɪt] V/T *animal* domestizieren; **be domesticated** *person* häuslich sein
do'mes·tic flight N Inlandsflug *m* **do'mes·tic mar·ket** N Binnenmarkt *m* **do'mes·tic trade** N Binnenhandel *m* **do·mes·tic 'vi·o·lence** N häusliche Gewalt
dom·i·cile ['dɒmɪsaɪl] N Wohnsitz *m*
dom·i·nant ['dɒmɪnənt] ADJ dominierend; *issue, concern, characteristic a.* vorherrschend; *person a., gene* dominant
dom·i·nate ['dɒmɪneɪt] V/T *partner, landscape* dominieren; *market a.* beherrschen; *election* dominieren, bestimmen
dom·i·na·tion [dɒmɪ'neɪʃn] N *of country, market* Vorherrschaft *f*; *of person* dominierendes Verhalten
dom·i·neer·ing [dɒmɪ'nɪərɪŋ] ADJ herrisch
dom·i·no ['dɒmɪnəʊ] N Dominostein *m*; **dominoes** *sg game* Domino *n*
do·nate [dəʊ'neɪt] V/T spenden
do·na·tion [dəʊ'neɪʃn] N Spende *f*
done [dʌn] PAST PART → do
don·key ['dɒŋkɪ] N Esel *m*
do·nor ['dəʊnə(r)] N Spender(in) *m(f)*
don't [dəʊnt] *for* **do not**; *US infml* **does not**
do·nut ['dəʊnʌt] *US* → doughnut
doo·dle ['du:dl] V/I herumkritzeln
doom [du:m] N *fate* Schicksal *n*; *ruin* Verhängnis *n*
doomed [du:md] ADJ *to fail etc* verdammt
dooms·day ['du:mzdeɪ] N **till ~** bis zum Jüngsten Tag
door [dɔ:(r)] N Tür *f*; *of theatre, cinema* Eingang *m*; **open the ~ for sth** *fig* etw den Weg bereiten
'door·bell N Türklingel *f*; **ring the ~** an der (Haus)Tür klingeln **'door han·dle** N Türklinke *f* **'door·knob** N Türknauf *m* **'door·man** N Portier *m* **'door·mat** N Fußabtreter *m*, Fußmatte *f* **'door·step** N Türstufe *f* **'door·way** N Eingang *m*
dope [dəʊp] **A** N *infml: drugs* Stoff *m*; *infml: person* Trottel *m* **B** V/T dopen
dop(e)y ['dəʊpɪ] ADJ ⟨-ier, -iest⟩ *infml: stupid* bekloppt; *sleepy* benebelt
dorm [dɔ:m] N *infml* Schlafsaal *m*; *US* Wohnheim *n*
dor·mant ['dɔ:mənt] ADJ *volcano* nicht aktiv
dor·mer (win·dow) ['dɔ:mə(r)] N Mansardenfenster *n*
dor·mi·to·ry ['dɔ:mɪtrɪ] N Schlafsaal *m*
dos·age ['dəʊsɪdʒ] N Dosierung *f*
dose [dəʊs] N Dosis *f*
dot [dɒt] N Punkt *m*; *in e-mail address* Punkt *m*, Dot *m*; **at six o'clock on the ~** um Punkt sechs Uhr
dot.com com·pany [dɒt'kɒm] N Internetfirma *f*
♦ **dote on** ['dəʊtɒn] V/T abgöttisch lieben
dot·ing ['dəʊtɪŋ] ADJ blind liebend
dot·ted line ['dɒtɪd] N punktierte Linie
dou·ble ['dʌbl] **A** ADJ doppelt; *bed, room* Doppel-; **~ doors** *pl* Flügeltür *f*; **the number is three ~ two five** die

Nummer ist drei, zweimal zwei, fünf; **in ~ figures** im zweistelligen Bereich **B** N *amount* Doppelte(s) *n*; *of person* Doppelgänger(in) *m(f)*; *of filmstar* Double *n* **C** ADV *demand, pay* doppelt so viel; **~ the amount/size** doppelt so viel/groß **D** V/T verdoppeln; *paper* (einmal) falten **E** V/I sich verdoppeln

♦**double back** V/I *go back* kehrtmachen

♦**double up** V/I *with pain* sich krümmen; *share* sich ein Zimmer/e-n Computer *etc* teilen

dou·ble 'bed N Doppelbett *n* **dou·ble-'breast·ed** ADJ zweireihig **'dou·ble·check** **A** V/T noch mal überprüfen **B** V/I noch mal nachsehen **dou·ble 'chin** N Doppelkinn *n* **dou·ble 'click** N IT Doppelklick *m*

♦**double-click on** V/T zweimal anklicken

dou·ble'cross V/T ein falsches Spiel treiben mit **dou·ble-'deal·ing** **A** ADJ betrügerisch **B** N Betrug *m* **dou·ble 'deck·er** N Doppeldecker *m* **dou·ble-edged** [dʌbl'edʒd] ADJ zweischneidig; *comment* zweideutig **doub·le-en·try 'book-keep·ing** N doppelte Buchführung **dou·ble 'glaz·ing** N Doppelverglasung *f* **dou·ble'park** V/I in der zweiten Reihe parken **dou·ble-'quick** ADJ sehr schnell; **in ~ time** im Nu **dou·ble 'room** N Doppelzimmer *n*

dou·bles ['dʌblz] N *pl in tennis* Doppel *n*

doubt [daʊt] **A** N Zweifel *m*; **no ~** ohne Zweifel, zweifellos; **his suitability is in ~** s-e Eignung wird infrage gestellt **B** V/T bezweifeln; *person* zweifeln an

doubt·ful ['daʊtfʊl] ADJ *comment, look* zweifelnd; *origins etc* zweifelhaft; **I'm ~ about whether** ... ich bin mir nicht sicher, ob ...; **it is ~ whether** ... es ist fraglich, ob ...

doubt·ful·ly ['daʊtflɪ] ADV unsicher

doubt·less ['daʊtlɪs] ADV zweifellos

dough [dəʊ] N Teig *m*; *infml*: *money* Kohle *f*, Knete *f*

dough·nut ['dəʊnʌt] N Krapfen *m*, Berliner *m*

dove[1] [dʌv] N Taube *f*

dove[2] [dəʊv] PRET *US* → dive

dow·dy ['daʊdɪ] ADJ ⟨-ier, -iest⟩ ohne jeden Schick

down[1] [daʊn] N *feathers* Daunen *pl*

down[2] **A** ADV nach unten, herunter, hinunter; **he's ~ in the basement** er ist unten im Keller; **pay £200 ~** zweihundert Pfund anzahlen; **~ south** *direction* in den Süden; *place* im Süden; **be ~** *price, number* gefallen sein; *machine, computer* außer Betrieb sein; *infml*: *unhappy* down sein **B** PREP herunter, hinunter; entlang; **go ~ the corridor** geh den Flur lang; **the markings ~ its back** die Zeichnung auf s-m Rücken **C** V/T *drink* runterkippen; *plane etc* abschießen

down-and-'out N Penner(in) *m(f)*

down-at-'heel ADJ vergammelt

down'cast ADJ niedergeschlagen

'down·fall N *of government etc* Sturz *m*; **be sb's ~** *alcohol, gambling* j-m zum Verhängnis werden **'down·grade** V/T herunterstufen **down·heart·ed** [daʊn'hɑːtɪd] ADJ niedergeschlagen **down'hill** ADV bergab; **go ~** *fig* bergab gehen **down·hill 'ski·ing** N Abfahrtslauf *m* **'down·load** V/T IT herunterladen **down'mark·et** **A** ADJ billig **B** ADV **the newspaper has gone ~** die Zeitung hat an Niveau verloren **down 'pay·ment** N Anzahlung *f* **'down·play** V/T herunterspielen **'down·pour** N Platzregen *m* **'down·right** **A** ADJ *idiot* ausgesprochen; *lie* glatt **B** ADV *dangerous, stupid* ausgesprochen **'down·scale** ADJ *US*: *goods, product* minderwertig; *hotel, restaurant* der unteren Preisklasse **'down·side** N Nachteil *m* **'down·size** **A** V/T *car* kleiner machen; *company* gesund schrumpfen **B** V/I *company* sich verkleinern **down·si·zing** ['daʊnsaɪzɪŋ] N Stellenabbau *m* **down'stairs** **A** ADJ **the ~ bathroom** das Badezimmer unten **B** ADV unten; *go* nach unten **down-to-'earth** ADJ realistisch, nüchtern **down-'town** **A** ADJ *US* **in ~ Philadelphia** in der Innenstadt von Philadelphia **B** ADV *US* ins Stadtzentrum; *live* im Stadtzentrum, in der Innenstadt **'down·turn** N *economic* Rückgang *m*

'down·wards **A** ADJ **~ glance** nach unten gerichteter Blick; **~ trend** Abwärtstrend *m* **B** ADV nach unten

doze [dəʊz] **A** N Nickerchen *n* **B** V/I dösen, ein Nickerchen machen

♦ **doze off** VI einnicken

doz·en ['dʌzn] N Dutzend *n;* **dozens of** *infml* jede Menge

drab [dræb] ADJ ‹-bb-› *streets, town* trist; *person, clothes* langweilig

draft [drɑ:ft] **A** N *of document etc* Entwurf *m; US* MIL Einberufung *f; US* → draught **B** VT *document etc* entwerfen; *US* MIL einberufen

draft 'pro·gramme, **draft 'pro·gram** *US* N POL Programmentwurf *m*

drag [dræg] **A** N **be a ~** *infml: boring* stinklangweilig sein; **what a ~!** *irritated* so ein Mist!; **he's a ~** er ödet e-n an; **in ~** in Frauenkleidung **B** VT ‹-gg-› ziehen; *heavy object* schleppen; *along ground* schleifen; *river* absuchen; **~ sb into sth** j-n in etw hineinziehen; **~ sth out of sb** *information etc* etw aus j-m herausholen **C** VI *time* sich hinziehen; *concert, film* sich in die Länge ziehen

♦ **drag away** VT **drag o.s. away from the TV** sich vom Fernseher losreißen

♦ **drag in** VT *mention* anbringen

♦ **drag on** VI *last a long time* sich hinziehen

♦ **drag out** VT *make longer* in die Länge ziehen

♦ **drag up** VT *infml: story, past event* ausgraben

'drag lift N Schlepplift *m*

drag·on ['drægn] N *a. fig* Drache *m*

'drag·on·fly N Libelle *f*

drain [dreɪn] **A** N Abfluss *m; in street* Gully *m; on finances* Belastung *f* (**on** für) **B** VT *vegetables* abgießen; *engine oil* ablassen; *land, swamp* trockenlegen; *glass, tank* leeren; *person* erschöpfen **C** VI *crockery* abtropfen

♦ **drain away** VI *liquid* ablaufen; *strength* dahinschwinden

♦ **drain off** VT *engine oil* ablassen

drain·age ['dreɪnɪdʒ] N *of house, town* Kanalisation *f; of field* Entwässerung *f*

'drain·pipe N Abflussrohr *n*

dra·ma ['drɑ:mə] N *a. fig* Drama *n; as theoretical subject* Theaterwissenschaften *pl; acting* Dramaturgie *f;* **a life full of ~** ein Leben voller Dramatik

dra·mat·ic [drə'mætɪk] ADJ dramatisch; *gesture* theatralisch

dra·mat·i·cal·ly [drə'mætɪklɪ] ADV dramatisch

dram·a·tist ['dræmətɪst] N Dramatiker(in) *m(f)*

dram·a·ti·za·tion [dræmətaɪ'zeɪʃn] N Dramatisierung *f*

dram·a·tize ['dræmətaɪz] VT dramatisieren

drank [dræŋk] PRET → **drink**

drape [dreɪp] VT *coat* legen; *artistically* drapieren; **draped in** *or* **with the American flag** mit der amerikanischen Flagge bedeckt

drapes [dreɪps] N *pl US* Vorhänge *pl*

dras·tic ['dræstɪk] ADJ drastisch

draught [drɑ:ft] N (Luft)Zug *m;* **~ (beer), beer on ~** Bier *n* vom Fass, Fassbier *n;* **there's an awful ~ here** hier zieht es fürchterlich

draughts [drɑ:fts] N *sg* Damespiel *f;* **play ~** Dame spielen

'draughts·man N Zeichner *m; fig: of plan* Urheber *m*

draught·y ['drɑ:ftɪ] ADJ ‹-ier, -iest› zugig

draw [drɔ:] **A** N *in game, contest* Unentschieden *n; in lottery* Ziehung *f; of city etc* Attraktion *f;* **end in a ~** unentschieden ausgehen **B** VT ‹drew, drawn› *picture, map* zeichnen; *cart, weapon, winning number* ziehen; *curtains: close* zuziehen; *curtains: open* aufziehen; *people, audience* anziehen; *person: aside* beiseitenehmen; *money* abheben **C** VI ‹drew, drawn› zeichnen; *team, player* unentschieden spielen (**with, against** gegen); **~ near** näher kommen

♦ **draw aside** VT beiseitenehmen

♦ **draw back** **A** VI zurückweichen **B** VT *curtains, hand* zurückziehen

♦ **draw on** **A** VI *winter etc* voranschreiten **B** VT *use* Gebrauch machen von

♦ **draw out** VT *of bag* herausziehen; *from bank* abheben

♦ **draw up** **A** VT *document* aufsetzen; *list* erstellen; *chair* heranrücken **B** VI *vehicle* anhalten

'draw·back N Nachteil *m*

draw·er[1] [drɔ:(r)] N Schublade *f*

draw·er[2] ['drɔ:ə(r)] N *person* Zeichner(in) *m(f)*

draw·ing ['drɔ:ɪŋ] N *action* Zeichnen *n; picture* Zeichnung *f*

'draw·ing board N Reißbrett *n;* **go**

back to the ~ *fig* noch einmal von vorn(e) anfangen **'draw·ing pin** N Reißzwecke *f* **'draw·ing room** N Salon *m*
drawn [drɔːn] PAST PART → draw
dread [dred] V/T sich fürchten vor
dread·ful ['dredfʊl] ADJ furchtbar, schrecklich
dread·ful·ly ['dredflɪ] ADV *a. infml* furchtbar, schrecklich
dream [driːm] **A** N Traum *m*; *infml*: *person* Schatz *m* **B** ADJ *house etc* Traum- **C** V/T & V/I träumen (**about** von)
♦ **dream up** V/T sich ausdenken
dream·er ['driːmə(r)] N Träumer(in) *m(f)*
dream·y ['driːmɪ] ADJ ‹-ier, -iest› verträumt; *infml*: *wonderful* traumhaft
drear·y ['drɪərɪ] ADJ ‹-ier, -iest› *life, city, weather* trostlos; *boring* langweilig, öde
dredge [dredʒ] V/I ausbaggern
♦ **dredge up** V/T *fig* ans Licht zerren
dredg·er ['dredʒə(r)] N Schwimmbagger *m*
dregs [dregz] N *pl of coffee* Bodensatz *m*; **the ~ of society** der Abschaum der Gesellschaft
drench [drentʃ] V/T durchnässen; **get drenched** klatschnass werden
dress [dres] **A** N *for woman* Kleid *n*; *clothes* Kleidung *f* **B** V/T *child* anziehen; *wound* verbinden; **get dressed** sich anziehen; **be dressed in ...** ... tragen *or* anhaben **C** V/I sich anziehen; **~ well** sich geschmackvoll kleiden
♦ **dress up** V/I sich fein machen; *in fancy-dress* sich verkleiden (**as** als)
'dress cir·cle N THEAT erster Rang
dress·ing ['dresɪŋ] N *for salad* Dressing *n*; *for wound* Verband *m*
dress·ing 'down N Standpauke *f*
'dress·ing gown N Morgenrock *m*, Morgenmantel *m* **'dress·ing room** N *in theatre* (Künstler)Garderobe *f*
'dress·ing ta·ble N Frisierkommode *f*
'dress·mak·er N (Damen)Schneider(in) *m(f)*
'dress re·hears·al N Generalprobe *f*
drew [druː] PRET → draw
drib·ble ['drɪbl] V/I *baby* sabbern; *water* tröpfeln; SPORTS dribbeln
dried [draɪd] ADJ *fruit* getrocknet
dri·er ['draɪə(r)] → dryer

drift [drɪft] **A** N *of snow* Verwehung *f* **B** V/I *snow, ship* treiben; *off course* abtreiben; *person* sich treiben lassen
♦ **drift apart** V/I *couple, friends* sich auseinanderleben
drift·er ['drɪftə(r)] N Herumtreiber(in) *m(f)*
drill [drɪl] **A** N *tool* Bohrer *m*; *training* Übung *f*; MIL Drill *m*; **fire ~** Probealarm *m* **B** V/T *hole* bohren **C** V/I *for oil* bohren (**for** nach); MIL gedrillt werden
dril·ling rig ['drɪlɪŋrɪg] N Bohrinsel *f*
dri·ly ['draɪlɪ] ADV *remark* trocken
drink [drɪŋk] **A** N Getränk *n*; *with alcohol* Drink *m*; **a ~ of water** ein Glas *n* Wasser; **go for a ~** e-n trinken gehen **B** V/T ‹drank, drunk› trinken **C** V/I ‹drank, drunk› trinken; **~ and drive** unter Alkoholeinfluss Auto fahren
♦ **drink up** V/T & V/I austrinken
drink·a·ble ['drɪŋkəbl] ADJ trinkbar
drink 'driv·ing N Trunkenheit *f* am Steuer
drink·er ['drɪŋkə(r)] N Trinker(in) *m(f)*
drink·ing ['drɪŋkɪŋ] N Trinken *n*
'drink·ing wa·ter N Trinkwasser *n*
'drinks ma·chine N Getränkeautomat *m*
drip [drɪp] **A** N Tropfen *m*; MED Tropf *m*; *infml*: *person* Flasche *f*, Waschlappen *m* **B** V/I ‹-pp-› tropfen
'drip-dry ADJ bügelfrei
drip·ping ['drɪpɪŋ] ADV **~ wet** klatschnass
drive [draɪv] **A** N Fahrt *f*; *for pleasure* Spazierfahrt *f*; *energy* Schwung *m*, Elan *m*; *in front of house* Auffahrt *f*; COMPUT Laufwerk *n*; *campaign* Kampagne *f*; **two hours' ~** zwei Stunden mit dem Auto, zwei Autostunden; **left-/right-hand ~** AUTO Links-/Rechtssteuerung *f* **B** V/T ‹drove, driven› *vehicle, passenger* fahren; *dust, clouds* treiben; TECH antreiben; **~ sb mad** j-n wahnsinnig machen **C** V/I ‹drove, driven› fahren
♦ **drive at** V/T **what are you driving at?** worauf willst du hinaus?
♦ **drive away** **A** V/T wegfahren; *chase away* vertreiben **B** V/I wegfahren
♦ **drive in** V/T *nail* einschlagen
♦ **drive off** → drive away
driv·el ['drɪvl] N Blödsinn *m*
driv·en ['drɪvn] PAST PART → drive

driv·er ['draɪvə(r)] N Fahrer(in) *m(f)*; *of train* Lokführer(in) *m(f)*; COMPUT Treiber *m*
'driv·er's li·cense N *US* Führerschein *m*, Fahrerlaubnis *f*
'drive·way N Auffahrt *f*
driv·ing ['draɪvɪŋ] **A** ADJ *rain* peitschend **B** N Fahren *n*
driv·ing 'force N treibende Kraft **'driv·ing in·struct·or** N Fahrlehrer(in) *m(f)* **'driv·ing les·son** N Fahrstunde *f* **'driv·ing li·cence** N Führerschein *m*, Fahrerlaubnis *f* **'driv·ing school** N Fahrschule *f* **'driv·ing test** N Fahrprüfung *f*
driz·zle ['drɪzl] **A** N Sprühregen *m* **B** V/I nieseln
drone [drəʊn] N *sound* Brummen *n*
droop [dru:p] V/I *shoulders* (schlaff) herabhängen; *flowers* die Köpfe hängen lassen
drop [drɒp] **A** N *of liquid* Tropfen *m*; *of price, temperature* Rückgang *m*; *fall* Fall *m*; *between two levels* Höhenunterschied *m*; **~ in prices** Preisrückgang *m*; *sudden* Preissturz *m* **B** V/T ‹-pp-› *object, accusation, friend* fallen lassen; *bomb* abwerfen; *passenger* absetzen; *person from team* ausschließen; *temporarily* nicht aufstellen; *boyfriend, girlfriend* Schluss machen mit; *school subject* abwählen; **~ sb a line** j-m ein paar Zeilen schreiben; **just ~ what you are doing** hör auf mit dem, was du gerade machst **C** V/I ‹-pp-› fallen; *temperature, figures* sinken, zurückgehen; *wind* sich legen
♦**drop in** V/I *on friends* vorbeikommen, (kurz) hereinschauen (**on** bei)
♦**drop off** **A** V/T *passenger* absetzen; *parcel etc* vorbeibringen **B** V/I *fall asleep* einnicken; *decrease* zurückgehen
♦**drop out** V/I *of contest* aussteigen (**of** aus); **drop out of university** die Universität abbrechen
'drop-down men·u N IT Drop-down--Menü *n*
'drop·out N *of school* Schulabbrecher(in) *m(f)*; *of society* Aussteiger(in) *m(f)*
drought [draʊt] N Dürre *f*
drove [drəʊv] PRET → drive
drown [draʊn] **A** V/I ertrinken **B** V/T *person* ertränken; *sound* übertönen
drows·y ['draʊzɪ] ADJ ‹-ier, -iest› schläfrig
drudg·er·y ['drʌdʒərɪ] N Plackerei *f*
drug [drʌg] **A** N MED Arzneimittel *n*, Medikament *n*; *illegal* Droge *f*, Rauschgift *n*; **be on drugs** drogensüchtig sein **B** V/T ‹-gg-› *person, animal* betäuben
'drug a·buse N Drogenmissbrauch *m*; Medikamentenmissbrauch *m* **'drug ad·dict** N Drogenabhängige(r) *m/f(m)*, Drogensüchtige(r) *m/f(m)* **'drug deal·er** N Dealer(in) *m(f)*
'drug·store N *US* Drugstore *m* (*Kombination aus Apotheke, Drogerie, Supermarkt und oft Imbiss*) **'drug traf·fick·ing** N Drogenhandel *m*
drum [drʌm] N MUS Trommel *f*; *container* Tonne *f*; **drums** *pl* MUS Schlagzeug *n*
♦**drum into** V/T ‹-mm-› **drum sth into sb** j-m etw eintrichtern
♦**drum up** V/T **drum up support** Unterstützung auftreiben
drum·mer ['drʌmə(r)] N Schlagzeuger(in) *m(f)*; *with single drum* Trommler(in) *m(f)*
'drum·stick N MUS Trommelstock *m*; *of chicken etc* Keule *f*
drunk [drʌŋk] **A** ADJ betrunken; **get ~** sich betrinken **B** N Betrunkene(r) *m/f(m)*; *alcoholic* Trinker(in) *m(f)*, Säufer(in) *m(f)* **C** PAST PART → drink
drunk 'driv·ing N *US* Trunkenheit *f* am Steuer
drunk·en ['drʌŋkn] ADJ betrunken; *party* feuchtfröhlich
dry [draɪ] **A** ADJ trocken **B** V/T ‹-ied› trocknen; **~ one's eyes** sich die Tränen abwischen; **~ the dishes** (das Geschirr) abtrocknen **C** V/I ‹-ied› trocknen
♦**dry out** V/I *laundry* trocknen; *floor, skin* austrocknen; *alcoholic* e-e Entziehungskur machen
♦**dry up** V/I *river* austrocknen; *infml* den Mund halten
'dry-clean V/T chemisch reinigen **dry-'clean·er** N chemische Reinigung **dry-'clean·ing** N **can you pick up my ~ for me?** kannst meine Sachen aus der Reinigung abholen?
dry·er ['draɪə(r)] N *for laundry* Trockner *m*; *for hair* Föhn *m*
'dry goods N *pl* Textilien *pl*
du·al ['dju:əl] ADJ doppelt

du·al 'car·riage·way N zweispurige Schnellstraße
dub [dʌb] V/T ‹-bb-› *film* synchronisieren
du·bi·ous ['dju:bɪəs] ADJ *look* zweifelnd; *suspicious* zweifelhaft, dubios; **I'm still ~ about the idea** ich bin mir deswegen noch unschlüssig
Dub·lin ['dʌblɪn] N Dublin *n*
duck [dʌk] **A** N Ente *f* **B** V/I sich ducken **C** V/T *head* einziehen; *question* ausweichen
dud [dʌd] N *infml: bank note* Blüte *f*
due [dju:] ADJ *payment* fällig; *care etc* gebührend; **the money ~ to me** das Geld, das mir zusteht; **be ~** *train, flight etc* ankommen sollen; **~ to** wegen; **be ~ to** zurückzuführen sein auf; **in ~ course** zu gegebener Zeit
du·el ['dju:əl] N Duell *n*
dues [dju:z] N *pl* (Mitglieds)Beitrag *m*
du·et [dju:'et] N MUS: *for voices* Duett *n*; *instrumental* Duo *n*
dug [dʌg] PRET & PAST PART → dig
duke [dju:k] N Herzog *m*
dull [dʌl] ADJ *weather* trüb; *sound, pain* dumpf; *film, life* langweilig; *colour* matt
du·ly ['dju:lɪ] ADV *according to plan* erwartungsgemäß, wie erwartet; *properly* vorschriftsmäßig
dumb [dʌm] ADJ stumm; *infml* dumm
dumb·found·ed [dʌm'faʊndɪd] ADJ sprachlos
dum·my ['dʌmɪ] N *for clothes* Schaufensterpuppe *f*; *for baby* Schnuller *m*; SPORTS Finte *f*
'dum·my com·pa·ny N Scheinfirma *f*
dump [dʌmp] **A** N Müllkippe *f*; *infml: flat, hotel* Loch *n*; *place, town a.* Kaff *n* **B** V/T *bag, old car* (einfach) stehen lassen; *sports kit a.* (einfach) liegen lassen; *rubbish, litter* kippen
dump·ling ['dʌmplɪŋ] N Kloß *m*
dune [dju:n] N Düne *f*
dung [dʌŋ] N Dung *m*
dun·ga·rees [dʌŋgə'ri:z] N *pl* Latzhose *f*
dun·geon ['dʌndʒən] N (Burg)Verlies *n*
dunk [dʌŋk] V/T *bread etc* (ein)tunken
du·o ['dju:əʊ] N MUS Duo *n*
dupe [dju:p] V/T betrügen, täuschen
du·plex ['dju:pleks] N zweistöckige Wohnung; *US* Doppelhaushälfte *f*
du·pli·cate **A** N ['dju:plɪkət] Duplikat *n*, Kopie *f*; **~ key** Zweitschlüssel *m*; **in ~** in doppelter Ausfertigung **B** V/T ['dju:plɪkeɪt] doppelt *or* zweimal machen
du·plic·i·ty [dju:'plɪsətɪ] N Doppelzüngigkeit *f*
du·ra·bi·li·ty [djʊərə'bɪlətɪ] N *of material* Haltbarkeit *f*
du·ra·ble ['djʊərəbl] ADJ *material* haltbar; *relationship* dauerhaft
du·ra·tion [djʊə'reɪʃn] N Dauer *f*; *of contract* Laufzeit *f*
du·ress [djʊə'res] N Zwang *m*
dur·ing ['djʊərɪŋ] PREP während
dusk [dʌsk] N *twilight* Dämmerung *f*
dust [dʌst] **A** N Staub *m* **B** V/T *furniture* abstauben; *cake etc* bestäuben
'dust·bin N Mülltonne *f*
dust·er ['dʌstə(r)] N Staubtuch *n*
'dust jack·et N *of book* Schutzumschlag *m* **'dust·man** N Müllmann *m*
'dust·pan N Kehrschaufel *f*
dust·y ['dʌstɪ] ADJ ‹-ier, -iest› staubig
Dutch [dʌtʃ] **A** ADJ holländisch, niederländisch; **go ~** *infml* getrennt zahlen **B** N *language* Holländisch *n*, Niederländisch *n*; **the ~** *pl* die Holländer *pl*, die Niederländer *pl*
du·ty ['dju:tɪ] N Pflicht *f*; *work* Aufgabe *f*; *on goods* Zoll *m*; **be on ~** Dienst haben; **be off ~** nicht im Dienst sein
du·ty-'free **A** ADJ zollfrei; **~ allowance** *Warenmenge, die man zollfrei einführen kann* **B** N zollfreie Waren *pl*
du·vet ['dju:veɪ] N Federbett *n*
DVD [di:vi:'di:] ABBR *for* digital versatile disk DVD *f*
DV'D drive N DVD-Laufwerk *n*
DV'D play·er N DVD-Spieler *m*
DVT [di:vi:'ti:] ABBR *for* deep vein thrombosis Reisethrombose *f*
dwarf [dwɔ:f] **A** N Zwerg(in) *m(f)* **B** V/T klein erscheinen lassen, überragen
♦**dwell on** ['dwelɒn] V/T länger nachdenken über; *writer* sich lange aufhalten bei
dwell·ing ['dwelɪŋ] N *poet, formal* Wohnung *f*
dwin·dle ['dwɪndl] V/I schwinden
dye [daɪ] **A** N Farbstoff *m* **B** V/T färben
dy·ing ['daɪɪŋ] ADJ *person* sterbend; *industry, tradition* aussterbend
dy·nam·ic [daɪ'næmɪk] ADJ dynamisch

dy·na·mism ['daɪnəmɪzm] N Dynamik *f*
dy·na·mite ['daɪnəmaɪt] N Dynamit *n*
dy·nas·ty ['dɪnəstɪ] N Dynastie *f*
dys·en·te·ry ['dɪsntrɪ] N MED Ruhr *f*
dys·lex·i·a [dɪs'leksɪə] N Legasthenie *f*
dys·lex·ic [dɪs'leksɪk] **A** ADJ legasthenisch **B** N Legastheniker(in) *m(f)*

E

E, e [iː] N E, e *n*
E *only written* ABBR *for* east O, Ost, Osten; **east(ern)** östlich
each [iːtʃ] **A** ADJ jede(r, -s) **B** ADV je(-weils), pro Person, pro Stück **C** PRON jede(r, -s); **~ other** einander; **know ~ other** sich kennen
ea·ger ['iːgə(r)] ADJ *student* eifrig; *look* gespannt; **be ~ to do sth** etw unbedingt tun wollen
ea·ger·ly ['iːgəlɪ] ADV eifrig; *await* gespannt
ea·ger·ness ['iːgənɪs] N Eifer *m*
ea·gle ['iːgl] N Adler *m*
ear [ɪə(r)] N *of person, animal* Ohr *n*
'ear·ache N Ohrenschmerzen *pl*
'ear·drum N Trommelfell *n*
earl [ɜːl] N Graf *m*
'ear·lobe N Ohrläppchen *n*
ear·ly ['ɜːlɪ] **A** ADJ ⟨-ier, -iest⟩ früh; *reply, delivery* baldig; *death* vorzeitig; **~ in October** Anfang Oktober; **take ~ retirement** in Frührente gehen **B** ADV früh; *premature* zu früh
'ear·ly bird N Frühaufsteher(in) *m(f)*
ear·ly re'tire·ment N Vorruhestand *m*; **take ~** in den Vorruhestand gehen
ear·ly 'warn·ing sys·tem N MIL Frühwarnsystem *n*
ear·mark ['ɪəmɑːk] V/T bestimmen, vorsehen
earn [ɜːn] V/T verdienen; *interest* einbringen
ear·nest ['ɜːnɪst] ADJ ernst, ernsthaft; **I'm in ~** ich meine das ernst
earn·ings ['ɜːnɪŋz] N *pl* Einkommen *n*; *of company* Ertrag *m*, Gewinne *pl*
'ear·phones N *pl* Kopfhörer *m* **'ear·piece** N TEL Hörmuschel *f* **'ear-·pierc·ing** ADJ *scream* ohrenbetäubend
'ear·ring N Ohrring *m* **'ear·shot** N **within/out of ~** in/außer Hörweite
earth [ɜːθ] N Erde *f*; **where on ~ ...?** *infml* wo in aller Welt ...?
earth·ly ['ɜːθlɪ] ADJ irdisch; **it's no ~ use asking him** *infml* es bringt absolut nichts, ihn zu fragen
earth·quake ['ɜːθkweɪk] N Erdbeben *n*
earth-shat·ter·ing ['ɜːθʃætərɪŋ] ADJ welterschütternd **'earth·worm** N Regenwurm *m*
ease [iːz] **A** N Leichtigkeit *f*; **be at ~, feel at ~** sich wohlfühlen **B** V/T *pain, suffering* lindern; *work, task* erleichtern; **it would ~ my mind** es würde mich beruhigen **C** V/I *lessen* nachlassen
♦ **ease off** **A** V/T *lid etc* behutsam entfernen **B** V/I *lessen* nachlassen
ea·sel ['iːzl] N Staffelei *f*
eas·i·ly ['iːzəlɪ] ADV *done* leicht; *tire* schnell; *pass* ohne Problem; *by far* gut und gerne, bestimmt
east [iːst] **A** N Osten *m* **B** ADJ Ost-, östlich **C** ADV *travel* nach Osten, östlich
Eas·ter ['iːstə(r)] N Ostern *n*
Eas·ter 'Day N Ostersonntag *m*
'Eas·ter egg N Osterei *n*
eas·ter·ly ['iːstəlɪ] ADJ östlich
Eas·ter 'Mon·day N Ostermontag *m*
east·ern ['iːstən] ADJ östlich, Ost-
Eas·ter 'Sun·day N Ostersonntag *m*
east·ward(s) ['iːstwəd(z)] ADV nach Osten
eas·y ['iːzɪ] ADJ ⟨-ier, -iest⟩ leicht, einfach; *pace* gemütlich; **take things ~** *not overdo things* es ruhig angehen lassen; **take it ~!** *calm down* immer mit der Ruhe!
'eas·y chair N Sessel *m*
eas·y-go·ing [iːzɪ'gəʊɪŋ] ADJ gelassen, locker
eat [iːt] V/T & V/I ⟨ate, eaten⟩ essen; *subject: animal* fressen
♦ **eat out** V/I essen gehen
♦ **eat up** V/T aufessen; *subject: animal* auffressen; *fig: words etc* aufbrauchen
eat·a·ble ['iːtəbl] ADJ essbar
'eat-by date N Haltbarkeitsdatum *n*
eaten ['iːtn] PAST PART → eat
eaves [iːvz] N *pl* Dachvorsprung *m*

eaves·drop ['i:vzdrɒp] VI ‹-pp-› heimlich lauschen; **~ on sb** j-n belauschen
♦ **ebb away** [eb] VI *fig: courage, strength* zurückgehen, schwinden
'ebb tide N Ebbe *f*
EC [i:'si:] ABBR *for* European Community EG, Europäische Gemeinschaft
e-card ['i:kɑ:d] N *electronic greetings card* E-Card *f*
ECB [i:si:'bi:] ABBR *for* European Central Bank EZB, Europäische Zentralbank
ec·cen·tric [ɪk'sentrɪk] **A** ADJ exzentrisch **B** N Exzentriker(in) *m(f)*
ec·cen·tric·i·ty [ɪksen'trɪsɪtɪ] N Exzentrizität *f*
ec·cle·si·as·ti·cal [ɪkli:zɪ'æstɪkl] ADJ geistlich, kirchlich
ech·o ['ekəʊ] **A** N ‹*pl* -oes› Echo *n* **B** VI hallen **C** VT *words* wiederholen; *opinion* teilen
ECJ [i:si:'dʒeɪ] ABBR *for* European Court of Justice EuGH, Europäischer Gerichtshof
e·clipse [ɪ'klɪps] **A** N *of sun, moon* Finsternis *f*; *of person, institution* Niedergang *m* **B** VT *fig: outshine* in den Schatten stellen
e·co·friend·ly [i:kəʊ'frendlɪ] ADJ ‹-ier, -iest› umweltfreundlich
e·co·lo·gi·cal [i:kə'lɒdʒɪkl] ADJ ökologisch
e·col·o·gist [i:'kɒlədʒɪst] N Ökologe *m*, Ökologin *f*
e·col·o·gy [i:'kɒlədʒɪ] N Ökologie *f*
ec·o·nom·ic [i:kə'nɒmɪk] ADJ *situation, development* wirtschaftlich, ökonomisch; *correspondent, adviser, institute* Wirtschafts-
ec·o·nom·i·cal [i:kə'nɒmɪkl] ADJ günstig, wirtschaftlich; *thrifty* sparsam
ec·o·nom·i·cal·ly [i:kə'nɒmɪklɪ] ADV *financially* wirtschaftlich, ökonomisch; *thriftily* sparsam
Ec·o·nom·ic and Mon·e·ta·ry 'U·nion N *of EU* Wirtschafts- und Währungsunion *f* **Ec·o·nom·ic and 'So·cial Com·mit·tee** N *of EU* Wirtschafts- und Sozialausschuss *m* **ec·o·nom·ic 'cli·mate** N Konjunkturklima *n* **ec·o·nom·ic 'cri·sis** N Wirtschaftskrise *f* **ec·o·nom·ic 'down·turn** N Wirtschaftsabschwung *m* **ec·o·nom·ic 'growth** N Wirtschaftswachstum *n* **ec·o·nom·ic 'mi·grant** N Wirtschaftsasylant(in) *m(f)* **ec·o·nom·ic 'mir·a·cle** N Wirtschaftswunder *n* **ec·o·nom·ic 'pol·i·cy** N Wirtschaftspolitik *f*
ec·o·nom·ics [i:kə'nɒmɪks] N *sg* Wirtschaftswissenschaften *pl* (*je nach Schwerpunkt Volks- oder Betriebswirtschaft*); *pl*; *financial aspect* Wirtschaftlichkeit *f*
ec·o·nom·ic 'slump N Konjunktureinbruch *m*
ec·o·nom·ic 'up·turn N Wirtschaftsaufschwung *m*
e·con·o·mist [ɪ'kɒnəmɪst] N Wirtschaftswissenschaftler(in) *m(f)*, Ökonom(in) *m(f)*
e·con·o·mize [ɪ'kɒnəmaɪz] VI sparen
♦ **economize on** VT sparsam sein mit
e·con·o·my [ɪ'kɒnəmɪ] N *of country* Wirtschaft *f*; *thrift* Einsparung *f*; **make economies** einsparen
e'con·o·my class N Touristenklasse *f* **e'con·o·my drive** N Sparmaßnahme *f* **e'con·o·my size** N Sparpaket *n*, Sparpackung *f*
e·co·sys·tem ['i:kəʊsɪstm] N Ökosystem *n*
e·co·tour·ism [i:kəʊ'tʊərɪzm] N Ökotourismus *m*
ec·sta·sy ['ekstəsɪ] N Ekstase *f*; *drug* Ecstasy *n*
ec·sta·t·ic [ɪk'stætɪk] ADJ überglücklich, ekstatisch
ECU [i:si:'ju:] ABBR *for* European Currency Unit HIST ECU, Europäische Währungseinheit
ec·ze·ma ['eksmə] N Ekzem *n*
ed. [ed] ABBR *for* edited h(rs)g., herausgegeben; **edition** Aufl., Auflage; **editor** H(rs)g., Herausgeber(in)
edge [edʒ] **A** N Kante *f*; *of knife* Schneide *f*; *of cliff, road* Rand *m*; *in voice* Schärfe *f*; **be on ~** nervös sein **B** VT säumen, einfassen **C** VI sich langsam bewegen, sich vorsichtig bewegen
edge·ways ['edʒweɪz] ADV **I couldn't get a word in ~** ich kam gar nicht zu Wort
edg·ing ['edʒɪŋ] N Einfassung *f*, Rand *m*
edg·y ['edʒɪ] ADJ ‹-ier, -iest› nervös, angespannt
ed·i·ble ['edɪbl] ADJ essbar
e·dict ['i:dɪkt] N Edikt *n*, Erlass *m*

ed·it ['edɪt] VT *correct* redigieren, bearbeiten; *book, newspaper* herausgeben; *TV programme* zusammenstellen; *film* schneiden
e·di·tion [ɪ'dɪʃn] N Ausgabe *f*
ed·i·tor ['edɪtə(r)] N *publisher: of book* Herausgeber(in) *m(f)*; *of text* Lektor(in) *m(f)*; *of newspaper* Chefredakteur(in) *m(f)*, Herausgeber(in) *m(f)*; *of TV programme* Redakteur(in) *m(f)*; *of film* Cutter(in) *m(f)*
ed·i·to·ri·al [edɪ'tɔːrɪəl] **A** ADJ redaktionell **B** N Leitartikel *m*
EDP [iːdiː'piː] ABBR *for* electronic data processing EDV *f*
ed·u·cate ['edjʊkeɪt] VT *child* erziehen; *at school, university* ausbilden; *customers* informieren
ed·u·cat·ed ['edjʊkeɪtɪd] ADJ gebildet
ed·u·ca·tion [edjʊ'keɪʃn] N *by parents* Erziehung *f*; *at school, university* Ausbildung *f*; *culture, knowledge* Bildung *f*; *system* Bildungswesen *n*, Schulwesen *n*; *college subject* Erziehungswissenschaften *pl*, Pädagogik *f*
ed·u·ca·tion·al [edjʊ'keɪʃnl] ADJ pädagogisch, Erziehungs-; *visit, TV programme* lehrreich
EEA [iːiː'eɪ] ABBR *for* European Economic Area EWR, Europäischer Wirtschaftsraum
EEC [iːiː'siː] ABBR *for* European Economic Community HIST EWG, Europäische Wirtschaftsgemeinschaft
ee·rie ['ɪərɪ] ADJ unheimlich
ef·fect [ɪ'fekt] N *consequence* Wirkung *f*, Auswirkung *f*; **take ~** *medicine, drug* anfangen zu wirken; **come into ~** *law* in Kraft treten
ef·fec·tive [ɪ'fektɪv] ADJ wirksam, wirkungsvoll; *colour combination etc* auffällig; **~ May 1** mit Wirkung vom 1. Mai
ef·fem·i·nate [ɪ'femɪnət] ADJ feminin, unmännlich
ef·fer·ves·cent [efə'vesnt] ADJ *drink* sprudelnd; *personality* überschäumend
ef·fi·cien·cy [ɪ'fɪʃənsɪ] N Leistungsfähigkeit *f*, Effizienz *f*
ef·fi·cient [ɪ'fɪʃənt] ADJ *machine* leistungsfähig, effizient; *person a.* tüchtig; *method* wirksam; *production* rationell
ef·fi·cient·ly [ɪ'fɪʃəntlɪ] ADV effizient
ef·flu·ent ['eflʊənt] N Abwasser *n*, Abwässer *pl*
ef·fort ['efət] N Anstrengung *f*, Mühe *f*; *attempt* Bemühung *f*; **make an ~ to do sth** sich anstrengen *or* sich bemühen, etw zu tun
ef·fort·less ['efətlɪs] ADJ mühelos
ef·fron·te·ry [ɪ'frʌntərɪ] N Frechheit *f*, Unverschämtheit *f*
ef·fu·sive [ɪ'fjuːsɪv] ADJ überschwänglich
EFTA ['eftə] ABBR *for* European Free Trade Association EFTA, Europäische Freihandelszone
e.g. [iː'dʒiː] ABBR *for* for example (*Latin* **exempli gratia**) z. B.
e·gal·i·tar·i·an [ɪgælɪ'teərɪən] ADJ egalitär, Gleichheits-
egg [eg] N Ei *n*; *of woman* Eizelle *f*; **have ~ all over one's face** *infml* (ganz schön) dumm dastehen
♦**egg on** VT anstacheln
'egg·cup N Eierbecher *m* **'egg·plant** N *US* Aubergine *f* **'egg·shell** N Eierschale *f* **'egg tim·er** N Eieruhr *f*
e·go ['iːgəʊ] N PSYCH Ego *n*; *self-confidence* Selbstbewusstsein *n*, Selbstwertgefühl *n*
e·go·cen·tric [iːgəʊ'sentrɪk] ADJ egozentrisch
e·go·ism ['iːgəʊɪzm] N Egoismus *m*, Selbstsucht *f*
e·go·ist ['iːgəʊɪst] N Egoist(in) *m(f)*
EIB [iːaɪ'biː] ABBR *for* European Investment Bank EIB, Europäische Investitionsbank
EIF [iːaɪ'ef] ABBR *for* European Investment Fund EIF, Europäischer Investitionsfonds
eight [eɪt] ADJ acht
eigh·teen [eɪ'tiːn] ADJ achtzehn
eigh·teenth [eɪ'tiːnθ] ADJ achtzehnte(r, -s)
eighth [eɪtθ] ADJ achte(r, -s)
eigh·ti·eth ['eɪtɪɪθ] ADJ achtzigste(r, -s)
eigh·ty ['eɪtɪ] ADJ achtzig
Ei·re ['eərə] N *irischer Name der Republik Irland*
ei·ther ['aɪðə(r)] **A** ADJ *one or the other as alternative* eine(r, -s); *each, both* beide, jede(r, -s) **B** PRON eine(r, -s) von beiden; **which do you want? – ~, I don't mind** welche möchtest du? – mir ist egal welche **C** ADV **I won't go ~** ich gehe auch

nicht **D** CJ ~ … **or** entweder … oder; *in negative* weder … noch
e·jac·u·late [ɪ'dʒækjʊleɪt] VI ejakulieren; PHYSIOL e-n Samenerguss haben
e·ject [ɪ'dʒekt] **A** VT *cassette, diskette* auswerfen; *ink cartridge* lösen; *demonstrators* herauswerfen **B** VI *from plane* den Schleudersitz betätigen
♦**eke out** ['i:kaʊt] VT *supplies* strecken; *income* aufbessern; **eke out a living** sich durchschlagen
e·lab·o·rate **A** ADJ [ɪ'læbərət] *system* kompliziert; *trick, plan* ausgeklügelt; *preparations* ausführlich; *decorations* kunstvoll **B** VI [ɪ'læbəreɪt] ~ **on a point** e-n Sachverhalt näher ausführen
e·lab·o·rate·ly [ɪ'læbərətlɪ] ADV *planned* ausführlich; *explained* kompliziert; *carefully* sorgfältig; *decorated* kunstvoll
e·lapse [ɪ'læps] VI verstreichen
e·las·tic [ɪ'læstɪk] **A** ADJ elastisch **B** N Gummiband *n*
e·las·ti·ca·ted [ɪ'læstɪkeɪtɪd] ADJ Gummi-
e·las·tic 'band N Gummiband *n*
E·las·to·plast® [ɪ'læstəplɑ:st] N Hansaplast® *n*
e·lat·ed [ɪ'leɪtɪd] ADJ in Hochstimmung
el·at·ion [ɪ'leɪʃn] N Hochstimmung *f*
el·bow ['elbəʊ] **A** N Ellbogen *m* **B** VT ~ **sb out of the way** j-n beiseitestoßen
el·der ['eldə(r)] **A** ADJ ältere(r, -s) **B** N der (die, das) Ältere
el·der·ly ['eldəlɪ] **A** ADJ ältlich, ältere(r, -s) **B** N *pl* **the ~** ältere Menschen *pl*
el·dest ['eldəst] **A** ADJ älteste(r, -s) **B** N **the ~** der (die, das) Älteste
e·lect [ɪ'lekt] VT wählen; **~ to do sth** sich aussuchen, etw zu tun
e·lect·ed [ɪ'lektɪd] ADJ gewählt
e·lec·tion [ɪ'lekʃn] N Wahl *f*
e'lec·tion cam·paign N Wahlkampf *m* **e'lec·tion day** N Wahltag *m* **e'lec·tion ob·ser·ver** N Wahlbeobachter(in) *m(f)*
e·lec·tive [ɪ'lektɪv] ADJ *operation* (medizinisch) nicht unbedingt notwendig; *course* wahlfrei; **~ subject** Wahlfach *n*
e·lec·tor [ɪ'lektə(r)] N Wähler(in) *m(f)*
e·lec·tor·al [ɪ'lektərəl] ADJ Wahl-, Wähler-
e·lec·tor·al pro'ce·dure N Wahlverfahren *n*
e'lec·to·ral sys·tem N Wahlsystem *n*
e·lec·to·rate [ɪ'lektərət] N Wähler *pl*
e·lec·tric [ɪ'lektrɪk] ADJ elektrisch; *fig: atmosphere* elektrisiert, spannungsgeladen
e·lec·tri·cal [ɪ'lektrɪkl] ADJ elektrisch
e·lec·tri·cal en·gi'neer N Elektrotechniker(in) *m(f)*, Elektroingenieur(in) *m(f)*
e·lec·tri·cal en·gi'neer·ing N Elektrotechnik *f*
e·lec·tric 'blan·ket N elektrische Heizdecke
e·lec·tri·cian [ɪlek'trɪʃn] N Elektriker(in) *m(f)*
e·lec·tri·ci·ty [ɪlek'trɪsətɪ] N Elektrizität *f*, Strom *m*
e·lec·tri·fy [ɪ'lektrɪfaɪ] VT ‹-ied› elektrifizieren; *fig* in Spannung versetzen, elektrisieren
e·lec·tro·cute [ɪ'lektrəkju:t] VT **~ o.s., be electrocuted** bei e-m Stromschlag ums Leben kommen
e·lec·trode [ɪ'lektrəʊd] N Elektrode *f*
e·lec·tron [ɪ'lektrɒn] N Elektron *n*
e·lec·tron·ic [ɪlek'trɒnɪk] ADJ elektronisch
e·lec·tron·ic da·ta 'pro·ces·sing N elektronische Datenverarbeitung
e·lec·tron·ic 'mail N elektronische Post
e·lec·tron·ics [ɪlek'trɒnɪks] N *sg science* Elektronik *f*
el·e·gance ['elɪgəns] N Eleganz *f*
el·e·gant ['elɪgənt] ADJ elegant
el·e·ment ['elɪmənt] N Bestandteil *m*; *in decision* Faktor *m*; CHEM Element *n*; **elements** *pl*; *weather* Elemente *pl*; **an ~ of truth** ein Körnchen *n* Wahrheit
el·e·men·ta·ry [elɪ'mentərɪ] ADJ elementar, grundlegend; *mistake* einfach; **~ Japanese** Japanisch *n* für Anfänger
el·e'men·ta·ry school N *US* Grundschule *f*
el·e·phant ['elɪfənt] N Elefant *m*
el·e·vate ['elɪveɪt] VT erhöhen, heben
el·e·va·tion [elɪ'veɪʃn] N Höhe *f*
el·e·va·tor ['elɪveɪtə(r)] N *US* Fahrstuhl *m*, Aufzug *m*
el·e·ven [ɪ'levn] ADJ elf
el·e·venth [ɪ'levnθ] ADJ elfte(r, -s); **at the ~ hour** in letzter Minute
e·li·cit [ɪ'lɪsɪt] VT entlocken (**from** *dat*);

facts ans Tageslicht bringen

el·i·gi·ble ['elɪdʒəbl] ADJ *entitled* berechtigt; *for position, team* infrage kommen(d); **~ to vote** wahlberechtigt

el·i·gi·ble 'bach·e·lor N begehrter Junggeselle

e·lim·i·nate [ɪ'lɪmɪneɪt] VT *poverty, problem* beseitigen; *from investigation* ausschließen; *kill* ausschalten; **be eliminated** *from contest* ausscheiden

e·lim·i·na·tion [ɪ'lɪmɪneɪʃn] N *from contest* Ausscheiden *n*; *of poverty etc* Beseitigung *f*; *murder* Tötung *f*; **by a process of ~** im Ausschlussverfahren

e·lite [eɪ'li:t] **A** ADJ Elite- **B** N Elite *f*

e·lon·gate ['i:lɒŋgeɪt] VT verlängern

e·lope [ɪ'ləʊp] VI durchbrennen

el·o·quence ['eləkwəns] N Redegewandtheit *f*

el·o·quent ['eləkwənt] ADJ redegewandt, wortgewandt

else [els] ADV **anything ~?** sonst noch etwas?; **no one ~** niemand sonst; **everyone ~ is going** alle anderen gehen; **someone/something ~** jemand/etwas anderes; **let's go somewhere ~!** gehen wir woandershin!; **or ~** sonst, andernfalls

else·where [els'weə(r)] ADV woanders, anderswo; *go* woandershin

e·lude [ɪ'lu:d] VT *police etc* entkommen, sich entziehen; *avoid* entgehen; **her name eludes me** ihr Name ist mir entfallen

e·lu·sive [ɪ'lu:sɪv] ADJ *person* schwer erreichbar; *thought* schwer fassbar

e·ma·ci·at·ed [ɪ'meɪsɪeɪtɪd] ADJ abgezehrt, ausgemergelt

e-mail ['i:meɪl] **A** N E-Mail *f* **B** VT mailen; **~ sb** j-m eine E-Mail schicken; **~ sb sth** j-m etw (zu)mailen

'e-mail ad·dress N E-Mail-Adresse *f*

em·a·nate ['eməneɪt] VI ausströmen; *reports* stammen (**from** von)

e·man·ci·pat·ed [ɪ'mænsɪpeɪtɪd] ADJ *woman* emanzipiert

e·man·ci·pa·tion [ɪmænsɪ'peɪʃn] N Emanzipation *f*; *of slaves* Freilassung *f*; *of country, people* Befreiung *f*

em·balm [ɪm'bɑ:m] VT einbalsamieren

em·bank·ment [ɪm'bæŋkmənt] N *along river* Uferböschung *f*; *along road* Böschung *f*; RAIL Damm *m*

em·bar·go [em'bɑ:gəʊ] N Embargo *n*

em·bark [ɪm'bɑ:k] VI *on ship, plane* an Bord gehen

♦ **embark on** VT anfangen mit, beginnen mit

em·bar·rass [ɪm'bærəs] VT **~ sb** j-n in Verlegenheit bringen, j-n in e-e peinliche Lage bringen

em·bar·rassed [ɪm'bærəst] ADJ verlegen; **~ silence** peinlich berührtes Schweigen; **she was very ~** es war ihr sehr peinlich

em·bar·rass·ing [ɪm'bærəsɪŋ] ADJ peinlich

em·bar·rass·ment [ɪm'bærəsmənt] N Verlegenheit *f*

em·bas·sy ['embəsɪ] N Botschaft *f*

em·bed [ɪm'bed] VT ⟨-dd-⟩ **be embedded in sth** *fig* in etw verwurzelt sein

em·bel·lish [ɪm'belɪʃ] VT verschönern, schmücken; *story* ausschmücken

em·bez·zle [ɪm'bezl] VT unterschlagen

em·bez·zle·ment [ɪm'bezlmənt] N Unterschlagung *f*

em·bez·zler [ɪm'bezlə(r)] N **be an ~** Geld unterschlagen

em·bit·ter [ɪm'bɪtə(r)] VT verbittern

em·blem ['embləm] N Emblem *n*, Symbol *n*

em·bod·y [ɪm'bɒdɪ] VT ⟨-ied⟩ verkörpern

em·bo·lism ['embəlɪzm] N Embolie *f*

em·boss [ɪm'bɒs] VT *metal, paper* prägen; *material* gaufrieren

em·brace [ɪm'breɪs] **A** N Umarmung *f* **B** VT umarmen; *include* umfassen, beinhalten; *religion* annehmen **C** VI *two people* sich umarmen

em·broil [ɪm'brɔɪl] VT **become embroiled in sth** in etw verwickelt werden

em·bry·on·ic [embrɪ'ɒnɪk] ADJ **be still in an ~ state** *fig* noch ziemlich am Anfang stehen

e·mend [ɪ'mend] VT *text* verbessern, korrigieren

em·e·rald ['emərəld] N *jewel* Smaragd *m*; *colour* Smaragdgrün *n*

e·merge [ɪ'mɜ:dʒ] VI auftauchen; **it has emerged that …** es hat sich herausgestellt, dass …

e·mer·gen·cy [ɪ'mɜ:dʒənsɪ] N Notfall *m*, Notlage *f*; **state of ~** *after catastrophe* Notstand *m*; POL Ausnahmezustand *m*

e'mer·gen·cy brake N Notbremse *f* **e'mer·gen·cy call** N Notruf *m* **e'mer·gen·cy doc·tor** N Notarzt *m*, -ärztin *f* **e·mer·gen·cy 'ex·it** N Notausgang *m* **e·mer·gen·cy 'land·ing** N Notlandung *f* **e'mer·gen·cy num·ber** N Notruf *m*, Notrufnummer *f* **e'mer·gen·cy room** *US* N Notaufnahme *f* (*in Krankenhaus*) **e'mer·gen·cy serv·i·ces** N *pl* Rettungsdienste *pl*, Notdienst *m* **e'mer·gen·cy tel·e·phone** N Notrufsäule *f*

e·mer·gent [ɪ'mɜːdʒənt] ADJ *fig: nation* jung und aufstrebend

e·mer·ging e·con·o·my [ɪmɜːdʒɪŋɪ'kɒnəmɪ] N Schwellenland *n*

em·i·grant ['emɪgrənt] N Auswanderer(in) *m(f)*; *esp* POL Emigrant(in) *m(f)*

em·i·grate ['emɪgreɪt] V/I auswandern; *esp* POL emigrieren

em·i·gra·tion [emɪ'greɪʃn] N Auswanderung *f*; *esp* POL Emigration *f*

em·i·nence N *reputation* hohes Ansehen

em·i·nent ['emɪnənt] ADJ bedeutend, hoch angesehen

em·i·nent·ly ['emɪnəntlɪ] ADV außerordentlich, ausgesprochen

e·mis·sion [ɪ'mɪʃn] N *of gases* Emission *f*, Ausstoß *m*; *of heat, light* Ausstrahlung *f*; *of liquids* Ausströmen *n*

e·mis·sion-'free ADJ abgasfrei **e'mis·sion lev·els** N *pl* Emissionswerte *pl* **e'mis·sion stan·dards** N *pl* Schadstoffnormen *pl*, Emissionsrichtlinien *pl* **e'mis·sions tra·ding** N Emissionshandel *m*

e·mit [ɪ'mɪt] V/T ⟨-tt-⟩ *gases, fumes, steam* ausstoßen; *heat, light* ausstrahlen; *liquid* abgeben

e·mo·tion [ɪ'məʊʃn] N Emotion *f*, Gefühl *n*

e·mo·tion·al [ɪ'məʊʃnl] ADJ *problems, development* emotional, Gefühls-; *person, reaction, speech* emotional; *farewell, moment* ergreifend; **get ~ about sth** sich über etw aufregen

e·mo·tion·al·ly [ɪ'məʊʃnlɪ] ADV emotional, gefühlsmäßig; **~ disturbed** seelisch gestört

em·pa·thize ['empəθaɪz] V/I **~ with sb** mit j-m mitfühlen; *identify with* sich in j-n hineinversetzen

em·pe·ror ['empərə(r)] N Kaiser *m*

em·pha·sis ['emfəsɪs] N Betonung *f*; *fig* Schwerpunkt *m*

em·pha·size ['emfəsaɪz] V/T betonen, unterstreichen

em·phat·ic [ɪm'fætɪk] ADJ nachdrücklich, energisch

em·pire ['empaɪə(r)] N Reich *n*; *fig* Imperium *n*

em·pir·i·cal [em'pɪrɪkl] ADJ erfahrungsgemäß

em·ploy [ɪm'plɔɪ] V/T *worker* beschäftigen; *new worker* einstellen; *method* anwenden; *tool* gebrauchen

em·ploy·ee [em'plɔɪiː] N Arbeitnehmer(in) *m(f)*, Angestellte(r) *m/f(m)*; **the employees** *pl* die Belegschaft

em·ploy·er [em'plɔɪə(r)] N Arbeitgeber(in) *m(f)*

em'ploy·ers' as·so·ci·a·tion N Arbeitgebervereinigung *f*

em·ploy·ment [em'plɔɪmənt] N *having job, as issue* Beschäftigung *f*; *job, work* Arbeit *f*, Anstellung *f*

em'ploy·ment ad N Stellenanzeige *f* **em'ploy·ment a·gen·cy** N Arbeitsvermittlung *f*; *for temporary work* Zeitarbeitsfirma *f* **em'ploy·ment com·mit·tee** N *EU* Beschäftigungsausschuss *m* **em'ploy·ment of·fice** N Arbeitsamt *n* **em'ploy·ment po·li·cy** N Beschäftigungspolitik *f*

em·pow·er [ɪm'paʊə(r)] V/T ermächtigen; *make self-confident* stärken

emp·ti·ness ['emptɪnɪs] N Leere *f*

emp·ty ['emptɪ] **A** ADJ ⟨-ier, -iest⟩ leer; **on an ~ stomach** auf nüchternen Magen **B** V/T ⟨-ied⟩ leeren **C** V/I ⟨-ied⟩ *room, road* sich leeren

EMU [iːem'juː] ABBR *for* Economic and Monetary Union WWU, Wirtschafts- und Währungsunion *f*

em·u·late ['emjʊleɪt] V/T nacheifern, nachstreben

en·a·ble [ɪ'neɪbl] V/T **~ sb to do sth** es j-m ermöglichen, etw zu tun

en·act [ɪ'nækt] V/T JUR erlassen; THEAT aufführen

e·nam·el [ɪ'næml] N Email *n*; *on tooth* Zahnschmelz *m*; *paint* Glasur *f*, Lack *m*

enc *only written* ABBR *for* enclosure(s) Anlage

en·cased [ɪnˈkeɪst] ADJ ~ **in** gehüllt in
en·chant [ɪnˈtʃɑːnt] VT *delight* entzücken (**with** mit)
en·chant·ing [ɪnˈtʃɑːntɪŋ] ADJ entzückend, bezaubernd
en·cir·cle [ɪnˈsɜːkl] VT umschließen, umgeben; MIL umzingeln, einkreisen

E

encl *only written* ABBR *for* enclosure(s) Anlage
en·close [ɪnˈkləʊz] VT *in letter* beilegen, beifügen; *area* einschließen; **please find enclosed** ... in der Anlage erhalten Sie ...
en·clo·sure [ɪnˈkləʊʒə(r)] N *in letter* Anlage *f*
en·code [enˈkəʊd] VT *text* verschlüsseln, kodieren
en·com·pass [ɪnˈkʌmpəs] VT beinhalten, umfassen
en·core [ˈɒŋkɔː(r)] N Zugabe *f*
en·coun·ter [ɪnˈkaʊntə(r)] **A** N Begegnung *f*, Treffen *n* (**with** mit); *hostile* Zusammenstoß *m* **B** VT *person* begegnen; *problem, opposition* stoßen auf; ~ **sb** auf j-n treffen
en·cour·age [ɪnˈkʌrɪdʒ] VT *person* ermutigen, ermuntern; *company, project, violence* fördern, unterstützen
en·cour·age·ment [ɪnˈkʌrɪdʒmənt] N *of person* Ermutigung *f*, Ermunterung *f*; *of company, project, violence* Förderung *f*, Unterstützung *f*
en·cour·ag·ing [ɪnˈkʌrɪdʒɪŋ] ADJ ermutigend, aufmunternd
♦**en·croach on** [ɪnˈkrəʊtʃɒn] VT *rights* verletzen, eingreifen in; *time* in Anspruch nehmen; *land, space* unberechtigt eindringen in
en·cum·ber [ɪnˈkʌmbə(r)] VT belasten; *hamper* behindern
en·cum·brance [ɪnˈkʌmbrəns] N Belastung *f*
en·cy·clo·pe·di·a [ɪnsaɪkləˈpiːdɪə] N Enzyklopädie *f*
end [end] **A** N *of road, thread, town* Ende *n*; *of play, meeting, journey, relationship* Ende *n*, Schluss *m*; *goal* Ziel *n*, Zweck *m*; **the ~ justifies the means** der Zweck heiligt die Mittel; **in the ~** am Ende, schließlich; **for hours on ~** stundenlang; **stand sth on ~** etw senkrecht hinstellen; **put an ~ to** ein Ende machen **B** VT beenden **C** VI enden; *film* ausgehen
♦**end up** VI landen (**in** in); **I ended up doing it myself** schließlich machte ich es selbst
en·dan·ger [ɪnˈdeɪndʒə(r)] VT gefährden
en·dan·gered ˈspe·cies N ⟨*pl* species⟩ bedrohte Art
end conˈsum·er N Endkunde *m*
en·dear [ɪnˈdɪə(r)] VT beliebt machen (**to sb** bei j-m)
en·dear·ing [ɪnˈdɪərɪŋ] ADJ liebenswert
en·deav·our, **en·deav·or** *US* [ɪnˈdevə(r)] **A** N Bestrebung *f* **B** VT sich bemühen
en·dem·ic [ɪnˈdemɪk] ADJ weit verbreitet
end·ing [ˈendɪŋ] N *of book, play* Ende *n*, Schluss *m*; LING Endung *f*
end·less [ˈendlɪs] ADJ endlos
en·dorse [enˈdɔːs] VT *candidacy* billigen, zustimmen; *product* werben für, empfehlen; *cheque* indossieren
en·dorse·ment [enˈdɔːsmənt] N *of candidacy* Zustimmung *f*, Billigung *f*; *of product* Empfehlung *f*; *of cheque* Indossament *n*
en·dow [ɪnˈdaʊ] VT **be endowed with great intelligence** (von Natur aus) sehr intelligent sein
enˈdow·ment mort·gage N *an eine Lebensversicherung gekoppelte Hypothek*
end ˈprod·uct N Endprodukt *n*
end reˈsult N Endergebnis *n*
en·dur·ance [ɪnˈdjʊrəns] N *of person, animal* Ausdauer *f*, Durchhaltevermögen *n*; *of machine* Haltbarkeit *f*
en·dure [ɪnˈdjʊə(r)] **A** VT ertragen, aushalten **B** VI *last* halten, bestehen
en·dur·ing [ɪnˈdjʊərɪŋ] ADJ bleibend; *relationship, peace* dauerhaft
end-ˈus·er N Endverbraucher(in) *m(f)*
en·e·my [ˈenəmɪ] N Feind(in) *m(f)*
en·er·get·ic [enəˈdʒetɪk] ADJ *person* energiegeladen; *manager, politician* aktiv, tatkräftig; SPORTS, *activity* anstrengend; *performance, dance* lebendig; *fig: measures, efforts* entschlossen, energisch; **I'm not feeling very ~ today** ich fühle mich heute ein bisschen schlapp
en·er·get·ic·al·ly [enəˈdʒetɪklɪ] ADV energisch; *train* voller Energie, schwungvoll; *deny* entschieden

en·er·gy [ˈenədʒɪ] N Energie *f* **ˈe·ner·gy con·ser·va·tion** N Energieeinsparung *f* **ˈe·ner·gy cri·sis** N Energiekrise *f* **ˈe·ner·gy po·li·cy** N Energiepolitik *f* **ˈen·er·gy-sav·ing** ADJ *device* energiesparend **ˈe·ner·gy sup·plies** N *pl* Energievorräte *pl* **ˈe·ner·gy sup·ply** N Energieversorgung *f*

en·force [ɪnˈfɔːs] V/T durchsetzen, erzwingen

en·force·ment [ɪnˈfɔːsmənt] N JUR Geltendmachung *f*; *of decision etc* Durchsetzung *f*, Erzwingung *f*

enˈforce·ment a·gen·cy N Sicherheitsbehörde *f*

enˈforce·ment or·der N JUR Vollstreckungstitel *m*

en·fran·chise [ɪnˈfræntʃaɪz] V/T das Wahlrecht verleihen

en·gage [ɪnˈgeɪdʒ] **A** V/T *staff* einstellen, anstellen; *singer, artist* engagieren; *clutch* kommen lassen **B** V/I TECH einrasten; *cogwheels* ineinandergreifen

♦ **engage in** V/T sich beteiligen an; *research* sich beschäftigen mit

en·gaged [ɪnˈgeɪdʒd] ADJ *busy, occupied* belegt; *to be married* verlobt (**to** mit); **get ~** sich verloben

enˈgaged tone N TEL Besetztzeichen *n*

en·gage·ment [ɪnˈgeɪdʒmənt] N *appointment* Verabredung *f*; *prior to marriage* Verlobung *f*; MIL Gefecht *n*

enˈgage·ment ring N Verlobungsring *m*

en·gag·ing [ɪnˈgeɪdʒɪŋ] ADJ *person* angenehm; *character, manner* einnehmend; *smile* gewinnend

en·gine [ˈendʒɪn] N Motor *m*; *of ship a.* Maschine *f*; RAIL Lokomotive *f*

ˈen·gine driv·er N RAIL Lokomotivführer(in) *m(f)*

en·gi·neer [endʒɪˈnɪə(r)] **A** N Techniker(in) *m(f)*, Mechaniker(in) *m(f)*; *with degree* Ingenieur(in) *m(f)*; NAUT Schiffsingenieur(in) *m(f)* **B** V/T *fig: meeting etc* arrangieren

en·gi·neer·ing [endʒɪˈnɪərɪŋ] N Ingenieurwesen *n*; Maschinenbau *m*; Bauingenieurwesen *n*; **a remarkable feat of ~** ein Meisterwerk *n* der Technik

En·gland [ˈɪŋglənd] N England *n*

En·glish [ˈɪŋglɪʃ] **A** ADJ englisch **B** N *language* Englisch *n*; **in ~** im Englischen, auf Englisch; **the ~** *pl* die Engländer *pl*

Eng·lish ˈChan·nel N Ärmelkanal *m*

ˈEn·glish·man N Engländer *m* **ˈEn·glish·wom·an** N Engländerin *f*

en·grave [ɪnˈgreɪv] V/T *metal* eingravieren; *stone* einmeißeln

en·grav·ing [ɪnˈgreɪvɪŋ] N *print* Stich *m*; *art form, design* Gravierung *f*

en·grossed [ɪnˈgrəʊst] ADJ **be ~ in** vertieft sein in

en·gulf [ɪnˈgʌlf] V/T verschlingen; **be engulfed in flames** in Flammen stehen

en·hance [ɪnˈhɑːns] V/T erhöhen; *reputation* vergrößern; *taste* verstärken; **the new enhanced version** die neue, verbesserte Version

e·nig·ma [ɪˈnɪgmə] N Rätsel *n*

e·nig·mat·ic [enɪgˈmætɪk] ADJ rätselhaft

en·joy [ɪnˈdʒɔɪ] V/T genießen; **did you ~ the film?** hat dir der Film gefallen?; **~ doing sth** etw gerne tun; **~ o.s.** sich amüsieren, Spaß haben; **~ yourself!** viel Spaß!; **~!** *US* guten Appetit!

en·joy·a·ble [ɪnˈdʒɔɪəbl] ADJ schön, angenehm; *film, book* unterhaltsam

en·joy·ment [ɪnˈdʒɔɪmənt] N Freude *f*, Vergnügen *n*; **I get a lot of ~ out of it** es macht mir viel Spaß

en·large [ɪnˈlɑːdʒ] V/T vergrößern

en·large·ment [ɪnˈlɑːdʒmənt] N Vergrößerung *f*; *of EU* Erweiterung *f*

en·light·en [ɪnˈlaɪtn] V/T aufklären

en·list [ɪnˈlɪst] **A** V/I MIL sich melden **B** V/T *support* in Anspruch nehmen

en·mi·ty [ˈenmətɪ] N Feindschaft *f*

e·nor·mi·ty [ɪˈnɔːmətɪ] N *of task* ungeheures Ausmaß; *of crime* Abscheulichkeit *f*

e·nor·mous [ɪˈnɔːməs] ADJ riesig, enorm; *relief, patience etc* ungeheuer viel

e·nor·mous·ly [ɪˈnɔːməslɪ] ADV enorm, außerordentlich

e·nough [ɪˈnʌf] **A** ADJ genug, genügend **B** PRON genug; **will £50 be ~?** sind 50 Pfund genug?, reichen 50 Pfund?; **I've had ~!** mir reicht's! **C** ADV genug; **strangely ~** komischerweise, merkwürdigerweise

en·quire [ɪnˈkwaɪə(r)] V/I sich erkundigen (**about** nach); **~ into sth** etw untersu-

chen, etw erforschen
en·quir·y [ɪn'kwaɪərɪ] N Anfrage *f*, Erkundigung *f*; *by police* Ermittlung *f*; *by commission* Untersuchung *f*; **make enquiries about** Erkundigungen einziehen über
en·raged [ɪn'reɪdʒd] ADJ wütend
en·rich [ɪn'rɪtʃ] V/T bereichern
en·roll [ɪn'rəʊl] V/I sich einschreiben
en·sue [ɪn'sjuː] V/I folgen
ensuing ADJ *months, days* folgend; *event* nachfolgend
en suite ['ɒnswiːt] N Zimmer *n* mit eigenem Bad; **~ (bathroom)** eigenes Bad
en·sure [ɪn'ʃʊə(r)] V/T sicherstellen, gewährleisten
en·tail [ɪn'teɪl] V/T mit sich bringen
en·tan·gle [ɪn'tæŋgl] V/T *in rope* verfangen; **become entangled in** sich verfangen in; *in scandal, lies* sich verstricken in
en·ter ['entə(r)] **A** V/T *room, house* betreten; hineingehen in; hereinkommen in; *subject: train* einfahren in; *contest* sich beteiligen an; *person, horse in race* (an)melden (**for** für); *name, details* eintragen; IT eingeben; **~ politics** in die Politik gehen; **~ university** mit dem Studium anfangen **B** V/I eintreten; THEAT auf die Bühne kommen, auftreten; *into competition* sich (an)melden (**for** für) **C** N COMPUT Eingabetaste *f*
en·ter·prise ['entəpraɪz] N Unternehmungsgeist *m*; *company* Unternehmen *n*
'en·ter·prise po·li·cy N *of EU* Unternehmenspolitik *f*
en·ter·pris·ing ['entəpraɪzɪŋ] ADJ einfallsreich
en·ter·tain [entə'teɪn] **A** V/T *guests, children* unterhalten; *thought* in Erwägung ziehen **B** V/I Gäste haben
en·ter·tain·er [entə'teɪnə(r)] N Entertainer(in) *m(f)*, Unterhaltungskünstler(in) *m(f)*
en·ter·tain·ing [entə'teɪnɪŋ] ADJ unterhaltsam
en·ter·tain·ment [entə'teɪnmənt] N Unterhaltung *f*; **what do you do for ~ here?** wie amüsieren Sie sich hier?
en·thrall [ɪn'θrɔːl] V/T **be enthralled by sth** sich von etw packen *or* faszinieren lassen
en·thrall·ing [ɪn'θrɔːlɪŋ] ADJ packend, spannend
en·thu·si·asm [ɪn'θjuːzɪæzm] N Begeisterung *f*
en·thu·si·ast [ɪn'θjuːzɪæst] N Enthusiast(in) *m(f)*
en·thu·si·as·tic [ɪnθjuːzɪ'æstɪk] ADJ begeistert
en·tice [ɪn'taɪs] V/T *attract* locken (**into** in); *seduce* verführen (**into** zu)
en·tire [ɪn'taɪə(r)] ADJ ganz
en·tire·ly [ɪn'taɪəlɪ] ADV völlig
en·ti·tle [ɪn'taɪtl] V/T *give right to* berechtigen; **be entitled to do sth** das Recht haben, etw zu tun; **you're entitled to be angry** du bist zu Recht verärgert
en·ti·tled [ɪn'taɪtld] ADJ **be ~ …** *book* den Titel … haben
en·ti·ty ['entətɪ] N Einheit *f*
en·trance ['entrəns] N *of house, flat* Eingang *m*; *for vehicles* Einfahrt *f*; *appearance* Erscheinen *n*, Eintreten *n*; THEAT Auftritt *m*; *admission* Zutritt *m*, Einlass *m*; *into school* Aufnahme *f* (**to** in); *into university* Zulassung *f* (**to** für)
en·tranced [ɪn'trɑːnst] ADJ bezaubert, entzückt
'en·trance fee N *to exhibition etc* Eintrittsgeld *n*; *for joining club* Aufnahmegebühr *f*
en·trant ['entrənt] N *in exam* Prüfling *m*; *in contest* Teilnehmer(in) *m(f)*
en·treat [ɪn'triːt] V/T **~ sb to do sth** j-n beschwören *or* anflehen, etw zu tun
en·trenched [ɪn'trentʃt] ADJ *views* tief verwurzelt
en·tre·pre·neur [ɒntrəprə'nɜː] N Unternehmer(in) *m(f)*
en·tre·pre·neur·i·al [ɒntrəprə'nɜːrɪəl] ADJ unternehmerisch
en·trust [ɪn'trʌst] V/T **~ sth to sb** j-m etw anvertrauen; **~ sb with sth** j-n mit etw betrauen
en·try ['entrɪ] N Eingang *m*; *admission to building* Zutritt *m*; *for race etc* Anmeldung *f*; *for competition* Einsendung *f*; *in diary, list* Eintrag *m*; *into country* Einreise *f*
'en·try form N Anmeldeformular *n* **'en·try per·mit** N Einreiseerlaubnis *f*, Einreisegenehmigung *f* **'en·try-phone** N Türsprechanlage *f*, Gegensprechanlage *f* **'en·try vi·sa** N Einreisevisum *n*
en·twine [ɪn'twaɪn] V/T **become en-**

twined in sth sich in etw verwickeln
e·nu·me·rate [ɪ'nju:məreɪt] VT aufzählen
en·vel·op [ɪn'veləp] VT einhüllen
en·ve·lope ['envələʊp] N Briefumschlag *m*, Kuvert *n*
en·vi·a·ble ['enviəbl] ADJ beneidenswert
en·vi·ous ['enviəs] ADJ neidisch (**of** auf)
en·vi·ron·ment [ɪn'vaɪərənmənt] N *natural world* Umwelt *f*; *surroundings* Umgebung *f*; *social, cultural* Milieu *n*, Umfeld *n*
en·vi·ron·men·tal [ɪnvaɪərən'mentl] ADJ Umwelt-
en·vi·ron·men·tal·ist [ɪnvaɪərən'mentəlɪst] N Umweltschützer(in) *m(f)*
en·vi·ron·men·tal·ly-com·pa·ti·ble [ɪnvaɪərənmentəlɪkəm'pætəbl] ADJ umweltverträglich
en·vi·ron·men·tal·ly 'friend·ly ADJ umweltfreundlich
en·vi·ron·men·tal pol'lu·tion N Umweltverschmutzung *f*
en·vi·ron·men·tal pro'tec·tion N Umweltschutz *m*
en·vi·rons [ɪn'vaɪərənz] N *pl* Umgebung *f*
en·vis·age [ɪn'vɪzɪdʒ] VT sich vorstellen
en·voy ['envɔɪ] N Gesandte(r) *m*, Gesandtin *f*
en·vy ['envɪ] **A** N Neid *m*; **his new bike is the ~ of everyone** alle beneiden ihn um sein neues Fahrrad **B** VT ⟨-ied⟩ **~ sb sth** j-n um etw beneiden
e·phem·er·al [ɪ'femərəl] ADJ kurzlebig, flüchtig
ep·ic ['epɪk] **A** ADJ *fig: journey, task* gewaltig **B** N *book, film* Epos *n*
ep·i·cen·tre, **ep·i·cen·ter** *US* ['epɪsentə(r)] N Epizentrum *n*
ep·i·dem·ic [epɪ'demɪk] N Epidemie *f*, Seuche *f*; *fig* Seuche *f*; *of car thefts* Welle *f*
ep·i·lep·sy ['epɪlepsɪ] N Epilepsie *f*
ep·i·lep·tic [epɪ'leptɪk] N Epileptiker(in) *m(f)*
ep·i·lep·tic 'fit N epileptischer Anfall
ep·i·logue, **ep·i·log** *US* ['epɪlɒg] N Epilog *m*, Nachwort *n*
ep·i·sode ['epɪsəʊd] N *of story* Folge *f*; *event* Episode *f*, Vorfall *m*
ep·i·taph ['epɪtɑ:f] N Grabinschrift *f*
e·poch ['i:pɒk] N Epoche *f*
eq·ua·ble ['ekwəbl] ADJ ausgeglichen
e·qual ['i:kwl] **A** ADJ gleich; **be ~ to sb/sth** j-m/etw gewachsen sein **B** N Gleichgestellte(r) *m/f(m)*; **have no ~** einzigartig sein; **he treated everyone as his ~** er behandelte alle als seinesgleichen **C** VT ⟨-ll-, *US* -l-⟩ **4 times 12 equals 48** 4 mal 12 ist (gleich) 48
e·qual·i·ty [ɪ'kwɒlətɪ] N Gleichheit *f*
e·qual·ize ['i:kwəlaɪz] **A** VT ausgleichen **B** VI SPORTS ausgleichen
e·qual·iz·er ['i:kwəlaɪzə(r)] N SPORTS Ausgleichstor *n*, Ausgleich *m*
e·qual·ly ['i:kwəlɪ] ADV *divide* gleichmäßig; *responsible, intelligent* gleich, genauso; **~, ...** ebenfalls ..., ebenso ...
e·qual 'rights N *pl* Gleichberechtigung *f*
eq·ua·nim·i·ty [i:kwə'nɪmətɪ] N Gleichmut *m*
e·quate [ɪ'kweɪt] VT **~ sth with sth** etw mit etw gleichsetzen
e·qua·tion [ɪ'kweɪʒn] N MATH Gleichung *f*
e·qua·tor [ɪ'kweɪtə(r)] N Äquator *m*
e·qui·lib·ri·um [i:kwɪ'lɪbrɪəm] N Gleichgewicht *n*
e·qui·nox ['ekwɪnɒks] N Tag-und-Nacht-Gleiche *f*
e·quip [ɪ'kwɪp] VT ⟨-pp-⟩ *people, ship, expedition* ausrüsten; *car* ausstatten; *laboratory* einrichten; **be well equipped to handle sth** *fig* die nötigen Fähigkeiten besitzen, (um) mit etw fertig zu werden
e·quip·ment [ɪ'kwɪpmənt] N *no pl for laboratory, office* Einrichtung *f*; *for expedition, ship* Ausrüstung *f*; *implements* Werkzeug *n*; **a piece of ~** ein Gerät *n*
eq·ui·ty ['ekwətɪ] N ECON (Stamm)Aktien *pl*
'eq·ui·ty ca·pi·tal N ECON Eigenkapital *n*
'eq·ui·ty po·si·tion N ECON Eigenkapitalausstattung *f*
e·quiv·a·lent [ɪ'kwɪvələnt] **A** ADJ gleich, gleichwertig; **be ~ to sth** etw entsprechen **B** N Entsprechung *f*, Gegenstück *n*; *in money* Gegenwert *m*
e·ra ['ɪərə] N Ära *f*, Epoche *f*
e·rad·i·cate [ɪ'rædɪkeɪt] VT ausrotten
e·rase [ɪ'reɪz] VT *writing* ausradieren; *data* löschen

e·ras·er [ɪˈreɪzə(r)] N Radiergummi *m*

e·rect [ɪˈrekt] **A** ADJ aufrecht **B** V/T *building, statue* errichten, aufbauen; *mast, tent* aufstellen

e·rec·tion [ɪˈrekʃn] N *of building etc* Errichten *n*; *of mast, tent* Aufstellen *n*; *of penis* Erektion *f*

E

er·go·nom·ic [ɜːgəʊˈnɒmɪk] ADJ ergonomisch

e·rode [ɪˈrəʊd] V/T auswaschen; *fig*: *rights, power* aushöhlen, untergraben

e·ro·sion [ɪˈrəʊʒn] N Erosion *f*; *fig* Aushöhlung *f*

e·rot·ic [ɪˈrɒtɪk] ADJ erotisch

e·rot·i·cism [ɪˈrɒtɪsɪzm] N Erotik *f*

err [ɜː] V/I (sich) irren; **~ on the side of caution** auf Nummer sicher gehen

er·rand [ˈerənd] N Besorgung *f*; *with letter* Botengang *m*

er·rat·ic [ɪˈrætɪk] ADJ *behaviour* unberechenbar; *bus service* unregelmäßig; *performance, player* unbeständig

er·ro·ne·ous [ɪˈrəʊnjəs] ADJ irrig

er·ror [ˈerə(r)] N Fehler *m*; **be in ~** sich irren, im Irrtum sein

ˈer·ror mes·sage N IT Fehlermeldung *f*

e·rupt [ɪˈrʌpt] V/I *volcano, violence* ausbrechen; *person* explodieren

e·rup·tion [ɪˈrʌpʃn] N *of volcano, violence* Ausbruch *m*

es·ca·late [ˈeskəleɪt] V/I *situation* sich verschärfen, eskalieren; *prices* (an)steigen

es·ca·la·tion [eskəˈleɪʃn] N *of situation* Verschärfung *f*, Eskalation *f*

es·ca·la·tor [ˈeskəleɪtə(r)] N Rolltreppe *f*

es·cape [ɪˈskeɪp] **A** N *of prisoner* Flucht *f*, Ausbruch *m*; *of animal* Ausbruch *m*; *of gas* Entweichen *n*, Ausströmen *n*; COMPUT Escape *n*, Abbruch *m*; **have a narrow ~** knapp entkommen **B** V/I *prisoner* fliehen, ausbrechen; *animal* ausbrechen; *gas* entweichen, ausströmen **C** V/T *police, pursuer* entkommen, entgehen; **the word escapes me** das Wort ist mir entfallen

esˈcape chute N AVIAT Notrutsche *f*

es·cort **A** N [ˈeskɔːt] Begleitung *f*; *guard* Eskorte *f*; MIL Geleitschutz *m*; **under ~** unter Bewachung **B** V/T [ɪˈskɔːt] *to theatre etc* begleiten; *guard* begleiten, Geleitschutz geben

esp. *only written* ABBR *for* especially bes., besonders

es·pe·cial [ɪˈspeʃl] → special

es·pe·cial·ly [ɪˈspeʃlɪ] ADV besonders, insbesondere

es·pi·o·nage [ˈespɪənɑːʒ] N Spionage *f*

es·say [ˈeseɪ] N *literary* Essay *m or n*; *in school* Aufsatz *m*

es·sence [ˈesns] N *of problem* Wesen *n*, Essenz *f*; *vanilla etc* Extrakt *m*, Essenz *f*; **in ~** im Wesentlichen

es·sen·tial [ɪˈsenʃl] ADJ unbedingt notwendig, absolut erforderlich; **the ~ thing is ...** das Wichtigste ist, ...

es·sen·tial·ly [ɪˈsenʃlɪ] ADV in erster Linie

es·tab·lish [ɪˈstæblɪʃ] V/T herstellen; *company* gründen; *sb's whereabouts, cause* feststellen; **~ o.s. as** sich etablieren als, sich e-n Namen machen als

es·tab·lish·ment [ɪˈstæblɪʃmənt] N *company, business* Unternehmen *n*; **the Establishment** das Establishment

es·tate [ɪˈsteɪt] N *landed property* Gut *n*, Landsitz *m*; *housing development* Siedlung *f*; *property of deceased person* Erbe *n*, Nachlass *m*

esˈtate a·gen·cy N Immobilienbüro *n*

esˈtate a·gent N Grundstücksmakler(in) *m(f)*, Immobilienmakler(in) *m(f)*

esˈtate car N Kombi(wagen) *m*

es·teem [ɪˈstiːm] **A** N Achtung *f*, Ansehen *n* (**with** bei) **B** V/T *formal* (hoch) schätzen

es·thet·ic *etc US* → aesthetic *etc*

es·ti·mate **A** N [ˈestɪmət] Schätzung *f*; *of cost* Kostenvoranschlag *m* **B** V/T [ˈestɪmeɪt] schätzen (**at** auf)

es·ti·ma·ted price [estɪmeɪtɪdˈpraɪs] N Schätzpreis *m*

es·ti·ma·ted ˈval·ue N Schätzwert *m*

es·ti·ma·tion [estɪˈmeɪʃn] N *respect* Achtung *f*; **in my ~** *in my opinion* meiner Einschätzung nach, meines Erachtens

Es·to·ni·a [esˈtəʊnɪə] N Estland *n*

Es·to·ni·an [esˈtəʊnɪən] **A** ADJ estnisch **B** N *language* Estnisch; *person* Este *m*, Estin *f*

es·tranged [ɪsˈtreɪndʒd] ADJ *couple* getrennt lebend

es·tu·a·ry [ˈestʊərɪ] N Mündung *f*

ETA [iːtiːˈeɪ] ABBR *for* estimated time of

arrival voraussichtliche Ankunft
etc [et'setrə] ABBR *for* et cetera usw., und so weiter
e·ter·nal [ɪ'tɜːnl] ADJ ewig
e·ter·ni·ty [ɪ'tɜːnətɪ] N Ewigkeit *f*
eth·i·cal ['eθɪkl] ADJ ethisch
eth·ics ['eθɪks] N *sg* Ethik *f*; *pl; of particular occupation* Berufsethos *n*
eth·nic ['eθnɪk] ADJ ethnisch
eth·nic 'group N Volksgruppe *f*
eth·nic mi'nor·i·ty N ethnische Minderheit
e·tic·ket ['iːtɪkɪt] N E-Ticket *n*, elektronisches Ticket
EU [iː'juː] ABBR *for* European Union EU, Europäische Union
EU ac'ces·sion N EU-Beitritt *m* **EU 'cit·i·zen·ship** N Unionsbürgerschaft *f*, EU-Bürgerschaft *f* **EU Com'mis·sion** N EU-Kommission *f* **EU Com'mis·sion·er** N EU-Kommissar(in) *m(f)* **EU con·sti'tu·tion** N EU-Verfassung *f* **EU di'rec·tive** N EU-Richtlinie *f* **EU en'large·ment** N EU-Erweiterung *f* **EU in·sti'tu·tion** N EU-Organ *n*
eu·phe·mism ['juːfəmɪzm] N Euphemismus *m*
eu·pho·ri·a [juː'fɔːrɪə] N Euphorie *f*
EUR *only written* ABBR *for* Euro EUR
EURATOM ['jʊərətɒm] ABBR *for* European Atomic Energy Community EURATOM, Europäische Atomgemeinschaft
EU reg·u'la·tion N EU-Verordnung *f*
eu·ro ['jʊərəʊ] N FIN Euro *m*
'eu·ro·cent N Eurocent *m* **'Eu·ro·cheque** N Eurocheque *m* **'Eu·ro·cheque card** N Euroscheckkarte *f* **'Eu·ro·corps** N Eurokorps *n* **Eu·ro·crat** ['jʊərəʊkræt] N Eurokrat(in) *m(f)* **'Eu·ro·cur·ren·cy** N Eurowährung *f* **'Eu·ro·group** N Eurogruppe *f* **'Eu·ro·just** N Eurojust *n* **'Eu·ro·land** N Euroland *n* **Eu·ro M'P** N Europaabgeordnete(r) *m/f(m)*, Abgeordnete(r) *m/f(m)* des Europaparlaments **'Eu·ro·norm** N Euronorm *f*
Eu·rope ['jʊərəp] N Europa *n*
Eu·rope A'gree·ment N Europa-Abkommen *n*
Eu·ro·pe·an [jʊərə'pɪən] **A** ADJ europäisch **B** N Europäer(in) *m(f)*
Eu·ro·pe·an Cen·tral 'Bank N Europäische Zentralbank **Eu·ro·pe·an Coal and 'Steel Com·mu·ni·ty** N HIST Montanunion *f* **Eu·ro·pe·an Com'mis·sion** N Europäische Kommission **Eu·ro·pe·an Com'mis·sion·er** N Mitglied *n* der Europäischen Kommission **Eu·ro·pe·an Com·mis·sion·'Pres·i·dent** N Präsident(in) *m(f)* der Europäischen Kommission **Eu·ro·pe·an Com'mu·ni·ty** N Europäische Gemeinschaft **Eu·ro·pe·an Con'ven·tion** N Europäischer Konvent **Eu·ro·pe·an 'Corps** N Eurokorps *n* **Eu·ro·pe·an 'Coun·cil** N Europäischer Rat **Eu·ro·pe·an Coun·cil 'Pres·i·dent** N Präsident(in) *m(f)* des Europäischen Rates **Eu·ro·pe·an Court·of 'Au·di·tors** N Europäischer Rechnungshof **Eu·ro·pe·an Court·of Hu·man 'Rights** N Europäischer Gerichtshof für Menschenrechte **Eu·ro·pe·an Court·of 'Jus·tice** N Europäischer Gerichtshof **Eu·ro·pe·an E·con·om·ic and Mon·e·ta·ry 'U·nion** N Europäische Wirtschafts- und Währungsunion **Eu·ro·pe·an E·con·om·ic 'A·re·a** N Europäischer Wirtschaftsraum **Eu·ro·pe·an e'lec·tions** N *pl* Europawahlen *pl* **Eu·ro·pe·an Free 'Trade As·so·ci·a·tion** N Europäische Freihandelszone **Eu·ro·pe·an In'vest·ment Bank** N Europäische Investitionsbank **Eu·ro·pe·an In'vest·ment Fund** N Europäischer Investitionsfonds **Eu·ro·pe·an 'Mon·e·ta·ry Fund** N Europäischer Währungsfonds **Eu·ro·pe·an Mon·e·ta·ry 'U·nion** N Europäische Währungsunion **Eu·ro·pe·an 'Om·buds·man** N Bürgerbeauftragte(r) *m/f(m)* **Eu·ro·pe·an 'Par·lia·ment** N Europaparlament *n* **Eu·ro·pe·an 'po·li·cy** N Europapolitik *f* **Eu·ro·pe·an Se·cu·ri·ty and De'fence I·den·ti·ty** N Europäische Sicherheits- und Verteidigungsidentität **Eu·ro·pe·an 'stan·dard** N Euronorm *f* **Eu·ro·pe·an 'U·nion** N Europäische Union
'Eu·rope Day N Europatag *m*
'Eu·rope Min·i·ster N Europaminister(in) *m(f)*
Eu·ro·pol ['jʊərəʊpɒl] ABBR *for* Europe-

an Police Office Europol *f* **Eu·ro'scep·tic** N Euroskeptiker(in) *m(f)* **Eu·ro·stat** ['jʊərəʊstæt] N *EU statistics agency* Eurostat **'Eu·ro·zone** N Eurozone *f*
eu·tha·na·si·a [juθə'neɪzɪə] N Euthanasie *f*
E
EU 'trea·ty N EU-Vertrag *m*
e·vac·u·ate [ɪ'vækjʊeɪt] V/T evakuieren; *hotel room etc* verlassen, räumen
e·vade [ɪ'veɪd] V/T ausweichen
e·val·u·ate [ɪ'væljʊeɪt] V/T bewerten, beurteilen
e·val·u·a·tion [ɪvæljʊ'eɪʃn] N Bewertung *f*
e·vap·o·rate [ɪ'væpəreɪt] V/I *water* verdunsten, verdampfen; *self-confidence* sich in Luft auflösen
e·vap·o·ra·tion [ɪvæpə'reɪʃn] N *of water* Verdampfen *n*, Verdampfung *f*
e·va·sion [ɪ'veɪʒn] N Umgehen *n*, Ausweichen *n*
e·va·sive [ɪ'veɪsɪv] ADJ ausweichend; **be ~ about sth** um etw herumreden; **take ~ action** ein Ausweichmanöver machen
eve [i:v] N Vorabend *m*
e·ven ['i:vn] **A** ADJ *breathing, distribution* gleichmäßig; *surface, seam* eben; *number* gerade; **get ~ with sb** es j-m heimzahlen, mit j-m abrechnen **B** ADV sogar; **~ better** (sogar) noch besser; **not ~** nicht einmal; **~ so** trotzdem; **~ if** selbst wenn **C** V/T **~ the score** ausgleichen
eve·ning ['i:vnɪŋ] N Abend *m*; **this ~** heute Abend
'eve·ning class N Abendkurs *m*
'eve·ning dress N *for woman* Abendkleid *n*; *for man* Abendanzug *m*, festlicher Anzug **eve·ning 'pa·per** N Abendzeitung *f*
e·ven·ly ['i:vnlɪ] ADV *distribute, breathe* gleichmäßig
e·vent [ɪ'vent] N Ereignis *n*; SPORTS Wettbewerb *m*, Disziplin *f*; **at all events** auf jeden Fall; **in the ~ of** im Falle (+ *gen*)
e·vent·ful [ɪ'ventfl] ADJ ereignisreich
e·ven·tu·al [ɪ'ventjʊəl] ADJ letztendlich
e·ven·tu·al·ly [ɪ'ventjʊəlɪ] ADV schließlich, letztendlich
ev·er ['evə(r)] ADV je(mals); **not ~** nie, niemals; **for ~** (für) immer; **~ since** seitdem; **~ so kind** *infml* unheimlich nett
ev·er·green ['evəgri:n] N immergrüne Pflanze; *tree* Nadelbaum *m*
ev·er·last·ing [evə'lɑ:stɪŋ] ADJ immerwährend
ev·er'more ADV **(for) ~** für immer
ev·ery ['evrɪ] ADJ jede(r, -s); **~ other day** alle zwei Tage, jeden zweiten Tag; **~ now and then** ab und zu
ev·ery·bod·y ['evrɪbɒdɪ] PRON → everyone
ev·ery·day ['evrɪdeɪ] ADJ alltäglich, Alltags-
ev·ery·one ['evrɪwʌn] PRON jeder, alle
ev·ery·thing ['evrɪθɪŋ] PRON alles
ev·ery·where ['evrɪweə(r)] ADV überall; **from ~** von überall her; **~ you go you'll find ...** egal, wo du hingehst, findest du ...
e·vict [ɪ'vɪkt] V/T **~ sb from their house** j-n zum Verlassen s-s Hauses zwingen; **they've been evicted** sie sind aus ihrer Wohnung geworfen worden
ev·i·dence ['evɪdəns] N Beweis *m*; JUR Beweise *pl*, Beweismaterial *n*; **give ~** aussagen
ev·i·dent ['evɪdənt] ADJ offensichtlich, sichtbar
ev·i·dent·ly ['evɪdəntlɪ] ADV offensichtlich; *seemingly* anscheinend
e·vil ['i:vl] **A** ADJ böse, schlimm **B** N Böse(s) *n*, Übel *n*
e·voke [ɪ'vəʊk] V/T *image* hervorrufen
ev·o·lu·tion [i:və'lu:ʃn] N Evolution *f*
e·volve [ɪ'vɒlv] **A** V/T *plan, theory* entwickeln **B** V/I *animals, style, capability* sich entwickeln
ewe [ju:] N Mutterschaf *n*
ex- [eks] PREF Ex-, ehemalig
ex [eks] N *infml: former wife, husband* Ex *m/f*
ex·act [ɪg'zækt] ADJ genau
ex·act·ing [ɪg'zæktɪŋ] ADJ anspruchsvoll
ex·act·ly [ɪg'zæktlɪ] ADV genau; **not ~** eigentlich nicht; **it's not ~ easy** es ist nicht gerade leicht
ex·ag·ge·rate [ɪg'zædʒəreɪt] V/T & V/I übertreiben
ex·ag·ge·ra·tion [ɪgzædʒə'reɪʃn] N Übertreibung *f*
ex·am [ɪg'zæm] N Prüfung *f*, Examen *n*
ex·am·i·na·tion [ɪgzæmɪ'neɪʃn] N *of facts, patient* Untersuchung *f*; SCHOOL Prüfung *f*, Examen *n*

ex·am·ine [ɪg'zæmɪn] VT *facts, patient* untersuchen; SCHOOL prüfen (**on** in)
ex·am·ple [ɪg'zɑːmpl] N Beispiel *n*; *of work* Arbeitsprobe *f*; **for ~** zum Beispiel; **make an ~ of sb** ein Exempel *n* an j-m statuieren
ex·as·pe·rat·ed [ɪg'zæspəreɪtɪd] ADJ verärgert, irritiert
ex·as·pe·rat·ing [ɪg'zæspəreɪtɪŋ] ADJ *situation* ärgerlich; *person* irritierend
ex·ca·vate ['ekskəveɪt] VT *ditch* ausheben; *archaeological site* ausgraben
ex·ca·va·tion [ekskə'veɪʃn] N Ausgrabung *f*; *place* Ausgrabungsstätte *f*
ex·ca·va·tor ['ekskəveɪtə(r)] N Bagger *m*
ex·ceed [ɪk'siːd] VT *number, length, speed limit* überschreiten; *expectations* übertreffen
ex·ceed·ing·ly [ɪk'siːdɪŋlɪ] ADV äußerst, außerordentlich
ex·cel [ɪk'sel] ‹-ll-› **A** VI sich auszeichnen (**at** in) **B** VT **~ o.s.** sich selbst übertreffen
ex·cel·lence ['eksələns] N Vorzüglichkeit *f*; **strive for ~** hervorragende Leistungen anstreben
ex·cel·lent ['eksələnt] ADJ hervorragend
ex·cept [ɪk'sept] PREP außer; **~ for** außer, bis auf
ex·cept·ing [ek'septɪŋ] PREP ausgenommen
ex·cep·tion [ɪk'sepʃn] N Ausnahme *f*; **take ~ to sth** an etw Anstoß nehmen
ex·cep·tion·al [ɪk'sepʃnl] ADJ *outstandingly good* außergewöhnlich gut; *unusual* außergewöhnlich
ex·cep·tion·al·ly [ɪk'sepʃnlɪ] ADV ausnahmsweise, in Ausnahmefällen; *extremely* außergewöhnlich
ex·cerpt ['eksɜːt] N Auszug *m* (**from** aus)
ex·cess [ɪk'ses] **A** ADJ überschüssig **B** N Übermaß *n*; **drink to ~** übermäßig viel trinken; **be in ~ of £1 million** e-e Million Pfund überschreiten
ex·cess 'bag·gage N Übergepäck *n*
ex·cess 'fare N Nachlösegebühr *f*
ex·ces·sive [ɪk'sesɪv] ADJ übermäßig
ex·ces·sive 'de·fi·cit pro·ce·dure N *EU* Defizitverfahren *n*
ex·cess 'post·age N Nachgebühr *f*
ex·change [ɪks'tʃeɪndʒ] **A** N *of opinions, information* Austausch *m*; *between schools* Austauschprogramm *n*; **in ~** im Austausch (**for** gegen) **B** VT *goods* umtauschen (**for** gegen); *money a.* tauschen (**for** gegen); *phone numbers* austauschen
ex'change rate N ECON Wechselkurs *m* **ex'change rate mech·a·nis·m** N ECON Wechselkursmechanismus *m*
Ex·cheq·uer [ɪks'tʃekə(r)] N **Chancellor of the ~** Finanzminister(in) *m(f)*
ex·cise (duty) [ek'saɪz] N Verbrauchssteuer *f*
ex·ci·ta·ble [ɪk'saɪtəbl] ADJ leicht erregbar
ex·cite [ɪk'saɪt] VT *thrill* begeistern
ex·cit·ed [ɪk'saɪtɪd] ADJ aufgeregt; **get ~** aufgeregt sein; **they get too ~** *children* sie sind so schnell aufgedreht; **get ~ about sth** sich für etw begeistern; *journey etc* sich auf etw freuen
ex·cite·ment [ɪk'saɪtmənt] N Aufregung *f*, Spannung *f*
ex·cit·ing [ɪk'saɪtɪŋ] ADJ aufregend, spannend
ex·claim [ɪk'skleɪm] VT ausrufen
ex·cla·ma·tion [ekskla'meɪʃn] N Ausruf *m*, Aufschrei *m*
ex·cla'ma·tion mark N Ausrufezeichen *n*, Ausrufungszeichen *n*
ex·clude [ɪk'skluːd] VT ausschließen
ex·clud·ing [ɪk'skluːdɪŋ] PREP außer; **there are six of us ~ the children** wir sind sechs ohne die Kinder
ex·clu·sion [ɪk'skluːʒn] N Ausschließung *f*, Ausschluss *m*; **to the ~ of all else** ausschließlich
ex·clu·sive [ɪk'skluːsɪv] ADJ *hotel* exklusiv, vornehm; *rights* ausschließlich, alleinig; *interview* Exklusiv-
ex·cre·ment ['ekskrɪmənt] N Kot *m*
ex·cru·ci·a·ting [ɪk'skruːʃɪeɪtɪŋ] ADJ *pain* fürchterlich, entsetzlich
ex·cur·sion [ɪk'skɜːʃn] N Ausflug *m*
ex·cu·sa·ble [ɪk'skjuːzəbl] ADJ entschuldbar
ex·cuse **A** N [ɪk'skjuːs] Entschuldigung *f*; *pretext* Ausrede *f*; **he's always making excuses** er versucht immer, sich herauszureden **B** VT [ɪk'skjuːz] *forgive, allow to go* entschuldigen; **~ me** Entschuldigung
ex-di'rec·to·ry ADJ **be ~** nicht im Telefonbuch stehen
e·x·e·cute ['eksɪkjuːt] VT *murderer* hin-

richten; *plan* durchführen, ausführen
ex·e·cu·tion [eksɪ'kjuːʃn] N *of murderer* Hinrichtung *f*; *of plan* Durchführung *f*, Ausführung *f*
ex·e·cu·tion·er [eksɪ'kjuːʃnə(r)] N Henker *m*, Scharfrichter *m*
ex·ec·u·tive [ɪg'zekjʊtɪv] N Manager(in) *m(f)*, Führungskraft *f*

E

ex·ec·u·tive 'a·gen·cy N *of EU* Exekutivagentur *f*
ex·ec·u·tive 'brief·case N Diplomatenkoffer *m*, Aktenkoffer *m*
ex·ec·u·tor [ɪg'zekjʊtə(r)] N JUR Nachlassverwalter(in) *m(f)*, Testamentsvollstrecker(in) *m(f)*
ex·ec·u·trix [ɪg'zekjʊtrɪks] N JUR Nachlassverwalterin *f*, Testamentsvollstreckerin *f*
ex·em·pla·ry [ɪg'zemplərɪ] ADJ beispielhaft, vorbildlich
ex·em·pli·fy [ɪg'zemplɪfaɪ] V/T veranschaulichen
ex·empt [ɪg'zempt] ADJ **~ from** befreit von
ex·emp·tion [ɪg'zempʃn] N Befreiung *f*, Freistellung *f*
ex·er·cise ['eksəsaɪz] **A** N *physical* Bewegung *f*; SPORTS Übung *f*; SCHOOL Aufgabe *f*, Übung *f*; MIL Übung *f*, Manöver *n*; **he doesn't get enough ~** er bewegt sich nicht genug **B** V/T *muscles* trainieren; *dog* ausführen, spazieren führen; *care, restraint* üben **C** V/I sich bewegen
'ex·er·cise bike N Heimtrainer *m*
ex·ert [ɪg'zɜːt] V/T *authority* einsetzen, ausüben; **~ o.s.** sich anstrengen
ex·er·tion [ɪg'zɜːʃn] N Anstrengung *f*
ex·hale [eks'heɪl] V/T *air* ausatmen
ex·haust [ɪg'zɔːst] **A** N *fumes* Auspuffgase *pl*, Abgase *pl*; *pipe* Auspuffrohr *n* **B** V/T erschöpfen; *supplies, mineral resources* aufbrauchen, erschöpfen
ex·haust·ed [ɪg'zɔːstɪd] ADJ erschöpft
ex·haust e·mis·sion 'stan·dard N Abgasgrenzwert *m*
ex'haust fumes N *pl* Auspuffgase *pl*, Abgase *pl*
ex·haust·ing [ɪg'zɔːstɪŋ] ADJ anstrengend
ex·haus·tion [ɪg'zɔːstʃn] N Erschöpfung *f*
ex·haus·tive [ɪg'zɔːstɪv] ADJ *list* ausführlich
ex'haust pipe N Auspuffrohr *n*
ex·hib·it [ɪg'zɪbɪt] **A** N Ausstellungsstück *n*; JUR Beweisstück *n* **B** V/T ausstellen; *fatigue etc* zeigen
ex·hi·bi·tion [eksɪ'bɪʃn] N *of paintings, photos* Ausstellung *f*; *of skill* Vorführung *f*; **what an ~!** was für ein Theater!; **make an ~ of o.s.** sich lächerlich machen
ex·hi'bi·tion cen·tre, **ex·hi'bi·tion cen·ter** US N Ausstellungszentrum *n*; *for trade fair* Messegelände *n*
ex·hi'bi·tion hall N Ausstellungshalle *f*; *for trade fair* Messehalle *f*
ex·hi·bi·tion·ist [eksɪ'bɪʃnɪst] N Exhibitionist(in) *m(f)*
ex·hi'bi·tion room N Ausstellungsraum *m*
ex·hi'bi·tion site N Ausstellungsgelände *n*; *for trade fair* Messegelände *n*
ex·hil·a·rat·ing [ɪg'zɪləreɪtɪŋ] ADJ *air* belebend; *experience, feeling* erregend
ex·hort [ɪg'zɔːt] V/T ermahnen
ex·ile ['eksaɪl] **A** N Exil *n*, Verbannung *f*; *person* Verbannte(r) *m/f(m)*, Exilant(in) *m(f)* **B** V/T verbannen, ins Exil schicken
ex·ist [ɪg'zɪst] V/I existieren; **if God exists** wenn es e-n Gott gibt; **~ on** leben von
ex·ist·ence [ɪg'zɪstəns] N Existenz *f*; *of person, animal* Leben *n*, Dasein *n*; **be in ~** existieren; **come into ~** entstehen; **go out of ~** verschwinden; *die out* aussterben
ex·ist·ent [ɪg'zɪstənt] ADJ vorhanden
ex·ist·ing [ɪg'zɪstɪŋ] ADJ bestehend
ex·it ['eksɪt] **A** N Ausgang *m*; *of motorway* Ausfahrt *f*; THEAT Abgang *m* **B** V/T & V/I IT beenden
'ex·it per·mit N Ausreiseerlaubnis *f*, Ausreisegenehmigung *f*
'ex·it vi·sa N Ausreisevisum *n*
ex·o·dus ['eksədəs] N REL Exodus *m*; *from country* Abwanderung *f*; **general ~** allgemeiner Aufbruch
ex·on·e·rate [ɪg'zɒnəreɪt] V/T entlasten
ex·or·bi·tant [ɪg'zɔːbɪtənt] ADJ *price* unverschämt
ex·or·cize ['eksɔːsaɪz] V/T *evil spirits* austreiben (**from** aus); *bad memories* befreien (**of** von)
ex·ot·ic [ɪg'zɒtɪk] ADJ exotisch
ex·pand [ɪk'spænd] **A** V/T ausdehnen, erweitern **B** V/I *town, business* wachsen; *metal, area* sich ausdehnen; *company* ex-

pandieren
♦ **expand on** V/T **could you expand on that?** könnten Sie das weiter ausführen?
ex·panse [ɪk'spæns] N Weite *f*, Fläche *f*
ex·pan·sion [ɪk'spænʃn] N *of population, town, business* Wachstum *n*; *of area, metal, trade* Ausdehnung *f*; *of company* Expansion *f*
ex·pan·sive [ɪk'spænsɪv] ADJ mitteilsam
ex·pat [eks'pæt] *infml*, **ex·pat·ri·ate** [eks'pætrɪət] N im Ausland lebende(r) Bürger(in); **be an ~** im Ausland leben
ex·pect [ɪk'spekt] **A** V/T erwarten; *presume* annehmen; **what am I expected to do?** was soll ich machen? **B** V/I **be expecting** *be pregnant* ein Kind erwarten; **I ~ so** ich nehme an, ja
ex·pec·tant [ɪk'spektənt] ADJ erwartungsvoll
ex·pec·tant 'moth·er N werdende Mutter
ex·pec·ta·tion [ekspek'teɪʃn] N *hope* Erwartung *f*
ex·pe·di·ent [ɪk'spi:dɪənt] N Hilfsmittel *n*; *temporary measure* Notbehelf *m*
ex·pe·di·tion [ekspɪ'dɪʃn] N Expedition *f*; **sightseeing ~** Besichtigungstour *f*
ex·pel [ɪk'spel] V/T ⟨-ll-⟩ *from country* ausweisen; *from club, party* ausschließen; *from school* verweisen
ex·pend [ɪk'spend] V/T *energy* aufwenden
ex·pend·a·ble [ɪk'spendəbl] ADJ *person* überflüssig
ex·pen·di·ture [ɪk'spendɪtʃə(r)] N Ausgaben *pl*
ex·pense [ɪk'spens] N Kosten *pl*; **at the ~ of ...** auf Kosten ...
ex'pense ac·count N Spesenkonto *n*
ex·pen·ses [ɪk'spensɪz] N *pl* Unkosten *pl*, Auslagen *pl*
ex·pen·sive [ɪk'spensɪv] ADJ teuer
ex·pe·ri·ence [ɪk'spɪərɪəns] **A** N *event* Erlebnis *n*, Erfahrung *f*; *knowledge, practice* Erfahrung *f* **B** V/T *pleasure* erleben; *pain* erleiden; *problem, difficulties* haben
ex·pe·ri·enced [ɪk'spɪərɪənst] ADJ erfahren
ex·per·i·ment [ɪk'sperɪmənt] **A** N Versuch *m*, Experiment *n* **B** V/I experimentieren **(on, with** mit)
ex·per·i·men·tal [ɪksperɪ'mentl] ADJ experimentell; **be at the ~ stage** sich im Versuchsstadium befinden
ex·pert ['ekspɜ:t] **A** ADJ *skier, player* ausgezeichnet, erfahren; *advice* fachmännisch **B** N Experte *m*, Expertin *f*; *as profession a.* Fachmann *m*, -frau *f*
ex·pert·ise [ekspɜ:'ti:z] N Know-how *n*, Sachverstand *m*
ex·pert o'pin·ion N Gutachten *n*, Expertise *f*
ex·pi·ra·tion [ekspɪ'reɪʃn] N *of treaty, contract* Ende *n*, Ablauf *m*; *of credit card* Verfall *m*
ex·pire [ɪk'spaɪə(r)] V/I ablaufen
ex·pi·ry [ɪk'spaɪərɪ] N Ablauf *m*
ex'pi·ry date N Verfallsdatum *n*
ex·plain [ɪk'spleɪn] V/T erklären; **~ o.s.** sich rechtfertigen
ex·pla·na·tion [eksplə'neɪʃn] N Erklärung *f*
ex·plic·it [ɪk'splɪsɪt] ADJ *instructions* deutlich, ausdrücklich
ex·plic·it·ly [ɪk'splɪsɪtlɪ] ADV *explain* deutlich; *forbid* ausdrücklich
ex·plode [ɪk'spləʊd] **A** V/I *bomb, a. fig* explodieren **B** V/T *bomb* zünden, zur Explosion bringen
ex·ploit[1] ['eksplɔɪt] N Heldentat *f*
ex·ploit[2] [ɪk'splɔɪt] V/T *person* ausbeuten; *mineral resources* nutzen
ex·ploi·ta·tion [eksplɔɪ'teɪʃn] N *of person* Ausbeutung *f*
ex·plo·ra·tion [eksplə'reɪʃn] N Erkundung *f*, Erforschung *f*
ex·plor·a·to·ry [ɪk'splɒrətərɪ] ADJ *surgery* diagnostisch; *talks* Sondierungs-
ex·plore [ɪk'splɔ:(r)] V/T erkunden, erforschen; *possibility* untersuchen
ex·plo·rer [ɪk'splɔ:rə(r)] N Forscher(in) *m(f)*, Forschungsreisende(r) *m/f(m)*
ex·plo·sion [ɪk'spləʊʒn] N Explosion *f*
ex·plo·sive [ɪk'spləʊsɪv] N Sprengstoff *m*
ex·po·nent [ek'spəʊnənt] N MATH Exponent *m*, Hochzahl *f*; *of theory etc* Vertreter(in) *m(f)*, Verfechter(in) *m(f)*
ex·port ['ekspɔ:t] **A** N Export *m*, Ausfuhr *f*; *goods* Export *m*, Exportartikel *m* **B** V/T *goods*, IT exportieren
ex·por·ta·tion [ekspɔ:'teɪʃn] N Ausfuhr *f*
'ex·port du·ty N Ausfuhrzoll *m*
ex·port·er [eks'pɔ:tə(r)] N *person, company* Exporteur *m*; *country* Exportland *n*

ex·port·ing coun·try [ekspɔːtɪŋ'kʌntrɪ] N Exportland *n*
'ex·port li·cence, **'ex·port li·cense** *US* N Ausfuhrgenehmigung *f*
'ex·port price N Exportpreis *m*
ex·pose [ɪk'spəʊz] V/T *make visible* freilegen; *scandal* aufdecken; *thief, liar* entlarven; **~ to** *light, radiation* aussetzen; **be exposed to sth** mit etw konfrontiert werden
ex·po·sure [ɪk'spəʊʒə(r)] N Aussetzung *f* (**to** gegenüber); MED Unterkühlung *f*; *of scandal* Aufdeckung *f*; *of thief, liar* Entlarvung *f*; PHOT Aufnahme *f*
ex·press [ɪk'spres] **A** ADJ *bus, train* Schnell-, Express-; *instructions* ausdrücklich; **~ delivery** Eilzustellung *f* **B** N Schnellzug *m*; Schnellbus *m* **C** V/T *opinion, feelings* ausdrücken, äußern; **~ o.s.** sich ausdrücken
ex·pres·sion [ɪk'spreʃn] N Ausdruck *m*; *on face* Gesichtsausdruck *m*
ex·pres·sion·less [ɪk'spreʃnlɪs] ADJ ausdruckslos
ex·pres·sive [ɪk'spresɪv] ADJ ausdrucksvoll
ex·press·ly [ɪk'spreslɪ] ADV *forbid* ausdrücklich; *intentionally* absichtlich
ex'press train N Schnellzug *m*
ex'press·way N Schnellstraße *f*
ex·pro·pri·ate [eks'prəʊprɪeɪt] V/T JUR enteignen
ex·pul·sion [ɪk'spʌlʃn] N *from school* Verweisung *f*; *from country* Ausweisung *f*
ex·qui·site [ek'skwɪzɪt] ADJ *beautiful* wunderschön; *detail* fein
ext. *only written* ABBR *for* extension TEL App.
ex·tant [ek'stænt] ADJ noch vorhanden
ex·tend [ɪk'stend] **A** V/T *property, knowledge* vergrößern; *contract, visa, runway* verlängern; *power, search* erweitern, ausdehnen; *lead* ausbauen; *thanks, best wishes* aussprechen (**to** *dat*) **B** V/I *garden etc* sich strecken, reichen (**to** bis zu)
ex·tend·ed fam·i·ly [ɪkstendɪd'fæməlɪ] N Großfamilie *f*
ex·ten·sion [ɪk'stenʃn] N *on house* Anbau *m*; *of contract, visa* Verlängerung *f*; TEL Nebenanschluss *m*; **can you give me your ~?** können Sie mir Ihre Durchwahl geben?
ex'ten·sion ca·ble N Verlängerungskabel *n*
ex·ten·sive [ɪk'stensɪv] ADJ *knowledge, work* umfangreich; *search* ausgedehnt; *damage* beträchtlich
ex·tent [ɪk'stent] N *scope, range* Ausmaß *n*, Umfang *m*; *length* Länge *f*; *of area, building* Ausdehnung *f*; **to such an ~ that** … in e-m solchen Maße, dass …, so sehr, dass …; **to a certain ~** bis zu e-m gewissen Grad
ex·ten·u·at·ing cir·cum·stan·ces [ɪkstenʊeɪtɪŋ'sɜːkəmstɑːnsəz] N *pl* mildernde Umstände *pl*
ex·te·ri·or [ɪk'stɪərɪə(r)] **A** ADJ äußere, Außen- **B** N Äußere(s) *n*
ex·ter·mi·nate [ɪk'stɜːmɪneɪt] V/T *vermin* ausrotten, vernichten
ex·ter·nal [ɪk'stɜːnl] ADJ Außen-, äußere(r, -s); *examiner* extern
ex·tinct [ɪk'stɪŋkt] ADJ *species* ausgestorben; *volcano* erloschen
ex·tinc·tion [ɪk'stɪŋkʃn] N *of species* Aussterben *n*
ex·tin·guish [ɪk'stɪŋgwɪʃ] V/T *cigarette* ausmachen; *fire* löschen
ex·tin·guish·er [ɪk'stɪŋgwɪʃə(r)] N Feuerlöscher *m*
ex·tort [ɪk'stɔːt] V/T erpressen, erzwingen
ex·tor·tion [ɪk'stɔːʃn] N Erpressung *f*
ex·tor·tion·ate [ɪk'stɔːʃənət] ADJ *prices* unverschämt; **that's ~!** das ist Wucher!
ex·tor·tion·ate 'price N Wucherpreis *m*
ex·tra **A** N Zusatzleistung *f*, Zusatzangebot *n*; *in film* Statist(in) *m(f)*; **extras** *pl* zusätzliche Kosten *pl*; *for car* Extras *pl*, Sonderausstattung *f* **B** ADJ Extra-, zusätzlich; **an ~ week** noch e-e Woche; **an ~ couple of hundred pounds a week** ein paar hundert Pfund mehr die Woche **C** ADV besonders; **be** *or* **cost ~** extra kosten
ex·tra 'charge N Zuschlag *m*
ex·tract **A** N ['ekstrækt] *from book, speech* Auszug *m* (**from** aus) **B** V/T [ɪk'strækt] herausnehmen; *cork, thorn etc* herausziehen; *coal, oil* gewinnen; *tooth* ziehen; **~ information from sb** j-m Informationen entlocken
ex·trac·tion [ɪk'strækʃn] N *of coal, oil* Gewinnung *f*, Förderung *f*; *of tooth* Ziehen *n*

ex·tra·dite ['ekstrədaɪt] V/T ausliefern
ex·tra·di·tion [ekstrə'dɪʃn] N Auslieferung *f*
ex·tra·mar·i·tal [ekstrə'mærɪtl] ADJ außerehelich
ex·tra·or·di·nar·i·ly [ekstrɔ:dɪn'eərɪlɪ] ADV *rich, stupid, beautiful* außergewöhnlich, außerordentlich
ex·tra·or·di·na·ry [ɪk'strɔ:dɪnərɪ] ADJ *remarkable* außergewöhnlich, außerordentlich; *unusual, strange* ungewöhnlich, seltsam
ex·tra 'pay N Zulage *f*
ex·tra·ter·res·tri·al [ekstrətə'restrɪəl] **A** ADJ außerirdisch **B** N Außerirdische(r) *m/f(m)*
ex·tra 'time N SPORTS Verlängerung *f*
ex·trav·a·gance [ɪk'strævəgəns] N *luxury* Luxus *m*; *excessive spending* Verschwendung *f*
ex·trav·a·gant [ɪk'strævəgənt] ADJ *person* verschwenderisch; *gesture, behaviour* übertrieben
ex·tra 'work N Mehrarbeit *f*
ex·treme [ɪk'stri:m] **A** ADJ äußerst, extrem; *views* extrem **B** N Extrem *n*; **in the ~** im höchsten Grade
ex·treme·ly [ɪk'stri:mlɪ] ADV äußerst, extrem
ex·trem·ism [ɪk'stri:mɪzm] N *esp* POL Extremismus *m*
ex·trem·ist [ɪk'stri:mɪst] N *esp* POL Extremist(in) *m(f)*
ex·tri·cate ['ekstrɪkeɪt] V/T befreien
ex·tro·vert ['ekstrəvɜ:t] **A** ADJ extrovertiert **B** N extrovertierter Mensch
ex·u·be·rant [ɪg'zju:bərənt] ADJ überschwänglich
ex·ult [ɪg'zʌlt] V/I frohlocken
eye [aɪ] **A** N Auge *n*; *of needle* Öhr *n*; **keep an ~ on** *children, luggage* aufpassen auf; *situation* im Auge behalten; **be up to one's eyes in work** bis über beide Ohren in der Arbeit stecken; **see ~ to ~ with sb on sth** mit j-m über etw e-r Meinung sein; **give sb the ~, make eyes at sb** j-m schöne Augen machen **B** V/T anstarren, mustern
'eye·ball N Augapfel *m* **'eye·brow** N Augenbraue *f* **'eye-catch·ing** ADJ auffallend, ins Auge springend **'eye·lash** N Augenwimper *f* **'eye·lid** N Augenlid *n* **'eye·lin·er** N Eyeliner *m*
eye-o·pen·er ['aɪəʊpənə(r)] N **that was an ~ for me** das hat mir die Augen geöffnet **'eye·sha·dow** N Lidschatten *m* **'eye·sight** N Sehkraft *f*, Sehvermögen *n*; **have good/bad ~** gute/schlechte Augen haben **'eye·sore** N Schandfleck *m* **'eye spe·cial·ist** N Augenarzt *m*, -ärztin *f* **'eye·wit·ness** N Augenzeuge *m*, -zeugin *f*

F

F, f [ef] N F, f *n*
fab·ric ['fæbrɪk] N Stoff *m*
fab·ri·cate ['fæbrɪkeɪt] V/T herstellen; *fig*: *alibi* erdichten; *evidence* fabrizieren
fab·u·lous ['fæbjʊləs] ADJ *infml* sagenhaft, toll
fa·çade [fə'sɑ:d] N *a. fig* Fassade *f*
face [feɪs] **A** N Gesicht *n*; *of mountain* (Fels)Wand *f*; **~ to ~** persönlich, von Angesicht zu Angesicht **B** V/T *person* gegenüberstehen; *building a.* gegenüberliegen; *problem, decision* sich stellen; **~ south** nach Süden gehen; **~ the road** *office* zur Straße hin liegen; **be faced with** konfrontiert sein mit
♦ **face up to** V/T ins Auge *or* Gesicht sehen; *facts* sich abfinden mit
'face·cloth N Waschlappen *m* **'face·lift** N Facelifting *n* **'face pack** N Gesichtspackung *f*
face 'val·ue N Nominalwert *m*; **take sth at ~** etw für bare Münze nehmen
fa·cial ['feɪʃl] N kosmetische Gesichtsbehandlung
fa·cil·i·tate [fə'sɪlɪteɪt] V/T erleichtern
fa·cil·i·ties [fə'sɪlətɪz] N *pl* Einrichtungen *pl*, Möglichkeiten *pl*; **sports ~** *pl* Sportanlagen *pl*; **shopping ~** *pl* Einkaufsmöglichkeiten *pl*
fa·cil·i·ty [fə'sɪlətɪ] N Leichtigkeit *f*; **have a ~ for sth** die Fähigkeit zu etw haben
fact [fækt] N Tatsache *f*, Fakt *m*; **in ~, as a matter of ~** tatsächlich, eigentlich
faction ['fækʃn] N Lager *n*, (Splitter)-

Gruppe *f*
fac·tor ['fæktə(r)] N Faktor *m*
fac·to·ry ['fæktəri] N Fabrik *f*
fac·ul·ty ['fækəlti] N Vermögen *n*, Fähigkeit *f*; *of university* Fakultät *f*
fad [fæd] N Modeerscheinung *f*
fade [feid] V/I verblassen
♦**fade out** V/T ausblenden
fad·ed ['feidid] ADJ verblichen; *jeans* verwaschen
fag [fæg] N *infml*: *cigarette* Kippe *f*; *US pej* Schwule(r) *m*
fail [feil] **A** V/I *plan, marriage* scheitern; *in exam* durchfallen; *voice, engine* versagen; *health, strength, sight* nachlassen, sich verschlechtern **B** V/T *exam* fallen durch; **~ to do sth** etw nicht tun; *neglect to do sth* versäumen, etw zu tun **C** N **without ~** ganz bestimmt
fail·ing ['feiliŋ] N Fehler *m*, Unzulänglichkeit *f*
fail·ure ['feiljə(r)] N Scheitern *n*, Misserfolg *m*; *of engine, heart* Versagen *n*; *in exam* Durchfallen *n*; *of harvest* Ausfall *m*; *person* Versager(in) *m(f)*
faint [feint] **A** ADJ *smile, voice, smell* schwach; *sound, hope* leise; *line* undeutlich; *difference* gering; **I haven't the faintest idea** ich habe nicht die leiseste Ahnung **B** V/I ohnmächtig werden (**with** vor)
faint·ly ['feintli] ADV *smile* schwach; *visible, audible* kaum; *smell* leicht
fair[1] [feə(r)] N *funfair* Jahrmarkt *m*; ECON Messe *f*
fair[2] [feə(r)] ADJ *hair* blond; *skin* hell; *treatment, payment* gerecht, fair; *weather* schön, heiter; *quality, result* ganz gut; **a ~ amount of ...** ziemlich viele ...; **ok, ~ enough** alles klar
fair 'game N *fig* Freiwild *n* **'fairground** N Rummelplatz *m*
fair·ly ['feəli] ADV *treat* gerecht, fair; *quite* ziemlich
fair·ness ['feənis] N Gerechtigkeit *f*, Fairness *f*; **in all ~ to him ...** fairerweise muss man sagen, dass er ...
fair 'play N SPORTS, *fig* Fair Play *n*, Fairness *f*
fai·ry ['feəri] N Fee *f*
'fai·ry tale N Märchen *n*
faith [feiθ] N Glaube *m*; **have ~ in sth/sb** an etw/j-n glauben
faith·ful ['feiθfl] ADJ treu
faith·ful·ly ['feiθfli] ADV treu; **Yours ~** hochachtungsvoll
fake [feik] **A** ADJ *painting, passport etc* gefälscht, unecht; *attempt, interest* vorgetäuscht **B** N Fälschung *f* **C** V/T *painting, passport* fälschen; *suicide* vortäuschen
fall[1] [fɔ:l] N *US* Herbst *m*
fall[2] [fɔ:l] **A** V/I ⟨fell, fallen⟩ *person* (hin)fallen, stürzen; *onto floor* herunter-/hinunterfallen; *government* gestürzt werden; *prices, temperature* fallen, sinken; *night* hereinbrechen; **it falls on a Tuesday** es fällt auf e-n Dienstag; **~ ill** krank werden **B** N *of person* Fall *m*, Sturz *m*; *of government, minister* Sturz *m*; *of prices, temperature* Fallen *n*, Sinken *n*; **~ in prices** Preisrückgang *m*; *sudden* Preissturz *m*
♦**fall back on** V/T zurückgreifen auf
♦**fall behind** V/I *with work* zurückfallen (**with** mit)
♦**fall down** V/I *person* hinunter-/herunterfallen; *wall, building* einstürzen; *onto side* umfallen
♦**fall for** V/T *person* sich verlieben in; *deception* hereinfallen auf
♦**fall in** V/I *roof* einfallen, einstürzen
♦**fall out** V/I *hair* ausfallen; *friends* sich zerstreiten
♦**fall over** V/I *person* hinfallen; *chair, vase* umfallen, umkippen
♦**fall through** V/I *plans* fehlschlagen, ins Wasser fallen
fal·la·cy ['fæləsi] N Irrtum *m*
fal·len ['fɔ:lən] PAST PART → **fall**[2]
fal·li·ble ['fæləbl] ADJ fehlbar
'fallout N radioaktiver Niederschlag; *fig* Auswirkungen *pl*
fal·low ['fæləʊ] ADJ AGR brachliegend
false [fɔ:ls] ADJ falsch
false a'larm N falscher *or* blinder Alarm
false·ly ['fɔ:lsli] ADV fälschlicherweise; *accused* zu Unrecht
false 'start N *in race* Fehlstart *m*
false 'teeth N *pl* (künstliches) Gebiss
fal·si·fi·ca·tion [fɔ:lsifi'keiʃn] N (Ver)-Fälschung *f*
fal·si·fy ['fɔ:lsifai] V/T ⟨-ied⟩ (ver)fälschen
fal·ter ['fɔ:ltə(r)] V/I *a. fig* schwanken; *voice* stocken

fame [feɪm] N Ruhm *m*

famed [feɪmd] ADJ berühmt (**for** wegen)

fa·mil·i·ar [fəˈmɪljə(r)] ADJ bekannt, vertraut; *intimate* vertraulich; *overly intimate* aufdringlich; *form of address* freundschaftlich, ungezwungen; **be ~ with sth** *with method, equipment* sich mit etw auskennen; *word* etw kennen; **make o.s. ~ with sth** sich mit etw vertraut machen

fa·mil·i·ar·i·ty [fəmɪlɪˈjærɪtɪ] N *with subject etc* Vertrautheit *f* (**with** mit)

fa·mil·i·ar·ize [fəmˈɪljəraɪz] V/T vertraut machen

fam·i·ly [ˈfæməlɪ] N Familie *f*; *relations* Verwandtschaft *f*

fam·i·ly ˈbusi·ness N Familienbetrieb *m*, Familienunternehmen *n* **fam·i·ly ˈdoc·tor** N Hausarzt, -ärztin *f* **fam·i·ly ˈname** N Familienname *m*, Nachname *m* **fam·i·ly ˈplan·ning clin·ic** N Familienberatungsstelle *f* **fam·i·ly ˈtree** N Stammbaum *m*

fam·ine [ˈfæmɪn] N Hungersnot *f*

fam·ished [ˈfæmɪʃt] ADJ *infml* ausgehungert

fa·mous [ˈfeɪməs] ADJ berühmt

fan¹ [fæn] N *supporter* Fan *m*

fan² [fæn] **A** N *for cooling* Ventilator *m*; *made of paper* Fächer *m* **B** V/T ⟨-nn-⟩ fächeln; *fire, embers* entfachen; **~ o.s.** sich Luft zufächeln

fa·nat·ic [fəˈnætɪk] N Fanatiker(in) *m(f)*

fa·nat·i·cal [fəˈnætɪkl] ADJ fanatisch

fa·nat·i·cism [fəˈnætɪsɪzm] N Fanatismus *m*

ˈfan belt N AUTO Keilriemen *m*

fan·ci·ful [ˈfænsɪfl] ADJ *ideas* abwegig; **you're being rather ~** das ist ziemlich weit hergeholt

ˈfan club N Fanklub *m*

fan·cy [ˈfænsɪ] **A** ADJ ⟨-ier, -iest⟩ *design, style* kunstvoll, raffiniert; *food, taste* ausgefallen; *restaurant* schick **B** N **as the ~ takes you** wann immer du Lust hast; **take a ~ to sb** j-n lieb gewinnen **C** V/T ⟨-ied⟩ *infml* Lust haben auf; *man, woman* attraktiv finden, stehen auf; **~ that!** stell dir vor!

fan·cy ˈdress N (Masken)Kostüm *n*

fan·cy-ˈdress par·ty N Kostümfest *n*

fan·ta·size [ˈfæntəsaɪz] V/I fantasieren (**about** über)

fan·tas·tic [fænˈtæstɪk] ADJ fantastisch

fan·tas·tic·al·ly [fænˈtæstɪklɪ] ADV *improbably* unglaublich

fan·ta·sy [ˈfæntəsɪ] N Fantasie *f*

FAQ [efeɪˈkjuː] ABBR *for* frequently asked question besonders häufig gestellte Frage

far [fɑː(r)] ⟨farther, farthest; further, furthest⟩ **A** ADV weit; *much* viel; **~ away** weit weg; **as ~ as the corner** bis zur Ecke; **as ~ as I know** soweit ich weiß; **so ~ so good** so weit, so gut; **that's ~ better** das ist weitaus besser; **by ~** bei Weitem **B** ADJ **at the ~ end of …** am anderen Ende des/der …

fare¹ [feə(r)] N *for train, bus* Fahrpreis *m*; *for flight* Flugpreis *m*; *for boat* Preis *m* für die Überfahrt

fare² [feə(r)] V/I **how did you ~?** wie ist es dir ergangen?

fare³ [feə(r)] N *esp formal* COOK Kost *f*

Far ˈEast N **the ~** der Ferne Osten

fare dodg·er [ˈfeədɒdʒə(r)] N Schwarzfahrer(in) *m(f)*

fare·well [feəˈwel] N Abschied *m*

far·fetched [fɑːˈfetʃt] ADJ weit hergeholt

farm [fɑːm] N Bauernhof *m*; *in USA, Australia* Farm *f*

farm·er [ˈfɑːmə(r)] N Bauer *m*, Bäuerin *f*; Landwirt(in) *m(f)*

ˈfarm·hand N Landarbeiter(in) *m(f)*

ˈfarm·house N Bauernhaus *n*

farm·ing [ˈfɑːmɪŋ] N Landwirtschaft *f*

ˈfarm·land N Ackerland *n* **farm·stead** [ˈfɑːmsted] N Bauernhof *m*, Gehöft *n* **ˈfarm·work·er** N Landarbeiter(in) *m(f)* **ˈfarm·yard** N Hof *m*

far-ˈoff ADJ *in past* weit zurückliegend; *in future, distance* weit entfernt **far ˈright** ADJ POL rechtsgerichtet **far·sight·ed** [fɑːˈsaɪtɪd] ADJ weitblickend; *US a. fig* weitsichtig

fart [fɑːt] *infml* **A** N Furz *m* **B** V/I furzen

far·ther [ˈfɑːðə(r)] ADV weiter

far·thest [ˈfɑːðəst] ADV *travel etc* am weitesten

fas·ci·nate [ˈfæsɪneɪt] V/T faszinieren

fas·ci·nat·ing [ˈfæsɪneɪtɪŋ] ADJ faszinierend

fas·ci·na·tion [fæsɪˈneɪʃn] N Faszination *f*

fas·cism [ˈfæʃɪzm] N Faschismus *m*

fas·cist ['fæʃɪst] **A** ADJ faschistisch **B** N Faschist(in) *m(f)*
fash·ion ['fæʃn] N Mode *f*; *style* Weise *f*, Art und Weise *f*
fash·ion·a·ble ['fæʃnəbl] ADJ modisch; **be very ~** groß in Mode sein
fash·ion·a·bly ['fæʃnəblɪ] ADV *dressed* modisch, schick
'fash·ion-con·scious ADJ modebewusst **'fash·ion de·sign·er** N Modedesigner(in) *m(f)*, Modezeichner(in) *m(f)* **'fash·ion mag·a·zine** N Modezeitschrift *f* **'fash·ion show** N Modenschau *f* **'fash·ion vic·tim** N Modefreak *m*
fast[1] [fɑːst] **A** ADJ *car, driver, runner, talker* schnell; **be ~** *clock* vorgehen **B** ADV schnell; **be stuck ~** festsitzen; **be ~ asleep** tief und fest schlafen
fast[2] [fɑːst] V/I *not eat* fasten
fast 'breed·er re'ac·tor N PHYS Schneller Brüter
fas·ten ['fɑːsn] **A** V/T festmachen, befestigen (**to, onto** an); *button, dress, shoe* zumachen; *screw* anziehen; **~ your seatbelts** bitte anschnallen **B** V/I *dress etc* schließen, zugehen
fas·ten·er ['fɑːsnə(r)] N Verschluss *m*
fast 'food N Fastfood *n*; **~ restaurant** Schnellimbiss *m*
fast 'for·ward **A** N (Schnell)Vorlauf *m* **B** V/I vorspulen
fas·tid·i·ous [fə'stɪdɪəs] ADJ *demanding* heikel; *pej* pingelig
'fast lane N *a. fig* Überholspur *f*
'fast train N Schnellzug *m*
fat [fæt] **A** ADJ ⟨-tt-⟩ dick, fett **B** N Fett *n*
fa·tal ['feɪtl] ADJ *disease, accident* tödlich; *mistake* fatal, verhängnisvoll
fa·tal·i·ty [fə'tælətɪ] N Todesopfer *n*
fa·tal·ly ['feɪtəlɪ] ADV **~ injured** tödlich verletzt
'fat cat N *infml* (Ober)Bonze *m*
fate [feɪt] N Schicksal *n*
fat·ed ['feɪtɪd] ADJ **be ~ to do sth** dazu bestimmt sein, etw zu tun
fat-free [fæt'friː] ADJ *food* fettfrei
fa·ther ['fɑːðə(r)] N Vater *m*; **Father Martin** REL Pater Martin
Fa·ther 'Christ·mas N der Weihnachtsmann
fa·ther·hood ['fɑːðəhʊd] N Vaterschaft *f*
'fa·ther-in-law N ⟨*pl* fathers-in-law⟩ Schwiegervater *m*
fa·ther·less ['fɑːθəlɪs] ADJ vaterlos
fa·ther·ly ['fɑːðəlɪ] ADJ väterlich
♦**fathom out** ['fæðəm] V/T *fig* ergründen
fa·tigue [fə'tiːg] N Ermüdung *f*
fat·so ['fætsəʊ] N *infml* Fettsack *m*
fat·ten ['fætn] V/T *animal* mästen
fat·ty ['fætɪ] **A** ADJ ⟨-ier, -iest⟩ fett **B** N *infml*: *person* Dickerchen *n*
fau·cet ['fɔːsɪt] N *US* (Wasser)Hahn *m*
fault [fɔːlt] N Fehler *m*, Defekt *m*; **it's your ~** es ist deine Schuld; **find ~ with sth** etwas an etw auszusetzen haben
fault·less ['fɔːltlɪs] ADJ fehlerfrei, fehlerlos
fault·y ['fɔːltɪ] ADJ ⟨-ier, -iest⟩ *goods* fehlerhaft, defekt
fa·vor *etc US* → favour *etc*
fa·vour ['feɪvə(r)] **A** N *approval* Gunst *f*, Wohlwollen *n*; *kind deed* Gefallen *m*, Gefälligkeit *f*; **do sb a ~** j-m e-n Gefallen tun; **in ~ of** ... *resign* zugunsten + *gen*; **be in ~ of sth** für etw sein **B** V/T vorziehen
fa·vou·ra·ble ['feɪvərəbl] ADJ *reply etc* positiv; *conditions* günstig
fa·vou·rite ['feɪvərɪt] **A** ADJ Lieblings- **B** N *person* Liebling *m*; *in race, contest* Favorit(in) *m(f)*; *food* Lieblingsessen *n*
fa·vour·it·ism ['feɪvrɪtɪzm] N Vetternwirtschaft *f*
fax [fæks] **A** N Fax *n* **B** V/T faxen
FBI [efbiː'aɪ] ABBR *for* Federal Bureau of Investigation FBI *n* (*Bundespolizei in den USA*)
fear [fɪə(r)] **A** N Angst *f*, Furcht *f* (**of** vor) **B** V/T sich fürchten vor, Angst haben vor
fear·ful ['fɪəfl] ADJ furchtsam; *causing fear, a. infml* furchtbar; **be ~ of doing sth** Angst davor haben, etw zu tun
fear·less ['fɪəlɪs] ADJ furchtlos
fea·si·bil·i·ty stud·y [fiːzə'bɪlətɪ] N Machbarkeitsstudie *f*
fea·si·ble ['fiːzəbl] ADJ *task* machbar, durchführbar
feast [fiːst] N Festmahl *n*, Festessen *n*
feat [fiːt] N Leistung *f*
fea·ther ['feðə(r)] N Feder *f*
fea·ther 'bed N Matratze *f* mit Feder- *or* Daunenfüllung

fea·ther·brained ['feθəbreɪnd] ADJ hohlköpfig
fea·ture ['fi:tʃə(r)] **A** N *of face* (Gesichts)Zug *m*; *of town, building, style* Merkmal *n*, Charakteristikum *n*; *in newspaper* Feature *n*; *film* Spielfilm *m*; *of show* Attraktion *f*; **make a ~ of sth** etw besonders hervorheben **B** V/T **a movie featuring ...** ein Film mit ...
'fea·ture film N Spielfilm *m*
Feb·ru·a·ry ['februəri] N Februar *m*
fed [fed] PRET & PAST PART → feed
fed·e·ral ['fedərəl] ADJ Bundes-, föderal
Fed·e·ral Bu·reau of In·ves·ti'ga·tion N Bundeskriminalpolizei *f (der USA)*
fed·e·ral·ism ['fedərəlɪzm] N Föderalismus *m*
fed·e·ral·ist ['fedərəlɪst] ADJ föderalistisch
Fed·e·ral Re·pub·lic of 'Ger·man·y N Bundesrepublik *f* Deutschland
fed·e·ra·tion [fedə'reɪʃn] N Föderation *f*
fed 'up ADJ **be ~ (with sth/sb)** *infml* die Nase (von etw/j-m) voll haben
fee [fi:] N *for service* Gebühr *f*; *of lawyer, doctor etc a.* Honorar *n*; *of artist* Gage *f*; *for members* Beitrag *m*
fee·ble ['fi:bl] ADJ schwach
feed [fi:d] V/T ⟨fed, fed⟩ *family* ernähren, unterhalten; *baby, animal* füttern
'feedback N Feed-back *n*, Rückmeldung *f*
feed·er road ['fi:də(r)] N Zubringer *m*
feed·ing bot·tle ['fi:dɪŋ] N Saugflasche *f*
feel [fi:l] **A** V/T ⟨felt, felt⟩ *touch* (be)fühlen; *perceive* spüren, fühlen; *pain, joy, heat* fühlen, empfinden; *think* glauben, finden; **I ~ hot** mir ist heiß **B** V/I ⟨felt, felt⟩ sich fühlen; *warm, soft, cold etc* sich anfühlen; **how does it ~ to be rich?** wie ist es, reich zu sein?; **how do you ~ about this decision?** wie geht es dir mit dieser Entscheidung?; **do you ~ like a drink?** möchtest du etwas zu trinken?; **I don't ~ like it** ich habe keine Lust dazu
♦**feel for** V/T **feel for sb** mit j-m Mitleid haben; **feel for sth** nach etw tasten
♦**feel up to** V/T sich gewachsen fühlen; **feel up to doing sth** sich in der Lage fühlen, etw zu tun
feel·er ['fi:lə(r)] N *of insect, a. fig* Fühler *m*
feel·ing ['fi:lɪŋ] N Gefühl *n*; **what are your feelings about it?** was halten Sie davon?; **have feelings for sb** etwas für j-n empfinden
feet [fi:t] PL → foot
feign [feɪn] V/T *interest etc* vortäuschen; *illness a.* simulieren
feint [feɪnt] N Finte *f*
fell [fel] PRET → fall¹
fel·low ['feləʊ] N Typ *m*, Kerl *m*
fel·low 'cit·i·zen N Mitbürger(in) *m(f)* **fel·low 'coun·try·man** N Landsmann *m* **fel·low 'man** N Mitmensch *m* **fel·low·ship** ['feləʊʃɪp] N Kameradschaft *f* **fel·low 'stu·dent** N Kommilitone *m*, Kommilitonin *f* **fel·low 'trav·el·ler**, **fel·low 'trav·el·er** *US* N Mitreisende(r) *m/f(m)*; POL Sympathisant(in) *m(f)*
fel·o·ny ['felənɪ] N (schweres) Verbrechen
felt¹ [felt] PRET & PAST PART → feel
felt² [felt] N Filz *m*
felt 'tip, **felt tip(·ped) 'pen** N Filzstift *m*
fe·male ['fi:meɪl] **A** ADJ weiblich **B** N *person* Frau *f*; *animal* Weibchen *n*; *infml* Frau *f*, Weib *n*
fem·i·nine ['femɪnɪn] ADJ *characteristics*, LING weiblich, feminin
fem·i·nism ['femɪnɪzm] N Feminismus *m*
fem·i·nist ['femɪnɪst] **A** ADJ feministisch **B** N Feminist(in) *m(f)*
fence [fens] N Zaun *m*; *infml: criminal* Hehler(in) *m(f)*; **sit on the ~** *fig* neutral bleiben
♦**fence in** V/T *garden* einzäunen
fend [fend] V/I **~ for o.s.** für sich selbst sorgen
fer·ment **A** N ['fɜ:ment] *political etc* Unruhe *f* **B** V/I [fə'ment] *liquid* gären
fer·men·ta·tion [fɜ:men'teɪʃn] N Gärung *f*
fe·ro·cious [fə'rəʊʃəs] ADJ *animal* wild; *criticism, attack* heftig
fe·ro·ci·ty [fə'rɒsətɪ] N *of animal* Wildheit *f*; *of criticism, attack* Heftigkeit *f*
fer·ry ['ferɪ] N Fähre *f*
fer·tile ['fɜ:taɪl] ADJ fruchtbar

fer·til·i·ty [fɜːˈtɪlətɪ] N Fruchtbarkeit *f*
ferˈtil·i·ty drug N Fruchtbarkeitspille *f*
fer·ti·lize [ˈfɜːtəlaɪz] V/T *egg* befruchten; *soil* düngen
fer·ti·liz·er [ˈfɜːtəlaɪzə(r)] N *for soil* Dünger *m*, Düngemittel *n*
fer·vent [ˈfɜːvənt] ADJ *admirer* leidenschaftlich, glühend
F
fer·vour, **fer·vor** *US* [ˈfɜːvə(r)] N Inbrunst *f*
fes·ter [ˈfestə(r)] V/I *wound* eitern
fes·ti·val [ˈfestɪvl] N Festival *n*, Festspiele *pl*
fes·tive [ˈfestɪv] ADJ festlich; **the ~ season** die Weihnachtszeit
fes·tiv·i·ties [feˈstɪvətɪz] N *pl* Feierlichkeiten *pl*
fetch [fetʃ] V/T holen; *from station etc* abholen; *price* erzielen; **it fetched £400** ich habe/sie hat 400 Pfund dafür bekommen
fetch·ing [ˈfetɪŋ] ADJ reizend
fête [feɪt] N Fest *n*
fe·tus [ˈfiːtəs] *US* N → foetus
feud [fjuːd] **A** N Fehde *f* **B** V/I sich befehden
feud·al [ˈfjuːdl] ADJ Feudal-, Lehns-
fe·ver [ˈfiːvə(r)] N Fieber *n*
fe·ver·ish [ˈfiːvərɪʃ] ADJ fiebrig; *fig*: *excitement* fieberhaft
few [fjuː] ADJ & PRON *not many* wenige; **a ~** ein paar, einige; **quite a ~, a good ~** *very many* ziemlich viele, e-e ganze Menge
fewer [ˈfjuːə(r)] ADJ weniger
fi·an·cé [fɪˈɒnseɪ] N Verlobte(r) *m*
fi·an·cée [fɪˈɒnseɪ] N Verlobte *f*
fi·as·co [fɪˈæskəʊ] N Reinfall *m*, Fiasko *n*
fib [fɪb] N *infml* Flunkerei *f*, Schwindelei *f*
fi·bre, **fi·ber** *US* [ˈfaɪbə(r)] N Faser *f*; **high-fibre diet** ballaststoffreiche Ernährung
ˈfi·bre·glass N Fiberglas *n* Glasfaser *f*
fi·bre ˈop·tic ADJ faseroptisch **fi·bre ˈop·tics** N *sg science* Faseroptik *f*
fick·le [ˈfɪkl] ADJ unbeständig
fic·tion [ˈfɪkʃn] N *novels* erzählende Literatur; *lie* Erfindung *f*, Fiktion *f*
fic·tion·al [ˈfɪkʃnl] ADJ erfunden, erdichtet; *character* aus der Literatur
fic·ti·tious [fɪkˈtɪʃəs] ADJ frei erfunden
fid·dle [ˈfɪdl] **A** N *infml*: *violin* Fiedel *f*, Geige *f*; **it's a ~** *infml*: *swindle* das ist Schiebung **B** V/I **~ with sth** *infml* an etw herumspielen **C** V/T *infml*: *accounts, results* frisieren
fid·get [ˈfɪdʒɪt] **A** V/I zappeln **B** N Zappelphilipp *m*
fid·get·y [ˈfɪdʒɪtɪ] ADJ zappelig
field [fiːld] N Feld *n*; AGR *a.* Acker *m*; SPORTS Platz *m*; *of research, knowledge etc* Feld *n*, Gebiet *n*; **in the fields** auf dem Feld; **work in the ~** *for aid organization etc* vor Ort arbeiten
ˈfield rep·re·sen·ta·tive N Außendienstmitarbeiter(in) *m(f)*
ˈfield·work N praktische (wissenschaftliche) Arbeit; *in archaeology etc a.* Arbeit *f* im Gelände; *in sociology* Feldforschung *f*
fierce [fɪəs] ADJ *animal* wild; *storm* heftig; *Gesichtsausdruck* böse, grimmig
fierce·ly [ˈfɪəslɪ] ADV *growl* wild; *attack* heftig; *speak* mit grimmiger Stimme
fi·er·y [ˈfaɪərɪ] ADJ ‹-ier, -iest› *personality, temperament* hitzig, feurig
fif·teen [fɪfˈtiːn] ADJ fünfzehn
fif·teenth [fɪfˈtiːnθ] ADJ fünfzehnte(r, -s)
fifth [fɪfθ] ADJ fünfte(r, -s)
fifth·ly [ˈfɪfθlɪ] ADV fünftens
fif·ti·eth [ˈfɪftɪɪθ] ADJ fünfzigste(r, -s)
fif·ty [ˈfɪftɪ] ADJ fünfzig
fif·ty-ˈfif·ty ADV fifty-fifty, halbe-halbe
fig [fɪg] N Feige *f*
fight [faɪt] **A** N Kampf *m*; *brawl* Schlägerei *f*, Prügelei *f*; *confrontation* Streit *m*; *for survival etc* Kampf *m* (**for** um, für); **~ against terrorism** Terrorismusbekämpfung *f* **B** V/T ‹fought, fought› kämpfen mit *or* gegen; *in brawl* sich prügeln mit, sich schlagen mit; *disease, injustice* bekämpfen **C** V/I ‹fought, fought› kämpfen; *brawl* sich prügeln; *argue* sich streiten
♦**fight for** V/T kämpfen für
fight·er [ˈfaɪtə(r)] N Kämpfer(in) *m(f)*; *plane* Jagdflugzeug *n*; *boxer* Fighter *m*; **she's a ~** sie ist e-e Kämpfernatur
fight·ing [ˈfaɪtɪŋ] N Kampf *m*; *brawling* Schlägereien *pl*, Prügeleien *pl*; *arguments* Streit *m*
fig·u·ra·tive [ˈfɪgərətɪv] ADJ *use of word* bildlich, übertragen; *art* gegenständlich
fig·ure [ˈfɪgə(r)] N *single* Zahl *f*, Ziffer *f*; *sum* Summe *f*; *physical shape* Figur *f*, Gestalt *f*; *person* Persönlichkeit *f*, Gestalt *f*

♦**figure on** VT *infml* rechnen mit
♦**figure out** VT *problem* begreifen, kapieren; *person* schlau werden aus; *solution for problem* herausbekommen
file[1] [faɪl] **A** N *document holder* Ordner *m*; *documents, information* Akte *f*; IT Datei *f*; **on ~** bei den Akten **B** VT *document* ablegen
♦**file away** VT *document* zu den Akten legen
file[2] [faɪl] N *for wood, fingernails* Feile *f*
'file man·age·ment N IT Dateiverwaltung *f*
'file man·ag·er N IT Dateimanager *m*
fil·ing ['faɪlɪŋ] N *of letters etc* Ablegen *n*
fil·ing cab·i·net ['faɪlɪŋ] N Aktenschrank *m*
fill [fɪl] **A** VT füllen; *tooth a.* plombieren **B** N **eat one's ~** sich satt essen
♦**fill in** VT *form* ausfüllen; *name etc* eintragen; *hole* auffüllen; **fill sb in on sth** j-n über etw aufklären
♦**fill in for** VT **fill in for sb** für j-n einspringen
♦**fill out** **A** VT *form* ausfüllen **B** VI *physically* fülliger werden
♦**fill up** **A** VT vollfüllen; *car* volltanken, auftanken **B** VI *stadium, theatre* sich füllen
fil·let, **fil·et** *US* ['fɪlɪt] N Filet *n*
fill·ing ['fɪlɪŋ] **A** ADJ *food* sättigend **B** N *in sandwich* Füllung *f*; *in tooth a.* Plombe *f*
'fill·ing sta·tion N Tankstelle *f*
film [fɪlm] **A** N *for camera, in cinema* Film *m* **B** VT *person, event* filmen
'film-mak·er N Filmemacher(in) *m(f)*
'film star N Filmstar *m*
fil·ter ['fɪltə(r)] **A** N Filter *m* **B** VT *coffee, liquid* filtern
♦**filter through** VI *news, information* durchsickern
'fil·ter pa·per N Filterpapier *n*
'fil·ter tip N *for smoking* Filterzigarette *f*
filth [fɪlθ] N *a. fig* Schmutz *m*, Dreck *m*
filth·y ['fɪlθɪ] ADJ ⟨-ier, -iest⟩ *a. fig* schmutzig, dreckig; **~ weather** Sauwetter *n*
fin [fɪn] N *of fish* Flosse *f*
fi·nal ['faɪnl] **A** ADJ letzte(r, -s); *act, whistle* Schluss-; *result* End-; *decision* endgültig **B** N SPORTS Finale *n*
fi·nal 'act N *EU* Schlussakte *f*
fi·na·le [fɪ'nɑːlɪ] N MUS Finale *n*
fi·nal·ist ['faɪnəlɪst] N Finalist(in) *m(f)*
fi·nal·ize ['faɪnəlaɪz] VT *plan* endgültig festlegen; *project* zum Abschluss bringen
fi·nal·ly ['faɪnəlɪ] ADV *eventually* schließlich; *after long wait, hesitation* endlich
fi·nance ['faɪnæns] **A** N Finanzen *pl*, Finanzwesen *n*; Geld, Gelder *pl* **B** VT finanzieren
'fi·nance house N Kundenkreditbank *f*
fi·nan·ces ['faɪnænsɪz] N *pl* Finanzen *pl*
fi·nan·cial [faɪ'nænʃl] ADJ finanziell
fi·nan·cial ad'vi·ser N Finanzberater(in) *m(f)* **fi·nan·cial 'aid** N Kapitalhilfe *f* **fi·nan·cial as'sis·tance** N Finanzhilfe *f* **fi·nan·cial 'cri·sis** N Finanzkrise *f* **fi·nan·cial in·sti'tu·tion** N Geldinstitut *n* **fi'nan·cial mar·ket** N Finanzmarkt *m* **fi'nan·cial sec·tor** N Finanzsektor *m* **fi·nan·cial 'ser·vi·ces** N *pl* Finanzdienste *pl*, Finanzdienstleistungen *pl* **fi·nan·cial 'year** N Geschäftsjahr *n*
fi·nan·ci·er [faɪ'nænsɪə(r)] N Finanzierer(in) *m(f)*, Financier *m*
find [faɪnd] VT ⟨found, found⟩ finden; **you'll ~ that ...** *discover* du wirst feststellen, dass ...; **~ sb innocent/guilty** JUR j-n für unschuldig/schuldig befinden
♦**find out** **A** VT herausfinden; **be found out** erwischt werden **B** VI es herausfinden
find·ings ['faɪndɪŋz] N *pl of report* Ergebnisse *pl*
fine[1] [faɪn] ADJ *weather, day* schön; *food, wine* gut, hervorragend; *artist, performance, city* großartig; *difference* fein; *line* fein, dünn; **that's ~ by me** das ist in Ordnung, ich habe nichts dagegen; **how are you? – ~** wie geht's? – gut
fine[2] [faɪn] **A** N Geldstrafe *f* **B** VT zu e-r Geldstrafe verurteilen; **be fined** *for illegal parking etc* e-n Strafzettel bekommen
fine-'tune VT *engine, a. fig* fein abstimmen
fin·ger ['fɪŋgə(r)] **A** N Finger *m* **B** VT *touch* anfassen; *nervously* befingern
'fin·ger·nail N Fingernagel *m* **'fin·ger·print** N Fingerabdruck *m* **'fin·ger·tip** N Fingerspitze *f*; **have sth at one's fingertips** *knowledge* etw parat

haben
fin·i·cky ['fıkı] ADJ ⟨-ier, -iest⟩ *person* pingelig, pedantisch; *with food* wählerisch; *work* kniff(e)lig
fin·ish ['fınıʃ] **A** V/T beenden; *course* abschließen; *book* auslesen; *drink* austrinken; **~ eating** aufessen; **~ writing a letter** e-n Brief zu Ende schreiben; **he is finished as a politician** als Politiker ist er erledigt **B** V/I aufhören, Schluss machen; *film, play* enden; **have you finished yet?** bist du schon fertig? **C** N *of product* Verarbeitung *f*; *of race* Finish *n*
♦**finish off** V/T *task* erledigen, fertig machen; *letter* fertig schreiben; *meal* aufessen; *drink* austrinken
♦**finish up** V/T *meal* aufessen; *drink* austrinken; **he finished up liking it** zum Schluss mochte er es
♦**finish with** V/T *boyfriend etc* Schluss machen mit
fin·ished pro·duct [fınıʃt'prɒdʌkt] N Fertigprodukt *n*
fin·ish·ing line ['fınıʃıŋ] N Ziellinie *f*
Fin·land ['fınlənd] N Finnland *n*
Finn [fın] N Finne *m*, Finnin *f*
Finn·ish ['fınıʃ] **A** ADJ finnisch **B** N *language* Finnisch *n*
fir [fɜː(r)] N Tanne *f*
fire ['faıə(r)] **A** N Feuer *n*; *in hearth* (Kamin)Feuer *n*; *powered by gas* Ofen *m*; *electric* Heizgerät *n*; *in building* Feuer *n*, Brand *m*; **be on ~** in Flammen stehen, brennen; **catch ~** Feuer fangen, in Brand geraten; **set sth on ~, set ~ to sth** etw anzünden, etw in Brand setzen **B** V/I *shoot* feuern **C** V/T *infml: dismiss* feuern
'fire a·larm N Feueralarm *m*; *device* Feuermelder *m* **'fire·arm** N Schusswaffe *f* **'fire bri·gade** N Feuerwehr *f* **'fire de·part·ment** N *US* Feuerwehr *f* **'fire door** N Feuertür *f* **'fire drill** N Feuerwehrübung *f* **'fire en·gine** N Feuerwehrauto *n* **'fire es·cape** N Feuertreppe *f*; Feuerleiter *f* **'fire ex·tin·guish·er** N Feuerlöscher *m* **'fire fight·er** N Feuerwehrmann *m*, -frau *f* **'fire·guard** N Schutzgitter *n* **fire hy·drant** ['faıəhaıdrənt] N Hydrant *m* **'fire·man** N Feuerwehrmann *m* **'fire·place** N Kamin *m* **'fire·proof** ADJ feuerfest **'fire·side** N (offener) Kamin **'fire sta·tion** N Feuerwache *f* **'fire truck** N *US* Feuerwehrauto *n* **'fire·wood** N Brennholz *n* **'fire·works** N *pl* Feuerwerk *n*; **a box of ~** e-e Schachtel mit Feuerwerkskörpern
firm[1] [fɜːm] **A** ADJ *muscles, voice, date, decision* fest; *offer* verbindlich; *with children* streng; **be ~ with sb** j-m gegenüber bestimmt auftreten **B** ADV **stand ~** fest bleiben
firm[2] [fɜːm] N ECON Firma *f*
first [fɜːst] **A** ADJ erste(r, -s); **who's ~, please?** wer ist der Nächste, bitte? **B** N Erste(r) *m/f(m)* **C** ADV zuerst; *arrive, finish* als Erste(r); **~ of all** als Erstes, zunächst; **at ~** zuerst
first 'aid N Erste Hilfe **first-'aid box, first-'aid kit** N Verbandskasten *m* **'first-class** **A** ADJ *ticket, compartment* Erste-Klasse-, erster Klasse; *very good* erstklassig **B** ADV *travel* erster Klasse **first 'floor** N erster Stock; *US* Erdgeschoss *n* **first'hand** ADJ *experience* aus erster Hand
first·ly ['fɜːstlı] ADV erstens
first 'name N Vorname *m* **first 'night** N Premiere *f* **first of'fend·er** N Ersttäter(in) *m(f)* **first-past-the-'post sys·tem** N POL (absolutes) Mehrheitswahlrecht **first-'rate** ADJ erstklassig
fis·cal ['fıskl] ADJ Finanz-; Steuer-
fish [fıʃ] **A** N ⟨*pl* fish⟩ Fisch *m* **B** V/I angeln, fischen
'fish·bone N Gräte *f*
fish·er·ies po·li·cy ['fıʃərızpɒləsı] N *EU* Fischereipolitik *f*
fish·er·man ['fıʃəmən] N Fischer *m*; *amateur* Angler *m*
fish·e·ry ['fıʃərı] N Fischerei *f*
fish·ing ['fıʃıŋ] N Fischen *n*; *as hobby* Angeln *n*; *fishing industry* Fischerei *f*
'fish·ing boat N Fischerboot *n* **'fish·ing line** N Angelschnur *f* **'fish·ing rod** N Angelrute *f* **'fish·ing tack·le** N Angelgerät *n*
fish·mon·ger ['fıʃmʌŋgə(r)] N Fischhändler(in) *m(f)*
fish·y ['fıʃı] ADJ ⟨-ier, -iest⟩ *infml: suspicious* verdächtig
fist [fıst] N Faust *f*
fit[1] [fıt] N MED Anfall *m*
fit[2] ADJ ⟨-tt-⟩ *physically* fit, in Form; *suit-*

F

able geeignet; **keep ~** sich fit halten; **~ to eat** essbar

fit[3] **A** VT ⟨-tt-⟩ *subject: clothes* passen; *central heating etc* einbauen **B** VI ⟨-tt-⟩ *clothes* passen, sitzen; *piece of furniture etc* passen **C** N **it's a good ~** das passt gut; *clothes* das sitzt wie angegossen; **it's a tight ~** das ist *or* wird eng

♦**fit in** **A** VI *with plans* passen (**with** zu) **B** VT **fit sb in** *into schedule* j-n einschieben

fit·ful ['fɪtfl] ADJ *sleep* unruhig

fit·ness ['fɪtnɪs] N *physical* Kondition *f*, Fitness *f*

fit·ted 'car·pet ['fɪtɪd] N Teppichboden *m* **fit·ted 'kitch·en** N Einbauküche *f* **fit·ted 'sheet** N Spannbetttuch *n*

fit·ter ['fɪtə(r)] N Monteur(in) *m(f)*, Maschinenschlosser(in) *m(f)*

fit·ting ['fɪtɪŋ] ADJ passend, angebracht

fit·tings ['fɪtɪŋz] N *pl* Ausstattung *f*

five [faɪv] ADJ fünf

fiv·er ['faɪvə(r)] N *infml* Fünfpfundschein *m*

fix [fɪks] **A** N *solution* Lösung *f*; **be in a ~** *infml* in der Klemme *or* Patsche sitzen **B** VT *on wall etc* befestigen, anbringen; *repair* reparieren; *meeting etc* arrangieren; *concert tickets etc* organisieren; *food* machen; *game etc* manipulieren

♦**fix up** VT *meeting* abmachen, festmachen

fixed [fɪkst] ADJ *position, time, exchange rate* fest; *smile* starr

fixed-'in·ter·est ADJ ECON festverzinslich **fixed-line 'net·work** N TEL Festnetz *n* **fixed 'price** N Festpreis *m*

fix·ture ['fɪkstʃə(r)] N SPORTS Spiel *n*; **fixtures and fittings** *pl* unbewegliches Inventar

fizz [fɪz] VI sprudeln; *on opening can etc* zischen

♦**fiz·zle out** [fɪzl'aʊt] VI *infml* im Sande verlaufen

fiz·zy ['fɪzɪ] ADJ ⟨-ier, -iest⟩ sprudelnd; **~ drink** Limo *f*

flab [flæb] N *on body* Speck *m*

flab·ber·gast·ed ['flæbəgɑ:stɪd] ADJ *infml* platt, verblüfft

flab·by ['flæbɪ] ADJ ⟨-ier, -iest⟩ schlaff

flag[1] [flæg] N Fahne *f*, Flagge *f*

flag[2] [flæg] VI ⟨-gg-⟩ *tire* erlahmen, ermüden

'flag·pole N Fahnenstange *f*

fla·grant ['fleɪgrənt] ADJ krass, offenkundig

'flag·ship N *fig* Flaggschiff *n*

'flag·stone N (Stein)Platte *f*

flail [fleɪl] **A** VI herumfuchteln **B** VT **~ one's arms** mit den Armen fuchteln

flair [fleə(r)] N Veranlagung *f*, Begabung *f*

flake [fleɪk] N *of snow* Flocke *f*; *of skin* Schuppe *f*; *of plaster* Stückchen *n*

♦**flake off** VI *skin* sich schuppen; *plaster, paint* abblättern, abbröckeln

flak·y ['fleɪkɪ] ADJ ⟨-ier, -iest⟩ *paint, plaster* bröckelig; *skin* schuppig

flak·y 'pas·try N Blätterteig *m*

flam·boy·ant [flæm'bɔɪənt] ADJ *personality* schillernd, extravagant

flame [fleɪm] N Flamme *f*

flam·ma·ble ['flæməbl] ADJ brennbar; *on warning label* leicht entzündlich

flan [flæn] N Kuchen *m*; *savoury* Quiche *f*

flank [flæŋk] **A** N Seite *f*; *of horse*, MIL Flanke *f* **B** VT **be flanked by** flankiert werden von

flan·nel ['flænl] N *for washing* Waschlappen *m*

flap [flæp] **A** N *of envelope* Klappe *f*; *of table* ausziehbarer Teil; **be in a ~** *infml* in heller Aufregung sein, am Flattern sein **B** VT ⟨-pp-⟩ schlagen; **~ its wings** mit den Flügeln schlagen **C** VI ⟨-pp-⟩ *flag etc* flattern; **don't ~!** *infml* reg dich nicht auf!

flare [fleə(r)] **A** N *emergency signal* Leuchtsignal *n*, Leuchtkugel *f*; **flares** *pl* Schlaghose *f* **B** VT *nostrils* blähen

♦**flare up** VI *violence* aufflammen; *rash* plötzlich auftreten; *fire* aufflackern; *fig: become angry* aufbrausen

flash [flæʃ] **A** N *of light* Aufblitzen *n*, Aufleuchten *n*; PHOT Blitz *m*, Blitzlicht *n*; **in a ~** *infml* blitzschnell; **have a ~ of inspiration** e-n Geistesblitz haben **B** VI *light* (auf)blinken, aufleuchten **C** VT **~ one's headlights** aufblenden

'flash·back N *in film* Rückblende *f*

flash·er ['flæʃə(r)] N AUTO Blinker *m*; *infml* Exhibitionist(in) *m(f)*

'flash·light N *US* Taschenlampe *f*; PHOT Blitzlicht *n*

flash·y ['flæʃɪ] ADJ ⟨-ier, -iest⟩ *pej* prot-

zig; *colours* knallig
flask [flɑ:sk] N *for tea, coffee* Thermosflasche® *f*; *in laboratory* (Glas)Kolben *m*
flat¹ [flæt] A ADJ ‹-tt-› *country, shoes* flach; *tyre, feet, nose* platt; *surface* eben; *beer* abgestanden; *battery* alle, leer; **A** ~ MUS As; **and that's ~** *infml* und damit basta! B ADV ‹-tt-› MUS zu tief; **~ out** *infml* auf Hochtouren C N Reifenpanne *f*

F

flat² [flæt] N *apartment* Wohnung *f*
flat·ly ['flætlı] ADV *refuse* rundweg
'flat·mate N Mitbewohner(in) *m(f)* **flat 'rate** N Pauschalpreis *m*; TEL Flatrate *f* **flat-screen 'mon·i·tor** N COMPUT, TV Flachbildschirm *m* **flat-screen T'V** N Flachbildfernseher *m*
flat·ten ['flætn] V/T *land, road* (ein)ebnen, planieren; *trees* umwerfen; *by bombing, demolition* dem Erdboden gleichmachen, plattmachen
flat·ter ['flætə(r)] V/T schmeicheln
flat·ter·ing ['flætərıŋ] ADJ *comment* schmeichelhaft; *colour* vorteilhaft
flat·ter·y ['flætərı] N Schmeicheleien *pl*
flat·u·lence ['flætjʊləns] N Blähungen *pl*
flatware ['flætweər] N *US* Besteck *n*
flaunt [flɔ:nt] V/T zur Schau stellen; angeben mit
fla·vour, fla·vor *US* ['fleıvə(r)] A N *of food* Geschmack *m*; *vanilla etc* Aroma *n*; **what ~ (of) ice cream do you want?** welche Sorte Eis möchtest du? B V/T *food* Geschmack verleihen, würzen
fla·vour·ing, fla·vor·ing *US* ['fleıvərıŋ] N Aromastoff *m*
flaw [flɔ:] N Fehler *m*
flaw·less ['flɔ:lıs] ADJ *performance, English* fehlerfrei, fehlerlos; *beauty* makellos
flea [fli:] N Floh *m*
'flea mar·ket N Flohmarkt *m*
fleck [flek] N Tupfer *m*, Sprenkel *m*
fled [fled] PRET & PAST PART → flee
flee [fli:] V/I ‹fled, fled› fliehen
fleece [fli:s] V/T *infml* schröpfen, ausnehmen
fleet [fli:t] N NAUT Flotte *f*; *of taxis, lorries* Fuhrpark *m*, Wagenpark *m*
fleet·ing ['fli:tıŋ] ADJ *glance* flüchtig; **a ~ visit** e-e Stippvisite
flesh [fleʃ] N Fleisch *n*; *of fruit* (Frucht)-Fleisch *n*; **see a person in the ~** j-n in Person sehen
flew [flu:] PRET → fly³
flex [fleks] A V/T *knee* beugen; *muscles* spielen lassen B N ELEC Schnur *f*
flex·i·bil·i·ty [fleksə'bılətı] N Flexibilität *f*
flex·i·ble ['fleksəbl] ADJ *material* biegsam, flexibel; *deadline* flexibel
flex·i·time, flex·time *US* ['fleks(ı)taım] N gleitende Arbeitszeit
flick [flık] V/T *tail* schlagen; *insect off hand* schnipsen; *hair from eyes* streichen
♦**flick through** V/T *magazine* durchblättern
flick·er ['flıkə(r)] V/I *light, candle* flackern; *screen* flimmern
'flick-knife N Springmesser *n*
fli·er ['flaıə(r)] N *leaflet* Handzettel *m*, Werbezettel *m*; *political* Flugblatt *n*; *for concert* Flyer *m*
flies [flaız] N *pl on trousers* Hosenschlitz *m*
flight [flaıt] N *in plane* Flug *m*; *process of flying* Fliegen *n*; *from police etc* Flucht *f* (**from** vor); **~ (of stairs)** Treppe *f*, Treppenflucht *f*
'flight at·tend·ant N Flugbegleiter(in) *m(f)* **'flight crew** N Crew *f*, Besatzung *f* **'flight deck** N AVIAT Flugdeck *n* **'flight num·ber** N Flugnummer *f* **'flight path** N Flugbahn *f* **'flight re·cord·er** N Flugschreiber *m* **'flight time** N *departure time* Abflugzeit *f*; *duration of flight* Flugdauer *f*
flim·sy ['flımzı] ADJ ‹-ier, -iest› *structure, furniture* instabil, leicht gebaut; *dress, material* dünn; *excuse* fadenscheinig
flinch [flıntʃ] V/I zurückzucken; **without flinching** ohne mit der Wimper zu zucken
fling [flıŋ] A V/T ‹flung, flung› werfen, schleudern; **~ o.s. into a chair** sich in e-n Sessel fallen lassen B N *infml*: *love affair* (kurze) Affäre
flip [flıp] V/T ‹-pp-› schnippen, schnipsen; *coin* (hoch)werfen
♦**flip over** A V/T umdrehen B V/I *car* sich überschlagen
♦**flip through** ['flıpθru:] V/T ‹-pp-› *book, magazine* durchblättern
'flip·chart N Flipchart *f*
flip·pant ['flıpənt] ADJ schnodd(e)rig
'flip phone N Klapphandy *n*

flirt [flɜːt] **A** N Flirt *m*; **he is such a ~** er flirtet so gern **B** V/I *with person* flirten; *with idea* spielen, liebäugeln

flir·ta·tious [flɜːˈteɪʃəs] ADJ *look, woman* kokett; **he is ~** er flirtet gern

float [fləʊt] V/I *not sink* schwimmen; *move in water* treiben; ECON floaten, den Wechselkurs freigeben

float·ing vot·er [fləʊtɪŋˈvəʊtə(r)] N Wechselwähler(in) *m(f)*

flock [flɒk] **A** N *of sheep* Herde *f* **B** V/I in Scharen kommen

flog [flɒg] V/T ‹-gg-› auspeitschen, schlagen; *infml*: *sell* verscherbeln

flood [flʌd] **A** N Flut *f*, Hochwasser *n* **B** V/T *plain, town* überschwemmen; **~ its banks** *river* über die Ufer treten; **the cellar was flooded** der Keller stand unter Wasser

♦**flood in** V/I *people, light* hineinströmen; **letters flooded in** wir haben e-e Flut von Briefen bekommen

flood·ing [ˈflʌdɪŋ] N Überschwemmung *f*

ˈflood·light N Flutlicht *n* **ˈflood·lit** ADJ *game* bei Flutlicht **ˈflood·wa·ters** N *pl* Hochwasser *n*

floor [flɔː(r)] N (Fuß)Boden *m*; Stock *m*, Geschoss; **take the ~** das Wort ergreifen

ˈfloor·board N Diele *f*

ˈfloor cloth N Scheuertuch *n*, Wischtuch *n*

floor·ing [ˈflɔːrɪŋ] N (Fuß)Bodenbelag *m*

ˈfloor lamp N Stehlampe *f* **ˈfloor trade** N *at stock exchange* Parketthandel *m*

flop [flɒp] **A** N *infml* Flop *m*, Reinfall *m* **B** V/I ‹-pp-› *on bed etc* sich fallen lassen; *infml*: *film etc* durchfallen, floppen

flop·py [ˈflɒpɪ] ADJ ‹-ier, -iest› *not stiff* schlaff, schlapp

flor·ist [ˈflɒrɪst] N Blumenhändler(in) *m(f)*

floun·der [ˈflaʊndə(r)] V/I *in studies* sich abstrampeln; *in conversation, speech* ins Schwimmen geraten

flour [ˈflaʊə(r)] N Mehl *n*

flour·ish [ˈflʌrɪʃ] V/I *plant* gedeihen; *business* blühen, florieren

flour·ish·ing [ˈflʌrɪʃɪŋ] ADJ *business, trade* blühend, florierend

flow [fləʊ] **A** V/I *river, electric current, traffic* fließen; *tears* strömen **B** N *of information* Fluss *m*

ˈflow·chart N Flussdiagramm *n*

flow·er [ˈflaʊə(r)] **A** N Blume *f* **B** V/I blühen

ˈflow·er·bed N Blumenbeet *n*

ˈflow·er·pot N Blumentopf *m*

flow·er·y [ˈflaʊərɪ] ADJ *pattern* geblümt; *writing style* blumig

flown [fləʊn] PAST PART → fly[3]

flu [fluː] N Grippe *f*

fluc·tu·ate [ˈflʌktjʊeɪt] V/I schwanken

fluc·tu·a·tion [flʌktjʊˈeɪʃn] N Schwankung *f*; **fluctuations** *pl* **in the exchange rate** Wechselkursschwankungen *pl*

flu·en·cy [ˈfluːənsɪ] N Flüssigkeit *f*

flu·ent [ˈfluːənt] ADJ *style* flüssig; **he speaks ~ Japanese** er spricht fließend Japanisch

flu·ent·ly [ˈfluːəntlɪ] ADV *speak* fließend; *write* flüssig

fluff [flʌf] N *no pl on material* Fusseln *pl*

fluff·y [ˈflʌfɪ] ADJ ‹-ier, -iest› *material* flauschig; *kitten* flaumweich

fluid [ˈfluːɪd] N Flüssigkeit *f*

flung [flʌŋ] PRET & PAST PART → fling

flu·o·res·cent [flʊəˈresnt] ADJ fluoreszierend; **~ tube** Leuchtstoffröhre *f*

flu·o·ride [ˈflɔːraɪd] N Fluor *n* (*als Trinkwasserzusatz*)

flur·ry [ˈflʌrɪ] N *of snow* Gestöber *n*; *of activity* Aufregung *f*

flush [flʌʃ] **A** V/T *toilet* spülen **B** V/I *toilet* spülen; *in face* rot anlaufen

♦**flush away** V/T *down toilet* wegspülen

♦**flush out** V/T *rebels etc* aufstöbern

flus·ter [ˈflʌstə(r)] V/T nervös machen; **get flustered** nervös werden

flute [fluːt] N MUS Querflöte *f*; *champagne glass* Flöte *f*

flut·ter V/I [ˈflʌtə(r)] *bird, wings, heart* flattern

fly[1] [flaɪ] N *insect* Fliege *f*

fly[2] [flaɪ] N *on trousers* Hosenschlitz *m*

fly[3] ‹flew, flown› **A** V/I *bird, plane, passenger* fliegen; *flag* wehen; *run quickly* fliegen; **~ into a rage** e-n plötzlichen Wutanfall bekommen; **doesn't time ~!** wie die Zeit vergeht! **B** V/T *plane, passengers* fliegen

♦**fly away** V/I wegfliegen

♦**fly in** **A** V/I einfliegen **B** V/T *supplies etc* einfliegen

♦**fly off** V/I *hat etc* wegfliegen

♦ **fly out** **A** VI (ab)fliegen **B** VT *troops, supplies* ausfliegen
♦ **fly past** VI *plane* vorbeifliegen; *time* verfliegen, wie im Flug vergehen
'fly·er → flier
fly·ing ['flaɪɪŋ] N Fliegen *n*
'fly·ing ban N Flugverbot *n*
'fly·o·ver N AUTO Überführung *f*
FM [ef'em] ABBR *for* frequency modulation UKW, Ultrakurzwelle *f*
foam [fəʊm] N *on liquid* Schaum *m*
foam 'rub·ber N Schaumgummi *m*
foam·y ['fəʊmɪ] ADJ ⟨-ier, -iest⟩ schaumig
fo·cus ['fəʊkəs] **A** N PHOT Brennpunkt *m*; *of attention* Mittelpunkt *m*; **be in ~/out of ~** PHOT scharf/unscharf sein **B** VT *camera* einstellen; **~ one's attention on** s-e Aufmerksamkeit richten auf **C** VI *with eyes* klar sehen; *with attention* sich konzentrieren
♦ **focus on** VT *problem, matter* sich konzentrieren auf; PHOT scharf stellen auf
fo·cused ['fəʊkəst] ADJ zielstrebig; *concentrated* konzentriert
fod·der ['fɒdə(r)] N Futter *n*
foe [fəʊ] N Feind(in) *m(f)*, Widersacher(in) *m(f)*
foe·tus ['fi:təs] N Fötus *m*
fog [fɒg] N Nebel *m*
♦ **fog up** VI ⟨-gg-⟩ beschlagen
'fog·bound ADJ *airport* wegen Nebel(s) geschlossen
fog·gy ['fɒgɪ] ADJ ⟨-ier, -iest⟩ neb(e)lig; **I haven't the foggiest idea** *infml* ich habe keinen blassen Schimmer
foi·ble ['fɔɪbl] N Eigenheit *f*
foil[1] [fɔɪl] N Folie *f*
foil[2] [fɔɪl] VT *plot* vereiteln
fold [fəʊld] **A** VT *papers, clothes etc* (zusammen)falten; *arms* verschränken **B** VI *infml: go bankrupt* eingehen **C** N *in material etc* Falte *f*
♦ **fold up** **A** VT *chair, table* zusammenklappen; *paper, clothes* zusammenfalten **B** VI *chair, table* zusammenklappen
fold·er ['fəʊldə(r)] N *for loose documents* Mappe *f*; *file* (Akten)Ordner *m*; IT Ordner *m*
fold·ing ['fəʊldɪŋ] ADJ *chair* Klapp-
fo·li·age ['fəʊlɪɪdʒ] N *no pl* Blätter *pl*
folk [fəʊk] N *pl people* Leute *pl*
'folk dance N Volkstanz *m* **folk·lore** ['fəʊklɔ:(r)] N Volkskunde *f*, Folklore *f*
'folk mu·sic N *traditional* Volksmusik *f*; *modern* Folk *m*, Folkmusik *f* **'folk song** N *traditional* Volkslied *n*; *modern* Folksong *m*
fol·low ['fɒləʊ] **A** VT *person, road* folgen; *guidelines, instructions* befolgen; *TV series, news* verfolgen; *understand* folgen **B** VI nachkommen, folgen; *logically* folgen; **as follows** wie folgt
♦ **follow up** VT *query* nachgehen
fol·low·er ['fɒləʊə(r)] N Anhänger(in) *m(f)*
fol·low·ing ['fɒləʊɪŋ] **A** ADJ folgend **B** N *followers* Anhängerschaft *f*; **the ~** das Folgende
'fol·low-up meet·ing N Nachbesprechung *f*
'fol·low-up vis·it N *at doctor's etc* Nachuntersuchung *f*
fol·ly ['fɒlɪ] N *madness* Torheit *f*
fond [fɒnd] ADJ *affectionate* liebevoll; *memory* schön, lieb gewonnen; **be ~ of** gernhaben, mögen
fon·dle ['fɒndl] VT streicheln
fond·ness ['fɒndnɪs] N *for person* Zuneigung *f*; Liebe *f* (**for** zu); *for thing, place* Vorliebe *f* (**for** für)
font [fɒnt] N *for printing* Schrift(art) *f*; *in church* Taufstein *m*
food [fu:d] N Essen *n*; *for animals* Futter *n*; *in supermarket etc* Lebensmittel *pl*; **there's no ~ in the house** wir haben nichts zu essen im Haus
'food aid N Lebensmittelhilfe *f* **'food chain** N Nahrungskette *f* **'food mix·er** N Mixer *m* **'food poi·son·ing** N Lebensmittelvergiftung *f* **food 'safe·ty** N Lebensmittelsicherheit *f* **'food·stuff** N Nahrungsmittel *n*
fool [fu:l] **A** N Dummkopf *m*, Narr *m*, Närrin *f*; **make a ~ of o.s.** sich lächerlich machen **B** VT täuschen, hereinlegen
♦ **fool about, fool around** VI herumalbern, Unsinn machen; *waste time* herumtrödeln; *sexually* Affären haben
♦ **fool around with** VT herumspielen mit; *sexually* sich einlassen mit
'fool·har·dy ADJ tollkühn
fool·ish ['fu:lɪʃ] ADJ dumm, töricht
fool·ish·ly ['fu:lɪʃlɪ] ADV dumm, töricht; **I ~ said that ...** dummerweise habe ich gesagt, dass ...

fool·ish·ness ['fu:lɪʃnɪs] N Dummheit *f*
'fool·proof ADJ *method* narrensicher; *plan* todsicher
foot [fʊt] **A** N ⟨*pl* feet [fi:t]⟩ Fuß *m*; **on ~** zu Fuß; **be back on one's feet** wieder auf den Beinen stehen; **put one's ~ in it** *infml* ins Fettnäpfchen treten **B** V/T **~ the bill** die Rechnung bezahlen
foot·age ['fʊtɪdʒ] N (Film)Ausschnitte *pl*
'foot·ball N Fußball *m*; *American football* Football *m*
foot·bal·ler ['fʊtbɔ:lə(r)] N Fußballer(in) *m(f)*; *in American football* Footballspieler(in) *m(f)*
'foot·ball hoo·li·gan N Hooligan *m*, gewalttätiger Fußballfan **'foot·ball match** N Fußballspiel *n* **'foot·ball pitch** N Fußballplatz *m* **'foot·ball play·er** N Fußballspieler(in) *m(f)*; *in American football* Footballspieler(in) *m(f)*
'foot·bridge N Fußgängerbrücke *f*
footer ['fʊtə(r)] N IT Fußzeile *f*
'foot·hold N *for mountaineer* Halt *m*; **gain a ~** *fig* sich etablieren
foot·ing ['fʊtɪŋ] N *basis* Grundlage *f*; **lose one's ~** den Halt verlieren; **be on the same ~/a different ~** auf der gleichen Stufe/verschiedenen Stufen stehen; **be on a friendly ~ with …** ein gutes Verhältnis haben zu …
'foot·note N Fußnote *f* **'foot·path** N *in wood etc* (Fuß)Weg *m*, Pfad *m* **'foot·print** N Fußabdruck *m*; *of computer etc* Stellfläche *f* **'foot·step** N Schritt *m*; **follow in sb's footsteps** *fig* in j-s Fußstapfen treten **'foot·wear** N Schuhwerk *n*, Schuhe *pl*
for [fə(r), *stressed* fɔ:(r)] **A** PREP *referring to purpose, approval* für; *referring to goal* nach; *referring to time* seit; **a train ~ …** ein Zug nach …; **what's ~ lunch?** was gibt's zum Mittagessen?; **what ~?** wozu?, wofür?; **it's good ~ coughs** es ist gut gegen Husten; **I've been waiting ~ an hour** ich warte schon seit e-r Stunde; **it lasts ~ two hours** es dauert zwei Stunden; **I'm going to the US ~ one year** ich werde für ein Jahr in die USA gehen; **please get it done ~ Monday** bitte machen Sie es bis Montag fertig; **I walked ~ a mile** ich bin e-e Meile (weit) gegangen; **it stretches ~ 100 miles** es zieht sich über hundert Meilen hin; **I'm ~ the idea** ich bin für die Idee **B** CJ denn
for·ay ['fɒreɪ] N MIL Einfall *m*, Überfall *m*; *fig: into politics etc* Ausflug *m* (**into** in)
for·bade [fə'bæd] PRET → forbid
for·bid [fə'bɪd] V/T ⟨forbade, forbidden⟩ verbieten
for·bid·den [fə'bɪdn] **A** ADJ verboten **B** PAST PART → forbid
for·bid·ding [fə'bɪdɪŋ] ADJ *person, tone* Furcht einflößend; *rockface* bedrohlich; *prospect* düster
force [fɔ:s] **A** N Gewalt *f*; *of wind, blow* Kraft *f*; *of explosion a.* Wucht *f*; **come into ~** *law etc* in Kraft treten; **the forces** *pl* MIL die Streitkräfte *pl*; **by ~** gewaltsam, mit Gewalt **B** V/T *door, lock* aufbrechen; **~ sb to do sth** j-n dazu zwingen, etw zu tun
♦**force back** V/T *tears etc* unterdrücken
forced [fɔ:st] ADJ *laugh* gezwungen
forced 'land·ing N Notlandung *f*
force·ful ['fɔ:sfl] ADJ *argument* stark, eindringlich; *character* stark, energisch
force·ful·ly ['fɔ:sflɪ] ADV *put point of view* eindringlich
for·ci·bly ['fɔ:səblɪ] ADV *restrain* gewaltsam
fore [fɔ:(r)] N **come to the ~** in den Blickpunkt geraten
'fore·arm N Unterarm *m* **fore·bears** ['fɔ:beəz] N *pl* Vorfahren *pl*, Ahnen *pl*
fore·bod·ing [fə'bəʊdɪŋ] N (Vor)Ahnung *f* **'fore·cast** **A** N Vorhersage *f*; *of weather* Wettervorhersage *f*, Wetterbericht *m* **B** V/T *future, weather* vorhersagen; *result* tippen auf **fore·fa·thers** ['fɔ:fɑ:ðəz] N *pl* Vorfahren *pl* **'fore·fin·ger** N Zeigefinger *m* **'fore·front** N **be at the ~ of sth** zu den Pionieren bei etw gehören; an der Spitze von etw stehen **'fore·gone** ADJ **it's a ~ conclusion** das steht (jetzt) schon fest **'fore·ground** N Vordergrund *m* **fore·head** ['fɔ:hed, 'fɒrɪd] N Stirn *f*
for·eign ['fɒrən] ADJ *accent* ausländisch; *correspondent, holiday* Auslands-; *customs, appearance* fremd, fremdartig; **in a ~ country** im Ausland
for·eign af·fairs N *pl* Außenpolitik *f*
for·eign 'aid N Entwicklungshilfe *f*
for·eign 'bod·y N Fremdkörper *m*
for·eign 'cur·ren·cy N Devisen *pl*
for·eign·er ['fɒrənə(r)] N Ausländer(in)

m(f)
for·eign ex'change N Devisen *pl* **for·eign 'lan·guage** N Fremdsprache *f* **for·eign 'mar·ket** N Auslandsmarkt *m* **for·eign 'min·is·ter** N Außenminister(in) *m(f)* **'For·eign Of·fice** N *in Great Britain* Außenministerium *n* **for·eign 'pol·i·cy** N Außenpolitik *f* **For·eign 'Sec·re·ta·ry** N *in Great Britain* Außenminister(in) *m(f)*

F

'fore·man N *in factory* Vorarbeiter *m*
'fore·most **A** ADV **first and ~** zuallererst, zunächst **B** ADJ *leading* führend
'fore·name N Vorname *m*
fo·ren·sic 'sci·en·tist N Gerichtsmediziner(in) *m(f)*
'fore·run·ner N Vorläufer(in) *m(f)*
fore'saw PRET → foresee **fore'see** V/T ⟨foresaw, foreseen⟩ vorhersehen
fore·see·a·ble [fəˈsiːəbl] ADJ vorhersehbar; **in the ~ future** in absehbarer Zeit **fore'seen** PAST PART → foresee
fore'shad·ow V/T ahnen lassen, andeuten **'fore·sight** N Weitblick *m*
for·est [ˈfɒrɪst] N Wald *m*
for·est·er [ˈfɒrɪstə(r)] N Förster(in) *m(f)*
for·est·ry [ˈfɒrɪstrɪ] N Forstwirtschaft *f*
'fore·taste N Vorgeschmack *m* **fore'tell** V/T ⟨foretold, foretold⟩ vorhersagen **fore'told** PRET & PAST PART → foretell
for·ev·er [fəˈrevə(r)] ADV (für) immer; **be ~ doing sth** etw ständig tun
fore·word [ˈfɔːwɜːd] N Vorwort *n*
for·feit [ˈfɔːfɪt] V/T *lose* verlieren, einbüßen; *intentionally* aufgeben
for·gave [fəˈgeɪv] PRET → forgive
forge [fɔːdʒ] V/T *money, passport* fälschen
♦**forge ahead** V/I vorwärtskommen
forg·er·y [ˈfɔːdʒərɪ] N Fälschung *f*
for·get [fəˈget] V/T & V/I ⟨-tt-; forgot, forgotten⟩ vergessen
for·get·ful [fəˈgetfl] ADJ vergesslich
for·give [fəˈgɪv] V/T & V/I ⟨forgave, forgiven⟩ verzeihen, vergeben
for·given [fəˈgɪvn] PAST PART → forgive
for·give·ness [fəˈgɪvnɪs] N *willingness to forgive* Versöhnlichkeit *f*; **ask for sb's ~** j-n um Verzeihung bitten
for·giv·ing [fəˈgɪvɪŋ] ADJ versöhnlich
for·got [fəˈgɒt] PRET → forget
for·got·ten [fəˈgɒtn] PAST PART → forget
fork [fɔːk] N Gabel *f*; *in road* Gabelung *f*
♦**fork out** V/I *infml*: *pay* blechen
fork·lift 'truck N Gabelstapler *m*
form [fɔːm] **A** N *of car, government* Form *f*; *document* Formular *n*, Vordruck *m*; **be on/off ~** in/außer Form sein **B** V/T *in clay etc* formen; *government, sentence, tense* bilden; *company* gründen; *friendship* schließen; *opinion* sich bilden; *idea* entwickeln; *part, basis* bilden **C** V/I *idea, suspicion* sich entwickeln, Gestalt annehmen; *queue, crystals* sich bilden
form·al [ˈfɔːml] ADJ *language, clothes, occasion* förmlich, formell; *acceptance etc* formell
for·mal·i·ty [fəˈmælətɪ] N Förmlichkeit *f*; **it's just a ~** das ist nur e-e Formsache; **the formalities** *pl* die Formalitäten *pl*
for·mal·ly [ˈfɔːməlɪ] ADV *speak* förmlich; *accepted, recognized* formell
for·mat [ˈfɔːmæt] **A** V/T *disk, document* formatieren **B** N *of magazine, TV programme etc* Format *n*
for·ma·tion [fɔːˈmeɪʃn] N *of character* Formung *f*; *of past tense* Bildung *f*; *of planes* Formation *f*
for·ma·tive [ˈfɔːmətɪv] ADJ formend; **in his ~ years** in den prägenden Jahren
for·mer [ˈfɔmə(r)] **A** ADJ früher, ehemalig; **in ~ times** früher **B** N **the ~** der/die/das Erstere
for·mer·ly [ˈfɔməlɪ] ADV früher
for·mi·da·ble [fəˈmɪdəbl] ADJ *person, opponent* beeindruckend; *task* gewaltig
for·mu·la [ˈfɔːmjʊlə] N MATH, CHEM Formel *f*; *for success etc* Formel *f*, Rezept *n*
for·mu·late [ˈfɔːmjʊleɪt] V/T *sentence, request* formulieren
for·sake [fəˈseɪk] V/T ⟨forsook, forsaken⟩ aufgeben; *person* verlassen
for·sak·en [fəˈseɪkən] PAST PART → forsake
for·sook [fəˈsʊk] PRET → forsake
fort [fɔːt] N MIL Fort *n*
forth [fɔːθ] ADV **back and ~** hin und her; **and so ~** und so weiter; **from that day ~** von diesem Tag an
forth·com·ing [fɔːθˈkʌmɪŋ] ADJ *wedding, election* bevorstehend; *personality* mitteilsam
'forth·right ADJ direkt, offen
for·ti·eth [ˈfɔːtɪɪθ] ADJ vierzigste(r, -s)

for·ti·fi·ca·tion [fɔːtɪfɪˈkeɪʃn] N Befestigung *f*
for·ti·tude [ˈfɔːtɪtjuːd] N (innere) Kraft *or* Stärke
fort·night [ˈfɔːtnaɪt] N vierzehn Tage *pl*
for·tress [ˈfɔːtrɪs] N MIL Festung *f*
for·tu·i·tous [fɔːˈtjuːɪtəs] ADJ zufällig
for·tu·nate [ˈfɔːtʃʊnət] ADJ *circumstances* glücklich; **be ~** *person* Glück haben; **it's ~ that …** (es ist) ein Glück, dass …
for·tu·nate·ly [ˈfɔːtʃʊnətlɪ] ADV glücklicherweise, zum Glück; **~ for you …** zu deinem Glück …
for·tune [ˈfɔːtʃuːn] N *fate* Schicksal *n*, Geschick *n*; *good luck* Glück *n*; *great wealth* Vermögen *n*; **tell sb's ~** j-m (die Zukunft) wahrsagen
ˈfor·tune-tell·er N Wahrsager(in) *m(f)*
for·ty [ˈfɔːtɪ] ADJ vierzig; **have ~ winks** *infml* ein Nickerchen machen
for·ward [ˈfɔːwəd] **A** ADV vorwärts, nach vorn(e) **B** ADJ *pej*: *person* vorlaut, dreist **C** N SPORTS Stürmer(in) *m(f)* **D** V/T *letter* nachsenden
for·ward·ing ad·dress [ˈfɔːwədɪŋ] N Nachsendeadresse *f*
ˈfor·ward·ing a·gent N ECON Spediteur(in) *m(f)*
ˈfor·ward-look·ing ADJ fortschrittlich, vorausblickend
ˈfor·ward slash N Schrägstrich *m*
fos·sil [ˈfɒsl] N Fossil *n*
fos·sil·ized [ˈfɒsəlaɪzd] ADJ versteinert
fos·ter [ˈfɒstə(r)] V/T *child* in Pflege nehmen; *development, idea* fördern
ˈfos·ter child N Pflegekind *n* **ˈfos·ter home** N Pflegeheim *n* **ˈfos·ter par·ents** N *pl* Pflegeeltern *pl*
fought [fɔːt] PRET & PAST PART → fight
foul [faʊl] **A** ADJ *smell, taste* abscheulich, übel; *weather* scheußlich **B** N SPORTS Foul *n* **C** V/T SPORTS foulen
found[1] [faʊnd] V/T *company etc* gründen
found[2] [faʊnd] PRET & PAST PART → find
foun·da·tion [faʊnˈdeɪʃn] N *of theory etc* Grundlage *f*; *of company, colony* Gründung *f*; *organization* Stiftung *f*
foun·da·tions [faʊnˈdeɪʃnz] N *pl of building* Fundament *n*
found·er [ˈfaʊndə(r)] N Gründer(in) *m(f)*
found·ry [ˈfaʊndrɪ] N Gießerei *f*
foun·tain [ˈfaʊntɪn] N Brunnen *m*; *jet of water* Fontäne *f*
ˈfoun·tain pen N Füllfederhalter *m*
four [fɔː(r)] **A** ADJ vier **B** N **on all fours** auf allen vieren
four-let·ter ˈword N *unanständiges Wort* **four-post·er (ˈbed)** N Himmelbett *n* **ˈfour-star** ADJ *hotel* Vier-Sterne-
four·teen [ˈfɔːtiːn] ADJ vierzehn
four·teenth [ˈfɔːtiːnθ] ADJ vierzehnte(r, -s)
fourth [fɔːθ] ADJ vierte(r, -s)
fourth·ly [ˈfɔːθlɪ] ADV viertens
four-wheel ˈdrive N AUTO Allradantrieb *m*; Wagen *m* mit Allradantrieb
fox [fɒks] **A** N Fuchs *m* **B** V/T *confuse* verblüffen; *deceive* täuschen
foy·er [ˈfɔɪeɪ] N Eingangshalle *f*, Foyer *n*
frac·tion [ˈfrækʃn] N *small part* Bruchteil *m*; MATH Bruch *m*
frac·tion·al·ly [ˈfrækʃnəlɪ] ADV geringfügig
frac·ture [ˈfræktʃə(r)] **A** N Bruch *m* **B** V/T brechen
fra·gile [ˈfrædʒaɪl] ADJ zerbrechlich
frag·ment [ˈfrægmənt] N Bruchstück *n*; *of vase, glass* Scherbe *f*
frag·men·tar·y [frægˈməntərɪ] ADJ bruchstückhaft
fra·grance [ˈfreɪgrəns] N Duft *m*
fra·grant [ˈfreɪgrənt] ADJ duftend
frail [freɪl] ADJ *person* gebrechlich; *health* anfällig
frame [freɪm] **A** N *of window, picture, bicycle* Rahmen *m*; *of glasses a.* Gestell *n*; **~ of mind** *state of mind* Verfassung *f*; *mood* Stimmung *f* **B** V/T *picture* rahmen; **~ sb** *infml* j-m etwas anhängen; **I've been framed** ich bin reingelegt worden
ˈframe-up N *infml* abgekartetes Spiel
ˈframe·work N Rahmen *m*, Struktur *f*; **~ agreement on pay and conditions** ECON Manteltarifvertrag *m* **frame·work deˈci·sion** N POL Rahmenbeschluss *m*
France [frɑːns] N Frankreich *n*
fran·chise [ˈfræntʃaɪz] N *for business* Lizenz *f*
frank [fræŋk] ADJ offen
frank·furt·er [ˈfræŋkfɜːtə(r)] N (Frankfurter) Würstchen *n*
frank·ly [ˈfræŋklɪ] ADV offen; **~, it's not worth it** ehrlich gesagt, ist es das nicht wert
frank·ness [ˈfræŋknɪs] N Offenheit *f*

fran·tic ['fræntɪk] ADJ *search* verzweifelt; *preparations* hektisch; **be ~ (with worry)** außer sich sein vor Sorge
fran·ti·cal·ly ['fræntɪklɪ] ADV *search* verzweifelt; *run around* wie wild
fra·ter·nal [frə'tɜ:nl] ADJ brüderlich
fra·ter·ni·ty [frə'tɜ:nətɪ] N Brüderlichkeit *f*; *US* UNIV Verbindung *f*
fraud [frɔ:d] N Betrug *m*; *person* Betrüger(in) *m(f)*
fraud·u·lent ['frɔ:djʊlənt] ADJ betrügerisch
frayed [freɪd] ADJ *cuffs* ausgefranst
freak [fri:k] **A** N *unusual event* Anomalie *f*; *person, animal etc with unusual appearance* Missgeburt *f*; *infml: odd person* Irre(r) *m/f(m)*, Freak *m*; **jazz ~** *infml* Jazzfan *m* **B** ADJ *wind, storm etc* anormal
♦**freak out** VI *sl* ausflippen
freck·le ['frekl] N Sommersprosse *f*
free [fri:] **A** ADJ frei; *admission, drink etc a.* kostenlos; **~ and easy** locker; **for ~** *travel, obtain sth* umsonst; **you're ~ to do what you like** du kannst machen, worauf du Lust hast; **feel ~ to ask** frag ruhig **B** VT *prisoner* freilassen
free·bie ['fri:bɪ] N *infml* Werbegeschenk *n*
free·dom ['fri:dəm] N Freiheit *f*
free·dom of 'speech N Redefreiheit *f* **free·dom of the 'press** N Pressefreiheit *f* **free·dom of 'trade** N Gewerbefreiheit *f*
free 'en·ter·prise N freies Unternehmertum **'free·hol·der** N Grundeigentümer(in) *m(f)* **free 'kick** N *in football* Freistoß *m* **free·lance** ['fri:lɑ:ns] **A** ADJ frei, freischaffend **B** ADV *work* freiberuflich **free·lanc·er** ['fri:lɑ:nsə(r)] N *self-employed* Freiberufler(in) *m(f)*; *for particular company* freie(r) Mitarbeiter(in)
free·ly ['fri:lɪ] ADV *admit* offen; *move, travel* frei, ungehindert
free mar·ket e'con·o·my N freie Marktwirtschaft **'Free·ma·son** N Freimaurer(in) *m(f)* **free-range 'chick·en** N frei laufendes Huhn **free-range 'eggs** N *pl* Eier *pl* aus Freilandhaltung **free 'sam·ple** N Gratisprobe *f* **free 'speech** N Redefreiheit *f* **free 'trade** N Freihandel *m* **'freeway** N *US* Autobahn *f*
freeze [fri:z] ⟨froze, frozen⟩ **A** VT *food, bank account* einfrieren; *water, soil* gefrieren lassen; *river, lake* zufrieren lassen **B** VI *turn to ice* gefrieren
♦**freeze over** VI *river* zufrieren
'freeze-dried ADJ gefriergetrocknet
freez·er ['fri:zə(r)] N Gefrierschrank *m*; Tiefkühltruhe *f*
'freez·er com·part·ment N Gefrierfach *n*
freez·ing ['fri:zɪŋ] **A** ADJ eiskalt **B** N **10 below ~** 10 Grad unter dem Gefrierpunkt
'freez·ing point N Gefrierpunkt *m*
freight [freɪt] N Fracht *f*; Frachtkosten *pl*
freight·age ['freɪtɪdʒ] N Frachtkosten *pl*
'freight car N *US* RAIL Güterwagen *m*
freight·er ['freɪtə(r)] N Frachter *m*; Transportflugzeug *n*
'freight train N *US* Güterzug *m*
French [frentʃ] **A** ADJ französisch **B** N *language* Französisch *n*; **the ~** *pl* die Franzosen *pl*
French 'bread N Baguette *n or f* **'French fries** N *pl* Pommes frites *pl* **French 'kiss** N Zungenkuss *m* **'French·man** N Franzose *m* **French 'stick** N Baguette *n or f* **French 'win·dows** N *pl* Terrassentür *f*; Balkontür *f* **'French·wom·an** N Französin *f*
fren·zied ['frenzɪd] ADJ *attack* wild; *activity* fieberhaft; *mob* rasend, aufgebracht
fren·zy ['frenzɪ] N Raserei *f*
fre·quen·cy ['fri:kwənsɪ] N Häufigkeit *f*; RADIO Frequenz *f*
fre·quent[1] ['fri:kwənt] ADJ häufig
fre·quent[2] [frɪ'kwent] VT häufig besuchen; *animal* aufsuchen
fre·quent·ly ['fri:kwəntlɪ] ADV oft, häufig
fresh [freʃ] ADJ *fruit, meat, air* frisch; *start, sheets* neu; *US* frech
♦**freshen up** ['freʃn] **A** VI sich frisch machen **B** VT *paint* auffrischen
fresh·ly ['freʃlɪ] ADV frisch
fresh·ness ['freʃnɪs] N *of fruit, meat, wind* Frische *f*; *of style, approach* Neuheit *f*
'fresh·wa·ter ADJ Süßwasser-
fret [fret] VI ⟨-tt-⟩ sich Sorgen machen
FRG [efɑ:'dʒi:] ABBR *for* Federal Republic of Germany Bundesrepublik *f* Deutsch-

land
fric·tion ['frɪkʃn] N PHYS Reibung *f*; *between people* Reibereien *pl*
Fri·day ['fraɪdeɪ] N Freitag *m*
fridge [frɪdʒ] N Kühlschrank *m*
fried 'egg [fraɪd] N Spiegelei *n*
fried po'ta·toes N *pl* Bratkartoffeln *pl*
friend [frend] N Freund(in) *m(f)*; **make friends** sich anfreunden; **let's just be friends** lass uns gute Freunde bleiben
friend·li·ness ['frendlɪnɪs] N Freundlichkeit *f*
friend·ly ['frendlɪ] **A** ADJ ⟨-ier, -iest⟩ freundlich; *relations* freundschaftlich; *user-friendly* benutzerfreundlich; **be ~ with sb** *be friends with sb* mit j-m befreundet sein **B** N SPORTS Freundschaftsspiel *n*
friend·ship ['frendʃɪp] N Freundschaft *f*
fries [fraɪz] N *pl* Fritten *pl*, Pommes *pl*
fright [fraɪt] N Schreck(en) *m*
fright·en ['fraɪtn] V/T erschrecken; **be frightened** Angst haben (**of** vor)
♦**frighten away** V/T verscheuchen, vertreiben
fright·en·ing ['fraɪtnɪŋ] ADJ beängstigend, furchterregend
fright·ful ['fraɪtful] ADJ *a. infml* schrecklich, fürchterlich
fri·gid ['frɪdʒɪd] ADJ *sexually* frigide
frill [frɪl] N *on dress etc* Rüsche *f*; **frills** *pl*; *extras* Schnickschnack *m*
frill·y ['frɪlɪ] ADJ ⟨-ier, -iest⟩ *dress* mit Rüschen
fringe [frɪndʒ] N *on dress, curtains etc* Fransen *pl*; *of hair* Pony *m*; *of society, town* Rand *m*
'fringe ben·e·fits N *pl* Gehaltsnebenleistungen *pl*; Lohnnebenleistungen *pl*
'fringe group N *in society* Randgruppe *f*
frisk [frɪsk] V/T filzen
♦**fritter away** [frɪtərə'weɪ] V/T *time, money* vergeuden (**on** für)
fri·vol·i·ty [frɪ'vɒlətɪ] N Leichtfertigkeit *f*, Frivolität *f*; *stupid thing* Albernheit *f*
friv·o·lous ['frɪvələs] ADJ *person, behaviour* albern, leichtfertig
frizz·y ['frɪzɪ] ADJ ⟨-ier, -iest⟩ *hair* kraus
fro [frəʊ] ADV **to and ~** hin und her
frock [frɒk] N Kleid *n*
frog [frɒg] N Frosch *m*
frol·ic ['frɒlɪk] V/I ⟨-ck-⟩ herumtoben, herumtollen
from [frɒm] PREP *gener* von; **a novel ~ the 18th century** ein Roman aus dem 18. Jahrhundert; **~ next Tuesday** ab nächsten Dienstag; **I am ~ New York** ich komme aus New York; **made ~ pears** aus Birnen gemacht; **tired ~ the journey** müde von *or* wegen der Reise; **suffer ~ sth** an etw leiden
front [frʌnt] **A** N Vorderseite *f*; *of building* Front *f*, Fassade *f*; *for secret agent etc* Tarnung *f*; *to hide feelings* Fassade *f*; MIL, *of weather* Front *f*; **in ~** vorn(e); *in race* an der Spitze, vorne; **in ~ of** vor; **at the ~** vorne; **at the ~ of** *inside* vorne in; *outside* vor **B** ADJ *wheel, seat* Vorder- **C** V/T *TV programme* präsentieren
front 'bench N POL *die ersten Reihen im britischen Parlament, wo die wichtigsten Politiker sitzen* **'front com·pa·ny** N Scheinfirma *f* **front 'cov·er** N Titelseite *f* **front 'door** N Haustür *f* **front 'en·trance** N Vordereingang *m*
FRONTEX ['frʌnteks] N FRONTEX (*EU--Agentur für Zusammenarbeit an den Außengrenzen*)
fron·tier [frʌn'tɪə(r)] N Grenze *f*
front'line N MIL Front(linie) *f* **front 'page** N *of newspaper* Titelseite *f*, erste Seite **front page 'news** N **be ~** in den Schlagzeilen sein, Schlagzeilen machen **front 'row** N erste Reihe **front-seat 'pas·sen·ger** N *in car* Beifahrer(in) *m(f)* **front-wheel 'drive** N Vorderradantrieb *m*
frost [frɒst] N Frost *m*; *on grass, leaves* Reif *m*
'frost·bite N *no pl* Erfrierungen *pl*, Frostbeulen *pl*
frost·ed glass ['frɒstɪd] N Mattglas *n*, Milchglas *n*
frost·y ['frɒstɪ] ADJ ⟨-ier, -iest⟩ *a. fig* frostig
froth [frɒθ] N Schaum *m*
froth·y ['frɒθɪ] ADJ ⟨-ier, -iest⟩ *cream etc* schaumig; *lake, beer* schäumend
frown [fraʊn] **A** N Stirnrunzeln *n* **B** V/I die Stirn runzeln
froze [frəʊz] PRET → freeze
fro·zen ['frəʊzn] **A** ADJ *ground, water* gefroren; *lake, pond* zugefroren; *feet* erfroren, eiskalt; *wastes* eisig; *food* gefroren, tiefgekühlt; **I'm ~** *infml* mir ist eis-

kalt **B** PAST PART → freeze
fro·zen 'food N Tiefkühlkost *f*
fru·gal ['fru:gl] ADJ *meal, person* bescheiden; *furnishings* einfach
fruit [fru:t] N Obst *n*; *type of fruit* Frucht *f*; **bear ~** *a. fig* Früchte tragen
fruit·ful ['fru:tfl] ADJ *discussion etc* fruchtbar, erfolgreich
'fruit juice N Fruchtsaft *m*
fruit·less ['fru:tlɪs] ADJ *discussion* unfruchtbar; *attempt* erfolglos
'fruit ma·chine N Spielautomat *m*
fruit 'sal·ad N Obstsalat *m*
fruit·y ['fru:tɪ] ADJ ‹-ier, -iest› *wine etc* fruchtig; *voice* volltönend
frus·trate [frʌ'streɪt] V/T *person* frustrieren; *plans* zunichtemachen
frus·trat·ed [frʌ'streɪtɪd] ADJ frustriert
frus·trat·ing [frʌ'streɪtɪŋ] ADJ frustrierend
frus·tra·tion [frʌ'streɪʃn] N Frustration *f*, Frust *m*
fry [fraɪ] V/T ‹-ied› braten
fry·ing pan ['fraɪɪŋ] N Bratpfanne *f*
fuck [fʌk] V/T *vulg* ficken, vögeln; **~!** verdammte Scheiße!; **~ him** er kann mich (mal) am Arsch lecken
♦**fuck off** V/I *vulg* sich verpissen
fuck·ing ['fʌkɪŋ] *vulg* **A** ADJ Scheiß-, verdammt **B** ADV verdammt, scheiß-
fu·el ['fju:əl] **A** N Brennstoff *m*; *for vehicle* Kraftstoff *m*, Treibstoff *m* **B** V/T ‹-ll-, *US* -l-› *fig*: *suspicion, inflation* anheizen, anfachen
'fu·el in·jec·tion AUTO **A** N Einspritzsystem *n* **B** ADJ Einspritz-
'fu·el rod N Brennstab *m*
fu·gi·tive ['fju:dʒətɪv] N Flüchtling *m*
fulfil, ful·fill *US* [fʊl'fɪl] V/T ‹-ll-› erfüllen; *task, order* ausführen
ful·fil·ment, ful·fill·ment *US* [fʊl'fɪlmənt] N Erfüllung *f*
full [fʊl] ADJ voll; *report* ausführlich; *life* erfüllt; *diary, day* voll, ausgefüllt; **~ of** voll mit, voller; **~ up** *hotel etc* ausgebucht; *with food* satt; **pay in ~** voll bezahlen; **write in ~** ausschreiben
full 'board N Vollpension *f* **full-'fledged** *US* → fully-fledged **full-'length** ADJ *dress* bodenlang; *film* abendfüllend **full 'moon** N Vollmond *m* **full 'stop** N Punkt *m* **full-'time** **A** ADJ *work, job* ganztägig; **a ~ job** e-e Vollzeitstelle **B** ADV *work* ganztägig
ful·ly ['fʊlɪ] ADV völlig; *describe* ausführlich; **~ automatic** vollautomatisch; **~ trained** austrainiert
ful·ly-'fledged [fʊlɪ'fledʒd] ADJ flügge; *fig* richtig, ausgereift
ful·ly-'grown ADJ ausgewachsen
fum·ble ['fʌmbl] V/T *ball* nicht sauber fangen
♦**fumble about** V/I *in bag etc* wühlen, kramen (**for** nach)
fume [fju:m] V/I **be fuming** *infml* wütend sein, (vor Wut) kochen
fumes [fju:mz] N *pl of vehicle* Abgase *pl*; *of chemicals* Dämpfe *pl*
fun [fʌn] N Spaß *m*; **it was great ~** es hat viel Spaß gemacht; **bye, have ~!** tschüs(s), viel Spaß!; **for ~** aus Spaß; **make ~ of** sich lustig machen über
func·tion ['fʌŋkʃn] **A** N *use* Funktion *f*; *of person* Aufgaben *pl*; *social event* Empfang *m* **B** V/I funktionieren; **~ as** *person* fungieren als; *object* dienen als
func·tion·al ['fʌŋkʃnl] ADJ funktional, zweckmäßig
func·tion·a·ry ['fʌŋkʃnərɪ] N Funktionär(in) *m(f)*
'func·tion key N COMPUT Funktionstaste *f*
fund [fʌnd] **A** N Fonds *m*; **funds** *pl* Mittel *pl*, Gelder *pl* **B** V/T *project etc* finanzieren
fun·da·men·tal [fʌndə'mentl] ADJ grundlegend; *difference* grundsätzlich; *crucial* sehr wichtig
fun·da·men·tal 'free·doms N *pl* EU Grundfreiheiten *pl*
fun·da·men·tal·ly [fʌndə'mentlɪ] ADV *different, changed* grundlegend
fund·ing ['fʌndɪŋ] N *money* finanzielle Unterstützung
fu·ne·ral ['fju:nərəl] N Begräbnis *n*, Beerdigung *f*
'fu·ne·ral di·rec·tor N Beerdigungsunternehmer(in) *m(f)* **'fu·ne·ral home** N *US* Beerdigungsinstitut *n* **'fu·ne·ral par·lour** N Beerdigungsinstitut *n*
'fun·fair N Jahrmarkt *m*, Kirmes *f*
fun·gus ['fʌŋgəs] N Pilz *m*
funk·y ['fʌŋkɪ] ADJ ‹-ier, -iest› *sl* abgefahren
fun·nel ['fʌnl] N *of ship* Schornstein *m*

fun·ni·ly ['fʌnɪlɪ] ADV *strangely* merkwürdig, komisch; *amusingly* lustig, komisch; **~ enough** komischerweise
fun·ny ['fʌnɪ] ADJ ⟨-ier, -iest⟩ *amusing* lustig, komisch; *strange* merkwürdig, komisch
fur [fɜː(r)] N Pelz *m*
fu·ri·ous ['fjʊərɪəs] ADJ *confrontation, argument* heftig; *person* wütend; *efforts* wild; **at a ~ pace** mit rasanter Geschwindigkeit
fur·nace ['fɜːnɪs] N Hochofen *m*
fur·nish ['fɜːnɪʃ] V/T *room* einrichten; *reason etc* liefern; **a furnished room** ein möbliertes Zimmer
fur·ni·ture ['fɜːnɪtʃə(r)] N *no pl* Möbel *pl*; **a piece of ~** ein Möbelstück *n*
fur·ry ['fɜːrɪ] ADJ ⟨-ier, -iest⟩ pelzig
fur·ther ['fɜːðə(r)] **A** ADJ weiter; **at the ~ end** am hinteren Ende; **until ~ notice** bis auf Weiteres; **have you anything ~ to say?** haben Sie noch mehr zu sagen? **B** ADV *go, drive* weiter **C** V/T *request* voranbringen
fur·ther ed·u'ca·tion N Erwachsenenbildung *f*, Weiterbildung *f*
fur·ther'more ADV außerdem, weiterhin
'fur·ther·most ADJ entfernteste(r, -s), äußerste(r, -s)
fur·thest ['fɜːðɪst] **A** ADJ weitest, entferntest; **the ~ point north** der nördlichste Punkt **B** ADV am weitesten, am entferntesten
fur·tive ['fɜːtɪv] ADJ *look* heimlich, verstohlen
fu·ry ['fjʊərɪ] N Wut *f*
fuse [fjuːz] **A** N ELEC Sicherung *f*; *of explosive* Zünder *m* **B** V/I ELEC durchbrennen **C** V/T ELEC durchbrennen lassen
'fuse·box N Sicherungskasten *m*
fu·se·lage ['fjuːzəlɑːʒ] N (Flugzeug)-Rumpf *m*
fu·sion ['fjuːʒn] N *of metal, ideas* Verschmelzung *f*, Verschmelzen *n*; *in physics* Fusion *f*
fuss [fʌs] N (unnötige) Aufregung, Theater *n*; **make a ~** *complain* sich beschweren; *cause a commotion* (ein) Theater machen, (e-n) Wirbel machen; **make a ~ of sb** um j-n e-n Wirbel machen
fuss·y ['fʌsɪ] ADJ ⟨-ier, -iest⟩ wählerisch, pingelig; *pattern etc* verspielt
fu·tile ['fjuːtaɪl] ADJ sinnlos; *plan* nutzlos; *umsonst* vergeblich
fu·til·i·ty [fjuː'tɪlətɪ] N Sinnlosigkeit *f*; *of plan* Nutzlosigkeit *f*; *of attempt* Vergeblichkeit *f*
fu·ture ['fjuːtʃə(r)] N Zukunft *f*; LING *a.* Futur *n*
fu·tures ['fjuːtʃəz] N *pl* ECON Termingeschäfte *pl*
fu·tur·is·tic [fjuːtʃə'rɪstɪk] ADJ futuristisch
fuzz [fʌz] N feiner Flaum
fuzz·y ['fʌzɪ] ADJ ⟨-ier, -iest⟩ *hair* kraus; *unclear* unscharf, verschwommen

G

G, g [dʒiː] N G, g *n*
gab [gæb] N **have the gift of the ~** *infml* nicht auf den Mund gefallen sein
gab·ble ['gæbl] V/I brabbeln
gad·get ['gædʒɪt] N Apparat *m*, Gerät *n*
Gael·ic ['geɪlɪk] N *language* Gälisch *n*
gaffe [gæf] N Fauxpas *m*
gag [gæg] **A** N Knebel *m*; *joke* Gag *m* **B** V/T ⟨-gg-⟩ *person* knebeln; *press* mundtot machen
gage [geɪdʒ] *US* → gauge
gai·ly ['geɪlɪ] ADV unbekümmert
gain [geɪn] **A** V/T *time, support* gewinnen; *victory* erringen; *advantage, respect* sich verschaffen; *wealth, knowledge* erwerben; **~ speed** schneller werden; **~ 10 pounds** 10 Pfund zunehmen **B** N ECON Kursgewinn *m*
gait [geɪt] N *of horse* Gangart *f*; *of person a.* Gang *m*
gal·ax·y ['gæləksɪ] N ASTRON Galaxis *f*; **the Galaxy** die Milchstraße
gale [geɪl] N Sturm *m*
gal·lant ['gælənt] ADJ tapfer; *polite* galant
gal·lan·try ['gæləntrɪ] N Tapferkeit *f*; *politeness* Galanterie *f*
gall blad·der ['gɔːl] N Gallenblase *f*
gal·le·ry ['gælərɪ] N *for paintings, in theatre* Galerie *f*

♦**gal·li·vant a·round** [gælıvæntə'raʊnd] V/I sich herumtreiben
gal·lon ['gælən] N Gallone *f*
gal·lop ['gæləp] V/I galoppieren
gall·stone ['gɔ:lstəʊn] N Gallenstein *m*
ga·lore [gə'lɔ:(r)] ADV **apples ~** *pl* Äpfel *pl* in Hülle und Fülle
gal·va·nize ['gælvənaız] V/T TECH galvanisieren; *fig* elektrisieren; **~ sb into action** j-n plötzlich aktiv werden lassen
gam·ble ['gæmbl] **A** V/I (um Geld) spielen; *at horse races* wetten (**on** auf) **B** N Risiko *n*, Wagnis *n*

G

gam·bler ['gæmblə(r)] N Spieler(in) *m(f)*
gam·bling ['gæmblıŋ] N Spielen *n*; *at horse races* Wetten *n*
game¹ [geım] N Spiel *n*; **a ~ of chess** e-e Partie Schach
game² [geım] N *no pl* Wild *n*
gam·ing ['geımıŋ] N IT Computerspiele *pl*
gang [gæŋ] N *of criminals* Bande *f*; *of youths* Gang *f*; *of friends* Clique *f*
♦**gang up on** V/T sich verschwören gegen, sich verbünden gegen
'**gang rape** N Gruppenvergewaltigung *f*
gan·grene ['gæŋgri:n] N MED Brand *m*, Gangrän *f or n*
'**gang·way** N NAUT Gangway *f*, Landungsbrücke *f*; *between rows of seats* Gang *m*
gap [gæp] N *between teeth etc* Lücke *f*; *in conversation, story, time* Pause *f*; *in surface* Spalte *f*; *disparity* Unterschied *m*; **~ in the market** Marktlücke *f*
gape [geıp] V/I gaffen; *hole* klaffen
♦**gape at** V/T anstarren
gap·ing ['geıpıŋ] ADJ *hole, wound* klaffend
'**gap year** N *Jahr zwischen Schule und Universität, das viele britische Schulabgänger im Ausland verbringen*
gar·age ['gærıdʒ] N *for parking in* Garage *f*; *for fuel* Tankstelle *f*; *for repairs* (Auto)Werkstatt *f*
gar·bage ['gɑ:bıdʒ] N *US* Müll *m*; **that's ~!** *infml* das ist Blödsinn!
'**gar·bage truck** N *US* Müllwagen *m*
gar·bled ['gɑ:bld] ADJ *message* unverständlich
gar·den ['gɑ:dn] **A** N Garten *m* **B** V/I im Garten arbeiten
gar·den·er ['gɑ:dnə(r)] N Gärtner(in) *m(f)*
gar·den·ing ['gɑ:dnıŋ] N Gartenarbeit *f*
gar·gle ['gɑ:gl] V/I gurgeln
gar·ish ['geərıʃ] ADJ grell
gar·land ['gɑ:lənd] N Girlande *f*
gar·lic ['gɑ:lık] N Knoblauch *m*
gar·ment ['gɑ:mənt] N *formal* Kleidungsstück *n*
gar·nish ['gɑ:nıʃ] V/T garnieren
gar·ri·son ['gærısn] N Garnison *f*
gas [gæs] N Gas *n*; *esp US* Benzin *n*
gash [gæʃ] N *wound* klaffende Wunde; *in tree, earth* (klaffende) Spalte; *in cushion etc* (tiefer) Schlitz
gas·ket ['gæskıt] N Dichtung *f*
'**gas me·ter** N Gasuhr *f*, Gaszähler *m*
gas·o·line ['gæsəli:n] N *US* Benzin *n*
gasp [gɑ:sp] **A** N Keuchen *n* **B** V/I keuchen; **she gasped with surprise** sie war völlig überrascht; **~ for breath** nach Luft schnappen
'**gas ped·al** N *US* Gaspedal *n* '**gas pipe·line** N Gasleitung *f* '**gas pump** N *US* Zapfsäule *f* '**gas sta·tion** N *US* Tankstelle *f* '**gas stove** N Gasherd *m*
gas·tric ['gæstrık] ADJ MED Darm-; Magen-
gas·tric 'flu N Magen- und Darmgrippe *f* **gas·tric 'juic·es** N *pl* Magensäfte *pl* **gas·tric 'ul·cer** N Magengeschwür *n*
'**gas works** N *sg* Gaswerk *n*
gate [geıt] N Tor *n*; *at airport* Flugsteig *m*
ga·teau ['gætəʊ] N Torte *f*
'**gate·crash** V/T **~ a party** sich selbst zu e-r Party einladen
'**gate·way** N Tor *n* (**to** zu)
gath·er ['gæðə(r)] **A** V/T *information etc* sammeln; **~ speed** schneller werden; **am I to ~ that ...?** kann ich daraus schließen, dass ...? **B** V/I *crowd* sich versammeln
♦**gather up** V/T *belongings* aufsammeln
gather·ing ['gæðərıŋ] N *group of people* Versammlung *f*
gau·dy ['gɔ:dı] ADJ ⟨-ier, -iest⟩ *colours* knallig
gauge [geıdʒ] **A** N Messgerät *n*; *in car* Anzeige *f* **B** V/T *pressure* messen; *fig: situation* beurteilen
gaunt [gɔ:nt] ADJ hager

gaunt·let ['gɔːntlɪt] N **throw down the ~** den Fehdehandschuh hinwerfen

gauze [gɔːz] N *material* Gaze *f*; *for wounds a.* Verbandsmull *m*

gave [geɪv] PRET → give

gawp [gɔːp] V/I *infml* glotzen

♦ **gawp at** V/T *infml* anglotzen

gay [geɪ] **A** ADJ *man* schwul; *woman* lesbisch **B** N *man* Schwule(r) *m*; *woman* Lesbe *f*

gay 'mar·riage N gleichgeschlechtliche Ehe, *infml* Homoehe *f*

gaze [geɪz] **A** N Blick *m* **B** V/I starren

♦ **gaze at** V/T anstarren

GB [dʒiː'biː] ABBR *for* Great Britain GB, Großbritannien *n*

GDP [dʒiːdiː'piː] ABBR *for* gross domestic product BIP, Bruttoinlandsprodukt *n*

gear [gɪə(r)] N *for specific activity* Ausrüstung *f*, Sachen *pl*; *in car etc* Gang *m*; **change ~** schalten

♦ **gear up** V/I sich rüsten für

'gear·box N AUTO Getriebe *n*

'gear le·ver N AUTO Schaltknüppel *m*, Schalthebel *m*

geese [giːs] PL → goose

gel [dʒel] N Gel *n*

gem [dʒem] N Edelstein *m*; *fig*: *book etc* Juwel *n*; *person* Schatz *m*

Gem·i·ni ['dʒemɪnaɪ] N ASTROL Zwillinge *pl*; **he is (a) ~** er ist (ein) Zwilling

gen·der ['dʒendə(r)] N Geschlecht *n*

gene [dʒiːn] N Gen *n*, Erbfaktor *m*; **it's in his genes** es liegt ihm im Blut

gen·e·ral ['dʒenrəl] **A** ADJ *reaction, increase* allgemein, generell; *common* weit verbreitet; **~ knowledge** Allgemeinwissen *n*, Allgemeinbildung *f*; **have a ~ idea of sth** e-e ungefähre Vorstellung von etw haben; **the ~ public** die breite Öffentlichkeit **B** N MIL General *m*; **in ~** im Allgemeinen

gen·er·al con'di·tions N *pl of contract* Rahmenbedingungen *pl* **gen·e·ral de'liv·er·y** ADV *US* postlagernd

gen·e·ral e'lec·tion N Parlamentswahlen *pl*

gen·er·al·i·za·tion [dʒenrəlaɪ'zeɪʃn] N Verallgemeinerung *f*

gen·e·ral·ize ['dʒenrəlaɪz] V/T verallgemeinern

gen·er·al·ly ['dʒenrəlɪ] ADV allgemein; **~ speaking** im Allgemeinen

gen·e·ral prac·ti·tion·er [præk'tɪʃənə(r)] N Hausarzt *m*, -ärztin *f*

gen·e·rate ['dʒenəreɪt] V/T erzeugen; LING generieren

gen·e·ra·tion [dʒenə'reɪʃn] N *of people* Generation *f*

gen·e'ra·tion gap N Generationsunterschied *m*

ge·ner·ic drug [dʒənerɪk'drʌg] N MED Generikum *n*

gen·e·ros·i·ty [dʒenə'rɒsɪtɪ] N *with money* Großzügigkeit *f*

gen·e·rous ['dʒenərəs] ADJ *with money, comments* großzügig; *portion a.* reichlich

ge·net·ic [dʒɪ'netɪk] ADJ genetisch

ge·net·i·cal·ly [dʒɪ'netɪklɪ] ADV genetisch; **~ modified** gentechnisch *or* genetisch verändert

ge·net·ic 'code N Erbanlage *f* **ge·net·ic en·gi'neer·ing** N Gentechnologie *f* **ge·net·ic 'fin·ger·print** N genetischer Fingerabdruck

ge·net·i·cist [dʒɪ'netɪsɪst] N Genforscher(in) *m(f)*, Genetiker(in) *m(f)*

ge·net·ics [dʒɪ'netɪks] N *sg* Genetik *f*, Vererbungslehre *f*

Gen·e·va [dʒə'niːvə] N Genf *n*

ge·ni·al ['dʒiːnɪəl] ADJ freundlich

gen·i·tals ['dʒenɪtlz] N *pl* Genitalien *pl*

ge·ni·us ['dʒiːnɪəs] N Genie *n*

gen·o·cide ['dʒenəsaɪd] N Völkermord *m*

gen·tle ['dʒentl] ADJ *slope, person* sanft; *shampoo a.* mild; *touch a.* zart; *breeze* leicht; **be ~ with sth/sb** mit etw/j-m behutsam umgehen

'gen·tle·man N Gentleman *m*; **gentlemen, shall we start?** meine Herren, sollen wir beginnen?

gen·tle·ness ['dʒentlnɪs] N *of person, detergent etc* Sanftheit *f*; *of touch* Zartheit *f*

gen·tly ['dʒentlɪ] ADV *remove, place* vorsichtig, behutsam; *slope, touch* sanft

gents [dʒents] N *sg* Herrentoilette *f*

gen·u·ine ['dʒenjʊɪn] ADJ echt; *person* aufrichtig

gen·u·ine·ly ['dʒenjʊɪnlɪ] ADV wirklich

ge·o·graph·i·cal [dʒɪə'græfɪkl] ADJ geographisch

ge·og·ra·phy [dʒɪ'ɒgrəfɪ] N Erdkunde *f*, Geografie *f*

ge·o·log·i·cal [dʒɪə'lɒdʒɪkl] ADJ geolo-

G

gisch
ge·ol·o·gy [dʒɪ'ɒlədʒɪ] N Geologie *f*
ge·o·met·ric(al) [dʒɪə'metrɪk(l)] ADJ geometrisch
ge·om·e·try [dʒɪ'ɒmətrɪ] N Geometrie *f*
ge·ra·ni·um [dʒə'reɪnɪəm] N Geranie *f*
ger·i·at·ric [dʒerɪ'ætrɪk] **A** ADJ **~ care** Altenpflege *f*; **~ medicine** Altersheilkunde *f* **B** N alter Mensch
germ [dʒɜːm] N *a. fig* Keim *m*; *of disease a.* Erreger *m*

Ger·man ['dʒɜːmən] **A** ADJ deutsch **B** N *person* Deutsche(r) *m/f(m)*; *language* Deutsch *n*
Ger·man 'mea·sles N *sg* Röteln *pl*
'Ger·man-speak·ing ADJ deutschsprachig
Ger·ma·ny ['dʒɜːmənɪ] N Deutschland *n*
ger·mi·nate ['dʒɜːmɪneɪt] V/I keimen
germ 'war·fare N bakteriologische Kriegsführung
ges·tic·u·late [dʒe'stɪkjʊleɪt] V/I gestikulieren
ges·ture ['dʒestʃə(r)] N *a. fig* Geste *f*
get [get] **A** V/T ‹-tt-; got, got, *US: past part a.* gotten› *obtain* bekommen, kriegen; *in shop* kaufen, besorgen; *bring* holen; *train, bus* fahren mit; *understand* verstehen **where did you ~ that?** wo hast du das her?; **~ sth for sb/o.s.** j-m/sich etw besorgen; **I didn't ~ the job** ich habe die Stelle nicht bekommen; **~ a plane** fliegen; **where do I ~ a number 31 bus?** wo fährt der Bus Nummer 31 ab?; **don't ~ me wrong** versteh mich nicht falsch; werden; **~ dark/cold** dunkel/kalt werden; **~ sth done** *cause sth to be done* etw machen lassen; **~ sb to do sth** j-n dazu bringen, etw zu tun; **~ one's hair cut** sich die Haare schneiden lassen; **~ sth ready** etw fertig machen; **~ to do sth** *have the opportunity* es schaffen, etw zu tun; **did you ~ to see him?** hast du ihn gesehen?; **~ going** *leave* aufbrechen; **have got** haben; **have got to** müssen **B** V/I **when we ~ to Berlin** wenn wir in Berlin ankommen; **~ home** nach Hause kommen
♦ **get about** V/I *travel* herumkommen; *patient, elderly person* sich bewegen können
♦ **get along** V/I *make progress* vorankommen; *patient* sich machen; *cope, manage* zurechtkommen; *with brother, sister etc* sich verstehen, sich vertragen (**with** mit)
♦ **get around** **A** V/I *travel* herumkommen; *patient, elderly person* sich bewegen können; **if it gets around that ...** wenn es sich herumspricht, dass ... **B** V/T umgehen, herumkommen um; **get around to doing sth** dazu kommen, etw zu tun
♦ **get at** V/T *person* herumhacken auf; *imply* hinauswollen auf
♦ **get away** **A** V/I *leave* wegkommen; *prisoner* entkommen **B** V/T **get sth away from sb** j-m etw wegnehmen
♦ **get away with** V/T davonkommen mit; **let sb get away with sth** j-m etw durchgehen lassen
♦ **get back** **A** V/I *from holiday, to subject* zurückkommen; **get back!** zurück! **B** V/T *loaned book etc* zurückbekommen; **I'll get back to you on that** ich werde dich deswegen noch mal ansprechen
♦ **get by** V/I *get past* vorbeikommen; *financially* zurechtkommen
♦ **get down** **A** V/I *from ladder, tree* herunter-/hinuntersteigen, herunter-/hinunterkommen; *bend down* sich bücken **B** V/T *depress* fertigmachen; *note down* aufschreiben
♦ **get down to** V/T *work etc* sich machen an, in Angriff nehmen; **let's get down to the facts** kommen wir zur Sache
♦ **get in** **A** V/I *arrive* ankommen (**to** in); *after work* nach Hause kommen; *into car* einsteigen (**to** in); **how did they get in?** *burglars, mice* wie sind sie hineingekommen? **B** V/T *into suitcase etc* hineinbekommen (**to** in)
♦ **get off** **A** V/I *passenger* aussteigen; *cyclist* absteigen; *finish work* Feierabend haben; *not be punished* davonkommen **B** V/T *stains* wegbekommen; *clothes* ausziehen; *lid* abbekommen; *bus, train* aussteigen aus; *bicycle* absteigen von; **get off the grass!** gehen Sie vom Rasen runter!; **get a day off** e-n Tag freibekommen
♦ **get off with** V/T *person* aufreißen, abschleppen; *fine* davonkommen mit
♦ **get on** **A** V/I *cyclist, horse rider* aufsteigen; *passenger* einsteigen; *friends* sich

gut verstehen; *time* spät werden; *get older* alt werden; *make progress* vorankommen; **how are you getting on at the office?** wie läuft's im Büro? **B** VT *bicycle, horse* besteigen, aufsteigen auf; *bus, train* einsteigen in; **I can't get these trousers on** diese Hosen passen mir nicht mehr

♦ **get on with** VT *person* klarkommen mit

♦ **get out** **A** VI *driver, passenger* aussteigen (**of** aus); *prisoner, rabbit* herauskommen (**of** aus); *secret* herauskommen; **get out!** verschwinde!; **let's get out of here!** bloß weg hier! **B** VT *nail etc* herausziehen; *stain, dirt etc* herausbekommen; *of bag: pen etc* herausholen; **get that dog out of here!** schaffen Sie den Hund hier raus!

♦ **get out of** VT *town* herausfahren aus, verlassen; **what do you get out of it?** was findest du daran?

♦ **get over** VT *disappointment* überwinden; *fence* steigen über, klettern über; *ex-boyfriend* hinwegkommen über

♦ **get over with** VT **get sth over with** etw hinter sich bringen

♦ **get through** VI *on phone* durchkommen; *to other people* durchdringen

♦ **get to** VT *annoy* auf die Nerven gehen (**sb** j-m); *move, upset* rühren

♦ **get up** **A** VI *in the morning, from chair* aufstehen; *wind* aufkommen **B** VT *stairs* hinaufsteigen, hochgehen; *mountain, tree* klettern auf; *team* zusammenstellen

♦ **get up to** VT *mischief* anstellen; **what are you getting up to these days?** was machst du im Moment so?

'get·a·way N *after robbery etc* Flucht *f*

'getaway car N Fluchtauto *n*

'get-to·geth·er N Treffen *n*

'get·up N Aufmachung *f*

gher·kin ['gɜːkɪn] N Gewürzgurke *f*

ghet·to ['getəʊ] N ‹*pl* -os, -oes› Getto *n*

ghost [gəʊst] N Geist *m*, Gespenst *n*

'ghost town N Geisterstadt *f*

gi·ant ['dʒaɪənt] **A** ADJ riesig **B** N Riese *m*; **one of the giants of jazz** e-r/e-e der größten Jazzmusiker(innen)

gib·ber·ish ['dʒɪbərɪʃ] N *infml* Quatsch *m*

gibe [dʒaɪb] N Spitze *f*, spöttische Bemerkung

gib·lets ['dʒɪblɪts] N *pl* Geflügelinnereien *pl*

gid·di·ness ['gɪdɪnɪs] N Schwindelgefühl *n*

gid·dy ['gɪdɪ] ADJ ‹-ier, -iest› **I feel ~** mir ist schwind(e)lig

gift [gɪft] N Geschenk *n*; **have a ~ for sth** ein Talent für etw haben

gift·ed ['gɪftɪd] ADJ begabt

'gift tax N Schenkungssteuer *f* **'gift to·ken, 'gift voucher** N Geschenkgutschein *m* **'gift·wrap** VT ‹-pp-› als Geschenk verpacken

gi·ga·byte ['gɪgəbaɪt] N IT Gigabyte *n*

gi·gan·tic [dʒaɪ'gæntɪk] ADJ riesig, gigantisch

gig·gle ['gɪgl] **A** VI kichern **B** N Gekicher *n*

gilt [gɪlt] N Vergoldung *f*; **gilts** *pl* ECON Staatstitel *pl*

gim·mick ['gɪmɪk] N Gag *m*

gim·mick·y ['gɪmɪkɪ] ADJ effekthascherisch

gin [dʒɪn] N Gin *m*; **~ and tonic** Gin Tonic *m*

gin·ger ['dʒɪndʒə(r)] **A** N *spice* Ingwer *m* **B** ADJ *hair* kupferrot; *cat* rötlich gelb

'gin·ger·bread N Leb- *or* Pfefferkuchen *m* (*mit Ingwergeschmack*)

gin·ger·ly ['dʒɪndʒəlɪ] ADV vorsichtig

gir·der ['gɜːdə(r)] N Träger *m*

gir·dle ['gɜːdl] N Hüfthalter *m*

girl [gɜːl] N Mädchen *n*

'girl·friend N Freundin *f* (*Liebesbeziehung*)

girl·ie ['gɜːlɪ] ADJ *infml* mädchenhaft

'girl·ie mag·a·zine N Herrenmagazin *n*

gi·ro ['dʒaɪərəʊ] N Girosystem *n*; *infml*: *unemployment benefit* Stütze *f*

'gi·ro ac·count N Postgirokonto *n*

'gi·ro cheque N Postscheck *m*

girth [gɜːθ] N Umfang *m*; *for horse* Sattelgurt *m*

gist [dʒɪst] N **get the ~** das Wesentliche mitbekommen

give [gɪv] **A** VT ‹gave, given› geben; *gift* schenken; *blood, money* spenden; *speech, talk* halten; *cry, groan* von sich geben; **~ her my love** grüße sie lieb von mir; **don't ~ me that!** *infml* komm mir nicht damit! **B** VI *bridge, railing* nachgeben

♦**give away** VT *as gift* verschenken, weggeben; *free samples* verteilen; *secret* verraten; **give o.s. away** sich verraten
♦**give back** VT zurückgeben
♦**give in** A VI *in fight, argument* aufgeben, sich geschlagen geben; *be persuaded* nachgeben B VT *homework etc* abgeben; *documents etc* einreichen
♦**give off** VT *smell, smoke* abgeben
♦**give onto** VT *window* hinausgehen auf
♦**give out** A VT *leaflets* verteilen B VI *run out* zu Ende gehen
♦**give up** A VT *smoking etc* aufhören mit; **give o.s. up to the police** sich der Polizei stellen B VI aufgeben; *smoker* aufhören
♦**give way** VI *collapse* nachgeben; AUTO die Vorfahrt lassen
give-and-'take N Geben und Nehmen *n*, Kompromiss *m*
give·a·way 'price N Schleuderpreis *m*
giv·en ['gɪvn] A PAST PART → give B CJ **~ the fact that ...** wenn man bedenkt, dass ...
gla·ci·er ['glæsɪə(r)] N Gletscher *m*
glad [glæd] ADJ ⟨-dd-⟩ froh; **be ~ that ...** sich freuen, dass ...
glad·ly ['glædlɪ] ADV gern
glam·or *etc US* → glamour *etc*
glam·or·ize ['glæməraɪz] VT verherrlichen, verklären
glam·or·ous ['glæmərəs] ADJ *film star, life* glamourös
glam·our ['glæmə(r)] N Glamour *m*, Glanz *m*
glance [glɑːns] A N Blick *m* B VI sehen, blicken
♦**glance at** VT e-n kurzen Blick werfen auf
gland [glænd] N Drüse *f*
glan·du·lar fe·ver [glændjʊlə(r)'fiːvə] N Drüsenfieber *n*
glare [gleə(r)] A N *of sun, spotlight* grelles Licht B VI *sun, spotlight* grell scheinen
♦**glare at** VT wütend anstarren
glar·ing ['gleərɪŋ] ADJ *mistake* krass
glar·ing·ly ['gleərɪŋlɪ] ADV **it's ~ obvious** es liegt klar auf der Hand
glass [glɑːs] N Glas *n*
glasses ['glɑːsɪz] N *pl* Brille *f*
glaze [gleɪz] N Glasur *f*
♦**glaze over** VI *eyes* glasig werden
glazed [gleɪzd] ADJ *expression* glasig
gla·zi·er ['gleɪzɪə(r)] N Glaser(in) *m(f)*
glaz·ing ['gleɪzɪŋ] N Verglasung *f*
gleam [gliːm] A N Schein *m*, Schimmer *m* B VI schimmern
glean [gliːn] VT sammeln; *information* entnehmen (**from** aus *or dat*)
glee [gliː] N Freude *f*
glee·ful ['gliːfʊl] ADJ fröhlich
glib·ly ['glɪblɪ] ADV leichthin
glide [glaɪd] VI gleiten; *plane, bird a.* schweben
glim·mer ['glɪmə(r)] A N *of light* Schimmer *m*; *of fire* Glimmen *n* B VI *light* schimmern; *fire* glimmen
glimpse [glɪmps] A N flüchtiger Blick B VT kurz sehen
glint [glɪnt] A N Glitzern *n*, Blinken *n*; *in eye* Funkeln *n* B VI *light* glitzern, blinken; *eyes* funkeln
glis·ten ['glɪsn] VI *water* glitzern; *silk* glänzen
glit·ter ['glɪtə(r)] VI glitzern, funkeln
gloat [gləʊt] VI sich hämisch freuen, schadenfroh sein (**over** über)
glo·bal ['gləʊbl] ADJ global; *all over the world a.* weltweit
glo·bal e'con·o·my N Weltwirtschaft *f*
glo·bal·i·za·tion [gləʊbəlaɪ'zeɪʃən] N POL, ECON Globalisierung *f*
glo·bal 'mar·ket N Weltmarkt *m*
glo·bal 'play·er N ECON Weltfirma *f*, Global Player *m*
glo·bal warm·ing ['wɔːmɪŋ] N Erwärmung *f* der Erdatmosphäre, globale Erwärmung
globe [gləʊb] N *our planet* Erde *f*, Erdball *m*; *model of Earth* Globus *m*
gloom [gluːm] N Dunkelheit *f*; *melancholy* Schwermut *f*, Traurigkeit *f*
gloom·y ['gluːmɪ] ADJ ⟨-ier, -iest⟩ *room* dunkel; *atmosphere, person* schwermütig, traurig
glo·ri·fy ['glɔːrɪfaɪ] VT REL lobpreisen; *fig: achievements* verherrlichen; **a glorified airstrip** *pej* eine bessere Start- und Landebahn
glo·ri·ous ['glɔːrɪəs] ADJ *weather, day* wunderbar, herrlich; *victory* glorreich, ruhmreich
glo·ry ['glɔːrɪ] N *honour* Ruhm *m*; *beauty*

Herrlichkeit *f*, Pracht *f*
gloss [glɒs] N *shine* Glanz *m*; *text* Erläuterung *f*, Erklärung *f*
♦**gloss over** VT *objections* beiseiteschieben; *differences, problems* vertuschen
glos·sa·ry ['glɒsərı] N Glossar *n*
gloss 'paint N Glanzlack *m*
gloss·y ['glɒsı] **A** ADJ ⟨-ier, -iest⟩ *material* glänzend; *paper, paint* Glanz- **B** N *magazine* Hochglanzmagazin *n*
glove [glʌv] N Handschuh *m*
'glove com·part·ment N *in car* Handschuhfach *n*
glow [gləʊ] **A** N *of light* Leuchten *n*; *of fire* Glut *f*; *in cheeks* Glühen *n* **B** VI *light* leuchten; *fire, cheeks* glühen
glow·er ['glaʊə(r)] VI finster gucken; **~ at sb** j-n böse angucken
glow·ing ['gləʊıŋ] ADJ *account* begeistert
glu·cose ['glu:kəʊs] N Traubenzucker *m*
glue [glu:] **A** N Klebstoff *m*, Leim *m* **B** VT **~ sth to sth** etw an etw (fest)kleben; **be glued to the TV** *infml* am Fernseher kleben
glum [glʌm] ADJ ⟨-mm-⟩ niedergeschlagen
glut [glʌt] N *of fruit* Schwemme *f*; *of products* Überangebot *n* (**of** an)
glut·ton·y ['glʌtənı] N Völlerei *f*
GM [dʒi:'em] ABBR *for* genetically modified gentechnisch verändert **GM 'food** N gentechnisch veränderte Lebensmittel *pl*
GMO [dʒi:em'əʊ] ABBR *for* genetically-modified organism GVO, gentechnisch veränderter Organismus
GMT [dʒi:em'ti:] ABBR *for* Greenwich Mean Time WEZ, westeuropäische Zeit
gnarled [nɑ:ld] ADJ *trunk* knorrig; *hands* knotig
gnash [næʃ] VT *teeth* knirschen mit
gnat [næt] N (Stech)Mücke *f*
gnaw [nɔ:] VT *bone* nagen an
GNP [dʒi:en'pi:] ABBR *for* gross national product BSP, Bruttosozialprodukt *n*
go [gəʊ] **A** N ⟨*pl* -oes⟩ Versuch *m*; **it's my ~** ich bin dran; **have a ~ at sth** etw (aus)probieren; **be on the ~** unterwegs sein, auf Trab sein; **in one ~** *drink* in e-m Zug; *spend* auf einmal **B** VI ⟨went, gone⟩ *on foot* gehen; *drive etc* fahren; *fly* fliegen; *leave a place* (weg)gehen; ab- *or* wegfahren; *fly away* ab- *or* wegfliegen; *function, work* gehen; *come out: stain etc* rausgehen; *pain* weggehen; *match: colours* zusammenpassen; **~ jogging** joggen gehen; **hamburger to ~** *esp US* Hamburger zum Mitnehmen; **~ for a walk** e-n Spaziergang machen; **they're going for £50** *being sold* sie gehen für 50 Pfund weg; **be all gone** *milk, bread etc* alle sein; *energy* weg sein; *anger* verflogen sein; **where do the knives ~?** wo kommen/gehören die Messer hin?; **five into three won't ~** drei durch fünf geht nicht (auf); **~ black/soft** schwarz/weich werden; *future* **I'm going to meet him tomorrow** ich werde ihn morgen treffen
♦**go ahead** VI *begin* anfangen; *go in front etc* vorgehen; *take place* stattfinden; *carry on* weitermachen; **go ahead!** mach nur!, nur zu!
♦**go along with** VT *proposal* zustimmen (**with** *dat*)
♦**go at** VT *attack* angreifen
♦**go back** VI zurückgehen; zurückfahren; **we go back a long way** wir kennen uns schon ewig; **go back to sleep** wieder einschlafen
♦**go by** VI vorbeigehen, vorbeilaufen; vorbeifahren; *time* vergehen
♦**go down** VI hinuntergehen; hinunterfahren; *sun, ship* untergehen; *swelling* zurückgehen; **go down well/badly** *proposal etc* gut/schlecht ankommen
♦**go for** VT *attack* losgehen auf; *like* mögen, stehen auf; **does that go for me too?** gilt das auch für mich?
♦**go in** VI *into house, room* hineingehen; *sun* verschwinden; *fit in* hineinpassen
♦**go in for** VT *competition* teilnehmen an; *like* mögen
♦**go off** **A** VI *leave* weggehen; *vehicle* abfahren; *gun, alarm* losgehen; *bomb* explodieren; *milk etc* schlecht werden **B** VT nicht mehr mögen
♦**go on** VI *continue* weitermachen; *discussion, talks* weitergehen; *happen* passieren; *pedestrian* weitergehen; *driver* weiterfahren; *light* angehen; *play, speech* dauern; **go on, do it!** los, mach schon!; **what's going on?** was ist los?; **he does go on!** er redet ohne Ende

♦**go on at** VT herumhacken auf
♦**go out** VI *leave room etc* hinausgehen; *light, fire* ausgehen; *to enjoy oneself* ausgehen, weggehen
♦**go out with** VT *as boyfriend/girlfriend* gehen mit
♦**go through** A VT *illness, difficult time* durchmachen; *text* durchgehen, durchsehen B VI *application* angenommen werden
♦**go together** VI *colours etc* zusammenpassen; *couple* zusammen sein
♦**go under** VI *sink* untergehen; *become bankrupt* Pleite machen
♦**go up** VI hinaufgehen, hinaufsteigen; *price* steigen; **everything's gone up** alles ist teurer geworden
♦**go without** A VT *food etc* auskommen ohne; *intentionally* verzichten auf B VI darauf verzichten
goad [gəʊd] VT anstacheln
'go-a·head A N **get the ~** grünes Licht bekommen B ADJ *energetic* dynamisch; *modern* fortschrittlich
goal [gəʊl] N SPORTS Tor *n*; *aim* Ziel *n*
goal·ie ['gəʊlı] N *infml* Keeper(in) *m(f)*
'goal·keep·er N Torwart(in) *m(f)*, Torhüter(in) *m(f)* **'goal kick** N Abstoß *m* **'goal·post** N Torpfosten *m*
goat [gəʊt] N Ziege *f*
gob·ble ['gɒbl] VT verschlingen
♦**gobble up** VT verschlingen
gob·ble·dy·gook ['gɒbldıgu:k] N *infml* Kauderwelsch *n*
'go-be·tween N Vermittler(in) *m(f)*, Mittelsmann *m*
gob·smacked ['gɒbsmækt] ADJ *sl: very surprised* platt
god [gɒd] N Gott *m*; **thank God!** Gott sei Dank!
'god·child N Patenkind *n*
'god·daughter N Patentochter *f*
god·dess ['gɒdıs] N Göttin *f*
'god·fa·ther N *a. in mafia* Pate *m*
god·for·sak·en ['gɒdfɔ:seıkn] ADJ *place, town* gottverlassen **'god·moth·er** N Patin *f* **'god·pa·rent** N Pate *m*, Patin *f* **'god·send** N Geschenk *n* des Himmels **'god·son** N Patensohn *m*
go·fer ['gəʊfə(r)] N *infml* Mädchen *n* für alles
gog·gles ['gɒglz] N *pl* Schwimmbrille *f*; Skibrille *f*
go·ing ['gəʊıŋ] ADJ *price* gängig; **~ concern** laufendes Geschäft
go·ings-on [gəʊıŋz'ɒn] N *pl* Ereignisse *pl*, Vorgänge *pl*
gold [gəʊld] A ADJ golden B N Gold *n*
gold·en ['gəʊldn] ADJ *hair* golden
gold·en 'hand·shake N großzügige Abfindung
gold·en 'wed·ding (an·ni·ver·sa·ry) N goldene Hochzeit
'gold·fish N Goldfisch *m* **gold 'med·al** N Goldmedaille *f* **'gold mine** N *fig* Goldgrube *f* **gold·smith** ['gəʊldsmıθ] N Goldschmied(in) *m(f)*
'golf ball N Golfball *m* **'golf club** N *organization* Golfklub *m*; *implement* Golfschläger *m* **'golf course** N Golfplatz *m*
gone [gɒn] A PAST PART → go B PREP **it's ~ six (o'clock)** es ist sechs Uhr durch
gon·na ['gənə] *infml for* **going to**
good [gʊd] A ADJ ⟨better, best⟩ gut; *well-behaved* brav, artig; **be ~!** sei brav!; **thanks, that was ~ of you** danke, das war nett von dir; **a ~ many** ziemlich viele; **be ~ at …** gut sein in …; **it was as ~ as done** es war so gut wie fertig B N **it did him a lot of ~** es tat ihm sehr gut; **what ~ is that to me?** was nützt mir das?; **for your own ~** zu deinem eigenen Vorteil; **it's no ~** *it is pointless* es hat keinen Zweck; **that's no ~, we can't have that** das geht auf keinen Fall
goodbye [gʊd'baı] A INT auf Wiedersehen!; *on phone* auf Wiederhören! B N *leavetaking* Abschied *m*
'good-for-noth·ing N Nichtsnutz *m*, Taugenichts *m* **Good 'Fri·day** N Karfreitag *m* **good-hu·moured**, **good-hu·mored** *US* [gʊd'hju:məd] ADJ *on particular occasion* gut gelaunt; *as characteristic* gutmütig **good-look·ing** [gʊd'lʊkıŋ] ADJ gut aussehend
good-na·tured [gʊd'neıtʃəd] ADJ gutmütig
good·ness ['gʊdnıs] N Güte *f*; *of fruit etc* das Gute; **thank ~!** Gott sei Dank!
goods [gʊdz] N *pl* ECON Waren *pl*, Güter *pl*
'goods traf·fic N Güterverkehr *m*
good'will N Wohlwollen *n*; **a gesture of ~** ein Zeichen *n* guten Willens

goo·ey ['gu:ɪ] ADJ ‹-ier, -iest› klebrig
goof [gu:f] V/I *infml: make a mistake* sich etwas leisten
goo·gle® ['gu:gl] V/T IT *mit Google® recherchieren* googeln® (nach)
goose [gu:s] N ‹*pl* geese [gi:s]› Gans *f*
goose·ber·ry ['gʊzbərɪ] N Stachelbeere *f*
goose bumps, **goose pim·ples** ['gu:sbʌmps, 'gu:spɪmplz] N *pl* Gänsehaut *f*
gorge [gɔ:dʒ] **A** N Schlucht *f* **B** V/T **~ o.s. on sth** sich mit etw vollessen
gor·geous ['gɔ:dʒəs] ADJ *weather, day* großartig; *smell, hair* wunderbar; *man, woman* hinreißend
gor·y ['gɔ:rɪ] ADJ ‹-ier, -iest› blutrünstig; **all the ~ details** *fig* die ganzen Einzelheiten
gosh [gɒʃ] INT *infml* Mensch!
go-'slow N Bummelstreik *m*
Gos·pel ['gɒspl] N *in Bible* Evangelium *n*
gos·sip ['gɒsɪp] **A** N Klatsch *m*, Tratsch *m*; *conversation* Schwatz *m*; *person* Klatschbase *f* **B** V/I *have conversation* schwatzen, plaudern; *exchange rumours* klatschen, tratschen
'gos·sip col·umn N Klatschspalte *f*
'gos·sip col·um·nist N Klatschkolumnist(in) *m(f)*
gossipy ['gɒsɪpɪ] ADJ *person* schwatzhaft; *style* plaudernd
got [gɒt] PRET & PAST PART → get
Goth·ic ['gɒθɪk] ADJ gotisch; *novel etc* Schauer-
got·ta ['gɒtə] *infml for* **(have) got to**
got·ten ['gɒtn] PAST PART *US* → get
gour·met ['gʊəmeɪ] N Feinschmecker(in) *m(f)*
gout [gaʊt] N MED Gicht *f*
gov·ern ['gʌvn] V/T *country* regieren; *province* verwalten
gov·ern·ment ['gʌvnmənt] N Regierung *f*
gov·er·nor ['gʌvənə(r)] N *of state, province* Gouverneur(in) *m(f)*
govt *only written* ABBR *for* government Regierung *f*
gown [gaʊn] N (langes) Kleid; *for evening* Abendkleid *n*; *of academic, judge* Robe *f*; *of doctor* Kittel *m*
GP [dʒi:'pi:] ABBR *for* general practitioner Hausarzt *m*, -ärztin *f*
grab [græb] V/T ‹-bb-› *person* packen; *one's bag* sich schnappen; *opportunity* beim Schopfe greifen; **~ a bite to eat** schnell etwas essen
grace [greɪs] N REL Gnade *f*; *of dancer etc* Anmut *f*; *prayer before meal* Tischgebet *n*
grace·ful ['greɪsfʊl] ADJ anmutig
gra·cious ['greɪʃəs] ADJ *kind* liebenswürdig; *life, style* elegant; **good ~!** *infml* ach du meine Güte!
grade [greɪd] **A** N *of goods* Qualität *f*; *US: class in school* Klasse *f*, Jahrgangsstufe *f*; *for schoolwork* Note *f* **B** V/T *eggs, meat* klassifizieren
'grade cross·ing N *US* Bahnübergang *m*
gra·di·ent ['greɪdɪənt] N Neigung *f*; *downward* Gefälle *n*; *upward* Steigung *f*
grad·u·al ['grædʒʊəl] ADJ allmählich
grad·u·al·ly ['grædʒʊəlɪ] ADV allmählich
grad·u·ate **A** N ['grædʒʊət] Hochschulabsolvent(in) *m(f)* **B** V/I ['grædʒʊeɪt] s-n (Hochschul)Abschluss machen
grad·u·a·tion [grædʒʊ'eɪʃn] N Hochschulabschluss *m*; *ceremony* Abschlussfeier *f*, feierliche Zeugnisübergabe
graft [grɑ:ft] **A** N BOT Pfropfreis *n*; MED Transplantat *n*; *infml: hard work* Schufterei *f* **B** V/T BOT pfropfen; MED übertragen (**on** auf)
grain [greɪn] N Getreide *n*, Korn *n*; *of rice, sand, wheat* Korn *n*; *in wood* Maserung *f*; **it goes against the ~** es geht mir/ihm *etc* gegen den Strich
gram [græm] N Gramm *n*
gram·mar ['græmə(r)] N Grammatik *f*
'gram·mar school N Gymnasium *n*
gram·mat·i·cal [grə'mætɪkl] ADJ grammatisch, grammatikalisch
gramme → gram
gra·na·ry ['grænərɪ] N Kornspeicher *m*
grand [grænd] **A** ADJ *celebration, building* prächtig, prachtvoll; *person* groß, bedeutend; *infml: very good* fantastisch **B** N *infml: 1000 pounds/dollars* Riese *m*
'grand·child N Enkelkind *n*
'gran(d)·dad N *infml* Opa *m*
'grand·daugh·ter N Enkelin *f*
gran·deur ['grændʒə(r)] N Größe *f*; *of sight* Erhabenheit *f*
'grand·fa·ther N Großvater *m*
'grand·ma N *infml* Oma *f* **'grand-**

G

moth·er N Großmutter *f* **'grand·pa** N *infml* Opa *m* **'grand·par·ents** N *pl* Großeltern *pl* **grand pi'an·o** N Flügel *m* **'grand·son** N Enkel *m*
gran·ite ['grænɪt] N Granit *m*
gran·ny ['grænɪ] N *infml* Oma *f*
grant [grɑ:nt] **A** N *for project, organization* finanzielle Unterstützung, Subvention *f*; *for student* Stipendium *n* **B** V/T *wish, request etc* erfüllen; *permission* geben; *visa* bewilligen; **take sth for granted** etw als selbstverständlich betrachten; **take sb for granted** j-n nicht zu schätzen wissen
gran·ule ['grænju:l] N Körnchen *n*
grape [greɪp] N Weintraube *f*, Weinbeere *f*
'grape·fruit N Grapefruit *f*, Pampelmuse *f*
'grape·vine N **hear sth on the ~** etw gerücht(e)weise hören
graph [grɑ:f] N Diagramm *n*, Schaubild *n*
graph·ic ['græfɪk] **A** ADJ *account etc* anschaulich **B** N IT Grafik *f*; **graphics** *pl* Grafik *f*
graph·ic·ally ['græfɪklɪ] ADV *describe* anschaulich
graph·ic de'sign·er N Grafikdesigner(in) *m(f)*, Grafiker(in) *m(f)*
'graph·ics card N COMPUT Grafikkarte *f*
♦**grap·ple with** ['græplwɪð] V/T *attacker* kämpfen mit; *problem etc* sich herumschlagen mit
grasp [grɑ:sp] **A** N Griff *m*; *fig* Verständnis *n*; **have a good ~ of sth** etw gut beherrschen **B** V/T *with hands* ergreifen, greifen nach; *fig* verstehen, begreifen
grass [grɑ:s] N Gras *n*
grass 'roots N *pl of organization* Basis *f*
gras·sy ['grɑ:sɪ] ADJ ⟨-ier, -iest⟩ grasig
grate[1] [greɪt] N *in hearth* (Feuer)Rost *m*
grate[2] [greɪt] **A** V/T *carrots etc* reiben **B** V/I *teeth* knirschen; *door* quietschen
grate·ful ['greɪtful] ADJ dankbar
grat·er ['greɪtə(r)] N Reibe *f*
grat·i·fi·ca·tion [grætɪfɪ'keɪʃn] N Befriedigung *f*
grat·i·fy ['grætɪfaɪ] V/T ⟨-ied⟩ erfreuen; **be gratified** zufrieden sein
grat·ing[1] ['greɪtɪŋ] ADJ *sound, voice* kratzend
grat·ing[2] ['greɪtɪŋ] N *over shaft* Gitter *n*
grat·i·tude ['grætɪtju:d] N Dankbarkeit *f*
gra·tu·i·tous [grə'tju:ɪtəs] ADJ *formal* überflüssig, unnötig
gra·tu·i·ty [grə'tju:ətɪ] N *formal* Geldgeschenk *n*
grave[1] [greɪv] N Grab *n*
grave[2] [greɪv] ADJ *mistake* schwer; *face, voice* ernst
grav·el ['grævl] N Kies *m*
'grave·stone N Grabstein *m*
'grave·yard N Friedhof *m*
♦**grav·i·tate towards** ['grævɪteɪttəwɔ:dz] V/T angezogen werden von
grav·i·ty ['grævətɪ] N PHYS Schwerkraft *f*
gra·vy ['greɪvɪ] N (Braten)Soße *f*
gray [greɪ] *US* → grey
graze[1] [greɪz] V/I *animal* weiden, grasen
graze[2] [greɪz] **A** N *on arm etc* Abschürfung *f* **B** V/T **~ one's arm** sich den Arm aufschürfen
grease [gri:s] N *for cooking* Fett *n*; *for machine* Schmierfett *n*
grease·proof 'pa·per N Pergamentpapier *n*
greas·y ['gri:sɪ] ADJ ⟨-ier, -iest⟩ *hair, skin* fettig; *food a.* fett; *machine* schmierig
great [greɪt] ADJ groß; *football player, writer a.* bedeutend; *infml: very good* klasse, toll; **a ~ many** sehr viele; **a ~ deal of time** sehr viel Zeit
great-'aunt N Großtante *f* **Great 'Brit·ain** N Großbritannien *n*
great-'grand·child N Urenkel(in) *m(f)* **great-'grand·daugh·ter** N Urenkelin *f* **great-'grand·fa·ther** N Urgroßvater *m* **great-'grand·moth·er** N Urgroßmutter *f*
great-'grand·son N Urenkel *m*
great·ly ['greɪtlɪ] ADV sehr
great·ness ['greɪtnɪs] N Größe *f*
great-'uncle N Großonkel *m*
Greece [gri:s] N Griechenland *n*
greed [gri:d] N Gier *f*; *for food a.* Gefräßigkeit *f*
greed·y ['gri:dɪ] ADJ ⟨-ier, -iest⟩ gierig; **~ for power** machtgierig
Greek [gri:k] **A** ADJ griechisch **B** N *person* Grieche *m*, Griechin *f*; *language* Griechisch *n*
green [gri:n] ADJ grün; **~ issues** *pl* ökolo-

gische Fragen *pl*, Umweltfragen *pl*
green 'beans N *pl* grüne Bohnen *pl* **'green belt** N Grüngürtel *m* **'green card** N *for car* grüne Versicherungskarte; *US: for work* Greencard *f* **'greenfield site** N unerschlossenes Bauland **'green·gro·cer** N Obst- und Gemüsehändler(in) *m(f)* **'green·house** N Gewächshaus *n*, Treibhaus *n* **'greenhouse ef·fect** N Treibhauseffekt *m* **'green·house gas** N Treibhausgas *n* **'Green·land** N Grönland *n* **Green 'Pa·per** N POL Grünbuch *n*
greens [gri:nz] N *pl* grünes Gemüse, Grünzeug *n*
Greens [gri:nz] N *pl* POL **the ~** die Grünen *pl*
greet [gri:t] VT grüßen; *guests* begrüßen, empfangen
greet·ing ['gri:tɪŋ] N Gruß *m*
greet·ings card ['gri:tɪŋz] N Glückwunschkarte *f*
gre·gar·i·ous [grɪ'geərɪəs] ADJ *person* gesellig
gre·nade [grɪ'neɪd] N Granate *f*
grew [gru:] PRET → grow
grey [greɪ] ADJ grau
grey-haired [greɪ'heəd] ADJ grauhaarig
grid [grɪd] N Gitter *n*; *on map* Gitternetz *n*
'grid·lock N *in traffic* Verkehrsinfarkt *m*
'grid ref·er·ence N Planquadrat *n*
grief [gri:f] N Kummer *m*; *over death* Trauer *f* (**over** um, über)
grief-strick·en ['gri:fstrɪkn] ADJ untröstlich, tieftraurig
griev·ance ['gri:vəns] N Beschwerde *f*, Klage *f*
grieve [gri:v] VI trauern (**for** um)
griev·ous ['gri:vəs] ADJ schwer
grill [grɪl] **A** N *device* Grill *m*; *meat* Gegrillte(s) *n*; *on window* Gitter *n* **B** VT *food* grillen; *suspect* ausquetschen
grille [grɪl] N Gitter *n*; *of car* Kühlergrill *m*
grim [grɪm] ADJ ⟨-mm-⟩ *person, look* grimmig; *surroundings, prospects* trostlos; *conflict, dispute* erbittert, verbissen; *determination* unerbittlich; *sight* grausig
gri·mace ['grɪməs] **A** N Grimasse *f* **B** VI Grimassen schneiden; *with pain* das Gesicht verziehen
grime [graɪm] N Schmutz *m*
grim·ly ['grɪmlɪ] ADV grimmig; *determined* unerbittlich
grim·y ['graɪmɪ] ADJ ⟨-ier, -iest⟩ schmutzig
grin [grɪn] **A** N Grinsen *n* **B** VI ⟨-nn-⟩ grinsen; **~ at sb** j-n angrinsen
grind [graɪnd] VT ⟨ground, ground⟩ *coffee beans* mahlen; **~ one's teeth** mit den Zähnen knirschen
grip [grɪp] **A** N Griff *m*; *on road* Halt *m*; **get to grips with sth** etw in den Griff bekommen **B** VT ⟨-pp-⟩ ergreifen, packen; *audience* fesseln
grip·ping ['grɪpɪŋ] ADJ packend, spannend
gris·ly ['grɪzlɪ] ADJ ⟨-ier, -iest⟩ grässlich, schrecklich
gris·tle ['grɪsl] N Knorpel *m*
grit [grɪt] **A** N *dirt, in eye* Körnchen *n*; *stones* Schotter *m*; *for roads* Streusand *m* **B** VT ⟨-tt-⟩ *road* streuen; *teeth* zusammenbeißen
grit·ty ['grɪtɪ] ADJ ⟨-ier, -iest⟩ *infml: book, film* (knall)hart, realistisch
griz·zly (bear) ['grɪzlɪ(beə(r))] N Grizzlybär *m*
groan [grəʊn] **A** N (Auf)Stöhnen *n*, Ächzen *n* **B** VI (auf)stöhnen
gro·cer ['grəʊsə(r)] N Lebensmittelhändler(in) *m(f)*
gro·cer·ies ['grəʊsərɪz] N *pl* Lebensmittel *pl*
gro·cer·y ['grəʊsərɪ] N Lebensmittelgeschäft *n*
groin [grɔɪn] N ANAT Leiste *f*
groom [gru:m] **A** N *at wedding* Bräutigam *m*; *for horse* Stallbursche *m* **B** VT *horse* striegeln; *candidates* aufbauen; **well groomed** gepflegt
groove [gru:v] N Rille *f*
grope [grəʊp] **A** VI *in dark* tasten **B** VT *sexually* befummeln
♦ **grope for** VT *light switch, door handle* tasten nach; *words* suchen nach
gross [grəʊs] ADJ grob, ordinär; *exaggeration* krass, grob; ECON: *salary* Brutto-
gross do·mes·tic 'prod·uct N Bruttoinlandsprodukt *n*
gross na·tion·al 'prod·uct N Bruttosozialprodukt *n*
grot·ty ['grɒtɪ] ADJ ⟨-ier, -iest⟩ *infml* mies; *carpet, clothes* vergammelt

G

ground[1] [graʊnd] **A** N Boden *m*, Erde *f*; SPORTS Platz *m*; *motive, reason* Grund *m*; *US* ELEC Erde *f*; **on the grounds of** aufgrund von **B** V/T *US* ELEC erden
ground[2] [graʊnd] PRET & PAST PART → grind
'ground con·trol N Bodenkontrolle *f*
'ground crew N Bodenpersonal *n*
'ground floor N Erdgeschoss *n*
'ground for·ces N *pl* Bodentruppen *pl*
ground·ing ['graʊndɪŋ] N *no pl in subject* Grundkenntnisse *pl*
ground·less ['graʊndlɪs] ADJ grundlos
'ground plan N Grundriss *m*
'ground staff N *at airport* Bodenpersonal *n* **'ground·work** N Vorarbeit *f*
group [gru:p] **A** N Gruppe *f*; ECON Konzern *m* **B** V/T ordnen, in Gruppen zusammenstellen
group·ing ['gru:pɪŋ] N Gruppierung *f*
grov·el ['grɒvl] V/I ⟨-ll-, *US* -l-⟩ *fig* kriechen (**to** vor)
grow [grəʊ] **A** V/I ⟨grew, grown⟩ wachsen; *numbers, interest, anxiety a.* zunehmen; **~ old/tired** alt/müde werden; **a growing number of people** immer mehr Leute **B** V/T ⟨grew, grown⟩ *cereals* anbauen, anpflanzen; *flowers* züchten; **~ a beard** sich e-n Bart wachsen lassen
♦ **grow up** V/I *child* aufwachsen, heranwachsen; *become adult* erwachsen werden; *town* entstehen
growl [graʊl] **A** N Knurren *n* **B** V/I knurren
grown [grəʊn] PAST PART → grow
grown-up ['grəʊnʌp] **A** ADJ erwachsen **B** N Erwachsene(r) *m/f(m)*
growth [grəʊθ] N Wachstum *n*; *of crowd, interest* Zunahme *f*, Anwachsen *n*; MED Wucherung *f*; **~ in productivity** Produktivitätszuwachs *m*
'growth rate N ECON Wachstumsrate *f*
grub[1] [grʌb] N *of insect* Larve *f*
grub[2] [grʌb] N *infml* Fraß *m*
grub·by ['grʌbɪ] ADJ ⟨-ier, -iest⟩ dreckig
grudge [grʌdʒ] **A** N Groll *m*; **bear sb a ~** j-m etw nachtragen **B** V/T **~ sb sth** j-m etw neiden, j-m etw nicht gönnen
grudging ['grʌdʒɪŋ] ADJ unwillig; **she was very ~ in her praise** ihr Lob kam nur sehr widerwillig
grudg·ing·ly ['grʌdʒɪŋlɪ] ADV widerwillig
gru·el·ling, **gru·el·ing** *US* ['gru:əlɪŋ] ADJ *task* zermürbend; *climb* sehr strapaziös
gruff [grʌf] ADJ abweisend, schroff
grum·ble ['grʌmbl] V/I nörgeln (**about** an)
grump·y ['grʌmpɪ] ADJ ⟨-ier, -iest⟩ mürrisch, muffelig
grunt [grʌnt] **A** N Grunzen *n* **B** V/I grunzen
guar·an·tee [gærən'ti:] **A** N Garantie *f* **B** V/T garantieren; ECON e-e Garantie geben auf
guar·an·tor [gærən'tɔ:(r)] N Bürge *m*, Bürgin *f*
guard [gɑ:d] **A** N *security guard* Sicherheitsbeamte(r) *m*, -beamtin *f*; MIL: *single soldier* Wache *f*, Wach(t)posten *m*; *group of soldiers* Wache *f*; *in prison* Wärter(in) *m(f)*, Aufseher(in) *m(f)*; *on train* Zugbegleiter(in) *m(f)*; **be on one's ~ against** auf der Hut sein vor **B** V/T bewachen
♦ **guard against** V/T sich in Acht nehmen vor
'guard dog N Wachhund *m*
guard·ed ['gɑ:dɪd] ADJ *answer* vorsichtig
guard·i·an ['gɑ:dɪən] N JUR Vormund *m*
guess [ges] **A** N *presumption* Annahme *f*; *of amount, number* Schätzung *f*; **I'll give you three guesses** dreimal darfst du raten **B** V/T *answer* (er)raten; *amount* schätzen **C** V/I raten; **I ~ so/not** ich denke schon/nicht
'guess·work N (reine) Vermutung
guest [gest] N Gast *m*
'guest·house N Pension *f*
'guest·room N Gästezimmer *n*
guid·ance ['gaɪdəns] N *leadership* Führung *f*; *advice* Beratung *f*
guide [gaɪd] **A** N *person* Führer(in) *m(f)*; *book* Führer *m*; *for tourists* Reiseleiter(in) *m(f)* **B** V/T führen
'guide·book N Führer *m*
guid·ed mis·sile [gaɪdɪd'mɪsaɪl] N Lenkwaffe *f*
'guide dog N Blindenhund *m*
guid·ed 'tour N Führung *f*
guide·lines ['gaɪdlaɪnz] N *pl* Richtlinien *pl*

guilt [gɪlt] N Schuld *f*
guilt·y ['gɪltɪ] ADJ ⟨-ier, -iest⟩ schuldig; *expression* schuldbewusst; **have a ~ conscience** ein schlechtes Gewissen haben
guin·ea pig ['gɪnɪ] N Meerschweinchen *n*; *fig* Versuchskaninchen *n*
guise [gaɪz] N **under the ~ of** unter dem Deckmantel (+ *gen*)
gui·tar [gɪ'tɑː(r)] N Gitarre *f*
gui'tar case N Gitarrenkoffer *m*
gui·tar·ist [gɪ'tɑːrɪst] N Gitarrist(in) *m(f)*
gulf [gʌlf] N Golf *m*; *fig* Kluft *f*; **the Gulf** der Persische Golf
gull [gʌl] N *bird* Möwe *f*
gul·let ['gʌlɪt] N ANAT Speiseröhre *f*
gul·li·ble ['gʌlɪbl] ADJ leichtgläubig
gulp [gʌlp] **A** N *of water* Schluck *m* **B** V/I *in surprise* schlucken
♦ **gulp down** V/T *drink* hinunterstürzen; *food* hinunterschlingen
gum¹ [gʌm] N *in mouth* Zahnfleisch *n*
gum² [gʌm] N *adhesive* Klebstoff *m*; *for chewing* Kaugummi *m*
gun [gʌn] N Schusswaffe *f*; *shotgun* Gewehr *n*; *handgun* Revolver *m*; *for shells, grenades* Geschütz *n*, Kanone *f*
♦ **gun down** V/T ⟨-nn-⟩ niederschießen
'gun·fire N Schüsse *pl*; MIL Geschützfeuer *n* **'gun·man** N (mit e-r Schusswaffe) bewaffneter Mann **'gun·point** N **at ~** mit vorgehaltener Waffe **'gun·run·ner** N Waffenschmuggler *m* **'gun·shot** N Schuss *m* **'gun·shot wound** N Schussverletzung *f*
gur·gle ['gɜːgl] V/I *water* gluckern; *baby* glucksen
gush [gʌʃ] V/I *liquid* herausschießen, heraussprudeln
gust [gʌst] N **a ~ of wind** ein Windstoß *m*, e-e Bö
gus·to ['gʌstəʊ] N **with ~** mit Begeisterung
gust·y ['gʌstɪ] ADJ ⟨-ier, -iest⟩ *weather, wind* stürmisch, böig
gut [gʌt] **A** N Darm *m*; *infml* Bauch *m* **B** V/T ⟨-tt-⟩ *burn out* ausbrennen
guts [gʌts] N *pl* Eingeweide *n*; *infml*: *courage* Mumm *m*, Schneid *m*; **hate sb's ~** *infml* j-n hassen wie die Pest
guts·y ['gʌtsɪ] ADJ ⟨-ier, -iest⟩ *infml*: *courageous* mutig
gut·ter ['gʌtə(r)] N *in street* Rinnstein *m*; *on roof* Dachrinne *f*; *fig* Gosse *f*
'gut·ter·press N *pej* Skandalpresse *f*
guy [gaɪ] N *infml* Kerl *m*, Typ *m*; **hey, you guys** he, Leute
guz·zle ['gʌzl] V/T *food* hinunterschlingen; *drink* hinunterstürzen; *petrol* verschlingen
gym [dʒɪm] N Fitnesscenter *n*
gym·na·si·um [dʒɪm'neɪzɪəm] N Turnhalle *f*
gym·nas·tics [dʒɪm'næstɪks] N *sg* Gymnastik *f*; *with apparatus* Turnen *n*
'gym shoes N *pl* Turnschuhe *pl*
gy·nae·col·o·gist, **gy·ne·col·o·gist** *US* [gaɪnɪ'kɒlədʒɪst] N Gynäkologe *m*, Gynäkologin *f*

H

H, h [eɪtʃ] N H, h *n*
hab·it ['hæbɪt] N Angewohnheit *f*; **get into the ~ of doing sth** sich angewöhnen, etw zu tun; **be in the ~ of doing sth** die Angewohnheit haben, etw zu tun
hab·it·a·ble ['hæbɪtəbl] ADJ bewohnbar
hab·i·tat ['hæbɪtæt] N Lebensraum *m*
ha·bit·u·al [hə'bɪtjʊəl] ADJ gewohnt; *smoker, drinker* gewohnheitsmäßig
hack [hæk] **A** N *writer* Schreiberling *m*; *journalist a.* Schmierfink *m* **B** V/T **~ sth to pieces** etw in Stücke hacken **C** V/I **~ into sth** IT sich in etw einhacken
hack·er ['hækə(r)] N IT Hacker(in) *m(f)*
hack·neyed ['hæknɪd] ADJ abgedroschen
had [hæd] PRET & PAST PART → have
had·dock ['hædək] N Schellfisch *m*
hae·mor·rhage ['hemərɪdʒ] **A** N Blutung *f* **B** V/I bluten
hag [hæg] N *pej* Hexe *f*
hag·gard ['hægəd] ADJ ausgezehrt
hag·gle ['hægl] V/I feilschen (**about, over** um)
Hague [heɪg] N **The ~** Den Haag
hail¹ [heɪl] N Hagel *m*
hail² [heɪl] V/T **~ sb as …** j-n als … bejubeln
'hail·stone N Hagelkorn *n*

'hail·storm N Hagelschauer *m*
hair [heə(r)] N Haar *n*; Haare *pl*; **do one's ~** sich die Haare (zurecht)machen
'hair·brush N Haarbürste *f* **'hair·cut** N Haarschnitt *m*, Frisur *f* **'hair·do** N *infml* Frisur *f* **'hair·dress·er** N Friseur(in) *m(f)* **'hair·dri·er**, **'hair·dry·er** N Föhn *m*
hair·less ['heəlɪs] ADJ unbehaart
'hair·pin N Haarnadel *f* **hair·pin 'bend** N Haarnadelkurve *f* **hair-rais·ing** ['heəreɪzɪŋ] ADJ haarsträubend **hair re·mov·er** ['heərɪmu:və(r)] N Haarentferner *m*

H

hair's breadth ['heə(r)z] N **by a ~** *fig* um Haaresbreite
'hair slide N Haarspange *f* **'hair-split·ting** N Haarspalterei *f* **'hair spray** N Haarspray *n or m* **'hair-style** N Frisur *f*
hair·y ['heərɪ] ADJ ‹-ier, -iest› behaart, haarig; *infml: dangerous* haarig, brenzlig
half [hɑ:f] **A** N ‹*pl* halves [hɑ:vz]› Hälfte *f*; *of game* Halbzeit *f*; **~ an hour** e-e halbe Stunde; **~ of the class was** *or* **were …** die halbe Klasse war …; **go halves with sb on sth** mit j-m halbe-halbe machen; **they don't do things by halves** sie machen keine halben Sachen **B** ADJ halb; **one and a ~** anderthalb **C** ADV halb, halbwegs; **I ~ believed you** ich habe dir fast geglaubt
'half-broth·er N Halbbruder *m* **half-heart·ed** [hɑ:f'hɑ:tɪd] ADJ halbherzig **half 'time** **A** N Halbzeit *f*; **at ~** in der Halbzeit(pause) **B** ADJ **~ score** Halbzeitstand *m* **half'way** ADJ **reach the ~ stage of sth** etw zur Hälfte fertig haben; die Hälfte (der Reise) hinter sich haben
hal·i·but ['hælɪbət] N Heilbutt *m*
hall [hɔ:l] N *large room* Halle *f*, Saal *m*; *in school* Aula *f*; *corridor in house* Flur *m*, Diele *f*
Hal·low·e'en [hæləʊ'i:n] N *der Tag vor Allerheiligen*
'hall·way N Korridor *m*, Flur *m*
halt [hɔ:lt] **A** V/I *pedestrian, train, car* anhalten; *traffic* zum Stillstand kommen; *speaker* innehalten **B** V/T *car, traffic* anhalten, zum Stillstand bringen; *bleeding* zum Stillstand bringen **C** N **come to a ~** zum Stillstand kommen
halve [hɑ:v] V/T halbieren
halves [hɑ:vz] PL → half
ham [hæm] N Schinken *m*
ham·let ['hæmlɪt] N Weiler *m*
ham·mer ['hæmə(r)] **A** N Hammer *m* **B** V/I hämmern
ham·per[1] ['hæmpə(r)] N *for food* Korb *m*
ham·per[2] ['hæmpə(r)] V/T *hinder* behindern
hand [hænd] **A** N Hand *f*; *of clock* Zeiger *m*; *in factory* Arbeiter(in) *m(f)*; **at** *or* **to ~** *tools* zur Hand, bei der Hand; *person* in Reichweite; **by ~** *write* mit der Hand; *bring* per Boten; *make* von Hand, manuell; **on the one ~ …, on the other ~** einerseits …, andererseits; **be in ~** in Arbeit sein; **on your right ~** zu Ihrer Rechten; **hands off!** Finger weg!; **change hands** den Besitzer wechseln; **get out of ~** außer Kontrolle geraten; **shake hands with sb** j-m die Hand schütteln **B** V/T **~ sth to sb** j-m etw geben *or* reichen
♦ **hand down** V/T weitergeben
♦ **hand in** V/T abgeben
♦ **hand on** V/T weitergeben
♦ **hand out** V/T austeilen
♦ **hand over** V/T *object* (her)geben, aushändigen; *person, criminal* übergeben; *power, weapon* abgeben
'hand·bag N Handtasche *f* **'hand·book** N Handbuch *n* **'hand·brake** N Handbremse *f* **'hand·cuff** V/T Handschellen anlegen **hand·cuffs** ['hæn(d)kʌfs] N *pl* Handschellen *pl*
hand·ful ['hændfʊl] N **a ~ of …** eine Handvoll …
hand·i·cap ['hændɪkæp] N Nachteil *m*, Handikap *n*; *physical, mental* Behinderung *f*
hand·i·capped ['hændɪkæpt] ADJ behindert; *disadvantaged* benachteiligt
hand·i·craft ['hændɪkrɑ:ft] N Kunsthandwerk *n*
hand·i·work ['hændɪwə:k] N Handarbeit *f*
hand·ker·chief ['hæŋkətʃɪf] N Taschentuch *n*
han·dle ['hændl] **A** N Griff *m*; *of broom* Stiel *m*; *on basket, bucket* Henkel *m* **B** V/T *with hands* anfassen, berühren; *person, machine* umgehen mit; *case, business* sich kümmern um; *difficult person, situation* fertig werden mit; **let me ~ this** lass

mich das machen
han·dle·bars ['hændlbɑːz] N *pl* Lenkstange *f*
'hand lug·gage N Handgepäck *n* **'hand·made** ADJ handgearbeitet **'hand·out** N Infoblatt *n*; *in class* Arbeitsblatt *n* **'hand·rail** N Geländer *n*
hands-free car phone [hændzfriː'kɑːfəʊn] N Freisprechtelefon *n*
'hand·shake N Händedruck *m*
hands-off [hændz'ɒf] ADJ **have a ~ approach** sich heraushalten
hand·some ['hænsəm] ADJ *man* gut aussehend
hands-on [hændz'ɒn] ADJ *approach, training* praxisorientiert; **a ~ manager** ein Manager, der gerne mit anpackt
'hand·writ·ing N Handschrift *f*
'hand·writ·ten ADJ handgeschrieben
hand·y ['hændɪ] ADJ ⟨-ier, -iest⟩ *useful* praktisch; **it's ~ for the shops** es liegt in der Nähe der Geschäfte
hang[1] [hæŋ] **A** VT ⟨hung, hung⟩ *picture* hängen (**on** an), aufhängen (**on** an) **B** VI ⟨hung, hung⟩ hängen (**on** an) **C** N **get the ~ of sth** *infml* rauskriegen, wie etw funktioniert
hang[2] [hæŋ] VT ⟨hanged, hanged⟩ *criminal* (auf)hängen; **~ o.s.** sich erhängen
♦ **hang about, hang around** VI sich herumtreiben
♦ **hang on** VI warten
♦ **hang on to** VT *keep* behalten
♦ **hang up** VI TEL auflegen
han·gar ['hæŋə(r)] N Hangar *m*, Flugzeughalle *f*
hang·er ['hæŋə(r)] N Kleiderbügel *m*
'hang·o·ver N *after alcohol* Kater *m*
♦ **han·ker after** ['hæŋkərɑːftə(r)] VT sich sehnen nach
han·kie, han·ky ['hæŋkɪ] N *infml* Taschentuch *n*
hap·haz·ard [hæp'hæzəd] ADJ planlos
hap·pen ['hæpn] VI passieren, geschehen; **if you ~ to see him** wenn du ihn zufällig siehst
♦ **happen across** VT stoßen auf
hap·pen·ing ['hæpnɪŋ] N Ereignis *n*
hap·pi·ly ['hæpɪlɪ] ADV *sing, whistle* fröhlich, glücklich; *willingly* gern(e); *luckily* glücklicherweise
hap·pi·ness ['hæpɪnɪs] N Glück *n*
hap·py ['hæpɪ] ADJ ⟨-ier, -iest⟩ glücklich; **be ~ to do sth** etw gerne tun; **I'm not ~ with this** damit bin ich nicht zufrieden
hap·py-go-'luck·y ADJ unbekümmert, sorglos
har·ass [hə'ræs] VT belästigen
har·assed [hər'æst] ADJ mitgenommen, angegriffen; **a ~ mother** e-e viel geplagte Mutter
har·ass·ment [hə'ræsmənt] N Belästigung *f*; *at work* Mobbing *n*
har·bour, har·bor *US* ['hɑːbə(r)] **A** N Hafen *m* **B** VT *criminal* Unterschlupf gewähren, beherbergen; *grudge* hegen
hard [hɑːd] **A** ADJ hart; *question* schwierig, schwer; *evidence* unumstößlich **B** ADV *work* hart; *push, kick* fest; *try* sehr; *rain, snow* heftig; **think ~** gründlich nachdenken
'hard·back N gebundene Ausgabe
hard-boiled [hɑːd'bɔɪld] ADJ *egg* hart gekocht **hard 'cash** N Bargeld *n*
hard 'cop·y N COMPUT Ausdruck *m*
'hard core N harte Pornografie; MUS Hardcore *m*; *of group* harter Kern
hard-'core ADJ zum harten Kern gehörend; *pornography* hart; *film* Hardcore-; **~ traveller** absoluter Reisefan
hard 'cur·ren·cy N harte Währung
hard 'disk N Festplatte *f* **hard 'disk drive, 'hard drive** N Festplatte *f* **hard 'drug** N harte Droge
hard·en ['hɑːdn] **A** VT *steel etc* härten; *adhesive* hart werden lassen **B** VI *glue* hart werden; *attitude* sich verhärten
'hard hat N Schutzhelm *m* **hard-head·ed** [hɑːd'hedɪd] ADJ realistisch; *businessman* nüchtern **hard·heart·ed** [hɑːd'hɑːtɪd] ADJ hartherzig **hard 'la·bour, hard 'la·bor** *US* N Zwangsarbeit *f* **'hard·line** ADJ Hardliner-, kompromisslos **hard'lin·er** N Hardliner(in) *m(f)*
hard·ly ['hɑːdlɪ] ADV kaum; **did you agree? – ~!** hast du zugestimmt? – wohl kaum!; **~ ever** fast nie
hard·ness ['hɑːdnɪs] N Härte *f*; *of question* Schwierigkeit *f*
hard 'sell N *no pl* aggressive Verkaufsmethoden *pl*
hardship ['hɑːdʃɪp] N Not *f*, Notlage *f*
hard 'shoul·der N Standspur *f*
hard-'up ADJ arm; **I'm a bit ~ at the**

moment ich bin gerade ein bisschen pleite **'hard·ware** N *no pl* Eisenwaren *pl*; COMPUT Hardware *f* **'hard·ware store** N Haushalts- und Eisenwarengeschäft *n* **hard-work·ing** [hɑːd'wɜːkɪŋ] ADJ fleißig
har·dy ['hɑːdɪ] ADJ ⟨-ier, -iest⟩ zäh, robust
hare·brained ['heəbreɪnd] ADJ verrückt
harm [hɑːm] **A** N; *no pl*; *physical* Verletzung *f*; *to reputation, economy* Schaden *m*; **it wouldn't do any ~ to try it** es würde nichts schaden, es zu versuchen; **do sb ~** j-m schaden **B** V/T *person* verletzen; *economy, relationship* schaden

H

harm·ful ['hɑːmfl] ADJ schädlich
harm·less ['hɑːmlɪs] ADJ harmlos
har·mo·ni·ous [hɑː'məʊnɪəs] ADJ *a. fig* harmonisch
har·mo·nize ['hɑːmənaɪz] **A** V/T in Einklang bringen; *policy, laws* harmonisieren **B** V/I *colours* harmonieren; *opinions* übereinstimmen
har·mo·ny ['hɑːmənɪ] N Harmonie *f*
har·ness ['hɑːnɪs] N Gurte *pl*; *for horses* Geschirr *n*
♦**harp on about** [hɑːp] V/T *infml* herumreiten auf
har·row·ing ['hærəʊɪŋ] ADJ *experience* qualvoll; *film* erschütternd
harsh [hɑːʃ] ADJ hart; *colour, light* grell; *criticism, words* hart; *climate a.* rau; *voice a.* schroff
harsh·ly ['hɑːʃlɪ] ADV *criticize* hart, schroff; *lit* grell
har·vest ['hɑːvɪst] N Ernte *f*
hash [hæʃ] N **make a ~ of sth** *infml* etw verpfuschen
hash·ish [hæ'ʃiːʃ] N Haschisch *n*
'hash mark N Rautezeichen (#) *n*
hassle **A** N Mühe *f*; **it's too much ~** es ist zu stressig **B** V/T **~ sb to do sth** j-n bedrängen, etw zu tun; **look hassled** gestresst aussehen
haste [heɪst] N Eile *f*
has·ten ['heɪsn] V/I **~ to do sth** sich beeilen, etw zu tun
hast·y ['heɪstɪ] ADJ ⟨-ier, -iest⟩ hastig; *too quick* überstürzt, vorschnell
hat [hæt] N Hut *m*; *made of wool, of policeman* Mütze *f*
hatch [hætʃ] N *for food* Durchreiche *f*; *on ship* Luke *f*
♦**hatch out** V/I *chick* (aus)schlüpfen
'hatch·back N AUTO Wagen *m* mit Hecktür; Hecktür *f*
hatch·et ['hætʃɪt] N Beil *n*; **bury the ~** *fig* das Kriegsbeil begraben
hate [heɪt] **A** N Hass *m* (**of** auf) **B** V/T hassen
ha·tred ['heɪtrɪd] N Hass *m* (**of** auf)
haugh·ty ['hɔːtɪ] ADJ ⟨-ier, -iest⟩ hochmütig, überheblich
haul [hɔːl] **A** N *of fish* Fang *m* **B** V/T ziehen; *with difficulty* schleppen; **~ o.s. up** sich hochziehen (**onto** auf)
haul·age ['hɔːlɪdʒ] N Transport *m*
'haul·age com·pa·ny N Transportunternehmen *n*, Spedition *f*
hau·ler ['hɔːlə(r)] N *US* Transportunternehmer(in) *m(f)*
hau·li·er ['hɔːlɪə(r)] N Transportunternehmer(in) *m(f)*
haunt [hɔːnt] **A** V/T *memories etc* verfolgen; **this place is haunted** hier spukt es **B** N Lieblingsort *m*; *pub* Stammkneipe *f*
haunt·ing ['hɔːntɪŋ] ADJ *melody* eindringlich
have [hæv] ⟨had, had⟩ **A** V/T haben; **what will you ~ to drink?** was möchtest du (trinken)?; **~ breakfast** frühstücken; **~ lunch** zu Mittag essen; **~ a bath** ein Bad nehmen; **~ a baby** ein Kind bekommen *or* kriegen; **~ a nice weekend!** ein schönes Wochenende!; **he's not having it** er lässt das nicht zu; **~ (got) to** müssen; **~ sth done** etw machen lassen; **I've had it repaired** ich hab's reparieren lassen **B** V/AUX **he has won** er hat gewonnen; **I ~ never been there** ich bin noch nie da gewesen; *in questions* oder, nicht wahr; **you have understood, haven't you?** du hast das doch verstanden, oder?
♦**have back** V/T zurückhaben
♦**have on** V/T *wear* anhaben; *person: tease* auf den Arm nehmen; **do you have anything on tonight?** *planned* hast du heute Abend schon was vor?
♦**have round** V/T *guests* zu sich (nach Hause) einladen
ha·ven ['heɪvn] N Zufluchtstätte *f*; *fig a.* Oase *f*
hav·oc ['hævək] N Chaos *n*; **play ~ with** (völlig) durcheinanderbringen
hawk[1] [hɔːk] N Falke *m*; Habicht *m*

hawk² [hɔːk] VT hausieren mit; auf der Straße verkaufen
hay [heɪ] N Heu *n*
'hay fe·ver N Heuschnupfen *m*
'hay stack N Heuhaufen *m*
haz·ard ['hæzəd] N Gefahr *f*, Risiko *n*
'haz·ard lights N *pl* AUTO Warnblinkanlage *f*
haz·ard·ous ['hæzədəs] ADJ gefährlich, riskant; **~ waste** Sondermüll *m*
haze [heɪz] N Dunst *m*
'ha·zel·nut N Haselnuss *f*
haz·y ['heɪzɪ] ADJ ⟨-ier, -iest⟩ dunstig; *image, memory* verschwommen
he [hiː] PRON er
head [hed] **A** N Kopf *m*; *boss* Leiter(in) *m(f)*; *of beer* Blume *f*; *of nail* Kopf *m*; *of row* Anfang *m*; **~ of state** Staatsoberhaupt *n*; **at the ~ of the list** oben auf der Liste; **fall ~ over heels** kopfüber stürzen; **fall ~ over heels in love with sb** sich Hals über Kopf in j-n verlieben; **go to sb's ~** j-m zu Kopf steigen **B** VT *department* leiten; *ball* köpfen **C** VI **where are you heading?** wo gehst du hin?; **she's heading for trouble** sie wird Ärger bekommen
'head·ache N Kopfweh *n*, Kopfschmerzen *pl*
'head·band N Stirnband *n*
head·er ['hedə(r)] N *in football* Kopfball *m*; *in text* Kopfzeile *f*
head'first ADV *a. fig* kopfüber **'head·gear** N Kopfbedeckung *f* **'head·hunt** VT ECON abwerben
head·ing ['hedɪŋ] N *in text* Überschrift *f*
'head·lamp N Scheinwerfer *m*
'head·light N Scheinwerfer *m*
'head·line N *in newspaper* Schlagzeile *f* **'head·long** ADV *fall* kopfüber
head'mas·ter N Schulleiter *m*
head'mis·tress N Schulleiterin *f*
head 'of·fice N *of company* Zentrale *f* **head-'on** **A** ADJ *collision* frontal **B** ADV *collide* frontal **'head·phones** N *pl* Kopfhörer *pl* **'head·quar·ters** N *pl of army* Hauptquartier *n*; *of party, organization* Zentrale *f* **'head·rest** N Kopfstütze *f* **'head·room** N *under bridge* lichte Höhe; *in car* Kopfraum *m* **'head·scarf** N Kopftuch *n* **'head·set** N Kopfhörer *pl*; *with microphone* Headset *n* **head 'start** N SPORTS, *a. fig* Vorsprung *m* (**over** vor) **'head·strong** ADJ eigensinnig **head 'teach·er** N Schulleiter(in) *m(f)* **head 'wait·er** N Oberkellner(in) *m(f)* **'head·way** N **make ~** (gut) vorankommen **'head·wind** N Gegenwind *m*
head·y ['hedɪ] ADJ ⟨-ier, -iest⟩ *wine* berauschend
heal [hiːl] VT heilen
♦**heal up** VI zuheilen
health [helθ] N Gesundheit *f*; **your ~!** zum Wohl!, auf deine Gesundheit!
health and 'safe·ty N Sicherheit und Gesundheit *f*; **~ at work** Arbeitsschutz *m* **'health care sys·tem** N Gesundheitssystem *n* **'health cen·tre, 'health cen·ter** *US* N Gesundheitszentrum *n* **'health cer·ti·fi·cate** N Gesundheitszeugnis *n* **'health club** N Fitnesscenter *n* **'health food** N Reformkost *f* **'health food store** N Reformhaus *n*, Bioladen *m* **'health in·su·rance** N Krankenversicherung *f* **'health po·li·cy** N Gesundheitspolitik *f* **'health re·sort** N Kurort *m* **'health ser·vice** N Gesundheitsdienst *m*
health·y ['helθɪ] ADJ ⟨-ier, -iest⟩ *a. fig* gesund
heap [hiːp] N Haufen *m*; **heaps of time** *infml* jede Menge Zeit
♦**heap up** VT aufhäufen
hear [hɪə(r)] ⟨heard, heard⟩ **A** VT hören; JUR *case* verhandeln **B** VI hören
♦**hear about** VT erfahren von, hören von
♦**hear from** VT hören von
heard [hɜːd] PRET & PAST PART → hear
hear·ing ['hɪərɪŋ] N Gehör *n*; JUR Verhandlung *f*; **out of/within ~** außer/in Hörweite; **hard of ~** schwerhörig
'hear·ing aid N Hörgerät *n*
hear·say ['hɪəseɪ] N Gerüchte *pl*; **by ~** vom Hörensagen
hearse [hɜːs] N Leichenwagen *m*
heart [hɑːt] N *a. fig* Herz *n*; *of problem* Kern *m*; **know sth by ~** etw auswendig können; **lose ~** den Mut verlieren
'heart·ache N Kummer *m* **'heart attack** N Herzanfall *m* **'heart·beat** N Herzschlag *m* **'heart·break** N Leid *n*, großer Kummer **heart·break·ing**

['ha:tbreıkıŋ] ADJ herzzerreißend **'heart·brok·en** ADJ todunglücklich, untröstlich **'heart·burn** N Sodbrennen *n*
hearten ['ha:tn] V/T ermutigen
'heart fail·ure N Herzversagen *n*
'heart·felt ADJ von Herzen kommend
hearth [ha:θ] N Kamin *m*
heart·less ['ha:tlıs] ADJ herzlos
heart·rend·ing ['ha:trendıŋ] ADJ *plea, sight* herzzerreißend
hearts [ha:ts] N *pl in card game* Herz *n*
'heart throb N *infml* Schwarm *m*
'heart trans·plant N Herzverpflanzung *f*, Herztransplantation *f*

H

heart·y ['ha:tı] ADJ ‹-ier, -iest› *food, appetite* herzhaft; *person* herzlich
heat [hi:t] N Hitze *f*
♦**heat up** V/T *food* aufwärmen; *room* heizen
heat·ed ['hi:tıd] ADJ *swimming pool* beheizt; *discussion* hitzig
heat·er ['hi:tə(r)] N *in room* Ofen *m*, Heizgerät *n*; *in car* Heizung *f*
heath·er ['heðə(r)] N Heidekraut *n*
heat·ing ['hi:tıŋ] N Heizung *f*
'heat·proof, **'heat-re·sis·tant** ADJ hitzebeständig **'heat shield** N Hitzeschild *m* **'heat·stroke** N Hitzschlag *m* **'heat·wave** N Hitzewelle *f*
heave [hi:v] V/T *heavy object etc* (hoch)hieven, (hoch)heben (**onto** auf)
heav·en ['hevn] N Himmel *m*; **good heavens!** ach du lieber Himmel!; **for heaven's sake!** um Himmels willen!
heav·en·ly ['hevənlı] ADJ *infml* himmlisch
heav·y ['hevı] ADJ ‹-ier, -iest› *weight, food, losses* schwer; *rain, accent, traffic, smoker* stark; *taxes, fine* hoch; **~ loss of life** e-e hohe Zahl von Todesopfern
heav·y-'du·ty ADJ strapazierfähig
heav·y-hand·ed [hevı'hændıd] ADJ *a. fig* ungeschickt **'heav·y·weight** N *a. fig* Schwergewichtler(in) *m(f)*
He·brew **A** ADJ hebräisch **B** N *language* Hebräisch *n*
heck·le ['hekl] V/T (durch Zwischenrufe) stören
hec·tic ['hektık] ADJ hektisch
hedge [hedʒ] N Hecke *f*
'hedge fund N ECON Hedgefonds *m*
hedge·hog ['hedʒhɒg] N Igel *m*
heed [hi:d] N **pay ~ to** hören auf
heel [hi:l] N Ferse *f*; *of shoe* Absatz *m*
hef·ty ['heftı] ADJ ‹-ier, -iest› *person* kräftig (gebaut); *suitcase, weight* schwer; *fine* saftig
height [haıt] N *of person* Größe *f*; *of plane, building* Höhe *f*
height·en ['haıtn] V/T *effect, tension* verstärken, steigern
heir [eə(r)] N Erbe *m*, Erbin *f* (**to** *gen*)
heir·ess ['eərıs] N Erbin *f* (**to** *gen*)
heir·loom ['eəlu:m] N Erbstück *n*
held [held] PRET & PAST PART → hold
hel·i·cop·ter ['helıkɒptə(r)] N Hubschrauber *m*
hel·i·port ['helıpɔ:t] N Hubschrauberlandeplatz *m*
hell [hel] N Hölle *f*; **what the ~ ...?** *infml* was zum Teufel ...?; **go to ~!** *infml* scher dich zum Teufel!; **a ~ of a lot** *infml* verdammt viele; verdammt viel; **one ~ of a nice guy** *infml* ein verdammt netter Junge
hell-'bent ADJ **be ~ on doing sth** etw um jeden Preis *or* unbedingt tun wollen
hell·ish ['helıʃ] ADJ *infml*: *pain* höllisch; *task* verteufelt schwer; *heat, traffic* mörderisch
hel·lo [hə'ləʊ] INT hallo; **say ~ to sb** j-n grüßen, j-m guten Tag sagen
helm [helm] N Ruder *n*, Steuer *n*
hel·met ['helmıt] N Helm *m*
help [help] **A** N Hilfe *f* **B** V/T helfen; **~ o.s. to sth** sich etw nehmen; **~ yourself** bedien dich; **I can't ~ it** ich kann nichts dafür; **I couldn't ~ laughing** ich konnte nicht anders als lachen
help·er ['helpə(r)] N Helfer(in) *m(f)*
help·ful ['helpfl] ADJ *advice* hilfreich, nützlich; *person* hilfsbereit
help·ing ['helpıŋ] N *of food* Portion *f*
help·less ['helplıs] ADJ hilflos
help·less·ness ['helplısnıs] N Hilflosigkeit *f*
'help screen N IT Hilfefenster *n*
Hel·sin·ki [hel'sıŋkı] N Helsinki *n*
hem [hem] N *of dress etc* Saum *m*
hem·i·sphere ['hemısfıə] N Halbkugel *f*, Hemisphäre *f*
'hem·line N Saum *m*
hem·or·rhage ['hemərıdʒ] *US* → haemorrhage
hen [hen] N Henne *f*, Huhn *n*

hence [hens] ADV daher
hence'forth, **hence'for·ward** ADV von nun an
hench·man ['hentʃmən] N *pej* Scherge *m*, Handlanger *m*
'hen par·ty N Junggesellinenabschied *m (e-e Feier nur für Frauen oder für die Braut und ihre Freundinnen vor der Hochzeit)*
hen·pecked ['henpekt] ADJ **be ~** unter dem Pantoffel stehen
her [hɜː(r)] **A** ADJ ihr(e) **B** PRON ihr; **it's ~!** sie ist's!
herb [hɜːb, *US* ɜːrb] N Kraut *n*
herb(al) tea [hɜːb(ə)l'tiː, *US* ɜːrb(ə)l'tiː] N Kräutertee *m*
herd [hɜːd] N Herde *f*
here [hɪə(r)] ADV hier; **come ~** komm (hier)her; **put it ~** leg es hierhin; **here's to you!** *as toast* auf dich!, **now look ~!** jetzt hör mal zu!
here·a·bout(s) ['hɪərəbaʊt(s)] ADV hier herum, in dieser Gegend
here'af·ter ADV künftig; JUR im Folgenden
here'by ADV *formal* hiermit
he·red·i·ta·ry [hə'redɪtərɪ] ADJ erblich; **~ disease** Erbkrankheit *f*
he·red·i·ty [hə'redɪtɪ] N Vererbung *f*
her·e·sy ['herəsɪ] N Ketzerei *f*
here·up·on [hɪərə'pɒn] ADV hierauf, darauf(hin)
here'with ADV *formal* hiermit
her·i·tage ['herɪtɪdʒ] N Erbe *n*
her·mit ['hɜːmɪt] N Einsiedler(in) *m(f)*
her·ni·a ['hɜːnɪə] N MED Eingeweidebruch *m*
he·ro ['hɪərəʊ] N ⟨*pl* -oes⟩ Held *m*
he·ro·ic [hɪ'rəʊɪk] ADJ *act* heldenhaft, heroisch
her·o·in ['herəʊɪn] N Heroin *n*
'her·o·in ad·dict N Heroinabhängige(r) *m/f(m)*
her·o·ine ['herəʊɪn] N Heldin *f*
her·o·ism ['herəʊɪzm] N Heldentum *n*
her·pes ['hɜːpiːz] N *sg* Herpes *m*
her·ring ['herɪŋ] N Hering *m*
hers [hɜːz] PRON ihre(r, -s); **it's ~** es gehört ihr; **a friend of ~** ein Freund von ihr
her·self [hɜː'self] PRON sich; **by ~** allein(e); **she did it ~** sie hat es selbst getan
hes·i·tant ['hezɪtənt] ADJ zögernd
hes·i·tant·ly ['hezɪtəntlɪ] ADV zögernd, zögerlich; *reluctantly* ungern
hes·i·tate ['hezɪteɪt] V/I zögern, zaudern; **~ to do sth** Bedenken haben, etw zu tun; **don't ~ to ask** fragen Sie ruhig
hes·i·ta·tion [hezɪ'teɪʃn] N Zögern *n*; **without ~** ohne zu zögern
het·er·o·sex·u·al [hetərə'seksjʊəl] ADJ heterosexuell
hex·a·gon ['heksəgən] N Sechseck *n*
hey [heɪ] INT he!, heda!
hey·day ['heɪdeɪ] N Blütezeit *f*
hi [haɪ] INT hallo
hi·ber·nate ['haɪbəneɪt] V/I Winterschlaf halten
hic·cup ['hɪkʌp] N Schluckauf *m*; *problem* kleines Problem
hid [hɪd] PRET → hide¹
hid·den ['hɪdn] **A** ADJ verborgen, geheim **B** PAST PART → hide¹
hid·den a'gen·da N Geheimplan *m*
hide¹ [haɪd] ⟨hid, hidden⟩ **A** V/T verstecken, verbergen (**from** vor); *subject: tree, fence etc* verdecken; **be hidden from view** nicht zu sehen sein **B** V/I sich verstecken
hide² [haɪd] N *skin of animal* Haut *f*; *fur* Fell *n*
hide-and-'seek N Versteckspiel *n*
'hide·a·way N Zufluchtsort *m*
hid·e·ous ['hɪdɪəs] ADJ abscheulich, scheußlich
hid·ing¹ ['haɪdɪŋ] N *infml* **give sb a good ~** j-m e-e Tracht Prügel geben
hid·ing² ['haɪdɪŋ] N **be in ~** sich versteckt halten; **go into ~** untertauchen
'hid·ing place N Versteck *n*
hi·er·ar·chy ['haɪrɑːkɪ] N Hierarchie *f*
high [haɪ] **A** ADJ hoch; *wind* stark; *hopes, praise* groß; *after taking drugs* high **B** N *in statistics* Höchststand *m*; *on weather map* Hoch *n* **C** ADV **~ in the sky** hoch oben am Himmel
'high·chair N Hochstuhl *m* **high-'class** ADJ erstklassig; *restaurant* Edel-
High 'Court N oberster Gerichtshof *(in Großbritannien)*
high·er ed·u'ca·tion N Hochschulausbildung *f*
high-'fli·er N *successful person* Erfolgsmensch *m*; *pej: ambitious person* Ehrgeizling *m* **high-'fre·quen·cy** ADJ Hochfrequenz- **high-'grade** ADJ hochwer-

tig **high-hand·ed** [haɪˈhændɪd] ADJ überheblich **high-heeled** [haɪˈhiːld] ADJ hochhackig **ˈhigh jump** N Hochsprung *m*; **he's for the ~** *fig infml* er kann sich auf was gefasst machen **High·lands** [ˈhaɪləndz] N *pl* (schottisches) Hochland **high-ˈlev·el** ADJ *talks* auf höchster Ebene **ˈhigh·light** A N *of performance, holiday etc* Höhepunkt *m*; *in hair* Strähne *f* B V/T *with pen* hervorheben, markieren; IT highlighten **ˈhigh·light·er** N *pen* Textmarker *m*
high·ly [ˈhaɪlɪ] ADV sehr, äußerst; *gifted, interesting, educated* hoch; *desirable, likely* höchst(-); **be ~ paid** hoch bezahlt werden; **think ~ of sb** e-e hohe Meinung von j-m haben
high·ly-ˈstrung ADJ nervös
High·ness [ˈhaɪnɪs] N **Her (Royal) ~** Ihre (Königliche) Hoheit
high-perˈform·ance ADJ Hochleistungs- **high-pitched** [haɪˈpɪtʃt] ADJ hoch **ˈhigh point** N *of life, career* Höhepunkt *m* **high-pow·ered** [haɪˈpaʊəd] ADJ *engine* starkmotorig; *intellectual* hochkarätig; *sales rep* dynamisch **high ˈpres·sure** A ADJ TECH Hochdruck-; *sales rep* aufdringlich B N METEO Hochdruckgebiet *n* **High Repreˈsen·ta·tive** N *EU* Hohe(r) Vertreter(in) **ˈhigh·rise** N Hochhaus *n* **ˈhigh school** N Highschool *f* **high ˈsea·son** N Hochsaison *f* **high-speed ˈtrain** N Hochgeschwindigkeitszug *m* **ˈhigh street** N Hauptstraße *f*; **~ bank** Geschäftsbank *f*; **~ shops** *Geschäfte, die man in jeder Stadt findet* **high-ˈstrung** ADJ *US* → highly-strung **high ˈtech** A ADJ Hightech- B N Hochtechnologie *f* **high ˈten·sion** ADJ *cable* Hochspannungs- **high ˈtide** N Hochwasser *n* **high ˈwa·ter** N Hochwasser *n* **ˈhigh·way** N *US* Fernstraße *f* **High·way ˈCode** N Straßenverkehrsordnung *f*
hi·jack [ˈhaɪdʒæk] A N Entführung *f* B V/T entführen
hi·jack·er [ˈhaɪdʒækə(r)] N Entführer(in) *m(f)*
hike[1] [haɪk] A N Wanderung *f* B V/I wandern
hike[2] [haɪk] N *in prices* Erhöhung *f*
hik·er [ˈhaɪkə(r)] N Wanderer *m*, Wanderin *f*
hik·ing [ˈhaɪkɪŋ] N Wandern *n*
hi·lar·i·ous [hɪˈleərɪəs] ADJ sehr lustig, sehr witzig
hill [hɪl] N Hügel *m*; *slope* Hang *m*
hill·side [ˈhɪlsaɪd] N Hang *m*
hill·top [ˈhɪltɒp] N Gipfel *m*
hill·y [ˈhɪlɪ] ADJ ⟨-ier, -iest⟩ hügelig
hilt [hɪlt] N Heft *n*; *of dagger* Griff *m*
him [hɪm] PRON ihn; ihm; **it's ~!** er ist's!
him·self [hɪmˈself] PRON sich; **he did it ~** er hat es selbst gemacht; **by ~** allein(e)
hind [haɪnd] ADJ Hinter-
hin·der [ˈhɪndə(r)] V/T behindern
hind·most [ˈhaɪndməʊst] ADJ hinterste(r, -s), letzte(r, -s)
hin·drance [ˈhɪndrəns] N Behinderung *f*
hind·sight [ˈhaɪndsaɪt] N **with ~** im Nachhinein
hinge [hɪndʒ] N *of door* Angel *f*; *of lid* Scharnier *n*
♦**hinge on** V/T abhängen von
hint [hɪnt] N *indication* Hinweis *m*, Andeutung *f*; *for tourists etc* Tipp *m*, Ratschlag *m*; *of sadness etc* Spur *f*
hip [hɪp] N Hüfte *f*
hip, hip, hooray! [hʊˈreɪ] INT hipp, hipp, hurra!
hip ˈpock·et N Gesäßtasche *f*
hire [ˈhaɪə(r)] V/T mieten; *staff* einstellen; *private detective* engagieren; *ship* heuern
hire ˈpur·chase N Ratenkauf *m*
his [hɪz] A ADJ sein(e) B PRON seine(r, -s); **it's ~** es gehört ihm; **a friend of ~** ein Freund *m* von ihm
His·pan·ic [hɪˈspænɪk] A ADJ hispanisch B N Hispanoamerikaner(in) *m(f)* (*Einwanderer aus Lateinamerika*)
hiss [hɪs] V/I *snake* zischen; *cat* fauchen; *audience* pfeifen
his·to·ri·an [hɪˈstɔːrɪən] N Historiker(in) *m(f)*
his·tor·ic [hɪˈstɒrɪk] ADJ historisch
his·tor·i·cal [hɪˈstɒrɪkl] ADJ historisch, geschichtlich
his·to·ry [ˈhɪstərɪ] N Geschichte *f*
hit [hɪt] A N *blow* Schlag *m*; *with gun* Treffer *m*; MUS Hit *m*; *film, CD* Erfolg *m*; **be a big ~ with sb** *infml* bei j-m gut ankommen B V/T ⟨hit, hit⟩ *person, ball* schlagen; *target* treffen; **the car ~ the barrier** das Auto fuhr gegen *or* in die

Leitplanke; **he was ~ by a bus** er wurde von e-m Bus angefahren; **it suddenly ~ me why** ... mir wurde schlagartig klar, warum ...
♦**hit back** V/I zurückschlagen; *with words* Kontra geben
♦**hit on** V/T *idea* stoßen auf; *infml: man, woman* anbaggern
♦**hit out at** V/T *criticize* attackieren
hit-and-'miss ADJ unsicher
hit-and-'run ADJ **~ accident** Unfall *m* mit Fahrerflucht; **~ driver** unfallflüchtige(r) Fahrer(in)
hitch [hɪtʃ] **A** N *difficulty* Problem *n* **B** V/T *tie* festmachen (**to** an); *horse* anbinden (**to** an); **~ a ride** von j-m (im Auto) mitgenommen werden **C** V/I; trampen, per Anhalter fahren
♦**hitch up** V/T *caravan* (an)hängen (**to** an)
'hitch·hike V/I per Anhalter fahren, trampen **'hitch·hik·er** N Anhalter(in) *m(f)*, Tramper(in) *m(f)* **'hitch·hik·ing** N Trampen *n*
hi-'tech **A** ADJ Hightech- **B** N Hochtechnologie *f*
'hit·list N Abschussliste *f* **'hit·man** N Auftragskiller *m* **'hit squad** N Killerkommando *n*
HIV [eɪtʃaɪ'viː] ABBR *for* human immunodeficiency virus HIV *n*, menschliches Immunschwächevirus
hive [haɪv] N Bienenkorb *m*
♦**hive off** V/T *separate* ausgliedern
HM [eɪtʃ'em] ABBR *for* His/Her Majesty Seine/Ihre Majestät
HMS ['eɪtʃemes] ABBR *for* His/Her Majesty's Ship Seiner/Ihrer Majestät Schiff
hoard [hɔːd] **A** N Vorrat *m*; *treasure* Schatz *m* **B** V/T hamstern, horten
hoard·ing ['hɔːdɪŋ] N Bauzaun *m*; Reklametafel *f*
hoarse [hɔːs] ADJ heiser
hoax [həʊks] N Streich *m*; *in media* Falschmeldung *f*, Ente *f*; **bomb ~** falsche Bombendrohung
hob [hɒb] N *on stove* Kochfeld *n*
hob·ble ['hɒbl] V/I humpeln, hinken
hob·by ['hɒbɪ] N Hobby *n*
'hob·by·horse N Steckenpferd *n* (*a. fig*)
hoe [həʊ] N AGR Hacke *f*
hog [hɒg] N Mastschwein *n*
hoist [hɔɪst] **A** N *block and tackle* Flaschenzug *m*; *lift* Lastenaufzug *m* **B** V/T *lift up* (hoch)heben (**onto** auf); *flag* hissen
hold [həʊld] **A** V/T ⟨held, held⟩ *grasp, grip* halten, festhalten; *support* halten, tragen; *contain* enthalten; *have capacity of: tank* fassen; *have room for: vehicle, stadium, hall* Platz bieten für; *passport, driving licence* haben; *talks* führen; *meeting, referendum, service* abhalten; *event* veranstalten; *suspect* festhalten; *position* innehaben; *course, direction* halten; *breath* anhalten; *opinion* vertreten; **~ sb responsible** j-n verantwortlich machen; **~ that ...** meinen, dass ..., behaupten, dass ...; **~ the line** TEL am Apparat bleiben; **~ it!** *infml* Moment mal! **B** N *on ship, plane* Frachtraum *m*; **take ~ of sth** etw (an)fassen, etw ergreifen
♦**hold against** V/T **hold sth against sb** j-m etw übel nehmen
♦**hold back** V/T zurückhalten; **hold sb back from doing sth** j-n davon abhalten, etw zu tun; **hold sth back** *not say* etw verheimlichen
♦**hold on** V/I *wait* warten; TEL dranbleiben
♦**hold on to** V/T *rope* sich festhalten an; *keep* behalten; *belief etc* festhalten an
♦**hold out** **A** V/T *hand* ausstrecken; *prospect* bieten **B** V/I *supplies* reichen; *until help arrives* durchhalten
♦**hold up** V/T *hand* hochheben; *object* hochhalten; *bank etc* überfallen; *in time* aufhalten; *as example* hinstellen
♦**hold with** V/T *behaviour etc* befürworten
'hold·all N Reisetasche *f*
hold·er ['həʊldə(r)] N *object* Halter *m*; *of passport, record* Inhaber(in) *m(f)*
hold·ing ['həʊldɪŋ] N *shares* Anteile *pl* (**in** an)
'hold·ing com·pa·ny N ECON Holdinggesellschaft *f*
'hold·up N *robbery* Überfall *m*; *delay* Verzögerung *f*
hole [həʊl] N Loch *n*
hol·i·day ['hɒlədeɪ] N Urlaub *m*; *statutory* Feiertag *m*; **take a day's ~** sich e-n Tag freinehmen; **be on ~** im Urlaub sein; **holidays** *pl* Ferien *pl*, Urlaub *m*
'hol·i·day apart·ment N Ferienwohnung *f* **'hol·i·day home** N Feri-

enhaus *n;* Ferienwohnung *f* **'hol·i·day·mak·er** N Urlauber(in) *m(f)* **'hol·i·day pay** N Urlaubsgeld *n* **'hol·i·day re·sort** N Urlaubsort *m* **'hol·i·day sea·son** N Urlaubszeit *f*
hol·i·ness ['həʊlınıs] N Heiligkeit *f*
Hol·land ['hɒlənd] N Holland *n*
hol·low ['hɒləʊ] ADJ hohl; *cheeks a.* eingefallen; *promise* leer
hol·ly ['hɒlı] N Stechpalme *f*
hol·ster ['həʊlstə(r)] N (Pistolen)Halfter *n or f*
ho·ly ['həʊlı] ADJ ‹-ier, -iest› heilig

H

home [həʊm] **A** N *place of residence* Zuhause *n*, Heim *n*; *building* Haus *n*, Wohnung *f*; *country, place* Heimat *f*; *for old people etc* Heim *n*; **at ~** zu Hause, daheim; *in one's country* im Heimatland; **make o.s. at ~** es sich bequem machen; **at ~ and abroad** im In- und Ausland; **be away from ~** verreist sein **B** ADV zu Hause, daheim; *in country, place* in der Heimat; **go ~** nach Hause gehen/fahren
'home ad·dress N Heimatadresse *f* **'home·com·ing** N Heimkehr *f* **home com'pu·ter** N Heimcomputer *m*
home·less ['həʊmlıs] **A** ADJ obdachlos **B** *pl* **the ~** die Obdachlosen *pl*
home·ly ['həʊmlı] ADJ ‹-ier, -iest› *simple* schlicht
home'made ADJ selbst gemacht **home 'mar·ket** N Binnenmarkt *m* **'home match** N Heimspiel *n* **home 'mov·ie** N Familienfilm *m* **'Home Of·fice** N Innenministerium *n* (*in Großbritannien*)
ho·me·op·a·thy [həʊmı'ɒpəθı] N Homöopathie *f*
'home page N IT Homepage *f*, Startseite *f* **home 'port** N Heimathafen *m* **Home 'Sec·re·ta·ry** N Innenminister(in) *m(f)* (*in Großbritannien*) **'home·sick** ADJ **be ~** Heimweh haben **'home team** N SPORTS Gastgeber *pl* **home 'town** N Heimatstadt *f* **home·ward** ['həʊmwəd] ADV nach Hause; *to home country* in die Heimat **'home·work** N SCHOOL Hausaufgaben *pl*
hom·i·cide ['hɒmısaıd] N Mord *m*; *US: police department* Mordkommission *f*
ho·mo·pho·bi·a [hɒmə'fəʊbıə] N Schwulenfeindlichkeit *f*, Homophobie *f*
ho·mo·sex·u·al [hɒmə'seksjʊəl] **A** ADJ homosexuell **B** N Homosexuelle(r) *m/f(m)*
hon·est ['ɒnıst] ADJ ehrlich
hon·est·ly ['ɒnıstlı] ADV ehrlich; **~!** also wirklich!
hon·es·ty ['ɒnıstı] N Ehrlichkeit *f*
hon·ey ['hʌnı] N Honig *m*; *US: term of endearment* Schatz *m*, Schätzchen *n*
'hon·ey·comb N Wabe *f*
'hon·ey·moon N Flitterwochen *pl*; *holiday* Hochzeitsreise *f*
honk [hɒŋk] **A** V/T *horn* drücken auf **B** V/I *with horn* hupen
hon·or *etc US* → honour *etc*
hon·or·ar·y ['ɒnərərı] ADJ *member, title* Ehren-; *activity* ehrenamtlich
hon·our ['ɒnə(r)] **A** N Ehre *f* **B** V/T ehren
hon·our·a·ble ['ɒnrəbl] ADJ ehrenhaft
hood [hʊd] N *of jacket, pullover* Kapuze *f*; *over cooker* Abzugshaube *f*
hood·lum ['hu:dləm] N Rowdy *m*; Gangster *m*
hood·wink ['hʊdwıŋk] V/T *infml* hinters Licht führen
hoo·dy ['hʊdı] N *infml*: *pullover* Kapuzenshirt *n*; *young person* Kapuzentyp *m*
hoof [hu:f] N ‹*pl* hoofs *or* hooves [hu:vz]› Huf *m*
hook [hʊk] **A** N Haken *m*; **be off the ~** *phone* nicht aufgelegt sein **B** V/T *person* an die Angel bekommen, sich angeln
hooked [hʊkt] ADJ **be ~ on** verrückt sein nach; *drugs* abhängig sein von
hoo·li·gan ['hu:lıgən] N Rowdy *m*
hoo·li·gan·ism ['hu:lıgənızm] N Rowdytum *n*
hoop [hu:p] N *in circus trick etc* Reifen *m*
hoot [hu:t] **A** V/I **~ one's horn** hupen **B** V/I *car* hupen; *owl* schreien **C** N **hoots of laughter** johlendes Gelächter
hoo·ver® ['hu:və(r)] **A** N Staubsauger *m* **B** V/T *carpet* saugen **C** V/I *vacuum* (staub)saugen
hooves [hu:vz] PL → hoof
hop¹ [hɒp] N *plant* Hopfen *m*
hop² [hɒp] V/I ‹-pp-› *person, animal* hüpfen, springen; *on one leg* hüpfen
hope [həʊp] **A** N Hoffnung *f* **B** V/I hoffen (**for** auf); **I ~ so/not** ich hoffe ja/nicht
hope·ful ['həʊpfl] ADJ *optimistic* hoff-

nungsvoll; *situation* vielversprechend; **be ~ (that)** hoffen, dass

hope·ful·ly ['həʊpflɪ] ADV *say* hoffnungsvoll; *with luck* hoffentlich

hope·less ['həʊplɪs] ADJ hoffnungslos; **he's ~** *infml* er ist ein hoffnungsloser Fall

hop·ping ['hɒpɪŋ] ADV **be ~ mad** *infml* e-e Stinkwut haben

ho·ri·zon [hə'raɪzn] N Horizont *m*

hor·i·zon·tal [hɒrɪ'zɒntl] ADJ horizontal, waag(e)recht

hor·mone ['hɔːməʊn] N Hormon *n*

horn [hɔːn] N Horn *n*; AUTO Hupe *f*

horn·y ['hɔːnɪ] ADJ ⟨-ier, -iest⟩ *infml: sexually aroused* spitz, geil

hor·o·scope ['hɒrəskəʊp] N Horoskop *n*

hor·ri·ble ['hɒrɪbl] ADJ schrecklich

hor·ri·fy ['hɒrɪfaɪ] V/T ⟨-ied⟩ entsetzen

hor·ri·fy·ing ['hɒrɪfaɪŋ] ADJ schrecklich, entsetzlich

hor·ror ['hɒrə(r)] N Entsetzen *n*, Grauen *n*; **have a ~ of sth** e-n Horror vor etw haben; **in ~** entsetzt; **the horrors of war** *pl* die Schrecken des Krieges *pl*

hors d'œu·vre [ɔː'dɜːvr] N Vorspeise *f*

horse [hɔːs] N Pferd *n*

'horse·back N **on ~** zu Pferd **horse 'chest·nut** N Rosskastanie *f* **'horse·pow·er** N Pferdestärke *f* **'horse race** N Pferderennen *n* **'horse rac·ing** N Pferderennen *n* **'horse·rad·ish** N Meerrettich *m* **'horse·shoe** N Hufeisen *n*

hor·ti·cul·ture ['hɔːtɪkʌltʃə(r)] N Gartenbau *m*

hose [həʊz] N Schlauch *m*

ho·sier·y ['həʊzjərɪ] N Strumpfwaren *pl*

hos·pice ['hɒspɪs] N Hospiz *n*

hos·pi·ta·ble [hɒ'spɪtəbl] ADJ gastfreundlich

hos·pi·tal ['hɒspɪtl] N Krankenhaus *n*

hos·pi·tal·i·ty [hɒspɪ'tælətɪ] N Gastfreundschaft *f*

hos·pi·tal·ize ['hɒspɪtəlaɪz] V/T ins Krankenhaus einliefern *or* einweisen

host [həʊst] N *at party, reception* Gastgeber *m*; *of TV discussion* Moderator *m*; *of chat show* Talkmaster *m*; *of entertainment show* Showmaster *m*

hos·tage ['hɒstɪdʒ] N Geisel *f*; **be taken ~** als Geisel genommen werden

'hos·tage tak·er N Geiselnehmer(in) *m(f)*

hos·tel ['hɒstl] N *for students etc* Wohnheim *n*; Jugendherberge *f*

hos·tess ['həʊstɪs] N *at party, reception* Gastgeberin *f*; *on plane* Stewardess *f*; *of TV discussion programme* Moderatorin *f*; *of chat show* Talkmasterin; *of entertainment programme* Showmasterin *f*

hos·tile ['hɒstaɪl] ADJ *troops* feindlich; *attitude, speech* feindselig

hos·til·i·ty [hɒ'stɪlətɪ] N Feindseligkeit *f*

hot [hɒt] ADJ ⟨-tt-⟩ heiß; *spices* scharf; *infml: good* stark

'hot·bed N *fig* Brutstätte *f*

hotch·potch ['hɒtʃpɒtʃ] N Mischmasch *m*

ho·tel [həʊ'tel] N Hotel *n*

ho'tel in·dus·try N Hotelgewerbe *n*

ho'tel res·er·va·tion N Hotelbuchung *f*

'hot·head N Hitzkopf *m* **'hot·house** N Treibhaus *n*, Gewächshaus *n* **'hot·key** N IT Tastenkombination *f*, Shortcut *m* **'hot line** N Hotline *f*; POL heißer Draht **'hot·plate** N Kochplatte *f* **'hot spot** N POL Krisenherd *m*; TEL, IT, GEOL Hotspot *m* **hot-'wa·ter bot·tle** N Wärmflasche *f* **'hot·wire** V/T *car* kurzschließen

hound [haʊnd] **A** N (Jagd)Hund *m* **B** V/T hetzen, jagen

hour ['aʊə(r)] N Stunde *f*; **for hours** stundenlang

hour·ly ['aʊə(r)lɪ] ADJ & ADV stündlich

house **A** N [haʊs] Haus *n*; **at your ~** bei dir; **move ~** umziehen **B** V/T [haʊz] unterbringen

'house·bound ADJ *fig* ans Haus gefesselt **house·break·ing** ['haʊsbreɪkɪŋ] N Einbruch *m* **'house·hold** N Haushalt *m* **house·hold 'name** N **be a ~** ein Begriff sein **'house hus·band** N Hausmann *m* **'house·keep·er** N Haushälterin *f* **'house·keep·ing** N Haushaltsführung *f*; *amount* Haushaltsgeld *n* **'house num·ber** N Hausnummer *f* **house·warm·ing (par·ty)** ['haʊswɔːmɪŋ] N Einzugsparty *f* **'house·wife** N Hausfrau *f* **'house·work** N Hausarbeit *f*

hous·ing ['haʊzɪŋ] N *accommodation* Wohnungen *pl*; *construction of houses* *etc* Wohnungsbau *m*; *of homeless, refugees etc* Unterbringung *f*; TECH Gehäuse *n*

'hous·ing con·di·tions N *pl* Wohnverhältnisse *pl*

'hous·ing de·vel·op·ment N *US*, **'hous·ing es·tate** N Wohnsiedlung *f*

hov·el ['hɒvl] N armselige Hütte

hov·er ['hɒvə(r)] V/I schweben

how [haʊ] ADV wie; **~ are you?** wie geht es dir?; **~ about ...?** wie wär's mit ...?; **~ much is it?** wie viel kostet das?

how'ev·er ADV jedoch, aber; **~ big they are** egal wie groß sie auch sind

H

howl [haʊl] V/I heulen; *dog a.* jaulen; *with pain* schreien, brüllen; *with laughter* brüllen

howl·er ['haʊlə(r)] N *infml* Schnitzer *m*

HP [eɪtʃ'piː] ABBR *for* horsepower PS *n*, Pferdestärke *f*; **hire purchase** Ratenkauf *m*

HQ [eɪtʃ'kjuː] ABBR *for* headquarters Hauptquartier *n*; *of company* Zentrale *f*

HRH [eɪtʃɑːr'eɪtʃ] ABBR *for* His/Her Royal Highness Seine/Ihre Königliche Hoheit

hub [hʌb] N *of wheel* (Rad)Nabe *f*

hub·bub ['hʌbʌb] N Tumult *m*; *of voices* Stimmengewirr *n*

'hub·cap N Radkappe *f*

♦ **huddle together** [hʌdltə'geðə(r)] V/I sich zusammendrängen; *crouching* sich aneinanderkauern

hue [hjuː] N (Farb)Ton *m*, Farbe *f*

huff [hʌf] N **be in a ~** beleidigt sein

hug [hʌg] **A** V/T ⟨-gg-⟩ umarmen **B** V/I sich umarmen **C** N Umarmung *f*; **give sb a ~** j-n umarmen, j-n in den Arm nehmen; **give me a ~** lass dich drücken; **hugs and kisses** *at end of letter* Gruß und Kuss, ich drück dich

huge [hjuːdʒ] ADJ riesig, gewaltig

hull [hʌl] N *of ship* Rumpf *m*

hul·la·ba·loo [hʌləbə'luː] N *infml* Spektakel *m*

hum [hʌm] ⟨-mm-⟩ **A** V/T *song, tune* summen **B** V/I *person, bee* summen; *fridge etc* brummen

hu·man ['hjuːmən] **A** ADJ menschlich **B** N Mensch *m*

hu·man 'be·ing N Mensch *m*

hu·mane [hjuː'meɪn] ADJ human, menschlich

hu·man·i·tar·i·an [hjuːmænɪ'teərɪən] ADJ humanitär; **~ aid** humanitäre Hilfe

hu·man·i·ty [hjuː'mænətɪ] N *all humans* Menschheit *f*; *moral attitude* Menschlichkeit *f*

hu·man 'race N **the ~** die Menschheit, die menschliche Rasse **hu·man re'sources** N *pl* Personalabteilung *f*; *staff* Personal *n* **hu·man re·sour·ces de'vel·op·ment** N Personalentwicklung *f* **hu·man rights** N *pl* Menschenrechte *pl*

hum·ble ['hʌmbl] ADJ *person* demütig; *opinion, home* bescheiden; *origins* niedrig

hum·drum ['hʌmdrʌm] ADJ stumpfsinnig

hu·mid ['hjuːmɪd] ADJ feucht

hu·mid·i·fi·er [hjuː'mɪdɪfaɪə(r)] N Luftbefeuchter *m*

hu·mid·i·ty [hjuː'mɪdətɪ] N Feuchtigkeit *f*

hu·mil·i·ate [hjuː'mɪlɪeɪt] V/T demütigen, erniedrigen

hu·mil·i·a·tion [hjuːmɪlɪ'eɪʃn] N Erniedrigung *f*, Demütigung *f*

hu·mil·i·ty [hjuː'mɪlətɪ] N Demut *f*

hu·mor *US* → humour

hu·mor·ous ['hjuːmərəs] ADJ lustig, komisch; *having sense of humour* humorvoll; *remark* witzig

hu·mour ['hjuːmə(r)] N Humor *m*; *mood* Laune *f*; **sense of ~** Sinn *m* für Humor

hump [hʌmp] **A** N *on camel* Höcker *m*; *on person* Buckel *m*; *small mound* Hügel *m*, Anhöhe *f* **B** V/T *infml*: *carry* schleppen

hunch [hʌntʃ] N *feeling* Gefühl *n*

hunch·backed ['hʌntʃbækt] ADJ bucklig

hun·dred ['hʌndrəd] ADJ hundert

hun·dredth ['hʌndrədθ] ADJ hundertste(r, -s)

'hun·dred·weight N Zentner *m*

hung [hʌŋ] PRET & PAST PART → hang[1]

Hungarian [hʌŋ'geərɪən] **A** ADJ ungarisch **B** N Ungar(in) *m(f)*; *language* Ungarisch *n*

Hun·ga·ry ['hʌŋgərɪ] N Ungarn *n*

hun·ger ['hʌŋgə(r)] N Hunger *m*

hung-'o·ver ADJ **be ~** e-n Kater haben

hun·gry ['hʌŋgrɪ] ADJ ⟨-ier, -iest⟩ hungrig; **I'm ~** ich habe Hunger, ich bin hungrig

hunk [hʌŋk] N (großes) Stück; *infml*: *per-*

son attraktiver Mann
hun·ky-do·ry [hʌŋkɪ'dɔːrɪ] ADJ **be ~** *infml* in Ordnung sein
hunt [hʌnt] **A** N Jagd *f* (**for** auf); *for lost child, work, flat* Suche *f* (**for** nach) **B** V/T *animal* jagen, Jagd machen auf
♦**hunt for** V/T *flat, job* suchen nach; *criminal* jagen, verfolgen
hunt·er ['hʌntə(r)] N Jäger(in) *m(f)*
hunt·ing ['hʌntɪŋ] N Jagd *f*, Jagen *n*
hur·dle ['hɜːdl] N SPORTS, *a. fig* Hürde *f*
hurl [hɜːl] V/T schleudern
hur·ray! [hʊ'reɪ] INT hurra!
hur·ri·cane ['hʌrɪkən] N Orkan *m*, Hurrikan *m*
hur·ried ['hʌrɪd] ADJ eilig, hastig; *report* hastig geschrieben
hur·ry ['hʌrɪ] **A** N Eile *f*, Hast *f*; **be in a ~** es eilig haben **B** V/I ⟨-ied⟩ sich beeilen
♦**hurry along** V/I zur Eile antreiben
♦**hurry up** V/I sich beeilen
hurt [hɜːt] **A** V/I ⟨hurt, hurt⟩ *wound, memory* wehtun, schmerzen **B** V/T ⟨hurt, hurt⟩ *physically, emotionally* verletzen, wehtun; *reputation, company* schaden **C** N Kränkung *f*
hurt·ful ['hɜːtfl] ADJ verletzend
hus·band ['hʌzbənd] N (Ehe)Mann *m*
hus·ban·dry ['hʌzbəndrɪ] N AGR Landwirtschaft *f*; **animal ~** Viehwirtschaft *f*
hush [hʌʃ] N Stille *f*; **~!** pst!
'hush mon·ey N Schweigegeld *n*
♦**hush up** V/T *scandal etc* vertuschen
husk [hʌsk] N *of corn* Hülse *f*
hus·ky ['hʌskɪ] ADJ ⟨-ier, -iest⟩ *voice* heiser, rau
hus·tle ['hʌsl] **A** N **~ and bustle** geschäftiges Treiben **B** V/T **she was hustled into the building** sie wurde ins Gebäude geschleust
hut [hʌt] N Hütte *f*
hutch [hʌtʃ] N *for rabbit* Stall *m*
hy·a·cinth ['haɪəsɪnθ] N Hyazinthe *f*
hy·brid ['haɪbrɪd] N *plant, animal* Kreuzung *f*; *device etc* Zwischending *n*
hy·draul·ic [haɪ'drɒlɪk] ADJ hydraulisch
hy·dro·elec·tric [haɪdrəʊɪ'lektrɪk] ADJ hydroelektrisch; **~ power station** Wasserkraftwerk *n*; **~ power** durch Wasserkraft erzeugte Energie
hy·dro·foil ['haɪdrəfɔɪl] N Tragflächenboot *n*, Tragflügelboot *n*
hy·dro·gen ['haɪdrədʒən] N Wasserstoff *m*
hy·giene ['haɪdʒiːn] N Hygiene *f*
hy·gien·ic [haɪ'dʒiːnɪk] ADJ hygienisch
hymn [hɪm] N Kirchenlied *n*
hype [haɪp] N übermäßige Werbung, Rummel *m*
hy·per ['haɪpə(r)] ADJ *sl* aufgedreht
hy·per'ac·tive ADJ hyperaktiv **'hy·per·mar·ket** N Verbrauchermarkt *m*
hy·per'sen·si·tive ADJ überempfindlich **hy·per'ten·sion** N erhöhter Blutdruck
hy·phen ['haɪfn] N Bindestrich *m*
hy·phen·ate ['haɪfəneɪt] V/T mit Bindestrich schreiben
hyp·no·sis [hɪp'nəʊsɪs] N Hypnose *f*
hyp·no·tize ['hɪpnətaɪz] V/T hypnotisieren
hy·po·chon·dri·ac [haɪpə'kɒndrɪæk] N Hypochonder(in) *m(f)*
hy·poc·ri·sy [hɪ'pɒkrəsɪ] N Heuchelei *f*
hyp·o·crite ['hɪpəkrɪt] N Heuchler(in) *m(f)*
hyp·o·crit·i·cal [hɪpə'krɪtɪkl] ADJ heuchlerisch
hy·po·ther·mi·a [haɪpə'θɜːmɪə] N Unterkühlung *f*
hy·poth·e·sis [haɪ'pɒθəsɪs] N ⟨*pl* hypotheses [haɪ'pɒθəsiːz]⟩ Annahme *f*, Hypothese *f*
hy·po·thet·i·cal [haɪpə'θetɪkl] ADJ hypothetisch
hys·ter·ec·to·my [hɪstə'rektəmɪ] N MED Gebärmutterentfernung *f*, Totaloperation *f*
hys·te·ri·a [hɪ'stɪərɪə] N Hysterie *f*
hys·ter·i·cal [hɪ'sterɪkl] ADJ hysterisch; *infml: hilarious* zum Schreien
hys·ter·ics [hɪ'sterɪks] N *pl* hysterischer Anfall; **go into ~** hysterisch werden; **be in ~ about sth** *find sth hilarious* sich über etw totlachen

H

I

I, i [aɪ] N I, i *n*
I [aɪ] PRON ich
ice [aɪs] N Eis *n*
'ice age N Eiszeit *f* **ice·berg** ['aɪsbɜ:g] N Eisberg *m* **'ice·box** N *US* Eisschrank *m* **'ice·break·er** N *ship* Eisbrecher *m*; **'ice cream** N Eis *n*, Eiscreme *f* **'ice-cream par·lour**, **'ice-cream par·lor** *US* N Eisdiele *f* **'ice cube** N Eiswürfel *m*
iced [aɪst] ADJ *drink* eisgekühlt
'ice hock·ey N Eishockey *n*
'Ice·land N Island *n*
Ice·lan·der ['aɪsləndə(r)] N Isländer(in) *m(f)*
Ice·lan·dic [aɪs'lændɪk] A ADJ isländisch B N *language* Isländisch *n*
ice 'lol·ly N Eis *n* am Stiel **'ice rink** N (Kunst)Eisbahn *f* **'ice skate** N Schlittschuh *m* **'ice skat·ing** N Schlittschuhlaufen *n*, Eislaufen *n*
i·ci·cle ['aɪsɪkl] N Eiszapfen *m*
i·cing ['aɪsɪŋ] N *on cake* Zuckerguss *m*
i·con ['aɪkɒn] N Kultfigur *f*; IT Icon *n*
i·cy ['aɪsɪ] ADJ ⟨-ier, -iest⟩ *road, surface* vereist; *reception* eisig
ID [aɪ'di:] ABBR *for* identification (Personal)Ausweis *m*
i·dea [aɪ'dɪə] N Idee *f*; Vorstellung *f*; **I have no ~** ich habe keine Ahnung; **that's my ~ of ...** so stelle ich mir ... vor
i·de·al [aɪ'dɪəl] ADJ *perfect* ideal
i·deal·is·m [aɪ'dɪəlɪzəm] N Idealismus *m*
i·de·al·is·tic [aɪdɪə'lɪstɪk] ADJ idealistisch
i·deal·ize [aɪ'dɪəlaɪz] V/T idealisieren
i·de·al·ly [aɪ'dɪəlɪ] ADV *situated etc* ideal; **~, we would ...** im Idealfall würden wir ...
i·den·ti·cal [aɪ'dentɪkl] ADJ identisch; **~ twins** *pl* eineiige Zwillinge *pl*
i·den·ti·fi·ca·tion [aɪdentɪfɪ'keɪʃn] N *identifying* Identifizierung *f*; *documents* Ausweispapiere *pl*
i·den·ti·fy [aɪ'dentɪfaɪ] V/T *person, body* identifizieren; *cause* erkennen
i·den·ti·ty [aɪ'dentətɪ] N Identität *f*; *of building, place* Charakter *m*; **~ card** (Personal)Ausweis *m*
i·de·o·log·i·cal [aɪdɪə'lɒdʒɪkl] ADJ ideologisch
i·de·ol·o·gy [aɪdɪ'ɒlədʒɪ] N Ideologie *f*
id·i·om ['ɪdɪəm] N *expression* Redewendung *f*, idiomatischer Ausdruck
id·i·o·mat·ic [ɪdɪə'mætɪk] ADJ *expression* idiomatisch
id·i·o·syn·cra·sy [ɪdɪə'sɪŋkrəsɪ] N Eigenart *f*
id·i·ot ['ɪdɪət] N Idiot(in) *m(f)*
id·i·ot·ic [ɪdɪ'ɒtɪk] ADJ idiotisch
i·dle ['aɪdl] A ADJ *person* faul, träge; *threat* leer; *machines* stillstehend; *equipment* ungenutzt B V/I *engine* leerlaufen
♦ **idle away** V/T *time* verbummeln
i·dol ['aɪdl] N REL Götzenbild *n*; *film star etc* Idol *n*
i·dol·ize ['aɪdəlaɪz] V/T vergöttern
i·dyl·lic [ɪ'dɪlɪk] ADJ idyllisch
i.e. [aɪ'i:] ABBR *for* that is to say (*Latin* **id est**) d. h., das heißt
if [ɪf] CJ wenn, falls; **he asked ~ you could help** er fragte, ob du helfen könntest
ig·nite [ɪg'naɪt] V/T anzünden
ig·ni·tion [ɪg'nɪʃn] N *in vehicle* Zündung *f*; **~ key** Zündschlüssel *m*
ig·no·min·i·ous [ɪgnə'mɪnɪəs] ADJ schmachvoll
ig·no·rance ['ɪgnərəns] N Unwissenheit *f*
ig·no·rant ['ɪgnərənt] ADJ unwissend; *pej* ignorant; **be ~ of sth** etw nicht wissen *or* kennen
ig·nore [ɪg'nɔ:(r)] V/T ignorieren, nicht beachten
ill [ɪl] ADJ krank; **fall ~, be taken ~** krank werden, erkranken; **feel ~ at ease** sich unbehaglich fühlen
ill-ad·vised [ɪləd'vaɪzd] ADJ schlecht beraten; *step* unklug
il·le·gal [ɪ'li:gl] ADJ illegal, ungesetzlich
il·le·gi·ble [ɪ'ledʒəbl] ADJ unleserlich
il·le·git·i·mate [ɪlɪ'dʒɪtɪmət] ADJ *child* unehelich
ill-fat·ed [ɪl'feɪtɪd] ADJ unglückselig
il·li·cit [ɪ'lɪsɪt] ADJ verboten, unerlaubt
il·lit·e·rate [ɪ'lɪtərət] ADJ des Lesens und Schreibens unkundig; *uneducated* ungebildet; **he is ~** er ist Analphabet

ill-man·nered [ɪl'mænəd] ADJ unhöflich
ill-na·tured [ɪl'neɪtʃəd] ADJ boshaft
ill·ness ['ɪlnɪs] N Krankheit *f*
il·log·i·cal [ɪ'lɒdʒɪkl] ADJ unlogisch
ill-tem·pered [ɪl'tempəd] ADJ schlecht gelaunt, missmutig **ill-timed** [ɪl'taɪmd] ADJ ungelegen; *remark etc* unpassend **ill-'treat** V/T schlecht behandeln, misshandeln
il·lu·mi·nate [ɪ'lu:mɪneɪt] V/T *building etc* beleuchten
il·lu·mi·nat·ing [ɪ'lu:mɪneɪtɪŋ] ADJ *remarks etc* aufschlussreich
il·lu·mi·na·tion [ɪlju:mɪ'neɪʃn] N Beleuchtung *f*; **illuminations** *pl* Festbeleuchtung *f*
il·lu·sion [ɪ'lu:ʒn] N Illusion *f*; **optical ~** optische Täuschung
il·lus·trate ['ɪləstreɪt] V/T *book* illustrieren, bebildern; *with examples* veranschaulichen, erläutern
il·lus·tra·tion [ɪlə'streɪʃn] N Abbildung *f*, Bild *n*; *for explaining* Beispiel *n*, Erläuterung *f*
il·lus·tra·tive ['ɪləstrətɪv] ADJ *example* veranschaulichend
il·lus·tra·tor [ɪlə'streɪtə(r)] N Illustrator(in) *m(f)*
il·lus·tri·ous [ɪ'lʌstrɪəs] ADJ berühmt; *career* glanzvoll
ill 'will N Feindschaft *f*
im·age ['ɪmɪdʒ] N *picture* Bild *n*; *in head* Vorstellung *f*; *of politician, company* Image *n*; **he's the ~ of his father** er sieht genauso aus wie sein Vater
'im·age-con·scious ADJ imagebewusst
im·ag·e·ry ['ɪmɪdʒərɪ] N Bildersprache *f*, Metaphorik *f*
i·mag·i·na·ble [ɪ'mædʒɪnəbl] ADJ vorstellbar; **the smallest size ~** die denkbar kleinste Größe
i·mag·i·nar·y [ɪ'mædʒɪnərɪ] ADJ imaginär; *world, being* Fantasie-
i·mag·i·na·tion [ɪmædʒɪ'neɪʃn] N Fantasie *f*, Einbildungskraft *f*; **it's all in your ~** das ist alles Einbildung
i·mag·i·na·tive [ɪ'mædʒɪnətɪv] ADJ fantasievoll
i·mag·ine [ɪ'mædʒɪn] V/T sich vorstellen; **just ~!** stell dir (nur) vor!; **you're imagining things** du bildest dir das alles nur ein
im·bal·ance [ɪm'bæləns] N Unausgewogenheit *f*; POL, ECON Ungleichgewicht *n*
im·be·cile ['ɪmbəsi:l] N Schwachkopf *m*
IMF [aɪem'ef] ABBR *for* International Monetary Fund IWF, Internationaler Währungsfonds
im·i·tate ['ɪmɪteɪt] V/T imitieren, nachmachen
im·i·ta·tion [ɪmɪ'teɪʃn] **A** N *behaviour* Nachahmung *f*; *copy* Imitation *f*, Kopie *f* **B** ADJ **~ leather** Kunstleder *n*
im·mac·u·late [ɪ'mækjʊlət] ADJ tadellos, makellos
im·ma·te·ri·al [ɪmə'tɪrɪəl] ADJ *unimportant* unwichtig
im·ma·ture [ɪmə'tʃʊə(r)] ADJ unreif
im·me·di·ate [ɪ'mi:dɪət] ADJ unmittelbar; *reply, reaction* umgehend; **the ~ family** die engste Familie; **in the ~ future** in nächster Zukunft
im·me·di·ate·ly [ɪ'mi:dɪətlɪ] **A** ADV gleich; *at once a.* sofort **B** CJ sobald
im·mense [ɪ'mens] ADJ riesig, enorm
im·merse [ɪ'mɜ:s] V/T eintauchen, untertauchen; **~ o.s. in** sich vertiefen in
im·mer·sion [ɪ'mɜ:ʃn] N Eintauchen *n*
im·mer·sion heat·er [ɪ'mɜ:ʃn] N (Wasser)Boiler *m*
im·mi·grant ['ɪmɪgrənt] N Einwanderer *m*, Einwanderin *f*, Immigrant(in) *m(f)*
im·mi·grate ['ɪmɪgreɪt] V/I einwandern, immigrieren
im·mi·gra·tion [ɪmɪ'greɪʃn] N *as process* Einwanderung *f*, Immigration *f*
im·mi'gra·tion po·li·cy N Einwanderungspolitik *f*
im·mi·nent ['ɪmɪnənt] ADJ unmittelbar bevorstehend
im·mis·sion le·vels [ɪ'mɪʃnlevlz] N *pl* Immissionswerte *pl*
im·mo·bile [ɪ'məʊbaɪl] ADJ unbeweglich
im·mo·bi·lize [ɪ'məʊbɪlaɪz] V/T *person* bewegungsunfähig machen
im·mo·bi·liz·er [ɪ'məʊbɪlaɪzə(r)] N *in car* Wegfahrsperre *f*
im·mod·e·rate [ɪ'mɒdərət] ADJ maßlos
im·mor·al [ɪ'mɒrəl] ADJ unmoralisch
im·mor·al·i·ty [ɪmɒ'rælɪtɪ] N Unmoral *f*, Sittenlosigkeit *f*
im·mor·tal [ɪ'mɔ:tl] ADJ unsterblich

im·mor·tal·i·ty [ɪmɔːˈtælɪtɪ] N Unsterblichkeit *f*

im·mune [ɪˈmjuːn] ADJ *a. fig* immun (**to** gegen); **be ~ from prosecution** vor Strafverfolgung geschützt sein, Immunität genießen

im'mune sys·tem N MED Immunsystem *n*

im·mu·ni·ty [ɪˈmjuːnətɪ] N Immunität *f* (**to** gegen); **~ from prosecution** Schutz *m* vor Strafverfolgung

im·pact [ˈɪmpækt] N *of meteorite, vehicle* Aufprall *m*; *of new manager etc* Wirkung *f*; *of warning, method* Auswirkung *f* (**on** auf); **make an ~ on sb** (e-n) Eindruck auf j-n machen; **make an ~ on sth** Einfluss auf etw haben

im·pair [ɪmˈpeə(r)] V/T beeinträchtigen

im·paired [ɪmˈpeəd] ADJ vermindert

im·par·tial [ɪmˈpɑːʃl] ADJ unparteiisch, unvoreingenommen

im·par·ti·al·i·ty [ɪmpɑːʃɪˈælətɪ] N Unparteilichkeit *f*, Objektivität *f*

im·pass·a·ble [ɪmˈpɑːsəbl] ADJ *road* unpassierbar

im·passe [ˈæmpɑːs] N *in negotiations etc* Sackgasse *f*

im·pas·sioned [ɪmˈpæʃnd] ADJ *speech, appeal* leidenschaftlich

im·pas·sive [ɪmˈpæsɪv] ADJ teilnahmslos, ungerührt

im·pa·tience [ɪmˈpeɪʃəns] N Ungeduld *f*

im·pa·tient [ɪmˈpeɪʃənt] ADJ ungeduldig

im·peach [ɪmˈpiːtʃ] V/T *president* wegen Amtsmissbrauchs anklagen

im·peach·ment [ɪmˈpiːtʃmənt] N POL Amtsenthebungsverfahren *n*

im·pec·ca·ble [ɪmˈpekəbl] ADJ makellos; *English* fehlerfrei, tadellos

im·pede [ɪmˈpiːd] V/T behindern

im·ped·i·ment [ɪmˈpedɪmənt] N Hindernis *n* (**to** für); *to speech* Sprachfehler *m*

im·pel [ɪmˈpel] V/T ⟨-ll-⟩ nötigen

im·pend·ing [ɪmˈpendɪŋ] ADJ *catastrophe* drohend; *meeting* bevorstehend

im·pen·e·tra·ble [ɪmˈpenɪtrəbl] ADJ *thoughts, mystery* unergründlich; *jungle* undurchdringlich

im·per·a·tive [ɪmˈperətɪv] **A** ADJ unbedingt erforderlich **B** N LING Imperativ *m*

im·per·cep·ti·ble [ɪmpɜːˈseptɪbl] ADJ nicht wahrnehmbar

im·per·fect [ɪmˈpɜːfekt] **A** ADJ unvollkommen **B** N LING Imperfekt *n*

im·pe·ri·al [ɪmˈpɪərɪəl] ADJ *relating to empire* Reichs-; *relating to emperor* kaiserlich, Kaiser-

im·per·il [ɪmˈperəl] V/T ⟨-ll-, *US* -l-⟩ gefährden

im·per·me·a·ble [ɪmˈpɜːmjəbl] ADJ undurchlässig

im·per·son·al [ɪmˈpɜːsənl] ADJ unpersönlich

im·per·so·nate [ɪmˈpɜːsəneɪt] V/T *for fun* nachmachen; *illegally* sich ausgeben als

im·per·ti·nence [ɪmˈpɜːtɪnəns] N Unverschämtheit *f*

im·per·ti·nent [ɪmˈpɜːtɪnənt] ADJ unverschämt

im·per·vi·ous [ɪmˈpɜːvɪəs] ADJ **be ~ to** *insults, flattery* unzugänglich sein für; **be ~ to water** wasserdicht sein

im·pe·tu·ous [ɪmˈpetjʊəs] ADJ ungestüm

im·pe·tus [ˈɪmpɪtəs] N *of campaign etc* Schwung *m*

♦**im·pinge on** [ɪmˈpɪndʒɒn] V/T sich auswirken auf, beeinflussen

im·plant [ɪmˈplɑːnt] V/T *fig* einpflanzen; MED *a.* implantieren

im·ple·ment [ˈɪmplɪmənt] **A** N Werkzeug *n* **B** V/T *measures etc* durchführen; *law* vollziehen

im·ple·men·ta·tion [ɪmplɪmənˈteɪʃn] N *of plan, measure* Durchführung *f*; *of law* Vollzug *m*

im·pli·cate [ˈɪmplɪkeɪt] V/T verwickeln

im·pli·ca·tion [ɪmplɪˈkeɪʃn] N *result* Folge *f*, Auswirkung *f*

im·pli·cit [ɪmˈplɪsɪt] ADJ stillschweigend, implizit; *threat, criticism* indirekt, implizit; *trust* unbedingt

im·plore [ɪmˈplɔː(r)] V/T anflehen, beschwören

im·ply [ɪmˈplaɪ] V/T ⟨-ied⟩ *suggest* andeuten; *mean* bedeuten

im·po·lite [ɪmpəˈlaɪt] ADJ unhöflich

im·port **A** N [ˈɪmpɔːt] Import *m*, Einfuhr *f* **B** V/T [ɪmˈpɔːt] importieren, einführen; *file* importieren

im·por·tance [ɪmˈpɔːtəns] N Wichtigkeit *f*; **be of no ~** unwichtig sein (**to** für)

im·por·tant [ɪm'pɔːtənt] ADJ wichtig (**for, to** für)
im·por·ta·tion [ɪmpɔː'teɪʃn] N Import m, Einfuhr f
im·por·ter [ɪm'pɔːtə(r)] N *person* Importeur(in) m(f); *country* Importland n
im·por·ting coun·try [ɪmpɔːtɪŋ'kʌntrɪ] N Einfuhrland n
'im·port li·cence, **'im·port li·cense** *US* N Einfuhrgenehmigung f
'im·port re·stric·tions N pl Einfuhrbeschränkungen pl, Importbeschränkungen pl
im·pose [ɪm'pəʊz] V/T *taxes* erheben; *sanctions, fine* verhängen (**on** gegen); **~ o.s. on sb** sich j-m aufdrängen
im·pos·ing [ɪm'pəʊzɪŋ] ADJ beeindruckend, imposant
im·pos·si·bil·i·ty [ɪmpɒsɪ'bɪlɪtɪ] N Unmöglichkeit f
im·pos·si·ble [ɪm'pɒsɪbəl] ADJ unmöglich; **that is absolutely ~** das ist völlig ausgeschlossen
im·pos·tor [ɪm'pɒstə(r)] N Betrüger(in) m(f), Hochstapler(in) m(f)
im·po·tence ['ɪmpətəns] N Machtlosigkeit f; *sexual* Impotenz f
im·po·tent ['ɪmpətənt] ADJ machtlos; *sexually* impotent
im·pov·e·rished [ɪm'pɒvərɪʃt] ADJ verarmt
im·prac·ti·ca·ble [ɪm'præktɪkəbl] ADJ undurchführbar
im·prac·ti·cal [ɪm'præktɪkəl] ADJ *person* unpraktisch; *suggestion* undurchführbar
im·press [ɪm'pres] V/T beeindrucken
im·pres·sion [ɪm'preʃn] N Eindruck m; *imitation* Nachahmung f; **do an ~ of sb** j-n nachahmen; **be under the ~ that ...** den Eindruck haben, dass ...
im·pres·sion·a·ble [ɪm'preʃənəbl] ADJ beeindruckbar; **at an ~ age** in e-m Alter, in dem man leicht zu beeinflussen ist
im·pres·sive [ɪm'presɪv] ADJ beeindruckend
im·print ['ɪmprɪnt] N Abdruck m; *of credit card* Datenaufnahme f
im·pris·on [ɪm'prɪzn] V/T inhaftieren, einsperren
im·pris·on·ment [ɪm'prɪznmənt] N *act of imprisoning* Inhaftierung f; *punishment* Freiheitsstrafe f, Haft f
im·prob·a·ble [ɪm'prɒbəbəl] ADJ unwahrscheinlich
im·prop·er [ɪm'prɒpə(r)] ADJ *behaviour* unangebracht, unpassend
im·prove [ɪm'pruːv] **A** V/T verbessern **B** V/I sich verbessern, besser werden
im·prove·ment [ɪm'pruːvmənt] N Verbesserung f
im·pro·vise ['ɪmprəvaɪz] V/I improvisieren
im·pu·dent ['ɪmpjʊdənt] ADJ unverschämt
im·pulse ['ɪmpʌls] N Impuls m, Anstoß m; **do sth on an ~** etw impulsiv tun
'im·pulse buy N Impulskauf m
im·pul·sive [ɪm'pʌlsɪv] ADJ impulsiv
im·pu·ni·ty [ɪm'pjuːnətɪ] N **with ~** ungestraft
im·pure [ɪm'pjʊə(r)] ADJ *substance* unrein
in [ɪn] **A** PREP in; **~ the street** auf der Straße; **he lives ~ this street** er wohnt in dieser Straße; **wounded ~ the leg** am Bein verwundet; **~ 2011** (im Jahr) 2011; **~ two hours** in zwei Stunden; **~ the morning** am Morgen, morgens; **~ the mornings** morgens; **~ the summer** im Sommer; **~ August** im August; **~ English** auf Englisch; **~ a loud voice** mit lauter Stimme; **~ yellow** in gelb; **~ crossing the road, he ...** *in process of* als er die Straße überquerte, ...; **~ agreeing to this condition, you ...** *by* indem Sie dieser Bedingung zustimmen ...; **~ Shakespeare** bei Shakespeare; **three ~ all** insgesamt drei; **one ~ ten** e-r von zehn **B** ADV *at home, in building etc* da; **is the CD still ~?** ist die CD noch drin?; **~ here** hier drinnen; **come ~!** komm (he)rein! **C** ADJ *modern, popular* in
in·a·bil·i·ty [ɪnə'bɪlɪtɪ] N Unfähigkeit f
in·ac·ces·si·ble [ɪnək'sesɪbl] ADJ unzugänglich
in·ac·cu·rate [ɪn'ækjʊrət] ADJ ungenau
in·ac·tive [ɪn'æktɪv] ADJ *person* untätig, träge; *volcano* erloschen
in·ad·e·quate [ɪn'ædɪkwət] ADJ unzureichend
in·ad·mis·si·ble [ɪnəd'mɪsəbl] ADJ unzulässig
in·ad·ver·tent [ɪnəd'vɜːtənt] ADJ unbeabsichtigt, versehentlich
in·ad·ver·tent·ly [ɪnəd'vɜːtəntlɪ] ADV

aus Versehen
in·ad·vis·a·ble [ɪnəd'vaɪzəbl] ADJ nicht ratsam
in·a·li·en·a·ble [ɪn'eɪlɪənəbl] ADJ *right* unveräußerlich
in·an·i·mate [ɪn'ænɪmət] ADJ *object* leblos; *nature* unbelebt
in·ap·pli·ca·ble [ɪnə'plɪkəbl] ADJ nicht anwendbar
in·ap·pro·pri·ate [ɪnə'prəʊprɪət] ADJ unangemessen, unpassend
in·ar·tic·u·late [ɪnɑː'tɪkjʊlət] ADJ **he is very ~** er kann sich kaum ausdrücken
in·at·ten·tive [ɪnə'tentɪv] ADJ unaufmerksam
in·au·di·ble [ɪn'ɔːdɪbl] ADJ unhörbar
in·au·gu·ral [ɪ'nɔːgjʊrəl] ADJ *speech* Eröffnungs-, Antritts-
in·au·gu·rate [ɪ'nɔːgjʊreɪt] V/T *building* einweihen; *president* ins Amt einführen
in·au·gu·ra·tion [ɪnɔːgjʊ'reɪʃn] N *of president* Amtseinführung *f*; *of building etc* Einweihung *f*; *of era* Beginn *m*
in·born ['ɪnbɔːn] ADJ angeboren
in·box ['ɪnbɒks] N *for e-mail* Posteingang *m*
Inc [ɪŋk] ABBR *for* Incorporated (amtlich) eingetragen
in·cal·cu·la·ble [ɪn'kælkjʊləbl] ADJ *damage* unabsehbar
in·ca·pa·ble [ɪn'keɪpəbl] ADJ hilflos; **be ~ of doing sth** unfähig / nicht imstande sein, etw zu tun
in·ca·pa·ci·tat·ed [ɪnkə'pæsɪteɪtɪd] ADJ behindert, außer Gefecht gesetzt
in·ca·pa·ci·ty ben·e·fit [ɪnkə'pæsɪtɪbenəfɪt] N Erwerbsunfähigkeitsrente *f*
in·car·nate [ɪn'kɑːnət] ADJ **the devil ~** der leibhaftige Teufel
in·cen·di·a·ry device [ɪnsendɪərɪdɪ'vaɪs] N Brandsatz *m*
in·cense[1] ['ɪnsens] N Weihrauch *m*
in·cense[2] [ɪn'sens] V/T erzürnen, wütend machen
in·cen·tive [ɪn'sentɪv] N Anreiz *m*
in·ces·sant [ɪn'sesnt] ADJ unaufhörlich
in·cest ['ɪnsest] N Inzest *m*, Blutschande *f*
inch [ɪntʃ] N Zoll *m*, Inch *m*
in·ci·dence ['ɪnsɪdəns] N Vorkommen *n*
in·ci·dent ['ɪnsɪdənt] N Vorfall *m*, Ereignis *n*; POL Zwischenfall *m*
in·ci·den·tal [ɪnsɪ'dentl] ADJ zufällig; **~ expenses** *pl* Nebenkosten *pl*
in·ci·den·tal·ly [ɪnsɪ'dentlɪ] ADV übrigens, nebenbei bemerkt
in·cin·e·rate [ɪn'sɪnəreɪt] V/T verbrennen
in·cin·e·ra·tor [ɪn'sɪnəreɪtə(r)] N Müllverbrennungsanlage *f*
in·ci·sion [ɪn'sɪʒn] N (Ein)Schnitt *m*
in·ci·sive [ɪn'saɪsɪv] ADJ *analysis* scharfsinnig
in·cite [ɪn'saɪt] V/T aufhetzen; **~ sb to do sth** j-n zu etw anstiften
incl *only written* ABBR *for* including, inclusive einschl., einschließlich
in·clem·ent [ɪn'klemənt] ADJ *weather* rau
in·cli·na·tion [ɪnklɪ'neɪʃn] N Neigung *f*
in·cline [ɪn'klaɪn] V/T **be inclined to do sth** dazu neigen, etw zu tun
in·close, **in·clos·ure** → enclose, enclosure
in·clude [ɪn'kluːd] V/T einschließen
in·clud·ing [ɪn'kluːdɪŋ] PREP einschließlich, inbegriffen; **that makes seven of us ~ you** mit dir sind wir sieben
in·clu·sion [ɪn'kluːʒn] N Einschluss *m*, Einbeziehung *f*
in·clu·sive [ɪn'kluːsɪv] **A** ADJ *price* Inklusiv- **B** PREP **~ of** einschließlich **C** ADV inklusive; **from Monday to Thursday ~** von Montag bis einschließlich Donnerstag
in·co·her·ent [ɪnkəʊ'hɪərənt] ADJ *text* unzusammenhängend; **he was ~** er war schwer zu verstehen
in·come ['ɪnkəm] N Einkommen *n*
in·come sup'port N Sozialhilfe *f*
'in·come tax N Einkommensteuer *f*
in·com·ing ['ɪnkʌmɪŋ] ADJ *flight* ankommend; *call, post* eingehend; *president* neu; **the ~ tide** die Flut
in·com·pa·ra·ble [ɪn'kɒmprəbl] ADJ unvergleichlich
in·com·pat·i·bil·i·ty [ɪnkəmpætɪ'bɪlɪtɪ] N Unvereinbarkeit *f*
in·com·pat·i·ble [ɪnkəm'pætɪbl] ADJ *ideas, personalities* unvereinbar; IT nicht kompatibel
in·com·pe·tence [ɪn'kɒmpɪtəns] N Unfähigkeit *f*
in·com·pe·tent [ɪn'kɒmpɪtənt] ADJ unfähig
in·com·plete [ɪnkəm'pliːt] ADJ unvoll-

ständig

in·com·pre·hen·si·ble [ɪnkɒmprɪ'hensɪbl] ADJ *behaviour* unbegreiflich; *speech, theory* unverständlich

in·com·pre·hen·sion [ɪnkɒmprɪ'henʃn] N Unverständnis *n*

in·con·ceiv·a·ble [ɪnkən'siːvəbl] ADJ unvorstellbar

in·con·clu·sive [ɪnkən'kluːsɪv] ADJ *proof* nicht schlüssig; *meeting* ergebnislos

in·con·gru·ous [ɪn'kɒŋgrʊəs] ADJ *mixture* nicht zusammenpassend; *remark* unpassend; *couple* ungleich

in·con·se·quen·tial [ɪnkɒnsɪ'kwenʃl] ADJ unbedeutend

in·con·sid·e·ra·ble [ɪnkən'sɪdərəbl] ADJ unbedeutend

in·con·sid·er·ate [ɪnkən'sɪdərət] ADJ rücksichtslos

in·con·sis·ten·cy [ɪnkən'sɪstənsɪ] N *of statement, behaviour* Widersprüchlichkeit *f*; *of person* Inkonsequenz *f*; *of work* Unbeständigkeit *f*

in·con·sis·tent [ɪnkən'sɪstənt] ADJ *statement, behaviour* widersprüchlich; *person* inkonsequent; *work, performance* unbeständig; **be ~ with** im Widerspruch stehen zu

in·con·sol·a·ble [ɪnkən'səʊləbl] ADJ untröstlich

in·con·spic·u·ous [ɪnkən'spɪkjʊəs] ADJ unauffällig

in·con·ti·nent [ɪn'kɒntɪnənt] ADJ MED inkontinent

in·con·ve·ni·ence [ɪnkən'viːnɪəns] N Unannehmlichkeit *f*

in·con·ve·ni·ent [ɪnkən'viːnɪənt] ADJ ungünstig

in·cor·po·rate [ɪn'kɔːpəreɪt] V/T *integrate: idea, proposal* aufnehmen, integrieren; *contain* enthalten; ECON als Gesellschaft eintragen; gründen

in·cor·po·ra·tion [ɪnkɔːpə'reɪʃn] N *of idea, proposal* Aufnahme *f*, Integration *f*; ECON Eintragung *f* als Gesellschaft; Gründung *f*

in·cor·rect [ɪnkə'rekt] ADJ falsch

in·crease **A** V/T [ɪn'kriːs] erhöhen (**by** um); *profits, affluence a.* vergrößern; *chances a.* verbessern **B** V/I [ɪn'kriːs] *tourism, traffic* zunehmen; *value, speed, taxes* steigen; *trust, pride* wachsen; **~ in strength** stärker werden **C** N ['ɪnkriːs] *in numbers, traffic, value* Zunahme *f*; *in taxes, speed* Erhöhung *f*; *in price a.* Steigerung *f*; **~ in production** Produktionssteigerung *f*

in·creas·ing [ɪn'kriːsɪŋ] ADJ zunehmend; *value* steigend

in·creas·ing·ly [ɪn'kriːsɪŋlɪ] ADV in zunehmendem Maße; **~ cold** immer kälter

in·cred·i·ble [ɪn'kredɪbl] ADJ unglaublich; *film, food* fantastisch

in·cre·du·li·ty [ɪnkrɪ'djuːlətɪ] N Ungläubigkeit *f*

in·cred·u·lous [ɪn'kredjʊləs] ADJ ungläubig, skeptisch

in·crim·i·nate [ɪn'krɪmɪneɪt] V/T belasten

in·cu·ba·tor ['ɪŋkjʊbeɪtə(r)] N *for babies* Brutkasten *m*

in·cur [ɪn'kɜː(r)] V/T ‹-rr-› *wrath, injury* sich zuziehen; *debts, expenses* machen

in·cur·a·ble [ɪn'kjʊrəbl] ADJ unheilbar; *optimist* unverbesserlich

in·cur·sion [ɪn'kɜːʃn] N (feindlicher) Einfall; Eindringen *n*

in·debt·ed [ɪn'detɪd] ADJ verpflichtet

in·de·cent [ɪn'diːsnt] ADJ unanständig

in·de·ci·sion [ɪndɪ'sɪʒn] N Unentschlossenheit *f*

in·de·ci·sive [ɪndɪ'saɪsɪv] ADJ unentschlossen; *discussion* ergebnislos

in·de·ci·sive·ness [ɪndɪ'saɪsɪvnɪs] N *of person* Unentschlossenheit *f*

in·deed [ɪn'diːd] ADV *in fact* tatsächlich, in der Tat; *formal: for emphasis* allerdings, freilich; *expressing surprise* ach wirklich?; **thanks very much ~** vielen herzlichen Dank

in·de·fen·si·ble [ɪndɪ'fensəbl] ADJ unakzeptabel

in·de·fin·a·ble [ɪndɪ'faɪnəbl] ADJ undefinierbar, unbestimmbar

in·def·i·nite [ɪn'defɪnɪt] ADJ unbestimmt

in·def·i·nite·ly [ɪn'defɪnɪtlɪ] ADV *continue, stay* auf unbestimmte Zeit; *endlessly* endlos

in·del·i·ble [ɪn'delɪbl] ADJ unauslöschlich (*a. fig*)

in·del·i·cate [ɪn'delɪkət] ADJ taktlos

in·dem·ni·fy [ɪn'demnɪfaɪ] V/T entschädigen, Schadenersatz leisten (**for** für)

in·dem·ni·ty [ɪn'demnətɪ] N Entschädigung *f*

in·dent A N ['ındent] *in text* Einzug *m* B V/T [ın'dent] *line* einrücken
in·de·pen·dence [ındı'pendəns] N Unabhängigkeit *f* (**from** von)
in·de·pen·dent [ındı'pendənt] ADJ unabhängig (**from** von); *MP* fraktionslos
in·de·pen·dent·ly [ındı'pendəntlı] ADV unabhängig; **~ of** unabhängig von
in·de·scrib·a·ble [ındı'skraıbəbl] ADJ unbeschreiblich; *very bad* unbeschreiblich schlecht, schrecklich
in·de·scrib·a·bly [ındı'skraıbəblı] ADV *bad, beautiful* unbeschreiblich
in·de·struc·ti·ble [ındı'strʌktəbl] ADJ unzerstörbar
in·de·ter·mi·nate [ındı'tɜ:mınət] ADJ unbestimmt
in·dex ['ındeks] N *of book* Verzeichnis *n* Index *m*
'in·dex card N Karteikarte *f* **'in·dex fin·ger** N Zeigefinger *m* **in·dex-linked** [ındeks'lıŋkt] ADJ der Inflationsrate angeglichen
In·di·a ['ındıə] N Indien *n*
In·di·an ['ındıən] A ADJ indisch; *from America* indianisch *neg!* B N Inder(in) *m(f)*; *from America* Indianer(in) *m(f) neg!*
In·di·an 'sum·mer N Altweibersommer *m*
in·di·cate ['ındıkeıt] A V/T *intentions etc* zeigen, andeuten; *imply* hinweisen auf, hindeuten auf B V/I *whilst driving* blinken
in·di·ca·tion [ındı'keıʃn] N Anzeichen *n* (**of** für), Hinweis *m* (**of** auf)
in·di·ca·tor ['ındıkeıtə(r)] N *of car* Blinker *m*
in·dict [ın'daıt] V/T anklagen (**for** wegen)
in·dict·ment ['ındaıtmənt] N Anklage *f*
in·dif·fer·ence [ın'dıfrəns] N Gleichgültigkeit *f* (**to** gegenüber)
in·dif·fer·ent [ın'dıfrənt] ADJ gleichgültig (**to** gegenüber); *average* mittelmäßig
in·di·ges·ti·ble [ındı'dʒestıbl] ADJ unverdaulich
in·di·ges·tion [ındı'dʒestʃn] N Magenverstimmung *f*
in·dig·nant [ın'dıgnənt] ADJ entrüstet, empört (**at, about** über)
in·dig·na·tion [ındıg'neıʃn] N Entrüstung *f*, Empörung *f* (**at, about** über)
in·dig·ni·ty [ın'dıgnətı] N Demütigung *f*
in·di·rect [ındı'rekt] ADJ indirekt
in·di·rect·ly [ındı'rektlı] ADV indirekt
in·dis·creet [ındı'skri:t] ADJ indiskret
in·dis·cre·tion [ındı'skreʃn] N Indiskretion *f*; *euph* Unbesonnenheit *f*
in·dis·crim·i·nate [ındı'skrımınət] ADJ wahllos
in·dis·pen·sa·ble [ındı'spensəbl] ADJ unentbehrlich
in·dis·posed [ındı'spəʊzd] ADJ **be ~** sich nicht ganz wohlfühlen
in·dis·pu·ta·ble [ındı'spju:təbl] ADJ *fact* unbestreitbar, unstrittig; *world champion* unumstritten
in·dis·pu·ta·bly [ındı'spju:təblı] ADV unbestreitbar, unstrittig
in·dis·tinct [ındı'stıŋkt] ADJ *pattern, shape, words* undeutlich; *colour* verschwommen; *sound* schwach
in·dis·tin·guish·a·ble [ındı'stıŋgwıʃəbl] ADJ **be ~** nicht zu unterscheiden sein
in·di·vid·u·al [ındı'vıdjʊəl] A N Individuum *n*, Einzelne(r) *m* B ADJ *single* einzeln; *private* eigen, persönlich; **~ portions** *pl* Einzelportionen *pl*
in·di·vid·u·a·list [ındı'vıdjʊəlıst] N Individualist(in) *m(f)*
in·di·vid·u·al·ly [ındı'vıdjʊəlı] ADV *singly* einzeln
in·di·vis·i·ble [ındı'vızıbl] ADJ unteilbar
in·doc·tri·nate [ın'dɒktrıneıt] V/T indoktrinieren
in·do·lence ['ındələns] N Trägheit *f*
in·dom·i·ta·ble [ın'dɒmıtəbl] ADJ unbezwingbar; *will* eisern
in·door ['ındɔ:(r)] ADJ *aerial, plant* Zimmer-; SPORTS Hallen-; **~ activities** *pl* Beschäftigungen *pl* für drinnen
in·doors [ın'dɔ:z] ADV im Haus, drinnen; **go ~** ins Haus gehen, reingehen
in·duce [ın'dju:s] V/T verursachen, veranlassen
in·duce·ment [ın'dju:smənt] N Anreiz *m*
in·dulge [ın'dʌldʒ] A V/T *desire* nachgeben; **~ o.s.** sich verwöhnen B V/I **~ in** *flirting, fun* sich erlauben; *piece of cake, new clothes* sich gönnen
in·dul·gence [ın'dʌldʒəns] N *of taste, appetite etc* Nachgiebigkeit *f*; *towards children a.* Nachsicht *f*
in·dul·gent [ın'dʌldʒənt] ADJ *lenient*

nachsichtig (**with** gegenüber)
in·dus·tri·al [ɪn'dʌstrɪəl] ADJ Industrie-, industriell
in·dus·tri·al 'ac·ci·dent N Betriebsunfall *m* **in·dus·tri·al 'ac·tion** N Arbeitskampfmaßnahmen *pl;* Streik *m* **in·dus·tri·al dis'pute** N Arbeitskampf *m;* Tarifkonflikt *m* **in·dus·tri·al 'es·pi·on·age** N Industriespionage *f* **in·dus·tri·al es'tate** N Industriegebiet *n*
in·dus·tri·al·ist [ɪn'dʌstrɪəlɪst] N Industrielle(r) *m/f(m)*
in·dus·tri·al·ize [ɪn'dʌstrɪəlaɪz] V/T industrialisieren; **industrialized nations** *pl* Industrieländer *pl*
in·dus·tri·al 'waste N *no pl* Industrieabfälle *pl*
in·dus·tri·ous [ɪn'dʌstrɪəs] ADJ fleißig
in·dus·try ['ɪndəstrɪ] N Industrie *f*
in·ed·i·ble [ɪn'edɪbl] ADJ nicht essbar; *revolting* ungenießbar
in·ef·fec·tive [ɪnɪ'fektɪv] ADJ unwirksam, wirkungslos; *person* untauglich
in·ef·fec·tu·al [ɪnɪ'fektʃʊəl] ADJ *person* untauglich
in·ef·fi·cient [ɪnɪ'fɪʃənt] ADJ ineffizient
in·eli·gi·ble [ɪn'elɪdʒɪbl] ADJ *for election* nicht wählbar; *for benefit etc* nicht berechtigt (**for** auf)
in·ept [ɪn'ept] ADJ ungeschickt
in·e·qual·i·ty *f* [ɪnɪ'kwɒlɪtɪ] N Ungleichheit *f*
in·er·tia [ɪ'nɜːʃə] N Trägheit *f (a. fig)*
in·es·cap·a·ble [ɪnɪ'skeɪpəbl] ADJ unausweichlich
in·es·ti·ma·ble [ɪn'estɪməbl] ADJ unschätzbar
in·ev·i·ta·ble [ɪn'evɪtəbl] ADJ unvermeidlich
in·ev·i·ta·bly [ɪn'evɪtəblɪ] ADV zwangsläufig
in·ex·act [ɪnɪg'zækt] ADJ ungenau
in·ex·cus·a·ble [ɪnɪk'skjuːzəbl] ADJ unverzeihlich, unentschuldbar
in·ex·haus·ti·ble [ɪnɪg'zɔːstəbl] ADJ *energy, supplies* unerschöpflich; *person* unermüdlich
in·ex·o·ra·ble [ɪn'eksərəbl] ADJ erbarmungslos; *trend etc* unaufhaltsam
in·ex·pen·sive [ɪnɪk'spensɪv] ADJ günstig, preiswert
in·ex·pe·ri·ence [ɪnɪk'spɪərɪəns] N Unerfahrenheit *f*
in·ex·pe·ri·enced [ɪnɪk'spɪərɪənst] ADJ unerfahren
in·ex·plic·a·ble [ɪnɪk'splɪkəbl] ADJ unerklärlich
in·fal·li·ble [ɪn'fælɪbl] ADJ unfehlbar
in·fa·mous ['ɪnfəməs] ADJ berüchtigt
in·fan·cy ['ɪnfənsɪ] N frühe Kindheit; *of state, institution* Anfänge *pl;* **the company is still in its ~** die Firma steckt noch in den Kinderschuhen
in·fant ['ɪnfənt] N *baby* Säugling *m; young child* Kleinkind *n*
in·fan·tile ['ɪnfəntaɪl] ADJ *pej* kindisch
in·fan·try ['ɪnfəntrɪ] N Infanterie *f*
in·fat·u·at·ed [ɪn'fætʃʊeɪtɪd] ADJ vernarrt, verknallt (**with** in)
in·fect [ɪn'fekt] V/T infizieren; *another person* anstecken; *food, water* verseuchen; **become infected** sich infizieren; *wound* sich entzünden
in·fec·tion [ɪn'fekʃn] N Infektion *f*, Ansteckung *f; of wound* Entzündung *f*
in·fec·tious [ɪn'fekʃəs] ADJ *disease* infektiös, ansteckend; *fig: laugh* ansteckend
in·fer [ɪn'fɜː(r)] V/T ‹-rr-› **~ sth from sth** etw aus etw schließen
in·fer·ence ['ɪnfərəns] N (Schluss)Folgerung *f*, Rückschluss *m*
in·fe·ri·or [ɪn'fɪərɪə(r)] ADJ *quality* minderwertig; *position* untergeordnet
in·fe·ri·or·i·ty [ɪnfɪərɪ'ɒrətɪ] N *in quality* Minderwertigkeit *f*
in·fe·ri'or·i·ty com·plex N Minderwertigkeitskomplex *m*
in·fer·nal [ɪn'fɜːnl] ADJ höllisch, Höllen-; **it's an ~ nuisance** *infml* es ist verdammt lästig
in·fer·tile [ɪn'fɜːtaɪl] ADJ unfruchtbar
in·fer·til·i·ty [ɪnfə'tɪlɪtɪ] N Unfruchtbarkeit *f*
in·fest [ɪn'fest] V/T verseuchen
in·fi·del·i·ty [ɪnfɪ'delɪtɪ] N Untreue *f*
in·fil·trate ['ɪnfɪltreɪt] V/T *opposition party* unterwandern; *enemy ranks etc* eindringen in
in·fi·nite ['ɪnfɪnət] ADJ unendlich
in·fin·i·tive [ɪn'fɪnətɪv] N Infinitiv *m*
in·fin·i·ty [ɪn'fɪnətɪ] N Unendlichkeit *f*
in·firm [ɪn'fɜːm] ADJ schwach, gebrechlich
in·fir·ma·ry [ɪn'fɜːmərɪ] N MIL Krankenrevier *n*

in·fir·mi·ty [ɪnˈfɜːmətɪ] N Gebrechlichkeit *f*
in·flame [ɪnˈfleɪm] V/T entfachen
in·flam·ma·ble [ɪnˈflæməbl] ADJ leicht entzündlich, feuergefährlich
in·flam·ma·tion [ɪnfləˈmeɪʃn] N MED Entzündung *f*
in·flam·ma·to·ry [ɪnˈflæmətərɪ] ADJ *fig* aufrührerisch, Hetz-
in·flat·a·ble [ɪnˈfleɪtəbl] ADJ *dinghy* aufblasbar
in·flate [ɪnˈfleɪt] V/T *tyre, dinghy* aufpumpen; *with mouth* aufblasen; *economy* hochtreiben, steigern
in·fla·tion [ɪnˈfleɪʃn] N Inflation *f*
in·fla·tion-a·djus·ted [ɪnfleɪʃnəˈdʒʌstɪd] ADJ inflationsbereinigt
in·fla·tion·a·ry [ɪnˈfleɪʃnərɪ] ADJ inflationär
in·flec·tion [ɪnˈflekʃn] N *of voice* Tonfall *m*
in·flex·i·ble [ɪnˈfleksɪbl] ADJ *stiff* starr; *person* unflexibel, stur
in·flict [ɪnˈflɪkt] V/T **~ sth on sb** *punishment* etw gegen j-n verhängen; *sorrow, injury* j-m etw zufügen
'in-flight ADJ Bord-
in·flu·ence [ˈɪnflʊəns] **A** N Einfluss *m* (**on** auf) **B** V/T beeinflussen
in·flu·en·tial [ɪnflʊˈenʃl] ADJ einflussreich
in·flu·en·za [ɪnflʊˈenzə] N Grippe *f*
in·flux [ˈɪnflʌks] N *of people* Zustrom *m*; *of ideas* Zufluss *m*; *of goods* Zufuhr *f*
in·form [ɪnˈfɔːm] **A** V/T informieren, benachrichtigen; **please keep me informed** halte mich bitte auf dem Laufenden **B** V/I **~ on sb** j-n anzeigen
in·for·mal [ɪnˈfɔːməl] ADJ *meeting, agreement* inoffiziell; *conversation, party* ungezwungen, zwanglos; *dress* leger; *form of address* vertraulich
in·for·mal·i·ty [ɪnfɔːˈmælɪtɪ] N *of meeting, agreement* inoffizieller Charakter; *of conversation, party* Ungezwungenheit *f*; *of form of address* Vertraulichkeit *f*
in·form·ant [ɪnˈfɔːmənt] N Informant(in) *m(f)*
in·for·ma·tion [ɪnfəˈmeɪʃn] N Informationen *pl*, Auskunft *f*; *US* TEL Auskunft *f*; **a piece of ~** e-e Information; **for your ~** ... nur damit du Bescheid weißt, ...
in·for'ma·tion desk N Auskunftsschalter *m* **in·for·ma·tion 'sci·ence** N Informatik *f* **in·for·ma·tion 'sci·en·tist** N Informatiker(in) *m(f)* **in·for·ma·tion so'ci·e·ty** N Informationsgesellschaft *f* **in·for·ma·tion tech'nol·o·gy** N Informationstechnologie *f*
in·for·ma·tive [ɪnˈfɔːmətɪv] ADJ aufschlussreich; *person* mitteilsam
in·form·er [ɪnˈfɔːmə(r)] N Informant(in) *m(f)*; *for police, secret police a.* Spitzel *m*
in·fra·red [ɪnfrəˈred] ADJ infrarot
in·fra·struc·ture [ˈɪnfrəstrʌktʃə(r)] N Infrastruktur *f*
in·fre·quent [ɪnˈfriːkwənt] ADJ selten
♦**in·fringe on** [ɪnˈfrɪndʒɒn] V/T *rights* verletzen; *law a.* verstoßen gegen
in·fu·ri·ate [ɪnˈfjʊərɪeɪt] V/T wütend machen
in·fu·ri·at·ing [ɪnˈfjʊərɪeɪtɪŋ] ADJ äußerst ärgerlich
in·fu·sion [ɪnˈfjuːʒn] N *herbal tea* Aufguss *m*
in·ge·ni·ous [ɪnˈdʒiːnɪəs] ADJ genial
in·ge·nu·i·ty [ɪndʒɪˈnjuːətɪ] N Genialität *f*; *of person a.* Einfallsreichtum *m*
in·got [ˈɪŋgət] N Barren *m*
in·gra·ti·ate [ɪnˈgreɪʃɪeɪt] V/T **~ o.s. with sb** sich bei j-m einschmeicheln
in·grat·i·tude [ɪnˈgrætɪtjuːd] N Undankbarkeit *f*
in·gre·di·ent [ɪnˈgriːdɪənt] N Zutat *f*
'in-group N innerer Zirkel
in·hab·it [ɪnˈhæbɪt] V/T bewohnen; *subject: animals* leben in
in·hab·it·a·ble [ɪnˈhæbɪtəbl] ADJ bewohnbar
in·hab·i·tant [ɪnˈhæbɪtənt] N *of town, area* Einwohner(in) *m(f)*; *of house* Bewohner(in) *m(f)*
in·hale [ɪnˈheɪl] **A** V/T einatmen **B** V/I auf Lunge rauchen, inhalieren
in·hal·er [ɪnˈheɪlə(r)] N Inhalationsgerät *n*
in·her·ent [ɪnˈherənt] ADJ innewohnend, eigen (**in** *dat*)
in·her·it [ɪnˈherɪt] V/T erben
in·her·i·tance [ɪnˈherɪtəns] N Erbe *n*
in·hib·it [ɪnˈhɪbɪt] V/T *growth, conversation etc* hemmen
in·hib·it·ed [ɪnˈhɪbɪtɪd] ADJ gehemmt
in·hi·bi·tion [ɪnhɪˈbɪʃn] N Hemmung *f*
in·hos·pi·ta·ble [ɪnhɒˈspɪtəbl] ADJ *peo-*

ple ungastlich; *climate* unwirtlich
'in-house **A** ADJ intern **B** ADV *work* im Hause
in·hu·man [ɪn'hjuːmən] ADJ unmenschlich
in·hu·mane [ɪnhjuː'meɪn] ADJ unmenschlich
in·i·tial [ɪ'nɪʃl] **A** ADJ anfänglich, Anfangs- **B** N *of name* Initiale *f* **C** V/T mit s-n Initialen unterschreiben
in·i·tial·ly [ɪ'nɪʃlɪ] ADV anfänglich, am Anfang
in·i·ti·ate [ɪ'nɪʃieɪt] V/T den Anstoß geben zu, initiieren
in·i·ti·a·tion [ɪnɪʃɪ'eɪʃn] N Initiierung *f*
in·i·ti·a·tive [ɪ'nɪʃətɪv] N Initiative *f*; **do sth on one's own ~** etw aus eigener Initiative tun; **take the ~** die Initiative ergreifen
in·ject [ɪn'dʒekt] V/T *drug* spritzen, injizieren; *fuel* einspritzen; *capital* pumpen (**into** in)
in·jec·tion [ɪn'dʒekʃn] N MED Spritze *f*, Injektion *f*; *of fuel* Einspritzen *n*; *of capital* Finanzspritze *f*
'in-joke N **it's an ~** das ist ein Witz für Insider
in·junc·tion [ɪn'dʒʌŋkʃn] N gerichtliche Verfügung
in·jure ['ɪndʒə(r)] V/T verletzen
in·jured ['ɪndʒəd] **A** ADJ *leg, feelings* verletzt **B** *pl* **the ~** die Verletzten *pl*
in·ju·ry ['ɪndʒərɪ] N Verletzung *f*
'in·ju·ry time N SPORTS Nachspielzeit *f*
in·jus·tice [ɪn'dʒʌstɪs] N Ungerechtigkeit *f*; **do sb an ~** j-m unrecht tun
ink [ɪŋk] N Tinte *f*
'ink·jet (prin·ter) N Tintenstrahldrucker *m*
ink·ling ['ɪŋklɪŋ] N Andeutung *f*; **have a vague ~ that ...** die dunkle *or* leise Ahnung haben, dass ...
in·land ['ɪnlənd] ADJ *sea, trade* Binnen-; *mail* Inlands-; **~ areas** *pl* Gebiete *pl* im Landesinneren
In·land 'Rev·e·nue N Finanzamt *n*
in-laws ['ɪnlɔːz] N *pl* Schwiegereltern *pl*; angeheiratete Verwandte *pl*
in·let ['ɪnlet] N *of sea* Meeresarm *m*; *in machine* Zuleitung *f*
in·mate ['ɪnmeɪt] N *of prison* Insasse *m*, Insassin *f*; *of psychiatric hospital* Patient(in) *m(f)*
in·most ['ɪnməʊst] ADJ innerste(r, -s)
inn [ɪn] N *in name* Gasthaus *n*
in·nate [ɪ'neɪt] ADJ angeboren
in·ner ['ɪnə(r)] ADJ innere(r, -s)
in·ner 'cit·y N Innenstadt *f* (*meistens innerstädtische Bezirke mit vielen sozialen Problemen*)
'in·ner·most ADJ innerste(r, -s)
in·ner 'tube N Schlauch *m*
in·no·cence ['ɪnəsəns] N Unschuld *f*
in·no·cent ['ɪnəsənt] ADJ unschuldig (**of** an); *remark, mistake* unabsichtlich
in·no·cu·ous [ɪ'nɒkjʊəs] ADJ harmlos
in·no·va·tion [ɪnə'veɪʃn] N Neuerung *f*, Innovation *f*
in·no·va·tive ['ɪnəvətɪv] ADJ innovativ; *product, approach a.* neuartig
in·no·va·tor ['ɪnəveɪtə(r)] N innovativer Mensch
in·nu·en·do [ɪnjuː'endəʊ] N ⟨*pl* -oes, -os⟩ (versteckte) Andeutung, Anspielung *f*
in·nu·mer·a·ble [ɪ'njuːmərəbl] ADJ unzählig
i·noc·u·late [ɪ'nɒkjʊleɪt] V/T impfen
i·noc·u·la·tion [ɪnɒkjʊ'leɪʃn] N Impfung *f*
in·of·fen·sive [ɪnə'fensɪv] ADJ harmlos
in·or·di·nate [ɪn'ɔːdɪnət] ADJ übermäßig
in·or·gan·ic [ɪnɔː'gænɪk] ADJ anorganisch
'in-pa·tient N stationäre(r) Patient(in)
in·put ['ɪnpʊt] **A** N *contribution* Beitrag *m* (**into** zu); *amount of work* Arbeitsaufwand *m*; *of energy, capital* Zufuhr *f*; IT Input *m*, Eingabe *f* **B** V/T ⟨-tt- *or* input, input⟩ IT eingeben; *contribute* beitragen
in·quest ['ɪnkwest] N gerichtliche Untersuchung
in·quire [ɪn'kwaɪə(r)] V/I sich erkundigen (**about** nach); **~ into sth** etw untersuchen
in·quir·y [ɪn'kwaɪərɪ] N (An)Frage *f*, Erkundigung *f*; *investigation* Untersuchung *f*; *by police* Ermittlung *f*
in·quis·i·tive [ɪn'kwɪzətɪv] ADJ neugierig
in·roads ['ɪnrəʊdz] N *pl* **make ~ into sth** *into market* in etw eindringen; *into savings* etw angreifen
in·sane [ɪn'seɪn] ADJ *person* geisteskrank;

fig: idea wahnsinnig

in·san·i·ta·ry [ɪn'sænɪtrɪ] ADJ unhygienisch

in·san·i·ty [ɪn'sænɪtɪ] N MED Geisteskrankheit *f*; *fig* Wahnsinn *m*

in·sa·ti·a·ble [ɪn'seɪʃəbl] ADJ unersättlich

in·scrip·tion [ɪn'skrɪpʃn] N *on memorial* Inschrift *f*; *in book* Widmung *f*

in·sect ['ɪnsekt] N Insekt *n*

in·sec·ti·cide [ɪn'sektɪsaɪd] N Insektengift *n*, Insektizid *n*

'in·sect re·pel·lent N Insektenschutzmittel *n*

in·se·cure [ɪnsɪ'kjʊə(r)] ADJ unsicher

in·se·cu·ri·ty [ɪnsɪ'kjʊərɪtɪ] N Unsicherheit *f*

in·sen·si·tive [ɪn'sensɪtɪv] ADJ unsensibel, gefühllos

in·sen·si·tiv·i·ty [ɪnsensɪ'tɪvɪtɪ] N Gefühllosigkeit *f*

in·sep·a·ra·ble [ɪn'seprəbl] ADJ *problems* untrennbar; *people* unzertrennlich

in·sert **A** N ['ɪnsɜ:t] *in magazine etc* Beilage *f* **B** VT [ɪn'sɜ:t] *finger, key* hineinstecken (**into** in); *coin* einwerfen; *text* einfügen (**into** in); *disk* einlegen (**into** in)

in·ser·tion [ɪn'sɜ:ʃn] N *of finger, key* Hineinstecken *n*; *of coin* Einwurf *m*; *of disk* Einlegen *n*; *of text* Einfügen *n*

'in·sert key N COMPUT Einfügetaste *f*

in·shore [ɪn'ʃɔ:] ADJ & ADV an *or* nahe der Küste

in·side [ɪn'saɪd] **A** N *of house, box* Innere(s) *n*; *of wall, window* Innenseite *f*; *of road* Straßenrand *m*; **on the ~** innen; **somebody on the ~** ein(e) Insider(in); **~ out** verkehrt herum; **know sth ~ out** etw in- und auswendig kennen **B** PREP **be ~ the house** im Haus sein; **go ~ the house** ins Haus gehen; **~ of 2 hours** innerhalb von zwei Stunden **C** ADV im Haus *or* in der Wohnung, drinnen; **go ~** reingehen; **there's nothing ~** *in box* da ist nichts drin **D** ADJ **~ information** Insiderinformationen *pl*; **~ lane** SPORTS Innenbahn *f*; *on road* innere Spur; **~ pocket** Innentasche *f*

in·sid·er [ɪn'saɪdə(r)] N Insider(in) *m(f)*, Eingeweihte *m/f(m)*

in·sid·er 'deal N ECON Insidergeschäft *n*

in·sid·er 'trad·ing N ECON Insiderhandel *m*

in·sides [ɪn'saɪdz] N *pl* Eingeweide *pl*

in·sid·i·ous [ɪn'sɪdɪəs] ADJ heimtückisch

in·sight ['ɪnsaɪt] N Einblick *m* (**into** in); *into behaviour, problems* Verständnis *n* (**into** für)

in·sig·nif·i·cant [ɪnsɪg'nɪfɪkənt] ADJ unbedeutend

in·sin·cere [ɪnsɪn'sɪə(r)] ADJ unaufrichtig, falsch

in·sin·cer·i·ty [ɪnsɪn'serɪtɪ] N Unaufrichtigkeit *f*, Falschheit *f*

in·sin·u·ate [ɪn'sɪnjʊeɪt] VT andeuten

in·sist [ɪn'sɪst] VI **I ~** ich bestehe darauf

♦ **insist on** VT bestehen auf

in·sis·tent [ɪn'sɪstənt] ADJ beharrlich, hartnäckig

in·so·lent ['ɪnsələnt] ADJ unverschämt, frech

in·sol·u·ble [ɪn'sɒljʊbl] ADJ *problem* unlösbar; *substance* unlöslich

in·sol·ven·cy [ɪn'sɒlvənsɪ] N ECON Insolvenz *f*

in'sol·ven·cy pro·cee·dings N *pl* ECON Insolvenzverfahren *n*

in·sol·vent [ɪn'sɒlvənt] ADJ zahlungsunfähig, insolvent

in·som·ni·a [ɪn'sɒmnɪə] N Schlaflosigkeit *f*

in·som·ni·ac [ɪn'sɒmnɪæk] N **be an ~** an Schlaflosigkeit leiden

in·spect [ɪn'spekt] VT *work, ticket, luggage* kontrollieren, prüfen; *troops, school, factory* besichtigen

in·spec·tion [ɪn'spekʃn] N *of work, ticket, luggage* Kontrolle *f*, Prüfung *f*; *of troops, school, factory* Besichtigung *f*

in·spec·tor [ɪn'spektə(r)] N *in factory, on bus* Kontrolleur(in) *m(f)*; *in police* Polizeiinspektor(in) *m(f)*; *of higher rank* Kommissar(in) *m(f)*

in·spi·ra·tion [ɪnspə'reɪʃn] N Inspiration *f*; *good idea* Eingebung *f*, Einfall *m*; **he's an ~ to everyone** wir sollten uns ein Beispiel an ihm nehmen

in·spire [ɪn'spaɪə(r)] VT *respect etc* erwecken (**in** in); **be inspired by** inspiriert werden von

in·sta·bil·i·ty [ɪnstə'bɪlɪtɪ] N Instabilität *f*; *of character* Labilität *f*

in·stall [ɪn'stɔ:l] VT *computer, phone* anschließen, installieren; *software* installieren; *bath, heating* einbauen

in·stal·la·tion [ɪnstəˈleɪʃn] N *of bath, heating* Einbau *m*; *of computer, phone* Installation *f*, Anschluss *m*; *of software* Installation *f*; **military ~** militärische Anlage

in'stall·ment plan N *US* **buy on the ~** auf Abzahlung *or* Raten kaufen

in·stal·ment, in·stall·ment *US* [ɪnˈstɔːlmənt] N *of TV series etc* Folge *f*; *payment* Rate *f*; **in instalments** *pay* ratenweise

in·stance [ˈɪnstəns] N Beispiel *n*; **for ~** zum Beispiel

in·stant [ˈɪnstənt] **A** ADJ unmittelbar; **~ camera** Sofortbildkamera *f* **B** N Moment *m*, Augenblick *m*; *coffee* Pulverkaffee *m*; **in an ~** sofort, augenblicklich

in·stan·ta·ne·ous [ɪnstənˈteɪnɪəs] ADJ unmittelbar, unverzüglich

in·stant 'cof·fee N Pulverkaffee *m*

in·stant·ly [ˈɪnstəntlɪ] ADV sofort

in·stant mes·sag·ing [ɪnstəntˈmesədʒɪŋ] N IT Instant Messaging *n*

in·stead [ɪnˈsted] ADV stattdessen, dafür; **~ of** (an)statt, anstelle von; **~ of me** an meiner Stelle

in·sti·gate [ˈɪnstɪgeɪt] V/T anstiften; *reform* anstoßen; *violence* aufrufen zu

in·stinct [ˈɪnstɪŋkt] N Instinkt *m*

in·stinc·tive [ɪnˈstɪŋktɪv] ADJ instinktiv

in·sti·tute [ˈɪnstɪtjuːt] **A** N Institut *n*; *for mentally ill* Anstalt *f* **B** V/T *reform* einführen; *procedure, search* einleiten

in·sti·tu·tion [ɪnstɪˈtjuːʃn] N *of state* Institution *f*, Einrichtung *f*; *tradition* Institution *f*; *of reform* Einführung *f*; *of procedure, search* Einleitung *f*

in·struct [ɪnˈstrʌkt] V/T *order* anweisen; *teach* unterrichten, ausbilden

in·struc·tion [ɪnˈstrʌkʃn] N *order* Anweisung *f*; *teaching* Unterricht *m*; **instructions for use** *pl* Gebrauchsanweisung *f*

in'struc·tion man·u·al N Bedienungsanleitung *f*

in·struc·tive [ɪnˈstrʌktɪv] ADJ lehrreich

in·struc·tor [ɪnˈstrʌktə(r)] N Lehrer(in) *m(f)*; *in military* Ausbilder(in) *m(f)*

in·stru·ment [ˈɪnstrʊmənt] N MUS, MED, TECH Instrument *n*

in·stru·men·tal [ɪnstrʊˈmentl] ADJ MUS Instrumental-; **be ~ in sth** eine Rolle bei etw spielen

in·sub·or·di·nate [ɪnsəˈbɔːdɪnət] ADJ aufsässig

in·suf·fi·cient [ɪnsəˈfɪʃnt] ADJ ungenügend, unzulänglich

in·su·lar [ˈɪnsjʊlə(r)] ADJ *fig* engstirnig

in·su·late [ˈɪnsjʊleɪt] V/T ELEC, *against cold* isolieren

in·su·lat·ing tape [ˈɪnsjʊleɪtɪŋ] N Isolierband *n*

in·su·la·tion [ɪnsjʊˈleɪʃn] N ELEC, *against cold* Isolation *f*; *material* Isoliermaterial *n*

in·sult **A** N [ˈɪnsʌlt] Beleidigung *f* **B** V/T [ɪnˈsʌlt] beleidigen

in·sur·ance [ɪnˈʃʊərəns] N Versicherung *f*

in'sur·ance com·pa·ny N Versicherungsgesellschaft *f* **in'sur·ance pol·i·cy** N Versicherungspolice *f* **in'sur·ance pre·mi·um** N Versicherungsprämie *f*

in·sure [ɪnˈʃʊə(r)] V/T versichern

in·sured [ɪnˈʃʊəd] **A** ADJ versichert **B** N **the ~** der/die Versicherte

in·sur·er [ɪnˈʃʊərə(r)] N Versicherer *m*

in·sur·gent [ɪnˈsɜːdʒənt] N Aufständische(r) *m/f(m)*

in·sur·mount·a·ble [ɪnsəˈmaʊntəbl] ADJ unüberwindlich

in·sur·rec·tion [ɪnsəˈrekʃn] N Aufstand *m*

in·tact [ɪnˈtækt] ADJ unbeschädigt; *reputation, relationship* intakt

in·take [ˈɪnteɪk] N Aufnahme *f*

in·te·gral [ˈɪntɪgrəl] ADJ vollständig; *part* wesentlich

in·te·grate [ˈɪntɪgreɪt] V/T integrieren, eingliedern (**into** in)

in·te·gra·tion [ɪntɪˈgreɪʃn] N Integration *f* (**into** in)

in·te·gra·tion po·li·cy N Integrationspolitik *f*

in·teg·ri·ty [ɪnˈtegrətɪ] N *honesty* Integrität *f*

in·tel·lect [ˈɪntəlekt] N Verstand *m*, Intellekt *m*

in·tel·lec·tual [ɪntəˈlektjʊəl] **A** ADJ intellektuell; *interest* geistig **B** N Intellektuelle(r) *m/f(m)*

in·tel·li·gence [ɪnˈtelɪdʒəns] N Intelligenz *f*; MIL Informationen *pl*, Nachrichten *pl*

in'tel·li·gence of·fi·cer N Nachrichtenoffizier(in) *m/f(m)*

in'tel·li·gence serv·ice N Nachrichtendienst *m*, Geheimdienst *m*

in·tel·li·gent [ɪn'telɪdʒənt] ADJ intelligent

in·tel·li·gi·ble [ɪn'telɪdʒəbl] ADJ verständlich, zu verstehen

in·tend [ɪn'tend] V/T beabsichtigen; **~ to do sth** beabsichtigen *or* vorhaben, etw zu tun

in·tense [ɪn'tens] ADJ heftig, intensiv; *heat, pain* stark; *joy, disappointment* äußerst groß; *personality* ernsthaft; *concentration* intensiv

in·ten·si·fy [ɪn'tensɪfaɪ] ⟨-ied⟩ **A** V/T verstärken, intensivieren **B** V/I *pain* zunehmen, stärker werden; *fighting* sich verschärfen

in·ten·si·ty [ɪn'tensətɪ] N Intensität *f*, Heftigkeit *f*

in·ten·sive [ɪn'tensɪv] ADJ intensiv

in·ten·sive 'care (u·nit) N MED Intensivstation *f*

in·tent [ɪn'tent] ADJ *gaze* durchdringend; **be ~ on doing sth** fest entschlossen sein, etw zu tun

in·ten·tion [ɪn'tenʃn] N Absicht *f*, Intention *f*; **I have no ~ of paying** ich denke nicht daran zu bezahlen

in·ten·tion·al [ɪn'tenʃənl] ADJ absichtlich, vorsätzlich

in·ten·tion·al·ly [ɪn'tenʃnlɪ] ADV absichtlich, mit Absicht

in·ter [ɪn'tɜː(r)] V/T ⟨-rr-⟩ bestatten

in·ter·act [ɪntər'ækt] V/I aufeinander (ein)wirken; **he interacts well with ...** er kommt gut mit ... zurecht

in·ter·ac·tion [ɪntər'ækʃn] N Interaktion *f* (**between** zwischen); *between departments* Zusammenarbeit *f*; *between chemicals* Wechselwirkung *f*

in·ter·ac·tive [ɪntər'æktɪv] ADJ interaktiv

in·ter·cede [ɪntə'siːd] V/I sich einsetzen (**on behalf of** für)

in·ter·cept [ɪntə'sept] V/T abfangen

in·ter·change ['ɪntətʃeɪndʒ] N *US* AUTO Autobahnkreuz *n*

in·ter·change·a·ble [ɪntə'tʃeɪndʒəbl] ADJ austauschbar

in·ter·com ['ɪntəkɒm] N Sprechanlage *f*

in·ter·course ['ɪntəkɔːs] N (Geschlechts)Verkehr *m*

in·ter·de·pend·ent [ɪntədɪ'pendənt] ADJ voneinander abhängig

in·ter·est ['ɪntrəst] **A** N Interesse *n*; ECON Zins *m*, Zinsen *pl*; **take an ~ in sb/sth** an j-m/etw Interesse haben, sich für j-n/etw interessieren **B** V/T interessieren

in·ter·est·ed ['ɪntrəstɪd] ADJ interessiert (**in** an)

in·ter·est-free 'loan N zinsloser Kredit

in·ter·est·ing ['ɪntrəstɪŋ] ADJ interessant

'in·ter·est rate N ECON Zinssatz *m*

in·ter·face ['ɪntəfeɪs] N COMPUT Schnittstelle *f*, Interface *n*

in·ter·fere [ɪntə'fɪə(r)] V/I sich einmischen (**in** in)

♦**interfere with** V/T *switch etc* sich zu schaffen machen an; *plans* stören

in·ter·fer·ence [ɪntə'fɪərəns] N Einmischung *f* (**in** in); RADIO Störung *f*

in·ter·gov·ern·men·tal [ɪntəgʌvən'mentl] ADJ zwischenstaatlich; **~ conference** Regierungskonferenz *f*; **~ cooperation** Regierungszusammenarbeit *f*; **~ talks** *pl* Gespräche *pl* auf Regierungsebene

in·ter·gov·ern·men·tal·ism [ɪntəgʌvən'mentlɪzm] N Intergouvernementalismus *m*

in·ter·group ['ɪntəgruːp] N *of EU* Intergroup *f*

in·ter·im phase ['ɪntərɪmfeɪz] N Übergangsphase *f*

in·ter·im so'lu·tion N Übergangslösung *f*

in·ter·in·sti·tu·tion·al [ɪntərɪnstɪ'tjuːʃnl] ADJ interinstitutionell

in·te·ri·or [ɪn'tɪərɪə(r)] **A** ADJ Innen- **B** N Innere(s) *n*; *of country* Landesinnere(s) *n*

in·te·ri·or de'sign·er N Innenarchitekt(in) *m(f)*

in·ter·ject [ɪntə'dʒekt] V/T einwerfen

in·ter·lock [ɪntə'lɒk] V/I ineinandergreifen

in·ter·lude ['ɪntəluːd] N *at theatre* Pause *f*; *period of time* Epoche *f*, Intermezzo *n*

in·ter·me·di·ar·y [ɪntə'miːdɪərɪ] N Vermittler(in) *m(f)*

in·ter·me·di·ate [ɪntə'miːdɪət] ADJ Zwischen-; ~ **course** Kurs *m* für fortgeschrittene Anfänger

in·ter·ment [ɪn'tɜːmənt] N Beerdigung *f*, Bestattung *f*

in·ter·mi·na·ble [ɪn'tɜːmɪnəbl] ADJ endlos

in·ter·mis·sion [ɪntə'mɪʃn] N *at theatre, cinema* Pause *f*

in·ter·mit·tent [ɪntə'mɪtənt] ADJ periodisch (auftretend)

in·tern[1] [ɪn'tɜːn] V/T internieren

in·tern[2] ['ɪntɜːn] N *US* Assistenzarzt *m*, -ärztin *f*

in·ter·nal [ɪn'tɜːnl] ADJ innere (r, -s); *flight, trade* Inlands-, Binnen-; *measurement* Innen-; *in organization* intern

in·ter·nal·ly [ɪn'tɜːnəlɪ] ADV *in body* innen, im Inneren; *inside organization* intern; **not to be taken ~** nicht zum Einnehmen

in·ter·na·tion·al [ɪntə'næʃnl] **A** ADJ international; *flight, call* Auslands- **B** N SPORTS Länderspiel *n*; *player* Nationalspieler(in) *m(f)*

in·ter·na·tion·al 'law N Völkerrecht *n*

in·ter·na·tion·al·ly [ɪntə'næʃnəlɪ] ADV international

In·ter·na·tion·al 'Mon·e·tar·y Fund N Internationaler Währungsfonds **in·ter·na·tion·al 'trade** N Welthandel *m* **in·ter·na·tion·al 'trea·ty** N Staatsvertrag *m*

In·ter·net ['ɪntənet] N Internet *n* **In·ter·net 'ac·cess** N Internetzugang *m* **In·ter·net 'auc·tion** N Internetauktion *f* **In·ter·net 'bank·ing** N Onlinebanking *n* **In·ter·net 'caf·é** N Internetcafé *n* **In·ter·net-en·a·bled** [ɪntəneten'eɪbld] ADJ internetfähig **In·ter·net 'por·tal** N Internetportal *n*

in·ter·pret [ɪn'tɜːprɪt] **A** V/T *speech, conversation* dolmetschen; *piece of music, comment* interpretieren; *novel, statement a.* auslegen **B** V/I dolmetschen

in·ter·pre·ta·tion [ɪntɜːprɪ'teɪʃn] N Dolmetschen *n*; *of piece of music* Interpretation *f*; *of novel, statement a.* Auslegung *f*

in·ter·pret·er [ɪn'tɜːprɪtə(r)] N Dolmetscher(in) *m(f)*

in·ter·re·lat·ed [ɪntərɪ'leɪtɪd] ADJ *facts* zusammenhängend

in·ter·ro·gate [ɪn'terəgeɪt] V/T verhören, vernehmen

in·ter·ro·ga·tion [ɪnterə'geɪʃn] N Verhör *n*, Vernehmung *f*

in·ter·rog·a·tive [ɪntə'rɒgətɪv] N LING Frageform *f*

in·ter·ro·ga·tor [ɪn'terəgeɪtə(r)] N Vernehmungsbeamte(r) *m*, -beamtin *f*

in·ter·rupt [ɪntə'rʌpt] V/T & V/I unterbrechen

in·ter·rup·tion [ɪntə'rʌpʃn] N Unterbrechung *f*

in·ter·sect [ɪntə'sekt] **A** V/T *line* (durch)schneiden, kreuzen **B** V/I sich kreuzen; *lines* sich schneiden

in·ter·sec·tion ['ɪntəsekʃn] N *on road* Kreuzung *f*

in·ter·sperse [ɪntə'spɜːs] V/T **interspersed with ...** *weather* unterbrochen von ...; *landscape* mit einzelnen ... dazwischen

in·ter·state ['ɪntəsteɪt] **A** ADJ zwischenstaatlich **B** N *US* AUTO Fernstraße *f* (*mehrere Bundesstaaten verbindend*)

in·ter·twine [ɪntə'twaɪn] V/I sich ineinander verschlingen

in·ter·val ['ɪntəvl] N *in space, time* Abstand *m*; *at theatre, concert* Pause *f*; **sunny intervals** *pl* sonnige Abschnitte *pl*

in·ter·vene [ɪntə'viːn] V/I *person, police etc* eingreifen, einschreiten; POL intervenieren

in·ter·ven·tion [ɪntə'venʃn] N *of police* Eingreifen *n*, Einschreiten *n*; *esp* POL Intervention *f*

in·ter·view ['ɪntəvjuː] **A** N Interview *n*; *for job* Vorstellungsgespräch *n*; **get/have an ~** zu einem Vorstellungsgespräch eingeladen werden/ein Vorstellungsgespräch haben **B** V/T interviewen; *job candidate* ein Vorstellungsgespräch führen mit; **be interviewed for a job** ein Vorstellungsgespräch haben

in·ter·view·ee [ɪntəvjuː'iː] N Interviewte(r) *m/f(m)*; *for job* Bewerber(in) *m(f)*

in·ter·view·er ['ɪntəvjuːə(r)] N Interviewer(in) *m(f)*; *of job candidate* Leiter(in) *m(f)* des Vorstellungsgesprächs

in·tes·tate [ɪn'testeɪt] ADV JUR **die ~** ohne Hinterlassung e-s Testaments sterben

in·tes·tine [ɪn'testɪn] N Darm *m*

in·ti·ma·cy ['ɪntɪməsɪ] N *of friendship*

Vertrautheit *f*; *sexual* Intimität *f*
in·ti·mate [ˈɪntɪmət] ADJ intim; *friend* eng, vertraut
in·tim·i·date [ɪnˈtɪmɪdeɪt] V/T einschüchtern
in·tim·i·da·tion [ɪntɪmɪˈdeɪʃn] N Einschüchterung *f*
in·to [ˈɪntʊ] PREP in; **6 ~ 12 goes** *or* **is 2** 12 durch 6 ist (gleich) 2; **crash ~ a tree** gegen e-n Baum fahren; **be ~ sth/sb** *infml: like* auf etw/j-n stehen; **when you're ~ the job** wenn du (mehr) im Job drin bist
in·tol·er·a·ble [ɪnˈtɒlərəbl] ADJ unerträglich
in·tol·e·rance [ɪnˈtɒlərəns] N Intoleranz *f* (**of** gegenüber)
in·tol·e·rant [ɪnˈtɒlərənt] ADJ intolerant
in·tox·i·cat·ed [ɪnˈtɒksɪkeɪtɪd] ADJ betrunken; *excited* berauscht
in·tox·i·ca·tion [ɪntɒksɪˈkeɪʃn] N *a. fig* Rausch *m*
in·trac·ta·ble [ɪnˈtræktəbl] ADJ *subject* problematisch, schwierig
in·tra·net [ˈɪntrənet] N IT Intranet *n*
in·tra·ve·nous [ɪntrəˈviːnəs] ADJ intravenös
in·trep·id [ɪnˈtrepɪd] ADJ unerschrocken, mutig
in·tri·cate [ˈɪntrɪkət] ADJ kompliziert
in·trigue **A** N [ˈɪntriːg] Intrige *f* **B** V/T [ɪnˈtriːg] faszinieren
in·trigu·ing [ɪnˈtriːgɪŋ] ADJ faszinierend, interessant
in·tro·duce [ɪntrəˈdjuːs] V/T *person* vorstellen, bekannt machen (**to** mit); *new method etc* einführen (**to** in)
in·tro·duc·tion [ɪntrəˈdʌkʃn] N *of person* Vorstellung *f*; *to new language etc, of new method etc* Einführung *f* (**to** in); *in book* Einleitung *f*
in·tro·duc·to·ry [ɪntrəˈdʌktərɪ] ADJ *price* Einführungs-; *course a.* Anfänger-; *remarks* einleitend
in·tro·spec·tion [ɪntrəˈspekʃn] N Selbstbeobachtung *f*
in·tro·vert [ˈɪntrəvɜːt] N **be an ~** introvertiert sein
in·trude [ɪnˈtruːd] V/I stören
in·trud·er [ɪnˈtruːdə(r)] N Eindringling *m*
in·tru·sion [ɪnˈtruːʒn] N Störung *f*
in·tru·sive [ɪnˈtruːsɪv] ADJ aufdringlich; *presence, sound* störend
in·tu·i·tion [ɪntjuːˈɪʃn] N Intuition *f*
in·un·date [ˈɪnʌndeɪt] V/T überschwemmen, überfluten (*a. fig*)
in·vade [ɪnˈveɪd] V/T überfallen; *country, city a.* eindringen in
in·vader N Eindringling *m*, Invasor(in) *m(f)*
in·val·id[1] [ɪnˈvælɪd] ADJ ungültig
in·va·lid[2] [ˈɪnvəlɪd] N MED Kranke(r) *m/f(m)*; *disabled person* Invalide *m*, Körperbehinderte(r) *m/f(m)*
in·val·i·date [ɪnˈvælɪdeɪt] V/T *theory* entkräften
in·val·u·a·ble [ɪnˈvæljʊbl] ADJ *support, contribution* unschätzbar
in·var·i·a·bly [ɪnˈveɪrɪəblɪ] ADV *constantly* ständig
in·va·sion [ɪnˈveɪʒn] N Invasion *f* (**of** *gen*); *of country, city a.* Einmarsch *m* (**of** in); *of privacy* Eingriff *m* (**of** in)
in·vec·tive [ɪnˈvektɪv] N Schmähungen *pl*, Beschimpfungen *pl*
in·vent [ɪnˈvent] V/T erfinden
in·ven·tion [ɪnˈvenʃn] N Erfindung *f*
in·ven·tive [ɪnˈventɪv] ADJ einfallsreich
in·ven·tor [ɪnˈventə(r)] N Erfinder(in) *m(f)*
in·ven·to·ry [ˈɪnvəntrɪ] N Bestandsverzeichnis *n*, Inventar *n*
in·verse [ɪnˈvɜːs] ADJ umgekehrt
in·vert [ɪnˈvɜːt] V/T umkehren; *subject and object* umstellen
in·ver·te·brate [ɪnˈvɜːtɪbrət] N wirbelloses Tier
in·vert·ed com·mas [ɪnvɜːtɪdˈkɒməz] N *pl* Anführungszeichen *pl*
in·vest [ɪnˈvest] V/T & V/I investieren
in·ves·ti·gate [ɪnˈvestɪgeɪt] V/T untersuchen; *do research into a.* erforschen
in·ves·ti·ga·tion [ɪnvestɪˈgeɪʃn] N Untersuchung *f*; *research a.* Erforschung *f*
in·ves·ti·ga·tive jour·nal·ism [ɪnvestɪgətɪvˈdʒɜːnəlɪzm] N Enthüllungsjournalismus *m*
in·vest·ment [ɪnˈvestmənt] N Investition *f*, Kapitalanlage *f*
in'vest·ment bank N Investmentbank *f* **in'vest·ment bank·ing** N Anlagengeschäft *n* **in'vest·ment con·sul·tant** N Anlageberater(in) *m(f)*
in·ves·tor [ɪnˈvestə(r)] N Investor(in) *m(f)*, Kapitalanleger(in) *m(f)*

in·vig·or·at·ing [ɪnˈvɪɡəreɪtɪŋ] ADJ *air, walk* erfrischend, belebend
in·vin·ci·ble [ɪnˈvɪnsəbl] ADJ unbesiegbar
in·vis·i·ble [ɪnˈvɪzɪbl] ADJ unsichtbar (**to** für)
in·vi·ta·tion [ɪnvɪˈteɪʃn] N Einladung *f*
in·vite [ɪnˈvaɪt] V/T einladen
♦ **invite in** V/T hineinbitten
in·vit·ing [ɪnˈvaɪtɪŋ] ADJ einladend, verlockend
in·voice [ˈɪnvɔɪs] **A** N Rechnung *f* **B** V/T in Rechnung stellen
in·vol·un·ta·ry [ɪnˈvɒləntrɪ] ADJ unabsichtlich; *twitch* unwillkürlich
in·volve [ɪnˈvɒlv] V/T *entail, require* mit sich bringen, bedeuten; *concern* betreffen; **what does the job ~?** was muss man bei diesem Job machen?; **I don't want to get involved with this** ich möchte da nicht mit hereingezogen werden; **get involved with sb** *emotionally* sich mit j-m *or* auf j-n einlassen
in·volved [ɪnˈvɒlvd] ADJ kompliziert
in·volve·ment [ɪnˈvɒlvmənt] N *in project etc* Beteiligung *f* (**in** an); *in crime, accident* Verwicklung *f* (**in** in)
in·vul·ner·a·ble [ɪnˈvʌlnərəbl] ADJ unverwundbar; *fortress* uneinnehmbar
in·ward [ˈɪnwəd] **A** ADJ innere(r, -s); *smile, feeling* innerlich **B** ADV nach innen
in·ward·ly [ˈɪnwədlɪ] ADV innerlich, im Inneren
IOU [aɪəʊˈjuː] ABBR *for* I owe you Schuldschein *m*
I·ran [ɪˈrɑːn] N Iran *m*
I·ra·ni·an [ɪˈreɪnɪən] **A** ADJ iranisch **B** N *person* Iraner(in) *m(f)*
I·raq [ɪˈræk] N Irak *m*
I·ra·qi [ɪˈrækɪ] **A** ADJ irakisch **B** N *person* Iraker(in) *m(f)*
i·rate [aɪˈreɪt] ADJ zornig, wütend
Ire·land [ˈaɪələnd] N Irland *n*
i·ris [ˈaɪərɪs] N *flower* Schwertlilie *f*, Iris *f*; *of eye* Regenbogenhaut *f*, Iris *f*
I·rish [ˈaɪərɪʃ] **A** ADJ irisch **B** N *language* Irisch *n*; **the ~** *pl* die Iren *pl*
ˈI·rish·man N Ire *m*
ˈI·rish·wom·an N Irin *f*
i·ron [ˈaɪən] **A** N Eisen *n*; *for clothes* Bügeleisen *n* **B** V/T *shirts etc* bügeln
I·ron ˈCur·tain N HIST Eiserner Vorhang
i·ron·ic(·al) [aɪˈrɒnɪk(l)] ADJ ironisch
i·ron·ing [ˈaɪənɪŋ] N Bügeln *n*; **do the ~** (die Wäsche) bügeln
ˈi·ron·ing board N Bügelbrett *n*
i·ron·mon·ger [ˈaɪənmʌŋɡə(r)] N Eisenwarenhändler(in) *m(f)*
ˈi·ron·works N *sg* Eisenhütte *f*
i·ron·y [ˈaɪərənɪ] N Ironie *f*
ir·ra·tion·al [ɪˈræʃənl] ADJ irrational, unvernünftig
ir·rec·on·cil·a·ble [ɪrekənˈsaɪləbl] ADJ unversöhnlich
ir·re·cov·er·a·ble [ɪrɪˈkʌvərəbl] ADJ *data* unwiederbringlich verloren; *loss* unersetzlich
ir·re·gu·lar [ɪˈreɡʊlə(r)] ADJ unregelmäßig; *behaviour* unvorschriftsmäßig
ir·rel·e·vant [ɪˈreləvənt] ADJ irrelevant (**to** für)
ir·rep·a·ra·ble [ɪˈrepərəbl] ADJ irreparabel, nicht wiedergutzumachen(d)
ir·re·place·a·ble [ɪrɪˈpleɪsəbl] ADJ *object, person* unersetzlich
ir·re·pres·si·ble [ɪrɪˈpresəbl] ADJ *sense of humour* unerschütterlich; *person* nicht kleinzukriegen(d)
ir·re·proach·a·ble [ɪrɪˈprəʊtʃəbl] ADJ tadellos, einwandfrei
ir·re·sis·ti·ble [ɪrɪˈzɪstəbl] ADJ unwiderstehlich
ir·res·o·lute [ɪˈrezəluːt] ADJ unentschlossen
ir·re·spec·tive [ɪrɪˈspektɪv] ADJ **~ of** ungeachtet
ir·re·spon·si·ble [ɪrɪˈspɒnsəbl] ADJ unverantwortlich
ir·re·triev·a·ble [ɪrɪˈtriːvəbl] ADJ *loss* unersetzlich; *data* nicht wiederzubekommen(d)
ir·rev·e·rent [ɪˈrevərənt] ADJ respektlos
ir·rev·o·ca·ble [ɪˈrevəkəbl] ADJ unwiderruflich
ir·ri·gate [ˈɪrɪɡeɪt] V/T bewässern
ir·ri·ga·tion [ɪrɪˈɡeɪʃn] N Bewässerung *f*
ir·ri·ta·ble [ˈɪrɪtəbl] ADJ gereizt; *as characteristic* reizbar
ir·ri·tate [ˈɪrɪteɪt] V/T (ver)ärgern; *intentionally* reizen; *wound* reizen
ir·ri·tat·ing [ˈɪrɪteɪtɪŋ] ADJ ärgerlich
ir·ri·ta·tion [ɪrɪˈteɪʃn] N Ärger *m*; *cause of annoyance* Ärgernis *n*
ISDN [aɪesdiːˈen] ABBR *for* integrated services digital network ISDN, diensteinte-

grierendes digitales Netz
Is·lam ['ɪzlɑːm] N Islam *m*
Is·lam·ic [ɪz'læmɪk] ADJ islamisch
is·land ['aɪlənd] N Insel *f*
is·land·er ['aɪləndə(r)] N Inselbewohner(in) *m(f)*
isle [aɪl] N *poet* Insel *f*
i·so·late ['aɪsəleɪt] V/T isolieren, absondern; *cause* herausstellen
i·so·lat·ed ['aɪsəleɪtɪd] ADJ *house* abgelegen; *occurrence* einzeln; **an ~ case** ein Einzelfall *m*
i·so·la·tion [aɪsə'leɪʃn] N *of area* Abgeschiedenheit *f*; **in ~** einzeln (gesehen); **taken in ~** für sich genommen
i·so'la·tion ward N Isolierstation *f*
ISP [aɪes'piː] ABBR *for* Internet service provider Provider *m*
Is·rael ['ɪzreɪl] N Israel *n*
Is·rae·li [ɪz'reɪlɪ] **A** ADJ israelisch **B** N *person* Israeli *m/f*
is·sue ['ɪʃuː] **A** N *thing, matter* Frage *f*, Thema *n*; *result* Ergebnis *n*; *of magazine* Ausgabe *f*; **be at ~** zur Debatte stehen; **the point at ~** der Punkt, um den es geht; **take ~ with sth** gegen etw sein; **make an ~ (out) of sth** etw aufbauschen **B** V/T *passport, visa* ausstellen; *coins, stamps, supplies* ausgeben; *warning* aussprechen; *explanation* abgeben
it [ɪt] PRON er, sie, es; ihn, sie, es; ihm, ihr, ihm; **it's me** ich bin's; **it's Charlie here** TEL hier spricht Charlie; **that's ~!** *that's right* ja, genau!; *I'm ready* fertig!; *annoyed* jetzt reicht's!
I·tal·ian [ɪ'tæljən] **A** ADJ italienisch **B** N Italiener(in) *m(f)*; *language* Italienisch *n*
i·tal·ic [ɪ'tælɪk] ADJ kursiv
i·tal·ics [ɪ'tælɪks] N *pl* Kursivschrift *f*; **in ~** kursiv
I·ta·ly ['ɪtəlɪ] N Italien *n*
itch [ɪtʃ] **A** N Jucken *n*, Juckreiz *m* **B** V/I jucken; **be itching to do sth** *infml* darauf brennen, etw zu tun
itch·y ['ɪtʃɪ] ADJ ‹-ier, -iest› juckend; *material* kratzig
i·tem ['aɪtəm] N Gegenstand *m*; *on list* Punkt *m*; *in catalogue* Artikel *m*; *in accounts* (Rechnungs)Posten *m*; *in news* Meldung *f*, Bericht *m*; **~ on the agenda** Tagesordnungspunkt *m*; **they are an ~** zwischen ihnen läuft was
i·tem·ize ['aɪtəmaɪz] V/T einzeln aufführen
i·tin·er·ar·y [aɪ'tɪnərərɪ] N Route *f*
its [ɪts] *Poss* ADJ sein(e); ihr(e)
it's [ɪts] → it is, it has
it·self [ɪt'self] PRON sich; **the hotel ~** das Hotel selbst; **by ~** *alone* allein(e); *automatically* von allein(e)
i·vo·ry ['aɪvərɪ] N *substance* Elfenbein *n*
i·vy ['aɪvɪ] N Efeu *m*

J

J, j [dʒeɪ] N J, j *n*
jab [dʒæb] V/T ‹-bb-› *with elbow* stoßen (**into** in); *with knife, needle a.* stechen (**into** in)
jack [dʒæk] N AUTO Wagenheber *m*; *in cards* Bube *m*
♦**jack up** V/T AUTO aufbocken
jack·et ['dʒækɪt] N Jacke *f*; *of suit* Jackett *n*; *of book* Schutzumschlag *m*
jack·et po'ta·to N (in der Schale) gebackene Kartoffel
jack-knife V/I *lorry* sich quer stellen
jack-of-'all-trades N Hansdampf *m* in allen Gassen **'jack·pot** N Jackpot *m*, Hauptgewinn *m*; **hit the ~** den Jackpot knacken; *fig* das große Los ziehen
jad·ed ['dʒeɪdɪd] ADJ ausgebrannt; *emotionally* abgestumpft
jag·ged ['dʒægɪd] ADJ *edge* zackig, gezackt; *rock, coast* zerklüftet
jail [dʒeɪl] N Gefängnis *n*; **be sent to ~** eingesperrt werden
jail·er ['dʒeɪlə(r)] N Gefängnisaufseher(in) *m(f)*
'jail·house N *US* Gefängnis *n*
jam[1] [dʒæm] N *preserve* Konfitüre *f*, Marmelade *f*
jam[2] [dʒæm] **A** N AUTO Stau *m*; *infml*: *difficult situation* Klemme *f* **B** V/T ‹-mm-› *cram* (hinein)stopfen (**into** in); *transmission* stören; **be jammed** *streets* verstopft sein; *window, mechanism* verklemmt sein; *brakes, wheel* blockiert sein; **~ one's finger in the door** sich den Fin-

ger in der Tür einklemmen *or* quetschen **C** VI ⟨-mm-⟩ *window, mechanism* sich verklemmen, klemmen; *brakes, wheel* blockieren; *cram* sich quetschen (**into** in)
♦**jam on** VT **jam on the brakes** e-e Vollbremsung machen
jamb [dʒæm] N (Tür)Pfosten *m*
jam-'packed ADJ *infml* proppenvoll
jan·gle ['dʒæŋgl] VI *bottles* klirren; *chain, keys a.* rasseln
jan·i·tor ['dʒænɪtə(r)] N Hausmeister(in) *m(f)*
Jan·u·a·ry ['dʒænjʊərɪ] N Januar *m*
Ja·pan [dʒə'pæn] N Japan *n*
Jap·a·nese [dʒæpə'ni:z] **A** ADJ japanisch **B** N *person* Japaner(in) *m(f)*; *language* Japanisch *n*; **the ~** *pl* die Japaner *pl*
jar¹ [dʒɑ:(r)] N Krug *m*; *for honey etc* Glas *n*
jar² [dʒɑ:(r)] VI ⟨-rr-⟩ **the noise jarred on his ears** das Geräusch ging ihm durch Mark und Bein
jar·gon ['dʒɑ:gən] N Jargon *m*, Fachsprache *f*
jaun·dice ['dʒɔ:ndɪs] N Gelbsucht *f*
jaun·diced ['dʒɔ:ndɪst] ADJ *fig* zynisch, verbittert
jaunt [dʒɔ:nt] N Spritztour *f*, Trip *m*
jaunt·y ['dʒɔ:ntɪ] ADJ ⟨-ier, -iest⟩ unbeschwert, fröhlich
jaw [dʒɔ:] N Kiefer *m*
jazz [dʒæz] N Jazz *m*
♦**jazz up** VT *infml* aufpeppen
jeal·ous ['dʒeləs] ADJ *possessive* eifersüchtig; *envious* neidisch (**of** auf); **be ~ of sb** j-n beneiden
jeal·ous·y ['dʒeləsɪ] N *possessiveness* Eifersucht *f*; *envy* Neid *m*
jeer [dʒɪə(r)] **A** N *of audience* Buhruf *m*, Gejohle *n*; *sneer* höhnische Bemerkung **B** VI buhen, johlen; **~ at** verhöhnen
jel·ly ['dʒelɪ] N *dessert* Wackelpudding *m*; *US: preserve* Gelee *n*
'jel·ly·fish N Qualle *f*
jeop·ar·dize ['dʒepədaɪz] VT gefährden
jeop·ar·dy ['dʒepədɪ] N **be in ~** in Gefahr sein
jerk¹ [dʒɜ:k] **A** N Ruck *m* **B** VT ruckartig ziehen an
jerk² [dʒɜ:k] N *infml* Trottel *m*, Blödmann *m*
jerk·y ['dʒɜ:kɪ] ADJ ⟨-ier, -iest⟩ *movement* ruckartig
jer·sey ['dʒɜ:zɪ] N Pullover *m*; *material* Jersey *m*
jest [dʒest] **A** N Scherz *m*; **in ~** im Spaß **B** VI scherzen
Je·sus ['dʒi:zəs] N Jesus *m*; **~!** *infml* mein Gott!, Mensch!
jet [dʒet] **A** N Jet *m*, Düsenflugzeug *n*; *nozzle* Düse *f*; *of water* Strahl *m* **B** VI ⟨-tt-⟩ *travel* jetten
jet-'black ADJ pechschwarz **'jet engine** N Düsentriebwerk *n* **jet-lagged** ['dʒetlægd] ADJ **be ~** e-n Jet-Lag haben
jet·ti·son ['dʒetɪsn] VT *a. fig* über Bord werfen
jet·ty ['dʒetɪ] N Landungsbrücke *f*
Jew [dʒu:] N Jude *m*, Jüdin *f*
jew·el ['dʒu:əl] N Juwel *n*, Edelstein *m*; *fig: person* Schatz *m*
jew·el·ler, **jew·el·er** *US* ['dʒu:lə(r)] N Juwelier(in) *m(f)*
jew·el·lery, **jew·el·ry** *US* ['dʒu:lrɪ] N Schmuck *m*; **a piece of ~** ein Schmuckstück *n*
Jew·ish ['dʒu:ɪʃ] ADJ jüdisch
jif·fy ['dʒɪfɪ] N *infml* **in a ~** im Nu, sofort
jig·saw (puz·zle) ['dʒɪgsɔ:] N Puzzle(-spiel) *n*
jin·gle ['dʒɪŋgl] **A** N *song* Jingle *m* **B** VI *keys, coins* klimpern, klirren
jinx [dʒɪŋks] N *person* Unglücksrabe *m*; **there's a ~ on this project** dieses Projekt steht unter e-m schlechten Stern
jit·ters ['dʒɪtəz] N *pl* **get the ~** *infml* das große Zittern kriegen; **have the ~** *infml* Bammel haben
jit·ter·y ['dʒɪtərɪ] ADJ *infml* nervös
Jnr *only written* ABBR *for* Junior jun., junior
job [dʒɒb] N *in company* Arbeitsplatz *m*, Stelle *f*; *infml* Job *m*; *task* Arbeit *f*, Aufgabe *f*; **out of a ~** arbeitslos; **it's a good ~ you ...** gut, dass du ...; **you'll have a ~** *it will be difficult* das wird nicht leicht (sein); **make a good ~ of sth** etw gut machen, gute Arbeit bei etw leisten
'job ad·ver·tise·ment N Stellenanzeige *f* **'job a·gen·cy** N Arbeitsvermittlung *f*; *for temporary work* Zeitarbeitsfirma *f* **'job ap·pli·ca·tion** N Stellenbewerbung *f*; *documents* Bewerbungsunterlagen *pl* **'job cen·tre** N Arbeitsamt *n* **job cre'a·tion**

scheme N Arbeitsbeschaffungsprogramm *n* **'job cuts** N *pl* Stellenabbau *m* **'job de·scrip·tion** N Stellenbeschreibung *f* **'job ex·change** N Jobbörse *f* **job hop·ping** ['dʒɒbhɒpɪŋ] N häufiger Arbeitsplatzwechsel **'job hunt·ing** N **be ~** e-e Arbeit suchen **'job in·ter·view** N Vorstellungsgespräch *n*

job·less ['dʒɒblɪs] ADJ arbeitslos

job los·ses ['dʒɒblɒsɪz] N *pl* Arbeitsplatzverluste *pl* **job sat·is'fac·tion** N Zufriedenheit *f* am Arbeitsplatz **job·seek·er** ['dʒɒbsi:kə(r)] N Arbeitslose(r) *m/f(m)*; **jobseeker's allowance** Arbeitslosenunterstützung *f* **job shar·ing** ['dʒɒbʃeɪrɪŋ] N Jobsharing *n*

jog [dʒɒg] **A** N Dauerlauf *m*; **go for a ~** joggen gehen **B** V/I ‹-gg-› SPORTS joggen **C** V/T ‹-gg-› *elbow, table etc* stoßen an *or* gegen; *person* anstoßen; *memory* auf die Sprünge helfen

♦**jog along** V/I *infml*: *work, project* s-n Gang gehen

jog·ger ['dʒɒgə(r)] N *person* Jogger(in) *m(f)*; *US*: *shoe* Joggingschuh *m*

jog·gers ['dʒɒgəz] N *pl* Jogginghose *f*

jog·ging ['dʒɒgɪŋ] N Joggen *n*, Jogging *n*

'jog·ging suit N Jogginganzug *m*

john [dʒɒn] N *US sl*: *toilet* Klo *n*

join [dʒɔɪn] **A** N Verbindungsstelle *f*; *in clothes* Naht(stelle) *f* **B** V/I *intersect* sich vereinigen; *become member* beitreten, Mitglied werden **C** V/T *points, lines* verbinden (**to** mit); *person* sich anschließen; *friends* treffen; *club* beitreten, Mitglied werden in; *company* anfangen in; *road* treffen auf; **I'll ~ you in 10 minutes** ich bin in zehn Minuten bei dir; **can I ~ you?** darf ich mitmachen?; *at table* darf ich mich dazusetzen?

♦**join in** V/I mitmachen; MUS einstimmen, mitsingen

♦**join up** V/I MIL Soldat werden, zum Militär gehen

join·er ['dʒɔɪnə(r)] N Tischler(in) *m(f)*, Schreiner(in) *m(f)*

joint [dʒɔɪnt] **A** N ANAT Gelenk *n*; *in carpentry* Fuge *f*; *of meat* Braten *m*; *infml*: *place, bar* Laden *m*; *of cannabis* Joint *m* **B** ADJ *shared* gemeinsam

joint ac'count N Gemeinschaftskonto *n* **joint 'own·er** N Miteigentümer(in) *m(f)* **joint-'stock com·pa·ny** N Kapital- *or* Aktiengesellschaft *f* **joint 'ven·ture** N Joint Venture *n*

joke [dʒəʊk] **A** N Witz *m*, Scherz *m*; **play a ~ on sb** j-m e-n Streich spielen; **it's no ~** das ist kein Spaß **B** V/I scherzen, Witze machen; **he was only joking** er hat nur Spaß gemacht; **I'm not joking** ich meine das ernst; **you must be joking!** das soll wohl ein Witz sein!

jok·er ['dʒəʊkə(r)] N Spaßvogel *m*, Witzbold *m*; *pej* Kerl *m*; *in card game* Joker *m*

jok·ey ['dʒəʊkɪ] ADJ ‹-ier, -iest› witzig

jok·ing ['dʒəʊkɪŋ] N **~ apart** Spaß beiseite

jok·ing·ly ['dʒəʊkɪŋlɪ] ADV scherzhaft

jol·ly ['dʒɒlɪ] **A** ADJ ‹-ier, -iest› fröhlich **B** ADV *infml* ganz schön, ziemlich; **~ good** prima

jolt [dʒɒlt] **A** N *jerk* Ruck *m* **B** V/T *shake* durchschütteln

jos·tle ['dʒɒsl] V/T anrempeln, schubsen

♦**jot down** [dʒɒt] V/T ‹-tt-› sich notieren

jour·nal ['dʒɜ:nl] N Zeitschrift *f*; *for private thoughts* Tagebuch *n*

jour·nal·ism ['dʒɜ:nəlɪzm] N Journalismus *m*

jour·nal·ist ['dʒɜ:nəlɪst] N Journalist(in) *m(f)*

jour·ney ['dʒɜ:nɪ] N Reise *f*; *by car, bus, train a.* Fahrt *f*

jo·vi·al ['dʒəʊvɪəl] ADJ lustig, heiter

joy [dʒɔɪ] N Freude *f*

joy·ful ['dʒɔɪfl] ADJ *event* freudig; *news, sight* erfreulich; *atmosphere* fröhlich

'joy·rid·er N *j-d, der e-e Spritztour mit e-m gestohlenen Auto macht*

Jr → Jnr

ju·bi·lant ['dʒu:bɪlənt] ADJ *fans* überglücklich

ju·bi·la·tion [dʒu:bɪ'leɪʃn] N Jubel *m*

ju·bi·lee ['dʒu:bɪli:] N Jubiläum *n*

judge [dʒʌdʒ] **A** N JUR Richter(in) *m(f)*; *in contest* Preisrichter(in) *m(f)*; SPORTS Kampfrichter(in) *m(f)* **B** V/T *estimate* (ein)schätzen; *consider* halten für; *person, character* beurteilen (**by, from** nach); *contest* Preisrichter sein bei **C** V/I urteilen; **as far as I can ~** meinem Urteil nach; **judging by ...** wenn man nach ... geht

judg(e)·ment ['dʒʌdʒmənt] N JUR Urteil *n*; *opinion* Meinung *f*, Ansicht *f*; *discernment* Einschätzung *f*, Urteilsvermögen *n*; **an error of ~** e-e Fehleinschätzung

judg(e)·men·tal [dʒʌdʒ'mentl] ADJ wertend

'Judg(e)·ment Day N Tag *m* des Jüngsten Gerichts

ju·di·cial [dʒu:'dɪʃl] ADJ *inquiry* gerichtlich; *authority* richterlich; **~ system** Justizsystem *n*

ju·di·cia·ry [dʒu:'dɪʃɪərɪ] N JUR Richter *pl*

ju·di·cious [dʒu:'dɪʃəs] ADJ klug, umsichtig

jug [dʒʌg] N Krug *m*; *with lid* Kanne *f*

jug·ger·naut ['dʒʌgənɔ:t] N AUTO Schwerlastzug *m*

jug·gle [dʒʌgl] V/T jonglieren; *fig*: *numbers, words* hindrehen

juice [dʒu:s] N Saft *m*

juic·y ['dʒu:sɪ] ADJ ⟨-ier, -iest⟩ saftig; *gossip* pikant

Ju·ly [dʒʊ'laɪ] N Juli *m*

jum·ble ['dʒʌmbl] N Durcheinander *n*

♦**jumble up** V/T durcheinanderbringen

'jum·ble sale N Wohltätigkeitsbasar *m*

jum·bo-sized ['dʒʌmbəʊsaɪzd] ADJ riesengroß

jump [dʒʌmp] **A** N Sprung *m*; *in prices* sprunghafter Anstieg; **give a ~** *in surprise* zusammenzucken **B** V/I springen; *in surprise* zusammenzucken; *increase* sprunghaft steigen, in die Höhe schnellen; **you made me ~!** du hast mich aber erschreckt!; **~ to conclusions** voreilige Schlüsse ziehen **C** V/T *fence etc* überspringen, springen über; *leave out* überspringen, auslassen; *infml*: *attack* überfallen; **~ the queue** sich vordrängeln; **~ the lights** bei Rot rüberfahren

♦**jump at** V/T *chance* sofort ergreifen

jump·er ['dʒʌmpə(r)] N Pullover *m*

jump·y ['dʒʌmpɪ] ADJ ⟨-ier, -iest⟩ nervös

junc·tion ['dʒʌŋkʃn] N *of roads* Kreuzung *f*

junc·ture ['dʒʌŋktʃə(r)] N **at this ~** *formal* zu diesem Zeitpunkt

June [dʒu:n] N Juni *m*

jun·gle ['dʒʌŋgl] N Dschungel *m*

ju·ni·or ['dʒu:nɪə(r)] **A** ADJ *in age* jünger; *in rank* untergeordnet; **~ fashions** *pl* Kinder- und Jugendmode *f*; **Sean Gleeson ~** Sean Gleeson junior **B** N Schüler(in) *m(f)* in den ersten Schuljahren; *US*: *at college* Student(in) *m(f)* im vorletzten Studienjahr; **he is my ~** *in rank* er steht unter mir; *in age* er ist jünger als ich

ju·ni·or 'part·ner N Juniorpartner(in) *m(f)*

'ju·ni·or school N Grundschule *f*

junk [dʒʌŋk] N Ramsch *m*; *old furniture a.* Gerümpel *n*; *fig*: *film, food etc* Mist *m*

'junk mail N Reklame(post) *f*; IT Junkmail *f* **'junk shop** N Trödelladen *m*

'junk·yard N Schrottplatz *m*

jur·is·dic·tion [dʒʊərɪs'dɪkʃn] N JUR Gerichtsbarkeit *f*, Zuständigkeit *f*

ju·ris·pru·dence [dʒʊərɪs'pru:dəns] N Rechtswissenschaft *f*

ju·ror ['dʒʊərə(r)] N Geschworene(r) *m/f(m)*; *in contest* Jurymitglied *n*

ju·ry ['dʒʊərɪ] N *in court* die Geschworenen *pl*; *in contest* Jury *f*, Preisgericht *n*; SPORTS Jury *f*

just [dʒʌst] **A** ADJ JUR gerecht; *war, matter* gerecht, gerechtfertigt **B** ADV *hardly* gerade (eben); *exact* genau; *simply* nur, bloß; *recently* gerade **~ like that** einfach so; **it's ~ as nice** es ist genauso schön; **I've ~ seen her** ich habe sie gerade eben gesehen; **he arrived ~ in time** er kam gerade noch rechtzeitig; **~ now** *a couple of minutes ago* gerade eben; *at this moment* gerade jetzt; **it's ~ past Hope Street** es kommt gleich *or* direkt nach der Hope Straße; **~ about** *almost* fast; **~ you wait!** wart mal!; **~ be quiet!** sei mal still!; **it was ~ too much** es war einfach zu viel

jus·tice ['dʒʌstɪs] N *fairness* Gerechtigkeit *f*; *power of law* Justiz *f*, Gerichtsbarkeit *f*; *of cause* Rechtmäßigkeit *f*

jus·ti·fi·a·ble [dʒʌstɪ'faɪəbl] ADJ gerechtfertigt

jus·ti·fi·a·bly [dʒʌstɪ'faɪəblɪ] ADV berechtigterweise, mit *or* zu Recht

jus·ti·fi·ca·tion [dʒʌstɪfɪ'keɪʃn] N Rechtfertigung *f*

jus·ti·fy ['dʒʌstɪfaɪ] V/T ⟨-ied⟩ rechtfertigen; *text* ausrichten

just·ly ['dʒʌstlɪ] ADV *with fairness* gerecht; *rightly* mit *or* zu Recht

♦**jut out** [dʒʌt'aʊt] V/I ⟨-tt-⟩ hervorstehen, herausragen

ju·ve·nile ['dʒuːvənaɪl] **A** ADJ Jugend-, jugendlich; *pej* kindisch, unreif **B** N *formal* Jugendliche(r) *m/f(m)*

ju·ve·nile de'lin·quent N jugendliche(r) Straftäter(in)

K

K, k [keɪ] N K, k *n*

k [keɪ] ABBR *for* kilobyte KB *n*, Kilobyte *n*; **thousand** tausend

kay·ak ['kaɪjæk] N Kajak *n*

keel [kiːl] N NAUT Kiel *m*

♦ **keel over** VI umkippen

keen [kiːn] ADJ *musician, football player etc* begeistert, leidenschaftlich; *eager* eifrig; *interest etc* groß, stark; *senses, mind* scharf; **be ~ on sb/sth** j-n/etw sehr gern mögen; **be ~ to do sth** etw unbedingt tun wollen

keep [kiːp] **A** N *food, lodging* Unterhalt *m* **B** VT ⟨kept, kept⟩ behalten; *cause delay* aufhalten; *in particular place* aufbewahren; *family* versorgen; *animal, promise* halten; **~ the window shut** das Fenster geschlossen halten, das Fenster zulassen; **what kept you?** wo warst du so lange?; **~ sb waiting** j-n warten lassen; **~ sth to o.s.** *not tell others* etw für sich behalten; **~ sth from sb** j-m etw nicht sagen; **~ trying!** versuch's weiter!; **don't ~ interrupting!** unterbrich mich nicht dauernd! **C** VI ⟨kept, kept⟩ bleiben; *stay fresh* sich halten

♦ **keep away** **A** VI wegbleiben, sich fernhalten **B** VT fernhalten

♦ **keep back** VT *tears, flood* zurückhalten; *information* verschweigen

♦ **keep down** VT *cost etc* niedrig halten; *food* bei sich behalten; **keep your voice down** rede leise

♦ **keep in** VT *in hospital* dabehalten

♦ **keep off** **A** VT *subject* vermeiden; *particular food* verzichten auf; **keep off the grass!** *as sign* Betreten des Rasens verboten! **B** VI **if the rain keeps off** wenn es nicht anfängt zu regnen

♦ **keep on** **A** VI **keep on doing sth** etw (immer) weiter tun; **it keeps on breaking** es geht dauernd kaputt; **keep on until the next traffic lights** fahren Sie geradeaus (weiter) bis zur nächsten Ampel **B** VT *piece of clothing* anbehalten

♦ **keep on at** VT **keep on at sb** j-m keine Ruhe lassen

♦ **keep out** **A** VT *cold* schützen gegen *or* vor; *person* nicht hereinlassen **B** VI *of room* draußen bleiben; *of argument, matter* sich heraushalten; **keep out!** *as sign* Zutritt verboten!

♦ **keep to** VT *path* bleiben auf; *rules* sich halten an; **keep to the point** bei der Sache bleiben

♦ **keep up** **A** VI *in race, class etc* mithalten (**with** mit); **keep up with** *leading group, inflation* Schritt halten mit; *acquaintance* in Kontakt bleiben mit **B** VT *pace, speed* halten; *payments* weiterbezahlen; *bridge, construction* tragen; *trousers* halten

keep·er ['kiːpə(r)] N *in football* Torwart(in) *m(f)*; *at zoo* Tierpfleger(in) *m(f)*

keep·ing ['kiːpɪŋ] N **in ~ with** *promise, company policy* in Übereinstimmung mit; **be in ~ with** *style, colour* passen zu

'keep·sake N Andenken *n*

keg [keg] N kleines Fass, Fässchen *n*

ken·nel ['kenl] N Hundehütte *f*

ken·nels ['kenlz] N *pl* **put a dog in ~** e-n Hund in Pflege geben

kept [kept] PRET & PAST PART → keep

kerb [kɜːb] N Bordstein *m*

ker·nel ['kɜːnl] N Kern *m*

ketch·up ['ketʃʌp] N Ketchup *n or m*

ket·tle ['ketl] N Kessel *m*

key [kiː] **A** N *for door, desk, a. fig* Schlüssel *m*; *on keyboard, piano* Taste *f*; *containing solutions* Lösungsschlüssel *m*; MUS Tonart *f* **B** ADJ Schlüssel-, Leit-, wichtigste(r, -s) **C** VT IT eingeben

♦ **key in** VT *data* eingeben

'key·board N *on piano, computer* Tastatur *f*; *synthesizer* Keyboard *n* **'key·board·er** N IT Texterfasser(in) *m(f)*

'key·card N *in hotel* Chipkarte *f*

keyed-up [kiːd'ʌp] ADJ aufgedreht

'key·hole N Schlüsselloch *n* **key·note 'speech** N programmatische Rede **'key·pal** N Mailfreund(in) *m(f)*

'key·ring N Schlüsselring *m* **'key-**

stone N ARCH Schlussstein *m; fig* Grundpfeiler *m* **'key·word** N *important word* Schlüsselwort *n; in index* Schlagwort *n*, Stichwort *n; code* Passwort *n*

kha·ki ['kɑ:kɪ] ADJ khakifarben

kick [kɪk] **A** N Tritt *m*, Stoß *m; in football* Schuss *m;* **(just) for kicks** *infml* (nur) zum Spaß **B** V/T treten gegen; *football* kicken; **~ the habit** *infml* es sich abgewöhnen, etw sein lassen; **I could have kicked myself** *infml* ich hätte mir in den Hintern beißen können **C** V/I *person* treten; *animal* ausschlagen

♦**kick around** V/T *ball* (he)rumkicken; *treat badly* herumschubsen; *infml: proposal* hin- und her diskutieren

♦**kick in** V/I *start to work* anspringen

♦**kick off** V/I SPORTS den Anstoß machen; *infml: show, film* losgehen

♦**kick out** V/T hinauswerfen, rausschmeißen

♦**kick up** V/T **kick up a fuss** e-e Szene machen

'kick·back N *infml* Schmiergeld *n*

'kick·off N SPORTS Anstoß *m*

kid [kɪd] *infml* **A** N Kind *n;* Jugendliche(r) *m/f(m);* **~ brother** kleiner Bruder **B** V/T ⟨-dd-⟩ auf den Arm nehmen; *tease* aufziehen **C** V/I ⟨-dd-⟩ Spaß machen; **you're kidding** das ist doch nicht dein Ernst; **no kidding!** im Ernst!

kid 'gloves N *pl* **handle sb with ~** j-n mit Samthandschuhen anfassen

kid·nap ['kɪdnæp] V/T ⟨-pp-, *US a.* -p-⟩ entführen, kidnappen

kid·nap·per ['kɪdnæpə(r)] N Entführer(in) *m(f)*, Kidnapper(in) *m(f)*

kid·nap·ping ['kɪdnæpɪŋ] N Entführung *f*, Kidnapping *n*

kid·ney ['kɪdnɪ] N ANAT, *as food* Niere *f*

'kid·ney bean N Kidneybohne *f*

kill [kɪl] V/T töten; *intentionally* umbringen; **be killed** ums Leben kommen; **~ o.s. (laughing)** *infml* sich totlachen; **~ time** die Zeit totschlagen

kill·er ['kɪlə(r)] N *person* Mörder(in) *m(f); disease* Todesbringer *m*

kil·ling ['kɪlɪŋ] N Töten *n; of people* Mord *m; of animals* Schlachten *n;* **make a ~** *infml: lots of money* e-n Riesengewinn machen

kiln [kɪln] N Brennofen *m*

ki·lo ['ki:ləʊ] N Kilo *n*

kil·o·byte ['kɪləʊbaɪt] N IT Kilobyte *n*

kil·o·gram ['kɪləʊgræm] N Kilogramm *n* **kil·o·me·tre, kil·o·me·ter** *US* [kɪ'lɒmɪtə(r)] N Kilometer *m or n*

kilt [kɪlt] N Kilt *m*, Schottenrock *m*

kin [kɪn] N Verwandtschaft *f*, Verwandte *pl*

kind[1] [kaɪnd] ADJ freundlich, liebenswürdig

kind[2] [kaɪnd] N *of plant, dog* Art *f; of sugar, coffee etc* Sorte *f; make* Marke *f;* **what ~ of ...?** was für ein(e) ...?; **all kinds of people** alle möglichen Leute; **nothing of the ~!** nichts dergleichen!; **~ of sad** *infml* irgendwie traurig

kind-heart·ed [kaɪnd'hɑ:tɪd] ADJ gütig

kin·dle ['kɪndl] V/T *fig: interest etc* wecken

kind·ly ['kaɪndlɪ] **A** ADJ ⟨-ier, -iest⟩ freundlich, liebenswürdig **B** ADV *deed, smile* freundlich; *expressing politeness* bitte; **will you ~ keep the noise down!** seien Sie gefälligst ruhig!

kind·ness ['kaɪndnɪs] N Freundlichkeit *f*, Liebenswürdigkeit *f*

kin·dred ['kɪndrɪd] ADJ verwandt; **~ spirits** *pl* Gleichgesinnte *pl*

king [kɪŋ] N König *m*

king·dom ['kɪŋdəm] N Königreich *n*

'king-size(d) [saɪzd] ADJ *infml* extra groß; *cigarettes* Kingsize-

kink [kɪŋk] N *in hose etc* Knick *m*

kink·y ['kɪŋkɪ] ADJ ⟨-ier, -iest⟩ *infml: sex* abartig

kip [kɪp] N **have a ~** *sl* 'ne Runde pennen

kip·per ['kɪpə(r)] N Räucherhering *m*

kiss [kɪs] **A** N Kuss *m* **B** V/T küssen **C** V/I sich küssen

kiss of 'life N Mund-zu-Mund-Beatmung *f*

kit [kɪt] N *equipment* Ausrüstung *f; for modelmaking* Bastelsatz *m*

kitch·en ['kɪtʃɪn] N Küche *f*

kitch·en·ette [kɪtʃɪ'net] N Kochnische *f*

kite [kaɪt] N *for flying* Drachen *m*

kit·ten ['kɪtn] N Kätzchen *n*

kit·ty ['kɪtɪ] N *pool of money* Gemeinschaftskasse *f*

ki·wi fruit ['ki:wi:] N Kiwi *f*

knack [næk] N Trick *m*, Kniff *m;* **there's a ~ to it** da ist ein Trick dabei

knack·ered ['nækəd] ADJ *infml* geschafft, kaputt

knead [ni:d] VT *dough* kneten
knee [ni:] N Knie *n*
'knee·cap N Kniescheibe *f*
kneel [ni:l] VI ⟨knelt, knelt⟩ knien
♦ **kneel down** VI niederknien
'knee-length ADJ *skirt* knielang; *boots* kniehoch
knelt [nelt] PRET & PAST PART → kneel
knew [nju:] PRET → know
knick·ers ['nɪkəz] N *pl* Schlüpfer *m*; **get one's ~ in a twist** *sl* sich ins Hemd machen
knick-knacks ['nɪknæks] N *pl infml* Nippes *pl*
knife [naɪf] **A** N ⟨*pl* knives [naɪvz]⟩ Messer *n* **B** VT einstechen auf; *causing death* erstechen
knight [naɪt] N Ritter *m*; *in chess* Pferd *n*
knight·hood ['naɪthʊd] N Ritterwürde *f*, Ritterstand *m*; **get a ~** in den Adelsstand erhoben werden

K

knit [nɪt] VT & VI ⟨-tt-⟩ stricken
♦ **knit together** VI *bones* zusammenwachsen
knit·ting ['nɪtɪŋ] N Strickarbeit *f*; *activity* Stricken *n*
'knit·ting nee·dle N Stricknadel *f*
'knit·wear N *no pl* Strickwaren *pl*
knives [naɪvz] PL → knife
knob [nɒb] N *on door* Griff *m*; *on device* Knopf *m*; *of butter* Stückchen *n*
knock [nɒk] **A** N Schlag *m*, Stoß *m*; **was that a ~ at the door?** hat es gerade (an der Tür) geklopft? **B** VT *bump* stoßen; *with hand, tool* schlagen; *infml*: *criticize* heruntermachen **C** VI *on door* klopfen (**at, on** an), anklopfen
♦ **knock around** *infml* **A** VT *beat up* verprügeln **B** VI *wander around* herumziehen
♦ **knock down** VT *with car* anfahren, überfahren; *cup, vase* umwerfen, umstoßen; *person* niederschlagen; *wall, fence* einreißen; *building* abreißen; *infml*: *price* runtersetzen
♦ **knock off** **A** VT *sl*: *steal* klauen **B** VI *infml* Feierabend machen
♦ **knock out** VT *knock unconscious* ausknocken; *person, boxer a.* k.o. schlagen; *with drugs* außer Gefecht setzen; *electricity supply etc* unterbrechen; *of competition* ausschalten; **be knocked out (of a tournament)** (aus e-m Turnier) rausfliegen
♦ **knock over** VT umwerfen; *in car* anfahren, überfahren
'knock·down ADJ **a ~ price** ein Schleuderpreis *m*
knock·er ['nɒkə(r)] N (Tür)Klopfer *m*
knock-kneed [nɒk'ni:d] ADJ x-beinig
knot [nɒt] **A** N *a.* NAUT Knoten *m* **B** VT ⟨-tt-⟩ e-n Knoten machen in
knot·ty ['nɒtɪ] ADJ ⟨-ier, -iest⟩ *problem* verwickelt
know [nəʊ] **A** VT ⟨knew, known⟩ wissen; *person, place* kennen; *language* können; *recognize* erkennen; **get to ~** *person* kennenlernen; **I got to ~ that …** *news* ich erfuhr, dass … **B** VI ⟨knew, known⟩ wissen; **let me ~, will you** sag mir Bescheid, ja?; **~ about sth** *have heard of sth* etw wissen; *be knowledgeable about sth* sich mit etw auskennen **C** N **be in the ~** *infml* Bescheid wissen
♦ **know of** **A** VT *place, solution* kennen **B** VI **not that I know of** nicht, dass ich wüsste
'know-all N *infml* Alleswisser(in) *m(f)*
know·ing ['nəʊɪŋ] ADJ wissend
know·ing·ly ['nəʊɪŋlɪ] ADV *intentionally* wissentlich, absichtlich; *smile etc* wissend
knowl·edge ['nɒlɪdʒ] N *no pl understanding, familiarity* Wissen *n*; *gained by learning* Kenntnisse *pl*; *awareness* Kenntnis *f*; **to the best of my ~** soviel ich weiß, meines Wissens
knowl·edge·a·ble ['nɒlɪdʒəbl] ADJ kenntnisreich; **be ~ about sth** viel über etw wissen
known [nəʊn] PAST PART → know
knuck·le ['nʌkl] N (Finger)Knöchel *m*
♦ **knuckle down** VI *infml* sich an die Arbeit machen
♦ **knuckle under** VI *infml* nachgeben
Ko·re·a [kə'ri:ə] N Korea *n*
Ko·re·an [kə'ri:ən] **A** ADJ koreanisch **B** N Koreaner(in) *m(f)*; *language* Koreanisch *n*
ko·sher ['kəʊʃə(r)] ADJ REL koscher; *infml* in Ordnung
kow·tow [kaʊ'taʊ] VI *infml* kriechen (**to** vor)
Krem·lin ['kremlɪn] N **the ~** der Kreml
ku·dos ['kju:dɒs] N Ansehen *n*

L

L, l [el] N L, l *n*
L [el] ABBR *for* learner (driver) AUTO Fahrschüler(in) *m(f)*; **large (size)** groß
lab [læb] N Labor *n*
la·bel ['leɪbl] **A** N Etikett *n*; *record company* Label *n* **B** V/T ‹-ll-, *US* -l-› etikettieren; *luggage* mit e-m Anhänger versehen; **be labelled a ...** als ... abgestempelt werden
la·bor *etc US* → labour *etc*
la·bor·a·to·ry [lə'bɒrətrɪ] N Labor *n*
la·bor·a·to·ry tech'ni·cian N Laborant(in) *m(f)*
la·bo·ri·ous [lə'bɔːrɪəs] ADJ mühsam
'la·bor un·ion N *US* Gewerkschaft *f*
la·bour ['leɪbə(r)] N Arbeit *f*; *birth pains* Wehen *pl*; POL Labour Party *f*
'la·bour dis·pute N Arbeitskampf *m*
la·boured ['leɪbəd] ADJ *style, language* schwerfällig
la·bour·er ['leɪbərə(r)] N Arbeiter(in) *m(f)*; Bauarbeiter(in) *m(f)*
'labour ex·change N *obsolete* → job centre **'La·bour Par·ty** N POL Labour Party *f* **'la·bour ward** N MED Kreißsaal *m*
lace [leɪs] N *material* Spitze *f*; *for shoe* Schnürsenkel *m*
♦**lace up** V/T *shoes* (zu)schnüren
la·ce·rate ['læsəreɪt] V/T *skin* zerschneiden, aufschneiden
lack [læk] **A** N Mangel *m* (**of** an) **B** V/T **they lacked supplies** es fehlte ihnen an Vorräten; **~ the opportunity** nicht die Gelegenheit haben **C** V/I **be lacking** fehlen
lack·lus·tre, **lack·lus·ter** *US* ['læklʌstə] ADJ glanzlos, stumpf; *performance, person* langweilig, einfallslos
lac·quer ['lækə(r)] N *for hair* Haarspray *n or m*
lad [læd] N Junge *m*
lad·der ['lædə(r)] N Leiter *f*; *in tights* Laufmasche *f*
la·den ['leɪdn] ADJ beladen (**with** mit)
la·dies' (room) ['leɪdiːz] N Damentoilette *f*
la·dle ['leɪdl] N (Schöpf)Kelle *f*
la·dy ['leɪdɪ] N Dame *f*; **Lady Diana** *aristocratic title* Lady Diana
'la·dy·bird N Marienkäfer *m*
'la·dy·like ADJ damenhaft
lag [læg] V/T ‹-gg-› *pipes* umwickeln, isolieren
♦**lag behind** V/I zurückliegen
la·ger ['lɑːgə(r)] N helles Bier
la·goon [lə'guːn] N Lagune *f*
laid [leɪd] PRET & PAST PART → lay²
laid·back [leɪd'bæk] ADJ gelassen
lain [leɪn] PAST PART → lie²
lair [leə(r)] N *of wild animal* Höhle *f*, Bau *m*
lake [leɪk] N See *m*
lamb [læm] N *animal, meat* Lamm *n*
lame [leɪm] ADJ *a. fig* lahm
la·ment [lə'ment] **A** N (Weh)Klage *f* **B** V/T beklagen
lam·en·ta·ble ['læməntəbl] ADJ beklagenswert
lam·i·nat·ed ['læmɪneɪtɪd] ADJ laminiert
lam·i·nat·ed 'glass N Verbundglas *n*
lamp [læmp] N Lampe *f*; *on car* Licht *n*
'lamp·post N Laternenpfahl *m*
'lamp·shade N Lampenschirm *m*
land [lænd] **A** N Land *n*; **by ~** auf dem Landweg; **work on the ~** *as farmer* das Land bebauen **B** V/T *plane* landen; *job* an Land ziehen **C** V/I landen
'land·fill site N Mülldeponie *f*
land·ing ['lændɪŋ] N *of plane* Landung *f*; *in house* Flur *m*; *between storeys* Treppenabsatz *m*
'land·ing field N Landeplatz *m*
'land·ing gear N Fahrgestell *n*
'land·ing strip N Landebahn *f*
'land·la·dy N *of pub* Wirtin *f*; *of rented room* Vermieterin *f* **'land·line con·nec·tion** N TEL Festnetzanschluss *m*
'land·line net·work N TEL Festnetz *n* **'land·lord** N *of pub* Wirt *m*; *of rented room* Vermieter *m* **'land·mark** N Wahrzeichen *n*; *fig: turning point* Meilenstein *m* **'land own·er** N Grundbesitzer(in) *m(f)* **land·scape** ['lændskeɪp] **A** N Landschaft *f*; *painting* Landschaftsgemälde *n* **B** ADV *print* im Querformat
'land·slide N Erdrutsch *m* **land·slide 'vic·to·ry** N überwältigender Sieg, Erdrutschsieg *m* **'land·slip** N

(kleiner) Erdrutsch

lane [leɪn] N kleine Straße (*in ländlicher Gegend*); *between houses* Gasse *f*; *on motorway*, SPORTS Spur *f*; **get in ~** *on sign* bitte einordnen

lan·guage [ˈlæŋgwɪdʒ] N Sprache *f*

lan·guid [ˈlæŋgwɪd] ADJ *voice* matt; *gesture* lässig; *atmosphere* gelangweilt, träge; *music* langsam

lank [læŋk] ADJ *hair* strähnig

lank·y [ˈlæŋkɪ] ADJ ‹-ier, -iest› *person* schlaksig

lan·tern [ˈlæntən] N Laterne *f*

lap[1] [læp] A N *of racetrack* Runde *f* B VT ‹-pp-› *in race* überrunden

lap[2] [læp] N *of water* Plätschern *n*

♦ **lap up** VT *milk* auflecken; *compliments* genießen

lap[3] [læp] N *of person* Schoß *m*

la·pel [ləˈpel] N Revers *n*, Aufschlag *m*

lapse [læps] A N *slip* Fehler *m*; *of time* Zeitspanne *f*; **a ~ of memory** e-e Erinnerungslücke B VI *subscription etc* ablaufen; **~ into** verfallen in

lap·top [ˈlæptɒp] N COMPUT Laptop *m*, Notebook *n*

lar·ce·ny [ˈlɑːsənɪ] N Diebstahl *m*

lard [lɑːd] N (Schweine)Schmalz *n*

lar·der [ˈlɑːdə(r)] N *room* Speisekammer *f*; *cupboard* Speiseschrank *m*

large [lɑːdʒ] ADJ groß, Groß-; **be at ~** *criminal* auf freiem Fuß sein; *wild animal* frei herumlaufen

large·ly [ˈlɑːdʒlɪ] ADV zum größten Teil

ˈlarge-scale ADJ groß, Groß-

lar·va [ˈlɑːvə] N Larve *f*

lar·yn·gi·tis [lærɪnˈdʒaɪtɪs] N Kehlkopfentzündung *f*

lar·ynx [ˈlærɪŋks] N Kehlkopf *m*

las·civ·i·ous [ləˈsɪvɪəs] ADJ geil, lüstern

la·ser [ˈleɪzə(r)] N Laser *m*

ˈla·ser beam N Laserstrahl *m*

ˈla·ser print·er N Laserdrucker *m*

lash[1] [læʃ] VT *with whip* peitschen

♦ **lash down** A VT *with rope* festbinden B VI in Strömen regnen

♦ **lash out** VI *with fists, words* (wild) um sich schlagen

♦ **lash out at** VT schlagen nach; *sharply criticize* angreifen

lash[2] [læʃ] N *of eye* Wimper *f*

lass [læs] N Mädchen *n*

last[1] [lɑːst] A ADJ letzte(r, -s); **~ but one** vorletzte(r, -s); **~ night** gestern Abend B ADV zuletzt; **~ but not least** nicht zuletzt; **at ~** endlich; **he came ~** er kam als Letzter

last[2] [lɑːst] VI dauern; *relationship* halten; *good weather* anhalten; *supplies* (aus)reichen

last·ing [ˈlɑːstɪŋ] ADJ *friendship, solution* dauerhaft; *impression* nachhaltig; *memories* bleibend

last·ly [ˈlɑːstlɪ] ADV schließlich

latch [lætʃ] N Riegel *m*

late [leɪt] ADJ *train, bus* verspätet; *morning, evening* spät; **be ~** *train, bus* Verspätung haben; *person* zu spät kommen; **of ~** in letzter Zeit; **the ~ 20th century** das Ende des 20. Jahrhunderts; **the ~ Angus McQueen** der verstorbene Angus McQueen

late·ly [ˈleɪtlɪ] ADV in letzter Zeit

late ˈpay·ment N Zahlungsverzug *m*

lat·er [ˈleɪtə(r)] ADV später; **~ on** später

lat·est [ˈleɪtɪst] ADJ neu(e)ste(r, -s)

la·ther [ˈlɑːðə(r)] N *of soap* (Seifen)-Schaum *m*; **be in a ~** schweißgebadet sein

Lat·in [ˈlætɪn] A ADJ lateinisch B N Latein *n*

Lat·in Aˈmer·i·ca N Lateinamerika *n*

Lat·in Aˈmer·i·can A ADJ lateinamerikanisch B N Lateinamerikaner(in) *m(f)*

lat·i·tude [ˈlætɪtjuːd] N GEOG Breite *f*; *freedom to act* Freiraum *m*, Spielraum *m*

lat·ter [ˈlætə(r)] A ADJ letztere(r, -s) B N **the ~** der/die/das Letztere

Lat·vi·a [ˈlætvɪə] N Lettland *n*

Lat·vi·an [ˈlætvɪən] A ADJ lettisch B N Lette *m*, Lettin *f*; *language* Lettisch *n*

lau·da·ble [ˈlɔːdəbl] ADJ lobenswert

laugh [lɑːf] A N Lachen *n*; **it was a ~** *infml* es hat Spaß gemacht B VI lachen (at über)

laugh·a·ble [ˈlɑːfəbl] ADJ lächerlich, lachhaft

♦ **laugh at** VT *person* sich lustig machen über, auslachen; *joke* lachen über

ˈlaugh·ing stock N **make o.s. a ~** sich lächerlich machen; **become a ~** zu e-r (allgemeinen) Witzfigur werden

laugh·ter [ˈlɑːftə(r)] N Gelächter *n*

launch [lɔːntʃ] A N *type of boat* Barkasse *f*; *of rocket* Abschuss *m*; *of ship* Stapellauf *m*; *of product* (Markt)Einführung *f* B VT

rocket abschießen; *ship* vom Stapel lassen; *product* einführen
'launch(·ing) pad N Abschussrampe *f*
laun·der ['lɔ:ndə(r)] V/T *clothes* waschen und bügeln; *infml*: *money* waschen
laun·der·ette [lɔ:n'dret] N Waschsalon *m*
laun·dry ['lɔ:ndrı] N *place* Wäscherei *f*; *clothes* Wäsche *f*
lau·rel ['lɒrəl] N Lorbeer *m*
lav·a·to·ry ['lævətrı] N Toilette *f*
lav·en·der ['lævəndə(r)] N *plant* Lavendel *m*
lav·ish ['lævıʃ] ADJ *meal etc* üppig; *lifestyle* verschwenderisch
law [lɔ:] N Gesetz *n*; *subject* Jura, Rechtswissenschaft *f*; **~ and order** Recht und Ordnung
law-a·bid·ing ['lɔ:əbaıdıŋ] ADJ gesetzestreu
'law court N Gericht *n*
law·ful ['lɔ:fʊl] ADJ rechtmäßig
law·less ['lɔ:lıs] ADJ gesetzlos
lawn [lɔ:n] N Rasen *m*
'lawn mow·er N Rasenmäher *m*
'law·suit N Prozess *m*
law·yer ['lɔ:jə(r)] N (Rechts)Anwalt *m*, (Rechts)Anwältin *f*
lax·a·tive ['læksətıv] N Abführmittel *n*
lay[1] [leı] PRET → lie[2]
lay[2] [leı] V/T ⟨laid, laid⟩ *deposit, place* legen; *table* decken; *egg* legen; *sl*: *have sex with* bumsen
♦ **lay into** V/T *attack* losgehen auf
♦ **lay off** V/T *workers* entlassen; *temporarily* freistellen; *infml* in Ruhe lassen
♦ **lay on** V/T *food and drink, bus* bereitstellen; *reception* ausrichten
♦ **lay out** V/T *objects* zurechtlegen; *page* das Lay-out machen von, layouten; *park etc* gestalten
'lay·a·bout N *infml* Gammler(in) *m(f)*
'lay-by N *on road* Parkbucht *f*
lay·er ['leıə(r)] N Schicht *f*
'lay·man N Laie *m*
'lay-off N Entlassung *f*; *temporary* Freistellung *f*
layout N *of page* Lay-out *n*; *of park, shopping centre etc* Gestaltung *f*
♦ **laze around** [leızə'raʊnd] V/I faulenzen
la·zy ['leızı] ADJ ⟨-ier, -iest⟩ *day* faul; *person a.* träge
lb *only written* ABBR *for* pound *measure of weight* (britisches) Pfund
LCD [elsi:'di:] ABBR *for* liquid crystal display LCD *n*, Flüssigkristallanzeige *f*
lead[1] [li:d] **A** V/T ⟨led, led⟩ *conduct, direct* führen; *procession, race* anführen; *company, team* leiten; **~ the way** vorangehen **B** V/I ⟨led, led⟩ *in race, competition* führen, in Führung liegen; *road, behaviour* führen **C** N *in race* Führung *f*; **be in the ~** in Führung liegen; **take the ~** in Führung gehen
♦ **lead on** V/I *go ahead* vorangehen
♦ **lead up to** V/T führen zu
lead[2] [li:d] N *for dog* Leine *f*
lead[3] [led] N *substance* Blei *n*
lead·ed ['ledıd] ADJ *petrol* verbleit
lead·en ['ledn] ADJ bleiern (*a. fig*)
lead·er ['li:də(r)] N (An)Führer(in) *m(f)*; *of party, trade union* Vorsitzende(r) *m/f(m)*; *of expedition, project, choir* Leiter(in) *m(f)*; *in newspaper* Leitartikel *m*; **party leaders** *pl* führende Parteimitglieder *pl*
lead·er·ship ['li:dəʃıp] N *of party etc* Vorsitz *m*; **under his ~** unter s-r Führung
'lead·er·ship con·test N Machtkampf *m* um die Führung
lead-free [led'fri:] ADJ *petrol* bleifrei
lead·ing ['li:dıŋ] ADJ *runner* führend, in Führung liegend; *company* führend
lead·ing-'edge ADJ *company* führend; *technology* Spitzen-
lead time ['li:dtaım] N ECON Lieferzeit *f*
leaf [li:f] N ⟨*pl* leaves [li:vz]⟩ Blatt *n*; **leaves** *pl* Laub *n*
♦ **leaf through** V/T durchblättern
leaf·let ['li:flət] N *with information* Prospekt *m*; *political* Flugblatt *n*; *from shop, company* Reklamezettel *m*
league [li:g] N SPORTS Liga *f*; *between nations* Bündnis *n*
leak [li:k] **A** N undichte Stelle; *in ship, container* Leck *n*; **there's a ~** *in pipe* da ist irgendwas undicht; POL es gibt e-e undichte Stelle **B** V/I lecken **C** V/T *information* zuspielen (**to** *dat*)
♦ **leak out** V/I *gas* entweichen; *liquid, news* durchsickern
leak·y ['li:kı] ADJ ⟨-ier, -iest⟩ *pipe* undicht; *boat a.* leck
lean[1] [li:n] ⟨leant *or* leaned, leant *or*

leaned⟩ **A** VI *be sloping* sich neigen; **he leant against the wall** er hat sich gegen die Mauer gelehnt **B** VT lehnen
♦ **lean back** VI sich zurücklehnen
♦ **lean forward** VI sich vorbeugen
♦ **lean out** VI sich hinauslehnen
♦ **lean towards** VT tendieren zu
lean[2] [liːn] ADJ *meat, times* mager; *person* drahtig
leap [liːp] **A** N Sprung *m* **B** VI ⟨leapt *or* leaped, leapt *or* leaped⟩ springen
♦ **leap out** VI herausspringen (**of** aus)
♦ **leap out at** VT ins Auge springen (**sb** j-m)
♦ **leap up** VI aufspringen; *price* in die Höhe schnellen
leapt [lept] PRET & PAST PART → leap
'leap year N Schaltjahr *n*
learn [lɜːn] ⟨learnt *or* learned, learnt *or* learned⟩ **A** VT lernen; *hear* erfahren, hören; **~ (how) to read** lesen lernen **B** VI lernen
learn·ed ['lɜːnɪd] ADJ gelehrt
learn·er ['lɜːnə(r)] N Lerner(in) *m(f)*
learn·er 'driv·er N Fahrschüler(in) *m(f)*
learn·ing ['lɜːnɪŋ] N *knowledge* Wissen *n*; *acquisition of knowledge* Lernen *n*
'learn·ing curve N Lernkurve *f*; **be on a ~** dazulernen
learnt [lɜːnt] PRET & PAST PART → learn
lease [liːs] **A** N *hiring with view to buying* Leasing *n*; *of flat* Mieten *n*; *of land, business premises* Pachten *n*; *document* Mietvertrag *m*; Pachtvertrag *m* **B** VT *flat, equipment* mieten (**from** von); *to sb* vermieten (**to** an, *dat*); *land, business premises* pachten (**from** von); *to sb* verpachten (**to** an, *dat*); *hire with view to buy* leasen
♦ **lease out** VT vermieten (**to** an, *dat*); *with view to sell* leasen
leash [liːʃ] N *for dog* Leine *f*
least [liːst] **A** ADJ geringste(r, -s), kleinste(r, -s); **he has the ~ money** er hat am wenigsten Geld **B** ADV am wenigsten; **the ~ expensive house** das billigste Haus; **~ of all** am allerwenigsten **C** N das wenigste; *earn, drink* am wenigsten; **not in the ~ surprised** gar nicht überrascht; **at ~** wenigstens
leath·er ['leðə(r)] **A** N Leder *n* **B** ADJ Leder-, ledern
leave [liːv] **A** N *from work* Urlaub *m* **B** VT ⟨left, left⟩ *place, husband* verlassen; *food on plate* übrig lassen; *scar, reminder* hinterlassen; *forget* liegen lassen; *in will* vermachen; **let's ~ things as they are** lassen wir es so wie es ist; **how did you ~ things with him?** was hast du mit ihm abgemacht?; **~ school** von der Schule abgehen; **be left** übrig sein *or* bleiben **C** VI ⟨left, left⟩ *person* (weg)gehen; abfahren; abfliegen; *train, bus* abfahren; *plane* abfliegen
♦ **leave behind** VT *intentionally* zurücklassen; *forget* liegen lassen; *problems* hinter sich lassen
♦ **leave on** VT *coat* anbehalten; *hat* aufbehalten; *television* anlassen
♦ **leave out** VT *word, number* auslassen; *not put away* liegen lassen, dalassen; **leave me out of this** damit will ich nichts zu tun haben
leaves [liːvz] PL → leaf
leav·ing par·ty ['liːvɪŋ] N Abschiedsfeier *f*
lech·er·ous ['letʃərəs] ADJ geil, lüstern
lec·ture ['lektʃə(r)] **A** N Vortrag *m*; *at university* Vorlesung *f* **B** VI e-e Vorlesung halten, Vorlesungen halten; **he lectures in English** er ist Dozent für Anglistik
'lec·ture hall N Hörsaal *m*
lec·tur·er ['lektʃərə(r)] N Dozent(in) *m(f)*
LED [eliː'diː] ABBR *for* light-emitting diode LED, Leuchtdiode *f*
led [led] PRET & PAST PART → lead[1]
ledge [ledʒ] N *on cliff, mountain* (Fels-)Vorsprung *m*; *outside window* (Fenster-)Sims *m*; *inside window* Fensterbrett *n*
ledg·er ['ledʒə(r)] N ECON Hauptbuch *n*
leek [liːk] N Lauch *m*, Porree *m*
leer [lɪə(r)] N *sexual* anzügliches Grinsen; *malicious* heimtückischer Blick
left[1] [left] **A** ADJ linke(r, -s), Links- **B** N Linke *f*, linke Seite; **on the ~** links, auf der linken Seite; **to the ~** *twist, look* nach links; **the Left** POL die Linke; **take a ~** links abbiegen **C** ADV *twist, look* nach links
left[2] [left] PRET & PAST PART → leave
'left-hand ADJ linke(r, -s); **~ bend** Linkskurve *f* **left-hand 'drive** N Linkssteuerung *f* **left-'hand·ed** ADJ linkshändig; **be ~** Linkshänder(in) sein **left 'lug·gage (of·fice)** N Gepäckaufbe-

wahrung *f* **'left-o·vers** N *pl food* (Über)Reste *pl* **left 'wing** N POL, SPORTS linker Flügel **left-'wing** ADJ POL linke(r, -s) **left-wing ex'tre·mist** N Linksextremist(in) *m(f)*
leg [leg] N Bein *n*; *of journey* Etappe *f*; **pull sb's ~** *fig* j-n auf den Arm nehmen
leg·a·cy ['legəsɪ] N Erbschaft *f*
le·gal ['li:gl] ADJ *permitted* legal; *guardian, representative* gesetzlich; **take ~ action against sb** gegen j-n Klage erheben
le·gal ad'vis·er N Rechtsberater(in) *m(f)* **le·gal 'ba·sis** N Rechtsgrundlage *f* **le·gal 'in·stru·ment** N Rechtsinstrument *n*
le·gal·i·ty [lɪ'gæləti] N Legalität *f*
le·gal·ize ['li:gəlaɪz] V/T legalisieren
le·gal 'pro·cess N Rechtsweg *m*
le·gend ['ledʒənd] N Legende *f*
le·gend·ar·y ['ledʒəndrɪ] ADJ legendär
le·gi·ble ['ledʒəbl] ADJ lesbar
le·gis·late ['ledʒɪsleɪt] V/I Gesetze erlassen
le·gis·la·tion [ledʒɪs'leɪʃn] N Gesetze *pl*; *passing of laws* Gesetzgebung *f*
le·gis·la·tive ['ledʒɪslətɪv] ADJ gesetzgebend; *assembly a.* legislativ
le·gis·la·tive 'ses·sion N Legislaturperiode *f*
le·gis·la·tor ['ledʒɪsleɪtə(r)] N Gesetzgeber *m*
le·gis·la·ture ['ledʒɪslətʃə(r)] N POL Legislative *f*
le·git·i·mate [lɪ'dʒɪtɪmət] ADJ legitim; *child* ehelich; *complaint* berechtigt
'leg room N Beinfreiheit *f*, Platz *m* für die Beine
lei·sure ['leʒə(r), *US* 'li:ʒər] N Freizeit *f*; **a life of ~** ein Leben *n* der Muße; **at your ~** wenn du Zeit dazu hast
'lei·sure cen·tre, 'lei·sure cen·ter *US* N Freizeitzentrum *n*
lei·sure·ly ['leʒəlɪ] ADJ *pace, lifestyle* gemächlich
'lei·sure time N Freizeit *f*
'lei·sure·wear N Freizeitkleidung *f*
le·mon ['lemən] N Zitrone *f*
le·mon·ade [lemə'neɪd] N (Zitronen)Limonade *f*
lend [lend] V/T ⟨lent, lent⟩ leihen
length [leŋθ] N Länge *f*; *of material etc* Stück *n*; **at ~** *describe* ausführlich; *finally* schließlich; **go to great lengths to do sth** sich große Mühe geben, etw zu tun; **~ of service** Dienstalter *n*
length·en ['leŋθən] V/T verlängern
length·ways ['leŋθweɪz], **length·wise** ['leŋθwaɪz] ADV der Länge nach
length·y ['leŋθɪ] ADJ ⟨-ier, -iest⟩ *stay* ziemlich lang; *speech a.* langatmig
le·ni·ent ['li:nɪənt] ADJ nachsichtig
lens [lenz] N Linse *f*; *of glasses* Glas *n*
lent [lent] PRET & PAST PART → lend
Lent [lent] N REL Fastenzeit *f*
len·til ['lentl] N Linse *f*
Le·o ['li:əʊ] N ASTROL Löwe *m*
les·bi·an ['lezbɪən] **A** N Lesbierin *f*, Lesbe *f* **B** ADJ lesbisch
less [les] ADV weniger
less·ee [les'i:] N Pächter(in) *m(f)*
less·en ['lesn] **A** V/T verringern; *pain* lindern **B** V/I nachlassen
less·er ['lesə(r)] ADJ kleiner, geringer
les·son ['lesn] N Stunde *f*; *in textbook* Lektion *f*; REL Lesung *f*; **I'm taking German lessons** ich lerne Deutsch; **teach sb a ~** *fig* j-m e-e Lektion erteilen
less·or ['lesɔ:(r)] N Verpächter(in) *m(f)*
let[1] [let] V/T ⟨-tt-⟩ *room* vermieten (**to** an)
let[2] [let] V/T ⟨-tt-; let, let⟩ lassen; **~ sb do sth** j-n etw tun lassen; **~ me go!** lass mich los!; **let's go!** gehen wir!; **~ alone** geschweige denn; **~ go of sth** *rope, grip* etw loslassen
♦**let down** V/T *hair, blind* herunterlassen; *dress, trousers* länger machen; *person* enttäuschen; *in difficult situation* im Stich lassen
♦**let in** V/T hereinlassen
♦**let off** V/T *not punish* davonkommen lassen; *firework* loslassen
♦**let out** V/T *of room, building* herauslassen; *hem* auslassen; *cry* ausstoßen; *room* vermieten (**to** an)
♦**let up** V/I *rain, noise* aufhören
le·thal ['li:θl] ADJ tödlich
le·thar·gic [lɪ'θɑ:dʒɪk] ADJ träge
leth·ar·gy ['leθədʒɪ] N Lethargie *f*, Trägheit *f*
let·ter ['letə(r)] N Brief *m* (**to** an); *of alphabet* Buchstabe *m*
'let·ter·box N Briefkasten *m* **'let·ter·head** N *on letter* Briefkopf *m*; *official* Geschäfts(brief)papier *n* **let·ter of 'cred·it** N ECON Kreditbrief *m* **let·ter of re·com·men'da·tion** N Emp-

fehlungsschreiben *n* **let·ter of res·ig'na·tion** N Entlassungsgesuch *n*
let·tuce ['letɪs] N Kopfsalat *m*
'let·up N **without a ~** ohne Nachlass, ohne aufzuhören
leu·kae·mi·a, **leu·ke·mi·a** *US* [lu:'ki:mɪə] N Leukämie *f*
lev·el ['levl] **A** ADJ *field, surface* eben; **they're ~** *in race* sie liegen gleich auf; **draw ~ with sb** mit j-m gleichziehen **B** N *on scale, in hierarchy* Niveau *n*; *amount* Grad *m* (**of** an); *of oxygen* Gehalt *m* (**of** an); *of temperature* Höhe *f*; *of river* Wasserstand *m*; *in building* Etage *f*; **~ of alcohol** Alkoholspiegel *m*
lev·el 'cross·ing N Bahnübergang *m* (mit Schranken)
lev·el-'head·ed ADJ *person* ausgeglichen; *decision etc* ausgewogen
le·ver ['li:və(r), *US* 'levər] **A** N Hebel *m* **B** V/T (hoch)stemmen; **~ sth open** etw aufstemmen
lev·er·age ['li:vrɪdʒ] N Hebelkraft *f*; *of person* Einfluss *m*
lev·y ['levɪ] V/T ‹-ied› *taxes* erheben
lewd [lu:d] ADJ *person, joke* unanständig; *remark, suggestion* anzüglich
li·a·bil·i·ty [laɪə'bɪlətɪ] N *responsibility* Haftung *f*
li·a·ble ['laɪəbl] ADJ *responsible* haftbar; **be ~ for damages** für Schaden haften; **it's ~ to break** es geht leicht kaputt; **he's ~ to disagree** er wird wahrscheinlich anderer Meinung sein
♦**li·aise with** [lɪ'eɪzwɪð] V/T sich in Verbindung setzen mit; *department, ministry* in Verbindung stehen mit
li·ai·son [lɪ'eɪzɒn] N Verbindung *f*
li·ar ['laɪə(r)] N Lügner(in) *m(f)*
Lib-Dem [lɪb'dəm] ABBR *for* Liberal Democrat Liberal-Demokrat(in) *m(f)*
li·bel ['laɪbl] **A** N Verleumdung *f* **B** V/T ‹-ll-, *US* -l-› verleumden
lib·e·ral ['lɪbrəl] ADJ **A** ADJ *tolerant*, POL liberal; *portion etc* großzügig **B** N POL Liberale(r) *m/f(m)*
lib·e·rate ['lɪbəreɪt] V/T befreien
lib·e·ra·tion [lɪbə'reɪʃn] N Befreiung *f*
lib·er·ty ['lɪbətɪ] N Freiheit *f*; **at ~** *prisoner etc* frei; **be at ~ to do sth** etw tun dürfen
Li·bra ['li:brə] N ASTROL Waage *f*
li·brar·i·an [laɪ'breərɪən] N Bibliothekar(in) *m(f)*
li·brar·y ['laɪbrərɪ] N Bibliothek *f*, Bücherei *f*; *at home* Bibliothek *f*
lice [laɪs] PL → louse
li·cence ['laɪsns] N Genehmigung *f*; *to drive* Führerschein *m*; *for gun* Waffenschein *m*; *for dog* Hundemarke *f*; *for imports etc* Lizenz *f*
li·cense ['laɪsns] **A** V/T e-e Lizenz erteilen für; **be licensed** genehmigt sein; *car* zugelassen sein **B** N *US* → licence
'li·cense plate N *US* Nummernschild *n*
lick [lɪk] V/T lecken
lic·o·rice ['lɪkərɪs] N *US* Lakritze *f*
lid [lɪd] N *of bottle, crate* Deckel *m*
lie[1] [laɪ] **A** N Lüge *f*; **tell lies** lügen **B** V/I lügen; **~ to sb** j-n an- *or* belügen
lie[2] [laɪ] V/I ‹lay, lain› *person, object* liegen; *town, factory a.* sich befinden
♦**lie around** V/I herumliegen
♦**lie down** V/I sich hinlegen
Liech·ten·stein ['lɪʃtənstaɪn] **A** N Liechtenstein *n* **B** ADJ liechtensteinisch
Liech·ten·stein·er ['lɪʃtənstaɪnə(r)] N Liechtensteiner(in) *m(f)*
lie-'in N **have a ~** (sich) ausschlafen
lieu [lju:] N **in ~ of** anstelle von
lieu·ten·ant [lef'tenənt, *US* lu:'tenənt] N Leutnant *m*
life [laɪf] N ‹*pl* lives [laɪvz]› Leben *n*; *of machine* Lebensdauer *f*; *of contract* Laufzeit *f*; *at party, in music* Schwung *m*
'life belt N Rettungsgürtel *m* **'life·boat** N Rettungsboot *n* **life-cy·cle a'na·ly·sis** N Ökobilanz *f* **'life ex·pect·an·cy** N Lebenserwartung *f* **'life·guard** N Rettungsschwimmer(in) *m(f)* **life 'his·to·ry** N Lebensgeschichte *f* **life im'pris·on·ment** N lebenslängliche Haftstrafe **'life in·sur·ance** N Lebensversicherung *f* **'life jack·et** N Schwimmweste *f*
life·less ['laɪflɪs] ADJ leblos
life·like ['laɪflaɪk] ADJ lebensecht
'life·long ADJ lebenslang **life pre·serv·er** ['laɪfprɪzɜ:və(r)] N *US* Schwimmweste *f*; Schwimmgürtel *m* **'life-sav·ing** ADJ lebensrettend **life 'sen·tence** N JUR lebenslängliche Freiheitsstrafe **life·sized** ['laɪfsaɪzd] ADJ lebensgroß **'life-threat·en·ing** ADJ lebensbedrohend **'life·time** N Lebenszeit *f*;

in my ~ während meines Lebens
lift [lɪft] **A** VT (hoch)heben **B** VI *fog* sich heben, sich lichten **C** N *in building* Fahrstuhl *m*, Aufzug *m*; **get a ~ from sb** *in car* von j-m mitgenommen werden
♦**lift off** VI *rocket* abheben
'lift-off N *of rocket* Abheben *n*
lig·a·ment ['lɪgəmənt] N MED Band *n*
light¹ [laɪt] **A** N Licht *n*; *lamp* Lampe *f*; **in (the) ~ of** angesichts; **have you got a ~?** hast du (mal) Feuer? **B** VT ⟨lit, lit⟩ *fire, wood, paper* anzünden; *streets, building* beleuchten **C** ADJ *not dark* hell
♦**light up** **A** VT *streets* beleuchten **B** VI sich e-e Zigarette anzünden
light² [laɪt] **A** ADJ *not heavy* leicht **B** ADV *travel* mit wenig Gepäck
'light bulb N Glühbirne *f*
light·en¹ ['laɪtn] VT *become paler, brighter* aufhellen
light·en² ['laɪtn] VT *load* leichter machen
♦**lighten up** VI **lighten up!** *infml* sei nicht so ernst!
light·er ['laɪtə(r)] N *for cigarettes* Feuerzeug *n*
light-head·ed [laɪt'hedɪd] ADJ *dizzy* benebelt, benommen **light-heart·ed** [laɪt'hɑːtɪd] ADJ *mood* unbeschwert; *film* fröhlich, vergnüglich; *criticism* scherzhaft **'light·house** N Leuchtturm *m*
light·ing ['laɪtɪŋ] N Beleuchtung *f*
light·ly ['laɪtlɪ] ADV *touch* leicht; **get off ~** glimpflich davonkommen
light·ness¹ ['laɪtnɪs] N *of room, colour* Helligkeit *f*
light·ness² ['laɪtnɪs] N *of weight* geringes Gewicht, Leichtheit *f*
light·ning ['laɪtnɪŋ] N Blitz *m*; **a flash of ~** ein Blitz *m*
'light·ning con·duc·tor N Blitzableiter *m*
'light·weight N *boxer, a. fig* Leichtgewicht *n*
like¹ [laɪk] **A** PREP wie; **be ~ sb** *in appearance, character* j-m ähnlich sein; **be ~ sth** so wie etw sein; **what is she ~?** *in appearance, manner* wie ist sie?; **it's not ~ him** *it's not typical of him* es ist nicht s-e Art; **that's more ~ it** so ist es schon besser; **there's nothing ~ ...** es geht nichts über ... **B** CJ *infml* wie; **it looks ~ you've lost it** es sieht so aus, als ob du's verloren hast
like² [laɪk] **A** VT mögen, gernhaben; **I would ~ ...** ich möchte ...; **how do you ~ it?** wie gefällt es dir?; **~ doing sth**, *esp US* **~ to do sth** etw gerne tun; **if you ~** wenn du willst **B** N Vorliebe *f*; **his likes and dislikes** was er mag und was nicht
-like [laɪk] ADJ -ähnlich, -artig
like·a·ble ['laɪkəbl] ADJ nett, sympathisch
like·li·hood ['laɪklɪhʊd] N Wahrscheinlichkeit *f*
like·ly ['laɪklɪ] ADJ ⟨-ier, -iest⟩ wahrscheinlich; *candidate* aussichtsreich; **are you ~ to see him tomorrow?** siehst du ihn wohl morgen?; **not ~!** wohl kaum!; **a ~ story!** das glaubst du ja wohl selbst nicht!
like·ness ['laɪknɪs] N Ähnlichkeit *f*
like·wise ['laɪkwaɪz] ADV ebenso, gleichermaßen; **nice to meet you – ~** *esp formal* sehr erfreut – ebenfalls
lik·ing ['laɪkɪŋ] N Vorliebe *f* (**for** für); **to your ~** nach deinem Geschmack; **take a ~ to sb** j-n (gut leiden) mögen
li·lac ADJ ['laɪlək] *colour* fliederfarben, lila
limb [lɪm] N Glied *n*
lime¹ [laɪm] N *fruit* Limone *f*; *tree* Linde *f*
lime² [laɪm] N *substance* Kalk *m*
lime 'green ADJ hellgrün
'lime·light N **be in the ~** im Rampenlicht stehen
lim·it ['lɪmɪt] **A** N *of area, patience, duration* Grenze *f*; *of speed etc* Begrenzung *f*; **within limits** in Grenzen; **off limits** *on sign* Zutritt verboten; **that's the ~!** *infml* das ist die Höhe! **B** VT begrenzen, beschränken (**to** auf)
lim·i·ta·tion [lɪmɪ'teɪʃn] N *of size, extent* Beschränkung *f*; **he knows his limitations** er kennt s-e Grenzen
lim·i'ta·tion pe·ri·od N JUR Verjährungsfrist *f*
lim·it·ed 'com·pa·ny [lɪmɪtɪd] N Gesellschaft *f* mit beschränkter Haftung
li·mo ['lɪməʊ] N *infml* Luxuslimousine *f*
lim·ou·sine ['lɪməziːn] N Limousine *f*
limp¹ [lɪmp] ADJ schlaff, schlapp
limp² [lɪmp] N Hinken *n*, Humpeln *n*; **he has a ~** er humpelt
line¹ [laɪn] N Linie *f*; *on paper a., on road*

L

Strich *m*; TEL Leitung *f*; *of people, trees* Reihe *f*; *US* (Menschen)Schlange *f*; *of text* Zeile *f*; **~ of business** Erwerbszweig *m*, Branche *f*; **the ~ is busy** der Anschluss ist besetzt; **draw the ~** *fig* e-e Grenze ziehen; **~ of reasoning** Argumentation *f*; **stand in ~** *US* sich anstellen, Schlange stehen; **in ~ with** ... *corresponding to* in Übereinstimmung mit ...

♦ **line up** VI *in line* sich aufstellen; *at till* sich anstellen

line² [laɪn] VT *jacket etc* füttern

lin·e·ar ['lɪnɪə(r)] ADJ gradlinig, linear

'line man·a·ger N Vorgesetzte(r) *m/f(m)*

lin·en ['lɪnɪn] N *material* Leinen *n*; *sheets etc* Wäsche *f*

lin·er ['laɪnə(r)] N *ship* Passagierschiff *n*

'lines·man N SPORTS Linienrichter *m*

lin·ger ['lɪŋgə(r)] VI bleiben; *smell* nicht weggehen

lin·ge·rie ['lænʒərɪ] N Damenunterwäsche *f*

L

lin·guist ['lɪŋgwɪst] N Linguist(in) *m(f)*; Sprachwissenschaftler(in) *m(f)*; **be a good ~** sprachbegabt sein

lin·guis·tic [lɪŋ'gwɪstɪk] ADJ sprachlich

lin·ing ['laɪnɪŋ] N *of clothes* Futter *n*; *of pipe* Auskleidung *f*; *of brakes* (Brems)Belag *m*

link [lɪŋk] **A** N *connection* Verbindung *f*; *in chain* Glied *n*; IT Link *m* **B** VT verbinden (**to** mit); **is she linked with ...?** hat sie etwas mit ... zu tun?

♦ **link up** VI zusammenkommen; *people* sich zusammentun; TV kooperieren

li·on ['laɪən] N Löwe *m*

lip [lɪp] N Lippe *f*

'lip·read VI ⟨lipread [lɪpred], lipread [lɪpred]⟩ von den Lippen (ab)lesen

'lip·stick N Lippenstift *m*

li·queur [lɪ'kjʊə(r)] N Likör *m*

liq·uid ['lɪkwɪd] **A** N Flüssigkeit *f* **B** ADJ flüssig

liq·ui·date ['lɪkwɪdeɪt] VT *a. infml: kill* liquidieren

liq·uid·i·ty [lɪ'kwɪdɪtɪ] N ECON Liquidität *f*

liq·uid·ize ['lɪkwɪdaɪz] VT (im Mixer) pürieren

liq·uid·iz·er ['lɪkwɪdaɪzə(r)] N Mixer *m*

liq·uor ['lɪkə(r)] N *sg* Spirituosen *pl*

liq·uo·rice ['lɪkərɪs] N Lakritze *f*

Lis·bon ['lɪzbən] N Lissabon *n*

Lis·bon 'Stra·te·gy N *EU* Lissabon-Strategie *f*

Lis·bon 'Trea·ty N *EU* Lissabon-Vertrag *m*

lisp [lɪsp] **A** N Lispeln *n* **B** VI lispeln

list [lɪst] **A** N Liste *f* **B** VT *in writing* auflisten; *orally* aufzählen; **be listed** *building* unter Denkmalschutz stehen

lis·ten ['lɪsn] VI (zu)hören

♦ **listen in** VI mithören

♦ **listen in on** VT *conversation* belauschen, mithören

♦ **listen to** VT zuhören; *CD, concert* anhören; *advice* hören auf; **listen to the radio** Radio hören

lis·ten·er ['lɪsnə(r)] N *to radio* Hörer(in) *m(f)*; **he's a good ~** er ist ein guter Zuhörer

list·ings mag·a·zine ['lɪstɪŋz] N Programmzeitschrift *f*

list·less ['lɪstlɪs] ADJ lustlos

'list price N ECON Listenpreis *m*

lit [lɪt] PRET & PAST PART → light¹

li·ter *US* → litre

lit·er·al ['lɪtərəl] ADJ wörtlich

lit·er·al·ly ['lɪtərəlɪ] ADV *translated* (wort)wörtlich; **it was ~ impossible** es war wirklich unmöglich

lit·er·ar·y ['lɪtərərɪ] ADJ literarisch, Literatur-

lit·er·a·ture ['lɪtrətʃə(r)] N Literatur *f*

Lith·u·an·i·a [lɪθju:'eɪnɪə] N Litauen *n*

Lith·u·an·i·an [lɪθju:'eɪnɪən] **A** ADJ litauisch **B** N Litauer(in) *m(f)*; *language* Litauisch *n*

li·ti·ga·tion [lɪtɪ'geɪʃn] N JUR Prozess *m*

li·tre ['li:tə(r)] N Liter *m or n*

lit·ter ['lɪtə(r)] N Abfall *m*, Abfälle *pl*; *of animal* Wurf *m*

'lit·ter bin N Abfalleimer *m*

lit·tle ['lɪtl] **A** ADJ ⟨smaller, smallest⟩ klein; **the ~ ones** *pl* die Kleinen *pl* **B** N **the ~ I know** das wenige, was ich weiß; **a ~** ein wenig, ein bisschen **C** ADV **~ by ~** nach und nach; **a ~ better** ein wenig *or* ein bisschen besser; **a ~ before 6** kurz vor 6

live¹ [lɪv] VI leben; *in town, countryside etc* wohnen; *patient* am Leben bleiben, überleben

♦ **live on** **A** VT *rice, bread* leben von, sich ernähren von **B** VI *not die* weiterleben

♦**live together** VI *as partners* zusammenleben; *share flat* zusammenwohnen

♦**live up to** VT *reputation* gerecht werden; *expectations* entsprechen

♦**live with** VT zusammenwohnen mit; **I can live with that** damit kann ich leben

live² [laɪv] ADJ *transmission* live; ELEC unter Strom stehend; *munition* scharf; *animal* lebendig; **a real ~ movie star** *infml* ein echter Filmstar

live·li·hood ['laɪvlɪhʊd] N Lebensunterhalt *m*

live·li·ness ['laɪvlɪnɪs] N Lebhaftigkeit *f*

live·ly ['laɪvlɪ] ADJ ‹-ier, -iest› lebhaft

liv·er ['lɪvə(r)] N ANAT, *food* Leber *f*

lives [laɪvz] PL → life

live·stock ['laɪvstɒk] N Vieh *n*

liv·id ['lɪvɪd] ADJ wütend

liv·ing ['lɪvɪŋ] **A** ADJ lebend **B** N Lebensunterhalt *m*; **the ~** *pl* die Lebenden *pl*; **what do you do for a ~?** was machen Sie beruflich?

'liv·ing room N Wohnzimmer *n*

liz·ard ['lɪzəd] N Eidechse *f*

Ljub·lja·na [ljʌb'ljɑːnə] N Ljubljana *n*

load [ləʊd] **A** N *burden* Last *f*; *on lorry* Ladung *f*; ELEC Spannung *f*; **loads of ...** *infml* massenhaft ..., jede Menge ... **B** VT *vehicle* beladen; *goods, gun, software* laden; *film in camera* einlegen

load·ed ['ləʊdɪd] ADJ *infml: very rich* stinkreich; *drunk* besoffen

loaf [ləʊf] N ‹*pl* loaves [ləʊvz]› Laib *m*; **a ~ of bread** ein Laib *m* Brot, ein Brot *n*

♦**loaf about** VI *infml* herumhängen; *do nothing* faulenzen

loaf·er ['ləʊfə(r)] N Halbschuh *m*

loan [ləʊn] **A** N Darlehen *n*; **on ~** geliehen **B** VT **~ sb sth** j-m etw leihen

'loan shark N ECON Kredithai *m*

loath [ləʊθ] ADJ **be ~ to do sth** etw nur (sehr) ungern tun

loathe [ləʊð] VT verabscheuen

loath·ing ['ləʊðɪŋ] N Abscheu *m* (**of** vor)

loaves [ləʊvz] PL → loaf

lob·by ['lɒbɪ] N *in theatre* Foyer *n*; *in hotel a.* Eingangshalle *f*; POL Lobby *f*

lob·by·ing ['lɒbɪɪŋ] N Lobbying *n*

lobe [ləʊb] N *of ear* Ohrläppchen *n*

lob·ster ['lɒbstə(r)] N Hummer *m*

lo·cal ['ləʊkl] **A** ADJ örtlich; *radio, news, newspaper etc* Lokal-; *people* ortsansässig; **are you ~?** bist du *or* sind sie von hier? **B** N *person* Ortsansässige(r) *m/f(m)*; *pub* Stammkneipe *f*

'lo·cal call N TEL Ortsgespräch *n* **lo·cal e'lec·tions** N *pl* Kommunalwahlen *pl* **lo·cal 'gov·ern·ment** N Gemeindeverwaltung *f*

lo·cal·i·ty [ləʊ'kælətɪ] N Gegend *f*

lo·cal·ly ['ləʊkəlɪ] ADV *live* am Ort

lo·cal 'prod·uce N Obst und Gemüse *n* aus der Region **lo·cal 'tax·es** N *pl* Kommunalabgaben *pl* **lo·cal 'time** N Ortszeit *f* **lo·cal 'traf·fic** N Ortsverkehr *m*

lo·cate [ləʊ'keɪt] VT *new factory etc* legen (**in** nach); *find* ausfindig machen; **be located** sich befinden

lo·ca·tion [ləʊ'keɪʃn] N *place* Lage *f*; *of company a.* Standort *m*; *finding* Lokalisierung *f*; *of film* Drehort *m*; **shoot on ~** *film* Außenaufnahmen machen

loch [lɒx] N *in Scotland* See *m*

lock¹ [lɒk] N *of hair* Locke *f*

lock² [lɒk] **A** N *on door* Schloss *n* **B** VT *door* abschließen; **~ sth in position** etw feststellen

♦**lock away** VT wegschließen

♦**lock in** VT *person* einschließen

♦**lock out** VT aussperren

♦**lock up** **A** VT *criminal* einsperren; *house* abschließen **B** VI abschließen

lock·er ['lɒkə(r)] N *for valuables, luggage* Schließfach *n*; *for clothes* Spind *m*

'lock·er room N Umkleideraum *m*

'lock-out N ECON Aussperrung *f*

lock·smith ['lɒksmɪθ] N Schlosser(in) *m(f)*

lo·cust ['ləʊkəst] N Heuschrecke *f*

lodge [lɒdʒ] **A** VT *complaint* einlegen **B** VI *bullet, ball* stecken bleiben

lodg·er ['lɒdʒə(r)] N Untermieter(in) *m(f)*

lodg·ing ['lɒdʒɪŋ] N *esp archaic* Unterkunft *f*; **lodgings** *pl* möbliertes Zimmer

loft [lɒft] N Dachboden *m*, Speicher *m*

loft·y ['lɒftɪ] ADJ ‹-ier, -iest› *building etc* hoch; *ideals* hoch(fliegend)

log [lɒg] **A** N Baumstamm *m*; *for fire* (Holz)Scheit *n*; *record* Dokumentation *f*; NAUT Logbuch *n*; **keep a ~ of sth** über etw Buch führen **B** VI ‹-gg-› Holz fällen; **~ into sth** sich in etw einloggen

♦ **log off** VI sich ausloggen
♦ **log on** VI sich einloggen
♦ **log on to** VT sich einloggen in
'log·book N NAUT Logbuch *n;* AUTO Fahrtenbuch *n*
log 'cab·in N Blockhaus *n*
log·ger·heads ['lɒgəhedz] N *pl* **be at ~ (with sb) over sth** über etw Streit (mit j-m) haben
lo·gic ['lɒdʒɪk] N Logik *f*
lo·gic·al ['lɒdʒɪkl] ADJ logisch
lo·gis·tics [lə'dʒɪstɪks] N *pl* Logistik *f*
loin [lɔɪn] N COOK Lende *f,* Lendenstück *n*
loi·ter ['lɔɪtə(r)] VI *dawdle* trödeln; *hang around* herumlungern
lol·li·pop ['lɒlɪpɒp] N Lutscher *m; ice cream* Eis *n* am Stiel
lol·ly ['lɒlɪ] N Lutscher *m; ice cream* Eis *n* am Stiel; *infml: money* Kohle *f,* Zaster *m*
Lo·mé Con·ven·tion [ləʊmeɪkən'venʃn] N *EU* Lomé-Abkommen *n*
Lon·don ['lʌndən] N London *n*
lone·li·ness ['ləʊnlɪnɪs] N Einsamkeit *f*
lone·ly ['ləʊnlɪ] ADJ ⟨-ier, -iest⟩ einsam
lon·er ['ləʊnə(r)] N Einzelgänger(in) *m(f)*
long[1] [lɒŋ] **A** ADJ lang; **it's a ~ way** es ist weit; **for a ~ time** lange **B** ADV lang(e); **don't be ~** beeil dich; **that was ~ ago** das ist schon lange her, das war vor langer Zeit; **before ~** bald; **no longer** nicht mehr; **so ~ as** solang(e), vorausgesetzt, dass; **so ~!** tschüs(s)!, bis später!
long[2] [lɒŋ] VI **~ for sth** sich nach etw sehnen; **be longing to do sth** es kaum abwarten können, etw zu tun
long-'dis·tance ADJ *call* Fern-; *run, flight* Langstrecken-
lon·gev·i·ty [lɒn'dʒevɪtɪ] N Langlebigkeit *f*
long·ing ['lɒŋɪŋ] N Sehnsucht *f* (**for** nach)
lon·gi·tude ['lɒŋgɪtju:d] N Länge *f*
long-life 'milk N H-Milch *f* **long-'range** ADJ *rocket* Langstrecken-; *forecast* langfristig **long-sight·ed** [lɒŋ'saɪtɪd] ADJ weitsichtig **long-sleeved** [lɒŋ'sli:vd] ADJ langärmelig **long-'stand·ing** ADJ alt, langjährig **long-'term** ADJ langfristig **long-term re'la·tion·ship** N Lebenspartnerschaft *f,* langjährige Beziehung **long-term un·em'ployed** ADJ langzeitarbeitslos; **the ~** *pl* die Langzeitarbeitslosen *pl* **long-term un·em'ploy·ment** N Langzeitarbeitslosigkeit *f* **'long wave** N RADIO Langwelle *f* **long·wind·ed** [lɒŋ'wɪndɪd] ADJ *explanation* langatmig
loo [lu:] N *infml* Klo *n*
look [lʊk] **A** N Blick *m; appearance* Aussehen *n;* **have a ~ at sth** sich etw ansehen; **can I have a ~?** darf ich mal sehen?; **looks** *pl* Aussehen *n* **B** VI sehen, schauen, gucken; *search* nachsehen; *appear* aussehen; **it looks as if ..., it looks like ...** es siehst so aus, als ob ...; **you ~ tired** du siehst müde aus; **~ where you're going!** pass auf, wo du hintrittst!
♦ **look after** VT aufpassen auf; *affairs* sich kümmern um
♦ **look ahead** VI *fig* vorausschauen
♦ **look around** VI sich umsehen
♦ **look at** VT anschauen; *painting, photo a., suggestion, situation* sich ansehen; *offer* in Betracht ziehen
♦ **look back** VI zurückblicken, sich umsehen
♦ **look down on** VT herabsehen auf
♦ **look for** VT suchen (nach)
♦ **look forward to** VT sich freuen auf
♦ **look in on** VT *visit* vorbeikommen bei
♦ **look into** VT *investigate* untersuchen
♦ **look on** **A** VI zusehen **B** VT **look on sb/sth as ...** j-n/etw als ... betrachten
♦ **look onto** VT *garden, street* (hinaus)gehen auf
♦ **look out** VI *of window etc* hinaussehen; *be careful* aufpassen
♦ **look out for** VT *be on lookout for* Ausschau halten nach; *be careful of* aufpassen auf
♦ **look over** VT *text* durchsehen; *house* sich ansehen
♦ **look round** VT *town etc* sich umsehen in
♦ **look through** VT *notes etc* durchsehen
♦ **look to** VT sich verlassen auf
♦ **look up** **A** VI aufsehen; *improve* besser werden **B** VT *word* nachschlagen; *friends* besuchen
♦ **look up to** VT *admire* aufsehen zu
'look·a·like N Doppelgänger(in) *m(f)*
'look·out N *person* Wach(t)posten *m;* **be on the ~ for** Ausschau halten nach

L

loon·y ['lu:nɪ] *infml* **A** N Verrückte(r) *m/f(m)*, Irre(r) *m/f(m)* **B** ADJ ‹-ier, -iest› verrückt
loop [lu:p] **A** N Schleife *f* **B** V/T **~ sth around sth** etw um etw schlingen
'loop·hole N *in law etc* Lücke *f*, Hintertürchen *n*
loose [lu:s] ADJ *connection, button* lose; *clothes* weit; *morals* locker; *formulation* grob; **~ change** Kleingeld *n*; **~ ends** *pl of discussion* (noch) offenstehende Probleme *pl*; **be on the ~** *prisoner* auf freiem Fuß sein; *animal* frei herumlaufen
loose·ly ['lu:slɪ] ADV *tied* lose, locker; *formulated* grob
loos·en ['lu:sn] V/T lockern
♦ **loosen up** **A** V/T *muscles* lockern; *soil* auflockern **B** V/I *sportsman* sich locker machen; *fig* sich entspannen
loot [lu:t] **A** N Beute *f* **B** V/I plündern
loot·er ['lu:tə(r)] N Plünderer(in) *m(f)*
♦ **lop off** [lɒp'ɒf] V/T ‹-pp-› abhacken
lop·sid·ed [lɒp'saɪdɪd] ADJ schief; *fig* einseitig
Lord [lɔ:d] N *God* Herr *m*; *aristocratic title* Lord *m*; **good ~!** mein Gott!; **the (House of) Lords** das Oberhaus
lor·ry ['lɒrɪ] N Lastwagen *m*, Lkw *m*
lose [lu:z] ‹lost, lost› **A** V/T verlieren **B** V/I SPORTS verlieren; *clock* nachgehen; **I'm lost** ich habe mich verlaufen/verfahren; **get lost!** *infml* hau ab!
♦ **lose out** V/I den Kürzeren ziehen, schlecht wegkommen
los·er ['lu:zə(r)] N Verlierer(in) *m(f)*; *infml*: *in life* Versager(in) *m(f)*, Loser(in) *m(f)*
loss [lɒs] N Verlust *m*; **be at a ~** nicht mehr weiterwissen; **make a ~** Verlust machen; **~ of earnings** Verdienstausfall *m*
lost [lɒst] **A** ADJ verloren; *opportunity* verpasst; **~ in thought** in Gedanken versunken **B** PRET & PAST PART → lose
lost 'prop·er·ty of·fice, **lost and 'found** *US* N Fundbüro *n*
lot¹ [lɒt] ADV **a ~, lots** *eat, try* viel; *see, visit* oft; *like, change* sehr; **a ~ of, lots of** viel(e); **a ~** *or* **lots better** viel besser; **the ~** alles
lot² [lɒt] N Los *n*; **draw lots** (aus)losen
lot·te·ry ['lɒtərɪ] N Verlosung *f*; **the National Lottery** das Lotto

loud [laʊd] ADJ laut; *colour* grell
loud'speak·er N Lautsprecher *m*; *of stereo a.* Box *f*
lounge [laʊndʒ] N Wohnzimmer *n*; *in hotel* Aufenthaltsraum *m*; *at airport* Warteraum *m*
♦ **lounge about** V/I herumliegen
louse [laʊs] N ‹*pl* lice [laɪs]› Laus *f*; *fig infml* miese Ratte
lous·y ['laʊzɪ] ADJ ‹-ier, -iest› *infml* mies
lout [laʊt] N Rüpel *m*
lov·a·ble ['lʌvəbl] ADJ liebenswert
love [lʌv] **A** N Liebe *f* (**for** zu); *in tennis* null; **be in ~ with sb** in j-n verliebt sein; **fall in ~ with sb** sich in j-n verlieben; **make ~** sich lieben, miteinander schlafen, Liebe machen; **yes, my ~** ja, Liebling; **~, Helen** *at end of letter* viele liebe Grüße, Helen **B** V/T lieben; **~ doing sth** etw sehr gern tun
'love af·fair N Verhältnis *n* **'love let·ter** N Liebesbrief *m* **'love·life** N Liebesleben *n*
love·ly ['lʌvlɪ] ADJ ‹-ier, -iest› *face, holiday, food* wunderschön; *colour, tune, weather a.* herrlich; *person* liebenswürdig
lov·er ['lʌvə(r)] N Liebhaber(in) *m(f)*; **they are lovers** sie sind ein Liebespaar
lov·ing ['lʌvɪŋ] ADJ liebevoll
low [ləʊ] **A** ADJ niedrig; *voice* tief; *quality* gering; **be feeling ~** niedergeschlagen sein; **be ~ on tea** nicht mehr viel Tee haben **B** N *weather* Tief *n*; *in sales, statistics* Tiefpunkt *m*, Tiefstand *m*
low'brow ADJ anspruchslos **low-'cal·o·rie** ADJ kalorienarm **low-'cost** ADJ preiswert, preisgünstig; **~ airline** Billigfluglinie *f* **low-'cut** ADJ *dress* tief ausgeschnitten **low-e'mis·sion** ADJ schadstoffarm; AUTO abgasarm
low·er ['ləʊə(r)] V/T *boat, sth to the ground* herunterlassen; *flag* einholen; *pressure* verringern; *price* senken
low-'fat ADJ fettarm **low-'in·come** ADJ einkommensschwach **low-'in·ter·est** ADJ zinsgünstig **low·'key** ADJ zurückhaltend **'low·lands** N *pl* Flachland *n*, Tiefland *n* **low-necked** [ləʊ'nekt] ADJ *dress* (tief) ausgeschnitten **low-pitched** [ləʊ'pɪtʃd] ADJ MUS tief **low-'pres·sure ar·e·a** N Tiefdruckgebiet *n* **low-'rise** ADJ *building* niedrig (gebaut) **'low sea·son** N Nebensaison

f **low 'tide** N Ebbe *f* **low-'wage coun·try** N Billiglohnland *n* **low--wage earn·er** [ləʊ'weɪdʒɜːnə(r)] N Geringverdiener(in) *m(f)* **low-'wage sec·tor** N Niedriglohnsektor *m*

loy·al ['lɔɪəl] ADJ treu (**to** *dat*)

loy·al·ly ['lɔɪəlɪ] ADV treu

loy·al·ty ['lɔɪəltɪ] N Treue *f* (**to** gegenüber); **~ card** ECON Kundenkarte *f*

loz·enge ['lɒzɪndʒ] N *shape* Raute *f*; *tablet* Halsbonbon *n or m*

Ltd *only written* ABBR *for* limited GmbH

lu·bri·cant ['luːbrɪkənt] N Schmiermittel *n*

lu·bri·cate ['luːbrɪkeɪt] V/T schmieren, ölen

lu·cid ['luːsɪd] ADJ *report* klar; *mentally* bei klarem Verstand

luck [lʌk] N Glück *n*; **bad ~** Unglück *n*, Pech *n*; **good ~!** viel Glück!; **be in ~** Glück haben

luck·i·ly ['lʌkɪlɪ] ADV glücklicherweise, zum Glück

luck·y ['lʌkɪ] ADJ ⟨-ier, -iest⟩ *person, coincidence* glücklich; *day, number* Glücks-; **you were ~** du hast Glück gehabt; **he's ~ to be alive** er kann von Glück reden, dass er noch lebt; **you ~ thing!** *infml* du Glückspilz!

lu·cra·tive ['luːkrətɪv] ADJ einträglich, lukrativ

lu·di·crous ['luːdɪkrəs] ADJ lächerlich

lug [lʌg] V/T ⟨-gg-⟩ *infml* schleppen

lug·gage ['lʌgɪdʒ] N Gepäck *n*

'lug·gage car·ri·er N *on bicycle* Gepäckträger *m* **'lug·gage lock·er** N Gepäckschließfach *n* **'lug·gage rack** N *on train* Gepäckablage *f* **'lug·gage trol·ley** N Kofferkuli *m* **'lug·gage van** N RAIL Gepäckwagen *m*

luke·warm [luːk'wɔːm] ADJ *a. fig* lauwarm

lull [lʌl] **A** N *in storm* Ruhe *f*, Nachlassen *n*; *in conversation, fighting* Pause *f* **B** V/T **~ sb into a false sense of security** j-n in trügerischer Sicherheit wiegen

lum·ber ['lʌmbə(r)] N *wood* (Bau)Holz *n*

'lum·ber·jack N Holzfäller *m* **'lum·ber mill** N *US* Sägewerk *n* **'lum·ber·yard** N *US* Holzlager *n*

lu·mi·na·ry ['luːmɪnərɪ] N *esp formal* Koryphäe *f*

lu·mi·nous ['luːmɪnəs] ADJ leuchtend, Leucht-

lump [lʌmp] N *of sugar, cheese* Stück *n*; *of soil, in sauce* Klumpen *m*; *swelling* Beule *f*; *internal* Geschwulst *f*; *in breast, lymph nodes* Knoten *m*

♦**lump together** V/T in e-n Topf werfen, über e-n Kamm scheren

lump 'sug·ar N Würfelzucker *m*

lump 'sum N Pauschalbetrag *m*, Pauschalsumme *f*

lump·y ['lʌmpɪ] ADJ ⟨-ier, -iest⟩ klumpig

lu·na·cy ['luːnəsɪ] N Wahnsinn *m*

lu·nar ['luːnə(r)] ADJ Mond-

lu·na·tic ['luːnətɪk] N Verrückte(r) *m/f(m)*, Wahnsinnige(r) *m/f(m)*

lunch [lʌntʃ] N Mittagessen *n*

'lunch box N Lunchbox *f* **'lunch break** N Mittagspause *f* **'lunch hour** N Mittag(s)stunde *f* **'lunch·time** N Mittagszeit *f*; *at school* Mittagspause *f*

lung [lʌŋ] N Lunge *f*

'lung can·cer N Lungenkrebs *m*

♦**lunge at** ['lʌndʒæt] V/T sich stürzen auf

lurch [lɜːtʃ] **A** V/I *person* taumeln, torkeln; *ship* schlingern **B** N *of train etc* Ruck *m*; **leave sb in the ~** *infml* j-n im Stich lassen

lure [lʊə(r)] **A** N Verlockung *f* **B** V/T anlocken

lu·rid ['lʊərɪd] ADJ *colour* grell; *details* widerlich

lurk [lɜːk] V/I *person* lauern

lus·cious ['lʌʃəs] ADJ köstlich, lecker; *infml: woman, man* zum Anbeißen

lush [lʌʃ] ADJ *vegetation* üppig

lust [lʌst] N *sexual* Lust *f*, Begierde *f*; *for power etc* Gier *f* (**for** nach)

lus·tre, lus·ter *US* ['lʌstə(r)] N Glanz *m*, Schimmer *m*

Lu·ther·an ['luːθərən] ADJ lutherisch

Lux·em·bourg ['lʌksəmbɜːg] **A** N Luxemburg *n* **B** ADJ luxemburgisch

Lux·em·bourg 'Com·pro·mise N *EU* Luxemburger Kompromiss *m*

Lux·em·bourg·er ['lʌksəmbɜːgə(r)] N Luxemburger(in) *m(f)*

lux·u·ri·ant [lʌg'ʒʊərɪənt] ADJ üppig

lux·u·ri·ous [lʌg'ʒʊərɪəs] ADJ luxuriös, Luxus-

lux·u·ry ['lʌkʃərɪ] **A** N Luxus *m*; *expensive object* Luxusartikel *m* **B** ADJ Luxus-

ly·ing ['laɪɪŋ] **A** *pp* → lie[1] *and* lie[2] **B** ADJ lügnerisch, verlogen

'lymph gland [lɪmf] N Lymphknoten *m*
lynch [lɪntʃ] V/T lynchen
lyr·ics ['lɪrɪks] N *pl* Text *m*

M

M, m [em] N M, m *n*
M [em] ABBR *for* medium M
MA [em'eɪ] ABBR *for* Master of Arts M.A.
ma'am [mæm] N *US* gnädige Frau (*oft gar nicht übersetzt*)
Maas·tricht Trea·ty [mɑːstrɪxt'triːtɪ] N *EU* Vertrag *m* von Maastricht, Maastrichter Vertrag *m*
mac [mæk] N *infml* Regenmantel *m*
Ma·ce·do·ni·a [mæsə'dəʊnɪə] N Mazedonien *n*
Ma·ce·do·ni·an [mæsə'dəʊnɪən] **A** ADJ mazedonisch **B** N *person* Mazedonier(in) *m(f)*; *language* Mazedonisch *n*
ma·chine [mə'ʃiːn] **A** N Maschine *f*; *for drinks etc* Automat *m* **B** V/T *dress etc* mit der Maschine nähen; TECH *produce* maschinell herstellen; *treat* maschinell bearbeiten
ma'chine gun N Maschinengewehr *n*
ma chine-'made ADJ maschinell hergestellt
ma·chin·e·ry [mə'ʃiːnərɪ] N *in factory* Maschinen *pl*; **the ~ of government** der Regierungsapparat
ma·chine trans'la·tion N maschinelle Übersetzung
mach·o ['mætʃəʊ] ADJ machohaft; **he's really ~** er ist ein richtiger Macho
mack·in·tosh ['mækɪntɒʃ] N Regenmantel *m*
mac·ro ['mækrəʊ] N IT Makro *m or n*
mad [mæd] ADJ ‹-dd-› wahnsinnig, verrückt; *infml*: *annoyed* wütend; **be ~ about sth/sb** *infml*: *like very much* auf etw/nach j-m verrückt sein; **drive sb ~** j-n verrückt machen; **go ~** *go insane* verrückt werden; *infml*: *with enthusiasm* vor Begeisterung toben; *infml*: *become angry* vor Wut toben; **lend you £100? – are you ~?** dir soll ich £100 leihen? – du spinnst wohl?; **like ~** *infml*: *work* wie verrückt
mad·am ['mædəm] N gnädige Frau (*oft gar nicht übersetzt*)
mad 'cow dis·ease N *infml* Rinderwahn(sinn) *m*
mad·den ['mædən] V/T *anger* verrückt machen
mad·den·ing ['mædnɪŋ] ADJ unerträglich, zum Verrücktwerden
made [meɪd] PRET & PAST PART → make
made-to-'meas·ure ADJ maßgeschneidert
'mad·house N *fig* Irrenhaus *n*
mad·ly ['mædlɪ] ADV wie verrückt; **be ~ in love with sb** bis über beide Ohren in j-n verliebt sein
'mad·man N Verrückte(r) *m*
mad·ness ['mædnɪs] N Wahnsinn *m*
Ma·drid [mə'drɪd] N Madrid *n*
mag·a·zine [mægə'ziːn] N *printed* Magazin *n*, Zeitschrift *f*
mag·got ['mægət] N Made *f*
ma·gic ['mædʒɪk] **A** N *supernatural* Magie *f*, Zauberei *f*; *mysterious quality* Zauber *m*; *magic tricks* Zauberei *f*; **like ~** wie durch Zauberhand **B** ADJ magisch
mag·i·cal ['mædʒɪkl] ADJ *powers, effect* magisch; *evening* zauberhaft
ma·gi·cian [mə'dʒɪʃn] N *sorcerer* Zauberer *m*, Zauberin *f*; *doing magic tricks* Zauberkünstler(in) *m(f)*
ma·gic 'spell N Zauberspruch *m* **ma·gic 'trick** N Zaubertrick *m* **mag·ic 'wand** N Zauberstab *m*
mag·is·trate ['mædʒɪstreɪt] N Friedensrichter(in) *m(f)*
mag·nan·i·mous [mæg'nænɪməs] ADJ großherzig, großmütig; *with money* großzügig
mag·net ['mægnɪt] N Magnet *m*
mag·net·ic [mæg'netɪk] ADJ magnetisch; *fig*: *personality* anziehend
mag·net·ic 'strip, mag·net·ic 'stripe N Magnetstreifen *m*
mag·net·ism ['mægnetɪzm] N *of person* Anziehungskraft *f*
mag·nif·i·cence [mæg'nɪfɪsəns] N Großartigkeit *f*
mag·nif·i·cent [mæg'nɪfɪsənt] ADJ großartig
mag·ni·fy ['mægnɪfaɪ] V/T ‹-ied› vergrö-

ßern; *difficulties* übertreiben
mag·ni·fy·ing glass ['mægnıfaıŋ] N Vergrößerungsglas *n*, Lupe *f*
mag·ni·tude ['mægnıtju:d] N Größe *f*, Ausmaß *n*
mag·pie ['mægpaı] N Elster *f*
maid [meıd] N (Dienst)Mädchen *n*; *in hotel* Zimmermädchen *n*
maid·en name ['meıdn] N Mädchenname *m* **maid·en 'speech** N *in parliament* Jungfernrede *f* **maid·en 'voy·age** N Jungfernfahrt *f*
mail [meıl] A N Post *f*; IT E-Mail *f*; **put sth in the ~** etw einwerfen B VT *in postbox* einwerfen; *take to post office* zur Post bringen, aufgeben; IT mailen; **I mailed it to you** ich hab's dir (per Post) geschickt; ich hab's dir gemailt
'mail·box N IT Mailbox *f*; *US* Briefkasten *m*
mail·ing list ['meılıŋ] N Adressenliste *f*
'mail·man N *US* Briefträger *m* **mail-'or·der cat·a·logue**, **mail-'or·der cat·a·log** *US* N Versandhauskatalog *m* **mail-'or·der firm** N Versandhaus *n* **'mail·shot** N Direktwerbung *f*; **do a ~** e-n Rundbrief verschicken
maim [meım] VT verstümmeln
main [meın] ADJ Haupt-
main 'course N Hauptgericht *n* **main 'en·trance** N Haupteingang *m* **'main·frame** N Großrechner *m* **'main·land** N Festland *n*
main·ly ['meınlı] ADV hauptsächlich
main 'road N Hauptstraße *f*, Hauptverkehrsstraße *f*
mains [meınz] N *sg or pl* ELEC Stromnetz *n*; **run off the ~** Netzanschluss haben
'main street N Hauptstraße *f*
main·tain [meın'teın] VT *peace, law and order* wahren, erhalten; *pace, speed* beibehalten; *contact* aufrechterhalten; *machine* warten; *house* instand halten; *family* unterhalten; *innocence* beteuern; **~ that …** behaupten, dass …
main·te·nance ['meıntənəns] N *of machine* Wartung *f*; *of house* Instandhaltung *f*; *of family* Unterhalt *m*; *of law and order* Wahrung *f*
'main·te·nance costs N *pl of children* Unterhaltskosten *pl*; *of car, building* Wartungskosten *pl*
'main·te·nance staff N Wartungspersonal *n*
maize [meız] N BOT Mais *m*
ma·jes·tic [mə'dʒestık] ADJ majestätisch
maj·es·ty ['mædʒəstı] N Majestät *f*; **Her Majesty** Ihre Majestät
ma·jor ['meıdʒə(r)] A ADJ Haupt-; *bank, shareholder* Groß-; *writer, town, composer* bedeutend; *repairs, problem, interest* größere(r, -s); **in C ~** MUS in C-Dur B N MIL Major(in) *m(f)*
ma·jor·i·ty [mə'dʒɒrətı] N Mehrheit *f*; **in the ~ of cases** in den meisten Fällen; **a ~ decision** ein Mehrheitsbeschluss *m*
ma·jor·i·ty 'hold·ing N Mehrheitsbeteiligung *f*; *in shares* Aktienmehrheit *f*
ma·jor·i·ty 'vo·ting sys·tem N Mehrheitswahlrecht *n*
make [meık] A N *of car etc* Marke *f* B VT ⟨made, made⟩ machen; *bread, cake* backen; *coffee* kochen; *meal* zubereiten; *dress* nähen; *speech* halten; *product* herstellen; *money* verdienen; MATH machen; **~ sb do sth** *by means of threat, violence* j-n zwingen, etw zu tun; *cause sb to do sth* j-n dazu bringen, etw zu tun; **~ a telephone call** anrufen; **~ it** es schaffen; **you'll never ~ it as a pop singer** du wirst nie ein erfolgreicher Popsänger; **what time do you ~ it?** wie spät hast du es?; **~ believe** so tun, als ob; **~ do with** sich begnügen mit; **what do you ~ of it?** was hältst du davon?
♦**make for** VT *door etc* zugehen auf; *Berlin etc* fahren nach; **it makes for a good atmosphere** das trägt zu e-r guten Atmosphäre bei
♦**make off with** VT *steal* sich davonmachen mit
♦**make out** A VT *list* aufstellen; *cheque* ausstellen; *see* erkennen; **he makes out that …** *maintains* er tut so, als ob …; **you're making me out to be something I'm not** du machst mich zu etwas, was ich gar nicht bin B VI *progress* zurechtkommen
♦**make over** VT *fig* überschreiben; *in will* vermachen
♦**make up** A VI *woman, actor* sich schminken; *after argument* sich wieder vertragen B VT *story, excuse* erfinden; *face* schminken; **men make up 43% of**

our customers Männer machen 43 Prozent unserer Kunden aus; **be made up of** bestehen aus; **make it up** *after argument* sich aussöhnen
♦ **make up for** VT *losses* ausgleichen; *damage* ersetzen; **I'll make up for it** ich mache es wieder gut
'make-be·lieve N **it's only ~** das ist doch nur erfunden
mak·er ['meɪkə(r)] N Hersteller *m*
make·shift ['meɪkʃɪft] ADJ improvisiert, Not-
make-up ['meɪkʌp] N Schminke *f*, Make-up *n*; *of team* Zusammensetzung *f*
'make-up bag N Kosmetiktasche *f*
mak·ing ['meɪkɪŋ] N Herstellung *f*; **have the makings of** das Zeug haben zu
mal·ad·min·i·stra·tion [mælədmɪnɪ'streɪʃn] N Misswirtschaft *f*
male [meɪl] **A** ADJ männlich; **~ bird** Vogelmännchen *n* **B** N Mann *m*; *animal, bird, fish* Männchen *n*
male 'nurse N Krankenpfleger *m*
ma·lev·o·lent [mə'levələnt] ADJ boshaft
mal·func·tion [mæl'fʌŋkʃn] **A** N Defekt *m* **B** VI nicht richtig funktionieren
mal·ice ['mælɪs] N Bosheit *f*, Bösartigkeit *f*
ma·li·cious [mə'lɪʃəs] ADJ boshaft
ma·li·cious 'soft·ware N IT Schadsoftware *f*
ma·lig·nant [mə'lɪgnənt] ADJ *tumour* bösartig
mall [mæl] N *esp US* Einkaufszentrum *n*
mal·le·a·ble ['mælɪəbl] ADJ TECH verformbar; *fig* formbar
mal·nu·tri·tion [mælnju:'trɪʃn] N Unterernährung *f*
mal·prac·tice [mæl'præktɪs] N Berufsvergehen *n*
Mal·ta ['mɒltə] N Malta *n*
Mal·tese [mɒl'ti:z] **A** ADJ maltesisch **B** N *person* Malteser(in) *m(f)*; *language* Maltesisch *n*
mal·treat [mæl'tri:t] VT schlecht behandeln; *abuse* misshandeln
mal·treat·ment [mæl'tri:tmənt] N schlechte Behandlung; *abuse* Misshandlung *f*
malt 'whis·ky [mɔ:lt] N Malt Whisky *m*
mal·ware ['mælweə(r)] N IT Schadsoftware *f*
mam·mal ['mæml] N Säugetier *n*
mam·moth ['mæməθ] ADJ kolossal, Mammut-
man [mæn] **A** N ⟨*pl* men [men]⟩ Mann *m*; *man, woman, child* Mensch *m*; *in general* die Menschheit **B** VT ⟨-nn-⟩ *phone* bedienen; *ship, spaceship* bemannen; **the girl manning the front desk** das Mädchen an der Rezeption
man·age ['mænɪdʒ] **A** VT *company* leiten; *money* einteilen; *task* schaffen; **~ to do sth** es schaffen, etw zu tun; **could you ~ next week?** *meeting* kannst du nächste Woche? **B** VI zurechtkommen; *with money* auskommen; **can you ~?** schaffst du das (allein)?
man·age·a·ble ['mænɪdʒəbl] ADJ *size, number* überschaubar; *hair* frisierbar; **a ~ task** e-e zu bewältigende Aufgabe
man·age·ment ['mænɪdʒmənt] N *managing* Leitung *f*, Management *n*; *managers* Unternehmensleitung *f*, Management *n*
man·age·ment 'buy·out N Management-Buy-out *n* **man·age·ment con'sul·tan·cy** N Unternehmensberatung *f* **man·age·ment con'sult·ant** N Unternehmensberater(in) *m(f)*
'man·age·ment stud·ies N *sg or pl* Betriebswirtschaft *f* **'man·age·ment team** N Managementteam *n*
man·ag·er ['mænɪdʒə(r)] N Manager(in) *m(f)*, Geschäftsführer(in) *m(f)*; *of team* Trainer(in) *m(f)*
man·ag·er·ess [mænɪdʒə'res] N *of company* Geschäftsführerin *f*; *of department* Leiterin *f*
man·a·ge·ri·al [mænɪ'dʒɪərɪəl] ADJ *knowledge, style, level* Führungs-; *position, staff* leitend
man·ag·ing ['mænɪdʒɪŋ] ADJ ECON geschäftsführend; Betriebs-
man·ag·ing di'rec·tor N Generaldirektor(in) *m(f)*, Geschäftsführer(in) *m(f)*
man·date ['mændeɪt] N *of government* Mandat *n*; *task* Auftrag *m*
man·da·to·ry ['mændətrɪ] ADJ obligatorisch
ma'neu·ver *US* → manoeuvre
man·han·dle ['mænhændl] VT *person* grob behandeln; *object* hieven
man·hood ['mænhʊd] N *age of maturity* Mannesalter *n*; *manliness* Männlichkeit

M

f
'man·hour N Arbeitsstunde *f*
'man·hunt N Fahndung *f*
ma·ni·a ['meɪnɪə] N *madness, enthusiasm* Manie *f*
ma·ni·ac ['meɪnɪæk] N *infml* Wahnsinnige(r) *m/f(m)*
man·i·fest ['mænɪfest] **A** ADJ offenkundig **B** V/T zeigen; **~ itself** sich zeigen, sich offenbaren
man·i·fes·to [mænɪ'festəʊ] N Manifest *n*
ma·nip·u·late [mə'nɪpjʊleɪt] V/T manipulieren; *bones* einrenken
ma·nip·u·la·tion [mənɪpjʊ'leɪʃn] N Manipulation *f*; *of bones* Einrenkung *f*
ma·nip·u·la·tive [mə'nɪpjʊlətɪv] ADJ manipulativ
man'kind N Menschheit *f*
man·ly ['mænlɪ] ADJ ⟨-ier, -iest⟩ männlich
man-'made ADJ Kunst-
manned [mænd] ADJ bemannt
man·ner ['mænə(r)] N *of doing sth* Art *f*, (Art und) Weise *f*; *attitude* Einstellung *f*; **in a ~ of speaking** sozusagen
man·ners ['mænəz] N *pl* Manieren *pl*; **good/bad ~** *pl* gute/schlechte Manieren *pl*; **have no ~** keine Manieren haben
ma·noeu·vre [mə'nu:və(r)] **A** N Manöver *n* **B** V/T manövrieren
'man·pow·er N Personal *n*, Arbeitskräfte *pl*
man·sion ['mænʃn] N Villa *f*
'man·slaugh·ter N Totschlag *m*
man·tel·piece ['mæntlpi:s] N Kaminsims *m or n*
man·u·al ['mænjʊəl] **A** ADJ Hand-, manuell **B** N Handbuch *n*
man·u·al·ly ['mænjʊəlɪ] ADV von Hand
man·u·fac·ture [mænjʊ'fæktʃə(r)] **A** N Herstellung *f* **B** V/T *appliances* herstellen
man·u·fac·tur·er [mænjʊ'fæktʃərə(r)] N Hersteller *m*
man·u·fac·tur·ing in·dus·try [mænjʊ'fæktʃərɪŋ] N verarbeitende Industrie
man·u'fac·tur·ing time N Produktionszeit *f*
ma·nure [mə'njʊə(r)] N Dung *m*, Mist *m*
man·y ['menɪ] **A** ADJ ⟨more, most⟩ viele; **~ times** oft **B** PRON viele; **a great ~**, **a good ~** e-e (ganze) Reihe
'man-year N Mannjahr *n*
map [mæp] N (Land)Karte *f*; *of town* Stadtplan *m*; **(road) ~** Straßenkarte *f*
♦ **map out** V/T ⟨-pp-⟩ *future* (voraus)planen; *project* planen; *plan* entwerfen
mar [mɑ:(r)] V/T ⟨-rr-⟩ verderben
mar·a·thon ['mærəθən] N *race* Marathonlauf *m*
mar·ble ['mɑ:bl] N *substance* Marmor *m*
March [mɑ:tʃ] N März *m*
march [mɑ:tʃ] **A** N Marsch *m*; *demonstration* Demonstration *f* **B** V/I *in protest a.* marschieren
march·er ['mɑ:tʃə(r)] N Demonstrant(in) *m(f)*
mar·ga·rine [mɑ:dʒə'ri:n] N Margarine *f*
mar·gin ['mɑ:dʒɪn] N *of page* Rand *m*; *profit* (Gewinn)Spanne *f*; **by a narrow ~** knapp
mar·gin·al ['mɑ:dʒɪnl] ADJ *effect, adjustment* geringfügig
mar·gin·al·ly ['mɑ:dʒɪnlɪ] ADV geringfügig; *higher, faster* etwas
ma·ri·na [mə'ri:nə] N Jachthafen *m*
mar·i·nate ['mærɪneɪt] V/T marinieren
ma·rine [mə'ri:n] **A** ADJ Meeres-, See- **B** N MIL Marineinfanterist(in) *m(f)*
mar·i·tal ['mærɪtl] ADJ *problems, bliss* Ehe-; *rights* ehelich
mar·i·tal 'sta·tus N Familienstand *m*
mar·i·time ['mærɪtaɪm] ADJ See-; *nation* Seefahrer-
mark[1] [mɑ:k] N *old currency* (Deutsche) Mark
mark[2] [mɑ:k] **A** N *caused by grease, dirt* Fleck *m*; *sign* Zeichen *n*; *trace* Spur *f*; SCHOOL Note *f*; **leave** *or* **make one's ~** sich e-n Namen machen; **he really left** *or* **made his ~ on the team** er hat der Mannschaft wirklich s-n Stempel aufgedrückt; **on your marks** auf die Plätze **B** V/T *tablecloth, shirt etc* schmutzig machen; SCHOOL benoten; *memorial, treaty etc* markieren, kennzeichnen; *price* auszeichnen; *event, end of war etc* gedenken; *in football* decken; **the teacher marked it wrong** der Lehrer/die Lehrerin hat es angestrichen; **it marks a new era** das markiert den Beginn e-r neuen Ära **C** V/I *material* Flecken bekommen
♦ **mark down** V/T *prices* herabsetzen
♦ **mark out** V/T *football pitch etc* abste-

cken; *fig*: *differentiate* absetzen von
♦**mark up** VT *price* heraufsetzen
marked [mɑ:kt] ADJ *improvement, increase* deutlich
mark·er ['mɑ:kə(r)] N (Text)Marker *m*; *in football* Bewacher(in) *m(f)*
mar·ket ['mɑ:kɪt] **A** N Markt *m*; **on the ~** auf dem Markt **B** VT vermarkten
mar·ket·a·ble ['mɑ:kɪtəbl] ADJ absetzbar
mar·ket a'nal·y·sis N Marktanalyse *f* **mar·ket e'con·o·my** N Marktwirtschaft *f* **mar·ket 'for·ces** N *pl* Marktkräfte *pl*
mar·ket·ing ['mɑ:kɪtɪŋ] N Marketing *n*
'mar·ket·ing de·part·ment N Marketingabteilung *f*
'mar·ket·ing stra·te·gy N Marketingstrategie *f*
mar·ket 'launch N Markteinführung *f* **mar·ket 'lead·er** N Marktführer *m* **'mar·ket·place** N *in town* Marktplatz *m*; *for products* Markt *m* **mar·ket po'ten·tial** N Marktpotenzial *n* **mar·ket re'search** N Marktforschung *f* **mar·ket 'share** N Marktanteil *m* **mar·ket 'val·ue** N Marktwert *m*
mark·ing ['mɑ:kɪŋ] N Markierung *f*; ZOOL Zeichnung *f*; SPORTS Deckung *f*
'marks·man N Scharfschütze *m*
'mark-up N Preisaufschlag *m*
mar·ma·lade ['mɑ:məleɪd] N Orangenmarmelade *f*
ma·roon[1] [mə'ru:n] ADJ kastanienbraun
ma·roon[2] [mə'ru:n] VT **be marooned** *because of floods, on island* (von der Außenwelt) abgeschnitten *or* isoliert sein
mar·quee [mɑ:'ki:] N Festzelt *n*
mar·riage ['mærɪdʒ] N Ehe *f*; *event* Heirat *f*
'mar·riage cer·tif·i·cate N Heiratsurkunde *f*
'mar·riage coun·sel·lor, **'mar·riage coun·se·lor** *US* N Eheberater(in) *m(f)*
mar·ried ['mærɪd] **A** ADJ verheiratet; **be ~ to ...** verheiratet sein mit **B** PRET & PAST PART → marry
mar·ried 'cou·ple N Ehepaar *n*
mar·ried 'life N Eheleben *n*
mar·row ['mærəʊ] N ANAT (Knochen)-Mark *n*; BOT Markkürbis *m*; *fig* Kern *m*
mar·ry ['mærɪ] VT ‹-ied› heiraten; *priest* trauen; **get married** heiraten; **get married to sb** j-n heiraten
marsh [mɑ:ʃ] N Sumpf *m*
mar·shal ['mɑ:ʃl] N MIL Marschall *m*; *at demonstration* Ordner(in) *m(f)*
marsh·y ['mɑ:ʃɪ] ADJ ‹-ier, -iest› sumpfig
mar·tial arts [mɑ:ʃl'ɑ:tz] N *pl* (asiatische) Kampfsportarten *pl*
mar·tial 'law N Kriegsrecht *n*
mar·tyr ['mɑ:tə(r)] N Märtyrer(in) *m(f)*
mar·vel ['mɑ:vl] N Wunder *n*
♦**marvel at** VT ‹-ll-, *US* -l-› staunen über
mar·vel·lous, **mar·vel·ous** *US* ['mɑ:vələs] ADJ wunderbar
Marx·ism ['mɑ:ksɪzm] N Marxismus *m*
Marx·ist ['mɑ:ksɪst] **A** ADJ marxistisch **B** N Marxist(in) *m(f)*
mas·ca·ra [mæ'skɑ:rə] N Wimperntusche *f*
mas·cot ['mæskət] N Maskottchen *n*
mas·cu·line ['mæskjʊlɪn] ADJ männlich
mas·cu·lin·i·ty [mæskjʊ'lɪnətɪ] N Männlichkeit *f*
mash [mæʃ] VT (zer)stampfen
mashed po'ta·toes [mæʃt] N *pl* Kartoffelbrei *m*
mask [mɑ:sk] **A** N Maske *f* **B** VT *feelings* verbergen
mas·o·chism ['mæsəkɪzm] N Masochismus *m*
ma·son ['meɪsn] N Steinmetz(in) *m(f)*; *freemason* Freimaurer(in) *m(f)*
ma·son·ry ['meɪsnrɪ] N Mauerwerk *n*
mas·que·rade [mæskə'reɪd] **A** N *fig* Maskerade *f* **B** VI **~ as** sich ausgeben als
mass[1] [mæs] **A** N *of hair, people* Menge *f*; **the masses** *pl* die breite Masse; **masses of** *infml* massenhaft **B** VI *troops* sich zusammenziehen, sich sammeln; *demonstrators* sich versammeln
mass[2] [mæs] N REL Messe *f*
mas·sa·cre ['mæsəkə(r)] **A** N Massaker *n* **B** VT niedermetzeln; *infml*: *in sport* fertigmachen
mas·sage ['mæsɑ:ʒ] **A** N Massage *f* **B** VT *back etc* massieren
'mas·sage par·lour, **'mas·sage par·lor** *US* N Massagesalon *m*
mas·seur [mæ'sɜ:(r)] N Masseur *m*
mas·seuse [mæ'sɜ:z] N Masseurin *f*
mas·sive ['mæsɪv] ADJ massiv; *change,*

increase a. gewaltig; *person, door* riesig
mass 'me·di·a N *sg or pl* Massenmedien *pl* **mass-pro'duce** V/T serienmäßig herstellen **mass-pro·duced 'pro·duct** N Massenartikel *m* **mass pro'duc·tion** N Massenproduktion *f* **mass re·dun·dan·cies** [mæsrɪ'dʌndənsɪz] N *pl* Massenentlassungen *pl* **mass 'tour·ism** N Massentourismus *m* **mass un·em'ploy·ment** N Massenarbeitslosigkeit *f*
mast [mɑːst] N *of ship* Mast *m*; *for radio and TV* Sendeturm *m*
mas·ter ['mɑːstə(r)] **A** N Herr *m*; *of dog* Herrchen *n*; *of ship* Kapitän *m*; *at school* Lehrer *m*; **be a ~ of** beherrschen **B** V/T *situation* meistern; *language a.* beherrschen
mas·ter 'bed·room N *das größte Schlafzimmer*
'mas·ter key N Hauptschlüssel *m*
mas·ter·ly ['mɑːstəlɪ] ADJ meisterhaft, gekonnt
'mas·ter·mind **A** N (führender) Kopf **B** V/T **she masterminded the robbery** sie war der Kopf, der hinter diesem Überfall steckte **Mas·ter of 'Arts** N Magister *m* Artium **mas·ter of 'cer·e·mo·nies** N Conférencier *m*; *on TV* Showmaster(in) *m(f)* **'mas·ter·piece** N Meisterwerk *n* **'mas·ter's (de·gree)** N Magister(abschluss) *m*
mas·ter·y ['mɑːstərɪ] N Beherrschung *f*
mas·tur·bate ['mæstəbeɪt] V/I masturbieren, onanieren
mas·tur·ba·tion [mæstə'beɪʃən] N Masturbation *f*, Onanie *f*
mat [mæt] N *for floor* (Fuß)Matte *f*; *for glass* Untersetzer *m*; *on table* Set *n* Platzdeckchen *n*
match¹ [mætʃ] N *for lighting fire etc* Streichholz *n*
match² [mætʃ] **A** N Wettkampf *m*; *in team sports* Spiel *n*; *tennis* Match *n*; *boxing* Kampf *m*; *chess* Partie *f*; **be no ~ for sb** j-m nicht gewachsen sein; **meet one's ~** s-n Meister finden **B** V/T entsprechen, übereinstimmen mit; *in colour, pattern* passen zu; *be equal to* gleichkommen; **I can't ~ his skill** ich kann nicht an ihn heranreichen **C** V/I *colours, pattern* zusammenpassen
'match·box N Streichholzschachtel *f*
match·ing ['mætʃɪŋ] ADJ passend
'match stick N Streichholz *n*
mate [meɪt] **A** N *of male animal* Weibchen *n*; *of female animal* Männchen *n*; *infml* Kumpel *m*; NAUT Maat *m* **B** V/I sich paaren
ma·te·ri·al [mə'tɪərɪəl] **A** N *for dress, curtains* Stoff *m*; *marble etc* Material *n*; **materials** *pl* Material *n* **B** ADJ materiell
ma·te·ri·al·ism [mə'tɪərɪəlɪzm] N Materialismus *m*
ma·te·ri·al·ist [mə'tɪərɪəlɪst] N Materialist(in) *m(f)*
ma·te·ri·al·ize [mə'tɪərɪəlaɪz] V/I *from fog* auftauchen; *ghost* erscheinen; *idea, plan* sich verwirklichen; *hopes* wahr werden
ma·ter·nal [mə'tɜːnl] ADJ mütterlich
ma·ter·ni·ty [mə'tɜːnətɪ] N Mutterschaft *f*
ma'ter·ni·ty dress N Umstandskleid *n* **ma'ter·ni·ty leave** N Mutterschaftsurlaub *m* **ma'ter·ni·ty ward** N Entbindungsstation *f*
math [mæθ] *US* → maths
math·e·mat·i·cal [mæθə'mætɪkl] ADJ mathematisch
math·e·ma·ti·cian [mæθmə'tɪʃn] N Mathematiker(in) *m(f)*
math·e·mat·ics [mæθ'mætɪks] N *sg* Mathematik *f*
maths [mæθs] N *sg* Mathe *f*
mat·i·née ['mætɪneɪ] N Nachmittagsvorstellung *f*
ma·tri·arch ['meɪtrɪɑːk] N Matriarchin *f*
mat·ri·mo·ny ['mætrɪmənɪ] N *formal* Ehe *f*
matt [mæt] ADJ matt(iert)
mat·ter ['mætə(r)] **A** N Angelegenheit *f*, Sache *f*; PHYS Stoff *m*; **it's just a ~ of time** es ist nur e-e Frage der Zeit; **as a ~ of course** automatisch; **as a ~ of fact** tatsächlich; **what's the ~?** was ist los?; **is there anything the ~ with that?** stimmt damit irgendwas nicht?; **no ~** macht nichts; **no ~ what she says** (ganz) egal, was sie sagt **B** V/I von Bedeutung sein; **it matters to me** das ist mir wichtig; **that's all that matters** das ist das Einzige, was zählt; **it doesn't ~** es macht nichts
mat·ter-of-'fact ADJ sachlich, nüchtern

mat·tress ['mætrɪs] N Matratze *f*
ma·ture [mə'tjʊə(r)] **A** ADJ reif **B** V/I reifen; *person* heranreifen; *insurance policy etc* fällig werden
ma·tu·ri·ty [mə'tjʊrətɪ] N Reife *f*; Volljährigkeit *f*
mauve [məʊv] ADJ malvenfarbig, mauve
max·i·mi·za·tion [mæksɪmaɪ'zeɪʃn] N Maximierung *f*
max·i·mize ['mæksɪmaɪz] V/T maximieren
max·i·mum ['mæksɪməm] **A** ADJ Höchst-, maximal **B** N Maximum *n*
May [meɪ] N Mai *m*
may [meɪ] V/AUX ⟨*pret* might⟩ *possibility* können; *permission* dürfen; **it ~ rain** vielleicht regnet es, es könnte regnen; **you ~ be right** vielleicht hast du recht; **it ~ not happen** es passiert vielleicht nicht; **~ I smoke?** darf ich rauchen?; **~ I help?** kann ich helfen?
may·be ['meɪbiː] ADV vielleicht
'May Day N der 1. Mai
may·on·naise [meɪə'neɪz] N Mayonnaise *f*
may·or ['meə(r)] N Bürgermeister(in) *m(f)*
maze [meɪz] N Irrgarten *m*; *fig* Labyrinth *n*
MB ABBR *for* megabyte MB *n*, Megabyte *n*
MBA [embiː'eɪ] ABBR *for* Master of Business Administration MBA *m*
MBO [embiː'əʊ] ABBR *for* management buyout MBO *n*
MC [em'siː] ABBR *for* master of ceremonies Conférencier *m*
MD [em'diː] ABBR *for* Doctor of Medicine Dr. med.
me [miː] PRON mich; mir; **it's ~** ich bin's
mead·ow ['medəʊ] N Wiese *f*, Weide *f*
mea·gre, **mea·ger** *US* ['miːgə(r)] ADJ *amount* kläglich; *meal* dürftig; *existence* kümmerlich
meal [miːl] N Mahlzeit *f*, Essen *n*
'meal·time N Essenszeit *f*
mean¹ [miːn] ADJ *with money* geizig; *lowly* gemein
mean² [miːn] ⟨meant, meant⟩ **A** V/T bedeuten; *intend* beabsichtigen; **I meant it as a joke** das sollte ein Witz sein; **I ~ it!** ich meine das ernst!; **she meant to send him a card** *but forgot* sie wollte ihm e-e Karte schicken; **be meant for sb/sth** für j-n/etw (bestimmt) sein; **be meant for sb** *remark* an j-n gerichtet sein; **what do you ~?** *I don't understand* was meinst du?; *what are you trying to say?* was willst du damit sagen?; **you are meant to have it done for tomorrow** du sollst es bis morgen fertig haben **B** V/I **he meant well** er hat's gut gemeint
mean·ing ['miːnɪŋ] N *of word* Bedeutung *f*
mean·ing·ful ['miːnɪŋfʊl] ADJ *clear* verständlich; *constructive* sinnvoll; *look* bedeutungsvoll
mean·ing·less ['miːnɪŋlɪs] ADJ *sentence etc* sinnlos; *gesture* bedeutungslos
means [miːnz] N *pl financial* (Geld)Mittel *pl*; *sg: way, method* Möglichkeit *f*, Mittel *n*; **~ of transport** Verkehrsmittel *n*; **by all ~** (aber) selbstverständlich; **by no ~ rich/poor** keineswegs reich/arm; **by ~ of** durch, mittels
meant [ment] PRET & PAST PART → mean²
mean·time ['miːntaɪm] **A** ADV inzwischen **B** N **in the ~** in der Zwischenzeit
mean·while ['miːnwaɪl] **A** ADV inzwischen; *in contrast* dagegen **B** N **in the ~** in der Zwischenzeit
mea·sles ['miːzlz] N *sg* Masern *pl*
meas·ure ['meʒə(r)] **A** N Maß *n*; *step* Maßnahme *f*; **a ~ of success** ein gewisses Maß an Erfolg **B** V/T & V/I messen
♦ **measure out** V/T *size, amount* abmessen; *weight* abwiegen
♦ **measure up to** V/T **measure up to sb/sth** an j-n/etw herankommen
meas·ure·ment ['meʒəmənt] N *measuring* (Ver)Messung *f*; *height, width etc* Maß *n*
meas·ur·ing jug ['meʒərɪŋ] N Messbecher *m*
'meas·ur·ing tape N Bandmaß *n*
meat [miːt] N Fleisch *n*
'meat·ball N Fleischkloß *m*
'meat·loaf N Fleischkäse *m*
me·chan·ic [mɪ'kænɪk] N Mechaniker(in) *m(f)*
me·chan·i·cal [mɪ'kænɪkl] ADJ *a. fig* mechanisch
me·chan·i·cal en·gi'neer N Maschinenbauingenieur(in) *m(f)*
me·chan·i·cal en·gi'neer·ing N

M

Maschinenbau *m*
me·chan·i·cal·ly [mɪ'kænɪklɪ] ADV *a. fig* mechanisch
mech·a·nism ['mekənɪzm] N Mechanismus *m*
mech·a·nize ['mekənaɪz] V/T mechanisieren
med·al ['medl] N Medaille *f*; MIL Orden *m*
med·al·list, **med·a·list** *US* ['medəlɪst] N Medaillengewinner(in) *m(f)*
med·dle ['medl] V/I *in affairs, matters* sich einmischen (**in** in)
me·di·a ['mi:dɪə] N **the ~** *sg or pl* die Medien *pl*
'me·di·a cov·er·age N Berichterstattung *f* in den Medien; **their divorce got a lot of ~** über ihre Scheidung wurde in den Medien viel berichtet
med·i·ae·val [medɪ'i:vl] ADJ mittelalterlich
me·di·a e'vent N Medienereignis *n*
me·di·a 'hype N Medienrummel *m*
me·di·an ['mi:dɪən] ADJ **~ strip** *US: on freeway* Mittelstreifen *m*
me·di·a re'port N *mostly pl* Medienbericht *m*
'me·di·a stud·ies N *sg* Medienwissenschaften *pl*
me·di·ate ['mi:dɪeɪt] V/I vermitteln
me·di·a·tion [mi:dɪ'eɪʃn] N Vermittlung *f*
me·di·a·tor ['mi:dɪeɪtə(r)] N Vermittler(in) *m(f)*
med·i·cal ['medɪkl] **A** ADJ medizinisch **B** N (ärztliche) Untersuchung
'med·i·cal cer·tif·i·cate N ärztliches Attest **med·i·cal 'his·to·ry** N Krankengeschichte *f* **'med·i·cal pro·fes·sion** N Arztberuf *m*; *all doctors* Ärzteschaft *f* **'med·i·cal rec·ord** N Krankenblatt *n*
med·i·cat·ed ['medɪkeɪtɪd] ADJ medizinisch
med·i·ca·tion [medɪ'keɪʃn] N Medikamente *pl*
me·dic·i·nal [mɪ'dɪsɪnl] ADJ Heil-, heilend; **for ~ purposes** zu medizinischen Zwecken
med·i·cine ['medsn] N *science* Medizin *f*; *substance* Arznei *f*, Medikament *n*; **Western ~** abendländische Heilkunde
'med·i·cine cab·i·net N Arzneischrank *m*
med·i'e·val ADJ → mediaeval
me·di·o·cre [mi:dɪ'əʊkə(r)] ADJ mittelmäßig
me·di·oc·ri·ty [mi:dɪ'ɒkrətɪ] N Mittelmäßigkeit *f*; *person* kleines Licht
med·i·tate ['medɪteɪt] V/I REL meditieren; **~ on** nachdenken über
Med·i·ter·ra·ne·an [medɪtə'reɪnɪən] **A** ADJ Mittelmeer- **B** N **the ~** das Mittelmeer
me·di·um ['mi:dɪəm] **A** ADJ durchschnittlich; *steak* medium; *in sizes* medium, mittelgroß **B** N ⟨*pl* media ['mi:dɪə] *or* mediums⟩ *TV, Internet etc* Medium *n*
'me·di·um-sized [saɪzd] ADJ mittelgroß **'me·di·um term** N **in the ~** mittelfristig **'me·di·um wave** N RADIO Mittelwelle *f*
meek [mi:k] ADJ sanft(mütig); *voice* kleinlaut; *pej* duckmäuserisch; *tolerant* duldsam
meet [mi:t] **A** V/T ⟨met, met⟩ *by chance* treffen; *by arrangement* sich treffen mit; *be introduced* kennenlernen; *at station* abholen; *in contest* treffen auf; *need* erfüllen; *deadline* einhalten; **pleased to ~ you** sehr erfreut, angenehm **B** V/I ⟨met, met⟩ *by arrangement* sich treffen; *by chance* sich begegnen; *in contest* aufeinandertreffen; *eyes* sich treffen; *committee etc* zusammenkommen, tagen; **have you two met?** kennt ihr (beide) euch schon? **C** N *US* SPORTS Veranstaltung *f*
♦ **meet up** V/I sich treffen
♦ **meet with** V/T *person* sich treffen mit; *approval* finden; *denial* stoßen auf; **meet with failure** keinen Erfolg haben
meet·ing ['mi:tɪŋ] N Treffen *n*; *by chance* Begegnung *f*; *for business* Besprechung *f*; *of committee* Sitzung *f*
'meet·ing place N Treffpunkt *m*
'meet·ing room N Besprechungsraum *m*; *for training, instruction* Seminarraum *m*
meg·a·byte ['megəbaɪt] N IT Megabyte *n*
mel·an·chol·y ['melənkəlɪ] ADJ melancholisch
mel·low ['meləʊ] **A** ADJ *light, sound* weich, warm **B** V/I *person* umgänglicher werden, toleranter werden

me·lo·di·ous [mɪˈləʊdɪəs] ADJ melodisch
mel·o·dra·mat·ic [melədrəˈmætɪk] ADJ melodramatisch
mel·o·dy [ˈmelədɪ] N Melodie *f*
mel·on [ˈmelən] N Melone *f*
melt [melt] **A** VI schmelzen **B** VT schmelzen; *butter* zerlassen
♦ **melt away** VI *fig* dahinschmelzen
♦ **melt down** VT *metal* einschmelzen
melt·ing pot [ˈmeltɪŋ] N *fig* Schmelztiegel *m*
mem·ber [ˈmembə(r)] N Mitglied *n*; **a ~ of staff** ein Mitarbeiter/eine Mitarbeiterin; *in school* ein Lehrer/eine Lehrerin
mem·ber ˈcoun·try N POL Mitgliedsland *n* **Mem·ber of ˈPar·lia·ment** N *in Great Britain* Unterhausabgeordnete(r) *m/f(m)*; *in Germany* Bundestagsabgeordnete(r) *m/f(m)* **Mem·ber of the Eu·ro·pe·an ˈPar·lia·ment** N Europaabgeordnete(r) *m/f(m)*
mem·ber·ship [ˈmembəʃɪp] N Mitgliedschaft *f*; Mitgliederzahl *f*
ˈmem·ber·ship card N Mitgliedskarte *f*
mem·ber ˈstate N POL Mitgliedsstaat *m*
me·men·to [meˈmentəʊ] N Andenken *n* (**of** an)
mem·o [ˈmeməʊ] N Notiz *f*, Mitteilung *f*
mem·oirs [ˈmemwɑːz] N *pl* Memoiren *pl*
ˈmem·o pad N Notizblock *m*
mem·o·ra·ble [ˈmemərəbl] ADJ unvergesslich
me·mo·ri·al [mɪˈmɔːrɪəl] **A** ADJ Gedenk- **B** N Denkmal *n*
mem·o·rize [ˈmeməraɪz] VT *poem, role* auswendig lernen; *number, address* behalten, sich einprägen
mem·o·ry [ˈmemərɪ] N Erinnerung *f* (**of** an); *faculty* Gedächtnis *n*; IT Speicher *m*; **I have no ~ of her** ich kann mich nicht (mehr) an sie erinnern; **have a good/bad ~** ein gutes/schlechtes Gedächtnis haben; **in ~ of** zum Gedenken an, zur Erinnerung an
ˈmem·o·ry stick N COMPUT Memorystick *m*
men [men] PL → man
men·ace [ˈmenɪs] **A** N *threat* Bedrohung *f*; *danger* Gefahr *f*; *nuisance* Plage *f* **B** VT bedrohen
men·ac·ing [ˈmenɪsɪŋ] ADJ drohend
mend [mend] **A** VT reparieren; *clothes* flicken **B** N **be on the ~** auf dem Wege der Besserung sein
me·ni·al [ˈmiːnɪəl] ADJ niedrig, untergeordnet; **do ~ work** niedere Arbeiten verrichten
men·in·gi·tis [menɪnˈdʒaɪtɪs] N Meningitis *f*, Hirnhautentzündung *f*
men·o·pause [ˈmenəpɔːz] N Wechseljahre *pl*
ˈmen's room N *US* Herrentoilette *f*
men·stru·ate [ˈmenstrʊeɪt] VI menstruieren
men·stru·a·tion [menstrʊˈeɪʃn] N Menstruation *f*
men·tal [ˈmentl] ADJ geistig, Geistes-; *infml: crazy* verrückt
men·tal aˈrith·me·tic N Kopfrechnen *n* **men·tal ˈcru·el·ty** N seelische Grausamkeit **ˈmen·tal hos·pi·tal** N psychiatrische Klinik, Nervenklinik *f* **men·tal ˈill·ness** N Geisteskrankheit *f*
men·tal·i·ty [menˈtælətɪ] N Mentalität *f*
men·tal·ly [ˈmentəlɪ] ADV geistig; *count up etc* im Kopf
men·tal·ly ˈhand·i·capped ADJ geistig behindert
men·tal·ly ˈill ADJ geisteskrank
men·tion [ˈmenʃn] **A** N Erwähnung *f*; **get a ~** erwähnt werden **B** VT erwähnen; **don't ~ it** (bitte,) gern geschehen, (das ist doch) nicht der Rede wert
men·u [ˈmenjuː] N *for food* Speisekarte *f*; IT Menü *n*
MEP [emiːˈpiː] ABBR *for* Member of the European Parliament MdEP, Mitglied *n* des Europäischen Parlaments
mer·ce·na·ry [ˈmɜːsənərɪ] **A** ADJ geldgierig **B** N MIL Söldner(in) *m(f)*
mer·chan·dise [ˈmɜːtʃəndaɪz] N Ware *f*, Waren *pl*
mer·chant [ˈmɜːtʃənt] N Händler(in) *m(f)*
mer·chant ˈbank N Handelsbank *f*
mer·ci·ful [ˈmɜːsɪfl] ADJ gnädig, barmherzig
mer·ci·ful·ly [ˈmɜːsɪflɪ] ADV glücklicherweise
mer·ci·less [ˈmɜːsɪlɪs] ADJ *person* unbarmherzig, erbarmungslos; *treatment, revenge, sun* gnadenlos

M

mer·cy ['mɜːsɪ] N Erbarmen *n*, Gnade *f*; **it is a ~ she wasn't injured** man kann von Glück sagen, dass sie nicht verletzt wurde; **be at sb's ~** j-m ausgeliefert sein; **have ~ on** Erbarmen haben mit
mere [mɪə(r)] ADJ bloß; **it was a ~ coincidence** es war reiner Zufall; **she's a ~ child!** sie ist doch noch ein Kind!
mere·ly ['mɪəlɪ] ADV lediglich, bloß
merge [mɜːdʒ] V/I *lines etc* zusammenkommen; *companies* fusionieren
merg·er ['mɜːdʒə(r)] N ECON Fusion *f*
'Mer·ger Trea·ty N *EU* Fusionsvertrag *m* (der Europäischen Gemeinschaft)
mer·it ['merɪt] **A** N *quality* Wert *m*; *advantage* Vorzug *m*; **she got the job on ~** sie bekam den Job aufgrund ihrer Fähigkeiten **B** V/T verdienen
me·ri·to·cra·cy [merɪ'tɒkrəsɪ] N Leistungsgesellschaft *f*
mer·ri·ment ['merɪmənt] N Heiterkeit *f*, Fröhlichkeit *f*
mer·ry ['merɪ] ADJ ⟨-ier, -iest⟩ fröhlich, vergnügt; **Merry Christmas!** fröhliche Weihnachten!
'mer·ry-go-round N Karussell *n*
mesh [meʃ] N Masche *f*
mess [mes] N *in room, on desk etc* Durcheinander *n*, Unordnung *f*; *problematic situation* Schwierigkeiten *pl*, Schlamassel *m*; **be a ~** *room, desk, hair etc* unordentlich sein; *situation, life* verkorkst sein; **make a ~ of sth** *of task* etw verpfuschen; *make untidy* etw durcheinanderbringen
♦ **mess about, mess around** **A** V/I herumalbern; *hang around* herumgammeln **B** V/T *infml*: *person* an der Nase herumführen
♦ **mess around with** V/T *infml* herumspielen mit; *sb's wife* es treiben mit
♦ **mess up** V/T *room, papers* in Unordnung bringen, durcheinanderbringen; *task* verpfuschen; *plans, marriage* ruinieren, kaputtmachen
mes·sage ['mesɪdʒ] N Mitteilung *f*, Nachricht *f*; *of film, book* Botschaft *f*; **give sb a ~** j-m etw ausrichten; **ok, I get the ~** *infml* o.k., ich hab's geschnallt
mes·sen·ger ['mesɪndʒə(r)] N Bote *m*, Botin *f*
mess·y ['mesɪ] ADJ ⟨-ier, -iest⟩ *room, person* unordentlich; *work* dreckig; *divorce, situation* unschön; *complicated* verfahren

met [met] PRET & PAST PART → meet
met·a·bol·ic [metə'bɒlɪk] ADJ Stoffwechsel-, metabolisch
me·tab·o·lism [mə'tæbəlɪzm] N Stoffwechsel *m*
met·al ['metl] **A** ADJ Metall- **B** N Metall *n*
me·tal·lic [mɪ'tælɪk] ADJ metallisch; *paint* Metallic-
met·a·phor ['metəfə(r)] N Metapher *f*
me·te·or ['miːtɪə(r)] N Meteor *m*
me·te·or·ic [miːtɪ'ɒrɪk] ADJ *fig* kometenhaft
me·ter¹ ['miːtə(r)] N *for gas, electricity* Zähler *m*; *for cars* Parkuhr *f*
'me·ter² *US* → metre
'me·ter read·ing N Zählerstand *m*
meth·od ['meθəd] N Methode *f*
me·thod·i·cal [mɪ'θɒdɪkl] ADJ methodisch
me·tic·u·lous [mɪ'tɪkjʊləs] ADJ sorgfältig
me·tre ['miːtə(r)] N Meter *m or n*
met·ric ['metrɪk] ADJ metrisch
met·ro ['metrəʊ] N U-Bahn *f*
me·trop·o·lis [mɪ'trɒpəlɪs] N Metropole *f*, Weltstadt *f*
met·ro·pol·i·tan [metrə'pɒlɪtən] ADJ weltstädtisch
'met·ro sys·tem N U-Bahn-System *n*
mez·za·nine (floor) ['mezəniːn] N Mezzanin *n or m*, (niedriges) Zwischengeschoss
mi·aow [mɪ'aʊ] **A** N Miau(en) *n* **B** V/I miauen
mice [maɪs] PL → mouse
mick·ey ['mɪkɪ] N **take the ~ (out of sb)** *infml* j-n veräppeln
mick·ey 'mouse ADJ *sl*: *course, qualification* lachhaft
mi·cro·bi·ol·o·gy [maɪkrəʊbaɪ'ɒlədʒɪ] N Mikrobiologie *f* **mi·cro·blog** ['maɪkrəʊblɒg] N IT Mikroblog *n or m*, Miniblog *n or m* **mi·cro·blog·ging** ['maɪkrəʊblɒgɪŋ] N IT Mikroblogging *n*, Miniblogging *n* **'mi·cro·blog·ging site** N IT Mikroblog-Website *f* **'mi·cro·chip** N Mikrochip *m* **'mi·cro·cli·mate** N Mikroklima *n* **mi·cro·cosm** ['maɪkrəʊkɒzm] N Mikrokosmos *m* **mi·cro·e·lec'tron·ics** N *sg* science Mikroelektronik *f* **mi·cro-'en·ter·prise** N Kleinstbetrieb *m* **'mi-**

cro·phone N Mikrofon *n* **mi·cro'pro·ces·sor** N Mikroprozessor *m* **'mi·cro·scope** N Mikroskop *n* **mi·cro·scop·ic** [maɪkrə'skɒpɪk] ADJ mikroskopisch **'mi·cro·wave** N Mikrowelle *f*
mid·air [mɪd'eə(r)] N **in ~** in der Luft
mid·day [mɪd'deɪ] N Mittag *m*; **at ~** mittags
mid·dle ['mɪdl] **A** ADJ Mittel-, mittlere(r, -s) **B** N Mitte *f*; **it's the ~ of the night!** es ist mitten in der Nacht!; **in the ~ of** in der Mitte (+ *gen*); **in the ~ of the day/summer** mitten am Tag/im Sommer; **in the ~ of August** Mitte August; **I was just in the ~ of preparing dinner** ich war gerade dabei, das Abendessen vorzubereiten
mid·dle-'aged ADJ mittleren Alters **Mid·dle 'Ag·es** N *pl* Mittelalter *n* **mid·dle 'class** ADJ bürgerlich; *pej* spießig **mid·dle 'class(·es)** N (*pl*) der Mittelstand, die Mittelschicht **Mid·dle 'East** N **the ~** der Nahe Osten **'mid·dle·man** N Mittelsmann *m*, Mittelsperson *f* **mid·dle 'man·age·ment** N mittleres Management **mid·dle 'name** N zweiter Vorname
mid·field·er [mɪd'fiːldə(r)] N Mittelfeldspieler(in) *m(f)*
midge [mɪdʒ] N Mücke *f*
midg·et ['mɪdʒɪt] ADJ Kleinst-
'mid·night N Mitternacht *f*; **at ~** um Mitternacht **mid'sum·mer** N Hochsommer *m* **'mid·way** ADV *between places* auf halbem Weg; **~ through the meeting** nach der Hälfte des Treffens **mid'week** ADV *phone* Mitte der Woche; *go out* unter der Woche **Mid'west** N *in USA* Mittlerer Westen **'mid·wife** N Hebamme *f* **mid'win·ter** N Mitte *f* des Winters
might[1] [maɪt] PRET → may; **I ~ be late** es könnte sein, dass ich spät(er) komme; **it ~ rain** es könnte regnen; **it ~ never happen** vielleicht passiert es ja (gar) nicht; **I ~ have lost it** *but I'm not sure* ich könnte es verloren haben; *if I hadn't done that* ich hätte es verloren; **you ~ as well spend the night here** du kannst ebenso gut hier übernachten; **you ~ have told me!** das hättest du mir (wirklich) sagen können!
might[2] [maɪt] N Macht *f*
might·y ['maɪtɪ] **A** ADJ ⟨-ier, -iest⟩ mächtig **B** ADV *US infml: extremely* ganz schön
mi·graine ['miːgreɪn] N Migräne *f*
mi·grant ['maɪgrənt] N Migrant(in) *m(f)*
mi·grant 'work·er N Wanderarbeiter(in) *m(f)*
mi·grate [maɪ'greɪt] VI *person* (ab)wandern; *birds* ziehen
mi·gra·tion [maɪ'greɪʃn] N (Ab)Wanderung *f*; *of birds* Wanderung *f*
mike [maɪk] N *infml* Mikro *n*
mild [maɪld] ADJ *climate, food* mild; *character, voice* sanft
mil·dew ['mɪldjuː] N Mehltau *m*
mild·ly ['maɪldlɪ] ADV *say sth* sanft; *irritated, surprised* ein bisschen; **to put it ~** gelinde gesagt
mild·ness ['maɪldnɪs] N Milde *f*; *of character, voice* Sanftheit *f*
mile [maɪl] N Meile *f*; **miles better/easier** *infml* hundertmal besser/leichter; **she's miles ahead of the others** *infml* sie ist den anderen weit voraus
mile·age ['maɪlɪdʒ] N Meilen *pl*; *on speedometer* Meilenstand *m*; **is it unlimited ~?** ist das ohne Meilenbegrenzung?
'mile·stone N *fig* Meilenstein *m*
mil·i·tant ['mɪlɪtənt] **A** ADJ militant **B** N militantes Element
mil·i·tar·y ['mɪlɪtrɪ] **A** ADJ militärisch, Militär- **B** N **the ~** das Militär
mil·i·tar·y a'cad·e·my N Militärakademie *f* **mil·i·tar·y po'lice** N Militärpolizei *f* **mil·i·tar·y 'serv·ice** N Militärdienst *m*
mi·li·tia [mɪ'lɪʃə] N Miliz *f*
milk [mɪlk] **A** N Milch *f* **B** VT melken
milk 'choc·o·late N Vollmilchschokolade *f* **'milk jug** N Milchkännchen *n* **'milk·shake** N Milchshake *m*
milk·y ['mɪlkɪ] ADJ ⟨-ier, -iest⟩ *coffee, tea* mit viel Milch
Milk·y 'Way N Milchstraße *f*
mill [mɪl] N *for grain* Mühle *f*; *for textiles* Weberei *f*; *for steel* Fabrik *f*
♦**mill around** VI herumlaufen
mil·len·ni·um [mɪ'lenɪəm] N ⟨*pl* millennia [mɪ'lenɪə] *or* millenniums⟩ Jahrtausend *n*
mil·li·gram(me) ['mɪlɪgræm] N Milligramm *n*
mil·li·me·tre, **mil·li·me·ter** *US*

M

['mılımiːtə(r)] N Millimeter *m or n*
mil·lion ['mıljən] N Million *f*; **thanks a ~** *infml* tausend Dank
mil·lion·aire [mıljə'neə(r)] N Millionär(in) *m(f)*
mil·lionth ['mıljənθ] ADJ millionste(r, -s)
mime [maım] V/T pantomimisch darstellen
mim·ic ['mımık] **A** N Imitator(in) *m(f)* **B** V/T nachahmen
mince [mıns] N Hackfleisch *n*, Gehackte(s) *n*
'mince·meat N *Piefüllung aus kandierten Früchten*
mince 'pie N *mit „Mincemeat" gefüllter Pie*
mind [maınd] **A** N *intellect* Geist *m*, Verstand *m*; **it's all in your ~** das bildest du dir alles nur ein; **be out of one's ~** verrückt sein; **bear** *or* **keep sth in ~** an etw denken; **what do you have in ~ for the weekend?** was hast du am Wochenende vor?; **read sb's ~** j-s Gedanken lesen; **I've a good ~ to …** ich hätte große Lust zu …; **change one's ~** es sich anders überlegen; **I changed my ~ about him** ich habe meine Meinung über ihn geändert; **it didn't enter my ~** darauf bin ich (gar) nicht gekommen; **give sb a piece of one's ~** j-m die Meinung sagen; **make up one's ~** sich entscheiden; **keep one's ~ on sth** mit den Gedanken bei etw bleiben; **one of the finest minds of the century** e-r der größten Köpfe des Jahrhunderts; **I can't get you out of my ~** ich muss ständig an dich denken; **to my ~** meiner Ansicht nach **B** V/T *take care of* aufpassen auf; *listen to* beachten; **I don't ~ what we do** es ist mir egal, was wir machen; **do you ~ if I smoke?, do you ~ my smoking?** macht es Ihnen etwas aus, wenn ich rauche?; **would you ~ opening the window?** wären Sie bitte so freundlich, das Fenster zu öffnen?; **~ the step!** Vorsicht Stufe! **C** V/I **~!** pass auf!; **never ~!** (das) macht nichts!; **I don't ~** es ist mir egal
'mind-bog·gling [bɒglıŋ] ADJ *infml* irre
mind·less ['maındlıs] ADJ *violence* sinnlos
mine¹ [maın] PRON meine(r), meins; **it's ~** es gehört mir; **a friend of ~** ein Freund *m* von mir
mine² [maın] **A** N *for coal etc* Bergwerk *n* **B** V/I *for coal etc* fördern, abbauen; **~ for** graben nach
mine³ [maın] **A** N *explosive* Mine *f* **B** V/T verminen
'mine·field N MIL Minenfeld *n*; *fig a.* gefährliches Terrain
min·er ['maınə(r)] N Bergmann *m*
min·e·ral ['mınərəl] N Mineral *n*
'min·e·ral oil N Mineralöl *n*
'min·e·ral wa·ter N Mineralwasser *n*
'mine·sweep·er N NAUT Minenräumboot *n*
min·gle ['mıŋgl] V/I *sounds, smells* sich vermischen; *at party* sich unter die Leute mischen
min·i·a·ture ['mınətʃə(r)] ADJ Mini(atur)-, Klein-
'min·i·bus N Kleinbus *m*
'min·i·cab N Kleintaxi *n*
min·i·mal ['mınıməl] ADJ minimal
min·i·mize ['mınımaız] V/T auf ein Minimum reduzieren; *significance* herunterspielen
min·i·mum ['mınıməm] **A** ADJ Mindest- **B** N Minimum *n* (**of** an)
min·i·mum 'age N Mindestalter *n*
min·i·mum 'wage N Mindestlohn *m*
min·ing ['maınıŋ] N Bergbau *m*
min·i·on ['mınjən] N *pej* Lakai *m*; **he gets one of his minions to do it** er lässt es einen seiner Untergebenen machen
'min·i·skirt N Minirock *m*
min·is·ter ['mınıstə(r)] N POL Minister(in) *m(f)*; REL Pastor(in) *m(f)*, Pfarrer(in) *m(f)*
Mi·ni·ster for 'Eu·rope, Mi·ni·ster for Eu·ro·pe·an Af'fairs N Europaminister(in) *m(f)*
min·is·te·ri·al [mını'stıərıəl] ADJ ministeriell, Minister-
min·is·try ['mınıstrı] N POL Ministerium *n*
'min·i·van N Großraumlimousine *f*, Van *m*
mink [mıŋk] N Nerz *m*; *coat a.* Nerzmantel *m*
mi·nor ['maınə(r)] **A** ADJ kleiner, unbedeutend; **in D ~** MUS in D-Moll **B** N JUR Minderjährige(r) *m/f(m)*
mi·nor·i·ty [maı'nɒrətı] N Minderheit *f*

M

mi·nor·i·ty 'gov·ern·ment N Minderheitsregierung *f*
mint [mɪnt] N Pfefferminz *n*; *herb* Minze *f*
mi·nus ['maɪnəs] **A** N Minus(zeichen) *n* **B** PREP minus
mi·nus·cule ['mɪnəskju:l] ADJ winzig
min·ute[1] ['mɪnɪt] N Minute *f*; **in a ~** gleich, sofort; **just a ~** Moment mal; **have you got a ~?** haben Sie e-n Moment Zeit?
mi·nute[2] [maɪ'nju:t] ADJ winzig; *investigation, search* genau, minutiös; **in ~ detail** bis ins kleinste Detail
'min·ute hand N Minutenzeiger *m*
mi·nute·ly [maɪ'nju:tlɪ] ADV *in detail* genauestens; *a small amount* ganz geringfügig
min·utes ['mɪnɪts] N *pl of conversation, meeting* Protokoll *n*; **take the ~** (das) Protokoll führen
mir·a·cle ['mɪrəkl] N Wunder *n*
mi·rac·u·lous [mɪ'rækjʊləs] ADJ wundersam
mi·rac·u·lous·ly [mɪ'rækjʊləslɪ] ADV auf wundersame Weise
mi·rage ['mɪrɑ:ʒ] N Fata Morgana *f*, Luftspiegelung *f*
mire ['maɪə(r)] N Schlamm *m*; **drag through the ~** *fig* in den Schmutz ziehen
mir·ror ['mɪrə(r)] N **A** N Spiegel *m*; AUTO Rückspiegel *m* **B** V/T (wider)spiegeln
mirth [mɜ:θ] N Heiterkeit *f*; Gelächter *n*
mis·an·thro·pist [mɪ'zænθrəpɪst] N Menschenfeind(in) *m(f)*
mis·ap·pre·hen·sion [mɪsæprɪ'henʃn] N Missverständnis *n*; **be under a ~ that ...** irrtümlicherweise *or* fälschlicherweise annehmen, dass ...
mis·ap·pro·pri·ate [mɪsəprəʊ'prɪeɪt] V/T *formal* unterschlagen, veruntreuen
mis·be·have [mɪsbə'heɪv] V/I sich schlecht benehmen
mis·be·hav·iour [mɪsbə'heɪvjə(r)] N schlechtes Benehmen
mis·cal·cu·late [mɪs'kælkjʊleɪt] **A** V/T falsch berechnen **B** V/I sich verrechnen
mis·cal·cu·la·tion [mɪs'kælkjʊleɪʃn] N Rechenfehler *m*
mis·car·riage ['mɪskærɪdʒ] N MED Fehlgeburt *f*; **~ of justice** Fehlurteil *n*
mis·car·ry [mɪs'kærɪ] V/I *plan* scheitern
mis·cel·la·ne·ous [mɪsə'leɪnɪəs] ADJ verschieden
mis·chief ['mɪstʃɪf] N *naughty behaviour* Unfug *m*; **get into ~** etwas anstellen
mis·chie·vous ['mɪstʃɪvəs] ADJ *naughty* schelmisch; *gossip* bösartig
mis·con·cep·tion [mɪskən'sepʃn] N falsche Vorstellung
mis·con·duct [mɪs'kɒndʌkt] N Fehlverhalten *n*
mis·con·strue [mɪskən'stru:] V/T missverstehen
mis·deed [mɪs'di:d] N Missetat *f*
mis·de·mea·nour [mɪsdə'mi:nə(r)] N Fehlverhalten *n*; JUR Vergehen *n*
mi·ser ['maɪzə(r)] N Geizhals *m*
mis·e·ra·ble ['mɪzrəbl] ADJ *unhappy* unglücklich; *weather, performance* erbärmlich
mi·ser·ly ['maɪzəlɪ] ADJ *person* geizig; *amount of money* schäbig
mis·e·ry ['mɪzərɪ] N *unhappiness* Kummer *m*; *need* Elend *n*
mis·fire [mɪs'faɪə(r)] V/I *joke, plan* fehlschlagen
mis·fit ['mɪsfɪt] N *in society* Außenseiter(in) *m(f)*
mis·for·tune [mɪs'fɔ:tʃən] N Pech *n*
mis·giv·ings [mɪs'gɪvɪŋz] N *pl* Bedenken *pl*
mis·guid·ed [mɪs'gaɪdɪd] ADJ irrig
mis·han·dle [mɪs'hændl] V/T *situation* falsch handhaben
mis·hap ['mɪshæp] N Missgeschick *n*, Malheur *n*; **without ~** ohne Zwischenfälle
mis·in·form [mɪsɪn'fɔ:m] V/T falsch unterrichten
mis·in·ter·pret [mɪsɪn'tɜ:prɪt] V/T falsch interpretieren
mis·in·ter·pre·ta·tion [mɪsɪntɜ:prɪ'teɪʃn] N Fehlinterpretation *f*
mis·judge [mɪs'dʒʌdʒ] V/T *person, situation* falsch einschätzen
mis·lay [mɪs'leɪ] V/T ⟨mislaid, mislaid⟩ verlegen
mis·lead [mɪs'li:d] V/T ⟨misled, misled⟩ irreführen
mis·lead·ing [mɪs'li:dɪŋ] ADJ irreführend
mis·man·age [mɪs'mænɪdʒ] V/T schlecht verwalten, schlecht führen; ~

M

the economy e-e schlechte Wirtschaftspolitik machen

mis·man·age·ment [mɪsˈmænɪdʒmənt] N Misswirtschaft *f*

mis·match [ˈmɪsmætʃ] N **there is a ~ here** hier stimmt etwas nicht überein

mis·placed [mɪsˈpleɪst] ADJ *loyalty, enthusiasm* unangebracht

mis·print [ˈmɪsprɪnt] N Druckfehler *m*

mis·pro·nounce [mɪsprəˈnaʊns] V/T falsch aussprechen

mis·pro·nun·ci·a·tion [mɪsprənʌnsɪˈeɪʃn] N falsche Aussprache

mis·read [mɪsˈriːd] V/T ⟨misread [mɪsˈred], misread [mɪsˈred]⟩ falsch lesen; *situation* missdeuten

mis·rep·re·sent [mɪsreprɪˈzent] V/T falsch darstellen

miss[1] [mɪs] N *neg!* **Miss Macleod** Frau Macleod; *for young women/girls* Fräulein Macleod; **~!** Fräulein!

miss[2] [mɪs] **A** N SPORTS Fehlschlag *m*; **give sth a ~** *meeting, party etc* sich etw schenken **B** V/T *target* verfehlen; *bus etc* verpassen; *home, boyfriend* vermissen; *not notice* übersehen; *lesson, deadline* versäumen; **I ~ you so much** du fehlst mir so (sehr); **I missed what he said** ich habe nicht mitbekommen, was er gesagt hat **C** V/I *shooter, football player etc* danebenschießen

mis·shap·en [mɪsˈʃeɪpən] ADJ missgebildet

mis·sile [ˈmɪsaɪl] N *weapon* Flugkörper *m*; *stones etc* Wurfgeschoss *n*

miss·ing [ˈmɪsɪŋ] ADJ *person, ship, plane* vermisst; *object* verschwunden; *not present* fehlend; **be ~** fehlen; *in suspicious circumstances* vermisst werden; **go ~, have gone ~** fehlen; *climber, child* vermisst werden

mis·sion [ˈmɪʃn] N Auftrag *m*; *group of people* Delegation *f*; *into space* Weltraumflug *m*

mis·sion·a·ry [ˈmɪʃənrɪ] N REL Missionar(in) *m(f)*

mis·spell [mɪsˈspel] V/T ⟨misspelt *or* misspelled, misspelt *or* misspelled⟩ falsch schreiben

mist [mɪst] N Nebel *m*

♦ **mist up** V/I *mirror, window* sich beschlagen

mis·take [mɪˈsteɪk] **A** N Fehler *m*; **make a ~** e-n Fehler machen; *be mistaken* sich irren; **by ~** irrtümlicherweise **B** V/T verwechseln; **~ X for Y** X mit Y verwechseln

mis·tak·en [mɪˈsteɪkən] ADJ irrig, falsch; *loyalty* unangebracht; **be ~** sich irren

mis·ter [ˈmɪstə(r)] N Herr *m*; → Mr

mis·tle·toe [ˈmɪsltəʊ] N Mistel *f*

mis·tress [ˈmɪstrɪs] N Geliebte *f*; *of servant* Herrin *f*; *of dog* Frauchen *n*

mis·trust [mɪsˈtrʌst] **A** N Misstrauen *n* (**of** gegenüber) **B** V/T misstrauen

mist·y [ˈmɪstɪ] ADJ ⟨-ier, -iest⟩ *weather* neb(e)lig; *eyes* getrübt; *colours* verschwommen

mis·un·der·stand [mɪsʌndəˈstænd] V/T missverstehen

mis·un·der·stand·ing [mɪsʌndəˈstændɪŋ] N Missverständnis *n*; *argument a.* Differenz *f*

mis·use **A** N [mɪsˈjuːs] *of tool, word* falscher Gebrauch; *of power* Missbrauch *m*; *of means, funds* Zweckentfremdung *f* **B** V/T [mɪsˈjuːz] *tool, word* falsch gebrauchen; *power* missbrauchen; *means, funds* zweckentfremden

mit·i·ga·ting cir·cum·stan·ces [mɪtɪgeɪtɪŋˈsɜːkəmstɑːnsɪs] N *pl* mildernde Umstände *pl*

mit·ten [ˈmɪtən] N Fausthandschuh *m*

mix [mɪks] **A** N Mischung *f* **B** V/T (ver)mischen; *cement* mischen; *drink* mixen **C** V/I **~ with** *people* verkehren mit; **she mixes well** sie ist sehr kontaktfreudig

♦ **mix up** V/T (völlig) durcheinanderbringen; **mix X up with Y** X mit Y verwechseln; **be mixed up** *emotionally, numbers, papers* (ganz) durcheinander sein; **be mixed up in sth** in etw verwickelt sein

♦ **mix with** V/T *other people* Umgang haben mit

mixed [mɪkst] ADJ gemischt

mixed ˈmar·riage N Mischehe *f*

mix·er [ˈmɪksə(r)] N *device* Mixer *m*

mix·ture [ˈmɪkstʃə(r)] N Mischung *f*; *medicine* Mixtur *f*

mix-up [ˈmɪksʌp] N Durcheinander *n*; *of names, suitcases* Verwechs(e)lung *f*

moan [məʊn] **A** N *in pain* Stöhnen *n*; *complaint* Klage *f* **B** V/I *in pain* stöhnen; *complain* jammern

mob [mɒb] **A** N *of fans* Horde *f*; *violent* Mob *m* **B** V/T ⟨-bb-⟩ *famous person* herfallen über, sich stürzen auf

mo·bile ['məʊbaɪl] **A** ADJ *person* beweglich; *equipment, employees* mobil **B** N *for hanging up* Mobile *n*; *phone* Handy *n*
mo·bile com·mun·i'ca·tions N *pl* Mobilfunk *m* **mo·bile 'home** N (großer) Wohnwagen **'mo·bile num·ber** N Handynummer *f* **mo·bile 'phone** N Handy *n*
mo·bil·i·ty [mə'bɪlətɪ] N Beweglichkeit *f*
mo·bi·li·za·tion [məʊbəlaɪ'zeɪʃn] N MIL Mobilmachung *f*
mock [mɒk] **A** ADJ Pseudo-; *surprise, alarm* gespielt; *election, exam* Schein-, simuliert **B** V/T verspotten
mock·e·ry ['mɒkərɪ] N Spott *m*; **the trial was a ~** die Gerichtsverhandlung war e-e Farce
mod cons [mɒd'kɒnz] N *pl infml* **with all ~** mit allem Komfort
mode [məʊd] N *of life, behaviour etc* Form *f*; **~ of transport** Transportmittel *n*
mod·el ['mɒdl] **A** ADJ *employee, husband* vorbildlich **B** N *of boat, plane etc* Modell *n*; *example for imitation* Vorbild *n*, Muster *n*; *for clothes* Model *n* **C** V/T ‹-ll-, *US* -l-› *clothes* vorführen; **~ o.s. on sb** sich j-n zum Vorbild nehmen **D** V/I ‹-ll-, *US* -l-› *for fashion designer* als Model arbeiten; *for artist, photographer* Modell stehen
mo·dem ['məʊdem] N Modem *n*
mod·e·rate **A** ADJ ['mɒdərət] mäßig; POL gemäßigt **B** N ['mɒdərət] POL Gemäßigte(r) *m/f(m)* **C** V/T ['mɒdəreɪt] mäßigen, mildern **D** V/I ['mɒdəreɪt] nachlassen, sich abschwächen
mod·e·rate·ly ['mɒdərətlɪ] ADV *good, well-off etc* einigermaßen
mod·er·a·tion [mɒdə'reɪʃn] N *reserve* Mäßigung *f*; **in ~** in Maßen
mod·ern ['mɒdn] ADJ modern; **~ history** neuere Geschichte
mod·ern·ize ['mɒdənaɪz] V/T modernisieren
mod·ern 'lan·guag·es N *pl* moderne Fremdsprachen *pl*
mod·est ['mɒdɪst] ADJ *person, flat* bescheiden; *undemanding* anspruchslos
mod·es·ty ['mɒdɪstɪ] N Bescheidenheit *f*; Anspruchslosigkeit *f*
mod·i·fi·ca·tion [mɒdɪfɪ'keɪʃn] N (Ver)-Änderung *f*
mod·i·fy ['mɒdɪfaɪ] V/T (ver)ändern
mod·ule ['mɒdju:l] N Modul *n*, Baustein *m*; *for space travel* Raumkapsel *f*; *of course* Modul *n*
moist [mɔɪst] ADJ feucht
moist·en ['mɔɪsn] V/T befeuchten
mois·ture ['mɔɪstʃə(r)] N Feuchtigkeit *f*
mois·tur·iz·er ['mɔɪstʃəraɪzə(r)] N *for skin* Feuchtigkeitscreme *f*
mo·lar ['məʊlə(r)] N Backenzahn *m*
mold *US* → mould¹, mould²
mole [məʊl] N *on skin* Leberfleck *m*
mo·lec·u·lar [mə'lekjʊlə(r)] ADJ molekular
mol·e·cule ['mɒlɪkju:l] N Molekül *n*
'mole·hill N Maulwurfshügel *m*; **make a mountain out of a ~** *fig* aus e-r Mücke e-n Elefanten machen
mo·lest [mə'lest] V/T (sexuell) belästigen; *annoy* belästigen
molt *US* → moult
mol·ten ['məʊltən] ADJ geschmolzen
mom [mɒm] N *US* Mama *f*, Mutti *f*
mo·ment ['məʊmənt] N Augenblick *m*, Moment *m*; **at the ~** augenblicklich, momentan; **for the ~** vorläufig; **live for the ~** die Gegenwart genießen; **just a ~!** Moment mal!
mo·men·tar·i·ly [məʊmən'teərɪlɪ] ADV *for a moment* vorübergehend; *US*: *immediately* gleich
mo·men·ta·ry ['məʊməntrɪ] ADJ kurzzeitig
mo·men·tous [mə'mentəs] ADJ bedeutsam
mo·men·tum [mə'mentəm] N Impuls *m*
mon·arch ['mɒnək] N Monarch(in) *m(f)*
mon·ar·chy ['mɒnəkɪ] N Monarchie *f*
mon·as·tery ['mɒnəstrɪ] N (Mönchs)-Kloster *n*
Mon·day ['mʌndeɪ] N Montag *m*
mon·e·ta·ry ['mʌnɪt(ə)rɪ] ADJ Währungs-, monetär
mon·e·ta·ry 'po·li·cy N Währungspolitik *f*
mon·e·ta·ry 'u·nion N *EU* Währungsunion *f*
mon·ey ['mʌnɪ] N Geld *n*; **I'm a bit short of ~** ich bin etwas knapp bei Kasse
'mon·ey belt N Geldgürtel *m* **mon·ey laun·der·ing** ['mʌnɪlɔ:ndrɪŋ] N Geldwäsche *f* **'mon·ey-lend·er** N

M

Geldverleiher(in) *m(f)* **'mon·ey mar·ket** N Geldmarkt *m* **'mon·ey or·der** N Zahlungsanweisung *f*
mon·grel ['mʌŋgrəl] N Promenadenmischung *f*
mon·i·tor ['mɒnɪtə(r)] A N COMPUT Monitor *m* B V/T überwachen
monk [mʌŋk] N Mönch *m*
mon·key ['mʌŋkɪ] N Affe *m*; *infml*: *child* (kleiner) Schlingel
'mon·key busi·ness N *infml* krumme Tour *or* Sache; *by children* Blödsinn *m*, Unfug *m*
mon·o·logue ['mɒnəlɒg] N Monolog *m*
Mo·nop·o·lies and 'Mer·gers Com·mis·sion N *in GB* Kartellamt *n*
mo·nop·o·lize [mə'nɒpəlaɪz] V/T monopolisieren; *fig* in Beschlag nehmen
mo·nop·o·ly [mə'nɒpəlɪ] N Monopol *n*
mo·not·o·nous [mə'nɒtənəs] ADJ eintönig, monoton
mo·not·o·ny [mə'nɒtənɪ] N Eintönigkeit *f*, Monotonie *f*
mon·ster ['mɒnstə(r)] N Monster *n*
M
mon·stros·i·ty [mɒn'strɒsətɪ] N Monstrosität *f*
mon·strous ['mɒnstrəs] ADJ monströs; *crime, thought* abscheulich
Mon·te·ne·grin [mɒntɪ'ni:grən] A ADJ montenegrinisch B N *person* Montenegriner(in) *m(f)*; *language* Montenegrinisch *n*
Mon·te·ne·gro [mɒntɪ'ni:grəʊ] N Montenegro *n*
month [mʌnθ] N Monat *m*
month·ly ['mʌnθlɪ] A ADJ monatlich B ADV monatlich C N Monatszeitschrift *f*
month·ly in'stal·ment, **month·ly in'stall·ment** *US* N Monatsrate *f*
mon·u·ment ['mɒnjʊmənt] N Denkmal *n*, Monument *n* (**to** für)
mon·u·ment·al [mɒnjʊ'mentl] ADJ *fig* riesig, monumental
mood [mu:d] N *of person* Laune *f*; (schlechte) Laune; *of meeting, country* Stimmung *f*; **be in a good/bad ~** gute/schlechte Laune haben; **be in the ~ for sth** zu etw Lust haben; *for food* auf etw Appetit haben; **I'm not in the ~** ich fühle mich nicht danach
mood·y ['mu:dɪ] ADJ ⟨-ier, -iest⟩ launisch, launenhaft; *bad-tempered* schlecht gelaunt
moon [mu:n] N Mond *m*; **be over the ~** *infml* überglücklich sein
'moon·light A N Mondlicht *n* B V/I *infml* schwarzarbeiten (*bei Nebenjob*)
'moon·lit ADJ mondhell
moor[1] [mʊə(r)] N (Hoch)Moor *n*
moor[2] [mʊə(r)] V/T *boat* anlegen, festmachen
moor·ings ['mʊərɪŋz] N *pl* Anlegeplatz *m*
mop [mɒp] A N *for floor* Wischmopp *m*; **his ~ of red hair** s-e rote Mähne B V/T ⟨-pp-⟩ *floor* wischen; *face* sich abwischen
♦ **mop up** V/T *floor* aufwischen; MIL säubern
mope [məʊp] V/I Trübsal blasen
mor·al ['mɒrəl] A ADJ moralisch; *person, behaviour a.* sittlich B N *of story* Moral *f*; **morals** *pl* Moral *f*
mo·rale [mə'rɑ:l] N Moral *f*
mo·ral·i·ty [mə'rælətɪ] N Moralität *f*
mor·al·ize ['mɒrəlaɪz] V/I moralisieren (**about, on** über)
mor·a·tor·i·um [mɒrə'tɔ:rɪəm] N Moratorium *n*
mor·bid ['mɔ:bɪd] ADJ krankhaft, unnatürlich
more [mɔ:(r)] A ADJ mehr; **some ~ tea?** noch etwas Tee?; **~ and ~ people** immer mehr Leute B ADV mehr; **~ and ~ dangerous** immer gefährlicher; **~ important (than)** wichtiger (als); **~ or less** mehr oder weniger; **once ~** noch einmal; **one ~ please** noch eins bitte; **~ than** mehr als C PRON (noch) mehr; **do you want some ~?** willst du noch mehr?; **a little ~** etwas mehr
more·o·ver [mɔ:'rəʊvə(r)] ADV außerdem
morgue [mɔ:g] N Leichenschauhaus *n*
morn·ing ['mɔ:nɪŋ] N Morgen *m*; **in the ~** morgens; *tomorrow morning* morgen früh; **this ~** heute Morgen; **tomorrow ~** morgen früh; **good ~** guten Morgen
'morn·ing sick·ness N Schwangerschaftsübelkeit *f*
mo·ron ['mɔ:rɒn] N *infml* Idiot(in) *m(f)*
mo·rose [mə'rəʊs] ADJ missmutig
mor·phine ['mɔ:fi:n] N Morphium *n*
mor·sel ['mɔ:sl] N Bissen *m*
mor·tal ['mɔ:tl] A ADJ sterblich; *blow* tödlich; *enemy* Tod- B N Sterbliche(r)

m/f(m)
mor·tal·i·ty [mɔː'tæləti] N Sterblichkeit *f*
mor'tal·i·ty rate N Sterbeziffer *f*
mor·tar[1] ['mɔːtə(r)] N MIL Minenwerfer *m*
mor·tar[2] ['mɔːtə(r)] N *cement* Mörtel *m*
mort·gage ['mɔːgɪdʒ] **A** N Hypothek *f* **B** V/T (mit e-r Hypothek) belasten
'mort·gage in·ter·est N Hypothekenzinsen *pl*
mor·ti·fy ['mɔːtɪfaɪ] V/T **be mortified** vor Scham im Erdboden versinken
mor·tu·a·ry ['mɔːtjʊərɪ] N Leichenhalle *f*
mo·sa·ic [məʊ'zeɪɪk] N Mosaik *n*
Mos·cow ['mɒskəʊ] N Moskau *n*
Mos·lem ['mʊzlɪm] **A** ADJ moslemisch **B** N Moslem(in) *m(f)*
mosque [mɒsk] N Moschee *f*
mos·qui·to [məs'kiːtəʊ] N ⟨*pl* -os, -oes⟩ Moskito *m*
moss [mɒs] N Moos *n*
most [məʊst] **A** ADJ **~ people** die meisten Leute **B** ADV sehr; **the ~ interesting** der/die/das interessanteste; **that's the one I like ~** dieser/diese/dies(es) gefällt mir am besten; **~ of all** am allermeisten; *most importantly* hauptsächlich **C** PRON *countable* die meisten; *uncountable* der/die/das meiste; **at (the) ~** höchstens; **make the ~ of sth** etw voll ausnützen
most-fa·voured-na·tion clause, most-fa·vored-na·tion clause *US* [məʊstfeɪvəd'neɪʃnklɔːz] N ECON, POL Meistbegünstigungsklausel *f*
most·ly ['məʊstlɪ] ADV zum größten Teil, hauptsächlich; *almost always* meistens
MOT [eməʊ'tiː] N TÜV *m* (*für Fahrzeuge*)
moth [mɒθ] N Motte *f*
'moth·ball V/T *plan, project* einmotten
moth·er ['mʌðə(r)] **A** N Mutter *f* **B** V/T bemuttern
moth·er·hood ['mʌðəhʊd] N Mutterschaft *f*
'moth·er-in-law N ⟨*pl* mothers-in--law⟩ Schwiegermutter *f*
moth·er·ly ['mʌðəlɪ] ADJ mütterlich
'Moth·er's Day N Muttertag *m*
moth·er 'tongue N Muttersprache *f*
mo·tif [məʊ'tiːf] N Motiv *n*
mo·tion ['məʊʃn] **A** N Bewegung *f*; *in debate* Antrag *m*; **put** *or* **set sth in ~** etw in Gang setzen **B** V/T **he motioned me forward** er winkte mich nach vorne
mo·tion·less ['məʊʃnlɪs] ADJ bewegungslos
mo·ti·vate ['məʊtɪveɪt] V/T motivieren
mo·ti·va·tion [məʊtɪ'veɪʃn] N Motivation *f*
mo·tive ['məʊtɪv] N Motiv *n*
mo·tor ['məʊtə(r)] N Motor *m*; *infml* Auto *n*
'mo·tor·bike N Motorrad *n* **'mo·tor·boat** N Motorboot *n* **mo·tor·cade** ['məʊtəkeɪd] N Autokolonne *f* **'mo·tor·car** N Kraftfahrzeug *n* **'mo·tor·cy·cle** N Motorrad *n* **'mo·tor·cy·clist** N Motorradfahrer(in) *m(f)* **'mo·tor home** N Wohnmobil *n*
mo·tor·ist ['məʊtərɪst] N Autofahrer(in) *m(f)*
'mo·tor me·chan·ic N Kraftfahrzeugmechaniker(in) *m(f)* **'mo·tor rac·ing** N Rennsport *m* **'mo·tor ve·hi·cle** N Kraftfahrzeug *n* **'mo·tor·way** N Autobahn *f*
mot·tled ['mɒtld] ADJ gefleckt, gesprenkelt
mould[1] [məʊld] N *on food* Schimmel *m*
mould[2] [məʊld] **A** N (Guss)Form *f* **B** V/T formen
mould·y ['məʊldɪ] ADJ ⟨-ier, -iest⟩ *food* verschimmelt
mound [maʊnd] N Hügel *m*; *of post, rice* Haufen *m*
mount[1] [maʊnt] N **Mount Everest** der Mount Everest; **Mount Fuji** der Fudschijama
mount[2] [maʊnt] **A** N *horse* Reittier *n* **B** V/T *stairs* heraufsteigen; *onto horse, bicycle* aufsteigen; *campaign* organisieren; *photo, picture* aufziehen, mit e-m Passepartout versehen **C** V/I *tension, pressure* wachsen, zunehmen
♦ **mount up** V/I sich häufen
moun·tain ['maʊntɪn] N Berg *m*
moun·tain·eer [maʊntɪ'nɪə(r)] N Bergsteiger(in) *m(f)*
moun·tain·eer·ing [maʊntɪ'nɪərɪŋ] N Bergsteigen *n*
moun·tain·ous ['maʊntɪnəs] ADJ bergig, gebirgig
moun·tain 'res·cue serv·ice N Bergwacht *f*
mount·ed po·lice [maʊntɪdpə'liːs] N

pl berittene Polizei

mourn [mɔ:n] **A** VT betrauern **B** VI trauern; ~ **for sb** um j-n trauern

mourn·er ['mɔ:nə(r)] N Trauernde(r) *m/f(m)*

mourn·ful ['mɔ:nfl] ADJ traurig, trauervoll

mourn·ing ['mɔ:nɪŋ] N Trauer *f*; Trauerzeit *f*; **be in ~** trauern

mouse [maʊs] N ⟨*pl* mice [maɪs] *or* COMPUT *a.* mouses⟩ Maus *f*

'mouse mat N COMPUT Mauspad *n*

mous·tache [mə'stɑ:ʃ] N Schnurrbart *m*

mouth [maʊð] N *of person* Mund *m*; *of animal* Maul *n*; *of river* Mündung *f*; **keep one's ~ shut** *infml* den Mund halten

mouth·ful ['maʊðfʊl] N *of food* Bissen *m*, Happen *m*; *of drink* Schluck *m*

'mouth·piece N *of instrument* Mundstück *n*; *spokesperson* Sprachrohr *n*

'mouth·wash N Mundwasser *n*

'mouth·wa·ter·ing ADJ appetitlich

move [mu:v] **A** N *in chess etc* Zug *m*; *step, measure* Schritt *m*; *to another town etc* Umzug *m*; **get a ~ on!** *infml* nun mach schon!; **don't make a ~!** rühr dich nicht (von der Stelle)!; **it's your ~** du bist dran **B** VT *objects, furniture* woanders hinstellen; *vehicle* wegfahren; *part of body* bewegen; *person: to another office* versetzen; *person: to another place* verlegen; *emotionally* bewegen, rühren **C** VI sich bewegen; *to another town etc* umziehen; ~ **house** umziehen

♦**move around** VI *in room* herumlaufen; *to another town etc* (oft) umziehen

♦**move away** VI sich entfernen; *from town* wegziehen

♦**move in** VI einziehen

♦**move on** VI *to another town* woanders hinziehen; *to another job* etwas anderes machen; **let's move on to the next point** kommen wir zum nächsten Punkt

♦**move out** VI *of house* ausziehen; *troops* abziehen

♦**move up** VI *into division, league* aufsteigen; *make room* aufrücken, weiterrücken

move·ment ['mu:vmənt] N *a. organization* Bewegung *f*; MUS Satz *m*

move·ment of 'goods N Warenverkehr *m*

mov·ie ['mu:vɪ] N Film *m*; **go to a ~/the movies** ins Kino gehen

'mov·ie cam·e·ra N Filmkamera *f*

'mov·ie star N Filmstar *m*

mov·ing ['mu:vɪŋ] ADJ beweglich; *story, experience* bewegend

mow [məʊ] VT ⟨mowed, mown⟩ *grass* mähen

♦**mow down** VT niedermähen

mow·er ['məʊə(r)] N Rasenmäher *m*

MP [em'pi:] ABBR *for* Member of Parliament M.P., Abgeordnete(r) *m/f(m)*; **Military Policeman** MP, Militärpolizist(in) *m(f)*

mph [empi:'eɪtʃ] ABBR *for* miles per hour Meilen *pl* pro Stunde

MP3 play·er [empi:'θri:] N MP3-Player *m*, MP3-Spieler *m*

Mr ['mɪstə(r)] N Herr *m*

Mrs ['mɪsɪz] N Frau *f*

Ms [məz] N Frau *f* (*ob verheiratet od nicht*)

Mt *only written* ABBR *for* Mount; ~ **Etna** der Ätna

much [mʌtʃ] **A** ADJ ⟨more, most⟩ viel; **five times as ~** fünfmal so viel **B** ADV sehr; *before comparative* viel; **much-admired** viel bewundert; ~ **too large** viel zu groß; **very ~** sehr; **thank you very ~** vielen Dank; **as ~ as ...** so viel wie ...; **I thought as ~** das hab ich mir gedacht; ~ **as I would like to** so sehr ich auch möchte **C** PRON viel; **nothing ~** nicht viel; **there's not ~ (of a) difference** es besteht kein großer Unterschied

muck [mʌk] N *dirt* Dreck *m*

mu·cus ['mju:kəs] N Schleim *m*

mud [mʌd] N Schlamm *m*

mud·dle ['mʌdl] **A** N Durcheinander *n*; **get into a ~ with sth** mit etw nicht klarkommen **B** VT durcheinanderbringen; *person a.* verwirren

♦**muddle up** VT durcheinanderbringen

mud·dy ['mʌdɪ] ADJ ⟨-ier, -iest⟩ *road, path etc* matschig, schlammig; *hands, shoes etc* schmutzig

'mud·guard N AUTO Kotflügel *m*; *of bicycle* Schutzblech *n*

muf·fle ['mʌfl] VT dämpfen

mug[1] [mʌg] N Becher *m*; *infml*: *face* Visage *f*; *idiot* Trottel *m*

mug[2] [mʌg] VT ⟨-gg-⟩ *attack* überfallen

mug·ger ['mʌgə(r)] N Straßenräuber(in)

m(f)
mug·ging ['mʌgɪŋ] N Überfall *m* (auf offener Straße), Straßenraub *m*
mug·gy ['mʌgɪ] ADJ ⟨-ier, -iest⟩ schwül
♦ **mull over** [mʌl'əʊvə(r)] V/T sich durch den Kopf gehen lassen
mulled 'wine [mʌld] N Glühwein *m*
mul·ti·cul·tur·al [mʌltɪ'kʌltʃərəl] ADJ multikulturell
mul·ti·fo·cals ['mʌltɪfəʊkəlz] N *pl glasses* Gleitsichtgläser *pl*
mul·ti·lat·e·ral [mʌltɪ'lætərəl] ADJ POL multilateral
mul·ti·lin·gual [mʌltɪ'lɪŋgwəl] ADJ mehrsprachig
mul·ti·na·tion·al [mʌltɪ'næʃnl] **A** ADJ multinational **B** N ECON multinationaler Konzern, Multi *m*
mul·ti·par·ty sys·tem [mʌltɪpɑ:tɪ'sɪstəm] N Mehrparteiensystem *n*
mul·ti·ple ['mʌltɪpl] ADJ mehrfach
mul·ti·ple scle·ro·sis [skle'rəʊsɪs] N multiple Sklerose
mul·ti·plex (cin·e·ma) ['mʌltɪpleks] N Multiplex(kino) *n*
mul·ti·pli·ca·tion [mʌltɪplɪ'keɪʃn] N Multiplikation *f*
mul·ti·pli·ci·ty [mʌltɪ'plɪsətɪ] N Vielfalt *f*; *large amount* Vielzahl *f*
mul·ti·ply ['mʌltɪplaɪ] **A** V/T multiplizieren (**by** mit) **B** V/I zunehmen; *plants, animals* sich vermehren
mul·ti'pur·pose ADJ Mehrzweck-
mul·ti·ra·cial [mʌltɪ'reɪʃl] ADJ gemischtrassig, Vielvölker-
mul·ti-sto·rey (car park) [mʌltɪ'stɔ:rɪ] N Parkhaus *n*
mul·ti·tude ['mʌltɪtju:d] N Vielzahl *f*; *poet*: *of people* Menge *f*; **for a ~ of different reasons** aus vielerlei Gründen
mum¹ [mʌm] N *infml* Mama *f*
mum² [mʌm] N **mum's the word** Mund halten!, kein Wort darüber!
mum·ble ['mʌmbl] **A** N Gemurmel *n* **B** V/T murmeln **C** V/I nuscheln
mum·my ['mʌmɪ] N *infml* Mutti *f*
munch [mʌntʃ] V/T & V/I mampfen
mun·dane [mʌn'deɪn] ADJ *pej*: *activity* banal
Mu·nich ['mju:nɪk] N München *n*
mu·ni·ci·pal [mju:'nɪsɪpl] ADJ städtisch, Stadt-
mu·ni·ci·pal·i·ty [mju:nɪsɪ'pælətɪ] N Kommunalbehörde *f*
mu·ral ['mjʊərəl] N Wandgemälde *n*
mur·der ['mɜ:də(r)] **A** N Mord *m*; **get away with ~** *infml* sich alles erlauben können; **the traffic was ~** *infml* der Verkehr war mörderisch **B** V/T *person* ermorden; *song* verhunzen
mur·der·er ['mɜ:dərə(r)] N Mörder(in) *m(f)*
mur·der·ous ['mɜ:drəs] ADJ *rage, look* mörderisch
murk·y ['mɜ:kɪ] ADJ ⟨-ier, -iest⟩ *water* trüb; *fig*: *past etc* finster
mur·mur ['mɜ:mə(r)] **A** N Murmeln *n* **B** V/T murmeln
mus·cle ['mʌsl] N Muskel *m*
mus·cu·lar ['mʌskjʊlə(r)] ADJ muskulös; *pain, cord* Muskel-
muse [mju:z] V/I nachgrübeln
mu·se·um [mju:'zɪəm] N Museum *n*
mush·room ['mʌʃrʊm] **A** N Pilz *m*; Champignon *m* **B** V/I (wie Pilze) aus dem Boden schießen
mu·sic ['mju:zɪk] N Musik *f*; *in written form* Noten *pl*
mu·sic·al ['mju:zɪkl] **A** ADJ musikalisch; *sound* melodisch **B** N Musical *n*
mu·sic·al 'in·stru·ment N Musikinstrument *n*
mu·si·cian [mju:'zɪʃn] N Musiker(in) *m(f)*
Mus·lim ['mʊzlɪm] **A** ADJ muslimisch **B** N Muslim(in) *m(f)*
mus·sel ['mʌsl] N (Mies)Muschel *f*
must¹ [mʌst] V/AUX *necessity* müssen; *probability* dürfen; **I mustn't be late** ich darf nicht zu spät kommen; **they ~ have arrived by now** sie müssten jetzt (eigentlich) angekommen sein
must² [mʌst] N **it's a ~** das ist ein Muss
'mus·tache *US* → moustache
mus·tard ['mʌstəd] N Senf *m*
must·y ['mʌstɪ] ADJ ⟨-ier, -iest⟩ moderig, muffig
mute [mju:t] ADJ *person, animal* stumm
mut·ed ['mju:tɪd] ADJ *sound, colour* gedämpft; *criticism etc* leicht, leise
mu·ti·late ['mju:tɪleɪt] V/T verstümmeln
mu·ti·ny ['mju:tɪnɪ] **A** N Meuterei *f* **B** V/I meutern
mut·ter ['mʌtə(r)] **A** V/I nuscheln **B** V/T murmeln
mut·ton ['mʌtn] N Hammelfleisch *n*

M

mu·tu·al ['mju:tjʊəl] ADJ *assistance, admiration* gegenseitig; *friend, inclination* gemeinsam
muz·zle ['mʌzl] **A** N *of animal* Maul *n; for dog* Maulkorb *m* **B** V/T *press* mundtot machen
my [maɪ] ADJ mein(e)
my·self [maɪ'self] PRON mich; **I did it ~** ich habe es selbst getan; **by ~** allein(e)
mys·te·ri·ous [mɪ'stɪərɪəs] ADJ *circumstances, disappearance* rätselhaft, mysteriös; *stranger, voice* geheimnisvoll
mys·te·ri·ous·ly [mɪ'stɪərɪəslɪ] ADV *change, disappear* auf rätselhafte/geheimnisvolle Weise; *happen* unerklärlicherweise; *say, smile* geheimnisvoll
mys·te·ry ['mɪstərɪ] **A** N *puzzle* Rätsel *n; something unknown, secret* Geheimnis *n* **B** ADJ **~ novel** Kriminalroman *m*
mys·tic·al ['mɪstɪkl] ADJ mystisch
mys·ti·fy ['mɪstɪfaɪ] V/T vor ein Rätsel stellen; *with magic tricks* verblüffen
myth [mɪθ] N Mythos *m; fig* Märchen *n*
myth·i·cal ['mɪθɪkl] ADJ mythisch, Sagen-
my·thol·o·gy [mɪ'θɒlədʒɪ] N Mythologie *f*

N

N, n [en] N N, n *n*
N *only written* ABBR *for* north N, Nord, Norden; **north(ern)** nördlich
nag [næg] ⟨-gg-⟩ **A** V/I *person* herumnörgeln; **stop nagging** hör auf zu nörgeln **B** V/T herumnörgeln an; **~ sb to do sth** j-m (dauernd) in den Ohren liegen, damit er/sie etwas macht
nag·ging ['nægɪŋ] ADJ *person* nörglerisch; *doubt* quälend; *pain* dumpf
nail [neɪl] N *on finger, in wall* Nagel *m*
'nail clip·pers N *pl* Nagelknipser *m* **'nail file** N Nagelfeile *f* **'nail pol·ish** N Nagellack *m* **'nail pol·ish re·mov·er** N Nagellackentferner *m* **'nail scis·sors** N *pl* Nagelschere *f* **'nail var·nish** N Nagellack *m*
na·ive [naɪ'i:v] ADJ naiv
na·ked ['neɪkɪd] ADJ nackt; **to the ~ eye** mit dem bloßen Auge
name [neɪm] **A** N Name *m;* **what's your ~?** wie heißt du?; **call sb names** j-n beschimpfen; **make a ~ for o.s.** sich e-n Namen machen; **get o.s. a bad ~** sich e-n schlechten Namen machen **B** V/T nennen
♦**name after** V/T **name sb after sb** j-n nach j-m nennen
name·ly ['neɪmlɪ] ADV nämlich
'name·tag N Namensschild *n*
nan·ny ['nænɪ] N Kindermädchen *n*
nap [næp] N Nickerchen *n*
nape [neɪp] N **~ of the neck** Genick *n*, Nacken *m*
nap·kin ['næpkɪn] N *at meal* Serviette *f; US: for menstruation* Binde *f*
nap·py ['næpɪ] N Windel *f*
nar·cot·ic [nɑ:'kɒtɪk] N Rauschgift *n*
nar·rate [nə'reɪt] V/T erzählen
nar·ra·tion [nə'reɪʃn] N Erzählen *n*
nar·ra·tive ['nærətɪv] **A** N *story* Erzählung *f* **B** ADJ *style* erzählend
nar·ra·tor [nə'reɪtə(r)] N Erzähler(in) *m(f)*
nar·row ['nærəʊ] ADJ *road, bed etc* schmal, eng; *views, attitude* engstirnig; *victory* knapp
nar·row·ly ['nærəʊlɪ] ADV *escape* mit knapper Not; *win* knapp; **they ~ escaped death** um ein Haar wären sie umgekommen
nar·row-mind·ed ['maɪndɪd] ADJ engstirnig
nas·ty ['nɑ:stɪ] ADJ ⟨-ier, -iest⟩ *person* gemein; *smell, weather* ekelhaft; *cut, wound, illness* schlimm; **you ~ little boy!** du böser Junge!
na·tion ['neɪʃn] N Nation *f*, Volk *n*
na·tion·al ['næʃənl] **A** ADJ national, National-; *newspaper* überregional **B** N Staatsangehörige(r) *m/f(m)*
na·tion·al 'an·them N Nationalhymne *f* **na·tion·al 'cur·ren·cy** N Landeswährung *f* **na·tion·al 'debt** N Staatsverschuldung *f* **Na·tion·al 'Health Serv·ice** N *staatlicher Gesundheitsdienst* **na·tion·al 'ho·li·day** N Staatsfeiertag *m* **Na·tion·al In'sur·ance** N *in GB* Sozialversicherung *f*

na·tion·al·ism ['næʃənəlɪzm] N Nationalismus *m*
na·tion·al·ist ['næʃənəlɪst] N Nationalist(in) *m(f)*
na·tion·al·i·ty [næʃə'nælətɪ] N Nationalität *f*, Staatsangehörigkeit *f*
na·tion·al·ize ['næʃənəlaɪz] V/T *industry etc* verstaatlichen
na·tion·al 'park N Nationalpark *m*
na·tion·al 'pro·duct N Sozialprodukt *n*
na·tion'wide ADJ & ADV landesweit
na·tive ['neɪtɪv] **A** ADJ einheimisch; **~ language** Muttersprache *f* **B** N Einheimische(r) *m/f(m)*; Ureinwohner(in) *m(f)*; **a ~ of Switzerland** ein gebürtiger Schweizer
na·tive 'coun·try N Heimatland *n*
na·tive 'speak·er N Muttersprachler(in) *m(f)*
NATO ['neɪtəʊ] ABBR *for* North Atlantic Treaty Organization NATO *f*
nat·u·ral ['nætʃrəl] ADJ *gift, conclusion, resources* natürlich; *forces* Natur-; *flavour* pur
nat·u·ral 'gas N Erdgas *n*
nat·u·ral·ize ['nætʃrəlaɪz] V/T **become naturalized** eingebürgert werden
nat·u·ral·ly ['nætʃərəlɪ] ADV *of course* natürlich; *behave, talk* natürlich; *shy, aggressive* von Natur aus; **it doesn't come ~ to him** es fällt ihm nicht leicht
nat·u·ral 'sci·ence N Naturwissenschaft *f*
na·ture ['neɪtʃə(r)] N Natur *f*; *of person* Natur *f*, Wesen *n*; *of problem* Art *f*; **it's not in her ~ to be …** sie ist eigentlich nicht …; **reserved by ~** von Natur aus zurückhaltend
'na·ture reserve N Naturschutzgebiet *n*
naugh·ty ['nɔːtɪ] ADJ ‹-ier, -iest› ungezogen; *photo, word etc* unanständig; **that's a very ~ thing to do** das war aber gar nicht lieb (von dir)
nau·se·a ['nɔːzɪə] N Übelkeit *f*
nau·se·at·ing ['nɔːzɪeɪtɪŋ] ADJ widerlich; *smell, taste a.* ekelhaft
nau·seous ['nɔːzɪəs] ADJ **I feel ~** mir ist übel
nau·ti·cal ['nɔːtɪkl] ADJ nautisch; *language* Seemanns-
nau·ti·cal 'mile N Seemeile *f*
na·val ['neɪvl] ADJ See-
'na·val base N Flottenstützpunkt *m*
na·vel ['neɪvl] N (Bauch)Nabel *m*
nav·i·ga·ble ['nævɪgəbl] ADJ *river* schiffbar
nav·i·gate ['nævɪgeɪt] V/I *in ship, plane,* IT navigieren; *in car* den Fahrer dirigieren
nav·i·ga·tor ['nævɪgeɪtə(r)] N *on ship, plane* Navigator(in) *m(f)*; *in car* Beifahrer(in) *m(f)*
na·vy ['neɪvɪ] N (Kriegs)Marine *f*
na·vy ('blue) **A** N Marineblau *n* **B** ADJ marineblau
nay [neɪ] N PARL Gegenstimme *f*, Neinstimme *f*
NE *only written* ABBR *for* northeast NO, Nordost *m*, Nordosten *m*; **northeast (-ern)** nö, nordöstlich
near [nɪə(r)] **A** ADV nahe; **is it ~?** liegt es in der Nähe?; **Christmas is getting nearer** es geht auf Weihnachten zu **B** PREP nahe (an); *with movement* nahe an; **~ the bank** in der Nähe der Bank **C** ADJ nahe; **the nearest bus stop** die nächste Bushaltestelle; **in the ~ future** bald
near·by [nɪə'baɪ] ADV in der Nähe
near·ly ['nɪəlɪ] ADV fast, beinahe
near-sight·ed ['saɪtɪd] ADJ kurzsichtig
neat [niːt] ADJ ordentlich; *appearance* gepflegt; *whisky* pur; *solution* sauber; *US infml* klasse
ne·ces·sar·i·ly [nesə'serəlɪ] ADV notwendigerweise; **not ~** nicht unbedingt
ne·ces·sa·ry ['nesəsərɪ] ADJ notwendig, nötig; **it is ~ to …** man muss …
ne·ces·si·tate [nɪ'sesɪteɪt] V/T erfordern
ne·ces·si·ty [nɪ'sesɪtɪ] N Notwendigkeit *f*
neck [nek] N Hals *m*; *of dress, pullover* Ausschnitt *m*
neck·lace ['nekləs] N Halskette *f*
'neck·line N *of dress* Ausschnitt *m*
'neck·tie N *US* Krawatte *f*, Schlips *m*
née [neɪ] ADJ **~ Donald** geborene Donald
need [niːd] **A** N Bedarf *m* (**of, for** an), Bedürfnis *n* (**of, for** nach); **if ~ be** wenn es sein muss; **in ~** in Not; **those in ~** die Bedürftigen; **be in ~ of sth** etw dringend brauchen; **there's no ~ to be rude** man braucht nicht gleich unhöflich (zu) werden **B** V/T brauchen; **you ~ a wash**

du solltest dich mal waschen; **you'll ~ to buy some** du musst welche kaufen; **you don't ~ to wait** du brauchst nicht zu warten, du musst nicht warten; **I ~ to talk to you** ich muss mit dir reden
nee·dle ['ni:dl] **A** N Nadel *f*; *of speedometer etc* Zeiger *m* **B** V/T *infml* ärgern
need·less ['ni:dləs] ADJ unnötig, überflüssig; **~ to say** selbstverständlich, was sich von selbst versteht
need·y ['ni:dɪ] ADJ ‹-ier, -iest› bedürftig
ne·ga·tion [nɪ'geɪʃn] N Verneinung *f*; *fig* Gegenteil *n*
neg·a·tive ['negətɪv] **A** ADJ *verb, sentence* verneinend; *attitude, person* negativ; ELEC Negativ- **B** N PHOT Negativ *n*; **answer in the ~** mit Nein antworten
ne·glect [nɪ'glekt] **A** N Vernachlässigung *f*; **in a state of ~** völlig verwahrlost **B** V/T vernachlässigen; **~ to do sth** versäumen, etw zu tun
neg·li·gence ['neglɪdʒəns] N Fahrlässigkeit *f*
neg·li·gent ['neglɪdʒənt] ADJ fahrlässig
neg·li·gi·ble ['neglɪdʒəbl] ADJ *amount* unbedeutend
ne·go·ti·a·ble [nɪ'gəʊʃəbl] ADJ **salary is ~** über das Gehalt kann verhandelt werden
ne·go·ti·ate [nɪ'gəʊʃɪeɪt] **A** V/I verhandeln **B** V/T *treaty, contract* aushandeln; *obstacles* überwinden; *bend* nehmen
ne·go·ti·a·tion [nɪgəʊʃɪ'eɪʃn] N Verhandlung *f*
ne·go·ti·a·tor [nɪ'gəʊʃɪeɪtə(r)] N Unterhändler(in) *m(f)*
neigh·bor *etc US* → **neighbour** *etc*
neigh·bour ['neɪbə(r)] N Nachbar(in) *m(f)*; Tischnachbar(in) *m(f)*
neigh·bour·hood ['neɪbəhʊd] N *in town* Gegend *f*; **in the ~ of £300** so um die 300 Pfund
neigh·bour·hood 'po·li·cy N Nachbarschaftspolitik *f*
neigh·bour·ing ['neɪbərɪŋ] ADJ *house, state* Nachbar-, angrenzend
neigh·bour·ly ['neɪbəlɪ] ADJ nachbarlich
nei·ther ['naɪðə(r)] **A** ADJ & PRON keine(r, -s) (von beiden) **B** ADV **~ … nor …** weder … noch … **C** CJ auch nicht
ne·o-lib·er·al [ni:əʊ'lɪbrəl] ADJ POL neoliberal
ne·on light [ni:ɒn'laɪt] N Neonlicht *n*
neph·ew ['nefju:, 'nevju:] N Neffe *m*
ne·po·tism ['nepətɪzm] N Vetternwirtschaft *f*
nerd [nɜ:d] N *infml* uncooler Typ; **a real computer ~** ein totaler Computerfreak
nerve [nɜ:v] N Nerv *m*; *fig* Mut *m*; *infml: insolence* Frechheit *f*; **get on sb's nerves** j-m auf die Nerven gehen; **what a ~!** *infml* so e-e Frechheit!
nerve-rack·ing ['nɜ:vrækɪŋ] ADJ nervenaufreibend
ner·vous ['nɜ:vəs] ADJ *person, twitch* nervös; *system, tension* Nerven-; **I'm ~ about the idea** mir ist nicht wohl bei dem Gedanken
ner·vous 'break·down N Nervenzusammenbruch *m*
ner·vous 'en·er·gy N Vitalität *f*
ner·vous·ness ['nɜ:vəsnɪs] N Nervosität *f*
ner·vous 'wreck N **be a ~** mit den Nerven völlig am Ende sein
nest [nest] N Nest *n*
net[1] [net] N Netz *n*
net[2] [net] ADJ *price* netto, Netto-
Net [net] N **the ~** das Netz, das Internet; **on the ~** im Netz
'net·book N COMPUT Netbook *n* **net con'tri·bu·tor** N *country* Nettozahler *m* **net 'cur·tain** N Store *m*
Neth·er·lands ['neðələndz] N *pl* **the ~** die Niederlande *pl*
neti·quette ['netɪket] N IT Netiquette *f*
net·tle ['netl] N Brennnessel *f*
'net·work N *of contacts, cells* Netz (-werk) *n*; IT Netz *n*
neu·rol·o·gist [njʊə'rɒlədʒɪst] N Neurologe *m*, Neurologin *f*
neu·ro·sis [njʊə'rəʊsɪs] N ‹*pl* neuroses [njʊə'rəʊsi:z]› Neurose *f*
neu·rot·ic [njʊ'rɒtɪk] ADJ neurotisch
neu·ter ['nju:tə(r)] **A** V/T *animal* kastrieren **B** ADJ LING sächlich
neu·tral ['nju:trl] **A** ADJ neutral **B** N *gear* Leerlauf *m*; **in ~** im Leerlauf
neu·tral·i·ty [nju:'trælətɪ] N Neutralität *f*
neu·tral·ize ['nju:trəlaɪz] V/T neutralisieren
nev·er ['nevə(r)] ADV nie(mals)
nev·er-'end·ing ADJ endlos
nev·er·the·less [nevəðə'les] ADV

nichtsdestoweniger, dennoch
new [nju:] ADJ neu
new·bie ['nju:bı] N *infml* Neuling *m*
'new·born ADJ neugeboren
new·com·er ['nju:kʌmə(r)] N *in town* Neuankömmling *m*; *at work, in club* Neue(r) *m/f(m)*
new·ly ['nju:lı] ADV kürzlich; **~ arrived** gerade angekommen; **~ redecorated** frisch renoviert
new·ly in·dus·tri·a·lized coun·try [nju:lıındʌstrıəlaızd'kʌntrı] N Schwellenland *n*
'new·ly-weds [wedz] N *pl* Frischvermählte *pl*
new 'moon N Neumond *m*
news [nju:z] N *sg* Neuigkeiten *pl*; *in TV, radio, press* Nachrichten *pl*; **that's ~ to me** das ist mir neu; **a piece of ~** e-e Neuigkeit
'news a·gen·cy N Nachrichtenagentur *f* **'news·a·gent** N Zeitungshändler(in) *m(f)* **'news bul·le·tin** N Kurznachrichten *pl*; *interrupting a programme* Sondermeldung *f* **'news·cast** N TV Nachrichtensendung *f* **'news·cast·er** N TV Nachrichtensprecher(in) *m(f)* **'news flash** N Kurzmeldung *f* **'news·group** N IT Newsgroup *f* **'news·pa·per** N Zeitung *f* **'news·pa·per ar·ti·cle** N Zeitungsartikel *m* **'news·print** N Zeitungspapier *n* **'news·read·er** N TV *etc* Nachrichtensprecher(in) *m(f)* **'news re·port** N Bericht *m* **'news·room** N Nachrichtenredaktion *f* **'news·sheet** N Informationsblatt *n* **'news·stand** N Zeitungskiosk *m* **'news·ven·dor** N Zeitungsverkäufer(in) *m(f)*
New 'Year N neues Jahr; **Happy ~!** ein gutes neues Jahr! **New Year's 'Day** N Neujahrstag *m* **New Year's 'Eve** N Silvester *n* **New Zea·land** ['zi:lənd] N Neuseeland *n* **New Zea·land·er** ['zi:ləndə(r)] N Neuseeländer(in) *m(f)*
next [nekst] **A** ADJ nächste(r, -s); **~ Monday** (am) nächsten Montag; **the ~ week he came back again** in der darauffolgenden Woche kam er wieder zurück; **who's ~?** der Nächste, bitte; *in game* wer ist dran? **B** ADV als Nächstes; **you try ~** jetzt versuch du es mal; **~ to** *physically* (gleich) neben; *in comparison* im Vergleich mit; **~ to nothing** so gut wie nichts
next-'door **A** ADJ **~ neighbour** Nachbar(in) *m(f)* **B** ADV *live* nebenan
next of 'kin N nächste(r) Verwandte(r)
NGO [endʒi:'əʊ] ABBR *for* non-governmental organization NRO *f*, Nichtregierungsorganisation *f*
NHS [eneıtʃ'es] ABBR *for* National Health Service *staatlicher Gesundheitsdienst in Großbritannien*
NH'S pa·tient N Kassenpatient(in) *m(f)*
nib·ble ['nıbl] V/T knabbern; *ear* sanft küssen
nice [naıs] ADJ *person* nett; *appearance, weather, opportunity* schön; *food* gut, lecker
nice·ly ['naıslı] ADV *behave, express, presented* gut; *greet* nett; **that'll do ~** das genügt vollauf
ni·ce·ties ['naısətız] N *pl* **social ~** Höflichkeiten *pl*
niche [ni:ʃ] N *in wall, market* Nische *f*
nick[1] [nık] N *cut* Kerbe *f*; **in the ~ of time** gerade noch rechtzeitig
nick[2] [nık] V/T *infml* klauen
nick·el ['nıkl] N *substance* Nickel *n*; *US: coin* Fünf-Cent-Stück *n*
'nick·name N Spitzname *m*
Nic·o·si·a [nıkə'sıə] N Nikosia *n*
nic·o·tine ['nıkəti:n] N Nikotin *n*
niece [ni:s] N Nichte *f*
night [naıt] N Nacht *f*; *in hotel* Übernachtung *f*; **tomorrow ~** morgen Nacht; morgen Abend; **11 o'clock at ~** 11 Uhr nachts; **travel by ~** nachts reisen; **stay the ~** übernachten; **good ~** gute Nacht
'night·cap N Schlummertrunk *m* **'night·club** N Nachtklub *m*, Nachtlokal *n* **'night·dress** N Nachthemd *n* **'night·fall** N **at ~** bei Einbruch der Dunkelheit **'night flight** N Nachtflug *m* **'night·gown** N Nachthemd *n*
night·ie ['naıtı] N *infml* Nachthemd *n*
'night·life N Nachtleben *n*
night·ly ['naıtlı] **A** ADJ nächtlich; abendlich **B** ADV jede Nacht; jeden Abend
'night·mare N *a. fig* Albtraum *m*
'night por·ter N Nachtportier *m*
'night school N Abendschule *f*
'night shift N Nachtschicht *f*

'night·spot N Nachtlokal *n* **'night·time** N **at ~, in the ~** nachts **night 'watch·man** N Nachtwächter *m* **'night work** N Nachtarbeit *f*
nil [nɪl] ADJ **12 ~** zwölf zu null
nim·ble ['nɪmbl] ADJ *person* flink; *mind* beweglich
nine [naɪn] ADJ neun
nine·teen [naɪn'ti:n] ADJ neunzehn
nine·teenth [naɪn'ti:nθ] ADJ neunzehnte(r, -s)
nine·ti·eth ['naɪntɪɪθ] ADJ neunzigste(r, -s)
nine·ty ['naɪntɪ] ADJ neunzig
ninth [naɪnθ] ADJ neunte(r, -s)
nip [nɪp] N *with fingers* Kniff *m*; *with teeth* Biss *m*; **give sb's arm a ~** j-n in den Arm zwicken
♦**nip out** V/I *infml* **he has just nipped out** er ist nur mal kurz rausgegangen
nip·ple ['nɪpl] N Brustwarze *f*
ni·tro·gen ['naɪtrədʒn] N Stickstoff *m*
no [nəʊ] **A** ADV nein **B** ADJ kein(e); **~ smoking** Rauchen verboten **C** N ⟨*pl* -oes⟩ Nein *n*
No. *only written* ABBR *for* number Nr., Nummer *f*
no·bil·i·ty [nəʊ'bɪlətɪ] N (Hoch)Adel *m*
no·ble ['nəʊbl] ADJ adlig; *gesture* nobel
no·bod·y ['nəʊbədɪ] PRON keiner, niemand
no-brain·er [nəʊ'breɪnə(r)] N *infml*; **that's a ~** klare Sache, das versteht sich von selbst
no-claims bo·nus [nəʊkleɪmz'bəʊnəs] N AUTO Schadenfreiheitsrabatt *m*
nod [nɒd] **A** N Nicken *n* **B** V/I ⟨-dd-⟩ nicken
♦**nod off** V/I *fall asleep* einnicken
no-hop·er [nəʊ'həʊpə(r)] N *infml* Niete *f*
noise [nɔɪz] N Geräusch *n*; *loud, unpleasant* Krach *m*, Lärm *m*
nois·y ['nɔɪzɪ] ADJ ⟨-ier, -iest⟩ laut
nom·i·nal ['nɒmɪnl] ADJ nominell, Nominal-
nom·i·nate ['nɒmɪneɪt] V/T ernennen; **~ sb for a post** j-n für e-n Posten nominieren
nom·i·na·tion [nɒmɪ'neɪʃn] N *appointment* Ernennung *f*; *suggestion* Nominierung *f*; Kandidatenvorschlag *m*
nom·i·nee [nɒmɪ'ni:] N Kandidat(in) *m(f)*
non... [nɒn] PREF nicht ...
non·al·co'hol·ic ADJ alkoholfrei
non·a·ligned [nɒnə'laɪnd] ADJ POL blockfrei
non·cha·lant ['nɒnʃələnt] ADJ lässig
non·com·mis·sioned of·fi·cer [nɒnkəmɪʃnd'ɒfɪsə(r)] N Unteroffizier(in) *m(f)*
non·com·mit·tal [nɒnkə'mɪtl] ADJ *person, reply* unverbindlich
non·de·script [nɒndɪ'skrɪpt] ADJ *colour, smell* unbestimmbar; *person, appearance etc* unauffällig, unscheinbar
non-dis·crim·i'na·tion prin·ci·ple N Diskriminierungsverbot *n*
none [nʌn] **A** PRON keine(r, -s); **~ of the chocolate** nichts von der Schokolade; **there are ~ left** es sind keine übrig; **there is ~ left** es ist nichts übrig **B** ADV keineswegs; **I was ~ the wiser** ich war kein bisschen schlauer
non'en·ti·ty N Null *f*
none·the·less [nʌnðə'les] ADV nichtsdestoweniger, dennoch
non·ex·ist·ent [nɒnɪg'zɪstənt] ADJ nicht existierend
non-'fat ADJ fettarm, Mager-
non'fic·tion N *no pl* Sachbücher *pl*
non'flam·ma·ble ADJ nicht brennbar
non-gov·ern·men·tal or·gan·i·za·tion [nɒngʌvənmentlɔ:gənaɪ'zeɪʃn] N Nichtregierungsorganisation *f*
non·in'flam·ma·ble ADJ nicht brennbar
non·in·ter'fer·ence, non·in·ter'ven·tion N Nichteinmischung *f*
non-'i·ron ADJ *shirt* bügelfrei
non-mem·ber 'coun·try N *EU* Drittstaat *m*
'no-no N **that's a ~** *infml* das kann man nicht machen
no-'non·sense ADJ *approach* nüchtern, sachlich
non'pay·ment N Nichtzahlung *f*
non'plus V/T ⟨-ss-⟩ verblüffen
non·pol·lut·ing [nɒnpə'lu:tɪŋ] ADJ umweltfreundlich
non'res·i·dent N Nichtansässige(r) *m/f(m)*; nicht im Hotel wohnender Gast
non·re·turn·a·ble [nɒnrɪ'tɜ:nəbl] ADJ **~ bottle** Einwegflasche *f*; **~ deposit** Anzahlung *f*

non·sense ['nɒnsəns] N Unsinn *m*

non'slip ADJ *surface* rutschfest

non'smok·er N *person* Nichtraucher(in) *m(f)*

non'stand·ard ADJ unüblich

non'stick ADJ *frying pan* mit Antihaftbeschichtung

non'stop A ADJ *train* durchgehend; *flight a.* Nonstop-; *conversation* ohne Unterbrechung B ADV *fly* ohne Zwischenlandung; *drive* ohne anzuhalten; *argue* ununterbrochen

non'swim·mer N Nichtschwimmer(in) *m(f)*

non'u·nion ADJ nicht (gewerkschaftlich) organisiert

non'vi·o·lence N Gewaltlosigkeit *f*

non'vi·o·lent ADJ gewaltlos

noo·dles ['nu:dlz] N *pl* Nudeln *pl*

noon [nu:n] N Mittag *m*, Mittagszeit *f*; **at ~** um 12 Uhr (mittags)

'no-one PRON → nobody

nope [nəʊp] INT *infml* ne(e), nein

nor [nɔ:(r)] CJ **neither ... ~ ...** weder ... noch ...; **~ do I** ich auch nicht

nor·mal ['nɔ:ml] ADJ normal; **at the ~ time** zur üblichen Zeit

nor·mal·i·ty [nɔ:'mæləti] N Normalität *f*

nor·mal·ize ['nɔ:məlaɪz] V/T *relations* normalisieren

nor·mal·ly ['nɔ:məlɪ] ADV *in general* normalerweise; *as expected* normal; **just try to behave ~** versuch einfach, ganz normal zu sein

north [nɔ:θ] A N Norden *m*; **to the ~ of** nördlich von B ADJ Nord- C ADV *travel* nach Norden; **~ of** nördlich von

North A'mer·i·ca N Nordamerika *n*

North A'mer·i·can A N Nordamerikaner(in) *m(f)* B ADJ nordamerikanisch

north'east N Nordosten *m*

nor·ther·ly ['nɔ:ðəlɪ] ADJ nördlich

nor·thern ['nɔ:ðən] ADJ nördlich

nor·thern·er ['nɔ:ðənə(r)] N **we are northerners** wir kommen aus dem Norden (des Landes)

Nor·thern 'Ire·land N Nordirland *n*

Nor·thern 'I·rish A ADJ nordirisch B N **the ~** *pl* die Nordiren *pl*

North 'Pole N Nordpol *m*

North 'Sea N Nordsee *f*

north·wards ['nɔ:θwədz] ADV *travel* nach Norden

north·west [nɔ:θ'west] N Nordwesten *m*

Nor·way ['nɔ:weɪ] N Norwegen *n*

Nor·we·gian [nɔ:'wi:dʒn] A ADJ norwegisch B N Norweger(in) *m(f)*; *language* Norwegisch *n*

nose [nəʊz] N Nase *f*; **stick one's ~ in** *infml* sich einmischen

♦**nose about** V/I *infml* herumschnüffeln

'nose·bleed N Nasenbluten *n*

'nose·dive V/I *plane* im Sturzflug herabgehen; **sales have taken a ~** die Verkaufszahlen sind abgestürzt

nos·tal·gia [nɒ'stældʒɪə] N Nostalgie *f*

nos·tal·gic [nɒ'stældʒɪk] ADJ nostalgisch

nos·tril ['nɒstrəl] N Nasenloch *n*

nos·y ['nəʊzɪ] ADJ ⟨-ier, -iest⟩ *infml* neugierig

not [nɒt] ADV nicht; **~ a ...** kein(e) ...

no·ta·ble ['nəʊtəbl] ADJ bemerkenswert

no·ta·ry ['nəʊtərɪ] N Notar(in) *m(f)*

notch [nɒtʃ] N Kerbe *f*

note [nəʊt] N *short message* Mitteilung *f*, Notiz *f*; MUS Note *f*; *comment in text* Anmerkung *f*; *paper money* (Geld)Schein *m*; **I left you a ~** ich hab dir einen Zettel geschrieben; **take** *or* **make notes** sich Notizen machen; **take ~ of sth** etw zur Kenntnis nehmen

♦**note down** V/T notieren

'note·book N Notizbuch *n*; COMPUT Notebook *n*

not·ed ['nəʊtɪd] ADJ bekannt, berühmt

'note·pad N Notizblock *m*

'note·pa·per N Briefpapier *n*

noth·ing ['nʌθɪŋ] PRON nichts; **~ but** nichts als; **~ much** nicht viel; **for ~** ohne Grund; *for no payment* umsonst; **to say ~ of** ganz zu schweigen von

no·tice ['nəʊtɪs] A N *on notice board* Anschlag *m*; *warning* Benachrichtigung *f*; *in newspaper, of birth, death* Anzeige *f*; *from town council* öffentliche Bekanntmachung; *of job, flat* Kündigung *f*; **at short ~** kurzfristig; **until further ~** bis auf Weiteres; **give sb ~ of sth** j-n von etw benachrichtigen; **give sb his/her ~** *as employee, tenant* j-m kündigen; **hand in one's ~** *to employer* kündigen; **four weeks' ~** vier Wochen Kündigungsfrist;

N

work one's ~ bis zum Ende der Kündigungszeit arbeiten; **take ~ of sth** von etw Notiz nehmen; **take no ~ of sb/sth** von j-m/etw keine Notiz nehmen **B** VT bemerken

no·tice·a·ble ['nəʊtɪsəbl] ADJ erkennbar; **the stain is still ~** der Fleck fällt immer noch auf

'no·tice·board N Anschlagtafel *f*, Schwarzes Brett

no·ti·fi·ca·tion [nəʊtɪfɪ'keɪʃn] N Benachrichtigung *f*; *to police, authorities* Meldung *f*; *announcement* Bekanntmachung *f*

no·ti·fy ['nəʊtɪfaɪ] VT benachrichtigen; **~ sb of sth** j-m etw melden

no·tion ['nəʊʃn] N Vorstellung *f*

no·to·ri·ous [nəʊ'tɔːrɪəs] ADJ berüchtigt (**for** für)

not·with·stand·ing [nɒtwɪθ'stændɪŋ] *formal* **A** ADV dennoch, trotzdem **B** PREP ungeachtet, trotz

nought [nɔːt] N Null *f*

noun [naʊn] N Substantiv *n*, Hauptwort *n*

nou·rish·ing ['nʌrɪʃɪŋ] ADJ nahrhaft

nou·rish·ment ['nʌrɪʃmənt] N *food* Nahrung *f*; *nutrients* Nährstoffe *pl*

N

nov·el ['nɒvl] N Roman *m*

nov·el·ist ['nɒvlɪst] N Romanschriftsteller(in) *m(f)*

no·vel·ty ['nɒvəltɪ] N *newness, innovation* Neuheit *f*; *of thought a.* Neuartigkeit *f*

No·vem·ber [nəʊ'vembə(r)] N November *m*

nov·ice ['nɒvɪs] N Anfänger(in) *m(f)*

now [naʊ] ADV nun, jetzt; **~ and again, ~ and then** von Zeit zu Zeit, dann und wann; **by ~** inzwischen; **right ~** jetzt gleich, sofort; **just ~** *at this moment* jetzt gerade; *a moment ago* eben gerade; **~, ~!** na, na!; **~, where did I put it?** also, wo hab ich es hingetan?

now·a·days ['naʊədeɪz] ADV heutzutage

no·where ['nəʊweə(r)] ADV nirgends; *go* nirgendwohin; **it's ~ near finished** es ist noch lange nicht fertig; **we're getting ~ like this** so kommen wir nicht weiter

nox·ious ['nɒkʃəs] ADJ schädlich

noz·zle ['nɒzl] N Düse *f*

nu·cle·ar ['njuːklɪə(r)] ADJ Atom-, Kern-, nuklear

nu·cle·ar 'en·er·gy N Atomenergie *f*, Kernenergie *f* **nu·cle·ar-'free** ADJ atomwaffenfrei **nu·cle·ar 'pow·er** N *energy* Kernkraft *f*; POL Atommacht *f* **nu·cle·ar 'pow·er sta·tion** N Atomkraftwerk *n* Kernkraftwerk *n* **nu·cle·ar re'ac·tor** N Atomreaktor *m*, Kernreaktor *m* **nu·cle·ar tech'no·lo·gy** N Kerntechnik *f* **nu·cle·ar 'waste** N Atommüll *m* **nu·cle·ar 'weap·on** N Atomwaffe *f*

nu·cle·us ['njuːklɪəs] N ⟨*pl* nuclei ['njuːklɪaɪ]⟩ *of cell, atom, a. fig* Kern *m*

nude [njuːd] **A** ADJ nackt **B** N *painting* Akt *m*; **in the ~** nackt

nudge [nʌdʒ] VT (an)stupsen

nud·ist ['njuːdɪst] N Nudist(in) *m(f)*

nui·sance ['njuːsns] N Nervensäge *f*; **be a ~** *matter, activity* lästig sein; **make a ~ of o.s.** den Leuten auf die Nerven gehen; **what a ~!** wie ärgerlich!

null and 'void [nʌl] ADJ null und nichtig

numb [nʌm] ADJ taub (**with** vor); *feelings* wie betäubt

num·ber ['nʌmbə(r)] **A** N *numeral* Zahl *f*; *amount* Anzahl *f*; *of hotel room, house, phone etc* Nummer *f*; **a ~ of people** e-e ganze Anzahl von Leuten; **a great ~ of people** (sehr) viele Leute; **I still have a ~ of questions** ich habe immer noch ziemlich viele Fragen **B** VT nummerieren; **his days are numbered** s-e Tage sind gezählt

'num·ber·plate N Nummernschild *n*

nu·mer·al ['njuːmərəl] N Ziffer *f*

nu·me·rate ['njuːmərət] ADJ rechenkundig; **be ~** rechnen können

nu·me·rous ['njuːmərəs] ADJ zahlreich

nun [nʌn] N Nonne *f*

nurse [nɜːs] N Krankenschwester *f*, -pfleger *m*

nur·se·ry ['nɜːsərɪ] N Kindertagesstätte *f*, Kita *f*; *for plants* Baumschule *f*

'nur·se·ry school N Kindergarten *m* **'nur·se·ry school teach·er** N Kindergärtner(in) *m(f)* **'nur·se·ry slope** N Idiotenhügel *m*

nurs·ing ['nɜːsɪŋ] N Krankenpflege *f*

'nurs·ing home N Pflegeheim *n*

'nurs·ing staff N Pflegepersonal *n*

nut [nʌt] N Nuss *f*; *for bolt* Mutter *f*; **nuts**

pl; infml: testicles Eier *pl*
nut·meg ['nʌtmeg] N Muskatnuss *f*
nu·tri·ent ['nju:triənt] N Nährstoff *m*
nu·tri·tion [nju:'trɪʃn] N Ernährung *f*
nu·tri·tious [nju:'trɪʃəs] ADJ nahrhaft
nuts [nʌts] ADJ *infml* verrückt; **are you ~?** spinnst du?; **be ~ about sb** verrückt nach j-m sein; **you are driving me ~** du machst mich wahnsinnig
'nut·shell N **in a ~** kurz gesagt
nut·ter ['nʌtə(r)] N *sl* Spinner(in) *m(f)*; *dangerous* Irre(r) *m/f(m)*
nut·ty ['nʌtɪ] ADJ ⟨-ier, -iest⟩ *taste* nussig; *infml* verrückt
NW *only written* ABBR *for* northwest NW, Nordwest *m*, Nordwesten *m*; **northwest (-ern)** nw, nordwestlich
NY *only written* ABBR *for* New York New York *n* (*Stadt od Staat*)
NYC *only written* ABBR *for* New York City (die Stadt) New York
ny·lon® ['naɪlɒn] **A** N Nylon® *n* **B** ADJ Nylon®-

O

O, o [əʊ] N O, o *n*
0 [əʊ] N *number, a. in phone numbers* Null *f*
oak [əʊk] N *tree, wood* Eiche *f*
OAP [əʊeɪ'pi:] ABBR *for* old age pensioner Rentner(in) *m(f)*
oar [ɔ:(r)] N Ruder *n*
o·a·sis [əʊ'eɪsɪs] N ⟨*pl* oases [əʊ'eɪsi:z]⟩ *a. fig* Oase *f*
oath [əʊθ] N JUR Eid *m*; *swearword* Fluch *m*; **be on ~** unter Eid stehen
'oat·meal N Hafermehl *n*
oats [əʊts] N *pl* Hafer *m*
o·be·di·ence [ə'bi:dɪəns] N Gehorsam *m*
o·be·di·ent [ə'bi:dɪənt] ADJ gehorsam
o·bese [əʊ'bi:s] ADJ fett(leibig)
o·bes·i·ty [əʊ'bi:sɪtɪ] N Fettleibigkeit *f*
o·bey [ə'beɪ] V/T *parents, order* gehorchen; *rules* sich halten an
o·bit·u·a·ry [ə'bɪtjʊərɪ] N Nachruf *m*
ob·ject¹ ['ɒbdʒɪkt] N *thing* Gegenstand *m*; *aim* Zweck *m*; GRAM Objekt *n*; **money's no ~** Geld spielt keine Rolle
ob·ject² [əb'dʒekt] V/I dagegen sein; **if nobody objects, ...** wenn niemand etwas dagegen hat, ...
♦**object to** V/T **object to sth** etwas gegen etw haben, sich etw verbitten
ob·jec·tion [əb'dʒekʃn] N Einwand *m* (**to** gegen); **if you have no objections** wenn du nichts dagegen hast
ob·jec·tio·na·ble [əb'dʒekʃnəbl] ADJ *smell, person* unangenehm; *attitude* abzulehnend
ob·jec·tive [əb'dʒektɪv] **A** ADJ objektiv, sachlich **B** N Ziel *n*
ob·jec·tiv·i·ty [əb'dʒektɪvətɪ] N Objektivität *f*
ob·ject·or [əb'dʒektə(r)] N Gegner(in) *m(f)*; POL Demonstrant(in) *m(f)*
ob·li·ga·tion [ɒblɪ'geɪʃn] N Verpflichtung *f*; **be under an ~ to sb** j-m verpflichtet sein
ob·lig·a·to·ry [ə'blɪgətrɪ] ADJ obligatorisch
o·blige [ə'blaɪdʒ] V/T **~ sb to do sth** j-n (dazu) zwingen, etw zu tun; **feel obliged to do sth** sich verpflichtet fühlen, etw zu tun; **much obliged!** besten Dank!
o·blig·ing [ə'blaɪdʒɪŋ] ADJ entgegenkommend
o·blique [ə'bli:k] **A** ADJ *remark, comment* indirekt **B** N *in punctuation* Schrägstrich *m*
o·blit·er·ate [ə'blɪtəreɪt] V/T *town* völlig vernichten; *memory* auslöschen
o·bliv·i·on [ə'blɪvɪən] N Vergessenheit *f*
o·bliv·i·ous [ə'blɪvɪəs] ADJ **be ~ of sth** sich e-r Sache nicht bewusst sein
ob·nox·ious [əb'nɒkʃəs] ADJ widerlich
ob·scene [əb'si:n] ADJ obszön, unanständig; *salary* unverschämt hoch
ob·scen·i·ty [əb'senətɪ] N Obszönität *f*
ob·scure [əb'skjʊə(r)] ADJ *dark* dunkel; *difficult to understand* unverständlich; *village, writer* unbekannt; **for some ~ reason** aus e-m unerfindlichen Grund
ob·scu·ri·ty [əb'skjʊərətɪ] N Unbekanntheit *f*; **he died in ~** er starb völlig unbekannt
ob·ser·vant [əb'zɜ:vnt] ADJ aufmerksam
ob·ser·va·tion [ɒbzə'veɪʃn] N Beobachtung *f*; *comment* Bemerkung *f* (**about, on**

über); **keep sb under ~** *in hospital* j-n unter Beobachtung halten; *as potential criminal* j-n überwachen
ob·ser·va·to·ry [əb'zɜːvətrɪ] N Observatorium *n*, Sternwarte *f*
ob·serve [əb'zɜːv] V/T beobachten; *rules, fast* einhalten
ob·serv·er [əb'zɜːvə(r)] N Beobachter(in) *m(f)*
ob·ser·ver 'sta·tus N POL Beobachterstatus *m*
ob·sess [əb'ses] V/T **be obsessed by/ with** besessen sein von
ob·ses·sion [əb'seʃn] N Besessenheit *f*, Obsession *f*
ob·ses·sive [əb'sesɪv] ADJ zwanghaft
ob·so·lete ['ɒbsəliːt] ADJ veraltet
ob·sta·cle ['ɒbstəkl] N *a. fig* Hindernis *n*
ob·ste·tri·cian [ɒbstə'trɪʃn] N Geburtshelfer(in) *m(f)*
ob·sti·na·cy ['ɒbstɪnəsɪ] N Hartnäckigkeit *f*
ob·sti·nate ['ɒbstɪnət] ADJ hartnäckig
ob·struct [əb'strʌkt] V/T *road* blockieren; *investigation, police* behindern
ob·struc·tion [əb'strʌkʃn] N *on road, path etc* Hindernis *n*
ob·struc·tive [əb'strʌktɪv] ADJ **he's being ~ again** er macht mal wieder Schwierigkeiten
ob·tain [əb'teɪn] V/T erhalten
ob·tain·a·ble [əb'teɪnəbl] ADJ *product, goods* erhältlich
ob·tru·sive [əb'truːsɪv] ADJ *colour* (zu) auffällig; *person* aufdringlich; *noise* penetrant
ob·vi·ous ['ɒbvɪəs] ADJ offensichtlich, klar; *clumsy* plump
ob·vi·ous·ly ['ɒbvɪəslɪ] ADV offensichtlich, eindeutig; **~!** natürlich!
oc·ca·sion [ə'keɪʒn] N Gelegenheit *f*; **on that ~** damals
oc·ca·sion·al [ə'keɪʒənl] ADJ gelegentlich
oc·ca·sion·al·ly [ə'keɪʒnlɪ] ADV gelegentlich
oc·cu·pant ['ɒkjʊpənt] N *of vehicle* Insasse *m*, Insassin *f*; *of house, flat* Bewohner(in) *m(f)*
oc·cu·pa·tion [ɒkjʊ'peɪʃn] N Beschäftigung *f*; *job* Beruf *m*; *of country* Besetzung *f*
oc·cu·py ['ɒkjʊpaɪ] V/T ‹-ied› *thoughts* beschäftigen; *time* in Anspruch nehmen; *position* einnehmen; *country* besetzen; **is this seat occupied?** ist dieser Platz besetzt?
oc·cur [ə'kɜː(r)] V/I ‹-rr-› *happen* sich ereignen; *in nature* vorkommen; **it occurred to me that …** mir kam der Gedanke, dass …
oc·cur·rence [ə'kʌrəns] N Ereignis *n*
o·cean ['əʊʃn] N Ozean *m*, Meer *n*
o'clock [ə'klɒk] ADV **at five ~** um fünf Uhr
Oc·to·ber [ɒk'təʊbə(r)] N Oktober *m*
oc·to·pus ['ɒktəpəs] N Tintenfisch *m*
OD [əʊ'diː] V/I *infml* **~ on heroin** e-e Überdosis Heroin nehmen
odd [ɒd] ADJ *strange* seltsam, merkwürdig; *number* ungerade; **why do you always have to be the ~ one out?** warum musst du immer anders sein?; **it's the ~ one out** *thing* es gehört nicht dazu
odd·ball ['ɒdbɔːl] N *infml* Spinner(in) *m(f)*
odds [ɒdz] N *pl* **be at ~ with** uneins sein mit; **the ~ are 10 to one** die Chancen stehen 10 zu eins; **the ~ are that …** es ist wahrscheinlich, dass …; **against all the ~** entgegen allen Erwartungen
odds and 'ends N *pl objects* Krimskrams *m*; **I've still got a few odds and ends to sort out** ich muss noch ein paar Sachen erledigen
odds-'on ADJ *favourite* klar
o·di·ous ['əʊdɪəs] ADJ ekelhaft
o·dour, **o·dor** *US* ['əʊdə(r)] N Geruch *m*
OECD [əʊiːsiː'diː] ABBR *for* Organization for Economic Cooperation and Development OECD *f*
of [ɒv, *unstressed* əv] PREP von; **the name ~ the hotel** der Name des Hotels; **made ~ steel** aus Stahl; **love ~ adventure** Liebe *f* zum Abenteuer; **die ~** sterben an; **be proud ~** stolz sein auf; **smell ~** riechen nach
off [ɒf] **A** PREP von; **~ the main road** *be situated* abseits der Hauptstraße; *lead off* von der Hauptstraße ab *or* weg; **£20 ~ the price** 20 Pfund billiger; **he's ~ his food** er hat keinen Appetit **B** ADV **be ~** *light, device* aus sein, ausgeschaltet sein; *brake* nicht angezogen sein; *electric-*

ity etc abgestellt *or* abgedreht sein; *lid, cap* nicht drauf sein; *not at work* nicht bei der Arbeit sein; *be called off* ausfallen, nicht stattfinden; *food* schlecht sein; **we're ~ tomorrow** *setting off* wir fahren morgen; **with his trousers ~** ohne Hose; **take a day ~** e-n Tag freinehmen; **it's a long way ~** es ist ziemlich weit (entfernt); *in the future* das liegt in weiter Ferne; **drive ~** wegfahren; **~ and on** ab und zu **C** ADJ **the ~ switch** der Ausschaltknopf; **have an ~ day** e-n schlechten Tag haben

of·fal [ˈɒfl] N Innereien *pl*

of·fence [əˈfens] N JUR: *violation* Verstoß *m*, Vergehen *n*; *crime* Verbrechen *n*; *insult* Beleidigung *f*; **take ~ at sth** wegen etw beleidigt sein; **give** *or* **cause ~** Anstoß *or* Ärgernis erregen

of·fend [əˈfend] V/T beleidigen

of·fend·er [əˈfendə(r)] N JUR Straftäter(in) *m(f)*

of·fense *US* → offence

of·fen·sive [əˈfensɪv] **A** ADJ *behaviour, remark* anstößig; *smell* widerlich; **~ weapon** Offensivwaffe *f* **B** N MIL *attack* Offensive *f*; **go on(to) the ~** in die Offensive gehen

of·fer [ˈɒfə(r)] **A** N Angebot *n* **B** V/T anbieten

off'hand ADJ *attitude* lässig

of·fice [ˈɒfɪs] N *room* Büro *n*; *building* Bürogebäude *n*; *position* Amt *n* **'of·fice block** N Bürohaus *n* **'of·fice hours** N *pl* Arbeitszeit *f*; *of local authority etc* Öffnungszeiten *pl* **'of·fice job** N Bürostelle *f*, Bürojob *m*

of·fi·cer [ˈɒfɪsə(r)] N MIL Offizier(in) *m(f)*; *policeman* Polizeibeamte(r) *m*, -beamtin *f*; **excuse me, ~** *when asking a policeman a question* Entschuldigung

of·fi·cial [əˈfɪʃl] **A** ADJ offiziell; *stamp* amtlich; **~ language** Amtssprache *f*; **~ secret** Dienstgeheimnis *n* **B** N Beamte(r) *m*, Beamtin *f*; *of club, union, at sports event* Funktionär(in) *m(f)*

of·fi·cial·ly [əˈfɪʃlɪ] ADV offiziell

of·fi·cial re'cei·ver N Insolvenzverwalter(in) *m(f)*

of·fi·ci·ate [əˈfɪʃɪeɪt] V/I amtieren

of·fi·cious [əˈfɪʃəs] ADJ übereifrig

'off-li·cence N Wein- und Spirituosenhandlung *f*

off-'line **A** ADJ offline **B** ADV *work* offline; **go ~** offline gehen

off'peak ADJ **~ electricity** Nachtstrom *m*; **during ~ hours** außerhalb der Stoßzeiten

off-road·er [ɒfˈrəʊdə(r)] N AUTO Geländefahrzeug *n*

'off-sea·son **A** ADJ Nebensaison- **B** N Nebensaison *f*

'off·set **A** V/T ⟨offset, offset⟩ *losses, disadvantages* ausgleichen **B** N ECON Verrechnung *f*

off'shore ADJ im Meer; *investments* Auslands-; **~ rig** Bohrinsel *f*

off'side **A** ADJ *tyres etc* auf der Fahrerseite **B** ADV SPORTS abseits; **be ~** im Abseits stehen

'off·spring N *child* Kind *n*; *children* Kinder *pl*; *of animal* Junge(s) *n*

off-the-'rec·ord ADJ inoffiziell

off-'white ADJ gebrochen weiß

of·ten [ˈɒfn] ADV oft; **every so ~** von Zeit zu Zeit

oil [ɔɪl] **A** N Öl *n* **B** V/T ölen

'oil change N Ölwechsel *m* **'oil com·pa·ny** N Ölgesellschaft *f* **'oil·field** N Ölfeld *n* **'oil-fired** ADJ *heating* Öl- **'oil paint·ing** N Ölgemälde *n* **oil-pro·du·cing 'coun·try** N Ölförderland *n* **'oil re·fin·e·ry** N Ölraffinerie *f* **'oil rig** N Bohrinsel *f* **'oil slick** N Ölteppich *m* **'oil tank·er** N *ship* Öltanker *m* **'oil well** N Ölquelle *f*

oil·y [ˈɔɪlɪ] ADJ ⟨-ier, -iest⟩ ölig

oint·ment [ˈɔɪntmənt] N Salbe *f*

ok [əʊˈkeɪ] ADJ & ADV *infml* okay, in Ordnung; **is it ~ with you if …?** ist es dir recht, wenn ich …?; **are you ~?** *are you alright?* ist bei dir alles in Ordnung?; **are you ~ for Friday?** kannst du am Freitag?; **he's ~** *nice guy* er ist in Ordnung; **is this bus ~ for …?** fährt dieser Bus nach …?; **~, he's not brilliant, but …** na schön *or* na gut, er ist zwar kein Genie, aber …

old [əʊld] ADJ alt; **in the ~ days** früher; **any ~ disk** irgendeine Diskette

old 'age N Alter *n* **old-age 'pen·sion** N Rente *f* **old-age 'pen·sion·er** N Rentner(in) *m(f)* **old-'fash·ioned** ADJ altmodisch **old 'peo·ple's home** N Altenheim *n*

ol·ive [ˈɒlɪv] N Olive *f*

O

'ol·ive oil N Olivenöl *n*
O·lym·pic Games [əlɪmpɪk'geɪmz] N *pl* Olympische Spiele *pl*
om·buds·man ['ɒmbədzmən] N Ombudsmann *m*
om·buds·wo·man ['ɒmbədzwʊmən] N Ombudsfrau *f*
om·e·lette, **om·e·let** *US* ['ɒmlɪt] N Omelett *n*
om·i·nous ['ɒmɪnəs] ADJ bedrohlich
o·mis·sion [ə'mɪʃn] N *omitting* Auslassen *n; thing omitted* Auslassung *f; of player* Nichtberücksichtigung *f*
o·mit [ə'mɪt] V/T ‹-tt-› auslassen; **~ to do sth** etw unterlassen; **~ sb from a team** j-n nicht aufstellen *or* nicht berücksichtigen
on [ɒn] **A** PREP auf; **~ the wall** an der/die Wand; **~ the bus** im Bus; **get ~ the bus** in den Bus einsteigen; **~ TV/the radio** im Fernsehen/Radio; **~ Sunday** am Sonntag; **~ the 1st of ...** am 1. ...; **I'm ~ antibiotics** ich nehme gerade Antibiotika (ein); **this is ~ me** *I'm paying for it* das geht auf meine Rechnung; **have you any money ~ you?** hast du Geld bei dir?; **~ his arrival** bei s-r Ankunft; **~ hearing this, he ...** als er das hörte, ... **B** ADV **be ~** *light, device* an sein, eingeschaltet sein; *brake* angezogen sein; *lid, cap* drauf sein; *electricity etc* angestellt sein; *TV programme* kommen; *meeting etc* stattfinden; **what's ~ tonight?** *what is planned?* was machen wir heute Abend?; **put a coat ~** e-n Mantel anziehen; **you're ~** *okay* abgemacht; **that's not ~** *not allowed, unfair* das kann man nicht machen; **~ you go** also los; **walk/talk ~** weitergehen/-reden; **and so ~** und so weiter; **~ and ~** endlos **C** ADJ **the ~ switch** der Einschaltknopf
once [wʌns] **A** ADV *one single time* einmal; *in the past* (früher) einmal; **not ~** kein einziges Mal, nicht ein einziges Mal; **~ or twice** ein paar Mal; **~ again, ~ more** wieder einmal; **at ~** *immediately* sofort; **all at ~** *suddenly* plötzlich; **(all) at ~** *together* alle auf einmal; **~ upon a time there was ...** es war einmal ...; **~ in a while** ab und zu; **~ and for all** ein für alle Mal; **for ~** ausnahmsweise (mal) **B** CJ wenn; **~ you have finished** wenn du fertig bist, sobald du fertig bist

O

one [wʌn] **A** N *number* eins **B** ADJ ein(e); **~ day** e-s Tages **C** PRON eine(r, -s); man; **which ~?** welche(r, -s)?; **this ~** diese(r, -s) (hier); **the large ~** der/die/das Große; **~ by ~** einzeln; **~ another** einander; **the little ones** *pl* die Kleinen *pl*; **I for ~ ...** was mich angeht, ich ...
one-'off N **be a ~** *event* etwas Einmaliges sein; *person* einmalig sein; *exception* e-e Ausnahme sein
one-off 'pay·ment N Einmalzahlung *f*
one's [wʌnz] ADJ *esp formal* sein(e)
one'self PRON sich; **be by ~** allein(e) sein; **do sth by ~** etw allein(e) tun
one-sid·ed [wʌn'saɪdɪd] ADJ *discussion, fight* einseitig **'one·time** ADJ ehemalig, früher **one-track 'mind** N **have a ~** *hum* immer nur an das eine denken **one-way 'street** N Einbahnstraße *f* **one-way 'tick·et** N einfache Fahrkarte; AVIAT einfaches Ticket **one-way 'traf·fic** N Verkehr *m* nur in einer Richtung **'one-year-old** ADJ einjährig
on·ion ['ʌnjən] N Zwiebel *f*
on-line [ɒn'laɪn] **A** ADJ online **B** ADV online; **go ~** auf Onlinebetrieb schalten
on-line 'bank·ing N Onlinebanking *n* **on-line 'deal·er** N Internethändler(in) *m(f)* **on-line 'serv·ice** N IT Onlinedienst *m* **on-line 'shop** N Onlineshop *m* **on-line 'shop·ping** N Onlineshopping *n* **on-line 'store** N Onlineshop *m*
on·look·er ['ɒnlʊkə(r)] N Zuschauer(in) *m(f)*
on·ly ['əʊnlɪ] **A** ADV nur, bloß; **he's ~ six** er ist erst sechs; **not ~ X but also Y** nicht nur X, sondern auch Y; **~ just** *achieve sth* ganz knapp; *arrived* gerade eben **B** ADJ einzige(r, -s)
'on·set N *of disease, conflict* Ausbruch *m; of winter* Einbruch *m*
on'side ADV SPORTS nicht im Abseits
on·slaught ['ɒnslɔːt] N *a. fig* (heftiger) Angriff
on-the-job 'train·ing N betriebliche Ausbildung
on·to ['ɒntuː] PREP auf; **get ~ the train** in den Zug einsteigen
on·wards ['ɒnwədz] ADV weiter; **from ... ~** von ... (an)

ooze VI [uːz] *liquid* triefen
o·paque [əʊ'peɪk] ADJ *glass* trüb
o·pen ['əʊpən] **A** ADJ *door, shop, bottle* offen, geöffnet; *attitude, relationship, secret, countryside* offen; *file* geöffnet; **in the ~ air** im Freien; **~ method of coordination** *EU* offene Koordinierungsmethode **B** VT öffnen, aufmachen; *file, computer program* öffnen; *book, newspaper* aufschlagen; *account* einrichten; *meeting, discussion* eröffnen **C** VI *door, window, flower* sich öffnen, aufgehen; *shop, department store* öffnen, aufmachen
♦ **open up** **A** VT *market* erschließen **B** VI *person* offener werden
o·pen-'air ADJ im Freien; **~ concert** Open-Air-Konzert *n*; **~ pool** Freibad *n*
'o·pen day N Tag *m* der offenen Tür
o·pen-end·ed [əʊpən'endɪd] ADJ *contract* zeitlich unbegrenzt; *agreement, relationship* offen; **an ~ discussion** e-e Open-End-Diskussion **o·pen-hand·ed** [əʊpən'hændɪd] ADJ freigebig, großzügig
o·pen·ing ['əʊpənɪŋ] N *in wall etc* Öffnung *f*; *of film, novel etc* Anfang *m*; *job* freie Stelle
'o·pen·ing hours N *pl* Öffnungszeiten *pl*
o·pen·ly ['əʊpənlɪ] ADV *honestly* offen
o·pen plan 'of·fice N Großraumbüro *n* **o·pen 'tick·et** N offenes Ticket **O·pen U·ni'ver·si·ty** N Fernuniversität *f* (*in Großbritannien braucht man dafür kein Abitur*)
op·e·ra ['ɒpərə] N Oper *f*
op·e·rate ['ɒpəreɪt] **A** VI *company* Geschäfte betreiben, operieren; *bus route* verkehren; *machine* funktionieren, arbeiten (**on** mit); MED operieren **B** VT *machine* bedienen
♦ **operate on** VT MED operieren
op·e·rat·ing com·pa·ny ['ɒpəreɪtɪŋ] N Betreiberfirma *f* **'op·e·rat·ing ex·pen·ses** N *pl* Betriebsausgaben *pl* **'op·e·rat·ing in·struc·tions** N *pl* Bedienungsanleitung *f* **'op·e·rat·ing pro·fit** N Betriebsgewinn *m* **'op·e·rat·ing room** N *US* Operationssaal *m* **'op·e·rat·ing sys·tem** N IT Betriebssystem *n* **'op·e·rat·ing the·a·tre** N Operationssaal *m*
op·e·ra·tion [ɒpə'reɪʃn] N MED Operation *f*; *of machine* Bedienung *f*; **operations** *pl*; *of company* Geschäftstätigkeiten *pl*; **have an ~** MED operiert werden
op·e·ra·tor ['ɒpəreɪtə(r)] N TEL Vermittlung *f*; *of machine* Bediener(in) *m(f)*; *company* Unternehmen *n*; *person running company* Unternehmer(in) *m(f)*; *of tours* Veranstalter *m*
o·pin·ion [ə'pɪnjən] N Meinung *f* (**of, about** von, zu); **in my ~** meiner Meinung nach; **that's a matter of ~** das ist Ansichtssache; **have a high/low ~ of sb** viel/wenig von j-m halten
o'pin·ion poll N Meinungsumfrage *f*
op·po·nent [ə'pəʊnənt] N Gegner(in) *m(f)*
op·por·tun·ist [ɒpə'tjuːnɪst] N Opportunist(in) *m(f)*
op·por·tu·ni·ty [ɒpə'tjuːnətɪ] N Gelegenheit *f*
op·pose [ə'pəʊz] VT ablehnen; **be opposed to …** gegen … sein; **as opposed to …** im Gegensatz zu …
op·po·site ['ɒpəzɪt] **A** ADJ *side of the street, houses* gegenüberliegend; *direction, meaning* entgegengesetzt; *views, characters* gegensätzlich; **the ~ sex** das andere Geschlecht; **on the ~ side** auf der anderen Seite, auf der Seite gegenüber **B** N Gegenteil *n* **C** PREP gegenüber; **they live ~ me** sie wohnen mir gegenüber **D** ADV *live* gegenüber
op·po·site 'num·ber N *counterpart* Pendant *n*
op·po·si·tion [ɒpə'zɪʃn] N Widerstand *m*, Opposition *f* (**to** gegen); *opposing team* Gegner *pl*; POL Opposition *f*; **in ~ to** im Gegensatz zu
op·po·si·tion·al [ɒpə'zɪʃnl] ADJ oppositionell, Oppositions-
op·po'si·tion lead·er N Oppositionsführer(in) *m(f)*
op·po'si·tion par·ty N Oppositionspartei *f*
op·press [ə'pres] VT unterdrücken
op·pres·sive [ə'presɪv] ADJ *rule, dictator* repressiv, unterdrückerisch; *weather* drückend, schwül
opt [ɒpt] VT **~ to do sth** sich entscheiden, etw zu tun
♦ **opt for** VT sich entscheiden für
♦ **opt out** VI sich anders entscheiden;

of membership aufgeben (**of sth** etw); *of scheme* austreten (**of** aus); *of deal* zurücktreten (**of** von), aussteigen (**of** aus)
op·ti·cal il·lu·sion [ɒptɪklɪ'lu:ʒn] N optische Täuschung
op·ti·cian [ɒp'tɪʃn] N Optiker(in) *m(f)*
op·ti·mism ['ɒptɪmɪzm] N Optimismus *m*
op·ti·mist ['ɒptɪmɪst] N Optimist(in) *m(f)*
op·ti·mist·ic [ɒptɪ'mɪstɪk] ADJ optimistisch (**about** bezüglich)
op·ti·mum ['ɒptɪməm] **A** ADJ optimal **B** N Optimum *n*
op·tion ['ɒpʃn] N *choice* Wahl *f*; *alternative to chose from* Möglichkeit *f*
op·tion·al ['ɒpʃnl] ADJ freiwillig
op·tion·al 'ex·tras N *pl* Extras *pl*
'opt-out N *of agreement etc* Rücktrittsmöglichkeit *f*; *non-participation* Nichtbeteiligung *f* (**of** an); **~ clause** Rücktrittsklausel *f*
or [ɔ:(r)] CJ oder; **he can't see ~ hear** er kann weder sehen noch hören; **~ else!** sonst passiert was!
o·ral ['ɔ:rəl] **A** ADJ *exam* mündlich; *hygiene* Mund-; *sex* Oral-, oral **B** N mündliche Prüfung
or·ange ['ɒrɪndʒ] **A** ADJ *colour* orange **B** N Orange *f*, Apfelsine *f*; *colour* Orange *n*

O

'or·ange juice N Orangensaft *m*
or·a·tor ['ɒrətə(r)] N Redner(in) *m(f)*
or·bit ['ɔ:bɪt] **A** N *of planet, satellite* Umlaufbahn *f* **B** V/T *the Earth* umkreisen
or·chard ['ɔ:tʃəd] N Obstgarten *m*
or·ches·tra ['ɔ:kɪstrə] N Orchester *n*
or·dain [ɔ:'deɪn] V/T *priest* weihen
or·deal [ɔ:'di:l] N Tortur *f*
or·der ['ɔ:də(r)] **A** N *system, discipline* Ordnung *f*; *sequence* Reihenfolge *f*; *command* Befehl *m*; *of goods, in restaurant* Bestellung *f*; **in ~ to leave early** um früher gehen zu können; **out of ~** *lift, machine* außer Betrieb; *not in sequence* durcheinander; **he's out of ~** *in behaviour* er ist zu weit gegangen **B** V/T *papers, documents* ordnen; *products, food* bestellen; **~ sb to do sth** j-m befehlen, etw zu tun **C** V/I *in restaurant* bestellen
or·der·ly ['ɔ:dəlɪ] **A** ADJ *life* geordnet **B** N *in hospital* Pfleger(in) *m(f)*
or·di·nar·i·ly [ɔ:dɪ'neərɪlɪ] ADV *normally* normalerweise
or·di·na·ry ['ɔ:dɪnərɪ] ADJ gewöhnlich; **~ people** *pl* einfache Leute *pl*
or·di·na·ry 'share N ECON Stammaktie *f*
ore [ɔ:(r)] N Erz *n*
or·gan ['ɔ:gən] N ANAT Organ *n*; MUS Orgel *f*
or·gan·ic [ɔ:'gænɪk] ADJ organisch; *farmer, food etc* Bio-; **~ vegetables** *pl* Gemüse *n* aus ökologischem Anbau
or·gan·i·cal·ly [ɔ:'gænɪklɪ] ADV *farmed* biologisch, biologisch-dynamisch
or·gan·is·m ['ɔ:gənɪzm] N Organismus *m*
or·gan·i·za·tion [ɔ:gənaɪ'zeɪʃn] N Organisation *f*; *of report, thoughts* Gliederung *f*
or·gan·ize ['ɔ:gənaɪz] V/T organisieren; *data* ordnen; *essay etc* aufbauen
or·gan·iz·er ['ɔ:gənaɪzə(r)] N *person* Organisator(in) *m(f)*; *electronic* elektronisches Notizbuch
'or·gan trans·plant N MED Organverpflanzung *f*, Organtransplantation *f*
or·gas·m ['ɔ:gæzm] N Orgasmus *m*
O·ri·en·tal ADJ [ɔ:rɪ'entl] orientalisch
o·ri·en·tate ['ɔ:rɪənteɪt] V/T ausrichten (**towards** auf); **~ o.s.** *in town, surroundings* sich orientieren
or·i·gin ['ɒrɪdʒɪn] N Ursprung *m*; **of Chinese ~** chinesischer Herkunft
o·rig·i·nal [ə'rɪdʒənl] **A** ADJ ursprünglich; *text, version etc* Original-, original; *painting* echt; **is this an ~ idea of yours?** war das deine eigene Idee?; **a very ~ idea** e-e sehr originelle Idee **B** N *painting etc* Original *n*
o·rig·i·nal·i·ty [ərɪdʒɪ'nælətɪ] N Originalität *f*
o·rig·i·nal·ly [ə'rɪdʒənəlɪ] ADV ursprünglich; *at first* zuerst
o·rig·i·nate [ə'rɪdʒɪneɪt] **A** V/T ins Leben rufen; *idea* kommen auf **B** V/I *idea, belief* entstehen; **~ from India** aus Indien stammen
o·rig·i·na·tor [ə'rɪdʒɪneɪtə(r)] N *of plan, idea etc* Urheber(in) *m(f)*
or·na·ment ['ɔ:nəmənt] N Ornament *n*
or·na·men·tal [ɔ:nə'mentl] ADJ dekorativ
or·nate [ɔ:'neɪt] ADJ *style, architecture* üppig, aufwendig

or·phan ['ɔ:fn] **A** N Waise *f* **B** V/T **be orphaned** zur Waise werden
or·phan·age ['ɔ:fənɪdʒ] N Waisenhaus *n*
or·tho·dox ['ɔ:θədɒks] ADJ REL orthodox; *fig a.* konventionell
or·tho·pae·dic, **or·tho·pe·dic** *US* [ɔ:θə'pi:dɪk] ADJ orthopädisch
Os·lo ['ɒzləʊ] N Oslo *n*
os·ten·si·bly [ɒ'stensəblɪ] ADV angeblich
os·ten·ta·tion [ɒsten'teɪʃn] N Protzigkeit *f*, Angeberei *f*
os·ten·ta·tious [ɒsten'teɪʃəs] ADJ protzig, angeberisch
os·tra·cize ['ɒstrəsaɪz] V/T ächten
oth·er ['ʌðə(r)] **A** ADJ andere(r, -s); **the ~ day** *recently* neulich; **the ~ morning** neulich morgens; **the ~ week** vor ein paar Wochen; **every ~ day** jeden zweiten Tag; **any ~ questions?** sonst noch Fragen?; **some ~ time** ein andermal **B** N der/die/das andere; **the others** *pl* die anderen *pl* **C** ADV **~ than** außer
oth·er·wise ['ʌðəwaɪz] **A** CJ sonst **B** ADV *act, think* anders
ouch [aʊtʃ] INT autsch
ought [ɔ:t] V/AUX **you ~ to know** du solltest das wissen; **you ~ to have done it** du hättest es machen sollen
ounce [aʊns] N Unze *f*
our ['aʊə(r)] ADJ unser(e)
ours ['aʊəz] PRON unsere(r, -s); **it's ~** es gehört uns; **a friend of ~** ein Freund *m* von uns
our·selves [aʊə'selvz] PRON uns; **we did it by ~** wir haben es selbst getan; **by ~** allein(e)
oust [aʊst] V/T *from office* absetzen; **~ sb from office** j-n aus dem Amt (ver)drängen
out [aʊt] **A** ADV; **be ~** *light* aus sein; *fire a.* erloschen sein; *flower* blühen; *sun* scheinen; *not at home etc* nicht da sein; *calculations* danebenliegen; *book* erschienen sein; *secret* raus sein; *of competition* aus dem Rennen sein; *no longer fashionable* aus der Mode sein, out sein; **be ~ by 30%** um 30% danebenliegen; **he's ~ in the garden** er ist draußen im Garten; **(get) ~!** verschwinde!; **that's ~!** *impossible* das kommt nicht infrage!; **be ~ to win** unbedingt gewinnen wollen **B** PREP **it fell ~ the window** es ist aus dem Fenster gefallen **C** V/T *infml* outen
'out·box N *for e-mail* Postausgang *m*
'out·break N *of violence, war* Ausbruch *m*
'out·build·ing N Nebengebäude *n*
'out·burst N *of emotions* Ausbruch *m*
'out·cast N Ausgestoßene(r) *m/f(m)*
'out·come N Ergebnis *n*
'out·cry N Aufschrei *m*, Protest *m*
out'dat·ed ADJ überholt
out'dis·tance V/T hinter sich lassen
out'do V/T ⟨outdid, outdone⟩ übertreffen
'out·door ADJ *toilet etc* Außen-; *life, activities* im Freien
out'doors ADV draußen, im Freien; **go ~** nach draußen gehen
out·er ['aʊtə(r)] ADJ *wall etc* äußere(r, -s)
'out·er·most ADJ äußerste(r, -s)
out·er 'space N Weltraum *m*
'out·fit N Outfit *n* Kleidung *f*; *infml*: *organization* Verein *m*
'out·go·ing ADJ *flight* Hin-; *person, character* kontaktfreudig
out'grow V/T ⟨outgrew, outgrown⟩ *habit* ablegen
out·land·ish [aʊt'lændɪʃ] ADJ befremdlich, sonderbar
out'last V/T überdauern
'out·law N HIST Geächtete(r) *m/f(m)*
'out·lay N (Geld)Auslagen *pl*, Ausgaben *pl*
'out·let N *of pipe* Abfluss *m*; ECON Verkaufsstelle *f*; ELEC Steckdose *f*
'out·line **A** N *of object* Umriss *m*; *of plan, novel* Entwurf *m* **B** V/T *plans etc* umreißen
out'live V/T überleben
'out·look N *prospects* Aussichten *pl*
'out·ly·ing ADJ *area* abgelegen
out'num·ber V/T zahlenmäßig überlegen sein; **be outnumbered** zahlenmäßig unterlegen sein
out of PREP *gener* aus; **~ curiosity** aus Neugier; **made ~ wood** aus Holz; **20km ~ Norwich** 20 km außerhalb von Norwich; **we're ~ petrol** wir haben kein Benzin mehr; **1 ~ 10** eine(r) von 10
out-of-'date ADJ veraltet
out-of-the-'way ADJ abgelegen
'out·pa·tient N ambulante(r) Patient(in)

'out·pa·tients' (clin·ic) N Poliklinik *f*
out·per'form VT besser sein als
'out·post N MIL Vorposten *m*
'out·put **A** N *of factory* Produktion *f*; IT Datenausgabe *f* **B** VT ‹-tt- *or* output, output› *produce* produzieren
'out·rage **A** N *emotion* Empörung *f*, Entrüstung *f* (**at** über); *deed* Gräueltat *f*, Schandtat *f* **B** VT *person* empören; *sense of justice* grob verletzen
out·ra·geous [aʊt'reɪdʒəs] ADJ *crime* abscheulich; *prices* unverschämt; *behaviour* unerhört, skandalös
'out·right **A** ADJ *winner* klar; *refusal, lie* glatt, total; *catastrophe* total **B** ADV *win* klar; *kill* auf der Stelle; *admit* ohne Umschweife; *pay* ganz
out'run VT ‹-nn-; outran, outrun› schneller laufen als; **~ sb** j-m davon- *or* weglaufen
'out·set N **from the ~** von Anfang an
out'shine VT ‹outshone, outshone› in den Schatten stellen
out'side **A** ADJ Außen-; *financing* Fremd- **B** ADV *sit* draußen; *go* nach draußen **C** PREP außerhalb; **~ the door** vor der Tür; **~ of a few …** abgesehen von ein paar … **D** N *of building, box etc* Außenseite *f*; **at the ~** höchstens
out·side 'broad·cast N TV Außenproduktion *f*; *of football match etc* Außenübertragung *f*
out·sid·er [aʊt'saɪdə(r)] N Außenseiter(in) *m(f)*
'out·size ADJ *clothes* übergroß
'out·skirts N *pl* Stadtrand *m*, Außenbezirke *pl*
out'smart → outwit
'out·source VT *production* auslagern, outsourcen
out·sourc·ing ['aʊtsɔːsɪŋ] N Auslagerung *f*, Outsourcing *n*
out'stand·ing ADJ *quality, sportsman* hervorragend; *success* großartig; *bill, amount* ausstehend
out·stretched [aʊt'stretʃd] ADJ *hands* ausgestreckt
out'strip VT ‹-pp-› überholen; *fig* übertreffen
out'vote VT überstimmen
out·ward ['aʊtwəd] ADJ *appearance* äußere(r, -s); **~ journey** Hinreise *f*
out·ward·ly ['aʊtwədlɪ] ADV nach hin
out'weigh VT überwiegen
out'wit VT ‹-tt-› überlisten
'out·work N Heimarbeit *f*
'out·work·er N Heimarbeiter(in) *m(f)*
o·val ['əʊvl] ADJ oval
o·va·ry ['əʊvərɪ] N Eierstock *m*
o·va·tion [əʊ'veɪʃn] N Ovation *f*; **give sb a standing ~** j-m stehende Ovationen bereiten
ov·en ['ʌvn] N Ofen *m*
'ov·en glove N Topfhandschuh *m*
'ov·en·proof ADJ hitzebeständig **ov·en-'read·y** ADJ backfertig
o·ver ['əʊvə(r)] **A** PREP *gener* über; **it's just ~ the street** es ist gleich auf der anderen Straßenseite; **~ and above this amount** über diesen Betrag hinaus; **~ the summer months** während der Sommermonate; **~ the next few days** in den nächsten Tagen; **let's talk about it ~ a drink** reden wir bei e-m Drink darüber; **travel all ~ Brazil** durch ganz Brasilien reisen; **we're ~ the worst** das Schlimmste ist überstanden **B** ADV her-/hinüber; *on walkie-talkie* Ende; **be ~** *be finished, past* vorbei sein; *be left over* übrig sein; **~ to you** *it's your turn* du bist dran; **~ here/there** *place, lay* hierhin/dorthin; *be located* hier/dort; **it hurts all ~** es tut überall weh; **painted white all ~** ganz weiß gestrichen; **it's all ~** es ist vorbei; **~ and ~ again** immer wieder; **do sth ~ again** etw noch einmal tun
o·ver·all **A** ADJ ['əʊvərɔːl] Gesamt- **B** ADV [əʊvər'ɔːl] *all together* insgesamt; *in general* im Großen und Ganzen
o·ver·alls ['əʊvərɔːlz] N *pl* Overall *m*
o·ver'awe VT einschüchtern; **be overawed by sb/sth** von j-m/etw tief beeindruckt sein
o·ver'bal·ance VI das Gleichgewicht verlieren
o·ver'bear·ing ADJ dominierend
'o·ver·board ADV **man ~!** Mann über Bord!; **go ~ for sb/sth** Feuer und Flamme für j-n/etw sein
o·ver'cast ADJ bedeckt
o·ver'charge VT **~ sb for sth** j-m zu viel für etw berechnen, von j-m zu viel für etwas verlangen
'o·ver·coat N Mantel *m*
o·ver'come VT ‹overcame, over-

come⟩ *difficulties* überwinden; **be ~ by emotion** ergriffen sein

o·ver'crowd·ed ADJ *train* überfüllt; *town* überlaufen

o·ver'do V/T ⟨overdid, overdone⟩ übertreiben; *vegetables, meat* zu lange kochen *or* braten; **you're overdoing things** du übernimmst dich

o·ver'done ADJ *meat* verbraten; *vegetables* verkocht

'o·ver·dose N Überdosis *f*

'o·ver·draft N (Konto)Überziehung *f*; **have an ~** sein Konto überzogen haben; *have overdraft facility* e-n Überziehungskredit haben

'o·ver·draft fa·ci·li·ty N Überziehungskredit *m*

o·ver'draw V/T ⟨overdrew, overdrawn⟩ *account* überziehen

o·ver'due ADJ *apology, new book* überfällig

o·ver'es·ti·mate V/T überschätzen

'o·ver·flow¹ N *pipe* Überlauf *m*

o·ver'flow² V/I *water* überlaufen

o·ver'grown ADJ *path* überwachsen; *garden* verwildert

o·ver'haul V/T *engine* überholen; *plans* überprüfen

o·ver'head **A** ADJ *light* Decken-; *railway* Hoch- **B** ADV oben

o·ver·head pro'jec·tor N Tageslichtprojektor *m*, Overheadprojektor *m*

'o·ver·heads N *pl*, **'o·ver·head** N *sg US* ECON allgemeine Unkosten *pl*

o·ver'hear V/T ⟨overheard, overheard⟩ *conversation* mit anhören, mitbekommen; *remark* aufschnappen

o·ver'heat·ed ADJ überheizt; *engine* heiß gelaufen; *economy* überhitzt

o·ver·joyed [əʊvə'dʒɔɪd] ADJ überglücklich

'o·ver·kill N **that's ~** das ist zu viel des Guten

'o·ver·land **A** ADJ *route* auf dem Landweg **B** ADV *travel* über Land

o·ver'lap V/I ⟨-pp-⟩ *tiles etc* sich überdecken; *periods of time, events* sich überschneiden; *theories* sich teilweise decken

o·ver'leaf ADV **see ~** siehe umseitig

o·ver'load V/T überlasten

o·ver'look V/T *have view over* überblicken; *not see* übersehen; **the room overlooks the garden** vom Zimmer aus hat man e-n Blick auf den Garten

o·ver·ly ['əʊvəlɪ] ADV allzu

'o·ver·night ADV über Nacht

'o·ver·night bag N (kleine) Reisetasche

o·ver'paid ADJ überbezahlt

'o·ver·pass N Überführung *f*

o·ver·pop·u·lat·ed [əʊvə'pɒpjʊleɪtɪd] ADJ überbevölkert

o·ver'pow·er V/T *in struggle* überwältigen

o·ver·pow·er·ing [əʊvə'paʊrɪŋ] ADJ überwältigend

o·ver·priced [əʊvə'praɪst] ADJ überteuert

o·ver·pro'duc·tion N ECON Überproduktion *f*

o·ver·rat·ed [əʊvə'reɪtɪd] ADJ überschätzt

o·ver'reach V/T **~ o.s.** sich übernehmen

o·ver·re'act V/I überreagieren (**to** auf)

o·ver·re'ac·tion N Überreaktion *f*

o·ver'ride V/T ⟨overrode, overridden⟩ *decision, order* aufheben

o·ver'rid·ing ADJ *concern* vorrangig

o·ver'rule V/T *decision, verdict etc* aufheben

o·ver'run V/T ⟨-nn-; overran, overrun⟩ *country* einfallen in; *enemy position* überrennen; *time* überschreiten; **be ~ with** überlaufen sein mit

o·ver'seas **A** ADV im Ausland; **go ~** ins Ausland gehen **B** ADJ Auslands-

o·ver·seas 'trade N Überseehandel *m*

o·ver'see V/T ⟨oversaw, overseen⟩ beaufsichtigen

o·ver·seer ['əʊvəsiːə(r)] N Aufseher(in) *m(f)*

o·ver'shad·ow V/T *fig* überschatten

'o·ver·sight N Versehen *n*

o·ver·sim·pli·fi'ca·tion N grobe Vereinfachung

o·ver'sim·pli·fy V/T ⟨-ied⟩ zu sehr vereinfachen

o·ver·size(d) ['əʊvəsaɪz(d)] ADJ übergroß, in Übergröße

o·ver'sleep V/I ⟨overslept, overslept⟩ verschlafen

o·ver'spend V/I ⟨overspent, overspent⟩ sich verausgaben

o·ver'staffed [əʊvə'stɑːft] ADJ (perso-

nell) überbesetzt
o·ver'state VT übertreiben
o·ver'state·ment N Übertreibung *f*
o·ver'stay VT **I don't want to ~ my welcome** ich will eure Gastfreundschaft nicht länger beanspruchen
o·ver'step VT ⟨-pp-⟩ **~ the mark** *fig* zu weit gehen
'o·ver·sup·ply N ECON Überangebot *n* (**of** an)
o·ver'take VT ⟨overtook, overtaken⟩ überholen
o·ver-the-'top, o·ver the 'top ADJ *infml* übertrieben
o·ver'throw¹ VT ⟨overthrew, overthrown⟩ stürzen
'o·ver·throw² N Sturz *m*
'o·ver·time **A** N Überstunden *pl*, Mehrarbeit *f* **B** ADV **work** *or* **do ~** Überstunden machen; **my imagination was working ~** *infml* meine Fantasie lief auf Hochtouren
'o·ver·time pre·mi·um N Überstundenzuschlag *m*
o·ver·ture ['əʊvətjʊə(r)] N MUS Ouvertüre *f*; **make overtures to** Kontakt suchen zu
o·ver'turn **A** VT *vehicle, object* umkippen; *government* stürzen **B** VI *vehicle* umstürzen
'o·ver·view N Überblick *m* (**of** über)
o·ver'weight ADJ übergewichtig
o·ver·whelm [əʊvə'welm] VT *with work* überhäufen; *with emotions* überwältigen
o·ver·whelm·ing [əʊvə'welmɪŋ] ADJ überwältigend
o·ver·whelm·ing·ly [əʊvə'welmɪŋlɪ] ADV mit überwältigender Mehrheit
o·ver'work **A** N Arbeitsüberlastung *f* **B** VI sich überarbeiten **C** VT überanstrengen
o·ver'wrought ADJ überreizt
owe [əʊ] VT schulden; **~ sb an apology** sich bei j-m entschuldigen müssen; **how much do I ~ you?** wie viel bin ich dir schuldig?
ow·ing to ['əʊɪŋ] PREP infolge, wegen
owl [aʊl] N Eule *f*
own¹ [əʊn] VT besitzen; **who owns this car?** wem gehört dieses Auto?
own² [əʊn] **A** ADJ eigen **B** PRON **an apartment of my ~** meine eigene Wohnung; **on my/his ~** allein(e)
♦**own up** VI es zugeben
own·er ['əʊnə(r)] N Besitzer(in) *m(f)*
own·er·ship ['əʊnəʃɪp] N Besitz *m*
ox·ide ['ɒksaɪd] N Oxid *n*
ox·y·gen ['ɒksɪdʒən] N Sauerstoff *m*
oy·ster ['ɔɪstə(r)] N Auster *f*
oz *only written* ABBR *for* ounce(s) Unze *f*
o·zone ['əʊzəʊn] N Ozon *n*
o·zone-'friend·ly ADJ FCKW-frei, ohne Treibgas
'o·zone lay·er N Ozonschicht *f*

P

P, p [piː] N P, p *n*
p¹ (*pl* **pp**) *only written* ABBR *for* page S., Seite *f*
p² [piː] ABBR *for* penny Penny *m*; **pence** *pl* Pence *pl*
p.a. [piː'eɪ] ABBR *for* per annum pro Jahr
PA [piː'eɪ] ABBR *for* personal assistant persönliche(r) Assistent(in)
pace [peɪs] **A** N *step* Schritt *m*; *speed* Tempo *n* **B** VI **~ up and down** auf und ab gehen
'pace·mak·er N MED Herzschrittmacher *m*
Pa·cif·ic [pə'sɪfɪk] N **the ~ (Ocean)** der Pazifik, der Pazifische Ozean
pac·i·fi·er ['pæsɪfaɪə(r)] N *US* Schnuller *m*
pac·i·fist ['pæsɪfɪst] N Pazifist(in) *m(f)*
pac·i·fy ['pæsɪfaɪ] VT ⟨-ied⟩ beruhigen, besänftigen
pack [pæk] **A** N Paket *n*; *of cigarettes* Schachtel *f*; *backpack* Rucksack *m*; *of cards* (Karten)Spiel *n* **B** VT *bag, suitcase* packen; *clothes, shopping etc* einpacken; *goods, products* verpacken **C** VI packen
♦**pack in** VT *infml*: *job* hinschmeißen; *girlfriend* Schluss machen mit; **pack it in, will you!** he, hör/hört auf!
pack·age ['pækɪdʒ] **A** N Paket *n* **B** VT *put into packet* verpacken; *present* präsentieren
'pack·age deal N *for holiday* Pauschalangebot *n* **'pack·age hol·i·day**

P

N Pauschalreise *f*, Pauschalurlaub *m*
'pack·age tour N Pauschalreise *f*
pack·ag·ing ['pækıdʒıŋ] N *of product* Verpackung *f*; *of rock star etc* Präsentation *f*, Aufmachung *f*
packed [pækt] ADJ *very full* überfüllt, gerammelt voll
pack·et ['pækıt] N Packung *f*, Paket *n*; *smaller* Päckchen *n*; *of cigarettes a.* Schachtel *f*; **cost a ~** *infml* ein Heidengeld kosten
pact [pækt] N Pakt *m*
pad [pæd] **A** N *for clothing* Polster *n*; *for skateboarder etc* (Schienbein/Knie)Schützer *m*; *of cotton wool* Wattebausch *m*; *for writing on* (Schreib)Block *m* **B** V/T <-dd-> *with material* polstern; *shin, knee* schützen; *speech, report* ausschmücken
♦**pad out** V/T *speech, report* auffüllen
pad·ded ['pædıd] ADJ *jacket* wattiert
pad·ding ['pædıŋ] N *material* Polsterung *f*; *in speech, report* Füllwerk *n*
pad·dle¹ ['pædl] **A** N *for canoe* Paddel *n* **B** V/I *in canoe* paddeln
pad·dle² ['pædl] V/I *in shallow water* plan(t)schen
pad·dling pool ['pædlıŋ] N Plan(t)schbecken *n*
pad·lock ['pædlɒk] **A** N Vorhängeschloss *n* **B** V/T *gate* verschließen; **~ sth to sth** etw an etw anschließen
pae·di·at·ric *etc* → pediatric *etc*
pa·gan ADJ ['peıgən] heidnisch
page¹ [peıdʒ] N Seite *f*; **~ number** Seitenzahl *f*
page² [peıdʒ] V/T *at airport etc* ausrufen lassen; *doctor etc* anpiepsen
pag·eant·ry ['pædʒəntrı] N Zeremoniell *n*
pag·er ['peıdʒə(r)] N Funk(ruf)empfänger *m*, Pager *m*
pa·gin·ate ['pædʒıneıt] V/T paginieren
paid ['peıd] PRET & PAST PART → pay
paid em'ploy·ment N **be in ~** e-e bezahlte Arbeit haben
pain [peın] N Schmerz *m*; **be in ~** Schmerzen haben; **take pains to do sth** sich Mühe geben, etw zu tun; **he's a ~ in the neck** *infml* er geht mir auf den Wecker; **it's a real ~** *infml* es stinkt mir ziemlich
pain·ful ['peınfʊl] ADJ schmerzhaft, schmerzend; *distressing* schmerzlich; *progress* mühsam; **it was ~ to watch** es war peinlich, sich das ansehen zu müssen
pain·ful·ly ['peınflı] ADV *shy, slow* furchtbar; **~ obvious** allzu deutlich
'pain·kill·er N Schmerzmittel *n*
pain·less ['peınlıs] ADJ schmerzlos
pains·tak·ing ['peınsteıkıŋ] ADJ sorgfältig
paint [peınt] **A** N Farbe *f*; *on car* Lack *m* **B** V/T *wall etc* (an)streichen; *picture* malen; *car, fingernails* lackieren **C** V/I *artist* malen
'paint·box N Malkasten *m*
'paint·brush N Pinsel *m*
paint·er ['peıntə(r)] N Maler(in) *m(f)*
paint·ing ['peıntıŋ] N *activity* Malerei *f*; *picture* Bild *n*
'paint·work N *on wall* Anstrich *m*; *on car* Lack *m*
pair [peə(r)] N Paar *n*; **a ~ of shoes/sandals** ein Paar Schuhe/Sandalen; **a ~ of scissors/trousers** e-e Schere/Hose; **in pairs** paarweise
pa·ja·mas *US* → pyjamas
Pa·ki·stan [pɑːkı'stɑːn] N Pakistan *n*
Pa·ki·sta·ni [pɑːkı'stɑːnı] **A** N Pakistani *m/f* **B** ADJ pakistanisch
pal [pæl] N *infml: friend* Kumpel *m*
pal·ace ['pælıs] N Palast *m*
pal·ate ['pælət] N Gaumen *m*
pa·la·tial [pə'leıʃl] ADJ palastartig
pale [peıl] ADJ *person* blass, bleich; **~ blue** hellblau
Pal·es·tine ['pæləstaın] N Palästina *n*
Pal·es·tin·i·an [pælə'stınıən] **A** ADJ palästinensisch **B** N Palästinenser(in) *m(f)*
pal·let ['pælıt] N Palette *f*
pal·lor ['pælə(r)] N Blässe *f*
palm¹ [pɑːm] N Handfläche *f*, Handteller *m*
palm² [pɑːm] N *tree* Palme *f*
pal·pi·ta·tions [pælpı'teıʃnz] N *pl* MED Herzklopfen *n*
pal·try ['pɔːltrı] ADJ <-ier, -iest> armselig
pam·per ['pæmpə(r)] V/T verwöhnen
pam·phlet ['pæmflıt] N *political* Flugblatt *n*; *giving information* Broschüre *f*
pan [pæn] **A** N *for boiling, stewing* Topf *m*; *for frying* Bratpfanne *f* **B** V/T <-nn-> *infml: criticize* verreißen
♦**pan out** V/I sich entwickeln
pan·a·ce·a [pænə'sıə] N Allheilmittel *n*

pan·cake ['pænkeɪk] N Pfannkuchen *m*
pan·de·mo·ni·um [pændɪ'məʊnɪəm] N Chaos *n*
♦ **pan·der to** ['pændə(r)tu:] V/T nachgeben; **pander to sb's wishes** j-s Wünsche befriedigen
pane [peɪn] N *of glass* Scheibe *f*
pan·el ['pænl] N *of glass* Platte *f*; *of wood a.* Tafel *f*; *of experts* Gremium *n*; *in quiz* Rateteam *n*
pan·el·ling ['pænəlɪŋ] N Täfelung *f*
pang [pæŋ] N **he felt pangs of remorse** er wurde von Reuegefühlen geplagt; **pangs of hunger** *pl* quälender Hunger
pan·ic ['pænɪk] **A** N Panik *f*; **be in a ~** panisch sein **B** V/I ⟨-ck-⟩ in Panik geraten; **don't ~** nur keine Panik
'pan·ic buy·ing N ECON Panikkäufe *pl* **'pan·ic sel·ling** N ECON Panikverkäufe *pl* **'pan·ic-strick·en** ADJ von panischem Schrecken ergriffen
pan·o·ra·ma [pænə'rɑ:mə] N Panorama *n*
pa·no·ra·mic [pænə'ræmɪk] ADJ *view* Panorama-
pant [pænt] V/I *be breathless* keuchen; *dog* hecheln
pan·ties ['pæntɪz] N *pl* (Damen)Slip *m*
pan·try ['pæntrɪ] N Speisekammer *f*
pants [pænts] N *pl* Unterhose *f*; *esp US* Hose *f*
'pant·suit N *US* Hosenanzug *m*
pan·ty·hose ['pæntɪhəʊz] N *US* Strumpfhose *f*
'pan·ty lin·er N Slipeinlage *f*
pa·pal ['peɪpəl] ADJ päpstlich
pa·per ['peɪpə(r)] **A** N Papier *n*; *newspaper* Zeitung *f*; *wallpaper* Tapete *f*; *at conference* Referat *n*; *written exam* Klausur *f*; **papers** *pl*; *ID, driving licence etc* Papiere *pl*; *files, documents* Akten *pl*, Unterlagen *pl*; **a piece of ~** ein Stück Papier; **be in the ~** in der Zeitung stehen; **on ~** *in theory* auf dem Papier **B** ADJ Papier- **C** V/T *room, wall* tapezieren
'pa·per·back N Taschenbuch *n* **pa·per 'bag** N (Papier)Tüte *f* **'pa·per boy** N Zeitungsjunge *m* **'pa·per clip** N Büroklammer *f* **pa·per 'cup** N Pappbecher *m* **'pa·per mon·ey** N Papiergeld *n* **'pa·per·weight** N Briefbeschwerer *m* **'pa·per·work** N Schreibarbeit *f*

par [pɑ:(r)] N *in golf* Par *n*; **be on a ~ with sth** vergleichbar sein mit; **feel below ~** sich nicht auf der Höhe fühlen
par·a·chute ['pærəʃu:t] **A** N Fallschirm *m* **B** V/I (mit dem Fallschirm) abspringen **C** V/T *troops* (mit dem Fallschirm) absetzen; *supplies* abwerfen
par·a·chut·ist ['pærəʃu:tɪst] N Fallschirmspringer(in) *m(f)*
pa·rade [pə'reɪd] **A** N *procession* Umzug *m*, Festzug *m*; MIL (Militär)Parade *f*; *political* Demonstration *f* **B** V/I *participants in procession, demonstrators* ziehen; *soldiers* marschieren; *to show off* stolzieren **C** V/T *knowledge, new car* zur Schau stellen
par·a·dise ['pærədaɪs] N *a. fig* Paradies *n*
par·a·dox ['pærədɒks] N Paradox *n*
par·a·dox·i·cal [pærə'dɒksɪkl] ADJ paradox
par·a·dox·i·cal·ly [pærə'dɒksɪklɪ] ADV paradoxerweise
par·a·graph ['pærəgrɑ:f] N Absatz *m*, Abschnitt *m*
par·al·lel ['pærəlel] **A** N GEOM, *fig* Parallele *f*; GEOG Breitenkreis *m*; **do two things in ~** zwei Sachen parallel machen **B** ADJ parallel (**to, with** zu) **C** V/T *match* gleichkommen
par·a·lyse, par·a·lyze *US* ['pærəlaɪz] V/T lähmen; *fig*: *factory etc* lahmlegen
pa·ral·y·sis [pə'ræləsɪs] N ⟨*pl* paralyses [pə'ræləsi:z]⟩ Lähmung *f*; *fig*: *of factory etc* Lahmlegung *f*
par·a·lyt·ic [pærə'lɪtɪk] ADJ *sl* stockvoll
par·a·med·ic [pærə'medɪk] N Sanitäter(in) *m(f)*
pa·ram·e·ter [pə'ræmɪtə(r)] N Rahmen *m*
par·a·mil·i·tar·y [pærə'mɪlɪtrɪ] **A** ADJ paramilitärisch **B** *pl* **paramilitaries** paramilitärische Truppen *pl*
par·a·mount ['pærəmaʊnt] ADJ **be ~** von (aller)größter Bedeutung sein
par·a·noi·a [pærə'nɔɪə] N Paranoia *f*, Verfolgungswahn *m*
par·a·noid ['pærənɔɪd] ADJ paranoid
par·a·pher·na·li·a [pærəfə'neɪlɪə] N *pl* Sachen *pl*
par·a·phrase ['pærəfreɪz] V/T umschreiben, paraphrasieren
par·a·pleg·ic [pærə'pli:dʒɪk] N Querschnittgelähmte(r) *m/f(m)*

par·a·site ['pærəsaɪt] N Parasit *m; fig a.* Schmarotzer *m*
par·a·sol ['pærəsɒl] N Sonnenschirm *m*
par·a·troop·er ['pærətru:pə(r)] N Fallschirmjäger(in) *m(f)*
par·a·troops ['pærətru:ps] N *pl* Fallschirmjäger *pl*
par·cel ['pɑ:sl] N Paket *n*
♦**parcel up** V/T <-ll-, *US* -l-> (als Paket) verpacken
parch [pɑ:tʃ] V/T ausdörren; **be parched** *infml: person* furchtbaren Durst haben
par·don ['pɑ:dn] **A** N JUR Begnadigung *f*; **~?**, *US* **~ me?** wie bitte?; **I beg your ~?** wie bitte?; *indignant* erlauben Sie mal!; **I beg your ~** *I'm sorry* entschuldigen Sie bitte **B** V/T verzeihen; JUR begnadigen
par·ent ['peərənt] N Elternteil *m*; **my parents** *pl* meine Eltern *pl*; **as a ~ I have to ...** als Vater/Mutter muss ich ...
pa·ren·tal [pə'rentl] ADJ elterlich
pa·ren·tal 'leave N Elternurlaub *m*, Elternzeit *f*
'par·ent com·pa·ny N Muttergesellschaft *f*
pa·ren·the·ses [pə'renθɪsi:z] N *pl brackets* (runde) Klammern *pl*
'par·ents-in-law N *pl* Schwiegereltern *pl*
Par·is ['pærɪs] N Paris *n*
par·ish ['pærɪʃ] N Gemeinde *f*
pa·rish·io·ner [pə'rɪʃənə(r)] N REL Gemeindemitglied *n*
park[1] [pɑ:k] N Park *m*
park[2] [pɑ:k] V/T & V/I AUTO parken
park·ing ['pɑ:kɪŋ] N AUTO Parken *n*; **there's plenty of ~ around here** hier sind immer genügend Parkplätze
'park·ing brake N *US* Handbremse *f*
'park·ing disc N Parkscheibe *f*
'park·ing ga·rage N *US* Park(hoch)-haus *n* **'park·ing lot** N *US* Parkplatz *m* **'park·ing me·ter** N Parkuhr *f*
'park·ing place N Parkplatz *m*
'park·ing space N Parkplatz *m*, Parklücke *f* **'park·ing tick·et** N Strafzettel *m*
par·lia·ment ['pɑ:ləmənt] N Parlament *n*
par·lia·men·ta·ry [pɑ:ljə'mentərɪ] ADJ parlamentarisch
pa·ro·chi·al [pə'rəʊkjəl] ADJ Pfarr-, Gemeinde-; *fig* engstirnig, beschränkt
pa·role [pə'rəʊl] **A** N Bewährung *f*; **be (out) on ~** auf Bewährung entlassen sein **B** V/T auf Bewährung entlassen
par·quet floor [pɑ:keɪ'flɔ:] N Parkett(fuß)boden *m*
par·rot ['pærət] N Papagei *m*
'par·rot-fash·ion ADV *learn* stur auswendig; **repeat sth ~** etw wie ein Papagei nachplappern
par·ry ['pærɪ] V/T & V/I abwehren, parieren
pars·ley ['pɑ:slɪ] N Petersilie *f*
par·son ['pɑ:sn] N Pfarrer(in) *m(f)*
part [pɑ:t] **A** N Teil *m; of series* Teil *m*, Folge *f; of town, country* Gegend *f*, Teil *m*; MUS Stimme *f*, Part *m*; *US: in hair* Scheitel *m; of machine* Ersatzteil *n; in play, film* Rolle *f*; **play an important ~ in sth** e-e wichtige Rolle bei *or* in etwas spielen; **it's all ~ of it** das gehört alles dazu; **for the most ~** *in the main* größtenteils; *normally* meistens; **take ~ in sth** an etw teilnehmen **B** ADV *partly* teils, teilweise; **~ written, ~ oral** teils schriftlich, teils mündlich **C** V/I sich trennen; **we parted good friends** wir gingen als gute Freunde auseinander **D** V/T **~ one's hair** sich e-n Scheitel ziehen
♦**part with** V/T sich trennen von
part ex'change N **take sth in ~** etw in Zahlung nehmen
par·tial ['pɑ:ʃl] ADJ *incomplete* teilweise, Teil-; *biased* parteilich; **be ~ to sth** *like sth* e-e Schwäche für etw haben
par·ti·al·i·ty [pɑ:ʃɪ'ælətɪ] N Parteilichkeit *f*; *weakness* besondere Vorliebe (**for** für)
par·tial·ly ['pɑ:ʃəlɪ] ADV zum Teil, teilweise; **~ sighted** sehbehindert
par·ti·ci·pant [pɑ:'tɪsɪpənt] N Teilnehmer(in) *m(f)*
par·ti·ci·pate [pɑ:'tɪsɪpeɪt] V/I sich beteiligen, teilnehmen (**in** an)
par·ti·ci·pa·tion [pɑ:tɪsɪ'peɪʃn] N Teilnahme *f*
par·ti·cle ['pɑ:tɪkl] N PHYS Teilchen *n*, Partikel *n; of truth* Körnchen *n*
par·tic·u·lar [pə'tɪkjʊlə(r)] ADJ *specific* bestimmt; *special* besondere(r, -s); *very exact* eigen, pingelig; *difficult to satisfy* wählerisch; **in ~** vor allem, insbesondere
par·tic·u·lar·ly [pə'tɪkjʊləlɪ] ADV besonP

ders
part·ing ['pɑːtɪŋ] N *leavetaking* Abschied *m*; *in hair* Scheitel *m*
par·ti·tion [pɑː'tɪʃn] **A** N *in room* Trennwand *f*; *of country* Teilung *f* **B** V/T *country* teilen, trennen
♦**partition off** V/T abtrennen
part·ly ['pɑːtlɪ] ADV zum Teil, teilweise
part·ner ['pɑːtnə(r)] N Partner(in) *m(f)*; *in business a.* Gesellschafter(in) *m(f)*, Teilhaber(in) *m(f)*
part·ner·ship ['pɑːtnəʃɪp] N Partnerschaft *f*; ECON Personengesellschaft *f*
part of 'speech N ⟨*pl* parts of speech⟩ Wortart *f* **part 'own·er** N Mitbesitzer(in) *m(f)* **part 'pay·ment** N Abschlagszahlung *f*, Teilzahlung *f*
part-'time **A** ADJ Teilzeit- **B** ADV **work ~** Teilzeit arbeiten
part-'tim·er N Teilzeitbeschäftigte(r) *m/f(m)*
'part-time work N Teilzeitarbeit *f*
'part-time work·er N Teilzeitarbeitnehmer(in) *m(f)*, Teilzeitkraft *f*
par·ty ['pɑːtɪ] **A** N *celebration* Party *f*; POL Partei *f*; *of climbers etc* Gruppe *f*; **be a ~ to sth** an etw beteiligt sein; **be a ~ to an agreement** e-r Übereinkunft zustimmen; **she refused to be a ~ to it** sie wollte nichts damit zu tun haben; **a ~ of English tourists** e-e englische Reisegesellschaft **B** V/I ⟨-ied⟩ *infml* feiern
par·ty 'lead·er N POL Parteivorsitzende(r) *m/f(m)* **par·ty 'line** N POL Parteilinie *f* **par·ty 'mem·ber** N POL Parteimitglied *n* **par·ty 'pol·i·tics** N *sg or pl* POL Parteipolitik *f* **par·ty-poop·er** ['pɑːtɪpuːpə(r)] N *infml* Partymuffel *m*; Spielverderber(in) *m(f)*
pass [pɑːs] **A** N *document* Ausweis *m*; SPORTS, *in mountains* Pass *m*; **make a ~ at sb** e-n Annäherungsversuch bei j-m machen **B** V/T *hand over* reichen, geben; *walk past* vorbeigehen an; *in traffic, race* überholen; *border* überschreiten; *law, motion* verabschieden; *approve: drug, plan etc* genehmigen; *ball* abspielen; *baton* übergeben; *exam* bestehen; **~ sb the ball** *or* **~ the ball to sb** j-m den Ball zuspielen *or* zupassen; **~ sentence** JUR ein Urteil verhängen; **~ the time** sich die Zeit vertreiben **C** V/I *time* vergehen; *exam candidate* bestehen; SPORTS abspielen; *end, disappear* vorübergehen; **mention sth in passing** etw beiläufig erwähnen
♦**pass around** V/T herumreichen
♦**pass away** V/I *euph: die* einschlafen
♦**pass by** **A** V/T *go past* vorbeigehen an; *in car, on bicycle* vorbeifahren an **B** V/I *pedestrians, time* vorbeigehen; *cars* vorbeifahren; *time a.* vergehen
♦**pass on** **A** V/T weitergeben **B** V/I *euph: die* einschlafen
♦**pass out** V/I in Ohnmacht fallen, ohnmächtig werden
♦**pass through** **A** V/T *town* durchfahren durch **B** V/I **we're just passing through** wir sind nur auf der Durchreise
♦**pass up** V/T *infml: opportunity* ausschlagen
pass·a·ble ['pɑːsəbl] ADJ *road* passierbar; *acceptable* passabel
pas·sage ['pæsɪdʒ] N *between buildings, hallway* Gang *m*; *in poem, book* Passage *f*, Abschnitt *m*; *of time* Verlauf *m*
pas·sage·way ['pæsɪdʒweɪ] N Gang *m*
pas·sen·ger ['pæsɪndʒə(r)] N *on ship, plane* Passagier(in) *m(f)*; *on train, bus* Reisende(r) *m/f(m)*, Fahrgast *m*; *in car* Mitfahrer(in) *m(f)*
'pas·sen·ger seat N Beifahrersitz *m*
pas·ser-by [pɑːsə'baɪ] N ⟨*pl* passers-by⟩ Passant(in) *m(f)*
pas·ser·elle clause [pæsər'el] N POL Passerelle-Klausel *f*, Brückenklausel *f*
pas·sion ['pæʃn] N Leidenschaft *f*
pas·sion·ate ['pæʃənət] ADJ leidenschaftlich
pas·sive ['pæsɪv] **A** ADJ passiv **B** N GRAM Passiv *n*; **in the ~** im Passiv
pas·sive 'smok·ing N Passivrauchen *n*
'pass·port N (Reise)Pass *m* **pass·port con'trol** N Passkontrolle *f* **'pass·word** N Passwort *n*
past [pɑːst] **A** ADJ frühere(r, -s), vergangene(r, -s); **the ~ few days** die letzten paar Tage; **the ~ week** die vergangene Woche; **I've been waiting here for the ~ hour** ich warte hier schon seit e-r Stunde; **that's all ~ now** das ist jetzt alles vorbei **B** N Vergangenheit *f*; **in the ~** früher **C** PREP *in time* nach; *physically* nach, hinter; **it's half ~ two** es ist halb

P

drei; **it's twenty ~ three** es ist zwanzig nach drei; **it's ~ your bedtime** du solltest längst im Bett sein **D** ADV **walk ~** vorbeigehen
pas·ta ['pæstə] N *sg* Teigwaren *pl*, Nudeln *pl*
paste [peɪst] **A** N *glue* Kleister *m* **B** V/T *glue* kleben; IT einfügen
pas·tel ['pæstl] **A** N *colour* Pastellton *m* **B** ADJ Pastell-
pas·teur·ize ['pɑːstʃəraɪz] V/T pasteurisieren, keimfrei machen
pas·time ['pɑːstaɪm] N Zeitvertreib *m*
pas·tor ['pɑːstə(r)] N Pastor(in) *m(f)*, Pfarrer(in) *m(f)*
past par·ti·ci·ple [pɑː'tɪsɪpəl] N GRAM Partizip Perfekt *n*
pas·try ['peɪstrɪ] N *for pie* Teig *m*; *small cake* Teilchen *n*
past 'tense N GRAM Vergangenheit *f*
pas·ty ['peɪstɪ] ADJ ‹-ier, -iest› *complexion* blass
pat [pæt] **A** N Klaps *m*; **give sb a ~ on the back** *fig* j-m auf die Schulter klopfen **B** V/T ‹-tt-› tätscheln
patch [pætʃ] **A** N *for repairing clothing* Flicken *m*; *period of time* Phase *f*; *mark* Fleck *m*; **there were patches of fog** es war stellenweise neb(e)lig; **he's not a ~ on his father** *infml* er ist nichts gegen s-n Vater **B** V/T flicken
♦**patch up** V/T notdürftig reparieren; *argument* beilegen; *relationship, marriage* kitten
patch·y ['pætʃɪ] ADJ ‹-ier, -iest› *rain, snow* stellenweise; *work, performance, quality* ungleichmäßig; *information, knowledge* lückenhaft
pâ·té ['pæteɪ] N Pastete *f*
pa·tent ['peɪtnt] **A** ADJ offenkundig **B** N *for invention* Patent *n* **C** V/T *invention* patentieren lassen
pa·ten·tee [peɪtn'tiː] N Patentinhaber(in) *m(f)*
pa·tent 'leath·er N Lackleder *n*
pa·tent·ly ['peɪtntlɪ] ADV *very clearly* offensichtlich; **that's ~ obvious** das liegt doch auf der Hand
pa·ter·nal [pə'tɜːnl] ADJ *pride, love* väterlich; **my ~ grandmother** meine Großmutter väterlicherseits
pa·ter·ni·ty [pə'tɜːnɪtɪ] N Vaterschaft *f*
pa'ter·ni·ty leave N Vaterschaftsurlaub *m*
pa'ter·ni·ty suit N Vaterschaftsprozess *m*
path [pɑːθ] N Pfad *m a.* IT; *wider, a. fig* Weg *m*
pa·thet·ic [pə'θetɪk] ADJ mitleiderregend; *infml: very bad* miserabel, jämmerlich; **a ~ sight** ein Bild *n* des Jammers; **that's really ~!** *infml* das ist ja echt zum Heulen!; **don't be so ~** mach dich doch nicht lächerlich; **he is ~** *useless* er ist zu nichts zu gebrauchen
path·o·log·i·cal [pæθə'lɒdʒɪkl] ADJ *fig* krankhaft
pa·thol·o·gist [pə'θɒlədʒɪst] N Pathologe *m*, Pathologin *f*
pa·thol·o·gy [pə'θɒlədʒɪ] N Pathologie *f*
pa·tience ['peɪʃns] N Geduld *f*; *card game* Patience *f*
pa·tient ['peɪʃnt] **A** N Patient(in) *m(f)* **B** ADJ geduldig; **just be ~!** warte mal ab!
pa·tient·ly ['peɪʃntlɪ] ADV geduldig
pat·i·o ['pætɪəʊ] N Terrasse *f*
pat·i·o 'doors N *pl* Terrassentür *f*
pat·ri·ot ['peɪtrɪət] N Patriot(in) *m(f)*
pat·ri·ot·ic [peɪtrɪ'ɒtɪk] ADJ patriotisch
pa·tri·ot·ism ['peɪtrɪətɪzm] N Patriotismus *m*
pa·trol [pə'trəʊl] **A** N Patrouille *f*; *by police* Streife *f*; *of security guard* Runde *f*; **be on ~** auf Patrouille sein; *policeman* auf Streife sein **B** V/T ‹-ll-› patrouillieren; *security guard* s-e Runden machen in; *in car* Streife fahren in
pa'trol car N Streifenwagen *m*
pa'trol·man N *esp US* (Streifen)Polizist *m*
pa·tron ['peɪtrən] N *formal: of company* Kunde *m*, Kundin *f*; *formal: of cinema* Besucher(in) *m(f)*; *of arts* Förderer(in) *m(f)*; *of charity* Schirmherr(in) *m(f)*
pa·tron·age ['peɪtrənɪdʒ] N *of artist* Förderung *f*; *of charity* Schirmherrschaft *f*
pa·tron·ize ['pætrənaɪz] V/T *person* von oben herab behandeln
pa·tron·iz·ing ['pætrənaɪzɪŋ] ADJ herablassend; **don't be so ~** sei nicht so überheblich
pa·tron 'saint N Schutzheilige(r) *m/f(m)*

pat·ter ['pætə(r)] **A** N *of rain* Platschen *n*; *of feet* Getrippel *n*; *infml*: *of salesman* Sprüche *pl* **B** VI *rain* platschen

pat·tern ['pætn] N Muster *n*; *for sewing* Schnittmuster *n*; *model* Vorbild *n*; *in behaviour, of events* Regelmäßigkeit *f*

pat·terned ['pætənd] ADJ gemustert

paunch [pɔ:ntʃ] N (dicker) Bauch

pause [pɔ:z] **A** N Pause *f*; **without a ~** *work* ohne Unterbrechung *or* Pause **B** VI *in speaking* innehalten; **I paused to admire the view** ich blieb stehen, um den Blick zu genießen **C** VT *DVD* anhalten

'pause but·ton N Pausentaste *f*

pave [peɪv] VT pflastern; **~ the way for** *fig* den Weg frei machen für

pave·ment ['peɪvmənt] N Bürgersteig *m*

pav·ing stone ['peɪvɪŋ] N Pflasterstein *m*

paw [pɔ:] **A** N *of dog, cat* Pfote *f*; *of lion, bear, tiger* Tatze *f*, Pranke *f*; *infml*: *hand* Pfote *f* **B** VT *infml* betatschen

pawn[1] [pɔ:n] N *in chess* Bauer *m*; *fig* Schachfigur *f*

pawn[2] [pɔ:n] VT verpfänden

'pawn·bro·ker N Pfandleiher(in) *m(f)*

'pawn·shop N Pfandhaus *n*

pay [peɪ] **A** N Bezahlung *f*; **be in the ~ of sb** für j-n arbeiten **B** VT ⟨paid, paid⟩ bezahlen; **~ attention** aufpassen; **~ sb a visit** j-m e-n Besuch abstatten; **~ sb a compliment** j-m ein Kompliment machen **C** VI ⟨paid, paid⟩ (be)zahlen; *create profit, a. fig* sich lohnen, sich auszahlen; **it doesn't always ~ to ask too many questions** es ist nicht immer ratsam, zu viele Fragen zu stellen; **~ for** *shopping* bezahlen; **~ for sb** für j-n bezahlen; **you'll ~ for this!** *fig* dafür wirst du (mir) büßen!

♦**pay back** VT zurückzahlen

♦**pay in** VT *to account* einzahlen

♦**pay off** **A** VT *debts* abbezahlen; *corrupt official* bestechen **B** VI *bring in profit* sich auszahlen

♦**pay up** VI zahlen

pay·a·ble ['peɪəbl] ADJ zahlbar

'pay·day N Zahltag *m*

'pay dis·pute N Tarifkonflikt *m*

pay·ee [peɪ'i:] N Zahlungsempfänger(in) *m(f)*

pay·er ['peɪə(r)] N Zahler(in) *m(f)*

'pay freeze N Lohnstopp *m*

·'pay in·crease N Gehaltserhöhung *f*; Lohnerhöhung *f*

pay·ing-'in slip N Einzahlungsschein *m*

'pay·load N Nutzlast *f*

pay·ment ['peɪmənt] N *paying* (Be)Zahlung *f*, Begleichung *f*; *amount of money* Zahlung *f*

'pay·ment dead·line N Zahlungstermin *m*, Zahlungsfrist *f*

'pay pack·et N Lohntüte *f* **'pay phone** N Münzfernsprecher *m* **'pay rise** N Gehaltserhöhung *f*; Lohnerhöhung *f* **'pay·roll** N *money* Gehälter *pl*; *staff* Belegschaft *f*; **be on the ~** angestellt sein **'pay·slip** N Lohnstreifen *m* **pay-T'V** N Bezahlfernsehen *n*, Pay-TV *n*

PC [pi:'si:] ABBR *for* personal computer Personal Computer *m*; **politically correct** politisch korrekt; **police constable** Polizist(in) *m(f)*

PDA [pi:di:'eɪ] ABBR *for* personal digital assistant PDA *m*

pdf [pi:di:'ef] ABBR *for* portable document format PDF *f*; **~ file** PDF-Datei *f*

pea [pi:] N Erbse *f*

peace [pi:s] N *absence of war* Frieden *m*; *tranquillity* Ruhe *f*; **the two countries are now at ~** zwischen den beiden Ländern herrscht jetzt Frieden

peace·a·ble ['pi:səbl] ADJ friedfertig

peace·ful ['pi:sfʊl] ADJ friedlich

peace·ful·ly ['pi:sflɪ] ADV friedlich

peace·keep·ing ['pi:ski:pɪŋ] ADJ friedenserhaltend; **~ force** Friedenstruppe *f*

'peace·time N *no pl* Friedenszeiten *pl*

peach [pi:tʃ] N *fruit* Pfirsich *m*; *plant* Pfirsichbaum *m*

peak [pi:k] **A** N *of mountain* Gipfel *m*; *highest point* Höhepunkt *m* **B** VI den Höchststand erreichen

peak con'sump·tion N Höchstverbrauch *m* **peak 'hours** N *pl of electricity use* Spitzenzeit *f*; *in traffic a.* Stoßzeit *f* **peak 'sea·son** N Hauptsaison *f* **peak 'view·ing hours** N *pl* Haupteinschaltzeit *f*, Hauptsendezeit *f*

peal [pi:l] N **a ~ of bells** ein Glockenläuten *n*; **a ~ of thunder** ein Donnerschlag *m*; **peals of laughter** schallendes Gelächter

pea·nut ['pi:nʌt] N Erdnuss *f*; **get paid peanuts** *infml* mies bezahlt werden; **that's peanuts to him** *infml* das ist für ihn ein Klacks

pea·nut 'but·ter N Erdnussbutter *f*

pear [peə(r)] N *fruit, tree* Birne *f*

pearl [pɜ:l] N Perle *f*

peas·ant ['peznt] N (Klein)Bauer *m*, (Klein)Bäuerin *f*

peat [pi:t] N Torf *m*

peb·ble ['pebl] N Kiesel *m*

peck [pek] A N flüchtiger Kuss B V/T *with beak* picken

pe·cu·li·ar [pɪ'kju:lɪə(r)] ADJ *strange* eigenartig, seltsam; **I feel a bit ~** ich fühle mich irgendwie komisch; **be ~ to ...** *area* nur in ... vorkommen; *genre* charakterisieren

pe·cu·li·ar·i·ty [pɪkju:lɪ'ærətɪ] N *strangeness* Eigenartigkeit *f*; *typical characteristic* Besonderheit *f*

pe·cu·ni·a·ry [pɪ'kju:njərɪ] ADJ Geld-, finanziell

ped·al ['pedl] A N *of bicycle* Pedal *n* B V/I ‹-ll-, *US* -l-› *move pedals* treten; *ride bicycle* radeln

pe·dan·tic [pɪ'dæntɪk] ADJ pedantisch

ped·dle ['pedl] V/T *drugs* handeln mit

ped·es·tal ['pedɪstl] N *of memorial* Sockel *m*

pe·des·tri·an [pɪ'destrɪən] N Fußgänger(in) *m(f)*

pe·des·tri·an 'cros·sing N Fußgängerüberweg *m*

pe·des·tri·an·ize [pɪ'destrɪənaɪz] V/T in e-e Fußgängerzone umwandeln

pe·des·tri·an 'pre·cinct N Fußgängerzone *f*

pe·di·at·ric [pi:dɪ'ætrɪk] ADJ MED Kinder-

pe·di·a·tri·cian [pi:dɪæ'trɪʃn] N Kinderarzt *m*, -ärztin *f*

pe·di·at·rics [pi:dɪ'ætrɪks] N *sg* Kinderheilkunde *f*, Pädiatrie *f*

ped·i·cure ['pedɪkjʊə(r)] N Pediküre *f*

ped·i·gree ['pedɪgri:] A N Stammbaum *m* B ADJ reinrassig

pe·do·phile ['pi:dəfaɪl] N Pädophile(r) *m/f(m)*

pee [pi:] V/I *infml* pinkeln

peek [pi:k] A N kurzer Blick; **take a ~ at sth** e-n kurzen Blick auf etw werfen B V/I gucken

peel [pi:l] A N Schale *f* B V/T *fruit, vegetables* schälen C V/I *skin* sich schälen; *paint* abblättern

♦**peel off** A V/T *piece of clothing* abstreifen; *clingfilm, sticker* abziehen B V/I *clingfilm* sich lösen

peep [pi:p] → peek

'peep·hole N Guckloch *n*

peer[1] [pɪə(r)] N Gleichrangige(r) *m/f(m)*; Gleichaltrige(r) *m/f(m)*; **respected by her peers** von ihresgleichen anerkannt

peer[2] [pɪə(r)] V/I starren; **~ through the mist** angestrengt versuchen, etwas im Nebel zu erkennen; **~ at** schielen auf

peg [peg] N (Kleider)Haken *m*; *for tent* Hering *m*; **off the ~** von der Stange

pe·jo·ra·tive [pɪ'dʒɒrətɪv] ADJ abschätzig

pel·i·can 'cross·ing N Ampelübergang *m*

pel·let ['pelɪt] N Kügelchen *n*; *for gun* Schrotkugel *f*

pelt [pelt] A V/T **~ sb with sth** j-n mit etw bewerfen B V/I **they pelted along the road** *infml* sie rasten die Straße runter; **it's pelting down** *infml* es schüttet

pel·vis ['pelvɪs] N Becken *n*

pen[1] [pen] N *ballpoint* Kugelschreiber *m*; *fountain pen* Füller *m*

pen[2] [pen] N *fenced area* Pferch *m*; *for sheep* Hürde *f*

pe·nal·ize ['pi:nəlaɪz] V/T *punish*, SPORTS bestrafen; *discriminate against* benachteiligen

pen·al·ty ['penəltɪ] N Strafe *f*; SPORTS Strafstoß *m*; *in football* Elfmeter *m*; *in ice hockey* Penalty *m*

'pen·al·ty ar·e·a N SPORTS Strafraum *m* **'pen·al·ty clause** N JUR Strafklausel *f* **pen·al·ty 'shoot-out** N Elfmeterschießen *n*

pen·ance ['penəns] N REL Buße *f*

pence [pens] N *pl* Pence *pl*

pen·cil ['pensɪl] N Bleistift *m*

♦**pencil in** V/T vormerken

'pen·cil case N (Feder)Mäppchen *n*

'pen·cil sharp·en·er N (Bleistift)Spitzer *m*

pen·dant ['pendənt] N *on necklace* (Schmuck)Anhänger *m*

pend·ing ['pendɪŋ] A PREP **~ her return** bis zu ihrer Rückkehr B ADJ **be ~** noch

P

anstehen
pen·du·lum ['pendjʊləm] N Pendel *n*
pen·e·trate ['penɪtreɪt] V/T durchdringen; *market* eindringen in
pen·e·trat·ing ['penɪtreɪtɪŋ] ADJ *gaze, scream* durchdringend; *analysis* scharf(-sinnig)
pen·e·tra·tion [penɪ'treɪʃn] N Durchbrechen *n; of market* Eindringen *n*
'pen friend N Brieffreund(in) *m(f)*
pen·guin ['peŋgwɪn] N Pinguin *m*
pen·i·cil·lin [penɪ'sɪlɪn] N Penizillin *n*
pe·nin·su·la [pə'nɪnsjʊlə] N Halbinsel *f*
pe·nis ['pi:nɪs] N Penis *m*
pen·i·tence ['penɪtəns] N Reue *f*
pen·i·tent ['penɪtənt] ADJ reuig
pen·i·ten·tia·ry [penɪ'tenʃərɪ] N US (Staats)Gefängnis *n*
'pen·knife N Taschenmesser *n*
'pen name N Pseudonym *n*
pen·nant ['penənt] N Wimpel *m*
pen·ni·less ['penɪlɪs] ADJ mittellos
pen·ny ['penɪ] N Penny *m;* **the ~ finally dropped** *infml* endlich ist der Groschen gefallen
pen·sion ['penʃn] N Rente *f*
♦ **pension off** V/T vorzeitig pensionieren
pen·sion·er ['penʃnə(r)] N Rentner(in) *m(f)*
'pen·sion fund N Rentenfonds *m*
'pen·sion plan, 'pen·sion scheme N Rentenversicherung *f*
pen·sive ['pensɪv] ADJ nachdenklich
Pen·ta·gon ['pentəgɒn] N **the ~** das Pentagon
Pen·te·cost ['pentɪkɒst] N Pfingsten *n*
pent-up [pent'ʌp] ADJ aufgestaut
pe·nul·ti·mate [pe'nʌltɪmət] ADJ vorletzte(r, -s)
peo·ple ['pi:pl] N *pl* Leute *pl*, Menschen *pl; sg: of nation* Volk *n;* **the ~** das Volk; **~ are looking** die Leute gucken schon; **~ say** ... man sagt, dass ...
'peo·ple car·ri·er N Großraumlimousine *f*, Van *m*
pep·per ['pepə(r)] N *spice* Pfeffer *m; vegetable* Paprika(schote) *f*
'pep·per·mint N Pfefferminz *n;* BOT Pfefferminze *f*
pep talk ['peptɔ:k] N aufmunternde Worte *pl;* **he gave the team a ~** er munterte das Team auf
per [pɜ:(r)] PREP pro; **~ annum** pro Jahr
per ca·pi·ta in·come [pəkæpɪtə'ɪnkʌm] N Pro-Kopf-Einkommen *n*
per·ceive [pə'si:v] V/T *with senses* wahrnehmen; *see, interpret* interpretieren
per·cent [pə'sent] N Prozent *n*
per·cen·tage [pə'sentɪdʒ] N Prozentsatz *m*
per·cep·ti·ble [pə'septəbl] ADJ deutlich
per·cep·ti·bly [pə'septəblɪ] ADV sichtbar
per·cep·tion [pə'sepʃn] N *with senses, of situation* Wahrnehmung *f; insight* Einsicht *f; assessment* Einschätzung *f*
per·cep·tive [pə'septɪv] ADJ *person* aufmerksam; *analytical* scharfsinnig
perch [pɜ:tʃ] **A** N *for bird* (Sitz)Stange *f* **B** V/I hocken
per·co·la·tor ['pɜ:kəleɪtə(r)] N Kaffeemaschine *f*
per·cus·sion [pə'kʌʃn] N Schlagzeug *n*
per·fect **A** N ['pɜ:fɪkt] GRAM Perfekt *n* **B** ADJ ['pɜ:fɪkt] perfekt, vollkommen; **that sounds ~** das hört sich ideal an; **I was a ~ stranger to them** ich war ihnen völlig fremd **C** V/T [pə'fekt] vervollkommnen
per·fec·tion [pə'fekʃn] N Perfektion *f*, Vollkommenheit *f;* **do sth to ~** etw perfekt machen
per·fec·tion·ist [pə'fekʃnɪst] N Perfektionist(in) *m(f)*
per·fect·ly ['pɜ:fɪktlɪ] ADV perfekt; *totally* vollkommen, völlig; **I'm ~ alright** mir geht's wirklich gut; **to be ~ honest** um ganz ehrlich zu sein
per·fo·rat·ed ['pɜ:fəreɪtɪd] ADJ *line* perforiert
per·form [pə'fɔ:m] **A** V/T *duty, function* ausüben, erfüllen; *task* verrichten; *trick* vorführen; *operation* durchführen; *ceremony* vollziehen; *play, concert* aufführen **B** V/I *actor, musician* auftreten; *in exam* abschneiden; *player* spielen; *car* sich fahren
per·form·ance [pə'fɔ:məns] N *of play, concert, opera* Aufführung *f; of employee, machine* Leistung *f; of actor* schauspielerische Leistung; *of company* Ergebnis *n*
per'form·ance prin·ci·ple N Leistungsprinzip *n*
per·form·ance-re'la·ted ADJ leistungsbezogen

P

per·form·er [pə'fɔːmə(r)] N Künstler(in) *m(f)*
per·fume ['pɜːfjuːm] N Parfüm *n*; *of flower* Duft *m*
per·haps [pə'hæps] ADV vielleicht
per·il ['perəl] N Gefahr *f*
per·il·ous ['perələs] ADJ gefährlich
pe·rim·e·ter [pə'rɪmɪtə(r)] N *of circle* Umfang *m*
pe·ri·od ['pɪərɪəd] N Zeitraum *m* Periode *f*; *in history* Zeitalter *n*, Epoche *f*; SCHOOL Stunde *f*; *menstruation* Periode *f*; *US* Punkt *m*; **I don't want to, ~!** *US* ich will nicht, (und damit) basta!
pe·ri·od·ic [pɪərɪ'ɒdɪk] ADJ regelmäßig
pe·ri·od·i·cal [pɪərɪ'ɒdɪkl] N Zeitschrift *f*
pe·ri·od·i·cal·ly [pɪərɪ'ɒdɪklɪ] ADV von Zeit zu Zeit, in regelmäßigen Abständen
'pe·ri·od pains N *pl* Menstruationsbeschwerden *pl*
pe·riph·e·ral [pə'rɪfərəl] **A** ADJ *unimportant* nebensächlich **B** N COMPUT Peripheriegerät *n*
pe·riph·e·ry [pə'rɪfərɪ] N Rand *m*, Peripherie *f*
per·ish ['perɪʃ] V/I *material* verschleißen; *food* verderben; *die* umkommen
per·ish·a·ble ['perɪʃəbl] ADJ *food* leicht verderblich
per·ish·ing ['perɪʃɪŋ] ADJ *infml* saukalt
per·jure ['pɜːdʒə(r)] V/T **~ o.s.** e-n Meineid leisten
per·ju·ry ['pɜːdʒərɪ] N Meineid *m*
perk [pɜːk] N *of job* Vergünstigung *f*
♦ **perk up** **A** V/T aufheitern, aufmuntern **B** V/I aufleben
perk·y ['pɜːkɪ] ADJ ‹-ier, -iest› *infml: lively* munter
perm [pɜːm] N Dauerwelle *f*
per·ma·nent ['pɜːmənənt] ADJ ständig, permanent; *job, address* fest
per·ma·nent·ly ['pɜːmənəntlɪ] ADV ständig, permanent; **we'll be staying here ~** wir bleiben hier auf Dauer; **~ brain damaged** dauerhaft hirngeschädigt
per·me·a·ble ['pɜːmɪəbl] ADJ durchlässig
per·me·ate ['pɜːmɪeɪt] V/T durchdringen
per·mis·si·ble [pə'mɪsəbl] ADJ erlaubt
per·mis·sion [pə'mɪʃn] N Erlaubnis *f*; **without ~** unerlaubt
per·mis·sive [pə'mɪsɪv] ADJ freizügig
per·mis·sive so'ci·ety N permissive Gesellschaft
per·mit **A** N ['pɜːmɪt] Genehmigung *f* **B** V/T [pə'mɪt] ‹-tt-› erlauben, gestatten; **I won't ~ it!** das lasse ich nicht zu!
per·pen·dic·u·lar [pɜːpən'dɪkjʊlə(r)] ADJ senkrecht
per·pet·u·al [pə'petjʊəl] ADJ ständig
per·pet·u·ate [pə'petjʊeɪt] V/T *myth* aufrechterhalten
per·plex [pə'pleks] V/T verblüffen
per·plexed [pə'plekst] ADJ verblüfft
per·plex·i·ty [pə'pleksɪtɪ] N Verblüffung *f*
per·se·cute ['pɜːsɪkjuːt] V/T verfolgen
per·se·cu·tion [pɜːsɪ'kjuːʃn] N Verfolgung *f*
per·se·cu·tor ['pɜːsɪkjuːtə(r)] N Verfolger(in) *m(f)*
per·se·ver·ance [pɜːsɪ'vɪərəns] N Ausdauer *f*, Beharrlichkeit *f*
per·se·vere [pɜːsɪ'vɪə(r)] V/I nicht lockerlassen; *with course* durchhalten
per·sist [pə'sɪst] V/I *not give in* nicht lockerlassen; *rain* anhalten; *situation, problem* weiterhin bestehen; **~ in doing sth** nicht aufhören, etw zu tun
per·sis·tence [pə'sɪstəns] N *determination* Beharrlichkeit *f*; *continuation* Fortbestehen *n*
per·sis·tent [pə'sɪstənt] ADJ *person, questions* beharrlich, hartnäckig; *rain, unemployment* anhaltend
per·sis·tent·ly [pə'sɪstəntlɪ] ADV *constantly* ständig
per·son ['pɜːsn] N Person *f*, Mensch *m*; **in ~** persönlich
per·son·al ['pɜːsənl] ADJ persönlich; *life, matter* Privat-, privat
per·son·al as'sis·tant N persönliche(r) Mitarbeiter(in) **per·son·al 'hy·giene** N Körperpflege *f* **per·son·al i·den·ti·fi'ca·tion num·ber** N Geheimzahl *f*
per·son·al·i·ty [pɜːsə'nælətɪ] N Persönlichkeit *f*
per·son·al·ly ['pɜːsənəlɪ] ADV persönlich
per·son·al 'or·gan·iz·er N Organizer *m* **per·son·al 'pro·noun** N Personalpronomen *n* **per·son·al 'ster·e·o** N Walkman® *m*

P

per·son·i·fy [pɜːˈsɒnɪfaɪ] VT ⟨-ied⟩ personifizieren
per·son·nel [pɜːsəˈnel] N Personal *n*, Belegschaft *f*; Personalabteilung *f*
per·spec·tive [pəˈspektɪv] N *in art* Perspektive *f*; **get sth into ~** etw im Zusammenhang sehen
per·spi·ra·tion [pɜːspɪˈreɪʃn] N *sweat* Schweiß *m*; *sweating* Schwitzen *n*
per·spire [pɜːˈspaɪə(r)] VI schwitzen
per·suade [pəˈsweɪd] VT überreden
per·sua·sion [pəˈsweɪʒn] N Überredung *f*
per·sua·sive [pəˈsweɪsɪv] ADJ überzeugend
pert [pɜːt] ADJ keck, kess
per·tain [pɜːˈteɪn] VI **~ to sth** etw betreffen
per·ti·nent [ˈpɜːtɪnənt] ADJ *formal* sachdienlich, relevant
per·turb [pəˈtɜːb] VT beunruhigen
pe·ruse [pəˈruːz] VT *formal* durchlesen
per·vade [pəˈveɪd] VT durchdringen, erfüllen
per·va·sive [pəˈveɪsɪv] ADJ *influence, ideas* weitverbreitet
per·verse [pəˈvɜːs] ADJ *stubborn* eigensinnig; *sexually* pervers
per·ver·sion [pəˈvɜːʃn] N Perversion *f*
per·vert [ˈpɜːvɜːt] N *sexual* Perverse(r) *m/f(m)*
pes·si·mism [ˈpesɪmɪzm] N Pessimismus *m*
pes·si·mist [ˈpesɪmɪst] N Pessimist(in) *m(f)*
pes·si·mist·ic [pesɪˈmɪstɪk] ADJ pessimistisch
pest [pest] N Schädling *m*; *infml*: *person* Nervensäge *f*
ˈpest con·trol N Schädlingsbekämpfung *f*
pes·ter [ˈpestə(r)] VT belästigen; **~ sb to do sth** j-n bedrängen, etw zu tun
pes·ti·cide [ˈpestɪsaɪd] N Pestizid *n*, Schädlingsbekämpfungsmittel *n*
pet [pet] **A** N *dog, cat* Haustier *n*; *favourite person* Liebling *m* **B** ADJ Lieblings-; **~ rat** zahme Ratte; **she has a ~ rabbit** sie hat ein Kaninchen als Haustier **C** VT ⟨-tt-⟩ *animal* streicheln
pet·al [ˈpetl] N Blütenblatt *n*
♦**pe·ter out** [piːtə(r)ˈaʊt] VI *supplies* zu Ende gehen; *rain* langsam aufhören; *path* sich verlieren; *interest* langsam nachlassen
pe·tite [pəˈtiːt] ADJ zierlich
pe·ti·tion [pəˈtɪʃn] N Petition *f*; *with names* Unterschriftenliste *f*
ˈpet name N Kosename *m*
pet·ri·fied [ˈpetrɪfaɪd] ADJ voller Angst; **I was ~** ich hatte e-e Wahnsinnsangst
pet·ri·fy [ˈpetrɪfaɪ] VT ⟨-ied⟩ *frighten* (schreckliche) Angst einjagen
pet·ro·chem·i·cal [petrəʊˈkemɪkl] N petrochemisches Erzeugnis
pet·rol [ˈpetrəl] N Benzin *n*
pe·tro·le·um [pɪˈtrəʊlɪəm] N Erdöl *n*
ˈpet·rol gauge N Benzinuhr *f* **ˈpet·rol pump** N Zapfsäule *f* **ˈpet·rol sta·tion** N Tankstelle *f*
ˈpet shop N Tierhandlung *f*, Zoogeschäft *n*
pet ˈsub·ject N Lieblingsthema *n*
pet·ti·coat [ˈpetɪkəʊt] N Unterrock *m*
pet·ty [ˈpetɪ] ADJ; ⟨-ier, -iest⟩ *person* kleinlich; *details, problems* belanglos
pet·ty ˈcash N Portokasse *f*
pet·u·lant [ˈpetjʊlənt] ADJ verdrießlich
pew [pjuː] N (Kirchen)Bank *f*
phar·ma·ceu·ti·cal [fɑːməˈsjuːtɪkl] ADJ pharmazeutisch
phar·ma·ceu·ti·cals [fɑːməˈsjuːtɪklz] N *pl* Arzneimittel *pl*
phar·ma·cist [ˈfɑːməsɪst] N Pharmazeut(in) *m(f)*; *in chemist's* Apotheker(in) *m(f)*
phar·ma·cy [ˈfɑːməsɪ] N Apotheke *f*
phase [feɪz] N Phase *f*
♦**phase in** VT allmählich einführen
♦**phase out** VT auslaufen lassen
PhD [piːeɪtʃˈdiː] ABBR *for* Doctor of Philosophy Dr. phil.; **he's doing a ~** er macht s-n Doktor, er promoviert
pheas·ant [ˈfeznt] N Fasan *m*
phe·nom·e·nal [fɪˈnɒmɪnl] ADJ unglaublich, phänomenal
phe·nom·e·nal·ly [fɪˈnɒmɪnlɪ] ADV außerordentlich
phe·nom·e·non [fɪˈnɒmɪnɒn] N ⟨*pl* phenomena [fɪˈnɒmɪnə]⟩ Phänomen *n*
phi·lan·thro·pist [fɪˈlænθrəpɪst] N Menschenfreund(in) *m(f)*
phil·is·tine [ˈfɪlɪstaɪn] N Banause *m*
phi·los·o·pher [fɪˈlɒsəfə(r)] N Philosoph(in) *m(f)*
phil·o·soph·i·cal [fɪləˈsɒfɪkl] ADJ philo-

sophisch
phi·los·o·phy [fɪ'lɒsəfɪ] N Philosophie *f*
pho·bi·a ['fəʊbɪə] N Phobie *f*, krankhafte Angst (**about** vor)
phone [fəʊn] **A** N Telefon *n*; **be on the ~** *have a phone* Telefon haben; *be speaking on phone* am Telefon sein **B** V/T & V/I anrufen, telefonieren
'phone book N Telefonbuch *n*
'phone booth N *US* Telefonzelle *f*
'phone box N Telefonzelle *f*
'phone call N Telefonanruf *m*; **make a ~** ein Telefongespräch führen; **have I had any phone calls?** hat j-d für mich angerufen? **'phone card** N Telefonkarte *f*
pho·n(e)y ['fəʊnɪ] ADJ ⟨-ier, -iest⟩ *infml*: *name, address* falsch; *document, money* gefälscht; **there is something ~ about this** da ist was faul dran
pho·to ['fəʊtəʊ] N Foto *n*, Aufnahme *f*; **take a ~ of sth** ein Foto von etw machen, etw fotografieren
'pho·to al·bum N Fotoalbum *n*
'pho·to·cop·i·er N Fotokopiergerät *n* **'pho·to·cop·y** **A** N Fotokopie *f* **B** V/T fotokopieren
pho·to·gen·ic [fəʊtə'dʒenɪk] ADJ fotogen
pho·to·graph ['fəʊtəgrɑːf] **A** N Fotografie *f*; **take a ~ of sth** etw fotografieren **B** V/T fotografieren
pho·tog·ra·pher [fə'tɒgrəfə(r)] N Fotograf(in) *m(f)*
pho·tog·ra·phy [fə'tɒgrəfɪ] N Fotografie *f*
phrase [freɪz] **A** N *expression* Wendung *f*, Ausdruck *m*; GRAM Satzglied *n* **B** V/T formulieren
phrase·book ['freɪzbʊk] N Sprachführer *m*
phys·i·cal ['fɪzɪkl] **A** ADJ *relating to body* körperlich, physisch; *experiment, laws* physikalisch; **~ contact** Körperkontakt *m*; **~ strength** Körperkraft *f* **B** N MED ärztliche Untersuchung
phys·i·cal edu'ca·tion N Turnunterricht *m*
phys·i·cal 'hand·i·cap N Körperbehinderung *f*
phys·i·cal·ly ['fɪzɪklɪ] ADV körperlich; **~ impossible** physikalisch unmöglich
phys·i·cal·ly 'hand·i·cap·ped ADJ körperbehindert
phy·si·cian [fɪ'zɪʃn] N Arzt *m*, Ärztin *f*
phys·i·cist ['fɪzɪsɪst] N Physiker(in) *m(f)*
phys·ics ['fɪzɪks] N *sg* Physik *f*
phys·i·o·ther·a·pist [fɪzɪəʊ'θerəpɪst] N Physiotherapeut(in) *m(f)*
phys·i·o·ther·a·py [fɪzɪəʊ'θerəpɪ] N Physiotherapie *f*
phy·sique [fɪ'ziːk] N Körperbau *m*
pi·a·nist ['pɪənɪst] N Pianist(in) *m(f)*
pi·an·o [pɪ'ænəʊ] N Klavier *n*
pick [pɪk] **A** N **take your ~** such dir etwas aus **B** V/T *choose* (aus)wählen, aussuchen; *for team* nominieren; *flowers, fruit* pflücken; **~ one's nose** in der Nase bohren **C** V/I **~ and choose** wählerisch sein
♦ **pick at** V/T *food* herumstochern in
♦ **pick on** V/T *treat unfairly* herumhacken auf; *select* aussuchen
♦ **pick out** V/T *select* aussuchen; *identify* erkennen
♦ **pick up** **A** V/T nehmen; *phone* abnehmen; *baby* auf den Arm nehmen; *from off ground* aufheben; *from school, station* abholen; *information etc* aufschnappen; *hitchhiker, passenger* mitnehmen; *man, woman at party etc* abschleppen; *language, skill* lernen; *disease, virus* sich holen; *criminal* verhaften; *in shop etc* finden; **pick up speed** schneller werden **B** V/I besser werden
♦ **pick up on** V/T *mistake, accent* bemerken
'pick·axe, **'pick·ax** *US* N (Spitz)Hacke *f*, Pickel *m*
pick·et ['pɪkɪt] **A** N Streikposten *m* **B** V/T Streikposten aufstellen vor
'pick·et line N Streikpostenkette *f*
pick·le ['pɪkl] V/T einlegen
pick·les ['pɪklz] N *pl* Mixed Pickles *pl* (*eingelegtes Gemüse*)
pick·pock·et ['pɪkpɒkɪt] N Taschendieb(in) *m(f)*
pick·y ['pɪkɪ] ADJ ⟨-ier, -iest⟩ *infml* wählerisch
pic·nic ['pɪknɪk] **A** N Picknick *n* **B** V/I ⟨-ck-⟩ picknicken
pic·ture ['pɪktʃə(r)] **A** N Bild *n*; *work of art* Gemälde *n*, Bild *n*; *photo* Foto *n*; *at cinema* Film *m*; **be in the ~** *be informed* im Bilde sein; **keep sb in the ~** j-n auf

dem Laufenden halten; **ok, I get the ~** o.k., ich hab's kapiert **B** VT sich vorstellen

'pic·ture book N Bilderbuch *n*

pic·ture 'post·card N Ansichtskarte *f*

pic·tures ['pɪktʃəz] N *pl* Kino *n*; **go to the ~** ins Kino gehen

pic·tur·esque [pɪktʃə'resk] ADJ malerisch

pie [paɪ] N Pastete *f*; *sweet* Obstkuchen *m*

piece [pi:s] N Stück *n*; *of machine, jigsaw* Teil *n*; *in board game* Stein *m*; *in chess* Figur *f*; *of broken glass* Scherbe *f*; *of bread* Scheibe *f*; **go to pieces** zusammenbrechen; **take to pieces** auseinandernehmen

♦ **piece together** VT *broken fragments* zusammensetzen; *facts, evidence* zusammenfügen

piece·meal ['pi:smi:l] ADV *bit by bit* schrittweise, stückweise; *unsystematically* unsystematisch

piece·work ['pi:swɜ:k] N Akkordarbeit *f*

'pie chart N Kreisdiagramm *n*

pier [pɪə(r)] N *at the seaside* Pier *m*

pierce [pɪəs] VT durchbohren, durchstoßen; *ears* durchstechen; **have one's navel pierced** sich den Bauchnabel piercen lassen

pierc·ing ['pɪəsɪŋ] ADJ *sound* durchdringend; *eyes* stechend; *wind* schneidend

pig [pɪg] N *a. fig* Schwein *n*

pi·geon ['pɪdʒɪn] N Taube *f*

pi·geon·hole ['pɪdʒɪnhəʊl] **A** N (Ablege)Fach *n* **B** VT *person* abstempeln; *postpone* aufschieben, verschieben

pig·gy·back ['pɪgɪbæk] N **give sb a ~** j-n huckepack nehmen *or* tragen

pig·gy·bank ['pɪgɪbæŋk] N Sparschwein *n*

pig·head·ed [pɪg'hedɪd] ADJ dickköpfig

pig·let ['pɪglɪt] N Ferkel *n*

'pig·skin N Schweinsleder *n* **'pig·sty** N *a. fig* Schweinestall *m* **'pig·tail** N Zopf *m*

pile [paɪl] N *heap* Haufen *m*; *neat stack* Stapel *m*

♦ **pile up** **A** VI *work, bills* sich ansammeln **B** VT stapeln

piles [paɪlz] N *sg or pl* MED Hämorrhoiden *pl*

pile-up ['paɪlʌp] N AUTO Massenkarambolage *f*

pil·fer·ing ['pɪlfərɪŋ] N (kleinere) Diebstähle *pl*

pil·grim ['pɪlgrɪm] N Pilger(in) *m(f)*

pil·grim·age ['pɪlgrɪmɪdʒ] N Pilgerfahrt *f*

pill [pɪl] N Tablette *f*; **the ~** die Pille; **be on the ~** die Pille nehmen

pil·lar ['pɪlə(r)] N Säule *f*

'pil·lar box N Briefkasten *m*

pil·li·on ['pɪljən] N *on motorbike* Sozius(-sitz) *m*; **ride ~** hinten drauf mitfahren

pil·lo·ry VT ['pɪlərɪ] *fig* anprangern

pil·low ['pɪləʊ] N (Kopf)Kissen *n*

'pill·ow·case, 'pil·low·slip N (Kopf)Kissenbezug *m*

pi·lot ['paɪlət] **A** N *of plane* Pilot(in) *m(f)* **B** VT *plane* fliegen

'pi·lot plant N Pilotanlage *f*

'pi·lot scheme N Pilotprojekt *n*

pimp [pɪmp] N Zuhälter *m*

pim·ple ['pɪmpl] N Pickel *m*

PIN [pɪn] ABBR *for* personal identification number PIN *f*, persönliche Geheimzahl

pin [pɪn] **A** N *for sewing* Nadel *f*; *in bowling* Pin *m*; *on shirt, tie* Anstecknadel *f*; ELEC Pol *m* **B** VT ⟨-nn-⟩ *secure* anheften, festheften; **~ sb to the floor** j-n zu Boden pressen

♦ **pin down** VT *reason* festzustellen; **pin sb down to a date** j-n auf e-n Termin festnageln

♦ **pin up** VT *note* anheften

pin·a·fore ['pɪnəfɔ:(r)] N Schürze *f*

pin·cers ['pɪnsəz] N *pl tool* Kneifzange *f*; *of crab* Schere *f*, Zange *f*

pinch [pɪntʃ] **A** N Kneifen *n*, Zwicken *n*; *of salt, sugar etc* Prise *f*; **at a ~** zur Not **B** VT kneifen, zwicken; *infml* klauen **C** VI *shoe* drücken

pine[1] [paɪn] N Kiefer *f*; **~ furniture** Kiefernmöbel *pl*

pine[2] [paɪn] VI **~ for** sich sehnen nach

pine·ap·ple ['paɪnæpl] N Ananas *f*

'pine cone N BOT Kiefernzapfen *m*

ping [pɪŋ] **A** N Klingeln *n* **B** VI klingeln

pink [pɪŋk] ADJ rosa, pink

pin·na·cle ['pɪnəkl] N *fig* Höhepunkt *m*

pin·point ['pɪnpɔɪnt] VT genau bestimmen

pins and 'nee·dles N *pl* **I've got ~ in my arm** *infml* mir ist der Arm eingeschlafen

'pin·stripe ADJ Nadelstreifen-

pint [paɪnt] N *unit of measurement* Pint *n*

pi·o·neer [paɪəˈnɪə(r)] **A** N *fig* Pionier(in) *m(f)*, Wegbereiter(in) *m(f)* **B** V/T *fig* den Weg bahnen für

pi·o·neer·ing [paɪəˈnɪərɪŋ] ADJ *method, research* wegbereitend; **~ work** Pionierarbeit *f*

pi·ous [ˈpaɪəs] ADJ fromm

pip[1] [pɪp] N *of fruit* Kern *m*

pip[2] [pɪp] N *time signal*, TEL Ton *m*

pipe [paɪp] **A** N *for smoking* Pfeife *f*; *for water, gas etc* Rohr *n* **B** V/T in Rohren leiten

♦**pipe down** V/I *infml* ruhig sein

piped 'mu·sic [paɪpt] N (ständige) Hintergrundmusik

'pipe·line N Pipeline *f*; **be in the ~** *fig* in Vorbereitung sein; **there are more lay-offs in the ~** es sind weitere Entlassungen geplant

pip·ing hot [paɪpɪŋˈhɒt] ADJ kochend heiß, siedend heiß

pi·ra·cy [ˈpaɪərəsɪ] N *in media, of products* Piraterie *f*

pi·rate [ˈpaɪərət] V/T *software* unerlaubt kopieren; *book* unerlaubt drucken

Pis·ces [ˈpaɪsiːz] N *pl* ASTROL Fische *pl*; **he's (a) ~** er ist (ein) Fisch

piss [pɪs] *sl* **A** V/I pissen **B** N Pisse *f*; **take the ~ out of sb** j-n verarschen

♦**piss off** *sl* **A** V/I sich verpissen **B** V/T wütend machen; **be pissed off with sb/about sth** stinksauer auf j-n/über etw sein, von j-m/etw die Schnauze voll haben

pissed [pɪst] ADJ *sl*: *drunk* stockbesoffen; *US*: *annoyed* stocksauer

pis·tol [ˈpɪstl] N Pistole *f*

pis·ton [ˈpɪstən] N Kolben *m*

pit [pɪt] N *large hole* Grube *f*; *coalmine* Zeche *f*

pitch[1] [pɪtʃ] N MUS, *of note* Tonhöhe *f*; *of voice* Stimmlage *f*; *in* SPORTS Spielfeld *n*

pitch[2] [pɪtʃ] V/T *tent* aufschlagen; *ball* werfen

pitch-'black ADJ pechschwarz

pitch·er [ˈpɪtʃə(r)] N *container* Krug *m*

'pitch·fork N Heugabel *f*, Mistgabel *f*

pit·e·ous [ˈpɪtɪəs] ADJ kläglich

'pit·fall N Falle *f*; **pitfalls of English grammar** die Hauptschwierigkeiten der englischen Grammatik

pith [pɪθ] N *of citrus fruit* weiße Haut

pit·i·ful [ˈpɪtɪfl] ADJ *sight* mitleiderregend; *attempt* erbärmlich

pit·i·less [ˈpɪtɪləs] ADJ unbarmherzig

pits [pɪts] N *pl in motor racing* Boxen *pl*; **be the ~** *sl* das Allerletzte sein

pit·tance [ˈpɪtns] N Hungerlohn *m*

pit·y [ˈpɪtɪ] **A** N Mitleid *n*; **it's a ~ that ...** es ist schade, dass ...; **what a ~!** wie schade!; **take ~ on sb** mit j-m Mitleid haben **B** V/T ⟨-ied⟩ *person* bemitleiden, bedauern; **I ~ you** du tust mir leid

piv·ot [ˈpɪvət] V/I sich drehen

plac·ard [ˈplækɑːd] N Plakat *n*

place [pleɪs] **A** N Ort *m*, Platz *m*, Stelle *f*; *home* Haus *n*, Wohnung *f*; *in book* Stelle *f*; *seat, position in contest, on course* Platz *m*; **university ~** Studienplatz *m*; **a ~ of my own** e-e eigene Wohnung; **at my ~** bei mir (zu Hause); **feel out of ~** sich fehl am Platz fühlen; **in ~ of** statt, anstelle von; **in the first ~** *first of all* erstens; *originally* ursprünglich; **take ~** stattfinden **B** V/T *upright* (hin)stellen; *flat* (hin)legen; *identify* einordnen; **~ an order** e-n Auftrag erteilen

'place mat N Platzdeckchen *n*, Set *n*

place·ment [ˈpleɪsmənt] N *of trainee* Praktikum *n*; Praktikumsstelle *f*

plac·id [ˈplæsɪd] ADJ ruhig

pla·gia·rism [ˈpleɪdʒərɪzm] N Plagiat *n*

pla·gia·rize [ˈpleɪdʒəraɪz] V/T plagiieren

plague [pleɪg] **A** N *disease* Seuche *f*; **the ~** die Pest **B** V/T belästigen; *afflict* plagen

plaice [pleɪs] N ⟨*pl* plaice⟩ *fish* Scholle *f*

plain[1] [pleɪn] N Ebene *f*

plain[2] [pleɪn] **A** ADJ *clear* deutlich; *simple* einfach, schlicht; *not pretty* unansehnlich; *open, honest* offen (und ehrlich); **make sth ~** etw deutlich zum Ausdruck bringen; **~ chocolate** (zart)bittere Schokolade **B** ADV ganz einfach; **it's just ~ stupid** das ist ganz einfach dumm

plain-'clothes N *pl* **in ~** in Zivil

plain·ly [ˈpleɪnlɪ] ADV *clearly* offensichtlich; *speak* offen, direkt; *simply* einfach

plain-'spo·ken ADJ offen, direkt

plain·tiff [ˈpleɪntɪf] N Kläger(in) *m(f)*

plain·tive [ˈpleɪntɪv] ADJ klagend

plait [plæt] **A** N *in hair* Zopf *m* **B** V/T *hair* flechten

P

plan [plæn] **A** N Plan *m* **B** V/T ‹-nn-› planen; **~ to do sth, ~ on doing sth** vorhaben, etw zu tun **C** V/I ‹-nn-› (voraus)planen
plane¹ [pleɪn] N Flugzeug *n;* **we went by ~** wir sind geflogen
plane² [pleɪn] **A** ADJ flach, eben **B** N *fig* Stufe *f*, Niveau *n*
plan·et ['plænɪt] N Planet *m*
plank [plæŋk] N *of wood* Planke *f*; *fig: of policy* Schwerpunkt *m*
planned e·co·no·my [plændɪ'kɒnəmɪ] N Planwirtschaft *f*
plan·ner ['plænə(r)] N Planer(in) *m(f)*
plan·ning ['plænɪŋ] N Planung *f*
plant¹ [plɑːnt] **A** N *tree, bush etc* Pflanze *f* **B** V/T *tree, bush etc* pflanzen
plant² [plɑːnt] N *factory* Werk *n*; *equipment* Maschinen *pl*
plan·ta·tion [plæn'teɪʃn] N Plantage *f*
plaque [plɑːk] N *on wall* Gedenktafel *f*; *on teeth* Zahnbelag *m*
plas·ter ['plɑːstə(r)] **A** N *for cut* Pflaster *n*; *on wall, ceiling* (Ver)Putz *m* **B** V/T *wall, ceiling* verputzen; **be plastered with** *fig: posters etc* zugekleistert sein mit
'plas·ter cast N MED Gipsverband *m*
plas·tered ['plɑːstəd] ADJ *infml* voll; **get ~** sich besaufen
plas·tic ['plæstɪk] **A** N Plastik *n*; Kreditkarte *f*; Kreditkarten *pl* **B** ADJ Plastik-
plas·tic 'bag N Plastikbeutel *m*
'plas·tic mon·ey N Plastikgeld *n*
plas·tic 'sur·geon N plastischer Chirurg, plastische Chirurgin **plas·tic 'sur·ge·ry** N plastische Chirurgie; **she had ~ on her nose** sie hatte e-e Schönheitsoperation an der Nase **plas·tic 'wrap** N *US* Klarsichtfolie *f*
plate [pleɪt] N *for food* Teller *m*; *of metal* Platte *f*
plat·form ['plætfɔːm] N *podium* Podium *n*, Tribüne *f*; *in station* Bahnsteig *m*; *fig: political* Plattform *f*
plat·i·num ['plætɪnəm] **A** N Platin *n* **B** ADJ Platin-
pla·toon [plə'tuːn] N *of soldiers* Zug *m*
plat·ter ['plætə(r)] N *for food* Platte *f*
plau·si·ble ['plɔːzəbl] ADJ plausibel
play [pleɪ] **A** N *at theatre* (Theater)Stück *n*; *on TV* Fernsehspiel *n*; *on radio* Hörspiel *n*; TECH Spiel *n*; **come into ~** ins Spiel kommen **B** V/I spielen **C** V/T spielen; **they're not playing Ballack** sie werden (den) Ballack nicht aufstellen *or* einsetzen; **Sunday's match is being played at home** das Spiel am Sonntag ist ein Heimspiel; **~ sb at chess** gegen j-n Schach spielen; **~ the violin** Geige spielen; **~ a joke on sb** j-m e-n Streich spielen
♦**play around** V/I *infml: be unfaithful* e-e Affäre/Affären haben
♦**play at** V/T *nurses etc* spielen; **what do you think you're playing at!** *infml* was soll das denn?
♦**play down** V/T herunterspielen
♦**play on** V/I weiterspielen
♦**play up** V/I *machine, child, tooth* Schwierigkeiten machen
'play·act V/I *pretend* Theater spielen
'play·back N Wiedergabe *f* **'play·boy** N Playboy *m*
play·er ['pleɪə(r)] N SPORTS, MUS Spieler(in) *m(f)*; **this company is a major ~ in the car industry** diese Firma ist eines der wichtigsten Unternehmen der Automobilindustrie
play·ful ['pleɪfl] ADJ *blow, remark etc* scherzhaft
'play·ground N *in school* Schulhof *m*; *in park* Spielplatz *m*
'play·group N Spielgruppe *f*
play·ing card ['pleɪɪŋ] N Spielkarte *f*
'play·ing field N Sportplatz *m*
'play·mate N Spielkamerad(in) *m(f)*
play·wright ['pleɪraɪt] N Dramatiker(in) *m(f)*
plc [piːel'siː] ABBR *for* public limited company AG *f*, Aktiengesellschaft *f*
plea [pliː] N Bitte *f*; **make a ~ for help** um Hilfe bitten
plead [pliːd] V/I **~ for** (eindringlich) bitten um; **~ guilty/not guilty** sich schuldig/nicht schuldig bekennen; **~ with sb** j-n anflehen
pleas·ant ['pleznt] ADJ angenehm; *person* nett; *news* erfreulich
please [pliːz] **A** ADV bitte; **~ do** bitte sehr **B** V/T gefallen; *give pleasure to* eine Freude machen; **~ yourself** mach, was du willst; **he's easy to ~** er ist leicht zufriedenzustellen
pleased [pliːzd] ADJ *happy* erfreut; *satisfied* zufrieden; **~ to meet you** freut mich, angenehm

P

pleas·ing ['pli:zɪŋ] ADJ erfreulich
pleas·ure ['pleʒə(r)] N *joy* Freude *f*; *enjoyment* Vergnügen *n*; **it's a ~** bitte, gern geschehen; **with ~** sehr gern
pleat [pli:t] N *of skirt* Falte *f*
pleat·ed skirt [pli:tɪd'skɜ:t] N Faltenrock *m*
pledge [pledʒ] **A** N *promise* Versprechen *n* **B** V/T versprechen
ple·na·ry ['pli:nərɪ] ADJ Voll-, Plenar-
plen·ti·ful ['plentɪfl] ADJ reichlich
plen·ty ['plentɪ] N *wealth* Überfluss *m*; **~ of ...** e-e Menge ..., viel(e) ...; **that's ~** das ist reichlich; **there's ~ for everyone** es gibt mehr als genug für alle
ple·num ['pli:nəm] N POL Plenum *n*
pli·a·ble ['plaɪəbl] ADJ biegsam
pli·ers N *pl* **a pair of ~** e-e Beißzange
plight [plaɪt] N Not *f*, Elend *n*
plod [plɒd] V/I ‹-dd-› *walk* trotten
♦**plod on** V/I *through task, work* sich durchkämpfen
plonk[1] [plɒŋk] N *infml* Gesöff *n*
plonk[2] [plɒŋk] V/T *infml* hinknallen; **she plonked herself right in front of the TV** sie pflanzte sich direkt vor den Fernseher
plot[1] [plɒt] N *of land* Grundstück *n*
plot[2] [plɒt] **A** N *conspiracy* Verschwörung *f*; *of novel, film etc* Handlung *f*; **lose the ~** *fig infml* nicht mehr mitkommen; *flip out* ausrasten **B** V/T ‹-tt-› *conspiracy etc* aushecken, planen **C** V/I ‹-tt-› sich verschwören (**against** gegen)
plot·ter[1] ['plɒtə(r)] N Verschwörer(in) *m(f)*
plot·ter[2] ['plɒtə(r)] N COMPUT Plotter *m*
plough [plaʊ] **A** N Pflug *m* **B** V/T (um)pflügen **C** V/I pflügen
♦**plough back** V/T *profits* reinvestieren
plow [plaʊ] *US* → plough
pluck [plʌk] V/T *eyebrows* zupfen; *chicken* rupfen
♦**pluck up** V/T **pluck up courage** Mut aufbringen
plug [plʌg] **A** N *for sink, bath* Stöpsel *m*; *of electrical device* Stecker *m*; *socket* Steckdose *f*; *in engine* Zündkerze *f*; *for new book etc* Werbung *f*; *pej* Schleichwerbung *f* **B** V/T ‹-gg-› *hole* verstopfen, zustopfen; *for book etc* Werbung machen für
♦**plug away** V/I *infml* sich durchackern (**at** durch)
♦**plug in** V/T anschließen
plum [plʌm] **A** N Pflaume *f* **B** ADJ *infml* **a ~ job** e-e gute Stellung
plumb [plʌm] ADJ lotrecht
♦**plumb in** V/T *washing machine* anschließen
plumb·er ['plʌmə(r)] N Klempner(in) *m(f)*
plumb·ing ['plʌmɪŋ] N *no pl pipes etc* Rohre und Armaturen *pl*; *activity* Klempnerarbeiten *pl*
plum·met ['plʌmɪt] V/I *plane* hinunterstürzen; *prices, share prices* fallen
plump [plʌmp] ADJ *face* rundlich; *person a.* mollig; *hands, feet* dick, fleischig; *chicken* mit viel Fleisch
♦**plump for** V/T sich entscheiden für
plunge [plʌndʒ] **A** N *fall, a. in prices, share prices etc* Sturz *m*; *into water, of goalkeeper* Sprung *m*; **take the ~** *fig* den Sprung wagen **B** V/I stürzen; *prices* stark fallen **C** V/T *knife etc* stoßen; *under water* tauchen; **~ sth into darkness** etw in Dunkelheit tauchen; **~ sb into despair** j-n in Verzweiflung stürzen
plung·ing ['plʌndʒɪŋ] ADJ **with a ~ neckline** tief ausgeschnitten
plu·per·fect [plu:'pɜ:fɪkt] N GRAM Plusquamperfekt *n*
plu·ral ['plʊərəl] **A** N Plural *m*, Mehrzahl *f* **B** ADJ Plural-
plus [plʌs] **A** PREP *with numbers* plus; *as well as* und **B** ADJ **£500 ~** mindestens £500, mehr als £500 **C** N *symbol* Plus(-zeichen) *n*; *advantage* Plus *n* **D** CJ und (außerdem)
plush [plʌʃ] ADJ luxuriös
ply·wood ['plaɪwʊd] N Sperrholz *n*
p.m. [pi:'em] ABBR *for* post meridiem; **at 2 ~** um 2 Uhr nachmittags, um 14.00 Uhr; **at 10 ~** um 10 Uhr abends, um 22.00 Uhr
PM [pi:'em] ABBR *for* Prime Minister Premierminister(in) *m(f)*
pneu·mat·ic 'drill N Pressluftbohrer *m*
pneu·mo·ni·a [nju:'məʊnɪə] N Lungenentzündung *f*
poach[1] [pəʊtʃ] V/T *cook* pochieren
poach[2] [pəʊtʃ] **A** V/I *hunt illegally* wildern **B** V/T *animals* unerlaubt jagen
poached egg [pəʊtʃt'eg] N verlorenes

Ei

poach·er ['pəʊtʃə(r)] N Wilderer(in) *m(f)*
P.O. Box ['pi:əʊbɒks] N Postfach *n*
pock·et ['pɒkɪt] A N Tasche *f*; **line one's own pockets** in die eigene Tasche wirtschaften; **£200 out of ~** um 200 Pfund ärmer B V/T einstecken; *steal* in die eigene Tasche stecken, klauen
'pock·et book N *US: for ID, money* Brieftasche *f*; *for woman* Unterarmtasche *f* **pock·et 'cal·cu·la·tor** N Taschenrechner *m* **'pock·et mon·ey** N Taschengeld *n*
pod·cast ['pɒdkɑ:st] N Podcast *m*
po·di·um ['pəʊdɪəm] N Podest *n*
po·em ['pəʊɪm] N Gedicht *n*
po·et ['pəʊɪt] N Dichter(in) *m(f)*
po·et·ic [pəʊ'etɪk] ADJ poetisch
po·et·ry ['pəʊətrɪ] N Dichtung *f*; **the ~ of Heaney** die Gedichte *pl* Heaneys
point [pɔɪnt] A N *of pen, knife* Spitze *f*; *in contest, exam, on agenda* Punkt *m*; *place* Stelle *f*, Punkt *m*; *meaning, aim* Sinn *m*, Zweck *m*; *in time* Augenblick *m*, Zeitpunkt *m*; *in decimals* Komma *n*; **what's the ~?** wozu das alles?; **the ~ I'm trying to make is ...** worauf ich hinaus will, ist ...; **she has a ~** damit hat sie durchaus recht; **that's beside the ~** darum geht es gar nicht; **get to the ~** zur Sache kommen; **the ~ is ...** die Sache ist die, ...; **there's no ~ (in) waiting** es hat keinen Zweck zu warten; **make a ~ of sth** auf etw Wert legen; **I was on the ~ of leaving when ...** ich wollte gerade gehen, als ... B V/I *with finger* zeigen (**at** auf) C V/T *weapon etc* richten (**at** auf)
♦**point out** V/T aufmerksam machen auf, hinweisen auf
♦**point to** V/T (mit dem Finger) zeigen auf; *fig* hinweisen auf
point-'blank A ADJ *refusal, lie* glatt; **at ~ range** aus kürzester Distanz B ADV *deny, refuse* rundweg
point·ed ['pɔɪntɪd] ADJ *remark* scharf
point·er ['pɔɪntə(r)] N *for presentation* Zeigestock *m*; *tip* Tipp *m*; *indication* Anzeichen *n*
point·less ['pɔɪntləs] ADJ sinnlos
point of 'sale N Verkaufsstelle *f*; Werbematerial *n*
point of 'view N Gesichtspunkt *m*; *opinion* Meinung *f*, Standpunkt *m*; **from my ~** von meinem Standpunkt aus; **from his ~** aus s-r Perspektive
points [pɔɪnts] N *pl* RAIL Weiche *f*
poise [pɔɪz] N Selbstsicherheit *f*
poised [pɔɪzd] ADJ *self-confident* selbstsicher
poi·son ['pɔɪzn] A N Gift *n* B V/T vergiften
poi·son·ous ['pɔɪznəs] ADJ giftig
poke [pəʊk] A N Stoß *m* B V/T *with stick, in fire* stochern; *with finger* stoßen; *head out of window* stecken; **~ fun at** sich lustig machen über
♦**poke around** V/I schnüffeln
pok·er ['pəʊkə(r)] N *card game* Poker *n*
pok·y ['pəʊkɪ] ADJ ⟨-ier, -iest⟩ *narrow, small* winzig
Po·land ['pəʊlənd] N Polen *n*
po·lar ['pəʊlə(r)] ADJ Polar-
po·lar·ize ['pəʊləraɪz] V/T polarisieren
pole[1] [pəʊl] N *made of wood, metal* Stange *f*
pole[2] [pəʊl] N GEOG, *of magnet* Pol *m*
Pole [pəʊl] N Pole *m*, Polin *f*
po·lice [pə'li:s] N *pl* Polizei *f*
po'lice car N Polizeiauto *n* **po'lice·man** N Polizist *m* **po'lice of·fi·cer** N Polizeibeamte(r) *m*, -beamtin *f*, Polizist(in) *m(f)* **po'lice state** N Polizeistaat *m* **po'lice sta·tion** N Polizeiwache *f* **po'lice·wom·an** N Polizistin *f*
pol·i·cy[1] ['pɒlɪsɪ] N Politik *f*; *of single person* Grundsatz *m*
pol·i·cy[2] ['pɒlɪsɪ] N *for insurance* (Versicherungs)Police *f*
Pol·ish ['pəʊlɪʃ] A ADJ polnisch B N *language* Polnisch *n*
pol·ish ['pɒlɪʃ] A N *for furniture* Politur *f*; *for shoes* Schuhcreme *f*; *for fingernails* (Nagel)Lack *m* B V/T *furniture* polieren; *shoes, silver* putzen; *speech* den letzten Schliff geben
♦**polish off** V/T *infml: food* in kurzer Zeit verputzen
♦**polish up** V/T *knowledge* aufpolieren
pol·ished ['pɒlɪʃt] ADJ *performance* brilliant
po·lite [pə'laɪt] ADJ höflich
po·lite·ness [pə'laɪtnɪs] N Höflichkeit *f*
po·lit·i·cal [pə'lɪtɪkl] ADJ politisch
po·lit·i·cal·ly cor·rect [pəlɪtɪklɪkə'rekt] ADJ politisch korrekt
pol·i·ti·cian [pɒlɪ'tɪʃn] N Politiker(in)

P

m(f)
pol·i·tics ['pɒlətɪks] N *sg* Politik *f*; **what are his ~?** *pl* welche politischen Ansichten hat er?
pol·ka-dot ['pɒlkədɒt] ADJ *dress etc* gepunktet, getupft
poll [pəʊl] **A** N *survey* Meinungsumfrage *f*; **the polls** *pl*; *elections* die Wahlen *pl*; **go to the polls** wählen **B** V/T *people* befragen; *votes* erhalten
pol·len ['pɒlən] N Pollen *m*
'pol·len count N Pollenzahl *f*
poll·ing booth ['pəʊlɪŋ] N Wahlkabine *f* **'poll·ing day** N Wahltag *m* **'poll·ing sta·tion** N Wahllokal *n*
poll·ster ['pəʊlstə(r)] N Meinungsforscher(in) *m(f)*
pol·lu·tant [pə'lu:tənt] N Schadstoff *m*
pol·lute [pə'lu:t] V/T verschmutzen; **polluted lakes** *pl* verunreinigte Seen *pl*
"pol·lu·ter pays" prin·ci·ple [pəlu:tə'peɪz] N Verursacherprinzip *n*
pol·lu·tion [pə'lu:ʃn] N Verschmutzung *f*
'po·lo neck N *piece of clothing* Rollkragenpullover *m*
'po·lo shirt N Polohemd *n*
pol·y·sty·rene [pɒlɪ'staɪri:n] N Styropor® *n*, Polystyrol *n*
pol·y·thene ['pɒlɪθi:n] N Plastik *n*
pol·y·thene 'bag N Plastiktüte *f*
pom·pous ['pɒmpəs] ADJ aufgeblasen, wichtigtuerisch; *speech* schwülstig
pond [pɒnd] N Teich *m*
pon·der ['pɒndə(r)] V/I nachdenken (**on** über)
pon·y ['pəʊnɪ] N Pony *n*
'pon·y·tail N Pferdeschwanz *m*
pool[1] [pu:l] N (Schwimm)Becken *n*; *purpose-built* Schwimmbad *n*; *private a.* Swimmingpool *m*; *of liquid* Pfütze *f*, Lache *f*
pool[2] [pu:l] N *game* Poolbillard *n*
pool[3] [pu:l] **A** N Gemeinschaftskasse *f*; ECON Interessengemeinschaft *f*, Pool *m* **B** V/T *money* zusammenlegen; **~ one's efforts** sich gemeinsam bemühen
pools [pu:lz] N *pl* (Fußball)Toto *n*
pooped [pu:pt] ADJ *infml* völlig fertig
poor [pʊə(r)] **A** ADJ *impoverished, unfortunate* arm; *not good* schlecht; **be in ~ health** nicht gesund sein; **~ old Sam!** der arme Sam! **B** *pl* **the ~** die Armen *pl*
poor·ly ['pʊəlɪ] **A** ADV schlecht **B** ADJ ‹-ier, -iest› **I'm feeling ~** mir geht's nicht so gut
pop[1] [pɒp] **A** N *sound* Knall *m* **B** V/I ‹-pp-› knallen; *balloon* (zer)platzen **C** V/T ‹-pp-› *balloon* platzen lassen; **~ the cork** den Korken knallen lassen
pop[2] [pɒp] MUS **A** N Pop *m* **B** ADJ Pop-
pop[3] [pɒp] V/T ‹-pp-› *infml*: *in postbox etc* stecken; **~ the question** e-n Heiratsantrag machen
♦ **pop in** V/I *infml*: *for visit* auf e-n Sprung vorbeikommen
♦ **pop out** V/I *infml* mal kurz rausgehen
♦ **pop up** V/I *infml* (plötzlich) auftauchen; IT *menu, window* aufpoppen
'pop con·cert N Popkonzert *n*
pope [pəʊp] N Papst *m*
'pop group N Popgruppe *f*
pop·py ['pɒpɪ] N Mohn *m*
'pop sing·er N Popsänger(in) *m(f)*
'pop song N Popsong *m*
pop·u·lar ['pɒpjʊlə(r)] ADJ populär, beliebt; *support* allgemein; *views* weitverbreitet
pop·u·lar·i·ty [pɒpjʊ'lærətɪ] N Popularität *f*, Beliebtheit *f*
pop·u·late ['pɒpjʊleɪt] V/T bevölkern
pop·u·la·tion [pɒpjʊ'leɪʃn] N Bevölkerung *f*, Einwohner *pl*; *of town, place a.* Bewohner *pl*; *number of people* Bevölkerungszahl *f*, Einwohnerzahl *f*
'pop-up window N IT Pop-up-Fenster *n*
por·ce·lain ['pɔ:səlɪn] **A** N Porzellan *n* **B** ADJ Porzellan-
porch [pɔ:tʃ] N Hauseingang *m*; *of church* Portal *n*; *US* Veranda *f*
pore [pɔ:(r)] N *of skin* Pore *f*
♦ **pore over** V/T genau studieren
pork [pɔ:k] N Schweinefleisch *n*
porn[1] [pɔ:n] N *infml* Porno *m*
porn[2], **porn·o** [pɔ:n, 'pɔ:nəʊ] ADJ *infml* pornografisch, Porno-
por·no·graph·ic [pɔ:nə'græfɪk] ADJ pornografisch
porn·og·ra·phy [pɔ:'nɒgrəfɪ] N Pornografie *f*
po·rous ['pɔ:rəs] ADJ porös
port[1] [pɔ:t] N *for ships* Hafen *m*; *town* Hafenstadt *f*
port[2] [pɔ:t] ADJ *left* Backbord-
por·ta·ble ['pɔ:təbl] **A** ADJ tragbar **B**

P

N tragbarer Fernseher
por·ter ['pɔːtə(r)] N *at station* Gepäckträger *m*; *in hotel* Portier *m*
'port·hole N NAUT Bullauge *n*
por·tion ['pɔːʃn] N Teil *m*; *of food* Portion *f*
por·trait ['pɔːtreɪt] **A** N *a. fig* Porträt *n* **B** ADV *print* im Hochformat
por·tray [pɔː'treɪ] VT *in painting, photograph* darstellen; *in play, film a.* verkörpern; *in novel etc* schildern
por·tray·al [pɔː'treɪəl] N *by actor* Darstellung *f*, Verkörperung *f*; *by author* Schilderung *f*
Por·tu·gal ['pɔːtjʊgl] N Portugal *n*
Por·tu·guese [pɔːtjʊ'giːz] **A** ADJ portugiesisch **B** N *person* Portugiese *m*, Portugiesin *f*; *language* Portugiesisch *n*
pose [pəʊz] **A** N Pose *f*; **it's all a ~** *fig* das ist alles nur gespielt **B** VI *for artist, photographer* (Modell) sitzen, posieren; **~ as** sich ausgeben als **C** VT **~ a problem** ein Problem darstellen
posh [pɒʃ] ADJ *infml* piekfein
po·si·tion [pə'zɪʃn] **A** N Position *f*; *of body* (Körper)Haltung *f*; *in race, contest a.* Platz *m*; *in hierarchy a.* Stellung *f*, Rang *m*; *opinion* Standpunkt *m*; *circumstances* Lage *f*; *job* Stelle *f*; **be in a ~ to do sth** in der Lage sein, etw zu tun; **if I were in your ~** an deiner Stelle **B** VT aufstellen; *soldiers* postieren; *tables, chairs* anordnen
pos·i·tive ['pɒzətɪv] ADJ positiv; **I'm absolutely ~** ich bin mir absolut sicher; **he tested ~ for drugs** ihm ist Doping nachgewiesen worden
pos·i·tive·ly ['pɒzətɪvlɪ] ADV *absolutely* wirklich; *definitely* bestimmt
pos·sess [pə'zes] VT besitzen
pos·ses·sion [pə'zeʃn] N Besitz *m*; **possessions** *pl* Besitz *m*
pos·ses·sive [pə'zesɪv] ADJ *person* besitzergreifend; GRAM possessiv
pos·si·bil·i·ty [pɒsə'bɪlətɪ] N Möglichkeit *f*; **it's got possibilities** das lässt sich ausbauen
pos·si·ble ['pɒsəbl] ADJ möglich; **the best ~ ...** der bestmögliche ...
pos·si·bly ['pɒsəblɪ] ADV **how could I ~ have known that?** wie hätte ich das denn wissen sollen?; **if I ~ can** wenn es mir irgendwie möglich ist; **that can't ~ be right** das kann unmöglich richtig sein; **could you ~ tell me ...?** können Sie mir vielleicht sagen, ...?
post¹ [pəʊst] **A** N *of wood, metal* Pfosten *m* **B** VT *notice* anschlagen, aufhängen; *poster a.* ankleben; *profit* verbuchen; **keep sb posted** j-n auf dem Laufenden halten
post² [pəʊst] **A** N *of soldier etc* Posten *m* **B** VT *employee* versetzen; *soldiers* abkommandieren; *guards* postieren
post³ [pəʊst] **A** N *letters, parcels etc* Post *f*; **by ~** mit der Post **B** VT *letter* aufgeben, zur Post bringen; *in postbox* einwerfen
post·age ['pəʊstɪdʒ] N Porto *n*
post·age 'paid ADJ portofrei
'post·age stamp N *formal* Postwertzeichen *n*, Briefmarke *f*
post·al ['pəʊstl] ADJ Post-
'post·al or·der N Postanweisung *f*
'post·al vote N POL Briefwahl *f*
'post·box N Briefkasten *m* **'post·card** N Postkarte *f*; *with picture* Ansichtskarte *f* **'post·code** N Postleitzahl *f* **'post·date** VT vordatieren
post·er ['pəʊstə(r)] N *with advertisement* Plakat *n*; *as decoration* Poster *n*
poste res·tante [pəʊstres'tɑːnt] ADV postlagernd
pos·te·ri·or [pɒ'stɪərɪə(r)] N *hum: buttocks* Hinterteil *n*
pos·ter·i·ty [pɒ'sterətɪ] N die Nachwelt
post·grad·u·ate [pəʊst'grædjʊət] **A** N Postgraduierte(r) *m/f(m)* (*Student(in), der/die sein/ihr Studium nach dem ersten akademischen Grad weiterführt*) **B** ADJ *studies, research* weiterführend
post·hu·mous ['pɒstjʊməs] ADJ *novel, award* post(h)um
post·ing ['pəʊstɪŋ] N *job transfer* Versetzung *f*
'post·man N Briefträger *m*
'post·mark N Poststempel *m*
post·mor·tem [pəʊst'mɔːtəm] N MED Autopsie *f*; *infml: about match, exam etc* nachträgliche Diskussion
'post of·fice N Post *f*
post·pone [pəʊst'pəʊn] VT verschieben
post·pone·ment [pəʊst'pəʊnmənt] N Verschiebung *f*
pos·ture ['pɒstʃə(r)] N Haltung *f*
post·war ['pəʊstwɔː(r)] ADJ Nachkriegs-;

in ~ London im London der Nachkriegszeit

pot [pɒt] N *for cooking, for plant* Topf *m*; *for coffee, tea etc* Kanne *f*

po·ta·to [pə'teɪtəʊ] N ⟨*pl* -oes⟩ Kartoffel *f*

po·ta·to 'crisps N *pl*, **po'ta·to chips** N *pl US* Kartoffelchips *pl*

po·tent ['pəʊtənt] ADJ stark

po·ten·tial [pə'tenʃl] **A** ADJ potenziell **B** N Potenzial *n*; **she has the ~ to be a good teacher** sie hat das Zeug zu e-r guten Lehrerin

po·ten·tial·ly [pə'tenʃəlɪ] ADV potenziell

'pot·hole N *in road* Schlagloch *n*

po·tion ['pəʊʃn] N Trank *m*

pot·ter ['pɒtə(r)] N Töpfer(in) *m(f)*

pot·ter·y ['pɒtərɪ] N *activity, place* Töpferei *f*; *objects* Töpferwaren *pl*

pot·ty ['pɒtɪ] N *for child* Töpfchen *n*

pouch [paʊtʃ] N *bag* Beutel *m*

poul·try ['pəʊltrɪ] N Geflügel *n*

pounce [paʊns] V/I *animal* e-n Satz machen; **~ on** sich stürzen auf

pound[1] [paʊnd] N *weight, money* Pfund *n*

pound[2] N *for stray animals* Tierheim *n*; *for cars* Abstellplatz *m* (*für polizeilich abgeschleppte Fahrzeuge*)

pound[3] [paʊnd] V/I *heart* wild pochen, heftig schlagen; *hammer* hämmern (**on** gegen); *rain* prasseln (**on** auf)

pound 'ster·ling N Pfund *n* Sterling

pour [pɔː(r)] **A** V/T *liquid* gießen; *sugar, flour* schütten; **~ sb a cup of coffee** j-m e-e Tasse Kaffee einschenken **B** V/I **it's pouring (with rain)** es regnet in Strömen, es gießt

♦**pour out** **A** V/T *liquid* eingießen; *problems* sich von der Seele reden **B** V/I *smoke* herausströmen (**of** aus)

pout [paʊt] V/I schmollen

pov·er·ty ['pɒvətɪ] N Armut *f*

pov·er·ty-strick·en ['pɒvətɪstrɪkn] ADJ **be ~** am Hungertuch nagen

POW [piːəʊ'dʌbljuː] ABBR *for* prisoner of war Kriegsgefangene(r) *m/f(m)*

pow·der ['paʊdə(r)] **A** N Pulver *n*; *for face* Puder *m* **B** V/T *face* pudern

'pow·der room N *euph* Damentoilette *f*

pow·er ['paʊə(r)] **A** N Macht *f*, Gewalt *f*; *authorization* Befugnis *f*; *physical, mental* Kraft *f*, Stärke *f*; *of engine* Leistung *f*; *of explosion* Gewalt *f*; *of drug, medication* Stärke *f*; *a. fig* Energie *f*; *electricity* Strom *m*; **in ~** POL an der Macht; **fall from ~** POL abgesetzt werden; **it is beyond our powers of imagination** das übersteigt unser Vorstellungsvermögen **B** V/T **be powered by** angetrieben werden von

pow·er-as·sist·ed [paʊərə'sɪstɪd] ADJ **~ steering** Servolenkung *f* **'pow·er cut** N Stromausfall *m* **'pow·er fail·ure** N Stromausfall *m*

pow·er·ful ['paʊəfl] ADJ *country* mächtig; *engine, drug, detergent* stark; *blow, explosion* heftig; *politician, person a.* einflussreich; *car* starkmotorig

pow·er·less ['paʊəlɪs] ADJ machtlos

'pow·er line N Stromleitung *f* **pow·er of 've·to** N Vetorecht *n* **'pow·er pack** N ELEC Netzteil *n* **'pow·er sta·tion** N Kraftwerk *n* **pow·er 'steer·ing** N Servolenkung *f* **'pow·er sup·ply** N Stromversorgung *f* **'pow·er u·nit** N Netzteil *n*

pp *only written* ABBR *for* pages Seiten *pl*

p.p. *only written* ABBR *for* per procurationem i. A., im Auftrag

PR [piː'ɑː(r)] ABBR *for* public relations Public Relations *pl*

prac·ti·cal ['præktɪkl] ADJ praktisch

prac·ti·cal 'joke N Streich *m*

prac·tic·al·ly ['præktɪklɪ] ADV praktisch

prac·tice ['præktɪs] **A** N *not theory* Praxis *f*; *regular repetition* Übung *f*; *for sport* Training *n*; *of musician, actor* Probe *f*; *custom* Brauch *m*; *typical behaviour* Gewohnheit *f*; **in ~** *not theoretically* in der Praxis; **be out of ~** aus der Übung sein; **put sth into ~** etw in die Praxis umsetzen; **~ makes perfect** Übung macht den Meister **B** V/T & V/I *US* → practise

prac·tise ['præktɪs] **A** V/T üben; **~ law/medicine** als Anwalt/Arzt tätig sein *or* praktizieren **B** V/I üben; *in sport* trainieren

prag·mat·ic [præg'mætɪk] ADJ pragmatisch

prag·ma·tism ['prægmətɪzm] N Pragmatismus *m*

Prague [prɑːg] N Prag *n*

praise [preɪz] **A** N Lob *n* **B** V/T loben

P

(**for** wegen, für)
'praise·wor·thy ADJ lobenswert
pram [præm] N Kinderwagen *m*
prance [prɑ:ns] V/I herumhüpfen, herumtanzen; *horse* tänzeln
prank [præŋk] N Streich *m*
prat·tle ['prætl] V/I plappern
prawn [prɔ:n] N Garnele *f*
pray [preɪ] V/I beten
pray·er [preə(r)] N Gebet *n*
'pray·er book N Gebetbuch *n*
pre-ac·ces·sion aid [pri:ækseʃn'eɪd] N *EU* Heranführungshilfen *pl*
pre-ac·ces·sion 'stra·te·gy N *EU* Heranführungsstrategie *f*
preach [pri:tʃ] **A** V/I *a. fig* predigen **B** V/T predigen; *sermon* halten
preach·er ['pri:tʃə(r)] N Prediger(in) *m(f)*
pre·am·ble [pri:'æmbl] N Einleitung *f*
pre·car·i·ous [prɪ'keərɪəs] ADJ unsicher; *situation* prekär
pre·car·i·ous·ly [prɪ'keərɪəslɪ] ADV gefährlich
pre·cau·tion [prɪ'kɔ:ʃn] N Vorsichtsmaßnahme *f*
pre·cau·tion·a·ry [prɪ'kɔ:ʃnrɪ] ADJ *measure* Vorsichts-
pre·cau·tion·a·ry 'prin·ci·ple N Vorsorgeprinzip *n*
pre·cede [prɪ'si:d] V/T vorangehen
pre·ce·dence ['presɪdəns] N Vorrang *m*; **take ~ (over sth)** (vor etw) Vorrang haben
pre·ce·dent ['presɪdənt] N Präzedenzfall *m*; **it is without ~** e-n derartigen Fall hat es noch nie gegeben
pre·ce·ding [prɪ'si:dɪŋ] ADJ *week, chapter* vorhergehend
pre·cinct ['pri:sɪŋkt] N *US*: *district* Bezirk *m*
pre·cious ['preʃəs] ADJ kostbar; **~ metal** Edelmetall *n*
pre·ci·pice ['presɪpɪs] N Abgrund *m*
pre·cip·i·tate [prɪ'sɪpɪteɪt] V/T *crisis* auslösen
pre·cip·i·ta·tion [prɪsɪpɪ'teɪʃn] N *formal* Niederschlag *m*
pré·cis ['preɪsi:] N Zusammenfassung *f*
pre·cise [prɪ'saɪs] ADJ genau
pre·cise·ly [prɪ'saɪslɪ] ADV genau; **at ~ 8 o'clock** um Punkt acht Uhr
pre·ci·sion [prɪ'sɪʒn] N Genauigkeit *f*
pre·clude [prɪ'klu:d] V/T ausschließen
pre·co·cious [prɪ'kəʊʃəs] ADJ *child* frühreif; *pej* altklug
pre·con·ceived [prɪkən'si:vd] ADJ *idea* vorgefasst
pre·con·di·tion [prɪkən'dɪʃn] N Voraussetzung *f*, Vorbedingung *f*
pre·cur·sor [pri:'kɜ:sə(r)] N Vorläufer(in) *m(f)*
pred·a·tor ['predətə(r)] N *lion, tiger etc* Raubtier *n*
pred·a·to·ry ['predətrɪ] ADJ Raub-, räuberisch
pre·de·ces·sor ['pri:dɪsesə(r)] N *in job* Vorgänger(in) *m(f)*; *of machine* Vorläufer *m*
pre·des·tined [pri:'destɪnd] ADJ **be ~ (to)** prädestiniert sein (zu)
pre·de·ter·mine [pri:dɪ'tɜ:mɪn] V/T vorherbestimmen
pre·dic·a·ment [prɪ'dɪkəmənt] N Dilemma *n*, Zwangslage *f*
pre·dict [prɪ'dɪkt] V/T voraussagen, vorhersagen
pre·dict·a·ble [prɪ'dɪktəbl] ADJ *reaction* vorhersehbar, voraussagbar; *person* berechenbar, leicht zu durchschauen
pre·dic·tion [prɪ'dɪkʃn] N Voraussage *f*
pre·dis·po·si·tion [pri:dɪspə'zɪʃn] N Neigung *f* (**to** zu); *esp* MED *a.* Anfälligkeit *f* (**to** für)
pre·dom·i·nant [prɪ'dɒmɪnənt] ADJ vorherrschend
pre·dom·i·nant·ly [prɪ'dɒmɪnəntlɪ] ADV überwiegend
pre·dom·i·nate [prɪ'dɒmɪneɪt] V/I vorherrschen
pre·em·i·nent [pri:'emɪnənt] ADJ herausragend
pre·empt [pri:'empt] V/T zuvorkommen
pre·emp·tive [pri:'emptɪv] ADJ MIL Präventiv-
pre·fab·ri·cat·ed [pri:'fæbrɪkeɪtɪd] ADJ vorgefertigt, Fertig-
pref·ace ['prefəs] N Vorwort *n*
pre·fer [prɪ'fɜ:(r)] V/T ⟨-rr-⟩ vorziehen; **~ X to Y** X Y vorziehen, X lieber mögen als Y; **~ to do sth** es vorziehen, etw zu tun, etw lieber tun
pref·e·ra·ble ['prefərəbl] ADJ **this solution is ~** diese Lösung ist vorzuziehen; **be ~ to** besser sein als
pref·e·ra·bly ['prefərəblɪ] ADV vorzugsweise, am liebsten

pref·e·rence ['prefərəns] N Vorliebe *f*; **give ~ to sth/sb** etw/j-m den Vorzug geben
pref·er·en·tial [prefə'renʃl] ADJ Vorzugs-; **get ~ treatment** bevorzugt behandelt werden
pre·fix ['pri:fıks] N Präfix *n*
preg·nan·cy ['pregnənsı] N Schwangerschaft *f*
preg·nant ['pregnənt] ADJ schwanger; **make sb ~** j-n schwängern
pre·heat [pri:'hi:t] V/T vorheizen
pre·his·tor·ic [pri:hıs'tɒrık] ADJ prähistorisch
pre·judge [pri:'dʒʌdʒ] V/T vorschnell beurteilen
prej·u·dice ['predʒʊdıs] **A** N Vorurteil *n* **B** V/T *person* beeinflussen; *prospects, chances etc* gefährden
prej·u·diced ['predʒʊdıst] ADJ voreingenommen; *judge* befangen; **be ~** Vorurteile haben
prej·u·di·cial [predʒʊ'dıʃl] ADJ abträglich; **be ~ to sth** e-r Sache schaden
pre·lim·i·na·ry [prı'lımınərı] ADJ vorläufig, Vor-; *remarks* einleitend
pre-loaded [pri:'ləudıd] ADJ IT *program etc* vorinstalliert
prel·ude ['prelju:d] N Vorspiel *n* (**to** zu); *fig a.* Auftakt *m* (**to** zu)
pre·mar·i·tal [pri:'mærıtl] ADJ vorehelich
pre·ma·ture [premə'tjʊə(r)] ADJ vorzeitig; *decision, actions* voreilig, verfrüht; **~ baby** Frühgeburt *f*
pre·med·i·tat·ed [pri:'medıteıtıd] ADJ vorsätzlich
prem·i·er ['premıə(r)] N Premier *m*, Premierminister(in) *m(f)*
prem·is·es ['premısız] N *pl office, shop etc* Räumlichkeiten *pl*; *of factory* Gelände *n*; *bar etc* Lokal *n*; **live on the ~** im Haus wohnen
pre·mi·um ['pri:mıəm] N *in insurance* Prämie *f*
pre·mo·ni·tion [premə'nıʃn] N Vorahnung *f*
pre·na·tal [pri:'neıtl] ADJ pränatal
pre·oc·cu·pa·tion [pri:ɒkjʊ'peıʃn] N Beschäftigung *f* (**with** mit)
pre·oc·cu·pied [pri:'ɒkjʊpaıd] ADJ gedankenverloren; **be ~ with sth** mit etw sehr beschäftigt sein
pre·packed [pri:'pækt], **pre·packaged** [pri:'pækıdʒd] ADJ abgepackt
pre·paid [pri:'peıd] ADJ im Voraus bezahlt; *envelope* frankiert
pre·paid 'en·ve·lope N Freiumschlag *m*
prep·a·ra·tion [prepə'reıʃn] N *preparing* Vorbereitung *f*; *of food* Zubereitung *f*; **in ~ for** als Vorbereitung auf
pre·par·a·to·ry [prı'pærətərı] ADJ vorbereitend
pre·pare [prı'peə(r)] **A** V/T vorbereiten; *food, meal* machen, zubereiten; **~ (o.s.) for** sich vorbereiten auf; **be prepared to do sth** *willing* bereit sein, etw zu tun; **be prepared for sth** *expect* auf etw gefasst sein; *be ready* auf etw vorbereitet sein **B** V/I **~ for sth** sich auf etw vorbereiten
prep·o·si·tion [prepə'zıʃn] N Präposition *f*
pre·pos·sess·ing [pri:pə'zesıŋ] ADJ einnehmend
pre·pos·ter·ous [prı'pɒstərəs] ADJ absurd
pre·pro·gram [pri:'prəʊgræm] V/T vorprogrammieren
pre·req·ui·site [pri:'rekwızıt] N Voraussetzung *f*
pre·rog·a·tive [prı'rɒgətıv] N Vorrecht *n*
pre·scribe [prı'skraıb] V/T *medication* verschreiben
pre·scrip·tion [prı'skrıpʃn] N MED Rezept *n*
pres·ence ['prezns] N Gegenwart *f*
pres·ence of 'mind N Geistesgegenwart *f*
pres·ent¹ ['preznt] **A** ADJ *current* gegenwärtig, derzeitig; **be ~** anwesend sein **B** N **the ~** die Gegenwart; GRAM das Präsens; **at ~** zurzeit
pres·ent² ['preznt] N *for birthday, Christmas* Geschenk *n*
pre·sent³ [prı'zent] V/T *film, new product* präsentieren, vorführen; *award, bouquet* überreichen; *programme* moderieren; *difficulties, problems* darstellen; **she was presented with a unique opportunity** ihr bot sich e-e einmalige Gelegenheit
pre·sen·ta·tion [prezn'teıʃn] N *to audience* Präsentation *f*, Vorführung *f*; **give a ~** eine Präsentation geben

P

pres·ent-day [preznt'deɪ] ADJ heutig
pre·sent·er [prɪ'zentə(r)] N Moderator(in) *m(f)*
pres·ent·ly ['prezntlɪ] ADV *soon* bald; *US: at the moment* zurzeit
pres·ent 'tense N GRAM Präsens *n*
pres·er·va·tion [prezə'veɪʃn] N *of level, reputation etc* Aufrechterhaltung *f*; *of building, nature, peace* Erhaltung *f*
pre·ser·va·tive [prɪ'zɜ:vətɪv] N *for wood, in food* Konservierungsmittel *n*
pre·serve [prɪ'zɜ:v] **A** N Domäne *f* **B** V/T *level, peace* bewahren; *building, customs, traditions* erhalten; *wood* konservieren, schützen; *food* einmachen
pre·serves [prɪ'zɜ:vz] N *pl* Eingemachte(s) *n*
pre·side [prɪ'zaɪd] V/I *over meeting* den Vorsitz führen (**over** bei)
pres·i·den·cy ['prezɪdənsɪ] N POL Präsidentschaft *f*; *of EU* Vorsitz *m*
Pres·i·den·cy of the 'Coun·cil N *EU* Ratspräsidentschaft *f*
pres·i·dent ['prezɪdnt] N POL Präsident(in) *m(f)*; *US: of company* Aufsichtsratsvorsitzende(r) *m/f(m)*
pres·i·den·tial [prezɪ'denʃl] ADJ Präsidenten-
Pres·i·dent of the Eu·ro·pe·an Com'mis·sion N Präsident(in) *m(f)* der Europäischen Kommission
Pres·i·dent of the Eu·ro·pe·an 'Coun·cil N Präsident(in) *m(f)* des Europäischen Rates
press [pres] **A** N **the ~** die Presse **B** V/T *hand* drücken; *button a.* drücken auf; *put under pressure* drängen; *fruit* (aus)pressen; *laundry* bügeln **C** V/I **~ for sth** auf etw drängen
♦ **press on** V/I weitermachen; *on journey* weiterfahren
'press a·gen·cy N Presseagentur *f*
'press con·fer·ence N Pressekonferenz *f*
press·ing ['presɪŋ] ADJ dringend
'press pho·to·gra·pher N Pressefotograf(in) *m(f)*
'press-stud N Druckknopf *m*
'press-up N Liegestütz *m*
pres·sure ['preʃə(r)] **A** N *a. fig* Druck *m*; **be under ~** unter Druck stehen **B** V/T *person* unter Druck setzen, drängen
pres·ti·gious [pre'stɪdʒəs] ADJ Prestige-
pre·su·ma·bly [prɪ'zju:məblɪ] ADV vermutlich
pre·sume [prɪ'zju:m] V/T annehmen, vermuten; **presumed dead** mutmaßlich tot; **be presumed innocent** als unschuldig gelten; **~ to do sth** *formal* sich anmaßen, etw zu tun
pre·sump·tion [prɪ'zʌmpʃn] N Anmaßung *f*; *of innocence, guilt* Vermutung *f*, Annahme *f*
pre·sump·tu·ous [prɪ'zʌmptjʊəs] ADJ anmaßend
pre·sup·pose [pri:sə'pəʊs] V/T voraussetzen
pre·sup·po·si·tion [pri:sʌpə'zɪʃn] N Voraussetzung *f*
pre-tax ['pri:tæks] ADJ **~ profits** Gewinn *m* vor Steuern
pre·tence [prɪ'tens] N Heuchelei *f*, Verstellung *f*; **it's all a ~** das ist alles nur gespielt; **under false pretences** unter Vorspiegelung falscher Tatsachen; **keep up the ~** den Schein wahren
pre·tend [prɪ'tend] **A** V/T vorgeben, vortäuschen; **~ to be interested** so tun, als ob man interessiert wäre **B** V/I **she's just pretending** sie tut nur so
pre·tense *US* → pretence
pre·ten·tious [prɪ'tenʃəs] ADJ *statement* anmaßend; *person a.* wichtigtuerisch; *restaurant* pompös
pre·text ['pri:tekst] N Vorwand *m*
pret·ty ['prɪtɪ] **A** ADJ ⟨-ier, -iest⟩ hübsch **B** ADV *quite* ziemlich; **they're ~ much the same** sie sind fast gleich
pre·vail [prɪ'veɪl] V/I *win through* sich durchsetzen
pre·vail·ing [prɪ'veɪlɪŋ] ADJ vorherrschend
pre·var·i·cate [prɪ'værɪkeɪt] V/I Ausflüchte machen
pre·vent [prɪ'vent] V/T verhindern; **~ sb (from) doing sth** j-n daran hindern, etw zu tun
pre·ven·tion [prɪ'venʃn] N Verhinderung *f*, Verhütung *f*
pre·ven·tive [prɪ'ventɪv] ADJ vorbeugend
pre·ven·tive 'mech·an·ism N POL Präventivverfahren *n*
pre·view ['pri:vju:] **A** N *of exhibition* Preview *f*; *of film a.* Voraufführung *f*; *of new film* Vorschau *f* **B** V/T vorher anse-

P

hen
pre·vi·ous ['pri:vɪəs] ADJ vorhergehend, vorherig; *marriage, life* früher; **have you had any ~ experience?** haben Sie Vorkenntnisse?; **~ owner** Vorbesitzer(in) *m(f)*; **the ~ day** am Tag zuvor
pre·vi·ously ['pri:vɪəslɪ] ADV vorher, früher
pre-war [pri:'wɔ:(r)] ADJ Vorkriegs-; **in ~ Berlin** im Berlin der Vorkriegszeit
prey [preɪ] N Beute *f*
♦ **prey on** V/T Jagd machen auf; *fig*: *vulnerable people* sich als Opfer aussuchen; **it keeps preying on my mind** es lässt mich nicht los
price [praɪs] **A** N Preis *m* **B** V/T **priced at £9.99** *in shop* mit £9.99 ausgezeichnet
'price-con·scious ADJ preisbewusst **'price cut** N Preissenkung *f* **'price freeze** N Preisstopp *m*
price·less ['praɪslɪs] ADJ *very valuable* unbezahlbar
'price le·vel N Preisniveau *n* **'price list** N Preisliste *f* **'price re·duc·tion** N Preisermäßigung *f* **'price sta·bil·i·ty** N Preisstabilität *f* **'price tag** N Preisschild *n* **'price war** N Preiskrieg *m*
price·y ['praɪsɪ] ADJ ‹-ier, -iest› *infml* teuer
prick[1] [prɪk] **A** N *pain* Stich *m* **B** V/T *pastry* einstechen; *balloon* stechen in; **~ one's finger** sich in den Finger stechen
prick[2] [prɪk] N *vulg*: *penis* Schwanz *m*; *vulg*: *person* Arsch *m*
♦ **prick up** V/T **prick up one's ears** *dog* die Ohren anlegen; *person* die Ohren spitzen
prick·ly ['prɪklɪ] ADJ ‹-ier, -iest› *beard* kratzig; *plant, animal* stach(e)lig; *fig*: *irritable* bissig
pride [praɪd] **A** N Stolz *m* (**in** auf); **have ~ in sth** auf etw stolz sein **B** V/T **~ o.s. on** stolz sein auf
priest [pri:st] N Priester(in) *m(f)*
prim [prɪm] ADJ steif; *prudish* prüde
pri·ma·ri·ly [praɪ'meərɪlɪ] ADV in erster Linie
pri·ma·ry ['praɪmərɪ] ADJ Haupt-
pri·ma·ry 'law N POL Primärrecht *n*
'pri·ma·ry school N Grundschule *f*
prime [praɪm] **A** N **be in one's ~** in den besten Jahren sein **B** ADJ *reason* wesentlich; **a ~ example** ein sehr gutes Beispiel; **of ~ importance** von äußerster Wichtigkeit
prime min·is·ter [praɪ'mɪnɪstə(r)] N Premierminister(in) *m(f)*
'prime time N TV Hauptsendezeit *f*
pri·me·val [praɪ'mi:vl] ADJ urzeitlich, Ur-
prim·i·tive ['prɪmətɪv] ADJ primitiv
prince [prɪns] N Prinz *m*
prin·cess [prɪn'ses] N Prinzessin *f*
prin·ci·pal ['prɪnsəpl] **A** ADJ Haupt- **B** N *US*: *of school* Direktor(in) *m(f)*
prin·ci·pal·i·ty [prɪnsɪ'pælətɪ] N Fürstentum *n*
prin·ci·pal·ly ['prɪnsəplɪ] ADV vornehmlich
prin·ci·ple ['prɪnsəpl] N Prinzip *n*; **on ~** aus Prinzip; **in ~** im Prinzip
print [prɪnt] **A** N *in book, newspaper* Schrift *f*; *of picture* Druck *m*; *photograph* Abzug *m*; *of foot, thumb* Abdruck *m*; **the small ~** das Kleingedruckte; **out of ~** *book* vergriffen; **in ~** *book* erhältlich **B** V/T *book* drucken *a.* IT; *in newspaper* abdrucken; *write clearly* in Druckbuchstaben schreiben
♦ **print out** V/T ausdrucken
print·ed mat·ter [prɪntɪd'mætə(r)] N Drucksache *f*
print·er ['prɪntə(r)] N Drucker *m*
print·ing press ['prɪntɪŋ] N Druckerpresse *f*
'print-out N Ausdruck *m*
pri·or ['praɪə(r)] **A** ADJ früher **B** PREP **~ to living in Munich ...** bevor er in München wohnte ...; **~ to that** davor
pri·or·i·tize V/T *arrange according to importance* der Priorität nach ordnen; *give priority to* Priorität geben
pri·or·i·ty [praɪ'ɒrətɪ] N Priorität *f*, Vorrang *m*; **have ~** (den) Vorrang haben; *in traffic* (die) Vorfahrt haben
pris·on ['prɪzn] N Gefängnis *n*
pris·on·er ['prɪznə(r)] N Gefangene(r) *m/f(m)*; **take sb ~** j-n gefangen nehmen
pris·on·er of 'war N Kriegsgefangene(r) *m/f(m)*
priv·a·cy ['prɪvəsɪ] N Privatsphäre *f*; **in the ~ of our own home** im eigenen Zuhause
pri·vate ['praɪvət] **A** ADJ privat, persönlich; *life, house, company* Privat-; *bath-*

P

room eigene(r, -s); **please keep this ~** behandeln Sie dies bitte vertraulich **B** N MIL gemeiner Soldat; **in ~** unter vier Augen

pri·vate de'tec·tive N Privatdetektiv(in) *m(f)* **pri·vate 'en·ter·prise** N Privatunternehmen *n;* Privatwirtschaft *f* **pri·vate 'health in·sur·ance scheme** N private Krankenversicherung, Privatvorsorge *f*

pri·vate·ly ['praɪvətlɪ] ADV *speak with sb* unter vier Augen; *run, meet* privat; *personally* persönlich; **~ owned** in Privatbesitz

pri·vate 'pen·sion scheme N private Altersvorsorge **pri·vate 'pro·per·ty** N Privatbesitz *m,* Privateigentum *n* **pri·vate 'sec·tor** N Privatsektor *m*

pri·va·tion [praɪ'veɪʃn] N Entbehrung *f*

pri·va·ti·za·tion [praɪvətaɪ'zeɪʃn] N Privatisierung *f*

pri·va·tize ['praɪvətaɪz] V/T privatisieren

priv·i·lege ['prɪvəlɪdʒ] N *prerogative* Privileg *n;* **it was a ~ to ...** es war e-e Ehre ...

priv·i·leged ['prɪvəlɪdʒd] ADJ privilegiert; *proud* geehrt

prize[1] [praɪz] **A** N *in contest* Preis *m; in lottery* Gewinn *m* **B** V/T schätzen

prize[2] [praɪz] V/T **~ open** aufbrechen, aufstemmen

'prize·win·ner N Preisträger(in) *m(f); in lottery* Gewinner(in) *m(f)*

prize·win·ning ['praɪzwɪnɪŋ] ADJ *entry, novel* preisgekrönt

pro[1] [prəʊ] N **the pros and cons** *pl* das Pro und Kontra

pro[2] [prəʊ] N → professional B

pro[3] [prəʊ] PREP für; **be ~ sth** für etw sein

prob·a·bil·i·ty [prɒbə'bɪlətɪ] N Wahrscheinlichkeit *f;* **in all ~** aller Wahrscheinlichkeit nach

prob·a·ble ['prɒbəbl] ADJ wahrscheinlich

prob·a·bly ['prɒbəblɪ] ADV wahrscheinlich

pro·bate court ['prəʊbeɪt] N JUR Nachlassgericht *n*

pro·ba·tion [prə'beɪʃn] N JUR Bewährung *f;* **I'm on ~ for six weeks** *in new job* ich habe sechs Wochen Probezeit

pro'ba·tion of·fi·cer N Bewährungshelfer(in) *m(f)*

pro'ba·tion pe·ri·od N Probezeit *f*

probe [prəʊb] **A** N *investigation* Untersuchung *f; scientific* Sonde *f* **B** V/T untersuchen

prob·lem ['prɒbləm] N Problem *n;* MATH Aufgabe *f;* **no ~** kein Problem; **without any ~(s)** problemlos

pro·ce·dure [prə'siːdʒə(r)] N Verfahren *n*

pro·ceed [prə'siːd] **A** V/I *project etc* voranschreiten; *formal: go* sich begeben **B** V/T **~ to do sth** anfangen, etw zu tun

pro·ceed·ings [prə'siːdɪŋz] N *pl events* Vorgänge *pl*

pro·ceeds ['prəʊsiːdz] N *pl* Einnahmen *pl*

pro·cess ['prəʊses] **A** N Prozess *m;* **in the ~** dabei; **be in the ~ of doing sth** dabei sein, etw zu tun **B** V/T verarbeiten; *application etc* bearbeiten; **processed cheese** Schmelzkäse *m*

pro·ces·sion [prə'seʃn] N Umzug *m*

pro·claim [prə'kleɪm] V/T erklären, verkünden; **~ sb king** j-n zum König ausrufen

pro·cure [prə'kjʊə(r)] V/T beschaffen, besorgen

prod [prɒd] **A** N Stoß *m* **B** V/T <-dd-> stoßen

pro·di·gious [prə'dɪdʒəs] ADJ erstaunlich

prod·uce[1] ['prɒdjuːs] N *goods* Erzeugnisse *pl,* Produkte *pl; grain, vegetables* landwirtschaftliche Produkte *pl*

pro·duce[2] [prə'djuːs] V/T *film, programme* produzieren; *goods a.* erzeugen; *cause, elicit* hervorrufen; *from bag etc* herausholen (**from** aus); *play* inszenieren; *result, effect* erzielen

pro·duc·er [prə'djuːsə(r)] N *of film, programme* Produzent(in) *m(f); of goods a.* Hersteller(in) *m(f);* THEAT Regisseur(in) *m(f)*

prod·uct ['prɒdʌkt] N Produkt *n,* Erzeugnis *n;* MATH Produkt *n*

pro·duc·tion [prə'dʌkʃn] N *of film, programme* Produktion *f; of goods a.* Herstellung *f;* THEAT Inszenierung *f*

pro'duc·tion ca·pac·i·ty N Produktionskapazität *f* **pro'duc·tion costs** N *pl* Produktionskosten *pl* **pro'duc·tion pro·ces·ses** N *pl* Produktions-

abläufe *pl*
pro·duc·tive [prə'dʌktɪv] ADJ produktiv
pro·duc·tiv·i·ty [prɒdʌk'tɪvətɪ] N Produktivität *f*
'pro·duct test N Warentest *m*
pro·fan·i·ty [prə'fænətɪ] N (Gottes)Lästerung *f*
pro·fess [prə'fes] VT vorgeben
pro·fessed [prə'fest] ADJ angeblich; *opponent etc* erklärt
pro·fes·sion [prə'feʃn] N Beruf *m*; **what's his ~?** was macht er beruflich?
pro·fes·sion·al [prə'feʃnl] **A** ADJ *advice, work* professionell, fachmännisch; *musician, sportsman* Berufs-, professionell **B** N *with degree* Akademiker(in) *m(f)*; *expert* Fachmann *m*, -frau *f*, Profi *m*; *sportsman* Profi *m*
pro·fes·sion·al·ly [prə'feʃnlɪ] ADV beruflich; *skilfully* professionell; **she plays ~** sie ist Profispielerin
pro·fes·sion·al 'out·lay N *for tax purposes* Werbungskosten *pl*
pro·fes·sor [prə'fesə(r)] N Professor(in) *m(f)*
pro·fi·cien·cy [prə'fɪʃnsɪ] N Können *n*; **~ in English** Englischkenntnisse *pl*
pro·fi·cient [prə'fɪʃnt] ADJ tüchtig, fähig; **she is ~ in English** sie beherrscht die englische Sprache
pro·file ['prəʊfaɪl] **A** N Profil *n*; *description* Porträt *n*; **in ~** im Profil **B** VT *in magazine etc* porträtieren
prof·it ['prɒfɪt] **A** N Gewinn *m*; **make a ~ on sth** mit etw ein Geschäft machen **B** VI **~ by, ~ from** Nutzen ziehen aus
prof·it·a·bil·i·ty [prɒfɪtə'bɪlətɪ] N Rentabilität *f*
prof·i·ta·ble ['prɒfɪtəbl] ADJ *investment* gewinnbringend; *company* rentabel; **be ~** *company* sich rentieren
pro·fit and 'loss ac·count N Gewinn-und-Verlust-Rechnung *f*
prof·i·teer [prɒfɪ'tɪə(r)] N *pej* Profitmacher(in) *m(f)*
prof·i·teer·ing [prɒfɪ'tɪərɪŋ] N *pej* Profitmacherei *f*
'prof·it mar·gin N Gewinnspanne *f*
'prof·it shar·ing N Gewinnbeteiligung *f* **'pro·fit war·ning** N Gewinnwarnung *f*
pro·found [prə'faʊnd] ADJ *hatred, shock* tief (sitzend); *effect* nachhaltig; *thought, thinker* tiefgründig
pro·found·ly [prə'faʊndlɪ] ADV zutiefst
pro·fuse·ly [prə'fju:slɪ] ADV *thank* überschwänglich; *bloom* stark; *apologize* vielmals
pro·fu·sion [prə'fju:ʒn] N Überfülle *f* (**of** von); **in ~** in Hülle und Fülle
prog·no·sis [prɒg'nəʊsɪs] N Prognose *f*
pro·gram ['prəʊgræm] **A** N IT Programm *n*; *US* → programme **B** VT ⟨-mm-⟩ IT programmieren
pro·gramme ['prəʊgræm] **A** N Programm *n*; TV, RADIO Sendung *f* **B** VT vorprogrammieren; **be programmed to do sth** darauf programmiert sein, etw zu tun
pro·gram·mer ['prəʊgræmə(r)] N Programmierer(in) *m(f)*
pro·gress **A** N ['prəʊgres] Fortschritt *m*; **make ~** Fortschritte machen; **be in ~** im Gang(e) sein **B** VI [prə'gres] *improve* Fortschritte machen; **as the evening progressed** im Lauf(e) des Abends; **they have now progressed to chapter 2** sie sind inzwischen bei Kapitel 2 (angelangt); **how is the work progressing?** wie geht's mit der Arbeit voran?
pro·gres·sive [prə'gresɪv] ADJ *policy, school* progressiv, fortschrittlich; *decline, disease* fortschreitend; **~ form** LING Verlaufsform *f*
pro·gres·sive·ly [prə'gresɪvlɪ] ADV zunehmend
pro·hib·it [prə'hɪbɪt] VT verbieten
pro·hi·bi·tion [prəʊhɪ'bɪʃn] N Verbot *n*
pro·hib·i·tive [prə'hɪbɪtɪv] ADJ *prices* unerschwinglich
proj·ect¹ ['prɒdʒekt] N *plan* Projekt *n*
pro·ject² [prə'dʒekt] **A** VT *onto screen, numbers* projizieren; *cost* überschlagen **B** VI vorstehen, hervorragen
pro·jec·tion [prə'dʒekʃn] N *prediction* Vorhersage *f*, Schätzung *f*
pro·jec·tor [prə'dʒektə(r)] N *for slide show* Projektor *m*
pro·le·tar·i·an [prəʊlə'teərɪən] **A** ADJ proletarisch **B** N Proletarier(in) *m(f)*
pro·lif·ic [prə'lɪfɪk] ADJ *writer, artist* sehr produktiv
pro·logue, **pro·log** *US* ['prəʊlɒg] N Prolog *m*
pro·long [prə'lɒŋ] VT verlängern
prom·i·nent ['prɒmɪnənt] ADJ *nose, chin*

P

vorspringend, vorstehend; *politician, actor* prominent; *characteristic* hervorstechend, auffallend

prom·is·cu·i·ty [prɒmɪ'skju:ətɪ] N Promiskuität *f*

pro·mis·cu·ous [prə'mɪskjʊəs] ADJ **be ~** den/die Partner(in) häufig wechseln

prom·ise ['prɒmɪs] **A** N Versprechen *n* **B** V/T & V/I versprechen

prom·is·ing ['prɒmɪsɪŋ] ADJ vielversprechend

prom·is·so·ry note ['prɒmɪsərɪ] N Schuldschein *m*

pro·mote [prə'məʊt] V/T *employee* befördern; *peace, economic growth* sich einsetzen für, fördern; *product* werben für

pro·mot·er [prə'məʊtə(r)] N Promoter(in) *m(f)*, Veranstalter(in) *m(f)*

pro·mo·tion [prə'məʊʃn] N *of employee* Beförderung *f*; *of project, idea* Förderung *f*; *of product* Werbung *f*

pro·mo·tion·al gift [prəməʊʃnl'gɪft] N Werbegeschenk *n*

pro'mo·tion pros·pects N *pl* Aufstiegschancen *pl*

prompt [prɒmpt] **A** ADJ *punctual* pünktlich; *quick* unverzüglich **B** ADV **at two o'clock ~** pünktlich um zwei Uhr **C** V/T *cause* veranlassen; *actor* soufflieren **D** N IT Eingabeaufforderung *f*

prompt·ly ['prɒmptlɪ] ADV *arrive, depart* pünktlich; **and he ~ forgot** und prompt hat er es vergessen

P

prone [prəʊn] ADJ **be ~ to** neigen zu

prong [prɒŋ] N *of fork, rake* Zinke *f*

pro·noun ['prəʊnaʊn] N Pronomen *n*

pro·nounce [prə'naʊns] V/T *word* aussprechen; *dead, a success* erklären für

pro·nounced [prə'naʊnst] ADJ *accent* stark; *views* ausgeprägt

pron·to ['prɒntəʊ] ADV *infml* sofort

pro·nun·ci·a·tion [prənʌnsɪ'eɪʃn] N Aussprache *f*

proof [pru:f] N Beweis *m*; *of book* Korrekturfahne *f*

'proof·read V/T ⟨proofread, proofread [-red]⟩ Korrektur lesen

prop [prɒp] **A** V/T ⟨-pp-⟩ lehnen **B** N THEAT Requisit *n*

♦ **prop up** V/T stützen; *fig: government* unterstützen

prop·a·gan·da [prɒpə'gændə] N Propaganda *f*

prop·a·gate ['prɒpəgeɪt] **A** V/I BIOL sich fortpflanzen, sich vermehren **B** V/T *opinion* verbreiten, propagieren

prop·a·ga·tion [prɒpə'geɪʃn] N Fortpflanzung *f*, Vermehrung *f*; *of opinions* Verbreitung *f*, Propagierung *f*

pro·pel [prə'pel] V/T ⟨-ll-⟩ antreiben

pro·pel·lant [prə'pelənt] N *in aerosol* Treibgas *n*

pro·pel·ler [prə'pelə(r)] N *of plane* Propeller *m*; *of boat* Schraube *f*

prop·er ['prɒpə(r)] ADJ *correct, real* richtig; *morally, behaviour* anständig; *respect* nötig; **in its ~ place** am rechten Platz; **put sth back in its ~ place** etw dahin zurücklegen, wo es hingehört

prop·er·ly ['prɒpəlɪ] ADV richtig; *dressed* anständig

prop·er 'noun N Eigenname *m*

prop·er·ty ['prɒpətɪ] N *possessions* Eigentum *n*; *land* Grundbesitz *m*, Grundstück *n*; *building* Haus *n*, Wohnung *f*

'prop·er·ty de·vel·op·er N Immobilienmakler(in) *m(f)*

'prop·er·ty tax N Vermögenssteuer *f*

proph·e·cy ['prɒfəsɪ] N Prophezeiung *f*

proph·e·sy ['prɒfəsaɪ] V/T ⟨-ied⟩ prophezeien

pro·por·tion [prə'pɔ:ʃn] N *ratio, relation* Verhältnis *n*; *part of sth* Teil *m*, Anteil *m*; **the proportions** *pl of a room etc* die Proportionen *pl*

pro·por·tion·al [prə'pɔ:ʃnl] ADJ proportional

pro·por·tion·al·i·ty [prəpɔ:ʃn'ælətɪ] N Proportionalität *f*; *of means* Verhältnismäßigkeit *f*

pro·por·tion·al rep·re·sen'ta·tion N POL Verhältniswahlrecht *n*

pro·pos·al [prə'pəʊzl] N Vorschlag *m*; *of marriage* (Heirats)Antrag *m*

pro·pose [prə'pəʊz] **A** V/T *suggest, recommend* vorschlagen; *intend* beabsichtigen **B** V/I *propose marriage* e-n (Heirats)-Antrag machen

prop·o·si·tion [prɒpə'zɪʃn] **A** N Vorschlag *m* **B** V/T *woman* e-n unsittlichen Antrag machen

pro·pri·e·tor [prə'praɪətə(r)] N Besitzer *m*

pro·pri·e·tress [prə'praɪətrɪs] N Besitzerin *f*

pro·pri·e·ty [prə'praɪətɪ] N Richtigkeit

f; moral correctness Anstand *m*

pro·pul·sion [prəˈpʌlʃn] N Antrieb *m*

prose [prəʊz] N Prosa *f*

pros·e·cute [ˈprɒsɪkjuːt] V/T JUR strafrechtlich verfolgen (**for** wegen); *private individual* anklagen

pros·e·cu·tion [prɒsɪˈkjuːʃn] N *in court* Anklage *f*, strafrechtliche Verfolgung; *prosecuting lawyer* Vertreter(in) *m(f)* der Anklage

pros·e·cu·tor → public prosecutor

pros·pect [ˈprɒspekt] **A** N Aussicht *f* **B** V/I ~ **for** *gold* suchen nach

pro·spec·tive [prəˈspektɪv] ADJ infrage kommend

pros·per [ˈprɒspə(r)] V/I gedeihen

pros·per·i·ty [prɒˈsperətɪ] N Wohlstand *m*

pros·per·ous [ˈprɒspərəs] ADJ wohlhabend; *company* erfolgreich

pros·ti·tute [ˈprɒstɪtjuːt] N Prostituierte(r) *m/f(m)*; **male ~** Strichjunge *m*

pro·tag·o·nist [prəʊˈtægənɪst] N Vorkämpfer(in) *m(f)*, Verfechter(in) *m(f)*; THEAT Hauptfigur *f*, Held(in) *m(f)*

pro·tect [prəˈtekt] V/T schützen (**from, against** vor, gegen)

pro·tec·tion [prəˈtekʃn] N Schutz *m*

proˈtec·tion mon·ey N Schutzgeld *n*

proˈtec·tion rack·et N Schutzgelderpressung *f*

pro·tec·tive [prəˈtektɪv] ADJ *clothing, equipment* Schutz-; *mother* fürsorglich

pro·tec·tive ˈcus·to·dy N JUR Schutzhaft *f*

pro·tec·tor [prəˈtektə(r)] N Beschützer(in) *m(f)*

pro·tein [ˈprəʊtiːn] N Protein *n*, Eiweiß *n*

pro·test **A** N [ˈprəʊtest] Protest *m*; *demonstration* Protestkundgebung *f* **B** V/T [prəˈtest] *innocence* beteuern **C** V/I [prəˈtest] protestieren (**about, against** gegen); *in street* demonstrieren; **~ to** Beschwerde einlegen bei

Prot·es·tant [ˈprɒtɪstənt] **A** N Protestant(in) *m(f)* **B** ADJ protestantisch

pro·test·er [prəˈtestə(r)] N Demonstrant(in) *m(f)*

pro·to·col [ˈprəʊtəkɒl] N *rules of behaviour* Protokoll *n*

pro·tract·ed [prəˈtræktɪd] ADJ sich hinziehend

pro·trude [prəˈtruːd] V/I *from pocket etc* herausragen (**from** aus); *ears* abstehen; *eyes, teeth* vorstehen

proud [praʊd] ADJ stolz (**of** auf)

proud·ly [ˈpraʊdlɪ] ADV stolz

prove [pruːv] V/T beweisen

prov·erb [ˈprɒvɜːb] N Sprichwort *n*

pro·vide [prəˈvaɪd] V/T *shelter etc* zur Verfügung stellen; *money a.* bereitstellen; *food, music at party* sorgen für; **~ sb with sth** j-m etw zur Verfügung stellen; **~ sb with an opportunity** j-m die Gelegenheit geben

♦**provide for** V/T *family* sorgen für; *subject: law, contract* vorsehen

pro·vi·ded [prəˈvaɪdɪd] CJ **~ (that)** vorausgesetzt(, dass)

pro·vid·er [prəˈvaɪdə(r)] N *in family* Ernährer(in) *m(f)*; IT Provider *m*

prov·ince [ˈprɒvɪns] N Provinz *f*

pro·vin·cial [prəˈvɪnʃl] ADJ *town* Provinz-; *pej: attitude* provinziell

pro·vi·sion [prəˈvɪʒn] N Bereitstellung *f*; *of law, treaty* Bestimmung *f*; **make ~ for sth** für etw vorsorgen; **~ for one's old age** Altersvorsorge *f*

pro·vi·sion·al [prəˈvɪʒnl] ADJ vorläufig

pro·vi·so [prəˈvaɪzəʊ] N Bedingung *f*

prov·o·ca·tion [prɒvəˈkeɪʃn] N Provokation *f*

pro·voc·a·tive [prəˈvɒkətɪv] ADJ provozierend

pro·voke [prəˈvəʊk] V/T provozieren

prow [praʊ] N NAUT Bug *m*

prow·ess [ˈpraʊɪs] N Können *n*

prowl [praʊl] V/I herumstreichen

prowl·er [ˈpraʊlə(r)] N Herumtreiber(in) *m(f)*

prox·im·i·ty [prɒkˈsɪmətɪ] N Nähe *f*

prox·y [ˈprɒksɪ] N *authority* (Handlungs)-Vollmacht *f*; *person* (Stell)Vertreter(in) *m(f)*

prude [pruːd] N **be a ~** prüde sein

pru·dence [ˈpruːdns] N Umsicht *f*

pru·dent [ˈpruːdnt] ADJ *person* umsichtig; *action, decision* klug

prud·ish [ˈpruːdɪʃ] ADJ prüde

prune[1] [pruːn] N Backpflaume *f*

prune[2] [pruːn] V/T *plant* beschneiden; *fig* kürzen

pry [praɪ] V/I ⟨-ied⟩ neugierig sein; **stop prying!** hör auf, herumzuschnüffeln!

P

♦ **pry into** VT s-e Nase stecken in
PS [piːˈes] ABBR *for* postscript PS *n*, Postskript *n*
pseu·do·nym [ˈsjuːdənɪm] N Pseudonym *n*
psy·chi·at·ric [saɪkɪˈætrɪk] ADJ psychiatrisch
psy·chi·a·trist [saɪˈkaɪətrɪst] N Psychiater(in) *m(f)*
psy·chi·a·try [saɪˈkaɪətrɪ] N Psychiatrie *f*
psy·chic [ˈsaɪkɪk] ADJ übersinnlich; **I'm not ~!** ich kann doch keine Gedanken lesen!
psy·cho·an·a·lyse, **psy·cho·an·a·lyze** *US* [saɪkəʊˈænəlaɪz] VT psychoanalytisch behandeln
psy·cho·a·nal·y·sis [saɪkəʊənˈæləsɪs] N Psychoanalyse *f*
psy·cho·an·a·lyst [saɪkəʊˈænəlɪst] N Psychoanalytiker(in) *m(f)*
psy·cho·log·i·cal [saɪkəˈlɒdʒɪkl] ADJ psychologisch
psy·chol·o·gist [saɪˈkɒlədʒɪst] N Psychologe *m*, Psychologin *f*
psy·chol·o·gy [saɪˈkɒlədʒɪ] N Psychologie *f*
psy·cho·path [ˈsaɪkəpæθ] N Psychopath(in) *m(f)*
psy·cho·so·mat·ic [saɪkəʊsəˈmætɪk] ADJ psychosomatisch
PTO [piːtiːˈəʊ] ABBR *for* please turn over b. w., bitte wenden
pub [pʌb] N Kneipe *f*
pu·ber·ty [ˈpjuːbətɪ] N Pubertät *f*
pu·bic hair [pjuːbɪkˈheə(r)] N Schamhaar *n*
pub·lic [ˈpʌblɪk] **A** ADJ öffentlich **B** N *sg or pl* **the ~** die Öffentlichkeit; **in ~** in der Öffentlichkeit
pub·li·ca·tion [pʌblɪˈkeɪʃn] N Veröffentlichung *f*; **a new ~** e-e Neuerscheinung
pub·lic con've·ni·ence N öffentliche Toilette **pub·lic 'hol·i·day** N gesetzlicher Feiertag **pub·lic 'house** N → pub
pub·lic·i·ty [pʌbˈlɪsətɪ] N Publicity *f*; *for product* Werbung *f*
pub'li·ci·ty cam·paign N Werbekampagne *f*
pub·li·cize [ˈpʌblɪsaɪz] VT *make public* bekannt machen; ECON Reklame machen für
pub·lic lim·it·ed 'com·pa·ny N Aktiengesellschaft *f*
pub·lic·ly [ˈpʌblɪklɪ] ADV öffentlich
pub·lic 'mon·ey N öffentliche Gelder *pl* **pub·lic o'pin·ion** N die öffentliche Meinung **pub·lic 'pros·e·cu·tor** N Staatsanwalt *m*, -anwältin *f* **pub·lic re'la·tions** N *pl* Public Relations *pl*, Öffentlichkeitsarbeit *f* **'pub·lic school** N Privatschule *f*, Public School *f*; *US* staatliche Schule **pub·lic 'sec·tor** N öffentlicher Sektor **pub·lic 'ser·vice** N der öffentliche Dienst **pub·lic 'spen·ding** N POL, ECON Ausgaben *pl* der öffentlichen Hand **pub·lic 'trans·port** N öffentliche Verkehrsmittel *pl*
pub·lish [ˈpʌblɪʃ] VT veröffentlichen
pub·lish·er [ˈpʌblɪʃə(r)] N *company* Verlag *m*; *person* Verleger(in) *m(f)*
pub·lish·ing [ˈpʌblɪʃɪŋ] N Verlagswesen *n*
'pub·lish·ing com·pa·ny N Verlag *m*
pud·ding [ˈpʊdɪŋ] N *course* Nachtisch *m*; *blancmange* Pudding *m*
pud·dle [ˈpʌdl] N Pfütze *f*
puff [pʌf] **A** N **~ of wind** Windstoß *m*; **~ of smoke** Rauchwolke *f* **B** VI *after exercise* schnaufen; **~ on a cigarette** an e-r Zigarette ziehen
puf·fin 'cross·ing [ˈpʌfɪn] N sensorgesteuerter Ampelübergang
puff 'pas·try N Blätterteig *m*
puff·y [ˈpʌfɪ] ADJ ⟨-ier, -iest⟩ *eyes, face* geschwollen
pug·na·cious [pʌgˈneɪʃəs] ADJ kampflustig; *pej* streitsüchtig
puke [pjuːk] VI *sl* kotzen
pull [pʊl] **A** N Ziehen *n*, Ruck *m*; *infml: attractiveness* Anziehungskraft *f*; *infml: power* Einfluss *m*; **she gave the door a ~** sie zog an der Tür **B** VT *cart, tooth* ziehen; *rope, hair* ziehen an; *muscle* sich zerren; *attract* anlocken **C** VI ziehen
♦ **pull ahead** VI *in race, contest* sich absetzen
♦ **pull apart** VT *two people* trennen
♦ **pull away** VT wegziehen
♦ **pull down** VT *blind, trousers* herunterziehen; *house* abreißen
♦ **pull in** VI *train* einfahren; *car, bus* an-

halten
♦**pull off** VT *coat, shoes* ausziehen; *infml*: *deal* zuwege bringen
♦**pull out** **A** VT herausziehen; *soldiers* abziehen **B** VI *of contest, contract* aussteigen; *soldiers* abziehen; *train* abfahren; *car* ausscheren
♦**pull over** VI *driver* an die Seite fahren
♦**pull through** VI *patient* durchkommen
♦**pull together** **A** VI *collaborate* an e-m Strang ziehen **B** VT **pull o.s. together** sich zusammennehmen
♦**pull up** **A** VT *blind, socks, trousers* hochziehen; *plant, weed* ausreißen; *chair* heranziehen **B** VI *vehicle* anhalten
'pull date N *US*: *of food* Verfallsdatum *n*
pul·ley ['pʊlɪ] N Flaschenzug *m*
pull·o·ver ['pʊləʊvə(r)] N Pullover *m*
pulp [pʌlp] N *soft mass* Brei *m*; *of fruit* Fruchtfleisch *n*
pul·pit ['pʊlpɪt] N Kanzel *f*
pul·sate [pʌl'seɪt] VI *blood, music* pulsieren; *heart* klopfen
pulse [pʌls] N Puls *m*
pul·ver·ize ['pʌlvəraɪz] VT pulverisieren
pump [pʌmp] **A** N *machine* Pumpe *f*; *at petrol station* Zapfsäule *f* **B** VT pumpen; **~ sb for information** *infml* j-n ausquetschen
♦**pump up** VT aufpumpen
pump·kin ['pʌmpkɪn] N Kürbis *m*
pun [pʌn] N Wortspiel *n*
punch [pʌntʃ] **A** N *with fist* (Faust)Schlag *m*; *for making holes* Locher *m* **B** VT (mit der Faust) schlagen; *hole* stanzen; *ticket, sheet of paper* lochen
'punch line N Pointe *f*
punc·tu·al ['pʌŋktjʊəl] ADJ pünktlich
punc·tu·al·i·ty [pʌŋktjʊ'ælətɪ] N Pünktlichkeit *f*
punc·tu·a·tion [pʌŋktjʊ'eɪʃn] N Interpunktion *f*, Zeichensetzung *f*
punc·tu'a·tion mark N Satzzeichen *n*
punc·ture ['pʌŋktʃə(r)] **A** N *in tyre* Panne *f*; *in ball, balloon* Loch *n*; **we had a ~** wir hatten e-n Platten **B** VT *tyres* ein Loch machen in
pun·gent ['pʌndʒənt] ADJ scharf
pun·ish ['pʌnɪʃ] VT *person* bestrafen
pun·ish·ing ['pʌnɪʃɪŋ] ADJ *pace, schedule* äußerst anstrengend
pun·ish·ment ['pʌnɪʃmənt] N Strafe *f*; *punishing* Bestrafung *f*
pu·ny ['pju:nɪ] ADJ ⟨-ier, -iest⟩ schwächlich
pu·pil[1] ['pju:pl] N *of eye* Pupille *f*
pu·pil[2] ['pju:pl] N *at school* Schüler(in) *m(f)*
pup·pet ['pʌpɪt] N Handpuppe *f*; *with strings, fig* Marionette *f*
'pup·pet gov·ern·ment N Marionettenregierung *f*
pup·py ['pʌpɪ] N junger Hund, Welpe *m*
pur·chase ['pɜ:tʃəs] **A** N Kauf *m* **B** VT kaufen
pur·chas·er ['pɜ:tʃəsə(r)] N Käufer(in) *m(f)*
pure [pjʊə(r)] ADJ rein
pure·ly ['pjʊəlɪ] ADV rein; **~ for the purposes of ...** ausschließlich zum Zweck des ...
purge [pɜ:dʒ] **A** N *of party* Säuberungsaktion *f* **B** VT säubern
pu·ri·fy ['pjʊərɪfaɪ] VT ⟨-ied⟩ *water* reinigen
pu·ri·ty ['pjʊərɪtɪ] N Reinheit *f*
pur·ple ['pɜ:pl] ADJ violett, lila; **he went ~** er wurde knallrot
pur·pose ['pɜ:pəs] N *aim* Zweck *m*; **on ~** absichtlich
pur·pose·ful ['pɜ:pəsfʊl] ADJ entschlossen
pur·pose·ly ['pɜ:pəslɪ] ADV absichtlich
purr [pɜ:(r)] VI *cat* schnurren
purse[1] [pɜ:s] N *for money* Geldbeutel *m*; *US* Handtasche *f*
purse[2] [pɜ:s] VT **~ one's lips** *sulkily* einen Schmollmund machen; *thoughtfully* die Lippen schürzen
pur·sue [pə'sju:] VT *person* verfolgen; *hobby, career* nachgehen; *discussion, investigation* weiterführen
pur·su·er [pə'sju:ə(r)] N Verfolger(in) *m(f)*
pur·suit [pə'sju:t] N *chase* Verfolgung *f*; *of happiness etc* Streben *n* (**of** nach); *activity* Beschäftigung *f*; *in spare time* Hobby *n*
pus [pʌs] N Eiter *m*
push [pʊʃ] **A** N Schubs *m*; *of button* Drücken *n*; **give sb a ~** j-m e-n Stoß versetzen; *in car* j-n anschieben; *fig* j-m e-n Schubs geben; **give sb the ~** *infml* j-n

P

rausschmeißen; **you have to give the door a good ~** du musst der Tür e-n kräftigen Stoß geben **B** VT *car* schieben; *person* stoßen, schubsen; *button* drücken; *put under pressure* dränge(l)n; *infml*: *drugs* pushen; *advertise* Werbung machen für; **be pushed for money** *infml* knapp bei Kasse sein; **be pushed for time** *infml* nicht viel Zeit haben; **be pushing 40** *infml* stark auf die 40 zugehen **C** VI schieben; **hey, stop pushing!** he ihr, hört auf zu drängeln!

♦**push ahead** VI weitermachen; **push ahead with the plans** die Pläne vorantreiben

♦**push along** VT *cart, wheelbarrow* vor sich herschieben

♦**push around** VT herumkommandieren

♦**push away** VT wegschieben

♦**push off** **A** VT *lid* wegdrücken, wegschieben **B** VI *infml*: *leave* abhauen; **push off!** *infml* hau ab!

♦**push on** VI *in car* weiterfahren; *on foot* weitergehen; *with activity* weitermachen

♦**push up** VT *prices* hochtreiben

'push·but·ton ADJ Druckknopf-; **a ~ telephone** ein Tastentelefon *n*

'push·chair N Sportwagen *m* (*für Kinder*)

push·er ['pʊʃə(r)] N Dealer(in) *m(f)*

'push·o·ver N **it was a ~** es war ein Kinderspiel

'push-up N Liegestütz *m*

push·y ['pʊʃı] ADJ ⟨-ier, -iest⟩ *infml* aufdringlich, penetrant

pus·sy cat ['pʊsıkæt] N *infml* Mieze *f*

♦**pussyfoot about** [pʊsıfʊtə'baʊt] VI *infml* wie die Katze um den heißen Brei schleichen

put [pʊt] VT ⟨put, put⟩ tun; *lay flat a.* legen; *place upright a.* stellen; *question* stellen; **~ money in one's account** Geld auf sein Konto einzahlen; **~ the cost at** … die Kosten mit … veranschlagen; **let me ~ it this way** ich will es mal so sagen

♦**put across** VT verständlich machen

♦**put aside** VT *money* zurücklegen; *work* beiseitelegen

♦**put away** VT *in cupboard etc* wegräumen; *money* zurücklegen; *in prison, institution* einsperren; *infml*: *food* verdrücken; *infml*: *drinks* schlucken

♦**put back** VT *in its place* zurücktun; *lying flat a.* zurücklegen; *placed upright a.* zurückstellen

♦**put by** VT *money* zurücklegen

♦**put down** VT *lying flat* hinlegen; *placed upright* (hin)stellen (**on** auf); *weapons* niederlegen; *uprising* niederschlagen; *deposit* machen; *animal* einschläfern; *humiliate: person* runtermachen; **put one's foot down** *accelerate* Gas geben; *lay down the law* ein Machtwort sprechen; **put X down to Y** X Y zuschreiben

♦**put forward** VT *idea* vorbringen, vorlegen; *suggestion* machen; *name, candidate* vorschlagen

♦**put in** VT *coin* einwerfen; *time* hineinstecken in; *request, claim* einreichen; **put in a couple of hours in the gym** ein paar Stunden trainieren

♦**put in for** VT *transfer, holiday* beantragen

♦**put off** VT *light, radio, TV* ausmachen; *meeting, deadline* verschieben; *discourage* abschrecken; *cause to dislike* abstoßen; **it put me off seafood** das hat mir den Geschmack an Meeresfrüchten verdorben; **he's putting me off** er bringt mich aus dem Konzept

♦**put on** VT *light, TV, music* anmachen; *dinner, kettle* aufsetzen; *jacket, shoes* anziehen; *glasses* aufsetzen; *make-up* auflegen; *handbrake* anziehen; *play, show* aufführen; **he put on an accent** er tat so, als ob er e-n Akzent hätte; **put on weight** zunehmen; **she's just putting it on** sie tut nur so (als ob)

♦**put out** VT *hand* ausstrecken; *fire* löschen; *light* ausmachen; **look put out** verärgert wirken; **please don't put yourself out on my account** machen Sie sich wegen mir bitte keine Umstände

♦**put through** VT *on phone* verbinden (**to** mit)

♦**put together** VT *shelves etc* zusammenbauen; *exhibition, show* zusammenstellen

♦**put up** VT *hand* hochheben; *guests* unterbringen; *fence, building* errichten; *tent* aufstellen; *prices* erhöhen; *poster, notice* aufhängen; *money* aufbringen; **put up your hand if you know the an-**

swer meldet euch, wenn ihr die Antwort wisst; **put up for sale** zum Verkauf anbieten

♦**put up with** VT *tolerate* sich abfinden mit; **I won't put up with this!** das lasse ich mir nicht gefallen!

pu·trid ['pju:trɪd] ADJ verfault, verwest; *sl*: *film etc* saumäßig schlecht

put·ty ['pʌtɪ] N Kitt *m*

'put-up job N abgekartetes Spiel

puz·zle ['pʌzl] A N Rätsel *n*; *jigsaw* Puzzle(spiel) *n* B VT vor ein Rätsel stellen, verwirren; **it puzzles me ...** es ist mir ein Rätsel, ...

puz·zling ['pʌzlɪŋ] ADJ rätselhaft

PVC [pi:vi:'si:] ABBR *for* polyvinyl chloride PVC *n*

py·ja·mas [pə'dʒɑ:məz] N *pl* Schlafanzug *m*

py·lon ['paɪlən] N Hochspannungsmast *m*

py·ra·mid sys·tem ['pɪrəmɪd] N ECON Schneeballsystem *n*

Q

Q, q [kju:] N Q, q *n*

Q&A [kju:ən'eɪ] ABBR *for* questions and answers Fragen und Antworten; **~ session** Frage-und Antwort-Sitzung *f*

QMV [kju:em'vi:] ABBR *for* qualified majority voting *EU* qualifizierte Mehrheitsabstimmung

quack [kwæk] VI *duck* quaken

quad·ran·gle ['kwɒdræŋgl] N *shape* Viereck *n*; *at school etc* (Innen)Hof *m*

quad·ru·ple [kwɒd'rʊpl] VI sich vervierfachen

quad·ru·plets [kwɒd'rʊplɪts] N *pl* Vierlinge *pl*

quaes·tor ['kwi:stə(r)] N *of European Parliament* Quästor(in) *m(f)*

quag·mire ['kwɒgmaɪə(r)] N *fig* Schlamassel *m*

quail[1] [kweɪl] VI verzagen

quail[2] [kweɪl] N Wachtel *f*

quaint [kweɪnt] ADJ *cottage* malerisch; *idea etc* seltsam, kurios

quake [kweɪk] A N Erdbeben *n* B VI *earth* beben; *with fear* zittern, beben (**with** vor)

qual·i·fi·ca·tion [kwɒlfɪ'keɪʃn] N SCHOOL Qualifikation *f*; *of remark etc* Einschränkung *f*

qual·i·fied ['kwɒlɪfaɪd] ADJ *doctor, engineer etc* ausgebildet; *suitable, capable* qualifiziert; *approval, sense* eingeschränkt; **I am not ~ to judge** ich kann das nicht beurteilen; **~ majority voting** *EU* qualifizierte Mehrheitsabstimmung

qual·i·fy ['kwɒlɪfaɪ] ⟨-ied⟩ A VT berechtigen; *remark etc* einschränken B VI *gain qualifications* s-e Ausbildung abschließen; *in contest* sich qualifizieren; *for scholarship* infrage kommen; **that doesn't ~ as ...** das gilt nicht als ...

qual·i·ty ['kwɒlətɪ] N Qualität *f*; *of person* Eigenschaft *f*

qual·i·ty con'trol N Qualitätskontrolle *f* **qual·i·ty 'goods** N *pl* Qualitätswaren *pl* **qual·i·ty 'man·age·ment** N Qualitätsmanagement *n*

qualms [kwɑ:mz] N *pl* Bedenken *pl*, Skrupel *pl*

quan·da·ry ['kwɒndərɪ] N Dilemma *n*; **I'm in a ~ as to what to do** ich weiß wirklich nicht, was ich tun soll

quan·ti·fy ['kwɒntɪfaɪ] VT ⟨-ied⟩ in Zahlen ausdrücken

quan·ti·ty ['kwɒntətɪ] N Quantität *f*, Menge *f* (**of** an)

quar·an·tine ['kwɒrənti:n] N Quarantäne *f*

quar·rel ['kwɒrəl] A N Streit *m* B VI ⟨-ll-, *US* -l-⟩ (sich) streiten

quar·rel·some ['kwɒrəlsəm] ADJ streitsüchtig

quar·ry ['kwɒrɪ] N Steinbruch *m*

quar·ter ['kwɔ:tə(r)] A N MATH, *part of town* Viertel *n*; **a ~ of an hour** e-e Viertelstunde; **(a) ~ to**, *US a.* **(a) ~ of 5** Viertel vor 5; **~ past** *or US a.* **after 5** Viertel nach 5 B VT *divide into four* vierteln, in vier Teile teilen; *divide by four* durch vier teilen

quar·ter-'fi·nal N Viertelfinale *n*

quar·ter-'fi·nal·ist N Viertelfinalist(in) *m(f)*

quar·ter·ly ['kwɔ:təlɪ] ADJ & ADV vierteljährlich

quar·ters ['kwɔ:təz] N *pl* MIL Quartier *n*
quar·tet [kwɔ:'tet] N MUS Quartett *n*
quartz [kwɔ:ts] N Quarz *m*
quash [kwɒʃ] V/T *uprising* niederschlagen; *verdict* aufheben
qua·ver ['kweɪvə(r)] **A** N *in voice* Zittern *n*; MUS Achtelnote *f* **B** V/I *voice* zittern
quay [ki:] N Kai *m*
'quay·side N Kai *m*
quea·sy ['kwi:zɪ] ADJ ‹-ier, -iest› **I felt ~** mir war übel
queen [kwi:n] N Königin *f*
queer [kwɪə(r)] **A** ADJ sonderbar, seltsam **B** N *pej infml* Schwule(r) *m*
quell [kwel] V/T *uprising* niederschlagen
quench [kwentʃ] V/T *thirst* löschen, stillen; *flames* löschen
que·ry ['kwɪərɪ] **A** N Frage *f* **B** V/T ‹-ied› *truth, statement etc* infrage stellen; *bill* beanstanden; **~ sth with sb** etw mit j-m abklären
quest [kwest] N Suche *f* (**for** nach)
ques·tion ['kwestʃn] **A** N Frage *f*; **ask sb a ~** j-m e-e Frage stellen; **the matter in ~** die fragliche Angelegenheit; **not be in ~** außer Zweifel stehen; **be out of the ~** nicht infrage kommen **B** V/T *person* befragen; JUR vernehmen; *integrity* bezweifeln
ques·tion·a·ble ['kwestʃnəbl] ADJ fragwürdig
ques·tion·er ['kwestʃnə(r)] N Fragesteller(in) *m(f)*
ques·tion·ing ['kwestʃnɪŋ] **A** ADJ *look, tone* fragend **B** N Vernehmung *f*, Verhör *n*

Q

'ques·tion mark N Fragezeichen *n*
ques·tion·naire [kwestʃə'neə(r)] N Fragebogen *m*
queue [kju:] **A** N Schlange *f* **B** V/I (*a.* **queue up**) Schlange stehen, anstehen (**for** für)
'queue-jump·er N Vordrängler(in) *m(f)*
quib·ble ['kwɪbl] V/I streiten (**about** über)
quick [kwɪk] ADJ schnell; **be ~!** mach schnell!, beeil dich!; **can I have a ~ look?** kann ich mal kurz sehen?
quick·ie ['kwɪkɪ] N *infml* kurze Frage; *drink* einer auf die Schnelle; *sex* Quickie *m*
quick·ly ['kwɪklɪ] ADV schnell
'quick·sand N Treibsand *m*
quick-tem·pered [kwɪk'tempəd] ADJ aufbrausend, hitzig
quick·wit·ted [kwɪk'wɪtɪd] ADJ *person* geistesgegenwärtig; *reply* schlagfertig
quid [kwɪd] N *no pl infml*: *pound* Pfund *n*
qui·et ['kwaɪət] ADJ *voice, music, engine* leise; *street, town, life* ruhig; *evening* geruhsam; **have a ~ wedding** (nur) im kleinen Rahmen heiraten; **keep ~ about sth** etw geheim halten; **~!** Ruhe!
♦**qui·et·en down** [kwaɪətn'daʊn] **A** V/T *children* zur Ruhe bringen **B** V/I *children, political situation* sich beruhigen
qui·et·ly ['kwaɪətlɪ] ADV leise; *peacefully* ruhig
qui·et·ness ['kwaɪətnɪs] N *of voice* Ruhe *f*; *of night, street* Stille *f*
quilt [kwɪlt] N *on bed* Steppdecke *f*
quin·tet [kwɪn'tet] N MUS Quintett *n*
quin·tu·plets [kwɪn'tjʊplɪts] N *pl* Fünflinge *pl*
quip [kwɪp] **A** N Witzelei *f* **B** V/I ‹-pp-› witzeln
quirk [kwɜ:k] N Marotte *f*
quirk·y ['kwɜ:kɪ] ADJ ‹-ier, -iest› *behaviour* schrullig; *machine* eigenartig
quit [kwɪt] ‹-tt-; quit, quit› **A** V/T *job* kündigen; IT herausgehen aus; **~ doing sth** aufhören, etw zu tun **B** V/I kündigen; IT das Programm beenden; **they got their notice to ~** ihnen wurde (die Wohnung) gekündigt
quite [kwaɪt] ADV ziemlich; völlig; **it was only ~ good** es war nur durchschnittlich gut; **these two are ~ different** diese beiden sind völlig verschieden; **that's ~ nice** das ist ganz nett; **not ~ ready** (noch) nicht ganz fertig; **~!** genau!; **~ a lot** ziemlich viel; *like* ziemlich gern; **it has changed ~ a lot** es hat sich ganz schön verändert; **~ a few** e-e ganze Menge
quits [kwɪts] ADJ **be ~ with sb** *infml* mit j-m quitt sein
quit·ter ['kwɪtə(r)] N **he's a ~** *infml* er gibt leicht auf
quiv·er ['kwɪvə(r)] V/I zittern
quiz [kwɪz] **A** N Quiz *n* **B** V/T ‹-zz-› ausfragen (**about, on** über)
quiz·zi·cal ['kwɪzɪkl] ADJ *look etc* fragend
quo·ta ['kwəʊtə] N Quote *f*; *of immigrants* Anteil *m*; *of work* (Arbeits)Pensum

n
quo·ta·tion [kwəʊ'teɪʃn] N *from author* Zitat *n;* ECON Kostenvoranschlag *m;* **give sb a ~ for sth** j-m e-n Kostenvoranschlag für etw machen
quo'ta·tion marks N *pl* Anführungszeichen *pl*
quote [kwəʊt] **A** N *from author* Zitat *n;* ECON Kostenvoranschlag *m;* **in quotes** in Anführungszeichen **B** V/T *text, author* zitieren; *price* angeben, nennen **C** V/I **~ from an author** e-n Autoren zitieren

R

R, r [ɑː(r)] N R, r *n*
rab·bi ['ræbaɪ] N Rabbiner *m; as title* Rabbi *m*
rab·bit ['ræbɪt] N Kaninchen *n*
♦**rabbit on** V/I *sl* schwafeln
rab·ble ['ræbl] N Meute *f; pej* Pöbel *m*
rab·ble-rous·er ['ræblraʊzə(r)] N Aufwiegler(in) *m(f)*
rab·ble-rous·ing ['ræblraʊzɪŋ] ADJ aufwieglerisch, Hetz-
ra·bies ['reɪbiːz] N *sg* Tollwut *f*
race¹ [reɪs] N *of people* Rasse *f*
race² [reɪs] **A** N SPORTS Rennen *n;* **the races** *pl* das Pferderennen **B** V/I rennen, rasen **C** V/T **I'll ~ you** wetten, dass ich schneller bin; **I'll ~ you to the beach** wetten, dass ich eher am Strand bin
'race·course N Rennbahn *f* **'race·horse** N Rennpferd *n* **race re'la·tions** N *pl* Beziehungen *pl* zwischen den Rassen **'race ri·ot** N Rassenunruhen *pl* **'race·track** N Rennbahn *f*
ra·cial ['reɪʃl] ADJ Rassen-; *tensions* rassenbedingt; **~ discrimination** Rassendiskriminierung *f;* **~ equality** Rassengleichheit *f*
rac·ing ['reɪsɪŋ] N Motorsport *m;* Pferderennen *n,* Pferderennsport *m*
'rac·ing car N Rennwagen *m*
'rac·ing driv·er N Rennfahrer(in) *m(f)*
ra·cism ['reɪsɪzm] N Rassismus *m*
ra·cist ['reɪsɪst] **A** N Rassist(in) *m(f)* **B** ADJ rassistisch
rack [ræk] **A** N *for bicycles, CDs* Ständer *m; for bottles* Gestell *n; for luggage, crockery a.* Ablage *f* **B** V/T **~ one's brains** sich den Kopf zerbrechen
rack·et¹ ['rækɪt] N SPORTS Schläger *m*
rack·et² ['rækɪt] N Krach *m; illegal activity* Schwindel *m*
ra·dar ['reɪdɑː(r)] N Radar *n*
'ra·dar trap N Radarfalle *f*
ra·di·ance ['reɪdɪəns] N Strahlen *n*
ra·di·ant ['reɪdɪənt] ADJ *smile, appearance* strahlend
ra·di·ate ['reɪdɪeɪt] V/T ausstrahlen
ra·di·a·tion [reɪdɪ'eɪʃn] N PHYS Strahlung *f*
ra·di·a·tor ['reɪdɪeɪtə(r)] N *in room* Heizkörper *m; in car* Kühler *m*
rad·i·cal ['rædɪkl] **A** ADJ radikal **B** N Radikale(r) *m/f(m)*
rad·i·cal·ism ['rædɪkəlɪzm] N POL Radikalismus *m*
rad·i·cal·ly ['rædɪklɪ] ADV radikal
ra·di·o ['reɪdɪəʊ] N Rundfunk *m; device* Radio *n; in taxi etc* Funkgerät *n;* **on the ~** im Radio; **by ~** per Funk
ra·di·o'ac·tive ADJ radioaktiv **ra·di·o·ac·tive 'waste** N radioaktiver Müll
ra·di·o·ac'tiv·i·ty N Radioaktivität *f*
ra·di·o a'larm N Radiowecker *m*
ra·di·og·ra·pher [reɪdɪ'ɒgrəfə(r)] N Röntgenassistent(in) *m(f)*
'ra·di·o sta·tion N Rundfunksender *m* **'ra·di·o tax·i** N Funktaxi *n* **ra·di·o 'tel·e·phone** N Funksprechgerät *n*
ra·di·o'ther·a·py N Strahlentherapie *f*
rad·ish ['rædɪʃ] N Radieschen *n;* Rettich *m*
ra·di·us ['reɪdɪəs] N Radius *m*
raf·fle ['ræfl] N Tombola *f*
raft [rɑːft] N Floß *n;* **a ~ of measures** ein Maßnahmenkatalog *m*
raf·ter ['rɑːftə(r)] N (Dach)Sparren *m*
rag [ræg] N *for cleaning etc* Lumpen *m*
rage [reɪdʒ] **A** N Wut *f;* **be in a ~** wütend sein; **be all the ~** *infml* der letzte Schrei sein **B** V/I *person, storm* toben
rag·ged ['rægɪd] ADJ *appearance, clothes* zerlumpt; *hem* ausgefranst; *edge* uneben
raid [reɪd] **A** N *on bank* Überfall *m* (**on** auf); *by police* Razzia *f* (**on** gegen) **B** V/T *bank* überfallen; *police* e-e Razzia ma-

chen in; *fridge etc* plündern
raid·er ['reɪdə(r)] N *in bank raid etc* Räuber(in) *m(f)*
rail [reɪl] N *for train* Schiene *f*; *on stairs, steps* Geländer *n*; *on ship* Reling *f*; **curtain ~** Vorhangschiene *f*; **towel ~** Handtuchhalter *m*; **by ~** mit der Bahn
rail·ings ['reɪlɪŋz] N *pl around park etc* Zaun *m*
'rail·road N *US* → railway
'rail·way N (Eisen)Bahn *f*
'rail·way line N *route* Bahnlinie *f*; *rails* Gleis *n*
'rail·way sta·tion N Bahnhof *m*
rain [reɪn] **A** N Regen *m* **B** V/I regnen; **it never rains but it pours** ein Unglück kommt selten allein
'rain·bow N Regenbogen *m* **'rain·coat** N Regenmantel *m* **'rain·drop** N Regentropfen *m* **'rain·fall** N Niederschlag *m* **'rain for·est** N Regenwald *m* **'rain·storm** N (schwerer) Schauer
rain·y ['reɪnɪ] ADJ ⟨-ier, -iest⟩ regnerisch
raise [reɪz] **A** N Gehaltserhöhung *f* **B** V/T *object, head, arm* (hoch)heben; *eyebrows, curtain* hochziehen; *shelf etc* höherhängen; *offer, price* erhöhen; *children* großziehen; *question* stellen; *money* aufbringen; **~ one's voice** laut(er) werden
rai·sin ['reɪzn] N Rosine *f*
♦ **rake up** V/T *leaves* zusammenharken, zusammenrechen; *fig: old memories* ausgraben; **rake up the past** in der Vergangenheit wühlen
ral·ly ['rælɪ] N Versammlung *f*; AUTO Rallye *f*; *in tennis* Ballwechsel *m*
♦ **rally round** V/T & V/I zur Hilfe kommen
ram [ræm] **A** N Widder *m* **B** V/T ⟨-mm-⟩ *ship, car* rammen
RAM [ræm] ABBR *for* random access memory IT RAM *n*
ram·ble ['ræmbl] **A** N *through fields etc* Wanderung *f* **B** V/I wandern; *get off the subject* schwafeln; *talk nonsense* wirr reden
ram·bler ['ræmblə(r)] N Wanderer *m*, Wanderin *f*
ram·bling ['ræmblɪŋ] ADJ *speech* weitschweifig; *building, town* weitläufig
ramp [ræmp] N Rampe *f*; *in garage* Hebebühne *f*; *of plane* Gangway *f*
ram·page ['ræmpeɪdʒ] **A** V/I randalieren **B** N **go on the ~** randalieren
ram·pant ['ræmpənt] ADJ *inflation, corruption* wuchernd; *disease, crime a.* grassierend
ram·shack·le ['ræmʃækl] ADJ *building* zerfallen; *car* klapprig
ran [ræn] PRET → run
ranch [rɑːntʃ] N Ranch *f*
ran·cid ['rænsɪd] ADJ ranzig
R & D [ɑːrən'diː] ABBR *for* research and development F & E, Forschung und Entwicklung
ran·dom ['rændəm] **A** ADJ *choice* willkürlich; *violence* ziellos; **~ sample** Stichprobe *f* **B** N **at ~** *select* willkürlich; *shoot* ziellos
ran·dy ['rændɪ] ADJ ⟨-ier, -iest⟩ *infml* scharf, geil
rang [ræŋ] PRET → ring²
range [reɪndʒ] **A** N *of products* Angebot *n*, Auswahl *f* (**of** an); *of rocket, gun* Reichweite *f*; *of salary* Bereich *m*; *of voice* Umfang *m*; *for shooting* Schießplatz *m*; **a mountain ~** e-e Bergkette; **~ of goods** Warenangebot *n*; **a wide ~ of people** die unterschiedlichsten Leute; **price ~** Preisklasse *f*; **at close ~** aus kurzer Entfernung **B** V/I **~ from X to Y** von X bis Y gehen; *products* alles von X bis Y umfassen; *temperatures, sizes* zwischen X und Y liegen
rank [ræŋk] **A** N MIL Rang *m*; *in society* Stand *m*; **the ranks** *pl* MIL die einfachen Soldaten *pl* **B** V/T einstufen; **~ sb number one** j-n auf den ersten Platz setzen; **ranked second in the world** auf dem zweiten Platz der Weltrangliste
♦ **rank among** V/T zählen zu
ran·kle ['ræŋkl] V/I **~ (with sb)** j-n wurmen
ran·sack ['rænsæk] V/T plündern
ran·som ['rænsəm] N Lösegeld *n*; **hold sb to ~** j-n als Geisel halten; *fig* j-n erpressen
'ran·som mon·ey N Lösegeld *n*
rant [rænt] V/I **~ and rave** herumschimpfen (**about** über)
rap [ræp] **A** N *on door etc* Klopfen *n*; MUS Rap *m* **B** V/T ⟨-pp-⟩ *table etc* klopfen auf
♦ **rap at** V/T *window etc* klopfen an
rape¹ [reɪp] **A** N Vergewaltigung *f* **B** V/T

R

vergewaltigen
rape[2] [reɪp] N BOT Raps *m*
rap·id ['ræpɪd] ADJ schnell, rasch
ra·pid·i·ty [rə'pɪdətɪ] N Schnelligkeit *f*
rap·id·ly ['ræpɪdlɪ] ADV schnell
rap·id res'ponse force N schnelle Eingreiftruppe
rap·ids ['ræpɪdz] N *pl* Stromschnellen *pl*
rap·ist ['reɪpɪst] N Vergewaltiger *m*
rap·port [ræ'pɔ:(r)] N **have a good/bad ~ (with sb)** ein gutes/schlechtes Verhältnis (zu j-m) haben
rap·ture ['ræptʃə(r)] N **be in raptures over sth** von etw hingerissen sein, außer sich vor Freude sein über etw; **go into raptures over** ins Schwärmen geraten über
rap·tur·ous ['ræptʃərəs] ADJ *reception, applause* stürmisch, begeistert
rare [reə(r)] ADJ selten; *steak* blutig
rar·e·fied ['reərɪfaɪd] ADJ *air* dünn
rare·ly ['reəlɪ] ADV selten
rar·i·ty ['reərətɪ] N Seltenheit *f*
ras·cal ['rɑ:skl] N Schlingel *m*
rash[1] [ræʃ] N MED Ausschlag *m*
rash[2] [ræʃ] ADJ *action, behaviour* voreilig
rash·er ['ræʃə(r)] N *of bacon* Streifen *m*
rash·ly ['ræʃlɪ] ADV voreilig
rasp·ber·ry ['rɑ:zbərɪ] N Himbeere *f*
rat [ræt] N Ratte *f*
rate [reɪt] **A** N *of currency exchange* Kurs *m*; *of charges* Satz *m*; *speed* Tempo *n*; **~ of interest** ECON Zinssatz *m*; **~ of exchange** ECON Wechselkurs *m*, Devisenkurs *m*; **special ~ for students** Studentenermäßigung *f*; **birth ~** Geburtenrate *f*; **at this ~** wenn das so weitergeht; **at any ~** auf jeden Fall **B** V/T einschätzen; **~ sb/sth among the best** j-n/etw zu den Besten zählen
rath·er ['rɑ:ðə(r)] ADV ziemlich; **I would ~ go** ich würde lieber gehen
rat·i·fi·ca·tion [rætɪfɪ'keɪʃn] N Ratifizierung *f*
rat·i·fy ['rætɪfaɪ] V/T ratifizieren
rat·ings ['reɪtɪŋz] N *pl* TV Einschaltquoten *pl*
ra·ti·o ['reɪʃɪəʊ] N Verhältnis *n*
ra·tion ['ræʃn] **A** N Ration *f* **B** V/T *supplies* rationieren
ra·tion·al ['ræʃənl] ADJ *sensible* vernünftig, rational; *having reason* rational, vernunftbegabt
ra·tion·al·i·ty [ræʃə'nælɪtɪ] N Vernünftigkeit *f*, Rationalität *f*
ra·tion·al·i·za·tion [ræʃənəlaɪ'zeɪʃn] N *of production etc* Rationalisierung *f*
ra·tion·al·ize ['ræʃənəlaɪz] V/T rationalisieren
ra·tion·al·ly ['ræʃənəlɪ] ADV *act, think* vernünftig, rational
'rat race N Alltagshektik *f*; **get out of the ~** aussteigen
rat·tle ['rætl] **A** N *of crates* Klappern *n*; *of glass* Klirren *n*; *toy* Rassel *f* **B** V/T *crate etc* schütteln; *windows* rütteln an; *chains* rasseln mit; **be rattled** *person* verunsichert sein **C** V/I *crates etc* klappern; *glass* klirren; *chains* rasseln
♦ **rattle off** V/T herunterrasseln
♦ **rattle through** V/T *speech* herunterrasseln; *work* blitzschnell erledigen
rau·cous ['rɔ:kəs] ADJ rau
rav·age ['rævɪdʒ] V/T verwüsten
rave [reɪv] **A** V/I *in fever* fantasieren; *curse and swear* toben; **~ about sth** *with enthusiasm* von etw schwärmen **B** N Rave *m or n*, Technoparty *f*
rav·e·nous ['rævənəs] ADJ heißhungrig; *appetite* gewaltig; **be ~** e-n Bärenhunger haben
rav·e·nous·ly ['rævənəslɪ] ADV heißhungrig
rave re'view N tolle Kritik
ra·vine [rə'vi:n] N Schlucht *f*
rav·ing ['reɪvɪŋ] ADJ **~ mad** total verrückt
rav·ish·ing ['rævɪʃɪŋ] ADJ hinreißend
raw [rɔ:] ADJ roh; *sugar, iron* Roh-
raw ma'te·ri·als N *pl* Rohmaterialien *pl*; *fig: for novel* Stoff *m*
ray [reɪ] N Strahl *m*; **a ~ of hope** ein Hoffnungsschimmer *m*
raze [reɪz] V/T **~ to the ground** dem Erdboden gleichmachen
ra·zor ['reɪzə(r)] N Rasierapparat *m*
'ra·zor blade N Rasierklinge *f*
re [ri:] PREP *in correspondence* bezüglich, betreffs
reach [ri:tʃ] **A** N **within/out of ~** *object* in/außer Reichweite; **within easy ~** gut zu erreichen, nicht weit weg **B** V/T *target* erreichen; *subject: carpet, hair* gehen bis zu; **can you ~ it?** kommst du dran?
♦ **reach out** V/I die Hand *or* Hände ausstrecken (**for** nach); **reach out for sth**

nach etw greifen
re·act [rɪ'ækt] VI reagieren (**to** auf)
re·ac·tion [rɪ'ækʃn] N Reaktion *f* (**to** auf)
re·ac·tion·ar·y [rɪ'ækʃnrɪ] POL **A** N Reaktionär(in) *m(f)* **B** ADJ reaktionär
re·ac·tor [rɪ'æktə(r)] N *nuclear* Reaktor *m*
read [ri:d] **A** VT & VI ⟨read [red], read [red]⟩ lesen; **~ (sth) to sb** j-m (etw) vorlesen; **the article reads well** der Artikel liest sich gut **B** VT *at university* studieren
♦**read out** VT *loud* vorlesen
♦**read up on** VT nachlesen über
rea·da·ble ['ri:dəbl] ADJ *handwriting* lesbar; *novel etc* lesenswert; *style* verständlich
read·er ['ri:də(r)] N Leser(in) *m(f)*
read·i·ly ['redɪlɪ] ADV *accept* bereitwillig; *available* leicht
read·i·ness ['redɪnɪs] N Bereitschaft *f*
read·ing ['ri:dɪŋ] N Lesen *n*; *by author* Lesung *f*; *on meter etc* Zählerstand *m*
'read·ing mat·ter N Lesestoff *m*
re·ad·just [ri:ə'dʒʌst] **A** VT *device, switch* nachstellen **B** VI sich wieder anpassen (**to** an)
read-on·ly 'mem·o·ry [ri:d] N IT Festspeicher *m*
read·y ['redɪ] ADJ ⟨-ier, -iest⟩ *willing* bereit; *finished* fertig; **are you ~ to leave?** bist du so weit?; **get (o.s.) ~** sich fertig machen; **get sth ~** etw fertig machen; **get your bags ~** pack deine Taschen; **be ~ for sth** *journey, exam* für etw bereit sein; *change etc* auf etw gefasst sein
read·y 'cash N Bargeld *n* **read·y-'made** ADJ *excuse* vorgefertigt; **a ~ solution** e-e Patentlösung **read·y-to--wear 'cloth·ing** N Konfektionskleidung *f*
real [ri:l] **A** ADJ *gold, emotion, flower, father* echt, wirklich; *name* richtig, echt; *owner, cost, life* wirklich; *genius, idiot* richtig; **this time it's for ~** dieses Mal ist es Ernst; **get ~!** *infml* sei (doch mal) realistisch! **B** ADV *infml* echt
real 'cap·i·tal N Sachkapital *n* **'real es·tate** N Immobilien *pl* **'real es·tate a·gent** N Immobilienmakler(in) *m(f)* **real 'in·come** N Realeinkommen *n*
re·a·lism ['rɪəlɪzm] N Realismus *m*
re·a·list ['rɪəlɪst] N Realist(in) *m(f)*
re·a·lis·tic [rɪə'lɪstɪk] ADJ realistisch
re·a·lis·tic·al·ly [rɪə'lɪstɪklɪ] ADV realistisch
re·al·i·ty [rɪ'ælətɪ] N Wirklichkeit *f*, Realität *f*
re·a·li·za·tion [rɪəlaɪ'zeɪʃn] N *of truth etc* Erkenntnis *f*; *of project, plan etc* Verwirklichung *f*, Realisierung *f*; ECON Realisierung *f*
re·a·lize ['rɪəlaɪz] VT *truth etc* erkennen; ECON realisieren; **do you ~ that ...?** ist dir klar *or* bewusst, dass ...?
real·ly ['rɪəlɪ] ADV *as emphasis* wirklich; *in reality* eigentlich, wirklich; **~?** wirklich?; **do you like him? – not ~** magst du ihn? – nicht wirklich, eigentlich nicht
realm [relm] N Königreich *n*; *fig* Reich *n*
real 'time N IT Echtzeit *f*
Real·tor® ['rɪəltər] N *US* Grundstücksmakler(in) *m(f)*, Immobilienmakler(in) *m(f)*
reap [ri:p] VT *a. fig* ernten
re·ap·pear [ri:ə'pɪə(r)] VI wieder erscheinen; *unexpectedly* wiederauftauchen
re·ap·pear·ance [ri:ə'pɪərəns] N Wiedererscheinen *n*; *unexpected* Wiederauftauchen *n*
rear [rɪə(r)] **A** N *of building, train* hinterer Teil; **at the ~ (of)** *inside* hinten (in); *outside* hinter **B** ADJ hintere(r, -s), Hinter-
rear 'end N *infml: of person* Hintern *m*
rear 'light N *of car* Rücklicht *n*
re·arm [ri:'ɑ:m] **A** VT wiederbewaffnen **B** VI *country* wiederaufrüsten; *terrorists* sich wiederbewaffnen
'rear·most ADJ hinterste(r, -s)
re·ar·range [ri:ə'reɪndʒ] VT *furniture, system* umstellen; *meeting, deadline* verlegen; *timetable* ändern
rear-view 'mir·ror N Rückspiegel *m* **rear-wheel 'drive** N AUTO Hinterradantrieb *m* **rear 'win·dow** N AUTO Heckscheibe *f* **rear 'wi·per** N Heckscheibenwischer *m*
rea·son ['ri:zn] **A** N *power of thought* Verstand *m*; *common sense* Vernunft *f*; *cause, justification* Grund *m* (**for** für); **listen to/see ~** vernünftig sein; **do you know the ~ why?** weißt du warum? **B** VI **~ with sb** mit j-m vernünftig reden

rea·so·na·ble ['ri:znəbl] ADJ *person* vernünftig; *offer, price a.* akzeptabel; *weather, health* recht gut; **a ~ number of visitors** recht viele Besucher
rea·son·a·bly ['ri:znəblı] ADV *act, behave* vernünftig; *exact, warm etc* ziemlich
rea·son·ing ['ri:znıŋ] N Argumentation *f*
re·as·sure [ri:ə'ʃʊə(r)] V/T beruhigen; **~ sb that ...** j-m versichern, dass ...
re·as·sur·ing [ri:ə'ʃʊərıŋ] ADJ beruhigend
re·bate ['ri:beıt] N (Preis)Nachlass *m*
reb·el **A** N ['rebl] Rebell(in) *m(f)*; **~ forces** *pl* rebellische Truppen *pl* **B** V/I [rı'bel] ⟨-ll-⟩ rebellieren
reb·el·lion [rı'beliən] N Rebellion *f*, Aufstand *m*
reb·el·lious [rı'beliəs] ADJ rebellisch
re·bound [rı'baʊnd] V/I *ball etc* abprallen (**off** von)
re·build [ri:'bıld] V/T wiederaufbauen
re·buke [rı'bju:k] V/T zurechtweisen
re·call [rı'kɔ:l] V/T sich erinnern an; *products, troops* zurückrufen
re·cap ['ri:kæp] V/I ⟨-pp-⟩ rekapitulieren
re·cap·ture [ri:'kæptʃə(r)] V/T MIL wiedererobern; *prisoner etc* wieder ergreifen; *atmosphere* wieder wach werden lassen
re·cede [rı'si:d] V/I *water* zurückgehen
re·ced·ing [rı'si:dıŋ] ADJ *chin* fliehend; **have a ~ hairline** Geheimratsecken haben
re·ceipt [rı'si:t] N Quittung *f*, Beleg *m*; **acknowledge ~ of sth** den Empfang e-r Sache bestätigen; **receipts** *pl* ECON Einnahmen *pl*
re·ceive [rı'si:v] V/T erhalten, bekommen; *guest* empfangen
re·ceiv·er [rı'si:və(r)] N *of letter* Empfänger(in) *m(f)*; TEL Hörer *m*; ECON Insolvenzverwalter(in) *m(f)*; *for radio* Empfänger *m*; **call in the ~** ECON die Insolvenz anmelden
re·ceiv·er·ship [rı'si:vəʃıp] N **go into ~** *company* unter Insolvenzverwaltung gestellt werden
re·cent ['ri:snt] ADJ *meeting, conversation etc* kürzlich; *events a.* jüngste(r, -s); *photograph* neuere(r, -s)
re·cent·ly ['ri:sntlı] ADV vor Kurzem, kürzlich; *in the last few days/weeks* in letzter Zeit
re·cep·tion [rı'sepʃn] N Empfang *m*
re'cep·tion desk N Empfang *m*, Rezeption *f*
re·cep·tion·ist [rı'sepʃnıst] N *in hotel* Empfangschef(in) *m(f)*; *in company* Herr *m*/Dame *f* am Empfang; *in doctor's surgery* Arzthelfer(in) *m(f)*
re·cep·tive [rı'septıv] ADJ empfänglich (**to** für)
re·cess ['ri:ses] N *in wall etc* Nische *f*; *US* SCHOOL Pause *f*; *of parliament* (Sitzungs)-Pause *f*
re·ces·sion [rı'seʃn] N ECON Rezession *f*
re·charge [ri:'tʃɑ:dʒ] V/T *battery* aufladen
re·ci·pe ['resəpı] N Rezept *n*
re·cip·i·ent [rı'sıpıənt] N Empfänger(in) *m(f)*
re·cip·ro·cal [rı'sıprəkl] ADJ gegenseitig
re·cip·ro·cate [rı'sıprəkeıt] **A** V/I sich revanchieren **B** V/T *invitation etc* erwidern
re·cit·al [rı'saıtl] N MUS Konzert *n*
re·cite [rı'saıt] V/T *poem* vortragen; *details, facts* aufzählen
reck·less ['reklıs] ADJ *behaviour* leichtsinnig; *driving* gefährlich
reck·on ['rekən] V/T glauben, schätzen
♦**reckon on** V/T rechnen mit
♦**reckon with** V/T **have sb/sth to reckon with** mit j-m/etw rechnen müssen
reck·on·ing ['rekənıŋ] N Schätzung *f*
re·claim [rı'kleım] V/T *land* gewinnen; *expenses, taxes* zurückverlangen
re·cline [rı'klaın] V/I *on sofa etc* sich zurücklehnen
re·clin·er [rı'klaınə(r)] N Ruhesessel *m*
re·cluse [rı'klu:s] N Einsiedler(in) *m(f)*
rec·og·ni·tion [rekəg'nıʃn] N *of state, achievements* Anerkennung *f*; **changed beyond ~** nicht wiederzuerkennen
rec·og·niz·a·ble ['rekəgnaızəbl] ADJ erkennbar
rec·og·nize ['rekəgnaız] V/T *person, tune, symptoms* (wieder)erkennen; POL *state* anerkennen; **~ sb by sth** j-n an e-r Sache erkennen
re·coil [rı'kɔıl] V/I *from thought* zurückschrecken (**from** vor); *from sight a.* zurückweichen (**from** vor)
rec·ol·lect [rekə'lekt] V/T sich erinnern an

rec·ol·lec·tion [rekəˈlekʃn] N Erinnerung *f*
rec·om·mend [rekəˈmend] VT empfehlen
rec·om·men·da·tion [rekəmenˈdeɪʃn] N Empfehlung *f*
rec·om·men·ded ˈprice N Preisempfehlung *f*, Richtpreis *m*
rec·om·pense [ˈrekəmpens] N *a.* JUR Entschädigung *f*
rec·on·cile [ˈrekənsaɪl] VT *people* versöhnen; *differences* ausgleichen; *facts* miteinander vereinbaren; **~ o.s. to sth** sich mit etw abfinden; **be reconciled** *two people* sich versöhnt haben
rec·on·cil·i·a·tion [rekənsɪlɪˈeɪʃn] N *of people* Versöhnung *f*; *of differences* Ausgleich *m*; *of facts* Vereinbarung *f*
re·con·firm [riːkənˈfɜːm] VT rückbestätigen
re·con·nais·sance [rɪˈkɒnɪsns] N MIL Aufklärung *f*
re·con·sid·er [riːkənˈsɪdə(r)] **A** VT noch einmal überdenken **B** VI **won't you ~?** wollen Sie es sich nicht noch einmal überlegen?
re·con·struct [riːkənˈstrʌkt] VT *building, life* wiederaufbauen; *crime* rekonstruieren
re·con·struc·tion [riːkənˈstrʌkʃn] N *of building* Wiederaufbau *m*; *of crime* Rekonstruktion *f*
rec·ord[1] [ˈrekɔːd] N MUS (Schall)Platte *f*; SPORTS *etc* Rekord *m*; *report* Aufzeichnung *f*; *official document* Unterlage *f*; *in database* Datensatz *m*; **records** *pl* Akten *pl*; **say sth off the ~** etw inoffiziell sagen; **have a criminal ~** vorbestraft sein; **have a good ~ for sth** für etw bekannt sein
re·cord[2] [rɪˈkɔːd] VT *electronically* aufnehmen; *in writing* verzeichnen, dokumentieren
rec·ord-break·ing [ˈrekɔːdbreɪkɪŋ] ADJ rekordbrechend, Rekord-
ˈrec·ord hold·er N Rekordhalter(in) *m(f)*
re·cord·ing [rɪˈkɔːdɪŋ] N Aufnahme *f*
reˈcord·ing stu·di·o N Aufnahmestudio *n*
ˈrec·ord play·er N Plattenspieler *m*
re·count [rɪˈkaʊnt] VT erzählen
re-count [ˈriːkaʊnt] **A** N *of votes* Nachzählung *f* **B** VT *money, votes* nachzählen
re·coup [rɪˈkuːp] VT *financial losses* wiedergutmachen
re·course [rɪˈkɔːs] N ECON, JUR Regress *m*
re·cov·er [rɪˈkʌvə(r)] **A** VT *lost or stolen object* wiederfinden; *self-control* wiedererlangen **B** VI *from illness* sich erholen
re·cov·er·y [rɪˈkʌvərɪ] N *of lost or stolen object* Wiederfinden *n*; *from illness* Erholung *f*; **make a good ~** sich gut erholen
rec·re·a·tion [rekrɪˈeɪʃn] N Erholung *f*
rec·re·a·tion·al [rekrɪˈeɪʃnl] ADJ Freizeit-; **~ facilities** *pl* Freizeiteinrichtungen *pl*; **~ vehicle** Wohnmobil *n*
re·cruit [rɪˈkruːt] **A** N MIL Rekrut(in) *m(f)*; *in company* neues Mitglied **B** VT *new staff* einstellen; *new members* anwerben
re·cruit·ment [rɪˈkruːtmənt] N *of staff* Rekrutierung *f*
reˈcruit·ment a·gen·cy N Personalagentur *f*, Stellenvermittlung *f*
rec·tan·gle [ˈrektæŋgl] N Rechteck *n*
rec·tan·gu·lar [rekˈtæŋgjʊlə(r)] ADJ rechteckig
rec·ti·fy [ˈrektɪfaɪ] VT berichtigen
re·cu·pe·rate [rɪˈkjuːpəreɪt] VI sich erholen
re·cur [rɪˈkɜː(r)] VI <-rr-> wiederkehren; *symptom, mistake* wieder auftreten
re·cur·rent [rɪˈkʌrənt] ADJ (ständig) wiederkehrend
re·cy·cla·ble [riːˈsaɪkləbl] ADJ recycelbar, wiederverwertbar
re·cy·cle [riːˈsaɪkl] VT recyceln, wiederverwerten
re·cy·cling [riːˈsaɪklɪŋ] N Recycling *n*
reˈcy·cling site N Wertstoffhof *m*, Recyclinghof *m*
red [red] **A** ADJ <-dd-> rot **B** N **in the ~** in den roten Zahlen
Red ˈCross N Rotes Kreuz
re·dec·o·rate [riːˈdekəreɪt] VT neu streichen und/oder tapezieren
re·deem [rɪˈdiːm] VT *debts, mortgage* abzahlen, tilgen; *sinner* erlösen
re·deem·ing [rɪˈdiːmɪŋ] ADJ **~ feature** positive Eigenschaft
re·demp·tion [rɪˈdempʃn] N *of debt, mortgage* Tilgung *f*; REL Erlösung *f*
re·de·vel·op [riːdɪˈveləp] VT *part of town* sanieren

re·de·vel·op·ment [ri:dɪ'veləpmənt] N *of part of town* Sanierung *f*
red-hand·ed [red'hændɪd] ADJ **catch sb ~** j-n auf frischer Tat ertappen **'red-head** N Rotschopf **red 'her·ring** N **that's a ~** das lenkt vom Thema ab **red-'hot** ADJ glühend heiß
re·dis·tri·bu·tion of re·ven·ue [ri:dɪstrɪbju:ʃnəv'revənju:] N POL Finanzausgleich *m*
red-'let·ter day N besonderer Tag **red 'light** N *of traffic light* rotes Licht **red 'light dis·trict** N Rotlichtviertel *n* **red 'meat** N *Rind-, Lamm- und Rehfleisch*
re·dou·ble [ri:'dʌbl] V/T **~ one's efforts** s-e Anstrengungen verdoppeln
red 'pep·per N rote Paprika
red 'tape N Bürokratie *f*
re·duce [rɪ'dju:s] V/T verringern, reduzieren (**by** um); *taxes* senken; *prices a.* herabsetzen; **~ sth in price** den Preis e-r Sache senken
re·duced [rɪ'dju:st] ADJ verbilligt
re·duc·tion [rɪ'dʌkʃn] N Verringerung *f*, Reduzierung *f*; *of prices a.* Herabsetzung *f*; *for students etc* Ermäßigung *f*
re·dun·dan·cy [rɪ'dʌndənsɪ] N Arbeitslosigkeit *f*; **there were a lot of redundancies** es gab viele Entlassungen
re'dun·dan·cy no·tice N Entlassungsschreiben *n*
re'dun·dan·cy pay·ment N Abfindung *f*
re·dun·dant [rɪ'dʌndənt] ADJ *superfluous* überflüssig; **be made ~** entlassen werden
re·ed·u·cate [ri:'edʒʊkeɪt] V/T umerziehen
reel [ri:l] N *of film, thread* Spule *f*
♦**reel off** V/T herunterrasseln
re-e'lect V/T wiederwählen
re-e'lec·tion N Wiederwahl *f*
re-en·ter [ri:'entə(r)] V/T *Earth's atmosphere* wieder eintreten in; *room a.* wieder betreten
re-es·tab·lish [ri:ɪs'tæblɪʃ] V/T wiederherstellen
ref[1] [ref] N *infml* Schiri *m*
ref[2] *only written* ABBR *for* reference Verweis *m*
re·fer [rɪ'fɜ:(r)] ‹-rr-› **A** V/T *decision* übertragen (**to sb** j-m); *problem* weiterleiten (**to** an) **B** V/I **~ to** *allude to* sich beziehen auf; *dictionary etc* nachschlagen in; **what are you referring to?** was meinst du genau?
ref·er·ee [refə'ri:] N SPORTS Schiedsrichter(in) *m(f)*; *for job* Referenz *f*
ref·er·ence ['refərəns] N Anspielung *f* (**to** auf); *for job* Referenz *f*; *in text* Verweis *m* (**to** auf); *with order etc* Bezugsnummer *f*; **with ~ to** bezüglich
'ref·er·ence book N Nachschlagewerk *n* **'ref·er·ence li·bra·ry** N Präsenzbibliothek *f* **'ref·er·ence num·ber** N Nummer *f*; *of document, case* (Akten)Zeichen *n*; *in catalogue* Bestellnummer *f*; *of book* Signatur *f*
ref·e·ren·dum [refə'rendəm] N ‹*pl* referenda [refə'rendə] *or* referendums› Referendum *n*; **hold a ~** ein Referendum abhalten
re·fill [ri:'fɪl] V/T *tank, glass* nachfüllen
're·fill pack N Nachfüllpackung *f*
re·fine [rɪ'faɪn] V/T *oil, sugar* raffinieren; *technique* verbessern
re·fined [rɪ'faɪnd] ADJ *behaviour, language* kultiviert
re·fine·ment [rɪ'faɪnmənt] N *of process, machine* Verbesserung *f*
re·fin·e·ry [rɪ'faɪnərɪ] N Raffinerie *f*
re·flect [rɪ'flekt] **A** V/T *light, image* reflektieren; *fig a.* widerspiegeln; **be reflected in …** sich spiegeln in … **B** V/I nachdenken
re·flec·tion [rɪ'flekʃn] N Nachdenken *n*; *in water, glass etc* Spiegelung *f*; *fig* Widerspiegelung *f*
re·flec·tive [rɪ'flektɪv] ADJ *surface* reflektierend; *mood* nachdenklich
re·flex re·ac·tion ['ri:fleksrɪækʃn] N Reflex *m*
re·form [rɪ'fɔ:m] **A** N Reform *f* **B** V/T reformieren
re·form·er [rɪ'fɔ:mə(r)] N Reformer(in) *m(f)*
re·frain [rɪ'freɪn] V/I *formal* **~ from doing sth** es unterlassen, etw zu tun
re·fresh [rɪ'freʃ] V/T *person* erfrischen; **feel refreshed** *after sleep* sich ausgeruht fühlen; *after glass of water* sich erfrischt fühlen
re·fresh·er course [rɪ'freʃə(r)] N Auffrischungskurs *m*
re·fresh·ing [rɪ'freʃɪŋ] ADJ erfrischend;

R

experience wohltuend; **it's ~ to see that ...** es tut gut zu sehen, dass ...
re·fresh·ments [rɪ'freʃmənts] N *pl* Erfrischungen *pl*
re·fri·ge·rate [rɪ'frɪdʒəreɪt] V/T kühlen; **keep refrigerated** kühl aufbewahren
re·fri·ge·ra·tor [rɪ'frɪdʒəreɪtə(r)] N Kühlschrank *m*
re·fu·el [riː'fjuːəl] V/T & V/I ‹-ll-, *US* -l-› *plane, car* auftanken
ref·uge ['refjuːdʒ] N Zuflucht *f*; **take ~** *from storm etc* sich flüchten (**from** vor)
ref·u·gee [refjʊ'dʒiː] N Flüchtling *m*
ref·u'gee camp N Flüchtlingslager *n*
ref·u'gee sta·tus N Flüchtlingsstatus *m*
re·fund **A** N ['riːfʌnd] Rückzahlung *f*, Rückerstattung *f*, Rückvergütung *f*; **give sb a ~ on sth** j-m etw vergüten **B** V/T [rɪ'fʌnd] zurückzahlen, zurückerstatten, (rück)vergüten
re·fur·bish [riː'fɜːbɪʃ] V/T renovieren
re·fus·al [rɪ'fjuːzl] N *of food, help* Ablehnung *f*; **~ to do sth** Weigerung, etw zu tun
re·fuse¹ [rɪ'fjuːz] **A** V/I ablehnen **B** V/T *help, food* ablehnen; **~ to do sth** sich weigern, etw zu tun
ref·use² ['refjuːs] N Müll *m*
'ref·use col·lec·tion N Müllabfuhr *f*
'ref·use dump N Müllabladeplatz *m*
re·gain [rɪ'geɪn] V/T wiedergewinnen
re·gard [rɪ'gɑːd] **A** N **have great ~ for sb** j-n hoch achten; **in this ~** in dieser Hinsicht; **with ~ to ...** was ... anbelangt; **with no ~ for ...** ohne Rücksicht auf ...; (**kind**) **regards** mit freundlichen Grüßen; **give my regards to David** viele Grüße an David **B** V/T **~ sb/sth as sth** j-n/etw als etw betrachten; **as regards ...** was ... anbelangt
re·gard·ing [rɪ'gɑːdɪŋ] PREP bezüglich
re·gard·less [rɪ'gɑːdlɪs] ADV trotzdem; **~ of** ohne Rücksicht auf; **carry on ~** einfach weitermachen
re·gime [reɪ'ʒiːm] N *government* Regime *n*
re·gion ['riːdʒən] N Region *f*, Gebiet *n*; **in the ~ of £200** um die 200 Pfund
re·gion·al ['riːdʒənl] ADJ regional
re·gion·al au'thor·i·ty N Gebietskörperschaft *f*
re·gion·al de'vel·op·ment N Gebietserschließung *f*
re·gis·ter ['redʒɪstə(r)] **A** N Register *n*; *at school* Namensliste *f* **B** V/T *child at school, vehicle* anmelden; *birth, death* registrieren lassen; *letter* einschreiben; *feelings* zeigen; **send a letter registered** e-n Brief als Einschreiben schicken **C** V/I *for course, with authorities* sich anmelden; *at university* sich einschreiben
re·gis·tered let·ter [redʒɪstəd'letə(r)] N Einschreiben *n*
reg·is·trar ['redʒɪstrɑː(r)] N Standesbeamte(r) *m*, -beamtin *f*
re·gis·tra·tion [redʒɪ'streɪʃn] N *of vehicle* Kennzeichen *n*; *for course, with authorities* Anmeldung *f*; *at university* Einschreibung *f*
re·gis'tra·tion num·ber N AUTO Kennzeichen *n*
re·gis'tra·tion of·fice N Meldebehörde *f*
re·gis·try of·fice ['redʒɪstrɪ] N Standesamt *n*
re·gret [rɪ'gret] **A** V/T ‹-tt-› bedauern **B** N Bedauern *n*; **have no regrets** nichts bereuen
re·gret·ful [rɪ'gretfəl] ADJ bedauernd
re·gret·ful·ly [rɪ'gretfəlɪ] ADV mit Bedauern; *unfortunately* bedauerlicherweise
re·gret·ta·ble [rɪ'gretəbl] ADJ bedauerlich
re·gret·ta·bly [rɪ'gretəblɪ] ADV bedauerlicherweise, leider
reg·u·lar ['regjʊlə(r)] **A** ADJ regelmäßig; *standard* normal **B** N *of shop* Stammkunde *m*, -kundin *f*; *in bar* Stammgast *m*
reg·u·lar·i·ty [regjʊ'lærətɪ] N Regelmäßigkeit *f*
reg·u·lar·ly ['regjʊlərlɪ] ADV regelmäßig
reg·u·late ['regjʊleɪt] V/T regulieren
reg·u·la·tion [regjʊ'leɪʃn] N Regel *f*
reg·u·la·to·ry au·thor·i·ty [regjʊleɪtərɪə'θɒrətɪ], **reg·u·la·to·ry bo·dy** [regjʊleɪtərɪ'bɒdɪ] N Regulierungsbehörde *f*
reg·u·la·to·ry 'frame·work N POL Rechtsrahmen *m*
re·hab ['riːhæb] N *infml* Reha(bilitation) *f*
re·ha·bil·i·tate [riːhə'bɪlɪteɪt] V/T *ex-offender etc* rehabilitieren
re·hears·al [rɪ'hɜːsl] N Probe *f*

re·hearse [rɪ'hɜːs] V/T & V/I proben
reign [reɪn] **A** N Herrschaft *f* **B** V/I herrschen (**over** über)
re·im·burse [riːɪm'bɜːs] V/T *person* entschädigen; *expenses* (zurück)erstatten
re·im·burse·ment [riːɪm'bɜːsmənt] N *of person* Entschädigung *f*; *of expenses* Vergütung *f*, (Rück)Erstattung *f*
rein [reɪn] N Zügel *m*
re·in·car·na·tion [riːɪnkɑː'neɪʃn] N Wiedergeburt *f*; *person* Reinkarnation *f*
rein·deer ['reɪndɪə(r)] N ⟨*pl* reindeer⟩ Ren(tier) *n*
re·in·force [riːɪn'fɔːs] V/T *structure* verstärken; *conviction* stärken
re·in·forced con·crete [riːɪnfɔːst'kɒnkriːt] N Stahlbeton *m*
re·in·force·ments [riːɪn'fɔːsmənts] N *pl* MIL Verstärkung *f*
re·in·state [riːɪn'steɪt] V/T *person* wieder einstellen; *paragraph in text* wieder aufnehmen
re·ject [rɪ'dʒekt] V/T ablehnen
re·jec·tion [rɪ'dʒekʃn] N Ablehnung *f*, Zurückweisung *f*
re·joice [rɪ'dʒɔɪs] V/I sich freuen; *loudly* jubeln (**at, over** über)
re·lapse ['riːlæps] N MED Rückfall *m*
re·late [rɪ'leɪt] **A** V/T *story* erzählen; **~ X to Y** X mit Y in Beziehung bringen **B** V/I **~ to** ... sich beziehen auf ...; **he doesn't ~ to people** er ist nicht sehr kontaktfreudig
re·lat·ed [rɪ'leɪtɪd] ADJ verwandt; *events* zusammenhängend
re·la·tion [rɪ'leɪʃn] N Beziehung *f*; *in family* Verwandte(r) *m/f(m)*
re·la·tion·ship [rɪ'leɪʃnʃɪp] N Beziehung *f*, Verhältnis *n* (**to, with** zu, mit); *sexual* Verhältnis *n*
rel·a·tive ['relətɪv] **A** N Verwandte(r) *m/f(m)* **B** ADJ relativ; **X is ~ to Y** X hängt von Y ab
rel·a·tive·ly ['relətɪvlɪ] ADV relativ
re·lax [rɪ'læks] **A** V/I sich entspannen; **~!, don't get upset** ganz ruhig!, reg dich nicht auf! **B** V/T *muscles* entspannen; *work rate* lockern
re·lax·a·tion [riːlæk'seɪʃn] N Entspannung *f*; *of rules etc* Lockerung *f*
re·laxed [rɪ'lækst] ADJ entspannt; *atmosphere* gelockert
re·lax·ing [rɪ'læksɪŋ] ADJ entspannend
re·lay ['riːleɪ] **A** V/T *news* weiterleiten (**to** an); *programme, signal* übertragen **B** N **~ (race)** Staffel *f*
re·lease [rɪ'liːs] **A** N *from prison* Entlassung *f*; *CD, DVD etc* Neuerscheinung *f* **B** V/T *person, hostage, animal* freilassen; *prisoner* entlassen; *handbrake* lösen, losmachen; *information, CD* veröffentlichen; *CD, film* herausbringen
rel·e·gate ['relɪgeɪt] V/T *person* degradieren; **be relegated** SPORTS absteigen
rel·e·ga·tion [relɪ'geɪʃn] N SPORTS Abstieg *m*
re·lent [rɪ'lent] V/I nachgeben, sich erweichen lassen
re·lent·less [rɪ'lentlɪs] ADJ unerbittlich; *rain etc* nicht nachlassend
rel·e·vance ['reləvəns] N Relevanz *f* (**to** für)
rel·e·vant ['reləvənt] ADJ relevant (**to** für)
re·li·a·bil·i·ty [rɪlaɪə'bɪlətɪ] N Zuverlässigkeit *f*, Verlässlichkeit *f*
re·li·a·ble [rɪ'laɪəbl] ADJ zuverlässig
re·li·a·bly [rɪ'laɪəblɪ] ADV zuverlässig; **be ~ informed that** ... aus zuverlässiger Quelle erfahren, dass ...
re·li·ance [rɪ'laɪəns] N Abhängigkeit *f* (**on** von)
re·li·ant [rɪ'laɪənt] ADJ **be ~ on** angewiesen sein auf, abhängig sein von
rel·ic ['relɪk] N Relikt *n*, Überbleibsel *n*
re·lief [rɪ'liːf] N Erleichterung *f*; GEOG, *in art* Relief *n*; **that's a ~** da bin ich aber erleichtert
re·lieve [rɪ'liːv] V/T *pressure, pain* lindern, verringern; *watch, guard* ablösen; **be relieved** *at news etc* erleichtert sein
re·li·gion [rɪ'lɪdʒən] N Religion *f*
re·li·gious [rɪ'lɪdʒəs] ADJ religiös
re·li·gious·ly [rɪ'lɪdʒəslɪ] ADV *conscientiously* gewissenhaft
re·lin·quish [rɪ'lɪŋkwɪʃ] V/T aufgeben, verzichten auf
rel·ish ['relɪʃ] **A** N Relish *n* (*würzige Soße*); *enjoyment* Geschmack *m*, Gefallen *n* **B** V/T *idea, prospect* reizvoll finden
re·lo·cate [riːlə'keɪt] V/I umziehen; *company a.* den Standort wechseln
re·lo·ca·tion [riːlə'keɪʃn] N Umzug *m*; *of company a.* Standortwechsel *m*
re·luc·tance [rɪ'lʌktəns] N Widerwillen *m*, Abneigung *f*

re·luc·tant [rɪ'lʌktənt] ADJ unwilling, widerwillig; **be ~ to do sth** etw nur ungern tun
re·luc·tant·ly [rɪ'lʌktəntlɪ] ADV widerwillig
♦**re·ly on** [rɪ'laɪɒn] V/T ⟨-ied⟩ sich verlassen auf
re·main [rɪ'meɪn] V/I bleiben; *leftovers*, MATH übrig bleiben
re·main·der [rɪ'meɪndə(r)] N Rest *m*
re·main·ing [rɪ'meɪnɪŋ] ADJ übrig, restlich
re·mains [rɪ'meɪnz] N *pl of body* sterbliche Überreste *pl*
re·mand [rɪ'mɑ:nd] **A** V/T **~ sb in custody** j-n in Untersuchungshaft behalten **B** N **be on ~** sich in Untersuchungshaft befinden
re·mark [rɪ'mɑ:k] **A** N Bemerkung *f* **B** V/T bemerken
re·mar·ka·ble [rɪ'mɑ:kəbl] ADJ bemerkenswert, außergewöhnlich
re·mar·ka·bly [rɪ'mɑ:kəblɪ] ADV außergewöhnlich, sehr
re·mar·ry [ri:'mærɪ] V/I ⟨-ied⟩ wieder heiraten
rem·e·dy ['remədɪ] N MED *a. fig* (Heil)Mittel *n* (**for** für, gegen)
re·mem·ber [rɪ'membə(r)] **A** V/T sich erinnern an; **I must ~ to phone her** ich darf nicht vergessen, sie anzurufen; **~ me to your mum** grüß deine Mutter von mir **B** V/I sich erinnern; **I don't ~** ich weiß (das) nicht mehr, ich hab's vergessen; **~, it's your turn tomorrow** denk dran, morgen bist du an der Reihe
re·mem·brance [rɪ'membrəns] N Erinnerung *f*; **in ~ of** zur Erinnerung an
Re'mem·brance Day N *Gedenktag für die Gefallenen der beiden Weltkriege am 11. November*
re·mind [rɪ'maɪnd] V/T **~ sb about sth** j-n an etw erinnern; **~ sb of sb/sth** j-n an j-n/etw erinnern; **that reminds me ...** dabei fällt mir ein, ...
re·mind·er [rɪ'maɪndə(r)] N Gedächtnisstütze *f*; *warning, for bill* Mahnung *f*
rem·i·nisce [remɪ'nɪs] V/I in Erinnerungen schwelgen
rem·i·nis·cences [remɪ'nɪsnsɪz] N *pl* Erinnerungen *pl* (**of** an)
rem·i·nis·cent [remɪ'nɪsənt] ADJ **be ~ of sth** an etw erinnern

R

re·miss [rɪ'mɪs] ADJ *formal* nachlässig
re·mis·sion [rɪ'mɪʃn] N MED Besserung *f*
re·mit [rɪ'mɪt] V/T ⟨-tt-⟩ *debts, punishment* erlassen; *sins* vergeben; *formal: money* überweisen (**to** *dat or* an)
re·mit·tance [rɪ'mɪtəns] N *formal* (Geld)Überweisung *f* (**to** an)
rem·nant ['remnənt] N Rest *m*, Überbleibsel *n*
re·mod·el [ri:'mɒdl] V/T umbilden
rem·on·strate ['remənstreɪt] V/I protestieren (**with** bei; **against** gegen), sich beschweren (**with** bei; **about** über)
re·morse [rɪ'mɔ:s] N Reue *f*
re·morse·less [rɪ'mɔ:slɪs] ADJ *person* unbarmherzig, unerbittlich; *pace, demands* erbarmungslos
re·mote [rɪ'məʊt] ADJ *village* abgelegen, entlegen; *possibility* gering; *connection* weitläufig; *ancestor* entfernt; *unapproachable: person* unnahbar, distanziert
re·mote 'ac·cess N IT Fernzugriff *m*
re·mote con'trol N Fernbedienung *f*
re·mote·ly [rɪ'məʊtlɪ] ADV *related* entfernt; **I'm not ~ interested** es interessiert mich nicht im Geringsten; **just ~ possible** gerade eben noch möglich
re·mote·ness [rɪ'məʊtnəs] N Abgelegenheit *f*, Abgeschiedenheit *f*
re·mov·a·ble [rɪ'mu:vəbl] ADJ *cover* abnehmbar; *lining* abknöpfbar, abtrennbar; *filter* herausnehmbar
re·mov·al [rɪ'mu:vl] N Entfernung *f*; *of rubbish, litter* Beseitigung *f*; *to another flat, house* Umzug *m*
re'mov·al firm N (Möbel)Spedition *f*
re'mov·al van N Möbelwagen *m*
re·move [rɪ'mu:v] V/T entfernen; *rubbish, litter* wegschaffen; *lid* abnehmen; *coat etc* ausziehen, ablegen; *doubt, suspicion etc* ausräumen, zerstreuen
re·mu·ner·a·tion [rɪmju:nə'reɪʃn] N Bezahlung *f*, Entlohnung *f*
re·mu·ner·a·tive [rɪ'mju:nərətɪv] ADJ lohnend, einträglich
re·name [ri:'neɪm] V/T umbenennen
ren·der ['rendə(r)] V/T *service* erweisen; **~ sb helpless** *formal* j-n hilflos machen
re·new [rɪ'nju:] V/T *contract, licence* erneuern, verlängern; *discussion* wieder aufnehmen
re·new·a·ble [rɪ'nju:əbl] **A** ADJ *energy*

erneuerbar **B** N **renewables** *pl* erneuerbare Energiequellen *pl*

re·new·al [rɪˈnjuːəl] N *of contract etc* Erneuerung *f*, Verlängerung *f*; *of discussion* Wiederaufnahme *f*

re·nounce [rɪˈnaʊns] V/T *title, rights* verzichten auf

ren·o·vate [ˈrenəveɪt] V/T renovieren

ren·o·va·tion [renəˈveɪʃn] N Renovierung *f*

re·nowned [rɪˈnaʊnd] ADJ berühmt

rent [rent] **A** N Miete *f*; **for ~** zu vermieten **B** V/T *flat: as tenant* mieten (**from** von); *equipment, car a.* leihen (**from** von); *farm, factory* pachten; *to sb; a.* **~ out** vermieten/verleihen/verpachten (**to** an)

rent·al [ˈrentl] N Miete *f*; *for TV etc* Leihgebühr *f*

ˈrent·al a·gree·ment N Mietvertrag *m*

ˈrent·al car N Mietwagen *m*, Leihwagen *m*

rent-ˈfree ADV mietfrei

re·o·pen [riːˈəʊpn] **A** V/T *shop* wiedereröffnen, wieder aufmachen; JUR, *negotiations* wiederaufnehmen **B** V/I *shop etc* wieder aufmachen

re·or·gan·i·za·tion [riːɔːgənaɪˈzeɪʃn] N *of company* Neu- *or* Umorganisation *f*; *of timetable* Neueinteilung *f*; *of room* Umgestaltung *f*

re·or·gan·ize [riːˈɔːgənaɪz] V/T neu organisieren, umorganisieren; *room* umgestalten; *timetable* neu einteilen; *report* neu gliedern

rep [rep] N ECON Vertreter(in) *m(f)*; *for holiday company* Animateur(in) *m(f)*

re·paint [riːˈpeɪnt] V/T neu streichen

re·pair [rɪˈpeə(r)] **A** V/T reparieren; *fence, wall, roof a.* ausbessern **B** N **be under ~** in Reparatur sein; **repairs** *pl* Reparatur *f*, Reparaturen *pl*; **in a good state of ~** in gutem Zustand

rep·ar·tee [repɑːˈtiː] N Schlagfertigkeit *f*; *conversation* Schlagabtausch *m*

re·pa·tri·ate [riːˈpætrieɪt] V/T *person* in das Heimatland zurückkehren lassen, repatriieren

re·pa·tri·a·tion [riːpætrɪˈeɪʃn] N Rückführung *f* ins Heimatland, Repatriierung *f*

re·pay [riːˈpeɪ] V/T ⟨repaid, repaid⟩ *money* zurückzahlen; *kindness* erwidern

re·pay·ment [riːˈpeɪmənt] N Rückzahlung *f*

re·peal [rɪˈpiːl] V/T *law* aufheben

re·peat [rɪˈpiːt] **A** V/T wiederholen; **don't ~ this to anyone** sag das niemandem weiter **B** V/I wiederholen; **~ after me** sprich mir nach **C** N *TV programme etc* Wiederholung *f*

re·peat ˈbusi·ness N ECON Folgeauftrag *m*

re·peat·ed [rɪˈpiːtɪd] ADJ wiederholt

re·peat·ed·ly [rɪˈpiːtɪdlɪ] ADV wiederholt

re·peat ˈor·der N ECON Nachbestellung *f*; **place a ~ for sth** etw nachbestellen

re·pel [rɪˈpel] V/T ⟨-ll-⟩ *attack, insects* abwehren; *subject: stink* abstoßen

re·pel·lent [rɪˈpelənt] **A** N Insektenschutzmittel *n* **B** ADJ abstoßend

re·pent [rɪˈpent] **A** V/T bereuen **B** V/I Reue empfinden (**of** über)

re·pen·tant [reˈpentənt] ADJ reumütig

re·per·cus·sions [riːpəˈkʌʃnz] N *pl* Auswirkungen *pl*

rep·er·toire [ˈrepətwɑː(r)] N Repertoire *n*

rep·e·ti·tion [repɪˈtɪʃn] N Wiederholung *f*

re·pet·i·tive [rɪˈpetɪtɪv] ADJ sich (dauernd) wiederholend; *work a.* eintönig

re·place [rɪˈpleɪs] V/T zurückstellen; zurücklegen; *lid* wieder aufsetzen; *defective part, person* ersetzen (**with** durch)

re·place·ment [rɪˈpleɪsmənt] N Ersatz *m*; *replacing* Ersetzung *f*

re·place·ment ˈpart N Ersatzteil *n*

re·play **A** N [ˈriːpleɪ] *recording* Wiederholung *f*; SPORTS Wiederholungsspiel *n* **B** V/T [riːˈpleɪ] *match* wiederholen

re·plen·ish [rɪˈplenɪʃ] V/T *glasses* (wieder) auffüllen; *supplies* ergänzen, wieder auffüllen

rep·li·ca [ˈreplɪkə] N Nachbildung *f*, Kopie *f*

re·ply [rɪˈplaɪ] **A** N Antwort *f*, Erwiderung *f* **B** V/T ⟨-ied⟩ antworten, erwidern **C** V/I ⟨-ied⟩ antworten (**to sth** auf etw); **~ to sb** j-m antworten

re·port [rɪˈpɔːt] **A** N Bericht *m* (**on** über); *with interviews* Reportage *f*; SCHOOL Zeugnis *n* **B** V/T *facts* berichten;

to authorities melden; *findings* Bericht erstatten über; **~ sb to the police** j-n bei der Polizei anzeigen; **she is reported to be in Berlin** sie soll sich in Berlin aufhalten **C** V/I berichten, Bericht erstatten (**on** über); *to police* sich melden
♦ **report to** V/T *superior* unterstehen
re·port·er [rɪ'pɔːtə(r)] N Reporter(in) *m(f)*, Berichterstatter(in) *m(f)*
re·pos·i·to·ry [rɪ'pɒzɪtərɪ] N *US* (Waren)Lager *n*; *fig* Fundgrube *f*; *of information* Quelle *f*
re·pos·sess [riːpə'ses] V/T ECON wieder in Besitz nehmen
rep·re·hen·si·ble [reprɪ'hensəbl] ADJ verwerflich, tadelnswert
rep·re·sent [reprɪ'zent] V/T *country, company* vertreten; *symbolize* stehen für; *in art* darstellen
rep·re·sen·ta·tion [reprɪzen'teɪʃn] N Vertretung *f*; THEAT Darstellung *f*
rep·re·sen·ta·tive [reprɪ'zentətɪv] **A** N Vertreter(in) *m(f)*; ECON (Handels)Vertreter(in) *m(f)*; POL Abgeordnete(r) *m/f(m)* **B** ADJ repräsentativ, typisch; **be ~ of …** ein typisches Beispiel für … sein
re·pres·sion [rɪ'preʃn] N Unterdrückung *f*
re·pres·sive [rɪ'presɪv] ADJ POL repressiv
re·prieve [rɪ'priːv] **A** N JUR Begnadigung *f*; *fig* Gnadenfrist *f* **B** V/T *prisoners* begnadigen
rep·ri·mand ['reprɪmɑːnd] V/T tadeln
re·print **A** N ['riːprɪnt] Neuauflage *f*, Nachdruck *m* **B** V/T [riː'prɪnt] nachdrucken, neu auflegen
re·pri·sal [rɪ'praɪzl] N Vergeltungsakt *m*; **take reprisals** Vergeltungsmaßnahmen ergreifen
re·pri·va·ti·za·tion [riːpraɪvətaɪ'zeɪʃn] N ECON Reprivatisierung *f*
re·pri·va·tize [riː'praɪvətaɪz] V/T reprivatisieren
re·proach [rɪ'prəʊtʃ] **A** N Vorwurf *m*; **be beyond ~** über jeden Vorwurf erhaben sein **B** V/T **~ sb** j-m Vorwürfe machen; **~ sb for sth** j-m etw vorwerfen, j-m etw zum Vorwurf machen
re·proach·ful [rɪ'prəʊtʃfʊl] ADJ vorwurfsvoll
re·pro·cess [riː'prəʊses] V/T wiederaufbereiten

R

re·pro·cess·ing plant [riː'prəʊsesɪŋ] N Wiederaufbereitungsanlage *f*
re·pro·duce [riːprə'djuːs] **A** V/T *mood* wiedergeben; *image etc* reproduzieren **B** V/I BIOL sich fortpflanzen
re·pro·duc·tion [riːprə'dʌkʃn] N BIOL Fortpflanzung *f*; *of sound, image* Wiedergabe *f*; *of furniture, picture* Reproduktion *f*
re·pro·duc·tive [rɪprə'dʌktɪv] ADJ BIOL Fortpflanzungs-
rep·tile ['reptaɪl] N Reptil *n*, Kriechtier *n*
re·pub·lic [rɪ'pʌblɪk] N Republik *f*
re·pub·li·can [rɪ'pʌblɪkn] **A** N Republikaner(in) *m(f)* **B** ADJ republikanisch
re·pu·di·ate [rɪ'pjuːdɪeɪt] V/T *accusation* zurückweisen
re·pug·nant [rɪ'pʌgnənt] ADJ widerwärtig, abstoßend
re·pul·sive [rɪ'pʌlsɪv] ADJ abstoßend, widerwärtig
rep·u·ta·ble ['repjʊtəbl] ADJ seriös
rep·u·ta·tion [repjʊ'teɪʃn] N Ruf *m*
re·put·ed [rɪ'pjuːtəd] ADJ **be ~ to be** gelten als
re·put·ed·ly [rɪ'pjuːtədlɪ] ADV angeblich
re·quest [rɪ'kwest] **A** N Bitte *f*; **on ~** auf Wunsch **B** V/T bitten um
re·quire [rɪ'kwaɪə(r)] V/T brauchen, benötigen; *care etc* erfordern; **as required by law** gemäß den gesetzlichen Bestimmungen
re·quired [rɪ'kwaɪəd] ADJ erforderlich
re·quire·ment [rɪ'kwaɪəmənt] N *of person* Bedürfnis *n*; *of job* Erfordernis *n*, Bedingung *f*
req·ui·si·tion [rekwɪ'zɪʃn] V/T beschlagnahmen, requirieren
re·route [riː'ruːt] V/T umleiten
re·sale ['riːseɪl] N Wiederverkauf *m*, Weiterverkauf *m*
re·sched·ule [riː'ʃedjuːl] V/T e-n neuen Termin vereinbaren für, umterminieren; *match* verlegen (**for** auf)
re·scind [rɪ'sɪnd] V/T JUR aufheben
res·cue ['reskjuː] **A** N Rettung *f*; **come to sb's ~** j-m zu Hilfe kommen **B** V/T retten
re·search [rɪ'sɜːtʃ] **A** N Forschung *f* (**in(to), on** über) **B** V/T *project* recherchieren für
♦ **research into** V/T erforschen, forschen über

re·search and de'vel·op·ment N Forschung und Entwicklung *f*
re'search as·sis·tant N wissenschaftliche(r) Assistent(in)
re·search·er [rɪ'sɜːtʃə(r)] N Forscher(in) *m(f)*
re·sem·blance [rɪ'zembləns] N Ähnlichkeit *f* (**to** mit)
re·sem·ble [rɪ'zembl] V/T ähneln
re·sent [rɪ'zent] V/T sich ärgern über; *person* ein Ressentiment haben gegen; **~ sb's success** j-m s-n Erfolg missgönnen; **I ~ that remark** diese Bemerkung lasse ich mir nicht gefallen
re·sent·ful [rɪ'zentfʊl] ADJ **be ~ of sb's …** j-m seine(n) … missgönnen
re·sent·ment [rɪ'zentmənt] N Ressentiment *n* (**of** gegen); *towards person* Groll *m* (**of** auf)
res·er·va·tion [rezə'veɪʃn] N *of room, table* Reservierung *f*; *doubt* Vorbehalt *m*; *area of land* Reservat *n*
re·serve [rɪ'zɜːv] **A** N Reserve *f*, Vorrat *m* (**of** an); *characteristic* Zurückhaltung *f*; SPORTS Ersatzspieler(in) *m(f)*; **reserves** *pl* ECON Reserven *pl*, Rücklagen *pl*; **keep sth in ~** etw in Reserve haben **B** V/T *seat, table* reservieren (lassen); **~ judgment** sich mit e-m Urteil zurückhalten; **~ the right to do sth** sich (das Recht) vorbehalten, etw zu tun
re·served [rɪ'zɜːvd] ADJ *person, manner* zurückhaltend, reserviert; *seat, table* reserviert
re'serve price N ECON Mindestgebot *n*
re·set [riː'set] V/T ‹-tt-; reset, reset› *clock* neu stellen; *counter etc* zurückstellen (**to** auf)
re·set·tle [riː'setl] V/I umsiedeln
re·shuf·fle POL **A** N ['riːʃʌfl] Umbildung *f* **B** V/T [riː'ʃʌfl] umbilden
re·side [rɪ'zaɪd] V/I *formal* wohnen, wohnhaft sein
res·i·dence ['rezɪdəns] N *formal: house, flat* Wohnsitz *m*; *of ambassador etc* Residenz *f*; *in country, town* Aufenthalt *m*
'res·i·dence per·mit N Aufenthaltsgenehmigung *f*
res·i·dent ['rezɪdənt] **A** N Bewohner(in) *m(f)*; *of town a.* Einwohner(in) *m(f)*; *of hotel* Gast *m* **B** ADJ *doctor etc* (orts)ansässig, am Ort wohnend
res·i·den·tial [rezɪ'denʃl] ADJ *area* Wohn-
res·i·due ['rezɪdjuː] N Rückstand *m*
re·sign [rɪ'zaɪn] **A** V/T *office* zurücktreten von; **~ o.s. to sth** sich mit etw abfinden **B** V/I *employee* kündigen; *from office* zurücktreten
res·ig·na·tion [rezɪg'neɪʃn] N *of employee* Kündigung *f*; *from office* Rücktritt *m*; *attitude* Resignation *f*; **hand in one's ~** seine Kündigung/seinen Rücktritt einreichen; *minister, official* sein Amt niederlegen; *civil servant* aus dem Dienst ausscheiden
re·signed [re'zaɪnd] ADJ *attitude* resigniert; **be ~ to sth** sich mit etw abfinden
re·sil·i·ence [rɪ'zɪlɪəns] N Unverwüstlichkeit *f*; *fig* Zähigkeit *f*
re·sil·i·ent [rɪ'zɪlɪənt] ADJ *person, material* unverwüstlich
re·sist [rɪ'zɪst] **A** V/T *enemy, advances* sich wehren gegen, Widerstand leisten gegen; *employee, demand* sich widersetzen; *temptation* widerstehen **B** V/I sich wehren, Widerstand leisten
re·sist·ance [rɪ'zɪstəns] N Widerstand *m*; *to disease, heat etc* Widerstandskraft *f*
re·sis·tant [rɪ'zɪstənt] ADJ *material* widerstandsfähig; **~ to heat** hitzebeständig
res·o·lute ['rezəluːt] ADJ resolut, energisch
res·o·lu·tion [rezə'luːʃn] N Beschluss *m*, Resolution *f*; *at New Year etc* Vorsatz *m*; *determination* Entschlossenheit *f*; *of problem* Lösung *f*; *of image* Auflösung *f*
re·solve [rɪ'zɒlv] V/T *problem, mystery* lösen; **~ to do sth** beschließen, etw zu tun
re·sort [rɪ'zɔːt] N Ferienort *m*; **health ~** Kurort *m*; **seaside ~** Seebad *n*; **as a last ~** als letzter Ausweg
♦**resort to** V/T *threats, lies* greifen zu; **resort to violence** Gewalt anwenden
re·sound·ing [rɪ'zaʊndɪŋ] ADJ *victory, success* überwältigend
re·source [rɪ'sɔːs] N Ressource *f*; **financial resources** *pl* Geldmittel *pl*; **natural resources** *pl* Naturschätze *pl*; **leave sb to his own resources** j-n sich selbst überlassen
re·source·ful [rɪ'sɔːsfʊl] ADJ *person* einfallsreich; *approach* originell
re·spect [rɪ'spekt] **A** N Respekt *m*, Ach-

tung *f* (**for** vor); *for other people's feelings* Rücksicht *f* (**for** auf); **show ~ to** Respekt zeigen vor; **with ~ to** in Bezug auf; **in this/that ~** in dieser/jener Hinsicht; **pay one's last respects to sb** j-m die letzte Ehre erweisen **B** V/T *person, opinion* respektieren, achten; *law* (be)achten
re·spec·ta·ble [rɪ'spektəbl] ADJ *person* angesehen, geachtet; *area, life* anständig; *company* respektabel; *performance* beachtlich
re·spec·ta·bly [rɪ'spektəblɪ] ADV *live, dress* anständig
re·spect·ful [rɪ'spektfʊl] ADJ respektvoll
re·spec·tive [rɪ'spektɪv] ADJ jeweilig
re·spec·tive·ly [rɪ'spektɪvlɪ] ADV beziehungsweise
re·spite ['respaɪt] N Ruhepause *f*; **without ~** ohne Pause, ohne Unterbrechung
re·splen·dent [rɪ'splendənt] ADJ glänzend
re·spond [rɪ'spɒnd] V/I *to question* antworten; *to suggestion* reagieren; *to treatment* ansprechen (**to** auf)
re·sponse [rɪ'spɒns] N Antwort *f*; *fig* Reaktion *f* (**to** auf)
re·spon·si·bil·i·ty [rɪspɒnsɪ'bɪlətɪ] N Verantwortung *f*; *task* Verpflichtung *f*; **that is not her ~** dafür ist sie nicht verantwortlich
re·spon·si·ble [rɪ'spɒnsəbl] ADJ verantwortlich (**for** für); *adult, attitude* verantwortungsbewusst; *work* verantwortungsvoll
re·spon·sive [rɪ'spɒnsɪv] ADJ *audience* begeisterungsfähig; *brakes* leicht reagierend
rest[1] [rest] **A** N *on walk, during work* Pause *f*; **you need a ~** du brauchst Erholung; **have a ~** (e-e) Pause machen; *lie down* sich ausruhen; **set sb's mind at ~** j-n beruhigen **B** V/I sich ausruhen, rasten; **~ on ...** *be based on* sich stützen auf, beruhen auf; *ladder etc* lehnen gegen, lehnen an; **it all rests with him** es liegt ganz an ihm **C** V/T lehnen (**against** gegen, an, **on** an)
rest[2] [rest] N Rest *m*; **the ~ of the wine** der Rest des Weins, der übrige Wein
re·start [ri:'stɑ:t] V/T IT neu starten
res·tau·rant ['restrɒnt] N Restaurant *n*, Gaststätte *f*
'res·tau·rant car N RAIL Speisewagen *m*
rest·ful ['restfl] ADJ erholsam
rest·less ['restlɪs] ADJ *person* ruhelos; *night* unruhig
res·to·ra·tion [restə'reɪʃn] N *of building* Restauration *f*
re·store [rɪ'stɔ:(r)] V/T *building etc* restaurieren; *sight, confidence* wiederherstellen
re·strain [rɪ'streɪn] V/T zurückhalten; *prisoner* mit Gewalt festhalten; *dog* bändigen; *feelings* unterdrücken; **~ o.s.** sich beherrschen
re·strained [rɪ'streɪnd] ADJ beherrscht; *colour etc* gedämpft
re·straint [rɪ'streɪnt] N Beherrschung *f*
re·strict [rɪ'strɪkt] V/T einschränken, beschränken
re·strict·ed [rɪ'strɪktɪd] ADJ *sight* eingeschränkt, begrenzt
re·strict·ed 'ar·e·a N MIL Sperrgebiet *n*
re·stric·tion [rɪ'strɪkʃn] N Einschränkung *f*, Beschränkung *f* (**on** *gen*); **place restrictions on sth** etw einschränken
'rest room N *US* Toilette *f*
re·struc·ture [ri:'strʌktʃə(r)] V/T umstrukturieren
re·struc·tur·ing [ri:'strʌktʃərɪŋ] N Umstrukturierung *f*
re·sult [rɪ'zʌlt] N Ergebnis *n*; **as a ~ (of this)** folglich; **as a ~ of ...** infolge ... (+ *gen*)
♦**result from** V/T *investigation* sich ergeben aus
♦**result in** V/T führen zu
re·sume [rɪ'zju:m] **A** V/T *studies, work etc* wiederaufnehmen; *journey, discussion a.* fortsetzen **B** V/I wieder beginnen; *conversation* wiederaufgenommen werden
ré·su·mé ['rezʊmeɪ] N *US* Lebenslauf *m*
re·sump·tion [rɪ'zʌmpʃn] N Wiederaufnahme *f*; *of hostilities, journey, discussion a.* Fortsetzung *f*
re·sur·face [ri:'sɜ:fɪs] **A** V/T *road* neu asphaltieren **B** V/I wiederauftauchen
res·ur·rec·tion [rezə'rekʃn] N REL Auferstehung *f*
re·sus·ci·tate [rɪ'sʌsɪteɪt] V/T wiederbeleben
re·tail ['ri:teɪl] **A** ADV im Einzelhandel **B** V/I **they ~ at £10** sie verkaufen es für 10 Pfund
re·tail·er ['ri:teɪlə(r)] N Einzelhändler(in)

R

m(f)
're·tail out·let N Einzelhandelsgeschäft *n*
're·tail price N Einzelhandelspreis *m*
re·tain [rɪ'teɪn] V/T *control* behalten; *freedom* bewahren; *colour, flavour etc* (bei)behalten; *custom* beibehalten; *heat, water* speichern, halten
re·tain·er [rɪ'teɪnə(r)] N ECON Vorschuss *m*
re·tal·i·ate [rɪ'tælieɪt] V/I SPORTS, *in conversation* kontern; *troops* zurückschlagen
re·tal·i·a·tion [rɪtælɪ'eɪʃn] N Vergeltung *f*; **in ~ for** als Vergeltung für
re·tard·ed [rɪ'tɑːdɪd] ADJ *mentally* entwicklungsverzögert
retch [retʃ] V/I würgen
re·think [riː'θɪŋk] V/T ⟨rethought, rethought⟩ noch einmal überdenken
re·ti·cence ['retɪsns] N Zurückhaltung *f*
re·ti·cent ['retɪsnt] ADJ zurückhaltend
re·tire [rɪ'taɪə(r)] V/I *employee* in Rente gehen; *civil servant* sich pensionieren lassen
re·tired [rɪ'taɪəd] ADJ *employee* im Ruhestand; *civil servant* pensioniert
re·tire·ment [rɪ'taɪəmənt] N *period* Ruhestand *m*; **after his ~** nachdem er in den Ruhestand getreten war; *of civil servant* nachdem er pensioniert worden war
re'tire·ment age N Rentenalter *n*; *of civil servant* Pensionsalter *n*
re·tort [rɪ'tɔːt] **A** N (scharfe) Erwiderung **B** V/I (scharf) erwidern
re·trace [rɪ'treɪs] V/T *developments etc* zurückverfolgen; **~ one's footsteps** denselben Weg zurückgehen
re·tract [rɪ'trækt] V/T *claws, bicycle stand* einziehen; *statement* zurücknehmen, widerrufen
re·train [riː'treɪn] V/I sich umschulen lassen
re·treat [rɪ'triːt] **A** V/I MIL, *fig* sich zurückziehen **B** N MIL Rückzug *m*; *refuge* Zufluchtsort *m*
ret·ri·bu·tion [retrɪ'bjuːʃn] N Vergeltung *f*
re·trieve [rɪ'triːv] V/T retten; *dog* zurückbringen; *data* wiederherstellen
ret·ro·ac·tive [retrəʊ'æktɪv] ADJ *law etc* rückwirkend
ret·ro·grade ['retrəgreɪd] ADJ *decision, measure* rückschrittlich
ret·ro·spect ['retrəspekt] N **in ~** rückblickend
ret·ro·spec·tive [retrə'spektɪv] N Retrospektive *f*
re·try [riː'traɪ] V/T *case* erneut verhandeln; *person* neu verhandeln gegen
re·turn [rɪ'tɜːn] **A** N Rückkehr *f*; *of books etc* Rückgabe *f*; COMPUT Returntaste *f*, Entertaste *f*; **on his ~** bei s-r Rückkehr; **by ~ (of post)** postwendend; **returns** *pl*; *profit* Gewinn *m*; *returned goods* zurückgebrachte Waren *pl*; *to mail-order company* Retouren *pl*; **many happy returns (of the day)** herzlichen Glückwunsch zum Geburtstag; **in ~ for** als Gegenleistung für; **what do I have to do in ~?** was muss ich dafür tun? **B** V/T *lent item* zurückgeben; *by post* zurückschicken; *to shop etc* zurückbringen; *to shelf etc* zurückstellen, zurücklegen; *invitation* erwidern; **I'd like to ~ this dress, please** ich möchte dieses Kleid gerne umtauschen **C** V/I *to town, country* zurückkehren; *home, to seat* zurückgehen; *from journey etc* zurückkommen; *good times etc* wiederkehren; *doubts* wieder auftreten
re·turn 'flight N *there and back* Hin- und Rückflug *m*; *flight back* Rückflug *m*
re'turn fund N *EU* Rückkehrfonds *m*
re·turn 'jour·ney N Rückreise *f* **re'turn key** N COMPUT Eingabetaste *f*, Returntaste *f* **re·turn 'match** N Rückspiel *n* **re·turn 'tick·et** N Rückfahrkarte *f*; AVIAT Rückflugticket *n*
re·u·ni·fi·ca·tion [riːjuːnɪfɪ'keɪʃn] N Wiedervereinigung *f*
re·un·ion [riː'juːnɪən] N *family, school* Treffen *n*
re·u·nite [riːjuː'naɪt] V/T *country* wiedervereinigen; **be reunited** *people* sich wiedersehen
re·us·a·ble [riː'juːzəbl] ADJ wiederverwendbar
re·use [riː'juːz] V/T wiederverwenden
rev [rev] N *infml* **revs** *pl* **per minute** Umdrehungen *pl* pro Minute
Rev *only written* ABBR *for* Reverend REL: *title* Hochwürden *m*
♦ **rev up** V/T ⟨-vv-⟩ aufheulen lassen
re·val·u·a·tion [riːvæljʊ'eɪʃn] N *of currency* Aufwertung *f*

R

re·val·ue [riː'væljuː] VT *currency* aufwerten
re·veal [rɪ'viːl] VT zum Vorschein bringen; *secret, truth* enthüllen, aufdecken
re·veal·ing [rɪ'viːlɪŋ] ADJ *remark* aufschlussreich; *clothes* freizügig
♦ **rev·el in** ['revlɪn] VI ‹-ll-, *US* -l-› in vollen Zügen genießen
rev·e·la·tion [revə'leɪʃn] N Enthüllung *f*
re·venge [rɪ'vendʒ] N Rache *f*; **take one's ~** sich rächen (**on** an); **in ~ for** als Rache für
rev·e·nue ['revənjuː] N Einkünfte *pl*
re·ver·be·rate [rɪ'vɜːbəreɪt] VI *sound* nachhallen, widerhallen
re·vere [rɪ'vɪə(r)] VT verehren
rev·e·rence ['revərəns] N Ehrfurcht *f*
Rev·e·rend ['revərənd] N REL **(the) ~ Paul Scott** Pfarrer Paul Scott
rev·e·rent ['revərənt] ADJ ehrfurchtsvoll, ehrfürchtig
re·vers·al [rɪ'vɜːsl] N Umkehrung *f*
re·verse [rɪ'vɜːs] **A** ADJ umgekehrt **B** N *opposite* Gegenteil *n*; *of envelope, book etc* Rückseite *f*; AUTO Rückwärtsgang *m* **C** VT *order* umkehren; *vehicle* rückwärtsfahren mit, zurücksetzen **D** VI *in car* rückwärtsfahren, zurücksetzen
re·verse charge 'call N R-Gespräch *n*
re·verse 'gear N AUTO Rückwärtsgang *m*
re·vers·i·ble [rɪ'vɜːsəbl] ADJ beidseitig tragbar; *jacket a.* Wende-
re·vert [rɪ'vɜːt] VI **~ to** *state, habit, subject* zurückkehren zu; *bad habit* zurückfallen in; **the land reverted to prairie** das Land wurde wieder zur Steppe
re·view [rɪ'vjuː] **A** N *of book, film* Kritik *f*, Rezension *f*; *of troops* Inspektion *f*; *of situation etc* Überprüfung *f* **B** VT *book, film* rezensieren; *troops* inspizieren; *situation etc* überprüfen
re·vise [rɪ'vaɪz] **A** VT *opinion* revidieren; *text* überarbeiten; SCHOOL: *for exam* wiederholen **B** VI SCHOOL lernen
re·vi·sion [rɪ'vɪʒn] N *of opinion* Änderung *f*; *of text* Überarbeitung *f*; *for exam* Wiederholung *f*; **do some ~ for the exam** einiges für die Prüfung wiederholen
re·viv·al [rɪ'vaɪvl] N *of custom, style, interest etc* Revival *n*, Wiederaufleben *n*; *of patient* Wiederbelebung *f*
re·vive [rɪ'vaɪv] **A** VT *custom, style, interest etc* wieder aufleben lassen; *patient* wiederbeleben **B** VI *business, exchange rate etc* sich erholen
re·voke [rɪ'vəʊk] VT *law* aufheben; *licence* entziehen
re·volt [rɪ'vɒlt] **A** N Aufstand *m* **B** VI revoltieren
re·volt·ing [rɪ'vɒltɪŋ] ADJ ekelhaft
rev·o·lu·tion [revə'luːʃn] N POL, *a. fig* Revolution *f*; *of wheel etc* Umdrehung *f*
rev·o·lu·tion·ar·y [revə'luːʃnərɪ] **A** N POL Revolutionär(in) *m(f)* **B** ADJ *spirit, forces* revolutionär; *new ideas a.* bahnbrechend
rev·o·lu·tion·ize [revə'luːʃnaɪz] VT revolutionieren
re·volve [rɪ'vɒlv] VI sich drehen (**around** um)
re·volv·ing door [rɪvɒlvɪŋ'dɔː(r)] N Drehtür *f*
re·vul·sion [rɪ'vʌlʃn] N Abscheu *m*, Ekel *m*
re·ward [rɪ'wɔːd] **A** N *financial* Belohnung *f*; *of job, task* Vorzüge *pl* **B** VT *with money, smile* belohnen
re·ward·ing [rɪ'wɔːdɪŋ] ADJ lohnend
re·wind [riː'waɪnd] VT ‹rewound, rewound› *film, tape* zurückspulen
re·writ·able [riː'raɪtəbl] ADJ IT wieder beschreibbar
re·write [riː'raɪt] VT ‹rewrote, rewritten› neu schreiben, umschreiben
Reyk·ja·vik ['reɪkjəvɪk] N Reykjavik *n*
rhe·to·ric ['retərɪk] N Rhetorik *f*
rhe·to·ric·al ques·tion [rɪtɒrɪkl'kwestʃən] N rhetorische Frage
rheu·ma·tism ['ruːmətɪzm] N Rheuma *n*, Rheumatismus *m*
Rhine [raɪn] N **the ~** der Rhein
rhu·barb ['ruːbɑːb] N Rhabarber *m*
rhyme [raɪm] **A** N Reim *m* **B** VI sich reimen; **~ with …** sich reimen auf …
rhyth·m ['rɪðəm] N Rhythmus *m*
rhyth·mic ['rɪðmɪk] ADJ rhythmisch
rib [rɪb] N ANAT Rippe *f*
rib·bon ['rɪbən] N Band *n*
'rib cage N ANAT Brustkorb *m*
rice [raɪs] N Reis *m*
rich [rɪtʃ] **A** ADJ reich; *food* schwer; **~ in minerals** reich an Mineralien **B** *pl* **the ~** die Reichen *pl*
rich·ly ['rɪtʃlɪ] ADV **~ deserved** mehr als

verdient

rick·et·y [ˈrɪkətɪ] ADJ wack(e)lig

ric·o·chet [ˈrɪkəʃeɪ] VI abprallen (**off** von)

rid [rɪd] VT **get ~ of** loswerden

rid·dance [ˈrɪdns] N **good ~!** *infml* ein Glück, dass ich den/die/das los bin!

rid·den [ˈrɪdn] PAST PART → ride

rid·dle¹ [ˈrɪdl] N Rätsel *n*

rid·dle² [ˈrɪdl] VT **be riddled with** *bullets* durchlöchert sein von; *mistakes* voll sein von

ride [raɪd] **A** N *in car, on bicycle, motorbike* Fahrt *f*; *on horse* (Aus)Ritt *m*; **do you want a ~ into town?** soll ich dich (in meinem Auto) in die Stadt mitnehmen?; **take sb for a ~** *fig infml* j-n reinlegen **B** VT ⟨rode, ridden⟩ *bicycle, motorbike* fahren; *horse* reiten; **~ a bike** (Fahr)Rad fahren **C** VI ⟨rode, ridden⟩ *on bicycle, motorbike* fahren (**on** auf); *in car, on bus* fahren (**in, on** mit); *on horse* reiten

rid·er [ˈraɪdə(r)] N *on horse* Reiter(in) *m(f)*; *on motorbike* Fahrer(in) *m(f)*; *on bicycle* Radfahrer(in) *m(f)*

ridge [rɪdʒ] N *of mountain* Kamm *m*, Rücken *m*; *of roof* First *m*; *on edge of tray etc* Erhöhung *f*

rid·i·cule [ˈrɪdɪkjuːl] **A** N Spott *m* **B** VT verspotten

ri·dic·u·lous [rɪˈdɪkjʊləs] ADJ lächerlich

ri·dic·u·lous·ly [rɪˈdɪkjʊləslɪ] ADV lächerlich; *expensive, difficult* unglaublich

rid·ing [ˈraɪdɪŋ] N Reiten *n*

ri·fle [ˈraɪfl] N Gewehr *n*

♦**rifle through** VT durchwühlen

rift [rɪft] N Spalt *m*; *fig* Riss *m* (**in** in)

rig [rɪg] **A** N *for oil* Bohrinsel *f* **B** VT ⟨-gg-⟩ *election* manipulieren

Ri·ga [ˈriːgə] N Riga *n*

ˈrig·ging N NAUT Takelage *f*; *of election* Manipulation *f*

right [raɪt] **A** ADJ richtig; *clothes, job* passend; *not left* rechte(r, -s); **be ~** *answer* richtig sein; *person* recht haben; *clock* richtig gehen; **put things ~** es wieder in Ordnung bringen; **that's ~!** das stimmt! **B** ADV *directly* direkt; *correctly* richtig; *completely* ganz; *turn etc* (nach) rechts; **~ now** sofort; im Moment; **~ at the beginning** ganz am Anfang; **~ in the middle** genau in der Mitte; **~!, that does it!** okay, das war's! **C** N *moral, legal* Recht *n*; *right-hand side* rechte Seite; POL Rechte *f*; **on the ~ you can see …** rechts sehen Sie …; **turn to the ~, take a ~** rechts abbiegen; **~ to strike** Streikrecht *n*; **be in the ~** im Recht sein; **know ~ from wrong** Recht von Unrecht unterscheiden können; → alright

ˈright an·gle N rechter Winkel

right·ful [ˈraɪtfʊl] ADJ *inheritance, owner etc* rechtmäßig

ˈright·hand ADJ rechte(r, -s); **on the ~ side** auf der rechten Seite **right·hand ˈdrive** ADJ AUTO rechtsgesteuert **right·hand·ed** [raɪtˈhændɪd] ADJ *person* rechtshändig; **be ~** Rechtshänder(in) sein **right·hand ˈman** N die rechte Hand

right·ly [ˈraɪtlɪ] ADV *accuse, complain* zu Recht; *assume* richtig

right of ˈway N *in traffic* Vorfahrt (-srecht *n*) *f*; *in fields* Durchgangsrecht *n* **right ˈwing** N POL, SPORTS rechter Flügel **right-ˈwing** ADJ POL rechtsgerichtet **right ˈwing·er** N POL Rechte(r) *m/f(m)* **right-wing exˈtrem·ism** N POL Rechtsextremismus *m* **right-wing exˈtrem·ist** N Rechtsextremist(in) *m(f)*

rig·id [ˈrɪdʒɪd] ADJ *material* steif, starr; *principles* starr; *attitude* unnachgiebig

rig·ma·role [ˈrɪgmərəʊl] N *infml: twaddle, drivel* Gefasel *n*; *complicated process* Theater *n*, Zirkus *m*

rig·or·ous [ˈrɪgərəs] ADJ *discipline* streng; *investigation* gründlich

rim [rɪm] N *of tyres* Felge *f*; *of cup* Rand *m*; *of glasses* Fassung *f*

rind [raɪnd] N *of lemon etc* Schale *f*; *of cheese* Rinde *f*; *of bacon* Schwarte *f*

ring¹ [rɪŋ] N Kreis *m*; *on finger, in boxing match* Ring *m*; *in circus* Manege *f*

ring² [rɪŋ] **A** N *of bell* Läuten *n*; *of voice* Klang *m*; **give sb a ~** TEL j-n anrufen **B** VT ⟨rang, rung⟩ *bell* läuten; TEL anrufen; **~ the bell** klingeln **C** VI ⟨rang, rung⟩ *bell* läuten; TEL anrufen; **when the bell rings** wenn es klingelt

♦**ring back** VI **I'll ring back** ich rufe noch einmal an; **did he ring back?** hat er zurückgerufen?

♦**ring up** VT & VI anrufen

ˈring bind·er N Ringbuch *n* **ˈring·lead·er** N Anführer(in) *m(f)* **ˈring-**

pull N Dosenring *m* **'ring road** N Umgehungsstraße *f* **'ring·tone** N *of mobile phone* Klingelton *m*
rink [rɪŋk] N Eisbahn *f*
rinse [rɪns] **A** N *for colouring hair* Tönung *f* **B** V/T *clothes, hair* ausspülen; *crockery* (ab)spülen
ri·ot ['raɪət] **A** N Krawall *m*, Ausschreitungen *pl*; **run ~** *hooligans* randalieren; **her imagination ran ~** ihre Fantasie ist mit ihr durchgegangen **B** V/I randalieren
ri·ot·er ['raɪətə(r)] N Randalierer(in) *m(f)*; POL gewalttätige(r) Demonstrant(in)
'ri·ot po·lice N *pl* Bereitschaftspolizei *f*
rip [rɪp] **A** N *in material etc* Riss *m* **B** V/T ⟨-pp-⟩ *material etc* zerreißen; **~ sth open** etw aufreißen
♦**rip off** V/T *infml: customers* ausnehmen, über den Tisch ziehen; *public* betrügen
♦**rip up** V/T *letter, sheet of paper* zerreißen
ripe [raɪp] ADJ *fruit* reif
rip·en ['raɪpn] V/I *fruit* reifen
ripe·ness ['raɪpnɪs] N *of fruit* Reife *f*
'rip-off N *infml* Nepp *m*, Abzocke *f*; **the concert was a ~** das Konzert war eine Frechheit
rip·ple ['rɪpl] N *in water* kleine Welle
rise [raɪz] **A** V/I ⟨rose, risen⟩ *from chair etc* aufstehen, sich erheben; *sun* aufgehen; *rocket* aufsteigen; *price, temperature* ansteigen; *water level* (an)steigen **B** N *in price, temperature* Anstieg *m*; *in water level* (An)Steigen *n*; *in salary* Gehaltserhöhung *f*; **~ in prices** Preissteigerung *f*, Teuerung *f*; **give ~ to** verursachen
ris·en ['rɪzn] PAST PART → rise
ris·er ['raɪzə(r)] N **be an early/late ~** ein Frühaufsteher/Langschläfer sein
ris·ing ['raɪzɪŋ] **A** N Aufstand *m* **B** ADJ *politician etc* aufstrebend; *generation* heranwachsend, kommend
risk [rɪsk] **A** N Risiko *n*; **take a ~** ein Risiko eingehen **B** V/T riskieren
'risk a·nal·y·sis N Risikoanalyse *f*
risk 'man·age·ment N Risikomanagement *n*
risk·y ['rɪskɪ] ADJ ⟨-ier, -iest⟩ riskant
ris·qué [rɪ'skeɪ] ADJ *joke etc* gewagt
rit·u·al ['rɪtjʊəl] **A** N Ritual *n* **B** ADJ rituell
ri·val ['raɪvl] **A** N Rivale *m*, Rivalin *f*; *of company, team* Konkurrent(in) *m(f)* **B** V/T ⟨-ll-, *US* -l-⟩ *company, team* konkurrieren mit; *person a.* rivalisieren mit; **I can't ~ that** da kann ich nicht mithalten
ri·val·ry ['raɪvlrɪ] N Rivalität *f*; *between teams* Konkurrenz *f*, Konkurrenzkampf *m*
riv·er ['rɪvə(r)] N Fluss *m*
'riv·er·bank N Flussufer *n* **'riv·er·bed** N Flussbett *n* **'riv·er·side** **A** ADJ am Flussufer **B** N Flussufer *n*
riv·et·ing ['rɪvɪtɪŋ] ADJ fesselnd
road [rəʊd] N Straße *f*; **on the ~ to recovery** auf dem Weg der Besserung
'road·block N Straßensperre *f* **'road hog** N Verkehrsrowdy *m* **'road map** N Straßenkarte *f* **'road rage** N *Aggressivität im Straßenverkehr* **road 'safe·ty** N Verkehrssicherheit *f* **'road·side** N **at the ~** am Straßenrand **'road·sign** N Verkehrszeichen *n* **'road·way** N Fahrbahn *f* **'road works** N *pl* Straßenarbeiten *pl* **'road·wor·thy** ADJ verkehrstüchtig
roam [rəʊm] V/I (herum)wandern, (herum)ziehen (**about** durch)
roam·ing ['rəʊmɪŋ] N TEL Roaming *n*
roar [rɔː(r)] **A** N *of traffic, engine* Donnern *n*; *of lion* Brüllen *n*; *of person* Gebrüll *n* **B** V/I *engine* heulen; *lion, person* brüllen; **~ with laughter** vor Lachen brüllen
roast [rəʊst] **A** N Braten *m* **B** V/T braten **C** V/I *food* braten
roast 'beef N Rinderbraten *m*, Roastbeef *n*
roast 'pork N Schweinebraten *m*
rob [rɒb] V/T ⟨-bb-⟩ *person* bestehlen; *bank, house* ausrauben
rob·ber ['rɒbə(r)] N Räuber(in) *m(f)*
rob·ber·y ['rɒbərɪ] N Raub *m*
robe [rəʊb] N *of judge* Robe *f*, Talar *m*; *of minister* Talar *m*; *of Catholic priest* Soutane *f*; *US* Morgenmantel *m*
ro·bot ['rəʊbɒt] N Roboter *m*
ro·bust [rəʊ'bʌst] ADJ *health, material* robust; *structure* stabil; *defence* stark; *attitude* entschlossen
rock [rɒk] **A** N *for climbing, in sea* Fels(en) *m*; *stone, substance* Stein *m*; MUS Rock *m*; **on the rocks** *drink* mit Eis; *marriage* in Schwierigkeiten **B** V/T

baby wiegen; *subject: bad news etc* erschüttern **C** VI *in chair, on boat* schaukeln
rock 'bot·tom N **reach ~** den Tiefpunkt erreichen **'rock-bot·tom** ADJ *prices* niedrigste(r, -s) **'rock climb·ing** N Klettern *n*
rock·et ['rɒkɪt] **A** N Rakete *f* **B** VI *prices etc* hochschießen
rock·ing chair ['rɒkɪŋ] N Schaukelstuhl *m*
rock·y ['rɒkɪ] ADJ ⟨-ier, -iest⟩ *coast* felsig; *path, road* steinig
rod [rɒd] N Stange *f*; *for fishing* Angelrute *f*
rode [rəʊd] PRET → ride
ro·dent ['rəʊdnt] N Nagetier *n*
rogue [rəʊg] N Gauner *m*
role [rəʊl] N Rolle *f*
'role mod·el N Vorbild *n*
roll [rəʊl] **A** N Brötchen *n*; *of film* Rolle *f*; *of thunder* Grollen *n*; *of eligible voters etc* Liste *f* **B** VI *ball etc* rollen **C** VT *ball etc* rollen; *cigarette* drehen
♦ **roll over** **A** VI sich umdrehen **B** VT *person, object* umdrehen; *loan* verlängern
♦ **roll up** **A** VT *carpet etc* aufrollen; *sleeves* hochkrempeln **B** VI *infml: guests* eintrudeln, antanzen
'roll-call N MIL Appell *m*; **have a ~** die Namen aufrufen
roll·er ['rəʊlə(r)] N (Locken)Wickler *m*
'roll·er blind N Rollo *n* **'roll·er coast·er** N Achterbahn *f* **'roll·er skate** N Rollschuh *m*
roll·ing pin ['rəʊlɪŋ] N Nudelholz *n*
ROM [rɒm] ABBR *for* read only memory IT ROM *n*
Ro·man 'Cath·o·lic **A** N REL Katholik(in) *m(f)* **B** ADJ römisch-katholisch
ro·mance [rə'mæns] N Romanze *f*; *novel, film* Liebesgeschichte *f*
Ro·ma·ni·a [ru:'meɪnɪə] N Rumänien *n*
Ro·ma·ni·an [ru:'meɪnɪən] **A** ADJ rumänisch **B** N *person* Rumäne *m*, Rumänin *f*; *language* Rumänisch *n*
ro·man·tic [rəʊ'mæntɪk] ADJ romantisch
ro·man·tic·al·ly [rəʊ'mæntɪklɪ] ADV **be ~ involved with sb** e-e Liebesbeziehung mit j-m haben
Rome [rəʊm] N Rom *n*
♦ **romp about** [rɒmpə'baʊt] VI herumtollen, herumtoben
roof [ru:f] N Dach *n*
'roof-box N AUTO Dachkoffer *m*
'roof-rack N AUTO Dachgepäckträger *m*
rook [rʊk] N *chesspiece* Turm *m*
room [ru:m] N Zimmer *n*; Raum *m*; *larger* Saal *m*; *space* Platz *m*; **there is ~ for improvement** er kann sich/du kannst dich noch verbessern
'room·mate N Zimmergenosse *m*, Zimmergenossin *f* **'room serv·ice** N Zimmerservice *m*
room·y ['ru:mɪ] ADJ ⟨-ier, -iest⟩ *house, car etc* geräumig
root [ru:t] N Wurzel *f*; *of word* (Wort)Stamm *m*; **roots** *pl*; *of person* Wurzeln *pl*
♦ **root for** VI *infml: with cheers* anfeuern; *silently* die Daumen drücken
♦ **root out** VT *eradicate* ausrotten; *find* ausgraben
rope [rəʊp] N Seil *n*; **show sb the ropes** *infml* j-n in alles einweihen; **know the ropes** *infml* sich auskennen
♦ **rope off** VT mit e-m Seil abgrenzen
'rope lad·der N Strickleiter *f*
rose¹ [rəʊz] N BOT Rose *f*
rose² [rəʊz] PRET → rise
rose·ma·ry ['rəʊzmərɪ] N Rosmarin *m*
ros·trum ['rɒstrəm] N Tribüne *f*
ros·y ['rəʊzɪ] ADJ ⟨-ier, -iest⟩ *a. fig* rosig
rot [rɒt] **A** N *affecting wood, teeth* Fäulnis *f* **B** VI ⟨-tt-⟩ faulen
ro·ta ['rəʊtə] N Dienstplan *m*
ro·tate [rəʊ'teɪt] **A** VI *propeller, Earth* sich drehen, rotieren; *presidency* rotieren, turnusmäßig wechseln **B** VT drehen; *crops* im Wechsel anbauen; *presidency* turnusmäßig ausüben
ro·ta·ting [rəʊ'teɪtɪŋ] ADJ *propeller* sich drehend, rotierend; *presidency* turnusmäßig, rotierend
ro·ta·tion [rəʊ'teɪʃn] N *around axis etc* (Um)Drehung *f*; **do sth in ~** etw abwechselnd tun; **~ in office** *in local authority etc* Amtswechsel *m*
rot·ten ['rɒtn] ADJ *food* faul, verdorben; *wood* morsch; *infml: trick, behaviour* übel; *infml: weather, boss* miserabel; **feel ~** *ill* sich mies fühlen
ro·tund [rəʊ'tʌnd] ADJ *person* rundlich
rough [rʌf] **A** ADJ *surface, skin, voice*

rau; *road, ground* uneben; *violent, estimate* grob; *crossing, sea* stürmisch; **a ~ draft** ein Rohentwurf *m*; **I have a ~ idea** ich habe e-e ungefähre Vorstellung **B** ADV **sleep ~** im Freien schlafen **C** V/T **~ it** *infml* primitiv leben
♦ **rough up** V/T *infml* zusammenschlagen
rough·age ['rʌfɪdʒ] N *in food* Ballaststoffe *pl*
rough 'cop·y N Rohentwurf *m*
rough·ly ['rʌflɪ] ADV ungefähr; *treat* grob; **~ speaking** grob gerechnet
rou·lette [ru:'let] N Roulette *n*
round [raʊnd] **A** ADJ rund; **in ~ figures** rund gerechnet **B** N *in contest, of drinks, postman* Runde *f* **C** V/T *corner* biegen um **D** ADV & PREP → around
♦ **round off** V/T *corners* abrunden; *meeting, tour* beschließen, beenden
♦ **round up** V/T *number* aufrunden; *suspect* auffliegen lassen, hochnehmen
round·a·bout ['raʊndəbaʊt] **A** ADJ *route, manner* umständlich **B** N *on road* Kreisverkehr *m* **round-the-'world** ADJ **~ trip** e-e Weltreise **round-trip 'tick·et** N *US* Rückfahrkarte *f*
'round-up N *of news* Zusammenfassung *f*; *of suspects, criminals* Hochnehmen *n*; *of cattle* Zusammentreiben *n*
rouse [raʊz] V/T *from sleep* wecken; *interest, feelings a.* wachrufen
rous·ing ['raʊzɪŋ] ADJ *speech, finale* mitreißend
route [ru:t, *US* raʊt] N Strecke *f*, Route *f*
rout·er ['ru:tə(r), *US* 'raʊtə(r)] N COMPUT Router *m*
rou·tine [ru:'ti:n] **A** ADJ routinemäßig **B** N Routine *f*; **as a matter of ~** routinemäßig
rou·tine 'check N Routinekontrolle *f*
row[1] [rəʊ] N *of trees, books* Reihe *f*; **5 days in a ~** 5 Tage hintereinander
row[2] [rəʊ] V/T & V/I *boat* rudern
row[3] [raʊ] N *between couple, with boss* Krach *m*, Streit *m*; *noise* Krach *m*
row·dy ['raʊdɪ] ADJ ‹-ier, -iest› *party* laut; *behaviour* rüpelhaft
row·ing boat ['rəʊɪŋ] N Ruderboot *n*
roy·al ['rɔɪəl] ADJ königlich
roy·al·ty ['rɔɪəltɪ] N Mitglieder *pl* der königlichen Familie; *for writer, musician* Tantiemen *pl*

RSVP [ɑ:resvi:'pi:] ABBR *for* please reply (*French: répondez s'il vous plaît*) u. A.w.g., um Antwort wird gebeten
rub [rʌb] V/T ‹-bb-› reiben (**against** an); *with towel* frottieren
♦ **rub down** V/T abreiben
♦ **rub in** V/T *cream, ointment* einmassieren; **don't rub it in!** *fig* du musst ja nicht so darauf herumreiten!
♦ **rub off** **A** V/T *dirt* abreiben; *paint etc* abwetzen **B** V/I **it rubs off on you** *fig* es färbt auf einen ab
♦ **rub out** V/T *with eraser* ausradieren
rub·ber ['rʌbə(r)] **A** N *material* Gummi *m*; *for erasing* Radiergummi *m*; *infml*: *condom* Gummi *m* **B** ADJ Gummi-
rub·ber 'band N Gummiband *n*
rub·ber 'gloves N *pl* Gummihandschuhe *pl*
rub·ber·y ['rʌbərɪ] ADJ gummiartig; *meat* zäh
rub·bish ['rʌbɪʃ] N Abfall *m*, Müll *m*; *poor quality* Mist *m*; *nonsense* Quatsch *m*; **don't talk ~!** red keinen Blödsinn!
'rub·bish bin N Mülleimer *m* **'rub·bish chute** N Müllschlucker *m*
'rub·bish tip N Mülldeponie *f*
rub·ble ['rʌbl] N Schutt *m*
ru·by ['ru:bɪ] N *jewel* Rubin *m*
ruck·sack ['rʌksæk] N Rucksack *m*
rud·der ['rʌdə(r)] N Ruder *n*
rude [ru:d] ADJ *person, behaviour* unhöflich, frech; *joke* unanständig; **a ~ awakening** ein böses Erwachen
rude·ly ['ru:dlɪ] ADV unhöflich
rude·ness ['ru:dnɪs] N Unhöflichkeit *f*
ru·di·men·ta·ry [ru:dɪ'mentərɪ] ADJ rudimentär, in Ansätzen vorhanden; **~ knowledge** Grundkenntnisse *pl*
ru·di·ments ['ru:dɪmənts] N *pl* Grundlagen *pl*
ruf·fi·an ['rʌfɪən] N Rüpel *m*
ruf·fle V/T ['rʌfl] *hair* zerzausen; *clothes* zerknautschen; *person* aus der Ruhe bringen
rug [rʌg] N (kleiner) Teppich; *small blanket* (Woll)Decke *f*; **bedside ~** Bettvorleger *m*
rug·ged ['rʌgɪd] ADJ *landscape* wild und rau; *rock* zerklüftet; *face* markant; *resistance* verbissen
ru·in ['ru:ɪn] **A** N Ruin *m*; **ruins** *pl* Ruinen *pl*; **in ruins** *town, building* in Trüm-

R

mern; *plans, marriage* zerstört B VT *party, reputation* ruinieren; *plans* zunichtemachen; **be ruined** *financially* ruiniert sein

rule [ruːl] A N *of club, game* Regel *f*; *of monarch* Herrschaft *f*; **as a ~** in der Regel; **be against the rules** verboten sein B VT *country* regieren; **~ that ...** bestimmen, dass ... C VI *monarch* herrschen

♦**rule out** VT ausschließen

rule of 'law N Rechtsstaatlichkeit *f*

rul·er ['ruːlə(r)] N *for measuring* Lineal *n*; *of state* Herrscher(in) *m(f)*

rul·ing ['ruːlɪŋ] A N Entscheidung *f* B ADJ *party* regierend

rum [rʌm] N *drink* Rum *m*

rum·ble ['rʌmbl] VI *stomach* knurren; *train* rumpeln

♦**rum·mage around** [rʌmɪdʒə'raʊnd] VI herumstöbern, herumwühlen (**in** in)

ru·mour, **ru·mor** *US* ['ruːmə(r)] A N Gerücht *n* B VT **it is rumoured that ...** es geht das Gerücht, dass ...

rump [rʌmp] N *of animal* Hinterteil *n*

rum·ple ['rʌmpl] VT *clothes* zerknittern

run [rʌn] A N *on foot* Lauf *m*; *in car* Fahrt *f*; *in tights* Laufmasche *f*; **go for a ~** laufen gehen; **go for a ~ in the car** e-e Spazierfahrt (mit dem Auto) machen; **make a ~ for it** weglaufen; **on the ~** auf der Flucht; **in the long ~** auf die Dauer; **in the short ~** zunächst; **a ~ on the dollar** ein Ansturm *m* auf den Dollar B VI ⟨-nn-; ran, run⟩ laufen, rennen; SPORTS laufen; *river* fließen; *trains, buses* verkehren; *road, path* verlaufen, laufen; *dye, make-up* verlaufen; *tap, engine, machine, software* laufen; *politician* kandidieren; **~ for President** für das Präsidentenamt kandidieren; **my nose was running** mir lief die Nase; **~ low** knapp werden; **~ in the family** in der Familie liegen C VT ⟨-nn-; ran, run⟩ *route* laufen, rennen; *race* laufen; *business, hotel etc* führen, leiten; *software* benutzen; *car* haben; **can I ~ you to the station?** kann ich dich zum Bahnhof fahren?; **he ran his eye down the page** er überflog die Seite

♦**run across** VT *person* zufällig treffen; *find* stoßen auf

♦**run away** VI weglaufen, wegrennen; **run away with sb** mit j-m durchbrennen

♦**run down** A VT *in car* anfahren, umfahren; *criticize* schlechtmachen, heruntermachen B VI *battery* leer werden

♦**run into** VT *meet by chance* zufällig treffen; *difficulties* stoßen auf

♦**run off** A VI weglaufen, wegrennen; **run off with sth/sb** mit etw/j-m durchbrennen B VT *copies* machen

♦**run out** VI *contract, time* ablaufen; *supplies* ausgehen

♦**run out of** VT **I ran out of time/patience** mir ist die Zeit/Geduld ausgegangen

♦**run over** A VT *in car* überfahren; *details* durchgehen B VI *water etc* überlaufen

♦**run through** VT *details* durchgehen; *play, piece of music* durchspielen

♦**run up** VT *clothes* (schnell) zusammennähen; *debts* machen; **he ran up a bill of over £200** bei ihm haben sich Rechnungen von über 200 Pfund angesammelt

'run·around N **give sb the ~** *infml* j-n an der Nase herumführen **'run·a·way** N Ausreißer(in) *m(f)* **run·a·way 'costs** N *pl* Kostenexplosion *f* **run-'down** ADJ *person* abgespannt; *area, building* heruntergekommen

rung[1] [rʌŋ] N *of ladder* Sprosse *f*

rung[2] [rʌŋ] PAST PART → ring[2]

run·ner ['rʌnə(r)] N *athlete* Läufer(in) *m(f)*

run·ner 'beans N *pl* Stangenbohnen *pl*

run·ner-'up N Zweite(r) *m/f(m)*, Zweitplatzierte(r) *m/f(m)*

run·ning ['rʌnɪŋ] A N SPORTS Laufen *n*, Rennen *n*; *of business* Leitung *f*, Führung *f* B ADJ **for two days ~** zwei Tage hintereinander

run·ning 'wa·ter N fließendes Wasser

run·ny ['rʌnɪ] ADJ ⟨-ier, -iest⟩ *honey, mixture etc* flüssig; *nose* laufend

'run-up N SPORTS Anlauf *m*; **in the ~ to ...** in der Zeit vor ...

'run·way N Start- und Landebahn *f*, Rollbahn *f*

rup·ture ['rʌptʃə(r)] A N *in pipe* Bruch *m*; *in relations* Abbruch *m* B VI *pipe etc* brechen

ru·ral ['rʊərəl] ADJ ländlich; **~ life** Landleben *n*

ruse [ruːz] N List *f*

rush [rʌʃ] **A** N Eile *f*, Hast *f*; *on tickets etc* Ansturm *m* (**for, on** auf); **there was a ~ for the door** alles drängte zur Tür; **do sth in a ~** etw zu schnell *or* hastig machen; **be in a ~** es eilig haben; **there's no ~** es eilt nicht **B** V/T *person* hetzen; *meal* hastig essen, herunterschlingen; *job, task* zu schnell *or* hastig machen; **~ sb to hospital** j-n auf dem schnellsten Weg ins Krankenhaus bringen; **don't ~ it** lass dir Zeit dabei **C** V/I sich beeilen, eilen; *water* schießen; **don't ~** hetz dich nicht ab; **~ into sth** *fig* sich in etw stürzen
'rush hour N Hauptverkehrszeit *f*
rush-hour 'traf·fic N Stoßverkehr *m*
Rus·sia ['rʌʃə] N Russland *n*
Rus·sian ['rʌʃən] **A** ADJ russisch **B** N Russe *m*, Russin *f*; *language* Russisch *n*
rust [rʌst] **A** N Rost *m* **B** V/I rosten, verrosten
rus·tic ['rʌstɪk] ADJ ländlich, bäuerlich; *person, furniture* rustikal
rus·tle ['rʌsl] **A** N *of silk* Rascheln *n*; *of leaves a.* Rauschen *n* **B** V/I *silk* rascheln; *leaves a.* rauschen
'rust-proof ADJ rostfrei
rust·y ['rʌstɪ] ADJ ⟨-ier, -iest⟩ rostig; *fig* eingerostet; **I'm a little ~** ich bin ziemlich aus der Übung
rut [rʌt] N *in road* Spurrille *f*; *in path* Furche *f*; **be in a ~** *fig* im (Alltags)Trott sein
ruth·less ['ru:θlɪs] ADJ unbarmherzig, rücksichtslos; *criticism* schonungslos
ruth·less·ness ['ru:θlɪsnɪs] N Rücksichtslosigkeit *f*; *of criticism* Schonungslosigkeit *f*
rye [raɪ] N Roggen *m*

S

S, s [es] N S, s *n*
S *only written* ABBR *for* south S, Süd *m*, Süden *m*; **south(ern)** südlich; **small (size)** klein
sab·o·tage ['sæbətɑ:ʒ] **A** N Sabotage *f* **B** V/T sabotieren
sa·chet ['sæʃeɪ] N *of cream, ketchup etc* Päckchen *n*
sack [sæk] **A** N *for coal, potatoes etc* Sack *m*; **get the ~** *infml* rausgeschmissen werden **B** V/T *infml* rausschmeißen
sac·ra·ment ['sækrəmənt] N REL Sakrament *n*
sa·cred ['seɪkrɪd] ADJ heilig; *building* Sakral-; *music* geistlich
sac·ri·fice ['sækrɪfaɪs] **A** N Opfer *n*; *sacrificing* Opferung *f*; **make sacrifices** Opfer bringen **B** V/T *a. fig* opfern
sac·ri·lege ['sækrɪlɪdʒ] N Sakrileg *n*, Frevel *m*
sad [sæd] ADJ ⟨-dd-⟩ traurig; *loss* schmerzlich
sad·dle ['sædl] **A** N Sattel *m* **B** V/T *horse* satteln; **~ sb with sth** *fig* j-m etw aufhalsen, j-m etw aufbürden
sa·dis·tic [sə'dɪstɪk] ADJ sadistisch
sad·ly ['sædlɪ] ADV *stare, say* traurig; **~, he was ...** leider war er ...
sad·ness ['sædnɪs] N Traurigkeit *f*
safe [seɪf] **A** ADJ ungefährlich; *building, driver, investment, prediction* sicher; *car* verkehrssicher; **be ~** *after accident etc* sich in Sicherheit befinden **B** N *for valuables* Safe *m*
safe 'con·duct N freies Geleit **'safe de·pos·it box** N Tresorfach *n* **'safe·guard** **A** N **as a ~ against** zum Schutz gegen **B** V/T schützen (**against, from** vor) **safe'keep·ing** N **give sth to sb for ~** j-m etw zur sicheren Aufbewahrung geben
safe·ly ['seɪflɪ] ADV sicher; *arrive a.* wohlbehalten, heil; *drive* vorsichtig; *assume* mit (einiger) Sicherheit, unbesorgt
safe·ty ['seɪftɪ] N Sicherheit *f*
'safe·ty belt N Sicherheitsgurt *m* **'safe·ty-con·scious** ADJ sicherheitsbewusst **'safe·ty hel·met** N Schutzhelm *m* **'safe·ty lock** N Sicherheitsschloss *n* **'safe·ty mea·sure** N Sicherheitsmaßnahme *f* **'safe·ty pin** N Sicherheitsnadel *f* **'safe·ty ra·zor** N (Sicherheits)Rasierapparat *m*
sag [sæg] V/I ⟨-gg-⟩ *ceiling, rope* durchhängen; *production* zurückgehen
sa·ga ['sɑ:gə] N Saga *f*; *book* Generationsroman *m*
sage [seɪdʒ] N *herb* Salbei *m*
Sag·it·tar·i·us [sædʒɪ'teərɪəs] N ASTROL

Schütze *m*
said [sed] PRET & PAST PART → say
sail [seɪl] **A** N *of boat* Segel *n*; *journey by boat* Segelfahrt *f*; **set ~** abfahren **B** V/T *yacht* segeln (mit) **C** V/I *person: as sport, hobby* segeln; *ship* fahren, segeln; *passenger* e-e Schiffsreise machen; *set sail, leave* abfahren, auslaufen
'sail·board **A** N Surfbrett *n* **B** V/I windsurfen **'sail·board·ing** N Windsurfen *n* **'sail·boat** N *US* Segelboot *n*
sail·ing ['seɪlɪŋ] N SPORTS Segeln *n*
'sail·ing boat N Segelboot *n*
'sail·ing ship N Segelschiff *n*
sail·or ['seɪlə(r)] N Seemann *m*; *in navy* Matrose *m*, Matrosin *f*; SPORTS, *as hobby* Segler(in) *m(f)*
saint [seɪnt] N Heilige(r) *m/f(m)*
sake [seɪk] N **for my/your ~** mir/dir zuliebe; **for the ~ of ...** um ... willen
sal·ad ['sæləd] N Salat *m*
'sal·ad dress·ing N Salatsoße *f*
sal·a·ried ['sælərɪd] ADJ **~ employee** Angestellte(r) *m/f(m)*, Gehaltsempfänger(in) *m(f)*
sal·a·ry ['sælərɪ] N Gehalt *n*
'sal·a·ry brack·et N Gehaltsgruppe *f*
'sal·a·ry scale N Gehaltsskala *f*
sale [seɪl] N Verkauf *m*; *with lowered prices* Ausverkauf *m*; *in summer, winter* Schlussverkauf *m*; **for ~** *on sign* zu verkaufen; **be on ~** *for sale* erhältlich sein; *US*: *at reduced price* im (Sonder)Angebot sein
sale·a·ble ['seɪləbl] ADJ verkäuflich
sales [seɪlz] N *pl of company* Verkaufszahlen *pl*; *department* Verkaufsabteilung *f*
'sales as·sis·tant N Verkäufer(in) *m(f)* **'sales clerk** N *US* Verkäufer(in) *m(f)* **sales de'part·ment** N Vertriebsabteilung *f* **'sales fig·ures** N *pl* Verkaufszahlen *pl* **'sales·girl** N (Laden)-Verkäuferin *f* **'sales in·crease** N Umsatzsteigerung *f* **'sales·man** N *in shop* Verkäufer *m*; *sales rep* Vertreter *m* **'sales man·ag·er** N Verkaufsleiter(in) *m(f)* **'sales meet·ing** N Verkaufsbesprechung *f* **'sales pro·mo·tion** N Absatzförderung *f* **'sales rep·re·sen·ta·tive** N Vertreter(in) *m(f)* **'sales rev·e·nue** N Verkaufserlöse *pl* **'sales slip** N *US* Kassenbon *m* **'sales tar·get** N Umsatzziel *n* **'sales tax** N *US* Mehrwertsteuer *f* **'sales·wom·an** N *in shop* Verkäuferin *f*; *sales rep* Vertreterin *f*
sa·lient ['seɪlɪənt] ADJ *point* Haupt-
sa·line ['seɪlaɪn] ADJ salzig, Salz-
sa·li·va [sə'laɪvə] N Speichel *m*
salm·on ['sæmən] N ⟨*pl* salmon⟩ Lachs *m*
salt [sɒlt] **A** N Salz *n* **B** V/T *food* salzen
'salt·cel·lar N Salzstreuer *m* **salt 'wa·ter** N Salzwasser *n* **'salt-wa·ter fish** N Seefisch *m*
salt·y ['sɒltɪ] ADJ ⟨-ier, -iest⟩ salzig
sal·u·ta·tion [sælju:'teɪʃn] N Gruß *m*, Begrüßung *f*; *in letter* Anrede *f*
sa·lute [sə'lu:t] **A** N Gruß *m* **B** V/T salutieren vor; **we all ~ him** *fig* er hat unsere Anerkennung **C** V/I salutieren, grüßen
sal·vage ['sælvɪdʒ] V/T *wreck* bergen
sal·va·tion [sæl'veɪʃn] N Rettung *f*; REL Heil *n*
Sal·va·tion 'Ar·my N Heilsarmee *f*
same [seɪm] **A** ADJ **the ~** *unchanged* der/die/das gleiche; *identical* der-/die-/dasselbe **B** PRON **the ~** *unchanged* der/die/das Gleiche; *identical* der-/die-/dasselbe; **Happy New Year – the ~ to you** ein glückliches Neues Jahr – (danke) gleichfalls; **all the ~** *however* trotzdem; **it's all the ~ to me** es ist mir egal **C** ADV **look the ~** gleich aussehen
same-sex 'mar·riage N gleichgeschlechtliche Ehe, *infml* Homoehe *f*
same-sex re'la·tion·ship N gleichgeschlechtliche Beziehung
sam·ple ['sɑ:mpl] N *of material* Muster *n*; *of food, wine* Kostprobe *f*; *of urine* Probe *f*; *of behaviour* Beispiel *n*
sanc·tion ['sæŋkʃn] **A** N *permission* Zustimmung *f*; *punishment* Sanktion *f* **B** V/T *allow* sanktionieren
sanc·ti·ty ['sæŋktətɪ] N Heiligkeit *f*; *of rights* Unantastbarkeit *f*
sanc·tu·a·ry ['sæŋktʃʊərɪ] N Heiligtum *n*; *refuge* Zufluchtsort *m*; *for wild animals* Schutzgebiet *n*; **seek ~** Zuflucht suchen
sand [sænd] **A** N Sand *m* **B** V/T *with sandpaper* schmirgeln
san·dal ['sændl] N Sandale *f*
'sand·bag N Sandsack *m* **'sand·blast** V/T sandstrahlen **'sand·cas·tle** N Sandburg *f* **'sand dune** N Sand-

düne *f* **'sand·pa·per** A N Sandpapier *n*, Schmirgelpapier *n* B VT schmirgeln **'sand·stone** N Sandstein *m* **'sand·storm** N Sandsturm *m*
sand·wich ['sænwɪdʒ] A N Sandwich *n*, Butterbrot *n* B VT **be sandwiched between two …** zwischen zwei … eingekeilt sein
sand·y ['sændɪ] ADJ ‹-ier, -iest› sandig; *hair* rotblond
sane [seɪn] ADJ *advice* vernünftig; *person* geistig gesund
sang [sæŋ] PRET → sing
san·i·ta·ry ['sænɪtərɪ] ADJ *hygienic* hygienisch; *facilities* Sanitär-
'san·i·ta·ry tow·el N Damenbinde *f*
san·i·ta·tion [sænɪ'teɪʃn] N *toilets etc* Sanitäranlagen *pl*; *refuse and sewage removal* Entsorgung *f*
san·i'ta·tion de·part·ment N (Stadt)Reinigungsamt *n*
san·i·ty ['sænətɪ] N *saneness* Verstand *m*; *of behaviour, decision etc* Vernunft *f*, Vernünftigkeit *f*
sank [sæŋk] PRET → sink
San·ta Claus ['sæntəklɔːz] N der Weihnachtsmann
sap [sæp] A N *of tree* Saft *m* B VT ‹-pp-› **~ sb's energy** j-n schwächen
sap·phire ['sæfaɪə(r)] N *jewel* Saphir *m*
sar·casm ['sɑːkæzm] N Sarkasmus *m*
sar·cas·tic [sɑː'kæstɪk] ADJ sarkastisch
sar·dine [sɑː'diːn] N Sardine *f*
Sar·din·i·a [sɑː'dɪnɪə] N Sardinien *n*
Sar·din·i·an [sɑː'dɪnɪən] A ADJ sardisch B N Sarde *m*, Sardin *f*
sar·don·ic [sɑː'dɒnɪk] ADJ hämisch, spöttisch
sash [sæʃ] N *on dress, uniform etc* Schärpe *f*; **~ window** Schiebefenster *n*
sat [sæt] PRET & PAST PART → sit
Sa·tan ['seɪtn] N Satan *m*
sat·el·lite ['sætəlaɪt] A N Satellit *m* B ADJ satellitengestützt
sat·el·lite com·mu·ni'ca·tions N *pl* Satellitenfunk *m* **'sat·el·lite dish** N Satellitenschüssel *f* **sat·el·lite na·vi'ga·tion sys·tem** N (Satelliten)Navigationssystem *n* **'sat·el·lite town** N Trabantenstadt *f* **sat·el·lite T'V** N Satellitenfernsehen *n*
sat·in ['sætɪn] ADJ Satin-
sat·ire ['sætaɪə(r)] N Satire *f*
sa·tir·i·cal [sə'tɪrɪkl] ADJ satirisch
sat·ir·ize ['sætəraɪz] VT satirisch darstellen
sat·is·fac·tion [sætɪs'fækʃn] N Zufriedenheit *f*; **get ~ out of sth** Befriedigung an etw finden; **is that to your ~?** sind Sie damit zufrieden?
sat·is·fac·to·ry [sætɪs'fæktərɪ] ADJ zufriedenstellend; *just good enough* ausreichend; **this is not ~** das ist nicht annehmbar
sat·is·fy ['sætɪsfaɪ] VT ‹-ied› *customers, guests* zufriedenstellen; *needs, desires etc* befriedigen; *conditions etc* erfüllen; *hunger* stillen; **be satisfied** zufrieden sein; **be satisfied that …** *be sure* davon überzeugt sein, dass …
sat nav ['sætnæv] N *infml* Navi *n*
sat·u·rate ['sætʃəreɪt] VT (durch)tränken (**with** mit); CHEM, *a. fig* sättigen
Sat·ur·day ['sætədeɪ] N Sonnabend *m*, Samstag *m*
sauce [sɔːs] N Soße *f*
'sauce·pan N Kochtopf *m*
sau·cer ['sɔːsə(r)] N Untertasse *f*
Sa·u·di A·ra·bia [saʊdɪə'reɪbɪə] N Saudi-Arabien *n*
Sa·u·di A·ra·bi·an [saʊdɪə'reɪbɪən] A ADJ saudi-arabisch B N Saudi-Araber(in) *m(f)*
sau·na ['sɔːnə] N Sauna *f*
saun·ter ['sɔːntə(r)] VI schlendern
saus·age ['sɒsɪdʒ] N Wurst *f*
sav·age ['sævɪdʒ] A ADJ wild; *attack* brutal; *criticism* schonungslos B N Wilde(r) *m/f(m)*
sav·age·ry ['sævɪdʒrɪ] N Grausamkeit *f*, Brutalität *f*
save [seɪv] A VT *rescue* retten; *money, time* sparen; *stamps etc* sammeln; IT speichern, sichern; *goal* verhindern; *penalty* halten; **~ a seat for sb** j-m e-n Platz frei halten B VI *put money aside* sparen C N SPORTS Parade *f*, Ballabwehr *f*
♦**save up for** VT sparen für
sav·er ['seɪvə(r)] N *person* Sparer(in) *m(f)*
sav·ing ['seɪvɪŋ] N Ersparnis *f*; *activity* Sparen *n*
sav·ings ['seɪvɪŋz] N *pl* Ersparnisse *pl*
'sav·ings ac·count N Sparkonto *n* **sav·ings and 'loan** *US* → building society **'sav·ings bank** N Sparkasse *f*

sa·viour, **sa·vior** *US* ['seɪvjə(r)] N Retter(in) *m(f)*; REL Erlöser *m*, Heiland *m*

sa·vor *etc US* → savour *etc*

sa·vour ['seɪvə(r)] V/T genießen

sa·vour·y ['seɪvərɪ] ADJ *not sweet* pikant

saw[1] [sɔː] **A** N *tool* Säge *f* **B** V/T sägen

♦**saw off** V/T absägen

saw[2] [sɔː] PRET → see[1]

'saw·dust N Sägemehl *n*

'saw·mill N Sägewerk *n*

sax·o·phone ['sæksəfəʊn] N Saxofon *n*

say [seɪ] **A** V/T & V/I ⟨said, said⟩ sagen; *poem etc* aufsagen; **that is to ~** das heißt; **what does the note ~?** was steht auf dem Zettel?; **~ a prayer** beten; **you don't ~!** was du nicht sagst!; **he is said to be …** er soll … sein **B** N **have one's ~** zu Wort kommen, s-e Meinung äußern; **have a ~ in sth** bei e-r Sache etwas zu sagen haben

say·ing ['seɪɪŋ] N Redensart *f*; *proverb* Sprichwort *n*; **as the ~ goes** wie es so schön heißt

scab [skæb] N *on skin* Schorf *m*; *infml*: *in strike* Streikbrecher(in) *m(f)*

scaf·fold ['skæfəʊld] N (Bau)Gerüst *n*; *for execution* Schafott *n*

scaf·fold·ing ['skæfəldɪŋ] N (Bau)Gerüst *n*

scald [skɔːld] V/T verbrühen

scale [skeɪl] **A** N *extent* Größenordnung *f*; *on thermometer etc* Skala *f*, Gradeinteilung *f*; *of map* Maßstab *m*; MUS Tonleiter *f*; **on a larger/smaller ~** in e-m größeren/kleineren Umfang **B** V/T *cliffs etc* erklettern

♦**scale down** V/T verkleinern, verringern

scale 'draw·ing N maßstab(s)gerechte Zeichnung

scales [skeɪlz] N *pl for weighing* Waage *f*

scal·lop ['skɒləp] N Jakobsmuschel *f*

scalp [skælp] N Kopfhaut *f*

scal·pel ['skælpl] N Skalpell *n*

scam [skæm] N *infml* Betrug *m*

scamp [skæmp] N *infml* Schlingel *m*, (kleiner) Strolch

scam·per ['skæmpə(r)] V/I *child etc* trippeln; *mouse etc* huschen

scam·pi ['skæmpɪ] N *sg* Scampi *pl*

scan [skæn] **A** V/T ⟨-nn-⟩ *page, text* überfliegen; *horizon* absuchen; MED: *pregnant woman* e-n Ultraschall machen bei; MED: *brain* e-e Computertomografie machen von; IT scannen **B** N MED: *of organ* Computertomografie *f*; *of foetus* Ultraschalluntersuchung *f*

♦**scan in** V/T IT einscannen

scan·dal ['skændl] N Skandal *m*

scan·dal·ize ['skændəlaɪz] V/T entrüsten, schockieren

scan·dal·ous ['skændələs] ADJ *affair, prices* skandalös, schockierend

Scan·di·na·vi·a [skændɪ'neɪvɪə] N Skandinavien *n*

Scan·di·na·vi·an [skændɪ'neɪvɪən] **A** ADJ skandinavisch **B** N Skandinavier(in) *m(f)*

scan·ner ['skænə(r)] N MED, COMPUT Scanner *m*

scant [skænt] ADJ wenig

scant·i·ly ['skæntɪlɪ] ADV **~ clad** spärlich bekleidet

scant·y ['skæntɪ] ADJ ⟨-ier, -iest⟩ *information, amount* spärlich; *dress* knapp

scape·goat ['skeɪpgəʊt] N Sündenbock *m*

scar [skɑː(r)] **A** N Narbe *f* **B** V/T ⟨-rr-⟩ *skin, face* e-e Narbe hinterlassen auf/in; **be scarred for life** *psychologically* fürs Leben gezeichnet sein

scarce [skeəs] ADJ *in short supply* knapp; **make o.s. ~** *stay away* sich nicht blicken lassen; *leave* verschwinden

scarce·ly ['skeəslɪ] ADV kaum

scar·ci·ty ['skeəsɪtɪ] N Knappheit *f*

scare [skeə(r)] **A** V/T erschrecken, e-n Schrecken einjagen; **be scared of …** Angst haben vor … **B** N *alarm* Panik(-stimmung) *f*; **give sb a ~** j-m e-n Schrecken einjagen

♦**scare away** V/T verscheuchen

'scare·crow N Vogelscheuche *f*

scare·mon·ger ['skeəmʌŋgə(r)] N Panikmacher(in) *m(f)*

scarf [skɑːf] N ⟨*pl* scarves⟩ Schal *m*; *for head* Kopftuch *n*

scar·let ['skɑːlət] ADJ scharlachrot; **go ~** knallrot werden

scarred [skɑːd] ADJ narbig

scarves [skɑːvz] PL → scarf

scar·y ['skeərɪ] ADJ ⟨-ier, -iest⟩ grus(e)lig

scath·ing ['skeɪðɪŋ] ADJ schonungslos, vernichtend

scat·ter ['skætə(r)] **A** V/T verstreuen; *seed* streuen **B** V/I *people* sich zerstreuen

scat·ter·brained ['skætəbreɪnd] ADJ *infml* schuss(e)lig
scat·tered ['skætəd] ADJ *showers* vereinzelt; *family, villages* (weit) verstreut
scat·ty ['skætɪ] ADJ ⟨-ier, -iest⟩ *infml* schuss(e)lig
scav·enge ['skævɪndʒ] V/I plündern
scav·eng·er ['skævɪndʒə(r)] N Aasfresser *m*
sce·nar·i·o [sɪ'nɑːrɪəʊ] N *of possible developments etc* Szenario *n*
scene [siːn] N *in theatre* Szene *f*; *sight* Anblick *m*; *place* Schauplatz *m*; *of novel, film* Ort *m* der Handlung; *argument* Szene *f*; **make a ~** e-e Szene machen; **scenes** *pl*; *in theatre* Kulissen *pl*; **the ~ of the crime** der Tatort; **be on the ~** zur Stelle sein
sce·ner·y ['siːnərɪ] N Landschaft *f*; *in theatre* Kulissen *pl*
scent [sent] N *smell* Duft *m*; *perfume* Parfüm *n*; *of animal* Fährte *f*, Spur *f*
scep·tic ['skeptɪk] N Skeptiker(in) *m(f)*
scep·ti·cal ['skeptɪkl] ADJ skeptisch
scep·ti·cism ['skeptɪsɪzm] N Skepsis *f* (**about** gegenüber)
sched·ule ['ʃedjuːl] **A** N *of events* Programm *n*; *of work* Zeitplan *m*; *for trains, buses etc* Fahrplan *m*; *in school* Stundenplan *m*; **be on ~** *train* pünktlich sein; *work* planmäßig verlaufen; **be behind ~** *train* sich verspäten; *work* (mit dem Zeitplan) in Verzug sein **B** V/T *flight, departure, presentation* planen (**for** für), ansetzen (**for** für, auf); **it's scheduled for completion next month** es soll nächsten Monat fertig(gestellt) sein; **scheduled departure** (fahr)planmäßige Abfahrt
sched·uled flight [ʃedjuːld'flaɪt] N Linienflug *m*
scheme [skiːm] **A** N *plan* Plan *m*; *in negative sense* raffinierter Plan; *against sb* Intrige *f* **B** V/I *plan in secret* Pläne aushecken
schem·ing ['skiːmɪŋ] ADJ *colleague* intrigant, hinterhältig; *businessman* raffiniert
Scheng·en ac·quis [ʃeŋənə'kiː] N *EU* Schengen Besitzstand *m* **Scheng·en A'gree·ment** N *EU* Schengen-Abkommen *n*, Schengener Abkommen *n* **Scheng·en Con'ven·tion** N *EU* Schengener Übereinkommen *n*

S

schiz·o·phre·ni·a [skɪtsə'friːnɪə] N Schizophrenie *f*
schiz·o·phren·ic [skɪtsə'frenɪk] **A** N Schizophrene(r) *m/f(m)* **B** ADJ schizophren
schol·ar ['skɒlə(r)] N Gelehrte(r) *m/f(m)*
schol·ar·ly ['skɒlə(r)lɪ] ADJ gelehrt
schol·ar·ship ['skɒləʃɪp] N Gelehrsamkeit *f*; *financial support* Stipendium *n*
school [skuːl] N Schule *f*
'school·boy N Schüler *m* **'school·child·ren** N *pl* Schulkinder *pl* **'school·girl** N Schülerin *f*
school·ing ['skuːlɪŋ] N (Schul)Ausbildung *f*
school-leav·ing qual·i·fi·ca·tion [skuːl'liːvɪŋ] N Schulabschluss *m*
'school·teach·er N Lehrer(in) *m(f)*
sci·at·i·ca [saɪ'ætɪkə] N Ischias *m*
sci·ence ['saɪəns] N Wissenschaft *f*; *chemistry, physics etc* Naturwissenschaft *f*
sci·en·tif·ic [saɪən'tɪfɪk] ADJ wissenschaftlich
sci·en·tist ['saɪəntɪst] N (Natur)Wissenschaftler(in) *m(f)*
scin·til·lat·ing ['sɪntɪleɪtɪŋ] ADJ sprühend
scis·sors ['sɪzəz] N *pl* Schere *f*
scoff[1] [skɒf] V/T *infml: eat quickly* in sich hineinstopfen; *eat up* auffuttern, verdrücken
scoff[2] [skɒf] V/I *mock* spotten
♦**scoff at** V/T sich verächtlich äußern über
scold [skəʊld] V/T ausschimpfen
scoop [skuːp] **A** N *for soil, sugar etc* Schaufel *f*; *for ice cream* Portionierer *m*; *of ice cream* Kugel *f*; *in newspaper etc* Exklusivbericht *m* **B** V/T *soil, coal etc* schaufeln; *ice cream* löffeln
♦**scoop up** V/T *children* hochnehmen, auf den Arm nehmen; *books* aufheben
scoot·er ['skuːtə(r)] N *with engine* (Motor)Roller *m*; *for child* (Tret)Roller *m*
scope [skəʊp] N *of company* Umfang *m*; *to do something* Spielraum *m*
scorch [skɔːtʃ] V/T verbrennen, versengen
scorch·ing (hot) ['skɔːtʃɪŋ] ADJ brütend heiß
score [skɔː(r)] **A** N *in football match, quiz etc* Spielstand *m*; Endergebnis *n*; *in test etc* Ergebnis *n*; *of music* Noten *pl*, Partitur

f; *of film* Musik *f*; **what's the ~?** SPORTS wie steht's?; **have a ~ to settle with sb** mit j-m e-e alte Rechnung zu begleichen haben; **keep (the) ~** mitzählen **B** VT *goal, point* erzielen; *cardboard* einritzen **C** VI ein Tor schießen, e-n Treffer erzielen; e-n Punkt erzielen; *keep score* (mit)zählen

'score·board N Anzeigetafel *f*

'score·line N SPORTS Spielstand *m*; Endstand *m*

scor·er ['skɔ:rə(r)] N *of goal* Torschütze *m*, -schützin *f*; *keeping score* Anschreiber(in) *m(f)*

scorn [skɔ:n] **A** N Verachtung *f*; **pour ~ on sth** etw verächtlich abtun **B** VT verachten

scorn·ful ['skɔ:nfʊl] ADJ verächtlich, höhnisch

Scor·pi·o ['skɔ:pɪəʊ] N ASTROL Skorpion *m*

Scot [skɒt] N Schotte *m*, Schottin *f*; **the Scots** *pl* die Schotten *pl*

Scotch [skɒtʃ] N *whisky* Scotch *m*

Scotch 'tape® N *US* Klebeband *n*, Klebestreifen *m*

scot-'free ADV **get off ~** ungeschoren davonkommen

Scot·land ['skɒtlənd] N Schottland *n*

'Scots·man N Schotte *m*

'Scots·wom·an N Schottin *f*

Scot·tish ['skɒtɪʃ] ADJ schottisch

scoun·drel ['skaʊndrəl] N Schurke *m*; *child* Schlingel *m*

scour[1] ['skaʊə(r)] VT *area, town* absuchen (**for** nach)

scour[2] ['skaʊə(r)] VT *pan* scheuern

scourge [skɜ:dʒ] N *a. fig* Geißel *f*

scowl [skaʊl] **A** N böses Gesicht **B** VI ein böses Gesicht machen

scram·ble ['skræmbl] **A** N *haste* Hetze *f*, Hetzerei *f* **B** VT *encode* verschlüsseln, chiffrieren **C** VI *over wall* klettern; **~ to one's feet** sich aufrappeln

scram·bled eggs [skræmbld'egz] N *pl* Rührei *n*

scrap [skræp] **A** N *metal* Schrott *m*; *fight* Prügelei *f*; *small amount* Stückchen *n*; *of paper* Fetzen *m*; **not a ~ of evidence** nicht der geringste Beweis; **be sold for ~** *car* verschrottet werden **B** VT ⟨-pp-⟩ *plan, project etc* fallen lassen, verwerfen

scrape [skreɪp] **A** N *on paint* Kratzer *m*, Schramme *f* **B** VT *paint* (zer)kratzen, (zer)schrammen; *arm* abschürfen; *vegetables* schaben; **~ a living** sich gerade so über Wasser halten

♦**scrape through** VI *in exam* knapp bestehen

'scrap heap N Schrotthaufen *m*; **be good for the ~** zum alten Eisen gehören

scrap 'met·al N Schrott *m*, Altmetall *n*

scrap 'pa·per N Schmierpapier *n*

scrap 'val·ue N Schrottwert *m*

'scrap·yard N Schrottplatz *m*

scratch [skrætʃ] **A** N Kratzer *m*; **have a ~** *to stop itching* sich kratzen; **start from ~** (ganz) von vorne anfangen; **his work is not up to ~** s-e Arbeit lässt (einiges) zu wünschen übrig **B** VT *injure* kratzen; *to stop itching* sich kratzen; *paint* e-n Kratzer machen in **C** VI *cat etc* kratzen

scrawl [skrɔ:l] **A** N Kritzelei *f* **B** VT (hin)kritzeln

scraw·ny ['skrɔ:nɪ] ADJ ⟨-ier, -iest⟩ dürr

scream [skri:m] **A** N Schrei *m*; **it met with screams of laughter** es hat schallendes Gelächter hervorgerufen; **it's a ~!** *infml* es ist zum Schreien (komisch)! **B** VI schreien

screech [skri:tʃ] **A** N *of tyres etc* Quietschen *n*; *of person* Kreischen *n* **B** VI *tyres etc* quietschen

screen [skri:n] **A** N *of TV, computer* Bildschirm *m*; *as divider* Trennwand *f*; *as protection* (Schutz)Wand *f*; *in cinema* Leinwand *f*; *for privacy* Wandschirm *m* **B** VT *protect, hide* abschirmen; *film* zeigen, vorführen; *applicant, luggage* überprüfen

'screen·play N Drehbuch *n*

'screen sav·er N IT Bildschirmschoner *m*

'screen test N Probeaufnahmen *pl*

'screen·writ·er N Drehbuchautor(in) *m(f)*

screw [skru:] **A** N Schraube *f*; *vulg*: *sex* Fick *m* **B** VT schrauben; *infml*: *betray* bescheißen; *vulg*: *have sex with* vögeln, bumsen

♦**screw up** **A** VT *eyes* zusammenkneifen; *paper* zusammenknüllen; *infml*: *plans, holiday* vermasseln **B** VI *infml* Mist bauen

'screw·driv·er N Schraubenzieher *m*

screwed up [skru:d'ʌp] ADJ *infml*: *psychologically* verkorkst

'screw top N Schraubverschluss *m*

S

scrib·ble ['skrɪbl] **A** N Gekritzel *n* **B** VT *write quickly* hinkritzeln **C** VI kritzeln
scrimp [skrɪmp] VI sparen; **~ and save** an allen Ecken und Enden sparen
script [skrɪpt] N *for film* Drehbuch *n*; *for play* Text *m*; *handwriting* Schrift *f*
scrip·ture ['skrɪptʃə(r)] N **the (Holy) Scriptures** *pl* die (Heilige) Schrift
'script·writ·er N Drehbuchautor(in) *m(f)*
♦ **scroll down** [skrəʊl'daʊn] VI IT herunterscrollen, vorscrollen
♦ **scroll up** VI IT hochscrollen, zurückscrollen
scro·tum ['skrəʊtəm] N ⟨*pl* scrota ['skrəʊtə], scrotums⟩ ANAT Hodensack *m*
scrounge [skraʊndʒ] VT *infml* schnorren
scroung·er ['skraʊndʒə(r)] N *infml* Schnorrer(in) *m(f)*
scrub¹ [skrʌb] VT ⟨-bb-⟩ *floor, hands* schrubben
scrub² [skrʌb] N Gebüsch *n*, Gestrüpp *n*
scrub·bing brush ['skrʌbɪŋ] N *for floor* Scheuerbürste *f*
scruff·y ['skrʌfɪ] ADJ ⟨-ier, -iest⟩ *person, clothes* schlampig; *area* heruntergekommen
♦ **scrunch up** [skrʌntʃ'ʌp] VT *paper* zerknüllen; *plastic cup* zusammendrücken
scru·ples ['skru:plz] N *pl* Skrupel *pl*; **have no ~** vor nichts zurückschrecken
scru·pu·lous ['skru:pjʊləs] ADJ *morally* gewissenhaft; *thorough* sorgfältig; *detailed* peinlich genau, gewissenhaft
scru·ti·nize ['skru:tɪnaɪz] VT *text* genau untersuchen; *person* mustern
scru·ti·ny ['skru:tɪnɪ] N genaue Untersuchung
scuf·fle ['skʌfl] N Handgemenge *n*
sculp·tor ['skʌlptə(r)] N Bildhauer(in) *m(f)*
sculp·ture ['skʌlptʃə(r)] N *art* Bildhauerkunst *f*; *piece of art* Skulptur *f*
scum [skʌm] N *on lake, effluent* Schaum *m*; *pej*: *people* Abschaum *m*
scur·ri·lous ['skʌrɪləs] ADJ verleumderisch
scur·ry ['skʌrɪ] VI hasten; *mice etc* huschen
♦ **scuttle away** [skʌtlə'weɪ] VI sich schnell davonmachen
SE *only written* ABBR *for* southeast SO, Südost *m*, Südosten *m*; **southeast(ern)** sö, südöstlich
sea [si:] N Meer *n*, See *f*; **by the ~** am Meer; **out to ~** aufs Meer hinaus
'sea·bed N Meeresgrund *m* **'sea·bird** N Seevogel *m* **sea·far·ing** ['si:feərɪŋ] ADJ *nation* seefahrend **'sea·food** N Meeresfrüchte *pl* **'sea·front** N Strandpromenade *f* **'sea·go·ing** ADJ *ship, boat* (hoch)seetüchtig **'sea·gull** N Möwe *f*
seal¹ [si:l] N *animal* Seehund *m*
seal² [si:l] **A** N *on letter, treaty* Siegel *n*; TECH: *object* Dichtung *f*; TECH: *state* Verschluss *m* **B** VT *packaging, letter etc* versiegeln
♦ **seal off** VT *area* abriegeln
'sea lev·el N **above/below ~** über/unter dem Meeresspiegel
seam [si:m] N *on piece of clothing* Naht *f*; *of coal, ore* Flöz *n*; **be bursting at the seams** aus allen Nähten platzen
'sea·man N Seemann *m*
seam·stress ['si:mstrɪs] N Näherin *f*
'sea·port N Seehafen *m*
'sea pow·er N *nation* Seemacht *f*
search [sɜ:tʃ] **A** N Suche *f* (**for** nach); **do a ~ for sth** IT nach etw suchen **B** VT *town, file, person* durchsuchen
♦ **search for** VT suchen nach
'search en·gine N IT Suchmaschine *f*
search·ing ['sɜ:tʃɪŋ] ADJ *question* bohrend; *look a.* prüfend
'search·light N Suchscheinwerfer *m* **'search par·ty** N Suchmannschaft *f* **'search war·rant** N Durchsuchungsbefehl *m*
'sea·shore N Strand *m* **'sea·sick** ADJ seekrank; **get ~** seekrank werden **'sea·side** N **at the ~** am Meer; **go to the ~** ans Meer fahren; **~ resort** Seebad *n*
sea·son ['si:zn] N *winter, spring etc* Jahreszeit *f*; *tourism etc* Saison *f*; **raspberries are in ~/out of ~** jetzt ist/ist keine Himbeerzeit
sea·son·al ['si:znl] ADJ saisonbedingt; **~ fruit** Früchte *pl* der Saison
sea·son·al·ly ad·just·ed [si:znlɪə'dʒʌstɪd] ADJ saisonbereinigt
sea·soned ['si:znd] ADJ *wood* abgelagert; *traveller, politician* erfahren
sea·son·ing ['si:znɪŋ] N Gewürz *n*
'sea·son tick·et N *for bus, train etc*

Zeitkarte *f*; *for theatre, opera* Abonnement *n*; *for football stadium* Dauerkarte *f*
seat [siːt] **A** N (Sitz)Platz *m*; *piece of furniture* Sitzgelegenheit *f*; *of trousers* Hosenboden *m*; POL Mandat *n*, Sitz *m* (im Parlament); **please take a ~** nehmen Sie bitte Platz, bitte setzen Sie sich **B** V/T *have room for* Sitzplätze haben für; **please remain seated** bitte bleiben Sie sitzen
'seat·belt N Sicherheitsgurt *m*
'sea·weed N (See)Tang *m*
'sea·wor·thy ADJ seetüchtig
sec [sek] N *infml* Augenblick *m*, Sekunde *f*; **just a ~!** Augenblick(, bitte)!
se·cede [sɪ'siːd] V/I sich abspalten (**from** von)
se·ces·sion [sɪ'seʃn] N Abspaltung *f*, Sezession *f* (**from** von)
se·clud·ed [sɪ'kluːdɪd] ADJ abgelegen
se·clu·sion [sɪ'kluːʒn] N Abgeschiedenheit *f*
sec·ond[1] ['sekənd] **A** ADJ zweite(r, -s); **~ to none** unübertroffen **B** ADV *arrive* an zweiter Stelle, als Zweite(r) **C** V/T *application etc* unterstützen **D** N *pl* **seconds** *goods* zweite Wahl; *infml*: *food* Nachschlag *m*
sec·ond[2] ['sekənd] N *unit of time* Sekunde *f*; **just a ~!** (e-n) Augenblick!, Moment mal!
se·cond[3] [sɪ'kɒnd] V/T **be seconded to ...** zu ... abgeordnet werden
sec·ond·ar·y ['sekəndrɪ] ADJ Sekundär-, sekundär; *road* Neben-; *reason etc* weniger bedeutend; **of ~ importance** von untergeordneter Bedeutung
sec·ond·ar·y ed·u'ca·tion N *Schulbildung nach der Grundschule*
sec·ond 'best ADJ zweitbeste(r, -s)
sec·ond 'big·gest ADJ zweitgrößte(r, -s) **sec·ond 'class** ADJ *ticket* zweiter Klasse **sec·ond 'floor** N zweiter Stock; *US* erster Stock **sec·ond 'gear** N AUTO zweiter Gang **'sec·ond hand** N *on clock* Sekundenzeiger *m* **sec·ond-'hand** **A** ADJ Gebraucht-, gebraucht **B** ADV *buy* gebraucht
sec·ond·ly ['sekəndlɪ] ADV zweitens
sec·ond-'rate ADJ zweitklassig
sec·ond 'thoughts N *pl* **have ~** es sich anders überlegen
se·cre·cy ['siːkrəsɪ] N Verschwiegenheit *f*; *of talks* Heimlichkeit *f*; *exaggerated* Geheimnistuerei *f*; **in great ~** unter strenger Geheimhaltung
se·cret ['siːkrət] **A** N Geheimnis *n*; **do sth in ~** etw heimlich tun **B** ADJ *gang etc* geheim, Geheim-; *admirer, ambition etc* heimlich
se·cret 'a·gent N Geheimagent(in) *m(f)*
sec·re·tar·i·al [sekrə'teərɪəl] ADJ *work* Büro-; **~ course** Kurs *m* für Sekretärinnen *or* für Bürofachkräfte; **~ staff** Büroangestellte *pl*
sec·re·tar·y ['sekrətərɪ] N Sekretär(in) *m(f)*; POL Minister(in) *m(f)*
Sec·re·tar·y of 'State N *in USA* Außenminister(in) *m(f)*
se·cret 'bal·lot N geheime Wahl
se·crete [sɪ'kriːt] V/T *emit* absondern; *hide* verbergen
se·cre·tion [sɪ'kriːʃn] N *secreting* Absonderung *f*; *liquid* Sekret *n*
se·cre·tive ['siːkrətɪv] ADJ geheimnistuerisch; *behaviour, smile* geheimnisvoll; *discreet* verschwiegen
se·cret·ly ['siːkrətlɪ] ADV im Geheimen, heimlich
se·cret po'lice N Geheimpolizei *f*
se·cret 'serv·ice N Geheimdienst *m*
sect [sekt] N Sekte *f*
sec·tion ['sekʃn] N Teil *m*; *of text, road, track* Abschnitt *m*; *of orange* Stück *n*; *of building* Trakt *m*; *of company, organization etc* Abteilung *f*
sec·tor ['sektə(r)] N Sektor *m*
sec·u·lar ['sekjʊlə(r)] ADJ weltlich
se·cure [sɪ'kjʊə(r)] **A** ADJ *shelf, job* sicher; *emotionally* geborgen **B** V/T *shelf etc* festmachen, befestigen; *aid, funding* sich sichern
se·cu·ri·ties mar·ket [sɪ'kjʊərətiːz] N ECON Wertpapiermarkt *m*
se·cu·ri·ty [sɪ'kjʊərətɪ] N *of job* Sicherheit *f*; *in relationship* Geborgenheit *f*; *for investments* Sicherheit *f*; *at airport* Sicherheitsvorkehrungen *pl*; *department* Sicherheitsdienst *m*
se'cu·ri·ty a·lert N Sicherheitsalarm *m* **se·cu·ri·ty and de'fence po·li·cy** N *EU* Sicherheits- und Verteidigungspolitik *f* **se'cu·ri·ty check** N Sicherheitskontrolle *f* **se'cu·ri·ty-con·scious** ADJ sicherheitsbewusst **se'cu-**

S

ri·ty for·ces N *pl* Sicherheitskräfte *pl* **se'cu·ri·ty guard** N *at bank, hotel* Wachposten *m*; *in factory, office* Wachmann *m*, -frau *f*; *at airport* Sicherheitsbeamte(r) *m*, -beamtin *f* **se'cu·ri·ty mea·sure** N Sicherheitsmaßnahme *f* **se'cu·ri·ty risk** N *person* Sicherheitsrisiko *n* **se'cu·ri·ty staff** N Sicherheitspersonal *n*

se·date [sɪ'deɪt] VT ein Beruhigungsmittel geben

se·da·tion [sɪ'deɪʃn] N **she is under ~** man hat ihr (ein) Beruhigungsmittel gegeben

sed·a·tive ['sedətɪv] N Beruhigungsmittel *n*

sed·en·ta·ry ['sedəntərɪ] ADJ *activity* sitzend

se·duce [sɪ'dju:s] VT *sexually* verführen

se·duc·tion [sɪ'dʌkʃn] N *sexual* Verführung *f*

se·duc·tive [sɪ'dʌktɪv] ADJ *dress* verführerisch; *offer* verlockend

see [si:] VT & VI ⟨saw, seen⟩ sehen; *understand* verstehen; *have relationship with* zusammen sein mit, mit j-m gehen; **I ~** (ich) verstehe, ach so; **you ~** siehst du; **can I ~ the manager?** kann ich den Manager sprechen?; **you should ~ a doctor** du solltest zum Arzt gehen; **~ sb home** j-n nach Hause begleiten; **~ sb to the door** j-n zur Tür bringen; **I don't ~ that working** ich glaube nicht, dass das funktioniert; **~ you!** *infml* bis später!, bis bald!

♦ **see about** VT *take care of* sich kümmern um; **we'll see about that!** das wollen wir erst mal sehen!

♦ **see off** VT *at airport* verabschieden; *intruder etc* verjagen

♦ **see out** VT **see sb out** j-n zur Tür bringen; **I'll see myself out** ich finde allein hinaus

♦ **see to** VT **see to sth** sich um etw kümmern

seed [si:d] N *single* Samen *m*; *corn, grain* Saat *f*, Saatgut *n*; *in fruit* Kern *m*; **go to ~** *person, area* herunterkommen

seed·ling ['si:dlɪŋ] N Sämling *m*

seed·y ['si:dɪ] ADJ ⟨-ier, -iest⟩ *pub, area* zwielichtig

see·ing ['si:ɪŋ] CJ **~ (that)** da, weil

seek [si:k] VT & VI ⟨sought, sought⟩ suchen

seem [si:m] VI scheinen; **it seems like it** es scheint so

seem·ing·ly ['si:mɪŋlɪ] ADV scheinbar

seen [si:n] PAST PART → see[1]

seep [si:p] VI *liquid* sickern

see·saw ['si:sɔ:] N Wippe *f*

seethe [si:ð] VI *with rage* schäumen, kochen (**with** vor)

'see-through ADJ durchsichtig

seg·ment ['segmənt] N Teil *m*; *of orange* Stück *n*; *of circle, diagram* Segment *n*, Ausschnitt *m*

seg·re·gate ['segrɪgeɪt] VT trennen

seg·re·ga·tion [segrɪ'geɪʃn] N Trennung *f*

seize [si:z] VT *person, arm etc* packen (**by** an); *power, opportunity* ergreifen; *drugs etc* beschlagnahmen

♦ **seize up** VI sich verklemmen; *engine* e-n Kolbenfresser haben

sei·zure ['si:ʒə(r)] N MED Anfall *m*; *of stolen goods etc* Beschlagnahme *f*

sel·dom ['seldəm] ADV selten

se·lect [sɪ'lekt] **A** VT (aus)wählen **B** ADJ *hotel etc* exklusiv

se·lec·tion [sɪ'lekʃn] N Wahl *f*; *range of choice* Auswahl *f* (**of** an)

se·lec·tive [sɪ'lektɪv] ADJ *choosy* wählerisch

se·lec·tive 'strike N ECON Schwerpunktstreik *m*

self [self] N ⟨*pl* selves [selvz]⟩ Selbst *n*; **be back to one's old ~** wieder ganz der/die Alte sein

self-ad·dressed 'en·ve·lope [selfə'drest] N (adressierter) Rückumschlag **self-ad'he·sive** ADJ selbstklebend **self-as'sur·ance** N Selbstsicherheit *f* **self-as'sured** ADJ selbstsicher **self-'ca·ter·ing** N Selbstversorgung *f* **self-'ca·ter·ing a·part·ment** N Apartment *n* für Selbstversorger **self--cen·tred**, **self-cen·tered** *US* [self'sentəd] ADJ egozentrisch **self-con·fessed** [selfkən'fest] ADJ erklärt **self-'con·fi·dence** N Selbstbewusstsein *n* **self-'con·fi·dent** ADJ selbstbewusst **self-'con·scious** ADJ befangen **self-'con·scious·ness** N Befangenheit *f* **self-con·tained** [selfkən'teɪnd] ADJ *flat* separat **self-con'trol** N Selbstbeherrschung *f* **self-de'fence**,

S

self de'fense *US* N Selbstverteidigung *f*; **act in ~** in Notwehr handeln **self-'dis·ci·pline** N Selbstdisziplin *f* **self-'doubt** N Selbstzweifel *m* **self--em·ployed** [selfɪm'plɔɪd] ADJ selbstständig **self-em'ployed per·son** N Selbstständige(r) *m/f(m)* **self-es-'teem** N Selbstachtung *f* **self-'ev·i·dent** ADJ offensichtlich **self-'gov·ern·ment** N Selbstverwaltung *f* **self-'help group** N Selbsthilfegruppe *f* **self-im'por·tant** ADJ überheblich **self-in'dul·gent** ADJ genießerisch; *pej* zügellos **self-'in·terest** N *egoism* Eigennutz *m*
self·ish ['selfɪʃ] ADJ selbstsüchtig
self·less ['selflɪs] ADJ selbstlos
self-'pit·y N Selbstmitleid *n* **self-pos·sessed** [selfpə'zest] ADJ selbstbeherrscht **self-re'li·ant** ADJ selbstständig **self-re'spect** N Selbstachtung *f* **self-'right·eous** ADJ *pej* selbstgerecht **self-'sat·is·fied** ADJ *pej* selbstgefällig **self-'serv·ice** ADJ Selbstbedienungs- **self-'stud·y** N Selbststudium *n* **self-suf·fi·cien·cy** [selfsə'fɪʃnsɪ] N Selbstversorgung *f*; *of country* Autarkie *f* **self-suf'fi·cient** ADJ *person* selbstständig; *country* autark; **be ~ in sth** den Bedarf an etw selbst decken können **self-sup·port·ing** [selfsə'pɔːtɪŋ] ADJ finanziell unabhängig **self--'taught** ADJ selbst erlernt; **he's a ~ pianist** er hat sich das Klavierspielen selbst beigebracht **self-willed** [self'wɪld] ADJ eigensinnig
sell [sel] ⟨sold, sold⟩ **A** V/T verkaufen; *have in stock* führen; **do you ~ stamps?** haben Sie Briefmarken? **B** V/I *products* sich verkaufen
♦**sell out** V/T **we're sold out** wir sind ausverkauft
♦**sell out of** V/T **we're sold out of ...** wir haben keine ... mehr, ... sind ausverkauft
♦**sell up** V/I *sell everything* alles verkaufen
'sell-by date N (Mindest)Haltbarkeitsdatum *n*, Verfallsdatum *n*; **be past its ~** das Verfallsdatum überschritten haben; **be well past one's ~** *infml* nicht mehr der/die Jüngste sein
sell·er ['selə(r)] N Verkäufer(in) *m(f)*
sell·ing ['selɪŋ] N ECON Verkauf *m*
'sell·ing point N ECON Verkaufsanreiz *m*
Sel·lo·tape® ['seləteɪp] N Klebeband *n*, Klebestreifen *m*
selves [selvz] PL → self
sem·blance ['sembləns] N Anschein *m* (**of** von)
se·men ['siːmən] N Samenflüssigkeit *f*
sem·i ['semɪ] → semidetached
'sem·i·cir·cle N Halbkreis *m* **sem·i'cir·cu·lar** ADJ halbkreisförmig **sem·i-'co·lon** N Semikolon *n* **sem·i·con'duc·tor** N ELEC Halbleiter *m* **sem·i·de·tached** [semɪdɪ'tætʃt] N Doppelhaushälfte *f* **sem·i'fi·nal** N Halbfinale *n* **sem·i·fin·ished pro·duct** [semɪfɪnɪʃd'prɒdʌkt] N Halbfabrikat *n* **sem·i·of'fi·cial** ADJ offiziös, halbamtlich **sem·i'skilled** ADJ angelernt
sen·ate ['senət] N Senat *m*
sen·a·tor ['senətə(r)] N Senator(in) *m(f)*
send [send] V/T ⟨sent, sent⟩ schicken; **~ her my best wishes** grüß sie von mir
♦**send back** V/T zurückschicken; *food in restaurant* zurückgehen lassen
♦**send for** V/T *doctor* kommen lassen, rufen; *help* herbeirufen
♦**send in** V/T *soldiers* einsetzen; *candidate* hereinschicken; *application* einschicken
♦**send off** V/T *letter, fax* abschicken; *football player* vom Platz stellen
♦**send up** V/T *mock* sich lustig machen über
send·er ['sendə(r)] N *of letter* Absender(in) *m(f)*
se·nile ['siːnaɪl] ADJ senil
sen·ior ['siːnjə(r)] **A** ADJ älter; *in hierarchy* vorgesetzt, (rang)höher; **be ~ to sb** älter als j-d sein; *in hierarchy* j-m übergeordnet sein **B** N Schüler(in) *m(f)* in den letzten Schuljahren; *US: at university* Student(in) *m(f)* im letzten Studienjahr
sen·ior 'cit·i·zen N Senior(in) *m(f)*
sen·ior·i·ty [siːnɪ'ɒrətɪ] N *in hierarchy* höhere Position; *in length of service* (längere) Betriebszugehörigkeit, (höheres) Dienstalter
sen·sa·tion [sen'seɪʃn] N *feeling* Gefühl *n*; *surprise, amazing person or thing* Sensation *f*

sen·sa·tion·al [sen'seɪʃnl] ADJ *amazing* sensationell; *very good a.* sagenhaft (gut)
sense [sens] **A** N *of word* Bedeutung *f*, Sinn *m*; *point* Sinn *m*; *common sense* Verstand *m*; *taste, hearing etc* Sinn *m*; *feeling* Gefühl *n*; **in a ~** gewissermaßen; **talk ~, man!** Mensch, red keinen Quatsch!; **come to one's senses** Vernunft annehmen; **it doesn't make ~** das ergibt keinen Sinn, das ist unverständlich; **there's no ~ in trying** es hat keinen Sinn, es zu versuchen **B** V/T *sb's presence* spüren
sense·less ['senslɪs] ADJ sinnlos
sen·si·ble ['sensəbl] ADJ vernünftig
sen·si·bly ['sensəblɪ] ADV vernünftig
sen·si·tive ['sensətɪv] ADJ sensibel, empfindsam; *person a., skin* empfindlich; *subject* heikel; **be ~ to** *person* empfindlich reagieren auf; **~ to pain** schmerzempfindlich
sen·si·tiv·i·ty [sensə'tɪvətɪ] N *of person* Sensibilität *f*, Empfindsamkeit *f*; *of skin* Empfindlichkeit *f*
sen·su·al ['sensjʊəl] ADJ sinnlich
sen·su·al·i·ty [sensjʊ'ælətɪ] N Sinnlichkeit *f*
sen·su·ous ['sensjʊəs] ADJ sinnlich
sent [sent] PRET & PAST PART → send
sen·tence ['sentəns] **A** N GRAM Satz *m*; JUR Strafe *f*, Urteil *n* **B** V/T JUR verurteilen (**to** zu)
sen·ti·ment ['sentɪmənt] N *sentimentality* Sentimentalität *f*, Rührseligkeit *f*; *opinion* Ansicht *f*, Meinung *f*
sen·ti·men·tal [sentɪ'mentl] ADJ sentimental, rührselig
sen·ti·men·tal·i·ty [sentɪmen'tælətɪ] N Sentimentalität *f*, Rührseligkeit *f*
sen·try ['sentrɪ] N Wache *f*, Wachposten *m*
sep·a·rate¹ ['sepərət] ADJ *room, accounts* getrennt; *not identical: companies, components* verschieden
sep·a·rate² ['sepəreɪt] **A** V/T trennen **B** V/I *couple* sich trennen
sep·a·rat·ed ['sepəreɪtɪd] ADJ *couple* getrennt lebend; **be ~** getrennt leben
sep·a·rate·ly ['sepərətlɪ] ADV *pay* getrennt; *treat* einzeln
sep·a·ra·tion [sepə'reɪʃn] N Trennung *f*
Sep·tem·ber [sep'tembə(r)] N September *m*
sep·tic ['septɪk] ADJ vereitert; **go ~** *wound* (ver)eitern
se·quel ['siːkwəl] N *result* Folge *f*; *of book, film* Fortsetzung *f*
se·quence ['siːkwəns] N Reihenfolge *f*; **in ~** der Reihe nach; **out of ~** außer der Reihe; **the ~ of events** der Ablauf der Ereignisse
Serb [sɜːb] N Serbe *m*, Serbin *f*
Ser·bi·a ['sɜːbɪə] N Serbien *n*
Ser·bi·an ['sɜːbɪən] **A** ADJ serbisch **B** N *language* Serbisch *n*
ser·geant ['sɑːdʒənt] N *in army* Feldwebel(in) *m(f)*; *in police* Polizeimeister(in) *m(f)*
se·ri·al ['sɪərɪəl] N TV, RADIO Mehrteiler *m*; *in magazine* Fortsetzungsroman *m*
se·ri·al·ize ['sɪərɪəlaɪz] V/T *on TV* in Fortsetzungen senden; *novel* in Fortsetzungen veröffentlichen
'se·ri·al kill·er N Serienmörder(in) *m(f)* **'se·ri·al num·ber** N Seriennummer *f* **'se·ri·al port** N COMPUT serielle Schnittstelle
se·ries ['sɪəriːz] N *sg of numbers, mistakes* Reihe *f*; *on TV etc* Serie *f*
se·ri·ous ['sɪərɪəs] ADJ *situation, person, condition* ernst; *damage, illness* schwer; *character, discussion, article* ernsthaft; *company etc* seriös; *suggestion* ernst gemeint; **I'm ~** ich meine das ernst; **take a ~ look at sth** sich etw genau ansehen
se·ri·ous·ly ['sɪərɪəslɪ] ADV *talk, consider, threaten* ernsthaft; *injured, damaged* schwer; **~?** im Ernst?; **take sb ~** j-n ernst nehmen
se·ri·ous·ness ['sɪərɪəsnɪs] N Ernst *m*, Ernsthaftigkeit *f*; *of illness, damage* Schwere *f*
ser·mon ['sɜːmən] N Predigt *f*
ser·vant ['sɜːvənt] N Diener(in) *m(f)*
serve [sɜːv] **A** N *in tennis* Aufschlag *m* **B** V/T *food, meal* servieren; *customers* bedienen; *one's country, the public* dienen; **it serves you right** es geschieht dir recht **C** V/I *waiter* servieren; *politician, civil servant* dienen; *in tennis* aufschlagen
♦**serve up** V/T *meal* servieren
serv·er ['sɜːvə(r)] N COMPUT Server *m*
serv·ice ['sɜːvɪs] **A** N *to customers* Service *m*, Dienstleistung *f*; *in restaurant, shop* Bedienung *f*; *to community etc* Dienst *m*; *of vehicle, machine* Inspektion *f*, Wartung *f*; **services** *pl* der Dienstleis-

tungsbereich; **the services** *pl* das Militär **B** VT *vehicle, machine* warten

ser·vice·a·ble ['sɜːvɪsəbl] ADJ brauchbar

'serv·ice ar·e·a N Tankstelle und Raststätte *f* **'serv·ice charge** N (Geld *n* für die) Bedienung *f* **'ser·vice en·ter·prise** N Dienstleistungsunternehmen *n* **'serv·ice in·dus·try** N Dienstleistungsbranche *f* **'serv·ice·man** N MIL Militärangehörige(r) *m*

'Ser·vi·ces Di·rec·tive N *EU* Dienstleistungsrichtlinie *f*

'serv·ice sec·tor N Dienstleistungssektor *m*

'serv·ice sta·tion N Tankstelle *f*

ser·vile ['sɜːvaɪl] ADJ *pej* unterwürfig

serv·ing ['sɜːvɪŋ] N *portion* Portion *f*

ser·vi·tude ['sɜːvɪtjuːd] N Knechtschaft *f*

ses·sion ['seʃn] N *of parliament* Sitzungsperiode *f*; *with psychiatrist, adviser* Sitzung *f*; **be in ~** *parliament* tagen

set [set] **A** N *collection* Satz *m*; *of books* Reihe *f*, Serie *f*; *of cutlery, furniture* Garnitur *f*; *of people* Kreis *m*; THEAT Bühnenbild *n*; *of film* Drehort *m*; *in tennis* Satz *m*; **television ~** Fernseher *m*, Fernsehgerät *n* **B** VT ⟨-tt-; set, set⟩ *place upright* stellen (**on** auf); *lay flat* legen (**on** auf); *film, novel etc* spielen lassen; *deadline etc* festlegen; *mechanism* einstellen; *alarm clock* stellen; *broken bone* einrichten; *jewel* fassen; *text* setzen; *table* decken; *task* stellen; **~ sb free** j-n freilassen **C** VI ⟨-tt-; set, set⟩ *sun* untergehen; *glue* hart werden **D** ADJ *ideas* fest; *ready* fertig; **be all ~** startklar sein; **be ~ to do sth** bereit *or* so weit sein, etw zu tun; **be dead ~ on doing sth** etw auf Biegen und Brechen tun wollen; **be dead ~ on sth** etw unbedingt haben *or* machen wollen; **be very ~ in one's ways** in s-n Gewohnheiten sehr festgefahren sein; **~ meal** (Tages)Menü *n*, Tagesgericht *n*

♦**set apart** VT **set sth/sb apart from sth/sb** etw/j-n von etw/j-m unterscheiden

♦**set aside** VT beiseitelegen

♦**set back** VT *in plan, preparations etc* zurückwerfen; **it set me back £400** *infml* das hat mich locker 400 Pfund gekostet

♦**set off** **A** VI *on journey* aufbrechen **B** VT *chain reaction, alarm, explosion etc* auslösen; *bomb* zünden

♦**set out** **A** VI *on journey* sich auf den Weg machen **B** VT *ideas, suggestions* darlegen; *goods* auslegen; **set out to do sth** *intend* beabsichtigen, etw zu tun

♦**set to** VI loslegen, beginnen

♦**set up** **A** VT *company, business etc* gründen; *system* einrichten; *machine etc* aufbauen; *market stall* aufstellen; **they set him up** *infml*: *innocent person* das haben sie ihm angehängt **B** VI *businessman* sich niederlassen, ein/das Geschäft gründen

'set-a·side N Flächenstilllegung *f*

'set·back N Rückschlag *m*

set·tee [se'tiː] N Sofa *n*

set·ting ['setɪŋ] N *of novel etc* Schauplatz *m*; *of house etc* Lage *f*

set·tle ['setl] **A** VI *bird* sich niederlassen; *liquid, building* sich setzen; *dust* sich legen; *in area* sich niederlassen **B** VT *argument etc* beilegen; *case, question etc* entscheiden; *debts, bill* bezahlen; *account* ausgleichen; *insurance claim* regulieren; *nerves, stomach* beruhigen; **that settles it!** damit ist der Fall erledigt!; *annoyed* jetzt reicht's!

♦**settle down** VI *calm down* zur Ruhe kommen; *give up wild lifestyle* ein geregeltes Leben anfangen; *in area* sesshaft werden; *on sofa* es sich bequem machen

♦**settle for** VT *accept* sich zufriedengeben mit

♦**settle up** VI (be)zahlen; **settle up with sb** mit j-m abrechnen

set·tled ['setld] ADJ *weather* beständig; *life* geregelt

set·tle·ment ['setlmənt] N *of debts* Begleichung *f*; *of argument* Beilegung *f*, Schlichtung *f*; *of court case* Vergleich *m*; *of account* Ausgleich *m*; *of insurance claim* Regulierung *f*; *of building* Senkung *f*; *in new country* Ansiedlung *f*

'set-up N *structure* Organisation *f*, Struktur *f*; *situation* Umstände *pl*; *infml*: *fix* abgekartetes Spiel

sev·en ['sevn] ADJ sieben

sev·en·teen [sevn'tiːn] ADJ siebzehn

sev·en·teenth [sevn'tiːnθ] ADJ siebzehnte(r, -s)

sev·enth ['sevnθ] ADJ siebente(r, -s)

sev·enth·ly ['sevnθlɪ] ADV siebtens

sev·en·ti·eth ['sevntııθ] ADJ siebzigste(r, -s)
sev·en·ty ['sevntı] ADJ siebzig
sev·er ['sevə(r)] V/T abtrennen; *cable* durchtrennen; *contact* abbrechen
sev·e·ral ['sevrl] ADJ & PRON mehrere, einige
se·vere [sı'vıə(r)] ADJ *illness, punishment* schwer; *boss, face, winter* streng; *weather* rau
se·vere·ly [sı'vıəlı] ADV *punish, look* streng; *speak* in e-m strengen Ton; *injured* schwer; *disturbed* stark
se·ver·i·ty [sı'verətı] N *of illness, damage etc* Schwere *f*; *of look etc* Strenge *f*; *of winter, punishment* Härte *f*
sew [səʊ] V/T & V/I ⟨sewed, sewn⟩ nähen
♦ **sew on** V/T *button* annähen
sew·age ['suːıdʒ] N Abwasser *n*
'sew·age plant N Kläranlage *f*
sew·er ['suːə(r)] N Abwasserkanal *m*
sew·er·age ['sʊərıdʒ] N Kanalisation *f*
sew·ing ['səʊıŋ] N Nähen *n*; *sewing things* Näharbeit *f*
'sew·ing ma·chine N Nähmaschine *f*
sewn [səʊn] PAST PART → sew
sex [seks] N Geschlechtsverkehr *m*, Sex *m*; *of person, animal* Geschlecht *n*
sex·ism ['seksızm] N Sexismus *m*
sex·ist ['seksıst] **A** ADJ sexistisch **B** N Sexist(in) *m(f)*
'sex of·fend·er N Sexualverbrecher(in) *m(f)*
sex·u·al ['seksjʊəl] ADJ sexuell
sex·u·al as'sault N sexueller Übergriff **sex·u·al ha'rass·ment** N sexuelle Belästigung **sex·u·al 'in·ter·course** N Geschlechtsverkehr *m*
sex·u·al·i·ty [seksjʊ'ælətı] N Sexualität *f*
sex·u·al·ly ['seksjʊlı] ADV sexuell; **~ transmitted disease** Geschlechtskrankheit *f*
sex·y ['seksı] ADJ ⟨-ier, -iest⟩ sexy; *picture, film* erotisch
shab·by ['ʃæbı] ADJ ⟨-ier, -iest⟩ *coat, behaviour, treatment* schäbig
shack [ʃæk] N Hütte *f*
shack·les ['ʃæklz] N *pl a. fig* Fesseln *pl*, Ketten *pl*
shade [ʃeıd] **A** N *of lamp* Schirm *m*; *of colour* (Farb)Ton *m*; **in the ~** im Schatten **B** V/T *from sun, light* abschirmen
shad·ow ['ʃædəʊ] N Schatten *m*
shad·ow 'ca·bi·net N POL Schattenkabinett *n*
shad·ow·y ['ʃædəʊı] ADJ ⟨-ier, -iest⟩ schattig; *organization* dunkel; *figure* verschwommen
shad·y ['ʃeıdı] ADJ ⟨-ier, -iest⟩ *place, corner* schattig; *person, business* zwielichtig
shaft [ʃɑːft] N *of axle* Welle *f*; *of mine* Schacht *m*
shag·gy ['ʃægı] ADJ ⟨-ier, -iest⟩ zottelig
shake [ʃeık] **A** N **give sth a good ~** etw kräftig schütteln **B** V/T ⟨shook, shaken⟩ schütteln; *emotionally* erschüttern; **~ hands** sich die Hand geben; **~ hands with sb** j-m die Hand geben **C** V/I ⟨shook, shaken⟩ *hand, voice* zittern; *building* wackeln
shak·en ['ʃeıkən] **A** ADJ *emotionally* erschüttert **B** PAST PART → shake
'shake-up N Umbesetzung *f*
shak·y ['ʃeıkı] ADJ ⟨-ier, -iest⟩ *table* wack(e)lig; *after illness, shock a., grammar, knowledge* unsicher; *voice, hand* zitt(e)rig
shall [ʃæl] V/AUX ⟨*pret* should⟩ *future* **I shan't be there** ich werde nicht da sein; *making suggestion* **~ I come too?** soll ich mitkommen?; **~ we go?** gehen wir?
shal·low ['ʃæləʊ] ADJ *water* flach, seicht; *person* oberflächlich
sham [ʃæm] **A** N Farce *f*; Heuchelei *f* **B** ADJ *jewellery etc* unecht, falsch; *sympathy etc* vorgetäuscht, geheuchelt **C** V/I ⟨-mm-⟩ sich verstellen, heucheln
sham·bles ['ʃæmblz] N *sg chaos* heilloses Durcheinander
shame [ʃeım] **A** N *no pl* Schande *f*; *emotion* Scham *f*; **bring ~ on sb** j-m Schande machen; **~ on you!** du solltest dich schämen!; **what a ~!** wie schade! **B** V/T beschämen; **~ sb into doing sth** j-n moralisch unter Druck setzen, etw zu tun
shame·faced ['ʃeımfeıst] ADJ betreten, verlegen
shame·ful ['ʃeımfʊl] ADJ schändlich
shame·less ['ʃeımlıs] ADJ schamlos
sham·poo [ʃæm'puː] **A** N Shampoo *n* **B** V/T *hair* waschen; *carpet* schamponieren
shan·dy ['ʃændı] N Alsterwasser *n*, Radler *m*

S

'shan·ty town N Slum *m*
shape [ʃeɪp] **A** N *outline, geometric form* Form *f*; *of body* Figur *f*; **a ~ emerged from the darkness** e-e Gestalt tauchte aus der Dunkelheit auf; **in the ~ of ...** in Form ... *+ gen*; **be in good ~** *person, sportsman* in guter Form sein; *building etc* sich in gutem Zustand befinden **B** V/T formen; *life, character* prägen; *future* gestalten
shape·less ['ʃeɪplɪs] ADJ *dress etc* formlos
shape·ly ['ʃeɪplɪ] ADJ ⟨-ier, -iest⟩ *figure* wohlproportioniert
share [ʃeə(r)] **A** N Anteil *m* (**of** an); ECON Aktie *f*; **~ of the market** Marktanteil *m* **B** V/T *food, work, money* (sich) teilen; *feelings, opinions* teilen **C** V/I teilen
♦ **share out** V/T verteilen
'share ca·pi·tal N ECON Stammkapital *n*, Grundkapital *n*
'share·hold·er N Aktionär(in) *m(f)*
shark [ʃɑːk] N Hai(fisch) *m*
sharp [ʃɑːp] **A** ADJ *knife* scharf; *person, mind* scharf(sinnig); *pain* heftig; *flavour* herb **B** ADV MUS: *play* zu hoch; **F ~** Fis; **at 3 o'clock ~** Punkt 3 Uhr
sharp·en ['ʃɑːpn] V/T schärfen
sharp 'prac·tice N unsaubere Geschäfte **'sharp·shoot·er** N Scharfschütze *m*, -schützin *f* **sharp-sight·ed** [ʃɑːp'saɪtɪd] ADJ scharfsichtig
shat [ʃæt] PRET & PAST PART → shit
shat·ter ['ʃætə(r)] **A** V/T *glass* zerschmettern; *illusions etc* zerstören **B** V/I *glass* zersplittern, zerbrechen
shat·tered ['ʃætəd] ADJ *infml: physically* total kaputt; *emotionally* (tief) erschüttert
shat·ter·ing ['ʃætərɪŋ] ADJ *news, experience* erschütternd; *effect* umwerfend
shave [ʃeɪv] **A** V/T rasieren **B** V/I sich rasieren **C** N Rasur *f*; **have a ~** sich rasieren; **that was a close ~** *infml* das war knapp
♦ **shave off** V/T *beard* abrasieren; *wood* abhobeln
shav·en ['ʃeɪvn] ADJ *head* kahl geschoren
shav·er ['ʃeɪvə(r)] N Rasierapparat *m*
shav·ing brush ['ʃeɪvɪŋ] N Rasierpinsel *m*
'shav·ing foam N Rasierschaum *m*
shawl [ʃɔːl] N Tuch *n*
she [ʃiː] PRON sie
sheaf [ʃiːf] N ⟨*pl* sheaves⟩ *of papers* Bündel *n*
shear [ʃɪə(r)] V/T ⟨sheared, sheared *or* shorn⟩ scheren
♦ **shear off** V/T *hair* abscheren
shears [ʃɪəz] N *pl* (große) Schere
sheath [ʃiːθ] N *for knife* Scheide *f*; *contraceptive* Kondom *n*
sheaves [ʃiːvz] PL → sheaf
shed[1] [ʃed] V/T ⟨-dd-; shed, shed⟩ *blood, tears* vergießen; *leaves, hair* verlieren; **~ light on sth** *fig* Licht auf etw werfen
shed[2] [ʃed] N Schuppen *m*
sheep [ʃiːp] N ⟨*pl* sheep⟩ Schaf *n*
'sheep·dog N Hütehund *m*, Schäferhund *m*
'sheep farm·ing N Schafzucht *f*
sheep·ish ['ʃiːpɪʃ] ADJ verlegen
'sheep·skin ADJ **~ (coat)** Schaffellmantel *m*; **~ (rug)** Schaffell *n*
sheer [ʃɪə(r)] ADJ *luxury, madness* rein, schier; *slope, cliff* steil; *mountain face* senkrecht
sheet [ʃiːt] N *for bed* (Bett)Laken *n*; *of paper* Blatt *n*; *of metal* Platte *f*; *of glass* Scheibe *f*
sheet 'light·ning N Wetterleuchten *n*
shelf [ʃelf] N ⟨*pl* shelves [ʃelvz]⟩ Brett *n*; **shelves** *pl* Regal *n*
'shelf-life N *of product* Lagerfähigkeit *f*
shell [ʃel] **A** N *on beach* Muschel *f*; *of egg* Schale *f*; *of tortoise* Panzer *m*; MIL Granate *f*; **come out of one's ~** aus sich herausgehen **B** V/T *peas* enthülsen; MIL (mit Granaten) beschießen
'shell·fire N Granatfeuer *n*
'shell·fish N Schalentiere *pl*; *food* Meeresfrüchte *pl*
shel·ter ['ʃeltə(r)] **A** N *from storm, bombardment* Zuflucht *f*, Schutz *m*; *accommodation* Unterkunft *f*; *for air raids* Luftschutzkeller *m* **B** V/I *from rain* sich unterstellen; *from cold etc* sich schützen; *from bombardment* Schutz finden (**from** vor) **C** V/T schützen (**from** vor); *from reality* behüten
shel·tered ['ʃeltəd] ADJ *place* geschützt; **lead a ~ life** ein behütetes Leben führen
shelve [ʃelv] V/T *fig: plan* aufschieben
shelves [ʃelvz] PL → shelf

shep·herd ['ʃepəd] N Schäfer *m*
shield [ʃi:ld] **A** N (Schutz)Schild *m; trophy in sport* Trophäe *f;* TECH Schutzschirm *m* **B** V/T schützen (**from** vor)
shift [ʃɪft] **A** N *in attitude, thinking* Wandel *m; in opinion* Umschwung *m; to new method* Wechsel *m; in wind direction etc* Änderung *f; period at work* Schicht *f* **B** V/T *furniture* (von der Stelle) bewegen; *stains etc* beseitigen; *emphasis* verlegen (**to** auf) **C** V/I *change one's position* sich bewegen; *wind* die Richtung wechseln, drehen; **~ to the left** POL sich politisch weiter nach links orientieren; **could you ~ a little?** kannst du etwas rutschen?
'shift key N COMPUT Shift-Taste *f*, Hochstelltaste *f* **'shift lock** N Feststelltaste *f* **'shift work** N Schichtarbeit *f* **'shift work·er** N Schichtarbeiter(in) *m(f)*
shift·y ['ʃɪftɪ] ADJ ‹-ier, -iest› *pej: person, appearance* zwielichtig, fragwürdig; *look* verschlagen; **there is something ~ going on here** hier ist was faul
shim·mer ['ʃɪmə(r)] V/I schimmern
shin [ʃɪn] N Schienbein *n*
shine [ʃaɪn] **A** V/I ‹shone, shone› *sun, moon, stars* scheinen; *shoes, metal etc* glänzen; *fig: at a subject etc* glänzen (**at, in** in) **B** V/T ‹shone, shone› **~ a torch on sb** j-n anleuchten **C** N *on shoes etc* Glanz *m*
shin·gles ['ʃɪŋglz] N *sg* MED Gürtelrose *f*
shin·y ['ʃaɪnɪ] ADJ ‹-ier, -iest› glänzend
ship [ʃɪp] **A** N Schiff *n* **B** V/T ‹-pp-› *goods* versenden; *send by ship* verschiffen **C** V/I ‹-pp-› geliefert werden
ship·ment ['ʃɪpmənt] N Sendung *f; by ship* Verschiffung *f*
'ship·own·er N Reeder(in) *m(f)*
ship·ping ['ʃɪpɪŋ] N *shipping traffic* Schifffahrt *f; of goods* Versand *m; sending by ship* Verschiffung *f*
'ship·ping com·pa·ny N Schifffahrtsgesellschaft *f*, Reederei *f* **'ship·ping costs** N *pl* Versandkosten *pl* **'ship·ping note** N Versandschein *m* **'ship·shape** ADJ tipptopp **'ship·wreck** **A** N Schiffbruch *m* **B** V/T **be shipwrecked** Schiffbruch erleiden **'ship·yard** N (Schiffs)Werft *f*
shirk [ʃɜ:k] V/T sich drücken vor
shirk·er ['ʃɜ:kə(r)] N Drückeberger(in) *m(f)*
shirt [ʃɜ:t] N Hemd *n*
shit [ʃɪt] **A** N *sl* Scheiße *f; nonsense a.* Scheiß *m* **B** V/I ‹-tt-; shit *or* shat, shit *or* shat› *sl* scheißen **C** INT *infml* Scheiße!
shit·ty ['ʃɪtɪ] ADJ ‹-ier, -iest› *infml* beschissen
shiv·er ['ʃɪvə(r)] V/I zittern (**with** vor)
shoal [ʃəʊl] N *of fish* Schwarm *m*
shock¹ [ʃɒk] **A** N Schock *m;* ELEC Schlag *m;* **be in ~** MED unter Schock stehen **B** V/T schockieren, schocken
shock² [ʃɒk] N **~ of hair** (Haar)Schopf *m*
'shock ab·sorb·er N AUTO Stoßdämpfer *m*
shock·ing ['ʃɒkɪŋ] ADJ *behaviour, poverty, prices* schockierend; *infml: weather, spelling* furchtbar, entsetzlich
shod·dy ['ʃɒdɪ] ADJ ‹-ier, -iest› *goods* minderwertig; *behaviour etc* schäbig
shoe [ʃu:] N Schuh *m*
'shoe·horn N Schuhanzieher *m*
'shoe·lace N Schnürsenkel *m*
'shoe·shop N Schuhgeschäft *n*
'shoe·string N **do sth on a ~** etw mit ganz wenig Geld tun
shone [ʃɒn] PRET & PAST PART → shine
♦**shoo away** [ʃu:ə'weɪ] V/T verscheuchen
shook [ʃʊk] PRET → shake
shoot [ʃu:t] **A** N BOT Trieb *m* **B** V/T ‹shot, shot› schießen; *kill* erschießen; *film* drehen; **I was shot** ich wurde (von e-r Kugel) getroffen
♦**shoot down** V/T *plane* abschießen; *fig: suggestion* abschmettern
♦**shoot off** V/I *run off* davonstürmen
♦**shoot up** V/I *prices* in die Höhe schnellen; *children* in die Höhe schießen; *buildings etc* aus dem Boden schießen; *infml: drug addict* sich e-n Schuss setzen
'shoot·ing range N Schießstand *m*
shoot·ing 'star N Sternschnuppe *f*
shop [ʃɒp] **A** N Geschäft *n*, Laden *m;* **talk ~** über die Arbeit reden **B** V/I ‹-pp-› einkaufen; **go shopping** einkaufen gehen
shopa·hol·ic [ʃɒpə'hɒlɪk] N Kaufsüchtige(r) *m/f(m)*
'shop as·sis·tant N Verkäufer(in) *m(f)*
'shop·keep·er N Ladenbesitzer(in) *m(f)* **shop·lift·er** ['ʃɒplɪftə(r)] N Laden-

dieb(in) *m(f)* **shop·lift·ing** ['ʃɒplɪftɪŋ] N Ladendiebstahl *m*

shop·per ['ʃɒpə(r)] N Käufer(in) *m(f)*

shop·ping ['ʃɒpɪŋ] N *activity* Einkaufen *n; purchases* Einkäufe *pl*; **do one's ~** Einkäufe machen, einkaufen

'shop·ping bag N Einkaufstasche *f* **'shop·ping bas·ket** N Einkaufskorb *m* **'shop·ping cart** N *US* Einkaufswagen *m* **'shop·ping cen·tre, 'shop·ping cen·ter** *US* N Einkaufszentrum *n* **'shop·ping list** N Einkaufszettel *m* **'shop·ping mall** N Einkaufszentrum *n* **'shop·ping street** N Geschäftsstraße *f*, Ladenstraße *f* **'shop·ping trol·ley** N Einkaufswagen *m*

shop 'stew·ard N gewerkschaftliche Vertrauensperson

shop 'win·dow N Schaufenster *n*

shore [ʃɔː(r)] N Ufer *n*; **on ~** an Land

♦**shore up** V/T (ab)stützen; ECON stützen

shorn [ʃɔːn] PAST PART → shear

short [ʃɔːt] **A** ADJ kurz; *in stature* klein; **be ~ of food** nicht genug zu essen haben **B** ADV **cut a holiday ~** e-n Urlaub abbrechen; **stop sb ~** *idea, thought etc* j-n plötzlich innehalten lassen; **in ~** kurz gesagt

short·age ['ʃɔːtɪdʒ] N Knappheit *f*; **~ of staff** Personalmangel *m*

short 'cir·cuit N Kurzschluss *m* **short·com·ing** ['ʃɔːtkʌmɪŋ] N Mangel *m*; *of person* Fehler *m* **'short·cut** N Abkürzung *f*; IT Shortcut *m*; **that's a useful ~** so geht es schneller

short·en ['ʃɔːtn] V/T *dress etc* kürzer machen; *text, article etc* kürzen; *holiday, working day* verkürzen

'short·fall N Defizit *n* **'short·hand** N Stenografie *f* **short-hand·ed** [ʃɔːt-'hændɪd] ADJ **be ~** zu wenig Personal haben **'short·list** N Auswahl *f*; **get onto the ~** in die engere Wahl kommen

short-lived [ʃɔːt'lɪvd] ADJ kurzlebig

short·ly ['ʃɔːtlɪ] ADV *soon* bald, in Kürze; **~ before/after** kurz vorher/nachher

short·ness ['ʃɔːtnɪs] N *of visit* Kürze *f*

short·sight·ed [ʃɔːt'saɪtɪd] ADJ *a. fig* kurzsichtig **short-sleeved** [ʃɔːt'sliːvd] ADJ kurzärmelig **short-staffed** [ʃɔːt-'stɑːft] ADJ **be ~** Personalmangel haben

short-tem·pered [ʃɔːt'tempəd] ADJ unbeherrscht **short-'term** ADJ kurzfristig; **be on a ~ contract** e-n Kurzzeitvertrag haben, auf Zeit angestellt sein

short 'time N *of workers* Kurzarbeit *f*; **be on ~** kurzarbeiten **'short wave** N Kurzwelle *f*

shot [ʃɒt] **A** N *of gun* Schuss *m*; *photograph* Aufnahme *f*; *injection* Spritze *f*; **be a good ~** ein guter Schütze sein; **like a ~** *run away* blitzschnell; *accept* sofort **B** PRET & PAST PART → shoot

'shot·gun N Schrotflinte *f*

should [ʃʊd] **A** V/AUX **you shouldn't do that** das solltest du nicht tun; **that ~ be long enough** das müsste (eigentlich) reichen; **you ~ have heard him!** du hättest ihn (mal) hören sollen! **B** PRET → shall

shoul·der ['ʃəʊldə(r)] N ANAT Schulter *f*

'shoul·der bag N Umhängetasche *f* **'shoul·der blade** N Schulterblatt *n* **'shoul·der strap** N *on clothing* Träger *m*; *on bag* (Schulter)Riemen *m*

shout [ʃaʊt] **A** N Schrei *m*, Ruf *m* **B** V/I schreien, rufen; **~ for help** um Hilfe rufen **C** V/T rufen, schreien; *order* brüllen

♦**shout at** V/T anbrüllen, anschreien

shout·ing ['ʃaʊtɪŋ] N Geschrei *n*

shove [ʃʌv] **A** N Schubs *m* **B** V/T *car, furniture etc* schieben; *people* stoßen, schubsen **C** V/I stoßen; *impatiently* drängeln

shov·el ['ʃʌvl] **A** N Schaufel *f* **B** V/T ⟨-ll-, *US* -l-⟩ schaufeln

show [ʃəʊ] **A** N *at cinema, circus, theatre* Vorstellung *f*; *play, opera a.* Aufführung *f*; *on TV* Show *f*; *of support* Ausdruck *m*; **on ~** *products, paintings etc* ausgestellt; **it's all done for ~** *pej* es ist alles nur Schau **B** V/T ⟨showed, shown *or* showed⟩ *passport, ticket* (vor)zeigen; *interest, feelings* zeigen; *paintings, goods* ausstellen; *film* zeigen, vorführen **C** V/I ⟨showed, shown⟩ *be visible* zu sehen sein; *film* gezeigt werden, laufen; **does it ~?** sieht man das?

♦**show around** V/T herumführen

♦**show in** V/T hereinbringen

♦**show off** **A** V/T *abilities* vorführen **B** V/I *pej* angeben

♦**show up** **A** V/T *mistake, inadequacy etc* zum Vorschein bringen; *person* bla-

mieren **B** VI *infml: appear* auftauchen; *be visible* zu sehen sein
'show·case N Schaukasten *m*, Vitrine *f*; *fig* Präsentierfläche *f*
'show·down N Showdown *m*, Kraftprobe *f*
show·er ['ʃaʊə(r)] **A** N *of rain* Schauer *m*; *in bathroom* Dusche *f*; **take** *or* **have a ~** duschen **B** VI duschen **C** VT *with compliments* überschütten
'show·er cap N Duschhaube *f* **'show·er cur·tain** N Duschvorhang *m* **'show·er·proof** ADJ regenabweisend
shown [ʃəʊn] PAST PART → show
'show-off N *pej* Angeber(in) *m(f)*
'show·room N Ausstellungsraum *m*
show·y ['ʃəʊɪ] ADJ ⟨-ier, -iest⟩ protzig
shrank [ʃræŋk] PRET → shrink[1]
shred [ʃred] **A** N *of paper, material* Fetzen *m*; **not a ~ of evidence** nicht der geringste Beweis **B** VT ⟨-dd-⟩ *paper* zerreißen; *in shredder* zerfetzen, zerkleinern
shred·der ['ʃredə(r)] N Reißwolf *m*
shrewd [ʃruːd] ADJ *judgment, investment* klug; *person a.* scharfsinnig
shrewd·ness ['ʃruːdnɪs] N Klugheit *f*, Cleverness *f*
shriek [ʃriːk] **A** N (schriller) Schrei **B** VI aufschreien
shrill [ʃrɪl] ADJ schrill
shrimp [ʃrɪmp] N Garnele *f*
shrine [ʃraɪn] N Schrein *m*
shrink[1] [ʃrɪŋk] VI ⟨shrank, shrunk⟩ schrumpfen; *clothes* einlaufen; *support* zurückgehen
shrink[2] [ʃrɪŋk] N *infml: psychiatrist* Seelenklempner(in) *m(f)*
'shrink-wrap VT ⟨-pp-⟩ einschweißen
'shrink-wrap·ping N *action* Einschweißen *n*; *material* Klarsichtfolie *f*
shriv·el ['ʃrɪvl] VI ⟨-ll-, *US* -l-⟩ (zusammen)schrumpfen; *skin* runzlig werden; *plants* welk werden
shroud [ʃraʊd] **A** N Leichentuch *n* **B** VT hüllen
Shrove 'Tues·day [ʃrəʊv] N Fastnachtsdienstag *m*
shrub [ʃrʌb] N Strauch *m*, Busch *m*
shrug [ʃrʌg] **A** N Achselzucken *n* **B** VT & VI ⟨-gg-⟩ **~ (one's shoulders)** mit den Achseln zucken
shrunk [ʃrʌŋk] PAST PART → shrink[1]

shud·der ['ʃʌdə(r)] **A** N *with fear, revulsion* Schauder *m*; *of earth* Beben *n* **B** VI *with fear, revulsion* schaudern; *earth, building* beben
shuf·fle ['ʃʌfl] **A** VT *cards* mischen **B** VI schlurfen
shun [ʃʌn] VT ⟨-nn-⟩ meiden
shunt [ʃʌnt] VT *train* rangieren
shut [ʃʌt] ⟨-tt-; shut, shut⟩ **A** VT schließen; **~ your mouth!** *infml* halt den Mund! **B** VI schließen; **they were ~** *shop* sie hatten geschlossen
♦ **shut down** **A** VT *company* schließen; *computer* ausschalten, herunterfahren **B** VI *company* schließen; *computer* sich ausschalten
♦ **shut off** VT *gas, water* abstellen
♦ **shut up** **A** VI *infml: stop talking* den Mund halten; **shut up!** halt den Mund *or* die Klappe! **B** VT zum Schweigen bringen
shut·ter ['ʃʌtə(r)] N Fensterladen *m*; PHOT Verschluss *m*
'shut·ter speed N PHOT Belichtungszeit *f*
shut·tle ['ʃʌtl] VI hin- und herfahren; *plane* hin- und herfliegen
'shut·tle bus N Pendelbus *m* **shut·tle di'plo·ma·cy** N POL Pendeldiplomatie *f* **'shut·tle serv·ice** N Pendelverkehr *m*
shy [ʃaɪ] ADJ schüchtern; *animal* scheu
shy·ness ['ʃaɪnɪs] N *of person* Schüchternheit *f*; *of animal* Scheu *f*
sib·lings ['sɪblɪŋz] N *pl* Geschwister *pl*
Si·cil·i·an [sɪ'sɪlɪən] **A** ADJ sizilianisch **B** N Sizilianer(in) *m(f)*
Sic·i·ly ['sɪsɪlɪ] N Sizilien *n*
sick [sɪk] ADJ *a. fig* krank; *sense of humour, behaviour etc* abartig; **I feel ~** *nauseous* mir ist schlecht; **be ~** *vomit* sich übergeben; **be ~ of sb/sth** j-n/etw satthaben; **it makes me ~** *situation, behaviour* es ekelt mich an
sick·en ['sɪkn] **A** VT *disgust* anwidern; *US* krankmachen **B** VI **be sickening for the flu** e-e Grippe bekommen
sick·en·ing ['sɪknɪŋ] ADJ widerlich, ekelhaft
'sick leave N Krankheitsurlaub *m*; **be on ~** krankgeschrieben sein
sick·ly ['sɪklɪ] ADJ ⟨-ier, -iest⟩ *person* kränklich; *colour* widerlich

sick·ness ['sɪknɪs] N Krankheit *f*; *vomiting* Erbrechen *n*
'sick·ness ben·e·fit N Krankengeld *n*
side [saɪd] N Seite *f*; *of road, field* Rand *m*; *of mountain* Hang *m*; SPORTS Mannschaft *f*; **take sides** *favour one side* parteiisch sein; **take sides with sb** für j-n Partei ergreifen; **I'm on your ~** ich stehe auf deiner Seite; **~ by ~** nebeneinander; **on the big/small ~** ein bisschen (zu) groß/klein; **do some work on the ~** schwarzarbeiten
♦**side with** VT Partei ergreifen für
'side·board N Anrichte *f* **'side·burns** N *pl* Koteletten *pl* **'side dish** N Beilage *f* **'side ef·fect** N Nebenwirkung *f* **'side·light** N AUTO Parklicht *n*
'side·line A N Nebenbeschäftigung *f*; **as a ~** nebenher B VT **feel sidelined** sich ausgeschlossen fühlen **'side·long** ADJ seitlich; Seiten-; **take a ~ glance at sb/sth** j-n/etw aus den Augenwinkeln betrachten **'side·step** VT *person, question* ausweichen; *defender* ausspielen **'side street** N Nebenstraße *f* **'side·track** VT ablenken **'side·walk** N *US* Bürgersteig *m* **'side·ways** ADV seitwärts
sid·ing ['saɪdɪŋ] N Nebengleis *n*
si·dle ['saɪdl] VI **~ up to sb** sich an j-n heranschleichen
siege [si:dʒ] N Belagerung *f*; **lay ~ to** *town* belagern
sieve [sɪv] N Sieb *n*
♦**sift through** [sɪft] VT *data* durchgehen
sigh [saɪ] A N Seufzer *m*; **heave a ~ of relief** erleichtert aufseufzen B VI seufzen
sight [saɪt] N Anblick *m*; *ability to see* Sehvermögen *n*; **sights** *pl*; *tourist attraction* Sehenswürdigkeiten *pl*; **have good/bad ~** gute/schlechte Augen haben; **catch ~ of** erblicken; **know by ~** vom Sehen kennen; **be out of/within ~** außer/in Sichtweite sein; **what a ~ you are!** wie siehst du denn aus!; **lose ~ of sb** j-n aus den Augen verlieren; **love at first ~** Liebe auf den ersten Blick
sight·see·ing ['saɪtsi:ɪŋ] N Sightseeing *n*; **go ~** sich (die) Sehenswürdigkeiten ansehen
sight·seer ['saɪtsi:ə(r)] N Tourist(in) *m(f)*
sign [saɪn] A N Zeichen *n*; *indication* Anzeichen *n*; *of shop etc, signpost* Schild *n*; **(road) ~** Verkehrsschild *n*; **there was no ~ of them** von ihnen war keine Spur zu sehen B VT *letter etc* unterschreiben C VI unterschreiben
♦**sign in** VI sich eintragen
♦**sign up** VI MIL sich verpflichten
sig·nal ['sɪgnl] A N Signal *n* B VI ‹-ll-, *US* -l-› *driver* blinken; *cyclist* (ein) Zeichen geben
sig·na·to·ry ['sɪgnətrɪ] N Unterzeichner(in) *m(f)*
'sig·na·to·ry state N Unterzeichnerstaat *m*
sig·na·ture ['sɪgnətʃə(r)] N Unterschrift *f*
'sig·na·ture tune N Erkennungsmelodie *f*
sig·nif·i·cance [sɪg'nɪfɪkəns] N Bedeutung *f*
sig·nif·i·cant [sɪg'nɪfɪkənt] ADJ *event etc* bedeutend; **a ~ sum of money** e-e größere Summe Geld
sig·nif·i·cant·ly [sɪg'nɪfɪkəntlɪ] ADV *notably* bedeutend
sig·ni·fy ['sɪgnɪfaɪ] VT bedeuten
'sign lan·guage N Zeichensprache *f*
'sign·post N Wegweiser *m*
si·lence ['saɪləns] A N *of place* Stille *f*; *of person* Schweigen *n*; **in ~** *work, march* schweigend; **~!** Ruhe! B VT zum Schweigen bringen
si·lenc·er ['saɪlənsə(r)] N *on gun, car* Schalldämpfer *m*
si·lent ['saɪlənt] ADJ *person, protest, suffering* still; *not speaking* schweigsam, stumm; *machine, street* ruhig; *footsteps* lautlos; *march* Schweige-; **a ~ film** ein Stummfilm *m*; **stay ~** schweigen
si·lent 'part·ner N *US* stille(r) Teilhaber(in)
sil·hou·ette [sɪlu:'et] N Silhouette *f*
sil·i·con 'chip N Siliziumchip *m*
sil·i·cone ['sɪlɪkəʊn] N Silikon *n*
silk [sɪlk] A N Seide *f* B ADJ Seiden-
silk·y ['sɪlkɪ] ADJ ‹-ier, -iest› seidig
sill [sɪl] N Fensterbrett *n*
sil·li·ness ['sɪlɪnɪs] N Albernheit *f*
sil·ly ['sɪlɪ] ADJ ‹-ier, -iest› albern; **don't be ~** red (doch) keinen Unsinn; mach keinen Quatsch
sil·ver ['sɪlvə(r)] A N Silber *n* B ADJ *ring*

S

Silber-, silbern; *hair* silbergrau
sil·ver-plat·ed [sɪlvəˈpleɪtɪd] ADJ versilbert **sil·ver·ware** [ˈsɪlvəweə(r)] N Silber *n* **sil·ver ˈwed·ding** N silberne Hochzeit
SIM card [ˈsɪmkɑːd] N TEL SIM-Karte *f*
sim·i·lar [ˈsɪmɪlə(r)] ADJ ähnlich
sim·i·lar·i·ty [sɪmɪˈlærətɪ] N Ähnlichkeit *f*
sim·i·lar·ly [ˈsɪmɪləlɪ] ADV ähnlich; **~ it is hard for them to …** ebenso *or* genauso ist es auch für sie schwierig, …
sim·mer [ˈsɪmə(r)] V/I köcheln; *with rage* kochen (**with** vor)
♦**simmer down** V/I sich beruhigen
sim·ple [ˈsɪmpl] ADJ einfach; *not intelligent* einfältig
sim·ple-mind·ed [sɪmplˈmaɪndɪd] ADJ *pej* einfältig **sim·ple ˈpast** N Präteritum *n* **sim·ple ˈpres·ent** N einfache Gegenwart, Präsens *n*
sim·pli·ci·ty [sɪmˈplɪsətɪ] N Einfachheit *f*
sim·pli·fi·ca·tion [sɪmplɪfɪˈkeɪʃn] N Vereinfachung *f*
sim·pli·fy [ˈsɪmplɪfaɪ] V/T ⟨-ied⟩ vereinfachen
sim·plis·tic [sɪmˈplɪstɪk] ADJ simpel
sim·ply [ˈsɪmplɪ] ADV einfach
sim·u·late [ˈsɪmjʊleɪt] V/T simulieren
sim·ul·ta·ne·ous [sɪmlˈteɪnɪəs] ADJ gleichzeitig
sim·ul·ta·ne·ous in'ter·pre·ter N Simultandolmetscher(in) *m(f)*
sin [sɪn] **A** N Sünde *f* **B** V/I ⟨-nn-⟩ sündigen
since [sɪns] **A** PREP seit **B** ADV **ever ~** seither; **I haven't seen him ~ (then)** ich habe ihn seitdem nicht gesehen **C** CJ *in time* seit, seitdem; *because* da, weil; **~ she came, …** seit sie da ist, …; **ever ~ I've been here** seitdem ich da bin
sin·cere [sɪnˈsɪə(r)] ADJ aufrichtig
sin·cere·ly [sɪnˈsɪəlɪ] ADV aufrichtig; *hope* ernsthaft; **Yours ~** mit freundlichen Grüßen
sin·cer·i·ty [sɪnˈserətɪ] N Aufrichtigkeit *f*
sin·ful [ˈsɪnfʊl] ADJ sündhaft
sing [sɪŋ] V/T & V/I ⟨sang, sung⟩ singen
singe [sɪndʒ] V/T versengen
sing·er [ˈsɪŋə(r)] N Sänger(in) *m(f)*
sin·gle [ˈsɪŋgl] **A** ADJ *case, mistake* einzige(r, -s); *not double* einfach; *bed, ticket etc* Einzel-; *unmarried* unverheiratet; **Single European Act** einheitliche europäische Akte; **~ European currency** einheitliche europäische Währung; **~ European market** europäischer Binnenmarkt; **~ administrative document** *EU* Einheitspapier *n*; **in ~ file** im Gänsemarsch; **she's ~ again** sie ist wieder solo **B** N MUS Single *f*; *in hotel* Einzelzimmer *n*; *ticket for train, bus* einfache Fahrkarte, Einzelfahrkarte *f*; *person* Single *m*; **singles** *sg in tennis* Einzel *n*
♦**single out** V/T *choose* auswählen; *set apart* herausheben
sin·gle-breast·ed [sɪŋglˈbrestɪd] ADJ einreihig **sin·gle ˈfa·ther** N alleinerziehender Vater **sin·gle-hand·ed** [sɪŋglˈhændɪd] **A** ADJ **his ~ attempts to change it** s-e Versuche, es alleine zu ändern **B** ADV im Alleingang **sin·gle-ˈlane** ADJ AUTO einspurig **Sin·gle ˈMar·ket** N Binnenmarkt *m* **sin·gle-mind·ed** [sɪŋglˈmaɪndɪd] ADJ zielstrebig **sin·gle ˈmoth·er** N alleinerziehende Mutter **sin·gle ˈpa·rent** N Alleinerziehende(r) *m/f(m)* **sin·gle pa·rent ˈfam·i·ly** N Familie *f* mit e-m Elternteil **sin·gle ˈroom** N Einzelzimmer *n* **sin·gle-ˈtrack** ADJ RAIL eingleisig, einspurig; **~ road** einspurige Straße
sin·gu·lar [ˈsɪŋgjʊlə(r)] GRAM **A** ADJ im Singular **B** N Singular *m*
sin·is·ter [ˈsɪnɪstə(r)] ADJ finster
sink [sɪŋk] **A** N Spüle *f* **B** V/I ⟨sank, sunk⟩ *ship* sinken, untergehen; *object, sun* untergehen; *interest rates* fallen **C** V/T ⟨sank, sunk⟩ *ship* versenken; *money* investieren (**into** in)
♦**sink in** V/I *liquid* eindringen; **it still hasn't really sunk in** ich hab es immer noch nicht ganz begriffen
sink·ing fund [ˈsɪŋkɪŋ] N Tilgungsfonds *m*
sin·ner [ˈsɪnə(r)] N Sünder(in) *m(f)*
si·nus [ˈsaɪnəs] N Nebenhöhle *f*
si·nus·i·tis [saɪnəˈsaɪtɪs] N MED Stirnhöhlenentzündung *f*
sip [sɪp] **A** N kleiner Schluck **B** V/T ⟨-pp-⟩ schlückchenweise trinken
sir [sɜː(r)] N **can I help you, ~?** kann ich Ihnen helfen?; **Sir Charles** *as title* Sir Charles

si·ren ['saırən] N Sirene *f*
sir·loin ['sɜːlɔın] N Lendenfilet *n*
sis·sy ['sısı] N Weichling *m*
sis·ter ['sıstə(r)] N Schwester *f*; *in hospital* Oberschwester *f*
'sis·ter-in-law N ⟨*pl* sisters-in-law⟩ Schwägerin *f*
sit [sıt] ⟨-tt-; sat, sat⟩ **A** V/I sitzen; sich setzen; *law court* tagen; **~ on a committee** in e-m Ausschuss sitzen **B** V/T *exam* machen, ablegen
♦ **sit down** V/I sich (hin)setzen
♦ **sit up** V/I gerade sitzen; *in bed* sich aufsetzen; *not go to bed* aufbleiben
site [saıt] **A** N Stelle *f*, Platz *m* **B** V/T *new office etc* legen, e-n Standort wählen für
sit·ting ['sıtıŋ] N *of committee, law court, for artist* Sitzung *f*; **there are two sittings for lunch** es wird mittags in zwei Schichten gegessen
'sit·ting room N Wohnzimmer *n*
sit·u·at·ed ['sıtjʊeıtıd] ADJ **be ~** liegen
sit·u·a·tion [sıtjʊ'eıʃn] N Situation *f*, Lage *f*; *of building etc* Lage *f*
sit·u·a·tion 'com·e·dy N TV Situationskomödie *f*, Sitcom *f*
six [sıks] ADJ sechs
'six-pack N Sechserpack *m*
six·teen [sıks'tiːn] ADJ sechzehn
six·teenth [sıks'tiːnθ] ADJ sechzehnte(r, -s)
sixth [sıksθ] ADJ sechste(r, -s)
six·ti·eth ['sıkstııθ] ADJ sechzigste(r, -s)
six·ty ['sıkstı] ADJ sechzig
size [saız] N Größe *f*; **that's about the ~ of it** *infml* genauso ist es
♦ **size up** V/T abschätzen
size·a·ble ['saızəbl] ADJ ziemlich groß
siz·zle ['sızl] V/I brutzeln
skate [skeıt] **A** N *for ice skating* Schlittschuh *m*; *for roller skating* Rollschuh *m* **B** V/I Schlittschuh laufen; Rollschuh laufen
skate·board·ing ['skeıtbɔːdıŋ] N Skateboardfahren *n*
skat·er ['skeıtə(r)] N Schlittschuhläufer(in) *m(f)*; Rollschuhläufer(in) *m(f)*
skat·ing ['skeıtıŋ] N Eislauf *m*; Rollschuhlauf *m*
'skat·ing rink N Eisbahn *f*; Rollschuhbahn *f*
skel·e·ton ['skelıtn] N Skelett *n*
skep·tic *etc US* → sceptic *etc*
sketch [sketʃ] **A** N Skizze *f*; THEAT Sketch *m* **B** V/T skizzieren
'sketch·book N Skizzenbuch *n*
sketch·y ['sketʃı] ADJ ⟨-ier, -iest⟩ *knowledge etc* bruchstückhaft
skew·er ['skjʊə(r)] N Spieß *m*
ski [skiː] **A** N Ski *m* **B** V/I Ski fahren
'ski boots N *pl* Skistiefel *pl*
skid [skıd] **A** N Schleudern *n* **B** V/I ⟨-dd-⟩ *vehicle* rutschen; *person* ausrutschen; **the car skidded into a tree** das Auto geriet ins Schleudern und fuhr gegen einen Baum
'skid·marks N *pl* Bremsspur *f*
ski·er ['skiːə(r)] N Skifahrer(in) *m(f)*
ski·ing ['skiːıŋ] N Skifahren *n*
'ski in·struc·tor N Skilehrer(in) *m(f)*
'ski jump·ing N Skispringen *n*
skil·ful ['skılfl] ADJ geschickt
skill [skıl] N Geschick *n*; **what skills do you have?** welche Fertigkeiten bringen Sie mit?
skilled [skıld] ADJ *adept* geschickt; *trained* ausgebildet
skilled 'work·er N Facharbeiter(in) *m(f)*
skill·ful *etc US* → skilful *etc*
skim [skım] V/T ⟨-mm-⟩ *surface* streifen, berühren; *milk* entrahmen
♦ **skim off** V/T *the best* sich aussuchen
♦ **skim through** V/T *text* überfliegen
skimmed 'milk [skımd] N Magermilch *f*
skimp [skımp] V/I sparen (**on** an)
skimp·y ['skımpı] ADJ ⟨-ier, -iest⟩ *report etc* dürftig; *dress* knapp
skin [skın] **A** N Haut *f*; *animal fur* Fell *n*; *of fruit* Schale *f* **B** V/T ⟨-nn-⟩ *animal* häuten
skin-'deep ADJ (nur) oberflächlich
'skin div·ing N Sporttauchen *n*
'skin·flint N *infml* Geizkragen *m*
'skin graft N Hauttransplantation *f*
skin·ny ['skını] ADJ ⟨-ier, -iest⟩ (zu) dünn
'skin-tight ADJ hauteng
skip [skıp] **A** N *little jump* Hüpfer *m* **B** V/I ⟨-pp-⟩ hüpfen; *with rope* seilspringen **C** V/T ⟨-pp-⟩ *leave out* überspringen
'ski pole N Skistock *m*
skip·per ['skıpə(r)] N Kapitän(in) *m(f)*
skip·ping rope ['skıpıŋ] N Sprungseil *n*
'ski re·sort N Skiort *m*

skirt [skɜ:t] N Rock *m*
'skirt·ing board N Scheuerleiste *f*
'ski run N Skipiste *f*
'ski tow N Schlepplift *m*
skit·tle ['skɪtl] N Kegel *m*
skit·tles ['skɪtlz] N *sg game* Kegeln *n*
skive [skaɪv] VI *infml* schwänzen
skull [skʌl] N Schädel *m*
skul(l)·dug·ge·ry [skʌl'dʌgərɪ] N *infml* fauler Zauber
sky [skaɪ] N Himmel *m*
sky·jack ['skaɪdʒæk] VT *infml*: *plane* entführen **'sky·light** N Dachfenster *n* **'sky·rock·et** VI *infml*: *price* in die Höhe schießen **sky·scrap·er** ['skaɪskreɪpə(r)] N Wolkenkratzer *m*
slab [slæb] N *of stone* Platte *f*; *of cake* großes Stück
slack [slæk] ADJ *rope* locker; *discipline etc* lax; *lazy* träge; *negligent* nachlässig; *time* flau
slack·en ['slækn] VT *rope* lockern; *speed* verringern
♦ **slacken off** VI *trade* abflauen; *speed* nachlassen
slack·er ['slækə(r)] N fauler Sack
slacks [slæks] N *pl* Hose *f*
♦ **slag off** [slæg'ɒf] VT ⟨-gg-⟩ *sl* runtermachen
slain [sleɪn] PAST PART → slay
slam [slæm] ⟨-mm-⟩ **A** VT zuknallen; *infml*: *suggestion* heftig kritisieren **B** VI *door* zuknallen
♦ **slam down** VT knallen (**on** auf)
slan·der ['slɑ:ndə(r)] **A** N Verleumdung *f* **B** VT verleumden
slan·der·ous ['slɑ:ndərəs] ADJ verleumderisch
slant [slɑ:nt] **A** VI sich neigen **B** N *of roof* Schräge *f*; *of news, report* Tendenz *f*
slant·ing ['slɑ:ntɪŋ] ADJ schräg
slap [slæp] **A** N *blow* Schlag *m* **B** VT ⟨-pp-⟩ schlagen; **~ sb's face** j-n ohrfeigen
'slap·dash ADJ schlampig, schludrig
slap-up 'meal N *infml* Essen *n* mit allem Drum und Dran
slash [slæʃ] **A** N Schnitt *m*; *punctuation symbol* Schrägstrich *m* **B** VT *tyres etc* aufschlitzen; *painting* zerfetzen; *prices* drastisch reduzieren; **~ one's wrists** sich die Pulsadern aufschneiden
slate [sleɪt] N Schiefer *m*
slaugh·ter ['slɔ:tə(r)] **A** N *of animals* Schlachten *n*; *of people, in war* Abschlachten *n* **B** VT *animals* schlachten; *people, in war* abschlachten
'slaugh·ter·house N Schlachthaus *n*
Slav [slɑ:v] **A** ADJ slawisch **B** N; Slawe *m*, Slawin *f*
slave [sleɪv] N Sklave *m*, Sklavin *f*
'slave-driv·er N *infml* Sklaventreiber(in) *m(f)*
sla·ve·ry ['sleɪvərɪ] N Sklaverei *f*
sleaze [sli:z] N POL Skandale *pl*
slea·zy ['sli:zɪ] ADJ ⟨-ier, -iest⟩ zwielichtig
sled(ge) [sled(ʒ)] N Schlitten *m*
'sledge·ham·mer N Vorschlaghammer *m*
sleek [sli:k] ADJ *hair, fur* glänzend, geschmeidig; *car* schnittig
♦ **sleek down** VT *hair* glätten
sleep [sli:p] **A** N Schlaf *m*; **I need a good ~** ich muss mal richtig ausschlafen; **go to ~** einschlafen **B** VI ⟨slept, slept⟩ schlafen
♦ **sleep in** VI *get up late* ausschlafen
♦ **sleep off** VT **sleep it off** s-n Rausch ausschlafen
♦ **sleep on** VT *decision* überschlafen
♦ **sleep with** VT *have sex with* schlafen mit
sleep·er ['sli:pə(r)] N *on railway track* Schwelle *f*; *compartment* Schlafwagen *m*; *train* Schlafwagenzug *m*
sleep·i·ly ['sli:pɪlɪ] ADV schläfrig, verschlafen
sleep·ing bag ['sli:pɪŋ] N Schlafsack *m*
'sleep·ing car N RAIL Schlafwagen *m*
sleep·ing 'part·ner N ECON stille(r) Teilhaber(in) **'sleep·ing pill** N Schlaftablette *f*
sleep·less ['sli:plɪs] ADJ schlaflos
'sleep·over N *Party mit Übernachtung*
'sleep·walk·er N Schlafwandler(in) *m(f)*
'sleep·walk·ing N Schlafwandeln *n*
sleep·y ['sli:pɪ] ADJ ⟨-ier, -iest⟩ *yawn, child* schläfrig, müde; *town* verschlafen
sleet [sli:t] N Schneeregen *m*
sleeve [sli:v] N *of jacket etc* Ärmel *m*
sleeve·less ['sli:vlɪs] ADJ ärmellos
sleigh [sleɪ] N (Pferde)Schlitten *m*
slen·der ['slendə(r)] ADJ *figure* schlank;

arm dünn; *income, chance etc* gering; *majority, lead* knapp

slept [slept] PRET & PAST PART → sleep

slice [slaɪs] **A** N *of bread* Scheibe *f*; *of cake* Stück *n*; *fig*: *of profits etc* Teil *m* **B** V/T *bread etc* schneiden

sliced 'bread [slaɪst] N geschnittenes Brot

slick [slɪk] **A** ADJ *performance* professionell; *person* clever; *pej*: *too clever, polite* glatt **B** N Ölteppich *m*

slid [slɪd] PRET & PAST PART → slide

slide [slaɪd] **A** N *for children* Rutsche *f*; PHOT Dia *n*; *in hair* Spange *f* **B** V/I ⟨slid, slid⟩ rutschen; *exchange rate etc* fallen **C** V/T ⟨slid, slid⟩ gleiten lassen; *bed etc* schieben

slid·ing door [slaɪdɪŋ'dɔː(r)] N Schiebetür *f*

slight [slaɪt] **A** ADJ *person, figure* zierlich; *difference, drop* gering(fügig); *accent, cold* leicht; **not in the slightest** nicht im Geringsten **B** N Beleidigung *f*, Kränkung *f*

slight·ly ['slaɪtlɪ] ADV leicht; *better, worse* etwas

slim [slɪm] ⟨-mm-⟩ **A** ADJ schlank; *chance* gering **B** V/I e-e Diät machen

slime [slaɪm] N Schleim *m*

slim·y ['slaɪmɪ] ADJ ⟨-ier, -iest⟩ *a. fig* schleimig

sling [slɪŋ] **A** N *for arm* Schlinge *f* **B** V/T ⟨slung, slung⟩ *throw* schleudern

slink [slɪŋk] V/I ⟨slunk, slunk⟩ (sich) schleichen

slink·y ['slɪŋkɪ] ADJ ⟨-ier, -iest⟩ *dress* aufreizend

slip [slɪp] **A** N *on ice etc* (Aus)Rutschen *n*; *in text* Flüchtigkeitsfehler *m*; **a ~ of paper** ein Zettel *m*; **a ~ of the tongue** ein Versprecher *m*; **give sb the ~** j-m entwischen **B** V/I ⟨-pp-⟩ *on ice etc* (aus)rutschen; *quality etc* nachlassen; **~ out of the room** aus dem Zimmer schleichen **C** V/T ⟨-pp-⟩ *place* stecken; **~ sth into one's bag** etw heimlich in s-e Tasche gleiten lassen; **it slipped my mind** es ist mir entfallen

♦**slip away** V/I *time* verstreichen; *opportunity* dahinschwinden; *die peacefully* einschlafen

♦**slip off** V/T *jacket etc* schlüpfen aus

♦**slip on** V/T *jacket etc* schlüpfen in

♦**slip out** V/I mal schnell rausgehen; **it just slipped out** es ist mir nur so herausgerutscht

♦**slip up** V/I *make a mistake* sich vertun

'slip-on N Slipper *m*

slipped 'disc [slɪpt] N Bandscheibenvorfall *m*

slip·per ['slɪpə(r)] N Hausschuh *m*

slip·per·y ['slɪpərɪ] ADJ ⟨-ier, -iest⟩ glatt

'slip road N (Autobahn)Auffahrt *f*; (Autobahn)Ausfahrt *f*

slip·shod ['slɪpʃɒd] ADJ schlampig

'slip-up N *mistake* Schnitzer *m*

slit [slɪt] **A** N Riss *m*; *in helmet, skirt* Schlitz *m* **B** V/T ⟨-tt-; slit, slit⟩ aufschlitzen

slith·er ['slɪðə(r)] V/I *on ice* rutschen; *snake* gleiten

sliv·er ['slɪvə(r)] N *of wood, glass etc* Splitter *m*; *of soap, cheese etc* Stückchen *n*

slob [slɒb] N *pej* Dreckschwein *n*

slob·ber ['slɒbə(r)] V/I sabbern

slog [slɒg] N *hard work* Strapaze *f*; **be a ~** ganz schön anstrengend sein

slo·gan ['sləʊgən] N Slogan *m*; **advertising ~** Werbespruch *m*

slop [slɒp] V/T ⟨-pp-⟩ verschütten

slope [sləʊp] **A** N *of roof etc* Neigung *f*; *of street etc* Gefälle *n*; *of mountain* Hang *m* **B** V/I geneigt sein; **~ down to the sea** zum Meer hin abfallen

slop·py ['slɒpɪ] ADJ ⟨-ier, -iest⟩ *work, person* schlampig, nachlässig

sloshed [slɒʃt] ADJ *infml* besoffen

slot [slɒt] N Schlitz *m*; COMPUT Steckplatz *m*; **we have a free ~ at 3.30** um 15.30 ist noch ein Termin frei

♦**slot in** ⟨-tt-⟩ **A** V/T hineinstecken **B** V/I sich einfügen lassen

'slot ma·chine N *for selling* Automat *m*; *for gambling* Spielautomat *m*

slouch [slaʊtʃ] V/I **don't ~** stell/setz dich gerade hin

♦**slouch off** V/I weglatschen

Slo·vak ['sləʊvæk] **A** ADJ slowakisch **B** N Slowake *m*, Slowakin *f*; LING Slowakisch *n*

Slo·va·ki·a [sləʊ'vækɪə] N Slowakei *f*

Slo·ve·ni·a [sləʊ'viːnɪə] N Slowenien *n*

Slo·ve·ni·an [sləʊ'viːnɪən] **A** ADJ slowenisch **B** N Slowenier(in) *m(f)*; *language* Slowenisch *n*

slov·en·ly ['slʌvnlɪ] ADJ schlampig

slow [sləʊ] ADJ langsam; **be ~** *clock* nachgehen; **be too ~ (in) doing sth** etw zu spät tun

♦**slow down** A VT verlangsamen B VI langsamer werden; *for health reasons* kürzer treten

'slow·coach N *infml* Lahmarsch *m*

'slow·down N *in production* Verlangsamung *f*

slow·ly ['sləʊlɪ] ADV langsam

slow 'mo·tion N **in ~** in Zeitlupe

slow-'mov·ing ADJ *traffic* kriechend

slow·ness ['sləʊnɪs] N Langsamkeit *f*

'slow·poke N *US infml* Lahmarsch *m*

sludge [slʌdʒ] N (schleimiger) Schlamm

slug [slʌg] N *animal* Nacktschnecke *f*

slug·gish ['slʌgɪʃ] ADJ *pace, person* langsam, träge; *river* träge fließend; *market* flau

sluice [slu:s] N Schleuse *f*

slump [slʌmp] A N *in economy* Konjunkturrückgang *m* B VI *trade, production etc* stark zurückgehen; *into chair* sich fallen lassen; *collapse unconscious* zusammensinken; **slumped over his desk** über dem Schreibtisch zusammengesackt

slung [slʌŋ] PRET & PAST PART → sling

slunk [slʌŋk] PRET & PAST PART → slink

slur [slɜ:(r)] A N Makel *m*; **cast a ~ on sb** j-n schlechtmachen B VT ⟨-rr-⟩ *in speech* lallen

slurp [slɜ:p] VT schlürfen

slurred [slɜ:d] ADJ *speech* undeutlich

slush [slʌʃ] N Schneematsch *m*

'slush fund N Schmiergelder *pl*

slush·y ['slʌʃɪ] ADJ ⟨-ier, -iest⟩ *snow* matschig

slut [slʌt] N *pej* Schlampe *f*

sly [slaɪ] ADJ gerissen; *look, appearance etc* verschlagen; **on the ~** heimlich

smack [smæk] A N Klaps *m* B VT *child* e-n Klaps geben; **I'll ~ your bottom** ich versohl dir den Hintern

♦**smack of** VT schmecken *or* riechen nach

small [smɔ:l] A ADJ klein B N **the ~ of the back** das Kreuz

'small ad N Kleinanzeige *f* **small and me·di·um-sized 'en·ter·pri·ses** N *pl* kleine und mittlere Unternehmen *pl* **'small arms** N *pl* Handfeuerwaffen *pl* **small 'busi·ness** N Kleinunternehmen *n* **small 'change** N Kleingeld *n* **'small hours** N *pl* **in the ~** in den frühen Morgenstunden **small-mind·ed** [smɔ:l'maɪndɪd] ADJ engstirnig; *intolerant* kleinlich **'small print** N **the ~** das Kleingedruckte **'small talk** N Small Talk *m*; **make ~** Small Talk machen **'small-time** ADJ *infml* klein, unbedeutend

smarm·y ['smɑ:mɪ] ADJ ⟨-ier, -iest⟩ *infml* schmierig

smart [smɑ:t] A ADJ *in appearance* schick; *intelligent* clever; *pace* flott; **get ~ with sb** j-m frech kommen B VI *wound* brennen

smart al·ec(k) ['smɑ:tælɪk] N *infml* Besserwisser(in) *m(f)* **'smart ass** N *sl* Klugscheißer(in) *m(f)* **'smart card** N Chipkarte *f*

♦**smart·en up** [smɑ:tn'ʌp] VT *room, town* verschönern; **smarten o.s. up** mehr auf sein Äußeres achten; *for party etc* sich fein machen

smart·ly ['smɑ:tlɪ] ADV *dressed* schick

smart·ness ['smɑ:tnəs] N Schlauheit *f*, Cleverness *f*; *in appearance* Schick *m*

'smart phone N Smartphone *n*

smash [smæʃ] A N *sound* Krachen *n*; *in car* Unfall *m* B VT zerschmettern, zerschlagen; *window* einschlagen; *hit* schlagen; *world record* brechen, deutlich übertreffen; **~ sth to pieces** etw kurz und klein schlagen C VI *break* zerbrechen; **the car smashed into a tree** das Auto krachte gegen einen Baum

♦**smash up** VT *room, pub* verwüsten; *furniture* kurz und klein schlagen

smash 'hit N *infml* Superhit *m*

smash·ing ['smæʃɪŋ] ADJ *infml* toll

smat·ter·ing ['smætərɪŋ] N **a ~ of Arabic** ein paar Brocken Arabisch

smear [smɪə(r)] A N *of ink etc* Fleck *m*; MED Abstrich *m*; **a ~ on his character** e-e Verleumdung B VT *paint* verschmieren; *person* verleumden

'smear cam·paign N Verleumdungskampagne *f*

smell [smel] A N Geruch *m*; *unpleasant* Gestank *m*; **it has no ~** es riecht nach nichts; **sense of ~** Geruchssinn *m* B VT ⟨smelt *or* smelled, smelt *or* smelled⟩ riechen (an) C VI ⟨smelt *or* smelled, smelt *or* smelled⟩ riechen (**of** nach); *dog* schnuppern; *unpleasant* stinken; **it smells good** es riecht gut

smell·y ['smelı] ADJ ⟨-ier, -iest⟩ stinkend; **you've got ~ feet** deine Füße stinken
smelt [smelt] V/T *ore* schmelzen
SMEs PL [esem'i:z] ABBR *for* small and medium-sized enterprises KMU *pl*
smile [smaıl] **A** N Lächeln *n* **B** V/I lächeln
♦ **smile at** V/T *person* anlächeln; *thought* lächeln über, lächeln bei
smirk [smɜ:k] **A** N Grinsen *n* **B** V/I grinsen
smith·e·reens [smıðə'ri:nz] N *pl* **smash sth to ~** etw in tausend Stücke schlagen
smit·ten ['smıtn] ADJ *esp hum* verliebt, verknallt (**with** in)
smoke [sməʊk] **A** N Rauch *m*; **have a ~** e-e (Zigarette) rauchen **B** V/T rauchen; *food* räuchern **C** V/I rauchen
smok·er ['sməʊkə(r)] N Raucher(in) *m(f)*
'smoke·stack N Schornstein *m*
smok·ing ['sməʊkıŋ] N Rauchen *n*; **no ~** Rauchen verboten
smok·y ['sməʊkı] ADJ ⟨-ier, -iest⟩ verraucht
'smol·der *US* → smoulder
smooth [smu:ð] **A** ADJ *surface, skin* glatt; *lake, journey, flight* ruhig; *crossing* reibungslos; *pej*: *person* (aal)glatt **B** V/T *hair* glätten
♦ **smooth down** V/T *with file etc* fein schleifen; *with sandpaper* schmirgeln
♦ **smooth out** V/T *paper, material* glätten
♦ **smooth over** V/T **smooth things over** alles klären; **smooth things over between two people** zwei Menschen versöhnen
smooth·ly ['smu:ðlı] ADV *without problems* glatt, reibungslos
smoth·er ['smʌðə(r)] V/T *flames, person* ersticken; **~ sb with kisses** j-n mit Küssen bedecken; **smothered in cream** in Sahne schwimmend
smoul·der ['sməʊldə(r)] V/I *fire* schwelen; *fig*: *with rage, passion* glühen
smudge [smʌdʒ] **A** N Fleck *m* **B** V/T verwischen
smug [smʌg] ADJ ⟨-gg-⟩ selbstgefällig
smug·gle ['smʌgl] V/T schmuggeln
smug·gler ['smʌglə(r)] N Schmuggler(in) *m(f)*
smug·gling ['smʌglıŋ] N Schmuggeln *n*
smut·ty ['smʌtı] ADJ ⟨-ier, -iest⟩ *joke, sense of humour* schmutzig
snack [snæk] N Imbiss *m*
snag [snæg] N *problem* Haken *m*
snail [sneıl] N Schnecke *f*
'snail mail N *hum* Schneckenpost *f* (*herkömmliche Post im Vergleich zur E-Mail*)
snake [sneık] N Schlange *f*
snap [snæp] **A** N *sound* Schnappen *n*; PHOT Schnappschuss *m* **B** V/T ⟨-pp-⟩ *bone* brechen; *pen etc* zerbrechen; **~ at sb** j-n anfahren **C** V/I ⟨-pp-⟩ *break* zerbrechen; *rope* reißen; *infml*: *person* ausflippen **D** ADJ *decision* plötzlich
♦ **snap up** V/T **it was a bargain so I snapped it up** es war so günstig, da habe ich schnell zugegriffen
'snap fas·ten·er N *US* Druckknopf *m*
snap·py ['snæpı] ADJ ⟨-ier, -iest⟩ *short-tempered* kurz angebunden; *infml*: *quick* flott; *title, headline* kurz und treffend; *dresser* modisch
'snap shot N Schnappschuss *m*
snarl [snɑ:l] **A** N Knurren *n* **B** V/I knurren
snatch [snætʃ] **A** V/T *grab* schnappen; *steal* klauen; *kidnap* entführen; **~ sth away from sb** j-m etw wegreißen **B** V/I greifen (**at** nach)
snaz·zy ['snæzı] ADJ ⟨-ier, -iest⟩ *infml* flott
sneak [sni:k] **A** N *infml*: *telltale* Petze *f* **B** V/T **~ a glance at sth** heimlich e-n Blick auf etw werfen **C** V/I *infml*: *tell tales* petzen; **~ into the room** sich ins Zimmer schleichen
sneak·ers ['sni:kəz] N *pl US* Turnschuhe *pl*
sneak·ing ['sni:kıŋ] ADJ **have a ~ suspicion that …** den leisen Verdacht haben, dass …
sneak 'pre·view N *of film* Sneak Preview *f*; **have a ~ of sth** *new product, presents* etw heimlich vorher sehen
sneak·y ['sni:kı] ADJ ⟨-ier, -iest⟩ *infml*: *cunning* raffiniert; *pej* hinterhältig
sneer [snıə(r)] **A** N höhnisches Grinsen **B** V/I spotten; höhnisch grinsen
♦ **sneer at** V/T *mock* spotten über; *with sneering expression* höhnisch angrinsen
sneeze [sni:z] **A** N Niesen *n* **B** V/I niesen
sniff [snıf] **A** V/I *because of runny nose*

schniefen; *dog* schnüffeln (**at** an) **B** VT *smell* schnuppern an; *dog: lamppost etc* schnüffeln an; *glue* schnüffeln; *cocaine* schnupfen

snif·fle ['snɪfl] N Schniefen *n*; *cold* leichter Schnupfen

snig·ger ['snɪgə(r)] **A** N Kichern *n* **B** VI kichern

snip [snɪp] N *infml: bargain* Schnäppchen *n*

snip·er ['snaɪpə(r)] N Heckenschütze *m*

sniv·el ['snɪvl] VI ‹-ll-, *US* -l-› *pej* jammern

snob·ber·y ['snɒbərɪ] N Snobismus *m*

snob·bish ['snɒbɪʃ] ADJ versnobt

snog [snɒg] **A** VT & VI ‹-gg-› knutschen **B** N Knutscherei *f*

snoop [snu:p] N Schnüffler(in) *m(f)*

♦**snoop around** VI herumschnüffeln

snoot·y ['snu:tɪ] ADJ ‹-ier, -iest› *infml* hochnäsig

snooze [snu:z] **A** N Nickerchen *n*; **have a ~** ein Nickerchen machen **B** VI dösen

snore [snɔ:(r)] VI schnarchen

snor·ing ['snɔ:rɪŋ] N Schnarchen *n*

snor·kel ['snɔ:kl] N Schnorchel *m*

snort [snɔ:t] VI schnauben

snot [snɒt] N *infml* Schnodder *m*

snot·ty ['snɒtɪ] ADJ ‹-ier, -iest› *nose* rotzig; *person* hochnäsig

snout [snaʊt] N *of pig, dog* Schnauze *f*

snow [snəʊ] **A** N Schnee *m* **B** VI schneien

♦**snow under** VT **be snowed under with work** in Arbeit ertrinken

'snow·ball N Schneeball *m* **'snow·ball sys·tem** N ECON Schneeballsystem *n* **'snow·bound** ADJ eingeschneit **'snow chains** N *pl* AUTO Schneeketten *pl* **'snow·drift** N Schneewehe *f* **'snow·flake** N Schneeflocke *f* **'snow·man** N Schneemann *m* **'snow·plough**, **'snow·plow** *US* N Schneepflug *m* **'snow·storm** N Schneesturm *m*

snow·y ['snəʊɪ] ADJ ‹-ier, -iest› *region* schneereich; *street, mountain* verschneit

Snr *only written* ABBR *for* Senior sen., senior

snub [snʌb] **A** N Brüskierung *f*, Kränkung *f* **B** VT ‹-bb-› brüskieren, vor den Kopf stoßen

snub-nosed ['snʌbnəʊzd] ADJ *person* stupsnasig

snuf·fle ['snʌfl] VI schnüffeln, schniefen

snug [snʌg] ADJ ‹-gg-› behaglich; *tight-fitting* eng; **you look ~ in that coat** der Mantel sieht schön warm aus

♦**snug·gle down** [snʌgl'daʊn] VI sich kuscheln (**in** in)

♦**snuggle up to** VT sich ankuscheln an

so [səʊ] **A** ADV so; **~ am/do I** ich auch; **and ~ on** und so weiter **B** PRON **I hope/think ~** ich hoffe/glaube ja; **you didn't tell me – I did ~** das hast du mir nicht gesagt – doch, habe ich; **50 or ~** um die 50; **~ what?** *infml* na und? **C** CJ *therefore* deshalb; *so that* damit

soak [səʊk] VT *steep: laundry etc* einweichen; *wet* durchnässen

♦**soak up** VT *liquid* aufsaugen; **soak up the sun** die Sonne genießen

soaked [səʊkt] ADJ durchnässt

soak·ing wet [səʊkɪŋ'wet] ADJ *person* klitschnass; *laundry* tropfnass

so-and-so ['səʊənsəʊ] N *infml: unknown person* **Mrs ~** Frau Soundso; **that ~ next door** *euph: annoying person* dieser blöde Kerl/diese Ziege von nebenan

soap [səʊp] N *for washing* Seife *f*

'soap (op·e·ra) N Seifenoper *f*

soap·y ['səʊpɪ] ADJ ‹-ier, -iest› seifig

soar [sɔ:(r)] VI *rocket etc* aufsteigen; *prices* in die Höhe schnellen

sob [sɒb] **A** N Schluchzen *n* **B** VI ‹-bb-› schluchzen

so·ber ['səʊbə(r)] ADJ *not drunk* nüchtern; *serious* ernst

♦**sober up** VI nüchtern werden

so-called [səʊ'kɔ:ld] ADJ sogenannt, angeblich

soc·cer ['sɒkə(r)] N Fußball *m*

so·cia·ble ['səʊʃəbl] ADJ gesellig

so·cial ['səʊʃl] ADJ *justice, origins* sozial; *function, group* gesellschaftlich; *sociable* gesellig; **~ system** Gesellschaftssystem *n*

So·cial 'Char·ter N *EU* Sozialcharta *f*

so·cial 'dem·o·crat N Sozialdemokrat(in) *m(f)* **so·cial 'di·a·logue** N *EU* sozialer Dialog

so·cial·ism ['səʊʃəlɪzm] N Sozialismus *m*

so·cial·ist ['səʊʃəlɪst] **A** ADJ sozialistisch **B** N Sozialist(in) *m(f)*

so·cial·ize ['səʊʃəlaɪz] VI **~ with one's**

colleagues sich mit seinen Kollegen treffen; **he rarely socializes** er geht kaum unter (die) Leute

'so·cial life N Privatleben *n* **so·cial net·work·ing site** ['netwɜːkɪŋ] N soziales Netzwerk **so·cial 'part·ners** N *pl* Sozialpartner *pl* **so·cial 'po·li·cy** N Gesellschaftspolitik *f*, Sozialpolitik *f* **so·cial 'sci·ence** N Sozialwissenschaft *f*, Sozialwissenschaften *pl* **so·cial se'cu·ri·ty** N Sozialhilfe *f* **so·cial 'serv·i·ces** N *pl* Sozialeinrichtungen *pl* **'so·cial work** N Sozialarbeit *f* **'so·cial work·er** N Sozialarbeiter(in) *m(f)*

so·ci·e·ty [sə'saɪətɪ] N Gesellschaft *f*; *organization a.* Verein *m*

so·ci·ol·o·gist [səʊsɪ'ɒlədʒɪst] N Soziologe *m*, Soziologin *f*

so·ci·ol·o·gy [səʊsɪ'ɒlədʒɪ] N Soziologie *f*

sock [sɒk] N Socke *f*

sock·et ['sɒkɪt] N *in wall* Steckdose *f*; *for lightbulb* Fassung *f*; *of shoulder etc* Gelenk *n*, Gelenkpfanne *f*; *of eye* Augenhöhle *f*

sod [sɒd] *infml* **A** N *stupid person* blöder Hund **B** V/T **~ it!** verdammt!; Scheiß drauf!

so·da ['səʊdə] N Soda(wasser) *n*; *US* Softdrink *m*, Limo *f*

sod·den ['sɒdn] ADJ *ground, pitch etc* durchnässt; *coat etc* triefnass

so·fa ['səʊfə] N Sofa *n*, Couch *f*

'so·fa-bed N Schlafcouch *f*

So·fi·a [sə'fiːə] N Sofia *n*

soft [sɒft] ADJ weich; *light* gedämpft; *music, voice a.* leise; *touch, skin* sanft; *lenient* nachsichtig (**with sb** gegen j-n); **have a ~ spot for** e-e Schwäche haben für

'soft drink N alkoholfreies Getränk, Softdrink *m*

soft 'drug N weiche Droge

soft·en ['sɒfn] **A** V/T *attitude, effect, blow* mildern **B** V/I *butter, ice cream* weich werden

soft-heart·ed [sɒft'hɑːtɪd] ADJ weichherzig

soft·ly ['sɒftlɪ] ADV *speak* leise; *touch, kiss* sanft

soft 'toy N Stofftier *n*

soft·ware ['sɒftweə(r)] N *no pl* Software *f*

'soft·ware pack·age N Softwarepaket *n*

sog·gy ['sɒgɪ] ADJ ‹-ier, -iest› matschig

soil [sɔɪl] **A** N Erde *f*, Boden *m* **B** V/T beschmutzen

sol·ace ['sɒləs] N Trost *m*

so·lar ['səʊlə(r)] ADJ Sonnen-, Solar-

so·lar 'en·er·gy N Sonnenenergie *f*, Solarenergie *f* **so·lar 'pan·el** N Sonnenkollektor *m* **'so·lar sys·tem** N Sonnensystem *n*

sold [səʊld] PRET & PAST PART → sell

sol·der ['sɒldə(r)] V/T (ver)löten

sol·dier ['səʊldʒə(r)] N Soldat(in) *m(f)*

♦ **soldier on** V/I unermüdlich weitermachen

sole[1] [səʊl] N *of foot, shoe* Sohle *f*

sole[2] [səʊl] ADJ *survivor, reason* einzig; *responsibility, possession* alleinig

sole[3] [səʊl] N *fish* Seezunge *f*

sole 'earn·er N Alleinverdiener(in) *m(f)*

sole·ly ['səʊlɪ] ADV nur; **I was not ~ to blame** es war nicht allein meine Schuld

sol·emn ['sɒləm] ADJ ernst; *music* getragen; *promise, event* feierlich

so·lem·ni·ty [sə'lemnətɪ] N *of person* Ernst *m*; *of promise, event, music* Feierlichkeit *f*

so·li·cit [sə'lɪsɪt] V/I *offer illicit sex* Kunden anwerben

so·lic·i·tor [sə'lɪsɪtə(r)] N Rechtsanwalt *m*, -anwältin *f*

sol·id ['sɒlɪd] ADJ *hard* fest; *mass, row etc* geschlossen; *gold, silver* massiv; *wall, building* stabil; *evidence* handfest; *support* voll; **a ~ hour** e-e ganze Stunde

sol·i·dar·i·ty [sɒlɪ'dærətɪ] N Solidarität *f*

so·lid·i·fy [sə'lɪdɪfaɪ] V/I ‹-ied› fest werden

sol·id·ly ['sɒlɪdlɪ] ADV *constructed* solide; **be ~ in favour of sth** etw mit großer Mehrheit befürworten; **be ~ behind sb** voll und ganz hinter j-m stehen

sol·i·ta·ry ['sɒlɪtərɪ] ADJ einsam; **not a ~ person** kein einziger Mensch

sol·i·ta·ry con'fine·ment N Einzelhaft *f*

sol·i·tude ['sɒlɪtjuːd] N Einsamkeit *f*

so·lo ['səʊləʊ] **A** N MUS Solo *n* **B** ADJ Solo-

so·lo·ist ['səʊləʊɪst] N Solist(in) *m(f)*

sol·u·ble ['sɒljʊbl] ADJ *substance* löslich; *problem* lösbar
so·lu·tion [sə'lu:ʃn] N Lösung *f* (**to** *gen*)
solve [sɒlv] V/T lösen
sol·ven·cy ['sɒlvənsɪ] N Solvenz *f*
sol·vent ['sɒlvənt] ADJ *financially* zahlungsfähig
som·bre, **som·ber** *US* ['sɒmbə(r)] ADJ *colour, sky etc* dunkel; *face, mood etc* düster
some [sʌm] **A** ADJ & PRON *a certain number of* einige; *a certain amount of* etwas **B** ADV ~ **three hours** etwa drei Stunden
some·bod·y ['sʌmbədɪ] PRON jemand; **he really thinks he's ~** er hält sich für was Besonderes
'some·day ADV eines Tages
'some·how ADV irgendwie
'some·one PRON → somebody
'some·place ADV → somewhere
som·er·sault ['sʌməsɔ:lt] N **A** N Purzelbaum *m* **B** V/I e-n Purzelbaum schlagen; *car* sich überschlagen
'some·thing PRON etwas; **a little ~ for her birthday** e-e Kleinigkeit zu ihrem Geburtstag; **he's ~ of a celebrity** er ist ganz schön berühmt
'some·time ADV irgendwann
some·times ['sʌmtaɪmz] ADV manchmal
'some·what ADV ein wenig
'some·where **A** ADV irgendwo; irgendwohin **B** PRON irgendwo; **let's go ~ else** gehen wir woanders hin
son [sʌn] N Sohn *m*
song [sɒŋ] N Lied *n*
'song·bird N Singvogel *m*
'song·writ·er N Liedermacher(in) *m(f)*
'son-in-law N ⟨*pl* sons-in-law⟩ Schwiegersohn *m*
soon [su:n] ADV *in near future* bald; *early* früh; **he ~ forgot about it** er hat es schnell vergessen; **how ~ can you be ready?** wann kannst du fertig sein?; **as ~ as** sobald; **as ~ as possible** sobald wie möglich; **sooner or later** früher oder später; **the sooner the better** je eher, desto besser; **is Tuesday ~ enough for you?** reicht es dir am Dienstag?
soot [sʊt] N Ruß *m*
soothe [su:ð] V/T *person* beruhigen; *pain* lindern
sooth·ing ['su:ðɪŋ] ADJ *voice, music* beruhigend; *medicine* lindernd
sop [sɒp] N Beschwichtigungsmittel *n* (**to** für)
so·phis·ti·cat·ed [sə'fɪstɪkeɪtɪd] ADJ *person, taste* kultiviert; *style* raffiniert; *machine* hoch entwickelt
so·phis·ti·ca·tion [səfɪstɪ'keɪʃn] N *of person* Kultiviertheit *f*; *of dress, style* Raffinesse *f*; *of machine* hoher Entwicklungsstand
sop·o·rif·ic [sɒpə'rɪfɪk] ADJ einschläfernd
sop·ping ['sɒpɪŋ] ADJ ~ **wet** klatschnass
sop·py ['sɒpɪ] ADJ ⟨-ier, -iest⟩ *infml* (zu) sentimental; *film, song a.* schmalzig
so·pra·no [sə'prɑ:nəʊ] N Sopran *m*
sor·did ['sɔ:dɪd] ADJ *affair, business* schmutzig
sore [sɔ:(r)] **A** ADJ **is it ~?** tut es weh?; **have a ~ stomach** Bauchschmerzen haben; ~ **point** wunder Punkt **B** N wunde Stelle
sore 'throat N Halsschmerzen *pl*
sor·row ['sɒrəʊ] N Traurigkeit *f*
sor·row·ful ['sɒrəfʊl] ADJ traurig; *look a.* betrübt
sor·ry ['sɒrɪ] ADJ ⟨-ier, -iest⟩ *day, sight* traurig; **(I'm) ~!** *expressing apology* Entschuldigung!; **I'm ~** *expressing regret or sympathy* (es) tut mir leid; **I won't be ~ to leave** es wird mir nicht schwerfallen, wegzugehen; **I feel ~ for her** sie tut mir leid
sort [sɔ:t] **A** N Sorte *f*; **a ~ of ...** e-e Art ...; **all sorts of people** alle möglichen Leute; **all sorts of things** alles Mögliche; **~ of ...** *infml* irgendwie ...; **she's ~ of tall** *infml* sie ist ziemlich groß; **is it finished? – ~ of** *infml* ist es fertig? – eigentlich schon **B** V/T sortieren
♦**sort out** V/T *papers* aussortieren; *problem* lösen; **I'll sort him out!** ich werd ihn mir mal vorknöpfen
'so-so ADV *infml* so lala
sought [sɔ:t] PRET & PAST PART → seek
soul [səʊl] N Seele *f*; *fig*: *of nation etc* Wesen *n*; *of building etc* Charakter *m*; **not a ~** keine Menschenseele
soul·mate ['səʊlmeɪt] N **they are soulmates** sie sind seelenverwandt
sound[1] [saʊnd] **A** ADJ *advice, decision* vernünftig; *not ill* gesund; *construction etc* einwandfrei; *sleep* tief; *economy, wall,*

building stabil **B** ADV **be ~ asleep** fest schlafen
sound[2] [saʊnd] **A** N *of musical instrument, stereo system etc* Klang *m*; *noise* Geräusch *n*; PHYS Schall *m*; **not another ~!** keinen Ton mehr! **B** V/T *vowel etc* aussprechen; MED abklopfen; **~ one's horn** AUTO hupen **C** V/I klingen, sich anhören
♦ **sound out** V/T aushorchen
'sound·bite N Phrase *f* **'sound card** N COMPUT Soundkarte *f* **'sound effects** N *pl* Klangeffekte *pl*, Toneffekte *pl*
sound·less ['saʊndlɪs] ADJ lautlos
sound·ly ['saʊndlɪ] ADV *sleep* fest; *defeated* klar
'sound·proof ADJ schalldicht
'sound·track N *of film* Filmmusik *f*; *on CD* Soundtrack *m* **'sound wave** N Schallwelle *f*
soup [su:p] N Suppe *f*
'soup bowl N Suppenteller *m*
souped-up [su:pt'ʌp] ADJ *infml* frisiert
'soup plate N Suppenteller *m*
'soup spoon N Suppenlöffel *m*
sour ['saʊə(r)] ADJ sauer; *expression, face* mürrisch; **turn ~** *relationship* sich verschlechtern
source [sɔ:s] N Quelle *f*
sour 'cream N saure Sahne
south [saʊθ] **A** ADJ Süd- **B** N Süden *m*; **to the ~ of ...** südlich von ... **C** ADV nach Süden
South 'Af·ri·ca N Südafrika *n* **South 'Af·ri·can** **A** ADJ südafrikanisch **B** N Südafrikaner(in) *m(f)* **South A'mer·i·ca** N Südamerika *n* **South A'mer·i·can** **A** ADJ südamerikanisch **B** N Südamerikaner(in) *m(f)* **south'east** **A** N Südosten *m* **B** ADJ südöstlich, Südost- **C** ADV nach Südosten; **it's ~ of ...** es liegt südöstlich von ... **south'east·ern** ADJ südöstlich, Südost-
south·er·ly ['sʌðəlɪ] ADJ südlich; *wind* aus südlicher Richtung
south·ern ['sʌðən] ADJ südlich
south·ern·er ['sʌðənə(r)] N Bewohner(in) *m(f)* des Südens
south·ern·most ['sʌðənməʊst] ADJ südlichste(r, -s)
South 'Pole N Südpol *m*
south·wards ['saʊθwədz] ADV nach Süden
south'west **A** N Südwesten *m* **B** ADJ südwestlich, Südwest- **C** ADV nach Südwesten; **~ of ...** südwestlich von ...
south'west·ern ADJ südwestlich, Südwest-
sou·ven·ir [su:və'nɪə(r)] N Souvenir *n*, Andenken *n*
sove·reign ['sɒvrɪn] ADJ *state* souverän
sove·reign·ty ['sɒvrəntɪ] N Souveränität *f*
So·vi·et 'Un·ion N HIST Sowjetunion *f*
sow[1] [saʊ] N *pig* Sau *f*
sow[2] [səʊ] V/T ⟨sowed, sown⟩ *seed, corn* aussäen
sown [səʊn] PAST PART → sow[2]
soy·a bean ['sɔɪə] N Sojabohne *f*
soy sauce [sɔɪ'sɔ:s] N Sojasoße *f*
spa [spɑ:] N Kurort *m*
space [speɪs] N *the cosmos* Weltraum *m*; *room* Platz *m*, Raum *m*; *gap, interval* Platz *m*; *in text* Leerzeichen *n*
♦ **space out** V/T verteilen; **the houses are nicely spaced out** die Häuser sind nicht so eng aufeinandergebaut
'space age N Weltraumzeitalter *n*
'space-bar N COMPUT Leertaste *f*
'space cap·sule N (Welt)Raumkapsel *f* **'space cen·tre**, **'space cen·ter** *US* N Raumfahrtzentrum *n* **'space·craft** N Raumfahrzeug *n*
spaced-out [speɪst'aʊt] ADJ *sl*: *appearance* irre; *music* abgefahren
'space flight N (Welt)Raumflug *m*
'space·man N (Welt)Raumfahrer *m*; Außerirdische **'space probe** N (Welt)Raumsonde *f* **'space·ship** N Raumschiff *n* **'space shut·tle** N Raumfähre *f* **'space sta·tion** N Raumstation *f* **'space·suit** N Raumanzug *m* **'space walk** N Weltraumspaziergang *m* **'space·wom·an** N (Welt)Raumfahrerin *f*; Außerirdische *f*
spa·cious ['speɪʃəs] ADJ geräumig
spade [speɪd] N *for digging* Spaten *m*; **spades** *pl*; *in card game* Pik *n*
'spade·work N *fig* Vorarbeit *f*
spa·ghet·ti [spə'getɪ] N *sg* Spaghetti *pl*
Spain [speɪn] N Spanien *n*
Spam® [spæm] N Frühstücksfleisch *n*
spam [spæm] **A** N IT Spam *n* **B** V/T mit Spam zumüllen
'spam fil·ter N Spamfilter *m*

span [spæn] A VT ⟨-nn-⟩ *in time* sich erstrecken über; *river, valley* überspannen B PRET → spin²

Span·iard ['spænjəd] N Spanier(in) *m(f)*

Span·ish ['spænɪʃ] A ADJ spanisch B N *language* Spanisch *n*; **the ~** *pl* die Spanier *pl*

spank [spæŋk] VT **~ sb** j-m den Hintern versohlen

span·ner ['spænə(r)] N Schraubenschlüssel *m*

spar [spɑː] VI ⟨-rr-⟩ *fig* sich ein Wortgefecht liefern (**with** mit)

spare [speə(r)] A VT *not need* entbehren, auskommen ohne; **can you ~ the time?** haben Sie die Zeit (dafür)?; **have no money to ~** kein Geld übrig haben; **I'll ~ you the details** ich erspare dir die Details B ADJ *tyres, glasses, part* Ersatz-, extra; **do you have any ~ cash?** hast du etwas Geld übrig? C N *for car, machine etc* Ersatzteil *n*

spare 'part N Ersatzteil *n* **spare 'room** N Gästezimmer *n* **spare 'time** N Freizeit *f* **spare 'tyre**, **spare 'tire** *US* N AUTO Ersatzreifen *m*

spar·ing ['speə(r)ɪŋ] ADJ **be ~ with** sparsam sein mit

spark [spɑːk] N Funke *m*

spar·kle ['spɑːkl] VI funkeln

spark·ling wine [spɑːklɪŋ'waɪn] N Schaumwein *m*

'spark plug N Zündkerze *f*

spar·row ['spærəʊ] N Spatz *m*

sparse [spɑːs] ADJ *vegetation* spärlich

sparse·ly ['spɑːslɪ] ADV **~ populated** dünn besiedelt

spar·tan ['spɑːtn] ADJ spartanisch

spas·m ['spæzəm] N MED Krampf *m*; *fig: of panic etc* Anfall *m*

S

spas·mod·ic [spæz'mɒdɪk] ADJ sporadisch

spat [spæt] PRET & PAST PART → spit¹

spate [speɪt] N *of burglaries etc* Serie *f*; *of applications etc* Flut *f*

spa·tial ['speɪʃl] ADJ räumlich

spat·ter ['spætə(r)] VT **the car spattered mud all over me** das Auto hat mich mit Schlamm vollgespritzt

spawn VT [spɔːn] *fig* hervorbringen

speak [spiːk] ⟨spoke, spoken⟩ A VI sprechen, reden (**to, with** mit); *at event* e-e Rede halten; **speaking** TEL am Apparat B VT sprechen; **~ one's mind** s-e Meinung sagen

♦**speak for** VT sprechen für; **speak for yourself!** das meinst auch nur du!

♦**speak out** VI s-e Meinung deutlich sagen; **speak out against** s-e Stimme erheben gegen

♦**speak up** VI lauter sprechen

speak·er ['spiːkə(r)] N Sprecher(in) *m(f)*; *before audience* Redner(in) *m(f)*; *of stereo system etc* Lautsprecher *m*, Box *f*

'spear·mint N *flavour* Grüne Minze

spe·cial ['speʃl] A ADJ besondere(r, -s), speziell; **~ offer** Sonderangebot *n* B N *on menu* Tagesgericht *n*; TV Sondersendung *f*

spe·cial·ist ['speʃəlɪst] N Spezialist(in) *m(f)*; MED Facharzt *m*, -ärztin *f*

spe·ci·al·i·ty [speʃɪ'ælətɪ] N Spezialität *f*

spe·cial·ize ['speʃəlaɪz] VI sich spezialisieren (**in** auf)

spe·cial·ly ['speʃlɪ] ADV → especially

spe·cial·ty ['speʃəltɪ] N *US* Spezialität *f*

spe·cies ['spiːʃiːz] N *sg* Art *f*

spe·cif·ic [spə'sɪfɪk] ADJ *group, demand* bestimmt, spezifisch; *precise* genau; **he wasn't very ~** er hat es nicht genau gesagt

spe·cif·i·cal·ly [spə'sɪfɪklɪ] ADV *manufacture, aim at* speziell; *mention* ausdrücklich

spec·i·fi·ca·tions [spesɪfɪ'keɪʃnz] N *pl of machine etc* technische Daten *pl*

spe·ci·fy ['spesɪfaɪ] VT ⟨-ied⟩ spezifizieren

spe·ci·men ['spesɪmən] N *of work*, MED Probe *f*; **a superb ~** ein Prachtexemplar *n*

speck [spek] N *of dirt* Fleck *m*; *of dust* Körnchen *n*

speck·led ['spekld] ADJ gefleckt, gesprenkelt

specs [speks] N *pl infml* Brille *f*

spec·ta·cle ['spektəkl] N Anblick *m*; **a pair of spectacles** e-e Brille

spec·tac·u·lar [spek'tækjʊlə(r)] ADJ spektakulär

spec·ta·tor [spek'teɪtə(r)] N Zuschauer(in) *m(f)*

spec·tre, **spec·ter** *US* ['spektə(r)] N *a. fig* Gespenst *n*

spec·trum ['spektrəm] N *fig* Spektrum *n*

spec·u·late ['spekjʊleɪt] VI spekulieren (**on, about** über)
spec·u·la·tion [spekjʊ'leɪʃn] N Spekulation *f* (**on, about** über)
spec·u·la·tor ['spekjʊleɪtə(r)] N Spekulant(in) *m(f)*
sped [sped] PRET & PAST PART → speed
speech [spi:tʃ] N *before audience, at theatre* Rede *f*; *no pl ability to speak* Sprechen *n*; *no pl way of speaking* Sprechweise *f*; **have the power of ~** sprechen können
'speech de·fect N Sprachfehler *m*
speech·less ['spi:tʃlɪs] ADJ *with surprise etc* sprachlos
'speech re·cog·ni·tion N IT Spracherkennung *f* **'speech ther·a·pist** N Sprachtherapeut(in) *m(f)* **'speech ther·a·py** N Sprachtherapie *f* **'speech writ·er** N Redenschreiber(in) *m(f)*
speed [spi:d] **A** N Geschwindigkeit *f*; **at a ~ of 150 km/h** mit 150 Stundenkilometern **B** VI ⟨sped, sped⟩ rasen; *break speed limit* zu schnell fahren
♦**speed by** VI *vehicle* vorbeirasen; *time* wie im Flug vergehen
♦**speed up** **A** VI schneller werden; *car, driver a.* beschleunigen **B** VT beschleunigen
'speed·boat N Rennboot *n* **'speed bump** N Bodenschwelle *f* **'speed dial** N TEL Kurzwahl *f*; **~ button** Kurzwahltaste *f*
speed·i·ly ['spi:dɪlɪ] ADV schnell; *reply* prompt
speed·ing ['spi:dɪŋ] N *while driving* Geschwindigkeitsüberschreitung *f*
'speed·ing fine N Geldstrafe *f* wegen Geschwindigkeitsüberschreitung
'speed lim·it N Geschwindigkeitsbegrenzung *f*
speed·om·e·ter [spi:'dɒmɪtə(r)] N Tachometer *m or n*
'speed trap N Radarfalle *f*
speed·y ['spi:dɪ] ADJ ⟨-ier, -iest⟩ schnell; *reply* prompt
spell[1] [spel] ⟨spelt *or* spelled, spelt *or* spelled⟩ **A** VT *word* buchstabieren; **how do you ~ it?** wie schreibt man das? **B** VI richtig schreiben
spell[2] [spel] N *period of time* Weile *f*; *of weather* Periode *f*; **a dizzy ~** ein Schwächeanfall *m*; **take a ~ at the wheel** e-e Zeit lang das Steuer übernehmen
spell[3] [spel] N Zauber(spruch) *m*; *fig* Zauber *m*
'spell·bound ADJ gebannt **'spell·check** N IT Rechtschreibprüfung *f*; **do a ~** die Rechtschreibung überprüfen **'spell·check·er** N IT Rechtschreibprogramm *n*
spell·er ['spelə(r)] N **be a good/bad ~** in Rechtschreibung gut/schlecht sein
spell·ing ['spelɪŋ] N Rechtschreibung *f*
'spell·ing mis·take N (Recht-)Schreibfehler *m*
spend [spend] VT ⟨spent, spent⟩ ausgeben (**on** für); *time* verbringen
spend·ing ['spendɪŋ] N Ausgaben *pl*
'spend·thrift N *pej* Verschwender(in) *m(f)*
spent [spent] PRET & PAST PART → spend
sperm [spɜ:m] N Sperma *n*; *single* Samenfaden *m*
'sperm bank N Samenbank *f*
'sperm count N Spermienzahl *f*
sphere [sfɪə(r)] N Kugel *f*; *fig*: *social, professional* Bereich *m*, Sphäre *f*; **~ of interest** Interessengebiet *n*
spher·i·cal ['sferɪkl] ADJ kugelförmig
spice [spaɪs] N *for food* Gewürz *n*
spick-and-span [spɪkən'spæn] ADJ blitzsauber
spic·y ['spaɪsɪ] ADJ ⟨-ier, -iest⟩ *food* würzig
spi·der ['spaɪdə(r)] N Spinne *f*
'spi·der's web N Spinnennetz *n*
spike [spaɪk] N *on plant, animal* Stachel *m*; *on fence* Spitze *f*; *on running shoes* Spike *m*
spill [spɪl] **A** VT verschütten **B** VI verschüttet werden **C** N *of oil* Auslaufen *n* von Öl
spin[1] [spɪn] **A** N Drehung *f*; **this government's all ~ and no policy** dieser Regierung ist das Image wichtiger als die Politik **B** VT ⟨-nn-; spun, spun⟩ drehen **C** VI ⟨-nn-; spun, spun⟩ *wheel* sich drehen; **my head is spinning** mir dreht sich alles
spin[2] [spɪn] VT ⟨-nn-; spun *or* span, spun⟩ *wool, cotton etc* spinnen
♦**spin out** VT in die Länge ziehen
♦**spin round** VI *person* sich (schnell) umdrehen; *car* sich um die eigene Achse

drehen; **they spun round and round** sie wirbelten herum
spin·ach ['spɪnɪdʒ] N Spinat *m*
spin·al ['spaɪnl] ADJ Rückgrat-
'spin·al col·umn N Wirbelsäule *f*
'spin·al cord N Rückenmark *n*
spin·dly ['spɪndlɪ] ADJ ‹-ier, -iest› *legs* spindeldürr
'spin doc·tor N *infml* PR-Berater(in) *m(f)* **spin-'dry** V/T schleudern **spin-'dry·er** N Schleuder *f*
spine [spaɪn] N Wirbelsäule *f*; *of book* (Buch)Rücken *m*; *of plant, hedgehog* Stachel *m*
spine·less ['spaɪnlɪs] ADJ *cowardly* feige
'spin-off N Nebenprodukt *n*
spin·ster ['spɪnstə(r)] N (ältere) unverheiratete Frau, (alte) Jungfer
spin·y ['spaɪnɪ] ADJ ‹-ier, -iest› stach(e)lig
spi·ral ['spaɪrəl] **A** N Spirale *f* **B** V/I ‹-ll-, *US* -l-› **~ out of control** außer Kontrolle geraten
spi·ral 'stair·case N Wendeltreppe *f*
spire [spaɪə(r)] N (Kirch)Turmspitze *f*
spir·it ['spɪrɪt] N *attitude, soul* Geist *m*; *bravery* Mut *m*
spir·it·ed ['spɪrɪtɪd] ADJ *debate, defence* engagiert; *performance* lebendig; *brave* mutig
'spir·it lev·el N Wasserwaage *f*
spir·its[1] ['spɪrɪts] N *pl alcohol* Spirituosen *pl*
spir·its[2] ['spɪrɪts] N *pl morale* Stimmung *f*; **be in good ~** guter Laune sein
spir·it·u·al ['spɪrɪtjʊəl] ADJ geistig; REL geistlich
spit[1] [spɪt] V/I ‹-tt-; spat, spat› spucken; **it's spitting (with rain)** es tröpfelt
♦ **spit out** V/T ausspucken
spit[2] [spɪt] N (Brat)Spieß *m*; GEOG Landzunge *f*
spite [spaɪt] N Boshaftigkeit *f*; **in ~ of** trotz
spite·ful ['spaɪtfl] ADJ boshaft
spit·ting im·age [spɪtɪŋ'ɪmɪdʒ] N Ebenbild *n*; **be the ~ of sb** j-m wie aus dem Gesicht geschnitten sein
spit·tle ['spɪtl] N Speichel *m*, Spucke *f*
splash [splæʃ] **A** N *sound* Platschen *n*; *small amount of liquid* Schuss *m*, Spritzer *m*; **a ~ of colour** ein Farbtupfer *m* **B** V/T *person* bespritzen; *water, mud* verspritzen **C** V/I spritzen; *water* klatschen; **~ through the water** durch das Wasser planschen
♦ **splash out** V/I *infml* nicht aufs Geld achten; **splash out on sth** sich etw leisten
spleen [spliːn] N ANAT Milz *f*
splen·did ['splendɪd] ADJ herrlich
splen·dour, **splen·dor** *US* ['splendə(r)] N Pracht *f*
splint [splɪnt] N MED Schiene *f*
splin·ter ['splɪntə(r)] **A** N Splitter *m* **B** V/I splittern
'splin·ter group N Splittergruppe *f*
split [splɪt] **A** N *in material, clothes* Riss *m*; *in wood, stone a.* Spalt *m*; *in party, movement etc* Spaltung *f*, Bruch *m*; *of money, loot* Verteilung *f* **B** V/T ‹-tt-; split, split› *material, clothes* zerreißen; *wood, logs, atom* (zer)spalten; *party, movement* sich spalten; *share out: money etc* (auf)teilen **C** V/I ‹-tt-; split, split› *wood, stone, fig: party* sich spalten; *leather* reißen
♦ **split up** V/I *couple* sich trennen
split per·son'al·i·ty N PSYCH gespaltene Persönlichkeit
split·ting ['splɪtɪŋ] ADJ **a ~ headache** rasende Kopfschmerzen *pl*
splut·ter ['splʌtə(r)] V/I *stutter* stottern
spoil [spɔɪl] V/T ‹spoilt *or* spoiled, spoilt *or* spoiled› verderben; *child* verwöhnen
'spoil·sport N *infml* Spielverderber(in) *m(f)*
spoilt [spɔɪlt] ADJ *child* verwöhnt; **be ~ for choice** die Qual der Wahl haben
spoke[1] [spəʊk] N *of wheel* Speiche *f*
spoke[2] [spəʊk] PRET → speak
spo·ken ['spəʊkən] **A** PAST PART → speak **B** ADJ **in ~ English** in gesprochenem Englisch
'spokes·man N Sprecher *m*
'spokes·per·son N Sprecher(in) *m(f)*
'spokes·wom·an N Sprecherin *f*
sponge [spʌndʒ] N Schwamm *m*
♦ **sponge off**, **sponge on** V/T *infml* auf der Tasche liegen
'sponge cake N Biskuitkuchen *m*
spong·er ['spʌndʒə(r)] N *infml* Schmarotzer(in) *m(f)*
spong·y ['spʌndʒɪ] ADJ ‹-ier, -iest› weich
spon·sor ['spɒnsə(r)] **A** N Sponsor(in) *m(f)*, Geldgeber(in) *m(f)*; *of applicant, for*

S

club membership Bürge *m*, Bürgin *f* **B** V/T sponsern; *applicant* bürgen für; **sponsored by …** mit freundlicher Unterstützung von …

spon·sor·ship ['spɒnsə(r)ʃɪp] N (finanzielle) Unterstützung, Sponsoring *n*

spon·ta·ne·ous [spɒn'teɪnɪəs] ADJ spontan

spook·y ['spu:kɪ] ADJ ⟨-ier, -iest⟩ *infml* unheimlich

spool [spu:l] N Spule *f*

spoon [spu:n] N Löffel *m*

'spoon·feed V/T ⟨spoonfed, spoonfed⟩ *fig* gängeln

spoon·ful ['spu:nfʊl] N *amount* Löffel *m*

spo·rad·ic [spə'rædɪk] ADJ sporadisch

sport [spɔ:t] N Sport *m*

sport·ing ['spɔ:tɪŋ] ADJ *person, interests* sportlich; *organization, injury, calendar* Sport-; *generous* großzügig; **~ event** Sportveranstaltung *f*

'sports car [spɔ:ts] N Sportwagen *m* **'sports cen·tre**, **'sports cen·ter** *US* N Sportzentrum *n* **'sports jack·et** N Sakko *m or n*, (Sport)Jackett *n* **'sports·man** N Sportler *m* **'sports med·i·cine** N Sportmedizin *f* **'sports news** N *sg* Sportnachrichten *pl* **'sports pag·es** N *pl* Sportteil *m* **'sports·wear** N Sportkleidung *f* **'sports·wom·an** N Sportlerin *f*

sport·y ['spɔ:tɪ] ADJ ⟨-ier, -iest⟩ *person* sportlich

spot[1] [spɒt] N *pimple* Pickel *m*; *caused by disease* Fleck *m*; *on pattern* Punkt *m*; *of blood, paint* Fleck *m*; **a ~ of …** *a little* ein bisschen …

spot[2] [spɒt] N *place* Stelle *f*; **on the ~** vor Ort; *immediately* auf der Stelle; **put sb on the ~** j-n in Verlegenheit bringen

spot[3] V/T ⟨-tt-⟩ sehen; *parking space, person etc* entdecken; *mistake, difference* erkennen

spot 'check N Stichprobe *f*

spot·less ['spɒtlɪs] ADJ tadellos sauber

'spot·light N Scheinwerfer *m*; **be in the ~** *fig* im Rampenlicht stehen

spot·ted ['spɒtɪd] ADJ *material* gepunktet

spot·ty ['spɒtɪ] ADJ ⟨-ier, -iest⟩ *face, youth* pick(e)lig

spouse [spaʊs] N *formal* Gatte *m*, Gattin *f*

spout [spaʊt] **A** N *of teapot* Schnabel *m* **B** V/I *liquid* spritzen **C** V/T *infml: nonsense etc* von sich geben

sprain [spreɪn] **A** N Verstauchung *f* **B** V/T verstauchen; **~ one's ankle** sich den Knöchel verstauchen

sprang [spræŋ] PRET → spring[3]

sprawl [sprɔ:l] V/I sich ausstrecken (**on** auf); *in armchair, on bed etc* sich hinflegeln; *town* wuchern; **send sb sprawling** *with blow* j-n zu Boden werfen

sprawl·ing ['sprɔ:lɪŋ] ADJ *town, suburbs* sich unkontrolliert ausbreitend, wuchernd

spray [spreɪ] **A** N *fine mist* Sprühregen *m*; *from sea* Gischt *f*; *for hair* Spray *n or m*; *aerosol* Sprühdose *f*; *for perfume* Sprühflasche *f*, Zerstäuber *m* **B** V/T *plants, insects etc* besprühen; *hair, graffiti* sprayen; *paint, graffiti* sprühen; *car* spritzen, lackieren

'spray can N Sprühdose *f*

'spray gun N Spritzpistole *f*

spread [spred] **A** N *of disease, religion* Ausbreitung *f*, Verbreitung *f*; *infml: feast* Festessen *n*; *for bread* Aufstrich *m* **B** V/T ⟨spread, spread⟩ *blanket* ausbreiten; *butter, jam* streichen; *news, rumour, disease* verbreiten; *arms, legs* ausstrecken **C** V/I ⟨spread, spread⟩ *news, rumour, disease* sich verbreiten; *fire* um sich greifen; *butter* sich streichen lassen

'spread·sheet N IT Tabellenkalkulation *f*; Tabellenkalkulationsprogramm *n*

spree [spri:] N *infml* **go on a drinking ~** e-e Sauftour machen; **go on a spending/shopping ~** groß einkaufen gehen

sprig [sprɪg] N kleiner Zweig

spright·ly ['spraɪtlɪ] ADJ ⟨-ier, -iest⟩ rüstig

spring[1] [sprɪŋ] N *season* Frühling *m*

spring[2] [sprɪŋ] N *in mattress, sofa* Feder *f*

spring[3] [sprɪŋ] **A** N *jump* Sprung *m* **B** V/I ⟨sprang, sprung⟩ springen; **~ to one's feet** aufspringen; **~ from** *childhood, youth etc* zurückgehen auf

spring[4] [sprɪŋ] N *of water* Quelle *f*

'spring·board N Sprungbrett *n* **spring 'chick·en** N **she's no ~** *hum* sie ist nicht mehr die Jüngste **spring-'clean·ing** N Frühjahrsputz *m* **spring 'on·ion** N Frühlingszwiebel *f* **spring 'roll** N Frühlingsrolle *f*

'spring·time N Frühjahr *n*
spring·y ['sprɪŋɪ] ADJ ⟨-ier, -iest⟩ *mattress, floor, gait* federnd; *rubber* elastisch
sprin·kle ['sprɪŋkl] VT *sugar, flour, salt etc* streuen; *water* sprengen; **~ sth with sth** *with sugar, flour etc* etw mit etw bestreuen; *with water* etw mit etw besprengen
sprin·kler ['sprɪŋklə(r)] N *for garden* (Rasen)Sprenger *m*; *in ceiling* Sprinkler *m*
sprint [sprɪnt] **A** N Sprint *m* **B** VI sprinten
sprint·er ['sprɪntə(r)] N SPORTS Sprinter(in) *m(f)*
sprout [spraʊt] **A** VI *seed* keimen; *plant* wachsen; *produce shoots* Triebe bekommen **B** N *of plant* Trieb *m*; **(Brussels) sprouts** *pl* Rosenkohl *m*
spruce[1] [spru:s] N Fichte *f*
spruce[2] [spru:s] ADJ gepflegt
sprung [sprʌŋ] PAST PART → spring[3]
spun [spʌn] PRET & PAST PART → spin[2]
spur [spɜ:(r)] N Sporn *m*; *fig* Ansporn *m*; **on the ~ of the moment** spontan
♦ **spur on** VT ⟨-rr-⟩ *encourage* anspornen
spurt [spɜ:t] **A** N *in race* Spurt *m*; **put on a ~** e-n Spurt hinlegen **B** VI *liquid* spritzen
sput·ter ['spʌtə(r)] VI *engine* stottern
spy [spaɪ] **A** N Spion(in) *m(f)* **B** VI ⟨-ied⟩ spionieren **C** VT ⟨-ied⟩ *notice* sehen
♦ **spy on** VT bespitzeln
'spy·hole N (Tür)Spion *m*
spy·ware ['spaɪweə(r)] N Spähsoftware *f*
sq *only written* ABBR *for* **square** Quadrat-*n*
Sq *only written* ABBR *for* Square Pl., Platz *m*
squab·ble ['skwɒbl] **A** N Streit *m*, Zank *m* **B** VI (sich) streiten, zanken
squad N *of soldiers, police* Kommando *n*; SPORTS Aufgebot *n*, Kader *m*
'squad car N (Funk)Streifenwagen *m*
squad·ron ['skwɒdrən] N AVIAT, NAUT Geschwader *n*, Staffel *f*
squal·id ['skwɒlɪd] ADJ *conditions* elend; *room, house, refugee camp* verwahrlost und schmutzig
squal·or ['skwɒlə(r)] N Schmutz *m*; **live in ~** in erbärmlichen Verhältnissen leben
squan·der ['skwɒndə(r)] VT *money, time* verschwenden; *opportunity* vertun
square [skweə(r)] **A** ADJ *shape* quadratisch; *infml*: *conservative* spießig; **three ~ metres** drei Quadratmeter; **we're ~ now** jetzt sind wir quitt **B** N *shape* Quadrat *n*; *in town* Platz *m*; *in board game* Feld *n*; MATH Quadratzahl *f*; *infml*: *conservative person* Spießer(in) *m(f)*; **be back to ~ one** noch mal von vorn anfangen müssen **C** VT MATH quadrieren; **5 squared** fünf hoch zwei, fünf im Quadrat
♦ **square up** VI; abrechnen
square 'root N Quadratwurzel *f*
squash[1] [skwɒʃ] **A** VT zerdrücken; **sit squashed between ...** zwischen ... eingequetscht sitzen **B** N *drink* Fruchtsaftgetränk *n*
squash[2] [skwɒʃ] N *US*: *vegetable* Kürbis *m*
squat [skwɒt] **A** ADJ *figure, shape* gedrungen **B** VI ⟨-tt-⟩ *crouch* hocken; *live illegally* illegal wohnen; **~ in a house** in e-m besetzten Haus leben
squat·ter ['skwɒtə(r)] N *in house* Hausbesetzer(in) *m(f)*; *on land* Landbesetzer(in) *m(f)*
squawk [skwɔ:k] VI kreischen, schreien; *infml* lautstark protestieren (**about** gegen)
squeak [skwi:k] **A** N *of mouse* Piepsen *n*; *of door* Quietschen *n* **B** VI *mouse* piepsen; *door, shoes* quietschen
squeak·y ['skwi:kɪ] ADJ ⟨-ier, -iest⟩ *door, shoes* quietschend; *voice* piepsig
squeak·y 'clean ADJ *infml* **be ~** e-e lupenreine Weste haben
squeal [skwi:l] **A** N *of person, tyres, brakes* Kreischen *n*; *of pain* Schrei *m*; **squeals of laughter** kreischendes Lachen **B** VI *person, tyres, brakes* kreischen; *in pain* (auf)schreien
squeam·ish ['skwi:mɪʃ] ADJ empfindlich
squeeze [skwi:z] **A** N **give sth a ~** etw drücken **B** VT *hand, tube* drücken; *harder* pressen; *fruit* auspressen
♦ **squeeze in** **A** VI *into car etc* sich hineinzwängen **B** VT hineinzwängen
♦ **squeeze up** VI *to make room* zusammenrücken
squint [skwɪnt] N Schielen *n*; **have a ~** schielen
squirm [skwɜ:m] VI *in embarrassment*

S

sich winden (**with** vor)
squir·rel ['skwɪrəl] N Eichhörnchen *n*
squirt [skwɜːt] **A** V/T spritzen; **~ sb with sth** j-n mit etw bespritzen **B** N *pej infml* Pimpf *m*
Sr → Snr
St *only written* ABBR *for* Saint St.; **Street** Str.
stab [stæb] **A** N **have a ~ at sth** *infml* etw versuchen **B** V/T ⟨-bb-⟩ *person* einstechen auf; *to death* erstechen; **~ sb in the arm** j-n in den Arm stechen
stab·bing ['stæbɪŋ] **A** N Messerstecherei *f* **B** ADJ *pain* stechend
sta·bil·i·ty [stə'bɪlətɪ] N Stabilität *f*
Sta·bil·i·ty and 'Growth Pact N *EU* Stabilitäts- und Wachstumspakt *m*
sta'bil·i·ty pro·gramme N *EU* Stabilitätsprogramm *n*
sta·bil·i·za·tion pro·cess [steɪbɪlaɪ'zeɪʃn] N POL Stabilisierungsprozess *m*
sta·bil·ize ['steɪbɪlaɪz] **A** V/T stabilisieren **B** V/I *prices etc* sich stabilisieren
sta·ble[1] ['steɪbl] N *for horses* Stall *m*
sta·ble[2] ['steɪbl] ADJ stabil; *mentally* ausgeglichen
stack [stæk] **A** N *pile* Stapel *m*; *for smoke* Schornstein *m*; **stacks of** *infml* jede Menge **B** V/T stapeln
sta·di·um ['steɪdɪəm] N ⟨*pl* stadia ['steɪdɪə] *or* stadiums⟩ Stadion *n*
staff [stɑːf] N *employees* Personal *n*; *teachers* Kollegium *n*
stag [stæg] N Hirsch *m*
stage[1] [steɪdʒ] N *in life, project etc* Stadium *n*, Phase *f*; *of journey* Etappe *f*; **at this ~** zu diesem Zeitpunkt
stage[2] [steɪdʒ] **A** N THEAT Bühne *f*; **go on the ~** zum Theater gehen; **go on ~** auf die Bühne gehen **B** V/T *play* inszenieren; *demonstration* veranstalten
stage 'door N Bühneneingang *m*
'stage fright N Lampenfieber *n*
'stage man·ag·er N Inspizient(in) *m(f)*
stag·fla·tion [stæg'fleɪʃn] N Stagflation *f*
stag·ger ['stægə(r)] **A** V/I schwanken **B** V/T *surprise* sprachlos machen, verblüffen; *in time, holiday etc* staffeln
stag·ger·ing ['stægərɪŋ] ADJ *amount* unglaublich; *sight etc* atemberaubend
stag·nant ['stægnənt] ADJ *water* stehend; *fig*: *economy* stagnierend
stag·nate [stæg'neɪt] V/I *fig* stagnieren
stag·na·tion [stæg'neɪʃn] N *fig* Stillstand *m*
'stag par·ty N Junggesellenabschied *m*
stain [steɪn] **A** N *dirty mark* Fleck *m*; *for wood* Beize *f* **B** V/T *make dirty* beflecken; *wood* beizen **C** V/I *red wine etc* Flecken hinterlassen; *become dirty* Flecken bekommen
stained-glass 'win·dow [steɪnd] N Buntglasfenster *n*
stain·less steel [steɪnlɪs'stiːl] **A** N rostfreier Stahl **B** ADJ Edelstahl-
'stain re·mov·er N Fleckenentferner *m*
stair [steə(r)] N (Treppen)Stufe *f*; **the stairs** *pl* die Treppe
'stair·case N Treppe *f*
stake [steɪk] **A** N *of wood* Pfahl *m*; *in gambling* Einsatz *m*; *share* Anteil *m*; **the company's ~ in Korea** die Investitionen der Firma in Korea; **be at ~** auf dem Spiel stehen **B** V/T *tree* stützen; *money* setzen (**on** auf)
stale [steɪl] ADJ *bread* alt; *air* verbraucht; *drink* abgestanden; *fig*: *news* veraltet
'stale·mate N *in chess* Patt *n*; **reach ~** *fig* in e-e Sackgasse geraten
stalk[1] [stɔːk] N *of plant* Stiel *m*
stalk[2] [stɔːk] V/T *game, prey* sich anpirschen an; *person* verfolgen, belästigen
stalk·er ['stɔːkə(r)] N *of person* Stalker(in) *m(f)*
stall[1] [stɔːl] N *at market* Stand *m*; *for horse* Box *f*
stall[2] [stɔːl] **A** V/I *engine* absterben; *delay* Zeit schinden; **the car/driver in front stalled** der Fahrer vor uns hat den Motor abgewürgt **B** V/T *engine* abwürgen; *person* hinhalten
stal·li·on ['stæljən] N (Zucht)Hengst *m*
stalls [stɔːlz] N *pl* THEAT Parkett *n*
stal·wart ['stɔːlwət] ADJ *support, fan* treu
stam·i·na ['stæmɪnə] N Ausdauer *f*
stam·mer ['stæmə(r)] **A** N Stottern *n* **B** V/I stottern
stamp[1] [stæmp] **A** N (Brief)Marke *f*; *device, printed mark* Stempel *m* **B** V/T *letter* frankieren; *document, passport* stempeln; **stamped addressed envelope** frankierter Rückumschlag

stamp[2] [stæmp] VT ~ **one's feet** aufstampfen
♦ **stamp out** VT *eradicate* ausrotten
stam·pede [stæm'pi:d] **A** N *of horses, cattle etc* wilde Flucht; *of people* Massenansturm *m* (**for** auf) **B** VI *horses, cattle etc* durchgehen; *people* losstürmen (**for** auf)
stance [stɑ:ns] N Einstellung *f* (**on** zu)
stand [stænd] **A** N *at trade fair* Stand *m*; *in law court* Zeugenstand *m*; *for bicycle, lamp* Ständer *m*; *for coats etc* Kleiderständer *m*; **take the ~** JUR in den Zeugenstand treten **B** VI ⟨stood, stood⟩ stehen; *stand up* aufstehen; *for election etc* kandidieren; **where do I ~ with you?** woran bin ich bei dir? **C** VT ⟨stood, stood⟩ *place in vertical position* stellen; *pain, cold, heat* aushalten; **I can't ~ him!** ich kann ihn nicht ausstehen!; **you don't ~ a chance** du hast keine Chance; **~ sb a drink** j-m e-n Drink spendieren; **~ one's ground** *in fight* nicht zurückweichen; *in negotiations, argument* standhaft bleiben
♦ **stand back** VI zurücktreten
♦ **stand by** **A** VI *remain passive* (unbeteiligt) danebenstehen; *fire brigade, troops* sich bereithalten **B** VT *person, decision* stehen zu
♦ **stand down** VI *from office, post etc* zurücktreten
♦ **stand for** VT *tolerate* dulden; *represent* stehen für; **I won't stand for it** das lasse ich mir nicht gefallen
♦ **stand in for** VT vertreten; *temporarily* einspringen für
♦ **stand out** VI hervorstechen; *person* auffallen; *because of good performance* sich auszeichnen
♦ **stand up** **A** VI aufstehen **B** VT *infml: boyfriend etc* versetzen
♦ **stand up for** VT eintreten für; **stand up for o.s.** sich behaupten
♦ **stand up to** VT die Stirn bieten
stan·dard ['stændəd] **A** ADJ Standard-; **it is ~ for people to ...** es ist üblich, dass man ... **B** N *in contest, school* Standard *m*; *demand, expectation* Anforderung *f*; *criterion* Maßstab *m*; TECH, JUR Norm *f*; **~ of living** Lebensstandard *m*; **be up to ~** den Anforderungen genügen
stan·dard·i·za·tion [stændədaɪ'zeɪʃn] N Vereinheitlichung *f*; TECH Standardisierung *f*, Normung *f*
stan·dard·ize ['stændədaɪz] VT vereinheitlichen; TECH standardisieren, normen
♦ **standardize on** VT (als Standard) einführen
stan·dard 'lamp N Stehlampe *f*
'stand·by ADV *fly* Stand-by; **on ~** *troops* in Bereitschaft
stand·ing ['stændɪŋ] N *in society* Stellung *f*; *reputation* Ansehen *n*; **a politician of some ~** ein angesehener Politiker
stand·ing 'or·der N Dauerauftrag *m*
'stand·ing room N Stehplätze *pl*
stand·off·ish [stænd'ɒfɪʃ] ADJ hochnäsig
'stand·point N Standpunkt *m*
'stand·still N Stillstand *m*; **be at a ~** *traffic* stehen; *production* ruhen; **bring to a ~** *traffic* zum Stehen bringen; *production* zum Erliegen bringen **stand-up 'com·ic** N Alleinunterhalter(in) *m(f)*
stank [stæŋk] PRET → stink
sta·ple[1] ['steɪpl] N *food* Hauptnahrungsmittel *n*
sta·ple[2] ['steɪpl] **A** N *for paper* Heftklammer *f*; *for wood, material* Klammer *f* **B** VT heften (**to** an)
sta·ple 'di·et N Hauptnahrungsmittel *pl*
'sta·ple gun, sta·pler ['steɪplə(r)] N Tacker *m*
star [stɑ:(r)] **A** N *in sky* Stern *m*; *celebrity* Star *m* **B** ADJ *student, player* beste(r, -s), Top- **C** VT ⟨-rr-⟩ **a film starring ...** ein Film mit ... in der Hauptrolle/den Hauptrollen **D** VI ⟨-rr-⟩ *in film* die Hauptrolle/Hauptrollen spielen
'star·board ADJ Steuerbord-
starch [stɑ:tʃ] N *in food* Stärke *f*
stare [steə(r)] **A** N starrer Blick **B** VI starren; **~ at** anstarren **C** VT **the solution was staring me in the face** *infml* die Lösung lag klar auf der Hand
stark [stɑ:k] **A** ADJ *landscape, environment* kahl; *reminder* eindringlich; *contrast etc* krass **B** ADV **~ naked** splitter(faser)nackt
'star·lit ADJ stern(en)klar
star·ry ['stɑ:rɪ] ADJ ⟨-ier, -iest⟩ *night* ster-

nenklar

star·ry-eyed [stɑːrɪˈaɪd] ADJ *person* blauäugig, naiv

Stars and 'Stripes N *pl* Sternenbanner *n*

Star-Span·gled Ban·ner [stɑːspæŋgldˈbænə(r)] N Nationalhymne *f* (*der USA*)

start [stɑːt] **A** N Anfang *m*; **get off to a good/bad ~** *in race* gut/schlecht vom Start wegkommen; *marriage, career* gut/schlecht anfangen; **make an early ~** früh aufbrechen **B** V/I anfangen; *car* anspringen; **starting from tomorrow** ab morgen; **to ~ with ...** zunächst einmal ... **C** V/T anfangen (mit); *engine, car* anlassen, starten; *company, family* gründen; **~ school** in die Schule kommen

♦**start off** **A** V/T *process* beginnen; **you'll just start him off again** da fängt er nur wieder an **B** V/I aufbrechen

♦**start up** **A** V/T *company, business* gründen **B** V/I *company* die Geschäfte aufnehmen; *storm* losbrechen; *engine* anspringen

start·er [ˈstɑːtə(r)] N *on menu* Vorspeise *f*

start·ing point [ˈstɑːtɪŋ] N Ausgangspunkt *m*

'start·ing sal·a·ry N Anfangsgehalt *n*

start·le [ˈstɑːtl] V/T erschrecken

start·ling [ˈstɑːtlɪŋ] ADJ überraschend

'start-up cap·i·tal N Startkapital *n*

'start-up funds N *pl* Anschubfinanzierung *f*

star·va·tion [stɑːˈveɪʃn] N Hunger *m*; **face ~** von e-r Hungersnot bedroht sein; **die of ~** verhungern

starve [stɑːv] V/I hungern; **~ to death** verhungern; **I'm starving!** *infml* ich komme um vor Hunger!

state¹ [steɪt] **A** N *of car, house etc* Zustand *m*; *country* Staat *m*; *federal state* (Bundes)Staat *m*; *in Germany* (Bundes)Land *n*; **the ~ of the nation** die Lage der Nation; **the States** *USA* die Staaten **B** ADJ *reception, visit* Staats-; *school* staatlich; **the ~ capital** die Hauptstadt (*e-s US-Bundesstaates*)

state² [steɪt] V/T erklären; *to police, in court* aussagen; *names, facts* angeben, nennen; *specify* festlegen

'State De·part·ment N *in USA* Außenministerium *n*

state·ment [ˈsteɪtmənt] N *to police* Aussage *f*; *by authorities, government etc* Erklärung *f*; *from bank* (Konto)Auszug *m*; GRAM Aussage *f*, Aussagesatz *m*; **make a ~** e-e Erklärung abgeben; *in law court* e-e Aussage machen

state of e'mer·gen·cy N Notstand *m*

state-of-the-'art ADJ hochmodern, auf dem neuesten Stand der Technik

'state·side ADV *US* in den Staaten; in die Staaten (zurück)

'states·man N Staatsmann *m*

state 'vis·it N Staatsbesuch *m*

stat·ic (e·lec'tric·i·ty) [ˈstætɪk] N Reibungselektrizität *f*, statische Aufladung

sta·tion [ˈsteɪʃn] **A** N RAIL Bahnhof *m*; *underground* Station *f*, RADIO, TV Sender *m* **B** V/T *guard* postieren; *troops* stationieren

sta·tion·a·ry [ˈsteɪʃnərɪ] ADJ *traffic, vehicle* stehend

sta·tion·er's [ˈsteɪʃənərz] N Schreibwarenhandlung *f*

sta·tion·er·y [ˈsteɪʃnərɪ] N *writing paper* Briefpapier *n*; *writing materials* Schreibwaren *pl*

sta·tion 'man·ag·er N Bahnhofsvorsteher(in) *m(f)*

'sta·tion wag·on N *US* Kombi *m*

sta·tis·ti·cal [stəˈtɪstɪkl] ADJ statistisch

sta·tis·ti·cian [stætɪsˈtɪʃn] N Statistiker(in) *m(f)*

sta·tis·tics [stəˈtɪstɪks] N *sg science* Statistik *f*; *pl numbers* Statistiken *pl*

stat·ue [ˈstætʃuː] N Statue *f*

sta·tus [ˈsteɪtəs] N Status *m*; *prestige* Ansehen *n*; **equal ~** Gleichstellung *f*; **(marital) ~** Familienstand *m*

'sta·tus bar N IT Statusleiste *f*

'sta·tus sym·bol N Statussymbol *n*

stat·ute [ˈstætjuːt] N Gesetz *n*

staunch [stɔːntʃ] ADJ treu

stay [steɪ] **A** N Aufenthalt *m* **B** V/I bleiben; **~ in a hotel** in e-m Hotel übernachten; **be staying with a friend** bei e-m Freund übernachten; **~ right there!** beweg dich nicht von der Stelle!; **~ put!** bleib wo du bist!

♦**stay away** V/I wegbleiben

♦**stay away from** V/T sich fernhalten von

♦ **stay behind** VI zurückbleiben; *at school* nachsitzen; *at office* länger bleiben
♦ **stay down** VI *at school* sitzen bleiben
♦ **stay on** VI *at school* bleiben
♦ **stay out of** VT *argument etc* sich raushalten aus
♦ **stay up** VI *not go to bed* aufbleiben
stead·fast ['stedfa:st] ADJ *supporter, friend* treu; *support* beständig; *gaze* fest
stead·i·ly ['stedılı] ADV *improve etc* stetig
stead·y ['stedı] **A** ADJ ⟨-ier, -iest⟩ *hand, voice* ruhig; *boyfriend, job* fest; *improvement, decline, progress* stetig; *pace, speed* gleichmäßig **B** ADV **be going ~ with sb** (fest) mit j-m gehen, mit j-m zusammen sein; **~ on!** immer mit der Ruhe! **C** VT ⟨-ied⟩ *person, nerves* beruhigen; **~ o.s.** sich beruhigen; *on handrail etc* (festen) Halt finden
steak [steık] N Steak *n*
steal [sti:l] ⟨stole, stolen⟩ **A** VT stehlen **B** VI stehlen; *creep* sich stehlen (**into** in, **out of** aus)
'stealth bomb·er N Tarnkappenbomber *m*
stealth·y ['stelθı] ADJ ⟨-ier, -iest⟩ verstohlen, heimlich
steam [sti:m] **A** N Dampf *m*; **let off ~** *infml: calm down* Dampf ablassen **B** VT *food* dämpfen, dünsten
♦ **steam up** **A** VI *window* beschlagen **B** VT **be steamed up** *infml* sich aufregen
steam·er ['sti:mə(r)] N *for cooking* Dampfkochtopf *m*
'steam i·ron N Dampfbügeleisen *n*
steel [sti:l] **A** N Stahl *m* **B** ADJ Stahl-
'steel·work·er N Stahlarbeiter(in) *m(f)*
'steel·works N *sg* Stahlwerk *n*
steep¹ [sti:p] ADJ *mountain* steil; *infml: prices* happig
steep² [sti:p] VT *in water* einweichen
stee·ple ['sti:pl] N Kirchturm *m*
steep·ly ['sti:plı] ADV **climb ~** *path etc* steil ansteigen; *price etc* stark in die Höhe gehen
steer [stıə(r)] VT *car, boat* steuern, lenken; *person* lotsen; *conversation* lenken (**to** auf)
steer·ing ['stıərıŋ] N AUTO Lenkung *f*
'steer·ing col·umn N AUTO Lenksäule *f*
'steer·ing wheel N Lenkrad *n*
stem¹ [stem] N *of flower, glass* Stiel *m*; *of pipe* Hals *m*; *of word* Stamm *m*
♦ **stem from** VT ⟨-mm-⟩ herrühren von
stem² [stem] VT ⟨-mm-⟩ *growth, flood* stoppen, eindämmen
stench [stentʃ] N Gestank *m*
sten·cil N ['stensıl] Schablone *f*
step [step] **A** N *pace* Schritt *m*; *stair* Stufe *f*; *measure* Maßnahme *f*; **take steps to do sth** Maßnahmen ergreifen, um etw zu tun **B** VI ⟨-pp-⟩ treten
♦ **step down** VI *from office etc* zurücktreten
♦ **step forward** VI *take pace forward* vortreten; *fig* sich melden
♦ **step in** VI *intervene* eingreifen
♦ **step up** VT *pace* steigern
'step·broth·er N Stiefbruder *m* **'step·daugh·ter** N Stieftochter *f* **'step·fa·ther** N Stiefvater *m* **'step·lad·der** N Trittleiter *f* **'step·moth·er** N Stiefmutter *f*
step·ping stone ['stepıŋ] N Trittstein *m*; *fig* Sprungbrett *n*
'step·sis·ter N Stiefschwester *f*
'step·son N Stiefsohn *m*
ster·e·o ['sterıəʊ] N Stereo *n*; Stereoanlage *f*
ster·e·o·type ['sterıəʊtaıp] **A** N Stereotyp *n* **B** VT in ein Klischee zwängen, stereotypisieren
ster·ile ['steraıl] ADJ MED, *fig* steril
ste·ril·i·ty [ste'rılətı] N MED, *fig* Sterilität *f*
ster·il·ize ['sterəlaız] VT sterilisieren
ster·ling ['stɜ:lıŋ] N ECON Pfund *n* Sterling
stern¹ [stɜ:n] ADJ streng
stern² [stɜ:n] N NAUT Heck *n*
stern·ly ['stɜ:nlı] ADV streng
ster·oids ['sterɔıdz] N *pl* Steroide *pl*
steth·o·scope ['steθəskəʊp] N Stethoskop *n*
stew [stju:] N Eintopf *m*
stew·ard ['stju:əd] N Steward *m*; *at demonstration, rally* Ordner(in) *m(f)*
stick¹ [stık] N *piece of wood* Stock *m*; *for walking* (Spazier)Stock *m*; **the sticks** *pl infml* die hinterste Provinz
stick² [stık] ⟨stuck, stuck⟩ **A** VT *glue* kleben; *infml: put* tun; *in bag* stecken **B** VI

S

window, door klemmen; *stamp etc* kleben (bleiben)

♦**stick around** VI *infml* dableiben

♦**stick by** VT *infml*: *person* halten zu

♦**stick out** A VT *tongue* herausstrecken B VI *jut out* vorstehen; *ears* abstehen; *be obtrusive* auffallen

♦**stick to** VT *with glue* kleben an; *plan, story* bleiben bei; *road* bleiben auf; *principles* treu bleiben

♦**stick together** VI *infml*: *not part* zusammenbleiben

♦**stick up** VT *poster, notice etc* aufhängen, an die Wand hängen

♦**stick up for** VT *infml* eintreten für; **stick up for o.s.** sich behaupten

♦**stick with** VT *infml* → stick to

stick·er ['stɪkə(r)] N Aufkleber *m*

stick·ing plas·ter ['stɪkɪŋ] N Heftpflaster *n*

stick·y ['stɪkɪ] ADJ ⟨-ier, -iest⟩ *hands, surface* klebrig; *label* Klebe-

stiff [stɪf] A ADJ *muscle, posture, behaviour* steif; *paste, card* fest; *drink* stark; *competition, punishment, brush* hart B ADV **be scared ~** *infml* fürchterliche Angst haben; **be bored ~** *infml* sich zu Tode langweilen

stiff·en ['stɪfn] VI starr werden

♦**stiffen up** VI steif werden

stiff·ly ['stɪflɪ] ADV *a. fig* steif

stiff·ness ['stɪfnəs] N Steifheit *f*

sti·fle ['staɪfl] VT unterdrücken

sti·fling ['staɪflɪŋ] ADJ *heat, weather* drückend; *atmosphere* bedrückend; **it's ~ in here** es ist zum Ersticken hier

stile [staɪl] N Zauntritt *m*

sti·let·tos [stɪ'letəʊz] N *pl shoes* Schuhe *pl* mit Pfennigabsätzen

still[1] [stɪl] ADJ & ADV still

still[2] [stɪl] ADV *without change* noch, immer noch; *nevertheless* trotzdem; **she might ~ come** sie kommt vielleicht noch; **~ faster** noch schneller

'still·born ADJ tot geboren; **be ~** tot zur Welt kommen

still 'life N Stillleben *n*

stilt·ed ['stɪltɪd] ADJ gestelzt

stim·u·lant ['stɪmjʊlənt] N Stimulans *n*

stim·u·late ['stɪmjʊleɪt] VT anregen; *demand* stimulieren, ankurbeln

stim·u·lat·ing ['stɪmjʊleɪtɪŋ] ADJ anregend

stim·u·la·tion [stɪmjʊ'leɪʃn] N Stimulation *f*, Anregung *f*

stim·u·lus ['stɪmjʊləs] N *motivation* Anreiz *m*

sting [stɪŋ] A N *of bee* Stich *m* B VT ⟨stung, stung⟩ *subject: bee* stechen; **~ sb for sth** *infml* j-m etw abknöpfen C VI ⟨stung, stung⟩ *eyes, scratch* brennen

sting·ing ['stɪŋɪŋ] ADJ *remark, criticism* schneidend

sting·y ['stɪndʒɪ] ADJ ⟨-ier, -iest⟩ *infml*: *miserly* knaus(e)rig

stink [stɪŋk] A N *bad smell* Gestank *m*; *infml*: *fuss* Theater *n*; **kick up a ~** *infml* Stunk machen B VI ⟨stank, stunk⟩ *smell bad* stinken; *infml*: *situation* sauschlecht sein

stint [stɪnt] N **he did a ~ at the wheel** er saß eine Weile am Steuer

♦**stint on** VT *infml* knausern mit

stip·u·late ['stɪpjʊleɪt] VT zur Bedingung machen

stip·u·la·tion [stɪpjʊ'leɪʃn] N Bedingung *f*

stir [stɜː(r)] A N **give the soup a ~** die Suppe umrühren; **cause a ~** für Aufsehen sorgen B VT ⟨-rr-⟩ rühren C VI ⟨-rr-⟩ *person* sich rühren

♦**stir up** VT *crowd* aufstacheln; *bad memories* wachrufen

'stir-fry VT ⟨-ied⟩ (unter Rühren) kurz anbraten

stir·ring ['stɜːrɪŋ] ADJ *music, speech* bewegend

stitch [stɪtʃ] A N *in sewing* Stich *m*; *in knitting* Masche *f*; **stitches** *pl* MED Fäden *pl*; **be in stitches** sich kaputtlachen; **have a ~** Seitenstiche *pl* haben B VT *with needle and thread* nähen

♦**stitch up** VT *wound* (ver)nähen

stitch·ing ['stɪtʃɪŋ] N *stitches* Naht *f*

stock [stɒk] A N *reserves* Vorrat *m* (**of** an); ECON Aktien *pl*; *of shop* Bestand *m*; *animals on farm* Vieh *n*; *number of animals* Viehbestand *m*; *for soup etc* Brühe *f*; **be in/out of ~** vorrätig/nicht vorrätig sein; **take ~** *of situation etc* Bilanz ziehen (**of** *gen*) B VT *sell* führen

♦**stock up on** VT sich eindecken mit

'stock·brok·er N Börsenmakler(in) *m(f)* **'stock cube** N Brühwürfel *m*

'stock ex·change N Börse *f*

'stock·hold·er N *esp US* ECON Aktio-

S

när(in) *m(f)*
Stock·holm ['stɒkhəʊm] N Stockholm *n*
stock·ing ['stɒkɪŋ] N Strumpf *m*
stock·ist ['stɒkɪst] N Fachhändler(in) *m(f)*
'stock mar·ket N Börse *f* **stock-mar·ket 'crash** N Börsencrash *m* **'stock·pile** A N *of food* Vorrat *m*; *of weapons* Waffenlager *n* B V/T horten; ~ **weapons** ein Waffenlager anlegen **'stock·room** N Lagerraum *m* **stock-'still** ADV **stand** ~ regungslos stehen **'stock·tak·ing** N Inventur *f*
stock·y ['stɒkɪ] ADJ ‹-ier, -iest› stämmig
stodg·y ['stɒdʒɪ] ADJ ‹-ier, -iest› *food* schwer, schwer verdaulich
sto·i·cal ['stəʊɪkl] ADJ stoisch, gelassen
sto·i·cism ['stəʊɪsɪzm] N stoische Ruhe, Gleichmut *m*
stole [stəʊl] PRET → steal
stol·en ['stəʊlən] PAST PART → steal
stol·id ['stɒlɪd] ADJ phlegmatisch
stom·ach ['stʌmək] A N Bauch *m*; *organ* Magen *m* B V/T *tolerate* ertragen
'stom·ach-ache N Magenschmerzen *pl*, Bauchschmerzen *pl*
stone [stəʊn] N Stein *m*; *in fruit* Kern *m*; *britische Gewichtseinheit = 6,35 kg*
stone-'dead ADJ mausetot **stone--'deaf** ADJ stocktaub **'stone·ma·son** N Steinmetz(in) *m(f)* **'stone·wall** V/I *infml*, *a.* SPORTS mauern
ston·y ['stəʊnɪ] ADJ ‹-ier, -iest› *ground* steinig
stood [stʊd] PRET & PAST PART → stand
stool [stu:l] N *for sitting* Hocker *m*
'stool pi·geon N *infml* (Polizei)Spitzel *m*
stoop [stu:p] A N gebeugte Haltung; **have a** ~ e-n krummen Rücken haben B V/I sich bücken
stop [stɒp] A N *of train* Halt *m*, Station *f*; *of bus* Haltestelle *f*; **come to a** ~ anhalten; **put a** ~ **to sth** e-r Sache ein Ende machen B V/T ‹-pp-› *work, conversation, game* beenden; *person, car* anhalten; *enemy, thief, attack etc* aufhalten; *machine, engine etc* abstellen; *payments, production, fighting etc* einstellen; *cheque, wages, water supply* sperren; *activity, threat, crime* ein Ende machen; ~ **sth from happening** verhindern, dass etw passiert; ~ **sb from doing sth** j-n davon abhalten, etw zu tun; ~ **doing sth** aufhören, etw zu tun; ~ **smoking** mit dem Rauchen aufhören C V/I ‹-pp-› *car, bus* (an)halten; *clock, person, heart* stehen bleiben; *rain, noise, snow* aufhören
♦ **stop by** V/I (kurz) vorbeischauen
♦ **stop off** V/I Zwischenstation machen
♦ **stop over** V/I Zwischenstation machen
♦ **stop up** V/T *drain* verstopfen
'stop·gap N Notbehelf *m*; *person* Lückenbüßer(in) *m(f)* **'stop·light** N AUTO Bremslicht *n*; *esp US*: *on traffic light* rotes Licht **'stop·o·ver** N Zwischenstation *f*; *between flights* Zwischenlandung *f*
stop·page ['stɒpɪdʒ] N Unterbrechung *f*; Stopp *m*; *of machine* Betriebsstörung *f*; (Gehalts-, Lohn)Abzug *m*
'stop·page time N *in football* Nachspielzeit *f*
stop·per ['stɒpə(r)] N *for bottle* Pfropfen *m*
stop·ping ['stɒpɪŋ] N **no** ~ Halteverbot *n*
'stop sign N Stoppschild *n*
'stop·watch N Stoppuhr *f*
stor·age ['stɔ:rɪdʒ] N Lagerung *f*; **put sth in** ~ etw einlagern
'stor·age ca·pac·i·ty N IT Speicherkapazität *f*
'stor·age space N Abstellfläche *f*
store [stɔ:(r)] A N *shop* Geschäft *n*; *department store* Kaufhaus *n*; *reserves* Vorrat *m* (**of** an); *for supplies, material, goods etc* Lager *n*, Lagerhalle *f* B V/T lagern; IT speichern
'store·keep·er N *esp US* Ladenbesitzer(in) *m(f)*
'store·room N Lager *n*, Lagerraum *m*
sto·rey ['stɔ:rɪ] N Stock *m*, Stockwerk *n*
storm [stɔ:m] N Sturm *m*, Unwetter *n*; *with thunder and lightning* Gewitter *n*
storm·y ['stɔ:mɪ] ADJ ‹-ier, -iest› *a. fig* stürmisch
sto·ry[1] ['stɔ:rɪ] N Geschichte *f*; *in newspaper* Artikel *m*, Bericht *m*; *infml*: *lie* Märchen *n*
sto·ry[2] *US* → storey
stout [staʊt] ADJ korpulent; *shoes etc* fest; *defender* unnachgiebig
stove [stəʊv] N *for cooking* Herd *m*; *for*

heating Ofen *m*
stow [stəʊ] V/T verstauen
♦**stow away** V/I als blinder Passagier mitfahren/mitfliegen
'stow·a·way N blinde(r) Passagier(in)
strad·dle ['strædl] V/T rittlings sitzen auf; *fig*: *two theories etc* verbinden
strag·gler ['stræglə(r)] N Nachzügler(in) *m(f)*
strag·gly ['stræglɪ] ADJ ⟨-ier, -iest⟩ *hair* strubbelig
straight [streɪt] **A** ADJ *line, back, leg* gerade; *hair* glatt; *honest* offen und ehrlich; *alcoholic drink* pur; *tidy, in order* in Ordnung; *infml*: *conservative* spießig; *infml*: *heterosexual* hetero; **keep a ~ face** ernst bleiben **B** ADV *above, across, aim for* direkt; *immediately* sofort; *think* klar; *throw* genau; **stand up ~!** halt dich gerade!; **go ~** *infml*: *criminal* keine krummen Sachen mehr machen; **give it to me ~** *infml* sagen Sie es mir ohne Umschweife; **~ ahead** geradeaus; **carry ~ on** *driver etc* weiter geradeaus fahren; **~ away** *or* **~ off** sofort; **~ out** unverblümt
straight·en ['streɪtn] V/T gerade machen
♦**straighten out** **A** V/T *situation* in Ordnung bringen; *infml*: *person* auf die richtige Bahn bringen **B** V/I *road* gerade werden
♦**straighten up** V/I *straighten one's back* sich aufrichten
straight'for·ward ADJ aufrichtig, ehrlich; *not complicated* einfach
strain¹ [streɪn] **A** N Belastung *f* **B** V/T *back* sich verrenken; *muscle* sich zerren; *eyes* überanstrengen; *fig*: *finances etc* belasten
strain² [streɪn] V/T *vegetables* abgießen; *liquid* filtern
strain³ [streɪn] N *of virus* Art *f*
strained [streɪnd] ADJ *relations* angespannt
strain·er ['streɪnə(r)] N *for vegetables* Sieb *n*
strait [streɪt] N GEOG Meerenge *f*, Straße *f*
'strait·jack·et N Zwangsjacke *f*
strait·laced [streɪt'leɪst] ADJ prüde
strand¹ [strænd] N *of hair* Strähne *f*; *of wool, thread* Faden *m*
strand² [strænd] V/T **be stranded** *person* festsitzen; *ship, whale* gestrandet sein
strange [streɪndʒ] ADJ *odd* seltsam, merkwürdig; *unfamiliar* fremd
strange·ly ['streɪndʒlɪ] ADV *oddly* seltsam; **~ enough** seltsamerweise
strang·er ['streɪndʒə(r)] N Fremde(r) *m/f(m)*; **I'm a ~ here myself** ich bin auch fremd hier
stran·gle ['stræŋgl] V/T erwürgen
strap [stræp] N *of bag* Riemen *m*; *of bra, dress* Träger *m*; *of watch* Armband *n*; *of shoe* Riemen *m*, Lasche *f*
♦**strap in** V/T ⟨-pp-⟩ anschnallen
♦**strap on** V/T *watch* sich umbinden; *belt, holster* sich umschnallen
strap·less ['stræplɪs] ADJ trägerlos
Stras·bourg ['stræzbɜːg] N Straßburg *n*
stra·te·gic [strə'tiːdʒɪk] ADJ strategisch
strat·e·gy ['strætədʒɪ] N Strategie *f*
straw¹ [strɔː] N Stroh *n*; **that's the last ~!** das ist der Gipfel!
straw² [strɔː] N *for drink* Strohhalm *m*
straw·ber·ry ['strɔːbərɪ] N Erdbeere *f*
stray [streɪ] **A** ADJ *animal* streunend; *bullet* verirrt **B** N streunender Hund; herrenlose Katze **C** V/I *wander around* herumlaufen; *animal* streunen; *fig*: *thoughts* abschweifen
streak [striːk] **A** N *of dirt, paint* Streifen *m*; *in hair* Strähne *f*; *fig*: *of malice etc* (Charakter)Zug *m*; **a lucky ~** e-e Glückssträhne **B** V/I flitzen **C** V/T **streaked with blood** mit Blut beschmiert
streak·y ['striːkɪ] ADJ ⟨-ier, -iest⟩ verschmiert
stream [striːm] **A** N Bach *m*; *fig*: *of people, visitors etc* Strom *m*; *of complaints etc* Flut *f*; **come on ~** in Betrieb genommen werden **B** V/I *people, light, tears* strömen
stream·er ['striːmə(r)] N Luftschlange *f*
'stream·line V/T *fig* rationalisieren
'stream·lined ADJ *etc* stromlinienförmig; *fig*: *organization* rationalisiert
street [striːt] N Straße *f*
'street·car N US Straßenbahn *f*
'street·light N Straßenlaterne *f*
'street·map N Stadtplan *m* **'street-peo·ple** N *pl* Obdachlose *pl* **'street val·ue** N *of drugs* Verkehrswert *m*
'street·walk·er N *infml* Straßenmädchen *n* **'street·wise** ADJ clever
strength [streŋθ] N *a. fig* Stärke *f*; *physical* Kraft *f*; *of argument* Überzeugungs-

kraft *f*; **get one's ~ back** wieder zu Kräften kommen; **on the ~ of what he said** auf Grund dessen, was er gesagt hat

strength·en ['streŋθn] A VT *material, foundations, bridge* verstärken; *country, muscles, ties etc* stärken; *currency* festigen B VI stärker werden

stren·u·ous ['strenjʊəs] ADJ anstrengend

stren·u·ous·ly ['strenjʊəslɪ] ADV *deny* energisch

stress [stres] A N *in pronunciation* Betonung *f*; *tension* Stress *m*; **be under ~** unter Stress stehen B VT *syllable* betonen; *meaning etc a.* hervorheben

stressed out [strest'aʊt] ADJ *infml* gestresst

stress·ful ['stresfl] ADJ stressig

stretch [stretʃ] A N *of land* Stück *n*; *of water* Fläche *f*; *of road* Strecke *f*; **at a ~** *without stopping* ohne Unterbrechung B ADJ *material* dehnbar, elastisch C VT *material* dehnen, strecken; *income* strecken; *infml*: *rules* nicht so genau nehmen; *mentally* fordern D VI *person* sich strecken; *area, piece of land etc* sich erstrecken (**to** bis zu); *material: be elastic* sich dehnen; *material: lose its shape* ausleiern; **he stretched across the desk** er griff über den Schreibtisch

♦**stretch out** VT ausstrecken

stretch·er ['stretʃə(r)] N Trage *f*

stretch li·mo [stretʃ'lɪməʊ] N Stretchlimousine *f*

strick·en ['strɪkn] ADJ in Not, schwer beschädigt; **~ with the flu** an Grippe erkrankt; **~ with remorse** von Reue ergriffen

strict [strɪkt] ADJ *parents, teacher etc* streng; *instructions, rules a.* strikt

strict·ly ['strɪktlɪ] ADV streng; **~ forbidden** strengstens verboten

strict·ness ['strɪktnəs] N Strenge *f*

strid·den ['strɪdn] PAST PART → stride

stride [straɪd] A N *step* (großer) Schritt; *gait* Gang *m*; **take sth in one's ~** mit etw spielend fertigwerden; **make great strides** *fig* große Fortschritte machen B VI ⟨strode, stridden⟩ schreiten

stri·dent ['straɪdnt] ADJ schrill; *fig*: *demands* lautstark

strike [straɪk] A N *by workers* Streik *m*; *of oil* Fund *m*; **be on ~** streiken; **go on ~** in den Streik treten B VI ⟨struck, struck⟩ *workers* streiken; *attack* angreifen; *serial killer* zuschlagen; *disaster* sich ereignen; *clock* schlagen C VT ⟨struck, struck⟩ *one's head, another person* schlagen; *fig*: *disaster, earthquake* treffen; *disease* befallen; *match* anzünden; *oil, gold* stoßen auf; **be struck by a car** von e-m Auto angefahren werden; **it strikes me that ...** mir fällt auf, dass ...; **she struck me as being rather nice** sie kam mir ziemlich nett vor

♦**strike out** VT *erase* (aus)streichen

'strike bal·lot N Urabstimmung *f*

'strike·bound ADJ bestreikt **'strike break·er** N Streikbrecher(in) *m(f)*

strik·er ['straɪkə(r)] N Streikende(r) *m/f(m)*; *in football* Stürmer(in) *m(f)*

strik·ing ['straɪkɪŋ] ADJ auffallend; *similarity* verblüffend; *woman* auffallend schön

string [strɪŋ] N *cord* Schnur *f*; *of violin, tennis racket* Saite *f*; **the strings** *pl*; *musicians* die Streicher *pl*; **pull strings** Beziehungen spielen lassen; **a ~ of ...** *a series of* e-e Reihe von ...

♦**string along** *infml* ⟨strung, strung⟩ A VI sich anschließen B VT *person* hinhalten

♦**string up** VT *infml* aufknüpfen

string 'bean N grüne Bohne

stringed 'in·stru·ment [strɪŋd] N Saiteninstrument *n*

strin·gent ['strɪndʒnt] ADJ streng

string·y ['strɪŋɪ] ADJ ⟨-ier, -iest⟩ fas(e)rig

strip [strɪp] A N *of land, paper, material* Streifen *m*; *comic strip* Comicstrip *m*; *of football player* Trikot *n* B VT ⟨-pp-⟩ *paint* abkratzen; *wallpaper* abreißen; *undress* ausziehen; **~ sb of sth** *of title* j-m etw wegnehmen, j-m etw aberkennen C VI ⟨-pp-⟩ sich ausziehen; *at doctor's* sich frei machen; *do a striptease* strippen

'strip club N Stripteaselokal *n*

stripe [straɪp] N Streifen *m*

striped [straɪpt] ADJ gestreift

strip·per ['strɪpə(r)] N Stripperin *f*; **male ~** Stripper *m*; **wallpaper ~** Tapetenlöser *m*

strive [straɪv] VI ⟨strove, striven⟩ sich bemühen; **~ to do sth** bemüht sein, etw zu tun; **~ for** streben nach

striv·en ['strɪvən] PAST PART → strive

'strobe (light) [strəʊb] N Stroboskoplicht *n*
strode [strəʊd] PRET → stride
stroke [strəʊk] N **A** N MED Schlaganfall *m; of pen, paintbrush* Strich *m; in swimming* Stil *m;* **a ~ of luck** ein glücklicher Zufall; **I had a ~ of luck** ich hatte Glück; **she never does a ~ (of work)** sie rührt nie e-n Finger **B** V/T *touch* streicheln; **~ sb's hair** j-m übers Haar streichen
stroll [strəʊl] **A** N Bummel *m*, Spaziergang *m* **B** V/I bummeln, spazieren; **~ up to sb** auf j-n zuschlendern
stroll·er ['strəʊlə(r)] N *US: children's buggy* Sportwagen *m*
strong [strɒŋ] ADJ stark; *boxer, flavour, colour* kräftig; *construction etc* solide, stabil; *candidate etc* aussichtsreich; *country* mächtig; *views* ausgeprägt; **~ eyesight** gute Augen *pl;* **be still going ~** *singer etc* immer noch im Geschäft sein; *elderly person* immer noch fit sein
'strong·hold N *fig* Hochburg *f*
strong·ly ['strɒŋlı] ADV stark; **I'm ~ in favour of it** ich bin entschieden dafür; **she feels very ~ about it** es bedeutet ihr sehr viel
strong-mind·ed [strɒŋ'maındıd] ADJ willensstark **'strong point** N Stärke *f* **'strong·room** N Tresorraum *m*
strong-willed [strɒŋ'wıld] ADJ willensstark
strove [strəʊv] PRET → strive
struck [strʌk] PRET & PAST PART → strike
struc·tur·al ['strʌktʃərəl] ADJ strukturell; *steel* Bau-; **~ fault** Konstruktionsfehler *m;* **~ engineering** Bautechnik *f*
struc·tur·al 'change N POL Strukturwandel *m*
'struc·tur·al fund N POL Strukturfonds *m*
struc·ture ['strʌktʃə(r)] **A** N *tower block, bridge etc* Bau *m*, Konstruktion *f; of novel, society* Struktur *f*, Aufbau *m* **B** V/T strukturieren, gliedern; *day, work* einteilen
strug·gle ['strʌgl] **A** N Kampf *m* (**for** um); **it was a ~ at times** es war manchmal nicht leicht **B** V/I *with sb* kämpfen (**for** um); *strive hard* sich abmühen
strum [strʌm] V/T ⟨-mm-⟩ klimpern (auf)
strung [strʌŋ] PRET & PAST PART → string
strut[1] [strʌt] V/I ⟨-tt-⟩ stolzieren
strut[2] [strʌt] N TECH Stütze *f; at angle* Strebe *f*
stub [stʌb] **A** N *of cigarette* Stummel *m; of ticket etc* (Kontroll)Abschnitt *m* **B** V/T ⟨-bb-⟩ **~ one's toe** sich den Zeh anstoßen
♦ **stub out** V/T ausdrücken
stub·ble ['stʌbl] N *beard* Stoppeln *pl*
stub·born ['stʌbən] ADJ stur; *defence, resistance etc* hartnäckig
stuck [stʌk] **A** PRET & PAST PART → **stick**[2] **B** ADJ **be ~** *window, drawer* klemmen; *be baffled* nicht mehr weiterwissen; **get ~** *car* stecken bleiben; *become baffled* hängen bleiben; **be ~ on sb** *infml* in j-n verknallt sein
stuck-'up ADJ *infml* hochnäsig
stud[1] [stʌd] **A** N *on clothes* Druckknopf *m; on football boot* Stollen *m; nail* Beschlagnagel *m; for decoration* Ziernagel *m* **B** V/T ⟨-dd-⟩ **be studded with** besetzt sein mit; *with flowers* übersät sein mit
stud[2] [stʌd] N Gestüt *n*
stu·dent ['stju:dnt] N Student(in) *m(f); at school* Schüler(in) *m(f)*
stu·dent 'nurse N Krankenpflegeschüler(in) *m(f)*
stu·dent 'teach·er N Referendar(in) *m(f)*
stu·di·o ['stju:dıəʊ] N Studio *n*
stu·di·ous ['stju:dıəs] ADJ fleißig
stud·y ['stʌdı] **A** N *room* Arbeitszimmer *n; studying* Studieren *n; investigation* Studie *f* **B** V/T ⟨-ied⟩ studieren; *at school* lernen; *report, results* sich genau ansehen **C** V/I ⟨-ied⟩ *at university* studieren; *at school, for exam* lernen; **~ for an exam** sich auf e-e Prüfung vorbereiten
stuff [stʌf] **A** N Zeug *n; possessions* Sachen *pl* **B** V/T *goose* füllen; **~ sth into sth** etw in etw (hinein)stopfen
stuff·ing ['stʌfıŋ] N *for roast etc* Füllung *f; in soft toy etc* Füllmaterial *n*
stuff·y ['stʌfı] ADJ ⟨-ier, -iest⟩ *room* stickig; *person* spießig
stum·ble ['stʌmbl] V/I stolpern
♦ **stumble across** V/T stoßen auf
♦ **stumble over** V/T stolpern über
stum·bling-block ['stʌmblıŋ] N Hindernis *n*
stump [stʌmp] **A** N *of tree* Stumpf *m* **B** V/T **you've got me stumped there** *infml* da bin ich total überfragt
♦ **stump up** V/T *infml* locker machen

stump·y ['stʌmpɪ] ADJ ⟨-ier, -iest⟩ kurz und dick

stun [stʌn] VT ⟨-nn-⟩ *knock unconscious* betäuben; *shock* sprachlos machen, schockieren

stung [stʌŋ] PRET & PAST PART → sting

stunk [stʌŋk] PAST PART → stink

stun·ning ['stʌnɪŋ] ADJ überraschend; *breathtaking* atemberaubend

stunt¹ [stʌnt] VT *growth* hemmen

stunt² [stʌnt] N *for publicity* Gag *m*; *in film* Stunt *m*

stunt·ed ['stʌntɪd] ADJ verkümmert

stu·pe·fy ['stju:pɪfaɪ] VT ⟨-ied⟩ *baffle* verblüffen

stu·pen·dous [stju:'pendəs] ADJ *very good* fantastisch; *very big* enorm

stu·pid ['stju:pɪd] ADJ dumm

stu·pid·i·ty [stju:'pɪdətɪ] N Dummheit *f*

stu·pid·ly ['stju:pɪdlɪ] ADV dummerweise

stu·por ['stju:pə(r)] N Betäubung *f*; **in a drunken ~** im Vollrausch

stur·dy ['stɜ:dɪ] ADJ ⟨-ier, -iest⟩ robust

stut·ter ['stʌtə(r)] VI stottern

sty [staɪ] N *for pigs* Schweinestall *m*

stye [staɪ] N MED Gerstenkorn *n*

style [staɪl] N Stil *m*; *of clothes* Mode *f*

styl·ish ['staɪlɪʃ] ADJ elegant

styl·ist ['staɪlɪst] N Haarstylist(in) *m(f)*; *for house* Innenarchitekt(in) *m(f)*

Sty·ro·foam® ['staɪərəfəʊm] N *US* Styropor® *n*

suave [swɑ:v] ADJ verbindlich

sub [sʌb] N *infml* U-Boot *n*; *in sport* Auswechselspieler(in) *m(f)*

sub·com·mit·tee ['sʌbkəmɪtɪ] N Unterausschuss *m*

sub·con·scious [sʌb'kɒnʃəs] ADJ unterbewusst; **the ~ mind** das Unterbewusstsein

sub·con·scious·ly [sʌb'kɒnʃəslɪ] ADV im Unterbewusstsein

sub·con·tract [sʌbkən'trækt] VT weitervergeben

sub·con·trac·tor [sʌbkən'træktə(r)] N Subunternehmer(in) *m(f)*

sub·di·vide [sʌbdɪ'vaɪd] VT unterteilen

sub·di·vi·sion ['sʌbdɪvɪʒn] N Unterteilung *f*; *of department* Unterabteilung *f*

sub·due [səb'dju:] VT *people* unterwerfen; *uprising* niederschlagen

sub·dued [səb'dju:d] ADJ *light, voice* gedämpft; *person* (außergewöhnlich) still

sub·head·ing ['sʌbhedɪŋ] N Untertitel *m*

sub·hu·man [sʌb'hju:mən] ADJ unmenschlich

sub·ject A N ['sʌbdʒɪkt] *citizen of a country* Staatsangehörige(r) *m/f(m)*; *topic* Thema *n*; *at school etc* Fach *n*; GRAM Subjekt *n*; **change the ~** das Thema wechseln B ADJ ['sʌbdʒɪkt] **be ~ to** *have tendency to* neigen zu; *depend on* abhängen von; **~ to availability** falls verfügbar C VT [səb'dʒekt] **~ sb to sth** *investigation, punishment* j-n etw unterziehen; *criticism, heat* j-n etw aussetzen

sub·jec·tive [səb'dʒektɪv] ADJ subjektiv

sub·ju·gate ['sʌbdʒʊgeɪt] VT unterjochen, unterwerfen

sub·junc·tive [səb'dʒʌŋktɪv] N GRAM Konjunktiv *m*

sub·let ['sʌblet] VT ⟨sublet, sublet⟩ untervermieten

sub·lime [sə'blaɪm] ADJ großartig; *fig* total

sub·ma·chine gun [sʌb'məʃi:ngʌn] N Maschinenpistole *f*

sub·ma·rine ['sʌbməri:n] N Unterseeboot *n*, U-Boot *n*

sub·merge [səb'mɜ:dʒ] A VT *in water* eintauchen; **be submerged** *rocks, part of iceberg etc* unter Wasser liegen B VI *submarine* tauchen

sub·mis·sion [səb'mɪʃn] N *defeat* Unterwerfung *f*; *surrender* Kapitulation *f*; *to committee* Eingabe *f*

sub·mis·sive [səb'mɪsɪv] ADJ unterwürfig

sub·mit [səb'mɪt] ⟨-tt-⟩ A VT *plan, suggestion* einreichen; **I ~ that ...** ich behaupte, dass ... B VI sich ergeben

sub·or·di·nate [sə'bɔ:dɪnət] A ADJ *position* untergeordnet; *employee* untergeben; **a ~ clause** ein Nebensatz *m* B N Untergebene(r) *m/f(m)*

sub·poe·na [sə'pi:nə] A N *from law court* Vorladung *f* B VT vorladen

♦ **sub·scribe to** [səb'skraɪbtu:] VT abonnieren; *opinion* sich anschließen

sub·scrib·er [səb'skraɪbə(r)] N *to magazine etc* Abonnent(in) *m(f)*

sub·scrip·tion [səb'skrɪpʃn] N Abonnement *n*, Abo *n*

sub·se·quent ['sʌbsɪkwənt] ADJ (nach)folgend

sub·se·quent·ly ['sʌbsɪkwəntlɪ] ADV anschließend

sub·side [səb'saɪd] V/I *flood* zurückgehen; *storm* sich legen; *building* sich senken; *panic* abklingen

sub·sid·i·ar·i·ty [sʌbsɪdɪ'ærətɪ] N POL Subsidiarität *f*

sub·sid·i'ar·i·ty prin·ci·ple N POL Subsidiaritätsprinzip *n*

sub·sid·i·ar·y [səb'sɪdɪərɪ] N Tochtergesellschaft *f*

sub·si·dize ['sʌbsɪdaɪz] V/T subventionieren

sub·si·dized 'firm N Zuschussbetrieb *m*

sub·si·dy ['sʌbsɪdɪ] N Subvention *f*

♦**sub·sist on** [sʌb'sɪstɒn] V/T leben von

sub·sis·tence lev·el [sʌb'sɪstənslevl] N Existenzminimum *n*

sub·stance ['sʌbstəns] N Substanz *f*

'sub·stance a·buse N Drogenmissbrauch *m*

sub·stan·dard [sʌb'stændəd] ADJ minderwertig

sub·stan·tial [səb'stænʃl] ADJ beträchtlich, erheblich; *food* kräftig

sub·stan·tial·ly [səb'stænʃlɪ] ADV *considerably* beträchtlich, erheblich; *differ* wesentlich

sub·stan·ti·ate [səb'stænʃɪeɪt] V/T untermauern

sub·sti·tute ['sʌbstɪtju:t] **A** N Ersatz *m*; SPORTS Ersatzspieler(in) *m(f)*, Auswechselspieler(in) *m(f)* **B** V/T ersetzen; **~ X for Y** Y durch X ersetzen **C** V/I **~ for sb** für j-n einspringen

sub·sti·tu·tion [sʌbstɪ'tju:ʃn] N *substituting* Ersetzen *n*; **make a ~** SPORTS e-e Auswechs(e)lung vornehmen

sub·ter·fuge ['sʌbtəfju:dʒ] N List *f*

sub·ter·ra·ne·an [sʌbtə'reɪnjən] ADJ unterirdisch

sub·ti·tle ['sʌbtaɪtl] N Untertitel *m*

sub·tle ['sʌtl] ADJ *flavour, difference, humour* fein; *hint* leise; *method* raffiniert; *thinker* scharfsinning; **be ~ in one's approach** feinfühlig vorgehen

sub·tract [səb'trækt] V/T *number* abziehen, subtrahieren

sub·trop·i·cal [sʌb'trɒpɪkl] ADJ subtropisch

sub·urb ['sʌbɜ:b] N Vorort *m*; **live in the suburbs** am Stadtrand wohnen

sub·ur·ban [sə'bɜ:bən] ADJ vorstädtisch; *pej*: *attitude* spießig

sub·ur·bi·a [sə'bɜ:bɪə] N die Vororte *pl*

sub·ver·sive [səb'vɜ:sɪv] **A** ADJ subversiv **B** N Umstürzler(in) *m(f)*

sub·way ['sʌbweɪ] N *under road* Unterführung *f*; *US* U-Bahn *f*

sub'ze·ro ADJ unter null

suc·ceed [sək'si:d] **A** V/I Erfolg haben; **~ to an office** in e-m Amt nachfolgen; **~ to the throne** die Thronfolge antreten; **I succeeded in convincing him that ...** es gelang mir, ihn davon zu überzeugen, dass ... **B** V/T nachfolgen; **he succeeded Kohl** er war Kohls Nachfolger

suc·ceed·ing [sək'si:dɪŋ] ADJ folgend

suc·cess [sək'ses] N Erfolg *m*; **be a ~** erfolgreich sein; *book, play a.* ein Erfolg sein

suc·cess·ful [sək'sesfl] ADJ erfolgreich

suc·ces·sion [sək'seʃn] N *series* Folge *f*; *of visitors, phone calls* Reihe *f*; *to throne* Thronfolge *f*; *to post* Nachfolge *f*; **in ~** hintereinander

suc·ces·sive [sək'sesɪv] ADJ aufeinanderfolgend

suc·ces·sor [sək'sesə(r)] N Nachfolger(in) *m(f)*

suc·cinct [sək'sɪŋkt] ADJ knapp

suc·cu·lent ['sʌkjʊlənt] ADJ saftig

suc·cumb [sə'kʌm] V/I nachgeben; **~ to temptation** der Versuchung erliegen

such [sʌtʃ] **A** ADJ *of this type* solche(r, -s); **~ a ...** so ein(e) ...; **don't be in ~ a hurry** beeil dich doch nicht so; **~ as** wie; **there is no ~ word as ...** das Wort ... gibt es nicht **B** ADV so; **as ~** als solche(r, -s)

suck [sʌk] **A** V/T *lollipop etc* lutschen; *liquid* saugen **B** V/I *sl* **it sucks** das ist beschissen

♦**suck up** V/T aufsaugen

♦**suck up to** V/T *infml* kriechen vor

suck·er ['sʌkə(r)] N *infml*: *person* Trottel *m*

suc·tion ['sʌkʃn] N Saugwirkung *f*

'suc·tion pump N Saugpumpe *f*

sud·den ['sʌdn] ADJ plötzlich; **all of a ~** ganz plötzlich

sud·den·ly ['sʌdnlɪ] ADV plötzlich; **it all happened very ~** es ist alles sehr schnell gegangen

suds [sʌdz] N *pl* Seifenschaum *m*

sue [suː] VT verklagen (**for** wegen)
suede [sweɪd] N Wildleder *n*
su·et ['sʊɪt] N Nierenfett *n*, Talg *m*
suf·fer ['sʌfə(r)] **A** VI leiden (**from** an) **B** VT *loss, setback* erleiden
suf·fer·ing ['sʌfərɪŋ] N Leiden *n*
suf·fi·cient [sə'fɪʃnt] ADJ genügend, genug
suf·fi·cient·ly [sə'fɪʃntlɪ] ADV genug
suf·fo·cate ['sʌfəkeɪt] VT & VI ersticken
suf·fo·ca·tion [sʌfə'keɪʃn] N Ersticken *n*
suf·frage ['sʌfrɪdʒ] N POL Wahlrecht *n*, Stimmrecht *n*
sug·ar ['ʃʊgə(r)] **A** N Zucker *m* **B** VT zuckern
'sug·ar bowl N Zuckerdose *f*
'sug·ar·cane N Zuckerrohr *n*
sug·gest [sə'dʒest] VT vorschlagen; *indicate* andeuten
sug·ges·tion [sə'dʒestʃən] N Vorschlag *m*; *of garlic etc* Spur *f*; *of irony etc* Hauch *m*
sug·ges·tive [sə'dʒestɪv] ADJ *remark* zweideutig; *look* vielsagend
su·i·cide ['suːɪsaɪd] N Selbstmord *m*
'su·i·cide at·tack N Selbstmordanschlag *m* **'su·i·cide at·tack·er, 'su·i·cide bomb·er** N Selbstmordattentäter(in) *m(f)* **'su·i·cide pact** N Selbstmordabkommen *n*
suit [suːt] **A** N *with trousers* Anzug *m*; *with skirt* Kostüm *n*; *in card game* Farbe *f* **B** VT *piece of clothing, colour* stehen; *deadline etc* passen; **~ yourself!** *infml* mach doch, was du willst!; **be suited for sth** für etw geeignet sein
suit·a·bil·i·ty [suːtə'bɪlɪtɪ] N Eignung *f*
sui·ta·ble ['suːtəbl] ADJ geeignet
sui·ta·bly ['suːtəblɪ] ADV angemessen
'suit·case N Koffer *m*
suite [swiːt] N Suite *f*, Zimmerflucht *f*; *sofa and armchairs* Sitzgarnitur *f*; MUS Suite *f*
'sul·fur *etc US* → sulphur *etc*
sulk [sʌlk] VI schmollen, eingeschnappt sein
sulk·y ['sʌlkɪ] ADJ ‹-ier, -iest› eingeschnappt, beleidigt
sul·len ['sʌlən] ADJ mürrisch
sul·phur ['sʌlfə(r)] N Schwefel *m*
sul·try ['sʌltrɪ] ADJ ‹-ier, -iest› *climate* schwül; *sexual* aufreizend, sinnlich

sum [sʌm] N Summe *f*; *amount of money a.* Betrag *m*; **do sums** *in school* rechnen; **~ insured** Versicherungssumme *f*
♦**sum up** ‹-mm-› **A** VT zusammenfassen; *evaluate* abschätzen **B** VI zusammenfassen
sum·mar·ize ['sʌməraɪz] VT zusammenfassen
sum·ma·ry ['sʌmərɪ] N Zusammenfassung *f*
sum·mer ['sʌmə(r)] N Sommer *m*
'sum·mer camp N Ferienlager *n*
sum·mer 'hol·i·days N *pl* Sommerferien *pl* **'sum·mer·time** N Sommer *m* **'sum·mer time** N *daylight saving time* Sommerzeit *f* **sum·mer va'ca·tion** N *US, a. Br* UNIV Sommerferien *pl*
sum·mer·y ['sʌmərɪ] ADJ sommerlich, Sommer-
sum·mit ['sʌmɪt] N *of mountain*, POL Gipfel *m*
'sum·mit meet·ing N Gipfelkonferenz *f*
sum·mon ['sʌmən] VT *people* kommen lassen; *meeting* einberufen
♦**summon up** VT *energy* zusammennehmen
sum·mons ['sʌmənz] N *sg* JUR Vorladung *f*
sump [sʌmp] N *for oil* Ölwanne *f*
sun [sʌn] N Sonne *f*; **out of the ~** nicht in der Sonne
'sun·bathe VI sonnenbaden **'sun·beam** N Sonnenstrahl *m* **'sun·bed** N Sonnenbank *f* **'sun·block** N Sonnenschutzcreme *f* **'sun·burn** N Sonnenbrand *m* **'sun·burnt** ADJ (von der Sonne) verbrannt
sun·dae ['sʌndeɪ] N Eisbecher *m*
Sun·day ['sʌndeɪ] N Sonntag *m*
sun·dries ['sʌndrɪz] N *pl* Verschiedene(s) *n*
sun·dry ['sʌndrɪ] **A** ADJ diverse, verschiedene **B** N *pl* **all and ~** jedermann
sung [sʌŋ] PAST PART → sing
'sun·glass·es N *pl* Sonnenbrille *f*
sunk [sʌŋk] PAST PART → sink
sunk·en ['sʌnkn] ADJ *cheeks* eingefallen
'sun·lamp N Höhensonne® *f* **'sun·light** N Sonnenlicht *n* **'sun·lit** ADJ sonnenbeschienen
sun·ny ['sʌnɪ] ADJ ‹-ier, -iest› *day, disposition* sonnig; *smile* heiter; **it's ~** die Son-

ne scheint
'sun·rise N Sonnenaufgang *m* **sunrise 'in·dus·try** N Zukunftsindustrie *f* **'sun·roof** N Dachterrasse *f*; AUTO Schiebedach *n* **'sun·screen** N Sonnenschutzmittel *n* **'sun·set** N Sonnenuntergang *m* **'sun·shade** N Sonnenschirm *m* **'sun·shine** N Sonnenschein *m* **'sun·stroke** N Sonnenstich *m* **'sun·tan** N (Sonnen)Bräune *f*; **get a ~** braun werden
su·per ['su:pə(r)] ADJ *infml* toll
su·perb [sʊ'pɜ:b] ADJ ausgezeichnet
su·per·charg·er ['su:pətʃɑ:dʒə(r)] N AUTO Kompressor *m*
su·per·cil·i·ous [su:pə'sɪlɪəs] ADJ überheblich
su·per·fi·cial [su:pə'fɪʃl] ADJ oberflächlich; *wound* leicht
su·per·flu·ous [su:'pɜ:flʊəs] ADJ überflüssig
su·per'hu·man ADJ übermenschlich
su·per·im·pose [su:pərɪm'pəʊz] V/T überlagern; *image* einblenden (**on** in)
su·per·in·tend·ent [su:pərɪn'tendənt] N *in police* Kommissar(in) *m(f)*
su·pe·ri·or [su:'pɪərɪə(r)] **A** ADJ besser (**to** als); *in strength* überlegen (**to** *dat*) **B** N *in company etc* Vorgesetzte(r) *m/f(m)*
su·pe·ri·or·i·ty [su:pɪərɪ'ɒrətɪ] N Überlegenheit *f*
su·per·la·tive [su:'pɜ:lətɪv] **A** ADJ *very good* unübertrefflich **B** N GRAM Superlativ *m*
'su·per·mar·ket N Supermarkt *m*
su·per'nat·u·ral **A** ADJ *forces* übernatürlich **B** N **the ~** das Übernatürliche
su·per·nu·me·ra·ry [su:pə'nju:mərərɪ] ADJ zusätzlich
'su·per·pow·er N POL Supermacht *f*
su·per·sede [su:pə'si:d] V/T ersetzen
su·per·son·ic [su:pə'sɒnɪk] ADJ Überschall-
su·per·sti·tion [su:pə'stɪʃn] N Aberglaube *m*
su·per·sti·tious [su:pə'stɪʃəs] ADJ abergläubisch
'su·per·store N Großmarkt *m*
su·per·vise ['su:pəvaɪz] V/T beaufsichtigen
su·per·vi·sion [su:pə'vɪʒn] N Beaufsichtigung *f*; **under sb's ~** unter j-s Aufsicht
su·per·vi·sor ['su:pəvaɪzə(r)] N *at work* Aufsicht *f*
su·per·vi·so·ry com·mit·tee [su:pəvaɪzərɪkə'mɪtɪ] N POL Überwachungsausschuss *m*
sup·per ['sʌpə(r)] N Abendessen *n*
sup·ple ['sʌpl] ADJ geschmeidig
sup·ple·ment ['sʌplɪmənt] N *for train etc* Zuschlag *m*; *of newspaper* Beilage *f*
sup·ple·men·ta·ry [sʌplɪ'mentrɪ] ADJ zusätzlich
sup·pli·er [sə'plaɪə(r)] N ECON Lieferant(in) *m(f)*
sup·ply [sə'plaɪ] **A** N Versorgung *f*; **be in short ~** knapp sein; **~ and demand** Angebot und Nachfrage; **supplies** *pl* Vorräte *pl* **B** V/T ⟨-ied⟩ *goods* liefern; *tools, clothes, materials etc* sorgen für; **sb with sth** j-n mit etw versorgen, j-n mit etw beliefern
sup'ply source N Bezugsquelle *f*
sup·port [sə'pɔ:t] **A** N *for construction etc* Träger *m*; *for person, cause etc* Unterstützung *f* **B** V/T *building, construction* tragen; *financially* unterhalten; *person, party* unterstützen
sup·port·er [sə'pɔ:tə(r)] N Anhänger(in) *m(f)*; *of football team* Fan *m*
sup·port·ive [sə'pɔ:tɪv] ADJ **be ~ of sb** j-m Unterstützung geben
sup·pose [sə'pəʊz] V/T *presume* annehmen; **I ~ so** vermutlich; **can I have another? – I ~ so** kann ich noch eins haben? – ich denke schon; **be supposed to do sth** etw machen sollen; **you are not supposed to do that** das darfst du nicht (tun)
sup·pos·ed·ly [sə'pəʊzɪdlɪ] ADV angeblich
sup·po·si·tion [sʌpə'zɪʃn] N Annahme *f*, Vermutung *f*
sup·pos·i·to·ry [sə'pɒzɪtrɪ] N MED Zäpfchen *n*
sup·press [sə'pres] V/T unterdrücken
sup·pres·sion [sə'preʃn] N Unterdrückung *f*
su·pra·na·tion·al [su:prə'næʃənl] ADJ übernational
su·pra·na·tion·al·ism [su:prə'næʃənəlɪzm] N Supranationalismus *m*
su·prem·a·cy [su:'preməsɪ] N Vormachtstellung *f*
su·preme [su:'pri:m] ADJ *highest* höchs-

te(r, -s); *indifference, courage* größte(r, -s); **Supreme Commander** Oberbefehlshaber(in) *m(f)*; **Supreme Court** Oberster Gerichtshof

sur·charge ['sɜːtʃɑːdʒ] N *for ticket* Zuschlag *m*; *for letter, parcel* Nachporto *n*

sure [ʃʊə(r)] A ADJ sicher; **I'm ~** ich bin mir sicher; **be ~ about sth** sich e-r Sache sicher sein; **make ~ you close the window** denk daran, das Fenster zu schließen; **I made ~ he understood** *checked* ich überzeugte mich davon, dass er (es) verstanden hatte; *ensured* ich sorgte dafür, dass er (es) verstand B ADV **~ enough** tatsächlich; **~!** *infml* klar!; **it ~ is hot today** *infml* heute ist es wirklich heiß

sure·ly ['ʃʊəlɪ] ADV *certainly* bestimmt, sicher; *inevitably* zweifellos; *gladly* gern; **~ you don't mean that!** das ist doch wohl nicht dein Ernst!

sur·e·ty ['ʃʊərətɪ] N *for loan* Bürgschaft *f*

surf [sɜːf] A N *on sea* Brandung *f* B V/T surfen; **~ the Internet** im Internet surfen

sur·face ['sɜːfɪs] A N Oberfläche *f*; **on the ~** *fig* nach außen hin B V/I auftauchen

'sur·face mail N Post *f* auf dem Land-/Seeweg

'surf·board N Surfbrett *n*

surf·er ['sɜːfə(r)] N *on sea* Surfer(in) *m(f)*

surf·ing ['sɜːfɪŋ] N Surfen *n*

surge [sɜːdʒ] N ELEC Stromstoß *m*; **a ~ in interest** ein sprunghaft gestiegenes Interesse

♦**surge forward** V/I *crowd* vorwärtsdrängen

sur·geon ['sɜːdʒən] N Chirurg(in) *m(f)*

sur·ge·ry ['sɜːdʒərɪ] N *operation* Chirurgie *f*; *of doctor, dentist* Praxis *f*; **undergo ~** sich e-r Operation unterziehen; **~ hours** *pl* Sprechstunde *f*

sur·gi·cal ['sɜːdʒɪkl] ADJ chirurgisch

sur·gi·cal·ly ['sɜːdʒɪklɪ] ADV *remove* operativ

sur·ly ['sɜːlɪ] ADJ ⟨-ier, -iest⟩ mürrisch

sur·mount [sə'maʊnt] V/T *difficulties* überwinden

sur·name ['sɜːneɪm] N Familienname *m*, Nachname *m*

sur·pass [sə'pɑːs] V/T übertreffen

sur·plus ['sɜːpləs] A N Überschuss *m* (**of** an) B ADJ überschüssig

sur·prise [sə'praɪz] A N Überraschung *f*; **take by ~** *person* überraschen B V/T überraschen

sur·pris·ing [sə'praɪzɪŋ] ADJ überraschend, erstaunlich

sur·pris·ing·ly [sə'praɪzɪŋlɪ] ADV erstaunlicherweise; **not ~, they ...** es hat keinen überrascht, dass sie ...

sur·ren·der [sə'rendə(r)] A V/I sich ergeben B V/T *weapons etc* übergeben; *person* ausliefern C N Kapitulation *f*; *of weapons* Übergabe *f*; *of person* Auslieferung *f*

sur·ro·gate moth·er [sʌrəgət'mʌðə(r)] N Leihmutter *f*

sur·round [sə'raʊnd] A V/T umgeben B N *of picture etc* Umrandung *f*

sur·round·ing [sə'raʊndɪŋ] ADJ umliegend

sur·round·ings [sə'raʊndɪŋz] N *pl* Umgebung *f*

sur·veil·lance [sə'veɪləns] N Überwachung *f*; **keep sb under ~** j-n überwachen

sur·vey A N ['sɜːveɪ] *of modern literature etc* Überblick *m* (**of** über); *of building* Begutachtung *f*; *report* Gutachten *n*; *of land* Vermessung *f*; *of public opinion* Umfrage *f* B V/T [sə'veɪ] *surroundings* betrachten; *building* begutachten; *land* vermessen

sur·vey·or [sə'veɪə(r)] N *of building* Baugutachter(in) *m(f)*; *of land* Landvermesser(in) *m(f)*

sur·viv·al [sə'vaɪvl] N Überleben *n*

sur·vive [sə'vaɪv] A V/I überleben; *custom, wall* erhalten bleiben; **how are you? – I'm surviving** wie geht's? – (man) muss ja; **his two surviving daughters** s-e beiden noch lebenden Töchter B V/T überleben; *building, tree* überstehen

sur·vi·vor [sə'vaɪvə(r)] N Überlebende(r) *m/f(m)*; *fig* Überlebenskünstler(in) *m(f)*

sus·cep·ti·ble [sə'septəbl] ADJ *emotionally* empfänglich (**to** für); **kids are very ~ at that age** in diesem Alter sind Kinder leicht zu beeindrucken; **be ~ to the cold** kälteempfindlich sein

sus·pect A N ['sʌspekt] Verdächtige(r) *m/f(m)* B V/T [sə'spekt] *person* verdächtigen; *presume* vermuten; **I ~ you are right** vermutlich hast du Recht

sus·pect·ed [sə'spektɪd] ADJ *murderer* mutmaßlich; *cause* vermutlich

sus·pend [sə'spend] V/T aufhängen; *from office, service* suspendieren; **give sb a suspended sentence** e-e Strafe zur Bewährung aussetzen

sus·pend·ers [sə'spendəz] N *pl* Strumpfhalter *m*; *US* Hosenträger *pl*

sus·pense [sə'spens] N Spannung *f*

sus·pen·sion [sə'spenʃn] N *in vehicle* Federung *f*; *from office, service* Suspendierung *f*

sus'pen·sion bridge N Hängebrücke *f*

sus'pen·sion clause N Suspensionsklausel *f*

sus·pi·cion [sə'spɪʃn] N Verdacht *m*

sus·pi·cious [sə'spɪʃəs] ADJ *arousing suspicion* verdächtig; *mistrustful* argwöhnisch; **be ~ of sb/sth** j-m/etw gegenüber misstrauisch sein; **there's something ~ going on here** hier ist was faul

sus·pi·cious·ly [sə'spɪʃəslɪ] ADV *behave* verdächtig; *ask, look* misstrauisch

sus·tain [sə'steɪn] V/T *interest* aufrechterhalten; *damage* davontragen; *loss, injury* erleiden; *family* ernähren, versorgen

sus·tain·a·ble [sə'steɪnəbl] ADJ nachhaltig

swab [swɒb] N Tupfer *m*

swag·ger ['swægə(r)] N **walk with a ~** stolzieren

swal·low ['swɒləʊ] **A** V/T (hinunter)schlucken **B** V/I schlucken

swam [swæm] PRET → swim

swamp [swɒmp] **A** N Sumpf *m* **B** V/T **be swamped with ...** überschwemmt werden mit ...

swamp·y ['swɒmpɪ] ADJ ⟨-ier, -iest⟩ sumpfig

swan [swɒn] N Schwan *m*

swank·y ['swæŋkɪ] ADJ ⟨-ier, -iest⟩ *infml*: *hotel* piekfein; *car* angeberisch

swap [swɒp] V/T & V/I ⟨-pp-⟩ tauschen; **~ sth for sth** etw für etw eintauschen

swarm [swɔːm] **A** N *of bees, tourists* Schwarm *m* **B** V/I wimmeln (**with** von)

swar·thy ['swɔːðɪ] ADJ ⟨-ier, -iest⟩ *face, complexion* dunkel

swat [swɒt] V/T ⟨-tt-⟩ *fly* totschlagen

sway [sweɪ] **A** N *influence, power* Macht *f* **B** V/I schwanken

swear [sweə(r)] ⟨swore, sworn⟩ **A** V/I *curse* fluchen; **~ at sb** j-n (wüst) beschimpfen **B** V/T *promise, a.* JUR schwören

♦ **swear in** V/T *witness etc* vereidigen

'swear·word N Fluch *m*

sweat [swet] **A** N Schweiß *m*; **no ~!** *infml* kein Problem! **B** V/I schwitzen

'sweat band N Schweißband *n*

sweat·er ['swetə(r)] N Pullover *m*

sweat·y ['swetɪ] ADJ ⟨-ier, -iest⟩ verschwitzt

Swede [swiːd] N Schwede *m*, Schwedin *f*

Swe·den ['swiːdn] N Schweden *n*

Swe·dish ['swiːdɪʃ] **A** ADJ schwedisch **B** N Schwedisch *n*

sweep [swiːp] **A** V/T ⟨swept, swept⟩ *floor* fegen; *leaves etc* (weg)fegen **B** N *long curve* Bogen *m*

♦ **sweep up** V/T zusammenfegen

sweep·ing ['swiːpɪŋ] ADJ *statement etc* pauschal, verallgemeinernd; *changes, reforms etc* umfassend

sweet [swiːt] **A** ADJ *taste, tea* süß; *infml*: *kind, nice* nett; *infml*: *cute* süß **B** N Bonbon *m or n*; *dessert* Nachtisch *m*

sweet-and-'sour ADJ süßsauer

'sweet·corn N Mais *m*

sweet·en ['swiːtn] V/T süßen

sweet·en·er ['swiːtnə(r)] N Süßstoff *m*

'sweet·heart N Schatz *m*; **they were sweethearts** sie waren ein Pärchen

'sweet shop N Süßwarengeschäft *n*

swell [swel] **A** V/I ⟨swelled, swollen⟩ MED (an)schwellen **B** N Seegang *m*

swell·ing ['swelɪŋ] N MED Schwellung *f*

swel·ter ['sweltə(r)] V/I vor Hitze fast umkommen

swel·ter·ing ['sweltərɪŋ] ADJ *day* glühend heiß; *heat* glühend

swept [swept] PRET & PAST PART → sweep

swerve [swɜːv] V/I *driver* ausweichen

swift [swɪft] ADJ schnell

swim [swɪm] **A** V/I ⟨-mm-; swam, swum⟩ schwimmen; **my head is swimming** mir dreht sich alles **B** N **go for a ~** schwimmen gehen

swim·mer ['swɪmə(r)] N Schwimmer(in) *m(f)*

swim·ming ['swɪmɪŋ] N Schwimmen *n*

'swim·ming baths N *pl* Schwimmbad *n*

'swim·ming cap N Bademütze *f*

'swim·ming cos·tume N Badeanzug *m*

'swim·ming pool N Swim-

S

mingpool *m* **'swim·ming trunks** N *pl* Badehose *f*
'swim·suit N Badeanzug *m*
swin·dle ['swɪndl] **A** N Schwindel *m* **B** V/T beschwindeln; **~ sb out of sth** j-n um etw betrügen
swine [swaɪn] N *infml: person* Schwein *n*
'swine flu N Schweinegrippe *f*
swing [swɪŋ] **A** N *movement* Schwingen *n; for children* Schaukel *f; in poll* Umschwung *m* **B** V/T ⟨swung, swung⟩ schwingen; *hips a.* wiegen **C** V/I ⟨swung, swung⟩ (hin und her-) schwingen; *from branch to branch* sich schwingen; *around axis* sich drehen; *public opinion* umschwenken
swing-'door N Pendeltür *f*
swipe [swaɪp] V/T schlagen; *credit card* durchziehen; *infml* klauen
swirl [swɜːl] **A** V/I wirbeln **B** N Wirbel *m*
swish¹ [swɪʃ] **A** V/I sausen, zischen; *silk* rascheln **B** V/T *tail* schlagen mit (**at** nach)
swish² [swɪʃ] ADJ *infml* feudal, schick
Swiss [swɪs] **A** ADJ Schweizer, schweizerisch **B** N *person* Schweizer(in) *m(f)*; **the ~** *pl* die Schweizer *pl*
switch [swɪtʃ] **A** N ELEC Schalter *m; change* Wechsel *m; to new system* Umstellung *f* **B** V/T *replace* wechseln; *exchange* tauschen **C** V/I (über)wechseln (**to** zu)
♦**switch off** **A** V/T abschalten, ausschalten **B** V/I *a. infml* abschalten
♦**switch on** V/T einschalten, anschalten
'switch·board N TEL Zentrale *f*
'switch·o·ver N *to new system* Umstellung *f*
Swit·zer·land ['swɪtsələnd] N die Schweiz
swiv·el ['swɪvl] V/I ⟨-ll-, *US* -l-⟩ *chair, screen* sich drehen lassen
swol·len ['swəʊlən] **A** PAST PART → swell **B** ADJ *knuckle* geschwollen; *stomach* aufgebläht
swoon [swuːn] V/I schwärmen (**over** für)
swoop [swuːp] V/I *bird* herabstoßen
♦**swoop down on** V/T *prey* herabstoßen auf
♦**swoop on** V/T *criminals, drug dealers* e-n Überraschungsangriff machen auf
sword [sɔːd] N Schwert *n*
swore [swɔː(r)] PRET → swear
sworn [swɔːn] PAST PART → swear
swum [swʌm] PAST PART → swim
swung [swʌŋ] PRET & PAST PART → swing
syl·la·ble ['sɪləbl] N Silbe *f*
sym·bol ['sɪmbl] N Symbol *n*
sym·bol·ic [sɪm'bɒlɪk] ADJ symbolisch; **be ~ of sth** ein Symbol für etw sein
sym·bol·ize ['sɪmbəlaɪz] V/T symbolisieren
sym·met·ri·cal [sɪ'metrɪkl] ADJ symmetrisch
sym·me·try ['sɪmətrɪ] N Symmetrie *f*
sym·pa·thet·ic [sɪmpə'θetɪk] ADJ *showing sympathy* mitfühlend; *understanding* verständnisvoll; **he's ~ towards the idea** ihm gefällt die Idee
♦**sym·pa·thize with** ['sɪmpəθaɪzwɪð] V/T *with person* mitfühlen mit; POL sympathisieren mit; *with sth* Verständnis haben für
sym·pa·thiz·er ['sɪmpəθaɪzə(r)] N POL Sympathisant(in) *m(f)*
sym·pa·thy ['sɪmpəθɪ] N Mitleid *n* (**with, for** mit); Mitgefühl *n* (**with, for** für); *empathy, understanding* Verständnis *n; for bereavement* Beileid *n*
'sym·pa·thy strike N Sympathiestreik *m*
sym·pho·ny ['sɪmfənɪ] N Sinfonie *f*
symp·tom ['sɪmptəm] N *a. fig* Symptom *n*
symp·to·mat·ic [sɪmptə'mætɪk] ADJ **be ~ of sth** symptomatisch sein für etw
syn·chro·nize ['sɪŋkrənaɪz] V/T *watches* gleichstellen; *actions, processes etc* (zeitlich) aufeinander abstimmen, synchronisieren
syn·o·nym ['sɪnənɪm] N Synonym *n*
sy·non·y·mous [sɪ'nɒnɪməs] ADJ synonym, gleichbedeutend
sy·nop·sis [sɪ'nɒpsɪs] N ⟨*pl* synopses [sɪ'nɒpsiːz]⟩ Übersicht *f*, Zusammenfassung *f*
syn·tax ['sɪntæks] N Syntax *f*
syn·the·sis ['sɪnθəsɪs] N ⟨*pl* syntheses ['sɪnθəsiːz]⟩ Synthese *f*
syn·the·siz·er ['sɪnθəsaɪzə(r)] N MUS Synthesizer *m*
syn·thet·ic [sɪn'θetɪk] ADJ synthetisch
syn·thet·ic 'fi·bre, **syn·thet·ic 'fi·ber** *US* N Kunstfaser *f*
sy·ringe [sɪ'rɪndʒ] N Spritze *f*
syr·up ['sɪrəp] N Sirup *m*

sys·tem ['sɪstəm] N System *n*; **the digestive ~** der Verdauungsapparat; **the road ~** das Straßennetz
sys·tem·at·ic [sɪstə'mætɪk] ADJ systematisch

T

T, t [tiː] N T, t *n*
ta [tɑː] INT *infml* danke
tab [tæb] N *on clothes* Schlaufe *f*, Aufhänger *m*; *on packaging, for opening* Zipfel *m*; *on keyboard* Tabulator *m*; **pick up the ~** *infml* die Rechnung übernehmen
ta·ble ['teɪbl] N Tisch *m*; *of numbers* Tabelle *f*
'ta·ble·cloth N Tischdecke *f*, Tischtuch *n* **'ta·ble lamp** N Tischlampe *f* **'ta·ble·mat** N Untersetzer *m* (*für heiße Gefäße*) **ta·ble of 'con·tents** N Inhaltsverzeichnis *n* **'ta·ble·spoon** N Esslöffel *m*
tab·let ['tæblɪt] N MED Tablette *f*
'ta·ble ten·nis N Tischtennis *n* **'ta·ble·top** N Tischplatte *f* **'ta·ble·ware** N Geschirr und Besteck *n*
tab·loid ['tæblɔɪd] N Boulevardzeitung *f*
ta·boo [tə'buː] ADJ tabu
tach·o·graph ['tækəʊgrɑːf] N AUTO Fahrt(en)schreiber *m*
ta·chom·e·ter [tæ'kɒmɪtə(r)] N AUTO Drehzahlmesser *m*
ta·cit ['tæsɪt] ADJ stillschweigend
ta·ci·turn ['tæsɪtɜːn] ADJ schweigsam, wortkarg
tack [tæk] **A** N kleiner Nagel **B** V/T *before sewing* heften **C** V/I *yacht* aufkreuzen
tack·le ['tækl] **A** N *for fishing, mountaineering etc* Ausrüstung *f*; SPORTS Angriff *m*, Tackling *n* **B** V/T SPORTS, *intruder* angreifen; *problem* in Angriff nehmen, angehen
tack·y ['tækɪ] ADJ ‹-ier, -iest› *paint, glue* klebrig; *infml*: *quality* billig; *clothes, colour combination* geschmacklos; *behaviour* schäbig
tact [tækt] N Takt *m*
tact·ful ['tæktfʊl] ADJ taktvoll
tac·tic·al ['tæktɪkl] ADJ taktisch
tac·tics ['tæktɪks] N *pl* Taktik *f*, Taktiken *pl*
tact·less ['tæktlɪs] ADJ taktlos
tag [tæg] N Etikett *n*, Schild(chen) *n*; **price ~** Preisschild *n*
♦**tag along** V/I ‹-gg-› mitkommen
tail [teɪl] N Schwanz *m*
'tail·back N Rückstau *m*
'tail light N Rücklicht *n*
tai·lor ['teɪlə(r)] N Schneider(in) *m(f)*
tai·lor-made [teɪlə'meɪd] ADJ *suit, a. fig* maßgeschneidert; **it was ~ for you** das ist wie für dich geschaffen
'tail pipe N *of car* Auspuffrohr *n*
'tail·wind N Rückenwind *m*
taint·ed ['teɪntɪd] ADJ *food* verdorben; *reputation* beschmutzt; *atmosphere* vergiftet
Tai·wan [taɪ'wɑːn] N Taiwan *n*
Tai·wan·ese [taɪwən'iːz] **A** ADJ taiwanisch **B** N Taiwaner(in) *m(f)*
take [teɪk] V/T ‹took, taken› nehmen; *remove* wegnehmen; *with one* mitnehmen; *into town, home* bringen; *hint, present, credit card* (an)nehmen, akzeptieren; *subject, course* belegen; *photo, photocopy* machen; *exam, degree* machen, ablegen; *sb's temperature* messen; *heat, rude behaviour etc* ertragen; *require* brauchen; **I'm not taking that from him!** das lasse ich mir von ihm nicht bieten!; **how long does it ~?** wie lange dauert es?; **~ a stroll/photo** e-n Spaziergang/ein Foto machen
♦**take after** V/T ähneln
♦**take apart** V/T *engine, opponent* auseinandernehmen
♦**take away** V/T *object* wegnehmen; *pain* nehmen; MATH abziehen; **15 take away 5** 15 weniger 5
♦**take back** V/T zurückbringen; *returned goods* zurücknehmen; *husband* wieder aufnehmen; **that takes me back** *music, film etc* das ruft Erinnerungen wach; **it took me back to my childhood** das hat mich in meine Kindheit zurückversetzt
♦**take down** V/T *from shelf* herunterholen, herunternehmen; *scaffolding* abbauen; *trousers* herunterlassen; *names, notes*

aufschreiben

♦**take in** VT *bring inside* hereinholen, hereinbringen; *provide accommodation for* (bei sich) aufnehmen; *clothes* enger machen; *deceive* hereinlegen; *include* einschließen

♦**take off** **A** VT *clothes, shoes* ausziehen; *hat* absetzen; *10% etc* abziehen; *imitate* nachmachen; **take a day off** sich e-n Tag freinehmen **B** VI *plane* starten; *fashion, idea etc* ankommen

♦**take on** VT *responsibility* übernehmen; *employee* einstellen

♦**take out** VT *of bag* herausnehmen; *stain, word, appendix* entfernen; *tooth* ziehen; *money from bank* abheben; *library book* ausleihen; *for dinner, to cinema* einladen (**to** zu, in); *as girlfriend, boyfriend* ausgehen mit; *dog* ausführen; *insurance* abschließen; **take it out on sb** es an j-m auslassen

♦**take over** **A** VT *company, work* übernehmen **B** VI übernehmen; *new management* die Leitung übernehmen; *party* die Macht übernehmen; **I'll take over** ich löse dich ab

♦**take to** VT *person* mögen; **take to doing sth** es sich angewöhnen, etw zu tun; **she's taken to drink** sie hat angefangen zu trinken; **he's taken to the idea** ihm gefällt die Idee

♦**take up** VT *carpet etc* hochnehmen; *take upstairs* hinauftragen; *dress etc* kürzen; *hobby, sport* anfangen mit; *offer* annehmen; *new job* anfangen; *space* einnehmen; *time* beanspruchen; **I'll take you up on that** das nehme ich gern in Anspruch

'take·a·way N *meal* Essen *n* zum Mitnehmen; *place* Schnellrestaurant *n* (*alle Speisen nur zum Mitnehmen*)

'take-home pay N Nettolohn *m*

T

tak·en ['teɪkən] PAST PART → take

'take·off N *of plane* Start *m*; Abheben *n*; *imitation* Parodie *f*; **when's ~?** wann ist der Abflug? **'take·o·ver** N ECON Übernahme *f* **'take·o·ver bid** N Übernahmeangebot *n*

ta·kings ['teɪkɪŋz] N *pl* Einnahmen *pl*

tale [teɪl] N Geschichte *f*, Erzählung *f*

tal·ent ['tælənt] N Begabung *f*, Talent *n*

tal·ent·ed ['tæləntɪd] ADJ begabt, talentiert

'tal·ent scout N Talentsucher(in) *m(f)*

talk [tɔ:k] **A** VI sprechen, reden (**about** über); *hold conversation* sich unterhalten; **now you're talking** *infml* das hört sich schon besser an **B** VT *English etc* sprechen; *nonsense* reden; *business, politics* sprechen über, reden über **C** N Gespräch *n*, Unterhaltung *f*; *to audience* Vortrag *m*; **talks** *pl* Gespräche *pl*, Verhandlungen *pl*; **give a ~** e-n Vortrag halten; **hold talks** Verhandlungen führen; **he's all ~** *pej* er ist ein Schwätzer

♦**talk back** VI frech antworten

♦**talk down to** VT von oben herab reden mit

♦**talk into** VT **talk sb into doing sth** j-n dazu überreden, etw zu tun

♦**talk out of** VT **talk sb out of doing sth** j-m ausreden, etw zu tun

♦**talk over** VT besprechen

talk·a·tive ['tɔ:kətɪv] ADJ gesprächig, redselig

talk·ing-to ['tɔ:kɪŋtu:] N Standpauke *f*

tall [tɔ:l] ADJ *person* groß; *building, tree* hoch

Tal·linn [tæ'lɪn] N Tallinn *n*

tall 'or·der N **that's a pretty ~** das ist ganz schön viel verlangt

tall 'sto·ry N *unbelievable* Märchen *n*

tal·ly ['tælɪ] **A** N **keep a ~ of** Buch führen über **B** VI ⟨-ied⟩ übereinstimmen

tame [teɪm] ADJ zahm; *joke* lahm

♦**tam·per with** ['tæmpə(r)wɪð] VT sich zu schaffen machen an

tan [tæn] **A** N *brown skin* Bräune *f*; **get a ~** braun werden **B** VI ⟨-nn-⟩ *in sun* braun werden **C** VT ⟨-nn-⟩ *leather* gerben

tan·dem ['tændəm] N **do two things in ~** zwei Dinge gleichzeitig tun

tang [tæŋ] starker N Geruch *m*; scharfer Geschmack

tan·gent ['tændʒənt] N **go off at a ~** abschweifen

tan·ge·rine [tændʒə'ri:n] N Mandarine *f*

tan·gi·ble ['tændʒɪbl] ADJ greifbar; *fig a.* handfest

tan·gle ['tæŋgl] N Gewirr *n*

♦**tangle up** VT **get tangled up** *thread etc* sich verheddern

tank [tæŋk] N *for water, petrol etc* Tank *m*; *for fish* Aquarium *n*; MIL Panzer *m*; *ox-*

ygen tank Sauerstoffflasche *f*

tank·er ['tæŋkə(r)] N *ship* Tanker *m;* AUTO Tankwagen *m*

'tank top N Pullunder *m; US: with spaghetti straps* Top *n*

tanned [tænd] ADJ braun (gebrannt)

tan·ning stu·di·o ['tænıŋ] N Sonnenstudio *n*

Tan·noy® ['tænɔı] N Lautsprecheranlage *f*

tan·ta·liz·ing ['tæntəlaızıŋ] ADJ verlockend

tan·ta·mount ['tæntəmaʊnt] ADJ **be ~ to sth** auf etw hinauslaufen

tan·trum ['tæntrəm] N Wutanfall *m*

tap [tæp] **A** N (Wasser)Hahn *m; for beer* Zapfhahn *m* **B** V/T ⟨-pp-⟩ *on shoulder, table etc* klopfen; *phone* abhören; **~ sb on the shoulder** j-m auf die Schulter tippen

♦**tap into** V/T *resources* anzapfen

'tap dance N Stepptanz *m*

tape [teıp] **A** N Tonband *n;* Kassette *f; sticky tape* Klebeband *n* **B** V/T *conversation etc* aufnehmen; *with sticky tape* festkleben; zusammenkleben

'tape deck N Kassettendeck *n* **'tape drive** N COMPUT Bandlaufwerk *n* **'tape meas·ure** N Maßband *n*

tap·er ['teıpə(r)] V/I spitz zulaufen

♦**taper off** V/I *interest etc* langsam zurückgehen

'tape re·cord·er N Tonbandgerät *n*

'tape re·cord·ing N (Band)Aufnahme *f*

ta·pes·try ['tæpıstrı] N Wandteppich *m*

'tape·worm N Bandwurm *m*

'tap wa·ter N Leitungswasser *n*

tar [tɑ:(r)] N Teer *m*

tare [teə(r)] N ECON Tara *f*

tar·get ['tɑ:gıt] **A** N Ziel *n; in shooting, a. fig* Zielscheibe *f* **B** V/T *market* abzielen auf

tar·get 'au·di·ence N Zielgruppe *f*

'tar·get date N angestrebter Termin

'tar·get fig·ure N angestrebte Zahl

'tar·get group N Zielgruppe *f* **'tar·get lan·guage** N Zielsprache *f*

'tar·get mar·ket N Zielmarkt *m*

'tar·get prac·tice N MIL Scheibenschießen *n,* Übungsschießen *n*

tar·iff ['tærıf] N Preisliste *f,* Preisverzeichnis *n; tax* Zoll *m*

tar·mac ['tɑ:mæk] N Asphalt *m; at airport* Rollfeld *n*

tar·nish ['tɑ:nıʃ] V/T *metal* anlaufen lassen; *reputation* beflecken

tar·pau·lin [tɑ:'pɔ:lın] N Plane *f*

tart¹ [tɑ:t] N Obstkuchen *m;* Obsttörtchen *n*

tart² [tɑ:t] N *pej* Nutte *f*

tar·tan ['tɑ:tn] N *pattern* Schottenkaro *n; material* Schottenstoff *m*

tar·tar ['tɑ:tə(r)] N Zahnstein *m;* CHEM Weinstein *m*

task [tɑ:sk] N Aufgabe *f*

'task force N Sondereinheit *f,* Spezialeinheit *f*

tas·sel ['tæsl] N Troddel *f,* Quaste *f*

taste [teıst] **A** N Geschmack *m; sense of taste* Geschmackssinn *m;* **a ~ of her temper** e-e Kostprobe ihres Temperaments; **a ~ of things to come** ein Vorgeschmack *m* darauf, was noch kommt **B** V/T schmecken; *sample* probieren, kosten; *freedom etc* erfahren **C** V/I schmecken (**of** nach)

'taste buds N *pl* Geschmacksknospen *pl*

taste·ful ['teıstfl] ADJ geschmackvoll

taste·less ['teıstlıs] ADJ *remark, person* geschmacklos; *food* fade; **be ~** *food* nach nichts schmecken

tast·ing ['teıstıŋ] N (Wein)Probe *f*

tast·y ['teıstı] ADJ ⟨-ier, -iest⟩ schmackhaft; **that's ~!** das schmeckt aber gut!

tat·tered ['tætəd] ADJ zerfleddert, zerfetzt; *clothes a.* zerlumpt

tat·ters ['tætəz] N *pl* **in ~** *clothes* in Fetzen; *reputation, career* ruiniert

tat·too [tə'tu:] N Tätowierung *f*

tat·ty ['tætı] ADJ ⟨-ier, -iest⟩ *infml* schäbig

taught [tɔ:t] PRET & PAST PART → **teach**

taunt [tɔ:nt] **A** N Stichelei *f,* höhnische Bemerkung **B** V/T verspotten

Taur·us ['tɔ:rəs] N ASTROL Stier *m*

taut [tɔ:t] ADJ straff

taw·dry ['tɔ:drı] ADJ ⟨-ier, -iest⟩ billig und geschmacklos

tax [tæks] **A** N Steuer *f* (**on** auf); **taxes** *pl* Steuern *pl,* Steuergelder *pl;* **before/after ~** vor/nach Abzug von Steuern **B** V/T *people, product* besteuern

tax·a·ble ['tæksəbl] ADJ **~ income** steuerpflichtiges Einkommen

tax·a·tion [tæk'seıʃn] N Steuern *pl; tax-*

ing Besteuerung *f*
'tax a·void·ance N Steuerumgehung *f* **'tax brack·et** N Steuerklasse *f* **'tax code** N Steuerkennziffer *f* **tax-de'duct·i·ble** ADJ (steuerlich) absetzbar **'tax disc** N *for car* Steuermarke *f* **'tax e·va·sion** N Steuerhinterziehung *f* **'tax ex·emp·tion** N Steuerbefreiung *f* **tax-'free** ADJ steuerfrei **tax-free al'low·ance** N Steuerfreibetrag *m*
tax·i ['tæksɪ] **A** N Taxi *n* **B** V/I *plane* rollen
'tax·i driv·er N Taxifahrer(in) *m(f)*
tax·ing ['tæksɪŋ] ADJ anstrengend
'tax in·spect·or N Finanzbeamte(r) *m*, -beamtin *f*
'tax·i rank, **'tax·i stand** N Taxistand *m*
'tax·man N *infml* Fiskus *m* **'tax pay·er** N Steuerzahler(in) *m(f)* **'tax re·bate** N Steuerrückzahlung *f* **'tax re·lief** N Steuervergünstigung *f* **'tax re·turn** N *tax form* Steuererklärung *f* **tax 'year** N Steuerjahr *n*
TB [ti:'bi:] ABBR *for* tuberculosis TB *f*, Tuberkulose *f*
tea [ti:] N Tee *m*; *meal* Nachmittagstee *m*; *in Scotland and northern England* Abendbrot *n*
'tea·bag N Teebeutel *m*
teach [ti:tʃ] ⟨taught, taught⟩ **A** V/T *person, subject* unterrichten, lehren; **~ sb to do sth** j-m beibringen, etw zu tun; **that'll ~ him!** das wird ihm e-e Lehre sein; **that'll ~ you to be so cheeky** das hast du nun davon, dass du so frech bist **B** V/I unterrichten; **he always wanted to ~** er wollte schon immer Lehrer werden
teach·er ['ti:tʃə(r)] N Lehrer(in) *m(f)*
teach·er 'train·ing N Lehrerausbildung *f*
teach·ing ['ti:tʃɪŋ] N Lehrberuf *m*; **go into ~** Lehrer(in) werden
'tea cloth N Geschirrtuch *n* **'tea·cup** N Teetasse *f* **'tea leaf** N Teeblatt *n*
team [ti:m] N Team *n*; *in sport a.* Mannschaft *f*
'team-mate N Mannschaftskamerad(in) *m(f)*; *at work* Teamkollege *m*, -kollegin *f*
team 'spir·it N Mannschaftsgeist *m*
team·ster ['ti:mstər] N *US* Lkw-Fahrer(in) *m(f)*
'team·work N *US* Teamarbeit *f*
'tea·pot N *US* Teekanne *f*
tear¹ [teə(r)] **A** N *in material etc* Riss *m* **B** V/T ⟨tore, torn⟩ *paper, material* zerreißen; **be torn** *inwardly* hin und her gerissen sein **C** V/I ⟨tore, torn⟩ rasen
♦ **tear down** V/T *poster* herunterreißen; *building* abreißen
♦ **tear out** V/T (her)ausreißen
♦ **tear up** V/T *paper* zerreißen; *agreement* aufkündigen
tear² [tɪə(r)] N Träne *f*; **burst into tears** in Tränen ausbrechen; **be in tears** in Tränen aufgelöst sein
tear·drop ['tɪədrɒp] N Träne *f*
tear·ful ['tɪəfl] ADJ *look, face* verweint; *person a.* den Tränen nahe; *farewell* tränenreich
tear gas ['tɪəgæs] N Tränengas *n*
tear-jerk·er ['tɪədʒɜ:kə(r)] N Schnulze *f*; **it's a real ~** der Film drückt so richtig auf die Tränendrüsen
'tea·room N Teestube *f*
tease [ti:z] V/T *person* necken (**about** wegen); *animal* ärgern
'tea serv·ice, **'tea set** N Teeservice *n* **'tea·spoon** N Teelöffel *m* **'tea strain·er** N Teesieb *n*
teat [ti:t] N *of animal* Zitze *f*; *of bottle* Sauger *m*
'tea tow·el N Geschirrtuch *n*
tech·ni·cal ['teknɪkl] ADJ technisch; *term* Fach-, fachlich
tech·ni·cal·i·ty [teknɪ'kælətɪ] N *of language, style* Komplexität *f*; JUR Formsache *f*; **just a ~** nur ein Detail
tech·ni·cal·ly ['teknɪklɪ] ADV genau genommen; *written* fachsprachlich
tech·ni·cian [tek'nɪʃn] N Techniker(in) *m(f)*
tech·nique [tek'ni:k] N Technik *f*; Methode *f*
tech·no·log·i·cal [teknə'lɒdʒɪkl] ADJ technologisch
tech·no·lo·gy [tek'nɒlədʒɪ] N Technologie *f*, Technik *f*
tech·no·phob·i·a [teknə'fəʊbɪə] N Technologiefeindlichkeit *f*
te·di·ous ['ti:dɪəs] ADJ langweilig, öde
teem [ti:m] V/I wimmeln (**with** von); **be teeming with rain** in Strömen regnen

T

teen·age ['ti:neɪdʒ] ADJ Teenager-
teen·ag·er ['ti:neɪdʒə(r)] N Teenager(in) *m(f)*
teens [ti:nz] N *pl* Teenageralter *n*
tee·ny(-wee·ny) ['ti:nɪ(wi:nɪ)] ADJ *infml* klitzeklein; **a ~ bit ...** ein ganz klein bisschen ...
teeth [ti:θ] PL → tooth
teethe [ti:ð] V/I zahnen
teeth·ing prob·lems ['ti:ðɪŋ] N *pl fig* Kinderkrankheiten *pl*
tee·to·tal [ti:'təʊtl] ADJ *person* abstinent; *party* ohne Alkohol
tee·to·tal·ler [ti:'təʊtlə(r)] N Abstinenzler(in) *m(f)*, Nichttrinker(in) *m(f)*
tel·e·com·mu·ni·ca·tions [telɪkəmju:nɪ'keɪʃnz] N *pl* Telekommunikation *f*, Fernmeldewesen *n*
tel·e·com·mut·ing ['telɪkəmju:tɪŋ] N Telearbeit *f*
tel·e·con·fer·ence ['telɪkɒnfərəns] N Telefonkonferenz *f*, Telekonferenz *f*
tel·e·con·fer·enc·ing ['telɪkɒnfərənsɪŋ] N Telefonkonferenzen *pl*, Telekonferenzen *pl*
tel·e·graph pole ['telɪgrɑ:f] N Telegrafenmast *m*
tel·e·mar·ket·ing ['telɪmɑ:kətɪŋ] N Telefonmarketing *n*, Telemarketing *n*, Telefonverkauf *m*
tel·e·path·ic [telɪ'pæθɪk] ADJ telepathisch; **you must be ~!** du musst Gedanken lesen können!
tel·e·phone ['telɪfəʊn] **A** N Telefon *n*; **be on the ~** *be telephoning* am Telefon sein; *possess a telephone* Telefon haben **B** V/T *person* anrufen **C** V/I telefonieren
'tel·e·phone bill N Telefonrechnung *f* **'tel·e·phone book** N Telefonbuch *n* **'tel·e·phone booth** N Telefonzelle *f*, Fernsprechzelle *f* **'tel·e·phone box** N Telefonzelle *f*, Fernsprechzelle *f* **'tel·e·phone call** N Telefonanruf *m*, Telefongespräch *n*; **make a ~** telefonieren **'tel·e·phone con·ver·sa·tion** N Telefongespräch *n* **'tel·e·phone di·rec·to·ry** N Telefonbuch *n* **'tel·e·phone ex·change** N Fernsprechamt *n* **'tel·e·phone mes·sage** N telefonische Nachricht **'tel·e·phone num·ber** N Telefonnummer *f*
tel·e·pho·to lens [telɪfəʊtəʊ'lenz] N Teleobjektiv *n*
tel·e·sales ['telɪseɪlz] N *sg* Telefonmarketing *n*
tel·e·scope ['telɪskəʊp] N Teleskop *n*, Fernrohr *n*
tel·e·scop·ic lens [telɪskɒpɪk'lenz] N Fernrohrlinse *f*
tel·e·text ['telɪtekst] N Teletext *m*, Videotext *m*
tel·e·vise ['telɪvaɪz] V/T (im Fernsehen) übertragen
tel·e·vi·sion ['telɪvɪʒn, telɪ'vɪʒn] N Fernsehen *n*; *set* Fernseher *m*; **on ~** im Fernsehen; **watch ~** fernsehen
'tel·e·vi·sion au·di·ence N Fernsehzuschauer *pl* **'tel·e·vi·sion li·cence** N GEZ-Bescheinigung *f* **'tel·e·vi·sion pro·gramme**, **'tel·e·vi·sion pro·gram** *US* N Fernsehsendung *f*, Fernsehprogramm *n* **'tel·e·vi·sion set** N Fernseher *m* **'tel·e·vi·sion stu·di·o** N Fernsehstudio *n*
tel·e·work·ing ['telɪwɜ:kɪŋ] N Telearbeit *f*
tell [tel] ⟨told, told⟩ **A** V/T *story* erzählen; *difference* erkennen; **~ sb sth** j-m etw sagen *or* erzählen; **~ sb about sth** j-m von etw erzählen; **~ sb to do sth** j-m sagen, dass er/sie etw tun soll; **you can't ~ me what to do!** du kannst mir nicht vorschreiben, was ich zu tun habe!; **you're telling me!** *infml* wem sagst du das!; **~ lies** lügen; **be able to ~ the time** die Uhr lesen können **B** V/I **time will ~** die Zukunft wird's zeigen, man wird sehen; **it's hard to ~** es ist schwer zu sagen; **the heat is telling on him** die Hitze macht sich bei ihm bemerkbar
♦**tell apart** V/T **I can't tell them apart** ich kann sie nicht auseinanderhalten
♦**tell off** V/T ausschimpfen
♦**tell on** V/T *to teacher etc* verpetzen
tell·er ['telə(r)] N Kassierer(in) *m(f)*
tell·ing ['telɪŋ] ADJ *effective* wirkungsvoll; *revealing* aufschlussreich
tell·ing 'off N Rüffel *m*; **give sb a ~** j-m eine Strafpredigt halten
'tell·tale **A** ADJ *sign* verräterisch **B** N Petze *f*
tel·ly ['telɪ] N *infml* Glotze *f*; **watch ~** fernsehen
te·mer·i·ty [tɪ'merətɪ] N Frechheit *f*, Kühnheit *f*

temp [temp] **A** N Zeitarbeitskraft *f* **B** V/I als Zeitarbeitskraft arbeiten
tem·per ['tempə(r)] N Jähzorn *m*; **have a terrible ~** furchtbar jähzornig sein; **be in a terrible ~** furchtbar wütend sein; **keep one's ~** sich beherrschen; **lose one's ~** die Beherrschung verlieren; **~, ~!** *infml* beruhig dich!
tem·pe·ra·ment ['temprəmənt] N Veranlagung *f*, Temperament *n*
tem·pe·ra·men·tal [temprə'mentl] ADJ launisch
tem·pe·rate ['tempərət] ADJ gemäßigt
tem·pe·ra·ture ['tempratʃə(r)] N Temperatur *f*; *of ill person a.* Fieber *n*; **have a ~** Fieber haben
tem·ple¹ ['templ] N REL Tempel *m*
tem·ple² ['templ] N ANAT Schläfe *f*
tem·po·rar·i·ly [tempə'reərılı] ADV vorübergehend
tem·po·ra·ry ['tempərərı] ADJ vorübergehend
'tem·po·ra·ry work N Zeitarbeit *f*
tempt [tempt] V/T in Versuchung führen, verführen
temp·ta·tion [temp'teıʃn] N Versuchung *f*, Verführung *f*
tempt·ing ['temptıŋ] ADJ verführerisch
ten [ten] ADJ zehn
te·na·cious [tı'neıʃəs] ADJ hartnäckig
te·nac·i·ty [tı'næsıtı] N Hartnäckigkeit *f*
ten·ant ['tenənt] N *of flat, building* Mieter(in) *m(f)*; *of land* Pächter(in) *m(f)*
tend¹ [tend] V/T sich kümmern um; *sheep* hüten
tend² [tend] V/I **~ to do sth** dazu neigen *or* dazu tendieren, etw zu tun
ten·den·cy ['tendənsı] N Tendenz *f*, Neigung *f*; **have a ~ to do sth** dazu neigen, etw zu tun
ten·der¹ ['tendə(r)] ADJ *after injury* empfindlich; *kiss* zärtlich, liebevoll; *steak* zart
ten·der² ['tendə(r)] N ECON Angebot *n*
ten·der·ness ['tendənıs] N *after injury* Empfindlichkeit *f*; *of kiss etc* Zärtlichkeit *f*; *of steak* Zartheit *f*
ten·don ['tendən] N Sehne *f*
ten·e·ment ['tenımənt] N Mietshaus *n*; *pej* Mietskaserne *f*
ten·nis ['tenıs] N Tennis *n*
'ten·nis ball N Tennisball *m* **'ten·nis court** N Tennisplatz *m* **'ten·nis play·er** N Tennisspieler(in) *m(f)* **'ten·nis rack·et** N Tennisschläger *m*
ten·or ['tenə(r)] N MUS Tenor *m*
tense¹ [tens] N LING Zeit *f*, Tempus *n*
tense² [tens] ADJ *muscle, situation, atmosphere, person* angespannt; *voice* nervös; *moment* heikel
♦ **tense up** V/I *muscles* sich anspannen; *person* verkrampfen
ten·sion ['tenʃn] N *of rope, in film, novel* Spannung *f*; *in atmosphere, voice* Anspannung *f*
tent [tent] N Zelt *n*
ten·ta·cle ['tentəkl] N Tentakel *m or n*
ten·ta·tive ['tentətıv] ADJ *movement, smile* zögernd; *offer* unverbindlich
ten·ter·hooks ['tentəhʊks] N *pl* **be on ~** (wie) auf glühenden Kohlen sitzen
tenth [tenθ] ADJ zehnte(r, -s)
tep·id ['tepıd] ADJ *water* lauwarm; *reaction a.* verhalten
term [tɜ:m] N *condition* Bedingung *f*; *expression* Ausdruck *m*; *length: of contract* Laufzeit *f*; SCHOOL Trimester *n*; **~ of office** Amtszeit *f*; **be on good/bad terms with sb** gut/nicht gut mit j-m auskommen; **in the long/short ~** lang-/kurzfristig, auf lange/kurze Sicht; **come to terms with sth** sich mit etw abfinden; **in terms of cost** was die Kosten angeht
ter·min·a·ble ['tɜ:mınəbl] ADJ *contract* kündbar
ter·mi·nal ['tɜ:mınl] **A** N *at airport* Terminal *n*; *for buses* Endstation *f*; *for containers* Containerterminal *n*; ELEC Pol *m*; COMPUT Terminal *n* **B** ADJ *illness* unheilbar
ter·mi·nal·ly ['tɜ:mınəlı] ADV **~ ill** unheilbar krank
ter·mi·nate ['tɜ:mıneıt] **A** V/T *contract* kündigen; *pregnancy* unterbrechen, abbrechen **B** V/I enden
ter·mi·na·tion [tɜ:mı'neıʃn] N *of contract* Kündigung *f*; *of pregnancy* Unterbrechung *f*, Abbruch *m*
ter·mi·nol·o·gy [tɜ:mı'nɒlədʒı] N Terminologie *f*, Fachwortschatz *m*
ter·mi·nus ['tɜ:mınəs] N *for buses* Endstation *f*; *for trains* Endbahnhof *m*
ter·race ['terəs] N *row of houses* Häuserreihe *f*; *on slope, of café* Terrasse *f*
ter·raced house [terəst'haʊs] N Reihenhaus *n*
ter·rain [tə'reın] N Gelände *n*

T

ter·res·tri·al ADJ [te'restrıəl] *life* irdisch; *TV* terrestrisch
ter·ri·ble ['terəbl] ADJ schrecklich, furchtbar
ter·ri·bly ['terəblı] ADV *a. fig* furchtbar, schrecklich
ter·rif·ic [tə'rıfık] ADJ fantastisch
ter·rif·i·cal·ly [tə'rıfıklı] ADV *infml*: *extremely* unheimlich
ter·ri·fy ['terıfaı] V/T ⟨-ied⟩ schreckliche Angst einjagen; **be terrified** schreckliche Angst haben (**of** vor)
ter·ri·fy·ing ['terıfaııŋ] ADJ *thought, sight* entsetzlich; *speed* furchterregend
ter·ri·to·ri·al [terı'tɔːrıəl] ADJ territorial, Gebiets-
ter·ri·to·ri·al 'wa·ters N *pl* Hoheitsgewässer *pl*
ter·ri·to·ry ['terıtərı] N Gebiet *n*, Territorium *n*; *fig* Gebiet *n*
ter·ror ['terə(r)] N panische Angst; POL Terror *m*; **she's a little ~** *infml* sie ist ein kleines Biest
ter·ror·ism ['terərızm] N Terrorismus *m*
ter·ror·ist ['terərıst] N Terrorist(in) *m(f)*
'ter·ror·ist at·tack N Terroranschlag *m*
ter·ror·ize ['terəraız] V/T terrorisieren
'ter·ror·net·work, **'ter·ror·ist net·work** N Terrornetz *n*, Terrornetzwerk *n*
terse [tɜːs] ADJ *reply* knapp
test [test] **A** N Test *m*; *at school a.* Klausur *f*, (Klassen)Arbeit *f*; *short, oral* Test *m*; *of friendship etc* Probe *f*; **do a ~** *at school* e-n Test *or* e-e (Klassen)Arbeit schreiben; **put sth to the ~** etw auf die Probe stellen **B** V/T testen; *friendship, honesty* auf die Probe stellen; **~ sb on sth** *vocabulary etc* j-m etw abfragen
tes·ta·ment ['testəmənt] N **Old/New Testament** REL Altes/Neues Testament
test-drive ['testdraıv] V/T Probe fahren
tes·ti·cle ['testıkl] N Hoden *m*
tes·ti·fy ['testıfaı] V/I ⟨-ied⟩ JUR aussagen
tes·ti·mo·ni·al [testı'məʊnıəl] N Referenz *f*
tes·ti·mo·ny ['testımənı] N JUR (Zeugen)Aussage *f*
'test tube N Reagenzglas *n*
'test-tube ba·by N Retortenbaby *n*
tes·ty ['testı] ADJ ⟨-ier, -iest⟩ gereizt
te·ta·nus ['tetənəs] N Tetanus *m*, Wundstarrkrampf *m*
teth·er ['teðə(r)] **A** V/T *horse* anbinden **B** N **be at the end of one's ~** am Ende sein
text [tekst] **A** N Text *m*; TEL Textnachricht *f*, SMS *f*; **send sb a ~** j-m eine SMS schicken **B** V/T simsen; **~ sb** j-m eine SMS schicken
'text·book N Lehrbuch *n*
tex·tile ['tekstaıl] N Stoff *m*; **textiles** *pl* Textilien *pl*
'text mes·sage N Textnachricht *f*, SMS *f*
tex·ture ['tekstʃə(r)] N Beschaffenheit *f*
Thai [taı] **A** ADJ thailändisch **B** N *person* Thailänder(in) *m(f)*; *language* Thai *n*
Thai·land ['taılænd] N Thailand *n*
Thames [temz] N **the ~** die Themse
than [ðæn] ADV als
thank [θæŋk] V/T danken, sich bedanken bei; **~ you** danke; **no ~ you** nein, danke; **~ you very much** vielen Dank
thank·ful ['θæŋkfl] ADJ dankbar
thank·ful·ly ['θæŋkfulı] ADV dankbar; *thank goodness* zum Glück
thank·less ['θæŋklıs] ADJ *task* undankbar
thanks [θæŋks] N *pl* Dank *m*; **~!** danke!; **~ very much** vielen Dank; **~ to** dank, wegen; **it's all ~ to him** es ist alles ihm zu verdanken
that [ðæt] **A** ADJ der/die/das, jene(r, -s), diese(r, -s); **~ one** der/die/das (da) **B** PRON das; **who is ~?** wer ist das? **C** REL PR der/die/das; **everything (~) she says** alles, was sie sagt **D** ADV so, dermaßen; **~ big** so groß **E** CJ **I think (~) …** ich denke, dass …
thaw [θɔː] V/I *snow* tauen; *frozen food* auftauen
the [ðə, *stressed* ðiː] **A** ART der/die/das; *pl* die **B** ADV **~ sooner ~ better** je eher, desto besser
the·a·tre, **the·a·ter** *US* ['θıətə(r)] N Theater *n*; MED Operationssaal *m*
'the·a·tre crit·ic N Theaterkritiker(in) *m(f)*
the·a·tre·go·er ['θıətəgəʊə(r)] N Theaterbesucher(in) *m(f)*
the·at·ri·cal [θı'ætrıkl] ADJ Theater-; *behaviour* theatralisch
theft [θeft] N Diebstahl *m*

their [ðeə(r)] ADJ ihr(e); *his or her* sein(e); **somebody has left ~ bag here** j-d hat s-e Tasche hier vergessen
theirs [ðeəz] PRON ihre(r, -s); **it's ~** es gehört ihnen; **a friend of ~** ein Freund *m* von ihnen
them [ðem] PRON sie; ihnen; *him or her* ihn, sie; ihm, ihr; **if someone asks for help, you should help ~** wenn ein Mensch um Hilfe bittet, solltest du ihm helfen
theme [θi:m] N Thema *n*
'theme park N Themenpark *m*
'theme song N Titelsong *m*
them·selves [ðem'selvz] PRON sich; **they did it ~** sie haben es selbst gemacht; **by ~** allein(e)
then [ðen] ADV *at that time* da, damals; *after that* dann; **by ~** *in future* bis dahin; *in past* da, zu diesem Zeitpunkt; **from ~ on** von da an; **but ~ you did promise** aber schließlich hast du es versprochen
the·ol·o·gy [θɪ'ɒlədʒɪ] N Theologie *f*
the·o·ret·i·cal [θɪə'retɪkl] ADJ theoretisch
the·o·ry ['θɪərɪ] N Theorie *f*; **in ~** theoretisch
ther·a·peu·tic [θerə'pju:tɪk] ADJ therapeutisch
ther·a·pist ['θerəpɪst] N Therapeut(in) *m(f)*
ther·a·py ['θerəpɪ] N Therapie *f*
there [ðeə(r)] ADV dort, da; dorthin, dahin; **~ is/are ...** es gibt ...; **~ you are** *when passing sth to sb* hier, bitte (schön); *on proving that you are correct* siehst du; *on completing sth* das wär's; **~ and back** hin und zurück; **~, ~!** ist ja gut!
there·a·bouts [ðeərə'baʊts] ADV **£500 or ~** so um die 500 Pfund
there·fore ['ðeəfɔ:(r)] ADV deshalb, daher
ther·mom·e·ter [θə'mɒmɪtə(r)] N Thermometer *n*
ther·mos flask® ['θɜ:məsflɑ:sk] N Thermosflasche® *f*
these [ði:z] **A** ADJ diese **B** PRON diese (hier), die (hier)
the·sis ['θi:sɪs] N ⟨*pl* theses ['θi:si:z]⟩ Doktorarbeit *f*
they [ðeɪ] PRON sie; *he or she* er; sie; **~ say that ...** man sagt, dass ...; **~ are going to change the law** sie werden das Gesetz ändern; **if anyone looks at this, ~ will see that ...** wenn sich irgend j-d dies ansieht, wird er erkennen, dass...
thick [θɪk] ADJ *hair, soup, wall, book* dick; *crowd, fog, smoke* dicht; *infml* dumm, doof
thick·en ['θɪkən] V/T *sauce* eindicken
thick·ness ['θɪknəs] N Dicke *f*; *layer* Lage *f*
thick·o ['θɪkəʊ] N *sl* Dummkopf *m*
thick·set [θɪk'set] ADJ gedrungen
thick·skinned [θɪk'skɪnd] ADJ dickfellig
thief [θi:f] N ⟨*pl* thieves [θi:vz]⟩ Dieb(in) *m(f)*
thigh [θaɪ] N (Ober)Schenkel *m*
thim·ble ['θɪmbl] N Fingerhut *m*
thin [θɪn] ADJ ⟨-nn-⟩ dünn
thing [θɪŋ] N *object* Ding *n*; *matter* Sache *f*; **things** *pl*; *clothes, books etc* Sachen *pl*; **how are things?** wie geht's?; **a strange ~** etwas Komisches; **it's a good ~ you told me** gut, dass du's mir gesagt hast; **I can't see a ~** ich kann gar nichts sehen; **a lot of things to do** viel zu tun
thing·um·a·jig ['θɪŋəmədʒɪg] N *infml* Dings *n*
think [θɪŋk] **A** V/I ⟨thought, thought⟩ denken; **I ~ so** ich glaube *or* denke ja; **what do you ~?** was meinst du?; **she doesn't ~ it's funny** sie findet das nicht komisch; **what do you ~ of** *or* **about it?** was hältst du davon?, wie denkst du darüber?; **I can't ~ of anything more** mir fällt nichts mehr ein; **~ hard!** denk scharf nach!; **it makes you ~** es gibt e-m zu denken; *in admiration* da muss man staunen **B** N **have a ~ about sth** sich etw überlegen
♦ **think over** V/T nachdenken über, sich überlegen
♦ **think through** V/T durchdenken
♦ **think up** V/T *plan* sich ausdenken
'think tank N Expertenkommission *f*
thin-skinned [θɪn'skɪnd] ADJ dünnhäutig
third [θɜ:d] **A** ADJ dritte(r, -s) **B** N *person* Dritte(r) *m/f(m)*; *thing* Dritte(s) *n*; *fraction* Drittel *n*
'third coun·try N Drittstaat *m*
third-coun·try 'na·tion·al N Drittstaatsangehörige(r) *m/f(m)*
third·ly ['θɜ:dlɪ] ADV drittens
third-par·ty in'sur·ance N Haft-

T

pflichtversicherung *f* **third 'per·son** N LING dritte Person **third-'rate** ADJ drittklassig **Third 'World** N Dritte Welt

thirst [θɜːst] N Durst *m*

thirst·y ['θɜːstɪ] ADJ ⟨-ier, -iest⟩ durstig; **be ~** Durst haben, durstig sein; **it's ~ work** das macht durstig

thir·teen [θɜː'tiːn] ADJ dreizehn

thir·teenth [θɜː'tiːnθ] ADJ dreizehnte(r, -s)

thir·ti·eth ['θɜːtɪɪθ] ADJ dreißigste(r, -s)

thir·ty ['θɜːtɪ] ADJ dreißig

this [ðɪs] **A** ADJ dieser/diese/dieses; **~ one** diesen/diese/dieses hier **B** PRON das (hier), dies (hier); **~ is ...** *introducing sb* das ist ...; *on phone* hier spricht ... **C** ADV **~ big** so groß

thong [θɒŋ] N (Leder)Riemen *m; underwear* (String)Tanga *m; US* Badeschlappen *m*

thorn [θɔːn] N Dorn *m*

thorn·y ['θɔːnɪ] ADJ ⟨-ier, -iest⟩ *plant* dornig; *fig* heikel

thor·ough ['θʌrə] ADJ gründlich

thor·ough·bred ['θʌrəbred] N Vollblut(-pferd) *n*

thor·ough·fare ['θʌrəfeə(r)] N Hauptverkehrsstraße *f*; **no ~!** Durchfahrt verboten!

thor·ough·ly ['θʌrəlɪ] ADV gründlich; *spoil, agree* von Grund auf, völlig; *ashamed* zutiefst

those [ðəʊz] **A** ADJ diese, die (da) **B** PRON die; **and what are ~?** und was ist das da?

though [ðəʊ] **A** CJ obwohl, obgleich; **as ~** als ob **B** ADV aber; **it's not finished ~** es ist aber noch nicht fertig

thought [θɔːt] **A** N Gedanke *m; philosophy* Denken *n* **B** PRET & PAST PART → think

thought·ful ['θɔːtfʊl] ADJ nachdenklich; *considerate* aufmerksam, rücksichtsvoll

thought·less ['θɔːtlɪs] ADJ rücksichtslos

thou·sand ['θaʊznd] ADJ tausend

thou·sandth ['θaʊzndθ] ADJ tausendste(r, -s)

thrash [θræʃ] V/T verprügeln, verdreschen; SPORTS vernichtend schlagen, abservieren

♦**thrash about** V/I *with arms etc* um sich schlagen

♦**thrash out** V/T ausdiskutieren

thrash·ing ['θræʃɪŋ] N Tracht *f* Prügel, Prügel *pl*; SPORTS vernichtende Niederlage

thread [θred] **A** N Faden *m*; *of screw* Gewinde *n* **B** V/T *needle* einfädeln; *pearls* auffädeln (**onto** auf)

thread·bare ['θredbeə(r)] ADJ abgewetzt

threat [θret] N Bedrohung *f* (**to** für)

threat·en ['θretn] V/T (be)drohen

threat·en·ing ['θretnɪŋ] ADJ *gesture, tone* drohend; *weather, situation* bedrohlich; **~ letter** Drohbrief *m*

three [θriː] ADJ drei

three pil·lar 'mo·del N *EU* Drei-Säulen-Modell *n*

three-'quart·ers N *pl* drei Viertel *pl*

thresh [θreʃ] V/T *grain* dreschen

thresh·old ['θreʃhəʊld] N (Tür)Schwelle *f*; *of new age* Schwelle *f*; **on the ~ of** *fig* an der Schwelle zu

threw [θruː] PRET → throw

thrift [θrɪft] N Sparsamkeit *f*

thrift·y ['θrɪftɪ] ADJ ⟨-ier, -iest⟩ sparsam

thrill [θrɪl] **A** N *of excitement, joy* Erregung *f*; *titillation* (Nerven)Kitzel *m*; *delight* große Freude **B** V/T **be thrilled** ganz aus dem Häuschen sein

thrill·ing ['θrɪlɪŋ] ADJ aufregend, spannend

thrive [θraɪv] V/I ⟨thrived *or* throve, thrived⟩ *plant* gedeihen; ECON blühen, florieren

throat [θrəʊt] N Rachen *m*; Kehle *f*

'throat loz·enge N Halstablette *f*

throb [θrɒb] V/I ⟨-bb-⟩ *heart* klopfen; *music, head* dröhnen

throne [θrəʊn] N Thron *m*

throng [θrɒŋ] N Menschenmenge *f*; **throngs** *pl* **of people** Scharen *pl* von Menschen

throt·tle ['θrɒtl] **A** N *of motorbike* Gas *n*, Gashebel *m* **B** V/T erdrosseln, erwürgen

♦**throttle back** V/I den Motor drosseln

through [θruː] **A** PREP durch; während; **~ the winter** den ganzen Winter (lang) **B** ADV **wet ~** durch und durch nass; **watch a film ~** e-n Film bis zu Ende sehen; **read a book ~** ein Buch durchlesen **C** ADJ **we're ~** zwischen uns ist es aus; **you're ~** TEL Sie sind verbunden; **I'm ~**

with ... ich bin fertig mit ...
'through flight N Direktflug *m*
through·out [θru:'aʊt] **A** PREP **~ the night** die ganze Nacht hindurch; **~ the journey** während der gesamten Reise **B** ADV überall **'through traf·fic** N Durchgangsverkehr *m* **'through train** N durchgehender Zug
'through·way N → thruway
throve [θrəʊv] PRET → thrive
throw [θrəʊ] **A** V/T ⟨threw, thrown⟩ werfen; *rider* abwerfen; *speaker, interviewee* aus dem Konzept bringen; *party* geben **B** N Wurf *m*
♦**throw away** V/T wegwerfen
♦**throw in** V/T *ball* einwerfen; **you get a free CD thrown in** man bekommt e-e kostenlose CD dazu; **throw o.s. into sth** *fig* sich (mit Begeisterung) auf etw stürzen
♦**throw off** V/T *jacket etc* abwerfen; *cold etc* loswerden
♦**throw on** V/T *jacket* sich überwerfen
♦**throw out** V/T *throw away* wegwerfen; *person* hinauswerfen (**from, of** aus); *plan* zurückweisen, ablehnen
♦**throw up** **A** V/T *ball* hochwerfen; *food* erbrechen; **throw up one's hands** die Hände über dem Kopf zusammenschlagen **B** V/I sich übergeben
throw-a·way ['θrəʊəweɪ] ADJ *remark* beiläufig; *container, cutlery* Wegwerf-, Einweg-
'throw-in N SPORTS Einwurf *m*
thrown [θrəʊn] PAST PART → throw
thrust [θrʌst] V/T ⟨thrust, thrust⟩ *knife etc* stoßen (**into** in); **~ sth into sb's hands** j-m etw in die Hände drücken; **~ one's way through a crowd** sich durch die Menge schieben
thru·way ['θru:weɪ] N *US* Schnellstraße *f*
thud [θʌd] N dumpfes Geräusch
thug [θʌg] N Schläger(typ) *m*
thumb [θʌm] **A** N Daumen *m* **B** V/T **~ a ride** per Anhalter fahren
'thumb·tack N *US* Reißzwecke *f*, Reißnagel *m*
thump [θʌmp] **A** N Schlag *m*; *sound* dumpfes Krachen **B** V/T *person* verhauen, verprügeln; **~ one's fist on the table** mit der Faust auf den Tisch hauen **C** V/I *heart* heftig klopfen; **~ on the door** heftig an die/der Tür klopfen
thun·der ['θʌndə(r)] N Donner *m*
'thun·der·clap N Donnerschlag *m*
thun·der·ous ['θʌndərəs] ADJ *applause* stürmisch, donnernd
'thun·der·storm N Gewitter *n*
'thun·der·struck ADJ wie vom Donner gerührt
thun·der·y ['θʌndərɪ] ADJ gewittrig
Thurs·day ['θɜ:zdeɪ] N Donnerstag *m*
thus [ðʌs] ADV so, auf diese Weise
thwart [θwɔ:t] V/T *plans, attack* vereiteln; **~ sb** j-m e-n Strich durch die Rechnung machen
thyme [taɪm] N Thymian *m*
thy·roid gland ['θaɪrɔɪd] N Schilddrüse *f*
tick[1] [tɪk] **A** N *of clock* Ticken *n*; *in text* Haken *m*, Häkchen *n* **B** V/I *clock* ticken **C** V/T *names, correct answers* abhaken
♦**tick off** V/T ausschimpfen; *object on list* abhaken
tick[2] [tɪk] N *infml* **on ~** auf Pump
tick·et ['tɪkɪt] N *for bus, train* Fahrkarte *f*, Fahrschein *m*; *for plane* Ticket *n*; *for theatre, concert, museum* (Eintritts)Karte *f*; *for lottery* (Lotto)Schein *m*
'tick·et col·lec·tor N Schaffner(in) *m(f)* **'tick·et in·spec·tor** N Fahrkartenkontrolleur(in) *m(f)* **'tick·et ma·chine** N Fahrkartenautomat *m* **'tick·et of·fice** N Fahrkartenschalter *m*; THEAT Kasse *f*
tick·ing ['tɪkɪŋ] N *of clock* Ticken *n*
tick·le ['tɪkl] **A** V/T *person* kitzeln **B** V/I *material* kratzen, jucken
tick·lish ['tɪklɪʃ] ADJ kitz(e)lig
tid·al e·ner·gy [taɪdl'enədʒɪ] N Gezeitenenergie *f*
'tid·al wave N Flutwelle *f*
tide [taɪd] N Gezeiten *pl*; **high ~** Hochwasser *n*, Flut *f*; **low ~** Niedrigwasser *n*, Ebbe *f*; **the ~ is in/out** es ist Hochwasser/Niedrigwasser
♦**tide over** V/T **£10 to tide me over** zehn Pfund, damit ich über die Runden komme
ti·di·ness ['taɪdɪnɪs] N *of person* Ordentlichkeit *f*; *of room* Ordnung *f*
ti·dy ['taɪdɪ] ADJ ⟨-ier, -iest⟩ *person* ordentlich; *room, house* aufgeräumt, ordentlich
♦**tidy away** V/T ⟨-ied⟩ wegräumen

♦ **tidy up** ‹-ied› **A** VT *room, shelves* aufräumen; **tidy o.s. up** sich zurechtmachen **B** VI aufräumen

tie [taɪ] **A** N Krawatte *f*, Schlips *m*; SPORTS Unentschieden *n*; **not have any ties** ungebunden sein **B** VT *shoelace, rope* binden (**to** an); *hands* zusammenbinden; *knot* machen; **his hands were tied** *fig* ihm waren die Hände gebunden **C** VI SPORTS unentschieden spielen

♦ **tie down** VT *with rope* festbinden (**to** an); *restrict* binden

♦ **tie up** VT *person* fesseln; *shoelace* binden; *boat* festmachen; *hair* hoch- *or* zusammenstecken; *hair in ponytail* zusammenbinden; **I'm tied up tomorrow** ich bin morgen den ganzen Tag beschäftigt

tier [tɪə(r)] N *in hierarchy* Stufe *f*; *in stadium* Rang *m*

'tie-up N (enge) Verbindung, (enger) Zusammenhang; ECON Fusion *f*

ti·ger ['taɪgə(r)] N Tiger *m*

ti·ger e'co·no·my N ECON Tigerstaat *m*

tight [taɪt] **A** ADJ *clothes* eng; *security* streng; *screw, drawer* fest sitzend; *door, lid* fest verschlossen; *schedule* knapp; *infml: drunk* blau, dicht; *infml: with money* geizig **B** ADV *hold, shut* fest; **hold ~!** festhalten!

tight·en ['taɪtn] VT *screw, knot* anziehen; *control* verschärfen; *security* verstärken; **~ one's grip on sth** etw fester halten; *fig* etw besser *or* fester unter Kontrolle bringen

♦ **tighten up** VI strenger werden, härter durchgreifen

tight-fist·ed [taɪt'fɪstɪd] ADJ knauserig

tight·ly ['taɪtlɪ] → tight ADV

'tight·rope N *in circus* (Hoch)Seil *n*

tights [taɪts] N *pl* Strumpfhose *f*

tile [taɪl] N *on floor, wall* Fliese *f*, Kachel *f*; *on roof* Dachziegel *m*

til·er ['taɪlə(r)] N Dachdecker(in) *m(f)*; Fliesenleger(in) *m(f)*

till[1] [tɪl] PREP & CJ → until

till[2] [tɪl] N *in shop* Kasse *f*

till[3] [tɪl] VT *land* bestellen

tilt [tɪlt] **A** VT kippen **B** VI sich neigen

tim·ber ['tɪmbə(r)] N (Bau)Holz *n*; *single* Balken *m*

time [taɪm] **A** N Zeit *f*; Mal *n*; **for the ~ being** vorläufig, fürs Erste; **for a ~** e-e Zeit lang; **have a good ~** sich gut unterhalten, Spaß haben; **take your ~** lass dir Zeit; **what's the ~?, what ~ is it?** wie spät ist es?, wie viel Uhr ist es?; **the first ~** das erste Mal; **this ~** diesmal; **at times** manchmal; **four times** viermal; **4 times 8** 4 mal 8; **~ and again** immer wieder; **all the ~** die ganze Zeit; **two at a ~** zwei auf einmal; **at the same ~** *speak, reply etc* zur gleichen Zeit; *however* gleichzeitig; **in ~** rechtzeitig; **on ~** pünktlich; **in no ~** sofort; **it's ~ you left** es ist höchste Zeit, dass du gehst **B** VT *runner* stoppen; **you timed that well** das hast du zeitlich gut abgestimmt; *ironic* schlechtes Timing!

'time bomb N Zeitbombe *f* **'time card** N *in factory etc* Stechkarte *f* **'time clock** N *in factory etc* Stechuhr *f* **'time-con·sum·ing** ADJ zeitaufwendig **'time dif·fer·ence** N Zeitunterschied *m* **'time-lag** N Zeitabstand *m* **'time-lapse** ADJ *film* Zeitraffer-

time·less ['taɪmləs] ADJ *beauty* immer während, ewig; *fashion* zeitlos

'time lim·it N Frist *f*

time·ly ['taɪmlɪ] ADJ ‹-ier, -iest› rechtzeitig

'time man·age·ment N Zeitmanagement *n*

tim·er ['taɪmə(r)] N Schaltuhr *f*

'time·sav·ing N Zeitersparnis *f* **'time·scale** N *of project* Zeitrahmen *m* **'time share** N Wohnung *f*/Haus *n* auf Timesharing-Basis **'time sheet** N Stechkarte *f* **'time switch** N Schaltuhr *f* **'time·ta·ble** N Fahrplan *m*; *at school* Stundenplan *m* **'time·warp** N Zeitverzerrung *f*; **enter a ~** in e-e andere Zeit versetzt werden **'time zone** N Zeitzone *f*

tim·id ['tɪmɪd] ADJ *person, smile* schüchtern, zaghaft; *animal* scheu

tim·ing ['taɪmɪŋ] N *of announcement, election* Timing *n*, zeitliche Abstimmung; *of actor* Timing *n*, Zeitgefühl *n*

tin [tɪn] N Zinn *n*; *container* Dose *f*, Büchse *f*

'tin·foil N Alu(minium)folie *f*; Stanniolpapier *n*

tinge [tɪndʒ] N *of colour* Hauch *m*; *of sadness* Anflug *m*

T

tin·gle ['tɪŋgl] VI prickeln
♦**tink·er with** ['tɪŋkə(r)wɪð] VT herumbasteln an
tin·kle ['tɪŋkl] N Klingeln *n*, Bimmeln *n*
tinned [tɪnd] ADJ *peas etc* Dosen-
'tin o·pen·er N Dosenöffner *m*, Büchsenöffner *m*
tin·sel ['tɪnsl] N Lametta *n*
tint [tɪnt] N *of colour* Ton *m*; *in hair* Tönung *f*; **hair with reddish tints** Haare mit einzelnen roten Strähnen
tint·ed ['tɪntɪd] ADJ *glasses* getönt
ti·ny ['taɪnɪ] ADJ ⟨-ier, -iest⟩ winzig
tip¹ [tɪp] N *of stick, finger* Spitze *f*; *of cigarette* Filter *m*
tip² [tɪp] **A** N Tipp *m*, Rat(schlag) *m*; *for waiter etc* Trinkgeld *n* **B** VT ⟨-pp-⟩ *waiter etc* Trinkgeld geben
♦**tip off** VT e-n Tipp *or* Hinweis geben
tip³ [tɪp] **A** VT ⟨-pp-⟩ (aus)kippen, schütten **B** N Schuttabladeplatz *m*, Müllhalde *f*; *fig infml* Saustall *m*
♦**tip over** VT *jug, liquid* umkippen; **he tipped water over me** er hat Wasser über mir ausgeschüttet
'tip-off N *infml* Tipp *m*, Hinweis *m*
tip·sy ['tɪpsɪ] ADJ ⟨-ier, -iest⟩ angeheitert, beschwipst
tip·toe ['tɪptəʊ] N **on ~** auf Zehenspitzen
tire¹ [taɪə(r)] **A** VT ermüden, müde machen **B** VI ermüden, müde werden
tire² N *US* → tyre
tired [taɪəd] ADJ müde; **be ~ of sb/sth** j-n/etw satthaben
tired·ness ['taɪədnɪs] N Müdigkeit *f*
tire·less ['taɪəlɪs] ADJ unermüdlich
tire·some ['taɪəsəm] ADJ *person* lästig
tir·ing ['taɪrɪŋ] ADJ ermüdend, anstrengend
'Ti·rol → Tyrol
tis·sue ['tɪʃuː] N Papier(taschen)tuch *n*; ANAT Gewebe *n*
'tis·sue pa·per N Seidenpapier *n*
tit¹ [tɪt] N **~ for tat** wie du mir, so ich dir
tit² [tɪt] N *vulg*: *breast* Titte *f*; **get on sb's tits** *sl* j-m auf den Geist gehen
tit·bit ['tɪtbɪt] N Leckerbissen *m*
tit·il·late ['tɪtɪleɪt] VT (sexuell) anregen
ti·tle ['taɪtl] N Titel *m*; JUR Rechtsanspruch *m* (**to** auf)
'ti·tle·hold·er N SPORTS Titelverteidiger(in) *m(f)*
'ti·tle role N *in film etc* Titelrolle *f*
to [tuː, *unstressed* tə] **A** PREP zu; nach; in; **~ the north of …** nördlich von …; **give sth ~ sb** j-m etw geben; **from … ~ …** von … bis …; **ten ~ three** zehn vor drei; **here's ~ you!** auf dein Wohl! **B** *with verbs* **~ speak, ~ shout** reden, sprechen; **learn ~ drive** lernen, Auto zu fahren; **~ be able to do that …** um das tun zu können, …; **too heavy ~ carry** zu schwer zu tragen; **be the last ~ arrive** als Letzter ankommen **C** ADV **~ and fro** hin und her
toad [təʊd] N Kröte *f*
'toad·stool N nicht essbarer Pilz
toast¹ [təʊst] N *bread* Toast *m*
toast² [təʊst] **A** N Toast *m*, Trinkspruch *m* **B** VT **~ sb** auf j-n trinken, j-m zuprosten
to·bac·co [tə'bækəʊ] N Tabak *m*
to·bac·co·nist [tə'bækənɪst] N Tabak(waren)händler(in) *m(f)*; Tabak(waren)laden *m*
to·bog·gan [tə'bɒgən] N (Rodel)Schlitten *m*
to·day [tə'deɪ] ADV heute; **~ week** heute in e-r Woche
tod·dle ['tɒdl] VI *child* unsicher gehen, tappen
tod·dler ['tɒdlə(r)] N Kleinkind *n*
to-do [tə'duː] N *infml* Theater *n*, Aufstand *m*
toe [təʊ] **A** N Zeh *m*, Zehe *f*; *of shoe, sock* Spitze *f* **B** VT **~ the line** sich fügen
'toe·nail N Zehennagel *m*
tof·fee ['tɒfɪ] N Toffee *n*, Karamellbonbon *n or m*
to·geth·er [tə'geðə(r)] ADV zusammen; *simultaneously a.* zur gleichen Zeit
toil [tɔɪl] N schwere Arbeit
toi·let ['tɔɪlɪt] N Toilette *f*
'toi·let pa·per N Toilettenpapier *n*
toi·let·ries ['tɔɪlɪtrɪz] N *pl* Toilettenartikel *pl*
'toi·let roll N Rolle *f* Toilettenpapier
to·ken ['təʊkən] N Zeichen *n*; *in casino* Spielmarke *f*; *as gift* Gutschein *m*
told [təʊld] PRET & PAST PART → tell
tol·e·ra·ble ['tɒlərəbl] ADJ *pain etc* erträglich; *quality* annehmbar
tol·e·rance ['tɒlərəns] N Toleranz *f*
tol·e·rant ['tɒlərənt] ADJ tolerant
tol·e·rate ['tɒləreɪt] VT tolerieren; *pain,*

noise, weather ertragen

toll[1] [təʊl] VI *bell* läuten

toll[2] [təʊl] N; Zahl *f* der Todesopfer

toll[3] [təʊl] N *for bridge, road* Gebühr *f*

'toll booth N Zahlstelle *f* **toll-'free** ADJ *US* TEL gebührenfrei **'toll road** N gebührenpflichtige Straße, Mautstraße *f*

to·ma·to [tə'mɑːtəʊ, *US* tə'meɪtəʊ] N ⟨*pl* -oes⟩ Tomate *f*

to·ma·to 'ketch·up N Tomatenketchup *n or m*

to·ma·to 'sauce N Tomatensoße *f*; Ketchup *n or m*

tomb [tuːm] N Grab *n*; Grabmal *n*, Gruft *f*

tom·boy ['tɒmbɔɪ] N *girl* Wildfang *m*

'tomb·stone N Grabstein *m*

tom·cat ['tɒmkæt] N Kater *m*

tom·fool·e·ry [tɒm'fuːlərɪ] N Unsinn *m*

to·mor·row [tə'mɒrəʊ] ADV morgen; **the day after ~** übermorgen; **~ morning** morgen früh; **~ week** morgen in e-r Woche

ton [tʌn] N *measure of weight* Tonne *f*

tone [təʊn] N *of colour, conversation* Ton *m*; *of musical instrument* Klang *m*; *of neighbourhood* Niveau *n*; **~ of voice** Ton *m*

♦**tone down** VT *demands, criticism* mäßigen, abschwächen

ton·er ['təʊnə(r)] N *for printer etc* Toner *m*

tongs [tɒŋz] N *pl* Zange *f*; *for hair* Lockenstab *m*

tongue [tʌŋ] N Zunge *f*; **hold your ~!** halt den Mund!

ton·ic ['tɒnɪk] N MED Tonikum *n*, Stärkungsmittel *n*

ton·ic (wa·ter) ['tɒnɪk] N Tonic(wasser) *n*

to·night [tə'naɪt] ADV heute Abend; heute Nacht

ton·nage ['tʌnɪdʒ] N Tonnage *f*

ton·sil ['tɒnsl] N Mandel *f*

ton·sil·li·tis [tɒnsə'laɪtɪs] N Mandelentzündung *f*

too [tuː] ADV *in addition* auch; *excessively* zu

took [tʊk] PRET → take

tool [tuːl] N Werkzeug *n*

'tool bar N IT Symbolleiste *f* **'tool kit** N Werkzeug *n* **'tool·shed** N Geräteschuppen *m*

toot [tuːt] VT *infml* **~ one's horn** hupen

tooth [tuːθ] N ⟨*pl* teeth [tiːθ]⟩ Zahn *m*

'tooth·ache N Zahnschmerzen *pl*, Zahnweh *n*

'tooth·brush N Zahnbürste *f*

tooth·less ['tuːθlɪs] ADJ zahnlos

'tooth·paste N Zahnpasta *f*

'tooth·pick N Zahnstocher *m*

top [tɒp] **A** N *of screen, page etc* oberer Teil; *of pole, tower, class, league* Spitze *f*; *of tree* Wipfel *m*; *of mountain* Gipfel *m*; *of road* oberes Ende; *of list, page* Anfang *m*; *of bottle, pen* Deckel *m*, Verschluss *m*; *piece of clothing* Top *n*, Oberteil *n*; AUTO höchster Gang; **on ~ of** (oben) auf; **on ~** darauf; **on ~ of each other** aufeinander; **at the ~ of the tree/page** oben auf dem Baum/der Seite; **get to the ~** *of company etc* an die Spitze kommen; *of mountain* auf den Gipfel steigen; **all this work is getting on ~ of me** die ganze Arbeit wächst mir über den Kopf; **be over the ~** *demands, behaviour* übertrieben sein **B** ADJ *branch, mark* höchste(r, -s); *floor* oberste (r, -s); *management, player* Spitzen-; *civil servant* hoch; **at ~ speed** mit Höchstgeschwindigkeit **C** VT ⟨-pp-⟩ *amount, sum* übersteigen; *performance* übertreffen; **topped with cream** mit Sahne (obendrauf)

♦**top up** VT *glass, tank* auffüllen; *top-up card* aufladen; **top sb up** j-m nachschenken

top 'hat N Zylinder *m*

top-'heav·y ADJ ⟨-ier, -iest⟩ kopflastig

top·ic ['tɒpɪk] N Thema *n*

top·ic·al ['tɒpɪkl] ADJ aktuell

top·less ['tɒplɪs] ADJ oben ohne

top·most ['tɒpməʊst] ADJ *branch, floor* oberste(r, -s)

top·ping ['tɒpɪŋ] N *on pizza* Belag *m*

top·ple ['tɒpl] **A** VI fallen **B** VT *government* stürzen

top 'se·cret ADJ streng geheim

top·sy-tur·vy [tɒpsɪ'tɜːvɪ] ADJ *in disarray* durcheinander; *world* verkehrt

'top-up card N *for prepaid mobile phone* Guthabenkarte *f*, Prepaidkarte *f*

torch [tɔːtʃ] N Taschenlampe *f*; *with flame* Fackel *f*

tore [tɔː(r)] PRET → tear[1]

tor·ment **A** N ['tɔːment] Qual *f* **B** VT [tɔː'ment] *person, animal* quälen

torn [tɔːn] PAST PART → tear¹
tor·pe·do [tɔː'piːdəʊ] **A** N Torpedo *m* **B** V/T *a. fig* torpedieren
tor·rent ['tɒrənt] N reißender Strom; *of lava* Strom *m*; *of abuse* Schwall *m*
tor·ren·tial [tə'renʃl] ADJ *rain* sintflutartig
tor·toise ['tɔːtəs] N Schildkröte *f*
tor·tu·ous ['tɔːtʃʊəs] ADJ gewunden
tor·ture ['tɔːtʃə(r)] **A** N Folter *f* **B** V/T foltern
Tor·y ['tɔːrɪ] N Konservative(r) *m/f(m)*
toss [tɒs] **A** V/T *ball, coin* werfen; *rider* abwerfen; *salad* anmachen **B** V/I **~ and turn** sich hin und her wälzen
to·tal ['təʊtl] **A** N Gesamtmenge *f*; *of money, numbers* Gesamtsumme *f*, Endsumme *f*; **a ~ of forty cars** insgesamt vierzig Autos; **in ~** insgesamt **B** ADJ *sum* Gesamt-; *catastrophe, stranger* völlig, total; **a ~ idiot** ein Vollidiot *m*
to·tal·i·tar·i·an [təʊtælɪ'teərɪən] ADJ totalitär
to·tal·ly ['təʊtəlɪ] ADV völlig, total
tot·ter ['tɒtə(r)] V/I *person* unsicher gehen
tou·can 'cross·ing N Fußgänger- und Radfahrerübergang *m*
touch [tʌtʃ] **A** N *act of touching* Berühren *n*, Berührung *f*; *sense of touch* Tastsinn *m*; *of sadness, irony* Spur *f*; **the ball was in ~** SPORTS der Ball war im Aus; **get in ~ with sb** sich mit j-m in Verbindung setzen; **lose ~ with sb** j-n aus den Augen verlieren, den Kontakt zu j-m verlieren; **keep in ~ with sb** mit j-m in Kontakt bleiben; **be out of ~ with sth** über etw nicht mehr auf dem Laufenden sein **B** V/T berühren, anfassen; *emotionally* bewegen, berühren; *food, alcohol* anrühren **C** V/I *make contact* sich berühren; **please don't ~** *on sign* bitte nicht anfassen, bitte nicht berühren; **don't ~!** Finger weg!
♦**touch down** V/I *plane* aufsetzen; SPORTS e-n Touch-down erzielen
♦**touch on** V/T *mention* (kurz) berühren
♦**touch up** V/T *photo* bearbeiten, retuschieren; *sexually* betatschen
touch-and-'go N **it was ~** es stand auf Messers Schneide
'touch·down N *of plane* Landung *f*; SPORTS Touch-down *m*
touched [tʌtʃt] ADJ gerührt; *infml* leicht verrückt
touch·ing ['tʌtʃɪŋ] ADJ rührend
'touch·line N SPORTS Seitenlinie *f*, Auslinie *f* **'touch·pad** N COMPUT Touchpad *n* **'touch·screen** N COMPUT Berührungsbildschirm *m*, Touchscreen *m*, Sensorbildschirm *m*
touch·y ['tʌtʃɪ] ADJ ⟨-ier, -iest⟩ *person* empfindlich; *subject* heikel
touch·y-feel·y [tʌtʃɪ'fiːlɪ] ADJ *infml* **she's very ~** sie fasst einen beim Reden immer an
tough [tʌf] ADJ *person, meat* zäh, hart; *question, exam* schwer; *material* robust, widerstandsfähig; *punishment* streng; *competition* hart; **get ~ with sb** gegen j-n hart durchgreifen *or* hart vorgehen; **that's ~ on them** das ist hart für sie
♦**tough·en up** [tʌfn'ʌp] V/T *person* abhärten
'tough guy N *infml* knallharter Bursche, Macho *m*
tour [tʊə(r)] **A** N *of area, country* Tour *f* (**of** durch); *of singer, theatre group* Tournee *f* (**of** durch); *of town, exhibition* Rundgang *m* (**of** durch); *with guide* Führung *f* **B** V/T *area, country* bereisen, e-e Tour machen durch; *town, building, exhibition* e-n Rundgang machen durch; *singer, theatre group* e-e Tournee machen durch
'tour guide N Reiseführer(in) *m(f)*
tour·is·m ['tʊərɪzm] N Fremdenverkehr *m*, Tourismus *m*
tour·ist ['tʊərɪst] N Tourist(in) *m(f)*
'tour·ist at·trac·tion N Touristenattraktion *f* **'tour·ist class** N Touristenklasse *f* **'tour·ist in·dus·try** N Tourismusindustrie *f* **'tour·ist (in·for'ma·tion) of·fice** N Fremdenverkehrsamt *n* **'tour·ist sea·son** N Reisesaison *f*, Reisezeit *f*
tour·na·ment ['tʊənəmənt] N Turnier *n*
'tour op·er·a·tor N Reiseveranstalter *m*
tous·led ['taʊzld] ADJ *hair* zerzaust
tout [taʊt] N *selling tickets* Schwarz(karten)händler(in) *m(f)*; *touting for customers* Schlepper(in) *m(f)*
tow [təʊ] **A** V/T *car, boat* abschleppen **B** N **give sb a ~** j-n abschleppen
♦**tow away** V/T *car* abschleppen
to·wards, to·ward *US* [tə'wɔːd(z)] PREP

he came ~ me er kam auf mich zu; **walk ~ the post office** in Richtung Post gehen; **work ~ a solution** an e-r Lösung arbeiten; **be unkind ~ sb** zu j-m unfreundlich sein; **my feelings ~ her** meine Gefühle ihr gegenüber, meine Gefühle für sie; **a contribution ~ sth** ein Beitrag zu etw
tow·el ['taʊəl] N Handtuch *n*
tow·er ['taʊə(r)] N Turm *m*
♦ **tower over** V/T überragen
'tow·er block N Hochhaus *n*
tow·er·ing ['taʊərɪŋ] ADJ turmhoch; *fig* überragend; *rage* rasend
town [taʊn] N Stadt *f*
town 'cen·tre, town 'cen·ter *US* N Innenstadt *f* **town 'coun·cil** N Stadtrat *m* **town 'coun·cil·lor** N Stadtrat *m*, -rätin *f* **town 'hall** N Rathaus *n*
towns·peo·ple ['taʊnzpi:pl] N *pl* Städter *pl*, Stadtbevölkerung *f*
'tow·rope N Abschleppseil *n*
tox·ic ['tɒksɪk] ADJ giftig, Gift-, toxisch
tox·ic 'waste N Giftmüll *m*
tox·ic 'waste dump N Giftmülldeponie *f*
tox·in ['tɒksɪn] N BIOL Gift *n*, Giftstoff *m*
toy [tɔɪ] N Spielzeug *n*
♦ **toy with** V/T *a. fig* spielen mit
'toy shop N Spielzeugladen *m*
trace [treɪs] **A** N Spur *f*; **without ~** spurlos **B** V/T finden, ausfindig machen; verfolgen, folgen; *outline* nachzeichnen
track [træk] N Weg *m*, Pfad *m*; *for motor racing* Rennstrecke *f*; *for cycling* Radrennbahn *f*; *for athletics* Laufbahn *f*; RAIL Gleis *n*; *on CD* Stück *n*; **keep ~ of sth** *fashion, changes* etw verfolgen; **keep ~ of the time** die Zeit im Auge behalten; **lose ~ of sth/sb** etw/j-n aus den Augen verlieren; **lose ~ of what's going on** nicht mehr auf dem Laufenden sein
♦ **track down** V/T *criminal* aufspüren; *object* auftreiben
track and 'field N *esp US* Leichtathletik *f*
'track·suit N Trainingsanzug *m*
tract [trækt] N *of land* Fläche *f*, Gebiet *n*; *text* Traktat *n*; **digestive ~** Verdauungstrakt *m*
trac·tor ['træktə(r)] N Traktor *m*
trade [treɪd] **A** N Handel *m*; *craft* Handwerk *n*; *line of business* Gewerbe *n*; **an electrician by ~** Elektriker von Beruf **B** V/I *do business* handeln, Handel treiben **C** V/T *houses, stamps etc* tauschen (**for** gegen)
♦ **trade in** V/T in Zahlung geben
'trade a·gree·ment N Wirtschaftsabkommen *n* **'trade bar·ri·er** N Handelsschranke *f* **'trade de·fi·cit** N Handelsbilanzdefizit *n* **'trade fair** N Handelsmesse *f* **'trade li·cence, 'trade li·cense** *US* N Gewerbeschein *f* **'trade·mark** N Warenzeichen *n* **'trade price** N Großhandelspreis *m*
trad·er ['treɪdə(r)] N Händler(in) *m(f)*
'trade re·la·tions N *pl* Handelsbeziehungen *pl*, Wirtschaftsbeziehungen *pl* **trade 'se·cret** N Betriebsgeheimnis *n* **'trades·man** N Handwerker *m*; *shop owner* Händler *m* **trade(s) 'u·nion** N Gewerkschaft *f* **trade(s) u·nion fed·er'a·tion** N Gewerkschaftsbund *m* **trade(s) 'u·nion·ist** N Gewerkschaftler(in) *m(f)*
'trad·ing cen·tre, 'trad·ing cen·ter *US* N Umschlagplatz *m* **'trad·ing es·tate** N Gewerbepark *m* **'trad·ing part·ner** N Handelspartner(in) *m(f)*
tra·di·tion [trə'dɪʃn] N Tradition *f*
tra·di·tion·al [trə'dɪʃnl] ADJ traditionell
traf·fic ['træfɪk] N (Straßen)Verkehr *m*; *air traffic* Luftverkehr *m*; *in drugs etc* Handel *m* (**in** mit)
♦ **traffic in** V/T ‹-ck-› *drugs* handeln mit
traf·fic calm·ing ['træfɪkkɑ:mɪŋ] N Verkehrsberuhigung *f* **'traf·fic cir·cle** N *US* Kreisverkehr *m* **'traf·fic cop** N *infml* Verkehrspolizist(in) *m(f)* **'traf·fic is·land** N Verkehrsinsel *f* **'traf·fic jam** N (Verkehrs)Stau *m* **'traf·fic lights** N *pl* (Verkehrs)Ampel *f* **'traf·fic news** N *sg* Verkehrsmeldung *f* **'traf·fic po·lice** N Verkehrspolizei *f* **'traf·fic reg·u·la·tion** N Verkehrsregel *f* **'traf·fic sign** N Verkehrsschild *n* **'traf·fic sig·nal** N (Verkehrs)Ampel *f* **'traf·fic war·den** N *Verkehrspolizist(in) ohne polizeiliche Befugnisse*; Politesse *f*
tra·ge·dy ['trædʒədɪ] N Tragödie *f*
tra·gic ['trædʒɪk] ADJ tragisch
trail [treɪl] **A** N (Wander)Weg, *m*, Pfad *m*; *of blood* Spur *f* **B** V/T folgen, verfol-

gen; *caravan etc* ziehen **C** VI (weit) zurückliegen; **he trailed behind** er blieb zurück
trail·er ['treɪlə(r)] N *pulled by vehicle* Anhänger *m*; *US* Wohnwagen *m*; *of film* Trailer *m*, Vorschau *f*
train[1] [treɪn] N Zug *m*; **go by ~** mit dem Zug fahren; **~ of thought** Gedankengang *m*
train[2] [treɪn] **A** VT trainieren; *employee* ausbilden; *dog* abrichten **B** VI *team, sportsman* trainieren; *teacher etc* ausgebildet werden
train·ee [treɪ'niː] N Auszubildende(r) *m*/*f*(*m*); *in management* Trainee *m*
train·er ['treɪnə(r)] N SPORTS Trainer(in) *m*(*f*); *of animals* Dresseur(in) *m*(*f*)
train·ers ['treɪnəz] N *pl* Turnschuhe *pl*
train·ing ['treɪnɪŋ] N *of new employees* Ausbildung *f*, Schulung *f*; SPORTS Training *n*
'train·ing course N Schulungskurs *m*
'train·ing scheme N Ausbildungsprogramm *n*
'train sta·tion N Bahnhof *m*
trait [treɪt] N Eigenschaft *f*; *of person a.* Charakterzug *m*
trai·tor ['treɪtə(r)] N Verräter(in) *m*(*f*)
tram [træm] N Straßenbahn *f*
tramp [træmp] **A** N Landstreicher(in) *m*(*f*) **B** VI stampfen; *through snow etc* stapfen
tram·ple ['træmpl] VT **be trampled to death** zu Tode getrampelt werden; **be trampled underfoot** niedergetrampelt werden
♦ **trample on** VT herumtrampeln auf
trance [trɑːns] N Trance *f*
tran·quil ['træŋkwɪl] ADJ friedlich
tran·quil·li·ty [træŋ'kwɪlətɪ] N Ruhe *f*, Frieden *m*
tran·quil·liz·er ['træŋkwɪlaɪzə(r)] N Beruhigungsmittel *n*
trans·act [træn'zækt] VT *business* abwickeln
trans·ac·tion [træn'zækʃn] N *deal* Geschäft *n*; *transaction process* Abwicklung *f*; *at bank, on stock exchange* Transaktion *f*
trans·at·lan·tic [trænzət'læntɪk] ADJ transatlantisch
tran·script ['trænskrɪpt] N Abschrift *f*
trans-Eu·ro·pe·an [trænzjʊərə'pɪən] ADJ transeuropäisch
trans·fer **A** VT [træns'fɜː(r)] ⟨-rr-⟩ *business, prisoner, patient* verlegen (**to** nach); *money* überweisen (**to** auf, in); *player, customers* abgeben (**to** an) **B** VI [træns'fɜː(r)] ⟨-rr-⟩ *on journey* umsteigen; *to another group* überwechseln; *to new system* umstellen **C** N ['trænsfɜː(r)] *of business, prisoners, patient* Verlegung *f*; *on journey* Umsteigen *n*; *of money* Überweisung *f*; *of player* Wechsel *m*, Transfer *m*
trans·fer·a·ble [træns'fɜːrəbl] ADJ *ticket* übertragbar
'trans·fer fee N Ablösesumme *f*
trans·fixed [træns'fɪkst] ADJ *fig* versteinert, starr
trans·form [træns'fɔːm] VT umwandeln (**into** in)
trans·form·a·tion [trænsfə'meɪʃn] N Verwandlung *f*, Umwandlung *f* (**into** in)
trans·form·er [træns'fɔːmə(r)] N ELEC Transformator *m*
trans·gen·ic [trænz'dʒenɪk] ADJ transgen
trans·gress [trænz'gres] VT *law, regulation* verstoßen gegen
trans·gres·sion [trænz'greʃn] N *of law, regulation* Verstoß *m* (**of** gegen)
tran·sient ['trænzɪənt] ADJ kurzlebig, vergänglich
tran·sis·tor [træn'zɪstə(r)] N Transistor *m*; *radio* Transistorradio *n*
tran·sit ['trænzɪt] N **in ~** *goods* auf dem Transport; *passengers* auf der Durchreise
tran·si·tion [træn'sɪʃn] N Übergang *m* (**from** von, **to** zu)
tran·si·tion·al [træn'sɪʃnl] ADJ Übergangs-
'tran·sit lounge N Warteraum *m*
'trans·it pas·sen·ger N Durchgangsreisende(r) *m*/*f*(*m*) **'tran·sit route** N Transitstrecke *f* **'tran·sit vi·sa** N Transitvisum *n*
trans·late [træns'leɪt] VT & VI übersetzen
trans·la·tion [træns'leɪʃn] N Übersetzung *f*
trans'la·tion a·gen·cy N Übersetzungsbüro *n*, Übersetzungsdienst *m*
trans'la·tion soft·ware N IT Übersetzungssoftware *f*
trans·la·tor [træns'leɪtə(r)] N Überset-

zer(in) *m(f)*
trans·mis·sion [trænz'mɪʃn] N *of disease* Übertragung *f*; TV, RADIO *a.* Sendung *f*; AUTO Getriebe *n*
trans·mit [trænz'mɪt] V/T ‹-tt-› *disease* übertragen; TV, RADIO *a.* senden
trans·mit·ter [trænz'mɪtə(r)] N *for radio, TV* Sender *m*
trans·par·en·cy [træns'pærənsɪ] N PHOT Dia(positiv) *n*; *for overhead projector* Folie *f*; *esp* POL Transparenz *f*
trans·par·ent [træns'pærənt] ADJ durchsichtig; *lie* offenkundig, offensichtlich; *policy* transparent
tran·spire [træn'spaɪə(r)] V/I sich herausstellen; *event* passieren
trans·plant MED **A** V/T [træns'plɑ:nt] transplantieren, verpflanzen **B** N ['trænsplɑ:nt] Transplantation *f*, Verpflanzung *f*
trans·port **A** V/T [træn'spɔ:t] befördern, transportieren **B** N ['trænspɔ:t] Beförderung *f*, Transport *m*; **public ~** öffentliche Verkehrsmittel *pl*
trans·por·ta·tion [trænspɔ:'teɪʃn] N *of goods, people* Beförderung *f*, Transport *m*; **means of ~** *US* Verkehrsmittel *pl*
'trans·port costs, **trans·por'ta·tion·costs** N *pl* Transportkosten *pl*
trans·port 'man·age·ment system N Verkehrsmanagementsystem *n*
trans·ves·tite [træns'vestaɪt] N Transvestit(in) *m(f)*
trap [træp] **A** N *a. fig* Falle *f* **B** V/T ‹-pp-› *animal* fangen; *person* in die Falle locken; **be trapped** *enemy etc* eingeschlossen sein; *in job, situation* festsitzen (**in** in); *in marriage* gefangen sein
'trap·door N Falltür *f*
trap·pings ['træpɪŋz] N *pl* **~ of power** Insignien *pl* der Macht
trash [træʃ] N Abfall *m*, Müll *m*; *bad film etc* Schund *m*; *pej*: *person* Gesindel *n*
'trash·can N *US* Mülleimer *m*; Mülltonne *f*
trash·y ['træʃɪ] ADJ ‹-ier, -iest› *goods* minderwertig; *novel* Schund-
trau·mat·ic [trɔ:'mætɪk] ADJ traumatisch
trau·ma·tize ['trɔ:mətaɪz] V/T traumatisieren
trav·el ['trævl] **A** N Reisen *n*; **travels** *pl* Reisen *pl* **B** V/I ‹-ll-, *US* -l-› reisen; **~ to work by train** mit dem Zug zur Arbeit fahren **C** V/T ‹-ll-, *US* -l-› *route* zurücklegen, fahren
'trav·el a·gen·cy N Reisebüro *n*
'trav·el a·gent N Reisebürokaufmann *m*, -kauffrau *f*; Reisebüro *n*
'trav·el bag N Reisetasche *f* **'trav·el doc·u·ments** N *pl* Reiseunterlagen *pl* **'trav·el ex·pen·ses** N *pl* Reisekosten *pl* **'trav·el in·sur·ance** N Reiseversicherung *f*
trav·el·ler, **trav·el·er** *US* ['trævələ(r)] N Reisende(r) *m/f(m)*
'trav·el·ler's cheque, **'trav·el·er's check** *US* N Reisescheck *m*, Travellerscheck *m*
'trav·el·sick ADJ reisekrank
'trav·el·sick·ness N Reisekrankheit *f*
trav·es·ty ['trævɪstɪ] N Zerrbild *n*; **a ~ of justice** eine Verhöhnung der Gerechtigkeit
trawl·er ['trɔ:lə(r)] N Fischdampfer *m*
tray [treɪ] N Tablett *n*; *for baking* Blech *n*; *in printer, photocopier* Fach *n*, Einzug *m*
treach·er·ous ['tretʃərəs] ADJ *person* verräterisch; *current, road* tückisch, gefährlich
treach·er·y ['tretʃərɪ] N Verrat *m*
trea·cle ['tri:kl] N Sirup *m*
tread [tred] **A** N Schritt *m*, Tritt *m*; *of stairs* Stufe *f*; *of tyres* Profil *n* **B** V/I ‹trod, trodden› treten; gehen; **mind where you ~** pass auf, wo du hintrittst
♦**tread on** V/T treten auf
trea·son ['tri:zn] N Verrat *m*
trea·sure ['treʒə(r)] **A** N *a. person* Schatz *m* **B** V/T sehr zu schätzen wissen
trea·sur·er ['treʒərə(r)] N *of club* Kassenwart(in) *m(f)*
trea·sure trove [treʒə'trəʊv] N Schatzfund *m*; *flea market etc* Fundgrube *f*
Trea·su·ry ['treʒərɪ], **'Trea·su·ry Depart·ment** *US* N Finanzministerium *n*
treat [tri:t] **A** N besondere Freude, Genuss *m*; **it's my ~** das geht auf meine Kosten **B** V/T behandeln; **~ sb to sth** j-n zu etw einladen; **~ o.s. to sth** sich etw leisten
trea·tise ['tri:tɪs] N Abhandlung *f*
treat·ment ['tri:tmənt] N Behandlung *f*
treat·y ['tri:tɪ] N Vertrag *m*; **Treaty of Amsterdam** *EU* Vertrag *m* von Amsterdam; **Treaty of Paris** *EU* Vertrag *m* von

Paris; **Treaty of Rome** *EU* Vertrag *m* von Rom

tre·ble ['trebl] **A** ADV **~ the price** dreimal so teuer **B** V/I sich verdreifachen

tree [triː] N Baum *m*

trel·lis ['trelɪs] N *for roses etc* Spalier *n*

trem·ble ['trembl] V/I zittern (**with** vor)

tre·men·dous [trɪ'mendəs] ADJ *party, food, holiday* klasse, toll; *difference, size* enorm, gewaltig

tre·men·dous·ly [trɪ'mendəslɪ] ADV sehr, ungeheuer

trem·or ['tremə(r)] N *of earth* Beben *n*, Zittern *n*

trench [trentʃ] N Graben *m*; MIL Schützengraben *m*

trend [trend] N Trend *m*, Tendenz *f*; *in clothes* Mode *f*

trend·y ['trendɪ] ADJ ⟨-ier, -iest⟩ trendy; *views* modern; *bar, club* angesagt

tres·pass ['trespəs] V/I **you're trespassing** du darfst dich hier nicht aufhalten; **no trespassing** *on sign* Betreten verboten

♦ **trespass on** V/T *land* unerlaubt betreten; *privacy* verletzen

tres·pass·er ['trespəsə(r)] N Unbefugte(r) *m/f(m)*; **trespassers will be prosecuted** *on sign* Betreten bei Strafe verboten

tres·tle ['tresl] N Bock *m*, Gestell *n*

tri·al ['traɪəl] N JUR Gerichtsverfahren *n*, Prozess *m*; *of equipment* Erprobung *f*, Test *m*; **be on ~ for sth** wegen etw vor Gericht stehen; **have sth on ~** *equipment* etw zur Probe haben

'tri·al pe·ri·od N *for employee* Probezeit *f*; **have sth for a two-week ~** etw zwei Wochen zur Probe haben

tri·an·gle ['traɪæŋgl] N Dreieck *n*

tri·an·gu·lar [traɪ'æŋgjʊlə(r)] ADJ dreieckig

T

tribe [traɪb] N Stamm *m*

tri·bu·nal [traɪ'bjuːnl] N Gericht *n*

tri·bu·ta·ry ['trɪbjʊtərɪ] N Nebenfluss *m*

trib·ute ['trɪbjuːt] N **be a ~ to sb** j-m Ehre machen; **pay ~ to sb** j-m Anerkennung zollen

trick [trɪk] **A** N *trap, ruse* Trick *m*; **play a ~ on sb** j-m e-n Streich spielen **B** V/T hereinlegen; **~ sb into doing sth** j-n mit e-m Trick dazu bringen, etw zu tun

trick·e·ry ['trɪkərɪ] N Tricks *pl*

trick·le ['trɪkl] **A** N *stream* Rinnsal *n*; *series of drips* Tröpfeln *n*; **there's still a ~ of refugees** es kommen noch vereinzelt Flüchtlinge **B** V/I tropfen

trick·ster ['trɪkstə(r)] N Betrüger(in) *m(f)*, Schwindler(in) *m(f)*

trick·y ['trɪkɪ] ADJ ⟨-ier, -iest⟩ schwierig; *problem a.* heikel

tri·cy·cle ['traɪsɪkl] N Dreirad *n*

tri·fle ['traɪfl] N Kleinigkeit *f*; COOK *geschichtete Speise aus Löffelbiskuits, Götterspeise, Früchten und Schlagsahne*

tri·fling ['traɪflɪŋ] ADJ geringfügig, unbedeutend

trig·ger ['trɪgə(r)] N *on weapon* Abzug *m*; *on camcorder* Auslöser *m*

♦ **trigger off** V/T auslösen

'trig·ger-hap·py ADJ schießwütig

trill [trɪl] N MUS Triller *m*

tril·lion ['trɪljən] N Billion *f*; *old usage* Trillion *f*

trim [trɪm] **A** ADJ ⟨-mm-⟩ *appearance, garden* gepflegt; *body* schlank **B** V/T ⟨-mm-⟩ *hair* nachschneiden; *hedge a.* stutzen; *budget* kürzen; *cost* senken; *with lace etc* besetzen **C** N Nachschneiden *n*; **in ~** *person* in guter Form

trim·ming ['trɪmɪŋ] N *on clothes* Besatz *m*; **with all the trimmings** *car* mit allen Extras; *menu* mit allem Drum und Dran

Trin·i·ty ['trɪnɪtɪ] N REL Dreieinigkeit *f*

trin·ket ['trɪŋkɪt] N Schmuckstück *n*

trip [trɪp] **A** N Ausflug *m*, Trip *m*; *longer* Reise *f* **B** V/I ⟨-pp-⟩ stolpern (**over** über) **C** V/T ⟨-pp-⟩ **~ sb** *cause to fall* j-m ein Bein stellen

♦ **trip up** **A** V/T **trip sb up** j-m ein Bein stellen; *with question etc* j-m eine Falle stellen **B** V/I stolpern; *fig* sich vertun

trip·le ['trɪpl] → treble[2]

trip·lets ['trɪplɪts] N *pl* Drillinge *pl*

trip·li·cate ['trɪplɪkɪt] N **in ~** in dreifacher Ausfertigung

tri·pod ['traɪpɒd] N PHOT Stativ *n*

trite [traɪt] ADJ banal

tri·umph ['traɪʌmf] N Triumph *m*

triv·i·al ['trɪvɪəl] ADJ belanglos, unbedeutend

triv·i·al·i·ty [trɪvɪ'ælətɪ] N Belanglosigkeit *f*

trod [trɒd] PRET → tread

trod·den ['trɒdn] PAST PART → tread

trol·ley ['trɒlɪ] N *in supermarket* Einkaufswagen *m*; *at airport* Gepäckwagen *m*

'trol·ley·bus N O(berleitungs)bus *m*

trom·bone [trɒm'bəʊn] N Posaune *f*

troop·er ['tru:pə(r)] N *US* Polizist(in) *m(f)* *(e-s Bundesstaats)*

troops [tru:ps] N *pl* Truppen *pl*

tro·phy ['trəʊfɪ] N Trophäe *f*

trop·i·cal ['trɒpɪkl] ADJ tropisch, Tropen-

trop·ics ['trɒpɪks] N *pl* Tropen *pl*

trot [trɒt] V/I ⟨-tt-⟩ traben

trou·ble ['trʌbl] **A** N Schwierigkeiten *pl*, Probleme *pl*; *effort* Mühe *f*; POL, *on streets, in Middle East etc* Unruhen *pl*; **go to a lot of ~ to do sth** sich viel Mühe geben, etw zu tun; **no ~!** kein Problem!; **he's always making ~** er macht nur Ärger; **there'll be ~** das gibt Ärger **B** V/T beunruhigen; *annoy, disturb* belästigen, stören; **I don't want to ~ you** ich möchte Ihnen keine Umstände machen; **my leg's troubling me again** mein Bein macht mir wieder Schwierigkeiten

trou·ble-'free ADJ problemlos **'trou·ble·mak·er** N Unruhestifter(in) *m(f)* **'trou·ble·shoot·er** N *for problems* Vermittler(in) *m(f)* **'trou·ble·shoot·ing** N *in instructions for use* Fehlerbehebung *f*

trou·ble·some ['trʌblsəm] ADJ lästig

trough [trɒf] N Trog *m*; *on roof* Rinne *f*; *between waves, hills* Tal *n*; METEO Tief *n*

trounce [traʊns] V/T SPORTS haushoch besiegen

trou·sers ['traʊzəz] N *pl* Hose *f*; **a pair of ~** e-e Hose

'trou·ser suit N Hosenanzug *m*

trout [traʊt] N ⟨*pl* trout⟩ Forelle *f*

trow·el ['traʊəl] N (Maurer)Kelle *f*

tru·ant ['tru:ənt] N **play ~ (from school)** (die Schule) schwänzen

truce [tru:s] N Waffenstillstand *m*

truck¹ [trʌk] N Lastwagen *m*

truck² [trʌk] N **have no ~ with** nichts zu tun haben wollen mit

'truck driv·er N Lastwagenfahrer(in) *m(f)*

truck·er ['trʌkə(r)] N Lastwagenfahrer(in) *m(f)*

'truck farm N *US* Gemüse- und Obstgärtnerei *f*

trudge [trʌdʒ] **A** V/I *through mud* stapfen; *round shops* trotten **B** N mühseliger Marsch

true [tru:] ADJ wahr; *typical, authentic a.* echt; **come ~** wahr werden, in Erfüllung gehen

trul·y ['tru:lɪ] ADV wirklich, wahrhaftig; **Yours ~** *at end of letter* mit freundlichen Grüßen

trump [trʌmp] **A** N Trumpf *m*, Trumpfkarte *f*; **trumps** *pl*; *in cards* Trumpf *m* **B** V/T mit e-m Trumpf stechen

trum·pet ['trʌmpɪt] N Trompete *f*

trum·pet·er ['trʌmpɪtə(r)] N Trompeter(in) *m(f)*

trun·cheon ['trʌntʃn] N (Gummi)Knüppel *m*, Schlagstock *m*

trunk [trʌŋk] N *of tree* Stamm *m*; *of body* Rumpf *m*; *of elephant* Rüssel *m*; *for luggage* Schrankkoffer *m*; *US*: *of car* Kofferraum *m*

'trunk road N Fernstraße *f*

trunks [trʌŋks] N *pl* Badehose *f*

♦**truss up** V/T fesseln; *poultry etc* dressieren

trust [trʌst] **A** N Vertrauen *n* (**in** zu); ECON Treuhandschaft *f* **B** V/T (ver)trauen, sich verlassen auf; **~ sb to do sth** j-m zutrauen, etw zu tun; **~ sb with sth** *secret, valuables etc* j-m etw anvertrauen; **~ you!** das sieht dir ähnlich!, typisch!

trust·ed ['trʌstɪd] ADJ bewährt

trust·ee [trʌs'ti:] N Treuhänder(in) *m(f)*

trust·ful, **trust·ing** ['trʌstfʊl, 'trʌstɪŋ] ADJ vertrauensvoll

trust·wor·thy ['trʌstwɜ:ðɪ] ADJ vertrauenswürdig

truth [tru:θ] N Wahrheit *f*

truth·ful ['tru:θfʊl] ADJ ehrlich

try [traɪ] **A** V/T ⟨-ied⟩ versuchen; *route, new method* ausprobieren; *food etc* probieren; JUR: *criminal* vor Gericht stellen, den Prozess machen; *case* verhandeln **B** V/I ⟨-ied⟩ es versuchen; *make the effort* sich bemühen; **~ hard** sich große Mühe geben **C** N Versuch *m*; **can I have a ~?** kann ich es mal versuchen?; *food* kann ich mal probieren?

♦**try on** V/T *clothes* anprobieren

♦**try out** V/T ausprobieren (**on** an)

try·ing ['traɪɪŋ] ADJ anstrengend

T-shirt ['ti:ʃɜ:t] N T-Shirt *n*

tub [tʌb] N *infml* (Bade)Wanne *f*; *large*

container Bottich *m*; *for yoghurt etc* Becher *m*
tub·by ['tʌbɪ] ADJ ‹-ier, -iest› rundlich, mollig
tube [tju:b] N Rohr *n*; ELEC Röhre *f*; *made of rubber, plastic* Schlauch *m*; *for toothpaste, ointment* Tube *f*; **the Tube** *die U-Bahn in London*
tube·less ['tju:blɪs] ADJ *tyres* schlauchlos
tu·ber·cu·lo·sis [tju:bɜ:kjʊ'ləʊsɪs] N Tuberkulose *f*
tu·bu·lar ['tju:bjʊlə(r)] ADJ röhrenförmig
TUC [ti:ju:'si:] ABBR *for* Trades Union Congress Gewerkschaftsverband *m* (*in Großbritannien*)
tuck [tʌk] **A** N *on dress* Abnäher *m* **B** V/T stecken (**in** in); **~ sth under one's arm** sich etw unter den Arm klemmen
♦**tuck away** V/T wegstecken; *eat up* reinhauen
♦**tuck in** **A** V/T *child in bed* zudecken; *sheets* feststecken; **tuck your shirt in** steck dein Hemd in die Hose **B** V/I zulangen, zugreifen
♦**tuck up** V/T **tuck sb up in bed** j-n ins Bett stecken
Tues·day ['tju:zdeɪ] N Dienstag *m*
tuft [tʌft] N Büschel *n*
tug [tʌg] **A** N NAUT Schlepper *m* **B** V/T ‹-gg-› ziehen an; *harder* zerren an
tug-of-'war N *a. fig* Tauziehen *n*
tu·i·tion [tju:'ɪʃn] N Unterricht *m*
tu·lip ['tju:lɪp] N Tulpe *f*
tum·ble ['tʌmbl] V/I *person* (hin)fallen, stürzen
tum·ble·down ['tʌmbldaʊn] ADJ baufällig
tum·ble-'dry·er N Wäschetrockner *m*
tum·bler ['tʌmblə(r)] N Glas *n*
tum·my ['tʌmɪ] N *infml* Bauch *m*, Bäuchlein *n*
'tum·my ache N *infml* Bauchschmerzen *pl*, Bauchweh *n*
tu·mour, **tu·mor** *US* ['tju:mə(r)] N Tumor *m*
tu·mul·tu·ous [tju:'mʌltjʊəs] ADJ stürmisch
tu·na ['tju:nə] N Thunfisch *m*
tune [tju:n] **A** N Melodie *f*; **be in/out of ~** *instrument* gestimmt/verstimmt sein; *singer* richtig/falsch singen **B** V/T *instrument* stimmen
♦**tune in** V/I RADIO, TV einschalten
♦**tune in to** V/T RADIO, TV einschalten
♦**tune up** **A** V/I *orchestra, musicians* stimmen **B** V/T *engine* tunen
tune·ful ['tju:nfl] ADJ melodisch
tun·er ['tju:nə(r)] N *on radio* Tuner *m*
'tune-up N **the engine needs a ~** der Motor muss getunt werden
tu·nic ['tju:nɪk] N *of uniform* Uniformrock *m*
tun·nel ['tʌnl] N Tunnel *m*
tur·bine ['tɜ:baɪn] N Turbine *f*
tur·bot ['tɜ:bət] N Steinbutt *m*
tur·bu·lence ['tɜ:bjʊləns] N *no pl on flight* Turbulenzen *pl*
tur·bu·lent ['tɜ:bjʊlənt] ADJ *weather* stürmisch; *life, affair* turbulent
turf [tɜ:f] N Rasen *m*; *sod* (Gras)Sode *f*
tur·gid ['tɜ:dʒɪd] ADJ MED geschwollen; *style a.* schwülstig
Turk [tɜ:k] N Türke *m*, Türkin *f*
tur·key ['tɜ:kɪ] N Truthahn *m*, Truthenne *f*, Puter *m*, Pute *f*
Tur·key ['tɜ:kɪ] N die Türkei
Turk·ish ['tɜ:kɪʃ] **A** ADJ türkisch **B** N *language* Türkisch *n*
tur·moil ['tɜ:mɔɪl] N Aufruhr *m*
turn [tɜ:n] **A** N *of wheel* Drehung *f*; *of road* Kurve *f*, Biegung *f*; *short performance* Nummer *f*; **make a left ~** nach links abbiegen; **take turns doing sth** etw abwechselnd tun; **it's my ~** ich bin dran; **take a ~ at the wheel** sich für e-e Weile ans Steuer setzen; **do sb a good ~** j-m einen guten Dienst erweisen **B** V/T *wheel* drehen; *key* herumdrehen; *corner* biegen um; *page* umblättern; **~ one's back on sb** *a. fig* sich von j-m abwenden; **~ sth into sth** etw in etw verwandeln **C** V/I *driver, car* abbiegen; *wheel* sich drehen; **~ cold/30** kalt/30 werden; **~ into sth** sich in etw verwandeln
♦**turn around** **A** V/T *object* (um)drehen; *car* wenden; *company* aus der Krise führen; ECON: *order, repairs* fertigstellen **B** V/I *person* sich umdrehen; *driver* wenden
♦**turn away** **A** V/T abweisen **B** V/I weggehen; sich abwenden
♦**turn back** **A** V/T *bed cover* zurückschlagen, aufschlagen; *edge* umknicken **B** V/I *walkers etc* umkehren
♦**turn down** V/T *offer, invitation* ablehnen; *volume, TV* leiser stellen; *heating*

T

kleiner stellen, herunterdrehen; *collar* umlegen; *edge* umknicken; *boy, girl* abblitzen lassen

♦**turn in** A VI ins Bett gehen, sich aufs Ohr legen B VT *to police* anzeigen (**to** bei)

♦**turn off** A VT *radio, TV, heating* ausschalten, ausmachen; *tap* zudrehen; *engine* abstellen; *infml: sexually* die Lust nehmen, abtörnen B VI *car, driver* abbiegen

♦**turn on** A VT *radio, TV* anschalten; *heating, engine* anmachen; *tap* aufdrehen; *infml: sexually* anmachen, antörnen B VI **where does it turn on?** wo schaltet man es ein?

♦**turn out** A VT *light* ausmachen B VI **as it turned out** wie (es) sich herausstellte; **turn out to be a good friend** sich als guter Freund erweisen

♦**turn over** A VI *in bed* sich umdrehen; *vehicle* sich überschlagen B VT umkippen; *map* umdrehen; *page* umblättern; ECON umsetzen

♦**turn up** A VT *collar* hochklappen; *volume, heating* aufdrehen B VI *appear* erscheinen, auftauchen

'turn·coat N Abtrünnige(r) *m/f(m)*, Überläufer(in) *m(f)*; POL Wendehals *m*

turn·ing ['tɜːnɪŋ] N *on road* Abzweigung *f*

'turn·ing cir·cle N AUTO Wendekreis *m*

'turn·ing point N Wendepunkt *m*

tur·nip ['tɜːnɪp] N Rübe *f*

'turn-off N *on road* Abzweigung *f*

'turn·out N *at event* Teilnahme *f*; *at election* Wahlbeteiligung *f*; **there was a good ~ for the concert** das Konzert war gut besucht **'turn·o·ver** N ECON Umsatz *m* **'turn·o·ver tax** N Umsatzsteuer *f* **'turn·pike** N *US* gebührenpflichtige Schnellstraße **'turn·stile** N Drehkreuz *n* **'turn·ta·ble** N *of record player* Plattenteller *m*

tur·pen·tine ['tɜːpəntaɪn] N CHEM Terpentin *n*

tur·quoise ['tɜːkwɔɪz] ADJ türkis(farben)

tur·tle ['tɜːtl] N Wasserschildkröte *f*; *US* Schildkröte *f*

tus·sle ['tʌsl] N Gerangel *n*

tu·tor ['tjuːtə(r)] N UNIV Tutor(in) *m(f)*; **(private) ~** Privatlehrer(in) *m(f)*

tu·to·ri·al [tjuː'tɔːrɪəl] N Tutorium *n*

TV [tiː'viː] N Fernsehen *n*

TV 'din·ner *US* N Fertiggericht *n* **T'V guide** N Fernsehzeitschrift *f* **T'V pro·gramme**, **T'V pro·gram** *US* N Fernsehsendung *f*

twang [twæŋ] A N *in voice* Näseln *n* B VT *guitar string* zupfen

tweak [twiːk] VT **~ sb's ear** j-n am Ohr ziehen; *design, computer macro etc* die Feinarbeit machen an

tweet [twiːt] A VI *bird* piep(s)en; IT twittern® B N *on Twitter®* Twitternachricht *f* C VT *on Twitter®* twittern®; **~ sb** mit j-m twittern®

tweez·ers ['twiːzəz] N *pl* Pinzette *f*

twelfth [twelfθ] ADJ zwölfte(r, -s)

twelve [twelv] ADJ zwölf

twen·ti·eth ['twentɪɪθ] ADJ zwanzigste(r, -s)

twen·ty ['twentɪ] ADJ zwanzig

twice [twaɪs] ADV zweimal; **~ as much** doppelt *or* zweimal so viel

twid·dle ['twɪdl] VT herumdrehen an; **~ one's thumbs** Däumchen drehen

twig [twɪg] N Zweig *m*

twi·light ['twaɪlaɪt] N Dämmerung *f*

twin [twɪn] N Zwilling *m*

twin 'beds N *pl* zwei Einzelbetten *pl*

twinge [twɪndʒ] N *of pain* Stechen *n*; **a ~ of pain** ein stechender Schmerz

twin·kle ['twɪŋkl] VI funkeln

twin 'room N Zweibettzimmer *n*

twin 'town N Partnerstadt *f*

twirl VT [twɜːl] (herum)wirbeln

twist [twɪst] A VT drehen; wickeln; *meaning* entstellen; *truth* verdrehen; **~ one's ankle** sich den Fuß vertreten, mit dem Fuß umknicken B VI *road, river* sich winden, sich schlängeln C N *of road* Biegung *f*, Kurve *f*; *in plot, story* Wendung *f*

twist·y ['twɪstɪ] ADJ ⟨-ier, -iest⟩ *road* kurvenreich

twit [twɪt] N *infml* Trottel *m*

twitch [twɪtʃ] A N *nervous* Zucken *n*, Zuckung *f* B VI *eyelid etc* zucken

twit·ter ['twɪtə(r)] VI zwitschern

Twit·ter® ['twɪtə(r)] A N Twitter® *m* B VT & VI twittern®

two [tuː] ADJ zwei; **the ~ of them** die beiden; **break sth in ~** etw in zwei Stücke brechen

T

two-edged [tuːˈedʒd] ADJ *a. fig* zweischneidig **two-faced** [tuːˈfeɪsd] ADJ falsch **ˈtwo-piece** N Kostüm *n* **two-seat·er** [tuːˈsiːtə(r)] N AVIAT, AUTO Zweisitzer *m* **ˈtwo-stroke** ADJ *engine* Zweitakt- **two-ˈway** ADJ *agreement etc* Doppel-; **~ traffic** Gegenverkehr *m*

ty·coon [taɪˈkuːn] N Magnat(in) *m(f)*

type [taɪp] **A** N Sorte *f*, Art *f*; **what ~ of music do you like?** was für Musik hörst du gern?; **he's not my ~** er ist nicht mein Typ **B** V/I *on typewriter, computer* tippen **C** V/T mit der Schreibmaschine schreiben

type·writ·er [ˈtaɪpraɪtə(r)] N Schreibmaschine *f*

ˈtype·writ·ten ADJ maschine(n)geschrieben

ty·phoid [ˈtaɪfɔɪd] N Typhus *m*

ty·phoon [taɪˈfuːn] N Taifun *m*

ty·phus [ˈtaɪfəs] N Fleckfieber *n*, Flecktyphus *m*

typ·i·cal [ˈtɪpɪkl] ADJ typisch

typ·i·cal·ly [ˈtɪpɪklɪ] ADV typischerweise; **~ English** typisch englisch

typ·i·fy [ˈtɪpɪfaɪ] V/T typisch sein für, kennzeichnen

typ·ist [ˈtaɪpɪst] N Schreibkraft *f*

ty·ran·ni·cal [tɪˈrænɪkl] ADJ tyrannisch

ty·ran·nize [tɪˈrənaɪz] V/T tyrannisieren

ty·ran·ny [ˈtɪrənɪ] N Tyrannei *f*, Tyrannenherrschaft *f*

ty·rant [ˈtaɪrənt] N Tyrann(in) *m(f)*

tyre [taɪə(r)] N Reifen *m*

Ty·rol [tɪˈrɒl] N Tirol *n*

Ty·ro·le·an [tɪrəˈliːən] ADJ Tiroler-, tirolerisch

U

U, **u** [juː] N U, u *n*

ud·der [ˈʌdə(r)] N Euter *n*

ug·ly [ˈʌglɪ] ADJ <-ier, -iest> hässlich

UK [juːˈkeɪ] ABBR *for* United Kingdom Vereinigtes Königreich

U·kraine [juːˈkreɪn] N die Ukraine

U·krain·i·an [juːˈkreɪnɪən] **A** ADJ ukrainisch **B** N *person* Ukrainer(in) *m(f)*; *language* Ukrainisch *n*

ul·cer [ˈʌlsə(r)] N Geschwür *n*

ul·te·ri·or [ʌlˈtɪərɪə(r)] ADJ **~ motive** Hintergedanke *m*

ul·ti·mate [ˈʌltɪmət] ADJ *best* vollendet, ultimativ; *final* letzte(r, -s); *fundamental* grundsätzlich

ul·ti·mate·ly [ˈʌltɪmətlɪ] ADV *in the end* letztlich

ul·ti·ma·tum [ʌltɪˈmeɪtəm] N Ultimatum *n*

ul·tra·sound [ˈʌltrəsaʊnd] N MED Ultraschall *m*

ul·tra·vi·o·let [ʌltrəˈvaɪələt] ADJ ultraviolett

um·bil·i·cal cord [ʌmˈbɪlɪkl] N Nabelschnur *f*

um·brel·la [ʌmˈbrelə] N (Regen)Schirm *m*

umˈbrel·la or·gan·i·za·tion N Dachverband *m*

um·pire [ˈʌmpaɪə(r)] N Schiedsrichter(in) *m(f)*

ump·teen [ʌmpˈtiːn] ADJ *infml* zig; **~ times** x-mal

UN [juːˈen] ABBR *for* United Nations UNO *f*

un·a·bat·ed [ʌnəˈbeɪtɪd] ADJ & ADV unvermindert

un·a·ble [ʌnˈeɪbl] ADJ **be ~ to do sth** etw nicht (tun) können; nicht in der Lage sein, etw zu tun

un·ac·cept·a·ble [ʌnəkˈseptəbl] ADJ unzumutbar, unannehmbar (**to** für); **it is ~ that …** es kann nicht zugelassen werden, dass …

un·ac·count·a·ble [ʌnəˈkaʊntəbl] ADJ unerklärlich

un·ac·cus·tomed [ʌnəˈkʌstəmd] ADJ **be ~ to sth** (an) etw nicht gewöhnt sein

un·af·fect·ed [ʌnəˈfektɪd] ADJ natürlich, ungekünstelt; **be ~ by** nicht betroffen werden von

un·aid·ed [ʌnˈeɪdɪd] ADV ohne Unterstützung, (ganz) allein

u·nan·i·mi·ty [juːnænˈɪmətɪ] N Einstimmigkeit *f*

u·nan·i·mous [juːˈnænɪməs] ADJ *verdict* einstimmig, einmütig; **be ~ on sth** sich über etw einig sein

u·nan·i·mous·ly [juːˈnænɪməslɪ] ADV *elect, decide* einstimmig

un·an·nounced [ʌnəˈnaʊnst] ADJ & ADV unangemeldet
un·ap·proach·a·ble [ʌnəˈprəʊtʃəbl] ADJ *person* unnahbar
un·armed [ʌnˈɑːmd] ADJ *person* unbewaffnet; **~ combat** Nahkampf *m* ohne Waffe
un·as·sist·ed [ʌnəˈsɪstɪd] ADV ohne (fremde) Hilfe, (ganz) allein
un·as·sum·ing [ʌnəˈsjuːmɪŋ] ADJ bescheiden
un·at·tached [ʌnəˈtætʃt] ADJ ungebunden; **be ~** Single sein
un·at·tend·ed [ʌnəˈtendɪd] ADJ *car, luggage* unbewacht, unbeaufsichtigt
un·at·trac·tive [ʌnəˈtræktɪv] ADJ unattraktiv, reizlos
un·au·thor·ized [ʌnˈɔːθəraɪzd] ADJ unbefugt, unberechtigt
un·a·vail·a·ble [ʌnəˈveɪləbl] ADJ *product* nicht erhältlich; *person* nicht erreichbar, nicht zu sprechen; **the minister was ~ for comment** der Minister lehnte e-e Stellungnahme ab
un·a·void·a·ble [ʌnəˈvɔɪdəbl] ADJ unvermeidlich
un·a·void·a·bly [ʌnəˈvɔɪdəblɪ] ADV notgedrungen; **be ~ detained** verhindert sein
un·a·ware [ʌnəˈweə(r)] ADJ **be ~ of sth** sich e-r Sache nicht bewusst sein; **I was ~ that …** ich wusste nicht, dass …
un·a·wares [ʌnəˈweəz] ADV **catch sb ~** j-n überraschen
un·bal·anced [ʌnˈbælənst] ADJ unausgewogen; *mentally* unausgeglichen
un·bear·a·ble [ʌnˈbeərəbl] ADJ unerträglich
un·beat·a·ble [ʌnˈbiːtəbl] ADJ *team* unschlagbar; *quality* unübertrefflich
un·beat·en [ʌnˈbiːtn] ADJ *team* ungeschlagen
un·be·known(st) [ʌnbɪˈnəʊn(st)] ADV **~ to sb** ohne j-s Wissen
un·be·liev·a·ble [ʌnbɪˈliːvəbl] ADJ *story, excuse* unglaubwürdig; *infml: heat, value* unglaublich
un·bend·ing [ʌnˈbendɪŋ] ADJ unnachgiebig
un·bi·as(s)ed [ʌnˈbaɪəst] ADJ unvoreingenommen
un·blem·ished [ʌnˈblemɪʃt] ADJ *reputation* makellos
un·block [ʌnˈblɒk] V/T *drain, pipe* frei machen
un·born [ʌnˈbɔːn] ADJ ungeboren
un·break·a·ble [ʌnˈbreɪkəbl] ADJ *material* unzerbrechlich; *world record, fig a.* nicht zu brechen(d)
un·buck·le [ʌnˈbʌkl] V/T aufschnallen, losschnallen
un·bur·den [ʌnˈbɜːdn] V/T **~ o.s. to sb** j-m sein Herz ausschütten
un·but·ton [ʌnˈbʌtn] V/T aufknöpfen
un·called-for [ʌnˈkɔːldfɔː(r)] ADJ ungerechtfertigt; *remark* unnötig
un·can·ny [ʌnˈkænɪ] ADJ unheimlich
un·ceas·ing [ʌnˈsiːsɪŋ] ADJ unaufhörlich
un·ce·re·mo·ni·ous·ly [ʌnserɪˈməʊnjəslɪ] ADV brüsk; *without hesitation* kurzerhand
un·cer·tain [ʌnˈsɜːtn] ADJ *future* ungewiss; *weather* unbeständig; *origins* unbestimmt; **be ~ about sth** sich über etw unsicher sein
un·cer·tain·ty [ʌnˈsɜːtntɪ] N Ungewissheit *f*, Unsicherheit *f*
un·chain [ʌnˈtʃeɪn] V/T losketten
un·changed [ʌnˈtʃeɪndʒd] ADJ unverändert
un·chang·ing [ʌnˈtʃeɪndʒɪŋ] ADJ unveränderlich
un·char·i·ta·ble [ʌnˈtʃærɪtəbl] ADJ unfair, unfreundlich
un·checked [ʌnˈtʃekt] ADJ **let sth go ~** etw dulden, etw nicht Einhalt bieten
un·cle [ˈʌŋkl] N Onkel *m*
un·com·for·ta·ble [ʌnˈkʌmftəbl] ADJ unbequem; **feel ~ about sth** *with decision etc* ein ungutes Gefühl bei etw haben; **I feel ~ with him** ich fühle mich in s-r Gegenwart nicht wohl
un·com·mon [ʌnˈkɒmən] ADJ ungewöhnlich; *animal, plant* selten; **it's not ~ for this to happen** es kommt nicht selten vor, dass das passiert
un·com·mu·ni·ca·tive [ʌnkəˈmjuːnɪkətɪv] ADJ wortkarg, verschlossen
un·com·pro·mis·ing [ʌnˈkɒmprəmaɪzɪŋ] ADJ kompromisslos
un·con·cerned [ʌnkənˈsɜːnd] ADJ unbekümmert; **be ~ about sb/sth** sich keine Gedanken über j-n/etw machen
un·con·di·tion·al [ʌnkənˈdɪʃnl] ADJ *approval* vorbehaltlos; *surrender, loyalty* bedingungslos

un·con·scious [ʌn'kɒnʃəs] ADJ MED bewusstlos; PSYCH unbewusst; **be ~ of sth** sich e-r Sache nicht bewusst sein
un·con·sti·tu·tion·al [ʌnkɒnstɪ'tjuːʃənl] ADJ verfassungswidrig
un·con·trol·la·ble [ʌnkən'trəʊləbl] ADJ *feelings* unkontrollierbar; *children, animal* nicht zu bändigen(d)
un·con·trolled [ʌnkən'trəʊld] ADJ unkontrolliert
un·con·ven·tion·al [ʌnkən'venʃnl] ADJ unkonventionell
un·cooked [ʌn'kʊkt] ADJ ungekocht, roh
un·co·op·er·a·tive [ʌnkəʊ'ɒprətɪv] ADJ *attitude* nicht entgegenkommend, stur
un·cork [ʌn'kɔːk] V/T *bottle* entkorken
un·count·a·ble [ʌn'kaʊntəbl] ADJ unzählbar
un·cov·er [ʌn'kʌvə(r)] V/T *bed, conspiracy* aufdecken; *ruins etc* freilegen, zum Vorschein bringen
un·crit·i·cal [ʌn'krɪtɪkl] ADJ unkritisch; **be ~ of sth** e-r Sache unkritisch gegenüberstehen
un·cut [ʌn'kʌt] ADJ *film, novel* ungekürzt; *diamond* ungeschliffen
un·dam·aged [ʌn'dæmɪdʒd] ADJ unbeschädigt
un·daunt·ed [ʌn'dɔːntɪd] ADJ **carry on ~** unerschrocken weitermachen
un·de·cid·ed [ʌndɪ'saɪdɪd] ADJ *question* unentschieden; *person* unentschlossen; **be ~ about sb** sich bei j-m nicht sicher sein
un·de·mon·stra·tive [ʌndɪ'mɒnstrətɪv] ADJ zurückhaltend, reserviert
un·de·ni·a·ble [ʌndɪ'naɪəbl] ADJ unbestreitbar
un·de·ni·a·bly [ʌndɪ'naɪəblɪ] ADV zweifelsohne
un·der ['ʌndə(r)] **A** PREP *below* unter; **it is ~ review** es wird (gerade) überprüft **B** ADV *sedated* unter Narkose
un·der'age ADJ minderjährig; **~ drinking** der Alkoholkonsum Minderjähriger
un·der'bid V/T ⟨-dd-; underbid, underbid⟩ unterbieten
'un·der·car·riage N Fahrwerk *n*, Fahrgestell *n*
un·der'charge V/I zu wenig berechnen, zu wenig verlangen
'un·der·clothes N *pl* Unterwäsche *f*
'un·der·coat N Grundierung *f*
un·der'cov·er ADJ *operation* verdeckt; **~ agent** verdeckte(r) Ermittler(in)
un·der'cut V/T ⟨undercut, undercut⟩ ECON (im Preis) unterbieten
'un·der·dog N Schwächere(r) *m/f(m)*; *in sport a.* Außenseiter(in) *m(f)*
un·der'done ADJ *meat* nicht durch (-gebraten)
un·der'es·ti·mate V/T unterschätzen
un·der'fed ADJ unterernährt
un·der'go V/T ⟨underwent, undergone⟩ *operation, treatment* sich unterziehen; *experience* durchmachen
un·der'grad·u·ate N Student(in) *m(f)*
'un·der·ground **A** ADJ *gang etc* unterirdisch; POL: *movement, newspaper etc* Untergrund- **B** ADV *work* unterirdisch; *in mine* unter Tage; **go ~** POL in den Untergrund gehen **C** N **the Underground** die U-Bahn
'un·der·ground sys·tem N U-Bahn-Netz *n*
'un·der·growth N Unterholz *n*
un·der'hand ADJ *behaviour* hinterhältig
un·der'lie V/T ⟨underlay, underlain⟩ *argument* zugrunde liegen
un·der'line V/T *a. fig* unterstreichen
un·der·ling ['ʌndəlɪŋ] N *pej* Untergebene(r) *m/f(m)*
'un·der·ly·ing ADJ *cause* eigentlich; *problems a.* zugrunde liegend
un·der'mine V/T *theory* untergraben, unterminieren; *sb's position a.* schwächen
un·der·neath [ʌndə'niːθ] **A** PREP unter **B** ADV darunter
un·der·nour·ished [ʌndə'nʌrɪʃt] ADJ unterernährt
un·der'paid ADJ unterbezahlt
'un·der·pants N *pl* Unterhose *f*
'un·der·pass N Unterführung *f*
un·der'priv·i·leged ADJ unterprivilegiert
un·der'rate V/T unterschätzen
'un·der·sec·re·ta·ry N POL Staatssekretär(in) *m(f)*
un·der·signed [ʌndə'saɪnd] N **the ~** der/die Unterzeichnete; *pl* die Unterzeichneten *pl*
un·der·sized [ʌndə'saɪzd] ADJ zu klein

U

'un·der·skirt N Unterrock *m*

un·der·staffed [ʌndəˈstɑːft] ADJ unterbesetzt; **be ~** zu wenig Personal haben

un·der'stand ⟨understood, understood⟩ **A** V/T verstehen; **make o.s. understood** sich verständlich machen; **I ~ that you ...** ich habe gehört, dass du ...; **am I to ~ that ...?** soll das heißen, dass ...?; **they are understood to be in Canada** soviel man weiß, sind sie in Kanada **B** V/I verstehen

un·der·stand·able [ʌndəˈstændəbl] ADJ verständlich

un·der·stand·ably [ʌndəˈstændəblɪ] ADV verständlicherweise

un·der'stand·ing **A** ADJ *person* verständnisvoll **B** N Verständnis *n*; *arrangement* Abmachung *f*; **my ~ of the situation is as follows** ich sehe die Situation folgendermaßen; **on the ~ that ...** unter der Voraussetzung, dass ...

un·der'state V/T untertreiben, herunterspielen

'un·der·state·ment N Understatement *n*, Untertreibung *f*

un·der'take V/T ⟨undertook, undertaken⟩ *task* übernehmen; **~ to do sth** sich verpflichten, etw zu tun

un·der·tak·er [ˈʌndəteɪkə(r)] N Leichenbestatter(in) *m(f)*; Bestattungsinstitut *n*

un·der·tak·ing [ʌndəˈteɪkɪŋ] N Unternehmen *n*, Projekt *n*; *promise* Zusicherung *f*

un·der'val·ue V/T *worth* zu niedrig schätzen; *sb's knowledge* unterbewerten

'un·der·wear N Unterwäsche *f*

un·der'weight ADJ untergewichtig

'un·der·world N *criminals*, MYTH Unterwelt *f*

un·der'write V/T ⟨underwrote, underwritten⟩ ECON garantieren

un·de·served [ʌndɪˈzɜːvd] ADJ unverdient

un·de·sir·a·ble [ʌndɪˈzaɪərəbl] ADJ unerwünscht

un·dies [ˈʌndɪz] N *pl infml* Unterwäsche *f*

un·dig·ni·fied [ʌnˈdɪgnɪfaɪd] ADJ würdelos

un·dis·put·ed [ʌndɪˈspjuːtɪd] ADJ *champion, leader* unbestritten

un·do [ʌnˈduː] V/T ⟨undid, undone⟩ aufmachen; *parcel a.* öffnen; *shoelace* lösen; *shirt* aufknöpfen; *sb's work* zunichtemachen; IT rückgängig machen

undo·ing [ʌnˈduːɪŋ] N **be sb's ~** j-s Ruin *or* Verderben sein

un'done ADJ *work* unerledigt; *zip* offen; **come ~** *zip* aufgehen; *intentions* nicht zustande kommen

un·doubt·ed·ly [ʌnˈdaʊtɪdlɪ] ADV zweifellos, ohne Zweifel

un·dreamt-of [ʌnˈdremtɒv] ADJ *wealth* ungeahnt

un·dress [ʌnˈdres] **A** V/T ausziehen; **get undressed** sich ausziehen **B** V/I sich ausziehen

un·due [ʌnˈdjuː] ADJ *excessive* übertrieben; *improper* ungehörig

un·du·ly [ʌnˈdjuːlɪ] ADV *punished, accused* ungerechtfertigterweise; *excessively* übertrieben

un·dy·ing [ʌnˈdaɪɪŋ] ADJ ewig

un·earth [ʌnˈɜːθ] V/T *historical remains* ausgraben; *fig* finden; *mystery* ans Tageslicht bringen

un·earth·ly [ʌnˈɜːθlɪ] ADJ **at this ~ hour** zu dieser unchristlichen Zeit

un·eas·i·ness [ʌnˈiːzɪnɪs] N Unbehagen *n*

un·eas·y [ʌnˈiːzɪ] ADJ *relationship, peace* unsicher; *feeling* unbehaglich; **feel ~ about sth** sich bei etw unbehaglich fühlen

un·eat·a·ble [ʌnˈiːtəbl] ADJ ungenießbar

un·ec·o·nom·ic [ʌniːkəˈnɒmɪk] ADJ unwirtschaftlich

un·ed·u·cat·ed [ʌnˈedjʊkeɪtɪd] ADJ ungebildet

un·e·mo·tion·al [ʌnɪˈməʊʃənl] ADJ leidenschaftslos, kühl

un·em·ployed [ʌnɪmˈplɔɪd] **A** ADJ arbeitslos **B** N *pl* **the ~** die Arbeitslosen *pl*

un·em·ploy·ment [ʌnɪmˈplɔɪmənt] N Arbeitslosigkeit *f*; **~ benefit** Arbeitslosengeld *n*, Arbeitslosenhilfe *f*; **~ insurance** Arbeitslosenversicherung *f*

un·end·ing [ʌnˈendɪŋ] ADJ endlos

un·en·vi·a·ble [ʌnˈenvɪəbl] ADJ wenig beneidenswert

un·e·qual [ʌnˈiːkwəl] ADJ ungleich, unterschiedlich; **be ~ to the task** der Aufgabe nicht gewachsen sein

un·e·qualled, **un·e·qualed** *US* [ʌn-

'iːkwəld] ADJ unerreicht, unübertroffen
un·er·ring [ʌn'erɪŋ] ADJ unfehlbar
un·e·ven [ʌn'iːvn] ADJ *quality* unterschiedlich, schwankend; *surface, ground* uneben
un·e·ven·ly [ʌn'iːvnlɪ] ADV *distributed* ungleich; *painted* ungleichmäßig
un·e·vent·ful [ʌnɪ'ventfl] ADJ *day, journey* ereignislos
un·ex·pect·ed [ʌnɪk'spektɪd] ADJ unerwartet
un·ex·pect·ed·ly [ʌnɪk'spektɪdlɪ] ADV unerwartet
un·fail·ing [ʌn'feɪlɪŋ] ADJ unerschöpflich; *regularity, accuracy* beständig
un·fair [ʌn'feə(r)] ADJ unfair
un·faith·ful [ʌn'feɪθfl] ADJ untreu
un·fa·mil·iar [ʌnfə'mɪljə(r)] ADJ ungewohnt; **be ~ with sth** sich mit etw nicht auskennen
un·fas·ten [ʌn'fɑːsn] V/T aufmachen; *belt a.* losmachen
un·fa·vou·ra·ble, **un·fa·vo·ra·ble** *US* [ʌn'feɪvərəbl] ADJ *report, criticism* negativ, ablehnend; *weather, conditions* ungünstig
un·feel·ing [ʌn'fiːlɪŋ] ADJ *person* gefühllos
un·fin·ished [ʌn'fɪnɪʃt] ADJ unfertig, unvollendet; **leave ~** *work* nicht fertig machen; *novel* unvollendet lassen
un·fit [ʌn'fɪt] ADJ *physically* nicht fit, außer Form; *morally* ungeeignet; **he is ~ to be a parent** als Vater ist er untauglich; **be ~ to eat/drink** nicht essbar/trinkbar sein
un·flag·ging [ʌn'flægɪŋ] ADJ unermüdlich, unentwegt
un·flap·pa·ble [ʌn'flæpəbl] ADJ unerschütterlich
un·fold [ʌn'fəʊld] **A** V/T *sheets, letter* auseinanderfalten; *one's arms* lösen **B** V/I *story etc* sich entwickeln; *character* sich entfalten
un·fore·seen [ʌnfɔː'siːn] ADJ unvorhergesehen, unerwartet
un·for·get·ta·ble [ʌnfə'getəbl] ADJ unvergesslich
un·for·giv·a·ble [ʌnfə'gɪvəbl] ADJ unverzeihlich
un·for·tu·nate [ʌn'fɔːtʃənət] ADJ *choice of words* unglücklich; *event a.* unglückselig; *person* glücklos; **that's ~ for you** da hast du Pech (gehabt)
un·for·tu·nate·ly [ʌn'fɔːtʃənətlɪ] ADV leider
un·found·ed [ʌn'faʊndɪd] ADJ unbegründet
un·friend·ly [ʌn'frendlɪ] ADJ ⟨-ier, -iest⟩ unfreundlich; *software* benutzerunfreundlich
un·furl [ʌn'fɜːl] V/T *flag* aufrollen, entrollen; *sail* losmachen
un·fur·nished [ʌn'fɜːnɪʃt] ADJ unmöbliert
un·gain·ly [ʌn'geɪnlɪ] ADJ ⟨-ier, -iest⟩ linkisch, unbeholfen
un·god·ly [ʌn'gɒdlɪ] ADJ **at this ~ hour** zu dieser unchristlichen Zeit
un·gra·cious [ʌn'greɪʃəs] ADJ ungnädig, unfreundlich
un·grate·ful [ʌn'greɪtfl] ADJ undankbar
un·hap·pi·ness [ʌn'hæpɪnɪs] N Traurigkeit *f*
un·hap·py [ʌn'hæpɪ] ADJ ⟨-ier, -iest⟩ *person* unglücklich; *day* traurig; *customer* unzufrieden
un·harmed [ʌn'hɑːmd] ADJ unverletzt
un·health·y [ʌn'helθɪ] ADJ ⟨-ier, -iest⟩ nicht gesund; *conditions, food* ungesund; *economy, balance sheet* kränkelnd
un·heard [ʌn'hɜːd] ADJ **go ~** keine Beachtung finden, unbeachtet bleiben
un·heard-of [ʌn'hɜːdɒv] ADJ unbekannt; **it was ~ then for a woman to ...** es kam damals nicht vor, dass e-e Frau ...
un·ho·ly [ʌn'həʊlɪ] ADJ ⟨-ier, -iest⟩ *infml* furchtbar, schrecklich
un·hoped-for [ʌn'həʊptfɔː(r)] ADJ unverhofft
un·hurt [ʌn'hɜːt] ADJ unverletzt
un·hy·gien·ic [ʌnhaɪ'dʒiːnɪk] ADJ unhygienisch
un·i·den·ti·fied [ʌnaɪ'dentɪfaɪd] ADJ unbekannt, nicht identifiziert
u·ni·fi·ca·tion [juːnɪfɪ'keɪʃn] N Vereinigung *f*
u·ni·form ['juːnɪfɔːm] **A** N Uniform *f* **B** ADJ einheitlich; *treatment* gleich
u·ni·fy ['juːnɪfaɪ] V/T ⟨-ied⟩ vereinigen, vereinen; *system* vereinheitlichen
u·ni·lat·e·ral [juːnɪ'lætrəl] ADJ einseitig
un·i·mag·i·na·ble [ʌnɪ'mædʒɪnəbl] ADJ unvorstellbar
un·i·ma·gi·na·tive [ʌnɪ'mædʒɪnətɪv]

ADJ fantasielos
un·im·por·tant [ʌnɪm'pɔ:tənt] ADJ unwichtig
un·in·hab·it·a·ble [ʌnɪn'hæbɪtəbl] ADJ unbewohnbar
un·in·hab·it·ed [ʌnɪn'hæbɪtɪd] ADJ unbewohnt
un·in·jured [ʌn'ɪndʒəd] ADJ unverletzt
un·in·tel·li·gi·ble [ʌnɪn'telɪdʒəbl] ADJ unverständlich
un·in·ten·tion·al [ʌnɪn'tenʃnl] ADJ unbeabsichtigt, unabsichtlich
un·in·terest·ed [ʌn'ɪntrɪstɪd] ADJ uninteressiert (**in** an)
un·in·ter·est·ing [ʌn'ɪntrəstɪŋ] ADJ uninteressant
un·in·ter·rupt·ed [ʌnɪntə'rʌptɪd] ADJ ununterbrochen; **two hours' ~ work** zwei Stunden Arbeit am Stück
u·nion ['ju:nɪən] N *trade union* Gewerkschaft *f*; POL Vereinigung *f*, Union *f*; **union(s) and management** *pl* Tarifpartner *pl*
u·nion·ize ['ju:njənaɪz] V/I sich gewerkschaftlich organisieren
u·nique [ju:'ni:k] ADJ einzig; *infml*: *unparalleled* einzigartig, einmalig
u·ni·son ['ju:nɪsn] N **in ~** gemeinsam; MUS in Einklang
u·nit ['ju:nɪt] N *of measure*, *a.* MIL Einheit *f*; *of machine, structure* Teil *n*, Element *n*; *in company etc* Abteilung; *in textbook* Kapitel *n*, Lektion *f*
u·nit 'cost N ECON Stückkosten *pl*
u·nite [ju:'naɪt] **A** V/T vereinigen **B** V/I sich vereinigen, sich zusammenschließen
u·nit·ed [ju:'naɪtɪd] ADJ vereint; **thanks to our ~ efforts** dank unserer gemeinsamen Bemühungen
U·nit·ed 'King·dom N Vereinigtes Königreich
U·nit·ed 'Na·tions **A** N *pl* Vereinte Nationen *pl* **B** ADJ UN-
U·nit·ed 'States (of A'mer·i·ca) N *pl* die Vereinigten Staaten (von Amerika)
u·ni·ty ['ju:nətɪ] N Einheit *f*
u·ni·ver·sal [ju:nɪ'vɜ:sl] ADJ *phenomenon, validity* universal, universell; *truth* allgemeingültig; *language, custom* allgemein verbreitet
u·ni·ver·sal 'lan·guage N Weltsprache *f*
u·ni·ver·sal·ly [ju:nɪ'vɜ:səlɪ] ADV allgemein
u·ni·verse ['ju:nɪvɜ:s] N Weltall *n*, Universum *n*
u·ni·ver·si·ty [ju:nɪ'vɜ:sətɪ] **A** N Universität *f*; **be at ~** studieren **B** ADJ Universitäts-; **a ~ education** e-e akademische Ausbildung
un·just [ʌn'dʒʌst] ADJ ungerecht
un·kempt [ʌn'kempt] ADJ *appearance* ungepflegt; *hair* ungekämmt
un·kind [ʌn'kaɪnd] ADJ unfreundlich
un·known [ʌn'nəʊn] **A** ADJ unbekannt **B** N MATH Unbekannte *f*; **a journey into the ~** e-e Reise ins Ungewisse
un·known 'quan·ti·ty N MATH unbekannte Größe (*a. fig*), Unbekannte *f*
un·law·ful [ʌn'lɔ:fl] ADJ ungesetzlich, gesetzwidrig
un·lead·ed [ʌn'ledɪd] **A** ADJ bleifrei **B** N bleifreies Benzin
un·learn [ʌn'lɜ:n] V/T ⟨unlearned, unlearned *or* unlearnt, unlearnt⟩ *habit etc* ablegen, aufgeben
un·less [ən'les] CJ es sei denn, wenn … nicht; **~ you want to do something else** außer du willst etwas anderes machen
un·like [ʌn'laɪk] PREP anders als; **it's ~ him to be late** es sieht ihm gar nicht ähnlich, zu spät zu kommen; **the photo was completely ~ her** die Fotografie ähnelte ihr gar nicht
un·like·ly [ʌn'laɪklɪ] ADJ ⟨-ier, -iest⟩ unwahrscheinlich
un·lim·it·ed [ʌn'lɪmɪtɪd] ADJ unbegrenzt, unbeschränkt; *patience* grenzenlos
un·list·ed [ʌn'lɪstɪd] ADJ *US* **be ~** nicht im Telefonbuch stehen
un·load [ʌn'ləʊd] V/T *goods* ausladen; *lorry a.* entladen
un·lock [ʌn'lɒk] V/T aufschließen
un·loved [ʌn'lʌvd] ADJ ungeliebt
un·luck·i·ly [ʌn'lʌkɪlɪ] ADV unglücklicherweise
un·luck·y [ʌn'lʌkɪ] ADJ ⟨-ier, -iest⟩ *choice, defeat* unglücklich; **be ~** *person* Pech haben; **an ~ day** ein Unglückstag *m*
un·made [ʌn'meɪd] ADJ *bed* ungemacht
un·manned [ʌn'mænd] ADJ *spaceship* unbemannt
un·marked [ʌn'mɑ:kd] ADJ nicht ge-

kennzeichnet; SPORTS ungedeckt, frei
un·mar·ried [ʌn'mærɪd] ADJ unverheiratet, ledig
un·mask [ʌn'mɑːsk] V/T *fig* entlarven
un·matched [ʌn'mætʃt] ADJ unübertroffen, unvergleichlich
un·mis·tak·a·ble [ʌnmɪ'steɪkəbl] ADJ unverkennbar, unverwechselbar
un·moved [ʌn'muːvd] ADJ ungerührt
un·nat·u·ral [ʌn'nætʃrəl] ADJ unnatürlich
un·ne·ces·sar·y [ʌn'nesəsrɪ] ADJ unnötig
un·nerve [ʌn'nɜːv] V/T entnerven
un·no·ticed [ʌn'nəʊtɪst] ADJ unbemerkt
un·ob·tain·a·ble [ʌnəb'teɪnəbl] ADJ *goods* nicht erhältlich; TEL nicht zu bekommen
un·ob·tru·sive [ʌnəb'truːsɪv] ADJ unauffällig
un·oc·cu·pied [ʌn'ɒkjʊpaɪd] ADJ *building, house, room* leer stehend, unbewohnt; *position, seat* frei, unbesetzt; *person* unbeschäftigt
un·of·fi·cial [ʌnə'fɪʃl] ADJ inoffiziell
un·op·posed [ʌnə'pəʊzd] ADJ *parliamentary bill* ohne Abstimmung angenommen; *candidate* ohne Gegenkandidat, unangefochten; **the president was re-elected ~** der Präsident wurde ohne Gegenstimmen im Amt bestätigt
un·pack [ʌn'pæk] V/T & V/I auspacken
un·paid [ʌn'peɪd] ADJ *work* unbezahlt
un·par·al·leled [ʌn'pærəleld] ADJ einmalig, beispiellos
un·per·turbed [ʌnpə'tɜːbd] ADJ gelassen, ruhig
un·pleas·ant [ʌn'pleznt] ADJ unangenehm; **he was very ~ to her** er war sehr unfreundlich zu ihr
un·plug [ʌn'plʌg] V/T ⟨-gg-⟩ **~ the TV** den Stecker vom Fernseher herausziehen
un·pop·u·lar [ʌn'pɒpjʊlə(r)] ADJ unbeliebt; *decision* unpopulär
un·pop·u·lar·i·ty [ʌnpɒpjʊ'lærətɪ] N Unbeliebtheit *f*
un·prac·ti·cal [ʌn'præktɪkl] ADJ unpraktisch
un·prec·e·dent·ed [ʌn'presɪdentɪd] ADJ noch nie da gewesen, beispiellos; **it was ~ for a woman to ...** bisher war es e-r Frau nicht möglich, ...
un·pre·dict·a·ble [ʌnprɪ'dɪktəbl] ADJ *person, weather* unberechenbar
un·prej·u·diced [ʌn'predʒʊdɪst] ADJ unvoreingenommen
un·pre·pared [ʌnprɪ'peəd] ADJ unvorbereitet
un·pre·ten·tious [ʌnprɪ'tenʃəs] ADJ bescheiden; *style, hotel* schlicht, einfach
un·prin·ci·pled [ʌn'prɪnsɪpld] ADJ *pej* prinzipienlos, skrupellos
un·pro·duc·tive [ʌnprə'dʌktɪv] ADJ *meeting, discussion* unproduktiv, unergiebig; *soil* unfruchtbar
un·pro·fes·sion·al [ʌnprə'feʃnl] ADJ *person, behaviour* unprofessionell; *work* unfachmännisch
un·prof·i·ta·ble [ʌn'prɒfɪtəbl] ADJ nicht profitabel, unrentabel
un·pro·nounce·a·ble [ʌnprə'naʊnsəbl] ADJ unaussprechbar
un·pro·tect·ed [ʌnprə'tektɪd] ADJ ungeschützt; *borders* ungesichert
un·proved [ʌn'pruːvd], **un·prov·en** [ʌn'pruːvn] ADJ unbewiesen
un·pro·voked [ʌnprə'vəʊkt] ADJ *attack* grundlos
un·pun·ished [ʌn'pʌnɪʃt] ADJ **go ~** straflos bleiben
un·qual·i·fied [ʌn'kwɒlɪfaɪd] ADJ *worker, doctor* unqualifiziert; *success, support* uneingeschränkt
un·ques·tion·a·bly [ʌn'kwestʃnəblɪ] ADV fraglos, unbestritten
un·ques·tion·ing [ʌn'kwestʃnɪŋ] ADJ bedingungslos
un·quote [ʌn'kwəʊt] V/I **quote ... ~** Zitat ... Zitat Ende
un·rav·el [ʌn'rævl] V/T ⟨-ll-, *US* -l-⟩ *knitting* aufziehen; *thread* entwirren; *mystery* lösen
un·read·a·ble [ʌn'riːdəbl] ADJ unlesbar
un·real [ʌn'rɪəl] ADJ unwirklich; **this is ~!** *infml* das kann doch nicht (wahr) sein!
un·re·al·is·tic [ʌnrɪə'lɪstɪk] ADJ unrealistisch
un·rea·son·a·ble [ʌn'riːznəbl] ADJ unvernünftig; *demand, expectations* unzumutbar, unangemessen
un·rec·og·niz·a·ble [ʌn'rekəgnaɪzəbl] ADJ nicht wiederzuerkennen(d)
un·re·lat·ed [ʌnrɪ'leɪtɪd] ADJ **be ~ (to sth)** (mit etw) nicht in Verbindung *or*

U

im Zusammenhang stehen
un·re·lent·ing [ʌnrɪ'lentɪŋ] ADJ *attack* unerbittlich; *rain, pressure* anhaltend; *demands* hartnäckig
un·rel·i·a·ble [ʌnrɪ'laɪəbl] ADJ unzuverlässig
un·re·mit·ting [ʌnrɪ'mɪtɪŋ] ADJ unablässig, unaufhörlich
un·re·quit·ed [ʌnrɪ'kwaɪtɪd] ADJ **~ love** unerwiderte Liebe
un·re·served [ʌnrɪ'zɜːvd] ADJ uneingeschränkt; *seats* nicht reserviert
un·rest [ʌn'rest] N *no pl* Unruhen *pl*
un·re·strained [ʌnrɪ'streɪnd] ADJ *feelings* hemmungslos, ungezügelt
un·re·strict·ed [ʌnrɪ'strɪktɪd] ADJ uneingeschränkt
un·ripe [ʌn'raɪp] ADJ unreif
un·ri·valled, **un·ri·valed** *US* [ʌn'raɪvld] ADJ einzigartig, unübertroffen
un·road·wor·thy [ʌn'rəʊdwɜːðɪ] ADJ nicht verkehrssicher
un·roll [ʌn'rəʊl] V/T *carpet* aufrollen
un·ruf·fled [ʌn'rʌfld] ADJ gelassen, ruhig
un·ru·ly [ʌn'ruːlɪ] ADJ ⟨-ier, -iest⟩ *children* wild, schwer zu bändigen(d); *behaviour, hair* widerspenstig
un·safe [ʌn'seɪf] ADJ *bridge, vehicle* nicht sicher; *area* gefährlich; **~ to drink/eat** nicht trinkbar/essbar
un·said [ʌn'sed] ADJ unausgesprochen; **leave sth ~** etw ungesagt *or* unausgesprochen lassen
un·san·i·tar·y [ʌn'sænɪtrɪ] ADJ *conditions etc* unhygienisch
un·sat·is·fac·to·ry [ʌnsætɪs'fæktrɪ] ADJ unbefriedigend
un·sa·vour·y [ʌn'seɪvərɪ] ADJ *person, area* zwielichtig, übel; *reputation* übel, zweifelhaft
un·scathed [ʌn'skeɪðd] ADJ unversehrt
un·screw [ʌn'skruː] V/T abschrauben
un·scru·pu·lous [ʌn'skruːpjələs] ADJ skrupellos, gewissenlos
un·se·cured [ʌnsɪ'kjʊəd] ADJ *loan* nicht abgesichert, ungesichert
un·self·ish [ʌn'selfɪʃ] ADJ selbstlos, uneigennützig
un·set·tled [ʌn'setld] ADJ *problem* ungeklärt; *weather, stockmarket, person* unbeständig; *lifestyle* unruhig; *situation* unsicher; *bills* offen; *unpopulated* unbesiedelt
un·sha·k(e)a·ble [ʌn'ʃeɪkəbl] ADJ unerschütterlich
un·shav·en [ʌn'ʃeɪvn] ADJ unrasiert
un·sight·ly [ʌn'saɪtlɪ] ADJ unansehnlich
un·skilled [ʌn'skɪld] ADJ ungelernt
un·so·cia·ble [ʌn'səʊʃəbl] ADJ ungesellig
un·so·lic·it·ed [ʌnsə'lɪsɪtɪd] ADJ unaufgefordert ein- *or* zugesandt; *goods a.* unbestellt; **~ application** Blindbewerbung *f*
un·solved [ʌn'sɒlvd] ADJ *case* ungelöst
un·so·phis·ti·cat·ed [ʌnsə'fɪstɪkeɪtɪd] ADJ *person, style* einfach
un·sound [ʌn'saʊnd] ADJ *lungs etc* angegriffen; *building* baufällig; *masonry* morsch; *advice* unvernünftig; *argument* nicht stichhaltig; **of ~ mind** JUR unzurechnungsfähig
un·spar·ing [ʌn'speərɪŋ] ADJ großzügig, freigebig; *criticism* schonungslos, unbarmherzig
un·spea·ka·ble [ʌn'spiːkəbl] ADJ unbeschreiblich, entsetzlich
un·spoiled [ʌn'spɔɪld], **un·spoilt** [ʌn'spɔɪlt] ADJ unverdorben; *children* nicht verwöhnt *or* verzogen
un·sta·ble [ʌn'steɪbl] ADJ *person* labil; *structure, economy, country* instabil
un·stead·y [ʌn'stedɪ] ADJ ⟨-ier, -iest⟩ *gait* unsicher; *ladder* wack(e)lig
un·stint·ing [ʌn'stɪntɪŋ] ADJ *generosity, support* uneingeschränkt; **be ~ in one's efforts** weder Kosten noch Mühen scheuen
un·stressed [ʌn'strest] ADJ LING unbetont
un·stuck [ʌn'stʌk] ADJ **come ~** *stamp etc* abgehen, sich lösen; *infml*: *plan etc* schiefgehen
un·suc·cess·ful [ʌnsək'sesfl] ADJ erfolglos
un·suc·cess·ful·ly [ʌnsək'sesflɪ] ADV erfolglos
un·suit·a·ble [ʌn'suːtəbl] ADJ ungeeignet; *remark* unpassend; **be ~ for each other** nicht zusammenpassen
un·sure [ʌn'ʃɔː(r)] ADJ unsicher; **~ of o.s.** unsicher
un·sur·passed ADJ [ʌnsə'pɑːst] unübertroffen
un·sus·pect·ed [ʌnsə'spektɪd] ADJ unvermutet

un·sus·pect·ing [ʌnsəs'pektɪŋ] ADJ ahnungslos
un·sus·pi·cious [ʌnsə'spɪʃəs] ADJ unverdächtig, harmlos; *clueless* arglos
un·sweet·ened [ʌn'swi:tnd] ADJ ungesüßt
un·swerv·ing [ʌn'swɜ:vɪŋ] ADJ *loyalty, devotion* unerschütterlich
un·tan·gle [ʌn'tæŋgl] V/T *a. fig* entwirren
un·tapped [ʌn'tæpt] ADJ *energy resources* unerschlossen
un·teach·a·ble [ʌn'ti:tʃəbl] ADJ *person* unbelehrbar; *subject* nicht lehrbar
un·ten·a·ble [ʌn'tenəbl] ADJ *theory* unhaltbar
un·think·a·ble [ʌn'θɪŋkəbl] ADJ undenkbar, unvorstellbar
un·think·ing [ʌn'θɪŋkɪŋ] ADJ gedankenlos
un·ti·dy [ʌn'taɪdɪ] ADJ ⟨-ier, -iest⟩ unordentlich
un·tie [ʌn'taɪ] V/T *knot* lösen; *shoelace* aufmachen; *prisoners* losbinden; *parcel* aufknoten
un·til [ən'tɪl] PREP & CJ bis; **not ~ Friday** nicht vor Freitag; **she didn't come home ~ I rang** sie kam erst nach Hause, nachdem ich anrief
un·time·ly [ʌn'taɪmlɪ] ADJ *death* vorzeitig
un·tir·ing [ʌn'taɪrɪŋ] ADJ *attempts* unermüdlich
un·told [ʌn'təʊld] ADJ *wealth, suffering* unermesslich; *story* nicht erzählt
un·trans·lat·a·ble [ʌntræns'leɪtəbl] ADJ unübersetzbar
un·treat·ed [ʌn'tri:tɪd] ADJ unbehandelt; *effluent* ungeklärt
un·true [ʌn'tru:] ADJ unwahr, falsch
un·trust·wor·thy [ʌn'trʌstwɜ:ðɪ] ADJ unzuverlässig, nicht vertrauenswürdig
un·used¹ [ʌn'ju:zd] ADJ *goods* ungebraucht, unbenutzt
un·used² [ʌn'ju:st] ADJ **be ~ to sth** (an) etw nicht gewöhnt sein
un·u·su·al [ʌn'ju:ʒʊəl] ADJ ungewöhnlich
un·u·su·al·ly [ʌn'ju:ʒʊəlɪ] ADV ungewöhnlich
un·var·nished [ʌn'vɑ:nɪʃt] ADJ *truth* ungeschminkt
un·var·y·ing [ʌn'veərɪɪŋ] ADJ unveränderlich, gleichbleibend
un·veil [ʌn'veɪl] V/T *statue* enthüllen
un·want·ed [ʌn'wɒntɪd] ADJ unerwünscht, ungewollt
un·war·rant·ed [ʌn'wɒrəntɪd] ADJ ungerechtfertigt
un·wel·come [ʌn'welkəm] ADJ unwillkommen
un·well [ʌn'wel] ADJ unwohl; **be/feel ~** sich nicht wohlfühlen
un·whole·some [ʌn'həʊlsəm] ADJ *a. fig* ungesund
un·wield·y [ʌn'wi:ldɪ] ADJ ⟨-ier, -iest⟩ unhandlich, sperrig; *expression* umständlich
un·will·ing [ʌn'wɪlɪŋ] ADJ *partner, student* unkooperativ; **be ~ to do sth** nicht bereit sein, etw zu tun; **I am ~ for you to ...** ich will nicht, dass du ...
un·wind [ʌn'waɪnd] ⟨unwound, unwound⟩ **A** V/T *tape, thread* abwickeln **B** V/I *tape, thread* sich abwickeln; *story* sich entwickeln; *infml* abschalten, sich entspannen
un·wise [ʌn'waɪz] ADJ unklug
un·wit·ting [ʌn'wɪtɪŋ] ADJ unwissentlich; *insult* unbeabsichtigt
un·wit·ting·ly [ʌn'wɪtɪŋlɪ] ADV ohne es zu wissen, unbewusst
un·wrap [ʌn'ræp] V/T ⟨-pp-⟩ *present* auspacken, auswickeln
un·writ·ten [ʌn'rɪtn] ADJ *law, rule* ungeschrieben
un·yield·ing [ʌn'ji:ldɪŋ] ADJ unnachgiebig
un·zip [ʌn'zɪp] V/T ⟨-pp-⟩ *dress etc* den Reißverschluss aufmachen an; IT entzippen
up [ʌp] **A** ADV oben; **~ here/~ there** hier oben/dort oben; **be ~** *no longer in bed* auf(gestanden) sein; *sun* aufgegangen sein; *building* errichtet sein; *picture etc* aufgehängt sein; *prices, temperature* gestiegen sein; *road* aufgegraben sein; *time* um sein; **what's ~?** *infml* was ist los?; **~ to the year 2010** bis (zum Jahr) 2010; **he came ~ to me** er kam zu mir; **what are you ~ to these days?** was machst du zurzeit so?; **what are those kids ~ to?** was führen diese Kinder im Schilde?; **I don't feel ~ to it** ich fühle mich nicht fit genug dazu; *not capable* ich fühle mich dem nicht gewachsen; **it's ~ to**

U

you das liegt bei dir; **it is ~ to them to solve it** es ist ihre Sache, das zu lösen; **be ~ and about again** wieder auf den Beinen sein

B PREP oben auf; hinauf; **run ~ the street** die Straße entlanglaufen; **the water goes ~ this pipe** das Wasser fließt durch dieses Rohr; **we travelled ~ to Manchester** wir sind nach Manchester hochgefahren

C N **ups and downs** *pl* gute und schlechte Zeiten *pl*

up-and-'com·ing ADJ aufstrebend, vielversprechend

up·bring·ing ['ʌpbrɪŋɪŋ] N Erziehung *f*

'up·com·ing ADJ *election* kommend, bevorstehend

up'date¹ V/T *file, list* aktualisieren; **~ sb on sth** j-n über etw auf den neuesten Stand bringen

'up·date² N *of file, list* Aktualisierung *f*; *of software* Update *n*; **give sb an ~ on the situation** j-n auf den neuesten Stand bringen

up'end V/T hochkant stellen

up-'front ADJ vorne; *payment* Voraus-; *person* offen

up'grade V/T *computer etc* nachrüsten; *replace with new model* erneuern; *improve* verbessern; **the airline upgraded our seats** die Fluggesellschaft hat uns bessere Sitze gegeben

up·heav·al [ʌp'hiːvl] N *of emotions* Aufruhr *m*; *political, social* Unruhen *pl*; **moving the office was a major ~** der Umzug des Büros war ein Riesenaufwand

up·hill **A** ADV [ʌp'hɪl] *go* bergauf **B** ADJ ['ʌphɪl] bergauf führend; *struggle* mühsam

up'hold V/T ⟨upheld, upheld⟩ *verdict* bestätigen; *claim a.* anerkennen; *traditions, rights* (be)wahren

up·hol·ster [ʌp'həʊlstə(r)] V/T polstern

up·hol·ster·y [ʌp'həʊlstərɪ] N *material* Polsterbezug *m*; *padding* Polsterung *f*

'up·keep N *of building etc* Unterhalt *m*

'up·load V/T IT hochladen

up'mar·ket ADJ *restaurant, hotel* exklusiv, vornehm

up·on [ə'pɒn] PREP → on

up·per ['ʌpə(r)] ADJ *part of sth* obere(r, -s); *deck, arm* Ober-

up·per-'class ADJ *accent* vornehm; *person* aus der Oberschicht

up·per 'clas·ses N *pl* Oberschicht *f*

'up·right **A** ADJ *citizen* aufrecht; **~ piano** Klavier *n* **B** ADV *sit* aufrecht

'up·ris·ing N Aufstand *m*

'up·roar N *protest* Aufruhr *m*; *noise* Lärm *m*

up·roar·i·ous [ʌp'rɔːrɪəs] ADJ *laughter* schallend

up'root V/T ausreißen, entwurzeln; *fig: sb* herausreißen (**from** aus)

up'set **A** V/T ⟨upset, upset⟩ *drink, glass* umkippen; *emotionally* aus der Fassung bringen, aufregen **B** ADJ *shocked* bestürzt (**about** über); *distressed, worried* aufgeregt (**about** wegen); *offended* gekränkt, verletzt (**about** wegen); **get ~ about sth** sich über etw aufregen; **have an ~ stomach** e-e Magenverstimmung haben

up'set·ting ADJ *shocking* bestürzend; *distressing* erschütternd; *unpleasant* unangenehm; *sad* traurig

'up·shot N *of discussion* Ergebnis *n*

up·side 'down ADV verkehrt herum; **turn sth ~** *crate etc* etw umdrehen

up'stairs **A** ADV oben; **go ~** nach oben gehen **B** ADJ *room* im oberen Stock (-werk)

'up·start N Emporkömmling *m*

up'state ADV *US* im Norden (*e-s Bundesstaats*); *drive* Richtung Norden

up'stream ADV flussaufwärts

up'tight ADJ *infml* verklemmt; *tense* angespannt

up-to-'date ADJ *information, fashion* aktuell; *person, method* modern, auf dem neuesten Stand; **keep ~** *person* auf dem Laufenden bleiben

up'town ADV *US* im Norden (*von Stadt*); *drive* Richtung Norden

'upturn N *in economy* Aufschwung *m*

up·wards ['ʌpwədz] ADV aufwärts, nach oben; **~ of 10,000** mehr als 10.000

u·ra·ni·um [jʊ'reɪnɪəm] N Uran *n*

ur·ban ['ɜːbən] ADJ städtisch

ur·ban de'vel·op·ment N Städtebau *m*

ur·ban·i·za·tion [ɜːbənaɪ'zeɪʃn] N Verstädterung *f*

urge [ɜːdʒ] **A** N Drang *m*; **feel an ~ to do sth** das Bedürfnis verspüren *or* das Verlangen haben, etw zu tun **B** V/T ~

sb to do sth j-n drängen, etw zu tun; **I ~ you to reconsider** ich rate dir dringend, es dir noch einmal zu überlegen

♦ **urge on** VT *team* anfeuern

ur·gen·cy ['ɜːdʒənsɪ] N Dringlichkeit *f*

ur·gent ['ɜːdʒənt] ADJ dringend

u·ri·nate ['jʊərɪneɪt] VI *formal* urinieren

u·rine ['jʊərɪn] N Urin *m*

URL [juːɑːr'el] ABBR *for* uniform resource locator URL *f*, Internetadresse *f*

urn [ɜːn] N Urne *f*

US [juː'es] ABBR *for* United States USA *pl*

us [ʌs] PRON uns; **it's ~** wir sind's; **all of ~ agree** wir stimmen alle zu; **both of ~** wir beide

USA [juːes'eɪ] ABBR *for* United States of America USA *pl*

us·a·ble ['juːzəbl] ADJ verwendbar; **it's not really ~** das kann man eigentlich nicht gebrauchen

us·age ['juːzɪdʒ] N *of words* Gebrauch *m*

USB [juːes'biː] ABBR *for* Universal Serial Bus IT USB *m* **USB 'flash drive** N COMPUT USB-Stick *m* **US'B port** N COMPUT USB-Port *m* **US'B stick** N COMPUT USB-Stick *m*

use **A** VT [juːz] benutzen, gebrauchen; *public transport* (be)nutzen; *for particular purpose* verwenden; *knowledge, method* anwenden; *use up* aufbrauchen; *pej*: *person* benutzen, ausnutzen; **I could ~ a drink** *infml* ich könnte e-n Drink gebrauchen; **he uses his car to go to work** er fährt mit dem Auto zur Arbeit **B** N [juːs] Benutzung *f*, Gebrauch *m*; *for particular purpose* Verwendung *f*; *of skill, knowledge, method* Anwendung *f*; **be of great ~ to sb** j-m sehr nützlich sein; **be of no ~ to sb** j-m nicht von Nutzen sein; **is that of any ~?** ist das irgendwie zu gebrauchen?; *information* ist das in irgendeiner Weise hilfreich?; **it's no ~ trying** es hat keinen Sinn, es zu versuchen

♦ **use up** VT verbrauchen; *completely a.* aufbrauchen

use-by date ['juːzbaɪdeɪt] N Haltbarkeitsdatum *n*

used[1] [juːzd] ADJ gebraucht; **a ~ car** ein Gebrauchtwagen *m*

used[2] [juːst] ADJ **be ~ to sb/sth** an j-n/etw gewöhnt sein; **get ~ to sb/sth** sich an j-n/etw gewöhnen; **be ~ to doing sth** daran gewöhnt sein *or* es gewohnt sein, etw zu tun

used[3] [juːst] V/AUX **I ~ to meet him every Monday** früher habe ich ihn jeden Montag getroffen

use·ful ['juːsfʊl] ADJ nützlich

use·ful·ness ['juːsfʊlnɪs] N Nützlichkeit *f*

use·less ['juːslɪs] ADJ *information, person* nutzlos; *infml*: *person* nicht zu gebrauchen(d); *machine, computer* unbrauchbar; **he's ~ as an assistant!** als Assistent taugt er nichts; **it's ~ trying** es ist zwecklos, es zu versuchen

us·er ['juːzə(r)] N Benutzer(in) *m(f)*

us·er-'friend·ly ADJ ⟨-ier, -iest⟩ *software, method* benutzerfreundlich **'us·er in·ter·face** N COMPUT Benutzeroberfläche *f* **'us·er name** N Benutzername *m*

ush·er ['ʌʃə(r)] N *at cinema, theatre* Platzanweiser *m*; *Person, die Hochzeitsgäste in der Kirche an ihren Platz begleitet*

♦ **usher in** VT *new era* einleiten

ush·er·ette [ʌʃə'ret] N Platzanweiserin *f*

u·su·al ['juːʒʊəl] ADJ üblich; **it's not ~ for this to happen** normalerweise passiert so etwas nicht; **as ~** wie üblich, wie gewöhnlich

u·su·al·ly ['juːʒʊəlɪ] ADV meistens, normalerweise

u·su·ry ['juːʒʊrɪ] N Wucher *m*

u·ten·sil [juː'tensl] N Gerät *n*

u·ter·us ['juːtərəs] N Gebärmutter *f*

u·til·i·ty [juː'tɪlətɪ] N *usefulness* Nützlichkeit *f*; **public utilities** *pl* öffentliche Versorgungsbetriebe *pl*

u·til·ize ['juːtɪlaɪz] VT verwenden, nutzen

ut·most ['ʌtməʊst] **A** ADJ äußerste(r, -s), höchste(r, -s) **B** N **do one's ~** sein Äußerstes tun

ut·ter ['ʌtə(r)] **A** ADJ total, völlig **B** VT *sound* von sich geben; *word a.* sagen; *threat, cry* ausstoßen

ut·ter·ly ['ʌtəlɪ] ADV total, völlig

U-turn ['juːtɜːn] N Wende *f*; *fig*: *in policy a.* Kehrtwendung *f*

V

V, **v** [viː] N V, v *n*
v. *only written* ABBR *for* against (*Latin* **versus**) *esp* SPORTS, JUR gegen
va·can·cy ['veɪkənsɪ] N *at company* offene Stelle; *at hotel* freies Zimmer
va·cant ['veɪkənt] ADJ *building* leer stehend; *position* offen; *look* leer
va·cant·ly ['veɪkəntlɪ] ADV *look* abwesend
va·cate [veɪ'keɪt] V/T *room* räumen
va·ca·tion [veɪ'keɪʃn] N UNIV Semesterferien *pl*; *US* Ferien *pl*, Urlaub *m*; **be on ~** im Urlaub sein; **go on ~** in den Urlaub fahren
va·ca·tion·er [veɪ'keɪʃnər], **va·ca·tion·ist** [veɪ'keɪʃənɪst] N *US* Urlauber(in) *m(f)*
vac·cin·ate ['væksɪneɪt] V/T impfen
vac·cin·a·tion [væksɪ'neɪʃn] N (Schutz)-Impfung *f*
vac·cine ['væksiːn] N Impfstoff *m*
vac·u·um ['vækjuːm] **A** N PHYS, *a. fig* Vakuum *n* **B** V/T *carpet* staubsaugen
'vac·u·um clean·er N Staubsauger *m* **'vac·u·um flask** N Thermosflasche® *f* **vac·u·um-'packed** ADJ vakuumverpackt
va·gi·na [və'dʒaɪnə] N Vagina *f*, Scheide *f*
va·gi·nal ['vædʒɪnl] ADJ vaginal, Scheiden-
va·grant ['veɪgrənt] N Landstreicher(in) *m(f)*
vague [veɪg] ADJ vage; *similarity* entfernt
vague·ly ['veɪglɪ] ADV *answer* vage; *a little bit* in etwa; *remember* dunkel; **it is ~ possible** es ist eventuell möglich; **it sounds ~ familiar** das kommt mir irgendwie bekannt vor
vain [veɪn] **A** ADJ *person* eitel; *hope* vergeblich **B** N **in ~** vergebens, vergeblich
val·en·tine ['væləntaɪn] N *Karte zum Valentinstag*; **Valentine's Day** Valentinstag *m*
val·et V/T ['vælət] **have one's car valeted** das Auto gründlich waschen und reinigen lassen
val·et serv·ice ['væleɪ] N *for clothes* Reinigungsdienst *m*; *for cars* Außen- und Innenreinigung *f*
val·iant ['vælɪənt] ADJ mutig
val·id ['vælɪd] ADJ *passport, document* gültig; *reason* triftig; *argument* stichhaltig
val·i·date ['vælɪdeɪt] V/T *document* für gültig erklären; *sb's alibi* bestätigen
va·lid·i·ty [və'lɪdətɪ] N *of reason* Triftigkeit *f*; *of argument* Stichhaltigkeit *f*
Val·let·ta [væ'letə] N Valletta *n*
val·ley ['vælɪ] N Tal *n*
val·u·a·ble ['væljʊəbl] **A** ADJ wertvoll **B** N *pl* **valuables** Wertsachen *pl*, Wertgegenstände *pl*
val·u·a·tion [væljʊ'eɪʃn] N Schätzung *f*
val·ue ['vælju:] **A** N Wert *m*; **be good ~** sein Geld wert sein; **get ~ for money** etwas für sein Geld bekommen **B** V/T *a. friendship, freedom* schätzen
val·ue ad·ded tax [væljuː'ædɪdtæks] N Mehrwertsteuer *f*
valve [vælv] N Ventil *n*; *of heart* Klappe *f*
van [væn] N Lieferwagen *m*
van·dal ['vændl] N Vandale *m*, Vandalin *f*
van·dal·ism ['vændəlɪzm] N Vandalismus *m*
van·dal·ize ['vændəlaɪz] V/T mutwillig beschädigen
van·guard ['vængɑːd] N **be in the ~** *fig* an der Spitze sein
va·nil·la [və'nɪlə] **A** N Vanille *f* **B** ADJ Vanille-
van·ish ['vænɪʃ] V/I verschwinden
van·i·ty ['vænətɪ] N *of person* Eitelkeit *f*
van·tage point ['vɑːntɪdʒ] N *on hill etc* Aussichtspunkt *m*
va·por *US* → vapour
va·por·ize ['veɪpəraɪz] V/T *in explosion* verdampfen lassen
va·pour ['veɪpə(r)] N Dunst *m*
'va·pour trail N Kondensstreifen *m*
var·i·a·ble ['veərɪəbl] **A** ADJ *amount* variabel, veränderlich; *mood, weather* unbeständig, wechselhaft **B** N MATH, IT Variable *f*
var·i·ance ['veərɪəns] N **be at ~ with** im Gegensatz *or* Widerspruch stehen zu
var·i·ant ['veərɪənt] N Variante *f*
var·i·a·tion [veərɪ'eɪʃn] N Abweichung

f; in numbers a. Schwankung *f;* MUS Variation *f*
var·i·cose vein [værikəus'vein] N Krampfader *f*
var·ied ['veərid] ADJ *quality* unterschiedlich; *interests, choice* vielseitig; *life, career* bewegt; *diet* abwechslungsreich
va·ri·e·ty [və'raiəti] N Abwechslung *f; of plant, bird, disease etc* Art *f;* THEAT Varieté *n;* **a ~ of things to do** viele verschiedene Dinge zu tun
var·i·ous ['veəriəs] ADJ *several* mehrere, verschiedene; *different* verschieden
var·nish ['vɑ:nɪʃ] **A** N Lack *m* **B** V/T lackieren
var·y ['veəri] ⟨-ied⟩ **A** V/I unterschiedlich sein **B** V/T *temperature etc* variieren; **~ one's diet** s-e Ernährung abwechslungsreich(er) gestalten
vase [vɑ:z, *US* veiz] N Vase *f*
vas·ec·to·my [və'sektəmi] N Vasektomie *f*
vast [vɑ:st] ADJ riesig
vast·ly ['vɑ:stli] ADV *improve, overestimate* stark; *different* völlig; *superior* haushoch
VAT [vi:ei'ti:, væt] ABBR *for* value added tax MwSt., Mehrwertsteuer *f*
vault¹ [vɒlt] N *in roof* Gewölbe *n;* **vaults** *pl* Kellergewölbe *n; in bank* Tresorraum *m*
vault V/T² [vɒlt] *fence* springen über
VCR [vi:si:'ɑ:(r)] ABBR *for* video cassette recorder Videorekorder *m*
VDU [vi:di:'ju:] ABBR *for* visual display unit COMPUT Bildschirmgerät *n*
veal [vi:l] N Kalbfleisch *n*
veer [viə(r)] V/I *car* ausscheren; *wind* (sich) drehen; **~ to the right** POL sich weiter nach rechts orientieren
veg [vedʒ] N *infml* Gemüse *n*
ve·gan ['vi:gn] **A** N Veganer(in) *m(f)* **B** ADJ vegan
veg·e·ta·ble ['vedʒtəbl] N Gemüse *n*
veg·e·tar·i·an [vedʒi'teəriən] **A** N Vegetarier(in) *m(f)* **B** ADJ vegetarisch
veg·e·tar·i·an·ism [vedʒi'teəriənizm] N Vegetarismus *m*
veg·e·tate ['vedʒiteit] V/I (dahin)vegetieren
veg·e·ta·tion [vedʒi'teiʃn] N Vegetation *f*
ve·he·mence ['vi:əməns] N Heftigkeit *f*
ve·he·ment ['vi:əmənt] ADJ heftig, vehement
ve·hi·cle ['vi:ikl] N Fahrzeug *n; means* Mittel *n*
ve·hi·cle re·gis'tra·tion doc·u·ment N Fahrzeugschein *m*
veil [veil] **A** N Schleier *m* **B** V/T verschleiern
vein [vein] N ANAT Ader *f;* **in this ~** *fig* in diesem Sinne
Vel·cro® ['velkrəu] N Klettband *n;* **~ fastener** Klettverschluss® *m*
ve·loc·i·ty [vi'lɒsəti] N Geschwindigkeit *f*
vel·vet ['velvit] N Samt *m*
ven·det·ta [ven'detə] N Vendetta *f; in media* Rachefeldzug *m*
vend·ing ma·chine ['vendiŋ] N Automat *m*
vend·or ['vendə(r)] N JUR Verkäufer(in) *m(f)*
ve·neer [və'niə(r)] N *on wood* Furnier *n; of politeness etc* Schein *m*
ven·er·a·ble ['venərəbl] ADJ ehrwürdig
ven·er·ate ['venəreit] V/T verehren
ven·er·a·tion [venə'reiʃn] N Verehrung *f*
ve·ne·re·al dis·ease [vi'niəriəl] N Geschlechtskrankheit *f*
ve·ne·tian blind [vəni:ʃn'blaind] N Jalousie *f*
ven·geance ['vendʒəns] N Rache *f;* **with a ~** gewaltig
Ven·ice ['venis] N Venedig *n*
ven·i·son ['venisn] N Reh(fleisch) *n*
Venn di·a·gram [ven'daiəgræm] N Schnittmengendiagramm *n*
ven·om ['venəm] N *of snake* Gift *n; fig* Gehässigkeit *f*
ven·om·ous ['venəməs] ADJ *snake* giftig; *fig a.* gehässig
vent [vent] N *for air* (Abzugs)Öffnung *f;* **give ~ to one's anger** s-m Ärger Luft machen
ven·ti·late ['ventileit] V/T belüften
ven·ti·la·tion [venti'leiʃn] N Ventilation *f*, Belüftung *f*
ven·ti'la·tion shaft N Lüftungsschacht *m*
ven·ti·la·tor ['ventileitə(r)] N Ventilator *m;* MED Beatmungsgerät *n*
ven·tri·cle ['ventrikl] N ANAT Herzkam-

V

mer *f*
ven·tril·o·quist [ven'trɪləkwɪst] N Bauchredner(in) *m(f)*
ven·ture ['ventʃə(r)] **A** N *project* Unternehmung *f*; ECON Unternehmen *n* **B** V/I sich wagen
ven·ture 'ca·pi·tal N Wagniskapital *n*
ven·ue ['venju:] N *for meeting* Treffpunkt *m*; *for concert* Veranstaltungsort *m*; *for sporting event* Austragungsort *m*
verb [vɜ:b] N Verb *n*, Zeitwort *n*; *predicate* Prädikat *n*
verb·al ['vɜ:bl] ADJ *oral* mündlich; *skills* sprachlich; LING verbal
verb·al·ly ['vɜ:bəlɪ] ADV mündlich
ver·ba·tim [vɜ:'beɪtɪm] ADV wortwörtlich
ver·dict ['vɜ:dɪkt] N JUR Urteil *n*; *on matter, person* Urteil *n*, Meinung *f* (**on** über)
verge [vɜ:dʒ] N (Straßen)Rand *m*; **be on the ~ of ruin** kurz vor dem Ruin stehen; **be on the ~ of tears** den Tränen nahe sein; **be on the ~ of doing sth** im Begriff sein, etw zu tun; **I was on the ~ of giving up when ...** ich hatte schon fast aufgegeben, als ...
♦**verge on** V/T grenzen an
ver·i·fi·ca·tion [verɪfɪ'keɪʃn] N Überprüfung *f*; Bestätigung *f*
ver·i·fy ['verɪfaɪ] V/T ⟨-ied⟩ überprüfen; bestätigen
ver·i·ta·ble ['verɪtəbl] ADJ *triumph* wahr; **it was a ~ feast** es war das reinste Festessen
ver·min ['vɜ:mɪn] N *pl* Ungeziefer *n*, Schädlinge *pl*
ver·mouth ['vɜ:məθ] N Wermut *m*
ver·nac·u·lar [və'nækjʊlə(r)] N Landessprache *f*; *dialect* Mundart *f*
ver·sa·tile ['vɜ:sətaɪl] ADJ vielseitig
ver·sa·til·i·ty [vɜ:sə'tɪlətɪ] N Vielseitigkeit *f*
verse [vɜ:s] N Versdichtung *f*; *part of poem, song* Strophe *f*, Vers *m*; *in Bible* Vers *m*
versed [vɜ:st] ADJ **be well ~ in a subject** auf e-m Gebiet beschlagen sein
ver·sion ['vɜ:ʃn] N Version *f*
ver·sus ['vɜ:səs] PREP SPORTS, JUR gegen
ver·te·bra ['vɜ:tɪbrə] N ⟨*pl* vertebrae ['vɜ:tɪbreɪ]⟩ Wirbel *m*
ver·te·brate ['vɜ:tɪbreɪt] N Wirbeltier *n*
ver·ti·cal ['vɜ:tɪkl] ADJ senkrecht, vertikal
ver·ti·go ['vɜ:tɪgəʊ] N Schwindel *m*
verve [vɜ:v] N Elan *m*, Schwung *m*
ver·y ['verɪ] **A** ADV sehr; **the ~ best** das Allerbeste **B** ADJ genau; **that's the ~ thing I need** das ist genau das, was ich brauche; **the ~ thought** der bloße Gedanke; **right at the ~ top** ganz oben; **~ well, I'll go** na gut, dann gehe ich eben
ves·sel ['vesl] N Schiff *n*
vest [vest] N Unterhemd *n*; *US* Weste *f*
ves·ti·bule ['vestɪbju:l] N (Vor)Halle *f*
ves·tige ['vestɪdʒ] N Spur *f*; *of truth* Körnchen *n*
vet[1] [vet] N Tierarzt *m*, -ärztin *f*
vet[2] [vet] V/T ⟨-tt-⟩ *applicant etc* überprüfen
vet·er·an ['vetərən] **A** N Veteran(in) *m(f)* **B** ADJ *computer, equipment* uralt; *troops, politician* altgedient
vet·e·ri·nar·i·an [vetərɪ'neərɪən] N *US* Tierarzt *m*, -ärztin *f*
vet·er·i·nar·y sur·geon ['vetərɪnərɪsɜ:dʒən] N Tierarzt *m*, -ärztin *f*
ve·to ['vi:təʊ] **A** N ⟨*pl* -oes⟩ Veto *n* **B** V/T sein Veto einlegen gegen
vex [veks] V/T ärgern, irritieren
vexed [vekst] ADJ *annoyed* verärgert; **the ~ question of ...** die viel diskutierte Frage ... (+ *gen*)
VHF [vi:eɪtʃ'ef] ABBR *for* very high frequency UKW, Ultrakurzwelle *f*
vi·a ['vaɪə] PREP über, via
vi·a·ble ['vaɪəbl] ADJ *cells, foetus* lebensfähig; *company* rentabel; *alternative, plan* brauchbar
vibes [vaɪbz] N *pl infml*: *of a place etc* Atmosphäre *f*
vi·brant ['vaɪbrənt] ADJ *colours, voice* kräftig; *life* pulsierend
vi·brate [vaɪ'breɪt] V/I vibrieren
vi·bra·tion [vaɪ'breɪʃn] N Vibrieren *n*
vic·ar ['vɪkə(r)] N Pfarrer(in) *m(f)*
vic·ar·age ['vɪkərɪdʒ] N Pfarrhaus *n*
vice[1] [vaɪs] N Schraubstock *m*
vice[2] [vaɪs] N *immorality, fault* Laster *n*
vice 'pres·i·dent N Vizepräsident(in) *m(f)*
'vice squad N Sittenpolizei *f*
vice ver·sa [vaɪs'vɜ:sə] ADV umgekehrt
vi·cin·i·ty [vɪ'sɪnətɪ] N Umgebung *f*; **in**

the ~ of the school in der Nähe der Schule; **in the ~ of £500** um die 500 Pfund
vi·cious ['vɪʃəs] ADJ *dog* bösartig; *attack* brutal; *criticism* gehässig
vi·cious 'cir·cle N Teufelskreis *m*
vi·cious·ly ['vɪʃəslɪ] ADV brutal
vic·tim ['vɪktɪm] N Opfer *n*
vic·tim·ize ['vɪktɪmaɪz] V/T ungerecht behandeln, schikanieren
vic·tor ['vɪktə(r)] N Sieger(in) *m(f)*
vic·to·ri·ous [vɪk'tɔ:rɪəs] ADJ siegreich
vic·to·ry ['vɪktərɪ] N Sieg *m*; **win a ~ over sth/sb** e-n Sieg über etw/j-n erringen, etw/j-n besiegen
vid·e·o ['vɪdɪəʊ] **A** N Video *n*; *device* Videorekorder *m* **B** V/T auf Video aufnehmen
'vid·e·o cam·e·ra N Videokamera *f*
'vid·e·o cas·sette N Videokassette *f* **'vid·e·o con·fer·ence** N TEL Videokonferenz *f* **vid·e·o con·fer·enc·ing** ['vɪdɪəʊkɒnfərənsɪŋ] N TEL Videokonferenzen *pl* **'vid·e·o game** N Videospiel *n* **'vid·e·o·phone** N Videotelefon *n* **'vid·e·o re·cord·er** N Videorekorder *m* **'vid·e·o re·cord·ing** N Videoaufnahme *f* **'vid·e·o·tape** **A** N Videokassette *f* **B** V/T (auf Videoband) aufnehmen
vie [vaɪ] V/I wetteifern (**for** um)
Vi·en·na [vɪ'enə] N Wien *n*
Vi·en·nese [vɪə'ni:z] **A** ADJ wienerisch, Wiener- **B** N Wiener(in) *m(f)*
Vi·et·nam [vɪet'næm] N Vietnam *n*
Vi·et·nam·ese [vɪetnə'mi:z] **A** ADJ vietnamesisch **B** N Vietnamese *m*, Vietnamesin *f*; *language* Vietnamesisch *n*
view [vju:] **A** N *vista* Aussicht *f*; *on situation* Ansicht *f*, Meinung *f*; **a room with a ~ of the hills** ein Zimmer mit Blick auf die Berge; **block sb's ~** j-m die Sicht versperren; **be hidden from ~** nicht zu sehen sein; **be on ~** *paintings* ausgestellt sein; **what are your views on ...?** wie denkst du über ...?; **in ~ of** angesichts; **with a ~ to doing sth** mit der Absicht, etw zu tun; **in full ~ of ...** direkt vor ... **B** V/T *situation* betrachten; *TV programme* anschauen; *house* besichtigen **C** V/I fernsehen
view·er ['vju:ə(r)] N TV (Fernseh)Zuschauer(in) *m(f)*
view·find·er ['vju:faɪndə(r)] N PHOT Sucher *m*
'view·point N Standpunkt *m*
vig·il ['vɪdʒɪl] N (Nacht)Wache *f*
vig·i·lance ['vɪdʒɪləns] N Wachsamkeit *f*
vig·i·lant ['vɪdʒɪlənt] ADJ wachsam
vig·or *US* → vigour
vig·or·ous ['vɪgərəs] ADJ *person, shaking* energisch; *denial, defence* heftig
vig·our ['vɪgə(r)] N Kraft *f*, Energie *f*
vile [vaɪl] ADJ abscheulich
vil·la ['vɪlə] N Villa *f*
vil·lage ['vɪlɪdʒ] N Dorf *n*
vil·lag·er ['vɪlɪdʒə(r)] N Dorfbewohner(in) *m(f)*
vil·lain ['vɪlən] N Schurke *m*; *in play, film* Bösewicht *m*; *infml*: *criminal* Verbrecher(in) *m(f)*
Vil·ni·us ['vɪlnɪəs] N Wilna *n*, Vilnius *n*
vin·di·cate ['vɪndɪkeɪt] V/T *statement* bestätigen; *person* rehabilitieren; **feel vindicated** sich bestätigt fühlen
vin·dic·tive [vɪn'dɪktɪv] ADJ rachsüchtig
vine [vaɪn] N (Wein)Rebe *f*
vin·e·gar ['vɪnɪgə(r)] N Essig *m*
'vine·grow·er N Winzer(in) *m(f)*
vine·yard ['vɪnjɑ:d] N Weinberg *m*
vin·tage ['vɪntɪdʒ] **A** N *of wine* Jahrgang *m* **B** ADJ hervorragend; **it's ~ Hollywood** das ist ein Hollywood-Klassiker
vi·o·late ['vaɪəleɪt] V/T *rules, human rights* verletzen; *treaty* brechen
vi·o·la·tion [vaɪə'leɪʃn] N *of rules, human rights* Verletzung *f*; *of treaty* Bruch *m*
vi·o·lence ['vaɪələns] N Gewalt *f*; *of person* Gewalttätigkeit *f*; *of emotions, reaction, storm* Heftigkeit *f*
vi·o·lent ['vaɪələnt] ADJ gewalttätig; *feelings, storm, attack* heftig; *death* gewaltsam; **~ crime** Gewaltverbrechen *n*; **have a ~ temper** jähzornig sein
vi·o·lent·ly ['vaɪələntlɪ] ADV *react, protest* heftig
vi·o·let ['vaɪələt] N *colour* Violett *n*; *plant* Veilchen *n*
vi·o·lin [vaɪə'lɪn] N Geige *f*, Violine *f*
VIP [vi:aɪ'pi:] ABBR *for* very important person VIP *m*, wichtige Persönlichkeit
vi·ral ['vaɪrəl] ADJ *infection* Virus-
vir·gin ['vɜ:dʒɪn] N Jungfrau *f*
vir·gin·i·ty [vɜ:'dʒɪnətɪ] N Jungfräulich-

keit *f*; **lose one's ~** s-e Unschuld verlieren
Vir·go ['vɜːgəʊ] N ASTROL Jungfrau *f*
vir·ile ['vɪraɪl] ADJ *man* männlich; *style* ausdrucksvoll
vi·ril·i·ty [vɪ'rɪlətɪ] N Männlichkeit *f*; *sexual* Potenz *f*
vir·tu·al ['vɜːtjʊəl] ADJ **she's a ~ prisoner** sie ist praktisch e-e Gefangene
vir·tu·al·ly ['vɜːtjʊəlɪ] ADV *almost* praktisch
vir·tue ['vɜːtjuː] N Tugend *f*; **in ~ of** aufgrund
vir·tu·ous ['vɜːtjʊəs] ADJ tugendhaft
vir·u·lent ['vɪrʊlənt] ADJ *disease* bösartig; *fig*: *attack, criticism* scharf
vi·rus ['vaɪrəs] N MED, IT Virus *m or n*
vi·sa ['viːzə] N Visum *n*
vis·cous ['vɪskəs] ADJ dickflüssig, zähflüssig
vise [vaɪz] *US* → vice[1]
vis·i·bil·i·ty [vɪzə'bɪlətɪ] N Sichtbarkeit *f*; **good/poor ~** gute/schlechte Sicht; **~ is down to 50 metres** die Sichtweite beträgt nur 50 Meter
vis·i·ble ['vɪzəbl] ADJ *object* sichtbar; *difficulties, rage* sichtlich; **not ~ to the naked eye** mit dem bloßen Auge nicht zu erkennen
vis·i·bly ['vɪzəblɪ] ADV *different, moved* sichtlich
vi·sion ['vɪʒn] N Sehvermögen *n*; REL *etc* Vision *f*; **we had visions of being stuck there overnight** wir sahen uns schon die ganze Nacht dort festsitzen
vi·sion·a·ry ['vɪʒnrɪ] N Visionär(in) *m(f)*
vis·it ['vɪzɪt] **A** N Besuch *m*; *to place, town, country* Aufenthalt *m*; **pay a ~ to the doctor** e-n Arzt aufsuchen; **pay sb a ~** j-n besuchen **B** V/T *person, place, website* besuchen; *doctor* aufsuchen
'vis·it·ing hours N *pl* Besuchszeit *f*
vis·i·tor ['vɪzɪtə(r)] N Gast *m*; *to museum etc* Besucher(in) *m(f)*; Tourist(in) *m(f)*; **have visitors** Besuch haben
vi·sor ['vaɪzə(r)] N *of helmet* Visier *n*; *of cap* Schirm *m*
vis·u·al ['vɪzjʊəl] ADJ Seh-; *memory* visuell
vis·u·al 'aid N Anschauungsmaterial *n* **vis·u·al 'arts** N *pl* bildende Künste *pl* **vis·u·al dis'play u·nit** N Bildschirmgerät *n*
vis·u·al·ize ['vɪzjʊəlaɪz] V/T sich vorstellen
vis·u·al·ly ['vɪzjʊlɪ] ADV visuell
vis·u·al·ly im'paired ADJ sehbehindert
vi·tal ['vaɪtl] ADJ *essential* unerlässlich; *difference* äußerst wichtig; **be ~ that ...** unbedingt erforderlich sein, dass ...; **at the ~ moment** im entscheidenden Moment; **be of ~ importance** von größter Wichtigkeit sein
vi·tal·i·ty [vaɪ'tælətɪ] N Vitalität *f*
vi·tal·ly ['vaɪtəlɪ] ADV **~ important** von größter Wichtigkeit
vi·tal 'or·gans N *pl* lebenswichtige Organe *pl*
vi·tal sta'tis·tics N *pl of woman* Maße *pl*
vit·a·min ['vɪtəmɪn] N Vitamin *n*
'vit·a·min pill N Vitamintablette *f*
vi·va·cious [vɪ'veɪʃəs] ADJ lebhaft, temperamentvoll
vi·vac·i·ty [vɪ'væsətɪ] N Lebhaftigkeit *f*
viv·id ['vɪvɪd] ADJ *colour* kräftig; *memory, imagination* lebhaft
viv·id·ly ['vɪvɪdlɪ] ADV *remember* lebhaft; *described* anschaulich
viz. [vɪz] ABBR *for* namely (*Latin* **videlicet**) nämlich
V-neck ['viːnek] N V-Ausschnitt *m*
vo·cab·u·lar·y [və'kæbjʊlərɪ] N Wortschatz *m*, Vokabular *n*; *at back of textbook* Vokabelliste *f*
vo·cal ['vəʊkl] ADJ Stimm-; *protest* lautstark; **they have become more ~** ihre Forderungen sind lauter geworden
'vo·cal cords N *pl* Stimmbänder *pl*
vo·cal·ist ['vəʊkəlɪst] N MUS Sänger(in) *m(f)*
vo·ca·tion [və'keɪʃn] N Berufung *f*; Beruf *m*
vo·ca·tion·al [və'keɪʃnl] ADJ *training, adviser* Berufs-
vo·ca·tion·al 'train·ing N Berufsbildung *f*
vod·ka ['vɒdkə] N Wodka *m*
vogue [vəʊg] N Mode *f*
voice [vɔɪs] **A** N Stimme *f* **B** V/T *opinion* zum Ausdruck bringen
void [vɔɪd] **A** N Leere *f* **B** ADJ **~ of** ohne
vol·a·tile ['vɒlətaɪl] ADJ brisant; *situation a.*, *mood, personality* unberechenbar; CHEM flüchtig

vol·ca·no [vɒl'keɪnəʊ] N ⟨*pl* -os, -oes⟩ Vulkan *m*
vol·ley ['vɒlɪ] N *of shots* Hagel *m*; *in tennis* Volley *m*, Flugball *m*
volt·age ['vəʊltɪdʒ] N Spannung *f*
vol·u·ble ['vɒljʊbl] ADJ redselig
vol·ume ['vɒlju:m] N Volumen *n*; *of work a., business* Umfang *m*; *of book* Band *m*; *of radio etc* Lautstärke *f*; **turn the ~ down/up** (das Gerät) leiser/lauter stellen; **~ of traffic** Verkehrsaufkommen *n*
'vol·ume con·trol N Lautstärkeregler *m*
vol·un·tar·i·ly [vɒlən'teərɪlɪ] ADV freiwillig
vol·un·tar·y ['vɒləntrɪ] ADJ *helper* freiwillig; *work* unbezahlt
vol·un·teer [vɒlən'tɪə(r)] **A** N Freiwillige(r) *m/f(m)* **B** V/I sich freiwillig melden; **~ to do sth** sich anbieten, etw zu tun; **who's going to ~?** wer macht's freiwillig?
vo·lup·tu·ous [və'lʌptjʊəs] ADJ *woman, mouth* sinnlich; *figure* kurvenreich
vom·it ['vɒmɪt] **A** N Erbrochene(s) *n* **B** V/I sich übergeben
♦ **vomit up** V/T erbrechen
vo·ra·cious [və'reɪʃəs] ADJ *appetite* unersättlich; **be a ~ reader** ein Buch nach dem ander(e)n verschlingen
vo·ra·cious·ly [və'reɪʃəslɪ] ADV *eat* gierig
vote [vəʊt] **A** N Stimme *f*; Wahlrecht *n*; **have the ~** wahlberechtigt sein; **take a ~ on sth** über etw abstimmen **B** V/I POL wählen; **~ for/against ...** für/gegen ... stimmen **C** V/T **~ sb President** j-n zum Präsidenten wählen; **they voted to stay behind** sie beschlossen dazubleiben
♦ **vote in** V/T *new member* wählen
♦ **vote on** V/T *problem* abstimmen über
♦ **vote out** V/T *of office* abwählen
vot·er ['vəʊtə(r)] N POL Wähler(in) *m(f)*
vot·ing ['vəʊtɪŋ] N POL Wahl *f*
'vot·ing right N POL Wahlrecht *n*, Stimmrecht *n*
'vot·ing sys·tem N POL Wahlsystem *n*
♦ **vouch for** ['vaʊtʃfɔ:] V/T sich verbürgen für
vouch·er ['vaʊtʃə(r)] N Gutschein *m*
vow [vaʊ] **A** N Gelöbnis *n* **B** V/T **~ to do sth** geloben, etw zu tun
vow·el [vaʊl] N Vokal *m*, Selbstlaut *m*
voy·age ['vɔɪɪdʒ] N Seereise *f*; *in space* Flug *m*
V-sign ['vi:saɪn] N Victory-Zeichen *n*; **give sb the ~** j-m den Stinkefinger zeigen
vul·gar ['vʌlgə(r)] ADJ vulgär
vul·ner·a·ble ['vʌlnərəbl] ADJ verwundbar; *to criticism etc* verletzlich
vul·ture ['vʌltʃə(r)] N Geier *m*

W

W, **w** ['dʌblju:] N W, w *n*
W *only written* ABBR *for* west W, West *m*, Westen *m*; **west(ern)** westlich; **watt, watts** *pl* W, Watt *pl*
wad [wɒd] N *of paper* Knäuel *m or n*; *of cotton wool* Bausch *m*; *of banknotes* Bündel *n*
wad·ding ['wɒdɪŋ] N Einlage *f*; *for packaging* Füllmaterial *n*
wad·dle ['wɒdl] V/I watscheln
wade [weɪd] V/I waten
♦ **wade through** V/T *book, documents* sich durchkämpfen durch
wa·fer ['weɪfə(r)] N Waffel *f*; REL Hostie *f*
wa·fer-'thin ADJ hauchdünn
waf·fle[1] ['wɒfl] N *type of pancake* Waffel *f*
waf·fle[2] ['wɒfl] V/I *infml* schwafeln
wag [wæg] ⟨-gg-⟩ **A** V/T *tail* wedeln mit; **~ one's finger at sb** j-m mit dem Finger drohen **B** V/I *tail* wedeln
wage[1] [weɪdʒ] V/T *war* führen
wage[2] [weɪdʒ] N Lohn *m*; **wages** *pl* Lohn *m*; Löhne *pl*
'wage brack·et N Lohngruppe *f*
wage dump·ing ['weɪdʒdʌmpɪŋ] N Lohndumping *n* **wage earn·er** ['weɪdʒɜ:nə(r)] N Lohnempfänger(in) *m(f)*
'wage freeze N Lohnstopp *m*
'wage in·crease N Lohnerhöhung *f*
'wage ne·go·ti·a·tions N *pl* Tarifverhandlungen *pl* **'wage pack·et** N *fig* Lohntüte *f* **wage-price 'spi·ral**

N Lohn-Preis-Spirale *f*
wa·ger ['weɪdʒə(r)] N Wette *f*
'wage rise N Lohnerhöhung *f*
wag·gle ['wægl] **A** VT *hips, ears* wackeln mit; *screw, tooth etc* wackeln an **B** VI wackeln
wag·on ['wægən] N RAIL Güterwagen *m*; *in Wild West* Planwagen *m*; **be on the ~** *infml* nichts trinken
wail [weɪl] **A** N *of person* Jammern *n*; *of baby* Geschrei *n*; *of siren* Heulen *n* **B** VI *person* jammern; *baby* schreien; *siren* heulen
waist [weɪst] N Taille *f*
'waist·coat N Weste *f*
'waist·line N Taille *f*
wait [weɪt] **A** N Wartezeit *f*; **have a long ~** lange warten müssen **B** VI warten; **~ and see!** wart's ab! **C** VT warten; **~ a minute!** Moment mal!; **I can't ~ to see her again** ich kann es kaum erwarten, sie wiederzusehen
♦ **wait for** VT warten auf; **wait for ten minutes** zehn Minuten warten
♦ **wait on** VT *person* bedienen
♦ **wait up** VI aufbleiben
wait·er ['weɪtə(r)] N Kellner *m*; **~!** (Herr) Ober!
wait·ing ['weɪtɪŋ] N Warten *n*; **no ~ sign** Halteverbotsschild *n*
'wait·ing list N Warteliste *f*
'wait·ing room N *at station* Wartesaal *m*; *at doctor's etc* Wartezimmer *n*
wait·ress ['weɪtrɪs] N Kellnerin *f*, Bedienung *f*
waive [weɪv] VT verzichten auf
wake[1] [weɪk] ⟨woke *or* waked, woken *or* waked⟩ **A** VI **~ (up)** aufwachen **B** VT (auf)wecken
wake[2] [weɪk] N *of ship* Kielwasser *n*; **in the ~ of** *fig* im Gefolge; **follow in the ~ of** folgen auf
'wake-up call N Weckruf *m*
Wales [weɪlz] N Wales *n*
walk [wɔ:k] **A** N Spaziergang *m*; **it's a five-minute ~** es sind fünf Minuten zu Fuß; **go for a ~** e-n Spaziergang machen, spazieren gehen; **from all walks of life** aus allen Berufen und Schichten **B** VI gehen, laufen; *instead of driving* zu Fuß gehen; *in wood, mountains* wandern **C** VT *dog* ausführen; **~ the streets** *wander around* durch die Straßen laufen
♦ **walk around** VI herumlaufen
♦ **walk out** VI *wife, husband* (weg)gehen; *of theatre etc* gehen; *worker* in Streik treten
♦ **walk out on** VT verlassen
'walk·a·bout N **go ~** *infml*: *monarch, politician* sich unters Volk mischen
walk·er ['wɔ:kə(r)] N Wanderer *m*, Wanderin *f*; *for baby* Laufstuhl *m*; *for old people* Gehhilfe *f*; **be a fast ~** schnell gehen
walk·ing ['wɔ:kɪŋ] N *instead of driving* Gehen *n*; *in wood, mountains* Wandern *n*; **be within ~ distance** zu Fuß zu erreichen sein; **go ~** wandern
'walk·ing shoes N *pl* Wanderschuhe *pl* **'walk·ing stick** N Spazierstock *m*
'walk·ing tour N Wanderung *f*
'walk·out N Streik *m*
'walk·o·ver N leichter Sieg
wall [wɔ:l] N Mauer *f*; Wand *f*; **go to the ~** *company* bankrottgehen; **drive sb up the ~** *infml* j-n wahnsinnig machen
'wall·chart N Wandkarte *f*
wal·let ['wɒlɪt] N Brieftasche *f*
wal·lop VT ['wɒləp] *infml* eine reinhauen
wal·low ['wɒləʊ] VI sich wälzen; *fig* schwelgen, sich baden (**in** in)
'wall·pa·per **A** N Tapete *f* **B** VT tapezieren
wall-to-'wall ADJ **~ carpet** Teppichboden *m*
wal·nut ['wɔ:lnʌt] N Walnuss *f*; Walnussbaum *m*
waltz [wɔ:lts] N Walzer *m*
wand [wɒnd] N (Zauber)Stab *m*
wand·er ['wɒndə(r)] VI *in town, park etc* umherstreifen; *attention* (ab)schweifen
♦ **wander around** VI herumlaufen
wane [weɪn] VI *interest etc* schwinden; *moon* abnehmen
wan·gle ['wæŋgl] VT *infml* organisieren; **~ an extra week's holiday** e-e zusätzliche Woche Urlaub rausschlagen; **how did you ~ it?** wie hast du das gedeichselt?
wan·na·be ['wɒnəbi:] N *infml* Möchtegern *m*
want [wɒnt] **A** N Mangel *m* (**of** an); **wants** *pl* Bedürfnisse *pl* **B** VT wollen; brauchen; **he wants a haircut** er muss (mal) zum Frisör; **it wants a new battery** da muss e-e neue Batterie rein; **you ~ to**

W

be more careful du solltest vorsichtiger sein **C** VI **they ~ for nothing** ihnen fehlt es an nichts
'want ad N Kleinanzeige *f*
want·ed ['wɒntɪd] ADJ (polizeilich) gesucht (**for** wegen)
want·ing ['wɒntɪŋ] ADJ **be ~ in sth** an etw fehlen; **he is ~ in** … es fehlt *or* mangelt ihm an …
war [wɔː(r)] N Krieg *m*; **be at ~** *a. fig* sich im Kriegszustand befinden
ward [wɔːd] N *in hospital* Station *f*; *child* Mündel *n*
♦ **ward off** VT abwehren
war·den ['wɔːdn] N *of youth hostel* Herbergsvater *m*, -mutter *f*; *of nature reserve etc* Aufseher(in) *m(f)*; *US*: *of prison* Direktor(in) *m(f)*
ward·er ['wɔːdə(r)] N Aufsichtsbeamte(r) *m*, -beamtin *f*
'ward·robe N *piece of furniture* Kleiderschrank *m*; *clothes* Garderobe *f*
ware·house ['weəhaʊs] N Lager(haus) *n*
'war·fare N *waging of war* Kriegsführung *f*; *state of war* Krieg *m*; **chemical ~** der Einsatz chemischer Waffen
'war·head N Sprengkopf *m*
war·i·ly ['weərɪlɪ] ADV vorsichtig; *suspiciously* misstrauisch
warm [wɔːm] **A** ADJ warm; *reception, smile* herzlich **B** VT wärmen; → warm up
♦ **warm up** **A** VT *soup, plate* aufwärmen; *room* (be)heizen; *audience* in Stimmung bringen **B** VI *soup, room etc* warm werden; *sportsman etc* sich aufwärmen
warm·heart·ed [wɔːm'hɑːtɪd] ADJ warmherzig
warm·ly ['wɔːmlɪ] ADV *dressed* warm; *welcomed, smile* herzlich
warmth [wɔːmθ] N Wärme *f*; *of welcome, smile* Herzlichkeit *f*
'warm-up N SPORTS Aufwärmen *n*
warn [wɔːn] VT warnen (**about** vor)
warn·ing ['wɔːnɪŋ] N Warnung *f*; **without ~** ohne Vorwarnung; *rain etc* unerwartet
warp [wɔːp] **A** VT *wood* wellen; *character* verbiegen **B** VI *wood* sich verziehen
warped [wɔːpt] ADJ *fig* abartig
'war·plane N Kampfflugzeug *n*
war·rant ['wɒrənt] **A** N Haftbefehl *m*; Durchsuchungsbefehl *m* **B** VT rechtfertigen
war·ran·ty ['wɒrəntɪ] N Garantie *f*; **it's still under ~** darauf ist noch Garantie
war·ri·or ['wɒrɪə(r)] N Krieger(in) *m(f)*
War·saw ['wɔːsɔː] N Warschau *n*
'war·ship N Kriegsschiff *n*
wart [wɔːt] N Warze *f*
'war·time N **in ~** in Kriegszeiten
war·y ['weərɪ] ADJ ⟨-ier, -iest⟩ vorsichtig; *mistrustful* misstrauisch
was [wɒz] PRET → be
wash [wɒʃ] **A** N **have a ~** sich waschen; **be in the ~** in der Wäsche sein **B** VT waschen; *dishes* abwaschen, spülen; **~ one's hands** sich die Hände waschen **C** VI sich waschen
♦ **wash up** VI abwaschen, spülen; *US* sich die Hände waschen
wash·a·ble ['wɒʃəbl] ADJ waschbar
'wash·bag N *US* Kulturbeutel *m*
'wash·ba·sin, **'wash·bowl** N Waschbecken *n*
washed-out [wɒʃt'aʊt] ADJ ausgelaugt
wash·er ['wɒʃə(r)] N *for tap etc* Dichtungsring *m*; → washing machine
wash·ing ['wɒʃɪŋ] N Wäsche *f*; **do the ~** die Wäsche waschen
'wash·ing ma·chine N Waschmaschine *f* **'wash·ing pow·der** N Waschpulver *n* **wash·ing-'up** N Abwasch *m*; **do the ~** abwaschen **wash·ing-'up liq·uid** N Spülmittel *n*
'wash·room N *US* Toilette *f*
wasp [wɒsp] N Wespe *f*
waste [weɪst] **A** N Verschwendung *f*; *refuse* Abfall *m*; **it's a ~ of money** das ist Geldverschwendung **B** ADJ ungenutzt **C** VT verschwenden
♦ **waste away** VI dahinschwinden
'waste dis·pos·al N Abfallentsorgung *f*; *unit* (Küchen)Abfallzerkleinerer *m*
'waste dis·pos·al u·nit N (Küchen)-Abfallzerkleinerer *m*
waste·ful ['weɪstfʊl] ADJ verschwenderisch
waste 'gas N Abgas *n* **'waste·land** N Ödland **waste 'man·age·ment** N Abfallmanagement *n* **waste'pa·per** N Altpapier *n* **waste'pa·per bas·ket** N Papierkorb *m* **'waste pipe** N Abflussrohr *n* **'waste prod-**

W

uct N Abfallprodukt *n*
watch [wɒtʃ] **A** N (Armband)Uhr *f*; **keep ~** Wache stehen **B** VT beobachten; *film, match* sich ansehen; *children, luggage* aufpassen auf; **he watched them playing** er schaute ihnen beim Spielen zu; **~ TV** fernsehen; **~ it!** pass auf!; **~ it you!** pass bloß auf! **C** VI zusehen
♦**watch for** VT Ausschau halten nach
♦**watch out** VI aufpassen; **watch out!** Vorsicht!
♦**watch out for** VT achtgeben auf, aufpassen auf; *visitors etc* Ausschau halten nach
'watch·dog N *fig: organization* Kontrollbehörde *f*; *person Beamte/Beamtin mit Überwachungsaufgaben*
watch·ful ['wɒtʃfʊl] ADJ wachsam
'watch·mak·er N Uhrmacher(in) *m(f)*
wa·ter ['wɔːtə(r)] **A** N Wasser *n* **B** VT *plant* gießen **C** VI *eyes* tränen; **my mouth is watering** mir läuft das Wasser im Mund zusammen
♦**water down** VT *drink* verdünnen
'wa·ter can·non N Wasserwerfer *m*
'wa·ter·col·our, **'wa·ter·col·or** *US* N Wasserfarbe *f* **'wa·ter·cress** N (Brunnen)Kresse *f*
wa·tered down [wɔːtəd'daʊn] ADJ *fig* abgeschwächt
'wa·ter·fall N Wasserfall *m*
'wa·ter·front N Hafenviertel *n*; **along the ~** am Wasser entlang
wa·ter·ing can ['wɔːtərɪŋ] N Gießkanne *f*
'wa·ter lev·el N Wasserstand *m* **wa·ter·logged** ['wɔːtəlɒgd] ADJ **be ~** *field, ground* unter Wasser stehen; *boat* voll Wasser gelaufen sein **'wa·ter main** N Hauptwasserrohr *n* **'wa·ter·mark** N *on paper* Wasserzeichen *n* **'wa·ter mel·on** N Wassermelone *f* **'wa·ter pol·lu·tion** N Wasserverschmutzung *f* **'wa·ter·proof** ADJ wasserdicht
wa·ters ['wɔːtəz] N *pl* Gewässer *pl*; *of river* Wasser *n*
'wa·ter·shed N *fig* Wendepunkt *m* **'wa·ter·side** N Ufer *n*; **at the ~** am Ufer **'wa·ter·ski·ing** N Wasserskilaufen *n* **'wa·ter·tight** ADJ *cabin* wasserdicht; *fig* hieb- und stichfest **'wa·ter·way** N Wasserstraße *f*
wa·ter·y ['wɔːtərɪ] ADJ wässrig
wave¹ [weɪv] N *in sea* Welle *f*
wave² [weɪv] **A** N *of hand* Winken *n* **B** VI *with hand* winken; **~ to sb** j-m (zu)winken **C** VT *flag etc* winken mit
'wave·length N RADIO Wellenlänge *f*; **be on the same ~** *fig* die gleiche Wellenlänge haben
wa·ver ['weɪvə(r)] VI *in support, faith* schwanken
wav·y ['weɪvɪ] ADJ ⟨-ier, -iest⟩ wellig, gewellt; **~ line** Wellenlinie *f*
wax [wæks] N *for floor etc* Wachs *n*; *in ear* Ohrenschmalz *n*
way [weɪ] **A** N *method* Art *f*, Weise *f*; Art und Weise *f*; *route* Weg *m*; **have one's (own) ~** sich durchsetzen; **OK, we'll do it your ~** okay, wir machen es so, wie du willst; **this ~** so, auf diese Weise; **in a ~** in gewisser Weise; **can you tell me the ~ to the bus station?** könnten Sie mir sagen, wie ich zum Busbahnhof komme?; **this ~** in die Richtung; **please come this ~** hier entlang, bitte; **lead the ~** vor(an)gehen; *fig* führend sein; **lose one's ~** sich verirren; **be in the ~** *be an obstacle* im Weg sein; **it's on the ~ to the station** es liegt auf dem Weg zum Bahnhof; **it's a long ~ to Maidstone** es ist ziemlich weit bis nach Maidstone; **Easter's still a long ~ off** bis Ostern ist es noch lange (hin); **which ~ did you come?** wie bist du hergekommen?; **the other ~ round** andersrum; **by the ~** übrigens; **by ~ of** über; **by ~ of an apology** als Entschuldigung; **be under ~** im Gang sein; **once the project is under ~** wenn das Projekt angelaufen ist; **give ~** AUTO die Vorfahrt lassen; *ground, bridge* nachgeben; **give ~ to** abgelöst werden von; **no ~!** kommt nicht infrage!; **there's no ~ he can do it** ausgeschlossen, dass er es machen kann **B** ADV *infml* **it's ~ too soon** es ist viel zu früh; **they are ~ behind with their work** sie sind mit ihrer Arbeit weit im Rückstand
'way·bill N ECON Frachtbrief *m* **way 'in** N Eingang *m* **way'lay** VT ⟨waylaid, waylaid⟩ *ambush* auflauern; *stop for conversation* abfangen, abpassen **way of 'life** N Lebensweise *f* **way 'out** N Ausgang *m*; *fig* Ausweg *m*
way·ward ['weɪwəd] ADJ eigensinnig,

launisch
we [wiː] PRON wir
weak [wiːk] ADJ schwach
weak·en ['wiːkn] **A** V/T schwächen **B** V/I schwächer werden; *fig: in resolve* nachgeben
weak·ling ['wiːklɪŋ] N Schwächling *m*
weak·ness ['wiːknɪs] N *a. liking* Schwäche *f*
wealth [welθ] N Reichtum *m*; **a ~ of** e-e Fülle von
wealth cre'a·tion N Vermögensbildung *f*
wealth·y ['welθɪ] ADJ ⟨-ier, -iest⟩ reich
weap·on ['wepən] N Waffe *f*
wear [weə(r)] **A** N **~ (and tear)** Abnutzung *f*; **clothes for everyday ~** Kleidung für jeden Tag **B** V/T ⟨wore, worn⟩ *clothes, jewellery etc* tragen; *hat a.* aufhaben; *through frequent use* abnutzen **C** V/I ⟨wore, worn⟩ sich abnutzen; **~ well** *jacket etc* gut halten
♦**wear away** **A** V/I *inscription* verwittern; *carpet, steps* sich abnutzen; *rock* abgetragen werden **B** V/T *inscription* verwittern lassen; *steps* austreten; *rock* abtragen
♦**wear down** V/T *person, resistance* zermürben
♦**wear off** V/I *effect, feeling* nachlassen
♦**wear out** **A** V/T *person* erschöpfen; *shoes* austragen **B** V/I *shoes, carpet* verschleißen
wea·ri·ly ['wɪərɪlɪ] ADV müde
wear·ing ['weərɪŋ] ADJ ermüdend
wear·y ['wɪərɪ] ADJ ⟨-ier, -iest⟩ müde
weath·er ['weðə(r)] **A** N Wetter *n*; **be under the ~** sich nicht ganz wohlfühlen **B** V/T *crisis* überstehen
'weath·er-beat·en ADJ vom Wetter gegerbt **'weath·er chart** N Wetterkarte *f* **'weath·er fore·cast** N Wettervorhersage *f* **'weath·er·girl** N Wetteransagerin *f* **'weath·er·man** N Wetteransager *m* **'weath·er·proof** ADJ wetterfest **'weath·er vane** N Wetterfahne *f*
weave [wiːv] **A** V/T ⟨wove, woven⟩ *blanket* weben; *basket* flechten **B** V/I ⟨weaved, weaved⟩ *through traffic* sich schlängeln
web [web] N *of spider* Netz *n*; **the Web** IT das Internet
'web brows·er N Browser *m* **web·en·a·bled** ['webeneɪbld] ADJ internetfähig **'web page** N Webseite *f* **'web site** N Website *f* **'web·site ad·dress** N Internetadresse *f*
wed [wed] V/I ⟨-dd-⟩ heiraten
wed·ding ['wedɪŋ] N Hochzeit *f*
'wed·ding an·ni·ver·sa·ry N Hochzeitstag *m* **'wed·ding cake** N Hochzeitskuchen *m* **'wed·ding day** N Hochzeitstag *m* **'wed·ding dress** N Hochzeitskleid *n*, Brautkleid *n* **'wed·ding ring** N Ehering *m*
wedge [wedʒ] **A** N Keil *m*; *of cheese* Stück *n*, Ecke *f* **B** V/T **~ open** verkeilen
wed·lock ['wedlɒk] N **born in/out of ~** ehelich/unehelich geboren
Wednes·day ['wenzdeɪ] N Mittwoch *m*
wee[1] [wiː] N *infml* Pipi *n*; **do a ~** Pipi machen
wee[2] ADJ *infml: Scottish* klein
weed [wiːd] **A** N Unkraut *n* **B** V/T jäten
♦**weed out** V/T aussondern
'weed-kill·er N Unkrautvernichter *m*
weed·y ['wiːdɪ] ADJ ⟨-ier, -iest⟩ *infml* schmächtig; *character* blutarm
week [wiːk] N Woche *f*; **for weeks** wochenlang; **a ~ tomorrow** morgen in e-r Woche
'week·day N Wochentag *m*
week'end N Wochenende *n*; **at** *or* **on the ~** am Wochenende
week·ly ['wiːklɪ] **A** ADJ wöchentlich **B** N Wochenzeitschrift *f* **C** ADV *paid, appear* wöchentlich
weep [wiːp] V/I ⟨wept, wept⟩ weinen
weep·y ['wiːpɪ] ADJ ⟨-ier, -iest⟩ **be ~** weinerlich sein
weigh [weɪ] **A** V/T wiegen; **~ anchor** den Anker lichten **B** V/I wiegen
♦**weigh down** V/T **be weighed down with** *bags* (schwer) beladen sein mit; *worries* erdrückt werden von
♦**weigh on** V/T **weigh on sb's mind** j-n belasten
♦**weigh up** V/T *situation* abwägen; *person* einschätzen
weight [weɪt] N **A** N Gewicht *n*; **put on/lose ~** zunehmen/abnehmen **B** V/T *votes, statistics* gewichten
♦**weight down** V/T beschweren
weight·less ['weɪtləs] ADJ schwerelos
weight·less·ness ['weɪtləsnəs] N

Schwerelosigkeit *f*
weight·y ['weɪtɪ] ADJ ‹-ier, -iest› *fig* gewichtig, schwerwiegend
weir [wɪə(r)] N Wehr *n*
weird [wɪəd] ADJ seltsam
weird·o ['wɪədəʊ] N *infml* Irre(r) *m/f(m)*
wel·come ['welkəm] **A** ADJ willkommen; **you're ~!** nichts zu danken, keine Ursache; **you're ~ to try some** du kannst gerne welche probieren, probier ruhig mal **B** N *for guests etc* Begrüßung *f*, Empfang *m*; **give sb/sth a warm ~** j-n herzlich/etw begeistert aufnehmen **C** V/T *guests etc* willkommen heißen, begrüßen; *fig*: *decision, opportunity* begrüßen
weld [weld] V/T schweißen
weld·er ['weldə(r)] N Schweißer(in) *m(f)*
wel·fare ['welfeə(r)] N Wohl(ergehen) *n*
wel·fare 'state N Wohlfahrtsstaat *m*
'wel·fare sys·tem N Sozialsystem *n*
'wel·fare work N Fürsorgearbeit *f*
'wel·fare work·er N Fürsorger(in) *m(f)*
well[1] [wel] N Brunnen *m*; Ölquelle *f*
well[2] [wel] **A** ADV gut; **~ done!** gut gemacht!; **as ~** auch; **as ~ as** und auch (noch); **it's just as ~ you told me** es ist (schon) gut, dass du mir das gesagt hast; **very ~** *acknowledging order* jawohl; *reluctant agreement or approval* na gut, also gut; **I couldn't very ~ say no** ich konnte nicht gut ablehnen; **it's all very ~ for you to laugh** du hast gut lachen; **~, ~!** *expressing surprise* na so was!; **~ ...** *expressing lack of surety, consideration* nun ..., also ... **B** ADJ gesund; **how are you? – very ~, thank you** wie geht's? – sehr gut, danke; **my mother is not ~** meiner Mutter geht es nicht gut; **feel ~** sich wohlfühlen; **get ~ soon!** gute Besserung!
well-'bal·anced ADJ *person* ausgeglichen; *meal, diet* ausgewogen **well-behaved** [welbɪ'heɪvd] ADJ artig, wohlerzogen **well-'be·ing** N Wohl(ergehen) *n* **well-'built** ADJ kräftig; *euph*: *fat* stämmig **well-'done** ADJ *meat* durch (-gebraten) **well-dressed** [wel'drest] ADJ gut angezogen **well-earned** [wel-'ɜːnd] ADJ wohlverdient **well-'heeled** [wel'hiːld] ADJ *infml* betucht
wel·lies ['welɪz] N *pl infml* → wellingtons

well-in·formed [welɪn'fɔːmd] ADJ gut informiert
wel·ling·tons ['welɪŋtənz] N *pl* Gummistiefel *pl*
well-'known ADJ bekannt **well-'made** ADJ solide hergestellt **well-man·nered** [wel'mænəd] ADJ **be ~** gute Manieren haben **well-'mean·ing** ADJ wohlmeinend; *attempt, advice* gut gemeint **well-'off** ADJ reich **well-'paid** ADJ gut bezahlt **well-'read** ADJ belesen **well-timed** [wel'taɪmd] ADJ gut abgepasst **well-to-'do** ADJ wohlhabend **well-wish·er** ['welwɪʃə(r)] N Sympathisant(in) *m(f)* **well-'worn** ADJ *piece of clothing* abgetragen; *shoes a.* ausgetreten
Welsh [welʃ] **A** ADJ walisisch **B** N *language* Walisisch *n*; **the ~** *pl* die Waliser *pl*
went [went] PRET → go
wept [wept] PRET & PAST PART → weep
were [wɜː(r)] PRET *pl* → be
west [west] **A** N Westen *m*; **the West** POL der Westen **B** ADJ West- **C** ADV nach Westen, westwärts; **~ of** westlich von, im Westen von
west·er·ly ['westəlɪ] ADJ *direction* westlich; *wind* West-
west·ern ['westən] **A** ADJ westlich, West-; **Western** West- **B** N *film* Western *m*
West·ern·er ['westənə(r)] N Abendländer(in) *m(f)*
west·ern·ized ['westənaɪzd] ADJ verwestlicht
west·wards ['westwədz] ADV westwärts
wet [wet] ADJ ‹-tt-› nass; *weather a.* nass, feucht; **"~ paint"** "Vorsicht, frisch gestrichen"; **be ~ through** (völlig) durchnässt sein
'wet suit N Taucheranzug *m*, Neopren®anzug *m*
whack [wæk] *infml* **A** N Schlag *m*; *of bill etc* Anteil *m* **B** V/T schlagen
whacked [wækt] ADJ *infml* kaputt
whale [weɪl] N Wal *m*
whal·ing ['weɪlɪŋ] N Walfang *m*
wharf [wɔːf] N ‹*pl* wharfs, wharves [wɔːvz]› Kai *m*
what [wɒt] **A** PRON was; **~ is it?** was willst du?, was ist denn?; **~?** was (willst du)?; *what did you say?, expressing surprise* wie bitte?, was?; **~ about some**

W

dinner? wie wär's mit Abendessen?; **what's ... like?** wie ist ...?; **~ for?** wozu?, wofür?; **so ~?** na und? **B** ADJ welche(r, -s); was für (ein/eine)
what·ev·er [wɒt'evə(r)] **A** PRON was auch immer; **I'll do ~ you want** ich tue alles, was du willst; **~ she says** egal *or* ganz gleich, was sie sagt; **~ gave you that idea?** wie kommst du nur darauf? **B** ADJ welche(r, -s) ... auch immer; **there's no reason ~** es gibt überhaupt keinen Grund
whats·it ['wɒtsɪt] N *infml* Dings(bums) *n*
wheat [wi:t] N Weizen *m*
whee·dle ['wi:dl] V/T *infml* **~ sth out of sb** j-m etw abschmeicheln *or* abschwatzen
wheel [wi:l] **A** N Rad *n*; *for steering* Lenkrad *n* **B** V/T *bicycle* schieben **C** V/I *birds* kreisen
♦ **wheel around** V/I sich schnell umdrehen
'wheel·bar·row N Schubkarre *f* **'wheel·chair** N Rollstuhl *m* **'wheel clamp** N Parkkralle *f*
wheeze [wi:z] V/I keuchen, pfeifend atmen
when [wen] **A** ADV wann **B** CJ wenn; *in past* als; *even though* wo ... doch
when·ev·er [wen'evə(r)] ADV wann (auch) immer, ganz egal wann; *each time* jedes Mal, wenn
where [weə(r)] **A** ADV wo; **~ (to)** wohin; **~ from** woher **B** CJ wo; **this is ~ I used to live** hier habe ich früher gewohnt
where·a·bouts **A** ADV [weərə'baʊts] wo **B** N *pl* ['weərəbaʊts] Verbleib *m*, Aufenthaltsort *m*
where·as [weər'æz] CJ wohingegen, während
wher·ev·er [weər'evə(r)] **A** CJ wo (auch) immer; **~ I go** überall, wohin ich gehe **B** ADV **~ can he be?** wo kann er bloß sein?
whet [wet] V/T ‹-tt-› *appetite* anregen
wheth·er ['weðə(r)] CJ ob
which [wɪtʃ] **A** ADJ welche(r, -s) **B** INTER PR welche(r, -s) **C** REL PR der/die/das
which·ev·er [wɪtʃ'evə(r)] ADJ & PRON welche(r, -s) auch immer
whiff [wɪf] N Hauch *m*, Geruch *m*
while [waɪl] **A** CJ während; *although* obwohl **B** N **a long ~** e-e ganze Weile, e-e ganze Zeit lang; **for a ~** e-e Weile, e-e Zeit lang; **I'll wait a ~ longer** ich warte noch ein bisschen
♦ **while away** V/T *time* sich vertreiben
whim [wɪm] N Laune *f*
whim·per ['wɪmpə(r)] **A** N *of person* Wimmern *n*; *of dog* Winseln *n* **B** V/I *person* wimmern; *dog* winseln
whine [waɪn] V/I *dog* jaulen; *infml* jammern (**about** über)
whip [wɪp] **A** N Peitsche *f* **B** V/T ‹-pp-› *horse* peitschen; *people* auspeitschen; *with stick* schlagen; *cream* schlagen
♦ **whip out** V/T *infml*: *wallet etc* zücken
♦ **whip up** V/T *audience* aufstacheln; *hatred, enthusiasm* entfachen; *infml*: *meal* hinzaubern
whipped cream [wɪpt'kri:m] N Schlagsahne *f*, Schlagrahm *m*
whip·ping ['wɪpɪŋ] N Tracht *f* Prügel
'whip·ping cream N Schlagsahne *f*
'whip·round N *infml* Sammlung *f*; **have a ~** den Hut herumgehen lassen
whirl [wɜ:l] **A** N **my mind is in a ~** mir schwirrt der Kopf **B** V/I wirbeln
♦ **whirl round** V/I *person* herumfahren
'whirl·pool N *in river* Strudel *m*; *type of bath* Whirlpool® *m*
'whirl·wind N Wirbelwind *m*
whirr [wɜ:(r)] V/I *machine* surren
whisk [wɪsk] **A** N *for eggs etc* Schneebesen *m* **B** V/T *eggs* verquirlen
♦ **whisk away** V/T wegschnappen
whis·kers ['wɪskəz] N *pl on man* Backenbart *m*; *on animal* Schnurrhaare *pl*
whis·ky, whis·key *US* ['wɪskɪ] N Whisky *m*
whis·per ['wɪspə(r)] **A** N Geflüster *n*, Flüstern *n*; *fig* Gerücht *n* **B** V/T & V/I flüstern
whis·tle ['wɪsl] **A** N Pfeife *f*; *sound* Pfiff *m* **B** V/T & V/I pfeifen
whis·tle-blow·er ['wɪslbləʊə(r)] N *infml j-d, der über etw auspackt*
white [waɪt] **A** N *colour* Weiß *n*; *of egg* Eiweiß *n*; *person* Weiße(r) *m/f(m)* **B** ADJ weiß
'white·board N Whiteboard *n* **white 'cof·fee** N Kaffee *m* mit Milch, Milchkaffee *m* **white-'col·lar work·er** N Büroangestellte(r) *m/f(m)* **'White House** N **the ~** das Weiße Haus **white 'lie** N Notlüge *f* **white**

'**meat** N weißes Fleisch **White 'Paper** N POL Weißbuch *n* **'white·wash** A N Tünche *f*; *fig* Beschönigung *f* B V/T tünchen **white 'wine** N Weißwein *m*
Whit·sun ['wɪtsn] N Pfingsten *n*
♦ **whittle down** ['wɪtl] V/T kürzen, reduzieren
whiz(z) [wɪz] N *infml* Genie *n* (**at** in)
♦ **whizz by, whizz past** V/I *car* vorbeisausen, vorbeiflitzen; *time* im Nu vergehen
'whizz·kid N *infml* Senkrechtstarter(in) *m(f)*; **computer ~** Computergenie *n*
who [hu:] A INTER PR wer; wen; wem B REL PR der/die/das
WHO [dʌblju:eɪtʃ'əʊ] ABBR *for* World Health Organization Weltgesundheitsorganisation *f* (*der UNO*)
who·dun·(n)it [hu:'dʌnɪt] N Krimi *m*
who·ev·er [hu:'evə(r)] PRON wer auch immer; **~ can that be?** wer kann das nur sein?
whole [həʊl] A ADJ ganz; **the ~ lot** das Ganze; alle; **it's a ~ lot easier** es ist sehr viel leichter B N Ganze(s) *n*; **the ~ of my family** meine ganze Familie; **on the ~** im Großen und Ganzen
'whole food N Vollwertkost *f* **whole-heart·ed** [həʊl'hɑ:tɪd] ADJ uneingeschränkt **whole-heart·ed·ly** [həʊl'hɑ:tɪdlɪ] ADV voll und ganz **whole·meal 'bread** N Vollkornbrot *n*
'whole·sale A ADJ Großhandel- B ADV im Großhandel **whole·sal·er** ['həʊlseɪlə(r)] N Großhändler(in) *m(f)*
whole·some ['həʊlsəm] ADJ gesund
whol·ly ['həʊlɪ] ADV gänzlich, völlig
whol·ly-owned 'sub·sid·i·ar·y [əʊnd] N hundertprozentige Tochtergesellschaft
whom [hu:m] *formal* A INTER PR wen; *dat* wem B REL PR den/die/das
whoop·ing cough ['hu:pɪŋ] N Keuchhusten *m*
whop·ping ['wɒpɪŋ] ADJ *infml* Mords-, Wahnsinns-
whore [hɔ:(r)] N Hure *f*
whose [hu:z] A INTER PR wessen B REL PR dessen/deren; **~ is this?** wem gehört das? C ADJ wessen; **~ bike is that?** wessen Fahrrad ist das?, wem gehört das Fahrrad?
why [waɪ] ADV INTER PR & REL PR warum; that's ~ deshalb
wick [wɪk] N Docht *m*
wick·ed ['wɪkɪd] ADJ böse; *laugh* boshaft, frech; *sl*: *excellent* supergeil
wick·er 'bas·ket N Weidenkorb *m*
'wick·er·work N Korbwaren *pl*
wide [waɪd] ADJ breit; *experience* umfangreich; *range* groß
wide-a'wake ADJ hellwach
wide-eyed [waɪd'aɪd] ADJ mit großen *or* aufgerissenen Augen; *fig* naiv
wide·ly ['waɪdlɪ] ADV *known* weit und breit, überall; **~ read** sehr belesen
wid·en ['waɪdn] A V/T verbreitern B V/I breiter werden
wide-'o·pen ADJ weit offen; *eyes* weit aufgerissen **wide-rang·ing** [waɪd'reɪndʒɪŋ] ADJ weitreichend **'wide·spread** ADJ weitverbreitet
wid·ow ['wɪdəʊ] N Witwe *f*
wid·ow·er ['wɪdəʊə(r)] N Witwer *m*
width [wɪdθ] N Breite *f*
wield [wi:ld] V/T *weapon* schwingen; *power* ausüben
wife [waɪf] N ⟨*pl* wives [waɪvz]⟩ (Ehe)Frau *f*
Wi·Fi® ['waɪfaɪ] N IT WLAN *n*
wig [wɪg] N Perücke *f*
wig·gle ['wɪgl] V/T *hips* wackeln mit; *screw etc* wackeln an
wild [waɪld] A ADJ *animal, teenager* wild; *flowers* wild wachsend; *plan* verrückt; *applause* tobend; **be ~ about …** wild sein auf …; **go ~** *with enthusiasm* toben; *with rage* wild werden, (vor Wut) rasen; **run ~** *children, plants* verwildern B N **the wilds** *pl* die Wildnis
'wild·cat strike N wilder Streik
wil·der·ness ['wɪldənɪs] N Wildnis *f*
'wild·fire N **spread like ~** sich wie ein Lauffeuer ausbreiten **wild 'goose chase** N sinnlose Suche **'wild·life** N Tier- und Pflanzenwelt *f*; **~ programme** TV Natursendung *f*
wild·ly ['waɪldlɪ] ADV *infml*: *enthusiastic* maßlos
wil·ful ['wɪlfl] ADJ *person* eigenwillig, eigensinnig; *behaviour* mutwillig; *deliberate* wissentlich
will[1] [wɪl] N JUR Letzter Wille, Testament *n*
will[2] [wɪl] N *faculty, strength of mind* Wille *m*

will³ [wɪl] VAUX ⟨*pret* would⟩ *future* werden; *in questions* **you ~ call me, won't you?** du rufst mich doch an, ja?; **~ you have some more tea?** möchtest du noch (etwas) Tee? **the car won't start** das Auto springt nicht an, das Auto will nicht anspringen; **~ you stop that!** hör sofort auf damit!
will·ful *US* → wilful
will·ing ['wɪlɪŋ] ADJ bereitwillig; **he is always ~ to help** er ist immer dazu bereit, zu helfen
will·ing·ly ['wɪlɪŋlɪ] ADV gerne, bereitwillig
will·ing·ness ['wɪlɪŋnɪs] N Bereitwilligkeit *f*
wil·low ['wɪləʊ] N Weide *f*, Weidenbaum *m*
'will·pow·er N Willenskraft *f*
wil·ly-nil·ly [wɪlɪ'nɪlɪ] ADV aufs Geratewohl; *unwillingly* wohl oder übel
wilt [wɪlt] VI *plant* (ver)welken
wi·ly ['waɪlɪ] ADJ ⟨-ier, -iest⟩ listig
wimp [wɪmp] N *infml* Waschlappen *m*, Weichei *n*
win [wɪn] **A** N Sieg *m* **B** VT ⟨-nn-; won, won⟩ gewinnen **C** VI ⟨-nn-; won, won⟩ gewinnen, siegen
♦ **win back** VT zurückgewinnen
wince [wɪns] VI zusammenzucken
winch [wɪntʃ] N TECH Winde *f*
wind¹ [wɪnd] **A** N Wind *m*; *in intestines* Blähungen *pl* **B** VT **be winded** außer Atem sein; *after blow* keine Luft bekommen
wind² [waɪnd] ⟨wound, wound⟩ **A** VI sich winden **B** VT wickeln; *thread, tape* spulen
♦ **wind back** VT *thread, tape* zurückspulen
♦ **wind down** **A** VI *party etc* ruhiger werden **B** VT *car window* herunterkurbeln; *business* zurückschrauben
♦ **wind up** **A** VT *clock* aufziehen; *car window* hochkurbeln; *speech, presentation* beenden; *business, affairs, matters* abwickeln; *company* auflösen; *infml*: *person* hochnehmen **B** VI enden; **I wound up agreeing with him** am Ende stimmte ich ihm doch noch zu
'wind-bag N *infml* Schwätzer(in) *m(f)*
'wind·fall N *fig*: *money* unerwartete Einnahme, warmer Regen
wind·ing ['waɪndɪŋ] ADJ gewunden
'wind in·stru·ment N Blasinstrument *n*
'wind·mill N Windmühle *f*
win·dow ['wɪndəʊ] N *a.* IT Fenster *n*; **in the ~** *of shop* im Schaufenster
'win·dow box N Blumenkasten *m*
'win·dow clean·er N Fensterputzer(in) *m(f)* **'win·dow dress·ing** N Schaufensterdekoration *f*; *fig* Mache *f* **'win·dow en·ve·lope** N Fensterumschlag *m* **'win·dow·pane** N Fensterscheibe *f* **'win·dow seat** N Fensterplatz *m* **'win·dow-shop** VI ⟨-pp-⟩ **go window-shopping** e-n Schaufensterbummel machen **'win·dow·sill** N Fensterbank *f*, Fensterbrett *n*
'wind·pipe N ANAT Luftröhre *f* **'wind pow·er** N Windkraft *f* **'wind·screen** N Windschutzscheibe *f* **'wind·screen wip·er** N Scheibenwischer *m* **'wind·shield** N *US* Windschutzscheibe *f* **'wind·shield wip·er** N *US* Scheibenwischer *m* **'wind·surf·er** N Windsurfer(in) *m(f)*; Surfbrett *n* **'wind·surf·ing** N Windsurfen *n*
wind·y ['wɪndɪ] ADJ ⟨-ier, -iest⟩ windig
wine [waɪn] N Wein *m*
'wine bar N Weinlokal *n*, Weinstube *f* **'wine cel·lar** N Weinkeller *m* **'wine glass** N Weinglas *n* **'wine list** N Weinliste *f* **'wine mer·chant** N Weinhändler(in) *m(f)*
wing [wɪŋ] N *a.* SPORTS Flügel *m*; *of plane* Tragfläche *f*
wink [wɪŋk] **A** N **give sb a ~** j-m zuzwinkern; **I didn't sleep a ~** *infml* ich habe kein Auge zugetan **B** VI *person* zwinkern; **~ at sb** j-m zuzwinkern
win·ner ['wɪnə(r)] N *of race, contest etc* Sieger(in) *m(f)*, Gewinner(in) *m(f)*; *of bet, lottery* Gewinner(in) *m(f)*
win·ning ['wɪnɪŋ] ADJ *team, horse etc* siegreich; **the ~ number** die Gewinnzahl
'win·ning post N Zielpfosten *m*
win·nings ['wɪnɪŋz] N *pl* Gewinn *m*
win·ter ['wɪntə(r)] N Winter *m*
win·try ['wɪntrɪ] ADJ ⟨-ier, -iest⟩ winterlich
wipe [waɪp] VT *floor* (auf)wischen; *mouth, table etc* abwischen; *tape* löschen; *nose* putzen; *shoes* abputzen; *eyes* abtrocknen
♦ **wipe off** VT wegwischen

W

♦**wipe out** VT *population* ausrotten; *guilt* bereinigen
wip·er ['waɪpə(r)] → windscreen wiper
wire [waɪə(r)] **A** ADJ Draht- **B** N Draht *m*; ELEC Leitung *f*
wire·less ['waɪəlɪs] ADJ drahtlos; **~ network** *or* **LAN** WLAN *n*
wire·less 'phone N TEL schnurloses Telefon
wire 'net·ting N Maschendraht *m*
'wire-tap N Abhöroperation *f*
wir·ing ['waɪərɪŋ] N ELEC elektrische Leitungen *pl*
wir·y ['waɪərɪ] ADJ ‹-ier, -iest› *person* drahtig
wis·dom ['wɪzdəm] N Weisheit *f*
'wis·dom tooth N ‹*pl* wisdom teeth› Weisheitszahn *m*
wise [waɪz] ADJ weise
'wise·crack N *infml* blöder Witz
'wise guy N *pej infml* Besserwisser(in) *m(f)*
wise·ly ['waɪzlɪ] ADV *act* weise
wish [wɪʃ] **A** N Wunsch *m*; **best wishes** alles Gute; *more formal* mit den besten Wünschen; **make a ~** wünsch dir was **B** VT wünschen, wollen; **I ~ that ...** ich wünschte (mir), dass ...; **I ~ to make a complaint** ich möchte mich beschweren; **~ sb well** j-m alles Gute wünschen **C** VI **~ for sth** sich etw wünschen
wish·ful think·ing [wɪʃfl'θɪŋkɪŋ] N Wunschdenken *n*
wish·y-wash·y ['wɪʃɪwɒʃɪ] ADJ *infml*: *person* saft- und kraftlos, farblos; *colour* verwaschen; *ideas* unklar, verschwommen
wisp [wɪsp] N *of hair* kleines Büschel; *of smoke* Fahne *f*
wist·ful ['wɪstfl] ADJ wehmütig
wit [wɪt] N *wittiness* Geist *m*, Witz *m*; *person* geistreicher Mensch *or* Kopf; **be at one's wits' end** am Ende s-r Weisheit sein; **keep one's wits about one** e-n klaren Kopf behalten
witch [wɪtʃ] N Hexe *f*
'witch·craft N Hexerei *f*
'witch·hunt N *fig* Hexenjagd *f*
with [wɪð] PREP mit; *denoting cause* vor; **are you ~ me?** *do you understand?* kommst du mit?; *are you on my side?* stimmst du mir zu?; **live ~ sb** bei j-m wohnen; **~ no money** (ganz) ohne Geld; **tremble ~ fear** vor Angst zittern
with·draw [wɪð'drɔː] ‹withdrew, withdrawn› **A** VT *complaint, application* zurückziehen; *money from bank* abheben; *troops* abziehen **B** VI *competitor* zurücktreten (**from** von); MIL sich zurückziehen (**from** von)
with·draw·al [wɪð'drɔːəl] N *of complaint, application* Zurückziehen *n*; *of money* Abheben *n*; *of troops* Rückzug *m*; *from drugs* Entzug *m*
with'draw·al symp·toms N *pl* Entzugserscheinungen *pl*
with·drawn [wɪð'drɔːn] ADJ *person* verschlossen
with·er ['wɪðə(r)] VI verdorren, verwelken
with'hold VT ‹withheld, withheld› *information* vorenthalten; *payment* einbehalten
with'hold·ing tax N Quellensteuer *f*
with'in PREP innerhalb; **we were ~ 5 miles of home** wir waren keine 5 Meilen von zu Hause entfernt; **keep ~ the budget** im Rahmen des Budgets bleiben
with'out PREP ohne; **~ thinking** ohne zu denken
with'stand VT ‹withstood, withstood› standhalten; *temptation* widerstehen
wit·ness ['wɪtnɪs] **A** N Zeuge *m*, Zeugin *f* **B** VT *accident, crime* Zeuge sein bei; *signature* bezeugen
'wit·ness box N Zeugenstand *m*
wit·ti·cism ['wɪtɪsɪzm] N geistreiche Bemerkung
wit·ty ['wɪtɪ] ADJ ‹-ier, -iest› geistreich, witzig
wives [waɪvz] PL → wife
wiz·ard ['wɪzəd] N Zauberer *m*, Hexenmeister *m*
wiz·ened ['wɪznd] ADJ verhutzelt
wob·ble ['wɒbl] VI wackeln
wob·bly ['wɒblɪ] ADJ ‹-ier, -iest› wack(e)lig
woe [wəʊ] N Leid *n*; **~ is me** *archaic* wehe mir
woe·ful ['wəʊfl] ADJ traurig, bedauerlich; *stupidity etc* beklagenswert
woke [wəʊk] PRET → wake[1]
wok·en ['wəʊkn] PAST PART → wake[1]
wolf [wʊlf] **A** N ‹*pl* wolves [wʊlvz]› Wolf *m* **B** VT **~ (down)** hinunterschlingen
wom·an ['wʊmən] N ‹*pl* women

['wɪmɪn]⟩ Frau *f*
wom·an 'doc·tor N Ärztin *f*
wom·an 'driv·er N Frau *f* am Steuer
wom·an·iz·er ['wʊmənaɪzə(r)] N Frauenheld *m*
wom·an·ly ['wʊmənlɪ] ADJ fraulich; *characteristics* weiblich
wom·an 'priest N Priesterin *f*
womb [wu:m] N Mutterleib *m*; *organ* Gebärmutter *f*
wom·en ['wɪmɪn] PL → woman
wom·en's lib [wɪmɪnz'lɪb] N Frauen(rechts)bewegung *f*
'wom·en's move·ment N Frauenbewegung *f*
won [wʌn] PRET & PAST PART → win
won·der ['wʌndə(r)] A N Staunen *n*; **no ~!** kein Wunder!; **it's a ~ that ...** es ist ein Wunder, dass ... B V/I sich fragen; **~ about sth** sich über etwas Gedanken machen C V/T sich fragen; **I really ~ who'll win** ich bin wirklich neugierig, wer gewinnt; **I ~** *or* **I was wondering if you could help me** könnten Sie mir vielleicht helfen?
won·der·ful ['wʌndəfʊl] ADJ wunderbar, wundervoll
wont [wəʊnt] *esp formal* A ADJ **be ~ to do sth** etw zu tun pflegen B N **as was his ~** wie es s-e Gewohnheit war
won't [wəʊnt] → will³
woo [wu:] V/T umwerben, werben um
wood [wʊd] N Holz *n*; (*a.* **woods** *pl*) Wald *m*
'wood·cut N Holzschnitt *m*
wood·ed ['wʊdɪd] ADJ bewaldet
wood·en ['wʊdn] ADJ Holz-, aus Holz
'wood·work N *no pl around door etc* Holzteile *pl*; *activity* Holzarbeit *f*
wool [wʊl] N Wolle *f*
wool·len, wool·en *US* ['wʊlən] A ADJ Woll- B N *pl* **woollens** Wollsachen *pl*
wool·ly, wool·y *US* ['wʊlɪ] ADJ ⟨-ier, -iest⟩ wollig; *thinking* verworren
word [wɜ:d] A N Wort *n*; Nachricht *f*; **is there any ~ from ...?** gibt es Neuigkeiten von ...?; **you have my ~** ich gebe dir mein (Ehren)Wort; **have words** e-e Auseinandersetzung haben; **have a ~ with sb** mit j-m sprechen; **words** *pl of song* Text *m*; **~ for ~** wortwörtlich B V/T *article, letter* formulieren
word·ing ['wɜ:dɪŋ] N Formulierung *f*
'word or·der N *in sentence* Wortstellung *f* **word pro·cess·ing** ['wɜ:dprəʊsesɪŋ] N Textverarbeitung *f* **'word pro·ces·sor** N *software* Textverarbeitungsprogramm *n*
word·y ['wɜ:dɪ] ADJ ⟨-ier, -iest⟩ wortreich, langatmig
wore [wɔ:(r)] PRET → wear
work [wɜ:k] A N Arbeit *f*; **out of ~** arbeitslos; **be at ~** am Arbeitsplatz sein B V/I arbeiten (**at, on** an); *machine, plan* funktionieren; **it'll never ~** das klappt niemals C V/T *employee* arbeiten lassen; *machine* bedienen
♦ **work off** V/T *bad mood* abreagieren (**on** an); *excess fat* loswerden
♦ **work out** A V/T *how sth happened* herausfinden; *solution* finden; *problem* die Lösung finden zu B V/I *at gym* trainieren; *relationship etc* klappen
♦ **work out at** V/T *cost* machen
♦ **work up** V/T *enthusiasm* aufbringen; *appetite* bekommen; **get worked up** sich aufregen; nervös werden
work·a·ble ['wɜ:kəbl] ADJ *solution* machbar
work·a·hol·ic [wɜ:kə'hɒlɪk] N Arbeitssüchtige(r) *m/f(m)*
'work·bench N Werkbank *f* **'work·book** N *for course* Arbeitsheft *n* **'work day** N Arbeitstag *m*; *not holiday* Werktag *m*
work·er ['wɜ:kə(r)] N Arbeiter(in) *m(f)*
work·er par·ti·ci'pa·tion N ECON Mitbestimmung *f*
work·er rep·re·sen'ta·tion N Arbeitnehmervertretung *f*
'work·force N Belegschaft *f*
work·ing ['wɜ:kɪŋ] ADJ berufstätig
'work·ing ca·pi·tal N Betriebskapital *n* **work·ing 'class** N Arbeiterklasse *f* **work·ing-'class** ADJ der Arbeiterklasse; *area* Arbeiter- **'work·ing con·di·tions** N *pl* Arbeitsbedingungen *pl* **work·ing 'day** N → work day **'work·ing hours** N *pl* Arbeitszeit *f* **'work·ing knowl·edge** N Grundkenntnisse *pl* **work·ing 'lan·guage** N Arbeitssprache *f* **work·ing 'moth·er** N berufstätige Mutter **'work·ing par·ty** N POL Arbeitsgruppe *f*
'work·ings N *pl* Arbeitsweise *f*; *of ma-*

chine Funktionsweise *f*
'work·load N Arbeit *f*; Arbeitslast *f* **'work·man** N *plumber etc* Handwerker *m* **'work·man·like** ADJ fachmännisch **'work·man·ship** N Arbeitsqualität *f* **'work·mate** N Arbeitskollege *m*, -kollegin *f* **work of 'art** N Kunstwerk *n* **'work·out** N Training *n* **'work per·mit** N Arbeitserlaubnis *f* **'work place** N Arbeitsplatz *m* **work-place 'ac·ci·dent** N Arbeitsunfall *m* **work place·ment** ['wɜ:kpleɪsmənt] N Praktikum *n*; Praktikumsstelle *f*
works ['wɜ:ks] N *pl* Fabrik *f*, Werk *n*
'works coun·cil N Betriebsrat *m*
'work·sheet N Arbeitsblatt *n* **'work-shop** N *seminar* Workshop *m* **'work-shy** ADJ arbeitsscheu **'work sta·tion** N Arbeitsplatz *m*, Arbeitsbereich *m*; COMPUT Workstation *f* **'work·top** N Arbeitsfläche *f* **work-to-'rule** N Dienst *m* nach Vorschrift
world [wɜ:ld] N Welt *f*; **all over the ~** in *or* auf der ganzen Welt; **out of this ~** *infml* fantastisch; **think the ~ of sb** j-n besonders gern haben; **do sb a ~ of good** j-m unwahrscheinlich gut tun
World 'Bank N Weltbank *f* **world--'class** ADJ Weltklasse-, der Weltklasse **world-'fa·mous** ADJ weltberühmt
world·ly ['wɜ:ldlɪ] ADJ ⟨-ier, -iest⟩ *goods* materiell; *affairs, matters* weltlich; *person: not spiritual* weltlich gesinnt; *person: experienced* weltmännisch
world·ly-'wise ADJ weltgewandt
world 'pow·er N Weltmacht *f* **World 'Trade Or·gan·i·za·tion** N Welthandelsorganisation *f* **world 'war** N Weltkrieg *m* **world'wide** ADJ & ADV weltweit **World Wide 'Web** N weltweites Netz, Internet *n*
worm [wɜ:m] N Wurm *m*
worn [wɔ:n] PAST PART → wear
worn-'out ADJ *clothes* abgetragen; *part* abgenutzt; *person* erschöpft
wor·ried ['wʌrɪd] ADJ besorgt; **be ~ about sb/sth** sich um j-n/etw Sorgen machen
wor·ry ['wʌrɪ] **A** N Sorge *f* **B** V/T ⟨-ied⟩ Sorgen machen, beunruhigen **C** V/I ⟨-ied⟩ sich Sorgen machen (**about, over** um, wegen)
wor·ry·ing ['wʌrɪɪŋ] ADJ beunruhigend, besorgniserregend
worse [wɜ:s] **A** ADJ schlechter; schlimmer; **and to make things ~ ...** und zu allem Übel ... **B** ADV schlechter; schlimmer
wors·en ['wɜ:sn] V/I sich verschlechtern, schlechter werden
wor·ship ['wɜ:ʃɪp] **A** N Verehrung *f*; *in church* Gottesdienst *m*, Andacht *f* **B** V/T ⟨-pp-⟩ *God* anbeten; *fig* vergöttern
worst [wɜ:st] **A** ADJ schlechteste(r, -s); schlimmste(r, -s) **B** ADV am schlechtesten; am schlimmsten **C** N **the ~** der/die/das Schlechteste; der/die/das Schlimmste; **if the ~ comes to the ~** wenn es wirklich so weit kommen sollte
worst-case scen'a·ri·o N **the ~ is ...** das Schlimmste, was passieren kann, ist ...
worth [wɜ:θ] ADJ wert; **£20 ~ of petrol** Benzin für zwanzig Pfund; **a book ~ £15** ein Buch im Wert von fünfzehn Pfund; **be ~ reading** lesenswert sein; **be ~ it** sich lohnen
worth·less ['wɜ:θlɪs] ADJ *object* wertlos; *person* untauglich
worth'while ADJ *cause* lobenswert; **be ~** sich lohnen
worth·y ['wɜ:ðɪ] ADJ ⟨-ier, -iest⟩ *successor* würdig; *cause* lobenswert; **be ~ of** *support etc* verdienen
would [wʊd] **A** V/AUX **I ~ help if I could** ich würde helfen, wenn ich könnte; **~ you close the door?** könntest du (bitte) die Tür schließen?; **I ~ have told you but ...** ich hätte es dir ja gesagt, aber ... **B** PRET → will[3]
'would-be ADJ Möchtegern-
wound[1] [wu:nd] **A** N Wunde *f* **B** V/T verwunden, verletzen
wound[2] [waʊnd] PRET & PAST PART → wind[2]
wove [wəʊv] PRET → weave
wov·en ['wəʊvn] PAST PART → weave
wow [waʊ] INT Mensch!
wrap [ræp] V/T ⟨-pp-⟩ *parcel, present* einpacken; **~ sth around sth** *scarf, bandage* etw um etw wickeln
♦ **wrap up** V/I sich warm anziehen
wrap·per ['ræpə(r)] N *for sweet* Papier *n*; *of magazine* Umschlag *m*
wrap·ping ['ræpɪŋ] N Verpackung *f*
'wrap·ping pa·per N Packpapier *n*;

Geschenkpapier *n*
wrath [rɒθ] N Zorn *m*
wreath [ri:θ] N Kranz *m*
wreck [rek] **A** N Wrack *n* **B** V/T *ship* zum Wrack machen; *car* zu Schrott fahren; *plans* zunichtemachen; *career* ruinieren; *marriage* zerrütten
wreck·age ['rekɪdʒ] N Trümmer *pl*; *of marriage, career* Trümmerhaufen *m*
wreck·er ['rekər] N *US* Abschleppwagen *m*
wreck·ing com·pa·ny ['rekɪŋ] N *US* Abbruchfirma *f*
wrench [rentʃ] **A** N *tool* Schraubenschlüssel *m*; *injury* Verrenkung *f* **B** V/T wegreißen; **~ one's ankle** sich den Fuß verrenken
wrest [rest] V/T **~ sth from** *or* **out of sb's hands** j-m etw aus den Händen reißen, j-m etw entreißen
wres·tle ['resl] V/I ringen
♦ **wrestle with** V/T *problem* ringen mit, kämpfen mit
wres·tling ['reslɪŋ] N Ringen *n*
wretch·ed ['retʃɪd] ADJ *unhappy* (tod)unglücklich; *conditions, life* elend; *headache, weather* scheußlich; *infml* verdammt, verflixt
wrig·gle ['rɪgl] V/I zappeln; *along ground, under fence* sich winden
♦ **wriggle out of** V/T sich drücken vor
♦ **wring out** [rɪŋ'aʊt] V/T ⟨wrung, wrung⟩ *cloth* auswringen
wrin·kle ['rɪŋkl] **A** N *on skin, face* Falte *f*, Runzel *f*; *in clothes* Knitter *m* **B** V/T *clothes* verknittern; *forehead* runzeln **C** V/I *clothes* (ver)knittern
wrist [rɪst] N Handgelenk *n*
'wrist·watch N Armbanduhr *f*
writ [rɪt] N JUR Befehl *m*, Verfügung *f*
write [raɪt] ⟨wrote, written⟩ **A** V/T schreiben; *cheque a.* ausstellen **B** V/I schreiben; **~ to sb** j-m schreiben
♦ **write down** V/T aufschreiben, notieren
♦ **write off** V/T *debts* abschreiben; *car* zu Schrott fahren
♦ **write out** V/T *abbreviation* ausschreiben; *report* ausformulieren
writ·er ['raɪtə(r)] N *of letter, book* Verfasser(in) *m(f)*; *as career* Schriftsteller(in) *m(f)*
'write-up N Kritik *f*
writhe [raɪð] V/I sich krümmen (**with, in** vor)
writ·ing ['raɪtɪŋ] N Schrift *f*; *as career* Schreiben *n*; **in ~** schriftlich
'writ·ing pad N Schreibblock *m*
'writ·ing pa·per N Schreibpapier *n*
writ·ings ['raɪtɪŋz] N *pl* Werke *pl*, Schriften *pl*
writ·ten ['rɪtn] PAST PART → write
writ·ten 'state·ment N JUR Schriftsatz *m*
wrong [rɒŋ] **A** ADJ falsch; **be ~** *person* unrecht haben; *answer* falsch sein, nicht stimmen; *morally* nicht richtig sein, nicht in Ordnung sein; **what's ~?** was ist los?; **there is something ~ with the car** irgendetwas stimmt nicht mit dem Auto **B** ADV falsch; **go ~** *person* e-n Fehler machen; *plan etc* schiefgehen **C** N Unrecht *n*; **be in the ~** im Unrecht sein
wrong·do·er ['rɒŋdu:ə(r)] N Missetäter(in) *m(f)*, Übeltäter(in) *m(f)*
wrong·ful ['rɒŋfl] ADJ ungerechtfertigt
wrong·ly ['rɒŋlɪ] ADV zu Unrecht
wrong 'num·ber N **dial the ~** sich verwählen
wrote [rəʊt] PRET → write
wrought 'i·ron [rɔ:t] N Schmiedeeisen *n*
wrung [rʌŋ] PRET & PAST PART → wring out
wry [raɪ] ADJ ironisch
wt *only written* ABBR *for* weight Gew., Gewicht *n*
WWW ['dʌblju:'dʌblju:'dʌblju:] ABBR *for* World Wide Web weltweites Netz, Internet *n*
WYSIWYG ['wɪzɪwɪg] IT ABBR *for* what you see is what you get was du (*auf dem Bildschirm*) siehst, bekommst du

X

X, **x** [eks] N X, x *n*
xen·o·pho·bi·a [zenə'fəʊbɪə] N Fremdenfeindlichkeit *f*, Fremdenhass *m*
X·mas ['krɪsməs, 'eksməs] N *infml* Weihnachten *n*
X-ray ['eksreɪ] **A** N Röntgenaufnahme *f*, Röntgenbild *n* **B** VT röntgen

Y

Y, **y** [waɪ] N Y, y *n*
yacht [jɒt] N Jacht *f*
yacht·ing ['jɒtɪŋ] N Segeln *n*
yank [jæŋk] VT kräftig ziehen an
Yank [jæŋk] N *infml* Ami *m*
yap [jæp] VI ⟨-pp-⟩ *small dog* kläffen; *infml* quatschen, labern
yard[1] [jɑːd] N *of prison, school etc* Hof *m*; *for goods* Lagerplatz *m*
yard[2] [jɑːd] N *measure of length* Yard *n*
'yard·stick N *fig* Maßstab *m*
yarn [jɑːn] N Garn *n*; *infml* (fantastische) Geschichte
yawn [jɔːn] **A** N Gähnen *n* **B** VI gähnen
yeah [jeə] ADV *infml* ja
year [jɪə(r)] N Jahr *n*; **we were in the same ~** wir waren im selben (Schul)Jahrgang; **all ~ round** das ganze Jahr hindurch; **~ in, ~ out** jahrein, jahraus
year·ly ['jɪəlɪ] ADJ & ADV jährlich
yearn [jɜːn] VI **~ to do sth** sich danach sehnen, etw zu tun
♦**yearn for** VT sich sehnen nach
yearn·ing ['jɜːnɪŋ] N Sehnsucht *f*
yeast [jiːst] N Hefe *f*
yell [jel] **A** N Schrei *m* **B** VT & VI schreien, brüllen
yel·low ['jeləʊ] **A** N Gelb *n* **B** ADJ gelb
Yel·low 'Pag·es® N *pl* Gelbe Seiten® *pl*, Branchenverzeichnis *n*
yelp [jelp] **A** N *of dog* Jaulen *n*; *of person* Aufschrei *m* **B** VI *dog* (auf)jaulen; *person* aufschreien
yes [jes] INT ja; doch
'yes·man N *pej* Jasager *m*
yes·ter·day ['jestədeɪ] **A** ADV gestern; **the day before ~** vorgestern **B** N Gestern *n*
yet [jet] **A** ADV *thus far* bis jetzt, bisher; *still* noch; **not ~** noch nicht; **as ~** bis jetzt; **have you finished ~?** bist du schon fertig? **B** CJ trotzdem, dennoch
yield [jiːld] **A** N Ertrag *m* **B** VT *fruit* tragen; *good crop* (hervor)bringen; *interest* bringen **C** VI nachgeben (**to** *dat*); *to enemy* sich ergeben (**to** *dat*); *US: in traffic* die Vorfahrt gewähren (**to** *dat*)
yip·pee [jɪ'piː] INT *infml* hurra!
yob [jɒb] N *sl* Halbstarke(r) *m*, Rowdy *m*
yog·hurt ['jɒgət] N Joghurt *m or n*
yoke [jəʊk] N *a. fig* Joch *n*
yolk [jəʊk] N Eigelb *n*
you [juː] PRON du; dich; dir; ihr; euch; Sie; Ihnen; **~ never know** man weiß nie; **it's good for ~** das tut einem *or* dir gut
young [jʌŋ] **A** ADJ jung **B** N *pl*; *of animal* Junge *pl*
young·ster ['jʌŋstə(r)] N Kind *n*; Jugendliche(r) *m/f(m)*
your [jɔː(r)] ADJ dein(e); euer, eure; Ihr(e)
yours [jɔːz] PRON deine(r, -s); eurer, eure, euers; Ihre(r, -s); **a teacher of ~** ein Lehrer von dir; **~ ...** *at end of letter* dein(e) ...; Ihr(e) ...
your·self [jɔː'self] PRON dich; dir; sich; **but you said ~ that ...** aber du hast doch selbst gesagt, dass ...; **by ~** alleine
your·selves [jɔː'selvz] PRON euch; sich; **but you said ~ that ...** aber ihr habt doch selbst gesagt, dass; **by ~** alleine
youth [juːθ] N *time* Jugend *f*; *person* Jugendliche(r) *m/f(m)*; *young people* Jugend *f*, Jugendliche *pl*
'youth club N Jugendklub *m*
youth·ful ['juːθfʊl] ADJ jugendlich
'youth hos·tel N Jugendherberge *f*
yuck·y ['jʌkɪ] ADJ ⟨-ier, -iest⟩ *infml* eklig, ekelhaft
yum·my ['jʌmɪ] ADJ ⟨-ier, -iest⟩ *infml* lecker
yup·pie ['jʌpɪ] N Yuppie *m*

Z

Z, **z** [zed, *US* zi:] N Z, z *n*
zap [zæp] VT ⟨-pp-⟩ IT *infml* löschen; *shoot* abknallen
zap·per [ˈzæpə(r)] N TV *infml* Fernbedienung *f*
zeal [zi:l] N Eifer *m*
zeal·ot [ˈzelət] N Fanatiker(in) *m(f)*, Eiferer(in) *m(f)*
zeal·ous [ˈzeləs] ADJ eifrig
ze·bra ˈcross·ing N Zebrastreifen *m*
ze·ro [ˈzɪərəʊ] N ⟨*pl* -os, -oes⟩ Null *f*; **10 below ~** zehn Grad unter null
♦**zero in on** VT *weakness, solution* ausfindig machen, identifizieren; *main problem* sich konzentrieren auf
ze·ro-eˈmis·sion ADJ schadstofffrei
ze·ro ˈgrowth N POL Nullwachstum *n* **ze·ro ˈop·tion** N Nulllösung *f*
zest [zest] N Begeisterung *f*
zig·zag [ˈzɪgzæg] **A** N Zickzack *m* **B** VI ⟨-gg-⟩ im Zickzack gehen/fahren; *path* im Zickzack verlaufen
zilch [zɪltʃ] N *infml* nix, null Komma nichts
zinc [zɪŋk] N Zink *n*
zip [zɪp] N Reißverschluss *m*
♦**zip up** VT ⟨-pp-⟩ den Reißverschluss zumachen von; IT zippen
ˈzip fas·ten·er N Reißverschluss *m*
zip·per [ˈzɪpər] N *US* Reißverschluss *m*
zit [zɪt] N *infml* Pickel *m*
zo·di·ac [ˈzəʊdɪæk] N Tierkreis *m*; **signs** *pl* **of the ~** Tierkreiszeichen *pl*
zom·bie [ˈzɒmbɪ] N *infml* Zombie *m*
zone [zəʊn] N Zone *f*
zonked [zɒŋkt] ADJ *sl*: *exhausted* fertig, platt
zoo [zu:] N Zoo *m*
zo·o·log·i·cal [zu:əˈlɒdʒɪkl] ADJ zoologisch
zoom [zu:m] VI *infml* sausen
♦**zoom in on** VT PHOT zoomen auf
Zu·rich [ˈzjʊərɪk] N Zürich *n*

Business-Kommunikation | Business communication

1 Briefe | Letters

Initiativbewerbung

Svenja Meier
Rheinstraße 7
50676 Köln
Tel.: +49 (0)221 29 98 01 | Mobil: +49 (0)175 8 37 25 25
E-Mail: Svenja.Meier@t-online.de

Herrn Daniel Lowe
Personnel Manager
AEC UK Ltd.
25 New Way Road
Colindale
London NW9 6PL
United Kingdom

Köln, 30.01.2011

Initiativbewerbung um eine Position als Personalberaterin

Sehr geehrter Herr Lowe,

Ihr Unternehmen hat sich auf dem internationalen Markt mit interessanten Tätigkeitsfeldern einen Namen gemacht, und deshalb bewerbe ich mich bei Ihnen als Personalberaterin.

Wie Sie meinem beigefügten Lebenslauf entnehmen können, habe ich Wirtschaftswissenschaften an der Universität Köln studiert und ein Auslandssemester in London verbracht. Seit dem Studienabschluss bin ich als Personal-Consultant für eine bekannte deutsche Unternehmensberatung tätig.

Meine Erfahrungs- und Kenntnisschwerpunkte liegen in den Bereichen Recruiting, Personalentwicklung und Mitarbeiterbetreuung.

Ich bewerbe mich bei Ihnen um eine Stelle als Beraterin, weil ich nach einer neuen Herausforderung in einer renommierten europäischen Firma suche. Mit fachlicher und führungsverantwortlicher Kompetenz möchte ich engagiert für Ihr Unternehmen tätig sein.

Über ein persönliches Gespräch mit Ihnen würde ich mich freuen.

Mit freundlichen Grüßen

Svenja Meier

Anlage: Lebenslauf
Zeugniskopien

Unsolicited job application

Rheinstraße 7
50676 Cologne
Germany

Tel.: +49 (0)221 299801
Mob.: +49 (0)175 8372525
E-mail: Svenja.Meier@t-online.de

Mr Daniel Lowe
Personnel Manager
AEC UK Ltd.
25 New Way Road
Colindale
London NW9 6PL
United Kingdom

30 January 2011

Dear Mr Lowe,

Enquiry about a position as personnel consultant

I am writing to enquire about any vacancies you may have for a personnel consultant. As a company that has earned an international reputation for its work in a number of interesting areas, I would be very interested in a position with you.

As you can see from the enclosed CV, I have an economics degree from Cologne University, and spent a semester in London as part of my studies. Since graduating, I have been working as a personnel consultant for a well-known German management consultancy firm.

I have specific knowledge and experience in the fields of recruitment, human resource development and employee relationship management.

I am currently seeking a new challenge as a consultant with a prestigious European company, and believe that my technical expertise, managerial skills and commitment could make a valuable contribution to your company.

Should you view my application favourably, I would be pleased to attend an interview at your convenience.

Yours sincerely,

Svenja Meier
Enc.

Bewerbungsanschreiben

René A. Kampe
Kaiserstraße 15
97070 Würzburg
Tel.: +49 (0)931 3 05 95 | Mobil: +49 (0)160 1 72 49 95
E-Mail: RAKampe@net.de

Frau Elisabeth Pollmer
Electronic Design Ltd.
15 Cherry Tree Walk
Leeds LS2 7EB
United Kingdom

Würzburg, 12.01.2011

Assistent(in) der Geschäftsführung

Sehr geehrte Frau Pollmer,

mit großem Interesse habe ich Ihre Anzeige „Assistent(in) der Geschäftsführung" für Ihre Niederlassung in Leeds (Referenznummer AG432) im Guardian International gelesen und stelle mich Ihnen hiermit vor.

Voraussichtlich im nächsten Monat werde ich mein Studium der Betriebswirtschaftslehre erfolgreich beenden. In mehreren Praktika habe ich erste Berufserfahrung erworben. Hervorzuheben ist dabei meine Tätigkeit als Werkstudent bei einem großen deutschen Automobilhersteller sowie mein Auslandspraktikum im Bereich Management bei der britischen Niederlassung eines internationalen Elektronik-Konzerns. Hierdurch habe ich meine interkulturellen Kenntnisse vertieft und erfolgreich in verschiedenen Projektteams gearbeitet. Meine Englischkenntnisse habe ich in diesem Rahmen angewendet und auch fachbezogen verbessert.

Ihre Firma ist mir bereits durch einschlägige Marktbeobachtung bekannt. Sehr gerne unterstütze ich Ihre Geschäftsführung in allen Belangen. Ich sehe in dieser Aufgabe eine attraktive Herausforderung für mich.

Daher freue ich mich über eine Einladung zu einem persönlichen Gespräch, für das ich Ihnen zeitnah zur Verfügung stehe. Mein frühestmöglicher Eintrittstermin ist voraussichtlich der 01.03.2011.

Gerne höre ich von Ihnen.

Mit freundlichen Grüßen

René A. Kampe

Cover letter

Kaiserstraße 15
97070 Würzburg
Germany

Tel.: +49 (0)931 30595
Mob.: +49 (0)160 1724995
E-mail: RAKampe@net.de

Ms Elisabeth Pollmer
Electronic Design Ltd.
15 Cherry Tree Walk
Leeds LS2 7EB
United Kingdom

12 January 2011

Dear Ms Pollmer

PA to management team

I am writing to express my interest in applying for the position of PA to the management team at your Leeds office as advertised in the Guardian International (Ref. AG432), and enclose my CV for your attention.

I expect to complete my business administration degree during the next month. I have already acquired some professional experience through a number of work placements, notably with a major German car manufacturer and working for the management of the UK office of an international electronics company. This gave me the opportunity to develop my intercultural awareness and participate successfully in various project teams. It also allowed me to practise and improve my spoken and business English.

I am already familiar with your company through my research into the electronics market, and would view a position with you as an exciting challenge. I am confident that I would be well qualified to provide your management team with support in all the relevant areas.

I look forward to discussing the details with you at an interview in the near future. I would expect to be available to take up the post as of 1 March 2011.

Thanking you in anticipation of your response.

Yours sincerely

René A. Kampe

Geschäftsbrief

Van den Engel OHG • Elbstraße 33 • D-22587 Hamburg

Equestrian Supplies Ltd
36 South Street
Ditchling
Sussex BN6 8UQ
Great Britain

Van den Engel OHG

Ihr Zeichen	Ihre Nachricht	Unser Zeichen
		NVE/II

Hamburg, 30.01.2011

Anfrage Sättel und Reitzubehör

Sehr geehrte Damen und Herren,

mit großem Interesse haben wir den Artikel über Ihre Firma in der Fachzeitschrift HIPPODROM gelesen.

Unsere Firma wurde 1980 gegründet. Seitdem beliefern wir von unserem Ladengeschäft in Hamburg sowie im Versand Kunden aus ganz Deutschland und den angrenzenden europäischen Ländern. Wir sind in Deutschland führend im Vertrieb exklusiver Artikel des Reiterbedarfs, insbesondere von Sätteln, Lederwaren und Accessoires.

Bitte übersenden Sie uns Ihr vollständiges Programm zusammen mit allen notwendigen Angaben über Exportpreise, Produktions- und Lieferzeiten sowie Liefer- und Zahlungsbedingungen.

Wenn uns Ihr Angebot überzeugt, sind wir gerne bereit, eine größere Bestellung aufzugeben.

Wir freuen uns auf Ihr Angebot und verbleiben
mit freundlichen Grüßen aus Hamburg

Andrea Baumeister

i.V. Andrea Baumeister
Einkauf

Adresse	Van den Engel OHG Elbstraße 33 22587 Hamburg	Telefon Fax Internet E-Mail	+49 (0)40 318 58 34 +49 (0)40 318 58 45 www.vandenengel.de info@vandenengel.de	Handelsregister USt-IdNr. Bankverbindung	Amtsgericht Hamburg HRA 1234 DE19876544321 Kreditbank Hamburg BLZ 700 100 10, Konto-Nr. 1575 54888 IBAN: DE35 7008123245 BIC (SWIFT): DEABCFMM
Postadresse	Postfach 237489 D-22554 Hamburg				

Business letter

Van den Engel OHG • Elbstraße 33 • D-22587 Hamburg

Equestrian Supplies Ltd
36 South Street
Ditchling
Sussex BN6 8UQ
Great Britain

Van den Engel OHG

Ihr Zeichen	Ihre Nachricht	Unser Zeichen
		NVE/II

Hamburg, 30.01.2011

Re: saddles and riding equipment

Dear Sir or Madam,

We were very interested to read the article about your company in the HIPPODROM trade magazine.

Since our company was founded in 1980 we have been supplying customers across Germany and in neighbouring European countries both through our retail outlet in Hamburg and through our mail order business. We are market leaders in Germany in the sale of exclusive horseriding equipment, specialising in saddles, leather goods and accessories.

With a view to the possibility of us placing a substantial order with you, we would be grateful if you could send us your full catalogue together with all the relevant information regarding export prices, manufacturing and lead times, and delivery and payment terms.

We look forward to receiving details of your product range.

Yours faithfully,

Andrea Baumeister

p.p. Andrea Baumeister
Procurement dept.

Adresse	Van den Engel OHG Elbstraße 33 22587 Hamburg	Telefon Fax Internet E-Mail	+49 (0)40 318 58 34 +49 (0)40 318 58 45 www.vandenengel.de info@vandenengel.de	Handelsregister USt-IdNr. Bankverbindung	Amtsgericht Hamburg HRA 1234 DE19876544321 Kreditbank Hamburg BLZ 700 100 10, Konto-Nr. 1575 54888 IBAN: DE35 7008123245 BIC (SWIFT): DEABCFMM
Postadresse	Postfach 237489 D-22554 Hamburg				

2 E-Mails | E-mails

Hotelbuchung für eine Tagung

Datei Bearbeiten Ansicht Einfügen Format Extras Nachricht ?

Senden Ausschneiden Kopieren Einfügen Rückgängig Einfügen

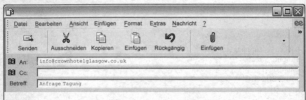

An: info@crownhotelglasgow.co.uk

Cc:

Betreff: Anfrage Tagung

Sehr geehrte Damen und Herren,

wir beabsichtigen, vom 10. bis 13.04.2011 eine Außendiensttagung in Ihrem Hotel durchzuführen.
Dafür benötigen wir 12 Einzelzimmer mit Bad bzw. Dusche und einen Seminarraum für 12 Personen, inkl. der üblichen Tagungsausstattung wie Beamer, Overhead-Projektor, Leinwand, Pinnwand, Flipchart bzw. Whiteboard.

Bitte machen Sie uns ein Pauschalangebot für die Übernachtung mit Vollpension von 12 Personen inkl. Tagungspauschale und aller Nebenkosten.

Für den 13.04. haben wir ein Gala-Abendessen für ca. 24 Personen in einem separaten Raum vorgesehen. Gerne erwarten wir dafür Ihre Menüvorschläge und -preise.

Wir bitten um Auskunft bis spätestens 10.03.2011.

Mit freundlichen Grüßen

Linda Best
Neumann-Verlag
Abteilung Marketing
Albanstraße 13
74072 Heilbronn

Amtsgericht Heilbronn HRA 1504

Tel.: +49 (0)7131 9 91 91-0
Fax: +49 (0)7131 9 91 91-17
E-Mail: l.best@neumann.de

Making a hotel reservation for a conference

To: info@crownhotelglasgow.co.uk
cc:
subject: Conference enquiry

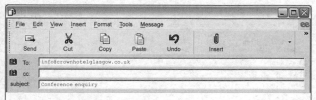

Dear Sir or Madam

We are planning to hold a sales conference at your hotel from 10 to 13 April 2011. We shall be requiring 12 en suite single rooms and a meeting room for 12 people with all the usual meeting equipment such as LCD and overhead projectors, screen, pinboard, flipchart/whiteboard, etc.

Could you please provide us with an all-inclusive quote for 12 people on full board inc. meeting charges and any supplementary costs?

We intend to hold a gala dinner on 13 April for approx. 24 people in a private function room. We would therefore be grateful if you could send us menu and price details.

We look forward to hearing back from you no later than 10 March.

Kind regards

Linda Best
Neumann-Verlag
Abteilung Marketing
Albanstraße 13
74072 Heilbronn

Reg. Heilbronn HRA 1504
Tel.: +49 (0)7131 99191-0
Fax: +49 (0)7131 99191-17
E-mail: l.best@neumann.de

Terminabsprache

Datei Bearbeiten Ansicht Einfügen Format Extras Nachricht ?

Senden Ausschneiden Kopieren Einfügen Rückgängig Einfügen

An: p.brooks@brookspartners.co.uk
Cc:
Betreff: Unsere Besprechung vom Dienstag

Hi Peter,

danke, dass Du zu unserer sehr angenehmen und produktiven Besprechung nach München gekommen bist! Das Protokoll werde ich diese Woche noch ausarbeiten und verteilen. Wir sehen uns dann nächsten Monat in Manchester. Ich schlage Freitag, den 7.4., vor. Die Uhrzeit überlasse ich Dir. Ab 10.30 Uhr kann ich da sein.

Bis dahin, herzliche Grüße aus München

Nico

Scheduling a meeting

File Edit View Insert Format Tools Message

Send Cut Copy Paste Undo Insert

To: p.brooks@brookspartners.co.uk
cc:
subject: Tuesday's meeting

Hi Peter,

Many thanks for attending what I felt was a very enjoyable and productive meeting in Munich on Tuesday. I shall finalise the minutes and forward them to you later this week. I look forward to seeing you again in Manchester next month. I would propose Friday 7 April as a possible date, I'll leave it to you to decide what time would suit you best. I can make it any time after 10.30 a.m.

Look forward to seeing you then.

Best wishes from Munich,

Nico

Terminbestätigung

Datei Bearbeiten Ansicht Einfügen Format Extras Nachricht ?

Senden Ausschneiden Kopieren Einfügen Rückgängig Einfügen

An: m.khan@textcompany.co.uk

Cc:

Betreff: Projekt APS: Terminvorschlag für das Kick-off-Meeting

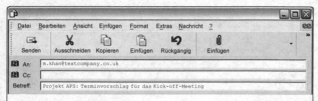

Lieber Mohammed,

danke für Deine Terminvorschläge. Donnerstag, 13.7., würde bei uns sehr gut passen. Wir würden uns freuen, Euch ab 15 Uhr in unseren Räumen in der Südstadt begrüßen zu dürfen. Parkmöglichkeiten gibt es im Parkhaus an der Adenauerallee.

Beste Grüße

Alessa Zuweger
Grafikdesignerin
Grafik AG Bonn

Confirming a meeting

File Edit View Insert Format Tools Message

Send Cut Copy Paste Undo Insert

To: m.khan@textcompany.co.uk

cc:

subject: proposed date for APS project kick-off meeting

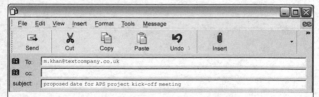

Dear Mohammed,

Many thanks for letting us know your proposed date for this meeting. Thursday 13 July would be absolutely fine with us. We would suggest a start time of 3 p.m. at our South Bonn offices. Parking is available in the multi-storey car park on Adenauerallee.

Kind regards,

Alessa Zuweger
Graphic designer
Grafik AG Bonn

Einladung

An: m.donovan@translatio24.net, h.hopkins@translatio24.net ...

Cc:

Betreff: Ausstand

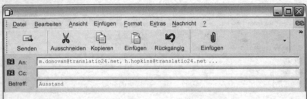

Liebe Kolleginnen und Kollegen,

viele von Euch wissen es schon: Ich gehe bald zurück nach München, in meine Heimatstadt, und werde dort in einer Touristik-Firma als Manager arbeiten. Vor einem Monat war ich dort, um mich vorzustellen. Die Firma und die neuen Kollegen haben mir gut gefallen. Fast so gut wie hier bei Euch in Bristol. Ich werde Euch bestimmt alle sehr vermissen.

Wie in meiner Heimat üblich, möchte ich deshalb am Freitag um 19.30 Uhr hier in der Abteilung, Besprechungsraum 2 im 2. Stock, meinen Ausstand geben. Ich werde für Kartoffelsalat, Würstchen und Bier sorgen.

Ich hoffe, Ihr kommt alle!

Liebe Grüße

Leo

Invitation

File Edit View Insert Format Tools Message

Send Cut Copy Paste Undo Insert

To: m.donovan@translatio24.net, h.hopkins@translatio24.net ...

cc:

subject: Leaving do

Dear all,

As many of you already know, I'll soon be returning to my native Munich where I'll be taking up a position as manager of a travel company. I was over there about a month ago for an interview, and the company and staff all seemed very nice, though not as nice as everyone here in Bristol, of course! I'm really going to miss all you guys!

It's the custom in Germany to put on your own leaving do, so I'll be organising a little get-together here in Meeting Room 2 on the second floor at 7.30 p.m. on Friday. There will be plenty of potato salad, sausages and beer, so I hope you can all make it!

Hope to see you all there,

Leo

Zusage

Datei Bearbeiten Ansicht Einfügen Format Extras Nachricht ?

Senden Ausschneiden Kopieren Einfügen Rückgängig Einfügen

An: l.brugger@translatio24.net

Cc:

Betreff: Re: Ausstand

Hallo Leo,

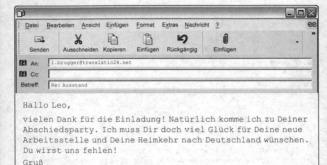

vielen Dank für die Einladung! Natürlich komme ich zu Deiner Abschiedsparty. Ich muss Dir doch viel Glück für Deine neue Arbeitsstelle und Deine Heimkehr nach Deutschland wünschen. Du wirst uns fehlen!

Gruß

Mary

Acceptance

File Edit View Insert Format Tools Message

Send Cut Copy Paste Undo Insert

To: l.brugger@translatio24.net

cc:

subject: Re: Leaving do

Hi Leo,

Cheers for the invite, I'd be delighted to come along! I hope it all goes well with your new job back in Germany. We're all going to miss you too!

Best,

Mary

Absage

Datei Bearbeiten Ansicht Einfügen Format Extras Nachricht ?

Senden | Ausschneiden | Kopieren | Einfügen | Rückgängig | Einfügen

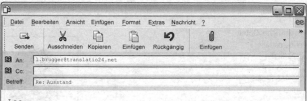

An: l.brugger@translatio24.net

Cc:

Betreff: Re: Ausstand

Leo,

tut mir leid, aber ich kann nicht zu Deinem Fest kommen, weil ich am Freitagnachmittag bei einem Kunden in Edinburgh sein werde, wegen des neuen E-Commerce-Projekts. Den Termin kann ich natürlich nicht verschieben.

Ich rufe Dich an und wir gehen diese Woche abends zusammen ein Bier trinken, einverstanden?

Bis bald!

Helen

Refusal

File Edit View Insert Format Tools Message

Send | Cut | Copy | Paste | Undo | Insert

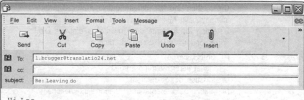

To: l.brugger@translatio24.net

cc:

subject: Re: Leaving do

Hi Leo,

I'm really sorry, but I can't make it to your leaving do because I have to be in Edinburgh on Friday afternoon to see a customer about the new e-commerce project, and I'm afraid there's no way I can put it off.

I'll give you a bell to see if we can go for a pint one evening this week, OK?

Talk soon,

Helen

3 Lebenslauf | Curriculum vitae

Lebenslauf

Carla Brauer

Persönliche Daten
Perlbergstraße 5
10323 Berlin
030/22 21 13 45 (privat)
0130/4 56 77 88
CarlaBrauer@web.de
Geburtsdatum: 21. Januar 1982
Geburtsort: Stuttgart
Staatsangehörigkeit: deutsch

Kurzprofil
Staatlich geprüfte Europasekretärin
7 Jahre Berufserfahrung als Sekretärin/Assistentin in internationalen Unternehmen der Dienstleistungsbranche

Beruflicher Werdegang

08/2008 – heute	**Bartok GmbH, Berlin** Sekretärin/Assistentin Vertriebsleitung Organisation des Sekretariats Organisation und Nachbereitung (inkl. Protokollführung) internationaler Meetings Erstellung von Präsentationen mit PowerPoint und Excel Korrespondenz in Deutsch und Englisch
09/2004 – 06/2008	**ITC GmbH, Berlin** Sekretariat Bereichsleitung Europa Organisation des Sekretariats Mitwirkung bei Präsentationen (national/international) Vorbereitung von Messen/Veranstaltungen

Aus- und Weiterbildung

09/2001 – 07/2004	**Institut für Sprachen und Wirtschaft, Stuttgart** Ausbildung zur Staatlich geprüften Europasekretärin

Curriculum vitae

Personal details

Name:	Carla Brauer
Address:	Perlbergstraße 5 10323 Berlin Germany
Home telephone:	+49 (0)30 22211345
Mobile:	+49 (0)130 4567788
E-mail:	CarlaBrauer@web.de
Date of birth:	21 January 1982
Place of birth:	Stuttgart, Germany
Nationality:	German

Foto unüblich

Personal profile

State-certified bilingual executive secretary
7 years professional experience as secretary/PA at various international service sector companies

Employment history

2008 – present	**Bartok GmbH, Berlin** secretary/PA to sales management team organisation of administrative duties organisation and follow-up (inc. minute-taking) of international meetings preparation of presentations using PowerPoint and Excel German and English correspondence
2004 – 2008	**ITC GmbH, Berlin** administrative assistant to European divisional management organisation of administrative duties assistance with presentations (national/international) preparation of trade fairs/events

Education and qualifications

2001 – 2004	**Institut für Sprachen und Wirtschaft, Stuttgart** (Stuttgart Institute of Languages and Business Administration) state-certified bilingual executive secretary course

02/2003 – 09/2003	**ALB Akademie, Stuttgart** professionelles Office Management
09/1998 – 06/2001	**Fachoberschule für Wirtschaft, Stuttgart** Abschluss: Fachhochschulreife

Sprachen

Englisch	sehr gute Kenntnisse
Französisch	sehr gute Kenntnisse
Spanisch	gute Kenntnisse

EDV

MS Office	sehr gute Kenntnisse des gesamten Pakets

Hobbys

Judo	Übungsleiterin, Jugendtrainerin
Klettern	
Yoga	

Berlin, 03.02.2011
Carla Brauer

2003	**ALB Akademie, Stuttgart** (ALB Academy, Stuttgart) Professional Office Management course
1998 – 2001	**Fachoberschule für Wirtschaft, Stuttgart** (Stuttgart Business Administration College) obtained *Fachhochschulreife* (qualification required to attend a higher technical institute)

Languages

English	advanced oral and written skills
French	advanced oral and written skills
Spanish	good oral and written skills

IT skills

MS Office	excellent knowledge of the whole MS Office suite

Interests

Judo	trainer, youth coach
Climbing	
Yoga	

4 Besprechungen | Meetings

Begrüßung und Einleitung	Welcome and introduction
Guten Morgen, meine Damen und Herren.	Good morning, ladies and gentlemen.
Ich begrüße Sie zu unserem heutigen Treffen.	I'd like to welcome you to today's meeting.
Ich freue mich auf ein produktives Meeting zum Thema „Markteinführung unseres Produktes ExPert".	I'm looking forward to a very productive meeting on the ExPert product launch.
Die Tagesordnung haben Sie alle erhalten.	You should have all received a copy of the agenda.
Herr Anderson, würden Sie das Protokoll führen?	Mr Anderson, could I ask you to take the minutes?
Ich danke Ihnen.	Thank you.
Lassen Sie mich kurz die Ergebnisse aus unserem letzten Meeting zusammenfassen.	I'd like to present a brief summary of the outcomes of our last meeting.
Kommen wir zu Punkt 1 unserer Tagesordnung.	Let's move on to Item 1 on the agenda.

Kommentieren	Making comments
Dazu habe ich einen Vorschlag.	I have a suggestion regarding this point.
Ich bin ganz Ihrer Meinung.	I agree with you completely.
Könnten Sie Ihren Vorschlag noch einmal erläutern?	Would you mind going over your proposal again?
Ich bin anderer Meinung.	I disagree.
Dem stimme ich nicht zu.	I don't agree with that.
Haben Sie dazu Fragen oder Anmerkungen?	Are there any questions or comments on this point?
Haben Sie Einwände?	Do you have any objections?
Frau Shah, wollten Sie dazu noch etwas sagen?	Ms Shah, was there something else you wanted to say on this matter?

Fazit und Abschluss	Summary and wrap-up
Aus unserer Besprechung ziehe ich folgendes Fazit.	I think we can draw the following conclusions from our discussion.
Wir konnten in allen Punkten Einigkeit erzielen.	We have been able to reach agreement on all points.

Das Gespräch ist sehr erfolgreich verlaufen.	I think we have had a very useful discussion.
Wir konnten (fast) alle offenen Fragen klären.	We have managed to resolve (almost) all the pending issues.
Wir konnten nicht alle Tagesordnungspunkte besprechen.	We haven't managed to discuss all the items on the agenda.
Wir wurden uns nicht in allen Punkten einig.	We didn't agree on everything.
Damit sind wir am Ende unserer Sitzung angekommen.	That brings us to the end of our meeting.
Ich danke Ihnen für Ihr Kommen.	Thank you for attending.
Vielen Dank für Ihre konstruktiven Beiträge.	Many thanks for your constructive contributions.
Wir machen dann nächste Woche weiter.	We'll pick up again next week.

5 Small Talk | Small talk

Begrüßung von Geschäftspartnern	Welcoming business associates
Guten Tag, mein Name ist Sonja Hermann.	Hello, I'm Sonja Hermann.
Ich bin Assistentin des Vertriebsleiters.	I'm PA to the sales manager.
– Guten Tag, ich bin Claudia Murray, Abteilungsleiter Einkauf.	– Hello, I'm Claudia Murray, chief procurement officer.
– Es freut mich, Sie kennenzulernen.	– Pleased to meet you.
Das ist Herr Bauer, unser Redaktionsleiter.	Allow me to introduce Mr Bauer, head of our editorial department.
– Sehr erfreut, Herr Bauer.	– Pleased to meet you, Mr Bauer.
Herzlich willkommen in München!	Welcome to Munich!
– Danke! Ich freue mich, hier zu sein.	– Thank you very much, I'm glad I could come.
Wie geht es Ihnen?	I hope you're well.
– Danke, alles bestens.	– Yes, very well, thanks.
Hatten Sie einen angenehmen Flug?	Did you have a good flight?
– Ja, alles in Ordnung.	– Yes, it was fine, thanks.
Seit wann sind Sie in Deutschland?	How long have you been in Germany?
– Ich bin bereits gestern angekommen.	– I actually arrived yesterday.
Haben Sie gut zu uns hergefunden?	Did you find your way here OK?

– Das war mithilfe Ihrer Anfahrtsbeschreibung gar kein Problem.	– Yes, it was very straightforward thanks to your directions.
Sind Sie mit Ihrem Hotel zufrieden?	Is everything OK with the hotel?
– Das Hotel ist ausgezeichnet, vielen Dank.	– The hotel's great, thanks.
Sind Sie zum ersten Mal bei uns im Haus?	Is this the first time you've visited our offices?
– Nein, ich war letztes Jahr schon einmal hier.	– No, I was actually here last year too.
– Ja, ich bin zum ersten Mal hier.	– Yes, this is my first visit.
Auf eine erfolgreiche Zusammenarbeit!	I look forward to a productive partnership.
– Das würde mich freuen.	– Me too.

Wetter / The weather

Wie war das Wetter in London?	How was the weather in London?
– Es war grau und neblig.	– It was grey and foggy.
– Es war recht sonnig und mild.	– It was actually quite warm and sunny.
Wir haben Glück mit dem Wetter.	We've been lucky with the weather.
– Ja, heute ist ein sehr schöner Tag.	– Yes, it's a lovely day today.
Leider haben wir gerade Pech mit dem Wetter.	It's a shame the weather couldn't be better.
– Da kann man nichts machen. In London war es auch nicht besser.	– Never mind, there's nothing to be done about it. It's not like it was any better in London.
Es ist schon seit Tagen kalt und regnerisch.	It's been cold and rainy for a few days now.
Es hat bis gestern geregnet.	It rained right up until yesterday.
– Ich gehe nächste Woche in Urlaub. Hoffentlich ist das Wetter bis dahin besser.	– I'm going to be on holiday next week. I hope the weather has improved by then.
Wohin verreisen Sie denn? Geht es Richtung Süden?	Where are you off to, somewhere warm?
– Ja, ich fahre mit meiner Familie nach Andalusien.	– Yes, me and my family are going to Andalusia.
Schön! Dort haben Sie bestimmt besseres Wetter.	That sounds nice. I'm sure the weather will be better there.
– Das hoffe ich.	– I certainly hope so.

Land und Leute	Country and people
Waren Sie schon einmal in Frankfurt?	Have you been to Frankfurt before?
– Ja, ich war einmal auf der Buchmesse. Das ist aber schon einige Jahre her.	– Yes, I came to the book fair once, but it was quite a few years ago.
– Nein, ich bin zum ersten Mal hier.	– No, this is my first time here.
Wie gefällt Ihnen Berlin?	What do you think of Berlin?
– Die Stadt gefällt mir sehr.	– I really like it here.
– Ich habe noch nicht viel von der Stadt gesehen.	– I haven't really had the chance to have a look around yet.
– Ich würde gerne mehr von Berlin sehen, aber ich fürchte, die Zeit wird nicht reichen.	– I'd love to see more of Berlin, but I don't think I'm going to have time, unfortunately.
Wie lange werden Sie in Berlin bleiben?	How long are you staying in Berlin?
– Leider nur heute. Meine Maschine geht schon am Abend zurück.	I'm just here for the day, I'm afraid. I fly back this evening.
– Nur heute und morgen. Meine Firma erwartet mich schon morgen Abend zurück.	– Just today and tomorrow. I need to be back at the office tomorrow evening.
Kennen Sie Köln?	Do you know Cologne at all?
– Nein, gar nicht. Es ist mein erster Besuch in der Stadt.	– No, not at all, it's my first time here.
– Ich war schon einmal als Tourist in Köln, beim Karneval.	– I was here on holiday once at carnival time.
– Ich würde die Stadt gern besser kennenlernen.	– I'd like to get to know it better.

Hobbys und Interessen	Hobbies and interests
Interessieren Sie sich für Fußball?	Are you into football?
– Ja, ich bin ein großer Fan des FC Bayern München.	– Yes, I'm a big Bayern Munich fan.
– Nein, eigentlich nicht. Ich sehe lieber Tennis oder Basketball.	– No, not really, I'm more into watching tennis and basketball.
Würden Sie gerne ein Spiel im neuen Stadion sehen?	Would you like to go to a match at the new stadium?
– Das wäre wunderbar.	– That would be brilliant.
Darf ich Ihnen das Olympiagelände zeigen?	Would you like me to show you round the Olympic park?
– Das würde mich sehr interessieren.	– Yes, thanks, that would be really interesting.

Es gibt gerade eine interessante Ausstellung im Museum für Moderne Kunst. | There's an interesting exhibition on at the Modern Art Gallery at the moment.

– Davon habe ich gelesen. Ich würde sie sehr gerne sehen. | – Yes, I've read about it and I'd love to go.

– Ich befürchte, dafür wird die Zeit nicht reichen. | – I'm afraid I probably won't have time to go.

6 PowerPoint®-Präsentationen | PowerPoint® presentations

Einleitung | Introduction

Ich möchte Ihnen zunächst anhand eines Organigramms unsere Firma vorstellen. | I'd like to begin by showing you a diagram of our company's organisational structure.

Ich möchte Ihnen heute anhand einiger Folien zeigen, wie sich unser neues Produkt auf dem Markt entwickelt. | What I'd like to do today is give a brief slide presentation on our new product's market development.

Ich freue mich, Ihnen unsere neue Marketing-Strategie präsentieren zu können. | I'm delighted to have the opportunity to present our new marketing strategy to you.

Ich verspreche Ihnen, mich kurzzufassen. | I promise to try and be brief.

Wenn Sie Fragen haben, unterbrechen Sie mich bitte jederzeit. | If you have any questions, please feel free to interrupt me as I go along.

Auf dem Flipchart sehen Sie das Programm für den heutigen Tag aufgelistet. | You can see today's agenda on the flipchart.

Hauptteil der Präsentation | Main body of the presentation

Neuere Statistiken zeigen, dass der Trend zu hochwertigen Produkten geht. | Recent data point to a trend towards top-end products.

Sehen Sie sich zunächst die Abbildung links oben an. | Please take a look at the chart in the top left-hand part of the screen.

Für unsere interne Erhebung wurden Fragebögen entwickelt und verteilt. | Questionnaires were written and sent round for our in-house survey.

Die Auswertung sehen Sie in dieser Tortengrafik anschaulich dargestellt. | It is easier to see what the breakdown looks like in this pie chart.

Unten rechts sehen Sie die aktuellen Verkaufszahlen. | Current sales figures are shown in the bottom right-hand corner.

Die genauen Produktionsabläufe zeigt das folgende Flussdiagramm. | The exact production processes are shown in this flow chart.

Im Balkendiagramm sehen Sie die Absatzzahlen pro Quartal. | The bar chart shows quarterly sales figures.

Im folgenden Säulendiagramm ist ein leichter, aber konstanter Rückgang der Verkaufserlöse erkennbar.	In this bar chart we can observe a slight but continuous fall-off in sales revenue.
Das Schnittmengendiagramm zeigt die Gemeinsamkeiten und Unterschiede innerhalb des europäischen Marktes.	The Venn diagram shows the commonalities and differences within the European market.
Die folgende Abbildung zeigt die Umsatzziele für das laufende Geschäftsjahr.	The next graph shows our sales targets for the current financial year.
In der linken/rechten Spalte der Tabelle sehen Sie die Aufwendungen für externe Leistungen.	The left/right column in the table shows spending on external services.
Das Kurvendiagramm zeigt die Entwicklung der Verkaufszahlen seit 2006.	This graph shows sales trends since the year 2006.
Die punktierte Linie markiert unsere Zielvorgabe für das kommende Jahr.	The dotted line represents our target for the year ahead.
Die gestrichelte Linie zeigt, wo wir heute stehen.	The broken line shows where we currently stand today.
Vergleichen Sie Schaubild 1 mit 3.	Compare graph 1 with graph 3.
Auf der vertikalen Achse sehen Sie den Faktor Umsatz, auf der horizontalen Achse den Faktor Kosten.	The y-axis represents turnover, while the x-axis shows costs.
Und nun zum nächsten Bild.	Let's move on to the next slide now.
Die nächste Folie, bitte.	Next slide, please.
Der Kurvenverlauf zeigt, dass der Absatz im vergangenen Jahr eingebrochen ist, sich im Laufe dieses Jahres aber wieder erholt hat.	The curve shows how sales fell sharply last year but then recovered this year.
Der schraffierte Bereich zeigt, wo unser Expansionspotenzial liegt.	The shaded area represents where we believe there is potential for us to expand.
Die mittlere Tabelle zeigt unsere Position im Vergleich zu den Marktführern.	The middle table shows where we stand compared with the market leaders.
Im Vergleich zum Vorjahr stieg/sank der Absatz signifikant.	Sales rose/fell sharply against the previous year.
Was sind die Gründe für diese Entwicklung?	What are the reasons for this trend?
Der Gesamtverkaufserlös stieg/sank um 10,9%.	Total sales revenue rose/fell by 10.9%.
Sehen wir uns das einmal genauer an.	Let's take a closer look at this point.
Sie als IT-Fachkräfte wollen vor allem eines wissen: ...	As IT experts, you need to know one thing: ...

So viel zum Thema Produktion. Sehen wir uns jetzt noch kurz die möglichen Vertriebswege an.	That's all I wanted to say about the production side. I'd now like to take a quick look at possible distribution channels.

Schlussfolgerung	**Conclusion**
Lassen Sie mich die wichtigsten Ergebnisse zusammenfassen.	The key results can be summarised as follows.
Was bedeutet das nun konkret für Sie bzw. Ihre Abteilung?	What does all this actually mean in practice for you and your department?
In der To-do-Liste möchte ich noch gern die nächsten Arbeitsschritte festlegen.	I'd like to make sure that we have the next steps written down on our to-do list.
Ich hoffe, Sie haben durch meine Präsentation einige Anregungen für Ihre täglichen Arbeitsabläufe bekommen.	I hope that my presentation has given you a few ideas that you'll be able to use in your everyday work.
Vielen Dank für Ihre Aufmerksamkeit.	Thank you for your attention.
Haben Sie noch Fragen?	Are there any further questions?
Wenn Sie noch Fragen haben, gehe ich gerne darauf ein.	If you have any further questions I would be happy to take them.
Handouts zu unserer Präsentation sind vorbereitet und liegen am Ausgang für Sie bereit.	We have printed out handouts of our presentation which you can pick up on your way out.

Deutsch – Englisch

A

A N [aː] ⟨~; ~⟩ A (*a.* MUS)

à PRÄP [a] ⟨*nom*⟩ **5 Karten ~ 15 Euro** 5 tickets at 15 euros each

Aal M [aːl] ⟨~(e)s; ~e⟩ eel

ab [ap] **A** PRÄP ⟨*dat*⟩ from; **~ 7 Uhr** from 7 o'clock (on); **~ morgen/1. März** from *od* starting tomorrow/March 1st; **~ jetzt** from now on **B** ADV **~ und zu** now and then; **~ ins Bett!** off to bed!; **München ~ 13.55** leaving Munich at 13.55; → ab sein

AB ABK [aːˈbeː] ⟨~(s); ~(s)⟩ *für* Anrufbeantworter answering machine, *Br* answerphone

ˈabarbeiten V/T *Schulden* work off; **sich ~** wear* o.s. out

Abart F [ˈapʔart] ⟨~; ~en⟩ BIOL variety

ˈabartig ADJ abnormal

ˈAbbau M ⟨~(e)s⟩ *von Bodenschätzen* mining; *von Vorurteilen* overcoming; *von Maschine, Zelt etc* dismantling; *von Personal etc* reduction

ˈabbauen **A** V/T *Bodenschätze* mine; *Vorurteile, Misstrauen* overcome*; *Maschine, Zelt etc* dismantle; *Personal etc* reduce; **sich ~** *von Schadstoff etc* break* down **B** V/I *von Patient etc* deteriorate

ˈabbekommen V/T ⟨*irr, kein ge*⟩ *losbekommen* get* off; **s-n Teil** *od* **etwas ~** get* one's share; **etwas ~** *fig* get* hurt; *beschädigt werden* get* damaged; **viel Sonne ~** catch* a lot of sun

ˈabberufen V/T ⟨*irr, kein ge*⟩ recall

ˈAbberufung F recall

ˈabbestellen V/T ⟨*kein ge*⟩ cancel

ˈAbbestellung F cancellation

ˈabbiegen V/I ⟨*irr, s*⟩ turn off; **nach rechts/links ~** turn right/left

ˈAbbildung F ⟨~; ~en⟩ illustration

ˈabblasen V/T ⟨*irr*⟩ *fig umg* call off, cancel

ˈabblenden **A** V/T *Lampe* dim **B** V/I AUTO dip *od US* dim one's headlights

ˈAbblendlicht N dipped *od US* dimmed headlights *pl*

ˈabbrechen ⟨*irr*⟩ **A** V/T break* off (*a. fig*); *Gebäude* pull down, demolish; *Zelt, Lager* strike* **B** V/I *von Musik* break* off; IT cancel

ˈabbrennen ⟨*irr*⟩ **A** V/T *Gebäude, Dorf* burn* down; *Feuerwerkskörper* let* off **B** V/I ⟨*s*⟩ *von Haus, Kerze etc* burn* down

ˈabbringen V/T ⟨*irr*⟩ **j-n davon ~, etw zu tun** talk sb out of doing sth; **j-n vom Thema ~** get* sb off the subject

ˈAbbruch M breaking off; *von Gebäude* demolition; *von Beziehungen* rupture

ˈabbruchreif ADJ derelict

ˈabbuchen V/T debit (**von** to)

ˈAbbuchung F debit

abchecken V/T *sl* check out

ABC-Waffen PL [aːbeːˈtseː-] nuclear, biological and chemical weapons *pl*

ˈabdichten V/T insulate; *gegen Wasser* make* watertight; *Tür, Fenster* draughtproof, *US* draftproof

ˈabdrehen **A** V/T *Gas, Licht etc* turn *od* switch off **B** V/I change course; *umg: von Person* crack up

ˈAbdruck M ⟨~(e)s; Abdrücke⟩ *in Wachs etc* imprint

ˈabdrucken V/T print

ˈabdrücken V/I *schießen* fire, pull the trigger

Abend M [ˈaːbənt] ⟨~s; ~e⟩ evening; **am ~** in the evening; **heute ~** this evening, tonight; **morgen/gestern ~** tomorrow/yesterday evening, tomorrow/last night; **guten ~!** good evening!; **zu ~ essen** have* dinner

ˈAbendessen N dinner **ˈAbendkasse** F box office **ˈAbendkurs** M evening classes *pl*

ˈabends ADV in the evening; **dienstags ~** (on) Tuesday evenings

Abenteuer N [ˈaːbəntɔyər] ⟨~s; ~⟩ adventure

'abenteuerlich ADJ adventurous; *riskant* risky; *unwahrscheinlich* fantastic
'Abenteurer(in) M ⟨~s; ~⟩ (F) ⟨~in; ~innen⟩ adventurer
aber KONJ & ADV ['a:bər] but; **oder ~** or else; **ist das ~ kalt!** that's really cold!; **jetzt sei ~ endlich still!** will you be quiet now!; **~ selbstverständlich** by all means
'Aberglaube M superstition
'abergläubisch ADJ superstitious
'aberkennen V/T ⟨*irr, kein ge*⟩ *Tor* disallow; **j-m etw ~** deprive sb of sth (*a.* JUR)
'Aberkennung F ⟨~; ~en⟩ deprivation (*a.* JUR)
abermalig ADJ ['a:bərma:liç] repeated
abermals ADV ['a:bərma:ls] (once) again, once more
'abfahren ⟨*irr*⟩ **A** V/I ⟨s⟩ leave*, *förmlicher* depart (**nach** for); *auf Skiern* ski down; (**voll**) **~ auf** *umg* be* (really) into **B** V/T *wegtransportieren* take* away
'Abfahrt F departure (**nach** for); *auf Skiern* descent; AUTO exit
'Abfahrtszeit F departure time
'Abfall M *Hausmüll* rubbish, *US* garbage, trash; *industrieller, radioaktiver* waste; *auf der Straße* litter
'Abfallaufbereitung F ⟨~⟩ waste processing **'Abfallbeseitigung** F waste disposal **'Abfalleimer** M rubbish bin, *US* garbage can
'abfallen V/I ⟨*irr*, s⟩ fall* off; *Gelände*: fall* away; *fig* **~ gegen** compare badly with
'Abfallentsorgung F waste disposal
'abfällig **A** ADJ *Bemerkung* disparaging **B** ADV *sprechen etc* disparagingly
'Abfallkorb M litter bin **'Abfallmanagement** N waste management **'Abfallprodukt** N waste product; *Nebenprodukt* by-product **'Abfallverwertung** F ⟨~⟩ waste recovery, recycling
'abfangen V/T ⟨*irr*⟩ *Ball, Nachricht* intercept; *Person* catch*; *Angriff, Stoß* ward off; *Fahrzeug abbremsen* regain control of
'abfärben V/I *von Farbe, Kleidungsstück* run*; **~ auf** *fig* rub off on
'abfassen V/T write*
'abfertigen V/T *Waren* prepare for dispatch; *beim Zoll* clear; *Kunden* serve; *Fluggast, Hotelgast* check in; **j-n kurz ~** *umg* be* short with sb
'Abfertigung F ⟨~⟩ *von Waren* preparation for dispatch; *beim Zoll* clearance; *von Fluggästen, Hotelgästen* check-in
'Abfertigungsschalter M FLUG check-in desk
'abfinden V/T ⟨*irr*⟩ *Gläubiger* pay* off; *Teilhaber* buy* out; *entschädigen* compensate; **sich mit etw ~** come* to terms with sth
'Abfindung F ⟨~; ~en⟩ *Entschädigung* compensation (*a. Summe*); *von Angestellten* redundancy payment
'abfliegen V/I ⟨*irr*, s⟩ take* off
'abfließen V/I ⟨*irr*, s⟩ drain off
'Abflug M takeoff; **~ Berlin 10 Uhr** departure Berlin 10 o'clock
'Abflughalle F departure lounge **'Abflugterminal** M departures *pl*, departure terminal **'Abflugzeit** F departure time
'Abfluss M draining off; *Abflussstelle* drain; *von Badewanne* plughole
'Abflussrohr N wastepipe; *außen* drainpipe
Abfuhr F ['apfu:r] ⟨~; ~en⟩ removal; **j-m e-e ~ erteilen** *fig* rebuff sb; *umg*: *besiegen* lick sb
'abführen V/T lead* away, take* away; *Geld* pay* (**an** to)
'Abführmittel N laxative
'abfüllen V/T *in Flaschen* bottle; *in Dosen* can
'Abgabe F *von Arbeit* handing in; *von Ball* pass; **~n** *pl*; *Steuern* taxes *pl*; *Sozialabgaben* contributions *pl*
'abgabenpflichtig ADJ taxable
'Abgang M THEAT exit (*a. fig*); **nach ihrem ~ von der Schule** after leaving school, *US* after graduating
'Abgangszeugnis N school-leaving certificate, *US* diploma
'abgasarm ADJ AUTO low-emission
'Abgase PL exhaust fumes *pl*
'abgasfrei ADJ emission-free **'Abgasgrenzwert** M exhaust emission standard **'Abgasuntersuchung** F emissions test
'abgeben V/T ⟨*irr*⟩ *Schlüssel, Gepäck* leave* (**bei** with); *Prüfungsarbeit, Hefte* hand in; *Geld, Fahrkarte, Brief* hand over (**an** to); *Stimme* cast*; *Ball* pass; *Wärme* give* off; *Angebot, Erklärung* make*;

j-m etw ~ give* sb sth; **j-m etwas von etw ~** share sth with sb; **sich ~ mit** concern o.s. with; *mit j-m* associate with
'abgehärtet ADJ tough; **~ gegen** immune to
'abgehen V/I ⟨*irr*, s⟩ *abfahren* leave*; *von Post, Ware* go* off; THEAT go* off, exit; *von Knopf* come* off; *von Weg* branch off; **(von etw) ~** *abgerechnet werden* be* taken off (sth); **von der Schule ~** leave* school; **~ von** *Plan, Forderungen* drop; **von s-r Meinung ~** change one's mind; **ihm geht jedes Verständnis ab** he lacks understanding; **was geht denn hier ab?** *umg* what's going on here then?
'abgelegen ADJ remote
'abgemacht ADJ fixed; **~!** okay; *ein Geschäft abschließend* it's a deal!
'abgemagert ADJ emaciated
'abgeneigt ADJ **j-m/etw ~ sein** be* averse to sb/sth; **ich wäre nicht ~, das zu tun** I wouldn't mind doing that
'abgenutzt ADJ worn; *Gerät* worn-out
'Abgeordnete(r) M/F(M) ⟨~n; ~n⟩ Member of Parliament, *abk* MP, *US* representative; *im Landtag* representative
'Abgeordnetenhaus N parliament; *in GB* House of Commons, *in USA* House of Representatives
'abgepackt ADJ prepacked
'abgeschlossen ADJ *vollendet* completed
'abgesehen ADJ **~ von** apart *od* aside from; **~ davon, dass** apart from the fact that
'abgestumpft ADJ *fig* insensitive (**gegen** to)
'abgewöhnen V/T ⟨*kein ge*⟩ **j-m etw ~** get* sb to give up sth; **sich etw ~** give* up *od* stop sth
'abgrenzen V/T mark off; *mit Zaun* fence off; *fig*: *Begriffe* differentiate (**gegen, von** from); **sich von j-m/etw ~** distance o.s. from sb/sth
'Abgrund M abyss, chasm (*beide a. fig*); **am Rande des ~s sein** *fig* be* on the brink of disaster
'abgrund'tief **A** ADJ profound **B** ADV *hassen etc* profoundly
'abhaken V/T tick off, check off; *umg*: *vergessen* forget*
'abhalten V/T ⟨*irr*⟩ *veranstalten* hold*; **j-n von der Arbeit ~** keep* sb from his/her work; **j-n davon ~, etw zu tun** keep* sb from doing sth
'abhandeln V/T **j-m etw ~** make* a deal with sb for sth; **etw schnell ~** *Thema, Frage* deal* with sth quickly
abhandenkommen V/I [ap'handən-] ⟨*irr*, s⟩ get* lost; **mir ist m-e Brille abhandengekommen** I've lost my glasses
'Abhandlung F treatise (**über** on)
'Abhang M slope; *steil* precipice
abhängen **A** V/T *Bild* take* down; *Anhänger* uncouple; *Fleisch* hang*; *umg*: *j-n* shake* off **B** V/I ⟨*irr*⟩ *umg*: *nichts tun* hang* around; **~ von** depend on
'abhängig ADJ ['aphɛŋɪç] **~ sein von** *bedingt* depend on; *unselbstständig* be* dependent on; *Drogen* be* addicted to
'Abhängigkeit F ⟨~; ~en⟩ dependence (**von** on); *Drogenabhängigkeit* addiction (**von** to)
'abhärten V/R toughen o.s. up; **sich gegen etw ~** *fig* harden o.s. to sth
'abhauen ⟨*irr*⟩ **A** V/T chop off, cut* off **B** V/I ⟨s⟩ *umg* clear off (**mit** with); **hau ab!** beat it!, scram!
'abheben ⟨*irr*⟩ **A** V/T *Deckel* lift off, take* off; *Hörer* pick up; *Geld* withdraw*; *Karten* cut*; **sich ~** stand* out (**von** from) (*a. fig*) **B** V/I *beim Kartenspiel* cut* (the cards); *den Hörer abnehmen* answer the phone; *von Flugzeug* take* off; *von Rakete* lift off
'abheften V/T file away
'abhetzen V/R wear* o.s. out
'Abhilfe F remedy; **~ schaffen** take* remedial action
'abholen V/T pick up, collect; *Person* call for; **j-n vom Bahnhof ~** meet* sb at the station; *mit dem Auto* pick sb up at the station
'abholzen V/T *Bäume* fell, cut* down; *Wald* clear
'abhören V/T *Telefongespräch* listen in on; *Telefon* tap; *mit Mikrofon* bug; **j-m etw ~** *abfragen* test sb on sth
Abitur N [abi'tu:r] ⟨~s; ~e⟩ school-leaving examination, *Br a.* A-levels *pl*
'abkaufen V/T **j-m etw ~** buy* sth from sb; **das kaufe ich dir nicht ab!** *fig* I'm not buying that!
'abklingen V/I ⟨*irr*, s⟩ fade away; *von Schmerz, Fieber* ease off
'abkommen V/I ⟨*irr*, s⟩ **~ von** *Fahrbahn*

leave*; *Plan* drop; **vom Thema ~** stray from the point
'Abkommen N ⟨~s; ~⟩ agreement; **ein ~ schließen** make* an agreement; **~ über die Sozialpolitik** *EU* Social Policy Agreement
'abkühlen V/T & V/R cool down; *fig* cool
'Abkühlung F ⟨~; ~en⟩ cooling
'abkuppeln V/T *Waggon, Anhänger* uncouple (**von** from); *Raumfähre* undock
'abkürzen V/T shorten; *Wort, Begriff* abbreviate; **den Weg ~** take* a short cut
'Abkürzung F *von Wort, Begriff* abbreviation; *Weg* short cut
'abladen V/T ⟨*irr*⟩ unload; *Müll* dump
'Ablage F *von Akten* filing; *Bord* shelf; *Garderobe* cloakroom; *schweiz: Zweigstelle* branch
'ablagern V/R be* deposited
'Ablagerung F ⟨~; ~en⟩ *abgelagerter Stoff* deposit
'ablassen ⟨*irr*⟩ **A** V/T *Flüssigkeit* drain off; *Dampf* let* off (*a. fig*); *Luft* let* out; *Teich* drain **B** V/I **von j-m/etw ~** give* sb/sth up
'Ablauf M *Verlauf* course; *Arbeitsablauf* process; *Programmablauf* order of events; *von Frist* expiry; *von Flüssigkeit* draining off; *Abflussstelle* drain; *von Badewanne, Waschbecken* plughole
'ablaufen ⟨*irr*⟩ **A** V/I ⟨s⟩ *von Flüssigkeit* drain off; *von Vorgang* go*; *enden* come* to an end; *von Frist, Pass* run* out, expire; *von Zeit* run* out; **~ lassen** *Tonband, Platte* play; **gut ~** turn out well **B** V/T *Schuhe* wear* down
'ablegen **A** V/T *Kleidung* take* off; *Akten* file; *Gewohnheit* give* up; *Eid, Prüfung* take*; **abgelegte Kleider** cast-offs **B** V/I *den Mantel ablegen* take* off one's coat; SCHIFF put* out, sail
'ablehnen V/T refuse, decline; *Einladung, Angebot a.* turn down; *Vorschlag, Antrag* reject; *missbilligen* disapprove of
'ablehnend ADJ negative
'Ablehnung F ⟨~; ~en⟩ refusal; *von Vorschlag, Antrag, Gesetzentwurf* rejection; *Missbilligung* disapproval
'ablenken V/T *Verdacht, Gedanken, Fluss* divert (**von** from); *Torschuss, Ball* turn away; *Strahlen* deflect; **j-n von der Arbeit ~** distract sb from his/her work; **er lässt sich leicht ~** he's easily distracted
'Ablenkung F, **'Ablenkungsmanöver** N diversion
'ablesen V/T ⟨*irr*⟩ read* (*a. Instrumente, Messwert*); **den Strom ~** read* the electricity meter
'ableugnen V/T deny
'abliefern V/T deliver (**bei** to); *übergeben* hand over (**bei** to)
'ablösen V/T *entfernen* detach (**von** from), take* off; *Kollegen* take* over from; MIL relieve; *ersetzen* replace; **sich ~** *sich abwechseln* take* turns
'Ablösung F *Ersatz* replacement
'abmachen V/T *entfernen* remove, take* off; *vereinbaren* arrange, agree on; **abgemacht!** agreed!
'Abmachung F ⟨~; ~en⟩ arrangement, agreement
'abmagern V/I ⟨s⟩ get* thin, lose* weight
'Abmagerungskur F (slimming) diet
'abmelden V/T *Auto* take* off the road; *Telefon* have* disconnected; *Zeitung* cancel; **j-n von der Schule ~** take* sb away from school; **sich ~** *bei Behörde* notify the authorities that one is moving away; *vom Verein* cancel one's membership; *vom Dienst* report off duty; *im Hotel* check out
'Abmeldung F *von der Schule* notice of withdrawal; *bei Behörde* notice of change of address
'abmessen V/T ⟨*irr*⟩ measure
'Abmessung F measurement; **~en** *pl* dimensions *pl*
'abmontieren V/T ⟨*kein ge*⟩ take* off; *Gerüst* take* down; *Werksanlagen* dismantle
'abmühen V/R struggle (**etw zu tun** to do sth)
Abnahme F ['apna:mə] ⟨~⟩ *Rückgang* decrease; *Verlust* loss (*a. Gewichtsverlust*); *Kauf* purchase; *Begutachtung* inspection
'abnehmbar ADJ removable
'abnehmen ⟨*irr*⟩ **A** V/T *entfernen* take* off (*a. amputieren*), remove; *herunternehmen* take* down; *Hörer* pick up; *begutachten* inspect; *kaufen* buy* (*dat* from); **j-m etw ~** *wegnehmen* take* sth (away) from sb **B** V/I *von Zahlen, Anteil etc* decrease; *von Kräften, Energie* decline; *an Gewicht verlieren* lose* weight; *den Hörer abheben* answer the phone; *von Mond*

wane; *beim Stricken* decrease
'Abnehmer(in) M ⟨~s; ~⟩ F ⟨~in; ~innen⟩ buyer, purchaser
'Abneigung F dislike (**gegen** of), *stärker* aversion (**gegen** to)
'abnicken V/T *umg* **etw ~** nod sth through
abnorm [ap'nɔrm] **A** ADJ abnormal **B** ADV *klein etc* abnormally
'abnutzen V/T & V/R, **'abnützen** V/T & V/R wear* out
'Abnutzung F, **'Abnützung** F ⟨~; ~en⟩ wear (and tear)
Abonnement N [abɔnə'mã:] ⟨~s; ~s⟩ subscription (**für** to); THEAT season ticket
Abon'nent(in) M ⟨~en; ~en⟩ F ⟨~in; ~innen⟩ subscriber; THEAT season-ticket holder
abon'nieren V/T ⟨*kein ge*⟩ subscribe to
'abpassen V/T *Person, Gelegenheit* wait for
'abraten V/I ⟨*irr*⟩ **j-m von etw ~** advise sb against sth; **j-m davon ~, etw zu tun** advise sb against doing sth
'abräumen V/T clear away; *Tisch* clear
'abreagieren V/T ⟨*kein ge*⟩ *s-n Ärger etc* work off (**an** on); **sich ~** *umg* let* off steam
'abrechnen **A** V/T *abziehen* deduct; *Spesen* claim **B** V/I **mit j-m ~** settle up with sb; *fig a.* get* even with sb
'Abrechnung F *Schlussrechnung* accounts *pl*; *fig umg* reckoning
'Abrechnungszeitraum M accounting period
'abreiben V/T ⟨*irr*⟩ *Schmutz* rub off; *trocken reiben* rub down; *Schuhe* wipe
'Abreise F departure (**nach** for)
'abreisen V/I ⟨s⟩ leave*, set* out (**nach** for)
'Abreisetag M day of departure
'abreißen ⟨*irr*⟩ **A** V/T tear* off, rip off; *Gebäude* pull down **B** V/I ⟨s⟩ *von Schnur etc* break*; *von Knopf etc* come* off
'abriegeln V/T *Gebiet, Straße* block off; *durch die Polizei* cordon off
'Abriss M *von Gebäude* demolition; *Darstellung* outline, summary
'abrücken **A** V/T move away (**von** from) **B** V/I ⟨s⟩ move away (**von** from); *sich distanzieren* distance o.s. (**von** from); MIL move out
'Abruf M IT retrieval; **sich auf ~ bereithalten** be* on standby
'abrufen V/T ⟨*irr*⟩ call away; IT call up
'abrunden V/T round off (*a. fig*); **nach oben/unten ~** round up/down
abrupt [a'brʊpt] **A** ADJ abrupt **B** ADV *beenden etc* abruptly
'abrüsten V/I disarm
'Abrüstung F disarmament
'abrutschen V/I ⟨s⟩ slip (**von** from); *von Erde* slide* down; *umg: in Schulfach* fall* behind
ABS ABK [a:be:'ʔɛs] *für* Antiblockiersystem AUTO ABS, anti-lock braking system
'Absage F refusal; *von Veranstaltung* cancellation
'absagen **A** V/T *Veranstaltung, Besuch* call off, cancel; *Einladung* turn down **B** V/I cancel; **ich habe ihm abgesagt** I told him I couldn't come
'Absatz M *Abschnitt* paragraph; WIRTSCH sales *pl*; *Schuhabsatz* heel; *Treppenabsatz* landing
'Absatzförderung F sales promotion
'Absatzgebiet N market(ing area)
'Absatzplus N increase in sales
'abschaffen V/T *Regelung, Todesstrafe* do* away with, abolish; *Gesetz* repeal; *Missstände* put* an end to; *Auto, Haustier* get* rid of
'Abschaffung F ⟨~⟩ *von Regelung, Todesstrafe* abolition; *von Gesetz* repeal
'abschalten **A** V/T switch off, turn off **B** V/I *umg: von Person* switch off, relax
'abschätzen V/T estimate; *Lage, Schaden* assess; *Menschen* size up
'abschätzig **A** ADJ contemptuous; *Bemerkung* disparaging **B** ADV **über j-n ~ urteilen** be* disparaging about sb
'Abscheu M ⟨~s⟩ disgust (**vor** for); **e-n ~ haben vor** abhor, detest
'abscheuerregend ADJ revolting, repulsive
ab'scheulich ADJ [ap'ʃɔylɪç] disgusting; *moralisch* despicable (*a. Person*); *Verbrechen a.* atrocious
'abschicken V/T send* (off)
'abschieben V/T ⟨*irr*⟩ push away; *loswerden* get* rid of; *ausweisen* deport
'Abschiebung F deportation
Abschied M ['apʃi:t] ⟨~(e)s; ~e⟩ farewell, parting; **~ nehmen** say* goodbye (**von** to); **s-n ~ nehmen** resign
'Abschiedsfeier F farewell party

'Abschiedskuss M goodbye kiss

'abschießen V/T ‹irr› *Flugzeug* shoot* down; *Rakete* launch; *Gewehr* fire; *Wild* shoot*; *umg*: *j-n* gun down; *fig*: *loswerden* get* rid of

'abschirmen V/T shield (**gegen** from); *fig* protect (**gegen** from)

'abschlagen V/T ‹irr› knock off; *Kopf* cut* off; *Baum* cut* down; **j-m etw ~** *Bitte etc* refuse sb sth

'Abschlagszahlung F part payment

'Abschleppdienst M breakdown service, *US* emergency road service

'abschleppen V/T tow; *durch Polizei* tow away

'Abschleppstange F tow bar **'Abschleppwagen** M breakdown lorry, *US* tow truck

'abschließen ‹irr› **A** V/T *zuschließen* lock (up); *beenden* end, conclude; *vollenden* complete; *Versicherung* take* out; *Vertrag, Handel* conclude **B** V/I *enden* end, conclude

'abschließend **A** ADJ concluding; *endgültig* final **B** ADV **~ sagte er ...** he ended *od* concluded by saying ...

'Abschluss M *Ende* conclusion, end

'abschneiden ‹irr› **A** V/T cut* off (*a. fig*); **j-m das Wort ~** cut* sb short **B** V/I **gut/schlecht ~** do* well/badly

'Abschnitt M *von Buch* passage, section; *von Seite* paragraph; MATH, BIOL segment; *Zeitabschnitt* period; *Kontrollabschnitt* stub

'abschnittweise ADV section by section

'abschrecken V/T deter (**von** from)

'abschreckend ADJ **~es Beispiel** warning, deterrent

'Abschreckung F ‹~; ~en› deterrence

'abschreiben V/T ‹irr› copy; WIRTSCH, *fig umg* write* off

'Abschrift F copy, duplicate

'Abschuss M *von Rakete* launch; *von Flugzeug* shooting down; *von Wild* shooting; *von Gewehr* firing

abschüssig ADJ ['apʃʏsɪç] sloping; *steil* steep

'abschwächen V/T lessen; *Äußerungen* tone down

'abschweifen V/I ‹s› *bei Diskussion etc* digress (**von** from)

'absehbar ADJ foreseeable; **in ~er Zeit** in the foreseeable future; **auf ~e Zeit** for the foreseeable future

'absehen ‹irr› **A** V/T foresee*; **es ist kein Ende abzusehen** there is no end in sight; **es auf etw abgesehen haben** be* after sth **B** V/I **~ von** *verzichten auf* refrain from

abseits PRÄP ['apzaits] ‹*gen*› *entfernt von* away from

'abseitsliegen V/I ‹irr› be* out of the way **'abseitsstehen** V/I ‹irr› stand* apart

'absenden V/T ‹*a. irr*› send* (off)

Absender M sender; *Adresse* sender's name and address

'absetzbar ADJ **steuerlich ~** tax-deductible

'absetzen V/T *Hut, Brille etc* take* off; *Last, Koffer, Glas* put* down; *Fahrgast* drop (off); *Streik, Fußballspiel* call off; *Theaterstück, Film* take* off, withdraw*; *steuerlich* deduct; *entlassen* dismiss; *König* depose; WIRTSCH sell*; *Behandlung* stop; **sich ~** *sich ablagern* be* deposited; *ins Ausland* flee*

'Absetzung F ‹~; ~en› *Entlassung* dismissal; *von König* deposition; *von Theaterstück, Film* withdrawal

'Absicht F ‹~; ~en› intention; **mit ~** on purpose; **die ~ haben, etw zu tun** intend to do sth

absichtlich ['apzɪçtlɪç *od* -'zɪçt-] **A** ADJ intentional **B** ADV *ärgern etc* on purpose

'absitzen ‹irr› **A** V/I ‹s› dismount (**von** from) **B** V/T *Strafe* serve; *umg*: *Zeit* sit* out

absolut [apzo'lu:t] **A** ADJ absolute; **~e Mehrheit** POL absolute majority **B** ADV *unmöglich etc* absolutely

Absolvent(in) [apzɔl'vɛnt(ɪn)] M ‹~en; ~en› F ‹~in; ~innen› UNIV graduate

absol'vieren V/T ‹*kein ge*› *Schule* finish; *Kurs* complete; *Prüfung* pass

'absondern V/T separate; MED, BIOL secrete; **sich ~** cut* o.s. off (**von** from)

absorbieren V/T [apzɔr'bi:rən] ‹*kein ge*› absorb (*a. fig*)

'abspeichern V/T IT save

'absperren V/T *zuschließen* lock; *Wasser, Gas, Strom* turn off; *Straße* block off, *durch die Polizei* cordon off

'Absperrung F barrier; *Kette* cordon

'abspielen VT play; SPORT pass (**an** to); **sich ~** happen, take* place
'Absprache F agreement
'absprechen VT ⟨irr⟩ *verabreden* agree upon, arrange; **j-m die Fähigkeit** *etc* **~** dispute sb's ability *etc*; **sich mit j-m ~** arrange things with sb
'abspülen VT *Schmutz* rinse off; **das Geschirr ~** wash *od* do* the dishes, *Br a.* do* the washing-up
'abstammen VI ⟨*kein pperf*⟩ **~ von** be* descended from; CHEM, GRAM derive from
'Abstammung F ⟨~; ~en⟩ descent; CHEM, GRAM derivation
'Abstand M distance (*a. fig*); *zeitlich* interval; **~ halten** keep* one's distance; **mit ~** *fig* by far
abstatten VT [ˈapʃtatən] **j-m e-n Besuch ~** pay* sb a visit
'Abstecher M ⟨~s; ~⟩ detour, side-trip; *Ausflug* excursion (*a. fig*)
'abstehen VI ⟨*irr*⟩ stick* out
'absteigen VI ⟨*irr, s*⟩ get* off; *ins Tal* climb down; *in e-m Hotel* stay (**in** at); *im* SPORT be* relegated
'abstellen VT *hinstellen* put* down; *unterbringen* put*; *bei j-m* leave*; *Gas, Wasser, Radio* turn off; *Auto* park; *fig*: *Missstände etc* put* an end to
'Abstellgleis N siding; **aufs ~ schieben** *fig* push aside **'Abstellraum** M storeroom
Abstieg M [ˈapʃtiːk] ⟨~(e)s; ~e⟩ descent; *fig* decline; SPORT relegation
'abstimmen **A** VI vote (**über** on) **B** VT *Pläne etc* coordinate; **Farben aufeinander ~** match colours; **sich mit j-m ~** arrange things with sb
'Abstimmung F *Stimmabgabe* vote; *Radio* tuning; *von Farben, Kleidung* matching; *von Plänen, Terminen* coordination
Abstinenzler(in) [apstiˈnɛntslər(ɪn)] M ⟨~s; ~⟩ F ⟨~in; ~innen⟩ teetotaller, *US* teetotaler
'abstoßen VT ⟨*irr*⟩ *anekeln* repel; MED reject; *Boot* push off; *umg*: *loswerden* get* rid of
'abstoßend ADJ *fig* repulsive
abstrakt [apˈstrakt] **A** ADJ abstract **B** ADV **er malt ~** he's an abstract painter
'abstreiten VT ⟨*irr*⟩ deny
'Abstrich M MED smear; **~e** *fig* reservations *pl*
'abstufen VT *Gehälter, Farben* grade
'abstumpfen **A** VT blunt; **j-n ~** dull sb's senses **B** VI ⟨s⟩ **man stumpft ab** your senses become dulled
'Absturz M fall; FLUG, IT crash
'abstürzen VI ⟨s⟩ fall*; FLUG, IT crash
'absuchen VT search (**nach** for)
absurd ADJ [apˈzʊrt] absurd
'abtasten VT feel* (*a.* MED); *nach Waffen* frisk; TECH, IT scan
'abtauen VT *Kühlschrank* defrost
Ab'teil N ⟨~(e)s; ~e⟩ compartment
'abteilen VT divide off; *durch Trennwand* partition off
Ab'teilung F ⟨~; ~en⟩ department; *von Krankenhaus* unit; MIL detachment
Ab'teilungsleiter(in) M(F) head of department; *im Kaufhaus* department manager
'abtippen VT type up
'abtragen VT ⟨*irr*⟩ *Kleidung* wear* out; *Geschirr, Erde* clear away; *durch Wasser, Wind* erode; *Schulden* pay* off
'Abtransport M transportation
'abtreiben ⟨*irr*⟩ **A** VI *von Frau* have* an abortion; ⟨s⟩ SCHIFF, FLUG be* blown off course **B** VT MED abort; **sie hat das Kind abgetrieben** she had an abortion
'Abtreibung F ⟨~; ~en⟩ abortion
'abtrennen VT *Kupon, Knöpfe etc* detach; *Fläche* divide off; MED sever
'abtreten ⟨*irr*⟩ **A** VT *Absätze* wear* down; *fig*: *Amt, Platz, Zimmer* give* up (**an** to); **sich die Schuhe** *od* **Füße ~** wipe one's feet **B** VI ⟨s⟩ *von Amt* resign; THEAT go* off, exit
'abtrocknen **A** VT dry; **sich ~** dry o.s. (**an** on) **B** VI *Geschirr abtrocknen* dry the dishes, *Br a.* dry up
abtrünnig ADJ [ˈaptrʏnɪç] unfaithful, disloyal
'abtun VT ⟨*irr*⟩ *Vorschlag etc* dismiss (**als** as)
'abwägen VT ⟨*a. irr*⟩ weigh up (**gegen** against); *Worte* weigh
'abwählen VT vote out; *Schulfach* drop
'abwandeln VT modify
'abwandern VI ⟨s⟩ *von Bevölkerung* migrate (**von** from; **nach** to)
'Abwanderung F migration
'Abwandlung F modification

'abwarten A VT wait for B VI wait; **warten wir ab!** let's wait and see!; **wart nur ab!** just wait!

abwärts ADV ['apvɛrts] down(wards) (*a. fig*)

'abwaschen ‹*irr*› A VT wash off; **das Geschirr ~** wash *od* do* the dishes, *Br a.* do* the washing-up B VI *Geschirr spülen* wash *od* do* the dishes, *Br a.* do* the washing-up

'Abwasser N ‹~s; Abwässer› sewage; *industrielles* effluent

'Abwasseraufbereitung F ‹~› sewage treatment

'abwechseln VI alternate; **sich (mit j-m) ~** take* turns (with sb) (**bei etw** at sth)

'abwechselnd ADV **sie haben ~ gespielt** they took it in turns to play

'Abwechslung F ‹~; ~en› change; **zur ~** for a change

'abwechslungsreich ADJ varied

abwegig ADJ ['apve:gɪç] absurd, unrealistic

'Abwehr F ‹~› defence, *US* defense (*a.* SPORT); *Widerstand* resistance; *von Ball* save

'abwehren VT *Stoß, Angriff, Gegner* ward off (*a. fig*); *zurückschlagen* beat* off; SPORT block; *Schuss beim Fußball* save

'Abwehrkräfte PL resistance *sg* **'Abwehrstoffe** PL antibodies *pl*

'abweichen VI ‹*irr*, s› deviate; *vom Thema* digress (*beide* **von** from); **voneinander ~** *Meinungen* differ

'Abweichung F ‹~; ~en› deviation; *Unterschied* difference

'abweisen VT ‹*irr*› turn away; *ablehnen* turn down, reject

'abweisend A ADJ unfriendly B ADV *behandeln etc* dismissively

'abwenden VT turn away (**von** from); *Unheil, Gefahr etc* avert; **den Blick ~** look away

'abwerfen VT ‹*irr*› throw* off; FLUG drop; *Laub* shed*; *Gewinn* yield

'abwerten VT devalue (*a. fig*)

'Abwertung F ‹~; ~en› devaluation

abwesend ['apve:zənt] A ADJ absent (*a. fig*) B ADV *ansehen etc* absently

'Abwesenheit F ‹~› absence

'abwickeln VT unwind*; *erledigen* deal* with; *Geschäft* conclude

'abwiegen VT ‹*irr*› weigh (out)

'abwimmeln VT get* rid of

'abwischen VT wipe; *Schmutz* wipe off

'abwürgen VT *umg*: *Motor* stall; *umg*: *Diskussion, Kritik etc* stifle

'abzahlen VT pay* off

'abzählen VT count; *von e-r Geldsumme wegnehmen* count out

'Abzahlung F **etw auf ~ kaufen** buy* sth on hire purchase *od US* on the instalment plan

'Abzeichen N badge; *Ehrenabzeichen* decoration

'abzeichnen VT draw* (**von** from); *unterschreiben* initial; **sich ~** emerge; *hervortreten* stand* out (**gegen** against)

'abziehen ‹*irr*› A VT *entfernen* take* off, remove; MATH subtract; *Betrag* deduct; *Bett* strip; *Schlüssel* take* out B VI ‹s› *weggehen* go* away; MIL withdraw*; *von Rauch* escape; *von Gewitter, Wolken* move away

'Abzocke F ‹~› *umg* rip-off

'abzocken VT **j-n ~** *umg*: *ausnehmen* con sb; *besiegen* beat* sb

'Abzug M WIRTSCH deduction; *Skonto* discount; MIL withdrawal; *Kopie* copy; FOTO print; *von Gewehr* trigger; TECH: *Öffnung* vent; *Abzugshaube* extractor hood

abzüglich PRÄP ['aptsy:klɪç] ‹*gen*› less, minus

'abzweigen A VT *Geld* divert (**für** to) B VI ‹s› *von Weg etc* branch off

'Abzweigung F ‹~; ~en› *Straße* turning

Achse F ['aksə] ‹~; ~n› TECH, AUTO axle; MATH axis; **auf ~ sein** be* on the move

Achsel F ['aksəl] ‹~; ~n› shoulder

acht ADJ [axt] eight; **heute in ~ Tagen** a week from today, *Br a.* today week; **alle ~ Tage** every week

Acht[1] F ‹~; ~en› *Zahl* eight

Acht[2] F ‹~› **außer ~ lassen** disregard; **sich vor j-m/etw in ~ nehmen** watch out for sb/sth; **~ geben** → achtgeben

'Achte(r) M/F(M) ‹~n; ~n› eighth

'achte(r, -s) ADJ eighth

'Achtel N ['axtəl] ‹~s; ~› eighth

'achten A VT respect B VI **~ auf** pay* attention to; *im Auge behalten* keep* an eye on; *Verkehr* watch; *schonend behandeln* be* careful with; **darauf ~, dass**

see* to it that
ächten VT ['ɛçtən] outlaw
'Achterbahn F roller coaster
'achtfach **A** ADJ eightfold; **die ~e Menge** eight times the amount **B** ADV eightfold, eight times
'achtgeben VI ⟨*irr*⟩ be* careful; *auf etw* pay* attention (**auf** to); *auf j-n* look after (**auf** of); **gib acht!** watch out!, be careful!
'achtlos **A** ADJ careless **B** ADV *behandeln etc* carelessly
'Achtung F ⟨~⟩ respect (**vor** for); **~!** look out!; MIL attention!; **~! ~!** your attention please!; **~, fertig, los!** on your marks, get set, go!; **~ Stufe!** mind the step, *US* caution step
'achtzehn ADJ eighteen
'achtzehnte(r, -s) ADJ eighteenth
achtzig ADJ ['axtsɪç] eighty
'achtzigste(r, -s) ADJ eightieth
Acker M ['akər] ⟨~s; Äcker⟩ field
'Ackerbau M ⟨~(e)s⟩ agriculture, farming; **~ und Viehzucht** crop and stock farming **'Ackerland** N farmland
Adapter M [a'daptər] ⟨~s; ~⟩ adapter
addieren VT [a'di:rən] ⟨*kein ge*⟩ add (up)
Additi'on F ⟨~; ~en⟩ addition
Adel M ['a:dəl] ⟨~s⟩ aristocracy, nobility
Ader F ['a:dər] ⟨~; ~n⟩ ANAT vein, blood vessel
Adler M ['a:dlər] ⟨~s; ~⟩ eagle
adoptieren VT [adɔp'ti:rən] ⟨*kein ge*⟩ adopt
Adoptiveltern PL [adɔp'ti:f-] adoptive parents *pl* **Adop'tivkind** N adopted child
A'dressbuch N directory; *persönliches* address book
Adresse F [a'drɛsə] ⟨~; ~n⟩ address
A'dressenänderung F change of address **A'dressenverzeichnis** N mailing list
adres'sieren VT ⟨*kein ge*⟩ address (**an** to)
Adres'siermaschine F addressing machine
Advent M [at'vɛnt] ⟨~s⟩ REL Advent; **der erste** *etc* **~** the first *etc* Sunday in Advent
Ad'ventskalender M Advent calendar **Ad'ventszeit** F Advent
Affäre F [a'fɛ:rə] ⟨~; ~n⟩ affair; *kurz* fling
Affe M ['afə] ⟨~n; ~n⟩ monkey; *Menschenaffe* ape; *umg pej* jerk
Affekt M [a'fɛkt] ⟨~(e)s; ~e⟩ **im ~** in the heat of the moment (*a.* JUR)
affek'tiert **A** ADJ affected **B** ADV *reden etc* affectedly
Afrika N ['a:frika] ⟨~s⟩ Africa
Afri'kaner(in) M ⟨~s; ~⟩ (F) ⟨~in; ~innen⟩ African
afri'kanisch ADJ African
After M ['aftər] ⟨~s; ~⟩ MED anus
AG ABK [a:'ge:] ⟨~; ~s⟩ *für* Aktiengesellschaft PLC, public limited company, *US* corporation
Agenda F [a'gɛnda] ⟨~; Agenden⟩ agenda; **~ 2000** Agenda 2000
Agent(in) [a'gɛnt(ɪn)] ⟨~en; ~en⟩ (F) ⟨~in; ~innen⟩ agent; *Spion* (secret) agent
Agentur F [agɛn'tu:r] ⟨~; ~en⟩ agency; **~en der Europäischen Union** European Union agencies
Agen'turmeldung F (news) agency report
Aggression F [agrɛsi'o:n] ⟨~; ~en⟩ aggression
aggres'siv **A** ADJ aggressive **B** ADV *spielen etc* aggressively
Aggressivi'tät F ⟨~⟩ aggressiveness
Agitator(in) [agi'ta:to:r (-ta'to:rɪn)] M ⟨~s; ~en⟩ (F) ⟨~in; ~innen⟩ agitator
Agrarland N [a'gra:r-] agrarian country **A'grarmarkt** M agricultural market **A'grarpolitik** F agricultural policy, agrarian policy
Ägypten N [ɛ'gʏptən] ⟨~s⟩ Egypt
aha INT [a'ha(:)] I see!
A'ha-Erlebnis N revelation
ähneln VI ['ɛ:nəln] resemble, look like
ahnen VT ['a:nən] suspect; *vorhersehen* foresee*
ähnlich ADJ ['ɛ:nlɪç] similar (*dat* to); **j-m ~ sehen** look like sb
'Ähnlichkeit F ⟨~; ~en⟩ similarity (**mit** to); *ähnliches Aussehen a.* resemblance
'ähnlichsehen VI ⟨*irr*⟩ *fig* **das sieht ihm ähnlich** that's him all over
'Ahnung F ⟨~; ~en⟩ *Vorgefühl* presentiment; *böse* foreboding; *Vorstellung* idea; **(ich habe) keine ~!** (I have) no idea!
'ahnungslos ADJ unsuspecting
Aids N [e:ts] ⟨~⟩ AIDS
'Aidshilfe F AIDS centre *od US* center
'aidsinfiziert ADJ AIDS-infected

'aidskrank ADJ suffering from AIDS **'Aidskranke(r)** M/F(M) ⟨~n; ~n⟩ AIDS victim **'Aidstest** M AIDS test

Airbag M ['ɛ:rbɛk] ⟨~s; ~s⟩ airbag

Akademie F [akade'mi:] ⟨~; ~n⟩ academy; *Fachschule* college

Akademiker(in) [aka'de:mikər(ɪn)] M ⟨~s; ~⟩ (F) ⟨~in; ~innen⟩ (university) graduate

aka'demisch ADJ academic

akklimatisieren V/R [aklimati'zi:rən] ⟨*kein ge*⟩ acclimatize (**an** to)

Akkord M [a'kɔrt] ⟨~(e)s; ~e⟩ MUS chord; **im ~ arbeiten** do* piecework

Ak'kordarbeit F piecework **Ak'kordarbeiter(in)** M(F) pieceworker

Ak'kordlohn M piecework wages *pl*

Akku M ['aku] ⟨~s; ~s⟩ *umg* (storage) battery, *Br a.* accumulator

Akne F ['aknə] ⟨~; ~n⟩ acne

AKP [a:ka:'pe:] ABK *für* Afrika, Karibik und pazifischer Raum ACP **AK'P-Abkommen** N ACP Agreement **AK'P-Staat** M ACP country

Akte F ['aktə] ⟨~; ~n⟩ file; **~n** *pl* files *pl*, records *pl*; **Einheitliche Europäische ~** Single European Act; **etw zu den ~n legen** file sth away

'Aktenkoffer M attaché case **'Aktenmappe** F folder; *Aktentasche* briefcase **'Aktennotiz** F memo(randum) **'Aktenordner** M file **'Aktenschrank** M filing cabinet **'Aktentasche** F briefcase **'Aktenzeichen** N reference

Aktie F ['aktsiə] ⟨~; ~n⟩ share

'Aktiengesellschaft F public limited company, *US* corporation **'Aktienkurs** M share price **'Aktienmarkt** M stock market **'Aktienmehrheit** F majority holding

Aktion F [aktsi'o:n] ⟨~; ~en⟩ *Kampagne* campaign; MIL, *Rettungsaktion etc* operation; **in ~ sein/treten** be* in/go* into action

Aktionär(in) [aktsio'nɛ:r(ɪn)] M ⟨~s; ~e⟩ (F) ⟨~in; ~innen⟩ shareholder, *US* stockholder

Akti'onsprogramm N POL programme *od US* program of action

aktiv [ak'ti:f] **A** ADJ active **B** ADV *unterstützen etc* actively

aktivieren V/T [akti'vi:rən] ⟨*kein ge*⟩ activate

Aktivist(in) [akti'vɪst(ɪn)] M ⟨~en; ~en⟩ (F) ⟨~in; ~innen⟩ activist

aktualisieren V/T [aktuali'zi:rən] ⟨*kein ge*⟩ update

aktuell ADJ [aktu'ɛl] *Bedeutung, Interesse, Thema, Theaterstück* topical; *Problem, Mode* current; *modern* up-to-date; **e-e ~e Sendung** a current affairs programme *od US* program

Akupunk'tur F [akupʊŋk'tu:r] ⟨~; ~en⟩ acupuncture

Akustik F [a'kʊstɪk] ⟨~⟩ *im Raum* acoustics *pl*; *Lehre* acoustics *sg*

a'kustisch ADJ acoustic

akut ADJ [a'ku:t] *Problem* urgent; MED acute

Akzent M [ak'tsɛnt] ⟨~(e)s; ~e⟩ accent; *Betonung* stress (*a. fig*)

akzeptabel ADJ [aktsɛp'ta:bəl] ⟨-bl-⟩ acceptable; *Preis, Angebot* reasonable

Akzep'tanz F ⟨~⟩ acceptance

akzep'tieren V/T ⟨*kein ge*⟩ accept

Alarm M [a'larm] ⟨~(e)s; ~e⟩ alarm; **~ schlagen** raise the alarm

A'larmanlage F alarm system **A'larmbereitschaft** F **in ~ sein** be* on standby

alar'mieren V/T ⟨*kein ge*⟩ *Polizei, Feuerwehr etc* call; *aufschrecken* alarm

alar'mierend ADJ alarming

Albaner(in) [al'ba:nər(ɪn)] M ⟨~s; ~⟩ (F) ⟨~in; ~innen⟩ Albanian

Al'banien N ⟨~s⟩ Albania

al'banisch ADJ, **Al'banisch** N Albanian; → englisch

albern ['albərn] **A** ADJ silly **B** ADV **sich ~ benehmen** act silly

'Albtraum M nightmare (*a. fig*)

Album N ['albʊm] ⟨~s; Alben⟩ album (*a. Langspielplatte*)

Algen PL ['algən] algae *pl*

Algerien N [al'ge:riən] ⟨~s⟩ Algeria

Al'gerier(in) M ⟨~s; ~⟩ (F) ⟨~in; ~innen⟩ Algerian

Alibi N ['a:libi] ⟨~s; ~s⟩ JUR alibi (*a. fig*)

Alimente PL [ali'mɛntə] maintenance *sg*

Alkohol M ['alkoho:l] ⟨~s; ~e⟩ alcohol

'alkoholfrei ADJ alcohol-free; **~e Getränke** soft *od* non-alcoholic drinks

Alko'holiker(in) M ⟨~s; ~⟩ (F) ⟨~in; ~innen⟩ alcoholic

alko'holisch ADJ alcoholic

Alkoho'lismus M ⟨~⟩ alcoholism
'Alkoholproblem N **er hat ein ~** he's got a drink *od* drinking problem **'Alkoholspiegel** M alcohol level **'alkoholsüchtig** ADJ **~ sein** be* an alcoholic **'Alkoholtest** M breathalyser® test, alcohol test
all INDEF PR & ADJ [al] all; **alles** everything; **alles (Beliebige)** anything; **alle (Leute)** everyone, everybody; *jeder Beliebige* anyone, anybody; **alle beide** both of them; **alle drei** all three of them; **wir alle** all of us; **alle drei Tage/zehn Kilometer** every three days/ten kilometres; **auf alle Fälle** in any case; **vor allem** above all
All N [al] ⟨~s⟩ universe; **das ~** *Raum* (outer) space
alle ADJ ['alə] **~ sein** *umg* be* all gone; **mein Geld ist ~** *umg* I've run out of money
Allee F [a'le:] ⟨~; ~n⟩ avenue
allein ADJ & ADV [a'lain] alone (*a. nur*); *einsam* lonely; *selbst* by o.s.; **ganz ~ sein** be* all alone; **er hat es ganz ~ gemacht** he did it all by himself; **es ging von ~ auf** it opened by itself
Al'leinerbe M, **Al'leinerbin** F sole heir **al'leinerziehend** ADJ **~ sein** be* a single parent **Al'leinerziehende(r)** M/F(M) ⟨~n; ~n⟩ single parent **Al'leingang** M **im ~** single-handedly
al'leinig ADJ sole
Al'leinsein N being alone; *Einsamkeit* loneliness **al'leinstehend** ADJ *ledig* single **Al'leinverdiener(in)** M ⟨~s; ~⟩ (F) ⟨~in; ~innen⟩ sole earner
'aller'beste(r, -s) ADJ very best; **der/die/das Allerbeste** the best of all, the very best
'aller'dings ADV though; **ich muss ~ zugeben, dass ...** I must admit though, that ...; **~!** certainly!, *bes US* sure!
'aller'erste(r, -s) ADJ very first
Allergie F [alɛr'gi:] ⟨~; ~n⟩ MED allergy (**gegen** to); **e-e ~ gegen etw haben** be* allergic to sth
al'lergisch **A** ADJ allergic (**gegen** to) (*a. fig*) **B** ADV **auf etw ~ reagieren** *a. fig* be* allergic to sth
'aller'hand ADJ ⟨*inv*⟩ *umg* a good deal of; *allerlei* all sorts of; *substantivisch* a good deal; *allerlei* all sorts of things; **das ist ja ~!** that's a bit much!
'Aller'heiligen N ⟨~⟩ All Saints' Day
'aller'lei ADJ ⟨*inv*⟩ all kinds *od* sorts of; *substantivisch* all kinds *od* sorts of things
'aller'letzte(r, -s) ADJ very last **'aller'meiste(r, -s)** ADJ **die ~n Leute** *etc* most people *etc*; **am ~n** most of all
'aller'nächste(r, -s) ADJ very next; **in ~r Zeit** in the very near future
'aller'neu(e)ste(r, -s) ADJ very latest
'Aller'seelen N ⟨~⟩ All Souls' Day
'aller'seits ADV **guten Morgen ~!** good morning everybody **'aller'wenigst** ADV **am ~en** least of all
'alles INDEF PR everything; **~ in allem** all in all; **auf ~ gefasst sein** be* prepared for the worst
'alle'samt ADV all together
'allge'mein **A** ADJ general; *üblich* common; *umfassend* universal; **im Allgemeinen** in general, generally **B** ADV generally; **es ist ~ üblich** it's common practice; **~ verständlich** intelligible (to all);
'Allge'meinarzt M, **'Allge'meinärztin** F general practitioner, GP, *US* family practitioner **'Allge'meinbildung** F general education **'Allge'meinheit** F ⟨~⟩ general public **'allge'meinverständlich** ADJ intelligible (to all) **'Allge'meinwissen** N general knowledge
Allianz F [ali'ants] ⟨~; ~en⟩ alliance
Alliierte PL [ali'i:rtə] **die ~n** the Allies *pl*
'all'jährlich ADV every year; **~ stattfindend** annual
all'mächtig ADJ omnipotent; *Gott a.* almighty
allmählich [al'mɛ:lɪç] **A** ADJ gradual **B** ADV gradually; **es wird ~ Zeit zu gehen** it's about time we were going
'Allradantrieb M all-wheel drive
'Alltag M everyday life
all'täglich ADJ everyday, ordinary; *tagtäglich* daily
'Allzeithoch N WIRTSCH all-time high
'Allzeittief N WIRTSCH all-time low
'allzu ADV far too; **nicht ~** not too; **~ viel** far too much
'Allzweck- ZSSGN *Reiniger etc* all-purpose
Alpen PL ['alpən] **die ~** the Alps *pl*
Alphabet N [alfa'be:t] ⟨~(e)s; ~e⟩ alphabet
alpha'betisch **A** ADJ alphabetical **B**

ADV *ordnen etc* alphabetically
alpin ADJ [al'pi:n] alpine
'Alptraum → Albtraum
als KONJ [als] *zeitlich* when; *während* while; *nach Komparativ* than; *in der Eigenschaft von* as; **~ ich ankam** when I arrived; **~ ich gelernt habe, hast du ferngesehen** while I was studying you were watching TV; **älter ~** older than; **~ Geschenk** as a present; **es hat sich ~ Lüge erwiesen** it turned out to be a lie; **~ ob** as if, as though; **nichts ~** nothing but
also ['alzo] **A** KONJ *deshalb* so, therefore **B** INT well; **~ gut!** all right then!; **~, so geht das wirklich nicht** that's really not on now; **~, ich finde, ...** well, I think ... **C** ADV so; **er ist ~ doch gekommen** so he did come after all
alt ADJ [alt] ⟨älter, älteste⟩ old; *aus dem Altertum* ancient; *Sprachen* classical; **ein 12 Jahre ~er Junge** a twelve-year-old boy; **j-n ~ machen** *von Frisur, Kleidung* make* sb look old
Altar M [al'ta:r] ⟨~(e)s; Altäre⟩ altar
'Altenheim N old people's home **'Altenpfleger(in)** M(F) geriatric nurse
Alter N ['altər] ⟨~s; ~⟩ age; *hohes* old age; **im ~ von** at the age of; **er ist in deinem ~** he's your age
älter ADJ ['ɛltər] older; **mein ~er Bruder** my elder brother; **ein ~er Herr** an elderly gentleman
'altern VI ⟨s⟩ grow* old, age; *von Wein* mature
alternativ [altɛrna'ti:f] **A** ADJ alternative (*a. fig*, POL) **B** ADV **~ leben** have* an alternative lifestyle
Alterna'tive F ⟨~; ~n⟩ alternative
Alterna'tivenergie F alternative energy
'Altersarmut F poverty in old age, old-age poverty **'Altersdiskriminierung** F ageism **'Altersgrenze** F age limit; *Rentenalter* retirement age **'Altersgruppe** F age group **'Altersheim** N old people's home **'Altersrente** F old-age pension **'Altersschwäche** F infirmity; **an ~ sterben** die of old age **'Altersversorgung** F provision for the elderly; *persönliche* provision for one's old age **'Altersvorsorge** F provision for one's old age; **private ~** personal pension plan
'Altertum N ⟨~s⟩ **das ~** antiquity, the ancient world
'Altglas N waste glass **'Altglascontainer** M bottle bank, *US* glass recycling container **'altklug** ADJ precocious **'Altlasten** PL residual pollution **'Altlastensanierung** F redevelopment of hazardous waste sites **'Altmetall** N scrap metal **'altmodisch** **A** ADJ old-fashioned **B** ADV *gekleidet etc* in an old-fashioned way **'Altöl** N waste oil **'Altpapier** N waste paper **'Altstadt** F old town **'Altstadtsanierung** F rehabilitation of the old-town area **'Altwarenhändler(in)** M(F) second-hand dealer
Alufolie F ['a:lu-] tinfoil; *US* aluminum foil
Aluminium N [alu'mi:niʊm] ⟨~s⟩ aluminium, *US* aluminum
am PRÄP [am] *räumlich* at the; *zeitlich: Abend, Morgen* in the; *Anfang, Wochenende* at the; *Sonntag etc* on; **~ Tisch** at the table; **~ Meer** by the sea; **~ Himmel** in the sky; **~ Tag** during the day; **~ 5. Juli** on 5(th) July, on July 5(th) (*gesprochen* on the fifth of July, on July the fifth, *US* on July fifth); **sie war ~ schnellsten/lautesten** she was (the) fastest/loudest; **~ meisten** (the) most; **~ Leben** alive; **ich bin ~ Lernen** *etc umg* I'm studying *etc*
Amateur(in) [ama'tø:r(ɪn)] M ⟨~s; ~e⟩ (F) ⟨~in; ~innen⟩ amateur
ambulant ADV [ambu'lant] **ich wurde ~ behandelt** I was treated as an outpatient
Ambu'lanz F ⟨~; ~en⟩ outpatients' department; *Krankenwagen* ambulance
Ameise F ['a:maizə] ⟨~; ~n⟩ ant
Amerika N [a'me:rika] ⟨~s⟩ America
Ameri'kaner(in) M ⟨~s; ~⟩ (F) ⟨~in; ~innen⟩ American
ameri'kanisch ADJ American
Amnestie F [amnɛs'ti:] ⟨~; ~n⟩ amnesty
Amok M ['a:mɔk] ⟨~s⟩ **~ laufen** run* amok
Ampel F ['ampəl] ⟨~; ~n⟩ traffic lights *pl*
Ampulle F [am'pʊlə] ⟨~; ~n⟩ ampoule
Amputation F [amputatsi'o:n] ⟨~; ~en⟩ amputation
ampu'tieren VT ⟨*kein ge*⟩ amputate
Amsel F ['amzəl] ⟨~; ~n⟩ blackbird

Amt N [amt] ⟨~(e)s; Ämter⟩ *Dienststelle* office; *Behörde* department; *Posten* post, *öffentliches* office; *Aufgabe* duty, function; TEL exchange
'amtlich A ADJ official B ADV *bestätigen etc* officially
'Amtsblatt N official journal **'Amtseinführung** F inauguration **'Amtsgeheimnis** N official secret **'Amtsgeschäfte** PL official duties *pl* **'Amtssprache** F official language **'Amtswechsel** M change of office; *Behörde* rotation (in office) **'Amtszeichen** N TEL dialling tone, *US* dial tone **'Amtszeit** F term of office
amüsant ADJ [amy'zant] amusing
amü'sieren V/T ⟨*kein ge*⟩ amuse; **sich ~** enjoy o.s., have* a good time; **sich ~ über** laugh at
an [an] A PRÄP ⟨*akk od dat*⟩ *räumlich* **~ der Themse/Küste/Wand** on the Thames/coast/wall; **~ s-m Schreibtisch** at his desk; **~ der Tür** at the door; **~ dieser Schule** at this school; **j-n ~ der Hand halten** hold* sb by the hand; **~ der Arbeit** at work; **~ den Hausaufgaben sitzen** sit* over one's homework; **ans Fenster gehen** go* to the window; **etw schicken ~** send* sth to; **sich lehnen ~** lean* against; **~ die Tür klopfen** knock at the door; *zeitlich* **~ e-m Sonntagmorgen** on a Sunday morning; **~ dem Tag, als ich ...** on the day I ...; **~ Weihnachten/Ostern** at Christmas/Easter; **~ einer Krankheit leiden** have* an illness; **~ etw sterben** die of sth; **~ etw Interesse haben** have* an interest in sth; **schuld ~ etw sein** be* guilty of sth; **~ ihm finde ich nichts interessant** I don't see anything interesting in him; → am
B ADV **von jetzt/da/heute ~** from now/that time/today on; **München ~ 16.45** arriving Munich at 16.45; **~ die dreißig Gäste waren da** there were around thirty guests; → an sein
analog ADJ [ana'lo:k] analogous (*dat*, **zu** to)
Ana'log- ZSSGN *Rechner* analogue, *US* analog
Analphabet(in) [an?alfa'be:t(ɪn)] M ⟨~en; ~en⟩ (F) ⟨~in; ~innen⟩ illiterate (person)
Analyse F [ana'ly:zə] ⟨~; ~n⟩ analysis
analy'sieren V/T ⟨*kein ge*⟩ analyse, *US* analyze
Ananas F ['ananas] ⟨~; ~ *od* ~se⟩ pineapple
Anarchie F [anar'çi:] ⟨~; ~n⟩ anarchy
anatomisch ADJ [ana'to:mɪʃ] anatomical
'anbahnen V/T promote; **sich ~** be* developing; *Unangenehmes* be* impending
'Anbau M ⟨~(e)s; ~ten⟩ *Landwirtschaft* cultivation; *am Gebäude* extension, annexe, *US* annex
'anbauen V/T grow*, cultivate; *an Gebäude* add, build* on (**an** to)
'Anbaumöbel PL sectional *od* unit furniture *sg*
'anbehalten V/T ⟨*irr, kein ge*⟩ keep* on
an'bei ADV enclosed; **~ senden wir Ihnen ...** please find enclosed ...
'Anbetracht M **in ~ (dessen, dass)** considering (that)
'anbieten V/T ⟨*irr*⟩ offer; **es bietet sich doch geradezu an** it's a perfect opportunity
'Anbieter(in) M ⟨~s; ~⟩ (F) ⟨~in; ~innen⟩ (potential) seller
'anbinden V/T ⟨*irr*⟩ tie up; **~ an** tie to
'Anblick M sight
'anbrechen ⟨*irr*⟩ A V/T *Vorräte, Geldschein* break* into; *Flasche, Dose* open; **sich eine Rippe/den Fuß ~** crack a rib/a bone in one's foot B V/I ⟨s⟩ begin*; *von Tag* break*; *von Nacht* fall*
'anbrennen V/I ⟨*irr, s*⟩ *von Milch, Essen* burn*; **etw ~ lassen** burn* sth
'anbringen V/T ⟨*irr*⟩ fix (**an** to)
'Anbruch M ⟨~(e)s⟩ beginning; **bei ~ der Nacht** at nightfall
'andauern V/I continue, go* on
'andauernd A ADJ continual B ADV *unterbrechen* continually
'Andenken N ⟨~s; ~⟩ keepsake; *Reiseandenken* souvenir (**an** of); **zum ~ an** in memory of
andere(r, -s) ADJ & INDEF PR ['andərə] other; *verschieden* different; **ein ~s Beispiel** another example; **noch ~ Fragen?** any more questions?; **mit ~n Worten** in other words; **am ~n Morgen** the next morning; **etwas/nichts ~s** something/nothing else; **nichts ~s als** nothing but; **ich bin alles ~ als zufrieden** I'm anything but satisfied, I'm far from satisfied; **alle ~n**

everybody else; **unter ~m** amongst other things
'andererseits ADV on the other hand
ändern V/T ['ɛndərn] change; *Kleidungsstück* alter; **ich kann es nicht ~** I can't help it; **sich ~** change
'andernfalls ADV otherwise
anders ADV ['andərs] differently; *aussehen, sein, schmecken* different (**als** from); **jemand/irgendwo ~** somebody/somewhere else; **~ werden** change; **es geht nicht ~** there is no other way; **ich kann nicht ~** I can't help it
'andersherum ADV the other way round **'anderswo(hin)** ADV somewhere else, elsewhere
anderthalb ADJ ['andərt'halp] one and a half
'Änderung F ⟨~; ~en⟩ change; *an Kleidungsstück* alteration
'andeuten V/T *zu verstehen geben* hint at; *erwähnen, skizzieren* indicate; **j-m ~, dass** hint to sb that
'Andeutung F ⟨~; ~en⟩ hint; **e-e ~ machen** drop a hint
Andorra N [an'dɔra] ⟨~⟩ Andorra
'Andrang M ⟨~(e)s⟩ crush; *Nachfrage* rush (**nach** for)
'androhen V/T **j-m etw ~** threaten sb with sth
'aneignen V/R acquire; *unerlaubt* take*; *lernen* learn*
anei'nander ADV *binden, drücken etc* together; **~ denken** think* of each other; **sich ~ gewöhnen** get* used to each other; **~ hängen** *sich mögen* be* devoted to each other
anei'nandergeraten V/I ⟨*irr, pperf* aneinandergeraten, s⟩ clash; *handgreiflich* come* to blows
'anerkannt ADJ recognized
'anerkennen V/T ⟨*irr, trennbar od untrennbar, kein ge*⟩ recognize; *lobend* appreciate; *Forderung* accept
'anerkennend ADJ **~e Worte** words of praise
'Anerkennung F ⟨~; ~en⟩ recognition; *lobend* appreciation
'anfahren ⟨*irr*⟩ **A** V/I ⟨s⟩ start **B** V/T *Auto, Fußgänger etc* run* into; *transportieren* deliver; **j-n ~** *schimpfen* jump on sb
'Anfahrt F *Strecke, Zeit* journey
'Anfall M MED fit, attack
'anfallen ⟨*irr*⟩ **A** V/T attack; *von Hund a.* go* for **B** V/I ⟨s⟩ *von Kosten* be* incurred; *von Arbeit* mount up, accumulate
'anfällig ADJ delicate; **~ für** susceptible to
'Anfang M beginning, start; **am ~** at the beginning *od* start; **~ Mai** at the beginning of May, early in May; **~ nächsten Jahres** early next year; **~ der Neunzigerjahre** in the early nineties; **er ist ~ 20** he's in his early twenties; **von ~ an** from the beginning *od* start
'anfangen V/T & V/I ⟨*irr*⟩ begin*, start; *tun* do*; **mit etw ~** *Person* begin* sth, start sth; **~, etw zu tun** begin* *od* start doing sth *od* to do sth
Anfänger(in) ['anfɛŋər(ın)] M ⟨~s; ~⟩ (F) ⟨~in; ~innen⟩ beginner
'anfangs ADV at first
'Anfangsstadium N **im ~ sein** be* at an early stage
'anfassen **A** V/T *berühren* touch; *ergreifen* take* hold of; **sich ~** take* each other by the hand **B** V/I **nicht ~!** don't touch!
'anfechtbar ADJ contestable
'anfechten V/T ⟨*irr*⟩ contest; *Urteil, Entscheidung* appeal against
'anfertigen V/T make*; *Bild, Übersetzung* do*; *Gutachten* prepare
'anfliegen V/T ⟨*irr*⟩ approach; *regelmäßig* fly* (regularly) to
'Anflug M FLUG approach; *fig* trace; **wir befinden uns im ~ auf Frankfurt** we are now approaching Frankfurt
'anfordern V/T request
'Anforderung F request (**von** for); *Anspruch* demand; **hohe ~en an j-n stellen** make* great demands on sb
'Anfrage F inquiry
'anfragen V/I inquire; **bei j-m etw ~** ask sb about sth
'anfreunden V/R make* friends (**mit** with)
'anfühlen V/R feel*; **es fühlt sich weich an** it feels soft
'anführen V/T *führen* lead*; *erwähnen* state; *zitieren* quote; *täuschen* fool
'Anführer(in) M(F) leader
'Angabe F *Aussage* statement; *Hinweis* indication; *umg: Aufschneiderei* showing off; **~n** *pl* information *sg*, data *pl*; TECH specifications *pl*

'angeben ⟨irr⟩ **A** VT *Name, Grund etc* give*; *beim Zoll* declare; *zeigen* indicate; *Preis* quote **B** VI *fig umg* show* off (**mit** with)

'Angeber(in) M ⟨~s; ~⟩ (F) ⟨~in; ~innen⟩ *umg* show-off

Angebe'rei F ⟨~; ~en⟩ *umg* showing off

angeblich ['ange:plıç] **A** ADJ alleged **B** ADV **~ ist er ...** he's said to be ...

'Angebot N offer (*a.* WIRTSCH); *Auswahl* range (**an** of); **~ und Nachfrage** supply and demand

'angebracht ADJ appropriate

'angehen ⟨irr⟩ **A** VI ⟨s⟩ *von Licht* go* on **B** VT concern; **das geht dich nichts an** that's none of your business; **was mich angeht** as far as I'm concerned

'angehend ADJ future

'angehören VI ⟨pperf angehört⟩ belong to

'Angehörige(r) M/F(M) ⟨~n; ~n⟩ relative; *Mitglied* member; **die nächsten ~n** *pl* the next of kin *pl*

'Angeklagte(r) M/F(M) ⟨~n; ~n⟩ defendant

'Angelegenheit F matter; **kümmere dich um deine eigenen Angelegenheiten!** mind your own business!

'angelernt ADJ *Arbeiter* semi-skilled

'Angelsachse M ['aŋəlsaksə] ⟨~n; ~n⟩, **'Angelsächsin** F [-sɛksın] ⟨~; ~nen⟩ Anglo-Saxon **'angelsächsisch** ADJ Anglo-Saxon

'angemessen ADJ appropriate; *Preis* reasonable

angenehm ['angene:m] **A** ADJ pleasant, agreeable; **~!** pleased to meet you **B** ADV *überrascht* pleasantly

angenommen KONJ ['angənɔmən] suppose, supposing

'angeregt **A** ADJ *Unterhaltung etc* lively **B** ADV **sich ~ unterhalten** have* a lively conversation

'angesagt ADJ *sl* trendy

'angeschrieben ADJ **bei j-m gut/schlecht ~ sein** *umg* be* in sb's good/bad books

'angesehen ADJ respected

angesichts PRÄP ['ang?zıçts] ⟨gen⟩ in view of

'angespannt ADJ tense

Angestellte(r) M/F(M) ['angəʃtɛltə] ⟨~n; ~n⟩ employee (**bei** with); *im Büro* office worker; **die ~n** *pl* the staff *pl*

'Angestelltenversicherung F (salaried) employees' insurance

'angetan ADJ **~ sein von** be* taken with

'angetrunken ADJ slightly drunk; **in ~em Zustand** under the influence of alcohol

angewiesen ADJ ['angəvi:zən] **~ auf** dependent on

'angewöhnen VT ⟨pperf angewöhnt⟩ **sich ~, etw zu tun** get* used to doing sth; **j-m ~, etw zu tun** get* sb used to doing sth; **sich das Rauchen ~** take* to smoking

'Angewohnheit F habit

Angina F [aŋ'gi:na] ⟨~; Anginen⟩ tonsillitis

'angleichen VT ⟨irr⟩ bring* into line (**an** with)

Anglist(in) [aŋ'glıst(ın)] M ⟨~en; ~en⟩ (F) ⟨~in; ~innen⟩ English specialist; *Student* student of English

Anglistik F [aŋ'glıstık] ⟨~⟩ English (language and literature)

'angreifen VT ⟨irr⟩ attack (*a.* SPORT, *fig*); *Gesundheit* affect; *Vorräte, Ersparnisse* draw* on

'Angreifer(in) M ⟨~s; ~⟩ (F) ⟨~in; ~innen⟩ attacker (*a.* SPORT, *fig*)

'angrenzend ADJ adjacent (**an** to)

'Angriff M attack (*a.* SPORT, *fig*); **etw in ~ nehmen** set* about sth

'angriffslustig ADJ aggressive

Angst F [aŋst] ⟨~; Ängste⟩ fear (**vor** of); **~ haben** be* afraid, be* scared (**vor** of); *sich Sorgen machen* be* worried (**um** about); **die ~ vor Arbeitslosigkeit** the fear of unemployment; **j-m ~ einjagen** frighten sb, scare sb

ängstigen VT ['ɛŋstıgən] frighten, scare; **sich ~** be* afraid (**vor** of); *sich Sorgen machen* be* worried (**um** about)

'ängstlich **A** ADJ timid; *besorgt* anxious **B** ADV timidly; *besorgt* anxiously; **etw ~ hüten** guard sth closely

'anhaben VT ⟨irr⟩ have* on (*a. Licht, Radio etc*); *Kleidung a.* be* wearing; **das kann mir nichts ~** that can't do me any harm

'anhalten ⟨irr⟩ **A** VT stop; **den Atem ~** hold* one's breath **B** VI stop; *andauern* continue; **um j-s Hand ~** propose to sb

'anhaltend **A** ADJ continuous **B** ADV *regnen etc* continuously

'Anhalter(in) M ⟨~s; ~⟩ (F) ⟨~in; ~innen⟩ hitchhiker; **per Anhalter fahren** hitchhike

'Anhaltspunkt M clue

an'hand PRÄP ⟨*gen*⟩ with the aid of

'Anhang M *von Buch* appendix; *von E-Mail* attachment; *Verwandte* relations *pl*

'anhängen V/T *hinzufügen* add (**an** to); *aufhängen* hang* up (**an** on); *Waggon, Anhänger* couple (**an** to)

'Anhänger M ⟨~s; ~⟩ follower, supporter (*a.* SPORT, POL); *Schmuck* pendant; *Schild* label, tag; *an Auto* trailer

'Anhängerin F ⟨~; ~nen⟩ follower, supporter (*a.* SPORT, POL)

'Anhängerkupplung F tow bar

'anhänglich ADJ affectionate; *pej* clinging

'anheben V/T ⟨*irr*⟩ lift, raise (*a. Preis, Löhne*); *Auto* jack up

'Anhieb M **auf ~** straight off

'anhören V/T (**sich**) **etw ~** listen to sth; **etw mit ~** overhear* sth; **es hört sich ... an** it sounds ...

'Anhörung F ⟨~; ~en⟩ hearing; **~ des Europäischen Parlaments** consultation of the European Parliament

'Anhörungsverfahren N POL assent *od* consultation procedure

Animateur(in) [anima'tøːr(ɪn)] M ⟨~s; ~e⟩ (F) ⟨~in; ~innen⟩ entertainments officer

'ankämpfen V/I **~ gegen** fight* against

'Ankauf M purchase

Anker M ['aŋkər] ⟨~s; ~⟩ anchor; **vor ~ liegen** be* at anchor; **vor ~ gehen** drop anchor

'Anklage F JUR charge; *fig* accusation; **~ erheben** bring* a charge (**gegen** against)

'anklagen V/T JUR charge (**wegen** with); *fig* accuse (**wegen** of)

'Anklang M **~ finden** meet* with approval

'anklicken V/T IT click (on)

'anklopfen V/I knock (**an** at)

'anknüpfen **A** V/T *befestigen* tie on (**an** to); *fig* begin*; **Beziehungen ~** establish contacts (**zu** with) **B** V/I **an etw ~** take* sth up

'ankommen V/I ⟨*irr*, s⟩ arrive; **nicht gegen j-n ~** be* no match for sb; **es kommt (ganz) darauf an** *umg* it (all) depends; **es kommt darauf an, dass ...** what matters is that ...; **darauf kommt es nicht an** that doesn't matter; **es darauf ~ lassen** take* a chance; **gut ~** *fig* go* down well (**bei** with); *von Mode* catch* on

'ankündigen V/T announce; *in der Presse* advertise

'Ankündigung F announcement; *in der Presse* advertisement

Ankunft F ['ankʊnft] ⟨~; Ankünfte⟩ arrival; **bei ~, nach ~** on arrival

'Ankunftshalle F FLUG arrivals *sg*

'Ankunftszeit F arrival time

'anlächeln V/T, **'anlachen** V/T smile at

'Anlage F *Anordnung* arrangement; *Einrichtung* facility; *Fabrikanlage* plant; TECH system; *Stereoanlage* stereo (system); *Geldanlage* investment; *zu e-m Brief* enclosure; *Talent* gift; **in der ~ senden wir Ihnen ...** please find enclosed ...; **~n** *pl*; *Grünanlage* grounds *pl*; *öffentliche* park *sg*; **sanitäre ~n** sanitary facilities

'Anlageberater(in) M(F) investment consultant **'Anlagekapital** N invested capital **'Anlagengeschäft** N *einzelnes* investment deal; *Branche* investment banking

Anlass M ['anlas] ⟨~es; Anlässe⟩ occasion; *Ursache* cause; **aus ~** (+ *gen*) on the occasion of; **~ zur Sorge** cause for concern; **etw zum ~ nehmen, (um) etw zu tun** use sth as an opportunity to do sth

'anlassen V/T ⟨*irr*⟩ *Kleidung, Licht* keep* on, leave* on; *Auto, Motor* start

'Anlasser M ⟨~s; ~⟩ starter

anlässlich PRÄP ['anlɛslɪç] ⟨*gen*⟩ on the occasion of

'Anlauf M SPORT run-up; *fig* attempt

'anlaufen ⟨*irr*⟩ **A** V/I ⟨s⟩ *beginnen* start (*a. von Motor, Maschine*); SPORT take* a run-up; *von Brille, Fensterscheibe etc* steam up; *von Metall* tarnish; **angelaufen kommen** come* running up **B** V/T SCHIFF call at

'Anlaufstelle F advice centre, *US* walk-in center

'anlegen **A** V/T *Kleidung, Schmuck* put* on; *Garten, Park* lay* out; *Straße* build*;

Stadt found; *Geld* invest; *Verband* apply; *Vorräte* lay* in; *Akte* start; **sich mit j-m ~** *fig* pick a quarrel with sb; **einen strengen Maßstab ~** apply a strict standard; **es ~ auf** *umg* aim at **B** VI SCHIFF dock

'Anleger(in) M ⟨~s; ~⟩ (F) ⟨~in; ~innen⟩ investor

'anlehnen VT lean* (**an** against); *Tür* leave* ajar; **sich ~ an** lean* against; *fig* follow

'Anleihe F ⟨~; ~n⟩ loan

'Anleitung F guidance, instruction; *schriftliche* instructions *pl*

'Anliegen N ⟨~s; ~⟩ *Bitte* request; *von Buch etc* message

'Anlieger(in) M ⟨~s; ~⟩ (F) ⟨~in; ~innen⟩ resident

'anmachen VT *Licht, Radio etc* turn on; *Kamin, Kerze etc* light*; *Salat* dress; **j-n ~** *umg*: *beschimpfen* have* a go at sb; *ansprechen* come* on to sb; *begeistern* turn sb on

'anmaßen VT **sich ~** *Rolle* assume; *Recht* claim; **sich ~, etw zu tun** presume to do sth; **was maßt du dir eigentlich an?** how can you be so presumptuous?

'anmaßend ADJ arrogant

'Anmeldeformular N entry form

'Anmeldegebühr F registration fee

'anmelden VT *Besuch* announce; *amtlich* register; *Zollgut* declare; **sich ~** *bei Behörde* register; *für Schule, Kurs* enrol, *US* enroll; *im Hotel* check in; **sich ~ bei** *Arzt etc* make* an appointment with

'Anmeldung F *von Besuch* announcement; *bei Behörde* registration; *zur Teilnahme* enrolment, *US* enrollment

'anmerken VT **sie merkte ihm seinen Ärger/Frust an** she could tell he was annoyed/frustrated; **er hat sich nichts ~ lassen** he didn't let it show

'Anmerkung F ⟨~; ~en⟩ *schriftliche* note; *mündliche* comment; *erklärend* annotation; *Fußnote* footnote

'annähernd ADV approximately; **nicht ~** not nearly

'Annäherung F ⟨~; ~en⟩ approach (**an** to)

'Annäherungsversuche PL advances *pl*

Annahme F ['anna:mə] ⟨~; ~n⟩ acceptance (*a. fig*); *Vermutung* assumption; **in der ~, dass** on the assumption that

'annehmbar ADJ acceptable; *Preis* reasonable

'annehmen VT ⟨*irr*⟩ accept; *vermuten* assume; *Kind, Namen* adopt; *Ball* take*; *Form* take* on; **Gestalt ~** take* shape; **sich e-r Sache/j-s ~** take* care of sth/sb

'Annehmlichkeiten PL comforts *pl*; *Vorteile* advantages *pl*

Annonce F [a'nõ:sə] ⟨~; ~n⟩ advertisement

annoncieren [anõ'si:rən] ⟨*kein ge*⟩ **A** VT advertise **B** VI place an ad(-vertisement) in a newspaper

annullieren VT [anʊ'li:rən] ⟨*kein ge*⟩ annul; WIRTSCH cancel

anonym [ano'ny:m] **A** ADJ anonymous **B** ADV *herausgeben etc* anonymously

Anonymi'tät F ⟨~⟩ anonymity

Anorak M ['anorak] ⟨~s; ~s⟩ anorak

'anordnen VT arrange; *befehlen* order

'Anordnung F arrangement; *Befehl* order

'anorganisch ADJ inorganic

'anpacken *umg* **A** VT *Problem, Arbeit etc* tackle **B** VI **mit ~** lend* a hand

'anpassen VT adapt (*dat*, **an** to); **sich ~** adapt (*dat*, **an** to)

'Anpassung F ⟨~; ~en⟩ adaptation

'anpassungsfähig ADJ adaptable

'Anpassungsfähigkeit F adaptability

'anpflanzen VT plant; *anbauen* grow*, cultivate

'Anpflanzung F ⟨~; ~en⟩ *Anbau* cultivation

anprangern VT ['anpraŋərn] denounce

'anpreisen VT ⟨*irr*⟩ push; *Eigenes* plug

'anprobieren VT ⟨*kein ge*⟩ try on

'anrechnen VT **(j-m) etw ~** *berechnen* charge (sb) for sth; *gutschreiben* give* (sb) credit for sth; **etw als Fehler ~** count sth as a mistake; **ich rechne (es) dir hoch an, dass du mir geholfen hast** I really appreciate your helping me

'Anrecht N **ein ~ haben auf** be* entitled to

'Anrede F form of address

'anreden VT address (**mit Namen** by name)

'anregen VT *beleben* stimulate; *vorschlagen* suggest; **j-n dazu ~, etw zu tun** encourage sb to do sth

'anregend ADJ stimulating

'Anregung F *Belebung* stimulation; *Vorschlag* suggestion
'Anregungsmittel N stimulant
'Anreisetag M day of arrival
'Anreiz M incentive
'anrichten V/T *Speisen* prepare; *Schaden, Unheil* cause
anrüchig ADJ ['anrʏçɪç] disreputable; *Witz* indecent
'Anruf M call
'Anrufbeantworter M ⟨~s; ~⟩ answering machine, *Br a.* answerphone
'anrufen V/T ⟨*irr*⟩ call, phone, *Br a.* ring*; **ich habe sie von meinem Handy aus angerufen** I called her on *od* from my mobile
'Anrufer(in) M ⟨~s; ~⟩ (F) ⟨~in; ~innen⟩ caller
'Anruferkennung F ⟨~; ~en⟩ caller ID
'anrühren V/T touch (*a. Alkohol, Fleisch, Geld*); *mischen* mix
'Ansage F announcement
'ansagen V/T announce
'Ansager(in) M ⟨~s; ~⟩ (F) ⟨~in; ~innen⟩ announcer
'ansammeln V/T & V/R accumulate
'Ansammlung F accumulation; *Menschenansammlung* crowd
'Ansatz M *Beginn* start (**zu** of); *Versuch* attempt (**zu** at); *Methode* approach; *Ansatzstück* attachment; MATH formulation; **Ansätze** *pl*; *Anzeichen* first signs *pl*
'anschaffen V/T **(sich) etw ~** buy* *od* get* (o.s.) sth
'Anschaffung F ⟨~; ~en⟩ purchase, buy
'anschauen V/T look at; **(sich) etw ~** have* a look at sth; *Fernsehsendung* watch sth; *Theaterstück, Fußballspiel etc* see* sth
'anschaulich **A** ADJ clear; *Beschreibung, Stil a.* graphic **B** ADV *erklären* clearly
'Anschein M ⟨~(e)s⟩ appearance; *Eindruck* impression; **allem ~ nach** to all appearances; **den ~ erwecken, ... zu sein** give* the impression of being ...
'anscheinend ADV apparently
'Anschlag M *Überfall* attack; *Plakat* poster; *Bekanntmachung* notice; MUS, *beim Schwimmen* touch; **e-n ~ auf j-n verüben** make* an attempt on sb's life
'Anschlagbrett N notice board, *US* bulletin board
'anschlagen ⟨*irr*⟩ **A** V/T *Plakat* put* up; *Akkord, Taste* strike*; *Geschirr* chip; **sich den Kopf ~** bang one's head **B** V/I *von Hund* bark; *wirken* take* effect (*a.* MED); *beim Schwimmen* touch
'anschließen V/T ⟨*irr*⟩ ELEK, TECH connect (**an** to); *mit Stecker* plug in; **sich ~** *e-r Gruppe, Partei etc* join; *e-r Ansicht, Theorie* agree with
'anschließend **A** ADJ following **B** ADV afterwards
'Anschluss M *allg* connection; **im ~ an** following; **~ suchen** look for company; **~ finden** make* friends (**bei** with); **den ~ verpassen** *in Schule* be* left behind; **kein ~ unter dieser Nummer** TEL the number you have dialled has not been recognized
'Anschlussflug M FLUG connecting flight **'Anschlusszug** M connecting train
'anschnallen V/T *Skier etc* strap on, put* on; **sie hat das Kind angeschnallt** she fastened the child's seatbelt; **sich ~** FLUG, AUTO fasten one's seatbelt
'Anschnallgurt M seat belt **'Anschnallpflicht** F AUTO compulsory wearing of seat belts
'anschneiden V/T ⟨*irr*⟩ cut* (*a. Ball*); *Thema, Problem* bring* up
'anschreiben V/T ⟨*irr*⟩ *an die Tafel* write* on the (black)board; **j-n ~** write* to sb; **(etw) ~ lassen** buy* (sth) on credit
'anschreien V/T ⟨*irr*⟩ shout at
'Anschrift F address
'Anschriftenliste F list of addresses
'Anschubfinanzierung F start-up funds *pl*
'Anschuldigung F ⟨~; ~en⟩ accusation
'anschwellen V/I ⟨*irr*, s⟩ swell* (*a. fig*)
'ansehen ⟨*irr*⟩ **A** V/T look at; **(sich) etw ~** have* a look at sth; *Fernsehsendung* watch sth; *Theaterstück, Fußballspiel etc* see* sth; **j-n/etw ~ als** look (up)on sb/sth as; **etw mit ~** watch sth; **man sieht ihm sein Alter nicht an** he doesn't look his age **B** V/I **sieh mal an!** *umg* well, I never!
'Ansehen N ⟨~s⟩ reputation
ansehnlich ADJ ['anze:nlɪç] *beträchtlich*

considerable
'an sein VI *‹irr, s› von Licht, Radio* be* on
'ansetzen **A** VT *anfügen* put* on, add (**an** to); *Glas, Trompete* raise to one's lips; *Teig* prepare; *Termin* fix, set*; **Rost ~** start to rust; **Fett ~** put* on weight **B** VI **zur Landung/zum Sprung ~** get* ready to land/jump
'Ansicht F ‹~; ~en› *Meinung* opinion, view; *Bild, Blickwinkel* view; **der ~ sein, dass** be* of the opinion that; **meiner ~ nach** in my opinion; **zur ~** WIRTSCH on approval
'Ansichtskarte F (picture) postcard
'Ansichtssache F **das ist ~** that's a matter of opinion
'ansiedeln VT & VR settle
ansonsten ADV [an'zɔnstən] otherwise
'Anspannung F strain
'Anspielung F ‹~; ~en› allusion
'Ansporn M ‹~(e)s› incentive
'Ansprache F speech; **e-e ~ halten** make* a speech
'ansprechen VT *‹irr› anreden* speak* to (**auf** about); *fig*: *gefallen* appeal to
'Ansprechpartner(in) M(F) contact
'anspringen *‹irr›* **A** VI *‹s› von Motor* start **B** VT jump on
'Anspruch M claim (**auf** to) (*a.* JUR); **~ haben auf** be* entitled to; **~ erheben auf** claim; **Zeit in ~ nehmen** take* up time; **j-n in ~ nehmen** keep* sb busy
'anspruchslos ADJ *bescheiden* modest; *Buch, Musik* undemanding; *pej* trivial
'anspruchsvoll ADJ demanding (*a. geistig*); *Geschmack* sophisticated, refined
Anstalt F ['anʃtalt] ‹~; ~en› establishment, institution; *Nervenheilanstalt* psychiatric hospital; **~en machen, etw zu tun** *umg* make* a move to do sth
'Anstand M decency; *Benehmen* manners *pl*
'anständig **A** ADJ decent (*a. fig*) **B** ADV decently; **sich ~ benehmen** behave (properly)
'anstandslos ADV unhesitatingly; *mühelos* without difficulty
'anstarren VT stare at
an'statt **A** PRÄP *‹gen›* instead of **B** KONJ **~ zu warten** *etc* instead of waiting *etc*
'anstecken VT *Brosche, Orden* pin on; *Ring* put* on; *Zigarette* light*; *in Brand stecken* set* fire to; MED, *a. fig*: *begeistern* infect; **sich bei j-m ~** catch* sth from sb
'ansteckend ADJ infectious; *direkt* contagious (*beide a. fig*)
'Ansteckung F ‹~; ~en› infection; *direkte* contagion
'anstehen VI *‹irr› sich anstellen* queue (up) (**nach** for), *US* stand* in line (**nach** for); *erledigt werden müssen* be* on the agenda
'ansteigen VI *‹irr, s›* rise* (*a. fig*)
'anstellen VT *Arbeitskräfte* take* on, employ; *Licht, Radio, Heizung etc* turn on; *Motor* start; *umg*: *Verbotenes* be* up to; *Versuche, Vergleich, Vermutungen* make*; **sie ist bei … angestellt** she works for …; **sich ~** queue (up) (**nach** for), *US* stand* in line (**nach** for); *umg*: *sich zieren* make* a fuss
'Anstellung F position, job
'Anstieg M ‹~(e)s; ~e› *von Temperatur, Preisen etc* rise, increase (*gen* in); *von Straße* incline; *Aufstieg* climb
'Anstoß M *Fußball* kickoff; *Anregung* impetus; **den ~ zu etw geben** provide the impetus for sth; **~ erregen** give* offence *od US* offense (**bei** to); **~ nehmen an** take* offence *od US* offense at
'anstoßen *‹irr›* **A** VT *mit dem Ellenbogen* nudge; *mit dem Fuß* kick **B** VI *mit Gläsern* clink glasses (**mit** with); **~ auf** drink* to; ‹s› **mit dem Knie am Tisch ~** bang one's knee on the table
anstößig ADJ ['anʃtøːsɪç] offensive
'anstrahlen VT *Gebäude* illuminate; *anlachen* beam at
'anstreichen VT *‹irr›* paint; *Fehler, Textstelle* mark
anstrengen VT ['anʃtrɛŋən] **j-n ~** tire sb out; **sich ~** try hard, make* an effort
'anstrengend ADJ strenuous, hard
'Anstrengung F ‹~; ~en› strain; *Bemühung* effort
'Ansturm M *Angriff etc* onslaught (*a. fig*); *großer Andrang* rush (**auf** for)
Antarktis F [ant'ʔarktɪs] ‹~› **die ~** the Antarctic
'Anteil M share (**an** of) (*a.* WIRTSCH); **~ nehmen an** take* an interest in; *mitleidig* express sympathy for
'Anteilnahme F sympathy; *Interesse* interest

Antenne F [an'tɛnə] ⟨~; ~n⟩ aerial, *bes US* antenna
Anti- ZSSGN, **anti-** ZSSGN [anti-] anti-
Antialko'holiker(in) M(F) teetotaller, *US* teetotaler **Anti'babypille** F *umg* birth control pill; **die ~** the pill
Antibiotikum N [antibi'o:tikʊm] ⟨~s; -ka⟩ antibiotic
Antiblo'ckiersystem N AUTO anti-lock braking system
antik ADJ [an'ti:k] antique; *aus dem Altertum* ancient
'Antikörper M antibody
Antipathie F [antipa'ti:] ⟨~; ~n⟩ antipathy (**gegen** to)
Antiquari'at N ⟨~(e)s; ~e⟩ *Laden* second-hand bookshop *od US* bookstore
anti'quarisch ADJ & ADV second-hand
Antiquitäten PL [antikvi'tɛ:tən] antiques *pl*
Antiqui'tätenladen M antique shop *od US* store
Antisemit(in) [antize'mi:t(ɪn)] M ⟨~en; ~en⟩ (F) ⟨~in; ~innen⟩ anti-Semite **antise'mitisch** ADJ anti-Semitic **Anti-semi'tismus** M ⟨~⟩ anti-Semitism **Anti'virenprogramm** N IT antivirus software
Antrag M ['antra:k] ⟨~(e)s; Anträge⟩ *Gesuch* application; PARL motion; *Heiratsantrag* proposal; *Antragsformular* application form; **~ stellen auf** make* an application for; PARL propose a motion for
'Antragsformular N application form
'Antragsteller(in) M ⟨~s; ~⟩ (F) ⟨~in; ~innen⟩ applicant; PARL mover
'antreffen V/T ⟨*irr*⟩ find*
'antreiben V/T ⟨*irr*⟩ TECH, AUTO drive*; *Person* urge on; *Strandgut* wash ashore; **j-n zur Arbeit ~** make* sb work
'antreten ⟨*irr*⟩ **A** V/T *Amt, Position* take* up; *Reise* set* out on; *Erbe* come* into **B** V/I ⟨s⟩ *sich aufstellen* line up; MIL fall* in; *zum Wettkampf* compete; **zum Dienst ~** report for work
'Antrieb M TECH drive (*a. fig: Schwung*); *Motivation* impetus; **aus eigenem ~** of one's own accord
'antun V/T ⟨*irr*⟩ **j-m etw ~** do* sth to sb; **j-m Gewalt ~** use violence against sb; **sich etwas ~** *euph* take* one's own life
Antwort F ['antvɔrt] ⟨~; ~en⟩ answer, reply (**auf** to); *fig a.* response
'antworten V/I answer (**j-m** sb; **auf etw** sth), reply (**j-m** to sb; **auf etw** to sth); *fig* respond (**auf** to; **mit** with); **was hast du ihr darauf geantwortet?** what answer did you give her?
'anvertrauen V/T ⟨*kein ge*⟩ **j-m etw ~** entrust sb with sth; *mitteilen* confide sth to sb
'anwachsen V/I ⟨*irr*, s⟩ *von Pflanze, Baum* take* root; *zunehmen* grow*, increase
Anwalt M ['anvalt] ⟨~(e)s; Anwälte⟩, **Anwältin** F ['anvɛltɪn] ⟨~; ~nen⟩ JUR lawyer
'Anwärter(in) M(F) candidate (**auf** for)
'anweisen V/T ⟨*irr*⟩ *anleiten* instruct; *befehlen a.* order
'Anweisung F *Anleitung* instruction; *Befehl a.* order
'anwenden V/T ⟨*irr*⟩ use; *Regel, Mittel, Theorie* apply (**auf** to)
'Anwender(in) M ⟨~s; ~⟩ (F) ⟨~in; ~innen⟩ user
'Anwendung F use; *von Regel, Mittel, Theorie*, IT application
'Anwendungsvorrang M POL primacy of application
'anwerben V/T ⟨*irr*⟩ recruit (*a. fig*)
anwesend ADJ ['anve:zənt] present (**bei** at)
'Anwesenheit F ⟨~⟩ presence; *in der Schule* attendance; **in ~ des/der** *od* **von** in the presence of
'Anwesenheitsliste F attendance list *od US* record; *in der Schule* register
'anwidern V/T **j-n ~** make* sb sick
'Anzahl F ⟨~⟩ number
'anzahlen V/T *Ware* make* a down payment on; *Betrag* make* a down payment of
'Anzahlung F down payment
'Anzeichen N sign (*a.* MED)
'Anzeige F ⟨~; ~n⟩ *Annonce* advertisement; *Bekanntgabe* announcement; *Messwert* reading; IT display; **gegen j-n ~ erstatten** report sb to the police
'anzeigen V/T *bekannt geben* announce; *angeben* indicate; **j-n ~** report sb to the police
'anziehen ⟨*irr*⟩ **A** V/T *Kleidung* put* on; *ankleiden* dress; *reizen, anlocken* attract (*a. magnetisch*), draw*; *Schraube, Saite*

tighten; *Hebel* pull; *Handbremse* put* on, apply; **die Beine ~** draw* one's legs up; **sich ~** get* dressed, dress; *sich kleiden* dress **B** VI *von Preisen, Aktien* go* up, rise*
'anziehend ADJ attractive
'Anziehung(skraft) F PHYS attraction; *fig a.* appeal
'Anzug M suit
anzüglich ['antsy:klıç] **A** ADJ suggestive **B** ADV *lächeln etc* suggestively
'anzünden VT light*; *in Brand stecken* set* fire to
'anzweifeln VT doubt
Apartment N [a'partmənt] ⟨~s; ~s⟩ studio flat *od US* apartment
Apathie F [apa'ti:] ⟨~; ~n⟩ apathy
a'pathisch **A** ADJ apathetic **B** ADV *dasitzen etc* apathetically
Apfel M ['apfəl] ⟨~s; Äpfel⟩ apple
'Apfelsaft M apple juice
Apfelsine F [apfəl'zi:nə] ⟨~; ~n⟩ orange
'Apfelwein M cider
Apostroph M [apo'stro:f] ⟨~s; ~e⟩ apostrophe
Apotheke F [apo'te:kə] ⟨~; ~n⟩ pharmacy, *Br a.* chemist's, *US a.* drugstore
Apo'theker(in) M ⟨~s; ~⟩ (F) ⟨~in; ~innen⟩ pharmacist, *Br a.* chemist, *US a.* druggist
Apparat M [apa'ra:t] ⟨~(e)s; ~e⟩ *Vorrichtung, Gerät* device; TEL (tele)phone; *Radio* radio; *Fernseher* set; *Fotoapparat* camera; *fig: Parteiapparat, Regierungsapparat etc* machinery; **am ~!** speaking!
Appartement N [apartə'mã:] ⟨~s; ~s⟩ apartment
Appell M [a'pɛl] ⟨~s; ~e⟩ appeal (**an** to); MIL roll call
appel'lieren VI ⟨*kein ge*⟩ **~ an** appeal to
Appetit M [ape'ti:t] ⟨~(e)s; ~e⟩ appetite (**auf** for); **auf etw ~ haben** feel* like sth; **guten ~!** enjoy your meal!
appe'titlich ADJ appetizing
Appe'titlosigkeit F ⟨~⟩ lack of appetite
applaudieren VI [aplau'di:rən] ⟨*kein ge*⟩ applaud
Applaus M [a'plaus] ⟨~es; ~e⟩ applause
April M [a'prıl] ⟨~(s); ~e⟩ April; **~, ~!** April fool!
A'prilscherz M April Fool
A-Punkt-Verfahren N ['a:pʊŋkt-] POL A-point procedure
Aquaplaning N [akva'pla:nıŋ] ⟨~(s)⟩ aquaplaning, *US* hydroplaning
Aquarell N [akva'rɛl] ⟨~s; ~e⟩ watercolour, *US* watercolor
Aquarium N [a'kva:riʊm] ⟨~s; Aquarien⟩ aquarium
Äquator M [ɛ'kva:tɔr] ⟨~s⟩ equator
Ära F ['ɛ:ra] ⟨~; Ären⟩ era
Araber(in) ['arabər(ın)] M ⟨~s; ~⟩ (F) ⟨~in; ~innen⟩ Arab; **er ist Araber** he's an Arab
arabisch ADJ [a'ra:bıʃ] Arab; *Sprache, Zahl* Arabic; *Halbinsel, Wüste* Arabian
A'rabisch N Arabic; → Deutsch
Arbeit F ['arbait] ⟨~; ~en⟩ work; WIRTSCH, POL *a.* labour, *US* labor; *Stelle* job; *Klassenarbeit* test; *schriftliche, wissenschaftliche* paper; *Ausführung* workmanship; *Mühe* trouble; **bei der ~ sein** be* working; *am Arbeitsplatz* be* at work; **zur ~ gehen/fahren** go* to work; **~ suchen** be* looking for work *od* a job; **eine ~ schreiben** sit *od* take a test; **~en korrigieren** mark *od US* grade test papers; **gute ~ leisten** do* a good job; **sich an die ~ machen** set* to work
'arbeiten VI work (**an** on; **bei** for)
'Arbeiter(in) M ⟨~s; ~⟩ (F) ⟨~in; ~innen⟩ worker
'Arbeiterkammer F *österr* Chamber of Labour **'Arbeiterklasse** F working class(es *pl*)
'Arbeitgeber(in) M ⟨~s; ~⟩ (F) ⟨~in; ~innen⟩ employer
'Arbeitnehmer(in) M ⟨~s; ~⟩ (F) ⟨~in; ~innen⟩ employee
'Arbeitnehmervertretung F worker representation
'Arbeitsagentur F job agency *od* centre, *US* unemployment agency **'Arbeitsamt** N job centre, *US* employment office **'Arbeitsbedingungen** PL working conditions *pl* **'Arbeitsbeschaffungsprogramm** N job creation scheme **'Arbeitsbescheinigung** F certificate of employment
'Arbeitserlaubnis F work permit
'Arbeitsessen N business lunch *od* dinner **'arbeitsfähig** ADJ **~ sein** be* fit for work **'Arbeitsgang** M operation **'Arbeitsgemeinschaft** F work-

ing group; *von Schülern, Studenten* study group **'Arbeitsgericht** N industrial tribunal, *US* labor court **'Arbeitsgruppe** F POL working party **'Arbeitskampf** M industrial action, labour *od US* labor dispute **'Arbeitskleidung** F work(ing) clothes *pl* **'Arbeitskräfte** PL workers *pl*

'arbeitslos ADJ unemployed

'Arbeitslose(r) M/F(M) ⟨~n; ~n⟩ unemployed person; **die ~n** the unemployed *pl*

'Arbeitslosengeld N unemployment benefit *od US* compensation; **~ beziehen** be* on the dole **'Arbeitslosenversicherung** F unemployment insurance

'Arbeitslosigkeit F ⟨~⟩ unemployment

'Arbeitsmarkt M labour *od US* labor market, job market **'Arbeitsminister(in)** M(F) employment minister, *Br* Employment Secretary, *US* Labor Secretary **'Arbeitsniederlegung** F ⟨~; ~en⟩ strike, walkout **'Arbeitspause** F break **'Arbeitsplatz** M workplace; *Stellung* job; **am ~** at work **'Arbeitsplatzverlust** M job loss **'arbeitsscheu** ADJ work-shy **'Arbeitssicherheit** F safety at work **'Arbeitsspeicher** M main memory **'Arbeitssprache** F working language **'Arbeitssuche** F **er ist auf ~** he's looking for a job, he's job-hunting **'Arbeitstag** M work day **'Arbeitsteilung** F division of labour *od US* labor **'arbeitsunfähig** ADJ **~ sein** be* unfit for work; *ständig* be* disabled **'Arbeitsunfall** M workplace accident **'Arbeitsvermittler** M **privater ~** job placement officer, employment officer **'Arbeitsweise** F method of working; *von Gerät* mode of operation **'Arbeitszeit** F working hours *pl* **'Arbeitszeitverkürzung** F reduction in working hours **'Arbeitszimmer** N study

Archäolo'gie F [arçɛolo'giː] ⟨~⟩ archaeology, *US* archeology

Architekt(in) [arçi'tɛkt(ɪn)] M ⟨~en; ~en⟩ (F) ⟨~in; ~innen⟩ architect

architektonisch ADJ [arçitɛk'toːnɪʃ] architectural

Architek'tur F ⟨~; ~en⟩ architecture

Archiv N [ar'çiːf] ⟨~s; ~e⟩ archives *pl*

Argentinien N [argɛn'tiːniən] ⟨~s⟩ Argentina

Ärger M ['ɛrgər] ⟨~s⟩ annoyance; *stärker* anger (**über** at); *Unannehmlichkeiten* trouble; **j-m ~ machen** *umg* cause sb trouble

'ärgerlich ADJ annoyed; *stärker* angry (**über** *od* **auf etw** about sth; **über** *od* **auf j-n** with sb); *störend* annoying

'ärgern V/T annoy; **sich ~** be* annoyed (**über etw** about sth; **über j-n** with sb)

'Ärgernis N ⟨~ses; ~se⟩ nuisance

Argument N [argu'mɛnt] ⟨~(e)s; ~e⟩ argument

Argumentati'on F ⟨~; ~en⟩ reasoning

argwöhnisch ['arkvøːnɪʃ] **A** ADJ suspicious **B** ADV *mustern* suspiciously

Arktis F ['arktɪs] ⟨~⟩ **die ~** the Arctic

arm ADJ [arm] ⟨ärmer, ärmste⟩ poor (*a. bedauernswert*); **~ an** *Bodenschätzen* poor in; *Kalorien* low in; **um etw ärmer sein** have* lost sth; **sie ist ~ dran** she's in a bad way

Arm M [arm] ⟨~(e)s; ~e⟩ arm; *von Fluss* branch; **j-n auf den ~ nehmen** *umg* pull sb's leg

Armaturen PL [arma'tuːrən] *im Bad* fittings *pl*; TECH instruments *pl*

Arma'turenbrett N dashboard

'Armband N ⟨*pl* Armbänder⟩ bracelet; *von Uhr* strap

'Armbanduhr F wristwatch

Armee F [ar'meː] ⟨~; ~n⟩ army

Ärmel M ['ɛrməl] ⟨~s; ~⟩ sleeve

'Ärmelkanal M **der ~** the (English) Channel

ärmlich ['ɛrmlɪç] **A** ADJ poor; *Kleidung, Wohnung* shabby **B** ADV *gekleidet etc* shabbily; **~ leben** live in poor conditions

Armut F ['armuːt] ⟨~⟩ poverty; **~ an** lack of

'Armutsrisiko N poverty risk

Aroma N [a'roːma] ⟨~s; Aromen *od geh* ~ta⟩ flavour, *US* flavor; *Duft* aroma

arrangieren V/T [arã'ʒiːrən] ⟨*kein ge*⟩ arrange

arrogant [aro'gant] **A** ADJ arrogant **B** ADV *lächeln etc* arrogantly

Arsch M [arʃ] ⟨~(e)s; Ärsche⟩ *vulg* arse, *US* ass

Art F [aːrt] ⟨~; ~en⟩ *Art u. Weise* way,

manner; *Sorte* kind, sort; BIOL species; **auf diese ~** (in) this way; **auf grausame/angenehme ~** in a cruel/pleasant way, cruelly/pleasantly; **e-e ~ ...** a kind *od* sort of ...
'Artenschutz M protection of endangered species
Arterie F [ar'te:riə] ⟨~; ~n⟩ artery
artig ADJ ['a:rtıç] good, well-behaved; **sei ~!** be good!, be a good boy/girl!
Artikel M [ar'ti:kəl] ⟨~s; ~⟩ article
Arznei F [a:rts'nai] ⟨~; ~en⟩ medicine
Arz'neimittel N drug
Arzt M [a:rtst] ⟨~es; Ärzte⟩ doctor
'Arzthelfer(in) M(F) (doctor's) receptionist
Ärztin F ['ɛ:rtstın] ⟨~; ~nen⟩ doctor
'ärztlich A ADJ medical B ADV **sich ~ behandeln lassen** receive (medical) treatment
Asbest M [as'bɛst] ⟨~(e)s; ~e⟩ asbestos
Asche F ['aʃə] ⟨~; ~n⟩ ashes *pl*; *von Zigarette, Vulkan* ash
'Aschenbecher M ashtray
Ascher'mittwoch M Ash Wednesday
Asiat(in) [azi'a:t(ın)] M ⟨~en; ~en⟩ (F) ⟨~in; ~innen⟩ Asian
asi'atisch ADJ Asian
Asien N ['a:ziən] ⟨~s⟩ Asia
'asozial A ADJ antisocial B ADV *sich verhalten* antisocially
Aspekt M [as'pɛkt] ⟨~(e)s; ~e⟩ aspect
Asphalt M [as'falt] ⟨~(e)s; ~e⟩ asphalt, tarmac®
asphal'tieren V/T ⟨*kein ge*⟩ asphalt
Ass N [as] ⟨~es; ~e⟩ *Spielkarte* ace (*a. beim Tennis, fig*)
Assistent(in) [asıs'tɛnt(ın)] M ⟨~en; ~en⟩ (F) ⟨~in; ~innen⟩ assistant
Assis'tenzarzt M, **Assis'tenzärztin** F junior house officer, *US* intern
assoziiert ADJ [asotsi'i:rt] **~es Mitglied** *EU* associate member; **~er Partner** *EU* associate partner
Assoziierung F [asotsi'i:ruŋ] ⟨~; ~en⟩ *EU* association
Assozi'ierungsprozess M association process
Ast M [ast] ⟨~(e)s; Äste⟩ branch; *im Holz* knot
ästhetisch ADJ [ɛs'te:tıʃ] aesthetic
Asthma N ['astma] ⟨~s⟩ MED asthma
Asthmatiker(in) [ast'ma:tıkər(ın)] M ⟨~s; ~⟩ (F) ⟨~in; ~innen⟩ asthmatic
Astrologie F [astrolo'gi:] ⟨~⟩ astrology
Astronaut(in) [astro'naut(ın)] M ⟨~en; ~en⟩ (F) ⟨~in; ~innen⟩ astronaut
Astronomie F [astrono'mi:] ⟨~⟩ astronomy
ASU ['a:zu] ⟨~⟩ ABK *für* Abgassonderuntersuchung emissions test
'ASU-Plakette F emissions-test badge
Asyl N [a'zy:l] ⟨~s; ~e⟩ *politisches* asylum
Asy'lant(in) M ⟨~en; ~en⟩ (F) ⟨~in; ~innen⟩ *oft neg!* M(F) asylum seeker
A'sylantrag M application for asylum; **e-n ~ stellen** apply for asylum **A'sylbewerber(in)** M(F) asylum seeker **A'sylrecht** N right of asylum
Atelier N [atəli'e:] ⟨~s; ~s⟩ studio
Atem M ['a:təm] ⟨~s⟩ breath; *das Atmen* breathing; **außer ~** out of breath; **(tief) ~ holen** take* a (deep) breath
'atemberaubend ADJ breathtaking
'atemlos ADJ breathless (*a. fig*)
'Atempause F breather; **e-e ~ einlegen** take* a breather **'Atemzug** M breath
Äthiopien N [ɛti'o:piən] ⟨~s⟩ Ethiopia
Atlantik M [at'lantık] ⟨~s⟩ **der ~** the Atlantic
at'lantisch ADJ Atlantic; **der Atlantische Ozean** the Atlantic Ocean
Atlas M ['atlas] ⟨~ *od* ~ses; ~se *od* At'lanten⟩ atlas
atmen V/I & V/T ['a:tmən] breathe
Atmosphäre F [atmo'sfɛ:rə] ⟨~; ~n⟩ atmosphere (*a. fig*)
'Atmung F ⟨~⟩ breathing
Atom N [a'to:m] ⟨~s; ~e⟩ atom
A'tom- ZSSGN *Reaktor, Waffen etc* nuclear
ato'mar ADJ nuclear; PHYS atomic
A'tombombe F nuclear *od* atom(ic) bomb **A'tomenergie** F nuclear *od* atomic energy **A'tomgegner(in)** M(F) anti-nuclear protester **A'tomgemeinschaft** F **Europäische ~** European Atomic Energy Community **A'tomkern** M atomic nucleus **A'tomkraftwerk** N nuclear power station **A'tommüll** M nuclear waste **a'tomwaffenfrei** ADJ nuclear-free
Attentat N ['atənta:t] ⟨~(e)s; ~e⟩ assassination attempt (**auf** on); *geglücktes* assassination (**auf** of); **Opfer e-s Attentats werden** be* assassinated

'Attentäter(in) M(F) assassin; *erfolglos* would-be assassin

Attest N [a'tɛst] ⟨~(e)s; ~e⟩ (doctor's) certificate

Attraktion F [atraktsi'o:n] ⟨~; ~en⟩ attraction

attrak'tiv ADJ attractive

Attrappe F [a'trapə] ⟨~; ~n⟩ dummy

AU ['a:'ʔu:] ⟨~⟩ ABK *für* Abgasuntersuchung emissions test

auch KONJ [aux] as well, too, also; *selbst, sogar* even; **wir kommen ~** we're coming as well *od* too, we're also coming; **ich kann's – ich ~** I can do it – me too *od* so can I; **ich bin kein Jazzfan – ich ~ nicht** I'm not a jazz fan – me neither, neither am I; **wo ~ (immer)** wherever; **ist es ~ wahr?** is it really true?

Audienz F [audi'ɛnts] ⟨~; ~en⟩ audience (**bei** with)

auf [auf] **A** PRÄP ⟨*akk od dat*⟩ *räumlich* on; **~ dem Tisch** on the table; **~ Seite 20** on page 20; **~ der Straße** on the road; *in der Stadt* in *od US* on the street; **~ der Welt** in the world; **~ ihrem Zimmer** in her room; **~ See** at sea; **~ dem Lande** in the country; **~ dem Bahnhof/der Post** at the station/post office; **~ Urlaub** on holiday *od US* vacation; **warst du auch ~ der Party?** were you at the party too?; **~ den Tisch** on the table; **geh ~ dein Zimmer** go to your room; **etw ~ dem Klavier** *etc* **spielen** play sth on the piano *etc*; **den Wecker ~ sieben stellen** set* the alarm for seven; **~ Deutsch** in German; **~ deinen Wunsch** at your request; **~ Anordnung des Schulleiters** on the headmaster's instructions; **~ die Sekunde genau** to the second; **in der Nacht von Mittwoch ~ Donnerstag** on Wednesday night or early Thursday morning; **~ 25 Schüler kommt ein Lehrer** there is one teacher for *od* to every 25 pupils
B ADV **~ und ab** up and down; **~ geht's!** let's go!; → auf sein

'aufarbeiten VT *Rückstände* catch* up on; *Möbel* refurbish

'aufatmen VI *fig* heave a sigh of relief

'Aufbau M ⟨~(e)s; ~ten⟩ *das Errichten* putting up; *Wiederaufbau* rebuilding; *Schaffung, Weiterentwicklung* building up; *Struktur* structure

'aufbauen VT *errichten* put* up; *wiederaufbauen* rebuild*; *schaffen, weiterentwickeln* build* up; *strukturieren* structure; **etw auf etw ~** base sth on sth

'aufbekommen VT ⟨*irr, kein ge*⟩ *Tür, Dose etc* get* open; *Hausaufgabe* be* given; **viel ~** get* a lot of homework

'aufbereiten VT ⟨*kein ge*⟩ process; *Trinkwasser* treat

'aufbessern VT *Gehalt* raise

'aufbewahren VT ⟨*kein ge*⟩ keep*

'aufbieten VT ⟨*irr*⟩ *Kräfte* muster; *Einfluss* exert

'aufbleiben VI ⟨*irr*, s⟩ stay up; *von Tür etc* stay open

'aufblenden VI AUTO turn the headlights on full beam *od US* high beam

'aufbrauchen VT use up

'aufbrechen ⟨*irr*⟩ **A** VT break* *od* force open; *Auto* break* into **B** VI ⟨s⟩ burst* open; *weggehen* set* off, leave* (**nach** for)

'aufbringen VT ⟨*irr*⟩ *Geld* raise; *Mut, Energie* muster; *Mode* start; *Tür* get* open

'Aufbruchstimmung F **in ~ sein** be* getting ready to go

'aufdecken VT *fig: Verbrechen* uncover; **das Bett ~** turn down the bedclothes

'aufdrängen VT **j-m etw ~** force sth on sb; **sich (j-m) ~** impose (on sb); *fig: von Idee etc* suggest itself (to sb)

'aufdringlich ADJ obtrusive

'Aufdruck M ⟨~(e)s; ~e⟩ imprint; *auf Briefmarken* overprint

aufei'nander ADV *übereinander* on top of each other; *nacheinander* one after another; **~ folgend** successive

aufei'nanderfolgend ADJ successive

aufei'nanderlegen VT put* on top of each other

Aufenthalt M ['aufʔɛnthalt] ⟨~(e)s; ~e⟩ stay; BAHN stop

'Aufenthaltserlaubnis F, **'Aufenthaltsgenehmigung** F residence permit, *US* green card **'Aufenthaltsraum** M lounge; *in e-r Firma, Schule* recreation room

'aufessen VT ⟨*irr*⟩ eat* up

'auffahren VI ⟨*irr*, s⟩ *hochschrecken* start; **~ auf** *aufprallen* run* into, go* into

'Auffahrt F *Zufahrt* approach; *zur Autobahn* slip road, *US* on-ramp; *zu e-m Haus* drive, driveway

'Auffahrunfall M rear-end collision; *Massenauffahrunfall* pile-up

'auffallen VI ⟨*irr*, s⟩ stand* out, attract attention; **das ist mir aufgefallen** I noticed that; **mir fällt auf, dass ...** it strikes me that ...

'auffallend ADJ, **auffällig** ADJ striking; *Kleider, Farben* loud, flashy

'auffangen VT ⟨*irr*⟩ *Ball* catch*; *Stoß, Aufprall* cushion (*a. fig: Preissteigerung*)

'auffassen VT **~ als** take* as

'Auffassung F view; *Deutung* interpretation

'auffinden VT ⟨*irr*⟩ find*, discover

'auffordern VT **j-n ~, etw zu tun** ask sb to do sth; *eindringlich* tell* sb to do sth

'Aufforderung F request; *eindringliche* demand

'auffrischen VT freshen up; *Wissen, Englisch etc* brush up

'aufführen VT *Theaterstück, Oper* perform; *Film* show*; *nennen* list

'Aufführung F *von Theaterstück, Oper* performance; *von Film* showing

'Aufgabe F *Arbeit* task, job; *Pflicht* duty; *Schulaufgabe* assignment; MATH problem; *Hausaufgabe* homework; *Verzicht* surrender; **hast du deine ~n schon gemacht?** have you done your homework yet?; **es sich zur ~ machen** make* it one's business

'Aufgang M *Treppe* stairs *pl*, staircase; *von Sonne, Mond* rising

'aufgeben ⟨*irr*⟩ **A** VT *verzichten auf* give* up; *Anzeige* insert; *Brief, Paket* mail, *Br a.* post; *Gepäck* check in; *Hausaufgaben* set*, give*; *Bestellung* place **B** VI *sich ergeben, aufhören* give* up

'aufgebracht ADJ furious

'aufgehen VI ⟨*irr*, s⟩ *sich öffnen* open; *von Sonne, Mond, Vorhang, Teig* rise*; *von Knoten, Naht* come* undone; *von Rechnung* work out exactly; *von Wunde* open; **in Flammen ~** go* up in flames

'aufgehoben ADJ **bei j-m gut ~ sein** *fig* be* in good hands with sb

'aufgelegt ADJ **zum Feiern** *etc* **~ sein** feel* like celebrating *etc*; **gut/schlecht ~** in a good/bad mood

'aufgeregt **A** ADJ excited; *nervös* nervous **B** ADV excitedly; *nervös* nervously

'aufgeschlossen ADJ *fig* open-minded; **~ für** open to

'aufgreifen VT ⟨*irr*⟩ *Thema, Vorschlag* take* up

auf'grund PRÄP ⟨*gen*⟩ because of

'aufhaben ⟨*irr*⟩ *umg* **A** VT *Hut, Brille* have* on, wear*; *als Hausaufgabe* have* to do; **ich habe viel auf** I've got a lot of homework **B** VI *geöffnet sein* be* open

'aufhalten VT ⟨*irr*⟩ *anhalten* stop (*a. Dieb*); *verzögern, stören* hold* up (*a. Verkehr*); *Augen, Tür etc* keep* open; **sich ~ (bei j-m)** stay (with sb)

'aufhängen VT hang* up (**an** on); **j-n ~** hang sb

'aufheben VT ⟨*irr*⟩ *vom Boden* pick up; *aufbewahren* keep*; *abschaffen* abolish; *Versammlung* close; **sich (gegenseitig) ~** cancel each other out

'Aufheben N ⟨~s⟩ **viel ~s machen** make* a great fuss (**von** about)

'aufheitern VT cheer up; **es heitert sich auf** *Wetter* it's clearing up

'aufholen **A** VT *Zeit, Verspätung* make* up **B** VI catch* up

'aufhören VI stop; *ein Ende nehmen* end; **~, etw zu tun** stop doing sth; **mit der Arbeit/dem Rauchen ~** stop working/smoking; **hör(t) auf!** stop it!

'aufkaufen VT buy* up

'aufklären VT clear up; *Verbrechen a.* solve; **j-n über etw ~** inform sb about sth; **j-n (sexuell) ~** tell* sb the facts of life

'Aufklärung F ⟨~; ~en⟩ clearing up; *von Verbrechen a.* solving; *das Informieren* informing; MIL reconnaissance; **(sexuelle) ~** sex education; **die ~** *Zeitalter* the Enlightenment

'Aufkleber M ⟨~s; ~⟩ sticker

'aufkommen VI ⟨*irr*, s⟩ *von Zweifel, Gerücht etc* arise*; *Mode werden* come* into fashion; **~ für** pay* for; **Zweifel ~ lassen** give* rise to doubt

'Aufladegerät N charger

'aufladen VT ⟨*irr*⟩ load; ELEK charge; *Handykarte, Geldkarte* top up; *Handy* charge

'Auflage F *von Buch* edition; *von Zeitung* circulation

'auflassen VT ⟨*irr*⟩ *umg: Tür etc* leave* open; *umg: Hut* keep* on

'aufleben VI ⟨s⟩ revive; *munter werden*

liven up; **(wieder) ~ lassen** revive
'auflegen **A** VT *CD, Tischtuch, Schminke* put* on; *Hörer* put* down; **dieses Buch wird nicht mehr aufgelegt** this book is out of print **B** VI TEL hang* up
'auflehnen VT & VR *stützen* lean* (**auf** on); **sich ~** rebel (**gegen** against)
'auflesen VT ⟨*irr*⟩ pick up (*a. fig*)
'auflisten VT list (*a.* IT)
'auflockern VT *Erde, Muskeln* loosen up; *Unterricht, Fest etc* liven up
'auflösen VT *in Flüssigkeit* dissolve (*a. fig*: *Parlament*); *Rätsel* solve (*a.* MATH); *Verein, Partei* disband; *Demonstration, Versammlung* break* up; *Vertrag* cancel; **sich ~** *von Tablette etc* dissolve; *in s-e Bestandteile* break* down; *von Demonstration, Versammlung* break* up; *von Verein, Partei* disband; *von Stau* disappear
'Auflösung F *Bildschirm, Drucker* resolution; *Vertrag* cancellation; *Rätsel* solution; *Parlament* dissolution; *Demonstration, Versammlung* breaking up
'aufmachen **A** VT open; **sich ~** set* out (**nach** for) **B** VI open; *die Tür öffnen* open the door
'Aufmachung F ⟨~; ~en⟩ *Kleidung* get-up; *Gestaltung* presentation; *von Seite* layout
'aufmerksam **A** ADJ attentive (**auf** to); *zuvorkommend* thoughtful; **j-n ~ machen auf** draw* sb's attention to **B** ADV *zuhören etc* attentively
'Aufmerksamkeit F ⟨~; ~en⟩ attention; *Konzentration* attentiveness; *Geschenk* little gift
'aufmuntern VT *ermuntern* encourage; *aufheitern* cheer up
Aufnahme F ['aufna:mə] ⟨~; ~n⟩ *e-r Tätigkeit* taking up; *Empfang* reception; *Zulassung* admission (**in** to) (*a. in ein Krankenhaus*); *Foto* photo(graph); *Tonaufnahme, Videoaufnahme* recording; *von Film* shooting; *einzelne* shot
'aufnahmefähig ADJ receptive (**für** to)
'Aufnahmegebühr F admission fee
'Aufnahmeprüfung F entrance exam
'aufnehmen VT ⟨*irr*⟩ *Tätigkeit* take* up; *aufheben* pick up; *beherbergen* put* up; *fassen* hold*; *begreifen* take* in; *einbeziehen* include; *empfangen* receive; *in Schule, Verein* admit (**in** to); FOTO take* a photo of; *Film* shoot*; *auf Band, CD, Video* record; *Kredit* take* out; *Ball* take*; *Verhandlungen* start; *Nahrung* take*; **es mit j-m ~ können** be* a match for sb
'aufpassen VI *aufmerksam sein* pay* attention; *vorsichtig sein* take* care; **~ auf** take* care of, look after; *im Auge behalten* keep* an eye on; **pass auf!** look out!
Aufprall M ['aufpral] ⟨~(e)s; ~e⟩ impact
'aufprallen VI ⟨s⟩ **~ auf** hit*
'Aufpreis M extra charge; **gegen ~** for an extra charge
'aufraffen VR **sich ~, etw zu tun** *umg* bring* o.s. to do sth
'aufräumen VT tidy up; *Unfallstelle etc* clear
'aufrecht ADJ & ADV upright (*a. fig*)
'aufrechterhalten VT ⟨*irr, kein ge*⟩ maintain, keep* up; *Behauptung, Angebot* stand* by
'aufregen VT excite; *ärgern* annoy; *beunruhigen* upset*; **sich ~** get* worked up (**über** about)
'aufregend ADJ exciting
'Aufregung F excitement; *Getue* fuss
'aufreibend ADJ stressful
'aufreißen VT ⟨*irr*⟩ tear* open; *Tür* fling* open; *Augen, Mund* open wide; *Straße* dig* up; *umg*: *j-n* pick up
'aufreizend **A** ADJ provocative **B** ADV *sich kleiden etc* provocatively
'aufrichten VT *aufstellen* put* up; *Kranken* raise; **sich ~** straighten up; *im Bett* sit* up
'aufrichtig **A** ADJ sincere; *ehrlich* honest **B** ADV sincerely; *ehrlich* honestly
'Aufrichtigkeit F sincerity; *Ehrlichkeit* honesty
'Aufruf M call; *öffentlicher* appeal (**an** to; **zu** for)
'aufrufen VT ⟨*irr*⟩ *Zeugen, Namen* call; **j-n ~** *in der Schule* ask sb a question; **j-n zu etw ~** appeal to sb for sth; **zum Streik ~** call a strike
Aufruhr M ['aufru:r] ⟨~s; ~e⟩ *Rebellion* revolt; *Krawall* riot; *seelisch* turmoil
'aufrunden VT *Summe* round up (**auf** to)
'aufrüsten VT & VI (re)arm
'Aufrüstung F (re)armament
aufsässig ADJ ['aufzɛsɪç] rebellious
'Aufsatz M *Schulaufsatz* essay; *Zeitungsaufsatz* article; *Oberteil* top

'aufsaugen VT absorb (*a. fig*)
'aufschieben VT ⟨*irr*⟩ *fig* put* off, postpone (**auf, bis** until); *verzögern* delay
'Aufschlag M *Aufprall* impact; *Verteuerung* extra charge; *beim Tennis* service, serve; *von Jacke, Mantel* lapel; *von Hose* turnup, *US* cuff
'aufschlagen ⟨*irr*⟩ **A** VT *Buch, Augen* open; *Zelt* pitch; *Ei* crack open; **schlagt Seite 3 auf** open your books at page 3; *bei geöffnetem Buch* turn to page 3; **sich das Knie ~** cut* one's knee **B** VI *beim Tennis* serve; ⟨s⟩ **~ auf** hit*
'aufschließen VT ⟨*irr*⟩ unlock, open
'Aufschluss M information (**über** on)
'aufschlussreich ADJ informative
'aufschneiden ⟨*irr*⟩ **A** VT cut* open; *Fleisch, Käse, Brot* cut* up **B** VI *umg: angeben* boast, brag
'Aufschnitt M slices *pl* of cold meat, *US* cold cuts *pl*; *Käse* slices *pl* of cheese
'aufschnüren VT untie; *Schuh* unlace
'aufschrauben VT *öffnen* unscrew
'aufschrecken **A** VT startle **B** VI ⟨s⟩ start; **aus dem Schlaf ~** awake* with a start
'aufschreiben VT ⟨*irr*⟩ write* down; **j-n ~** *umg: von Polizei* book sb; **sich etw ~** make* a note of sth
'Aufschrift F inscription
'Aufschub M postponement; *Verzögerung* delay; *e-r Frist* extension
'Aufschwung M *beim Turnen* swing-up; WIRTSCH upturn, recovery
'Aufsehen N ⟨~s⟩ **~ erregen** cause a stir, *stärker* cause a sensation
'aufsehenerregend ADJ sensational
'Aufseher(in) M ⟨~s; ~⟩ F ⟨~in; ~innen⟩ *im Gefängnis* guard, *Br a.* warder; *im Museum* attendant
'auf sein VI ⟨*irr*, s⟩ *offen* be* open; *wach* be* up
'aufsetzen **A** VT *Brille, Hut etc* put* on; *abfassen* draw* up; *Brief, Rede etc* draft; **sich etw ~** *Brille, Hut etc* put* sth on; **sich ~** sit* up **B** VI *von Flugzeug* touch down
'Aufsicht F supervision; *Person* supervisor; **~ führen** *Lehrer* be* on duty; *bei Prüfungen* invigilate, *US* proctor
'Aufsichtsbehörde F supervisory body **'Aufsichtsrat** M supervisory board
'aufspielen VR give* o.s. airs (and graces); **sich als Anführer** *etc* **~** play the leader *etc*
'aufspringen VI ⟨*irr*, s⟩ *hochspringen* jump up; *von Tür, Koffer* fly* open; *von Lippen, Händen* chap; **auf etw ~** jump on(to) sth
'aufspüren VT track down (*a. fig*)
'Aufstand M revolt, rebellion
aufständisch ADJ ['aufʃtɛndɪʃ] rebellious
'Aufständische PL rebels *pl*
'aufstapeln VT pile up
'aufstechen VT ⟨*irr*⟩ puncture; MED lance
'aufstehen VI ⟨*irr*, s⟩ get* up; ⟨h⟩ *von Fenster, Tür* be* open
'aufsteigen VI ⟨*irr*, s⟩ rise* (*a. fig: von Gefühl*); *auf Pferd, Rad* get* on; *im Beruf* be* promoted, SPORT go* up, *Br a.* be* promoted; **~ auf** *Pferd, Rad* get* on(to)
'aufstellen VT *Zelt, Gerüst, Denkmal* put* up; *Schachfiguren, Kegel* set* up; *Wachen* post; *Falle, Rekord* set*; *Kandidaten* nominate; *Spieler* select; *Rechnung* make* out; *Liste* make*, draw* up
'Aufstellung F *von Zelt, Gerüst, Denkmal* putting up; *von Kandidaten* nomination; *Liste* list; *Mannschaft* line-up
Aufstieg M ['aufʃti:k] ⟨~(e)s; ~e⟩ ascent; *sozialer* advancement; *im Beruf,* SPORT promotion
'Aufstiegschancen PL promotion prospects *pl*
'aufstöbern VT *finden* ferret out
'aufstoßen ⟨*irr*⟩ **A** VT *öffnen* push open **B** VI *rülpsen* burp, belch
'aufstützen VR prop o.s. up; **sich ~ auf** lean* on
'aufsuchen VT go* to
'Auftakt M MUS upbeat; *fig* start
'auftanken VT fill up; *Flugzeug* refuel
'auftauchen VI ⟨s⟩ appear; *von Problem, Frage* come* up; SCHIFF surface
'auftauen VI ⟨s⟩ & VT thaw; *Speisen* defrost
'aufteilen VT divide (up)
Auftrag M ['auftra:k] ⟨~(e)s; Aufträge⟩ *Anweisung* instructions *pl*; *Aufgabe* job; WIRTSCH order; MIL mission; *von Künstler* commission; **im ~ von** on behalf of
'auftragen ⟨*irr*⟩ **A** VT *Farbe, Salbe etc* apply (**auf** to); *Speisen* serve (up); **j-m ~, etw zu tun** instruct sb to do sth **B** VI

von Kleidung make* sb look fat; **dick ~** *umg* lay* it on thick
'Auftraggeber(in) M ⟨~s; ~⟩ (F) ⟨~in; ~innen⟩ customer
'Auftragsbestätigung F order confirmation, confirmation of order
'auftreiben VT ⟨*irr*⟩ *umg* get* hold of; *Geld* get* together, raise
'auftreten VI ⟨*irr*, s⟩ *von Künstler, Zeuge* appear (**als** as); *handeln* behave, act; *vorkommen* occur
'Auftreten N ⟨~s⟩ *Erscheinen* appearance; *Benehmen* behaviour, *US* behavior; *Vorkommen* occurrence
'Auftrieb M PHYS buoyancy; FLUG lift; *fig* impetus; **j-m ~ geben** give* sb a lift
'Auftritt M appearance; *Szene* scene
'Auftrittsverbot N stage ban
'aufwachen VI ⟨s⟩ wake* up (*a. fig*)
'aufwachsen VI ⟨*irr*, s⟩ grow* up
Aufwand M ['aufvant] ⟨~(e)s⟩ *von Geld* expenditure (**an** of); *Anstrengung* effort; *Luxus* extravagance; *Arbeitsaufwand* input
'aufwändig → aufwendig
'aufwärmen VT warm up; *fig* bring* up
'aufwärts ADV upwards (*a. fig*)
'aufwärtsgehen VI ⟨*irr*, s⟩ **mit ihm geht es aufwärts** things are looking up for him
'aufwecken VT wake* (up)
'aufweisen VT ⟨*irr*⟩ show*; **er kann mehrere Erfolge ~** he's had several successes
'aufwenden VT ⟨*a. irr*⟩ *Geld, Zeit* spend* (**für** on); *Kraft, Energie* use; **Mühe ~** take* pains
'aufwendig **A** ADJ expensive; *Lebensweise* extravagant **B** ADV **~ leben** have* an extravagant lifestyle
'aufwerfen VT ⟨*irr*⟩ *Fragen, Zweifel etc* raise
'aufwerten VT WIRTSCH revalue; *fig* increase the value of; *Ansehen, Position* enhance
'Aufwertung F ⟨~; ~en⟩ WIRTSCH revaluation
aufwiegeln VT ['aufvi:gəln] stir up (**gegen** against), incite
'aufwiegen VT ⟨*irr*⟩ *fig* make* up for
'Aufwind M upwind; **im ~ sein** *fig* be* on the way up
'aufwischen VT wipe up; *Fußboden* wipe
'aufzählen VT list
'Aufzählung F enumeration
'aufzeichnen VT *aufnehmen, notieren* record; *zeichnen* draw*
'Aufzeichnung F *Aufnahme* recording; **~en** *pl*; *Notizen* notes *pl*
'aufzeigen VT show*; *verdeutlichen* demonstrate; *Fehler, Problem* point out
'aufziehen ⟨*irr*⟩ **A** VT *hochziehen* pull up; *Flagge, Segel* hoist; *öffnen* (pull) open; *Kind* bring* up; *Uhr, Spielzeug* wind* (up); *Bild* mount; *Reifen* put* on; **j-n ~** *umg* tease sb, pull sb's leg **B** VI ⟨s⟩ *von Sturm, Nebel* get* up
'Aufzug M *Fahrstuhl* lift, *US* elevator; *Akt* act; *pej*: *Kleidung* get-up
'aufzwingen VT ⟨*irr*⟩ **j-m etw ~** force sth on sb
Auge N ['augə] ⟨~s; ~n⟩ eye; **gute/schlechte ~n haben** have* good/bad eyesight; **mit verbundenen ~n** blindfold; **in meinen ~n** in my view; **etw mit anderen ~n sehen** see* sth in a different light; **aus den ~n verlieren** lose* sight of; *fig* lose* touch with; **ein ~ zudrücken** turn a blind eye; **unter vier ~n** in private; **das kann ins ~ gehen** *umg* it could be disastrous
'Augenarzt M, **'Augenärztin** F eye specialist, ophthalmologist **Augenblick** M ['augənblɪk *od* augən'blɪk] moment; **im ~** at the moment **augen'blicklich** **A** ADJ *gegenwärtig* present; *sofortig* immediate; *vorübergehend* momentary **B** ADV at present, at the moment; *sofort* immediately **'Augenbraue** F [-brauə] ⟨~; ~n⟩ eyebrow
'Augenfarbe F **welche ~ hat er?** what colour *od US* color are his eyes? **'Augenlid** N eyelid **'Augenmaß** N **ein gutes ~** a sure eye; **nach dem ~** by eye **'Augenschein** M appearance; **in ~ nehmen** examine **'Augenzeuge** M, **'Augenzeugin** F eyewitness
August M [au'gʊst] ⟨~(e)s *od* ~; ~e⟩ August
Auktion F [auktsi'o:n] ⟨~; ~en⟩ auction
Aukti'onshaus N auctioneers *pl*
Aula F ['aula] ⟨~; ~s *od* Aulen⟩ (assembly) hall, *US* auditorium
Au-pair-Junge M [o'pɛ:r-] male au pair
Au-'pair-Mädchen N au-pair (girl)
A'U-Plakette F emissions-test badge

aus [aus] **A** PRÄP ⟨*dat*⟩ *räumlich* out of, from; *zeitlich* from; *Material* of; *Grund* out of; **~ Spaß** for fun; **~ Versehen** by mistake; **~ diesem Grunde** for this reason; **~ der Mode** out of fashion **B** ADV **von hier ~** from here; **von mir ~!** *umg* I don't care!; **auf etw ~ sein** be* out for sth; *j-s Geld* be* after sth; **das Spiel ist ~** the game is over; **die Schule ist ~** school is out; **ein/~** TECH on/off; **was ist ~ ihm geworden?** what has become of him?

'ausarbeiten VT work out; *entwerfen* prepare

'ausarten VI ⟨s⟩ *pej* get* out of hand; **~ in** degenerate into

'ausatmen VI & VT breathe out

'Ausbau M ⟨~(e)s⟩ *Erweiterung* extension; *Umbau* conversion; *von Motor etc* removal; *Verbesserung* improvement

'ausbauen VT *erweitern* extend; *umbauen* convert; *Motor etc* remove; *verbessern* improve

'ausbaufähig ADJ **~ sein** have* potential for development

'ausbessern VT mend, repair

'Ausbesserung F repair

'Ausbeute F gain, profit; *Ertrag* yield

'ausbeuten VT exploit (*a. pej*)

'Ausbeutung F ⟨~; ~en⟩ exploitation (*a. pej*)

'ausbilden VT *schulen* train; **j-n zum Lehrer ~** train sb to be a teacher

'Ausbilder(in) M ⟨~s; ~⟩ (F) ⟨~in; ~innen⟩ instructor

'Ausbildung F *berufliche* training; *schulische, akademische* education; **in der ~ sein** be* a trainee; **eine ~ als Maler machen** be* training to be *od* become a painter

'ausbleiben VI ⟨*irr*, s⟩ *von Erhofftem* fail to materialize; *von Kunden, Gästen* stay away; **der Regen blieb aus** the rain didn't come

'Ausblick M view (**auf** of); *fig*: *Vorschau* look ahead (**auf** to)

'ausbrechen VI ⟨*irr*, s⟩ break* out (*a. fig*); *von Vulkan* erupt; **in Tränen ~** burst* into tears; **in Gelächter ~** burst* out laughing

'ausbreiten VT spread* out; **sich ~** spread*

'Ausbreitung F ⟨~⟩ spreading

'Ausbruch M *Flucht* escape, breakout; *von Feuer, Krieg, Gewalt* outbreak; *von Vulkan* eruption; *Gefühlsausbruch* outburst

'auschecken VI check out

'Ausdauer F perseverance; SPORT stamina, staying power

'ausdauernd ADJ persevering; SPORT tireless

'ausdehnen VT & VR stretch; *fig* extend; PHYS expand

'Ausdehnung F ⟨~; ~en⟩ *Vergrößerung* expansion; *fig*: *zeitlich* extension

'ausdenken VT ⟨*irr*⟩ think* up; **sich etw ~** think* sth up

'Ausdruck[1] M ⟨~(e)s; Ausdrücke⟩ expression (*a. Gesichtsausdruck*); **etw zum ~ bringen** express sth

'Ausdruck[2] M ⟨~(e)s; ~e⟩ IT print-out

'ausdrucken VT print out

'ausdrücken VT *Schwamm, Zitrone, Pickel* squeeze; *Zigarette* stub out; *äußern, zeigen* express

'ausdrücklich **A** ADJ express **B** ADV *bitten etc* expressly

'ausdruckslos ADJ expressionless

'ausdrucksvoll ADJ expressive

'Ausdrucksweise F language; **seine ~** his way of expressing himself

ausei'nander ADV apart; **sie sind mindestens drei Jahre ~** there's at least three years between them

ausei'nanderbringen VT ⟨*irr*⟩ separate **ausei'nandergehen** VI ⟨*irr*, s⟩ *von Versammlung, Menge, Ehe* break* up; *von Meinungen* differ; *sich trennen* part; *von Eheleuten* separate **ausei'nanderhalten** VT ⟨*irr*⟩ tell* apart; *Begriffe* distinguish between **ausei'nandernehmen** VT ⟨*irr*⟩ take* apart (*a. fig*) **ausei'nandersetzen** VT **j-m etw ~** explain sth to sb; **sich ~ mit** *sich beschäftigen mit* look at; *sich streiten mit* argue with **Ausei'nandersetzung** F ⟨~; ~en⟩ *Streit* argument

'Ausfahrt F exit

'Ausfall M TECH failure; AUTO breakdown; *Verlust* loss; *das Nichtstattfinden* cancellation

'ausfallen VI ⟨*irr*, s⟩ *von Zähnen, Haaren* fall* out; *nicht stattfinden* be* cancelled *od US* canceled; TECH fail; AUTO break* down; *von Ergebnis* turn out; **etw ~ lassen** cancel sth; **die Schule fällt heute**

aus there's no school today
'ausfallend ADJ, **ausfällig** ADJ abusive
'ausfertigen VT *Dokument* draw* up; *Rechnung* make* out; *Pass* issue
'Ausfertigung F ⟨~; ~en⟩ *von Dokument* drawing up; *von Rechnung* making out; *von Pass* issuing; *Abschrift* copy; **in doppelter ~** in duplicate
'ausfindig ADJ **~ machen** find*
'ausflippen VI ⟨s⟩ *umg* freak out
Ausflüchte PL ['ausflʏçtə] excuses *pl*
'Ausflug M trip, excursion; **einen ~ machen** go* on a trip *od* an excursion
Ausflügler(in) ['ausfly:klər(ɪn)] M ⟨~s; ~⟩ Ⓕ ⟨~in; ~innen⟩ day-tripper
'ausfragen VT question (**über** about); *neugierig* sound out
Ausfuhr F ['ausfu:r] ⟨~; ~en⟩ export
'ausführbar ADJ practicable
'ausführen VT *Person* take* out; *durchführen* carry out; *Entwurf* execute; WIRTSCH export; *darlegen* explain
'Ausfuhrgenehmigung F WIRTSCH export licence *od US* license
ausführlich ['ausfy:rlɪç *od* aus'fy:rlɪç] **A** ADJ detailed; *umfassend* comprehensive **B** ADV *beschreiben etc* in detail
'Ausführlichkeit F ⟨~⟩ **in aller ~** in great detail
'Ausführung F *Durchführung* carrying out; *von Entwurf* execution; *von Produkt* design; *Modell* model; **~en** *pl Darlegungen* comments *pl*
'Ausfuhrzoll M WIRTSCH export duty
'ausfüllen VT *Formular* fill in *od bes US* out
'Ausgabe F *Verteilung* distribution; *von Buch* edition; *von Zeitschrift* issue; IT output; **~n** *pl Geldausgabe* expenditure *sg*; *Kosten* expenses *pl*
'Ausgang M *Tür etc* exit, way out; *Ende* end; *Ergebnis* result, outcome
'Ausgangspunkt M starting point (*a. fig*) **'Ausgangssperre** F POL curfew
'ausgeben VT ⟨*irr*⟩ *verteilen* give* out, distribute; *Geld* spend* (**für** on); **einen ~** *umg* buy* a round; **j-m e-n ~** *umg* buy* sb a drink; **sich ~ als** pass o.s. off as
'ausgebeult ADJ baggy
'ausgebildet ADJ trained, skilled
'ausgebucht ADJ booked up
'ausgedehnt ADJ extensive; *von langer Dauer* extended
'ausgefallen ADJ unusual
ausgeglichen ADJ ['ausgəglɪçən] *Mensch* well-balanced; *Spiel* even; **~er Haushalt** POL balanced budget
'ausgehen VI ⟨*irr*, s⟩ *aus dem Haus gehen* go* out (*a. abends*); *enden* end; *von Haaren* fall* out; *von Geld, Vorräten* run* out; *von Licht, Feuer* go* out; *von Radio, Heizung* go* off; **leer ~** end up with nothing; **~ von** start from *od* at; *herrühren* come* from; **davon ~, dass** assume that; **ihm ging das Geld aus** he ran out of money; **der Streit ging von ihm aus** he started it
'ausgemacht ADJ *abgemacht* agreed; *Unsinn, Betrüger etc* downright
'ausgenommen KONJ except
'ausgeprägt ADJ pronounced
'ausgerechnet ADV **~ er** he of all people; **~ heute** today of all days
'ausgeschlossen ADJ *unmöglich* out of the question
'ausgesprochen ADV extremely
'ausgestorben ADJ *Tierart, Pflanzenart* extinct; **(wie) ~** *Stadt* deserted
'ausgesucht ADJ *exquisit* select, choice
'ausgewogen ADJ balanced
'ausgezeichnet **A** ADJ excellent **B** ADV excellently; **er kann ~ spielen** he's an excellent player
ausgiebig ['ausgi:bɪç] **A** ADJ extensive, thorough; *Mahlzeit* substantial **B** ADV **~ frühstücken** have* a substantial breakfast
Ausgleich M ['ausglaiç] ⟨~(e)s; ~e⟩ *Entschädigung* compensation; *Gleichgewicht* balance; *Ausgleichstreffer* equalizer, *US* tying point
'ausgleichen ⟨*irr*⟩ **A** VT *Unterschiede* even out; *Meinungsverschiedenheiten* reconcile; *Verlust, Mangel* compensate (for); WIRTSCH balance; **eine Fünf in Mathe durch eine Zwei in Englisch ~** make* up for an E in maths with a B in English **B** VI SPORT equalize, *US* make* the score even
'ausgraben VT ⟨*irr*⟩ dig* up (*a. fig*)
'Ausgrabungen PL excavations *pl*
'ausgrenzen VT exclude
'Ausgrenzung F ⟨~; ~en⟩ exclusion
'Ausguss M *Becken* sink
'aushalten ⟨*irr*⟩ **A** VT stand*, bear*;

Liebhaber keep*; **nicht auszuhalten sein** be* unbearable **B** VI hold* out
'aushandeln VT negotiate
aushändigen VT ['aushɛndɪgən] hand over
'Aushang M notice
'aushängen VT put* up; **die Tür ~** take* the door off its hinges
'ausheben VT ⟨irr⟩ *Graben, Kanal* dig*; *Spielhölle, Diebesnest etc* raid
'aushelfen VI ⟨irr⟩ help out
'Aushilfe F (temporary) help; *Aushilfskraft* temporary worker; *im Büro* temp
'Aushilfs- ZSSGN *Personal* temporary
'Aushilfskraft F temporary worker; *im Büro* temp
'ausholen VI **zum Schlag ~** raise one's hand to strike; **mit der Axt ~** raise the axe; **weit ~** *fig* go* a long way back
'aushorchen VT sound out (**über** on)
'auskennen VR ⟨irr⟩ **sich (in e-r Stadt) ~** know* one's way around (a town); **sich (mit** *od* **in etw) ~** know* a lot (about sth)
'auskommen VI ⟨irr, s⟩ get* by; **~ mit** manage with; *j-m* get* on *od* along with
'Auskommen N ⟨~s⟩ **sein ~ haben** make* a living
'auskundschaften VT find* out about; *Geheimnis, Versteck* find* out; *Gegend* explore; MIL scout
Auskunft F ['auskʊnft] ⟨~; Auskünfte⟩ information; *Schalter* information desk; TEL directory inquiries *pl od US* assistance
'Auskunftsschalter M information desk
'auslachen VT laugh at (**wegen** for)
'ausladen VT ⟨irr⟩ unload; **j-n ~** tell* sb not to come
'Auslage F window display; **~n** *pl Kosten* expenses *pl*
'auslagern VT *Produktion* outsource
'Auslagerung F outsourcing
'Ausland N **das ~** foreign countries *pl*; **ins ~, im ~** abroad
Ausländer(in) ['auslɛndər(ɪn)] M ⟨~s; ~⟩ F ⟨~in; ~innen⟩ foreigner
'Ausländerfeindlichkeit F ⟨~⟩, **'Ausländerhass** M hostility to foreigners, xenophobia
ausländisch ADJ ['auslɛndɪʃ] foreign
'Auslandsaufenthalt M stay abroad **'Auslandsauftrag** M WIRTSCH foreign order **'Auslandsflug** M international flight **'Auslandsgespräch** N international call **'Auslandskorrespondent(in)** M(F) foreign correspondent **'Auslandskrankenschein** M international health insurance document **'Auslandsmarkt** M foreign market **'Auslandsreise** F trip abroad
'auslassen VT ⟨irr⟩ *übersehen, weglassen* leave* out; *Fett, Butter* melt; *Saum, Ärmel etc* let* out; *Licht, Radio etc* leave* off; **keine Gelegenheit ~, etw zu tun** not miss a single opportunity of doing sth *od* to do sth; **etw an j-m ~** take* sth out on sb; **sich ~ über** express o.s. on
'Auslastung F ⟨~⟩ capacity utilization
'auslaufen VI ⟨irr, s⟩ *von Gefäß* leak; *von Flüssigkeit* run* out; SCHIFF leave* port; *von Vertrag* run* out, expire
Ausläufer M ['auslɔyfər] ⟨~s; ~⟩ METEO: *von Hoch* ridge; *von Tief* trough; *pl*: GEOG foothills *pl*
'Auslaufmodell N discontinued *od US* close-out model
'auslegen VT *ausbreiten* lay* out; *Waren* display; *mit Teppichboden* carpet; *mit Papier* line; *deuten* interpret; **j-m etw ~** *Geld* lend* sb sth
'Auslegung F ⟨~; ~en⟩ interpretation
'ausleihen VT ⟨irr⟩ **j-m etw ~** lend* *od bes US* loan sb sth; **(sich) etw ~** borrow sth (**bei** from)
'Auslese F ⟨~; ~n⟩ selection; **die ~ der …** *fig* the pick of the …
'ausliefern VT *Waren* deliver; *Verbrecher* hand over (**an** to); *an e-n anderen Staat* extradite (**an** to)
'Auslieferung F *von Waren* delivery; *von Verbrecher* handing over; *an e-n anderen Staat* extradition
'ausliegen VI ⟨irr⟩ be* laid out; *von Waren* be* displayed
'auslöschen VT put* out; *fig* wipe out
'auslosen VT draw* lots for
'auslösen VT *Mechanismus, Alarm* set* off; *verursachen* cause, trigger off; *Gefangene, Pfand* redeem
'Auslöser M ⟨~s; ~⟩ TECH release, trigger; FOTO shutter release; *fig* trigger (*gen* for)
'ausmachen VT *Feuer, Licht, Zigarette* put* out; *Radio, Heizung, Motor* turn off; *Termin, Preis* fix; *Teil* make* up; *Preis-*

unterschied amount to; *Streit* settle; *sichten* make* out, spot; **~, etw zu tun** agree to do sth; **macht es Ihnen etwas aus(, wenn ...)?** do you mind (if ...)?; **es macht mir nichts aus** I don't mind; **macht das unter euch aus!** sort it out amongst yourselves!

'ausmalen VT *kolorieren* colour *od US* color (in); **sich etw ~** imagine sth

'Ausmaß N extent; **~e** *pl* proportions *pl*

ausmerzen VT ['ausmɛrtsən] eradicate

'ausmessen VT ⟨*irr*⟩ measure

Ausnahme F ['ausna:mə] ⟨~; ~n⟩ exception

'Ausnahmezustand M POL state of emergency

'ausnahmslos ADV without exception

'ausnahmsweise ADV as an exception; **darf ich mitkommen? – ~** can I come too? – just this once

'ausnehmen VT ⟨*irr*⟩ *Fisch etc* clean; *ausschließen* except; *umg*: *finanziell* fleece

'ausnutzen VT use; *unfair* take* advantage of; *ausbeuten* exploit

'auspacken **A** VT unpack; *Geschenk* unwrap **B** VI *fig umg* spill* the beans

'auspfeifen VT ⟨*irr*⟩ boo, hiss

'ausplaudern VT let* out

'ausprobieren VT ⟨*kein ge*⟩ try out

'Auspuff M ⟨~(e)s; ~e⟩ exhaust

'Auspuffgase PL exhaust fumes *pl*

'Auspuffrohr N exhaust pipe **'Auspufftopf** M silencer, *US* muffler

ausquartieren VT ['auskvarti:rən] ⟨*kein ge*⟩ move out

'ausrangieren VT ⟨*kein ge*⟩ discard

'ausrauben VT rob

'ausräumen VT *Zimmer, Möbel* clear out; *fig*: *Zweifel, Verdacht* clear up

'ausrechnen VT work out

'Ausrede F excuse

'ausreden **A** VI finish speaking; **j-n ~ lassen** hear* sb out; **lassen Sie mich ~!** don't interrupt me! **B** VT **j-m etw ~** talk sb out of sth

'ausreichen VT be* enough

'ausreichend ADJ sufficient; *Note* satisfactory, fair

'Ausreise F **bei der ~** on leaving the country

'Ausreiseerlaubnis F exit permit

'ausreisen VI ⟨s⟩ leave* the country (**nach** for)

'Ausreisevisum N exit visa

'ausrichten VT *Nachricht* deliver; *Fest* arrange; *umg*: *erreichen* accomplish; **j-m etw ~** tell* sb sth; **richte ihr e-n Gruß von mir aus!** give her my regards; **kann ich etwas ~?** can I take a message?

ausrotten VT ['ausrɔtən] exterminate

'ausruhen VI & VT & VR rest

'ausrüsten VT equip; **etw mit etw ~** fit sth with sth

'Ausrüstung F *Gegenstände* equipment

'ausrutschen VI ⟨s⟩ slip

'Aussage F statement; JUR evidence; *künstlerische* message

'aussagen **A** VT JUR state; *fig* say* (**über** about) **B** VI give evidence, testify

'ausschalten VT switch off; *fig* eliminate

'Ausschau F ⟨~⟩ **~ halten nach** be* on the look-out for

'ausscheiden ⟨*irr*⟩ **A** VI ⟨s⟩ *nicht berücksichtigt werden* be* ruled out; SPORT drop out (**aus** of), *verlieren* be* eliminated (**aus** from); **~ aus** *Firma, Amt* leave* **B** VT PHYSIOL excrete; MED secrete

'Ausscheidung F *Wettkampf* qualifying round; PHYSIOL excretion; MED secretion

'ausschlachten VT *fig*: *Auto etc* cannibalize; *fig*: *Geschichte etc* exploit

'ausschlafen ⟨*irr*⟩ **A** VI have* a good sleep *od* a long lie **B** VT **s-n Rausch ~** sleep* it off

'Ausschlag M MED rash; **den ~ geben** decide it

'ausschlagen ⟨*irr*⟩ **A** VT *Zahn* knock out; *fig*: *Angebot etc* refuse, turn down **B** VI *von Pferd* kick out; BOT bud

'ausschlaggebend ADJ decisive

'ausschließen VT ⟨*irr*⟩ *aussperren* lock out; *fig* exclude; *ausstoßen* expel; SPORT disqualify

'ausschließlich **A** ADJ exclusive **B** ADV **~ für Kunden** exclusively for customers **C** PRÄP ⟨*gen*⟩ excluding

'Ausschluss M exclusion; *Ausstoßung* expulsion; SPORT disqualification; **unter ~ der Öffentlichkeit** behind closed doors

'ausschmücken VT decorate; *fig* embellish

'ausschneiden VT ⟨*irr*⟩ cut* out; IT cut*

'Ausschnitt M *an Kleidung* neck; *Zeitungsausschnitt* cutting, *US* clipping; *Filmausschnitt* footage; *fig* part; *von Buch, Rede* extract; **ein Kleid mit tiefem ~** a low-cut dress

'ausschreiben VT ⟨*irr*⟩ write* out (*a. Scheck*); *Stelle, Wettbewerb* advertise

'Ausschreibung F advertisement

'Ausschreitungen PL violent clashes *pl*

'Ausschuss M *Komitee* committee; *Waren* rejects *pl*; **~ der Regionen** *EU* Committee of the Regions; **~ der Ständigen Vertreter** *EU* Permanent Representatives Committee, Coreper

'Ausschusswesen N POL comitology

'ausschütten VT pour out (*a. fig*); *leeren* empty; *verschütten* spill*; *auszahlen* pay* out; **sich vor Lachen ~** split* one's sides laughing

ausschweifend ADJ ['ausʃvaifənt] *Lebensweise* dissolute

'Ausschweifung F ⟨~; ~en⟩ excess

'aussehen VI ⟨*irr*⟩ look; **krank/traurig ~** look ill/sad; **~ wie** look like; **wie sieht er aus?** what does he look like?; **wie sieht's aus?** *umg* how are things?

'Aussehen N ⟨~s⟩ appearance

außen ADV ['ausən] outside; **nach ~ (hin)** outwards; *fig* outwardly, on the outside

'Außendienst M **er ist im ~ tätig** he works outside the office **'Außendienstmitarbeiter(in)** M(F) field representative **'Außenhandel** M foreign trade **'Außenkompetenzen** PL **~ der EU** external responsibilities of the EU **'Außenminister(in)** M(F) foreign minister, *Br* Foreign Secretary, *US* Secretary of State **'Außenministerium** N foreign ministry, *Br* Foreign Office, *US* State Department **'Außenpolitik** F foreign affairs *pl*; *bestimmte* foreign policy; **gemeinsame Außen- und Sicherheitspolitik** POL Common Foreign and Security Policy **'außenpolitisch** ADJ foreign-policy **'Außenseite** F outside **'Außenseiter(in)** M ⟨~s; ~⟩ (F) ⟨~in; ~innen⟩ outsider **'Außenspiegel** M side *od Br a.* wing mirror **'Außenstände** PL receivables *pl* **'Außenstelle** F branch **'Außenübertragung** F TV outside broadcast

außer ['ausər] **A** PRÄP ⟨*dat*⟩ *ausgenommen* except (for); *neben, zusätzlich* besides, aside from; **alle ~ e-m** all but one; **nichts ~** nothing but; **~ sich sein** be* beside o.s. (**vor** with) **B** KONJ except; **~ (wenn)** unless; **~ dass** except that

außerdem ADV [ausər'de:m *od* 'au-] besides

äußere(r, -s) ADJ ['ɔysərə] external; *Mauer, Schicht* outer; *Erscheinung* outward

'Äußere(s) N ⟨~n⟩ exterior, outside; *Erscheinung* (outward) appearance

'außergewöhnlich **A** ADJ unusual; *sehr gut* exceptional **B** ADV *kalt etc* exceptionally

'außerhalb **A** PRÄP ⟨*gen*⟩ outside; **~ der Arbeitszeit** out of working hours **B** ADV *außerhalb der Stadt* out of town

äußerlich ['ɔysərlıç] **A** ADJ external; *fig* outward **B** ADV externally; *fig* outwardly

'Äußerlichkeit F ⟨~; ~en⟩ *Formalität* formality; *unwichtiges Detail* minor detail

äußern VT ['ɔysərn] express; **sich ~** say* something (**zu, über** about); **sich kritisch ~ über** be* critical of

'außerordentlich **A** ADJ extraordinary **B** ADV extremely; **ich bedaure das ~** I regret that very much

'außerplanmäßig ADJ unscheduled

äußerst ['ɔysərst] **A** ADJ *Rand* outermost; *Ende* farthest; *fig* extreme; **im ~en Norden** in the far north; **im ~en Fall** at (the) worst; *höchstens* at (the) most **B** ADV *wichtig etc* extremely

außerstande ADJ [ausər'ʃtandə] **~ sein, etw zu tun** be* unable to do sth

'Äußerung F ⟨~; ~en⟩ remark, comment; *Aussage* statement

'aussetzen **A** VT *Kind, Tier* abandon; *Preis, Belohnung* offer; **j-n/sich etw ~** expose sb/o.s to sth; **an allem etwas auszusetzen haben** find* fault with everything **B** VI *aufhören* stop; *etw unterbrechen* break* off (**mit** from); *von Motor* fail; *von Herz* miss a beat; *beim Spiel* miss a turn

'Aussicht F ⟨~; ~en⟩ view (**auf** of); *fig* prospect (**auf** of); **etw in ~ haben** have* a good chance of sth

'aussichtslos ADJ hopeless **'Aussichtspunkt** M vantage point **'aussichtsreich** ADJ promising

'Aussiedler(in) M(F) emigrant
'aussitzen VT ⟨irr⟩ sit* out
aussöhnen VR ['auszø:nən] **sich ~** make* it up, become* reconciled (**mit j-m** with sb)
'aussondern VT, **aussortieren** VT ⟨*kein ge*⟩ sort out
'ausspannen **A** VT **j-m die Freundin/den Freund ~** *umg* pinch sb's girlfriend/boyfriend **B** VI *fig* rest, relax
'aussperren VT lock out (*a. Arbeiter*)
'Aussperrung F lock-out
'ausspielen **A** VT *Karte* play; *Gegner* outplay; *Verteidiger* get* past; **j-n gegen j-n ~** play sb off against sb **B** VI *beim Kartenspiel* lead*; **er hat ausgespielt** *fig* he's done for
'ausspionieren VT ⟨*kein ge*⟩ spy out; **j-n ~** spy on sb
'Aussprache F pronunciation; *Meinungsaustausch* discussion; *privat* heart-to-heart (talk)
'aussprechen ⟨*irr*⟩ **A** VT *Wort* pronounce; *Meinung, Beileid etc* express; **sich für/gegen etw ~** support/oppose sth; **sich mit j-m gründlich ~** have* a heart-to-heart (talk) with sb **B** VI finish speaking; **j-n ~ lassen** hear* sb out
'Ausspruch M saying; *Bemerkung* remark
'Ausstand M WIRTSCH strike; **in den ~ treten** go* on strike
ausstatten VT ['ausʃtatən] fit out, equip; *Wohnung* furnish; *versorgen* provide
'Ausstattung F ⟨~; ~en⟩ *Geräte* equipment; *Möbel* furnishings *pl*; *Gestaltung* design
'ausstehen ⟨*irr*⟩ **A** VT *Schmerzen, Angst etc* endure; **ich kann ihn/es nicht ~** *umg* I can't stand him/it **B** VI **(noch) ~** *von Zahlung* be* outstanding *od* overdue
'aussteigen VI ⟨*irr*, s⟩ **(aus etw) ~** get* out (of sth); *aus Zug, Bus* get* off (sth); *fig* drop out (of sth)
'Aussteiger(in) M ⟨~s; ~⟩ (F) ⟨~in; ~innen⟩ *umg* drop-out
'ausstellen VT display; *auf Messe* exhibit; *Scheck* make* out; *Pass* issue
'Aussteller M ⟨~s; ~⟩ *auf Messe* exhibitor; *von Pass* issuer; *von Scheck* drawer
'Ausstellung F exhibition
'Ausstellungsgelände N exhibition site *od* grounds *pl* **'Ausstellungsraum** M exhibition room; *von Autohändler* showroom **'Ausstellungsstück** N exhibit
'aussterben VI ⟨*irr*, s⟩ die out (*a. fig*)
'Aussterben N ⟨~s⟩ extinction
Ausstieg M ['ausʃti:k] ⟨~(e)s; ~e⟩ exit; *fig* withdrawal (**aus** from)
'Ausstoß M TECH, PHYS emission; *Leistung* output
'ausstoßen VT ⟨*irr*⟩ TECH, PHYS give* off, emit; WIRTSCH turn out; *Schrei, Seufzer* give*; *ausschließen* expel
'ausstrahlen VT *Wärme, Glück etc* radiate; *Sendung* broadcast*, transmit
'Ausstrahlung F radiation; *Senden* broadcasting, transmitting; *fig* charisma
'ausstreichen VT ⟨*irr*⟩ cross out
'ausströmen VI ⟨s⟩ *entweichen* escape (**aus** from)
'aussuchen VT choose*, pick
'Austausch M exchange (*a. zssgn; Schüler etc*); **im ~ gegen** in exchange for
'austauschbar ADJ interchangeable
'austauschen VT exchange (**gegen** for); *ersetzen* replace (**gegen** with)
'Austauschmotor M reconditioned engine
'austeilen VT *Bücher, Geschenke etc* hand out, distribute (**an** to); *Karten* deal* (out); *Essen* serve
Auster F ['austər] ⟨~; ~n⟩ oyster
'austragen VT ⟨*irr*⟩ *Briefe* deliver; *Streit* settle; *Wettkampf* hold*; **das Kind ~** *nicht abtreiben* have* the baby
Australien N [aus'tra:liən] ⟨~s⟩ Australia
Aus'tralier(in) M ⟨~s; ~⟩ (F) ⟨~in; ~innen⟩ Australian
aus'tralisch ADJ Australian
'austreten ⟨*irr*⟩ **A** VT *Feuer* stamp out; *Zigarette* tread* out; *Schuhe* wear* out **B** VI ⟨s⟩ *entweichen* escape (**aus** from); *umg: auf die Toilette gehen* go* to the loo *od* US john; **~ aus** *Verein, Partei etc* leave*, *formell* resign from
'austrinken ⟨*irr*⟩ **A** VT drink* up; *Glas* empty **B** VI drink* up
'Austritt M *aus Verein etc* departure, *formeller* resignation; *Entweichen* escape
'austrocknen VI ⟨s⟩ & VT dry out; *von Fluss* dry up
'ausüben VT *Beruf*, SPORT practise, US

practice; *Amt* hold*; *Macht* exercise; *Druck* exert
'Ausübung F *von Beruf*, SPORT practice; *von Macht* exercise
'Ausverkauf M sale
'ausverkauft ADJ sold out; **vor ~em Haus spielen** play to a full house
'Auswahl F choice, selection (**an** of); *Wahl* choice; *Mannschaft* representative team
'auswählen V/T choose*, select
'Auswahlverfahren N selection process
'Auswanderer M, **'Auswanderin** F emigrant
'auswandern V/I ⟨s⟩ emigrate
'Auswanderung F emigration
auswärtig ADJ ['ausvɛrtɪç] *außerhalb der Stadt* out of town; POL foreign; **das Auswärtige Amt** the foreign ministry, *Br* the Foreign Office, *US* the State Department; **~e Beziehungen** POL external relations
'auswärts ADV *außerhalb der Stadt* out of town; **~ spielen** play away
'auswechseln V/T exchange (**gegen** for); *ersetzen* replace (**gegen** with); *Rad, Batterie* change; **A gegen B ~** SPORT substitute B for A; **wie ausgewechselt sein** *umg* be* a different person
'Ausweg M way out (**aus** of)
'ausweglos ADJ hopeless
'Ausweglosigkeit F ⟨~⟩ hopelessness
'ausweichen V/I ⟨*irr*, s⟩ get* out of the way (*dat* of); *fig* avoid; *Schlag* dodge
'ausweichend ADJ evasive
Ausweis M ['ausvais] ⟨~(e)s; ~e⟩ *Personalausweis* identity card, ID (card); *Mitgliedsausweis* (membership) card
'ausweisen V/T ⟨*irr*⟩ *aus Land* expel; **sich ~** identify o.s.
'Ausweispapiere PL (identification) papers *pl*
'Ausweisung F *aus Land* expulsion
'auswendig ADV by heart
'auswerfen V/T ⟨*irr*⟩ throw* out; *Anker* cast*; TECH eject; *produzieren* turn out
'auswerten V/T evaluate, analyse, *US* analyze
'Auswertung F ⟨~; ~en⟩ evaluation
'auswirken V/R **sich ~ auf** affect; **sich positiv ~** have* a positive effect
'Auswirkung F effect (**auf** on)
'Auswuchs M ⟨~es; Auswüchse⟩ excess
'auszahlen V/T pay* (out); *Person* pay* off; **sich ~** pay* (off)
'auszählen V/T count (up); *Boxer* count out
'Auszahlung F payment; *von Person* paying off
'auszeichnen V/T *Ware* price; *charakterisieren* be* characteristic of; **sich ~** distinguish o.s. (**durch** by); **j-n mit etw ~** award sth to sb
'Auszeichnung F *Preis* award; *Orden* decoration; *Ehrung* honour, *US* honor; *von Waren* pricing
'Auszeit F timeout
'ausziehen ⟨*irr*⟩ **A** V/T *Kleidung* take* off; *Tisch, Antenne* pull out; **sich ~** undress; **zieh (dir) die Socken aus** take your socks off **B** V/I ⟨s⟩ *aus Wohnung* move out
'Auszubildende(r) M/F(M) ⟨~n; ~n⟩ trainee
'Auszug M *aus e-r Wohnung* move; *aus e-m Buch etc* extract, excerpt; *Kontoauszug* statement
authentisch ADJ [au'tɛntɪʃ] authentic, genuine
Autismus M [au'tɪsmʊs] ⟨~⟩ autism
au'tistisch ADJ autistic
Auto N ['auto] ⟨~s; ~s⟩ car; **(mit dem) ~ fahren** drive*, go* by car
'Autoapotheke F (driver's) first-aid kit **'Autoatlas** M road atlas **'Autobahn** F motorway, *US* expressway **'Autobahnauffahrt** F slip road, *US* on-ramp **'Autobahnausfahrt** F slip road, *US* off-ramp **'Autobahndreieck** N interchange **'Autobahngebühr** F toll **'Autobahnkreuz** N interchange **'Autobahnzubringer** M feeder road **Autobiogra'fie** F autobiography **'Autobombe** F car bomb **'Autofähre** F car ferry **'Autofahrer(in)** M(F) driver, motorist **'Autofahrt** F drive **'Autofriedhof** M *umg* scrapyard, *US* auto junkyard
Auto'gramm N ⟨~s; ~e⟩ autograph
'Autokarte F road map **'Autokino** N drive-in cinema, *US* drive-in movie theater
Automat M [auto'ma:t] ⟨~en; ~en⟩ vending machine; *Roboter* robot; *Spielautomat* slot machine

B

Auto'matik F ⟨~; ~en⟩ *Vorrichtung* automatic control; *im Wagen* automatic transmission; *Wagen* automatic
Automati'on F ⟨~⟩ automation
auto'matisch A ADJ automatic (*a. fig*) B ADV *sich öffnen etc* automatically
'Automechaniker(in) M(F) car mechanic
Automo'bil N ⟨~s; ~e⟩ motorcar, *US* automobile
Automo'bilklub M automobile association
autonom ADJ [auto'no:m] autonomous
Autono'mie F ⟨~; ~n⟩ autonomy
'Autonummer F registration *od US* license number
Autor(in) ['autɔr (au'to:rɪn)] M ⟨~s; ~en⟩ (F) ⟨~in; ~innen⟩ author
'Autoradio N car radio **'Autoreisezug** M motorail train **'Autorennen** N motor racing; *einzelnes Rennen* motor race **'Autoreparaturwerkstatt** F car repair shop, garage
autorisieren V/T [autori'zi:rən] ⟨*kein ge*⟩ authorize
autoritär ADJ [autori'tɛ:r] authoritarian
Autori'tät F ⟨~; ~en⟩ authority
'Autoschlüssel M car key **'Autoverleih** M car hire service, *US* rent-a-car service **'Autovermietung** F car hire company, *US* car rental firm **'Autowaschanlage** F car wash
Axt F [akst] ⟨~; Äxte⟩ axe, *US* ax
Azoren PL [a'tso:rən] Azores *pl*
Azubi M [a'tsu:bi] ⟨~s; ~s⟩ trainee

B

B N [be:] ⟨~; ~⟩ B; *Ton* B flat
Baby N ['be:bi] ⟨~s; ~s⟩ baby **Babysitter(in)** ['be:bizɪtər(ɪn)] M ⟨~s; ~⟩ (F) ⟨~in; ~innen⟩ baby-sitter
Bach M [bax] ⟨~(e)s; Bäche⟩ stream; *kleiner* brook
Backbord N ['bakbɔrt] ⟨~(e)s; ~e⟩ port (*a. zssgn*)
Backe F ['bakə] ⟨~; ~n⟩ cheek
'backen V/T & V/I ⟨backte *od* buk, gebacken⟩ bake; *südd*: *in der Pfanne* fry
'Backenzahn M molar
Bäcker(in) ['bɛkər(ɪn)] M ⟨~s; ~⟩ (F) ⟨~in; ~innen⟩ baker; **beim Bäcker** at the baker's
Bäcke'rei F ⟨~; ~en⟩ baker's, bakery
'Backofen M oven **'Backpulver** N baking powder **'Backstein** M brick
Bad N [ba:t] ⟨~(e)s; Bäder⟩ bath; *im Freien* swim, *Br a.* bathe; *Badezimmer* bathroom; *Badeort* seaside resort; *Kurort* health resort; **ein ~ nehmen** have* *od* take* a bath
'Badeanzug M swimsuit, swimming costume **'Badehose** F swimming trunks *pl*; **e-e ~** a pair of swimming trunks **'Badekappe** F bathing cap **'Bademantel** M bathrobe **'Bademeister(in)** M(F) pool attendant
baden ['ba:dən] A V/I *in der Wanne* have* *od* take* a bath, *US a.* bathe; *im Freien* swim*, *Br a.* bathe; **~ gehen** go* swimming, go* for a swim B V/T *Wunde* bathe; *Baby* bath, *US* bathe
Baden-Württemberg N ['ba:dən'vʏrtəmbɛrk] ⟨~s⟩ Baden-Württemberg
'Badeort M seaside resort; *Kurbad* health resort **'Badesachen** PL swimming things *pl* **'Badetuch** N bath towel **'Badeurlaub** M holiday *od US* vacation at the seaside **'Badewanne** F bath, bathtub **'Badezimmer** N bathroom
Bafög N ['ba:fœk] ⟨~⟩ **~ bekommen** *etwa* get* a grant
Bagatelle F [baga'tɛlə] ⟨~; ~n⟩ trifle
Baga'tellschaden M superficial damage
Bagger M ['bagər] ⟨~s; ~⟩ excavator; *Schwimmbagger* dredger
Bahn F [ba:n] ⟨~; ~en⟩ *Eisenbahn* railway, *US* railroad; *Zug* train; *Straßenbahn* tram, *US* streetcar; *in Sportstadion* track; *für einzelne Läufer, Schwimmer* lane; **mit der ~** by train, by rail; **~ frei!** make way!
'Bahnanschluss M rail connection
'bahnbrechend ADJ pioneering
'Bahndamm M railway *od US* railroad embankment
'bahnen V/T **den Weg ~** clear the way (*dat* for); **sich e-n Weg ~** force one's way
'Bahnfahrt F train journey **'Bahnhof**

M (railway *od US* railroad) station **'Bahnlinie** F railway *od US* railroad line **'Bahnpolizei** F railway *od US* railroad police *pl*; *Br a.* transport police *pl* **'Bahnsteig** M ⟨~(e)s; ~e⟩ platform **'Bahnübergang** M level *od US* grade crossing

Bahre F ['ba:rə] ⟨~; ~n⟩ stretcher; *Totenbahre* bier

Baisse F ['bɛ:sə] ⟨~; ~n⟩ WIRTSCH slump

Bakterien PL [bak'te:riən] germs *pl*, bacteria *pl*

balancieren V/I ⟨s⟩ & V/T [balã'si:rən] ⟨*kein ge*⟩ balance

bald ADV [balt] soon; *umg*: *beinahe* almost, nearly; **bis ~!** see you later!

'baldig ADJ speedy; **~e Antwort** early reply; **auf (ein) ~es Wiedersehen!** see you again soon!

Balearen PL [bale'a:rən] Balearic Islands *pl*

Balkan M ['balka:n] ⟨~s⟩ **der ~** the Balkans *pl*

Balken M ['balkən] ⟨~s; ~⟩ beam

'Balkendiagramm N bar chart

Balkon M [bal'kɔŋ *od* -'ko:n] ⟨~s; ~s *od* ~e⟩ balcony

Ball[1] M [bal] ⟨~(e)s; Bälle⟩ ball; **am ~ sein** SPORT have* the ball; **am ~ bleiben** *fig* stick* at it

Ball[2] M ⟨~(e)s; Bälle⟩ *Tanz* ball, dance

Ballast M [ba'last] ⟨~(e)s; ~e⟩ ballast (*a. fig*)

Bal'laststoffe PL roughage *sg*

'ballen V/T **die Faust ~** clench one's fist

'Ballen M ⟨~s; ~⟩ bale; ANAT ball

Ballett N [ba'lɛt] ⟨~(e)s; ~e⟩ ballet

Ballon M [ba'lɔŋ] ⟨~s; ~s⟩ balloon

'Ballungsraum M, **'Ballungszentrum** N conurbation

Baltikum N ['baltikʊm] ⟨~s⟩ **das ~** the Baltic States *pl*

'baltisch ADJ Baltic

Bambus M ['bambʊs] ⟨~ *od* ~ses; ~se⟩ bamboo

banal ADJ [ba'na:l] banal, trite

Banane F [ba'na:nə] ⟨~; ~n⟩ banana

Ba'nanenrepublik F banana republic **Ba'nanenstecker** M ELEK banana plug

Banause M [ba'nauzə] ⟨~n; ~n⟩, **Ba'nausin** F ⟨~; ~nen⟩ philistine

Band[1] N [bant] ⟨~(e)s; Bänder⟩ ribbon; *Messband, Tonband* tape; *Gummiband* rubber band, *bes Br a.* elastic band; *Fließband* assembly line; ANAT ligament; *fig* tie, link; **auf ~ aufnehmen** tape; **am laufenden ~** *fig* continuously

Band[2] M ⟨~(e)s; Bände⟩ *Buch* volume

Band[3] F [bɛnt] ⟨~; ~s⟩ *Musikgruppe* band

Bandage F [ban'da:ʒə] ⟨~; ~n⟩ bandage

banda'gieren V/T ⟨*kein ge*⟩ bandage (up)

'Bandbreite F bandwidth; *fig* range

Bande F ['bandə] ⟨~; ~n⟩ *Gruppe* gang

Bänderriss M ['bɛndər-] torn ligament

'Bandscheibe F disc, *US a.* disk **'Bandscheibenvorfall** M slipped disc **'Bandwurm** M tapeworm

Bank[1] F [baŋk] ⟨~; Bänke⟩ *Sitz* bench; *Kirchenbank* pew; **etw auf die lange ~ schieben** *fig* put* sth off

Bank[2] F ⟨~; ~en⟩ WIRTSCH bank; **Geld auf der ~ haben** have* money in the bank

'Bankangestellte(r) M/F(M) ⟨~n; ~n⟩ bank employee **'Bankautomat** M cash machine *od* dispenser, ATM **'Bankeinlage** F deposit **'Bankenaufsicht** F *Behörde* banking regulatory authority, banking supervisory authority; *Kontrolle* banking supervision, banking regulation

Bankier M [baŋki'e:] ⟨~s; ~s⟩ banker

'Bankkonto N bank account **'Bankleitzahl** F (bank) sort code, *US* A.B.A. number **'Banknote** F bank note, *US a.* bill **'Bankraub** M bank robbery

bankrott ADJ [baŋ'krɔt] bankrupt

Ban'krott M ⟨~(e)s; ~e⟩ bankruptcy; **~ machen** go* bankrupt

'Bankschließfach N safe-deposit *od* safety-deposit box **'Banksektor** M banking system *od* sector **'Banküberfall** M bank raid **'Bankverbindung** F bank details *pl*

bar [ba:r] **A** ADJ *rein* pure; **~es Geld** cash; **gegen ~** for cash **B** ADV **etw (in) ~ bezahlen** pay* cash for sth

Bar F ⟨~; ~s⟩ bar

Bär M [bɛ:r] ⟨~en; ~en⟩ bear

Baracke F [ba'rakə] ⟨~; ~n⟩ hut, *pej* shack

Barcelona-Prozess M [bartse'lo:na-] *EU* Barcelona Process

'Bardame F barmaid, *US* bartender

B

'barfuß ADJ & ADV barefoot
'Bargeld N cash **'Bargeldautomat** M cash machine, *Br* cash dispenser, *US* automated teller machine, ATM **'bargeldlos** A ADJ cashless, noncash B ADV *zahlen* noncash **'Bargeldumstellung** F conversion of notes and coins
'Barhocker M bar stool
Barometer N [baro'me:tər] ⟨~s; ~⟩ barometer
'Barpreis M cash price
Barren M ['barən] ⟨~s; ~⟩ bar, ingot; *pl: Goldbarren, Silberbarren* bullion *sg*; *Turngerät* parallel bars *pl*
Barriere F [bari'e:rə] ⟨~; ~n⟩ barrier (*a. fig*)
Barrikade F [bari'ka:də] ⟨~; ~n⟩ barricade
barsch [barʃ] A ADJ brusque B ADV *antworten etc* brusquely
'Barscheck M cash cheque *od US* check
Bart M [ba:rt] ⟨~(e)s; Bärte⟩ beard; *Schlüsselbart* bit; **sich e-n ~ wachsen lassen** grow* a beard
bärtig ADJ ['bɛ:rtıç] bearded
'Barzahlung F cash payment **'Barzahlungspreis** M cash price
Basar M [ba'za:r] ⟨~s; ~e⟩ bazaar
Base F ['ba:zə] ⟨~; ~n⟩ CHEM base
Baseballschläger M ['be:sbo:l-] baseball bat
Basel N ['ba:zəl] ⟨~s⟩ *Stadt, Kanton* Basle, Basel; **~ II** WIRTSCH Basel II
ba'sieren V/I ⟨*kein ge*⟩ **~ auf** be* based on
Basis F ['ba:zıs] ⟨~; Basen⟩ basis; MIL, ARCH base; POL rank and file *pl*
Batterie F [batə'ri:] ⟨~; ~n⟩ MIL, ELEK battery
Bau M [bau] ⟨~(e)s; ~ten⟩ *Vorgang* construction, building; *Gebäude* building; *Tierbau* hole; *von Raubtier* den; **im ~** under construction; **von kräftigem/zartem ~** *Körperbau* powerfully/delicately built
'Bauarbeiten PL construction work *sg*; *Straßenbauarbeiten* road works *pl* **'Bauarbeiter(in)** M(F) construction worker
'Bauart F style (of construction); *Typ* type
Bauch M [baux] ⟨~(e)s; Bäuche⟩ stomach; **dicker ~** paunch
'Bauchschmerzen PL stomach-ache *sg* **'Bauchweh** N ⟨~s⟩ tummy ache
'bauen A V/T build*, construct; *herstellen* make*, build*; *umg*: *Unfall* cause B V/I build*; **~ auf** *fig* rely on, count on
Bauer¹ M ['bauər] ⟨~n; ~n⟩ farmer; *in Entwicklungsländern u. historisch* peasant; *Schachfigur* pawn
'Bauer² N ⟨~s; ~⟩ *Vogelbauer* (bird)cage
Bäuerin F ['bɔyərın] ⟨~; ~nen⟩ farmer; *Frau des Bauern* farmer's wife
bäuerlich ADJ ['bɔyərlıç] rural; *Stil* rustic
'Bauernhaus N farmhouse **'Bauernhof** M farm **'Bauernmöbel** PL rustic furniture *sg*
'baufällig ADJ dilapidated **'Baufirma** F construction firm **'Baugenehmigung** F building permit **'Baugerüst** N scaffolding **'Bauherr(in)** M(F) builder **'Bauholz** N timber, *US a.* lumber **'Bauingenieur(in)** M(F) civil engineer **'Baujahr** N year of construction; *von Auto* year of manufacture; **~ 2010 sein** be* a 2010 model **'Baukasten** M *mit Holzklötzen* box of bricks, *US* box of building blocks; *technischer* construction set; *Modellbaukasten* kit **'Bauleiter(in)** M(F) building supervisor
'baulich A ADJ structural B ADV *verändern etc* structurally
Baum M [baum] ⟨~(e)s; Bäume⟩ tree
'Baumarkt M *Laden* DIY store, *US* home improvement center
'Baumschule F (tree) nursery **'Baumstamm** M tree trunk; *gefällter* log **'Baumsterben** N ⟨~s⟩ dying-off of trees **'Baumwolle** F cotton
'Bauplan M building plan **'Bauplatz** M site **'baureif** ADJ ripe for development
'Bausparkasse F building society, *US* savings and loan association **'Baustein** M brick; *Spielzeug* (building) block; *fig* element **'Baustelle** F building site; AUTO roadworks *pl*, *US* construction zone **'Baustil** M (architectural) style **'Bauunternehmer(in)** M(F) building contractor **'Bauvorschriften** PL building regulations *pl* **'Bauzaun** M hoarding **'Bauzeichner(in)** M(F) draughtsman, *US* draftsman; *Frau* draughtswoman, *US* draftswoman
Bayer(in) ['baiər(ın)] M ⟨~n; ~n⟩ (F) ⟨~in; ~innen⟩ Bavarian

'bay(e)risch ADJ Bavarian

'Bayern N ⟨~s⟩ Bavaria

Bazillus M [ba'tsılʊs] ⟨~; Bazillen⟩ germ

be'absichtigen VT ⟨*kein ge*⟩ intend, plan; **es war beabsichtigt** it was intentional

be'achten VT ⟨*kein ge*⟩ pay* attention to; *Regel* observe, follow; **~ Sie, dass ...** note that ...; **nicht ~** take* no notice of; *Vorschrift a.* disregard

be'achtlich ADJ remarkable; *beträchtlich* considerable

Be'achtung F ⟨~⟩ *Aufmerksamkeit* attention; *Berücksichtigung* consideration; *Befolgung* observance; **j-m/etw keine ~ schenken** take* no notice of sb/sth

Beamer M ['bi:me] ⟨~s; ~⟩ digital *od* LCD projector

Beamte(r) M [bə'ʔamtə(r)] ⟨~n; ~n⟩, **Be'amtin** F ⟨~; ~nen⟩ official; *bei der Polizei* officer; *Staatsbeamte* civil servant

be'ängstigend ADJ alarming

be'anspruchen VT ⟨*kein ge*⟩ *Recht, Schadenersatz etc* claim; *Zeit, Raum* take* up; TECH put* a strain on

Be'anspruchung F ⟨~; ~en⟩ *Forderung* claim; TECH, *nervliche* strain

be'anstanden VT ⟨*kein ge*⟩ complain about; **~, dass** complain that

Be'anstandung F ⟨~; ~en⟩ complaint (*gen* about); objection (*gen* to)

be'antragen VT ⟨*kein ge*⟩ apply for; JUR, PARL move; *vorschlagen* propose

be'antworten VT ⟨*kein ge*⟩ answer (*a. fig*), reply to

Be'antwortung F ⟨~; ~en⟩ answer, reply; **in ~** (*gen*) in answer *od* reply to

be'arbeiten VT ⟨*kein ge*⟩ *Material* work; AGR till; *verarbeiten* process; *Fall* be* in charge of; *Thema* treat; *Buch* revise; *für Bühne, Fernsehen etc* adapt (**nach** from); MUS arrange; **j-n ~** *umg: einreden auf* work on sb

Be'arbeitung F ⟨~; ~en⟩ *von Material* working; *Verarbeitung* processing; *von Buch* revision; *für Bühne, Fernsehen etc* adaptation; MUS arrangement

Be'arbeitungsgebühr F handling charge; *Bank* service charge

be'aufsichtigen VT ⟨*kein ge*⟩ supervise; *Kind* look after

be'auftragen VT ⟨*kein ge*⟩ commission; *anweisen* instruct; **j-n mit etw ~** put* sb in charge of sth; **j-n ~, etw zu tun** give* sb the job of doing sth

Be'auftragte(r) M/F(M) ⟨~n; ~n⟩ agent; *Vertreter* representative

be'bauen VT ⟨*kein ge*⟩ build* on; AGR cultivate

be'bildern VT ⟨*kein ge*⟩ illustrate

Becher M ['bɛçər] ⟨~s; ~⟩ cup; *mit Henkel* mug; *für Joghurt* pot; *für Eis* dish, *aus Pappe* tub

Becken N ['bɛkən] ⟨~s; ~⟩ *Waschbecken* basin; *Spülbecken* sink; *Schwimmbecken* pool; ANAT pelvis

bedacht ADJ [bə'daxt] **darauf ~ sein, etw zu tun** be* anxious to do sth

bedächtig [bə'dɛçtıç] **A** ADJ deliberate; *überlegt* thoughtful **B** ADV *langsam* deliberately; *überlegt* thoughtfully

be'danken V/R ⟨*kein ge*⟩ say* thank you; **sich bei j-m für etw ~** thank sb for sth

Bedarf M [bə'darf] ⟨~(e)s⟩ need (**an** for); WIRTSCH demand (**an** for); **bei ~** if necessary

Be'darfshaltestelle F request *od US* flag stop

be'dauerlich ADJ regrettable

be'dauerlicher'weise ADV unfortunately

be'dauern VT ⟨*kein ge*⟩ *Person* feel* sorry for; *Sache* regret; **(ich) bedaure** I'm sorry

Be'dauern N ⟨~s⟩ regret (**über** at)

be'dauernswert ADJ deplorable; *Mensch* pitiable

be'decken VT ⟨*kein ge*⟩ cover

be'deckt ADJ *Himmel* overcast

be'denken VT ⟨*irr, kein ge*⟩ consider

Be'denken PL doubts *pl*; *moralische* scruples *pl*; *Einwände* objections *pl*

be'denkenlos ADV unhesitatingly; *skrupellos* unscrupulously

be'denklich ADJ *zweifelhaft* dubious; *ernst* serious, *stärker* critical

Be'denkzeit F **e-e Stunde ~** one hour to think it over

be'deuten VT ⟨*kein ge*⟩ mean*; **j-m viel ~** mean* a lot to sb

be'deutend **A** ADJ important; *beträchtlich* considerable; *angesehen* distinguished **B** ADV *besser etc* considerably

Be'deutung F ⟨~; ~en⟩ meaning, sense; *Wichtigkeit* importance

be'deutungslos ADJ unimportant, insignificant; *ohne Sinn* meaningless **be'deutungsvoll** **A** ADJ significant; *vielsagend* meaningful **B** ADV *ansehen etc* meaningfully

be'dienen ⟨*kein ge*⟩ **A** VT *Person* serve; TECH operate; **sich ~** help o.s. **B** VI serve; *beim Kartenspiel* follow suit

Be'dienung F ⟨~; ~en⟩ *von Gast, Kunden* service; *Kellner* waiter; *Kellnerin* waitress; *Verkäufer* shop assistant, *US* clerk; TECH operation

Be'dienungsanleitung F operating instructions *pl*

be'dingen VT ⟨*kein ge*⟩ *verursachen* cause; *erfordern* require; *in sich schließen* imply

be'dingt ADJ **durch etw ~ sein** be* caused by sth, be* due to sth

Be'dingung F ⟨~; ~en⟩ condition; **~en** *pl* WIRTSCH terms *pl*; *Anforderungen* requirements *pl*; *Verhältnisse* conditions *pl*; **unter einer ~** on one condition

be'dingungslos **A** ADJ unconditional **B** ADV *kapitulieren etc* unconditionally

be'drängen VT ⟨*kein ge*⟩ *drängen* press

be'drohen VT ⟨*kein ge*⟩ threaten

be'drohlich ADJ threatening; *Ausmaße* alarming

Be'drohung F threat (*gen* to)

be'drücken VT ⟨*kein ge*⟩ depress

Be'dürfnis N ⟨~ses; ~se⟩ need (**nach** for)

be'dürftig ADJ needy, poor

be'eilen VR ⟨*kein ge*⟩ hurry

be'eindrucken VT ⟨*kein ge*⟩ impress

be'einflussen VT ⟨*kein ge*⟩ influence; *sich auswirken auf* affect

Be'einflussung F ⟨~; ~en⟩ influence

beeinträchtigen VT [bə'ʔaintrɛçtɪgən] ⟨*kein ge*⟩ affect

be'end(ig)en VT ⟨*kein ge*⟩ end; *Arbeit* finish; IT exit

be'engt ADV **~ wohnen** live in cramped conditions

be'erben VT ⟨*kein ge*⟩ **j-n ~** be* sb's heir

be'erdigen VT ⟨*kein ge*⟩ bury

Be'erdigung F ⟨~; ~en⟩ burial; *Feier* funeral

Beere F ['beːrə] ⟨~; ~n⟩ berry; *Weintraube* grape

Beet N [beːt] ⟨~(e)s; ~e⟩ bed; *Gemüsebeet* patch

be'fähigen VT ⟨*kein ge*⟩ enable; *qualifizieren* qualify (**zu** for)

Be'fähigung F ⟨~⟩ capability; *Qualifikation* qualifications *pl*

be'fahrbar ADJ passable; SCHIFF navigable

be'fahren VT ⟨*irr, kein ge*⟩ *Straße* use; SCHIFF navigate; **e-e stark/wenig ~e Straße** a busy/quiet road

be'fangen ADJ *gehemmt* self-conscious; *voreingenommen* prejudiced; JUR bias(s)ed

Be'fangenheit F ⟨~⟩ self-consciousness; *Voreingenommenheit* prejudice; JUR bias

be'fassen VR ⟨*kein ge*⟩ **sich ~ mit** *Aufgabe* work on; *Thema, Frage, j-m* deal* with

Befehl M [bə'feːl] ⟨~(e)s; ~e⟩ order; *Befehlsgewalt* command (**über** of) (*a.* IT)

be'fehlen VT ⟨befahl, befohlen⟩ order

Be'fehlshaber(in) M ⟨~s; ~⟩ (F) ⟨~in; ~innen⟩ commander

be'festigen VT ⟨*kein ge*⟩ *anbringen* fix (**an** to); *mit Seil, Schnur* attach (**an** to); *mit Klebstoff* stick* (**an** to); MIL fortify

Be'festigung F ⟨~; ~en⟩ *Anbringen* fixing; *mit Seil, Schnur* attaching; *mit Klebstoff* sticking; MIL fortification

be'feuchten VT ⟨*kein ge*⟩ moisten

be'finden VR ⟨*irr, kein ge*⟩ be*

Be'finden N ⟨~s⟩ (state of) health

be'folgen VT ⟨*kein ge*⟩ *Rat, Vorschrift* follow; REL: *Gebote* keep*

Be'folgung F ⟨~⟩ **die ~ der Regeln** *etc* following the rules *etc*

be'fördern VT ⟨*kein ge*⟩ transport; *beruflich* promote (**zu** to)

Be'förderung F transport(ation); *berufliche* promotion

be'fragen VT ⟨*kein ge*⟩ question

be'freien VT ⟨*kein ge*⟩ free; *Volk, Land a.* liberate; *retten* rescue; *von Pflichten* exempt; *vom Unterricht* excuse (*alle* **von** from)

Be'freiung F ⟨~⟩ *von Volk, Land* liberation; *von Pflichten* exemption

be'freunden VR ⟨*kein ge*⟩ **sich (miteinander) ~** become* friends; **sich ~ mit** make* friends with; *fig* warm to

be'freundet ADJ friendly; **~ sein** be* friends (**mit** with)

be'friedigen VT ⟨*kein ge*⟩ satisfy; **sich selbst ~** masturbate
be'friedigend ADJ satisfactory; *Note* fair, C
be'friedigt ADJ satisfied
Be'friedigung F ⟨~⟩ satisfaction
be'fristet ADJ temporary; **~ auf** limited to; **~er Arbeitsvertrag** temporary contract
Befugnis F [bəˈfu:knɪs] ⟨~; ~se⟩ authority
be'fugt ADJ authorized
Be'fund M ⟨~(e)s; ~e⟩ findings *pl* (*a.* MED, JUR)
be'fürchten VT ⟨*kein ge*⟩ fear; *vermuten* suspect
Be'fürchtung F ⟨~; ~en⟩ fear; *Vermutung* suspicion
be'fürworten VT ⟨*kein ge*⟩ support, advocate
Be'fürworter(in) M ⟨~s; ~⟩ (F) ⟨~in; ~innen⟩ supporter, advocate
be'gabt ADJ gifted, talented
Be'gabtenförderung F assitance to gifted pupils/students; *finanziell* scholarship system; *pädagogisch* extra *od* specialized tuition for gifted pupils/students
Be'gabung F ⟨~; ~en⟩ gift, talent
be'geben V/R ⟨*irr, kein ge*⟩ *gehen* go*; **sich in Gefahr ~** put* o.s. in danger
Be'gebenheit F ⟨~; ~en⟩ incident, event
begegnen VI [bəˈge:gnən] ⟨*kein ge*⟩ meet*; *Schwierigkeiten, Gefahr etc* face; **sich ~** meet*
Be'gegnung F ⟨~; ~en⟩ meeting, encounter (*a.* SPORT)
be'gehen VT ⟨*irr, kein ge*⟩ *Verbrechen, Selbstmord* commit; *Fehler* make*; *feiern* celebrate; **eine Dummheit ~** do* something stupid
begehren VT [bəˈge:rən] ⟨*kein ge*⟩ desire
be'gehrenswert ADJ desirable
be'gehrt ADJ sought-after
be'geistern VT ⟨*kein ge*⟩ fill with enthusiasm; *Publikum* delight; **sich ~ für** be* enthusiastic about
be'geistert **A** ADJ enthusiastic (**von** about) **B** ADV *erzählen etc* enthusiastically
Be'geisterung F ⟨~⟩ enthusiasm; *von Zuschauern* excitement
Beginn M [bəˈgɪn] ⟨~(e)s⟩ beginning, start; **zu ~** at the beginning
be'ginnen VT & VI ⟨begann, begonnen⟩ begin*, start; **mit etw ~** *von Person* begin* *od* start sth; *von Veranstaltung, Name etc* begin* *od* start with sth
beglaubigen VT [bəˈglaubigən] ⟨*kein ge*⟩ certify
Be'glaubigung F ⟨~; ~en⟩ certification
be'gleichen VT ⟨*irr, kein ge*⟩ WIRTSCH pay*, settle
be'gleiten VT ⟨*kein ge*⟩ accompany (*a.* MUS **auf** on); **j-n nach Hause ~** see* sb home
Be'gleiter(in) M ⟨~s; ~⟩ (F) ⟨~in; ~innen⟩ companion; MUS accompanist
Be'gleitschreiben N covering *od US* cover letter
Be'gleitung F ⟨~; ~en⟩ *Person* companion; *zum Schutz* escort; MUS accompaniment; **in ~ …** accompanied by …
be'glückwünschen VT ⟨*kein ge*⟩ congratulate (**zu** on)
be'gnadigen VT ⟨*kein ge*⟩ pardon
Be'gnadigung F ⟨~; ~en⟩ pardon
begnügen V/R [bəˈgny:gən] ⟨*kein ge*⟩ **sich ~ mit** be* satisfied with; *auskommen* make* do with
be'graben VT ⟨*irr, kein ge*⟩ bury (*a. fig*); *Pläne, Träume* abandon
Begräbnis N [bəˈgrɛ:pnɪs] ⟨~ses; ~se⟩ burial; *Feier* funeral
be'greifen VT ⟨*irr, kein ge*⟩ understand*
be'greiflich ADJ understandable; **j-m etw ~ machen** make* sth clear to sb
be'grenzen VT ⟨*kein ge*⟩ *fig* limit, restrict (**auf** to)
be'grenzt ADJ *fig* limited
Be'griff M ⟨~(e)s; ~e⟩ idea, concept; *Ausdruck* term (*a.* MATH); **im ~ sein, etw zu tun** be* about to do sth; **das ist mir kein ~** that doesn't mean anything to me; **schwer von ~ sein** *umg* be* slow on the uptake
be'gründen VT ⟨*kein ge*⟩ *erklären* give* reasons for; *rechtfertigen* justify
begründet ADJ [bəˈgrʏndət] *gerechtfertigt* justified; **sachlich ~** based on fact
Be'gründung F *Erklärung* reason; *Rechtfertigung* justification
be'grüßen VT ⟨*kein ge*⟩ greet; *willkom-*

B

men heißen welcome (*a. fig*)

Be'grüßung F ⟨~; ~en⟩ greeting; *Empfang* welcome

be'günstigen V/T ⟨*kein ge*⟩ favour, *US* favor

be'gutachten V/T ⟨*kein ge*⟩ give* an expert opinion on; *prüfen* examine; **etw ~ lassen** get* an expert opinion on sth

begütert ADJ [bəˈgyːtərt] wealthy

be'haart ADJ hairy

Behagen N [bəˈhaːgən] ⟨~s⟩ pleasure

behaglich [bəˈhaːklɪç] **A** ADJ cosy; *bequem* comfortable **B** ADV *wohnen etc* comfortably

be'halten V/T ⟨*irr, kein ge*⟩ keep*; *sich merken* remember; **etw für sich ~** keep* sth to o.s.

Behälter M [bəˈhɛltər] ⟨~s; ~⟩ container

be'handeln V/T ⟨*kein ge*⟩ treat (*a.* MED, TECH); *Thema, Frage, Problem* deal* with; **sich (ärztlich) ~ lassen** undergo* (medical) treatment; **schonend ~** handle with care

Be'handlung F treatment

beharren V/I [bəˈharən] ⟨*kein ge*⟩ **~ auf** stick* to

be'harrlich **A** ADJ persistent **B** ADV *sich weigern etc* steadfastly

be'haupten V/T ⟨*kein ge*⟩ claim; **sich ~** *durchsetzen* assert o.s.

Be'hauptung F ⟨~; ~en⟩ claim

be'heben V/T ⟨*irr, kein ge*⟩ *Schaden* repair

be'helfen V/R ⟨*irr, kein ge*⟩ **sich ~ mit** make* do with; **sich ~ ohne** do* without

Be'helfs- ZSSGN temporary

be'herbergen V/T ⟨*kein ge*⟩ accommodate

be'herrschen V/T ⟨*kein ge*⟩ *Land* rule (over); *Lage, Markt* dominate, control; *Gefühle* control; *Sprache* have* a good command of; **sich ~** control o.s.

Be'herrschung F ⟨~⟩ control; *e-r Sprache* command

be'hilflich ADJ **j-m ~ sein** help sb (**bei** with)

be'hindern V/T ⟨*kein ge*⟩ hinder (**bei** in); *Sicht, Verkehr,* SPORT obstruct

be'hindert ADJ disabled

Be'hinderte(r) M/F(M) ⟨~n; ~n⟩ disabled person

be'hindertengerecht ADJ suitable for the disabled

Be'hinderung F ⟨~; ~en⟩ *im Verkehr,* SPORT obstruction; *bei Person* disability

Behörde F [bəˈhøːrdə] ⟨~; ~n⟩ authority

be'hüten V/T ⟨*kein ge*⟩ **~ vor** guard from; **behütet aufwachsen** have* a very sheltered upbringing

behutsam [bəˈhuːtzaːm] **A** ADJ careful; *sanft* gentle **B** ADV **mit j-m ~ umgehen** be* gentle with sb

bei PRÄP [bai] ⟨*dat*⟩ **~ Hannover** near Hanover; **wohnen ~** stay with; *ständig* live with; **~ mir/ihr** at my/her place; **~ uns (zu Hause)** at home; **arbeiten ~** work for; **e-e Stelle ~** a job with; **~ der Marine** in the navy; **~ Familie Potthoff** at the Potthoff's; **~ Potthoff** *Adresse* c/o Potthoff, care of Potthoff; **~ der Arbeit** at work; **das habe ich ~ Hesse gelesen** I read it in Hesse; **ich habe kein Geld ~ mir** I've no money with *od* on me; **~ e-r Tasse Tee** over a cup of tea; **wir haben Englisch ~ Herrn Carter** we have Mr Carter for English; **er hat sie ~ der Hand genommen** he took her (by the) hand; **ihr Bruder war ~ den Verletzten** her brother was one of *od* was among the injured; **~ Licht** by light; **~ Tag** by day, during the day; **~ Nacht/Sonnenaufgang** at night/sunrise; **~ s-r Geburt** at his birth; **~ Gefahr** in case of danger; **~ Regen** if it rains; **~ 100 Grad** at a hundred degrees; **~ Weitem** by far; **~ Gott!** by God!; → *a.* beim

'beibehalten V/T ⟨*irr, kein ge*⟩ *Tradition, Richtung* keep* to; *Gewohnheit* stick* to; *Regelung, Übereinkommen* retain

'beibringen V/T ⟨*irr*⟩ **j-m etw ~** teach* sb sth; *mitteilen* tell* sb sth; *Niederlage, Wunde* inflict sth on sb

beide ADJ & PRON [ˈbaidə] both; **meine ~n Brüder** both (of) my brothers, my two brothers; **wir ~** both of us, the two of us; **keiner von ~n** neither of them; **30 ~** *beim Tennis* 30 all

'beider'lei ADJ ⟨*inv*⟩ **~ Geschlechts** of either sex

beiei'nander ADV together

'Beifahrer(in) M(F) front-seat passenger

'Beifahrersitz M passenger seat

'Beifall M ⟨~(e)s⟩ applause; *fig* approval

'Beifallssturm M ovation

'beifügen V/T **(e-m Brief) etw ~** enclose sth (with a letter)

beige ADJ [beːʃ] ⟨*inv*⟩ beige
'beigeben ⟨*irr*⟩ **A** V/T add (*dat* to) **B** V/I **klein ~** *umg* back down
'Beigeschmack M **e-n metallischen** *etc* **~ haben** taste slightly metallic *etc*; **es hatte e-n unangenehmen ~** *fig* it left an unpleasant taste in the mouth
'Beihilfe F (financial) assistance; JUR aiding and abetting; **staatliche ~n** state aid
Beil N [bail] ⟨~(e)s; ~e⟩ hatchet; *großes* axe, *US* ax
'Beilage F *von Zeitung* supplement; *Essen* side dish; **es gibt Pommes frites als ~** it comes *od* is served with chips
beiläufig ['bailɔyfɪç] **A** ADJ casual **B** ADV *erwähnen etc* casually
'beilegen V/T *Streit* settle; **(e-m Brief) etw ~** enclose sth (with a letter)
'Beileid N condolences *pl*, sympathy; **herzliches ~** my deepest sympathy
'Beileidskarte F sympathy *od* condolence card
'beiliegen V/I ⟨*irr*⟩ be* enclosed (*dat* with); **~d senden wir Ihnen ...** please find enclosed ...
beim PRÄP [baim] **~ Zahnarzt** at the dentist's; **~ Sprechen** *etc* while speaking *etc*; **den Kindern ~ Spielen zusehen** watch the children play(ing); **er ist ~ Essen** he's eating (just now); → bei
'beimessen V/T ⟨*irr*⟩ **e-r Sache Bedeutung ~** attach importance to sth
Bein N [bain] ⟨~(e)s; ~e⟩ leg; *Knochen* bone; **j-m ein ~ stellen** trip sb up (*a. fig*)
beinah(e) ADV ['bainaː(ə)] almost, nearly
'Beinbruch M fracture of the leg
'Beinfreiheit F leg room
beipflichten V/I ['baipflɪçtən] agree (*dat* with)
be'irren V/T ⟨*kein ge*⟩ disconcert; **er lässt sich durch nichts ~** he won't be put off
Bei'sammensein N ⟨~s⟩ **geselliges ~** get-together
'Beisein N **im ~ von** in the presence of
bei'seite ADV **Spaß ~** joking apart
bei'seitedrängen V/T, **bei'seitelegen** *etc* V/T push, put *etc* aside **bei'seiteschaffen** V/T get* rid of; *j-n* eliminate
'beisetzen V/T bury
'Beisetzung F ⟨~; ~en⟩ funeral
'Beispiel N example (**für** of); **zum ~** for example, for instance; **sich an j-m ein ~ nehmen** follow sb's example
'beispielhaft ADJ exemplary **'beispiellos** ADJ unprecedented **'beispielsweise** ADV for example
beißen V/T & V/I ['baisən] ⟨biss, gebissen⟩ bite*; *brennen* sting*; **sich ~** *umg*: *von Farben* clash
'beißend ADJ *Kälte, Kritik, Ironie* biting; *Geruch, Geschmack* pungent
'beistehen V/I ⟨*irr*⟩ **j-m ~** assist sb
'beisteuern V/T contribute (**zu** to)
Beitrag M ['baitraːk] ⟨~(e)s; Beiträge⟩ contribution; *Mitgliedsbeitrag* subscription, *US* dues *pl*
'beitragen V/T ⟨*irr*⟩ contribute (**zu** to)
'beitreten V/I ⟨*irr*, s⟩ join
'Beitritt M joining (**zu etw** sth); *eines Mitgliedstaates* accession
'Beitrittsbedingungen PL *zur EU* conditions *pl* of accession **'Beitrittsdatum** N *zur EU* date of accession **'Beitrittskandidat(in)** M(F) *zur EU* candidate country, accession *od* acceding country **'Beitrittskriterien** PL accession criteria *pl* **'Beitrittsland** N POL *zur EU etc* candidate country, accession *od* acceding country **'Beitrittspartnerschaft** F accession partnership **'Beitrittsverhandlungen** PL accession negotiations *pl* **'Beitrittsvertrag** M *EU* accession treaty **'beitrittswillig** ADJ **~e Staaten** *zur EU* candidate countries *pl*
bei'zeiten ADV in good time
bejahen V/T [bə'jaːən] ⟨*kein ge*⟩ *Frage* answer in the affirmative; *Entscheidung, Plan* approve of
be'kämpfen V/T ⟨*kein ge*⟩ fight* (against); *Ungeziefer* control
Be'kämpfung F ⟨~; ~en⟩ fight (*gen* against); **~ der Geldwäsche** measures to combat money laundering; **~ des Terrorismus** fight against terrorism
bekannt ADJ [bə'kant] well-known; *vertraut* familiar; **~ geben** announce; **j-n mit j-m ~ machen** introduce sb to sb
Be'kannte(r) M/F(M) ⟨~n; ~n⟩ acquaintance
Be'kanntgabe F announcement
be'kanntlich ADV as everyone knows
Be'kanntmachung F ⟨~; ~en⟩ an-

B

nouncement
Be'kanntschaft F ⟨~; ~en⟩ acquaintance; *Bekanntenkreis* acquaintances *pl*
be'kennen V/T ⟨*irr, kein ge*⟩ confess (*a. Sünden*); *zugeben* admit; **sich schuldig ~** JUR plead guilty; **sich ~ zu** *Glaube* profess; *Attentat* claim responsibility for; *Person* express one's support for
Be'kenntnis N ⟨~ses; ~se⟩ confession; *Religion* denomination
be'klagen V/T ⟨*kein ge*⟩ mourn; **sich ~** complain (**bei** to; **über** about)
be'klagenswert ADJ deplorable
Be'kleidung F clothing, clothes *pl*
be'kommen ⟨*irr, kein ge*⟩ **A** V/T get*; *Brief, Geschenk a.* receive; *Krankheit, Bus, Zug* get*, catch*; **Angst ~** become* afraid; **Hunger/Durst ~** get* hungry/thirsty; **sie bekommt ein Kind** she's expecting (a baby) **B** V/I ⟨s⟩ **j-m (gut) ~** *Essen, Getränk* agree with sb
bekömmlich ADJ [bə'kœmlıç] *Essen* digestible
be'kunden V/T ⟨*kein ge*⟩ show*, express
be'laden V/T ⟨*irr, kein ge*⟩ load; *fig* burden
Belag M [bə'la:k] ⟨~(e)s; Beläge⟩ covering; TECH coating; *Bremsbelag* lining; *Straßenbelag* surface; *Zungenbelag* fur; *Zahnbelag* plaque; *Brotbelag* topping; *Aufstrich* spread
belanglos ADJ [bə'laŋlo:s] unimportant
Be'langlosigkeit F ⟨~; ~en⟩ triviality
be'lastbar ADJ resilient; TECH loadable
be'lasten V/T ⟨*kein ge*⟩ *Fahrzeug, Brücke etc* load; *beschweren* weight; *Person, Organ* put* a strain on; *mit Sorgen, Arbeit* burden (**mit** with); JUR incriminate; *Umwelt, Luft* pollute; **j-s Konto mit etw ~** charge sth to sb's account
be'lästigen V/T ⟨*kein ge*⟩ *sexuell* harass; *ärgern* annoy; *stören* bother
Be'lästigung F ⟨~; ~en⟩ annoyance; **sexuelle ~** sexual harassment
Be'lastung F ⟨~; ~en⟩ *Last* load (*a.* TECH); *fig* burden; *körperliche, seelische* strain; JUR incrimination; *von Umwelt* pollution
Be'lastungszeuge M, **Be'lastungszeugin** F JUR witness for the prosecution
be'laufen V/R ⟨*irr, kein ge*⟩ **sich ~ auf** amount to
be'leben V/T ⟨*kein ge*⟩ *fig* stimulate; *Zimmer, Unterhaltung* liven up
be'lebend ADJ stimulating
be'lebt ADJ *Straße, Ort* busy, crowded
Beleg M [bə'le:k] ⟨~(e)s; ~e⟩ *Beweis* proof; *Quittung* receipt; *Unterlage* document
be'legen V/T ⟨*kein ge*⟩ *beweisen* prove; *Kurs* enrol *od US* enroll for; *Brote* put* something on; **den ersten** *etc* **Platz ~** come* first *etc*
Be'legschaft F ⟨~; ~en⟩ staff *pl*
be'legt ADJ *Platz, Bett, Zimmer* taken, occupied; *Hotel* full; TEL busy, *Br a.* engaged; *Stimme* husky; *Zunge* coated; **~es Brot** open sandwich; *zusammengeklappt* sandwich
beleidigen V/T [bə'laidıgən] ⟨*kein ge*⟩ offend; *stärker* insult
be'leidigend ADJ offensive; *stärker* insulting
Be'leidigung F ⟨~; ~en⟩ insult
be'leuchten V/T ⟨*kein ge*⟩ light*; *feierlich, bestrahlen* light* up, illuminate; *fig* examine
Be'leuchtung F ⟨~; ~en⟩ *Beleuchten* lighting; *feierliche, Bestrahlen* illumination; *Lichter* lights *pl*, lighting; *Deckenbeleuchtung* overhead lights *pl*; *fig* examination
Belgien N ['bɛlgiən] ⟨~s⟩ Belgium
'Belgier(in) M ⟨~s; ~⟩ (F) ⟨~in; ~innen⟩ Belgian
'belgisch ADJ Belgian
be'lichten V/T ⟨*kein ge*⟩ expose
Be'lichtungsmesser M ⟨~s; ~⟩ exposure meter
Be'lieben N ⟨~s⟩ **nach ~** just as you/they *etc* like
be'liebig **A** ADJ any; *Zahl* optional; **jeder Beliebige** anyone **B** ADV **~ viele/viel** as many/much as you like
be'liebt ADJ popular (**bei** with)
Be'liebtheit F ⟨~⟩ popularity
be'liefern V/T ⟨*kein ge*⟩ supply (**mit** with)
Be'lieferung F supplying
bellen V/I ['bɛlən] bark
be'lohnen V/T ⟨*kein ge*⟩ reward
Be'lohnung F ⟨~; ~en⟩ reward; **zur** *od* **als ~** as a reward
be'lügen V/T ⟨*irr, kein ge*⟩ **j-n ~** lie to sb
Be'lustigung F ⟨~; ~en⟩ amusement

bemängeln VT [bəˈmɛŋəln] ⟨*kein ge*⟩ find* fault with

beˈmannt ADJ FLUG manned

beˈmerkbar ADJ noticeable; **sich ~ machen** *Person* draw* attention to o.s.; *Sache* become* apparent

beˈmerken VT ⟨*kein ge*⟩ notice; *äußern* remark, say*

beˈmerkenswert **A** ADJ remarkable **B** ADV *gut etc* remarkably

Beˈmerkung F ⟨~; ~en⟩ remark

beˈmitleiden VT ⟨*kein ge*⟩ feel* sorry for, pity

beˈmitleidenswert ADJ pitiable

beˈmühen VR ⟨*kein ge*⟩ try (hard); **sich um etw ~** try to get sth; **sich um j-n ~** *sich kümmern* take* care of sb

Beˈmühung F ⟨~; ~en⟩ effort; **danke für deine ~en** thank you for your trouble

beˈnachbart ADJ neighbouring, *US* neighboring

beˈnachrichtigen VT ⟨*kein ge*⟩ inform, notify

Beˈnachrichtigung F ⟨~; ~en⟩ notification

beˈnachteiligen VT ⟨*kein ge*⟩ **j-n ~** put* sb at a disadvantage, disadvantage sb; *sozial* discriminate against sb

beˈnachteiligt ADJ disadvantaged; **~e Regionen** *EU* disadvantaged regions

Beˈnachteiligung F ⟨~; ~en⟩ disadvantage; *soziale* discrimination

Benchmarking N [ˈbɛntʃmaːrkɪŋ] ⟨~s⟩ benchmarking

beˈnehmen VR ⟨*irr, kein ge*⟩ behave

Beˈnehmen N ⟨~s⟩ behaviour, *US* behavior; *Manieren* manners *pl*

beˈneiden VT ⟨*kein ge*⟩ **j-n um etw ~** envy sb sth

beˈneidenswert **A** ADJ enviable **B** ADV *ruhig etc* wonderfully

Benelux PL [beneˈlʊks] **die Benelux-Länder** the Benelux countries *pl* **Beneˈlux-Kooperation** F Benelux cooperation

beˈnennen VT ⟨*irr, kein ge*⟩ name (**nach** after, *US* for)

benommen ADJ [bəˈnɔmən] dazed

beˈnötigen VT ⟨*kein ge*⟩ need, require

beˈnutzen VT ⟨*kein ge*⟩ use; *Bus etc* go* by

Beˈnutzer(in) M ⟨~s; ~⟩ F ⟨~in; ~innen⟩ user

beˈnutzerfreundlich ADJ user-friendly **Beˈnutzername** M user name **Beˈnutzeroberfläche** F IT user interface

Beˈnutzung F ⟨~⟩ use

Beˈnutzungsgebühr F charge; **die ~ für etw** the charge for using sth

Benzin N [bɛnˈtsiːn] ⟨~s; ~e⟩ petrol, *US* gas

beobachten VT [bəˈʔoːbaxtən] ⟨*kein ge*⟩ watch; *genau* observe; *bemerken* see*

Beˈobachter(in) M ⟨~s; ~⟩ F ⟨~in; ~innen⟩ observer

Beˈobachterstatus M *EU* observer status

Beˈobachtung F ⟨~; ~en⟩ observation

beˈpflanzen VT ⟨*kein ge*⟩ plant (**mit** with)

bequem [bəˈkveːm] **A** ADJ comfortable; *leicht* easy; *faul* lazy; **mach es dir ~** make yourself comfortable **B** ADV *sitzen etc* comfortably; *leicht* easily

Beˈquemlichkeit F ⟨~; ~en⟩ comfort; *Faulheit* laziness; **alle ~en** all mod cons

beˈraten VT ⟨*irr, kein ge*⟩ *Person* advise; *Sache* discuss; **sich ~** confer (**mit j-m** with sb; **über etw** on sth); **sich von j-m ~ lassen** consult sb

Beˈrater(in) M ⟨~s; ~⟩ F ⟨~in; ~innen⟩ adviser, consultant

Beˈratung F ⟨~; ~en⟩ advice (*a.* MED); *beruflich* consultancy; *Besprechung* discussion

Beˈratungsstelle F advice centre, *US* counseling center

beˈrauben VT ⟨*kein ge*⟩ rob (*gen* of)

beˈrauschend ADJ intoxicating (*a. fig*); **es ist nicht gerade ~** *umg* it's not so hot

beˈrechnen VT ⟨*kein ge*⟩ calculate; WIRTSCH charge; **j-m (für etw) 50 Euro ~** charge sb 50 euros (for sth)

beˈrechnend ADJ calculating

Beˈrechnung F calculation (*a. fig*)

beˈrechtigen VT ⟨*kein ge*⟩ **j-n zu etw ~** entitle sb to sth

beˈrechtigt ADJ *begründet* legitimate; **~ sein, etw zu tun** be* entitled to do sth

Beˈrechtigung F ⟨~; ~en⟩ right (**zu** to)

Bereich M [bəˈraiç] ⟨~(e)s; ~e⟩ area; *Umfang* range; *Fachgebiet, Aufgabengebiet* field, area

B

be'reichern VT ⟨*kein ge*⟩ enrich; *Wissen, Erfahrung, Sammlung* expand; **sich ~** make* a lot of money (**an** out of)
Be'reicherung F ⟨~; ~en⟩ enrichment; *von Wissen, Erfahrung, Sammlung* expansion
Bereifung F [bə'raifʊŋ] ⟨~; ~en⟩ tyres *pl*, *US* tires *pl*
be'reinigen VT ⟨*kein ge*⟩ *Streit* settle; *Missverständnis* clear up
be'reisen VT ⟨*kein ge*⟩ tour; *als Vertreter* cover
bereit ADJ [bə'rait] ready; *willens* willing; **sich ~ erklären, etw zu tun** agree to do sth
be'reiten VT ⟨*kein ge*⟩ prepare; *verursachen* cause; **j-m Schwierigkeiten ~** cause sb problems; **j-m Vergnügen ~** give* sb pleasure
be'reiterklären → bereit
be'reithalten VT ⟨*irr*⟩ **etw ~** have* sth ready; **sich ~** stand* by
be'reits ADV already; *allein, nur* even
Be'reitschaft F ⟨~⟩ readiness; **in ~ sein** be* on standby; *Arzt* be* on call
Be'reitschaftsdienst M **~ haben** *Arzt* be* on call
be'reitstellen VT *Geld, Waren* provide
be'reitwillig **A** ADJ willing **B** ADV *annehmen etc* willingly
be'reuen VT ⟨*kein ge*⟩ regret; *Sünden* repent (of)
Berg M [bɛrk] ⟨~(e)s; ~e⟩ mountain; *kleiner* hill; **~e von** *umg* piles of
berg'ab ADV downhill (*a. fig*) **'Bergarbeiter** M miner **berg'auf** ADV uphill; **mit ihm geht es ~** *fig* things are looking up for him **'Bergbahn** F mountain railway *od US* railroad **'Bergbau** M ⟨~(e)s⟩ mining
bergen VT ['bɛrgən] ⟨barg, geborgen⟩ *retten* rescue; *Güter, Schiff* salvage; *Tote* recover; *enthalten* hold*
'Bergführer(in) M(F) mountain guide
'bergig ADJ mountainous
'Bergsteigen N ⟨~s⟩ mountaineering, (mountain) climbing **'Bergsteiger(in)** M ⟨~s; ~⟩ (F) ⟨~in; ~innen⟩ mountaineer, (mountain) climber
'Bergung F ⟨~; ~en⟩ *Rettung* rescue; *von Gütern, Schiff* salvage; *von Toten* recovery
'Bergungsarbeiten PL rescue work *sg*; *bei Schiffen, Gütern* salvage operations *pl*
'Bergwacht F ⟨~⟩ mountain rescue service
'Bergwerk N mine
Bericht M [bə'rɪçt] ⟨~(e)s; ~e⟩ report (**über** on); *Beschreibung* account (**über** of)
be'richten VT & VI ⟨*kein ge*⟩ report (**über** on); **j-m etw ~** inform sb of sth, tell* sb about sth
Be'richterstatter(in) M ⟨~s; ~⟩ (F) ⟨~in; ~innen⟩ reporter; *auswärtiger* correspondent
Be'richterstattung F reporting
be'richtigen VT ⟨*kein ge*⟩ correct
Be'richtigung F ⟨~; ~en⟩ correction
Berlin N [bɛr'li:n] ⟨~s⟩ Berlin
Ber'liner M ⟨~s; ~⟩ *Krapfen* doughnut
Ber'liner(in) M ⟨~s; ~⟩ (F) ⟨~in; ~innen⟩ Berliner
Bern N [bɛrn] ⟨~s⟩ Bern(e)
bersten VI ['bɛrstən] ⟨barst, geborsten, s⟩ *von Glas* shatter; *von Schiff, Mauer* break* up; **~ vor** *fig* be* bursting with; **zum Bersten voll** full to bursting
berüchtigt ADJ [bə'rʏçtɪçt] notorious (**wegen** for)
be'rücksichtigen VT ⟨*kein ge*⟩ take* into consideration; *Bewerbung* consider
Be'rücksichtigung F ⟨~⟩ **unter ~ von etw** taking sth into consideration
Beruf M [bə'ru:f] ⟨~(e)s; ~e⟩ job, occupation; *Gewerbe* trade; *akademischer* profession; **was ist sie von ~?** what does she do (for a living)?
be'rufen VT ⟨*irr, kein ge*⟩ *ernennen* appoint (**auf, in, zu** to); **j-n zum Vorsitzenden ~** appoint sb chairman; **sich ~ auf** refer to
be'ruflich **A** ADJ professional **B** ADV **~ unterwegs** away on business; **was machen Sie ~?** what do you do (for a living)?
Be'rufs- ZSSGN *Soldat, Sportler* professional
Be'rufsanfänger(in) M(F) first-time employee **Be'rufsausbildung** F vocational training; *akademisch* professional training **Be'rufsberater(in)** M(F) careers adviser, *US* guidance counselor **Be'rufsberatung** F careers *od US* vocational guidance **Be'rufsbezeichnung** F job title **Be'rufsbildung** F

vocational training **Be'rufsperspektive** F job *od* career prospects *pl* **Be'rufsschule** F vocational school **be'rufstätig** ADJ **~ sein** work, have* a job **Be'rufstätige** PL working people *pl* **Be'rufsverbot** N **~ erhalten** be* banned from the profession **Be'rufsverkehr** M rush-hour traffic

Be'rufung F ⟨~; ~en⟩ *Ernennung* appointment (**auf, in, zu** to); JUR appeal (**bei** to); *innere* vocation; **~ einlegen** appeal; **unter ~ auf** with reference to

be'ruhen V/I ⟨*kein ge*⟩ **~ auf** be* based on; **etw auf sich ~ lassen** let* sth rest

be'ruhigen V/T ⟨*kein ge*⟩ calm (down); *Nerven* soothe, calm; *Besorgte* reassure; **sich ~** *Person* calm down

be'ruhigend ADJ reassuring; *Musik* soothing; MED sedative

Be'ruhigung F ⟨~⟩ *von Person* calming down; *von Nerven* soothing; *Erleichterung* relief

Be'ruhigungsmittel N sedative, tranquillizer, *US* tranquilizer

berühmt ADJ [bə'ry:mt] famous (**wegen** for)

Be'rühmtheit F ⟨~; ~en⟩ fame; *Person* celebrity

be'rühren V/T ⟨*kein ge*⟩ touch; *kurz* touch on; *fig: seelisch* move, touch

Be'rührung F ⟨~; ~en⟩ touch; **in ~ kommen mit** come* into contact with

Be'rührungspunkt M point of contact

besänftigen V/T [bə'zɛnftɪgən] ⟨*kein ge*⟩ soothe

Be'satzung F ⟨~; ~en⟩ SCHIFF, FLUG crew; MIL occupying forces *pl*

Be'satzungsmacht F occupying power

be'schädigen V/T ⟨*kein ge*⟩ damage

Be'schädigung F ⟨~; ~en⟩ *Schaden* damage

be'schaffen V/T (**sich**) **etw ~** get* sth; *Geld* raise sth; **j-m etw ~** get* sth for sb

Be'schaffenheit F ⟨~⟩ *Zustand* state, condition

beschäftigen V/T [bə'ʃɛftɪgən] ⟨*kein ge*⟩ *anstellen* employ; *zu tun geben* keep* busy; **sich ~ mit** occupy o.s. with; *Problem, Thema* deal* with; *Kindern* spend* time with

be'schäftigt ADJ busy (**mit** with)

Be'schäftigte PL employees *pl*

Be'schäftigung F ⟨~; ~en⟩ *Tätigkeit* occupation; *Arbeit* job; *Anstellen* employment

Be'schäftigungsausschuss M *EU* employment committee **Be'schäftigungspolitik** F employment policy **Be'schäftigungsstrategie** F POL employment strategy **Be'schäftigungstherapie** F occupational therapy

be'schämen V/T ⟨*kein ge*⟩ shame

be'schämend **A** ADJ shameful **B** ADV *wenig etc* shamefully

be'schämt ADJ ashamed (**über** of)

be'schatten V/T ⟨*kein ge*⟩ *fig* shadow, tail

Bescheid M [bə'ʃait] ⟨~(e)s; ~e⟩ *Antwort* answer; JUR decision; *Auskunft* information (**über** on, about); **ich sag dir ~** I'll let you know; **~ wissen** know* (**über** about)

bescheiden [bə'ʃaidən] **A** ADJ modest (*a. fig*); *ärmlich* humble **B** ADV *leben etc* modestly

Be'scheidenheit F ⟨~⟩ modesty

be'scheinigen V/T ⟨*kein ge*⟩ certify; **den Empfang von etw ~** acknowledge receipt of sth; **hiermit wird bescheinigt, dass ...** this is to certify that ...

Be'scheinigung F ⟨~; ~en⟩ certification; *Schein* certificate; *Quittung* receipt

be'scheißen V/T ⟨*irr, kein ge*⟩ *sl* swindle, cheat (**um** out of)

be'schenken V/T ⟨*kein ge*⟩ **j-n reich ~** shower sb with presents

be'schichten V/T ⟨*kein ge*⟩ coat

be'schimpfen V/T ⟨*kein ge*⟩ insult; *mit Kraftausdrücken* swear* at

Be'schimpfung F ⟨~; ~en⟩ *Worte* insult

Be'schiss M ⟨~es⟩ *sl* swindle, rip-off

beschissen [bə'ʃɪsən] *sl* **A** ADJ lousy, rotten **B** ADV **mir geht's ~** I feel lousy

Be'schlag M *Metallteil* (metal) fitting; **in ~ nehmen** monopolize; *Raum* occupy

be'schlagen ⟨*irr, kein ge*⟩ **A** V/T *Pferd* shoe* **B** V/I ⟨s⟩ *von Fenster etc* steam up **C** ADJ *Fenster* steamed-up; *fig* well-versed (**in** in)

Beschlagnahme F [bə'ʃla:kna:mə] ⟨~; ~n⟩ confiscation

be'schlagnahmen V/T ⟨*kein ge*⟩ JUR

B

confiscate
beschleunigen [bə'ʃlɔynɪgən] ⟨*kein ge*⟩ **A** VT speed up, accelerate **B** VI accelerate
Be'schleunigung F ⟨~; ~en⟩ acceleration
be'schließen VT ⟨*irr, kein ge*⟩ decide on; *Gesetz* pass; *beenden* conclude; **~, etw zu tun** decide to do sth
Be'schluss M decision
be'schmieren VT ⟨*kein ge*⟩ *schmutzig machen* make* dirty; **ein Blatt Papier ~** scrawl all over a piece of paper; **e-e Wand mit Graffiti ~** cover a wall with graffiti; **Brot mit Butter ~** spread* butter on bread
be'schmutzen VT ⟨*kein ge*⟩ soil (*a. fig*), dirty
be'schneiden VT ⟨*irr, kein ge*⟩ *Baum, Rosen* prune; *Flügel* clip; MED circumcise; *fig: Rechte* curtail
be'schönigen VT ⟨*kein ge*⟩ **etw ~** gloss over sth
beschränken VT [bə'ʃrɛŋkən] ⟨*kein ge*⟩ limit, restrict (**auf** to); **sich ~ auf** confine o.s. to
be'schränkt ADJ limited; *fig: dumm* dim
Be'schränkung F ⟨~; ~en⟩ limitation, restriction
be'schreiben VT ⟨*irr, kein ge*⟩ describe (*a. Kreis*); *Papier* write* on; *Diskette* write* to
Be'schreibung F ⟨~; ~en⟩ description
be'schriften VT ⟨*kein ge*⟩ *Ware* label; *Heft etc* write* one's name on
Be'schriftung F ⟨~; ~en⟩ *auf Ware* label; *auf Grabstein, Denkmal* inscription
be'schuldigen VT ⟨*kein ge*⟩ accuse (*a.* JUR); **j-n e-r Sache ~** accuse sb of sth
Be'schuldigung F ⟨~; ~en⟩ accusation
be'schummeln VT ⟨*kein ge*⟩ *umg* cheat
Be'schuss M **unter ~ geraten** MIL come* under fire (*a. fig*)
be'schützen VT ⟨*kein ge*⟩ protect (**vor** from)
Be'schützer(in) M ⟨~s; ~⟩ (F) ⟨~in; ~innen⟩ protector
Beschwerde F [bə'ʃve:rdə] ⟨~; ~n⟩ complaint (**über** about; **bei** to); **~n** *pl Schmerzen* trouble *sg*
be'schweren VT ⟨*kein ge*⟩ *mit Gewicht* weight (down); **sich ~** complain (**über** about; **bei** to)
be'schwerlich ADJ hard, arduous
beschwichtigen VT [bə'ʃvɪçtɪgən] ⟨*kein ge*⟩ calm; POL appease
beschwipst ADJ [bə'ʃvɪpst] *umg* tipsy
be'schwören VT ⟨*irr, kein ge*⟩ *beeiden* swear* to; *anflehen* implore; *Geister* conjure up
be'seitigen VT ⟨*kein ge*⟩ remove; *Abfall* dispose of; *Missstand* eliminate (*a. ermorden*)
Be'seitigung F ⟨~⟩ removal; *von Abfall* disposal; *von Missstand, Fehler* elimination (*a. Ermordung*)
Besen M ['be:zən] ⟨~s; ~⟩ broom
besessen ADJ [bə'zɛsən] obsessed (**von** with); **wie ~** like mad
Be'sessenheit F ⟨~⟩ obsession
be'setzen VT ⟨*kein ge*⟩ occupy (*a.* MIL); *Stelle* fill; *Theaterstück, Rollen* cast*; *Haus* squat in; *Kleidungsstück* trim
be'setzt ADJ occupied; *Sitzplatz* taken; *Bus, Zug etc* full (up); TEL busy, *Br a.* engaged
Be'setztzeichen N busy signal, *Br* engaged tone
Be'setzung F ⟨~; ~en⟩ THEAT cast; MIL occupation
be'sichtigen VT ⟨*kein ge*⟩ *Museum etc* visit; *Stadt* see* the sights of; *prüfend* inspect
Be'sichtigung F ⟨~; ~en⟩ *von Museum, Kirche etc* visit (*gen* to); *von Stadt* sightseeing tour; *prüfende* inspection
be'siedeln VT ⟨*kein ge*⟩ settle; *kolonisieren* colonize; *bevölkern* populate
be'siedelt ADJ **dicht/dünn ~** densely/sparsely populated
Be'siedlung F settlement; *Kolonisierung* colonization; *Bevölkerung* population
be'siegen VT defeat, beat*; *fig* conquer
be'sinnen VR ⟨besann, besonnen⟩ *nachdenken* think*; **sich ~ auf** *erinnern* remember; **sich anders ~** change one's mind
be'sinnlich ADJ contemplative
Be'sinnung F ⟨~⟩ *Bewusstsein* consciousness; *Nachdenken* reflection; **zur ~ kommen** come* to one's senses; **j-n zur ~ bringen** bring* sb to his/her

senses

be'sinnungslos ADJ unconscious

Besitz M [bə'zɪts] ⟨~es⟩ possession; *Eigentum* property (*a. Landbesitz*); **~ ergreifen von** take* possession of

be'sitzen V/T ⟨*irr, kein ge*⟩ own; *fig*: *Talent, Geschmack* have*

Be'sitzer(in) M ⟨~s; ~⟩ (F) ⟨~in; ~innen⟩ owner; **den Besitzer wechseln** change hands

Be'sitzstand M assets *pl*; *fig* vested rights *pl*; **Gemeinschaftlicher ~** *der EU* Community acquis

Be'sitzstandswahrung F ⟨~⟩ protection of vested rights

Be'soldung F ⟨~; ~en⟩ pay; *von Beamten* salary

besondere(r, -s) ADJ [bə'zɔndərə] special; *bestimmt* particular; *eigentümlich* peculiar

Be'sonderheit F ⟨~; ~en⟩ peculiarity; *von Gerät* special feature

be'sonders ADV especially, particularly

besonnen ADJ [bə'zɔnən] level-headed

be'sorgen V/T ⟨*kein ge*⟩ get*

Be'sorgnis F ⟨~; ~se⟩ concern (**um** about)

be'sorgniserregend ADJ alarming; *Stoff* giving cause for concern

be'sorgt ADJ worried, concerned (**um, wegen** about)

Be'sorgung F ⟨~; ~en⟩ **~en machen** go* shopping, run* errands

be'spielen V/T ⟨*kein ge*⟩ record on; **bespielte Kassette** pre-recorded cassette

be'spitzeln V/T ⟨*kein ge*⟩ **j-n ~** spy on sb

be'sprechen V/T ⟨*irr, kein ge*⟩ discuss, talk over; *rezensieren* review

Be'sprechung F ⟨~; ~en⟩ discussion; *Sitzung* meeting; *Rezension* review

Be'sprechungsraum M meeting room

besser ADJ & ADV ['bɛsər] better; **es ist ~, wir fragen ihn** we'd better ask him; **es geht ihm ~** he's better; **oder ~ gesagt** or rather; **es ~ wissen** know* better; **es ~ machen als** do* better than; **~ ist ~** better safe than sorry

'bessern V/R improve, get* better; *Person* mend one's ways

'Besserung F ⟨~⟩ improvement; **auf dem Wege der ~ sein** be* on the road to recovery; **gute ~!** get well soon!

Be'stand M ⟨~(e)s; Bestände⟩ continued existence; *Vorrat* stock; **~ haben** last; **es wird keinen ~ haben** it won't last

be'ständig **A** ADJ *andauernd* constant; *Wetter* settled; *Charakter* steady; **hitzebeständig/wetterbeständig** heat-resistant, heatproof/weatherproof; **~ gegen** resistant to **B** ADV *regnen etc* constantly

'Bestandsaufnahme F stocktaking (*a. fig*); **~ machen** take* stock (*a. fig*)

Be'standteil M component, part

be'stärken V/T ⟨*kein ge*⟩ encourage (**in** in)

bestätigen V/T [bə'ʃtɛːtɪgən] ⟨*kein ge*⟩ confirm; *bescheinigen* certify; *Empfang* acknowledge; **sich ~** prove (to be) true; *Vorhersage* come* true; **sich bestätigt fühlen** feel* vindicated

Be'stätigung F ⟨~; ~en⟩ confirmation; *Schein* certificate; *von Empfang* acknowledg(e)ment

bestatten V/T [bə'ʃtatən] ⟨*kein ge*⟩ bury

Be'stattung F ⟨~; ~en⟩ burial, funeral

Be'stattungsinstitut N undertakers *pl*, *US* funeral home

beste(r, -s) ['bɛstə] **A** ADJ best **B** ADV **am besten** best; **welches gefällt dir am besten?** which one do you like best?; **am besten nehmen Sie den Bus** it would be best to take the bus, you'd do best to take the bus

'Beste(r) M/F(M) ⟨~n; ~n⟩ **der/die ~** the best

'Beste(s) N ⟨~n⟩ **das ~** the best; **das ~ wäre, du bleibst hier** the best thing would be for you to stay here; **das ~ geben** do* one's best; **das ~ aus etw machen** make* the best of sth; **(nur) zu deinem ~n** for your own good

be'stechen V/T ⟨*irr, kein ge*⟩ bribe; *fig* fascinate (**durch** by)

be'stechlich ADJ corrupt

Be'stechung F ⟨~; ~en⟩ bribery

Be'stechungsgeld N bribe

Besteck N [bə'ʃtɛk] ⟨~(e)s; ~e⟩ knife, fork and spoon; cutlery

be'stehen ⟨*irr, kein ge*⟩ **A** V/T *Prüfung, Test* pass **B** V/I exist, be*; **~ auf** insist on; **~ aus/in** consist of/in; **~ bleiben** remain

Be'stehen N ⟨~s⟩ existence; **das 50-jährige ~ von etw feiern** celebrate the fiftieth anniversary of sth

B

be'stehlen V/T ⟨*irr, kein ge*⟩ **j-n (um etw) ~** rob sb (of sth) (*a. fig*)

be'steigen V/T ⟨*irr, kein ge*⟩ *Berg* climb; *Zug, Bus, Flugzeug* get* on; *Thron* ascend

be'stellen V/T ⟨*kein ge*⟩ *Ware, im Restaurant* order (**bei** from); *Zimmer, Karten* book; *vorbestellen* reserve; *Taxi* call; *Boden* cultivate; **kann ich etwas ~?** *ausrichten* can I take a message?; **~ Sie ihm bitte, …** please tell him …; **bestell ihr viele Grüße von mir** give her my regards

Be'stellformular N order form **Be'stellnummer** F order *od* reference number **Be'stellschein** M order form

Be'stellung F ⟨~; ~en⟩ *Auftrag* order; *von Zimmer, Karten* booking; *Vorbestellung* reservation; **auf ~** to order

'besten'falls ADV at best

'bestens ADV very well

be'steuern V/T ⟨*kein ge*⟩ tax

Be'steuerung F ⟨~⟩ taxation; **~ von Zinserträgen** taxation of savings income

be'stimmen ⟨*kein ge*⟩ **A** V/T *festsetzen, feststellen* determine; *entscheiden* decide; *Begriff* define; **bestimmt für** meant for; **er hat ihn zu seinem Stellvertreter bestimmt** he chose him as his deputy **B** V/I **zu ~ haben** be* in charge, be* the boss

be'stimmt **A** ADJ *gewiss* certain; *spezifisch* particular, specific; *festgelegt* fixed; *entschieden* determined, firm; GRAM *Artikel* definite **B** ADV *gewiss* certainly; **ganz ~** definitely; **er ist ~ …** he must be …; **sie wird ~ kommen** she's sure to come

Be'stimmung F ⟨~; ~en⟩ *Vorschrift* regulation; *Schicksal* destiny

Be'stimmungslandprinzip N destination principle **Be'stimmungsort** M destination

be'strafen V/T ⟨*kein ge*⟩ punish; **j-n ~ mit** JUR sentence sb to

Be'strafung F ⟨~; ~en⟩ punishment; JUR sentence

be'strahlen V/T ⟨*kein ge*⟩ *Lebensmittel* irradiate; MED treat with radiotherapy

Be'strahlung F ⟨~; ~en⟩ *von Lebensmitteln* irradiation; MED radiotherapy

be'streiken V/T ⟨*kein ge*⟩ go* out *od* be* on strike against; **diese Fabrik wird bestreikt** there's a strike on at this factory

be'streikt ADJ strikebound

be'streiten V/T ⟨*irr, kein ge*⟩ *anfechten* challenge; *leugnen* deny; *finanzieren* pay* for, finance

be'stürzt ADJ dismayed (**über** at)

Be'stürzung F ⟨~⟩ consternation, dismay

Besuch M [bə'zu:x] ⟨~(e)s; ~e⟩ visit (**bei, in** to); *Aufenthalt* stay; *von Schule, Kurs, Veranstaltung* attendance (*gen* at); **bei j-m zu ~ sein** be* staying with sb; **~ haben** have* company

be'suchen V/T ⟨*kein ge*⟩ visit; *Schule, Kurs, Versammlung* attend; *Lokal* go* to

Be'sucher(in) M ⟨~s; ~⟩ (F) ⟨~in; ~innen⟩ visitor

Be'suchszeit F visiting hours *pl*

be'sucht ADJ **gut/schlecht ~** well/poorly attended; *Lokal, Ort* much/little visited

be'tagt ADJ aged

betätigen V/T [bə'tɛ:tɪgən] ⟨*kein ge*⟩ operate; *Bremse* apply; **sich ~** be* active

Be'tätigung F ⟨~; ~en⟩ *Tätigkeit* activity

betäuben V/T [bə'tɔybən] ⟨*kein ge*⟩ *mit e-m Schlag* stun, daze (*a. fig*); MED anaesthetize, *US* anesthetize

Be'täubung F ⟨~; ~en⟩ MED anaesthetization, *US* anesthetization; *Zustand* anaesthesia, *US* anesthesia; *fig* daze, stupor; **örtliche ~** local anaesthetic *od US* anesthetic

Be'täubungsmittel N anaesthetic, *US* anesthetic; *Droge* narcotic

Bete F ['be:tə] ⟨~; ~n⟩ **Rote ~** beetroot, *US* beet

beteiligen V/T [bə'tailɪgən] ⟨*kein ge*⟩ **j-n ~** give* sb a share (**an** in); **sich ~** take* part, participate (**an** in); *an Kosten* contribute (**an** to)

be'teiligt ADJ **~ sein an** *Unfall, Verbrechen* be* involved in; *Gewinn* have* a share in

Be'teiligung F ⟨~; ~en⟩ participation; *an Unfall, Verbrechen* involvement; *an Gewinn* share (*alle* **an** in)

beten V/I ['be:tən] pray (**um, für** for); *bei Tisch* say* grace

beteuern V/T [bə'tɔyərn] ⟨*kein ge*⟩ *Unschuld* protest

Beton M [be'tɔŋ] ⟨~s⟩ concrete

betonen V/T [bə'to:nən] ⟨*kein ge*⟩ stress; *fig a.* emphasize

betonieren V/T [beto'ni:rən] ⟨*kein ge*⟩

concrete
Be'tonung F ⟨~; ~en⟩ stress; *fig* emphasis
betr. ABK *für* betreffend (*in Briefen*) re
Betracht M [bəˈtraxt] **in ~ ziehen** take* into consideration; **in ~ kommen** be* a possibility; **nicht in ~ kommen** be* out of the question
be'trachten V/T ⟨*kein ge*⟩ look at; *fig a.* view; **~ als** regard as
Be'trachter(in) M ⟨~s; ~⟩ (F) ⟨~in; ~innen⟩ observer; *von Gemälde etc* viewer
beträchtlich [bəˈtrɛçtlıç] **A** ADJ considerable **B** ADV *größer etc* considerably
Be'trachtung F ⟨~; ~en⟩ *Überlegung* observation; **bei näherer ~** on closer inspection
Betrag M [bəˈtraːk] ⟨~(e)s; Beträge⟩ amount, sum
be'tragen V/T ⟨*irr, kein ge*⟩ amount to, come* to; **sich ~** behave
be'trauen V/T ⟨*kein ge*⟩ entrust (**mit** with)
Betreff M [bəˈtrɛf] ⟨~(e)s; ~e⟩ WIRTSCH reference; (**Betr.**) *im Briefkopf* re
be'treffen V/T ⟨*irr, kein ge*⟩ *angehen* concern; *sich beziehen auf* refer to; **was mich/das betrifft** as far as I am/that is concerned, as for me/that
be'treffend ADJ *bezüglich* regarding, concerning; **die ~en Personen** the people concerned
be'treiben V/T ⟨*irr, kein ge*⟩ *Geschäft, Hotel* run*; *Sport* do*; **etw als Hobby ~** do* sth as a hobby
Be'treiber(in) M ⟨~s; ~⟩ (F) ⟨~in; ~innen⟩ *von Telefondienst etc* operator
Be'treiberfirma F operating company
be'treten[1] V/T ⟨*irr, kein ge*⟩ *treten auf* step on; *eintreten in* enter; *Rasen* walk on; *Bühne* walk onto; **Betreten verboten!** keep out!; **Betreten des Rasens verboten!** keep off the grass!
be'treten[2] **A** ADJ embarrassed **B** ADV *lächeln etc* in an embarrassed way
be'treuen V/T ⟨*kein ge*⟩ look after, take* care of
Be'treuer(in) M ⟨~s; ~⟩ (F) ⟨~in; ~innen⟩ carer
Be'treuung F ⟨~⟩ care
Betrieb M [bəˈtriːp] ⟨~(e)s; ~e⟩ business, firm; *Betreiben* operation; *im Verkehr* rush; *Fabrik* factory, works *sg*; **in ~ sein** be* in operation; **in ~ setzen** start; **außer ~** out of order; **im Geschäft war viel ~** the shop was very busy
be'trieblich ADJ **~e Altersversorgung** employee pension scheme; **~e Mitbestimmung** worker participation
Be'triebsanleitung F operating instructions *pl* **Be'triebsausgaben** PL operating expenses *pl* **Be'triebsergebnis** N profit, trading result, operating result **Be'triebsferien** PL company holiday *sg*; **„~"** 'closed for holidays', *US* 'on vacation' **Be'triebsgewinn** M operating profit(s *pl*) **Be'triebskapital** N working capital **Be'triebsklima** N working atmosphere **Be'triebskosten** PL operating costs *pl* **Be'triebsleitung** F management **Be'triebsrat** M ⟨~(e)s; Betriebsräte⟩ works council; *Mitglied* works council member **be'triebssicher** ADJ safe to operate **Be'triebsstörung** F stoppage; *von Maschine* breakdown **Be'triebssystem** N operating system **Be'triebsunfall** M accident in the workplace, industrial accident **Be'triebsvereinbarung** F agreement between works council and management **Be'triebswirtschaft** F ⟨~⟩ business administration, business economics *sg*
be'trinken V/R ⟨*irr, kein ge*⟩ get* drunk
betroffen ADJ [bəˈtrɔfən] affected (**von** by); *bestürzt* shocked (**über** at)
Be'troffenheit F ⟨~⟩ shock
Betrug M [bəˈtruːk] ⟨~(e)s⟩ cheating; JUR fraud; *Täuschung* deceit
be'trügen ⟨*irr, kein ge*⟩ **A** V/T cheat (**um** out of); *Partner* cheat on **B** V/I cheat (**beim Kartenspiel** at cards)
Be'trüger(in) M ⟨~s; ~⟩ (F) ⟨~in; ~innen⟩ swindler; *beim Spiel* cheat
Be'trugsbekämpfung F fight against fraud
betrunken ADJ [bəˈtrʊŋkən] drunk; *Zustand* drunken; **~ sein** be* drunk
Be'trunkene(r) M/F(M) ⟨~n; ~n⟩ drunk
Bett N [bɛt] ⟨~(e)s; ~en⟩ bed; *Federbett* duvet, quilt; **im ~ sein** be* in bed; **ins ~ gehen** go* to bed; **j-n ins ~ bringen** put* sb to bed
betteln V/I [ˈbɛtəln] beg (**um** for)
'Bettlaken N sheet

B

'Bettler(in) M ⟨~s; ~⟩ F ⟨~in; ~innen⟩ beggar
'Bettwäsche F bed linen **'Bettzeug** N ⟨~(e)s⟩ bedding, bedclothes *pl*
'beugen V/T bend*; *Substantiv, Adjektiv* decline; *Verb* conjugate; **sich ~** *lehnen* lean* (**aus** out of); **sich der Mehrheit ~** give* in to the majority
Beule F ['bɔylə] ⟨~; ~n⟩ bump; *im Blech* dent
be'unruhigen V/T ⟨*kein ge*⟩ worry, *stärker* alarm
be'urkunden V/T ⟨*kein ge*⟩ certify
be'urlauben V/T ⟨*kein ge*⟩ **j-n ~** give* sb some time off; *vom Amt* suspend sb; **sich ~ lassen** take* some time off
be'urlaubt ADJ **~ sein** have* some time off; *vom Amt* be* suspended
be'urteilen V/T ⟨*kein ge*⟩ judge (**nach** by); *Leistung, Wert* rate, assess
Be'urteilung F ⟨~; ~en⟩ judg(e)ment; *Bewertung* assessment
Beute F ['bɔytə] ⟨~⟩ *von Dieb* booty, loot; *von Tier* prey (*a. fig*); *Jagdbeute* bag
Beutel M ['bɔytəl] ⟨~s; ~⟩ bag; ZOOL, *Tabaksbeutel* pouch
bevölkern V/T [bə'fœlkərn] ⟨*kein ge*⟩ populate; *bewohnen* inhabit; *Straßen, Platz etc* crowd
Be'völkerung F ⟨~; ~en⟩ population
Be'völkerungsexplosion F population explosion
bevollmächtigen V/T [bə'fɔlmɛçtɪgən] ⟨*kein ge*⟩ authorize
be'vor KONJ before
be'vormunden V/T ⟨*kein ge*⟩ patronize
be'vorstehen V/I ⟨*irr*⟩ *von Winter, Wahlen etc* be* approaching; *von Schwierigkeiten* lie* ahead; *von Gefahr* be* imminent; **j-m ~** be* in store for sb
be'vorzugen V/T ⟨*kein ge*⟩ prefer; *begünstigen* favour, *US* favor
be'vorzugt ADJ preferred; *Lieblings...* favourite, *US* favorite
Be'vorzugung F ⟨~; ~en⟩ *Begünstigung* preferential treatment
be'wachen V/T ⟨*kein ge*⟩ guard
Be'wacher(in) M ⟨~s; ~⟩ F ⟨~in; ~innen⟩ guard
Be'wachung F ⟨~⟩ guarding
be'waffnen V/T ⟨*kein ge*⟩ arm (*a. fig*)
Be'waffnung F ⟨~; ~en⟩ *Bewaffnen* arming; *Waffen* arms *pl*
be'wahren V/T ⟨*kein ge*⟩ keep* (**vor** from)
bewähren V/R [bə'vɛːrən] ⟨*kein ge*⟩ *von Person* prove one's worth; *von Sache* prove its worth
be'wahrheiten V/R ⟨*kein ge*⟩ prove (to be) true; *Vorhersage* come* true
be'währt ADJ tried and tested, reliable; *Person* experienced
Be'währung F ⟨~; ~en⟩ JUR probation; **auf ~** on probation
Be'währungsfrist F (period of) probation **Be'währungshelfer(in)** M(F) probation officer **Be'währungsprobe** F test
bewältigen V/T [bə'vɛltɪgən] ⟨*kein ge*⟩ *meistern* cope with; *überwinden* get* over; *Strecke* cover
be'wandert ADJ **~ sein in** be* well-versed in
bewässern V/T [bə'vɛsərn] ⟨*kein ge*⟩ irrigate
Be'wässerung F ⟨~; ~en⟩ irrigation
bewegen [bə'veːgən] ⟨*kein ge*⟩ **A** V/T move (*a. fig: rühren*); **j-n dazu ~, etw zu tun** get* sb to do sth **B** V/R **sich ~** move; *um gesund zu bleiben* get* some exercise; **sich ~ zwischen** *variieren* range between
Be'weggrund M motive
be'weglich ADJ movable; *Teile* moving; *flink* agile; *flexibel* flexible
be'wegt ADJ *Meer* rough; *Stimme* choked; *Leben* eventful; *fig: gerührt* moved
Be'wegung F ⟨~; ~en⟩ movement (*a.* POL, *in der Kunst*); *um fit zu bleiben* exercise; PHYS motion; *fig* emotion; **etw in ~ setzen** set* sth in motion
Be'wegungsfreiheit F freedom of movement; *fig* freedom of action **be'wegungslos** ADJ & ADV motionless
Beweis M [bə'vais] ⟨~es; ~e⟩, **Be'weise** PL proof, evidence *sg* (**für** of); **ein ~** a piece of evidence
be'weisen V/T ⟨*irr, kein ge*⟩ prove; *erkennen lassen* show
Be'weismittel N, **Be'weisstück** N evidence; **ein ~** a piece of evidence
be'wenden V/I **es dabei ~ lassen** leave* it at that
be'werben V/R ⟨*irr, kein ge*⟩ **sich ~ um** *Arbeitsstelle* apply for; **sich bei e-r Firma**

~ apply for a job with a firm
Be'werber(in) M ⟨~s; ~⟩ (F) ⟨~in; ~innen⟩ applicant
Be'werbung F ⟨~; ~en⟩ application
Be'werbungsanschreiben N cover letter **Be'werbungsfrist** F application deadline, deadline for applications **Be'werbungsgespräch** N interview **Be'werbungsmappe** F application documents *pl* **Be'werbungsschreiben** N (letter of) application **Be'werbungsunterlagen** PL application documents *pl*
be'werten V/T ⟨*kein ge*⟩ assess; **j-n/etw mit der Note 2 ~** give* sb/sth a B
Be'wertung F assessment
be'willigen V/T ⟨*kein ge*⟩ grant, allow
be'wirken V/T ⟨*kein ge*⟩ cause, bring* about
be'wirten V/T ⟨*kein ge*⟩ entertain
be'wirtschaften V/T ⟨*kein ge*⟩ run*; AGR farm
Be'wirtung F ⟨~; ~en⟩ *Versorgung* catering; *Bedienung* service; *zu Hause* hospitality
be'wohnen V/T ⟨*kein ge*⟩ inhabit; *Gebäude* live in
Be'wohner(in) M ⟨~s; ~⟩ (F) ⟨~in; ~innen⟩ inhabitant; *von Gebäude* occupant
be'wohnt ADJ inhabited; *Gebäude* occupied
bewölken V/R [bə'vœlkən] ⟨*kein ge*⟩ cloud over (*a. fig*)
be'wölkt ADJ cloudy, overcast
Be'wölkung F ⟨~; ~en⟩ *Wolken* clouds *pl*
Be'wunderer M ⟨~s; ~⟩, **Be'wunderin** F ⟨~; ~nen⟩ admirer
be'wundern V/T ⟨*kein ge*⟩ admire (**wegen** for)
be'wundernswert ADJ admirable
Be'wunderung F ⟨~⟩ admiration
bewusst [bə'vʊst] **A** ADJ conscious; *absichtlich* deliberate; **sich e-r Sache ~ sein** be* aware *od* conscious of sth **B** ADV consciously; *absichtlich* deliberately
be'wusstlos ADJ & ADV unconscious **be'wusstmachen** V/T **j-m etw ~** make* sb aware of sth **Be'wusstsein** N ⟨~s⟩ consciousness; *fig* awareness; **bei ~** conscious
be'zahlen ⟨*kein ge*⟩ **A** V/T *Summe, Rechnung, Person* pay*; *Ware, Leistung* pay* for (*a. fig*) **B** V/I pay*; **wir möchten ~!** can we have the bill please?
Be'zahlfernsehen N pay TV
be'zahlt ADJ paid; **es macht sich ~** it pays
Be'zahlung F payment; *Lohn* pay
be'zaubernd ADJ charming
be'zeichnen V/T ⟨*kein ge*⟩ **j-n/etw als etw ~** call sb/sth sth, describe sb/sth as sth
be'zeichnend ADJ characteristic, typical (**für** of)
Be'zeichnung F name; *Begriff* term
be'zeugen V/T ⟨*kein ge*⟩ JUR testify to (*a. fig*)
bezichtigen V/T [bə'tsɪçtɪgən] ⟨*kein ge*⟩ accuse; **j-n e-r Sache ~** accuse sb of sth
be'ziehen V/T ⟨*irr, kein ge*⟩ *Möbel* cover; *Bett* change; *Haus, Wohnung* move into; *erhalten* get*; **etw auf etw ~** relate sth to sth; **sich ~ auf** refer to
Be'ziehung F relation (**zu etw** to sth); *verwandtschaftlich, intim* relationship (**zu j-m** with sb); *Hinsicht* respect; **~en haben** have* connections, know* the right people
be'ziehungsweise KONJ respectively; *oder* or; *oder vielmehr* or rather
Bezirk M [bə'tsɪrk] ⟨~(e)s; ~e⟩ district
Bezug M [bə'tsu:k] *Überzug* cover; *von Kopfkissen* pillowcase; WIRTSCH purchase; **Bezüge** *pl* income *sg*; **~ nehmen auf** refer to; **in ~ auf** with regard to, regarding
bezüglich PRÄP [bə'tsy:klɪç] ⟨*gen*⟩ with regard to, regarding
Bezugnahme F [bə'tsu:kna:mə] ⟨~; ~n⟩ **unter ~ auf** with reference to
Be'zugsperson F role model **Be'zugspunkt** M reference point **Be'zugsquelle** F supply source
be'zwecken V/T ⟨*kein ge*⟩ aim at
be'zweifeln V/T ⟨*kein ge*⟩ doubt
BH M [be:'ha:] ⟨~(s); ~(s)⟩ bra
Bibel F ['bi:bəl] ⟨~; ~n⟩ Bible; *fig* bible
Bibliografie F [bibliogra'fi:] ⟨~; ~n⟩ bibliography
Bibliothek F [biblio'te:k] ⟨~; ~en⟩ library
Bibliothe'kar(in) M ⟨~s; ~e⟩ (F) ⟨~in; ~innen⟩ librarian
bieder ADJ ['bi:dər] *spießig* conservative
biegen V/I ⟨s⟩ & V/T ['bi:gən] ⟨bog, gebogen⟩ bend*; **um die Ecke ~** go* round

od turn the corner; **sich ~** bend*
'biegsam ADJ flexible
'Biegung F ⟨~; ~en⟩ bend; **e-e ~ machen** bend*
Biene F [bi:nə] ⟨~; ~n⟩ bee
Bier N [bi:r] ⟨~(e)s; ~e⟩ beer; **~ vom Fass** draught *od US* draft beer
'Bierdeckel M beer mat, *US* coaster **'Bierdose** F beer can **'Biergarten** M beer garden **'Bierglas** N beer glass **'Bierkrug** M beer mug **'Bierzelt** N beer tent
bieten ['bi:tən] ⟨bot, geboten⟩ **A** V/T offer; **sich ~** *von Gelegenheit* present itself, come* along; **lass dir nicht alles ~!** *umg* don't put up with any nonsense! **B** V/I *bei Auktion* bid*
Bigamie F [biga'mi:] ⟨~; ~n⟩ bigamy
Bikini M [bi'ki:ni] ⟨~s; ~s⟩ bikini
Bilanz F [bi'lants] ⟨~; ~en⟩ WIRTSCH balance; *fig* result; **~ ziehen** *fig* take* stock (**aus** of)
bilateral ADJ ['bi:latera:l] bilateral
Bild N [bɪlt] ⟨~(e)s; ~er⟩ picture; *Gemälde a.* painting; *gedankliches* image; **sich ein ~ machen von** get* an idea of
'Bildausfall M blackout **'Bildbericht** M photo(graphic) report *od US* essay
bilden V/T ['bɪldən] form; *gestalten a.* shape; *geistig* educate; *darstellen, sein* be*, constitute; **sich ~** form; *geistig* educate o.s.
'Bilderbuch N picture book
'Bildfläche F **auf der ~ erscheinen** *umg* appear on the scene; **von der ~ verschwinden** *umg* disappear from the scene
Bildhauer(in) ['bɪlthauər(ɪn)] M ⟨~s; ~⟩ (F) ⟨~in; ~innen⟩ sculptor
'bildlich ADJ *Darstellung* pictorial; *Ausdruck* figurative
'Bildröhre F (picture) tube **'Bildschirm** M screen **'Bildschirmarbeit** F work at a computer screen **'Bildschirmarbeitsplatz** M workstation **'Bildschirmfenster** N window **'Bildschirmschoner** M ⟨~s; ~⟩ screen saver
'bild'schön ADJ beautiful
'Bildspeichersystem N image-archiving system
'Bildung F ⟨~; ~en⟩ *geistige* education; *Ausbildung* training; *Entstehung, Schaffung* formation
'Bildungs- ZSSGN *Reform etc* educational
'Bildungslücke F gap in one's knowledge **'Bildungsweg** M **auf dem zweiten ~** at evening classes
'Bildunterschrift F caption
billig ['bɪlɪç] **A** ADJ cheap (*a. von schlechter Qualität*); *Preis* low; *Ausrede* lame, poor; *Trick* cheap **B** ADV cheaply; **etw ~ kaufen** buy* sth cheap
'billigen V/T approve of
'Billigflieger M, **'Billigfluglinie** F FLUG budget airline **'Billigflug** M cheap flight **'Billiglohnland** N low-wage country **'Billigmarke** F cheap brand, *umg* cheapo **'Billigprodukt** N cheap product, cut-price product
'Billigung F ⟨~⟩ approval
Billion F [bɪli'o:n] ⟨~; ~en⟩ trillion
binär ADJ [bi'nɛ:r] binary
Binde F ['bɪndə] ⟨~; ~n⟩ *Verband* bandage; *Armschlinge* sling; *Damenbinde* sanitary towel *od US* napkin; *Augenbinde* blindfold; *Armbinde* armband
'Bindegewebe N connective tissue **'Bindeglied** N (connecting) link **'Bindehautentzündung** F conjunctivitis
'binden ⟨band, gebunden⟩ **A** V/T tie (**an** to); *Buch, Soße* bind*; *Kranz, Strauß* make* (up); *Krawatte* knot; **sich ~** commit o.s. **B** V/I bind*
'Bindfaden M string; **ein ~** a piece of string
'Bindung F ⟨~; ~en⟩ *Verbundenheit* bond (**an, zu** with); *Skibindung* binding
'Binnenhafen M inland port **'Binnenhandel** M domestic trade **'Binnenland** N interior **'Binnenmarkt** M internal market; **der europäische ~** the European Single Market **'Binnennachfrage** F domestic demand
Binsenweisheit F ['bɪnzən-] truism
Biobauer M ['bi:o-], **'Biobäuerin** F organic farmer
Biografie F [biogra'fi:] ⟨~; ~n⟩ biography
bio'grafisch ADJ biographical
Biokost F ['bi:o-] organic food **'Bioladen** M health food shop *od* store
Biologe M [bio'lo:gə] ⟨~n; ~n⟩, **Bio'login** F ⟨~; ~nen⟩ biologist

Biologie F [biolo'gi:] ⟨~⟩ biology
bio'logisch **A** ADJ biological; *Anbau, Produkte* organic **B** ADV **~ abbaubar** biodegradable
Biomasse F ['bi:o-] biomass **'Biomüll** M organic waste **'Bioprodukt** N organic product **'Biorhythmus** M biorhythm **'Biotechnologie** F biotechnology **'Biotonne** F organic waste bin
Biotop N [bio'to:p] ⟨~s; ~e⟩ biotope
BIP M [bıp] ⟨~⟩ *abk für* Bruttoinlandsprodukt GDP, gross domestic product
Birne F ['bırnə] ⟨~; ~n⟩ pear; *Glühbirne* (light) bulb
bis ADV & KONJ & PRÄP [bıs] ⟨*akk*⟩ *zeitlich* until, till; *bis spätestens* by; *räumlich* (up) to, as far as; **~ jetzt** up to now, so far; **~ jetzt ist noch niemand gekommen** nobody has come yet; **~ morgen!** see you tomorrow!; **von … ~** from … to; **~ zu** up to; **wie weit ist es ~ …?** how far is it to …?; **~ auf** *außer* except; **zwei ~ drei Tage** two or three days; **~ 100 zählen** count (up) to 100
bisexuell ADJ ['bi:-] bisexual
bis'her ADV up to now; **das ~ beste Ergebnis** the best result so far; **sie hat ~ nicht geantwortet** she hasn't replied yet; **wie ~** as before
bis'herig ADJ previous; **die ~en Ergebnisse** the results so far
Biskuit M [bıs'kvi:t] ⟨~(e)s; ~s *od* ~e⟩ sponge
Biss M [bıs] ⟨~es; ~e⟩ bite (*a. fig: Schärfe*)
bisschen ['bısçən] **A** ADJ **ein ~** *Suppe, Geld* a bit of, a little **B** ADV **ein ~** *müde etc* a bit, a little; **nicht ein ~** not in the least; **sie hat mir kein ~ geholfen** she didn't help me one little bit
Bissen M ['bısən] ⟨~s; ~⟩ bite; **sie hat keinen ~ angerührt** she didn't eat a thing
'bissig ADJ *Hund* vicious; *fig* cutting; **Vorsicht, ~er Hund!** beware of the dog!
bisweilen ADV [bıs'vailən] at times, now and then
Bit N [bıt] ⟨~(s); ~(s)⟩ IT bit
bitte ADV ['bıtə] please; **~ nicht!** please don't!; **~ (schön)!** *nach danke* that's all right, you're welcome; *beim Überreichen, Anbieten* here you are; **(wie) ~?** pardon?, *US* pardon me?; **~ sehr?** *im Geschäft* can I help you?; **ja ~?** *am Telefon* hello?
'Bitte F ⟨~; ~n⟩ request (**um** for); **ich habe e-e ~ (an dich)** I want to ask you a favour *od US* favor
'bitten ⟨bat, gebeten⟩ **A** V/T **j-n um etw ~** ask sb for sth; **j-n ~, etw zu tun** ask sb to do sth **B** V/I **um etw ~** ask for sth; **um j-s Namen/Erlaubnis ~** ask sb's name/permission
bitter ['bıtər] **A** ADJ bitter (*a. fig*); *Not, Elend etc* dire **B** ADV *bereuen etc* bitterly
Blähungen PL ['blɛ:ʊŋən] flatulence, *Br a.* wind
blamabel ADJ [bla'ma:bəl] ⟨-bl-⟩ embarrassing
Blamage F [bla'ma:ʒə] ⟨~; ~n⟩ disgrace
bla'mieren V/T ⟨*kein ge*⟩ **j-n ~** make* sb look a fool; **sich ~** make* a fool of o.s.
blank ADJ [blaŋk] *glänzend* shiny; *blank geputzt* polished; *rein* pure, sheer; *umg: pleite* broke
Blankoscheck M ['blaŋkoʃɛk] blank cheque *od US* check
Bläschen N ['blɛ:sçən] ⟨~s; ~⟩ *auf der Haut* blister
Blase F ['bla:zə] ⟨~; ~n⟩ *Luftblase* bubble; *auf der Haut* blister; *Harnblase* bladder
'blasen V/T & V/I ⟨blies, geblasen⟩ blow*; MUS play
blass ADJ [blas] pale (**vor** with); **~ werden** turn pale
Blässe F ['blɛsə] ⟨~⟩ paleness, pallor
Blatt N [blat] ⟨~(e)s; Blätter *od mit Anzahl* ~⟩ *von Pflanze, Buch* leaf; *Papierblatt* sheet (*a.* MUS); *Zeitung* (news)paper; **ein ~ Papier** a sheet of paper; **ein gutes ~** *beim Kartenspiel* a good hand; **sie nimmt kein ~ vor den Mund** *umg* she doesn't mince her words; **das ~ hat sich gewendet** *fig* the tide has turned
blättern V/I ['blɛtərn] IT scroll; **~ in** leaf through
blau ADJ [blau] blue; *umg: betrunken* plastered; **~es Auge** *durch Schlag* black eye; **~er Fleck** bruise
blauäugig ADJ ['blauʔɔygıç] blue-eyed; *fig* starry-eyed **'Blauhelm** M blue helmet, UN soldier
bläulich ADJ ['blɔylıç] bluish
'Blaulicht N flashing blue light
'blaumachen V/I *umg* stay away from work, *Br a.* skive (off); *von Schülern* play truant *od US* hooky **'Blausäure** F prussic acid

B

Blech N [blɛç] ⟨~(e)s; ~e⟩ *Metall* (sheet) metal
'Blech- ZSSGN *Dach, Löffel* tin; MUS brass
'Blechbüchse F, **'Blechdose** F can, *Br a.* tin **'Blechschaden** M bodywork damage
Blei N [blai] ⟨~(e)s; ~e⟩ lead
Bleibe F ['blaibə] ⟨~; ~n⟩ place to stay
'bleiben VI ⟨blieb, geblieben, s⟩ stay; *in e-m Zustand a.* remain; *übrig sein* be* left; **gesund ~** keep* *od* stay healthy; **~ bei** stick* to; **bleib beim Thema!** don't change the subject!; **uns bleibt nicht viel Zeit** we don't have much time left; **das muss aber unter uns ~** but that's strictly between ourselves; **lass das ~!** stop that!; **das wirst du schön ~ lassen!** you'll do nothing of the sort!; **lass es lieber ~** better leave it
'bleibend ADJ lasting, permanent
bleich ADJ [blaiç] pale (**vor** with)
'bleichen VT bleach
'bleiern ADJ lead; *fig* leaden
'bleifrei ADJ unleaded **'Bleistift** M pencil **'Bleistiftspitzer** M ⟨~s; ~⟩ pencil sharpener
Blende F ['blɛndə] ⟨~; ~n⟩ *am Fenster* blind; *im Auto* (sun) visor; FOTO aperture; **(bei) ~ 8** (at) f-8
'blenden VT blind, dazzle (*a. fig*)
'blendend ADJ & ADV dazzling (*a. fig: prächtig*); *Leistung* brilliant; **~ aussehen** look great
'blendfrei ADJ antiglare
Blick M [blɪk] ⟨~(e)s; ~e⟩ look (**auf** at); *Aussicht* view (**auf** of); **flüchtiger ~** glance; **e-n ~ werfen auf** have* a look at; **auf den ersten ~** at first sight
'blicken **A** VT *umg: verstehen* get* **B** VI look; *flüchtig* glance (**auf, nach** at); **sich ~ lassen** *auftauchen* show* up; *vorbeikommen* drop by
blind [blɪnt] **A** ADJ blind (*a. fig:* **für** to; **vor** with); *Spiegel* dull; **~er Alarm** false alarm; **~er Passagier** stowaway; **auf e-m Auge ~** blind in one eye **B** ADV *vertrauen etc* blindly
'Blindbewerbung F unsolicited *od* speculative application
'Blinddarm M appendix **'Blinddarmentzündung** F appendicitis **'Blinddarmoperation** F appendectomy
'Blinde(r) M/F(M) ⟨~n; ~n⟩ blind man; *Frau* blind woman; **die Blinden** *pl* the blind *pl*
'Blindenhund M guide dog, *US a.* Seeing Eye dog® **'Blindenschrift** F braille
blinken VI ['blɪŋkən] gleam; *von Sternen, Lichtern* twinkle; *signalisieren* flash; AUTO indicate
'Blinker M ⟨~s; ~⟩ indicator, *US* turn signal
blinzeln VI ['blɪntsəln] **(mit den Augen) ~** blink (one's eyes)
Blitz M [blɪts] ⟨~es; ~e⟩ lightning; FOTO flash; **ein ~** *am Himmel* a flash of lightning
'Blitzableiter M lightning conductor *od US* rod
'blitzen **A** VI *von Licht* flash; *von Edelstein* sparkle; *von Fotograf* use a flash; **es blitzt** there's lightning **B** VT **ich bin geblitzt worden** *umg* I was caught by a speed camera *od* in a speed trap
'Blitzgerät N (electronic) flash **'Blitzlicht** N flash **'Blitzschlag** M lightning strike **'blitz'schnell** **A** ADJ split-second *attr* **B** ADV *finden etc* in a flash
Block M [blɔk] ⟨~(e)s; Blöcke⟩ *Wohnblock* block of flats, *US* apartment house; *Schreibblock* pad
Blockade F [blɔ'ka:də] ⟨~; ~n⟩ blockade
'blocken VI *a. fig* block
'Blockhaus N log cabin
blo'ckieren ⟨*kein ge*⟩ **A** VT block **B** VI *von Rädern* lock
'Blockschrift F block letters *pl*
blöd(e) [blø:t ('blø:də)] *umg* **A** ADJ stupid **B** ADV *grinsen etc* stupidly
'Blödsinn M nonsense, *Br a.* rubbish
Blog N *od* M [blɔk] ⟨~s; ~s⟩ blog (*persönliches Internet-Tagebuch, dessen Einträge mit einem Log-Datum versehen sind*) **bloggen** VI ['blɔgən] blog **'Blogger(in)** M ⟨~s; ~⟩ (F) ⟨~in; ~innen⟩ blogger **Blogosphäre** F [blɔgo'sfɛ:rə] blogosphere
blond ADJ [blɔnt] blond; *Frau, Mädchen* blonde
Blondine F [blɔn'di:nə] ⟨~; ~n⟩ blonde
bloß [blo:s] **A** ADJ bare; *nichts als* mere; **mit ~em Auge** with the naked eye; **etw ~ legen** *Schicht, Ruine* uncover sth

B

B ADV only, just; **was hast du ~ gemacht?** what on earth have you done?
'bloßstellen VT *blamieren* show* up; **sich ~** show* o.s. up
blühen VI ['bly:ən] (be* in) bloom; *von Bäumen a.* (be* in) blossom; *fig* flourish
Blume F ['blu:mə] ⟨~; ~n⟩ flower; *von Wein* bouquet; *von Bier* head, froth
'Blumenkohl M cauliflower **'Blumenladen** M florist's, flower shop *od US* store **'Blumenstrauß** M bunch of flowers; *als Geschenk* bouquet **'Blumentopf** M flowerpot **'Blumenvase** F vase
Bluse F ['blu:zə] ⟨~; ~n⟩ blouse
Blut N [blu:t] ⟨~(e)s⟩ blood
'Blutbad N bloodbath, massacre **'Blutbank** F ⟨*pl* ~en⟩ blood bank **'Blutdruck** M ⟨*pl* -drücke⟩ blood pressure
Blüte F ['bly:tə] ⟨~; ~n⟩ *Pflanzenteil* flower, bloom; *Baumblüte* blossom; *fig*: *Blütezeit* heyday; **in (voller) ~ stehen** be* in (full) bloom; *Baum* be* in (full) blossom
'bluten VI bleed* (**aus** from)
'Bluter M ⟨~s; ~⟩ haemophiliac, *US* hemophiliac
'Bluterguss M bruise **'Blutfleck** M bloodstain **'Blutgefäß** N blood vessel **'Blutgerinnsel** N ⟨~s; ~⟩ blood clot **'Blutgruppe** F blood group
'blutig ADJ bloody; **~er Anfänger** *umg* complete beginner
'Blutkörperchen N ⟨~s; ~⟩ (blood) corpuscle **'Blutkreislauf** M (blood) circulation **'Blutprobe** F blood test **'Blutspender(in)** M(F) blood donor **'blutstillend** ADJ styptic **'Blutübertragung** F blood transfusion
'Blutung F ⟨~; ~en⟩ bleeding; *starke* haemorrhage, *US* hemorrhage; *Menstruation* period
'Blutvergießen N ⟨~s⟩ bloodshed **'Blutvergiftung** F blood poisoning **'Blutwurst** F black pudding, *US* blood sausage
BLZ ABK *für* Bankleitzahl (bank) sort code, *US* A.B.A. number
Bö F [bø:] ⟨~; ~en⟩ gust, squall
boarden VI ['bo:rdən] *sl* go* snowboarding
Bock M [bɔk] ⟨~(e)s; Böcke⟩ *beim Reh, Kaninchen* buck; *Ziegenbock* he-goat, billy goat; *Schafbock* ram; *Turngerät* (vaulting) horse; **e-n ~ schießen** *fig* (make* a) blunder; **ich hab keinen** *od* **null ~ drauf** *umg* I couldn't be bothered
'bocken VI *von Pferd etc* buck; *von Person: schmollen* sulk
'bockig ADJ obstinate; *schmollend* sulky
'Bockwurst F hot sausage
Boden M ['bo:dən] ⟨~s; Böden⟩ *Erdboden* ground (*a. fig*); AGR soil; *Fußboden* floor; *Gefäßboden, Meeresboden* bottom; *Dachboden* attic, loft; **auf britischem ~** on British soil; **bleib auf dem ~!** *umg* don't get carried away!
'Bodenpersonal N ground crew *od Br a.* staff **'Bodenreform** F land reform **'Bodenschätze** PL mineral resources *pl* **'Bodensee** M **der ~** Lake Constance **'Bodenstation** F ground control
Body M ['bɔdi] ⟨~s; ~s⟩ *Kleidung* bodysuit
Bogen M ['bo:gən] ⟨~s; ~⟩ *Biegung* curve; *von Straße, Fluss* bend; MATH arc; ARCH arch; *beim Eislauf* curve; *beim Skilaufen* turn; *Waffe, Geigenbogen* bow; **ein ~ (Papier)** a sheet (of paper); **e-n großen ~ machen um** *fig* steer well clear of
Bohne F ['bo:nə] ⟨~; ~n⟩ bean; **grüne ~n** *pl* green *od Br a.* French beans *pl*
bohren ['bo:rən] **A** VT drill (*a. Zahnarzt*); *Tunnel* bore; *Brunnen* sink* **B** VI drill (**nach** for); **in der Nase ~** pick one's nose
'Bohrer M ⟨~s; ~⟩ drill
'Bohrinsel F oilrig **'Bohrloch** N borehole, *Ölbohrloch a.* well(head) **'Bohrmaschine** F (electric) drill **'Bohrturm** M derrick
'Bohrung F ⟨~; ~en⟩ drilling
Boje F ['bo:jə] ⟨~; ~n⟩ buoy
Bologna-Prozess M [bo'lɔnja-] *EU* Bologna Process
Bolzen M ['bɔltsən] ⟨~s; ~⟩ bolt
bombardieren VT [bɔmbar'di:rən] ⟨*kein ge*⟩ bomb; *a. fig* bombard
Bombe F ['bɔmbə] ⟨~; ~n⟩ bomb; *fig* bombshell
'Bombenangriff M air raid **'Bombenanschlag** M bomb attack **'Bombendrohung** F bomb scare **'Bombener'folg** M *umg* huge success; *Theaterstück, Film etc* smash hit **'Bombenge'schäft** N **ein ~ machen**

umg do* a roaring trade **'Bombenleger(in)** M ⟨~s; ~⟩ (F) ⟨~in; ~innen⟩ bomber **'bomben'sicher** ADJ bombproof; *fig*: *Plan* absolutely foolproof

Bon M [bɔŋ] ⟨~s; ~s⟩ coupon, voucher; *Kassenzettel* receipt

Bonbon N *od* M [bɔŋ'bɔŋ] ⟨~s; ~s⟩ sweet, *US* candy

Bonus M ['bo:nʊs] ⟨~(ses); ~se *od* Boni⟩ bonus, premium

'Bonusmeile F FLUG bonus mile

Boot N [bo:t] ⟨~(e)s; ~e⟩ boat; **wir sitzen alle im selben ~** *fig* we're all in the same boat

booten V/I & V/T ['bu:tən] IT boot up

'Bootsverleih M boat hire *od US* rental

Bord[1] N [bɔrt] ⟨~(e)s; ~e⟩ *Brett* shelf

Bord[2] M ⟨~(e)s; ~e⟩ SCHIFF, FLUG **an ~** on board; **über ~** overboard; **von ~ gehen** disembark

Bordell N [bɔr'dɛl] ⟨~s; ~e⟩ brothel

'Bordkarte F boarding pass **'Bordstein** M kerb, *US* curb

borgen V/T ['bɔrgən] **(sich) etw ~** borrow sth (**von, bei** from); **j-m etw ~** lend* sb sth, lend* sth to sb

borniert ADJ [bɔr'ni:rt] narrow-minded

Börse F ['bœrzə] ⟨~; ~n⟩ WIRTSCH stock exchange

'Börsenbericht M market report **'Börsencrash** M [-krɛʃ] ⟨~s; ~s⟩ *umg*, **'Börsenkrach** M *umg* (stock market) crash, stock market collapse **'Börsenkurs** M quotation **'Börsenmakler(in)** M(F) stockbroker

Borste F ['bɔrstə] ⟨~; ~n⟩ bristle

'bösartig ADJ malicious; *Hund* vicious; MED malignant

Böschung F ['bœʃʊŋ] ⟨~; ~en⟩ slope, bank; *Uferböschung*, BAHN embankment

böse ['bø:zə] **A** ADJ *moralisch schlecht* bad, evil; *schlimm, unartig* bad; *zornig* angry (**über** about; **j-m, auf j-n** with sb) **B** ADV *schlimm* badly; **er meint es nicht ~** he means no harm

'Böse(s) N ⟨~n⟩ evil

boshaft ['bo:shaft] **A** ADJ malicious **B** ADV *lächeln etc* maliciously

Bosheit F ['bo:shait] ⟨~; ~en⟩ malice

Bosnien N ['bɔsniən] ⟨~s⟩ Bosnia

Bosnien-Herzegowina N ['bɔsniən-hɛrtse'go:vina] ⟨~s⟩ Bosnia-Herzegovina

'Bosnier(in) M ⟨~s; ~⟩ (F) ⟨~in; ~innen⟩ Bosnian

'bosnisch ADJ Bosnian

Boss M [bɔs] ⟨~es; ~e⟩ boss

'böswillig **A** ADJ malicious **B** ADV *handeln etc* maliciously

botanisch ADJ [bo'ta:nɪʃ] botanical

Bote M ['bo:tə] ⟨~n; ~n⟩, **'Botin** F ⟨~; ~nen⟩ messenger; *Kurier* courier

'Botengang M **Botengänge machen** run* errands

'Botschaft F ⟨~; ~en⟩ message; *Amt* embassy

'Botschafter(in) M ⟨~s; ~⟩ (F) ⟨~in; ~innen⟩ ambassador

Boulevard M [bulə'va:r] ⟨~s; ~s⟩ boulevard

Boule'vardblatt N tabloid **Boule'vardpresse** F popular press; *pej* gutter press **Boule'vardzeitung** F tabloid

Box F [bɔks] ⟨~; ~en⟩ *Lautsprecherbox* speaker; *für Pferd, Frischhaltebox* box; *bei Autorennen* pit

'boxen **A** V/I box **B** V/T punch

'Boxen N ⟨~s⟩ boxing

'Boxer(in) M ⟨~s; ~⟩ (F) ⟨~in; ~innen⟩ boxer

Boykott M [bɔy'kɔt] ⟨~(e)s; ~s *od* ~e⟩ boycott

boykot'tieren V/T ⟨*kein ge*⟩ boycott

B-Punkt-Verfahren N ['be:pʊŋkt-] *EU* B-point procedure

'brachliegen V/I ⟨*irr*⟩ lie* fallow (*a. fig*)

Branche F ['brã:ʃə] ⟨~; ~n⟩ line (of business)

'branchenübergreifend ADJ cross-sector **'Branchenverzeichnis** N Yellow Pages® *pl*

Brand M [brant] ⟨~(e)s; Brände⟩ fire; **in ~ geraten** catch* fire; **etw in ~ stecken** set* fire to sth

'Brandblase F blister **'Brandbombe** F incendiary bomb

Brandenburg N ['brandənbʊrk] ⟨~s⟩ Brandenburg

'Brandfleck M burn **'brand'neu** ADJ *umg* brand-new **'Brandrodung** F ['brantro:dʊŋ] ⟨~; ~en⟩ slash-and-burn **'Brandstelle** F fire scene **'Brandstifter(in)** M ⟨~s; ~⟩ (F) ⟨~in; ~innen⟩ arsonist **'Brandstiftung** F arson

'Brandung F ⟨~; ~en⟩ surf

'Brandwunde F burn; *durch Verbrühen*

B

scald
Branntwein M ['brant-] spirits *pl*
Brasilianer(in) [brazili'a:nər(ın)] M ⟨~s; ~⟩ (F) ⟨~in; ~innen⟩ Brazilian
brasili'anisch ADJ Brazilian
Brasilien N [bra'zi:liən] ⟨~s⟩ Brazil
braten V/T ['bra:tən] ⟨briet, gebraten⟩ *im Ofen* roast; *auf dem Rost* grill, *US* broil; *in der Pfanne* fry; **am Spieß ~** spit-roast
'Braten M ⟨~s; ~⟩ roast; *roher* joint
'Bratensoße F gravy
'Brathähnchen N, **Brathuhn** N roast chicken **'Bratkartoffeln** PL fried potatoes *pl* **'Bratröhre** F oven
'Bratwurst F fried sausage; *gegrillte* grilled sausage
Brauch M [braux] ⟨~(e)s; Bräuche⟩ custom
'brauchbar ADJ *nützlich* useful; *verwendbar* usable
brauchen V/T ['brauxən] *nötig haben* need; *erfordern* require; *Zeit* take*; *gebrauchen* use; **wie lange wird er ~?** how long will it take him?; **du brauchst es nur zu sagen** you only need to say (the word); **ihr braucht es nicht zu tun** you don't have *od* need to do it; **sie hätte nicht zu kommen ~** she needn't have come
brauen V/T ['brauən] brew
Braue'rei F ⟨~; ~en⟩ brewery
braun ADJ [braun] brown; **~ werden** *in der Sonne* get* a tan; **~ gebrannt** (sun)-tanned
Bräune F ['brɔynə] ⟨~⟩ (sun)tan
'bräunen **A** V/T brown; *Person, Gesicht etc* tan **B** V/I *in der Sonne* (get* a) tan
'Braunkohle F brown coal, lignite
'bräunlich ADJ brownish
Brause F ['brauzə] ⟨~; ~n⟩ *Dusche* shower; *Limonade* pop, *US a.* soda
'brausen V/I *von Wind, Wasser etc* roar; ⟨s⟩ *eilen* race
'Brausepulver N sherbet
Braut F [braut] ⟨~; Bräute⟩ bride; *Verlobte* fiancée
Bräutigam M ['brɔytıgam] ⟨~s; ~e⟩ (bride)groom; *Verlobter* fiancé
'Brautjungfer F bridesmaid **'Brautkleid** N wedding dress **'Brautpaar** N bride and groom *pl*; *Verlobte* engaged couple *sg*
brav ADJ [bra:f] *artig* good; *ehrlich* honest; **sei(d) ~!** be good!
BRD [be:ʔɛr'de:] ⟨~⟩ ABK *für* Bundesrepublik Deutschland FRG, Federal Republic of Germany
brechen V/I ⟨s⟩, & V/T ['brɛçən] ⟨brach, gebrochen⟩ break* (*a. fig*); *sich übergeben* vomit, *Br a.* be* sick; **sich ~** *von Licht* be* refracted; **sich den Arm ~** break* one's arm; **mit j-m/etw ~** break* with sb/sth; **brechend voll** packed
'Brechreiz M nausea **'Brechstange** F crowbar
Brei M [brai] ⟨~(e)s; ~e⟩ *Breimasse* pulp, mush; *Kinderbrei* pap; *Haferbrei* porridge; *Reisbrei etc* pudding
'breiig ADJ pulpy, mushy
breit ADJ [brait] wide; *Schultern, Grinsen* broad (*a. fig*); **die ~e Öffentlichkeit** the general public
'Breitbandanschluss M broadband (connection); **wir haben zu Hause ~** we have broadband at home
'Breite F ⟨~; ~n⟩ width, breadth; ASTRON, GEOG latitude
'Breitengrad M (degree of) latitude
'Breitenkreis M parallel
'breitmachen V/R *umg* spread* o.s. out
'breitschlagen V/T ⟨*irr*⟩ **sich ~ lassen, etw zu tun** *umg* let* o.s. be talked into doing sth
Bremen N ['bre:mən] ⟨~s⟩ Bremen
'Bremsbelag M brake lining
Bremse F ['brɛmzə] ⟨~; ~n⟩ brake; ZOOL gadfly
'bremsen **A** V/I brake; *abbremsen* slow down **B** V/T brake; *fig* curb
'Bremsflüssigkeit F AUTO brake fluid
'Bremskraftverstärker M brake booster **'Bremslicht** N brake light, *US* stoplight **'Bremspedal** N brake pedal **'Bremsscheibe** F brake disc **'Bremsspur** F skid marks *pl* **'Bremsweg** M stopping distance
'brennbar ADJ combustible; *entzündlich* (in)flammable **'Brennelement** N fuel element
brennen ['brɛnən] ⟨brannte, gebrannt⟩ **A** V/T burn* (*a. CD*); *Schnaps* distil, *US* distill; *Ziegel* bake **B** V/I burn*; *in Flammen stehen* be* on fire; *von Wunde, Augen* smart, sting*; *von Licht* be* on; **es brennt!** fire!; **das Licht ~ lassen** leave*

B

the light on; **darauf ~, etw zu tun** *umg* be* dying to do sth
'Brenner M ⟨~s; ~⟩ *von Gasherd* burner
'Brennholz N firewood **'Brennmaterial** N fuel **'Brennnessel** F ⟨~; ~n⟩ stinging nettle **'Brennpunkt** M **im ~ des Interesses stehen** be* the focus of attention **'Brennspiritus** M methylated spirits *sg* **'Brennstab** M fuel rod **'Brennstoff** M fuel
brenzlig ADJ ['brɛntslɪç] burnt; *fig* risky, *Br a.* dicey
Brett N [brɛt] ⟨~(e)s; ~er⟩ board
'Brettspiel N board game
Brezel F ['bre:tsəl] ⟨~; ~n⟩ pretzel
Brief M [bri:f] ⟨~(e)s; ~e⟩ letter
'Briefbeschwerer M ⟨~s; ~⟩ paperweight **'Briefbogen** M sheet of writing paper **'Briefbombe** F letter bomb **'Brieffreund(in)** M(F) pen friend, pen pal **'Briefkasten** M letterbox, *US* mailbox **'Briefkastenfirma** F letterbox company **'Briefkontakt** M **~ haben** correspond **'Briefkopf** M letterhead
'brieflich **A** ADJ postal **B** ADV *mitteilen* by letter; **~ abstimmen** vote by post *od* mail
'Briefmarke F stamp **'Briefmarkensammlung** F stamp collection **'Brieföffner** M letter opener **'Briefpapier** N writing paper **'Brieftasche** F wallet, *US a.* billfold **'Briefträger(in)** M(F) postman, *US* mailman; *Frau* postwoman, *US* mailwoman **'Briefumschlag** M envelope **'Briefwahl** F postal vote **'Briefwechsel** M correspondence
brillant ADJ [brɪl'jant] brilliant
Brille F ['brɪlə] ⟨~; ~n⟩ glasses *pl*; *Schutzbrille* goggles *pl*; *Klobrille* toilet seat; **e-e ~** *zum Sehen* a pair of glasses; **e-e ~ tragen** wear* glasses
'Brillenträger(in) M(F) **~ sein** wear* glasses
bringen V/T ['brɪŋən] ⟨brachte, gebracht⟩ *herbringen* bring*; *hinbringen* take*; *verursachen* cause; *Opfer* make*; *Gewinn, Zinsen* yield; *im Fernsehen* show*; *in der Zeitung* publish; **j-m etw ~** bring* sb sth; *hinbringen* take* sb sth; **j-n nach Hause ~** see* *od* take* sb home; **das bringt mich auf e-e Idee** that gives me an idea; **j-n dazu ~, etw zu tun** get* sb to do sth; **etw mit sich ~** involve sth; **j-n um etw ~** *umg* deprive sb of sth; **j-n zum Lachen ~** make* sb laugh; **j-n wieder zu sich ~** bring* sb round; **es zu etwas ~** *umg* go* far; **es zu nichts ~** *umg* get* nowhere; **das bringt nichts** *umg* it's no use
Brise F ['bri:zə] ⟨~; ~n⟩ breeze
Brite M ['brɪtə] ⟨~n; ~n⟩, **'Britin** F ⟨~; ~nen⟩ Briton; **er ist Brite** he's British; **die Briten** *pl* the British *pl*
'Britenrabatt M British rebate
'britisch ADJ British
Brocken M ['brɔkən] ⟨~s; ~⟩ piece; *Klumpen* lump; *Felsbrocken* rock; *von Fleisch* chunk; *Bissen* morsel; **ein paar ~ Englisch** a few words of English
Brokkoli PL *od* M ['brɔkoli] broccoli
Brombeere F ['brɔmbe:rə] blackberry
Bronchien PL ['brɔnçiən] bronchial tubes *pl*
Bronchitis F [brɔn'çi:tɪs] ⟨~; Bronchi'tiden⟩ bronchitis
Bronze F ['brõ:sə] ⟨~; ~n⟩ bronze
Brosche F ['brɔʃə] ⟨~; ~n⟩ brooch, *US a.* pin
Broschüre F [brɔ'ʃy:rə] ⟨~; ~n⟩ pamphlet; *Werbebroschüre* brochure
Brot N [bro:t] ⟨~(e)s; ~e⟩ bread; *Scheibe* slice of bread; **ein ~** a loaf (of bread); **(belegtes) ~** open sandwich; *zusammengeklappt* sandwich; **sein ~ verdienen** earn one's living
'Brotaufstrich M spread
Brötchen N ['brø:tçən] ⟨~s; ~⟩ roll
'Brot(schneide)maschine F bread slicer
Bruch M [brʊx] ⟨~(e)s; Brüche⟩ *Brechen* breaking (*a. von Versprechen, Vertrag, Gesetz*); *Bruchstelle* break; *Knochenbruch* fracture; *Unterleibsbruch* hernia; MATH fraction; GEOL fault; **in die Brüche gehen** break*; *Beziehung* break* up
'Bruchbude F *umg* dump, hovel
brüchig ADJ ['brʏçɪç] *zerbrechlich* fragile; *spröde* brittle; *rissig* cracked
'Bruchlandung F crash landing **'Bruchrechnung** F fractions *pl* **'Bruchstück** N fragment **'Bruchteil** M fraction; **im ~ e-r Sekunde** in a split second
Brücke F ['brʏkə] ⟨~; ~n⟩ bridge (*a. Zahnersatz, Turnübung,* SCHIFF, *fig*); *Tep-*

pich rug
'Brückenklausel F → Passerelle-Klausel **'Brückenpfeiler** M pier
Bruder M ['bru:dər] ⟨~s; Brüder⟩ brother (*a.* REL)
Brühe F ['bry:ə] ⟨~; ~n⟩ *Suppe* broth; *Grundsubstanz* stock; *umg*: *Getränk* dishwater; *umg*: *Schmutzwasser* filthy water
'Brühwürfel M stock cube
brüllen VI ['brylən] roar (**vor** with); *von Rind* bellow; *umg*: *von Kind* bawl
brummen VI ['brumən] *von Bär* growl; *von Insekt* buzz; *von Motor* drone; *von Lautsprecher* hum; **mir brummt der Kopf** my head's throbbing
brünett ADJ [bry'nɛt] **e-e ~e Frau** a brunette; **sie ist ~** she's a brunette
Brunnen M ['brunən] ⟨~s; ~⟩ *zum Wasserholen* well; *Quelle* spring; *Springbrunnen* fountain
Brüssel N ['brysəl] ⟨~s⟩ Brussels
Brust F [brust] ⟨~; Brüste⟩ chest; *weibliche* breast; *Busen* breasts *pl*
'Brustbeutel M money bag, *US* neck pouch
brüsten V/R ['brystən] boast, brag (**mit** about)
'Brustkorb M chest, ANAT thorax **'Brustschwimmen** N breaststroke
'Brüstung F ⟨~; ~en⟩ parapet
brutal [bru'ta:l] **A** ADJ brutal **B** ADV *misshandeln* brutally
Brutali'tät F ⟨~; ~en⟩ brutality
brutto ADV ['bruto] gross (*a. zssgn*)
'Bruttoeinkommen N gross income *od* earnings *pl* **Bruttosozi'alprodukt** N gross national product, GNP
BSE [be:ʔɛs'ʔe:] ABK *für* bovine spongiforme Enzephalopathie BSE
Buch N [bu:x] ⟨~(e)s; Bücher⟩ book
'buchen V/T book; *im Geschäftsbuch etc* enter
Bücherbord N ['by:çər-] bookshelf
Büche'rei F ⟨~; ~en⟩ library
'Bücherregal N bookshelves *pl* **'Bücherschrank** M bookcase
'Buchführung F bookkeeping **'Buchhalter(in)** M ⟨~s; ~⟩ (F) ⟨~in; ~innen⟩ bookkeeper **'Buchhaltung** F bookkeeping **'Buchhändler(in)** M(F) bookseller **'Buchhandlung** F bookshop, *US* bookstore **'Buchmacher(in)** M(F) bookmaker **'Buchmesse** F book fair
Büchse F ['byksə] ⟨~; ~n⟩ tin; *Konservenbüchse* can, *Br a.* tin; *Gewehr* rifle
'Büchsenfleisch N canned *od Br a.* tinned meat **'Büchsenmilch** F condensed milk **'Büchsenöffner** M can *od Br a.* tin opener
Buchstabe M ['bu:xʃta:bə] ⟨~ns; ~n⟩ letter; **großer/kleiner ~** capital/small letter
buchsta'bieren V/T ⟨*kein ge*⟩ spell*
buchstäblich ADV ['bu:xʃtɛ:pliç] literally
Bucht F [buxt] ⟨~; ~en⟩ bay; *kleine* cove
'Buchung F ⟨~; ~en⟩ booking; *im Geschäftsbuch etc* entry
'Buchungsbestätigung F confirmation (of booking)
Buckel M ['bukəl] ⟨~s; ~⟩ *am Rücken* hump; **e-n ~ machen** hunch one's back; *von Katze* arch its back; **rutsch mir doch den ~ runter!** *umg* get off my back!
bücken V/R ['bykən] bend* down, stoop
Buddhismus M [bu'dɪsmus] ⟨~⟩ Buddhism
Bud'dhist(in) M ⟨~en; ~en⟩ (F) ⟨~in; ~innen⟩ Buddhist
bud'dhistisch ADJ Buddhist
Bude F ['bu:də] ⟨~; ~n⟩ *Marktbude* stall; *Hütte* hut; *umg*: *Zimmer* pad, place; *pej*: *baufälliges Haus, Wohnung* dump
Budget N [by'dʒe:] ⟨~s; ~s⟩ budget
Büfett N [by'fɛt] ⟨~(e)s; ~s *od* ~e⟩ *Möbelstück* sideboard; *Theke* counter; **kaltes/warmes ~** cold/hot buffet
Bug M [bu:k] ⟨~(e)s; Büge *od* ~e⟩ SCHIFF bow; FLUG nose; ZOOL, GASTR shoulder
Bügel M ['by:gəl] ⟨~s; ~⟩ *Kleiderbügel* hanger; *Brillenbügel* side-piece
'Bügelbrett N ironing board **'Bügeleisen** N iron **'Bügelfalte** F crease **'bügelfrei** ADJ non-iron
bügeln V/T ['by:gəln] iron; **die Wäsche ~** do* the ironing
buhen VI ['bu:ən] boo
Bühne F ['by:nə] ⟨~; ~n⟩ stage; *fig a.* scene; *Theater* theatre, *US* theater
'Bühnenbild N set **'Bühnenbildner(in)** M ⟨~s; ~⟩ (F) ⟨~in; ~innen⟩ set designer
'Buhrufe PL boos *pl*
Bulette F [bu'lɛtə] ⟨~; ~n⟩ rissole
Bulgare M [bul'ga:rə] ⟨~n; ~n⟩ Bulgarian

B

Bul'garien N ⟨~s⟩ Bulgaria
Bul'garin F ⟨~; ~nen⟩ Bulgarian
bul'garisch ADJ, **Bul'garisch** N Bulgarian; → englisch
Bulimie F [buli'mi:] ⟨~⟩ bulimia
Bullauge N ['bʊlʔaugə] porthole **Bulldozer** M ['bʊldo:zər] ⟨~s; ~⟩ bulldozer
Bulle M ['bʊlə] ⟨~n; ~n⟩ *Tier* bull; *pej: Polizist* cop
Bummel M ['bʊməl] ⟨~s; ~⟩ *umg* stroll
'bummeln V/I ⟨s⟩ *spazieren gehen* stroll; ⟨h⟩ *trödeln* dawdle
'Bummelstreik M go-slow, *US* slowdown **'Bummelzug** M *umg* slow train
Bund[1] M [bʊnt] ⟨~(e)s; Bünde⟩ *Bündnis* alliance; *Verband* association; *von Hose, Rock* waistband; **der ~** POL the Federal Government; *umg: Bundeswehr* the army
Bund[2] N ⟨~(e)s; ~e⟩ *Bündel* bundle; *von Petersilie, Spargel etc* bunch
Bündel N ['bʏndəl] ⟨~s; ~⟩ bundle
'bündeln V/T bundle up
'Bundes- ZSSGN Federal
'Bundesagentur F **~ für Arbeit** Federal Employment Agency **'Bundesbank** F Bundesbank, German Central Bank **'Bundesgenosse** M, **'Bundesgenossin** F ally **'Bundeskanzler(in)** M(F) (German) Chancellor **'Bundesland** N (federal) state **'Bundesliga** F national league; **erste/zweite ~** First/Second Division **'Bundespolizei** F Federal Police **'Bundespräsident(in)** M(F) (Federal) President **'Bundesrat** M Upper House; *in der Schweiz* government **'Bundesrepublik** F Federal Republic; **die ~ Deutschland** the Federal Republic of Germany **'Bundesstaat** M *einzelner* federal state; *Gesamtheit der Einzelnen* confederation **'Bundesstraße** F *etwa* A road, *US* state highway **'Bundestag** M Bundestag, Lower House **'Bundestagsabgeordnete(r)** M/F(M) ⟨~n; ~n⟩ Member of Parliament **'Bundestrainer(in)** M(F) national team coach **'Bundesver'fassungsgericht** N Federal Constitutional Court, *US etwa* Supreme Court **'Bundeswehr** F (German) army
bündig ['bʏndɪç] **A** ADJ TECH flush **B** ADV TECH flush; **kurz und ~** concisely
Bündnis N ['bʏntnɪs] ⟨~ses; ~se⟩ alliance
Bunker M ['bʊŋkər] ⟨~s; ~⟩ *Luftschutzbunker* air-raid shelter, bunker
bunt [bʊnt] **A** ADJ *farbig* coloured, *US* colored; *mehrfarbig* multicoloured, *US* multicolored; *farbenfroh* colourful, *US* colorful (*a. fig*); *Programm* varied; **in ~en Farben** in bright colours *od US* colors; **mir wird's zu ~** that's all I can take **B** ADV *gemustert* colourfully, *US* colorfully; **es zu ~ treiben** overdo* it
Burg F [bʊrk] ⟨~; ~en⟩ castle
Bürge M ['bʏrgə] ⟨~n; ~n⟩ JUR guarantor (*a. fig*)
'bürgen V/I **für j-n ~** JUR stand* surety for sb; **für etw ~** guarantee sth
'Bürger(in) M ⟨~s; ~⟩ (F) ⟨~in; ~innen⟩ citizen
'Bürgerbeauftragte(r) M/F(M) ⟨~n; ~n⟩ **Europäischer Bürgerbeauftragte** European Ombudsman **'bürgerfreundlich** ADJ citizen-friendly **'Bürgerinitiative** F citizens' *od* local action group **'Bürgerkrieg** M civil war
'bürgerlich ADJ civil; *dem Bürgertum zugehörig* middle-class; *pej* bourgeois; **~e Küche** home cooking
'Bürgermeister(in) M(F) mayor **'Bürgerrechte** PL civil rights *pl* **'Bürgersteig** M ⟨~(e)s; ~e⟩ pavement, *US* sidewalk **'Bürgerversicherung** F citizens' insurance
'Bürgin F ⟨~; ~nen⟩ JUR guarantor (*a. fig*)
'Bürgschaft F ⟨~; ~en⟩ JUR surety
Büro N [by'ro:] ⟨~s; ~s⟩ office
Bü'roangestellte(r) M/F(M) ⟨~n; ~n⟩ office worker **Bü'roarbeit** F office work **Bü'rokauffrau** F, **Bü'rokaufmann** M (qualified) office administrator **Bü'roklammer** F paper clip
Bürokrat(in) [byro'kra:t(ɪn)] M ⟨~en; ~en⟩ (F) ⟨~in; ~innen⟩ bureaucrat
Bürokra'tie F ⟨~; ~n⟩ bureaucracy; *pej a.* red tape
büro'kratisch ADJ bureaucratic
Bü'rostunden PL, **Bü'rozeiten** PL office hours *pl*
Bürste F ['bʏrstə] ⟨~; ~n⟩ brush
'bürsten V/T brush
Bus M [bʊs] ⟨~ses; ~se⟩ bus; *Reisebus* bus, *Br a.* coach
'Busbahnhof M bus station

Busch M [bʊʃ] ⟨~(e)s; Büsche⟩ *Strauch* bush, shrub; GEOG bush
Büschel N ['bʏʃəl] ⟨~s; ~⟩ bunch; *von Heu* bundle; *von Haar, Gras* tuft
Busen M ['bu:zən] ⟨~s; ~⟩ bosom, breasts *pl*
'Busfahrer(in) M(F) bus driver **'Bushaltestelle** F bus stop **'Busreise** F coach tour (**durch** of)
Buße F ['bu:sə] ⟨~; ~n⟩ *Bußübung* penance; *Reue* repentance; *Geldbuße* fine; **~ tun** do* penance
büßen V/T ['by:sən] pay* for; REL atone for
'Bußgeld N fine
Büste F ['bʏstə] ⟨~; ~n⟩ bust
'Büstenhalter M bra
'Busverbindung F bus connection *od* service
Butter F ['bʊtər] ⟨~⟩ butter
'Butterberg M butter mountain **'Butterbrot** N slice of bread and butter; **für ein ~** *umg* for a song **'Butterbrotpapier** N greaseproof paper **'Butterdose** F butter dish **'Butterfahrt** F trip to buy duty-free goods **'Buttermilch** F buttermilk
Button M ['batən] ⟨~s; ~s⟩ badge, *US a.* button
b. w. ABK *für* bitte wenden PTO, please turn over

C

C[1] N [tse:] ⟨~; ~⟩ C (*a.* MUS)
C[2] ABK *für* Celsius C, Celsius, centigrade
ca. ABK *für* circa approx., approximately
Café N [ka'fe:] ⟨~s; ~s⟩ café, cafe
Cafeteria F [kafete'ri:a] ⟨~; ~s⟩ cafeteria
Callcenter N ['kɔ:lsɛntər] ⟨~s; ~⟩ call centre *od US* center
Camcorder M ['kamkɔrdər] ⟨~s; ~⟩ camcorder
campen V/I ['kɛmpən] camp
'Camper(in) M ⟨~s; ~⟩ (F) ⟨~in; ~innen⟩ camper
'Camping- ZSSGN *Ausrüstung, Tisch etc* camping
'Campingbus M camper van, *US* camper **'Campingplatz** M campsite, *US a.* campground
Cardiff-Prozess M ['ka:dɪf-] Cardiff Process
Cartoon M [kar'tu:n] ⟨~(s); ~s⟩ cartoon
Casting N ['ka:stɪŋ] ⟨~(s); ~s⟩ casting
Cateringservice M ['ke:tərɪŋ-] caterer
CD F [tse:'de:] ⟨~; ~s⟩ CD, compact disc
C'D-Brenner M CD writer **C'D-Rohling** M blank CD **CD-ROM** F [tse:de:-'rɔm] ⟨~; ~(s)⟩ CD-ROM **CD-'ROM-Laufwerk** N CD-ROM drive **C'D-Spieler** M CD player
Celsius N ['tsɛlziʊs] **5 Grad ~** five degrees Celsius *od* centigrade
Cent M [(t)sɛnt] ⟨~(s); ~(s) *od mit Anzahl* ~⟩ cent
Champagner M [ʃam'panjər] ⟨~s; ~⟩ champagne
Champignon M ['ʃampɪnjɔŋ] ⟨~s; ~s⟩ mushroom
Chance F ['ʃã:s(ə)] ⟨~; ~n⟩ chance; **die ~n stehen gut** things look hopeful
'Chancengleichheit F equal opportunities *pl*
Chaos N ['ka:ɔs] ⟨~⟩ chaos
Chaot(in) [ka'o:t(ɪn)] M ⟨~en; ~en⟩ (F) ⟨~in; ~innen⟩ chaotic person; POL anarchist
cha'otisch A ADJ chaotic B ADV *verlaufen etc* chaotically
Charakter M [ka'raktər] ⟨~s; -'tere⟩ character; **jemand mit gutem ~** someone of good character
charakteri'sieren V/T ⟨*kein ge*⟩ characterize (**als** as)
Charakte'ristik F ⟨~; ~en⟩ characterization
charakte'ristisch ADJ characteristic (**für** of)
cha'rakterlich A ADJ **~e Stärke** strength of character B ADV **er hat sich ~ verändert** his character has changed
cha'rakterlos A ADJ unprincipled; *schwach* characterless B ADV *handeln etc* without principle **Cha'rakterzug** M trait
Charisma N ['ça:rɪsma] ⟨~s; -'rismen⟩ charisma
charmant [ʃar'mant] A ADJ charming

C

B ADV *lächeln* charmingly
Charme M [ʃarm] ⟨~s⟩ charm
Charta F ['karta] ⟨~; ~s⟩ charter; **~ der Grundrechte** *EU* Charter of Fundamental Rights; **~ der sozialen Grundrechte der Arbeitnehmer** Charter of the Fundamental Social Rights of Workers
Charterflug M ['tʃartər-] charter flight
'Chartermaschine F chartered plane
'chartern V/T charter
Chassis N [ʃa'si:] ⟨~; ~⟩ TECH chassis
Chat M [tʃɛt] ⟨~s; ~s⟩ IT chat
Chatline F ['tʃɛtlain] ⟨~; ~s⟩ IT chat line
Chatroom M ['tʃɛtru:m] ⟨~s; ~s⟩ IT chatroom
chatten V/I ['tʃɛtən] IT chat
Chauffeur(in) [ʃɔ'fø:r(ɪn)] M ⟨~s; ~e⟩ F ⟨~in; ~innen⟩ chauffeur
Chauvi M ['ʃo:vi] ⟨~s; ~s⟩ *pej* male chauvinist (pig)
Chauvi'nismus M ⟨~⟩ chauvinism; POL *a.* jingoism
checken V/T ['tʃɛkən] *umg: überprüfen* check; *verstehen* get*
'Checkliste F checklist
Chef(in) [ʃɛf(ɪn)] M ⟨~s; ~s⟩ F ⟨~in; ~innen⟩ boss; *von Organisation* head
'Chefredakteur(in) M(F) editor-in-chief **'Chefsekretärin** F executive secretary
Chemie F [çe'mi:] ⟨~⟩ chemistry
Che'miefaser F synthetic fibre *od US* fiber
Chemikalien PL [çemi'ka:liən] chemicals *pl*
Chemiker(in) ['çe:mikər(ɪn)] M ⟨~s; ~⟩ F ⟨~in; ~innen⟩ chemist
'chemisch **A** ADJ chemical; **~e Reinigung** dry-cleaning **B** ADV chemically; **etw ~ reinigen lassen** have* sth dry-cleaned
Chemothera'pie F [çemo-] chemotherapy
Chicorée M *od* F ['ʃikore] ⟨~⟩ chicory
Chiffre F ['ʃɪfrə] ⟨~; ~n⟩ code, cipher; *in Anzeigen* box (number)
chif'frieren V/T ⟨*kein ge*⟩ encode
Chile N ['çi:le *od* 'tʃi:le] ⟨~s⟩ Chile
Chilene M [çi'le:nə *od* tʃi'le:nə] ⟨~n; ~n⟩, **Chi'lenin** F ⟨~; ~nen⟩ Chilean
chi'lenisch ADJ Chilean
Chili M ['tʃi:li] ⟨~s⟩ chilli, *US* chili
chillen V/I ['tʃɪlən] *umg* chill (out)
China N ['çi:na] ⟨~s⟩ China
'Chinakohl M Chinese leaves *pl*, *US* bok choy
Chinese M [çi'ne:zə] ⟨~n; ~n⟩ Chinese (man); **er ist ~** he's Chinese; **die ~n** *pl* the Chinese *pl*
Chi'nesin F ⟨~; ~nen⟩ Chinese (woman); **sie ist ~** she's Chinese
chi'nesisch ADJ, **Chi'nesisch** N Chinese; **die Chinesische Mauer** the Great Wall of China; → englisch
Chip M [tʃɪp] ⟨~s; ~s⟩ *Spielmarke*, COMPUT chip; **~s** *pl*; *zum Knabbern* crisps *pl*, *US* chips *pl*
'Chipkarte F smart card
Chirurg(in) [çi'rʊrk (çi'rʊrgɪn)] M ⟨~en; ~en⟩ F ⟨~in; ~innen⟩ surgeon
Chirur'gie F ⟨~⟩ surgery; *Abteilung* surgical unit
chi'rurgisch **A** ADJ surgical; **ein ~er Eingriff** surgery **B** ADV *eingepflanzt* surgically
Chlor N [klo:r] ⟨~s⟩ chlorine
'chloren V/T chlorinate
Cholera F ['ko:lera] ⟨~⟩ cholera
Cholesterin N [kolɛste'ri:n] ⟨~s⟩ cholesterol
Chor M [ko:r] ⟨~(e)s; Chöre⟩ choir (*a.* ARCH); **im ~** in chorus
Choreograf(in) [koreo'gra:f(ɪn)] M ⟨~en; ~en⟩ F ⟨~in; ~innen⟩ choreographer
Choreogra'fie F ⟨~; ~n⟩ choreography
Christ(in) [krɪst(ɪn)] M ⟨~en; ~en⟩ F ⟨~in; ~innen⟩ Christian
'christlich **A** ADJ Christian **B** ADV **~ handeln** act like a Christian; **~ leben** live a Christian life
Chrom N [kro:m] ⟨~s⟩ chrome; CHEM chromium
Chromosom N [kromo'zo:m] ⟨~s; ~en⟩ chromosome
Chronik F ['kro:nɪk] ⟨~; ~en⟩ chronicle
'chronisch ADJ MED chronic (*a. fig*)
chrono'logisch **A** ADJ chronological **B** ADV *sortieren etc* chronologically
circa ADV ['tsɪrka] about, approximately
City F ['sɪti] ⟨~; ~s⟩ (city) centre *od US* center
Clique F ['klɪkə] ⟨~; ~n⟩ group; *pej* clique

Clou M [klu:] ⟨~s; ~s⟩ *Höhepunkt* highlight; **das ist der ~ daran** that's the whole point of it
Club M [klʊp] ⟨~s; ~s⟩ club
Cockpit N ['kɔkpɪt] ⟨~s; ~s⟩ cockpit
Cocktail M ['kɔkte:l] ⟨~s; ~s⟩ cocktail
Code M [ko:t] ⟨~s; ~s⟩ code
codieren V/T [ko'di:rən] ⟨*kein ge*⟩ encode
Cola F ['ko:la] ⟨~s *od mit Anzahl* ~⟩ Coke®, cola
Comeback N [kam'bɛk] ⟨~s; ~s⟩ comeback
Comic M ['kɔmɪk] ⟨~s; ~s⟩ *Comicstrip* cartoon; *Comicheft* comic
Computer M [kɔm'pju:tər] ⟨~s; ~⟩ computer
Com'puterarbeitsplatz M work station **Com'puterausdruck** M ⟨~(e)s; ~e⟩ computer printout **Com'puterbefehl** M computer command **Com'puterfreak** M [-fri:k] ⟨~s; ~s⟩ *umg* computer nerd **com'putergesteuert** ADJ computer-controlled **com'putergestützt** ADJ computer-aided **Com'putergrafik** F computer graphics *pl*
computeri'sieren V/T ⟨*kein ge*⟩ computerize
Com'puterkriminalität F cybercrime **Com'puterspiel** N computer game **Com'putertechnik** F computing, computer technology **Com'putertomografie** F scan **com'puterunterstützt** ADJ computer-aided, computer-assisted **Com'putervirus** N *od* M computer virus
Conférencier M [kõferãn'sie:] ⟨~s; ~s⟩ master of ceremonies, emcee
Container M [kɔn'te:nər] ⟨~s; ~⟩ container; *Müllcontainer* skip
Cotonou-Abkommen N [koto'nu:-] Cotonou Agreement
Couch F [kautʃ] ⟨~; ~(e)s *od* ~en⟩ couch
Countdown M *od* N ['kaunt'daun] ⟨~(s); ~s⟩ countdown
Coupon M [ku'põ:] ⟨~s; ~s⟩ coupon
Cousin M [ku'zɛ̃:] ⟨~s; ~s⟩ cousin
Cousine F [ku'zi:nə] ⟨~; ~n⟩ cousin
Creme F ['kre:m(ə)] ⟨~; ~s⟩ cream
Curry M *od* N ['kœri] ⟨~s; ~s⟩ *Gewürz* curry powder
Cursor M ['kœrsər] ⟨~s; ~s⟩ cursor
Cybercafé N ['saibər-] cybercafé **Cyberspace** M ['saibərspe:s] ⟨~; ~s⟩ cyberspace

D

D N [de:] ⟨~; ~⟩ D (*a.* MUS)
da [da:] **A** ADV *räumlich* there; *hier* here; *zeitlich* then; **~ drüben/draußen/oben** over/out/up there; **von ~ aus** from there; **das Buch ~** that book (there); **~ bin ich** here I am; **~ kommt er** here he comes; **von ~ an** *od* **ab** from then on; **~ fällt mir ein** ... I've just remembered ...; **~ kann man nichts machen** there's nothing you can do **B** KONJ as, since; **~ ich müde bin,** ... as *od* since I'm tired ...; → da sein
'dabehalten V/T ⟨*irr, kein ge*⟩ keep*; **j-n ~** *in Krankenhaus, Schule* keep* sb in
dabei ADV [da'bai] *gleichzeitig* at the same time; *obwohl* although; **~ hatte ich ihn noch gewarnt** and I did warn him (too); **nahe ~** nearby, close by; **~ fällt mir ein,** ... that reminds me, ...; **lassen wir es ~!** let's leave it at that; → dabei sein
da'beibleiben V/I ⟨*irr, s*⟩ *bei e-r Tätigkeit* stick* at it; **ich bleib dabei** *bei Geschichte, Darstellung etc* I'm sticking to it
da'beihaben V/T ⟨*irr*⟩ have* with one; *Geld* have* on one
da'bei sein V/I ⟨*irr, s*⟩ be* there; *teilnehmen* take* part; **ich bin dabei!** count me in; **er ist gerade dabei zu gehen** he's just leaving; **es ist nichts dabei** *leicht* there's nothing to it; *harmlos* there's no harm in it; **was ist schon dabei?** so what?
'dableiben V/I ⟨*irr, s*⟩ stay
Dach N [dax] ⟨~(e)s; Dächer⟩ roof
'Dachboden M attic, loft **'Dachfenster** N dormer window; *Dachluke* skylight **'Dachgepäckträger** M roof rack, *US* roof-top luggage rack **'Dachgeschoss** N attic storey *od US* story **'Dachrinne** F gutter **'Dachver-**

band M WIRTSCH umbrella organization **'Dachwohnung** F attic flat, *US* (converted) loft

Dackel M ['dakəl] ⟨~s; ~⟩ dachshund

dadurch ADV [da'dʊrç] *auf diese Art u. Weise* (in) this way; *deshalb* so; **~, dass** because

dafür ADV [da'fy:r] for it; *stattdessen* instead; *als Gegenleistung* in return; *im Tausch* in exchange; **ich habe viel Zeit ~ gebraucht** it took me a long time; **~ ist er ja da** that's what he is there for, that's his job; **~ sein** be* in favour *od US* favor (of it); **~ sorgen, dass** see* (to it) that

da'fürkönnen V/I ⟨*irr*⟩ **er kann nichts dafür** it's not his fault

dagegen ADV [da'ge:gən] against it; *jedoch* however, on the other hand; *im Vergleich dazu* in comparison; **~ sein** be* against it; **hast du etwas ~, wenn ich ...?** do you mind if I ...?; **wenn du nichts ~ hast** if you don't mind

daheim ADV [da'haim] at home

daher ADV [da'he:r] *räumlich* from there; *deshalb* that's why; **es kommt ~, dass ...** the reason for it is that ...

dahin ADV [da'hɪn] *räumlich* there; *vergangen* gone; **bis ~** *zeitlich* till then, *örtlich* up to there; **bis ~ muss es fertig sein** it must be finished by then

dahinten ADV [da'hɪntən] back there

dahinter ADV [da'hɪntər] behind it

da'hinterkommen V/I ⟨*irr*, s⟩ find* out (about it) **da'hinterstecken** V/I **es steckt nichts dahinter** there's nothing in it

'dalassen V/T ⟨*irr*⟩ leave* behind

'damalig ADJ **der ~e Besitzer** the owner at the time

'damals ADV then, at that time; **seit ~** since then; **~, als** when

Dame F ['da:mə] ⟨~; ~n⟩ lady; *Tanzpartnerin* partner; *Spielkarte, Schachfigur* queen; *Spiel* draughts *sg*, *US* checkers *sg*; **meine ~n und Herren!** ladies and gentlemen!; **Sehr geehrte ~n und Herren** *in Briefen* Dear Sir or Madam

'Damen- ZSSGN ladies'; SPORT *a.* women's

'Damenbekleidung F ladies' wear **'Damenbinde** F sanitary towel *od US* napkin **'Damenfriseur** M ladies' hairdresser; *Geschäft* ladies' hairdresser's **'Damenmode** F ladies' fashions *pl* **'Damentoilette** F ladies' toilet *od US* room, ladies *sg*

damit [da'mɪt] **A** ADV with it; **was willst du ~?** what do you want it for?; **was will er ~ sagen?** what's he trying to say?; **wie steht es ~?** how about it?; **bist du ~ einverstanden?** do you agree to it?; **her ~!** give it here! **B** KONJ so that

Damm M [dam] ⟨~(e)s; Dämme⟩ *Staudamm* dam; *Flussdamm, Bahndamm* embankment

Dämmerung F ['dɛmərʊŋ] ⟨~; ~en⟩ *Abenddämmerung* dusk; *Morgendämmerung* dawn

Dampf M [dampf] ⟨~(e)s; Dämpfe⟩ steam; PHYS vapour, *US* vapor

'Dampfbügeleisen N steam iron

'dampfen V/I steam

dämpfen V/T ['dɛmpfən] *Schall* deaden; *Stimme* muffle; *Licht, Farbe, Schlag* soften; *dünsten* steam; *Kleidungsstück* steam-iron; *Stimmung* put* a damper on; *Kosten* curb

'Dampfer M ⟨~s; ~⟩ steamer, steamship

'Dampferfahrt F steamer trip

'Dampfkochtopf M pressure cooker

'Dampfmaschine F steam engine

'Dampfwalze F steam-roller

danach ADV [da'na:x] after it; *später, anschließend* afterwards; *entsprechend, demgemäß* according to it; **eine Stunde ~** an hour later; **ich fragte ihn ~** I asked him about it; **mir ist nicht ~** *umg* I don't feel like it

Däne M ['dɛ:nə] ⟨~n; ~n⟩ Dane; **er ist ~** he's Danish; **die ~n** *pl* the Danish *pl*, the Danes *pl*

daneben ADV [da'ne:bən] *räumlich* next to it, beside it; *außerdem* in addition, as well as that; *im Vergleich* in comparison; **~!** missed!; **das Zimmer ~** the next room; **das Haus ~** the house next-door; **links/rechts ~** to the left/right of it; → daneben sein

da'nebenbenehmen V/R ⟨*irr, kein ge*⟩ *umg* make* an exhibition of o.s. **da'nebengehen** V/I ⟨*irr*, s⟩ *umg*: *von Schuss* miss; *von Plan* misfire **da'nebenschießen** V/I ⟨*irr*⟩ miss **da'neben sein** V/I ⟨*irr*, s⟩ **die Bemerkung**

war ziemlich daneben *umg* that remark was a bit off

Dänemark N ['dɛːnəmark] ⟨~s⟩ Denmark

'Dänin F ⟨~; ~nen⟩ Dane; **sie ist ~** she's Danish

'dänisch ADJ, **Dänisch** N Danish; → englisch

Dank M ⟨~(e)s⟩ thanks *pl*; **Gott sei ~!** thank God!; **vielen ~!** thank you very much!

dank PRÄP [daŋk] ⟨*dat od gen*⟩ thanks to

'dankbar ADJ grateful (**j-m** to sb; **für** for); *lohnend* rewarding; **ich wäre Ihnen ~, wenn …** I would be grateful if …

'Dankbarkeit F ⟨~⟩ gratitude

'danke INT thank you, thanks; **(nein,) ~** no, thank you; **~ schön** thank you very much

'danken V/I **j-m (für etw) ~** thank sb (for sth); **nichts zu ~** not at all

'Dankschreiben N thank-you letter

dann ADV [dan] then; **~ und wann** (every) now and then; **~ eben nicht** *umg* well, don't then, suit yourself

daran ADV [da'ran] *räumlich* on it; *etw befestigen* to it; *denken* about it; *sterben* of it; *glauben* in it; *leiden* from it; *arbeiten* on it; **~ liegt es(, dass …)** that's why (…)

da'rangehen V/I ⟨*irr*, s⟩ get* down to it; **~, etw zu tun** get* down to doing sth

darauf ADV [da'rauf] *räumlich* on it; *zeitlich* after that; *hören, antworten, trinken* to it; *stolz* of it; *warten* for it; **bald ~** soon after; **am Tag ~** the day after, the next day; **zwei Jahre ~** two years later; **~ kommt es an** that's what matters

darauf'hin ADV *danach* after that; *als Folge* as a result; **etw ~ prüfen, ob …** test sth to see if …

daraus ADV [da'raus] *räumlich, aus Material* from it, out of it; *aus dieser Angelegenheit, lernen, vorlesen* from it; **was ist ~ geworden?** what's become of it?; **~ wird nichts!** *umg* nothing doing!

'Darbietung F ⟨~; ~en⟩ presentation; *Aufführung* performance

darin ADV [da'rɪn] in it; **das Problem liegt ~, dass …** the problem is that …; **~ ist sie gut** she's good at it

darlegen V/T ['daːr-] explain

Darlehen N ['daːrleːən] ⟨~s; ~⟩ loan

Darm M [darm] ⟨~(e)s; Därme⟩ bowels *pl*, intestines *pl*; *von Wurst* skin

'Darmgrippe F gastric flu

darstellen V/T ['daːr-] *in e-m Bild etc* depict, portray; *beschreiben* describe; *bedeuten* represent; *Rolle* play, portray; **etw grafisch ~** show* sth on a graph

'Darsteller M ⟨~s; ~⟩ actor; **der ~ des Faust** the actor playing Faust

'Darstellerin F ⟨~; ~nen⟩ actress; **die ~ der Evita** the actress playing Evita

'Darstellung F ⟨~; ~en⟩ *in e-m Bild etc* depiction, portrayal; *Beschreibung* description; *Bericht* account; *von Rolle* portrayal

darüber ADV [da'ryːbər] *räumlich* above it, over it; *quer* across it; *zeitlich* in the meantime; *inhaltlich* about it; **die Wohnung ~** the flat above *od* upstairs; **~ hinaus** *außerdem* in addition; **10 Euro/Meter oder etwas ~** ten euros/metres or a bit more; **im Alter von 12 Jahren und ~** aged 12 and above; **~ werden Jahre vergehen** that will take years;

da'rüberstehen V/I ⟨*irr*⟩ **da stehst du doch darüber** *umg* you're above all that

darum ADV [da'rʊm] *räumlich* round it; *deshalb* that's why; **~ bitten** ask for it; **~ geht's nicht** that's not the point

darunter ADV [da'rʊntər] *räumlich* under it, underneath; *dazwischen* among them; *einschließlich* including; **10 Euro/Meter oder etwas ~** ten euros/metres or a bit less; **im Alter von 12 Jahren und ~** aged 12 and below; **was verstehst du ~?** what do you understand by that?

das [das] ⟨*dat* dem; *akk* das⟩ **A** ART the; **~ Singen** *etc* singing *etc*; **drei Euro ~ Kilo** three euros a kilo; **sich ~ Bein brechen** break* one's leg **B** DEM PR that one; **~ sind Chinesen** they're Chinese **C** REL PR which, that; *Person* who, that; **das Haus, ~ …** the house which *od* that …; **das Mädchen, ~ …** the girl who *od* that …

'da sein V/I ⟨*irr*, s⟩ be* there; *vorhanden sein* exist; **ist noch Käse da?** is there any cheese left?; **er ist immer noch nicht da** *bei uns* he still isn't here; **das ist noch nie da gewesen** that's unprecedented; **er ist gleich wieder da** he'll be right back

'Dasein N existence

'Daseinsvorsorge F provision of basic services

dass KONJ [das] that; **es ist Jahre her, ~ ich ...** it's years since I ...; **er bedankte sich dafür, ~ wir ihn mitgenommen haben** he thanked us for taking him; **ohne ~ sie es wusste** without her knowing it; **nicht ~ ich wüsste** not that I know of

dasselbe [das'zɛlbə] **A** ADJ the same **B** DEM PR the same one

'dastehen VI ⟨irr⟩ stand* there; **gut ~** *fig* be* in a good position

Datei F [da'tai] ⟨~; ~en⟩ file

Da'teimanager M file manager **Da'teiverwaltung** F file management

Daten PL ['da:tən] *Informationen* data *pl od sg*; *Personalangaben* particulars *pl*

'Datenabgleich M ⟨~(e)s; ~e⟩ data comparison **'Datenautobahn** F information superhighway **'Datenbank** F ⟨*pl* ~en⟩ database, data bank **'Datenhandschuh** M data glove **'Datenleitung** F data line *od* link **'Datensatz** M record **'Datenschutz** M data protection **'Datensicherheit** F data security **'Datenspeicher** M data memory **'Datenträger** M data carrier **'Datentransfer** M data transfer **Datentypistin** F ['da:təntypɪstɪn] ⟨~; ~nen⟩ keyboarder, data typist **'Datenübertragung** F data transfer **'Datenverarbeitung** F data processing

da'tieren VT & VI ⟨*kein ge*⟩ date (**aus** from)

Datum N ['da:tʊm] ⟨~s; Daten⟩ date; **welches ~ haben wir heute?** what's the date today?

Dauer F ['dauər] ⟨~⟩ duration; **für die ~ von** for a period of; **auf die ~** in the long run; **von ~ sein** last

'Dauerarbeitslosigkeit F long-term unemployment **'Dauerauftrag** M standing order **'dauerhaft** ADJ lasting; *Stoff* durable **'Dauerkarte** F season ticket **'Dauerlauf** M jog; *Laufen* jogging; **im ~** at a jog

'dauern VI last; *von Zeitaufwand* take*; **es dauert nicht lange** it won't take long

'Dauerwelle F perm, *US* permanent

Daumen M ['daumən] ⟨~s; ~⟩ thumb; **j-m den ~ drücken** *od* **halten** keep* one's fingers crossed (for sb); **am ~ lutschen** suck one's thumb

Daunen PL ['daunən] down *sg*

'Daunendecke F eiderdown

davon ADV [da'fɔn] *räumlich* (away) from it; *fort* away; *von dieser Sache* of it; *dadurch* by it; *darüber* about it; **kann ich noch etwas ~ haben?** can I have some more?; **etw ~ haben** *umg* get* sth out of it; **das kommt ~!** *umg* that's what you get!

da'vonkommen VI ⟨*irr*, s⟩ escape **da'vonlaufen** VI ⟨*irr*, s⟩ run* away; **(vor) j-m ~** run* away from sb; *von Ehepartner* walk out on sb **da'vonmachen** VR make* off

davor ADV [da'fo:r] *räumlich* in front of it; *zeitlich* beforehand, *vor e-m Zeitpunkt* before it; *sich fürchten, warnen* of it; **e-e Stunde ~** an hour earlier

dazu ADV [da'tsu:] *zu diesem Zweck* for it; *außerdem* in addition; **~ ist es da** that's what it's there for; **... und noch ~ frech** ... and cheeky into the bargain; **möchten Sie einen Salat ~?** would you like some salad with it?; **ich habe keine Lust ~** I don't feel like it; **was sagst du ~?** what do you think about it?

da'zugehören VI ⟨*pperf* dazugehört⟩ belong to it

da'zugehörig ADJ *passend* appropriate; **ein Schloss und die ~en Schlüssel** a lock and the keys belonging to it

da'zukommen VI ⟨*irr*, s⟩ *von Person* join us, them *etc*; *von Sache* be* added; **kommt noch etwas dazu?** is there anything else?; **dazu kommt noch, dass ...** *umg* on top of that ...

dazwischen ADV [da'tsvɪʃən] *räumlich* between them; *zeitlich* in between; *darunter* among them

da'zwischenkommen VI ⟨*irr*, s⟩ *von Ereignis* intervene, happen; **wenn nichts dazwischenkommt** if all goes well

dealen VI ['di:lən] *umg* push drugs

'Dealer(in) M ⟨~s; ~⟩ (F) ⟨~in; ~innen⟩ drug dealer, pusher

Debatte F [de'batə] ⟨~; ~n⟩ debate (**über** on)

debat'tieren VI ⟨*kein ge*⟩ debate (**über etw** sth)

Debüt N [de'by:] ⟨~s; ~s⟩ debut; **sein ~ geben** make* one's debut

dechiffrieren VT [deʃɪ'fri:rən] ⟨*kein ge*⟩ decipher, decode

Deck N [dɛk] ⟨~(e)s; ~s⟩ deck
Decke F ['dɛkə] ⟨~; ~n⟩ *Wolldecke* blanket; *Steppdecke* quilt; *Tischdecke* tablecloth; *Zimmerdecke* ceiling
Deckel M ['dɛkəl] ⟨~s; ~⟩ lid; *von Flasche* top; *von Buch* cover
'decken V/T & V/I cover (*a.* WIRTSCH, ZOOL); SPORT mark; **das Dach ~** *mit Ziegeln* tile the roof; **sich ~** *von Aussagen, Meinungen* correspond (**mit** with); GEOM be* congruent
'Deckung F ⟨~; ~en⟩ *Schutz* cover; *von Stürmer etc* marking; *beim Boxen* guard; **in ~ gehen** take* cover
defekt ADJ [de'fɛkt] faulty, defective
De'fekt M ⟨~(e)s; ~e⟩ fault, defect
defensiv [defɛn'zi:f] **A** ADJ defensive; *Fahrweise* careful **B** ADV defensively; *fahren* carefully
Defen'sive F ⟨~; ~n⟩ defensive; **in der ~** on the defensive
Defizit N ['de:fitsɪt] ⟨~s; ~e⟩ deficit; *Mangel* deficiency (**an** of)
'Defizitverfahren N *EU* excessive deficit procedure
Deflation F [deflatsi'o:n] ⟨~; ~en⟩ WIRTSCH deflation
degradieren V/T [degra'di:rən] ⟨*kein ge*⟩ degrade (*a. fig*)
'dehnbar ADJ flexible, elastic (*a. fig*)
dehnen V/T ['de:nən] stretch; *Vokale* lengthen; **sich ~** *von Kleidung, Schuhen* stretch
Deich M [daiç] ⟨~(e)s; ~e⟩ dyke
dein [dain] **A** ADJ your **B** POSS PR yours; **das ist deiner/deine/dein(e)s** that's yours
Deindustrialisierung F [deʔɪndʊstrialiˈzi:rʊŋ] deindustrialization
'deiner'seits ADV for your part; *von dir* on your part
'deines'gleichen PRON ⟨*inv*⟩ people like you; *pej* the likes of you
'deinet'wegen ADV *für dich* for your sake; *wegen dir* because of you
dekadent ADJ [deka'dɛnt] decadent
Dekolleté N [dekɔl'te:] ⟨~s; ~s⟩ low-cut neckline
Dekorati'on F ⟨~; ~en⟩ decoration; *von Schaufenstern* window dressing; THEAT set
dekora'tiv ADJ decorative
dekorieren V/T [deko'ri:rən] ⟨*kein ge*⟩ decorate; *Schaufenster* dress
Delegation F [delegatsi'o:n] ⟨~; ~en⟩ delegation
dele'gieren V/T ⟨*kein ge*⟩ delegate (**an** to)
Dele'gierte(r) M/F(M) ⟨~n; ~n⟩ delegate
Delikatesse F [delika'tɛsə] ⟨~; ~n⟩ delicacy (*a. fig*)
Delika'tessenladen M delicatessen
Delle F ['dɛlə] ⟨~; ~n⟩ dent
dem [de:m] **A** ART the; *geben etc* to the; **mit ~ Lehrer** with the teacher; **von ~ Lehrer halte ich nichts** I don't think much of that teacher **B** DEM PR to him; *nach präp* him; *Sache* to that one; *nach präp* that one; **wie ~ auch sei** be that as it may; **~ ist nichts hinzuzufügen** there's nothing to be added to that **C** REL PR *Person* who *od* that … to; *förmlich* to whom; *nach präp* who; *förmlich* whom; **der Mann, ~ ich es gegeben habe** the man (who) I gave it to; **der Junge, ~ ich begegnet bin** the boy (who) I met; **der Junge, mit ~ ich gespielt habe** the boy I played with; *Sache* to which; *nach präp* which; **das Auto, ~ ich hinterhergelaufen bin** the car (which) I chased; **das Problem, mit ~ ich nicht zurechtgekommen bin** the problem I couldn't deal with
Dementi N [de'mɛnti] ⟨~s; ~s⟩ (official) denial
demen'tieren V/T ⟨*kein ge*⟩ deny (officially)
'dementsprechend ADV, **'demgemäß** ADV accordingly
'dem'nach ADV therefore
'dem'nächst ADV soon, shortly
Demo F ['de:mo] ⟨~; ~s⟩ *umg* demo
Demokrat(in) [demo'kra:t(ɪn)] M ⟨~en; ~en⟩ (F) ⟨~in; ~innen⟩ democrat
Demokra'tie F ⟨~; ~n⟩ democracy
Demokra'tiedefizit N democratic deficit
demo'kratisch **A** ADJ democratic **B** ADV *gewählt etc* democratically
demolieren V/T [demo'li:rən] ⟨*kein ge*⟩ wreck
Demonstrant(in) [demɔns'trant(ɪn)] M ⟨~en; ~en⟩ (F) ⟨~in; ~innen⟩ demonstrator
Demonstrati'on F ⟨~; ~en⟩ demonstration

demons'trieren V/T & V/I ⟨*kein ge*⟩ demonstrate
demontieren V/T [demɔn'ti:rən] ⟨*kein ge*⟩ dismantle
demoralisieren V/T [demorali'zi:rən] ⟨*kein ge*⟩ demoralize
Demoskopie F [demosko'pi:] ⟨~; ~n⟩ public opinion research
den [de:n] **A** ART the; *dat pl* to the; *nach* PRÄP the; **sich ~ Arm brechen** break* one's arm **B** DEM PR him; *Sache* that one **C** REL PR *Person* whom; *förmlich* to whom; *Sache* which; **der Junge, ~ ich gesehen habe** the boy (who *od* that) I saw; **der Berg, auf ~ wir gestiegen sind** the mountain (which *od* that) we climbed
denen ['de:nən] **A** DEM PR (to) them; *nach* PRÄP them **B** REL PR *Person* who … to; *förmlich* to whom; *nach* PRÄP who; *förmlich* whom; *Sache* which … to; *förmlich* to which; *nach* PRÄP which; **die Kinder, mit ~ wir gespielt haben, …** the children (who) we played with …
Den Haag N [den'ha:k] ⟨~s⟩ The Hague
'Denkanstoß M **j-m e-n ~ geben** give* sb food for thought
'denkbar **A** ADJ conceivable **B** ADV *einfach etc* extremely; **das ~ beste Resultat** the best possible result
denken V/T & V/I ['dɛŋkən] ⟨dachte, gedacht⟩ think* (**über** about); **~ an** think* of; *überlegen, planen* think* about; *nicht vergessen* remember
'Denkmal N ⟨~(e)s; Denkmäler⟩ monument; *Ehrenmal* memorial **'Denkmalschutz** M **unter ~ stehen** be* listed **'Denkweise** F way of thinking **'denkwürdig** ADJ memorable **'Denkzettel** M *fig* lesson; **j-m e-n ~ geben** teach* sb a lesson
denn [dɛn] **A** KONJ *weil* because; **mehr ~ je** more than ever **B** ADV then; **was ist ~?** what is it?; **es sei ~(, dass)** unless
dennoch ADV ['dɛnɔx] still, nevertheless
Denunziant(in) [denʊn'tsiant(ın)] M ⟨~en; ~en⟩ (F) ⟨~in; ~innen⟩ informer
denun'zieren V/T ⟨*kein ge*⟩ inform on *od* against
Deodorant N [deʔodo'rant] ⟨~s; ~s *od* ~e⟩ deodorant
deplatziert ADJ [depla'tsi:rt] out of place
Deponie F [depo'ni:] ⟨~; ~n⟩ dump
depo'nieren V/T ⟨*kein ge*⟩ deposit
Depot N [de'po:] ⟨~s; ~s⟩ depot (*a.* MIL); *schweiz: Pfand* deposit
Depression F [deprɛsi'o:n] ⟨~; ~en⟩ depression (*a.* WIRTSCH)
depres'siv ADJ depressed; MED depressive
deprimieren V/T [depri'mi:rən] ⟨*kein ge*⟩ depress
depri'miert ADJ depressed
der [de:r] **A** ART the; *dat* to the; *nach präp* the; *gen* of the; **die Tochter ~ Friseurin** the hairdresser's daughter **B** DEM PR he; *Sache* that one; **~ mit der Brille** the one with the glasses **C** REL PR *Person* who *od* that … to; *förmlich* to whom; *nach präp* who; *förmlich* whom; **die Frau, ~ ich es gegeben habe** the woman (who) I gave it to; **die Frau, ~ wir begegnet sind** the woman (who) we met; *Sache* which, that; *dat* to which; *nach* PRÄP which; **die Kette, mit ~ sie gespielt hat** the necklace (which) she was playing with
derart ADV ['de:r'ʔa:rt] so much
'derartig **A** ADV so; *so viel* so much; *in solcher Weise* in such a way; **ein ~ umfangreiches Thema** such a wide-ranging subject **B** ADJ **ein ~er Fehler** *etc* a mistake *etc* like that, such a mistake *etc*
derb [dɛrp] **A** ADJ coarse; *strapazierfähig* tough **B** ADV **j-n ~ am Arm packen** grab sb roughly by the arm
deren ['de:rən] **A** PRON *Person* her; *Sache* its; *pl* their; **meine Freundin und ~ Schwester** my friend and her sister **B** REL PR *Person* whose; *Sache* of which; **die Tasche, ~ Griff kaputt war** the bag which had a broken handle
der'gleichen DEM PR **nichts ~** nothing of the kind; **und ~** and the like
derjenige DEM PR ['de:rje:nıgə] the one
Dermatologe M [dɛrmato'lo:gə] ⟨~n; ~n⟩, **Dermato'login** F ⟨~; ~nen⟩ dermatologist
derselbe [de:r'zɛlbə] **A** ADJ the same **B** DEM PR the same one; *Person* the same person
'der'zeit ADV at the moment
des ART [dɛs] of the; **das Haus ~ Lehrers** the teacher's house
Deserteur(in) [dezɛr'tø:r(ın)] M ⟨~s; ~e⟩ (F) ⟨~in; ~innen⟩ deserter
deser'tieren V/I ⟨*kein ge*, s⟩ desert

'deshalb ADV therefore; **~, weil** because
Design N [di'zain] ⟨~s; ~s⟩ design
Designer(in) [di'zainər(ɪn)] M ⟨~s; ~⟩ (F) ⟨~in; ~innen⟩ designer
De'signerkleidung F designer clothes *pl*
Desinfektionsmittel N [dɛsʔɪnfɛkti'o:ns-] disinfectant
desinfi'zieren V/T ⟨*kein ge*⟩ disinfect
Desinteresse N ['dɛsʔɪntərɛsə] lack of interest
desinteres'siert ADJ uninterested
Desktop-Computer M ['dɛsktɔp-] desktop
dessen ['dɛsən] **A** DEM PR his; *Sache* its; **mein Freund und ~ Schwester** my friend and his sister **B** PRON **ich bin mir ~ bewusst** I'm aware of that **C** RFL PR *Person* whose; *Sache* of which; **das Fahrrad, ~ Licht kaputt war** the bicycle which had a broken light
destillieren V/T [dɛstɪ'li:rən] ⟨*kein ge*⟩ distil, *US* distill
desto KONJ ['dɛsto] **je …, ~ …** the … the …; **je eher, ~ besser** the sooner the better
'deswegen ADV therefore; **~, weil** because
Detail N [de'ta:j] ⟨~s; ~s⟩ detail; **im/ins ~** in/into detail
detail'liert ADJ detailed
Detektiv(in) [detɛk'ti:f (-vɪn)] M ⟨~s; ~e⟩ (F) ⟨~in; ~innen⟩ detective
deuten ['dɔytən] **A** V/T interpret **B** V/I **~ auf** point at; *fig* point to
'deutlich **A** ADJ clear **B** ADV *besser etc* clearly; **muss ich ~ werden?** do I have to spell it out?
deutsch [dɔytʃ] **A** ADJ German **B** ADV in German; **~ sprechen** speak* German
Deutsch N ⟨~(s)⟩ German; **im ~en** in German; **auf ~** in German; **ins ~e** into German; **was heißt das auf ~?** what's that in German?, how do you say that in German?
'Deutsche(r) M/F(M) ⟨~n; ~n⟩ German
'Deutschland N ⟨~s⟩ Germany
Devise F [de'vi:zə] ⟨~; ~n⟩ motto
De'visen PL WIRTSCH foreign currency *sg*
De'visenkontrolle F (foreign) exchange control **De'visenkurs** M exchange rate **De'visenmakler(in)** M(F) (foreign) exchange broker
Dezember M [de'tsɛmbər] ⟨~(s); ~⟩ December
dezent [de'tsɛnt] **A** ADJ *taktvoll* discreet; *Kleidung, Musik* tasteful; *Farbe, Licht* soft **B** ADV *taktvoll* discreetly; *gekleidet etc* tastefully
Dezentralisierung F [detsɛntrali'zi:rʊŋ] ⟨~; ~en⟩ decentralization
Dezimal- ZSSGN [detsi'ma:l-] *Bruch, System etc* decimal
Dezi'malstelle F decimal place **Dezi'malzahl** F decimal
d. h. ABK *für* das heißt i. e., that is
Dia N ['di:a] ⟨~s; ~s⟩ slide
Diabetes M [dia'be:tɛs] ⟨~⟩ diabetes
Dia'betiker(in) M ⟨~s; ~⟩ (F) ⟨~in; ~innen⟩ diabetic
Diagnose F [dia'gno:zə] ⟨~; ~n⟩ diagnosis (*a. fig*); **e-e ~ stellen** make* a diagnosis
diagonal [diago'na:l] **A** ADJ diagonal **B** ADV **etw ~ lesen** skim through sth
Diago'nale F ⟨~; ~n⟩ diagonal
Diagramm N [dia'gram] ⟨~s; ~e⟩ graph
Dialekt M [dia'lɛkt] ⟨~(e)s; ~e⟩ dialect
Dialog M [dia'lo:k] ⟨~(e)s; ~e⟩ dialogue (*a. fig*)
Diamant M [dia'mant] ⟨~en; ~en⟩ diamond
'Diaprojektor M slide projector
Diät F [di'ɛ:t] ⟨~; ~en⟩ diet; **e-e ~ machen** be* on a diet; *anfangen* go* on a diet
Di'äten PL PARL allowance *sg*
dich PERS PR [dɪç] ⟨*akk von* du⟩ you; **~ (selbst)** yourself; **reg ~ nicht auf** don't get upset
dicht [dɪçt] **A** ADJ *Wald* dense; *Nebel, Rauch, Haar* thick; *Verkehr* heavy; *geschlossen* closed, shut; *wasserdicht* watertight; *luftdicht* airtight **B** ADV **~ an** *od* **bei** close to; **~ bevölkert** densely populated
'dichten **A** V/T *Gedicht* write* **B** V/I *Gedichte schreiben* write* poetry
'Dichter(in) M ⟨~s; ~⟩ (F) ⟨~in; ~innen⟩ poet; *Schriftsteller* writer
'Dichtung[1] F ⟨~; ~en⟩ poetry; *Gedicht* poem
'Dichtung[2] F ⟨~; ~en⟩ *zum Abdichten* seal; *Dichtungsring* washer

dick ADJ [dɪk] thick; *Person* fat; *geschwollen* swollen; **es macht ~** it's fattening
'Dicke F ⟨~⟩ thickness; *von Person* fatness
'Dicke(r) M/F(M) ⟨~n; ~n⟩ *umg: dicker Mensch* fatty, fatso
'dickflüssig ADJ thick; TECH viscous **'Dickkopf** M stubborn *od* pig-headed person **'Dickmilch** F soured milk
die [diː] **A** ART the; **putz dir ~ Zähne** clean your teeth **B** DEM PR *Person* she; *Sache* that one; **~ mit der Brille** the one with the glasses **C** REL PR *Person* who, that; *Sache* which, that; **die, ~ zu spät gekommen ist** the one who *od* that came too late; **eine Sache, ~ nie aufgeklärt wurde** something which *od* that has never been cleared up
Dieb(in) [diːp ('diːbɪn)] M ⟨~(e)s; ~e⟩ (F) ⟨~in; ~innen⟩ thief
Diebstahl M ['diːpʃtaːl] ⟨~(e)s; Diebstähle⟩ theft
'Diebstahlversicherung F theft insurance
diejenige DEM PR ['diːjeːnɪgə] the one; **~n** *pl* those, the ones *pl*
Diele F ['diːlə] ⟨~; ~n⟩ *Brett* floorboard; *Vorraum* hall, hallway
dienen V/I ['diːnən] serve (**j-m** sb; **als** as); **j-m ~** *nützlich sein* be* of use to sb; **etw ~** *Gesundheit etc* promote sth
'Diener M ⟨~s; ~⟩ *Verbeugung* bow; **e-n ~ (vor j-m) machen** bow (to sb)
'Diener(in) M ⟨~s; ~⟩ (F) ⟨~in; ~innen⟩ servant (*a. fig*)
Dienst M [diːnst] ⟨~(e)s; ~e⟩ service; *Arbeit* work; **zum ~ gehen** go* to work; **~ haben** be* on duty; **im/außer ~** on/off duty
Dienstag M ['diːnstaːk] Tuesday
'dienstags ADV on Tuesdays
'Dienstalter N length of service **'dienstbereit** ADJ **~ sein** be* on duty; *Apotheke* be* open **'diensteifrig** ADJ eager; *pej* over-eager **'diensteintegrierend** ADJ **~es digitales Netz** integrated services digital network **'Dienstgrad** M rank **'diensthabend** ADJ **der ~e Arzt** the doctor on duty **'Dienstleistung** F service **'Dienstleistungsbereich** M service sector **'Dienstleistungsbranche** F service industry **'Dienstleistungsgewerbe** N service industries *pl* **'Dienstleistungsrichtlinie** F *der EU* Services Directive **'Dienstleistungssektor** M service sector **'Dienstleistungsunternehmen** N service enterprise
'dienstlich **A** ADJ business *attr*; *Befehl* official **B** ADV **~ unterwegs sein** be* away on business
'Dienstmädchen N maid **'Dienstreise** F business trip **'Dienststelle** F *Behörde* department **'Dienststunden** PL office hours *pl* **'diensttuend** ADJ on duty **'Dienstwagen** M company car **'Dienstweg** M **den ~ einhalten** *od* **gehen** go* through the official channels
dies(er, -e, -es) DEM PR [diːs, 'diːzə] this; *alleinstehend* this one; **diese** *pl* these *pl*
Diesel M ['diːzəl] ⟨~s; ~⟩ diesel
dieselbe [di'zɛlbə] **A** ADJ the same **B** DEM PR *Sache* the same one; *Person* the same person; **~n** *pl*; *Sachen* the same ones *pl*; *Leute* the same people *pl*
diesig ADJ ['diːzɪç] hazy, misty
'diesjährig ADJ **der ~e Filmpreis** *etc* this year's film award *etc*
'diesmal ADV this time
'diesseits PRÄP ⟨*gen*⟩ on this side of
Dietrich M ['diːtrɪç] ⟨~s; ~e⟩ skeleton key
Differenz F [dɪfə'rɛnts] ⟨~; ~en⟩ difference; **~en** *pl*; *Meinungsverschiedenheiten* differences *pl* of opinion, disagreements *pl*
differen'zieren V/I ⟨*kein ge*⟩ make* a distinction (**zwischen** between)
Digital- ZSSGN [digi'taːl-] *Anzeige, Uhr etc* digital **Digi'talfernsehen** N digital television *od* TV **Digi'talkamera** F digital camera **Digi'talzeitalter** N digital age
Diktator(in) [dɪk'taːtɔr (-ta'toːrɪn)] M ⟨~s; ~en⟩ (F) ⟨~in; ~innen⟩ dictator
dikta'torisch ADJ dictatorial
Dikta'tur F ⟨~; ~en⟩ dictatorship
diktieren V/T & V/I [dɪk'tiːrən] ⟨*kein ge*⟩ dictate (*a. fig*)
Dik'tiergerät N Dictaphone®
Dilemma N [di'lɛma] ⟨~s; ~s *od* ~ta⟩ dilemma
Dilettant(in) [dilɛ'tant(ɪn)] M ⟨~en; ~en⟩ (F) ⟨~in; ~innen⟩ amateur

dilet'tantisch ADJ amateurish
Dimension F [dimɛnzi'o:n] ⟨~; ~en⟩ dimension (*a. fig*)
Dimmer M ['dɪmər] ⟨~s; ~⟩ dimmer switch
DIN® [di:n] ABK *für* Deutsche Industrie-Norm(en) DIN®, German Industry Standard
DIN-A4 N [di:n?a:'fi:r] ⟨~⟩ A4
Ding N [dɪŋ] ⟨~(e)s; ~e⟩ thing; **guter ~e sein** be* in good spirits; **vor allen ~en** above all; **ein ~ drehen** *umg* do* a job
Dings(bums) N ['dɪŋgs(bʊms)] ⟨~; ~⟩, **Dingsda** N ['dɪŋsda:] ⟨~⟩ *umg* thingamajig, whatsit
Dinkel M ['dɪŋkəl] ⟨~s⟩ BOT spelt
Dino'saurier M [dino-] dinosaur
Dioxid N ['di:?ɔksi:t] ⟨~s; ~e⟩ dioxide (*a. zssgn*)
Dioxin N [diɔ'ksi:n] ⟨~s; ~e⟩ dioxin
Diphtherie F [dɪfte'ri:] ⟨~⟩ diphtheria
Diplom N [di'plo:m] ⟨~s; ~e⟩ diploma, degree
Di'plom- ZSSGN *Ingenieur etc* qualified
Diplomat(in) [diplo'ma:t(ɪn)] M ⟨~en; ~en⟩ (F) ⟨~in; ~innen⟩ diplomat
Diplo'matenkoffer M attaché case
Diplomatie F [diploma'ti:] ⟨~⟩ diplomacy
diplo'matisch **A** ADJ diplomatic (*a. fig*) **B** ADV *antworten etc* diplomatically
dir PERS PR [di:r] ⟨*dat von* du⟩ (to) you; *nach* PRÄP you; **er hat es ~ gegeben** he gave it (to) you, he gave you it; **du musst ~ die Haare kämmen** you must comb your hair; **ein Freund von ~** a friend of yours
direkt [di'rɛkt] **A** ADJ direct; *live* live **B** ADV *geradewegs* direct; *nach, vor, gegenüber etc* right, directly; *live* live
Di'rektflug M direct flight
Direkti'on F ⟨~; ~en⟩ management
Direktor M [di'rɛktɔr] ⟨~s; ~en⟩ *von Schule* headmaster, *US* principal; *von Firma, Abteilung* manager; *von Museum* director
Direktorin F [dirɛk'to:rɪn] ⟨~; ~nen⟩ *von Schule* headmistress, *US* principal; *von Firma, Abteilung* manager(ess); *von Museum* director
Di'rektübertragung F live broadcast
Di'rektverkauf M direct selling **Di'rektwerbung** F direct advertising
'Disco F ⟨~; ~s⟩ disco
Diskette F [dɪs'kɛtə] ⟨~; ~n⟩ floppy (disk), diskette
Dis'kettenlaufwerk N disk drive
Disko F ['dɪsko:] ⟨~; ~s⟩ disco
Diskont M [dɪs'kɔnt] ⟨~s; ~e⟩ WIRTSCH discount
Dis'kontsatz M discount rate
Diskothek F [dɪsko'te:k] ⟨~; ~en⟩ discotheque
Diskrepanz F [dɪskre'pants] ⟨~; ~en⟩ discrepancy
diskret [dɪs'kre:t] **A** ADJ discreet **B** ADV *schweigen etc* discreetly
Diskreti'on F ⟨~⟩ discretion
diskriminieren V/T [dɪskrimi'ni:rən] ⟨*kein ge*⟩ *benachteiligen* discriminate against
Diskrimi'nierung F ⟨~; ~en⟩ discrimination (**von** against)
Diskrimi'nierungsverbot N non-discrimination principle
Diskussion F [dɪskʊsi'o:n] ⟨~; ~en⟩ discussion
Diskussi'onsleiter(in) M(F) discussion leader
diskutieren V/T & V/I [dɪsku'ti:rən] ⟨*kein ge*⟩ discuss; **~ über** discuss
Disqualifikati'on F disqualification (**wegen** for)
disqualifi'zieren V/T ⟨*kein ge*⟩ disqualify (**wegen** for)
Distanz F [dɪs'tants] ⟨~; ~en⟩ distance (*a. fig*); **zu j-m auf ~ gehen/bleiben** distance o.s./keep* one's distance from sb
distan'zieren V/R ⟨*kein ge*⟩ **sich ~ von** distance o.s. from
Distrikt M [dɪs'trɪkt] ⟨~(e)s; ~e⟩ district
Disziplin F [dɪstsi'pli:n] ⟨~; ~en⟩ discipline; *Sportart a.* event
diszipli'niert **A** ADJ disciplined **B** ADV *arbeiten etc* in a disciplined way
diverse ADJ [di'vɛrzə] various; *mehrere* several
Diversifizierung F [divɛrzifi'tsi:rʊŋ] ⟨~; ~en⟩ diversification
Dividende F [divi'dɛndə] ⟨~; ~n⟩ WIRTSCH dividend
divi'dieren V/T ⟨*kein ge*⟩ divide (**durch** by)
Divisi'on F ⟨~; ~en⟩ MATH, MIL division
DJ M ['di:dʒe] ⟨~(s); ~s⟩ deejay, disc jock-

ey
doch [dɔx] **A** KONJ but, yet **B** ADV **kommst du nicht mit? – ~!** aren't you coming? – yes(, I am)!; **ich war es nicht – ~!** I didn't do it – yes, you did! *od US a.* you did too!; **er kam also ~?** so he did come after all?; **du kommst ~?** you're coming, aren't you?; **komm ~ herein!** do come in!; **wenn ~ ...!** *wünschend* if only ...!

Dock N [dɔk] ⟨~s; ~s⟩ dock
dogmatisch ADJ [dɔ'gma:tɪʃ] dogmatic
Doktor M ['dɔktɔr] ⟨~s; Dok'toren⟩ doctor; *Grad* doctorate
'Doktorarbeit F doctoral thesis
Dokument N [doku'mɛnt] ⟨~(e)s; ~e⟩ document
Dokumen'tarfilm M documentary
Dollar M ['dɔlar] ⟨~(s); ~s *od mit Betrag* ~⟩ dollar
dolmetschen V/I ['dɔlmɛtʃən] interpret
'Dolmetscher(in) M ⟨~s; ~⟩ Ⓕ ⟨~in; ~innen⟩ interpreter
Dom M [do:m] ⟨~(e)s; ~e⟩ cathedral
dominierend ADJ [domi'ni:rənt] (pre)-dominant
Donau F ['do:nau] ⟨~⟩ Danube
Dönerbude F ['dø:nər-] doner kebab shop
Donner M ['dɔnər] ⟨~s; ~⟩ thunder
'donnern V/I thunder (*a. fig*); ⟨s⟩ **gegen e-e Mauer ~** smash into a wall
'Donnerstag M Thursday
'donnerstags ADV on Thursdays
doof ADJ [do:f] *umg* stupid, *US a.* dumb
Doppel N ['dɔpəl] ⟨~s; ~⟩ duplicate; SPORT doubles *pl*
'Doppel- ZSSGN *Agent, Bett, Kinn etc* double
'Doppelbesteuerung F double taxation **'Doppelbesteuerungsabkommen** N Convention for the Avoidance of Double Taxation **'Doppelbett** N double bed **'Doppeldecker** M ⟨~s; ~⟩ *Flugzeug* biplane; *Bus* double-decker (bus) **'Doppelgänger(in)** [-gɛŋər(ɪn)] M ⟨~s; ~⟩ Ⓕ ⟨~in; ~innen⟩ double, look-alike **'Doppelhaus** N pair of semidetached houses, *US a.* duplex **'Doppelhaushälfte** F semidetached (house), *Br umg a.* semi **'Doppelklick** M ⟨~s; ~s⟩ double click **'Doppelstecker** M two-way adapter
'doppelt **A** ADJ double; **die ~e Menge** twice *od* double the amount; **~e Mehrheit** POL double majority **B** ADV **~ so viel/alt** *etc* twice as much/old (**wie** as); **etw ~ haben** have* two of something
'Doppelverdiener M ⟨~s; ~⟩ *Person* person with two incomes; *Paar* double-income family **'Doppelwährungsphase** F dual currency phase **'Doppelzimmer** N double room
Dorf N [dɔrf] ⟨~(e)s; Dörfer⟩ village
'Dorfbewohner(in) M(F) villager
dort ADV [dɔrt] there; **~ drüben** over there
'dort'her ADV from there
'dort'hin ADV there; **bis ~** as far as there
'dortig ADJ **die ~en Verhältnisse** *etc* the conditions *etc* there
Dose F ['do:zə] ⟨~; ~n⟩ box; *Zuckerdose* bowl; *Konservendose* can, *Br a.* tin; *Bierdose* can; **Karotten aus der ~** canned *od Br a.* tinned carrots
'Dosen- ZSSGN canned, *Br a.* tinned
'Dosenbier N canned beer **'Dosenfleisch** N tinned *od US* canned meat **'Dosenfutter** N *für Tiere* tinned *od US* canned pet food **'Dosenmilch** F condensed milk **'Dosenöffner** M can opener, *Br a.* tin opener
Dosieraerosol N [do'zi:raeroszo:l] ⟨~s; ~e⟩ metered dose inhaler
Dosierung F [do'zi:rʊŋ] ⟨~; ~en⟩ dosage
Dosis F ['do:zɪs] ⟨~; Dosen⟩ dose (*a. fig*)
Dotter M *od* N ['dɔtər] ⟨~s; ~⟩ yolk
Double N ['du:bəl] ⟨~s; ~s⟩ double
downloaden V/T ['daunlo:dən] download
Dozent(in) [do'tsɛnt(ɪn)] M ⟨~en; ~en⟩ Ⓕ ⟨~in; ~innen⟩ (university) lecturer, *US* assistant professor
Dr. ABK *für* Doktor Dr., Doctor
Drache M ['draxə] ⟨~n; ~n⟩ dragon
'Drachen M ⟨~s; ~⟩ kite; *Fluggerät* hang glider; **e-n ~ steigen lassen** fly* a kite
'Drachenfliegen N hang gliding
Draht M [dra:t] ⟨~(e)s; Drähte⟩ wire; **auf ~ sein** *umg* be* on the ball
'drahtlos ADJ wireless; *Telefon* cordless **'Drahtseil** N TECH cable; *im Zirkus* tightrope **'Drahtseilbahn** F cable railway **'Drahtzieher(in)** M ⟨~s; ~⟩

(F) ⟨~in; ~innen⟩ *fig umg* stringpuller, *US a.* wirepuller
Drama N ['dra:ma] ⟨~s; -men⟩ drama (*a. fig*)
dra'matisch ADJ dramatic (*a. fig*)
dran ADV [dran] **du bist ~** *umg: an der Reihe* it's your turn; *umg: büßen müssen* you're in for it; **da ist nichts ~** *umg: an dem Gerücht* there's nothing in it
Drang M [draŋ] ⟨~(e)s⟩ urge (**nach** for)
drängeln V/T & V/I ['drɛŋəln] push; **j-n ~, etw zu tun** pester sb to do sth
drängen V/T & V/I ['drɛŋən] push; **j-n (dazu) ~, etw zu tun** urge *od* pressure sb to do sth; **sich ~** push; *von Menschenmenge* crowd; *von Zeit* be* pressing
'drankommen V/I ⟨*irr*, s⟩ *umg: von Person* have* one's turn; *umg: von Schüler* be* picked on; **wer kommt dran?** whose turn is it?, who's next?; **als Erster ~** be* first
drastisch ['drastɪʃ] **A** ADJ drastic; *anschaulich* graphic **B** ADV *verändern etc* drastically; *anschaulich* graphically
drauf ADV [drauf] **~ und dran sein, etw zu tun** *umg* be* just about to do sth; → drauf sein
'Draufgänger(in) [-gɛŋər(ɪn)] M ⟨~s; ~⟩ (F) ⟨~in; ~innen⟩ daredevil
'drauf sein V/I ⟨*irr*, s⟩ **heute bin ich nicht so gut drauf** *umg* I'm not feeling so good today; **schlecht ~** *umg: schlechte Laune haben* be* in a bad mood
draußen ADV ['drausən] outside; **nach ~** outside; **da ~** out there; **bleib(t) ~!** keep out!
Dreck M [drɛk] ⟨~(e)s⟩ *umg* dirt, *stärker* filth (*a. fig: Obszönitäten*); *Schlamm* mud; *fig: Schund* trash; **das geht dich einen ~ an!** it's none of your damn business!
'dreckig ADJ *umg* dirty; *stärker* filthy (*beide a. fig*); **sich ~ machen** get* dirty; **ihm geht es ~** *umg* he's in a bad way
'Dreharbeiten PL shooting *sg* **'Drehbank** F ⟨*pl* Drehbänke⟩ lathe **'drehbar** ADJ revolving, rotating **'Drehbuch** N screenplay, script **'Drehbuchautor(in)** M(F) scriptwriter
drehen V/T ['dre:ən] turn; *Film* shoot*; *Zigarette* roll; **sich ~** turn; *schnell* spin*; **sich ~ um** *fig* be* about
'Drehkreuz N turnstile **'Drehort** M location **'Drehstuhl** M swivel chair
'Drehtür F revolving door
'Drehung F ⟨~; ~en⟩ turn; *um e-e Achse* rotation
'Drehzahl F (number of) revolutions *pl od* revs *pl* **'Drehzahlmesser** M rev counter
drei ADJ [drai] three
Drei F ⟨~; ~en⟩ three; *Note etwa* C
'dreibeinig ADJ three-legged **'Dreibettzimmer** N room with three beds
'dreidimensional **A** ADJ three-dimensional **B** ADV *darstellen* three-dimensionally **'Dreieck** N ⟨~(e)s; ~e⟩ triangle **'dreieckig** ADJ triangular **'dreier'lei** ADJ ⟨*inv*⟩ three different **'dreifach** **A** ADJ threefold; **die ~e Menge** three times the amount, triple the amount **B** ADV threefold, three times
'Dreigang- ZSSGN three-speed **'dreimal** ADV three times **'Dreisatz** M MATH rule of three **Drei-'Säulen-Modell** N *der EU* three pillar model
dreißig ADJ ['draisɪç] thirty
dreist ADJ [draist] impertinent; *Lüge* brazen
'dreizehn ADJ thirteen
'dreizehnte(r, -s) ADJ thirteenth
Dressman M ['drɛsmən] ⟨~s; -men [-mən]⟩ male model
Drillinge PL ['drɪlɪŋə] triplets *pl*
drin ADV [drɪn] **das ist nicht ~!** *fig umg* no way!
dringen V/I ['drɪŋən] ⟨drang, gedrungen⟩ **~ auf** insist on; ⟨s⟩ **~ aus** *von Geräusch* come* from; ⟨s⟩ **~ durch** penetrate; *von Wasser* leak through; ⟨s⟩ **~ in** penetrate into; *von Wasser* leak into; **darauf ~, dass** insist that
'dringend **A** ADJ urgent; *Verdacht, Rat, Grund* strong **B** ADV urgently; *empfehlen* strongly
'Dringlichkeit F ⟨~⟩ urgency
drinnen ADV ['drɪnən] *umg* inside; **nach ~** inside; **da ~** in there
dritt ADV [drɪt] **wir sind zu ~** there are three of us
'Dritte(r) M/F(M) ⟨~n; ~n⟩ third
'dritte(r, -s) ADJ third
Drittel N ['drɪtəl] ⟨~s; ~⟩ third
drittens ADV third(ly)
Dritte 'Welt F **die ~** the Third World
Dritte-'Welt-Laden M Third World shop

D

'Drittländer PL POL third countries *pl*; *aus EU-Sicht* non-member states *pl* **'Drittstaat** M third country; *aus EU-Sicht* non-member state **'Drittstaatsangehörige(r)** M/F(M) ⟨~n; ~n⟩ third-country national; *aus EU-Sicht* national of a non-member state

Droge F ['dro:gə] ⟨~; ~n⟩ drug

'drogenabhängig ADJ **~ sein** be* a drug addict **'Drogenabhängige(r)** M/F(M) ⟨~n; ~n⟩ drug addict **'Drogenabhängigkeit** F drug addiction **'Drogenbekämpfung** F fight against drugs **'Drogenberatungsstelle** F drugs advice centre *od US* center **'Drogenhandel** M drug trafficking **'Drogenhändler(in)** M(F) drug trafficker *od* dealer **'Drogenkonsum** M drugs use **'Drogenmissbrauch** M drug abuse **'drogensüchtig** ADJ **~ sein** be* a drug addict **'Drogensüchtige(r)** M/F(M) ⟨~n; ~n⟩ drug addict **'Drogenszene** F drug scene **'Drogentote(r)** M/F(M) ⟨~n; ~n⟩ *Fall* drug-related death

Drogerie F [drogə'ri:] ⟨~; ~n⟩ chemist's (shop), *US* drugstore

'Drohbrief M threatening letter

drohen VI ['dro:ən] threaten; **damit ~, etw zu tun** threaten to do sth

dröhnen VI ['drø:nən] *von Motor* roar; *von Stimme* drone

'Drohung F ⟨~; ~en⟩ threat (**gegen** to)

drosseln VT ['drɔsəln] TECH throttle; *fig: reduzieren* reduce; *Heizung* turn down

drüben ADV ['dry:bən] over there; **nach ~** over there; **da ~** over there

Druck[1] M [drʊk] ⟨~(e)s; Drücke⟩ pressure (*a. fig*); **j-n unter ~ setzen** put* pressure on sb, put* sb under pressure

Druck[2] M ⟨~(e)s; ~e⟩ *Drucken* printing; *Bild* print

'Druckbuchstabe M printed letter; **in ~n schreiben** print

'Drückeberger(in) M ⟨~s; ~⟩ (F) ⟨~in; ~innen⟩ *umg* shirker

'drucken VT print; **etw ~ lassen** have* sth printed

drücken ['drʏkən] **A** VT press; *Knopf a.* push; *Preis, Leistung* lower; **j-m die Hand ~** shake* hands with sb; **diese Schuhe ~ mich** these shoes are pinching me; **sich vor etw ~** *umg* get* out of sth; *aus Angst* chicken out of sth **B** VI *von Schuhen* pinch; **auf den Knopf ~** press *od* push the button

'drückend ADJ *Hitze* oppressive; *Armut* grinding

'Drucker M ⟨~s; ~⟩ printer (*a.* COMPUT)

Drucke'rei F ⟨~; ~en⟩ printer's

'Druckfehler M misprint **'druckfrisch** ADJ crisp **'Druckkammer** F pressurized cabin **'Druckknopf** M press stud, *US* snap fastener; TECH (push) button **'Druckluft** F compressed air **'Drucksache** F printed matter **'Druckschrift** F block letters *pl*

drunter ADV ['drʊntər] **es ging ~ und drüber** *umg* it was absolutely chaotic

Drüse F ['dry:zə] ⟨~; ~n⟩ gland

Dschungel M ['dʒʊŋəl] ⟨~s; ~⟩ jungle (*a. fig*)

du PERS PR [du:] you; **bist ~ es?** is that you?; **wir sind per ~** *etwa* we're on first-name terms

Dübel M ['dy:bəl] ⟨~s; ~⟩ Rawlplug®

ducken V/R ['dʊkən] duck; *fig* cower (**vor** before); *zum Sprung* crouch

Duell N [du'ɛl] ⟨~s; ~e⟩ duel

Duft M [dʊft] ⟨~(e)s; Düfte⟩ scent, smell (**nach** of)

'duften VI smell* nice; **~ nach** smell* of

'duftend ADJ *Blumen, Parfüm* fragrant

dulden VT ['dʊldən] tolerate; *leiden* suffer

dumm [dʊm] ⟨dümmer, dümmste⟩ **A** ADJ stupid **B** ADV *lachen* stupidly; **sich ~ anstellen** be* stupid

'dummer'weise ADV stupidly; *unglücklicherweise* unfortunately

'Dummheit F ⟨~; ~en⟩ stupidity; *Handlung* stupid thing

'Dummkopf M fool, blockhead

dumpf ADJ [dʊmpf] *Schmerz, Geräusch* dull; *Ahnung, Gefühl* vague

Dumping N ['dampɪŋ] ⟨~s⟩ WIRTSCH dumping

'Dumpingpreis M dumping price

Düne F ['dy:nə] ⟨~; ~n⟩ (sand) dune

Dung M [dʊŋ] ⟨~(e)s⟩ dung, manure

düngen VT ['dʏŋən] fertilize; *natürlich* manure

'Dünger M ⟨~s; ~⟩ fertilizer; *natürlicher* manure

dunkel ADJ ['dʊŋkəl] ⟨-kl-⟩ dark (*a. fig*); *Klänge, Stimme* deep; **es wird ~** it's get-

ting dark
'Dunkelheit F ⟨~⟩ darkness, dark
'Dunkelkammer F darkroom **'dunkelrot** ADJ dark red **'Dunkelziffer** F number of unreported cases
dünn [dyn] **A** ADJ thin; *Kaffee etc* weak **B** ADV *auftragen* thinly; **~ besiedelt** sparsely populated
Dunst M [dʊnst] ⟨~(e)s; Dünste⟩ *Nebel* haze, mist; CHEM vapour, *US* vapor
dünsten V/T ['dynstən] steam
'dunstig ADJ *neblig* hazy, misty
Duplikat N [dupli'ka:t] ⟨~(e)s; ~e⟩ duplicate; *Kopie* copy
durch [dʊrç] **A** PRÄP ⟨*akk*⟩ through; *quer durch* across; *mittels, von* by; *aufgrund* through; *infolge von* because of; MATH divided by; *Fleisch* done; **die ganze Nacht/das ganze Jahr ~** all night/all year long **B** ADV **kann ich mal ~?** can I get through?; **~ und ~** thoroughly
'durcharbeiten **A** V/T study thoroughly; **sich ~ durch** *Buch etc* work (one's way) through **B** V/I work without a break
'durchatmen V/I **(tief) ~** breathe deeply
durch'aus ADV *unbedingt* absolutely; *ohne Weiteres* quite; **~ nicht** not at all
'durchblättern V/T flick through
'Durchblick M **den ~ haben** *fig* know* what's going on
'durchblicken V/I *durch Öffnung etc* look through; **etw ~ lassen** hint at sth; **ich blicke (da) nicht durch** *umg* I don't get it
durch'bohren V/T ⟨*kein ge*⟩ *mit Bohrer* drill through, *Loch* drill; **j-n mit Blicken ~** *umg* look daggers at sb
'durchbrechen[1] V/I ⟨*irr*, s⟩ *in zwei Teile* break* (in two); *von Sonne* break* through
durch'brechen[2] V/T ⟨*irr, kein ge*⟩ break* (in two); *Mauer, Sperre etc* break* through
'durchbrennen V/I ⟨*irr*, s⟩ *von Sicherung* blow*; *von Birne* go*; *fig umg* run* away
'durchbringen V/T ⟨*irr*⟩ *Familie* support; **etw ~** get* sth through; *Geld* go* through sth; **j-n ~** *Kranken* pull sb through
'Durchbruch M breakthrough (*a. fig*)
durch'dacht ADJ **(gut) ~** well thought-out
'durchdrehen **A** V/I *von Rädern* spin*; *umg: nervlich* crack up **B** V/T *Fleisch* mince, *US* grind*
'durchdringend ADJ piercing
durchei'nander **A** ADJ **~ sein** be* confused; *Dinge* be* in a mess **B** ADV *ohne Ordnung* in a mess
Durchei'nander N ⟨~s⟩ confusion; *Unordnung* mess
durchei'nanderbringen V/T ⟨*irr*⟩ *Person* confuse; *Dinge* mix up; *Pläne* mess up **durchei'nanderreden** V/I talk at the same time
'durchfahren V/I & V/T *irr* ⟨*irr*, s⟩ go* through; AUTO *a.* drive* through; AUTO: *ohne Unterbrechung* drive* non-stop; **~ durch** go* through; AUTO *a.* drive* through
'Durchfahrt F **auf der ~ sein** be* passing through; **~ verboten** no thoroughfare
'Durchfall M MED diarrhoea, *US* diarrhea
'durchfallen V/I ⟨*irr*, s⟩ *durch Öffnung* fall* through; *von Prüfling* fail, *US umg a.* flunk; *beim Publikum* flop; **j-n ~ lassen** fail sb, *US umg a.* flunk sb
'durchfragen V/R ask one's way **(nach, zu** to)
'durchführbar ADJ practicable, feasible
'durchführen V/T carry out; *Konferenz, Kurs etc* hold*
'Durchgang M *Weg* passage; *bei Wahl,* SPORT round **'Durchgangslager** N transit camp **'Durchgangsverkehr** M through traffic
'durchgehen ⟨*irr*, s⟩ **A** V/I go* through (*a.* BAHN, PARL); *von Pferd* bolt; **~ durch** go* through; **mit j-m ~** *fig: von Gefühlen* run* away with sb; **etw ~ lassen** *umg* let* sth pass; **das ist mir durchgegangen** *umg* I missed that **B** V/T *prüfend* go* *od* look through
'durchgehend **A** ADJ **~er Zug** through train **B** ADV **~ geöffnet** open all day
'durchgeknallt ADJ *sl* crazy, whacky
'durchgreifen V/I ⟨*irr*⟩ *von Polizei, Behörde etc* take* action **'durchgreifend** ADJ drastic; *Änderung* radical

'durchhalten ⟨*irr*⟩ **A** V/T **etw ~** *aushalten* stand* sth; *bis zum Schluss* see* sth through **B** V/I hold* out
'Durchhaltevermögen N ⟨~s⟩ endurance
'durchhängen V/I ⟨*irr*⟩ sag; *umg: niedergeschlagen sein* be* down in the dumps
'Durchhänger M ⟨~s; ~⟩ **e-n ~ haben** *umg* be* a bit low
'durchkommen V/I ⟨*irr, s*⟩ come* through (*a. Patient etc*); *durch Verkehr, Schwierigkeiten, Prüfung* get* through (*a.* TEL); *mit Geld, Sprache* get* by; *mit Lügen* get* away
durch'kreuzen V/T ⟨*kein ge*⟩ *Plan* thwart
'durchlassen V/T ⟨*irr*⟩ **j-n/etw ~** let* sb/sth through
'durchlässig ADJ *Material* permeable (**für** to); *undicht* leaky
'durchlaufen[1] V/I ⟨*irr, s*⟩ *durch Wald etc* run* through (*a. von Kaffee*)
durch'laufen[2] V/T ⟨*irr, kein ge*⟩ *Schule* go* through
'Durchlauferhitzer M ⟨~s; ~⟩ (instant) water heater, *Br a.* geyser
'durchlesen V/T ⟨*irr*⟩ read* through
durch'leuchten V/T ⟨*kein ge*⟩ MED X-ray; *fig* investigate
'durchmachen V/T go* through; **er hat viel durchgemacht** he's been through a lot; **die Nacht ~** make* a night of it
'Durchmesser M ⟨~s; ~⟩ diameter
'durchnehmen V/T ⟨*irr*⟩ do* **durch'queren** V/T ⟨*kein ge*⟩ cross **'Durchreiche** F ⟨~; ~n⟩ hatch **'Durchreise** F **ich bin nur auf der ~** I'm just passing through **'durchreisen** V/I ⟨s⟩ travel through; **~ durch** travel through
'Durchreisevisum N transit visa
'durchringen V/R ⟨*irr*⟩ **sich dazu ~, etw zu tun** *umg* finally make* up one's mind to do sth
'Durchsage F announcement
'durchsagen V/T announce
durch'schauen V/T ⟨*kein ge*⟩ *fig* see* through; *begreifen* understand*
'Durchschlag M (carbon) copy
'durchschlagen ⟨*irr*⟩ **A** V/T *in zwei Teile* break* in two; *von Kugel* go* through; **sich ~** fight* one's way through; *fig* struggle through **B** V/I *fig: von Charakterzug* come* through
'durchschlagend ADJ *Erfolg* resounding; *wirkungsvoll* effective
'Durchschlagpapier N carbon paper
'durchschneiden V/T ⟨*irr*⟩ cut* (through); *in zwei Teile* cut* in two; **j-m die Kehle ~** cut* sb's throat
'Durchschnitt M average; **im ~** on average; **über/unter dem ~** above/below average; **im ~ betragen/verdienen** average **'durchschnittlich** **A** ADJ average **B** ADV *im Durchschnitt* on average; **~ begabt** of average ability **'Durchschnitts-** ZSSGN average
'Durchschrift F (carbon) copy
'durchsehen V/T ⟨*irr*⟩ look *od* go* through; *prüfen* check
'durchsetzen V/T **etw ~** *Plan, Gesetz etc* push sth through; **seinen Kopf ~** get* one's way; **sich ~** get* one's way; *Erfolg haben* be* successful; **sich ~ können** have* authority (**bei** over)
'durchsichtig ADJ transparent (*a. fig*); *klar* clear; *Bluse etc* see-through
'durchsickern V/I ⟨s⟩ seep through; *von Nachrichten, Informationen* leak out
'durchsprechen V/T ⟨*irr*⟩ discuss, talk over **'durchstehen** V/T ⟨*irr*⟩ come* through **'durchstreichen** V/T ⟨*irr*⟩ cross out **durch'suchen** V/T ⟨*kein ge*⟩ search (**nach** for); *Person a.* frisk
Durch'suchung F ⟨~; ~en⟩ search
Durch'suchungsbefehl M search warrant
durchtrieben ADJ [durç'tri:bən] cunning, sly
durch'wachsen ADJ *Speck* streaky
'Durchwahl F direct dialling *od US* dialing; *Durchwahlnummer* extension
'durchwählen V/I dial direct
'Durchwahlnummer F extension
'durchweg ADV without exception
'durchzählen V/T count up *od US* off
dürfen V/AUX ['dʏrfən] ⟨durfte, gedurft⟩ **etw tun ~** *bei Erlaubnis* be* allowed to do sth; **etw nicht tun ~** *bei Verbot, Notwendigkeit* must* not do sth; **darf ich (mitkommen)?** can I (come)?, *höflicher* may I (come)?; **du darfst nicht** you can't; *bei Verbot, Notwendigkeit* you mustn't; **dürfte ich ...?** could I ...?; **das dürfte**

genügen that should be enough
dürftig ['dvrftıç] **A** ADJ *ärmlich, unzulänglich* poor; *spärlich* scanty **B** ADV poorly; *bekleidet* scantily
dürr ADJ [dvr] *trocken* dry; *Boden* barren, arid; *mager* skinny
'Dürre F ⟨~; ~n⟩ *Trockenzeit* drought; *von Boden* barrenness
Durst M [dʊrst] ⟨~(e)s⟩ thirst (**auf** for) (*a. fig*); **~ haben** be* thirsty
'durstig ADJ thirsty
Dusche F ['dʊʃə] ⟨~; ~n⟩ shower
'duschen V/R & V/I have* *od* take* a shower
Düse F ['dy:zə] ⟨~; ~n⟩ nozzle; *Spritzdüse* jet
'düsen V/I ⟨s⟩ *umg* whizz
'Düsenantrieb M jet propulsion; **mit ~** jet-propelled **'Düsenflugzeug** N jet (plane) **'Düsenjäger** M jet fighter **'Düsentriebwerk** N jet engine
düster ADJ ['dy:stər] dark, gloomy (*a. fig*); *Licht* dim; *trostlos* dismal
Dutzend N ['dʊtsənt] ⟨~s; ~e *od mit Anzahl* ~⟩ dozen; **zwei ~ Eier** two dozen eggs
'dutzendweise ADV by the dozen
duzen V/T ['du:tsən] **j-n ~** say* 'du' to sb; **wir ~ uns** *etwa* we're on first-name terms
DVD F [de:fau'de:] ⟨~; ~s⟩ DVD **DV'D-Brenner** M DVD recorder, DVD writer **DV'D-Laufwerk** N DVD drive **DVD-Player** M [de:fau'de:ple:ər] ⟨~s; ~⟩ DVD player **DV'D-Rekorder** M DVD recorder
Dynamik F [dy'na:mık] ⟨~⟩ PHYS dynamics *pl*; *fig*: *von Person* dynamism
dy'namisch ADJ dynamic (*a. fig*)
Dynamit N [dyna'mi:t] ⟨~s⟩ dynamite
Dynamo M [dy'na:mo] ⟨~s; ~s⟩ dynamo

E

E N [e:] ⟨~; ~⟩ E (*a.* MUS)
Ebbe F ['ɛbə] ⟨~; ~n⟩ low tide
eben ['e:bən] **A** ADJ even; *flach* flat; MATH plane; **zu ~er Erde** at ground level **B** ADV just; **~!** exactly!; **an ~ dem Tag** on that very day; **so ist es ~** that's the way it is; **gerade ~ so** *od* **noch** just barely
ebenbürtig ADJ ['e:bənbvrtıç] **j-m ~ sein** be* a match for sb, be* sb's equal
Ebene F ['e:bənə] ⟨~; ~n⟩ plain; MATH plane; *fig* level
'ebenerdig ADJ & ADV at ground level
'ebenfalls ADV as well, too; **danke, ~!** thank you, the same to you!
'ebenso ADV just as; *ebenfalls* as well; **~ wie** just as
'ebenso 'gern ADV, **'ebenso 'gut** ADV just as well
'ebenso 'sehr ADV, **'ebenso 'viel** ADV just as much
'ebenso 'wenig ADV just as little
ebnen V/T ['e:bnən] level; *fig* smooth
E-Card F ['i:ka:t] ⟨~; ~s⟩ *elektronische Grußkarte* e-card
Echo N ['ɛço] ⟨~s; ~s⟩ echo; *fig* response (**auf** to)
echt [ɛçt] **A** ADJ *Gemälde, Dokument etc* genuine; *Gold, Leder, Freude, Freundschaft* real; *typisch* real **B** ADV **~ gut** *umg* really *od US* real good
'Echtheit F ⟨~⟩ genuineness
'Eckdaten PL key features *pl*
Ecke F ['ɛkə] ⟨~; ~n⟩ *von Straße etc*, SPORT corner; *Kante* edge; **lange/kurze ~** SPORT far/near corner; **eine ganze ~ entfernt** *umg* quite a long way off
'Eckhaus N corner house
'eckig ADJ angular; *Tisch* rectangular
'Ecklohn M WIRTSCH basic wage
Economyklasse F [i'kɔnəmi-] FLUG economy class; **in der ~ fliegen** fly* economy
edel ADJ ['e:dəl] ⟨-dl-⟩ noble; *Schmuck* precious; *Wein* fine
'Edelmetall N precious metal **'Edel-**

stahl M stainless steel **'Edelstein** M precious stone; *geschnittener* gem
EDV [e:de:'fau] ⟨~⟩ ABK *für* Elektronische Datenverarbeitung EDP, electronic data processing
Efeu M ['e:fɔy] ⟨~s⟩ ivy
Effekt M [ɛ'fɛkt] ⟨~(e)s; ~e⟩ effect
Effekthascherei F [-haʃə'rai] ⟨~; ~⟩en (cheap) showmanship
effektiv [ɛfɛk'ti:f] **A** ADJ effective; *tatsächlich* actual **B** ADV *ganz bestimmt* actually
Effektivi'tät F ⟨~⟩ effectiveness
ef'fektvoll **A** ADJ effective **B** ADV *gestaltet etc* effectively
effizient [ɛfitsi'ɛnt] **A** ADJ efficient **B** ADV *planen etc* efficiently
Effizi'enz F ⟨~⟩ efficiency
EFTA F ['ɛfta] ⟨~⟩ *abk für* European Free Trade Association *Europäische Freihandelszone* EFTA
egal ADJ [e'ga:l] *umg* **~ ob/warum/wer** *etc* no matter if/why/who *etc*; **das ist ~** it doesn't matter; **das ist mir ~** I don't care, it's all the same to me
Egoismus M [ego'ɪsmʊs] ⟨~⟩ ego(t)ism
Ego'ist(in) M ⟨~en; ~en⟩ (F) ⟨~in; ~innen⟩ ego(t)ist
ego'istisch **A** ADJ selfish, ego(t)istic(al) **B** ADV *handeln etc* selfishly, ego(t)istically
ehe KONJ ['e:ə] before; **ich kann nichts machen, ~ ...** I can't do anything until ...
'Ehe F ⟨~; ~n⟩ marriage (**mit** to)
'eheähnlich ADJ **in e-m ~en Verhältnis leben** live together as man and wife **'Eheberatung** F marriage counselling *od US* counseling **'Ehebruch** M adultery **'Ehefrau** F wife **'Eheleute** PL married couple *sg*
'ehelich ADJ marital; *Rechte, Pflichten* conjugal; *Kind* legitimate
'ehemalig ADJ former, ex-...
'ehemals ADV formerly
'Ehemann M ⟨*pl* Ehemänner⟩ husband **'Ehepaar** N married couple
'eher ADV earlier, sooner; *lieber* sooner, rather; **nicht ~ als** not until *od* before
'Ehering M wedding ring **'Ehevermittlungsinstitut** N marriage bureau **'Ehevertrag** M marriage contract
Ehre F ['e:rə] ⟨~; ~n⟩ honour, *US* honor; **zu ~n** (*gen od* **von**) in honour of
'ehren V/T honour, *US* honor; *achten* respect
'ehrenamtlich ADJ honorary; *Tätigkeit, Helfer* voluntary **'Ehrenbürger(in)** M(F) honorary citizen **'Ehrengast** M guest of honour *od US* honor **'Ehrenmitglied** N honorary member **'Ehrensache** F point of honour *od US* honor **'Ehrenwort** N ⟨*pl* Ehrenworte⟩ word of honour *od US* honor; **~!** *umg* cross my heart!
'Ehrfurcht F respect (**vor** for); *vor Gott* awe (**vor** of); **~ gebietend** awe-inspiring **'ehrfürchtig** **A** ADJ respectful **B** ADV *zuhören etc* respectfully **'Ehrgefühl** N sense of honour *od US* honor **'Ehrgeiz** M ambition **'ehrgeizig** ADJ ambitious
'ehrlich **A** ADJ honest; *offen a.* frank; *Kampf* fair **B** ADV **~ gesagt, ...** to be honest, ...; **~?** *umg* honestly?; **~!** *umg* honestly!
'Ehrlichkeit F ⟨~⟩ honesty
'Ehrung F ⟨~; ~en⟩ honouring, *US* honoring; *Ehre* honour, *US* honor
Ei N [ai] ⟨~(e)s; ~er⟩ egg; **Eier** *pl*; *vulg*: *Hoden* balls *pl*
EIB [e:ʔi:'be:] ABK *für* Europäische Investitionsbank EIB
Eiche F ['aiçə] ⟨~; ~n⟩ oak
'eichen V/T calibrate
Eid M [ait] ⟨~(e)s; ~e⟩ oath; **e-n ~ ablegen** take* an oath
'eidesstattlich ADJ JUR **~e Erklärung** affirmation
'Eierbecher M eggcup **'Eierschale** F eggshell **'Eierstock** M ANAT ovary **'Eieruhr** F egg timer
Eifer M ['aifər] ⟨~s⟩ keenness, eagerness
'Eifersucht F jealousy
'eifersüchtig ADJ jealous (**auf** of)
eifrig ['aifrɪç] **A** ADJ keen; *fleißig* hard-working **B** ADV *lernen etc* hard
'Eigelb N ⟨~s; ~e *od mit Anzahl* ~⟩ (egg) yolk
eigen ADJ ['aigən] own; *eigentümlich* peculiar; *genau* particular; *übergenau* fussy; **sie hat ein ~es Auto** she has her own car, she has a car of her own
'Eigenart F peculiarity **'eigenartig** ADJ strange, peculiar **'eigenartiger-**

'**weise** ADV strangely enough '**Eigenbedarf** M personal needs *pl* '**Eigenfinanzierung** F ⟨~; ~en⟩ self-financing

eigenhändig ['aigənhɛndɪç] **A** ADJ *Unterschrift* personal **B** ADV *abgeben* personally; *gebaut* with one's own hands; *geschrieben* in one's own hand

'**Eigenheim** N house of one's own

'**Eigenkapital** N WIRTSCH equity (capital), capital resources *pl* '**Eigenkapitalausstattung** F capital base, equity position '**Eigenlob** N self-praise '**eigenmächtig** **A** ADJ unauthorized **B** ADV *handeln* without authorization; *entscheiden* on one's own authority '**Eigenmittel** PL WIRTSCH own resources *od* funds *pl* '**Eigenname** M proper noun '**eigennützig** [-nʏtsɪç] **A** ADJ selfish **B** ADV *handeln etc* selfishly

'**eigens** ADV (e)specially, expressly

'**Eigenschaft** F ⟨~; ~en⟩ quality; TECH, PHYS, CHEM property; **in s-r ~ als** ... in his capacity as ...

'**Eigensinn** M stubbornness

'**eigensinnig** **A** ADJ stubborn **B** ADV *beharren etc* stubbornly

'**eigentlich** **A** ADJ *wirklich* actual, real **B** ADV actually, really; **~ nicht** not really; **was machst du da ~?** what are you doing?

'**Eigentum** N ⟨~s⟩ property

Eigentümer(in) ['aigənty:mər(ɪn)] M ⟨~s; ~⟩ (F) ⟨~in; ~innen⟩ owner, proprietor

eigentümlich ADJ ['aigənty:mlɪç] *seltsam* strange, odd

'**Eigentumswohnung** F owner-occupied flat, *US* condominium '**eigenwillig** ADJ wilful; *Stil, Geschmack etc* individual

eignen V/R ['aignən] be* suited

Eigner(in) ['aignər(ɪn)] M ⟨~s; ~⟩ (F) ⟨~in; ~innen⟩ owner

'**Eignung** F ⟨~⟩ suitability

'**Eignungsprüfung** F, '**Eignungstest** M aptitude test

'**Eilbote** M **durch ~n** express, (by) special delivery '**Eilbrief** M express letter, special-delivery letter

Eile F ['ailə] ⟨~⟩ hurry, haste; **in ~ sein** be* in a hurry

'**eilen** V/I ⟨s⟩ hurry, rush; ⟨h⟩ *von Angelegenheit* be* urgent

'**eilig** **A** ADJ hurried; *dringend* urgent; **es ~ haben** be* in a hurry **B** ADV *geschrieben etc* hurriedly

Eimer M ['aimər] ⟨~s; ~⟩ bucket; **im ~ sein** *umg* be* knackered

ein[1] [ain] **A** ADJ one **B** UNBEST ART a; *vor gesprochenem Vokal* an; **~ Mann** a man; **~ Apfel** an apple; **eine Stunde** an hour; **~ Haus** a house

ein[2] ADV **„~/aus"** "on/off"; **~ und aus gehen** come* and go*; **ich weiß nicht mehr ~ noch aus** *umg* I'm at my wits' end

einander PRON [ai'nandər] each other, one another

'**einarbeiten** V/T *neuen Mitarbeiter* train (up); **sich ~** get* used to the work

'**einatmen** V/T & V/I breathe in, inhale

'**Einbahnstraße** F one-way street

'**Einband** M ⟨*pl* Einbände⟩ binding, cover

einbändig ADJ ['ainbɛndɪç] one-volume *attr*

'**Einbau** M ⟨~(e)s⟩ installation, fitting

'**Einbau-** ZSSGN *Möbel etc* built-in

'**einbauen** V/T install, fit

'**Einbauküche** F fitted kitchen

'**einberufen** V/T ⟨*irr, kein ge*⟩ MIL call up, *US* draft; *Sitzung, Versammlung* call

'**Einberufung** F MIL call-up, *US* draft

'**Einberufungsbescheid** M MIL call-up papers *pl*, *US* draft papers *pl*

'**Einbettzimmer** N single room

'**einbeziehen** V/T ⟨*irr, kein ge*⟩ include

'**einbiegen** V/I ⟨*irr*, s⟩ turn (**in** into)

'**einbilden** V/R imagine; **sich etwas auf etw ~** be* conceited about sth; **darauf kannst du dir etwas ~** that's something to be proud of

'**Einbildung** F imagination; *Arroganz* conceit

'**Einbildungskraft** F imagination

'**einblenden** V/T insert; *Musik, Ton* fade in

'**Einblick** M *fig* insight (**in** into)

'**einbrechen** V/I ⟨*irr*, s⟩ *von Dach, Decke* fall* in, collapse; *von Winter* set* in; *von Absatz, Kursen* fall* sharply; **~ in** *Haus etc* break* into, burgle; (**auf dem Eis**) **~** fall* through (the ice)

'**Einbrecher(in)** M ⟨~s; ~⟩ (F) ⟨~in; ~innen⟩ burglar

'Einbruch M burglary; **bei ~ der Nacht** at nightfall
'einbürgern V/T naturalize; **sich ~** *fig* become* the norm
'Einbürgerung F ⟨~; ~en⟩ naturalization
'Einbürgerungstest M citizenship test
'einbüßen V/T lose*
'einchecken V/I & V/T check in
eincremen V/T ['ainkre:mən] put* some cream on **sich ~** put* some cream on
'eindämmen V/T *Fluss* dam (up); *fig* curb, check
'eindecken V/T **j-n mit etw ~** *fig* inundate sb with sth
eindeutig ['aindɔytıç] **A** ADJ clear; *Beweis* definite **B** ADV *falsch etc* clearly
'eindringen V/I ⟨*irr*, s⟩ **~ in** get* into (*a. von Wasser, Keime etc*); *gewaltsam* force one's way into; MIL invade
'eindringlich **A** ADJ urgent **B** ADV *warnen etc* urgently
'Eindringling M ⟨~s; ~e⟩ intruder; MIL invader
'Eindruck M ⟨~(e)s; Eindrücke⟩ impression
'eindrucksvoll ADJ impressive
eine(r, -s) INDEF PR ['ainə] one; *jemand* someone, somebody
'einein'halb ADJ one and a half
'einengen V/T confine, restrict
'Einerlei N ⟨~s⟩ **das tägliche ~** the daily grind
'einer'seits ADV on the one hand
'einfach **A** ADJ simple; *leicht a.* easy; *schlicht* plain, simple; *Fahrkarte* single, *US* one-way **B** ADV just; *leben, sich kleiden etc* simply
'Einfachheit F ⟨~⟩ simplicity
einfädeln V/T ['ainfɛ:dəln] thread; *fig* start; *geschickt* contrive; **sich ~** AUTO merge
'einfahren ⟨*irr*⟩ **A** V/T *Ernte* bring* in **B** V/I ⟨s⟩ come* in; *von Zug a.* pull in
'Einfahrt F *Stelle* entrance; **bei ~ des Zuges** when the train pulls in *od* arrives
'Einfall M idea; MIL invasion
'einfallen V/I ⟨*irr*, s⟩ fall* in; *einstürzen a.* collapse; MUS join in; **~ in** MIL invade; **ihm fiel ein, dass ...** it occurred to him that ...; **mir fällt nichts ein** I can't think of anything; **dabei fällt mir ein ...** that reminds me ...; **was fällt dir ein!** what (on earth) are you thinking of?
'einfallslos ADJ unimaginative **'einfallsreich** ADJ imaginative **'Einfallsreichtum** M ingenuity
'Einfamilienhaus N detached house
'einfarbig ADJ self-coloured, *US* self--colored, plain
'einfliegen V/T ⟨*irr*⟩ fly* in
'einfließen V/I ⟨*irr*, s⟩ **etw ~ lassen** *fig* slip sth in
einflößen V/T ['ainflø:sən] **j-m etw ~** *Flüssigkeit* pour sth into sb's mouth; *fig: Respekt etc* fill sb with sth
'Einflugschneise F [-ʃnaizə] ⟨~; ~n⟩ FLUG approach corridor
'Einfluss M *fig* influence
'einflussreich ADJ influential
'einfrieren ⟨*irr*⟩ **A** V/I ⟨s⟩ *von Rohren* freeze* (up); *von Teich etc* freeze* (over) **B** V/T *Lebensmittel, Beziehungen* freeze*
'einfügen V/T put* in, insert; IT insert; *ausgeschnittenen Text* paste; **sich ~** fit in (*a. fig*) (**in** with)
'Einfügetaste F COMPUT insert key
einfühlsam ADJ ['ainfy:lza:m] sensitive and understanding
'Einfühlungsvermögen N empathy
Einfuhr F ['ainfu:r] ⟨~; ~en⟩ WIRTSCH import
'Einfuhrbeschränkungen PL import restrictions *pl*
'einführen V/T introduce; *ins Amt* install; *Gegenstand* insert; WIRTSCH import
'Einfuhrgenehmigung F import licence *od US* license **'Einfuhrland** N importing country **'Einfuhrstopp** M [-ʃtɔp] ⟨~s; ~s⟩ WIRTSCH import ban
'Einführung F introduction; *Markteinführung* launch
'Einführungs- ZSSGN *Preis etc* introductory **'Einführungsangebot** N introductory offer **'Einführungspreis** M introductory price
'Eingabe F petition; IT input
'Eingabegerät N COMPUT input device **'Eingabetaste** F COMPUT enter *od* return key
'Eingang M entrance; WIRTSCH arrival; *von Brief etc* receipt
'Eingangsdatum N date of receipt
'Eingangshalle F entrance hall
'Eingangsstempel M date stamp

'eingeben VT ⟨irr⟩ IT enter; *Arznei* administer (*dat* to)

'eingebildet ADJ imaginary; *dünkelhaft* conceited

'eingefleischt ADJ *Junggeselle* confirmed

'eingehen ⟨irr, s⟩ **A** VI *von Post, Waren* come* in, arrive; *von Pflanzen, Tieren* die; *von Stoff* shrink*; *von Firma* close down; **~ auf** *Vorschlag* agree to; *Einzelheiten, Frage* go* into; *j-n, j-s Probleme* listen to **B** VT *Vertrag* enter into; *Wette* make*; *Risiko* take*

'eingehend **A** ADJ detailed; *gründlich* thorough **B** ADV *besprechen, schildern* in detail; *prüfen* thoroughly

eingemeinden VT ['aingəmaindən] ⟨*pperf* eingemeindet⟩ incorporate (**in** *akk* into)

eingenommen ADJ ['aingənɔmən] partial (**für** to); prejudiced (**gegen** against); **von sich ~ sein** be* full of o.s.

'eingeschlossen ADJ locked in; *Bergleute etc* trapped; **im Preis ~** included in the price

'eingeschrieben ADJ registered

'eingespielt ADJ **sie sind (gut) aufeinander ~** they work well together, they are a good team

'eingestehen VT ⟨*irr, pperf* eingestanden⟩ **j-m/sich etw ~** admit sth to sb/o.s.

'eingestellt ADJ **sozial ~** socially minded; **~ auf** prepared for; **~ gegen** opposed to

'Eingeweihte(r) M/F(M) ['aingəvaitə] ⟨~n; ~n⟩ insider

'eingewöhnen V/R ⟨*pperf* eingewöhnt⟩ **sich ~ in** *Ort, Beruf* get* used to, settle into

'eingliedern VT integrate

'Eingliederung F integration

'eingreifen VI ⟨*irr*⟩ intervene

'Eingreiftruppe F **schnelle ~** rapid response force

'Eingriff M intervention; MED operation

'einhaken VT fasten; **sich ~** link arms (**bei j-m** with sb)

'Einhalt M **~ gebieten** put* a stop to

'einhalten VT ⟨*irr*⟩ *Termin, Versprechen* keep*; *Regel, Vereinbarung* keep* to

'einhängen **A** VT *Hörer* put* down; *Tür* hang*; **sich ~** link arms (**bei j-m** with sb) **B** VI TEL hang* up

'einheimisch ADJ local; *Industrie, Markt, Produkte* domestic

'Einheimische(r) M/F(M) ⟨~n; ~n⟩ local

'Einheit F ⟨~; ~en⟩ *Maßeinheit*, MIL unit; *Geschlossenheit* unity; *Ganzes* unit, whole

'einheitlich **A** ADJ uniform; *geschlossen* unified **B** ADV uniformly; *gekleidet* the same

'Einheits- ZSSGN *Preis, Format etc* standard

'Einheitspapier N *EU* single administrative document

'einhellig **A** ADJ unanimous **B** ADV **wir sind ~ der Meinung, dass ...** we are all of the opinion that ...

'einholen VT catch* up with (*a. fig*); *Zeitverlust* make* up for; *Rat* seek* (**bei** from); *Erlaubnis* ask for; *Segel, Fahne* take* down; **Auskünfte ~** make* inquiries (**über** about)

'einig ADJ ['ainıç] **sich ~ sein** agree (**über** on); **sich nicht ~ sein** disagree, differ

einige(r) INDEF PR ['ainıgə] a few, some; *mehrere* several

'einigen VT **sich ~ über** agree on

'einiger'maßen ADV quite, fairly; **wie geht's dir? – ~** how are you? – not too bad

'einiges INDEF PR ['ainıgəs] something; *viel* quite a lot

'Einigkeit F ⟨~⟩ unity; *Übereinstimmung* agreement

'Einigung F ⟨~; ~en⟩ agreement; *e-s Volkes* unification

'einjährig ADJ one-year-old; **~e Tätigkeit** one year's work

'einkalkulieren VT ⟨*kein ge*⟩ take* into account

'Einkauf M purchase; *Abteilung* procurement department; **Einkäufe** *pl Eingekauftes* shopping *sg*

'einkaufen **A** VT buy* **B** VI go* shopping

'Einkaufsbummel M **e-n ~ machen** have* a look around the shops **'Einkaufskorb** M shopping basket **'Einkaufspreis** M WIRTSCH purchase price

'Einkaufstasche F shopping bag

'Einkaufswagen M (supermarket) trolley, *US* shopping cart **'Einkaufszentrum** N shopping centre *od* mall

'Einkaufszettel M shopping list

'einkehren VI ⟨s⟩ *umg* stop (off) (**in** at)

E

'einklagen VT sue for
'Einklang M MUS unison; *fig* harmony
'einkleiden VT **j-n/sich neu ~** buy* sb/o.s. a new set of clothes
'Einkommen N ⟨~s; ~⟩ income
'Einkommensteuer F income tax
'Einkommensteuererklärung F income-tax return
Einkünfte PL ['ainkʏnftə] income *sg*
'einladen VT ⟨*irr*⟩ invite; *Waren, Koffer* load; **ich lade dich ein** *bezahle* it's my treat
'einladend ADJ inviting
'Einladung F invitation
'Einlage F WIRTSCH investment; *Schuheinlage* insole; THEAT, MUS interlude
'Einlass M ⟨~es⟩ admission, admittance
'einlassen VT ⟨*irr*⟩ let* in; *ein Bad* run*; **sich ~ auf** get* involved in; *leichtsinnig* let* o.s. in for; *zustimmen* agree to; **sich mit j-m ~** get* involved with sb
'einleben VR settle in
'einlegen VT put* in; *Diskette, CD a.* insert; *in Essig* pickle; *Gang* change into; **e-e Pause ~** have* *od* take* a break
'einleiten VT start; *Maßnahmen* introduce; *Geburt* induce; *Abwasser, Schadstoffe* dump, discharge
'einleitend **A** ADJ introductory **B** ADV **~ möchte ich sagen ...** I'd like to say by way of introduction ...
'Einleitung F introduction
'einlenken VI give* way
'einleuchten VI **das leuchtet mir ein** that makes sense to me
'einliefern VT **j-n ins Krankenhaus ~** take* sb to hospital, *US* take* sb to the hospital
einloggen VR ['ainlɔgən] IT log in *od* on
'einlösen VT *Scheck* cash
'einmal ADV once; *zukünftig* some *od* one day, sometime; **auf ~** *plötzlich* suddenly; *gleichzeitig* at the same time, at once; **noch ~** once more *od* again; **noch ~ so ... (wie)** twice as ... (as); **es war ~ ...** once (upon a time) there was ...; **haben Sie schon ~ ...?** have you ever ...?; **ich war schon ~ dort** I've been there before; **nicht ~** not even
'Einmal- ZSSGN disposable
Einmal'eins N ⟨~⟩ multiplication tables *pl*
'einmalig ADJ *Chance* unique; *einzeln* single; *umg: hervorragend* fantastic
'Einmalzahlung F one-off payment
Ein'mann- ZSSGN one-man ...
'Einmarsch M entry; MIL invasion
'einmarschieren VI ⟨*kein ge*, s⟩ march in; **~ in** MIL invade
'einmieten VR take* a room (**in** *dat* at)
'einmischen VR interfere (**in** in)
einmütig ['ainmy:tɪç] **A** ADJ unanimous **B** ADV *beschließen etc* unanimously
Einnahmen PL ['ainna:mən] takings *pl*, receipts *pl*
'einnehmen VT ⟨*irr*⟩ *Arznei, seinen Platz,* MIL take*; *Mahlzeit* have*; *verdienen* earn, make*; **es nimmt viel Platz** *od* **Raum ein** it takes up a lot of room; *fig* it plays a big part
'einnehmend ADJ engaging
'einordnen VT **etw ~** put* sth in its place; *Namen, Karteikarten etc* put* sth in order; *Akten* file sth; **sich ~** AUTO get* in lane
'einpacken VT pack; *einwickeln* wrap up
'einparken VT & VI park
'einplanen VT allow for
'einprägen VT *Muster, Zeichen etc* impress; **sich etw ~** remember sth; *auswendig* memorize sth
'einprägsam ADJ *Melodie, Ausdruck* catchy
'einquartieren VT ⟨*kein ge*⟩ put* up (**bei j-m** with sb); **sich bei j-m ~** stay with sb
'einräumen VT *Dinge* put* away; *Zimmer* put* the furniture in; *fig* grant, concede
'einreden **A** VT **j-m etw ~** talk sb into believing sth; **j-m/sich ~, dass** persuade sb/o.s. that **B** VI **auf j-n ~** keep* on at sb
'einreiben VT ⟨*irr*⟩ rub in; **reib dir die Haut mit dieser Creme ein** rub this cream into your skin
'einreichen VT submit, hand in
'einreihen VT place; **sich ~** take* one's place
'Einreise F entry (*a. zssgn*)
'Einreiseerlaubnis F entry permit
'einreisen VI ⟨s⟩ enter (**in ein Land** a country)
'Einreisevisum N entry visa
'einreißen ⟨*irr*⟩ **A** VT tear*; *Gebäude*

pull down **B** VI ⟨s⟩ tear*; *von Unsitte* spread*
einrenken VT ['ainrɛŋkən] MED set*; *fig* straighten out
'einrichten VT *Zimmer* furnish; *Organisation etc* establish; *Homepage* create; *ermöglichen* arrange; **sich ~** furnish one's home
'Einrichtung F *Möbel* furnishings *pl*; *von Küche, Laden* fittings *pl*; TECH installation; *öffentliche* facility
'einrosten VI ⟨s⟩ rust up; *fig* get* rusty
'einrücken **A** VI ⟨s⟩ MIL join the forces; *von Truppen* march in **B** VT *Zeile* indent
eins PRON & ADJ [ains] one; *etwas* one thing
Eins F ⟨~; ~en⟩ *Zahl* one; *Note etwa* A
'einsam ADJ lonely; *einzeln* solitary; *abgelegen* isolated; *menschenleer* desolate
'Einsamkeit F ⟨~⟩ loneliness; *Einzelnsein* solitude; *Abgelegenheit* isolation
'einsammeln VT collect
'Einsatz M TECH insert; *bei Glücksspiel* stake(s *pl*, *a. fig*); MUS entry; *Mühe, Eifer* effort(s *pl*); *Verwendung* use; MIL action; *von Polizei* operation; *von Truppen, Waffen* deployment; **den ~ geben** give* the cue; **im ~** in action; **er half ihr unter ~ seines Lebens** he risked his life to help her
'einsatzbereit ADJ **~ sein** be* ready for action; *Maschine* be* ready for use
'Einsatzbereitschaft F ⟨~⟩ commitment
'einscannen VT IT scan (in)
'einschalten VT ELEK switch *od* turn on; *j-n* call in; **sich ~** step in
'Einschaltquote F TV ratings *pl*
'einschätzen VT assess, judge; **falsch ~** misjudge
'einschenken VT pour; **j-m etw ~** pour sb sth
'einschicken VT send* in
einschl. ABK *für* einschließlich incl., including
'einschlafen VI ⟨*irr*, s⟩ fall* asleep, go* to sleep; *von Körperteil* go* to sleep
'einschlagen ⟨*irr*⟩ **A** VT knock in; *Zähne* knock out; *zerbrechen* smash (*a. Schädel*); *einwickeln* wrap up; *Weg, Richtung* take*; *Rad* turn **B** VI *von Blitz, Geschoss* strike*; *fig* be* a hit
einschlägig ADJ ['ainʃlɛːgɪç] relevant
'einschleppen VT *Krankheit* bring* in
'einschließen VT ⟨*irr*⟩ lock up; *umgeben*, MIL surround; *einbeziehen* include
'einschließlich **A** PRÄP ⟨*gen*⟩ including **B** ADV **bis ~** up to and including
'einschneidend ADJ *fig* drastic; *Wirkung* far-reaching
'Einschnitt M cut; *Kerbe* notch; *fig* turning point
einschränken VT ['ainʃrɛŋkən] restrict; *verringern* reduce (**auf** to); *Rauchen, Trinken* cut* down on; **sich ~** WIRTSCH economize
'Einschränkung F ⟨~; ~en⟩ restriction; *Verringerung* reduction; **ohne ~** without reservation
'Einschreibebrief M registered letter
'einschreiben VT ⟨*irr*⟩ *eintragen* enter; *als Mitglied, Schüler etc* enrol, *US* enroll; **e-n Brief ~ lassen** send* a letter registered; **sich ~ (lassen)** enrol, *US* enroll (**für** for); **sich an der Uni ~** register at university
'Einschreiben N ⟨~s; ~⟩ *Post* registered letter
'einschreiten VI ⟨*irr*, s⟩ *fig* intervene; **~ (gegen)** take* measures (against)
'einschüchtern VT intimidate
'einschweißen VT shrink-wrap
'einsehen VT ⟨*irr*⟩ see*, realize; **das sehe ich nicht ein!** I don't see why!
'Einsehen N ⟨~s⟩ **ein ~ haben** show* some understanding
'einseitig **A** ADJ one-sided; MED, POL, JUR unilateral **B** ADV *darstellen etc* one-sidedly; MED, POL, JUR unilaterally; *bedruckt* printed on one side
'einsenden VT ⟨*irr*⟩ send* in
'Einsender(in) M(F) sender; *an Zeitungen* contributor
'Einsendeschluss M closing date
'einsetzen **A** VT *einfügen* put* in, insert; *ernennen* appoint; *Mittel, Maschine, Arbeiter* use; *Truppen, Waffen* deploy; *beim Wetten* bet*, stake; *Leben* risk; **sich ~** do* one's utmost; **sich für etw ~** support sth **B** VI start
'Einsicht F *Erkenntnis* insight; *Einsehen* understanding; **zur ~ kommen** see* reason; **~ nehmen in** take* a look at
'einsichtig ADJ *Mensch* understanding; *Grund* reasonable
'einsilbig ADJ monosyllabic; *fig*: *Person*

taciturn
'einsparen VT save
'einspeichern VT COMPUT store
'einsperren VT lock up; *Tier* shut* up
'einspielen VT *Geld* bring* in; **sich ~** warm up; *fig*: *von Sache* get* going
'Einspielergebnisse PL *von Film* box-office returns *pl*

E

'einspringen VI ⟨*irr*, s⟩ **~ für** stand* in for
'Einspritz- ZSSGN AUTO fuel-injection
'Einspruch M objection (*a.* JUR); *Berufung* appeal; **~ erheben** raise an objection (**gegen** to); *Berufung* file an appeal (**gegen** against)
'einspurig ADJ BAHN single-track; AUTO single-lane
einst ADV [ainst] once, at one time
'einstecken VT pocket (*a. fig*: *Gewinn etc*); ELEK plug in; *Brief* post, mail; *fig*: *hinnehmen* take*
'einstehen VI ⟨*irr*, s⟩ **~ für** answer for
'einsteigen VI ⟨*irr*, s⟩ *in Auto* get* in; *in Bus, Zug, Flugzeug* get* on; **alles ~!** BAHN all aboard!; **in die Politik ~** enter politics
'einstellen VT *Arbeitskräfte* take* on, employ; *aufgeben* give* up; *beenden* stop; *Rekord* equal; *regulieren* adjust (**auf** to); *Radio* tune in (**auf** to); *Auge*, FOTO focus (**auf** on); **die Arbeit ~** (go* on) strike*, walk out; **das Feuer ~** MIL cease fire; **sich ~ auf** adjust to; *vorsorglich* be* prepared for
'einstellig ADJ single-digit
'Einstellung F *Haltung* attitude (**zu** towards); *von Arbeitskräften* employment; *Beendigung* cessation; TECH adjustment; FOTO focus(s)ing; *beim Film* take
'Einstellungsgespräch N interview
'Einstieg M ['ainʃti:k] ⟨~(e)s; ~e⟩ *Eingang* entrance; **der ~ in eine Problematik** getting to grips with a problem
'Einstiegsdroge F gateway drug
'einstig ADJ former, one-time
'einstimmig **A** ADJ *einmütig* unanimous **B** ADV *beschließen etc* unanimously
'Einstimmigkeit F ⟨~⟩ unanimity
einstöckig ADJ ['ainʃtœkıç] single-storeyed, *US* single-storied
'einstufen VT classify
'einstufig ADJ single-stage (*a. Rakete*)
'Einstufung F ⟨~; ~en⟩ classification; *des Niveaus eines Schülers* placement; **~ der Ausgaben** *der EU* classification of expenditure
'Einsturz M collapse
'einstürzen VI ⟨s⟩ collapse
'einst'weilen ADV for the present
'einst'weilig ADJ temporary
'eintauschen VT exchange (**gegen** for)
'einteilen VT divide (**in** into); *anordnen* arrange; *Zeit* organize
'einteilig ADJ one-piece
'Einteilung F division; *Anordnung* arrangement; *von Zeit* organization
eintönig ['aintø:nıç] **A** ADJ monotonous **B** ADV *sprechen etc* monotonously
'Eintopf M stew
'einträchtig ADV ['aintrɛçtıç] harmoniously
Eintrag M ['aintra:k] ⟨~(e)s; Einträge⟩ entry; *amtlicher* registration; *in der Schule* black mark
'eintragen VT ⟨*irr*⟩ enter (**in** in); *amtlich* register (**bei** with); *als Mitglied* enrol, *US* enroll (**bei** with); *Gewinn, Lob, Kritik* earn; **sich ~** register
einträglich ADJ ['aintrɛ:klıç] profitable
'eintreffen VI ⟨*irr*, s⟩ arrive; *geschehen* happen; *sich erfüllen* come* true
'eintreiben VT ⟨*irr*⟩ *fig* collect
'eintreten ⟨*irr*⟩ **A** VI ⟨s⟩ enter; *geschehen* happen, take* place; **~ in** enter; *Verein etc* join; **~ für** support **B** VT *Tür etc* kick in; **ich habe mir einen Nagel eingetreten** I've trodden on a nail
'Eintritt M entry; *Zutritt, Gebühr* admission; **~ frei** admission free; **~ verboten!** keep out!
'Eintrittsgeld N entrance *od* admission fee; SPORT gate(-money) **'Eintrittskarte** F ticket **'Eintrittspreis** M admission charge
'einverstanden ADJ **~ sein** agree (**mit** to); **~!** agreed!
'Einverständnis N agreement; *Erlaubnis* consent
'Einwahlknoten M COMPUT node, point of presence (POP)
'Einwand M ⟨~(e)s; Einwände⟩ objection (**gegen** to)
'Einwanderer M, **'Einwanderin** F immigrant
'einwandern VI ⟨s⟩ immigrate
'Einwanderung F immigration
'Einwanderungsland N country of

immigration **'Einwanderungspolitik** F immigration policy
'einwandfrei **A** ADJ perfect **B** ADV *sprechen, können* perfectly
einwärts ADV ['ainvɛrts] inwards
'Einweg- ZSSGN *Rasierer, Spritze* disposable
'Einwegflasche F non-returnable bottle **'Einwegpackung** F throwaway pack **'Einwegrasierer** M ⟨~s; ~⟩ disposable razor
'einweichen V/T soak
'einweihen V/T *Gebäude* inaugurate; **j-n in etw ~** let* sb in on sth
'Einweihung F ⟨~; ~en⟩ inauguration
'einweisen V/T ⟨irr⟩ **j-n ~ in** *Heim, Gefängnis* send* sb to, *bes* JUR commit sb to; *Arbeit etc* instruct sb in, brief sb on
'einwenden V/T ⟨irr⟩ object (**gegen** to); **ich habe nichts dagegen einzuwenden** I've no objections
'Einwendung F objection (**gegen** to)
'einwerfen ⟨irr⟩ **A** V/T throw* in (*a. Bemerkung,* SPORT); *Fenster* break*; *Brief* post, mail; *Münze* put* in, insert **B** V/I throw* in
'einwickeln V/T wrap (up); **j-n ~** *fig* take* sb in
'einwilligen V/I consent, agree (**in** to)
'Einwilligung F ⟨~; ~en⟩ consent, agreement (**in** to)
'einwirken V/I **~ auf** act on; *beeinflussen* influence
'Einwirkung F effect; *Einfluss* influence
'Einwohner(in) M ⟨~s; ~⟩ (F) ⟨~in; ~innen⟩ inhabitant
'Einwohnermeldeamt N registration office
'Einwurf M SPORT throw-in; *Öffnung* slot; *fig* interjection
'einzahlen V/T pay* in; **Geld auf ein Konto ~** pay* money into an account
'Einzahlung F payment; *auf ein Bankkonto* deposit
'Einzahlungsbeleg M pay-in *od* paying-in slip
'Einzel- ZSSGN *Bett, Zimmer etc* single
'Einzelbett N single bed **'Einzelfahrkarte** F single, *US* one-way ticket **'Einzelfall** M isolated case **'Einzelgänger(in)** [-gɛŋər(ɪn)] M ⟨~s; ~⟩ (F) ⟨~in; ~innen⟩ loner **'Einzelhaft** F solitary confinement **'Einzelhandel** M retail trade **'Einzelhandelsgeschäft** N retail shop *od bes US* store **'Einzelhändler(in)** M(F) retailer **'Einzelhaus** N detached house
'Einzelheit F ⟨~; ~en⟩ detail
'Einzelkind N only child
einzeln ['aintsəln] **A** ADJ single; *Schuh etc* odd; **~e ...** *pl* several ..., some ...; **im Einzelnen** in detail; **der Einzelne** the individual; **jeder Einzelne (von uns** *etc*) each and every one (of us *etc*) **B** ADV separately; **~ eintreten** enter one at a time; **~ angeben** specify
'Einzelzimmer N single room **'Einzelzimmerzuschlag** M single-room supplement
'einziehen ⟨irr⟩ **A** V/T *Krallen, Fühler* draw* in; TECH retract; *Segel, Fahne* take* down; MIL call up, *US* draft; *beschlagnahmen* confiscate; *Führerschein* withdraw*; *Erkundigungen* make*; *Bauch* pull in; **den Kopf ~** duck **B** V/I ⟨s⟩ *in Haus etc* move in; *geordnet, feierlich* march in; *von Flüssigkeit* soak in; **~ in** *Haus etc* move into
einzig ['aintsɪç] **A** ADJ only; *einzeln* single; **kein ~er ...** not a single ...; **das Einzige** the only thing; **der Einzige** the only one **B** ADV **die ~ richtige Lösung** the only correct solution
'einzigartig ADJ unique
Ein'zimmerwohnung F one-room flat *od US* apartment
'Einzug M *in Haus etc* moving in; *geordneter, feierlicher* entry
'Einzugsgebiet N *e-r Stadt* hinterland; *für Arbeitende* commuter belt
Eis N [ais] ⟨~es⟩ ice (*a. fig*); *Eiskrem* ice cream
'Eisbecher M (ice-cream) sundae **'Eisberg** M iceberg **'Eisdiele** F ice-cream parlour *od US* parlor
Eisen N ['aizən] ⟨~s; ~⟩ iron
'Eisenbahn F railway, *US* railroad; *Spielzeug* train set **'Eisenbahnwagen** M railway carriage, *US* railroad car **'Eisenerz** N iron ore **'Eisenwarenhandlung** F ironmonger's, *US* hardware store
eisern ADJ ['aizərn] iron (*a. fig*)
'Eisfach N freezer compartment **'eisgekühlt** ADJ chilled

'eisig ADJ icy (*a. fig*)
'Eiskaffee M iced coffee **'eis'kalt** ADJ ice-cold; *gefühllos* cold-blooded; *Blick* icy **'Eistee** M iced tea **'Eiswürfel** M ice cube **'Eiszapfen** M [-tsapfən] ⟨~s; ~⟩ icicle
eitel ADJ ['aitəl] ⟨-tl-⟩ vain
'Eitelkeit F ⟨~⟩ vanity
Eiter M ['aitər] ⟨~s⟩ pus
'eitern V/I fester
'eitrig ADJ festering, purulent
'Eiweiß N ⟨~es; ~e *od mit Anzahl* ~⟩ egg white; BIOL protein **'eiweißarm** ADJ low-protein **'eiweißreich** ADJ rich in protein, high-protein **'Eizelle** F egg cell, ovum
Ekel[1] M ['e:kəl] ⟨~s⟩ disgust (**vor** at)
'Ekel[2] N ⟨~s; ~⟩ *umg*: *Person* beast
'ekelerregend ADJ disgusting, revolting
'ekelhaft ADJ, **ekelig** ADJ disgusting, revolting
'ekeln V/R & V/UNPERS **ich ekle mich davor, es ekelt mich** I find it disgusting
Elan M [e'la:n] ⟨~s⟩ vigour, *US* vigor
elastisch ADJ [e'lastɪʃ] elastic; *biegsam* flexible
Elch M [ɛlç] ⟨~(e)s; ~e⟩ elk; *nordamerikanischer* moose
Elefant M [ele'fant] ⟨~en; ~en⟩ elephant
Ele'fantenhochzeit F WIRTSCH *umg* mega merger
elegant [ele'gant] **A** ADJ elegant **B** ADV *angezogen etc* elegantly
Ele'ganz F ⟨~⟩ elegance
Elektriker(in) [e'lɛktrikər(ɪn)] M ⟨~s; ~⟩ (F) ⟨~in; ~innen⟩ electrician
e'lektrisch **A** ADJ *allg* electrical; *elektrisch betrieben* electric **B** ADV *geladen* electrically; *kochen* with electricity
Elektrizität F [elɛktritsi'tɛ:t] ⟨~⟩ electricity
Elektrizi'tätswerk N power station
E'lektrogerät N electric(al) appliance **E'lektrogeschäft** N electrical shop *od bes US* store
Elektronik F [elɛk'tro:nɪk] ⟨~⟩ *als Fach* electronics *sg*; *in e-m Auto, Flugzeug etc* electronics *pl*
elek'tronisch **A** ADJ electronic; **~e Kommunikation** electronic communications *pl* **B** ADV *gesteuert etc* electronically
E'lektrorasierer M ⟨~s; ~⟩ electric razor **E'lektrotechnik** F electrical engineering **E'lektrotechniker(in)** M(F) electrical engineer
Element N [ele'mɛnt] ⟨~(e)s; ~e⟩ element (*a. fig*)
elemen'tar ADJ elementary
elend ADJ ['e:lɛnt] miserable; *krank* wretched
'Elend N ⟨~s⟩ misery; *Armut* poverty
'Elendsviertel N slums *pl*
elf ADJ [ɛlf] eleven
Elf F ⟨~; ~en⟩ eleven (*a.* SPORT)
'Elfenbein N ivory
elfte(r, -s) ADJ ['ɛlftə] eleventh
Elite F [e'li:tə] ⟨~; ~n⟩ elite
'Ellbogen M ⟨~s; ~⟩ elbow
'Ellbogengesellschaft F dog-eat-dog society
Elsass N ['ɛlzas] ⟨~ *od* ~es⟩ Alsace
Elster F ['ɛlstər] ⟨~; ~n⟩ magpie
'elterlich ADJ parental
Eltern PL ['ɛltərn] parents *pl*
'Elternhaus N home **'elternlos** ADJ orphaned **'Elternteil** M parent **'Elternurlaub** M parental leave **'Elternzeit** F parental leave
E-Mail F ['i:me:l] ⟨~; ~s⟩ e-mail
Email N [e'mai] ⟨~s; ~s⟩, **Emaille** [e'maljə] F ⟨~; ~n⟩ enamel
Emanze F [e'mantsə] ⟨~; ~n⟩ *umg* women's libber
Emanzipati'on F ⟨~; ~en⟩ emancipation; **die ~ der Frau** women's liberation
emanzi'pieren V/R ⟨*kein ge*⟩ become* emancipated
Embargo N [ɛm'bargo] ⟨~s; ~s⟩ embargo
Embryo M ['ɛmbryo] ⟨~s; ~s *od* Embry'onen⟩ embryo
Emigrant(in) [emi'grant(ɪn)] M ⟨~en; ~en⟩ (F) ⟨~in; ~innen⟩ emigrant; POL émigré
Emigrati'on F ⟨~; ~en⟩ emigration
emi'grieren V/I ⟨*kein ge*, s⟩ emigrate (**nach** to)
Emission F [emɪsi'o:n] ⟨~; ~en⟩ PHYS emission; WIRTSCH issue
emissi'onsarm ADJ low-emission, low in emissions **Emissi'onshandel** M emissions trading **Emissi'onswerte** PL emission levels *pl*
Emoticon N [e'mo:tɪkɔn] ⟨~s; ~s⟩ emo-

ticon

emotional ADJ [emotsio'na:l] emotional

Empfang M [ɛm'pfaŋ] ⟨~(e)s; Empfänge⟩ reception (*a. im Radio, Hotel*), welcome; *Erhalt* receipt; **nach** *od* **bei ~** on receipt

em'pfangen V/T ⟨empfing, empfangen⟩ receive; *freundlich a.* welcome

Empfänger M [ɛm'pfɛŋər] ⟨~s; ~⟩ receiver (*a. Radio*); *Adressat* addressee

em'pfänglich ADJ susceptible (**für** to)

Em'pfängnis F ⟨~; ~se⟩ conception

Em'pfängnisverhütung F contraception, birth control

Em'pfangsbescheinigung F receipt **Em'pfangschef(in)** M(F) receptionist **Em'pfangsdame** F receptionist

empfehlen V/T [ɛm'pfe:lən] ⟨empfahl, empfohlen⟩ recommend

em'pfehlenswert ADJ recommendable; *ratsam* advisable

Em'pfehlung F ⟨~; ~en⟩ recommendation

Em'pfehlungsschreiben N letter of recommendation

empfinden V/T [ɛm'pfındən] ⟨empfand, empfunden⟩ feel*; **~ als** regard as

em'pfindlich **A** ADJ sensitive (**für, gegen** to); *zart* delicate (*a. Gesundheit, Gleichgewicht*); *leicht gekränkt* touchy; *reizbar* irritable; *Kälte, Strafe* severe; **~e Stelle** *fig* sore point **B** ADV *kalt etc* bitterly

Em'pfindlichkeit F ⟨~⟩ sensitivity (*a.* TECH); FOTO speed; *Zartheit* delicacy; *Gekränktheit* touchiness

Em'pfindung F ⟨~; ~en⟩ sensation; *Gefühl* feeling

empören V/T [ɛm'pø:rən] ⟨*kein ge*⟩ outrage; **sich ~ (über)** be* outraged (at)

em'pörend ADJ outrageous

em'pört ADJ indignant, outraged (**über** at)

Em'pörung F ⟨~; ~en⟩ indignation, outrage

emsig ['ɛmzıç] **A** ADJ busy **B** ADV *arbeiten etc* busily

Ende N ['ɛndə] ⟨~s; ~n⟩ end; *von Film, Roman etc* ending; **am ~** at the end; *schließlich* in the end; **ich bin am ~** *umg* I'm a wreck; **zu ~ sein** be* over; *Zeit* be* up; **zu ~ gehen** come* to an end; **kein ~ nehmen** go* on and on; **etw ein ~ machen** put* an end to sth; **etw zu ~ lesen** finish reading sth; **er ist ~ zwanzig** he is in his late twenties; **~ Mai** at the end of May; **~ der Achtzigerjahre** in the late eighties; **~!** *im Funkverkehr etc* over!

'enden V/I end; **~ als** *umg* end up as

'Endergebnis N final result **'endgültig** **A** ADJ final; *Beweis* conclusive **B** ADV **das steht ~ fest** that's definite

'Endkunde M end customer *od* consumer **'endlagern** V/T ⟨*nur inf und pperf*⟩ dispose of *sth* permanently

'Endlagerung F final disposal

'endlich ADV at last, finally; **hör ~ auf!** stop it, will you!

'endlos **A** ADJ endless **B** ADV **sich ~ hinziehen** go* on forever

'Endprodukt N end *od* finished product **'Endspurt** M [-ʃpʊrt] ⟨~(e)s; ~e⟩ final spurt (*a. fig*) **'Endstation** F terminus **'Endsumme** F (sum) total **'Endverbraucher(in)** M(F) end user

Energie F [enɛr'gi:] ⟨~; ~n⟩ energy; TECH, ELEK *a.* power

ener'giebewusst ADJ energy-conscious **Ener'giekrise** F energy crisis

ener'gielos ADJ **~ sein** be* lacking in energy **Ener'giemix** M [-mıks] ⟨~es⟩ mix of energy sources **Ener'giequelle** F source of energy **Ener'giesparen** N ⟨~s⟩ energy saving *od* conservation **Ener'gieversorgung** F power supply; *Sektor* energy sector

e'nergisch **A** ADJ forceful **B** ADV *handeln etc* forcefully

eng [ɛŋ] **A** ADJ narrow; *Kleidung* tight; *Kontakt, Freund(schaft)* close; *beengt* cramped; **das wird ~** *umg: zeitlich, räumlich* it's tight **B** ADV **~ beieinander** close together; **sie sind ~ befreundet** they're close friends

Engagement N [ãgaʒə'mã:] ⟨~s; ~s⟩ THEAT *etc* engagement; *fig,* POL commitment

engagieren V/T [ãga'ʒi:rən] ⟨*kein ge*⟩ *einstellen* engage; **sich ~ für** be* very involved in

enga'giert ADJ committed

Enge F ['ɛŋə] ⟨~; ~n⟩ narrowness; *Wohnverhältnisse* cramped conditions *pl*; **j-n in die ~ treiben** drive* sb into a corner

Engel M ['ɛŋəl] ⟨~s; ~⟩ angel (*a. fig*)

England N ['ɛŋlant] ⟨~s⟩ England

Engländer M ['ɛŋlɛndər] ⟨~s; ~⟩ Englishman; **er ist ~** he's English; **die ~** *pl* the English *pl*

'Engländerin F ⟨~; ~nen⟩ Englishwoman; **sie ist ~** she's English

'englisch ADJ, **'Englisch** N English; **im Englischen** in English; **auf ~** in English; **ins Englische** into English; **was heißt das auf Englisch?** what's that in English?, how do you say that in English?

'Englischunterricht M English lesson *od* class; English lessons *od* classes

'Engpass M bottleneck (*a. fig*) **'engstirnig** A ADJ narrow-minded B ADV *handeln etc* narrow-mindedly

Enkel M ['ɛŋkəl] ⟨~s; ~⟩ grandchild; *Enkelsohn* grandson; *pl* grandchildren

'Enkelin F ⟨~; ~nen⟩ granddaughter

enorm [e'nɔrm] A ADJ enormous; *fig* tremendous B ADV incredibly; **~ viel Geld** a huge amount of money

Ensemble N [ã'sã:bl] ⟨~s; ~s⟩ THEAT company

entbehren VT [ɛnt'be:rən] ⟨*kein ge*⟩ do* without; *erübrigen* spare; *vermissen* miss

ent'behrlich ADJ dispensable; *überflüssig* superfluous

Ent'behrung F ⟨~; ~en⟩ privation

ent'binden ⟨*irr, kein ge*⟩ A VI MED give* birth B VT **j-n ~ von** *fig* relieve sb of; **entbunden werden von** MED give* birth to

Ent'bindung F MED delivery

Ent'bindungsstation F maternity ward

ent'decken VT ⟨*kein ge*⟩ discover

Ent'decker(in) M ⟨~s; ~⟩ (F) ⟨~in; ~innen⟩ discoverer

Ent'deckung F ⟨~; ~en⟩ discovery

Ente F ['ɛntə] ⟨~; ~n⟩ duck; *umg*: *Zeitungsente* hoax

ent'eignen VT ⟨*kein ge*⟩ expropriate; *Besitzer* dispossess

Ent'eignung F ⟨~; ~en⟩ expropriation; *des Besitzers* dispossession

ent'erben VT ⟨*kein ge*⟩ disinherit

ent'fachen VT ⟨*kein ge*⟩ kindle (*a. fig*: *Begeisterung etc*); *Krieg, Streit* spark off

ent'fallen VI ⟨*irr, kein ge, s*⟩ *wegfallen* be* cancelled *od US* canceled; **auf j-n ~** fall* to sb; **es ist mir ~** it's slipped my mind

ent'falten VT ⟨*kein ge*⟩ unfold; *Fähigkeiten* develop; **sich ~** unfold; *fig* develop (**zu** into)

ent'fernen VT ⟨*kein ge*⟩ remove (*a. fig*); IT delete; **sich ~** leave*

ent'fernt ADJ distant (*a. fig*); **weit ~** far away; **zehn Meilen ~** ten miles away

Ent'fernung F ⟨~; ~en⟩ distance; *Beseitigung, von Müll etc* removal; **aus der ~** from a distance; **in einer ~ von 200 Metern** at a distance of 200 metres

Ent'fernungsmesser M ⟨~s; ~⟩ FOTO range finder

ent'fremden VT ⟨*kein ge*⟩ estrange, alienate (*dat* from)

ent'führen VT ⟨*kein ge*⟩ kidnap; *Flugzeug, Fahrzeug* hijack

Ent'führer(in) M(F) kidnapper; *von Flugzeug, Fahrzeug* hijacker

Ent'führung F kidnapping; *von Flugzeug, Fahrzeug* hijacking

ent'gegen A PRÄP ⟨*dat*⟩ *gegen* contrary to B ADV *Richtung* towards, *US* toward

ent'gegengehen VI ⟨*irr, s*⟩ go* to meet **ent'gegengesetzt** ADJ opposite; *Meinungen* conflicting **ent'gegenkommen** VI ⟨*irr, s*⟩ come* to meet sb; *fig* meet* sb halfway **Ent'gegenkommen** N ⟨~s⟩ obligingness **ent'gegenkommend** ADJ *fig* obliging **ent'gegennehmen** VT ⟨*irr*⟩ accept **ent'gegensehen** VI ⟨*irr*⟩ await; **e-r Sache freudig ~** look forward to sth **ent'gegensetzen** VT **j-m Widerstand ~** put* up resistance to sb **ent'gegentreten** VI ⟨*irr, s*⟩ walk towards; *feindlich* oppose; *Gefahr* face

ent'gegnen VI ⟨*kein ge*⟩ reply; *schlagfertig, kurz* retort

Ent'gegnung F ⟨~; ~en⟩ reply; *schlagfertige, kurze* retort

ent'gehen VI ⟨*irr, kein ge, s*⟩ escape; **es ist ihm nicht entgangen** it didn't escape his notice

ent'geistert A ADJ dumbfounded B ADV *anstarren etc* aghast

Entgelt N [ɛnt'gɛlt] ⟨~(e)s; ~e⟩ remuneration; *Honorar* fee

entgiften VT [ɛnt'gɪftən] ⟨*kein ge*⟩ *Luft etc* decontaminate

ent'gleisen VI ⟨*kein ge, s*⟩ be* derailed; *fig* blunder

ent'halten VT ⟨*irr, kein ge*⟩ contain; **es ist im Preis ~** it's (included) in the price; **sich ~** abstain from; **sich der Stimme ~** abstain
ent'haltsam ADJ abstinent; *maßvoll* moderate
Ent'haltsamkeit F ⟨~⟩ abstinence; *Mäßigkeit* moderation
Ent'haltung F abstention
ent'hüllen VT ⟨*kein ge*⟩ uncover; *Denkmal* unveil; *fig* reveal, disclose
Ent'hüllung F ⟨~; ~en⟩ *von Denkmal* unveiling; *fig*: *von Skandal* revelation, disclosure
Enthusiasmus M [ɛntuzi'asmʊs] ⟨~⟩ enthusiasm
enthusi'astisch **A** ADJ enthusiastic **B** ADV *applaudieren etc* enthusiastically
entkoffeiniert ADJ [ɛntkɔfei'ni:rt] decaffeinated
ent'kommen VI ⟨*irr, kein ge, s*⟩ escape (*dat* from)
entkräften VT [ɛnt'krɛftən] ⟨*kein ge*⟩ weaken, exhaust; *fig* refute
ent'laden VT ⟨*irr, kein ge*⟩ unload; ELEK discharge; **sich ~** ELEK discharge; *von Zorn* erupt
ent'lang ADV & PRÄP ⟨*dat od akk*⟩ along; **hier ~, bitte!** this way, please!
entlarven VT [ɛnt'larfən] ⟨*kein ge*⟩ unmask, expose
ent'lassen VT ⟨*irr, kein ge*⟩ dismiss, *umg* fire; *Patient* discharge; *Häftling* release
Ent'lassung F ⟨~; ~en⟩ dismissal; *von Patient* discharge; *von Häftling* release
Ent'lassungsgesuch N (letter of) resignation
ent'lasten VT ⟨*kein ge*⟩ **j-n ~** relieve sb of some of his/her work; JUR exonerate sb; **den Verkehr ~** relieve the (traffic) congestion
Ent'lastung F ⟨~; ~en⟩ relief; JUR exoneration
Ent'lastungszeuge M, **Ent'lastungszeugin** F witness for the defence *od US* defense
ent'laufen VI ⟨*irr, kein ge, s*⟩ run* away (*dat* from)
ent'legen ADJ remote
ent'lüften VT ⟨*kein ge*⟩ ventilate; *Heizung* bleed*
ent'machten VT ⟨*kein ge*⟩ **j-n ~** strip sb of his/her power
entmilitarisieren VT [ɛntmilitari'zi:rən] ⟨*kein ge*⟩ demilitarize
ent'mündigen VT JUR **j-n ~** declare sb incapable of managing his/her own affairs
ent'mutigen VT ⟨*kein ge*⟩ discourage
ent'nehmen VT ⟨*irr, kein ge*⟩ take* from; *fig* gather from
entnervt ADJ [ɛnt'nɛrft] enervated
ent'puppen VR ⟨*kein ge*⟩ **sich ~ als** turn out to be
entrahmt ADJ [ɛnt'ra:mt] skimmed
ent'reißen VT ⟨*irr, kein ge*⟩ snatch (away) (*dat* from)
ent'richten VT ⟨*kein ge*⟩ pay*
ent'rüsten VT ⟨*kein ge*⟩ incense; **sich ~** be* incensed (**über etw** at sth; **über j-n** with sb)
ent'rüstet **A** ADJ incensed, indignant **B** ADV *protestieren etc* indignantly
Ent'rüstung F indignation
ent'schädigen VT ⟨*kein ge*⟩ compensate
Ent'schädigung F ⟨~; ~en⟩ compensation
ent'schärfen VT ⟨*kein ge*⟩ defuse (*a. Lage*)
ent'scheiden ⟨*irr, kein ge*⟩ **A** VT decide; *endgültig a.* settle **B** VI decide (**über** on) **C** VR decide (**für** on; **gegen** against); **er kann sich nicht ~** he can't make up his mind
ent'scheidend **A** ADJ decisive; *kritisch* crucial **B** ADV *ändern etc* decisively
Ent'scheidung F decision (**über** on)
Ent'scheidungsinstanz F decision-making body **Ent'scheidungsträger(in)** M(F) decision-maker **Ent'scheidungsverfahren** N decision-making process
entschieden [ɛnt'ʃi:dən] **A** ADJ determined, resolute **B** ADV *ablehnen* flatly; **~ dafür** strongly in favour *od US* favor of it
ent'schließen VR ⟨*irr, kein ge*⟩ decide, make* up one's mind (**etw zu tun** to do sth)
Ent'schließung F POL resolution
entschlossen [ɛnt'ʃlɔsən] **A** ADJ determined, resolute **B** ADV *handeln etc* resolutely
Ent'schlossenheit F ⟨~⟩ determina-

tion, resolution
Ent'schluss M decision
ent'schlüsseln V/T ⟨*kein ge*⟩ decipher, decode
ent'schuldigen V/T ⟨*kein ge*⟩ excuse; **sich ~** apologize (**bei** to; **für** for); *für Abwesenheit* excuse o.s.; **~ Sie!** (I'm) sorry!; *j-n anredend* excuse me!
Ent'schuldigung F ⟨~; ~en⟩ excuse; *Verzeihung* apology; *Schreiben* note; **um ~ bitten** apologize; **~!** (I'm) sorry!; *beim Vorbeigehen etc* excuse me!
ent'setzen V/T ⟨*kein ge*⟩ shock; *stärker* horrify
Ent'setzen N ⟨~s⟩ horror
ent'setzlich **A** ADJ dreadful, terrible **B** ADV dreadfully; *kalt etc* bitterly
ent'setzt **A** ADJ shocked; *stärker* horrified (*beide* **über** at) **B** ADV *anstarren etc* in horror
ent'sorgen V/T ⟨*kein ge*⟩ *Müll etc* dispose of
Ent'sorgung F ⟨~; ~en⟩ waste disposal
ent'spannen V/T & V/R ⟨*kein ge*⟩ relax; **die Lage entspannt sich** the situation is easing
ent'spannt ADJ relaxed
Ent'spannung F relaxation; POL détente
ent'sprechen V/I ⟨*irr, kein ge*⟩ correspond to; *gleichwertig sein* be* equivalent to; *e-r Beschreibung* answer to; *Anforderungen* meet*; *Erwartungen* come* up to
ent'sprechend **A** ADJ corresponding; *passend* appropriate **B** ADV correspondingly; *passend* appropriately **C** PRÄP ⟨*dat*⟩ **dem Alter ~** according to age; **dem Anlass ~** as befits the occasion
Ent'sprechung F ⟨~; ~en⟩ equivalent
ent'stehen V/I ⟨*irr, kein ge, s*⟩ *geschaffen werden* come* into being; *gebaut/geschrieben/gemalt werden* be* built/written/painted; *geschehen, eintreten* arise*; *allmählich* emerge, develop; **~ aus** originate from
Ent'stehung F ⟨~⟩ *Ursprung* origin; *von Roman, Gemälde* development
ent'stört ADJ ELEK interference-free
ent'täuschen V/T ⟨*kein ge*⟩ disappoint
ent'täuschend ADJ disappointing
Ent'täuschung F disappointment
entwaffnen V/T [ɛnt'vafnən] ⟨*kein ge*⟩ disarm (*a. fig*)
Ent'warnung F all clear (signal)
entwässern V/T [ɛnt'vɛsərn] ⟨*kein ge*⟩ drain
Ent'wässerung F ⟨~; ~en⟩ drainage
'entweder KONJ **~ ... oder** either ... or
ent'werfen V/T ⟨*irr, kein ge*⟩ design; *skizzieren* sketch; *Schriftstück, Plan* draw* up
ent'werten V/T ⟨*kein ge*⟩ *abwerten* devalue (*a. fig*); *Fahrschein* cancel
Ent'werter M ⟨~s; ~⟩ *für Fahrscheine* ticket-cancelling *od US* ticket-canceling machine
Ent'wertung F ⟨~; ~en⟩ devaluation; *von Fahrschein* cancellation
ent'wickeln V/T & V/R ⟨*kein ge*⟩ develop (*a. Film*) (**zu** into)
Ent'wicklung F ⟨~; ~en⟩ development; BIOL *a.* evolution; *von Film* developing
Ent'wicklungsfonds M development fund **Ent'wicklungshelfer(in)** M(F) development aid worker, *Br* VSO worker, *US* Peace Corps volunteer **Ent'wicklungshilfe** F development aid **Ent'wicklungsland** N developing country
ent'würdigend ADJ degrading
Ent'wurf M outline, (rough) draft; *Gestaltung* design; *Skizze* sketch
ent'ziehen V/T ⟨*irr, kein ge*⟩ withdraw* (*dat* from); *Führerschein, Lizenz a.* revoke; **j-m ein Recht ~** deprive sb of a right; **sich j-m/e-r Sache ~** evade sb/sth
Ent'ziehungskur F detox
ent'ziffern V/T ⟨*kein ge*⟩ decipher
entzücken V/T [ɛnt'tsʏkən] ⟨*kein ge*⟩ delight
Ent'zücken N ⟨~s⟩ delight
ent'zückend ADJ delightful, lovely
ent'zückt ADJ delighted (**über, von** with)
Ent'zug M withdrawal
Ent'zugserscheinungen PL withdrawal symptoms *pl*
ent'zünden V/R ⟨*kein ge*⟩ catch* fire; MED become* inflamed
Ent'zündung F MED inflammation
ent'zwei ADJ in pieces
ent'zweien V/R ⟨*kein ge*⟩ fall* out (**mit** with)
Epidemie F [epide'mi:] ⟨~; ~n⟩ epidem-

E

ic
epilieren VT [epi'li:rən] ⟨*kein ge*⟩ depilate, epilate
Episode F [epi'zo:də] ⟨~; ~n⟩ episode
Epoche F [e'pɔxə] ⟨~; ~n⟩ era, age
er PERS PR [e:r] he; *Sache* it; **~ ist es** it's him
er'achten VT ⟨*kein ge*⟩ consider, think*
Er'achten N **meines ~s** in my opinion
'Erbanlage F BIOL genetic make-up
erbärmlich [ɛr'bɛrmlıç] **A** ADJ pitiful; *elend* miserable; *gemein* mean **B** ADV *kalt, schlecht etc* appallingly
er'bauen VT ⟨*kein ge*⟩ build*, construct
Er'bauer(in) M ⟨~s; ~⟩ (F) ⟨~in; ~innen⟩ builder
Erbe[1] M ['ɛrbə] ⟨~n; ~n⟩ *Person* heir (*a. fig*)
'Erbe[2] N ⟨~s⟩ *Geld* inheritance; *fig* legacy; *kulturelles* heritage
'erben VT inherit (*a. fig*)
er'beuten VT ⟨*kein ge*⟩ MIL capture; *von Dieb* get* away with
'Erbfaktor M gene
'Erbin F ['ɛrbın] ⟨~; ~nen⟩ heir; *bes reiche* heiress
er'bitten VT ⟨*irr, kein ge*⟩ ask for, request
er'bittert **A** ADJ *Kampf, Streit* fierce **B** ADV *kämpfen etc* fiercely
'Erbkrankheit F hereditary disease
'erblich ADJ hereditary
er'blicken VT ⟨*kein ge*⟩ see*; *plötzlich* catch* sight of
er'blinden VI ⟨*kein ge, s*⟩ go* blind
'Erbschaft F ⟨~; ~en⟩ inheritance
'Erbschaftssteuer F inheritance tax
Erbse F ['ɛrpsə] ⟨~; ~n⟩ pea
'Erbstück N heirloom **'Erbteil** M (share of the) inheritance
'Erdbeben N earthquake **'Erdbeere** F strawberry
Erde F ['e:rdə] ⟨~⟩ *Planet* earth; *Boden* ground; *Erdreich* soil, earth; **unter der ~** underground; **zu ebener ~** at ground level
'erden VT earth, *US* ground
er'denklich ADJ imaginable
'Erderwärmung F global warming
'Erdgas N natural gas **'Erdgeschoss** N ground *od US* first floor
'Erdnuss F peanut **'Erdöl** N (mineral) oil, petroleum
er'drosseln VT ⟨*kein ge*⟩ strangle, throttle
er'drücken VT ⟨*kein ge*⟩ crush (to death)
er'drückend ADJ *fig* overwhelming
'Erdrutsch M landslide (*a.* POL) **'Erdteil** M continent
er'dulden VT ⟨*kein ge*⟩ endure, suffer
'Erdumlaufbahn F earth orbit
'Erdung F ⟨~; ~en⟩ earthing, *US* grounding
er'eifern VR ⟨*kein ge*⟩ get* excited (**über** about)
er'eignen VR ⟨*kein ge*⟩ happen, occur
Er'eignis N ⟨~ses; ~se⟩ event; *Vorfall* incident
er'eignisreich ADJ eventful
Erektion F [erɛktsi'o:n] ⟨~; ~en⟩ erection
er'fahren[1] VT ⟨*irr*⟩ hear*; *durch die Zeitung etc* read* about, find* out about; *erleben* experience
er'fahren[2] ADJ experienced
Er'fahrung F ⟨~; ~en⟩ experience; **unsere ~en mit ...** our experience with ...
Er'fahrungsaustausch M exchange of views **er'fahrungsgemäß** ADV experience has shown *od* shows that
er'fassen VT ⟨*kein ge*⟩ *begreifen* grasp; *statistisch* record, register; *umfassen* cover, include; *Daten* collect
er'finden VT ⟨*irr, kein ge*⟩ invent
Er'finder(in) M(F) inventor
er'finderisch ADJ inventive
Er'findung F ⟨~; ~en⟩ invention
Erfolg M [ɛr'fɔlk] ⟨~(e)s; ~e⟩ success; *Ergebnis* result; **~/keinen ~ haben** be* successful/unsuccessful; **~ versprechend** promising; **viel ~!** good luck!
er'folglos **A** ADJ unsuccessful **B** ADV *versuchen etc* unsuccessfully
Er'folglosigkeit F ⟨~⟩ lack of success
er'folgreich **A** ADJ successful **B** ADV successfully; **eine Prüfung ~ bestehen** pass an exam
Er'folgserlebnis N sense of achievement
er'forderlich ADJ necessary, required
er'fordern VT ⟨*kein ge*⟩ require
Er'fordernis N ⟨~ses; ~se⟩ requirement
er'forschen VT ⟨*kein ge*⟩ explore; *untersuchen* investigate, study

Er'forscher(in) M(F) *eines Landes* explorer; *in der Wissenschaft* investigator, researcher
Er'forschung F exploration; *Untersuchung* investigation
er'freuen V/T ⟨*kein ge*⟩ please
er'freulich ADJ pleasing, pleasant; *befriedigend* gratifying; *Nachricht* good
er'freulicher'weise ADV luckily
er'freut ADJ pleased (**über** about); **sehr ~!** pleased to meet you!
er'frieren V/I ⟨*irr, kein ge,* s⟩ freeze* to death; *von Pflanzen* be* killed by frost
Er'frierung F ⟨~; ~en⟩ frost bite
er'frischen V/T ⟨*kein ge*⟩ refresh; **sich ~** refresh o.s.
er'frischend ADJ refreshing
Er'frischung F ⟨~; ~en⟩ refreshment
erfroren ADJ [ɛr'fro:rən] *Finger etc* frostbitten; *Pflanzen* killed by frost
er'füllen V/T ⟨*kein ge*⟩ *fig: Wunsch, Pflicht, Aufgabe* fulfil, *US* fulfill; *Versprechen* keep*; *Zweck* serve; *Bedingung* meet*; *Erwartung* come* up to; **~ mit** fill with; **sich ~** be* fulfilled, come* true
Er'füllung F fulfilment, *US* fulfillment; **in ~ gehen** be* fulfilled, come* true
Er'füllungsort M WIRTSCH place of performance *od* fulfil(l)ment
ergänzen V/T [ɛr'gɛntsən] ⟨*kein ge*⟩ *hinzufügen* add; *vervollständigen* complete; **sich** *od* **einander ~** complement each other
er'gänzend ADJ complementary
Er'gänzung F ⟨~; ~en⟩ *Vervollständigung* completion; *Zusatz* supplement, addition
er'geben V/T ⟨*irr, kein ge*⟩ *Betrag, Summe* amount to, come* to; **sich ~** surrender; *von Schwierigkeiten* arise*; **sich ~ aus** result from; **sich in sein Schicksal ~** resign o.s. to one's fate
Er'gebnis N ⟨~ses; ~se⟩ result (*a.* SPORT); **zu dem ~ kommen, dass** come* to the conclusion that
er'gebnislos **A** ADJ fruitless **B** ADV **die Gespräche sind ~ ausgegangen** the talks didn't get anywhere
er'gehen V/I ⟨*irr, kein ge,* s⟩ **es ist ihr gut/schlecht ergangen** she got on well/badly, she fared well/badly; **so ist es mir auch ergangen** the same thing happened to me; **etw über sich ~ lassen** (patiently) endure sth
ergiebig ADJ [ɛr'gi:bɪç] productive (*a. fig*)
er'greifen V/T ⟨*irr, kein ge*⟩ *mit der Hand* seize, take* hold of; *Gelegenheit, Maßnahme* take*; *Beruf* take* up; **von Angst** *etc* **ergriffen werden** be* overcome by fear *etc*
er'greifend ADJ (very) moving
ergriffen ADJ [ɛr'grɪfən] *fig* moved
Er'griffenheit F ⟨~⟩ emotion
er'halten[1] V/T ⟨*irr, kein ge*⟩ get*, receive; *bewahren* preserve; **etw am Leben ~** keep* sth alive *od* going
er'halten[2] ADJ **gut ~ sein** be* in good condition
erhältlich ADJ [ɛr'hɛltlɪç] available, obtainable
Er'haltung F ⟨~⟩ preservation; *von Haus, Familie* upkeep
er'hängen V/T ⟨*kein ge*⟩ hang; **sich ~** hang o.s.
er'heben V/T ⟨*irr, kein ge*⟩ raise (*a. Stimme*), lift; *Steuern* levy; *Gebühr* charge; **sich ~** rise* up (**gegen** against)
erheblich [ɛr'he:plɪç] **A** ADJ considerable **B** ADV *kleiner, besser etc* considerably
Er'hebung F ⟨~; ~en⟩ *Untersuchung* survey; *Aufstand* revolt
er'heitern V/T ⟨*kein ge*⟩ amuse
er'hoffen V/T & V/R ⟨*kein ge*⟩ hope for
er'höhen V/T ⟨*kein ge*⟩ raise; *verstärken* increase
Er'höhung F ⟨~; ~en⟩ increase
er'holen V/R ⟨*kein ge*⟩ recover; *entspannen* relax, rest
er'holsam ADJ relaxing, restful
Er'holung F ⟨~⟩ recovery; *Entspannung* relaxation, rest
erinnern V/T [ɛr'ʔɪnərn] ⟨*kein ge*⟩ **j-n an j-n/etw ~** remind sb of sb/sth; **sich ~ an** remember
Er'innerung F ⟨~; ~en⟩ memory (**an** of); *Andenken* souvenir; *an j-n* keepsake; **zur ~ an** in memory of
erkälten V/R [ɛr'kɛltən] ⟨*kein ge*⟩ catch* a cold
er'kältet ADJ **(stark) ~ sein** have* a (bad) cold
Er'kältung F ⟨~; ~en⟩ cold
er'kennbar ADJ recognizable (**an** by)
er'kennen V/T ⟨*irr, kein ge*⟩ recognize (**an** by); *optisch wahrnehmen* make* out;

verstehen see*, realize

er'kenntlich ADJ **sich (j-m) ~ zeigen** show* (sb) one's gratitude

Er'kenntnis F realization; *Entdeckung* discovery; **~se** *pl Informationen* findings *pl*

er'klären V/T *⟨kein ge⟩* explain; *verkünden* declare; **j-m etw ~** explain sth to sb; **j-n für … ~** pronounce sb …; **ich kann es mir nicht ~** I don't understand it

er'klärend ADJ *Worte etc* explanatory

er'klärt ADJ declared

Er'klärung F ⟨~; ~en⟩ explanation; *Mitteilung* statement; *der EU* declaration; *Worterklärung* definition; **e-e ~ abgeben** make* a statement (**zu** about)

er'kranken V/I *⟨kein ge*, s⟩ fall* ill, *US a.* get* sick; **~ an** get*

Er'krankung F ⟨~; ~en⟩ illness; *von Organ* disease

erkundigen V/R [ɛr'kʊndɪgən] *⟨kein ge⟩* inquire (**nach etw** about sth; **nach j-m** after sb); *Auskünfte einholen* make* inquiries (**nach** about); **sich (bei j-m) nach dem Weg ~** ask (sb) the way

Er'kundigung F ⟨~; ~en⟩ inquiry

er'langen V/T *⟨kein ge⟩* gain, obtain

Erlass M [ɛr'las] ⟨~es; ~e⟩ decree; *Straferlass, Schuldenerlass* remission

er'lassen V/T *⟨irr, kein ge⟩ Verordnung* issue; *Gesetz* enact; **j-m etw ~** release sb from sth

erlauben V/T [ɛr'laubən] *⟨kein ge⟩* allow, permit; **sich etw ~** allow o.s. sth

Erlaubnis F [ɛr'laupnɪs] ⟨~; ~se⟩ permission

erläutern V/T [ɛr'lɔytərn] *⟨kein ge⟩* explain; *veranschaulichen* illustrate; *kommentieren* comment on

Er'läuterung F ⟨~; ~en⟩ explanation; *zu e-m Text* comment

er'leben V/T *⟨kein ge⟩* experience; *Schlimmes* go* through; *mit ansehen* see*; *Abenteuer, Überraschung etc* have*; **das werden wir nicht mehr ~** we won't live to see that

Er'lebnis N ⟨~ses; ~se⟩ experience; *Abenteuer* adventure

er'lebnisreich ADJ eventful

er'ledigen V/T *⟨kein ge⟩* deal* with; *Arbeit, Einkäufe* do*; **j-n ~** *umg* finish sb (off) (*a.* SPORT); *umbringen* do* sb in

er'ledigt ADJ **~ sein** *Angelegenheit, Aufgabe* be* dealt with; *Arbeit* be* done; *erschöpft* be* worn out; **der ist ~!** he's done for

Er'ledigung F ⟨~; ~en⟩ **die ~ dieser Fälle** *etc* dealing with these cases *etc*; **~en** *pl* things *pl* to do; *Einkäufe* shopping *sg*

erleichtert ADJ [ɛr'laiçtərt] relieved

Er'leichterung F ⟨~; ~en⟩ relief (**über** at)

er'lernen V/T *⟨kein ge⟩* learn*

er'lesen ADJ exquisite

er'liegen V/I *⟨irr, kein ge*, s⟩ succumb to

Er'liegen N ⟨~s⟩ **zum ~ kommen/bringen** come*/bring* to a standstill

erlogen ADJ [ɛr'lo:gən] fabricated; **~ sein** be* a lie

Erlös M [ɛr'lø:s] ⟨~es; ~e⟩ proceeds *pl*; *Gewinn* profit(s *pl*)

erloschen ADJ [ɛr'lɔʃən] *Vulkan* extinct

er'löschen V/I ⟨erlosch, erloschen, s⟩ *von Feuer, Licht etc* go* out; *von Gefühlen* die; JUR: *auslaufen* lapse, expire

er'mächtigen V/T *⟨kein ge⟩* **j-n ~, etw zu tun** authorize sb to do sth

Er'mächtigung F ⟨~; ~en⟩ authorization; *Befugnis* authority

er'mahnen V/T *⟨kein ge⟩* admonish; *warnen* warn (*a. in der Schule,* SPORT)

Er'mahnung F admonition; *Warnung* warning (*a. in der Schule,* SPORT)

er'mäßigen V/T *⟨kein ge⟩* reduce

ermäßigt ADJ [ɛr'mɛ:sɪçt] reduced

Er'mäßigung F ⟨~; ~en⟩ reduction

Er'messen N ⟨~s⟩ discretion; **nach eigenem ~** at one's own discretion

er'mitteln *⟨kein ge⟩* **A** V/T find*; *bestimmen* determine **B** V/I *bes* JUR investigate

Er'mittlung F ⟨~; ~en⟩ finding; JUR investigation

er'möglichen V/T *⟨kein ge⟩* make* possible

er'morden V/T *⟨kein ge⟩* murder; POL assassinate

Er'mordung F ⟨~; ~en⟩ murder; POL assassination

er'müden V/I ⟨s⟩ & V/T *⟨kein ge⟩* tire

Er'müdung F ⟨~; ~en⟩ tiredness; TECH fatigue

er'muntern V/T *⟨kein ge⟩* encourage; *anregen* stimulate

Er'munterung F ⟨~; ~en⟩ encourage-

ment; *Anreiz* incentive
er'mutigen V/T ⟨*kein ge*⟩ encourage
er'mutigend ADJ encouraging
Er'mutigung F ⟨~; ~en⟩ encouragement
ernähren V/T [ɛr'nɛ:rən] ⟨*kein ge*⟩ feed*; *Familie* support; **sich ~ von** live on

E

Er'nährung F ⟨~⟩ food; *spezielle* diet
Er'nährungspolitik F nutrition *od* food policy
er'nennen V/T ⟨*irr, kein ge*⟩ **j-n zum Vorsitzenden ~** appoint sb chairman
Er'nennung F ⟨~; ~en⟩ appointment
er'neuerbar ADJ renewable; **~e Energien** renewable energy
er'neuern V/T ⟨*kein ge*⟩ renew
Er'neuerung F ⟨~; ~en⟩ renewal
er'neut **A** ADJ renewed **B** ADV *fragen etc* once more
ernst [ɛrnst] **A** ADJ serious **B** ADV **j-n/etw ~ nehmen** take* sb/sth seriously; **ich meine es ~** I'm serious
Ernst M ⟨~(e)s⟩ seriousness; **im ~?** seriously?; **ist das dein ~?** are you serious?
'Ernstfall M emergency **'ernsthaft**, **'ernstlich** **A** ADJ serious **B** ADV *besorgt etc* seriously
Ernte F ['ɛrntə] ⟨~; ~n⟩ harvest; *Ertrag* crop
'ernten V/T harvest; *Obst* pick; *fig* reap
er'nüchtern V/T ⟨*kein ge*⟩ sober up; *fig a.* disillusion
Eroberer(in) [ɛr'ʔo:bərər(ɪn)] M ⟨~s; ~⟩ (F) ⟨~in; ~innen⟩ conqueror
er'obern V/T ⟨*kein ge*⟩ conquer
Er'oberung F ⟨~; ~en⟩ conquest (*a. fig*)
er'öffnen V/T ⟨*kein ge*⟩ open; *feierlich a.* inaugurate; **j-m etw ~** *mitteilen* disclose sth to sb
Er'öffnung F opening; *feierlich a.* inauguration; *Mitteilung* disclosure
erörtern V/T [ɛr'ʔœrtərn] ⟨*kein ge*⟩ discuss
Er'örterung F ⟨~; ~en⟩ discussion
Erotik F [e'ro:tɪk] ⟨~⟩ eroticism
erotisch ADJ [e'ro:tɪʃ] erotic
erpicht ADJ [ɛr'pɪçt] **~ auf** keen on
er'pressen V/T ⟨*kein ge*⟩ blackmail; *Geständnis, Geld* extort; **j-n ~, etw zu tun** blackmail sb into doing sth
Er'presser(in) M ⟨~s; ~⟩ (F) ⟨~in; ~innen⟩ blackmailer
Er'pressung F ⟨~; ~en⟩ blackmail; *von Geld* extortion
er'proben V/T ⟨*kein ge*⟩ test
er'raten V/T ⟨*irr, kein ge*⟩ guess
er'rechnen V/T ⟨*kein ge*⟩ calculate, work out
er'regen V/T ⟨*kein ge*⟩ excite; *sexuell a.* arouse; *Gefühle* arouse; *verursachen* cause; **sich ~** get* worked up (**über** about)
Er'reger M ⟨~s; ~⟩ MED germ; *Virus* virus
Er'regung F excitement
er'reichbar ADJ **~ sein** be* within reach (*a. fig*); *Person* be* available; **leicht ~ sein** be* within easy reach; **nicht ~ sein** be* out of reach
er'reichen V/T ⟨*kein ge*⟩ reach; *Zug, Bus etc* catch*; **etwas/nichts ~** get* somewhere/nowhere; **(es) ~, dass ...** manage to ...; **ich bin telefonisch zu ~** I can be contacted by phone
er'richten V/T ⟨*kein ge*⟩ put* up, erect; *fig*: *gründen* establish
er'röten V/I ⟨*kein ge*, s⟩ blush
Errungenschaft F [ɛ'rʊŋənʃaft] ⟨~; ~en⟩ achievement; **meine neueste ~** my latest acquisition
Er'satz M replacement; *auf Zeit* substitute (*a. Person*); *Ausgleich* compensation; *Schadenersatz* damages *pl*
Er'satzdienst M alternative national service (for conscientious objectors) **Er'satzmann** M ⟨*pl* Ersatzmänner *od* Ersatzleute⟩ substitute (*a.* SPORT) **Er'satzmine** F refill **Er'satzmittel** N substitute **Er'satzreifen** M spare tyre *od US* tire **Er'satzteil** N spare part
er'schaffen V/T ⟨*irr, kein ge*⟩ create
Er'schaffung F ⟨~⟩ creation
er'scheinen V/I ⟨*irr, kein ge*, s⟩ appear; *Buch* be* published, come* out
Er'scheinen N ⟨~s⟩ appearance; *Buch* publication
Er'scheinung F ⟨~; ~en⟩ appearance; *Geistererscheinung* apparition; *Tatsache, Naturerscheinung* phenomenon
er'schießen V/T ⟨*irr, kein ge*⟩ shoot* (dead)
er'schließen V/T ⟨*irr, kein ge*⟩ *Markt* open up; *Bauland* develop
Er'schließung F ⟨~⟩ development; *von Markt* opening up

Er'schließungskosten PL development costs *pl*
er'schöpfen V/T ⟨*kein ge*⟩ exhaust (*a. fig*)
er'schöpft ADJ exhausted
Er'schöpfung F exhaustion
er'schrecken ⟨*kein ge*⟩ **A** V/T frighten, scare; **sich ~** get* a fright **B** V/I ⟨erschrak, erschrocken, s⟩ be* frightened; **ich war erschrocken, wie ...** I was shocked at how ...
er'schreckend ADJ alarming; *Anblick* terrible
erschüttern V/T [ɛr'ʃʏtərn] ⟨*kein ge*⟩ shake* (*a. fig*)
er'schüttert ADJ shaken
Er'schütterung F ⟨~; ~en⟩ shock (*a. seelisch*); TECH vibration
er'schweren V/T ⟨*kein ge*⟩ make* more difficult; *verschlimmern* aggravate
er'schwinglich ADJ affordable; **das ist für uns nicht ~** we can't afford that
er'sehen V/T ⟨*irr, kein ge*⟩ see*, learn*, gather (*alle* **aus** from)
er'setzbar ADJ replaceable; *Schaden* reparable
er'setzen V/T ⟨*kein ge*⟩ replace (**durch** by); *Schaden, Verlust* compensate for; *Auslagen* reimburse
er'sichtlich ADJ evident, obvious; **ohne ~en Grund** for no apparent reason
er'sparen V/T ⟨*kein ge*⟩ save; **j-m etw ~** spare sb sth
Er'sparnisse PL savings *pl*
erst ADV [e:rst] first; *anfangs* at first; **~ einmal** first; **~ jetzt/gestern** only now/yesterday; **es ist ~ neun Uhr** it's only nine o'clock; **ich kann es ~ nächste Woche machen** I can't do it until next week; **eben ~** just; **~ recht** all the more; **~ recht nicht** even less
er'statten V/T ⟨*kein ge*⟩ refund, reimburse; **j-m etw ~** refund *od* reimburse sb for sth; **Bericht ~** (give* a) report (**über** on)
Er'stattung F ⟨~; ~en⟩ refund
er'staunen V/T ⟨*kein ge*⟩ astonish
Er'staunen N astonishment; **in ~ (ver)setzen** astonish
er'staunlich **A** ADJ astonishing **B** ADV *schnell, gut etc* astonishingly
er'staunt ADJ astonished (**über** at)
'erst'beste ADJ **das ~ Hotel** *etc* any old hotel *etc*
erste(r, -s) ADJ ['e:rstə] first; **zum ~n Mal** for the first time
'Erste(r, -s) M/F/N (M, N) first; **fürs Erste** for the time being; **als Erste(r)** first; **am Ersten** on the first
er'stechen V/T ⟨*irr, kein ge*⟩ stab (to death)
'erstens ADV first(ly), in the first place
er'sticken V/I ⟨s⟩ & V/T *kein ge* suffocate; **in Arbeit ~** be* snowed under with work
'erstklassig ADJ first-class **'erstmalig** ADJ first **'erstmals** ADV for the first time
er'strebenswert ADJ desirable
er'strecken V/R ⟨*kein ge*⟩ extend, stretch (**bis, auf** to; **über** over)
er'tappen V/T ⟨*kein ge*⟩ catch*
er'teilen V/T ⟨*kein ge*⟩ *Rat, Erlaubnis etc* give*
Er'trag M ⟨~(e)s; Erträge⟩ yield; *Einnahmen* proceeds *pl*
er'tragen V/T ⟨*irr, kein ge*⟩ *Schmerzen etc* bear*, endure; *Klima, Person a.* stand*
erträglich ADJ [ɛr'trɛ:klɪç] bearable; *nicht zu schlecht* tolerable
Er'tragslage F profit situation
er'trinken V/I ⟨*irr kein ge*, s⟩ drown
er'übrigen V/T ⟨*kein ge*⟩ *Zeit etc* spare; **sich ~** be* unnecessary
er'wachsen¹ V/I ⟨*irr*, s⟩ arise* (**aus** from)
er'wachsen² ADJ grown-up, adult
Er'wachsene(r) M/F(M) ⟨~n; ~n⟩ adult; **nur für ~!** adults only!
Er'wachsenenbildung F adult education
erwägen V/T [ɛr'vɛ:gən] ⟨erwog, erwogen⟩ consider, think* over
Er'wägung F ⟨~; ~en⟩ consideration; **etw in ~ ziehen** take* sth into consideration
erwähnen V/T [ɛr'vɛ:nən] ⟨*kein ge*⟩ mention
Er'wähnung F ⟨~; ~en⟩ mention
er'wärmen V/T & V/R ⟨*kein ge*⟩ warm up; **sich ~ für** *fig* warm to
Er'wärmung F ⟨~⟩ warming up; **die ~ der Erdatmosphäre** global warming
er'warten V/T ⟨*kein ge*⟩ expect; *Kind* be* expecting; *warten auf* wait for
Er'wartung F ⟨~; ~en⟩ expectation
er'wartungsvoll **A** ADJ expectant **B**

ADV *ansehen etc* expectantly

er'wecken VT ⟨*kein ge*⟩ *Verdacht, Gefühle* arouse; *Erinnerungen* bring* back; *Hoffnung* raise; **etw wieder zum Leben ~** resurrect sth, revive sth

er'weisen VT ⟨*irr, kein ge*⟩ *Dienst, Gefallen* do*; *Achtung* show*; **sich ~ als** prove to be

E

er'weitern VT & VR ⟨*kein ge*⟩ extend, enlarge; WIRTSCH expand

Er'weiterung F ⟨~; ~en⟩ extension, enlargement; WIRTSCH expansion; *der EU* enlargement

Erwerb M [ɛr'vɛrp] ⟨~(e)s⟩ acquisition; *Kauf* purchase

er'werben VT ⟨*irr, kein ge*⟩ acquire (*a. Wissen, Ruf etc*); *kaufen* purchase

er'werbslos ADJ unemployed **Er'werbslose(r)** M/F(M) ⟨~n; ~n⟩ unemployed person **er'werbstätig** ADJ employed, working **Er'werbstätige(r)** M/F(M) ⟨~n; ~n⟩ employed person **er'werbsunfähig** ADJ **~ sein** be* unable to work **Er'werbszweig** M line of business

er'widern VT ⟨*kein ge*⟩ reply, answer; *Gruß, Besuch etc* return

Er'widerung F ⟨~; ~en⟩ *Antwort* reply, answer

er'wischen VT ⟨*kein ge*⟩ *umg* catch*, get*; *bekommen* get*; **ihn hat's erwischt** *krank* he's got it; *gestorben* he's died; *verliebt* he's got it bad

er'wünscht ADJ desired; *wünschenswert* desirable; *willkommen* welcome

er'würgen VT ⟨*kein ge*⟩ strangle

Erz N [e:rts] ⟨~es; ~e⟩ ore

er'zählen VT ⟨*kein ge*⟩ tell*; *kunstvoll* narrate; **man hat mir erzählt, ...** I was told ...

er'zeugen VT ⟨*kein ge*⟩ produce (*a. fig*); *industriell a.* make*, manufacture; *Energie* generate; *Gefühl* create

Er'zeuger M ⟨~s; ~⟩ WIRTSCH producer

Er'zeugerland N country of origin

Er'zeugnis N ⟨~ses; ~se⟩ product (*a. fig*)

Er'zeugung F production; *von Energie* generation

er'ziehen VT ⟨*irr, kein ge*⟩ bring* up, raise; *geistig* educate

Er'zieher(in) M ⟨~s; ~⟩ (F) ⟨~in; ~innen⟩ educator; *Lehrer* teacher; *im Kindergarten* nursery school teacher

Er'ziehung F upbringing; *geistige* education

Er'ziehungsberechtigte(r) M/F(M) ⟨~n; ~n⟩ parent or guardian **Er'ziehungsurlaub** M *für Frau* extended maternity leave; *für Mann* extended paternity leave

er'zielen VT ⟨*kein ge*⟩ achieve; *Tor, Punkte* score

erzogen ADJ [ɛr'tso:gən] **gut/schlecht ~** well/badly brought up

er'zwingen VT ⟨*irr, kein ge*⟩ force

es PERS PR [ɛs] it; *Person, Tier: bei bekanntem Geschlecht* he; she; **~ gibt** there is, *pl* there are; **ich bin ~** it's me; **ich hoffe ~** I hope so; **ich kann ~** I can do it

Escape-Taste F [ɪs'ke:p-] escape key

Esel M ['e:zəl] ⟨~s; ~⟩ donkey; *fig* ass, fool

'essbar ADJ edible

essen VT & VI ['ɛsən] ⟨aß, gegessen⟩ eat*; **zu Mittag ~** have* lunch; **zu Abend ~** have* dinner; **was gibt's zu ~?** *am Mittag* what's for lunch?; *am Abend* what's for dinner?; **~ gehen** eat* out; **griechisch ~ gehen** go* for a Greek meal

'Essen N ⟨~s; ~⟩ food; *Mahlzeit* meal; *Gericht* dish; *Abendessen* dinner; *Mittagessen* lunch

'Essensmarke F luncheon voucher, *US* meal ticket **'Essenszeit** F mealtime; *am Mittag* lunchtime; *am Abend* dinnertime

Essig M ['ɛsɪç] ⟨~s; ~e⟩ vinegar

'Essiggurke F pickled gherkin

'Esslöffel M tablespoon **'Essstäbchen** N chopstick **'Esstisch** M dining table **'Esszimmer** N dining room

Estland N ['e:stlant] ⟨~s⟩ Estonia

etablieren VR [eta'bli:rən] ⟨*kein ge*⟩ establish o.s.

Etage F [e'ta:ʒə] ⟨~; ~n⟩ floor, storey, *US* story; **auf** *od* **in der ersten ~** on the first *od US* second floor

E'tagenbett N bunk bed

Etappe F [e'tapə] ⟨~; ~n⟩ stage; SPORT *a.* leg

Etat M [e'ta:] ⟨~s; ~s⟩ budget

Ethik F ['e:tɪk] ⟨~⟩ ethics *pl*; *Fach* ethics *sg*

'ethisch ADJ ethical; **~es Wirtschaften**

ethical trade
ethnisch ADJ ['ɛtnɪʃ] ethnic
E-Ticket N ['i:tɪkɪt] ⟨~s; ~s⟩ *elektronische Eintrittskarte, Fahrkarte etc* e-ticket
Etikett N [eti'kɛt] ⟨~(e)s; ~en *od* ~s⟩ label (*a. fig*); *Preisschild* price tag
Eti'kette F ⟨~⟩ etiquette
etliche INDEF PR ['ɛtlɪçə] several, quite a few
Etui N [ɛ'tvi:] ⟨~s; ~s⟩ case
etwa ADV ['ɛtva] *ungefähr* around, *bes Br a.* about; *in Fragen* by any chance; *zum Beispiel* for example; **nicht ~, dass** not that; **ist er ~ nicht gekommen?** do you mean to tell me he didn't come?
'etwaig ADJ any
etwas ['ɛtvas] **A** INDEF PR something; *verneinend, fragend, bedingend* anything; **~ Neues** something/anything new; **kann ich ~ zu essen haben?** can I have something to eat? **B** ADJ some; **~ Geld** some money **C** ADV *mehr, kleiner etc* a bit, a little
EU [e:'ʔu:] ⟨~⟩ ABK *für* Europäische Union EU, European Union
E'U-Beitritt M joining the EU, EU accession
euch PERS PR [ɔyç] ⟨*dat und akk von* ihr⟩ you; **~ (selbst)** yourselves; **ich hab's ~ gegeben** I gave it to you; **setzt ~!** sit down!
euer POSS PR ['ɔyər], **eure** POSS PR your; **euer Patrick** *am Briefende* Yours, Patrick
E'U-Erweiterung F EU enlargement **E'U-Kommissar(in)** M(F) EU Commissioner **E'U-Kommission** F EU Commission
Eule F ['ɔylə] ⟨~; ~n⟩ owl
E'U-Organ N EU institution **E'U-Osterweiterung** F enlargement of the EU to the East
EURATOM ['ɔyratɔm] ABK *für* Europäische Atomgemeinschaft EURATOM
'eures'gleichen PRON people like you; *pej* the likes of you
E'U-Richtlinie F EU directive
Euro M ['ɔyro] ⟨~(s); ~(s) *od mit Anzahl* ~⟩ euro
'Euro- ZSSGN *Scheck etc* Euro-
'Eurobarometer N Eurobarometer
'Eurogruppe F Euro Group, Eurogroup **Eurojust** N ['ɔyrojʊst] ⟨~⟩ Eurojust **Eurokorps** N ['ɔyroko:r] ⟨~⟩ Eurocorps, European Corps
Eurokrat(in) [ɔyro'kra:t(ɪn)] M ⟨~en; ~en⟩ (F) ⟨~in; ~innen⟩ Eurocrat
'Euroland N Euroland **'Euronorm** F Euronorm, European standard
Europa N [ɔy'ro:pa] ⟨~s⟩ Europe; ZSSGN European; **~ unterschiedlicher Geschwindigkeiten** multi-speed Europe
Eu'ropaabgeordnete(r) M/F(M) ⟨~n; ~n⟩ member of the European Parliament, Euro MP, MEP **Eu'ropa-Abkommen** N Europe Agreement
Europäer(in) [ɔyro'pɛ:ər(ɪn)] M ⟨~s; ~⟩ (F) ⟨~in; ~innen⟩ European
euro'päisch ADJ European; **Europäische Atomgemeinschaft (EURATOM)** European Atomic Energy Community (EURATOM); **Europäische Bank für Wiederaufbau und Entwicklung** European Bank for Reconstruction and Development; **Europäischer Betriebsrat** European Works Council; **Europäischer Binnenmarkt** Single European Market; **Europäischer Börsenverband** Federation of European Stock Exchanges; **Europäisches Dokumentationszentrum** European Documentation Centre; **Europäischer Freiwilligendienst** European Voluntary Service; **Europäische Gemeinschaft (EG)** HIST European Community (EC); **Europäischer Gerichtshof (EuGH)** European Court of Justice (ECJ); **Europäischer Gewerkschaftsbund** European Trade Union Confederation; **Europäische Investitionsbank (EIB)** European Investment Bank (EIB); **Europäische Kommission (EuK)** European Commission (EC); **Europäischer Konvent** European Convention; **Europäisches Parlament** European Parliament; **Europäisches Patentamt (EPA)** European Patent Office (EPO); **Europäischer Rat** European Council; **Europäischer Rechnungshof** European Court of Auditors; **Europäischer Sozialfonds** European Social Fund; **Europäische Union (EU)** European Union (EU); **Europäische Verteidigungsgemeinschaft (EVG)** European Defence Community (EDC); **Europäische Währungseinheit (ECU)** HIST European Currency Unit (ECU); **Europäisches Währungsinstitut (EWI)** European Monetary Institute (EMI); **Europäisches Währungssystem (EWS)** European Mon-

E

etary System (EMS); **Europäische Wirtschaftsgemeinschaft (EWG)** HIST European Economic Community (EEC), Common Market; **Europäischer Wirtschaftsraum** European Economic Area; **Europäische (Wirtschafts- und) Währungsunion (EWU, EWWU)** European (Economic and) Monetary Union (EMU); **Europäische Zentralbank (EZB)** European Central Bank (ECB); **Europäischer Zentralverband der öffentlichen Wirtschaft** European Centre of Enterprises with Public Participation and of Enterprises of General Economic Interest

E

Eu'ropaminister(in) M(F) Minister for Europe *od* European Affairs, Europe Minister **Eu'ropaministerkonferenz** F Conference of Ministers for European Affairs **Eu'ropaparlament** N European Parliament **Eu'ropapolitik** F European policy **Eu'roparat** M Council of Europe **Eu'ropatag** M Europe Day **Eu'ropawahlen** PL European elections *pl*, Euro elections *pl*

Europol F ['ɔyropo:l] ⟨~⟩ *abk für* Europäisches Polizeiamt Europol

'Euroscheck M Eurocheque **'Euroscheckkarte** F Eurocheque card

'Euroskeptiker(in) M(F) Eurosceptic

Eurostat *ohne Artikel* ['ɔyrostat] *statistisches Amt der EU* Eurostat

'Eurowährung F Eurocurrency **'Eurozone** F Euro zone, Eurozone

E'U-Verfassung F EU constitution **E'U-Verordnung** F EU regulation **E'U-Vertrag** M EU treaty

evakuieren V/T [evaku'i:rən] ⟨*kein ge*⟩ evacuate

evangelisch ADJ [evaŋ'ge:lɪʃ] Protestant; **evangelisch-lutherisch** Lutheran

eventuell [evɛntu'ɛl] **A** ADJ possible **B** ADV possibly, perhaps; **sie kommt ~ später** she might (possibly) come later

ewig ['e:vɪç] **A** ADJ eternal; *umg: dauernd* constant, endless **B** ADV for ever; **er hat ~ gebraucht** it took him ages; **auf ~** for ever

'Ewigkeit F ⟨~; ~en⟩ **die ~** eternity; **eine ~** *umg* (for) ages

Ex M/F [ɛks] ⟨~; ~⟩ *umg* ex

exakt ADJ [ɛ'ksakt] exact, precise

E'xaktheit F ⟨~⟩ exactness, precision

Examen N [ɛ'ksa:mən] ⟨~s; ~ *od* -mina⟩ exam, examination

Exeku'tivagentur F *der EU* executive agency

Exekutive F [ɛkseku'ti:və] ⟨~; ~n⟩ executive

Exemplar N [ɛksɛm'pla:r] ⟨~s; ~e⟩ specimen; *Buch* copy

Exil N [ɛ'ksi:l] ⟨~s; ~e⟩ exile

E'xilregierung F government in exile

Existenz F [ɛksɪs'tɛnts] ⟨~; ~en⟩ existence; *Unterhalt* living, livelihood

Exis'tenzminimum N subsistence level

exis'tieren V/I ⟨*kein ge*⟩ exist; *leben a.* live (**von** on)

exklusiv ADJ [ɛksklu'zi:f] exclusive, select

exotisch ADJ [ɛ'kso:tɪʃ] exotic

Expansion F [ɛkspanzi'o:n] ⟨~; ~en⟩ expansion

Expedition F [ɛkspeditsi'o:n] ⟨~; ~en⟩ expedition

Experiment N [ɛksperi'mɛnt] ⟨~(e)s; ~e⟩ experiment

experimen'tieren V/I ⟨*kein ge*⟩ experiment (**an** on; **mit** with)

Experte M [ɛks'pɛrtə] ⟨~n; ~n⟩, **Ex'pertin** F ⟨~; ~nen⟩ expert (**für** on)

explodieren V/I [ɛksplo'di:rən] ⟨*kein ge, s*⟩ explode (*a. fig*)

Explosi'on F ⟨~; ~en⟩ explosion (*a. fig*)

explo'siv ADJ explosive

Export M [ɛks'pɔrt] ⟨~(e)s; ~e⟩ export; *Waren* exports *pl*

Exporteur(in) [ɛkspɔr'tø:r] M ⟨~s; ~e⟩ (F) ⟨~in; ~innen⟩ exporter

expor'tieren V/T ⟨*kein ge*⟩ export

Ex'portland N exporting country **Ex'portpreis** M export price **Ex'portüberschuss** M export surplus

extra ADV ['ɛkstra] extra; *gesondert* separately; *umg: absichtlich* on purpose; **~ für dich** (e)specially for you

'Extra N ⟨~s; ~s⟩ extra

'Extrablatt N extra, special supplement

Extrakt M [ɛks'trakt] ⟨~(e)s; ~e⟩ extract

extravagant [ɛkstrava'gant] **A** ADJ extravagant **B** ADV *eingerichtet etc* extravagantly

extrem [ɛks'tre:m] **A** ADJ extreme **B** ADV *kalt, groß etc* extremely

Ex'trem N ⟨~s; ~e⟩ extreme

Extremismus M [ɛkstre'mɪsmʊs] ⟨~⟩ ex-

tremism
Extre'mist(in) M ⟨~en; ~en⟩ (F) ⟨~in; ~innen⟩ extremist
extre'mistisch ADJ extremist
exzentrisch ADJ [ɛks'tsɛntrɪʃ] eccentric
Exzess M [ɛks'tsɛs] ⟨~es; ~e⟩ excess
EZB F [eːtsɛt'beː] ⟨~⟩ *abk für* Europäische Zentralbank ECB

F

F N [ɛf] ⟨~; ~⟩ F (*a.* MUS)
fabelhaft ['faːbəlhaft] **A** ADJ wonderful, fantastic **B** ADV wonderfully; **er hat ~ gekocht** he cooked a wonderful meal
Fabrik F [fa'briːk] ⟨~; ~en⟩ factory
Fabrikant(in) [fabri'kant(ɪn)] M ⟨~en; ~en⟩ (F) ⟨~in; ~innen⟩ *Besitzer* factory owner; *Hersteller* manufacturer
Fa'brikarbeiter(in) M(F) factory worker
Fabri'kat N ⟨~(e)s; ~e⟩ make, brand; *Erzeugnis* product
Fabrikation F [fabrikatsi'oːn] ⟨~; ~en⟩ production
fa'brikneu ADV brand new
-fach ZSSGN **A** ADJ **die vierfache/fünffache Menge** four/five times the amount **B** ADV **etw vierfach/fünffach ausfertigen** make* four/five copies of sth
Fach N [fax] ⟨~(e)s; Fächer⟩ *Schulfach* subject; *in Schrank* compartment; *Brieffach* pigeonhole; *im Regal* shelf; **vom ~ sein** be* an expert
'Facharbeiter(in) M(F) skilled worker
'Facharzt M, **'Fachärztin** F specialist (**für** in) **'Fachausbildung** F professional training **'Fachausdruck** M ⟨~(e)s; Fachausdrücke⟩ technical term
'Fachausschuss M *der EU* committee of experts, technical committee
'Fachbuch N specialist book
Fächer M ['fɛçər] ⟨~s; ~⟩ fan
'Fachgebiet N line, field; *Branche a.* trade, business **'Fachgeschäft** N specialist shop *od US* store **'Fachhochschule** F *etwa* technical college
'Fachkenntnisse PL specialized knowledge *sg* **'fachkundig** **A** ADJ expert **B** ADV **j-n ~ beraten** give* sb expert advice
'fachlich ADJ specialized
'Fachmann M ⟨*pl* Fachmänner *od* Fachleute⟩ expert **'fachmännisch** ['faxmɛnɪʃ] **A** ADJ expert **B** ADV *ausgeführt etc* expertly **'fachsimpeln** V/I ['faxzɪmpəln] talk shop
'Fachwerkhaus N half-timbered house
Fackel F ['fakəl] ⟨~; ~n⟩ torch
fad(e) ADJ [faːt ('faːdə)] *Essen* bland, tasteless; *langweilig* dull, boring
Faden M ['faːdən] ⟨~s; Fäden⟩ thread (*a. fig*)
'fadenscheinig ADJ threadbare; *fig a.* flimsy
fähig ADJ ['fɛːɪç] capable (**zu** of); **sie ist nicht ~ zu sprechen** she isn't capable of speaking, she isn't able to speak; **zu großen Leistungen ~ sein** be* capable of great things
'Fähigkeit F ⟨~; ~en⟩ ability, capability; *Begabung* talent, gift
fahnden V/I ['faːndən] search (**nach** for)
'Fahndung F ⟨~; ~en⟩ search
'Fahndungsliste F wanted list
Fahne F ['faːnə] ⟨~; ~n⟩ flag; **e-e ~ haben** *umg* reek of alcohol
'Fahrausweis M ticket **'Fahrbahn** F road(way), *US a.* pavement; *Spur* lane
Fähre F ['fɛːrə] ⟨~; ~n⟩ ferry
fahren ['faːrən] ⟨fuhr, gefahren⟩ **A** V/I ⟨s⟩ *allg* go*; *verkehren* run*; *abfahren* leave*, go*; AUTO drive*; *in oder auf e-m Fahrzeug* ride*; **mit dem Auto/Zug/Bus** *etc*~ go* by car/train/bus *etc*; **sich mit den Fingern durch die Haare ~** run* one's fingers through one's hair; **was ist denn in dich gefahren?** *umg* what's got into you? **B** V/T *Auto etc* drive*; *Motorrad, Fahrrad* ride*; *Person* drive*, take*; *Strecke* drive*; *Güter* carry; **e-n ~ lassen** *vulg* fart
'Fahrer(in) M ⟨~s; ~⟩ (F) ⟨~in; ~innen⟩ driver; *von Motorrad* motorcyclist
'Fahrerflucht F hit-and-run; **er beging ~** he failed to stop after the accident
'Fahrerlaubnis F driving licence, *US* driver's license; **Entzug der ~** disqualification from driving **'Fahrgast** M pas-

senger **'Fahrgeld** N fare **'Fahrgemeinschaft** F car pool **'Fahrgestell** N AUTO chassis; FLUG landing gear **'Fahrkarte** F ticket **'Fahrkartenautomat** M ticket machine **'Fahrkartenentwerter** M ticket-cancelling *od US* ticket-canceling machine **'Fahrkartenschalter** M ticket office

'fahrlässig A ADJ negligent (*a.* JUR); **~e Tötung** manslaughter; **grob ~** grossly negligent B ADV *handeln* negligently

F

'Fahrlässigkeit F ⟨~⟩ negligence

'Fahrlehrer(in) M(F) driving instructor

'Fahrplan M timetable, *US a.* schedule

'fahrplanmäßig A ADJ scheduled B ADV according to schedule; *ankommen etc* on schedule **'Fahrpreis** M fare **'Fahrpreisermäßigung** F fare reduction **'Fahrprüfung** F driving test **'Fahrrad** N bicycle, *umg* bike **'Fahrradfahrer(in)** M(F) cyclist **'Fahrschein** M ticket **'Fahrschule** F driving school **'Fahrschüler(in)** M(F) AUTO learner (driver), *US* student driver **'Fahrspur** F lane **'Fahrstuhl** M lift, *US* elevator **'Fahrstunde** F driving lesson

Fahrt F [faːrt] ⟨~; ~en⟩ AUTO drive; *in oder auf e-m Fahrzeug* ride; *Reise* journey; *Ausflug* trip; SCHIFF voyage; *Geschwindigkeit* speed (*a.* SCHIFF); **in voller ~** at full speed; **in ~ kommen** *umg* get* going; *wütend werden* blow* up

Fährte F ['fɛːrtə] ⟨~; ~n⟩ track (*a. fig*)

'Fahrtenschreiber M ⟨~s; ~⟩ AUTO tachograph

'fahrtüchtig ADJ *Fahrzeug* roadworthy; *Person* fit to drive **'Fahrverbot** N driving ban **'Fahrwerk** N FLUG landing gear **'Fahrzeug** N ⟨~(e)s; ~e⟩ vehicle **'Fahrzeugbrief** M vehicle registration document **'Fahrzeughalter(in)** M(F) vehicle owner **'Fahrzeugpapiere** PL vehicle documents *pl* **'Fahrzeugschein** M vehicle registration document

fair [fɛːr] A ADJ fair; **~er Handel** fair trade B ADV *behandeln etc* fairly

Fairness F ['fɛːrnɛs] ⟨~⟩ fairness; *im Spiel* fair play

Faktor M ['faktoːr] ⟨~s; Fak'toren⟩ factor

Fakultät F [fakʊl'tɛːt] ⟨~; ~en⟩ UNIV faculty

Falke M ['falkə] ⟨~n; ~n⟩ hawk (*a. fig*), falcon

Fall M [fal] ⟨~(e)s; Fälle⟩ *Sturz* fall; *Situation, Beispiel* case (*a.* LING, JUR, MED); *von Zahlen, Preisen etc* drop (**von** in); **j-n zu ~ bringen** *fig*: *Politiker etc* bring* about sb's downfall; **auf jeden ~, auf alle Fälle** in any case; *unbedingt* definitely; **auf keinen ~** on no account; **für den ~, dass** ... in case ...; **gesetzt den ~, dass** ... suppose (that) ...; **das ist nicht mein ~** *umg* it's not my cup of tea

Falle F ['falə] ⟨~; ~n⟩ trap (*a. fig*); *umg*: *Bett* bed

'fallen V/I ⟨fiel, gefallen, s⟩ fall* (*a. fig*); *von Preisen, Temperatur etc a.* drop; *von Haare, Gardinen* hang*; **durch e-e Prüfung ~** fail an exam; **ein Tor fiel in** ... a goal was scored in ...; **~ lassen** drop (*a. fig*)

fällen V/T ['fɛlən] *Baum* fell, cut* down; JUR: *Urteil* pass; *Entscheidung* make*

fällig ADJ ['fɛlɪç] due; *Geld a.* payable

falls KONJ [fals] if; *für den Fall, dass* in case

'Fallschirm M parachute **'Fallschirmspringen** N ⟨~s⟩ parachuting; SPORT skydiving **'Fallschirmspringer(in)** M ⟨~s; ~⟩ F ⟨~in; ~innen⟩ parachutist; *Sportler* skydiver

falsch [falʃ] A ADJ wrong; *unwahr, unecht* false (*a. Freund, Name, Bescheidenheit etc*); *gefälscht* forged B ADV wrong; **~ gehen** *Uhr* be* wrong; **etw ~ aussprechen/schreiben/verstehen** *etc* mispronounce/misspell*/misunderstand* *etc*sth; **~ verbunden!** TEL sorry, wrong number

fälschen V/T ['fɛlʃən] forge, fake; *Geld a.* counterfeit

'Fälscher(in) M ⟨~s; ~⟩ F ⟨~in; ~innen⟩ forger

'Falschfahrer M *person driving the wrong way down a motorway or similar road* **'Falschgeld** N counterfeit money **'Falschmeldung** F hoax

'Fälschung F ⟨~; ~en⟩ forgery

'fälschungssicher ADJ forgery-proof

Falte F ['faltə] ⟨~; ~n⟩ fold; *Knitterfalte, Runzel* wrinkle; *Rockfalte* pleat; *Bügelfalte* crease

'falten V/T fold

'faltig ADJ *Gesicht, Haut* wrinkled

familiär ADJ [famili'ɛ:r] *in Bezug auf die Familie* family *attr*; *zwanglos* informal; **~e Probleme** family problems
Familie F [fa'mi:liə] ⟨~; ~n⟩ family (*a.* ZOOL, BOT)
Fa'milienangelegenheit F family affair **Fa'milienbetrieb** M family business *od* firm **Fa'milienname** M surname, *US a.* last name **Fa'milienpackung** F family-size pack **Fa'milienplanung** F family planning **Fa'milienstand** M marital status **Fa'milienunternehmen** N family business *od* firm **Fa'milienvater** M family man **Fa'milienzusammenführung** F reuniting of families
Fan M [fɛn] ⟨~s; ~s⟩ fan
Fanatiker(in) [fa'na:tikər(ın)] M ⟨~s; ~⟩ (F) ⟨~in; ~innen⟩ fanatic
fa'natisch ADJ fanatical
Fana'tismus M ⟨~⟩ fanaticism
Fang M [faŋ] ⟨~(e)s; Fänge⟩ catch (*a. fig*)
'fangen V/T ⟨fing, gefangen⟩ catch* (*a. fig*); **sich wieder ~** get* a grip of o.s. again; **Fangen spielen** play tag *od Br a.* catch
Fantasie F [fanta'zi:] ⟨~; ~n⟩ imagination; *Trugbild* fantasy
fanta'sielos **A** ADJ unimaginative **B** ADV *geschrieben etc* unimaginatively
fanta'sieren V/I ⟨*kein ge*⟩ fantasize (**von** about); MED be* delirious; *umg* talk nonsense
fanta'sievoll **A** ADJ imaginative **B** ADV *geschrieben etc* imaginatively
fantastisch [fan'tastıʃ] **A** ADJ fantastic **B** ADV *umg: gespielt etc* fantastically
'Farbband N ⟨*pl* Farbbänder⟩ (typewriter) ribbon
Farbe F ['farbə] ⟨~; ~n⟩ colour, *US* color; *Malfarbe* paint; *Gesichtsfarbe* complexion; *Bräune* tan; *beim Kartenspiel* suit; **~ bekennen** *fig* put* one's cards on the table
'farbecht ADJ colour-fast, *US* color-fast
färben ['fɛrbən] **A** V/T dye; *bes fig* colour, *US* color; **sich rot ~** turn red **B** V/I *von Wäsche* run*; **die Jeans färbt** the dye comes out of these jeans
'farbenblind ADJ colour-blind, *US* color-blind **'farbenfroh** ADJ, **farbenprächtig** ADJ colourful, *US* colorful
'Farbfernsehen N colour *od US* color television **'Farbfernseher** M colour *od US* color TV (set) **'Farbfilm** M colour *od US* color film **'Farbfoto** N colour *od US* color photo
'farbig ADJ coloured, *US* colored; *fig* colourful, *US* colorful
'farblos ADJ colourless, *US* colorless (*a. fig*) **'Farbstift** M coloured *od US* colored pencil, crayon **'Farbstoff** M dye; *für Lebensmittel* colouring, *US* coloring; **ohne ~e** contains no (artificial) colourings **'Farbton** M ⟨~(e)s; Farbtöne⟩ shade; *von Foto* tone
'Färbung F ⟨~; ~en⟩ colouring, *US* coloring; *Tönung* hue
Farce F ['farsə] ⟨~; ~n⟩ THEAT farce (*a. fig*)
Fasching M ['faʃıŋ] ⟨~s; ~e *od* ~s⟩ carnival
Faschismus M [fa'ʃısmʊs] ⟨~⟩ fascism
Fa'schist(in) M ⟨~en; ~en⟩ (F) ⟨~in; ~innen⟩ fascist
fa'schistisch ADJ fascist
faseln V/I ['fa:zəln] *umg* drivel on
Faser F ['fa:zər] ⟨~; ~n⟩ fibre, *US* fiber
'faserig ADJ fibrous
Fass N [fas] ⟨~es; Fässer⟩ barrel, cask; **Bier vom ~** draught *od US* draft beer
Fassade F [fa'sa:də] ⟨~; ~n⟩ ARCH façade, front (*a. fig*)
'Fassbier N draught *od US* draft beer
fassen ['fasən] **A** V/T take* hold of, grasp; *packen* seize; *Verbrecher* catch*; *enthalten* hold*, take*; *Schmuck* set*; *begreifen* grasp, understand*; *Mut* pluck up; *Entschluss* make*; **es ist nicht zu ~** it's incredible; **sich ~** compose o.s. **B** V/I **~ nach** reach for
'Fassung F ⟨~; ~en⟩ *von Schmuck* setting; *von Brille* frame; *von Lampe* socket; *schriftliche* draft; *Wortlaut, Version* version; *Selbstbeherrschung* composure; **die ~ verlieren** lose* one's composure; **aus der ~ bringen** put* out, throw*
'fassungslos ADJ stunned, speechless
'Fassungsvermögen N capacity
fast ADV [fast] almost, nearly; **~ nie** hardly ever; **~ nichts** hardly anything
'fasten V/I fast
'Fastenzeit F **die ~** REL Lent
'Fastnacht F carnival
faszinieren V/T [fastsi'ni:rən] ⟨*kein ge*⟩ fascinate
faszi'nierend ADJ fascinating

F

fatal ADJ [fa'ta:l] unfortunate; *peinlich* awkward; *verhängnisvoll* disastrous
faul ADJ [faul] *Holz* rotten; *Lebensmittel, Zahn a.* bad; *nicht fleißig* lazy; *umg: verdächtig* fishy; **~e Ausrede** lame excuse
'faulen V/I ⟨s *od* h⟩ *von Holz* rot; *von Lebensmitteln* go* bad; *von Zahn* decay
faulenzen V/I ['faulɛntsən] laze (around)
'Faulenzer(in) M ⟨~s; ~⟩ (F) ⟨~in; ~innen⟩ layabout
'Faulheit F ⟨~⟩ laziness
'faulig ADJ rotten
Fäulnis F ['fɔylnɪs] ⟨~⟩ decay (*a. fig*)
Faust F [faust] ⟨~; Fäuste⟩ fist; **etw auf eigene ~ machen** do* sth on one's own initiative; *e-e Reise unternehmen etc* do* sth under one's own steam
'Fausthandschuh M mitten **'Faustregel** F rule of thumb
Favo'rit(in) [favo'ri:t(ɪn)] M ⟨~en; ~en⟩ (F) ⟨~in; ~innen⟩ favourite, *US* favorite
Fax N [faks] ⟨~; ~e⟩ fax; *Gerät a.* fax machine
'faxen **A** V/T fax **B** V/I send* a fax
'Faxgerät N fax machine
FCKW [ɛftse:ka:'ve:] ABK *für* Fluorchlorkohlenwasserstoff CFC, chlorofluorocarbon
FCK'W-frei ADJ CFC-free
Feber M ['fe:bər] ⟨~s; ~⟩ *österr*, **Februar** M ['fe:brua:r] ⟨~(s); ~e⟩ February
fechten V/I ['fɛçtən] ⟨focht, gefochten⟩ fence; *fig* fight*
Feder F ['fe:dər] ⟨~; ~n⟩ feather; *Schmuckfeder a.* plume; *Schreibfeder* (pen-)nib; TECH spring
'Federführung F **unter der ~ von** under the overall control of **'feder'leicht** ADJ (as) light as a feather
'federn V/I be* springy; **gut gefedert** well-sprung
'Federung F ⟨~; ~en⟩ springs *pl*; AUTO suspension
fehl ADJ [fe:l] **~ am Platz(e)** out of place
'Fehlbetrag M deficit **'Fehleinschätzung** F error of judgement
fehlen V/I ['fe:lən] be* missing; *Schule etc* be* absent; **ihm fehlt (es an)** ... he is lacking ...; **du fehlst uns** we miss you; **was dir fehlt, ist** ... what you need is ...; **was fehlt dir?** what's wrong with you?; **das hat mir gerade noch gefehlt!** that's all I need!
'Fehlen N ⟨~s⟩ absence (**in** *dat*, **bei** from); *Mangel* lack
'Fehlentscheidung F wrong decision
'Fehler M ⟨~s; ~⟩ mistake; *Charakterfehler, Schuld, Mangel* fault; TECH *a.* defect; IT error
'fehlerfrei ADJ faultless, flawless **'fehlerhaft** ADJ faulty; TECH *a.* defective; *Arbeit* full of mistakes **'Fehlermeldung** F COMPUT error message
'Fehlgeburt F miscarriage **'Fehlgriff** M mistake **'Fehlkonstruktion** F **eine ~ sein** be* badly made **'Fehlschlag** M failure **'fehlschlagen** V/I ⟨*irr*, s⟩ fail **'Fehlstart** M false start
Feier F ['faiər] ⟨~; ~n⟩ celebration; *Party* party
'Feierabend M **~ machen** finish (work), *umg* knock off; *Geschäfte, Gaststätte etc* close; **nach ~** after work
'feierlich **A** ADJ solemn; *festlich* festive **B** ADV *versprechen* solemnly
'Feierlichkeit F ⟨~; ~en⟩ solemnity; **~en** *pl* celebrations *pl*
'feiern **A** V/T celebrate **B** V/I have* a party, celebrate
'Feiertag M holiday; **gesetzlicher ~** public holiday, *Br a.* bank holiday
feige ADJ ['faigə] cowardly; **~ sein** be* a coward
'Feigheit F ⟨~⟩ cowardice
'Feigling M ⟨~s; ~e⟩ coward
Feile F ['failə] ⟨~; ~n⟩ file
'feilen V/T & V/I file
feilschen V/I ['failʃən] haggle (**um** over)
fein ADJ [fain] fine; *Qualität a.* excellent; *Gehör* keen; *zart* delicate; *vornehm* refined; **~!** good!, okay!; **vom Feinsten sein** be* the very best
Feind(in) [faint ('faindɪn)] M ⟨~(e)s; ~e⟩ (F) ⟨~in; ~innen⟩ enemy (*a. fig*)
'feindlich ADJ hostile; **~e Truppen** enemy troops
'Feindschaft F ⟨~; ~en⟩ hostility
'feindselig **A** ADJ hostile (**gegen** to) **B** ADV *sich ansehen etc* in a hostile manner
'Feindseligkeit F ⟨~; ~en⟩ hostility
'feinfühlig ADJ sensitive **'Feingefühl** N sensitivity
'Feinheit F ⟨~; ~en⟩ *von Stoff* fineness; *des Gehörs* keenness; *Zartheit* delicacy; **~en** *pl* niceties *pl*
'Feinkostgeschäft N delicatessen

'Feinmechanik F precision engineering **'Feinmechaniker(in)** M(F) precision engineer **'Feinschmecker(in)** M ⟨~s; ~⟩ (F) ⟨~in; ~innen⟩ gourmet **'Feinstaub** M particulate matter, fine dust **'Feinstaubbelastung** F particulate matter *od* fine dust pollution **'Feinwäsche** F delicates *pl*

Feld N [fɛlt] ⟨~(e)s; ~er⟩ field (*a. fig*); *von Formular* box; *Schachfeld* square

'Feldsalat M lamb's lettuce **'Feldzug** M MIL campaign (*a. fig*)

Felge F ['fɛlgə] ⟨~; ~n⟩ rim

Fell N [fɛl] ⟨~(e)s; ~e⟩ coat; *von Schaf, Lamm* fleece; *abgezogenes* skin (*a. fig*), fur; **e-m Tier das ~ abziehen** skin an animal

Fels M [fɛls] ⟨~en; ~en⟩ rock

'Felsen M ⟨~s; ~⟩ cliff

'felsig ADJ rocky

feminin ADJ [femi'ni:n] feminine

Femi'nismus M ⟨~⟩ feminism

Feminist(in) [femi'nɪst(ɪn)] M ⟨~en; ~en⟩ (F) ⟨~in; ~innen⟩ feminist

femi'nistisch ADJ feminist

Fenster N ['fɛnstər] ⟨~s; ~⟩ window (*a.* IT)

'Fensterladen M shutter **'Fensterscheibe** F windowpane

Ferien PL ['fe:riən] holiday(s *pl*), *US* vacation *sg*; **~ haben** be* on holiday *sg*, *US* be* on vacation *sg*; **~ machen** go* on holiday *sg*, *US* go* on vacation *sg*

'Ferienhaus N holiday *od US* vacation home **'Ferienort** M holiday *od US* vacation resort **'Ferienwohnung** F holiday *od US* vacation apartment

Ferkel N ['fɛrkəl] ⟨~s; ~⟩ piglet; *fig* pig

fern ADJ [fɛrn] far-off, distant; **von ~** from a distance; **der Ferne Osten** the Far East

'Fernbedienung F remote control

'fernbleiben V/I ⟨*irr*, s⟩ **j-m/etw ~** stay away from sb/sth

'Ferne F ⟨~; ~n⟩ distance; **aus der ~** from a distance

'ferner KONJ in addition, also; **er rangiert unter „~ liefen"** he is among the also-rans

'Fernfahrer(in) M(F) long-distance lorry driver, *US* long-haul trucker **'Ferngespräch** N long-distance call **'ferngesteuert** ADJ remote-controlled; *Rakete* guided **'Fernglas** N binoculars *pl*

'fernhalten V/T ⟨*irr*⟩ **(sich) ~** keep* away (**von** from) **'Fernheizung** F district heating **'Fernkurs** M correspondence course **'Fernlaster** M long-distance lorry, *US* long-haul truck **'Fernlenkung** F remote control **'Fernlicht** N AUTO full *od US* high beam **'fernliegen** V/I ⟨*irr*⟩ **es liegt mir fern zu ...** far be it from me to ... **'Fernmeldewesen** N *Fach* telecommunications *sg* **'Fernrohr** N telescope **'Fernschreiben** N telex **'Fernschreiber** M ⟨~s; ~⟩ telex (machine), teleprinter

'Fernsehduell N TV duel, TV debate

'Fernsehen N ⟨~s⟩ television; **im ~** on television

'fernsehen V/I ⟨*irr*⟩ watch television

'Fernseher M ⟨~s; ~⟩ TV (set)

'Fernsehprogramm N *Heft* TV guide; *Sendungen* TV programmes *pl od US* programs *pl* **'Fernsehsendung** F TV programme *od US* program **'Fernsehübertragung** F television broadcast **'Fernsehzuschauer(in)** M(F) (television) viewer; **die Fernsehzuschauer** *pl* the viewers *pl*, the audience *sg od pl*

'Fernsprechamt N telephone exchange **'Fernsteuerung** F remote control **'Fernverkehr** M long-distance traffic

Ferse F ['fɛrzə] ⟨~; ~n⟩ heel (*a. fig*)

fertig ADJ ['fɛrtɪç] *bereit* ready; *beendet* finished; **(mit etw) ~ sein** have* finished (sth); **mit einem Problem ~ werden** cope with a problem; **völlig ~** *umg* dead beat; **etw ~ machen** finish sth; *bereit machen* get* sth ready; **sich ~ machen** get* ready

'fertigbringen V/T ⟨*irr*⟩ **etw ~** manage sth; *ironisch* be* capable of sth **'Fertiggericht** N ready meal **'Fertighaus** N prefab(ricated house)

'Fertigkeit F ⟨~; ~en⟩ skill

'fertigmachen V/T **j-n ~** *umg*: *kritisieren* give* sb hell; *psychisch* get* sb down; *bei Schlägerei* knock the hell out of sb **'Fertigprodukt** N finished product **'fertigstellen** V/T complete **'Fertigstellung** F completion **'Fertigwaren** PL finished products *pl*

Fessel F ['fɛsəl] ⟨~; ~n⟩ bond; *Kette* chain; *fig* shackles *pl*

F

'fesseln VT bind*, tie (up); *fig* fascinate **fest** [fɛst] **A** ADJ firm (*a. fig*); *nicht flüssig* solid; *festgelegt* fixed; *gut befestigt* fast; *Knoten* tight; *Schuhe* sturdy; *Schlaf* sound; *Freund* steady **B** ADV **~ schlafen** be* fast asleep; **~ entschlossen sein, etw zu tun** be* determined to do sth; **ich bin ~ davon überzeugt** I'm absolutely convinced of it

F

Fest N ⟨~(e)s; ~e⟩ party; REL festival, feast; *Gartenfest* fête

'festbinden VT ⟨irr⟩ tie (up) (**an** to) **'Festessen** N banquet, feast **'festfahren** V/R ⟨irr⟩ get* stuck **'Festgeld** N WIRTSCH fixed deposit **'Festhalle** F (festival) hall **'festhalten** ⟨irr⟩ **A** VI **an etw ~** stick* to sth; **an j-m ~** stand* by sb **B** VT *halten* hold* on to; *in Wort, Ton* record; **etw schriftlich ~** get* sth down in writing; **sich ~ an** hold* on to; **alle gut ~!** hold (on) tight please!

'festigen VT strengthen; **sich ~** grow* stronger, strengthen

'Festigkeit F ⟨~⟩ firmness; *Haltbarkeit* strength

'Festland N mainland; **das europäische ~** the Continent

'festlegen VT fix, set*; **sich auf etw ~** commit o.s. to sth

'festlich **A** ADJ festive; *feierlich* solemn **B** ADV **etw ~ begehen** celebrate sth

'festmachen VT fasten, fix (**an** to); SCHIFF moor; *vereinbaren* fix **Festnahme** F ['fɛstna:mə] ⟨~; ~n⟩ arrest **'festnehmen** VT ⟨irr⟩ arrest **'Festnetz** N TEL landline *od* fixed(-line) network

'Festnetzanschluss M TEL landline (connection), fixed line connection

'Festnetztelefon N landline phone

'Festplatte F COMPUT hard drive, hard disk **'Festpreis** M fixed price **'festschrauben** VT screw (on) tight **'festsetzen** VT fix **'festsitzen** VI ⟨irr⟩ be* stuck; *von Person a.* be* (left) stranded **'Festspeicher** M COMPUT read-only memory (ROM) **'Festspiele** PL festival *sg* **'feststehen** VI ⟨irr⟩ be* certain; *von Plan, Termin* be* fixed **'feststehend** ADJ *Tatsache* established; *Redensart* set **'feststellen** VT *entdecken* find* out, discover; *ermitteln* establish; *wahrnehmen* see*, notice; *erklären* state **'Feststellung** F *Entdeckung* discovery; *Ermittlung* establishing; *Erkenntnis* realization; *Worte* statement **'festverzinslich** ADJ WIRTSCH fixed-interest **'Festwertspeicher** M COMPUT read-only memory, ROM

fett [fɛt] **A** ADJ fat; *Fleisch, Käse* fatty; *Schrift* bold **B** ADV **~ gedruckt** in bold (type); **~ essen** eat* fatty food

Fett N ⟨~(e)s; ~e⟩ fat; *Bratenfett* dripping; *Backfett* shortening; TECH grease; **~ ansetzen** *umg* put* on weight *od* a bit of flab

'fettarm ADJ low-fat

'fettig ADJ greasy

'Fettleibigkeit F ⟨~⟩ obesity

Fetzen M ['fɛtsən] ⟨~s; ~⟩ *Stofffetzen* shred; *Lumpen* rag; *Papierfetzen* scrap

feucht [fɔyçt] **A** ADJ damp, moist; *Luft, Hitze* humid **B** ADV *abwischen* with a damp cloth

'Feuchtbiotop N wetland

'Feuchtigkeit F ⟨~⟩ moisture; *e-s Ortes etc* dampness; *Luftfeuchtigkeit* humidity

feudal ADJ [fɔy'da:l] POL feudal; *umg: vornehm* posh, swish

Feuer N ['fɔyər] ⟨~s; ~⟩ fire (*a. fig*); **j-m ~ geben** give* sb a light; **hast du ~?** have you got a light?; **~ fangen** catch* fire; *fig* be* really taken

'Feueralarm M fire alarm **'Feuerbestattung** F cremation **'feuerfest** ADJ fire-proof, fire-resistant; *Geschirr* oven-proof **'Feuergefahr** F danger of fire **'feuergefährlich** ADJ inflammable **'Feuerleiter** F fire escape **'Feuerlöscher** M ⟨~s; ~⟩ fire extinguisher **'Feuermelder** M ⟨~s; ~⟩ fire alarm

'feuern **A** VT *umg: werfen* fling*; *entlassen* fire, *Br a.* sack **B** VI fire (**auf** *akk* at)

'Feuerstein M flint **'Feuerversicherung** F fire insurance **'Feuerwehr** F [-ve:r] ⟨~; ~en⟩ fire brigade *od US* department **'Feuerwehrauto** N fire engine *od US a.* truck **'Feuerwehrfrau** F fire fighter **'Feuerwehrmann** M ⟨*pl* Feuerwehrmänner *od* Feuerwehrleute⟩ fireman, fire fighter **'Feuerwehrübung** F fire drill **'Feuerwerk** N fireworks *pl* **'Feuerwerkskörper** M firework **'Feuerzeug** N (cigarette) lighter

Feuilleton N [fœjə'tõ:] ⟨~s; ~s⟩ arts

pages *pl*
Fiasko N [fi'asko] ⟨~s; ~s⟩ fiasco
ficken V/I & V/T ['fɪkən] *vulg* fuck
Fieber N ['fi:bər] ⟨~s⟩ temperature, fever (*a. fig*); **~ haben** have* a temperature; **j-m das ~ messen** take* sb's temperature
'fieberhaft ADJ feverish
'fiebern V/I have* a temperature; **~ nach** *fig* crave for
'fiebersenkend ADJ MED fever-reducing, antipyretic **'Fieberthermometer** N thermometer
fies ADJ [fi:s] *umg* mean, nasty
Figur F [fi'gu:r] ⟨~; ~en⟩ figure; *in Roman, Theaterstück etc* character; *bei Brettspielen* piece
Filet N [fi'le:] ⟨~s; ~s⟩ *Fleisch, Fisch* fillet
Filiale F [fili'a:lə] ⟨~; ~n⟩ branch
Film M [fɪlm] ⟨~(e)s; ~e⟩ film; *Spielfilm a.* picture, *bes US* movie; **er ist beim ~** he's in films, *bes US* he's in the movies; **der deutsche ~** German cinema
'Filmaufnahme F *Vorgang* filming, shooting; *Einstellung* shot, take
'Filmemacher(in) M(F) film-maker
'filmen V/T & V/I film
'Filmkamera F film *od US a.* movie camera **'Filmprojektor** M film *od US a.* movie projector **'Filmregisseur(in)** M(F) film *od US a.* movie director **'Filmschauspieler(in)** M(F) film *od US a.* movie actor, *Frau a.* film *od US a.* movie actress **'Filmstudio** N film studio(s *pl*) **'Filmverleih** M film distributors *pl*
Filter M ['fɪltər] ⟨~s; ~⟩ *bes* TECH filter
'Filterkaffee M filter coffee
'filtern V/T filter
'Filtertüte F filter paper **'Filterzigarette** F filter(-tipped) cigarette
Filz M [fɪlts] ⟨~es; ~e⟩ felt; *umg:* POL corruption, sleaze
'filzen V/T *umg* frisk
Filzokratie F [fɪltsokra'ti:] ⟨~; ~n⟩ *pej* corruption
'Filzstift M felt-tip (pen)
Fi'nanzamt N *allg* tax office; *Br* Inland *od US* Internal Revenue **Fi'nanzausgleich** M financial compensation; POL *zwischen Regionen* redistribution of revenue **Fi'nanzbeamte(r)** M ⟨~n; ~n⟩, **Fi'nanzbeamtin** F ⟨~; ~nen⟩ tax officer, revenue officer **Fi'nanzdelikt** N financial malpractice **Fi'nanzdienste** PL, **Fi'nanzdienstleistungen** PL financial services *pl*
Finanzen PL [fi'nantsən] finances *pl*
Fi'nanzhilfe F financial assistance
finanzi'ell **A** ADJ financial **B** ADV *unterstützen* financially
finan'zieren V/T ⟨*kein ge*⟩ finance
Fi'nanzinstrument N financial instrument **Fi'nanzkonglomerate** PL [-kɔnglomərа:tə] financial conglomerates *pl* **Fi'nanzkrise** F financial crisis **Fi'nanzlage** F financial position **Fi'nanzmarkt** M financial market **Fi'nanzminister(in)** M(F) *allg* finance minister; *Br* Chancellor of the Exchequer, *US* Secretary of the Treasury **Fi'nanzministerium** N *allg* ministry of finance; *Br* Treasury, *US* Treasury Department **Fi'nanzwesen** N finance
finden V/T ['fɪndən] ⟨fand, gefunden⟩ find*; *meinen* think*; **ich finde sie nett** I think she's nice; **wie findest du ...?** how do you like ...?; **findest du nicht?** don't you think (so)?; **was findest du an ihm?** what do you see in him?; **das wird sich ~** it'll sort itself out
'Finder(in) M ⟨~s; ~⟩ (F) ⟨~in; ~innen⟩ finder
'Finderlohn M reward
'findig ADJ clever
Finger M ['fɪŋər] ⟨~s; ~⟩ finger; **die ~ von etw lassen** *umg* leave* sth well alone
'Fingerabdruck M ⟨*pl* Fingerabdrücke⟩ fingerprint **'Fingerspitzengefühl** N *fig* sensitivity; *Takt* tact
fingiert ADJ [fiŋ'gi:rt] bogus, faked; *erfunden* fictitious
Finne M ['fɪnə] ⟨~n; ~n⟩, **'Finnin** F ⟨~; ~nen⟩ Finn
'finnisch ADJ, **'Finnisch** N Finnish; → englisch
'Finnland N ⟨~s⟩ Finland
finster ADJ ['fɪnstər] dark; *düster* gloomy; *Miene* grim; *fragwürdig* shady
'Finsternis F ⟨~⟩ darkness, gloom
Firma F ['fɪrma] ⟨~; Firmen⟩ WIRTSCH firm, company
Fisch M [fɪʃ] ⟨~es; ~e⟩ fish; **~e** *pl* ASTROL Pisces *sg*
'Fischdampfer M trawler

'fischen VT & VI fish
'Fischer M ⟨~s; ~⟩ fisherman
'Fischer- ZSSGN *Boot, Dorf etc* fishing
Fische'rei F ⟨~⟩ fishing
Fische'reifahrzeuge PL fishing vessels *pl* **Fische'reipolitik** F fisheries policy
'Fischfang M fishing **'Fischhändler(in)** M(F) fishmonger, *US* fish dealer
'Fischmarkt M fish market **'Fischstäbchen** N fish finger *od US* stick
'Fischsuppe F fish soup **'Fischvergiftung** F MED fish poisoning
'Fischzucht F fish farming
Fiskus M ['fɪskʊs] ⟨~⟩ treasury
fit ADJ [fɪt] ⟨fitter, fitteste⟩ fit; *in Englisch etc* good (in at); **sich ~ halten** keep* fit
Fitness F ['fɪtnɛs] ⟨~⟩ fitness
Fitnesscenter N ['fɪtnɛssɛntər] ⟨~s; ~⟩ health club, gym, fitness centre *od US* center **'Fitnessraum** M fitness room, gym **'Fitnesstrainer(in)** M(F) fitness trainer
fix [fɪks] **A** ADJ *Preis, Kosten* fixed; *flink* quick; *aufgeweckt* smart, bright; **~e Idee** obsession; **~ und fertig sein** *umg* be* dead beat; *nervlich* be* a nervous wreck **B** ADV *erledigen etc* quickly
'fixen VI *sl* shoot* (up), fix
'Fixer(in) M ⟨~s; ~⟩ (F) ⟨~in; ~innen⟩ *sl* junkie, mainliner
fixieren VT [fɪ'ksi:rən] ⟨*kein ge*⟩ *festmachen* fix (*a.* FOTO); *anstarren* stare at
FKK [ɛfka:'ka:] ABK *für* Freikörperkultur nudism, naturism
FK'K-Anhänger(in) M(F) nudist **FK'K--Strand** M nudist beach **FK'K-Urlaub** M nudist holiday(s *pl*) *od US* vacation
flach ADJ [flax] flat; *eben a.* level, even; *nicht tief, fig: oberflächlich* shallow
'Flachbildfernseher M flat-screen TV **'Flachbildschirm** M flat screen, flat-screen monitor
Fläche F ['flɛçə] ⟨~; ~n⟩ *Oberfläche* surface (*a.* MATH); *Gebiet* area (*a.* GEOM); *weite Fläche* expanse, space
'flächendeckend ADJ extensive **'Flächenmaß** N square measure **'Flächenstilllegung** F ⟨~; ~en⟩ set--aside
'Flachland N lowlands *pl*, plain
flackern VI ['flakərn] flicker (*a. fig*)
Flagge F ['flagə] ⟨~; ~n⟩ flag
Flamme F ['flamə] ⟨~; ~n⟩ flame (*a. fig*)
flankieren VT [flaŋ'ki:rən] ⟨*kein ge*⟩ flank
Flasche F ['flaʃə] ⟨~; ~n⟩ bottle; *pej: Person* dead loss
'Flaschenbier N bottled beer **'Flaschenöffner** M bottle opener **'Flaschenpfand** N deposit **'Flaschenzug** M TECH block and tackle, pulley
Flatrate F ['flɛtre:t] ⟨~; ~s⟩ TEL flatrate
flau ADJ [flau] *unwohl* queasy; *Stimmung, Geschmack* flat; *Markt* slack
Flaute F ['flautə] ⟨~; ~n⟩ SCHIFF calm; WIRTSCH slack period
'flechten VT ⟨flocht, geflochten⟩ *Haare* plait, *bes US* braid; *Kranz* bind*; *Korb* weave*
Fleck M [flɛk] ⟨~(e)s; ~e *od* ~en⟩, **'Flecken** M ⟨~s; ~⟩ stain, mark; *kleiner* speck; *Punkt* dot; *Klecks* blot(ch); *Ort, Stelle* spot, place; *Flicken, Fläche* patch; **blauer ~** bruise; **vom ~ weg** on the spot; **wir sind nicht vom ~ gekommen** we didn't get anywhere
'Fleckentferner M ⟨~s; ~⟩ stain remover
'fleckig ADJ spotted; *schmutzig* stained
Fleecejacke F ['fli:s-] fleece
flehen VI ['fle:ən] beg, plead (**um** for)
Fleisch N [flaiʃ] ⟨~(e)s⟩ *Nahrung* meat; *am Körper, Fruchtfleisch* flesh (*a. fig*); **~ fressend** carnivorous
'Fleischbrühe F *Suppe* (meat) broth, consommé; *zum Kochen* meat stock
'Fleischer(in) M ⟨~s; ~⟩ (F) ⟨~in; ~innen⟩ butcher
Fleische'rei F ⟨~; ~en⟩ butcher's (shop), *US* butcher shop
'fleischfressend ADJ carnivorous
'Fleischklößchen N [-kløːsçən] ⟨~s; ~⟩ meatball **'Fleischkonserven** PL canned *od Br a.* tinned meat *sg* **'fleischlos** ADJ meatless; *Kost, Ernährung* vegetarian **'Fleischtomate** F beef tomato **'Fleischvergiftung** F MED meat poisoning **'Fleischwolf** M mincer, *US* meat grinder **'Fleischwunde** F flesh wound
Fleiß M [flais] ⟨~es⟩ hard work, diligence
'fleißig **A** ADJ hard-working, diligent; **~ sein** work hard **B** ADV *umg: üben etc* a lot; *arbeiten* hard

flexibel ADJ [flɛ'ksi:bəl] ⟨-bl-⟩ flexible (*a. fig*)
flexibilisieren V/T [flɛksibili'zi:rən] ⟨*kein ge*⟩ *Bestimmungen etc* make* more flexible; **die Arbeitszeit ~** change to (more) flexible working hours
Flexibili'tät F ⟨~⟩ flexibility (*a. fig*)
flicken V/T ['flɪkən] mend, repair; *notdürftig, a. fig* patch up
'Flickzeug N *für Fahrrad* repair kit
Fliege F ['fli:gə] ⟨~; ~n⟩ ZOOL fly; *Krawatte* bow tie
'fliegen ⟨flog, geflogen⟩ **A** V/T fly* **B** V/I ⟨s⟩ fly*; *umg*: *fallen* fall*; *entlassen werden* be* fired; *aus der Schule* be* kicked out; **~ auf** really go* for; **in die Luft ~** blow* up; **durch ein Examen ~** *umg* fail *od bes US* flunk an exam
'Fliegen N ⟨~s⟩ flying; *Luftfahrt* aviation
'Flieger M ⟨~s; ~⟩ MIL airman; *umg*: *Flugzeug* plane
fliehen V/I ['fli:ən] ⟨floh, geflohen, s⟩ flee* (**vor** from); **aus dem Gefängnis ~** escape from prison
Fliese F ['fli:zə] ⟨~; ~n⟩ tile
'fliesen V/T tile
'Fliesenleger(in) M ⟨~s; ~⟩ (F) ⟨~in; ~innen⟩ tiler
'Fließband N ⟨*pl* Fließbänder⟩ assembly line; *Förderband* conveyor belt
fließen V/I ['fli:sən] ⟨floss, geflossen, s⟩ flow (*a. fig*); *von Leitungswasser, Schweiß, Blut* run*
'fließend **A** ADJ flowing; *Leitungswasser* running; *Sprache* fluent **B** ADV **er spricht ~ Deutsch** he speaks German fluently, he speaks fluent German
'Fließheck N AUTO fastback
flimmern V/I ['flɪmərn] shimmer; *von Bildschirm* flicker
flink ADJ [flɪŋk] quick, nimble; *Zunge* ready
Flipchart F ['flɪptʃa:rt] ⟨~; ~s⟩ flipchart
Flipper M ['flɪpər] ⟨~s; ~⟩ *umg* pinball machine
'flippern V/I play pinball
Flirt M [flœrt] ⟨~s; ~s⟩ flirtation
'flirten V/I flirt
Flitterwochen PL ['flɪtər-] honeymoon *sg*
flitzen V/I ['flɪtsən] ⟨s⟩ *umg* whizz, shoot*
Flocke F ['flɔkə] ⟨~; ~n⟩ flake; *von Schaum* blob
Floh M [flo:] ⟨~(e)s; Flöhe⟩ ZOOL flea
'Flohmarkt M flea market
floppen V/I ['flɔpən] ⟨s⟩ *umg*: *scheitern* be* a flop
florieren V/I [flo'ri:rən] ⟨*kein ge*⟩ flourish, prosper
Floskel F ['flɔskəl] ⟨~; ~n⟩ empty *od* clichéd phrase
Floß N [flo:s] ⟨~es; Flöße⟩ raft
Flosse F ['flɔsə] ⟨~; ~n⟩ fin; *von Robbe, Schwimmflosse* flipper
Flöte F ['flø:tə] ⟨~; ~n⟩ MUS flute; *Blockflöte* recorder
flott [flɔt] **A** ADJ *Tempo* brisk; *schick* smart; *Wagen* nippy **B** ADV *schnell* quickly
Flotte F ['flɔtə] ⟨~; ~n⟩ SCHIFF fleet
Fluch M [flu:x] ⟨~(e)s; Flüche⟩ curse
'fluchen V/I swear*, curse
Flucht F [flʊxt] ⟨~; ~en⟩ flight (**vor** from); *erfolgreiche* escape (**aus** from)
'fluchtartig ADV hastily **'Fluchtauto** N getaway car
flüchten V/I ['flʏçtən] ⟨s⟩ flee* (**nach, zu** to); *entkommen* escape, get* away
'flüchtig **A** ADJ quick; *oberflächlich* superficial; *nachlässig* careless; **~ sein** *Verbrecher* be* on the run, be* at large; **~er Blick** glance **B** ADV quickly; *oberflächlich* superficially; *nachlässig* carelessly; **ich kenne ihn nur ~** I don't know him very well at all
'Flüchtling M ⟨~s; ~e⟩ refugee
'Flüchtlingslager N refugee camp
'Flüchtlingsstatus M refugee status
Flug M [flu:k] ⟨~(e)s; Flüge⟩ flight; **(wie) im ~(e)** in no time (at all)
'Flugabwehrrakete F anti-aircraft missile **'Flugbahn** F *e-r Rakete etc* trajectory **'Flugbegleiter(in)** M(F) flight attendant **'Flugblatt** N leaflet
Flügel M ['fly:gəl] ⟨~s; ~⟩ *a.* SPORT, *von Gebäude* wing; *von Propeller, Ventilator* blade; *Windmühlenflügel* sail; MUS grand piano
'Fluggast M passenger **'Fluggesellschaft** F airline **'Flughafen** M airport **'Flughalle** F terminal **'Fluglinie** F air route; *Fluggesellschaft* airline **'Fluglotse** M, **'Fluglotsin** F air traffic controller **'Flugnummer** F flight number **'Flugplan** M flight schedule

'Flugplatz M airfield **'Flugschreiber** M ⟨~s; ~⟩ flight recorder, black box **'Flugsicherung** F air traffic control **Flugsteig** M ['flu:kʃtaik] ⟨~(e)s; ~e⟩ gate **'Flugticket** N (plane) ticket **'Flugverbot** N flying ban **'Flugverkehr** M air traffic
'Flugzeug N ⟨~(e)s; ~e⟩ plane, aircraft, *Br a.* aeroplane, *US a.* airplane; **mit dem ~** by air *od* plane
'Flugzeugabsturz M plane *od* air crash **'Flugzeugentführer(in)** M(F) hijacker **'Flugzeugentführung** F hijacking, skyjacking **'Flugzeughalle** F hangar **'Flugzeugträger** M aircraft carrier
Fluor N ['flu:ɔr] ⟨~s⟩ CHEM fluorine; *als Trinkwasserzusatz* fluoride
'Fluorchlorkohlen'wasserstoff M (*abk* **FCKW**) chlorofluorocarbon, (CFC)
Flur M [flu:r] ⟨~s; ~e⟩ hall; *Gang* corridor
Fluss M [flʊs] ⟨~es; Flüsse⟩ river; *kleiner* stream; *von Verkehr, Arbeit, Rede* flow; **im ~** *fig* in (a state of) flux
fluss'abwärts ADV downstream **fluss'aufwärts** ADV upstream **'Flussbett** N river bed **'Flussdiagramm** N flow chart
flüssig ['flʏsɪç] **A** ADJ liquid; *geschmolzen* melted; *Stil, Schrift etc* fluent; *Geld* available **B** ADV *sprechen etc* fluently
'Flüssigkeit F ⟨~; ~en⟩ liquid; *Zustand* liquidity
'Flüssigseife F liquid soap
'Flusslauf M course of a *od* the river **'Flussufer** N riverbank, riverside
flüstern VI & VT ['flʏstərn] whisper
Flut F [flu:t] ⟨~; ~en⟩ flood (*a. fig*); *Hochwasser* high tide; **es ist ~** the tide is in
Föderalismus M [fødera'lɪsmʊs] ⟨~⟩ POL federalism
födera'listisch ADJ federalist
Föderation F [føderatsi'o:n] ⟨~; ~en⟩ federation
Föhn[1] M [fø:n] ⟨~s; ~e⟩ hairdrier
Föhn[2] M ⟨~s⟩ METEO foehn, föhn
'föhnen VT dry; *beim Friseur* blow-dry; **sie hat sich die Haare geföhnt** she dried her hair
Folge F ['fɔlgə] ⟨~; ~n⟩ consequence, result; *Wirkung* effect; *negative Auswirkung* aftermath; *von Ereignissen* succession; *Reihenfolge* order; *Serie: von Fehlern, Briefmarken* series; *von Sendung* episode; MED aftereffect
'folgen VI ⟨s⟩ follow (*a. fig*); ⟨h⟩ **j-m ~** *umg: gehorchen* obey sb; **hieraus folgt, dass...** it follows from this that...; **wie folgt** as follows
'folgend ADJ following
'folgendermaßen ADV as follows
'folgerichtig **A** ADJ logical; *konsequent* consistent **B** ADV *denken etc* logically
folgern VT ['fɔlgərn] conclude (**aus** from)
'Folgerung F ⟨~; ~en⟩ conclusion; **e-e ~ aus etw ziehen** draw* a conclusion from sth
'folglich KONJ consequently, therefore
Folie F ['fo:liə] ⟨~; ~n⟩ *Alufolie* foil; *für Projektor* transparency; *für PowerPoint®* slide
Folklore F [fɔlk'lo:rə] ⟨~⟩ folklore; *Musik* folk music
folkloristisch ADJ [fɔlklo'rɪstɪʃ] folkloric
Folter F ['fɔltər] ⟨~; ~n⟩ torture; **auf die ~ spannen** *umg* tantalize
'foltern VT torture; *fig a.* torment
Fön® → Föhn[1]
Fonds M [fõ:] ⟨~; ~⟩ WIRTSCH fund; *Gelder* funds *pl*
'fönen VT → föhnen
'Förderband N ⟨*pl* Förderbänder⟩ conveyor belt
fordern VT ['fɔrdərn] demand (**von** from); *bes* JUR *a.* claim; *Preis* ask, charge; *beanspruchen* make* demands on; **das Erdbeben forderte viele Opfer** the earthquake claimed many victims
fördern VT ['fœrdərn] promote; *Kunst, Wissenschaft, Nachwuchs* support; *Schüler* tutor, provide remedial classes for; *Bodenschätze* mine
'Forderung F ⟨~; ~en⟩ demand; *Anspruch* claim (*a.* JUR); *Preisforderung* charge; **unbestrittene ~en** WIRTSCH uncontested claims
'Förderung F ⟨~; ~en⟩ promotion; *Unterstützung* support; *staatlich,* UNIV *etc* grant; *von Schüler* tutoring; *von Bodenschätzen* mining
Forelle F [fɔ'rɛlə] ⟨~; ~n⟩ trout
Form F [fɔrm] ⟨~; ~en⟩ form; *Gestalt a.* shape; TECH mould, *US* mold; **in ~ von** in the form of; **gut in ~** in great form
for'mal **A** ADJ formal **B** ADV *gliedern*

etc formally
Formali'tät F ⟨~; ~en⟩ formality
Format N [fɔr'ma:t] ⟨~(e)s; ~e⟩ size; *bes von Buch, Foto etc* format; *fig* calibre, *US* caliber; **er hat ~** he's a man of stature
forma'tieren V/T ⟨*kein ge*⟩ COMPUT format
Forma'tierung F ⟨~; ~en⟩ COMPUT formatting
'Formblatt N form
Formel F ['fɔrməl] ⟨~; ~n⟩ formula
for'mell **A** ADJ formal **B** ADV **er ist ~ der Chef** he is officially the boss
'formen V/T shape, form; *Ton, Charakter* mould, *US* mold
'Formfehler M irregularity; JUR formal defect
förmlich ['fœrmlıç] **A** ADJ formal; *fig: regelrecht* regular **B** ADV formally; *buchstäblich* literally; **er wurde ~ hysterisch** he became really hysterical
'formlos ADJ shapeless; *fig* informal
'Formsache F **das ist reine ~** it's just a formality
Formular N [fɔrmu'la:r] ⟨~s; ~e⟩ form
formu'lieren V/T ⟨*kein ge*⟩ *Satz* word, phrase; *Regel a.* formulate; *ausdrücken* express; **wie soll ich es ~?** how shall I put it?
Formu'lierung F ⟨~; ~en⟩ *von Satz, Brief* wording, phrasing; *einzelne* expression, phrase; *von Plan etc* formulation
forschen V/I ['fɔrʃən] do* research, research; **~ nach** search for
'Forscher(in) M ⟨~s; ~⟩ (F) ⟨~in; ~innen⟩ researcher; *Entdecker* explorer
'Forschung F ⟨~; ~en⟩ research (work); **~ und Entwicklung** research and development
'Forschungsauftrag M research assignment **'Forschungsgebiet** N field of research **'Forschungsraum** M **Europäischer ~** European Research Area **'Forschungszentrum** N research centre *od US* center
Förster(in) ['fœrstər(ın)] M ⟨~s; ~⟩ (F) ⟨~in; ~innen⟩ forester, *US a.* forest ranger
'Forstwirtschaft F forestry
'fortbestehen V/I ⟨*irr, kein ge*⟩ continue **'fortbewegen** V/R ⟨*kein ge*⟩ move
'Fortbildung F further education; *berufliche* further training **'fortfahren** V/I ⟨*irr*, s⟩ leave*, go* away (*a. verreisen*); AUTO *a.* drive* off; *weitermachen* continue, go* *od* keep* on (**etw zu tun** doing sth) **'fortführen** V/T continue, carry on **'fortgehen** V/I ⟨*irr*, s⟩ leave*
'fortgeschritten ADJ advanced
'fortlaufend **A** ADJ consecutive; **die ~e Handlung** the unfolding plot **B** ADV *nummeriert etc* consecutively **'fortpflanzen** V/R BIOL reproduce; *fig* spread* **'Fortpflanzung** F ⟨~⟩ BIOL reproduction **'Fortschritt** M progress; **~e machen** make* progress **'fortschrittlich** ADJ progressive **'fortsetzen** V/T continue, go* on with; **sich ~** continue **'Fortsetzung** F ⟨~; ~en⟩ *von Tätigkeit* continuation; *Folge* part, instalment; *von Film, Buch* sequel; **~ folgt** to be continued **'Fortsetzungsroman** M serialized novel **'fortwährend** **A** ADJ constant, continual **B** ADV *regnen etc* constantly
Foto N ['fo:to] ⟨~s; ~s⟩ photo(graph); **ein ~ machen (von)** take* a photo (of); **auf dem ~** in the photo
'Fotoalbum N photo album **'Fotoapparat** M camera **Foto'graf(in)** M ⟨~en; ~en⟩ (F) ⟨~in; ~innen⟩ photographer **Fotogra'fie** F ⟨~; ~n⟩ photography; *Bild* photograph, picture
fotogra'fieren ⟨*kein ge*⟩ **A** V/T take* a photo(graph) *od* picture of; **sich ~ lassen** have* one's picture taken **B** V/I take* photo(graph)s
'Fotohandy N camera phone **Fotoko'pie** F photocopy **fotoko'pieren** V/T ⟨*kein ge*⟩ photocopy **Fotoko'pierer** M photocopier **'Fotomodell** N (photographic) model
Fracht F [fraxt] ⟨~; ~en⟩ freight, load; SCHIFF, FLUG *a.* cargo; *Gebühr* freight
'Frachtbrief M waybill, bill of lading, *bes Br* consignment note
'Frachter M ⟨~s; ~⟩ freighter
'Frachtkosten PL freight(age) *sg*, *bes Br* carriage *sg* **'Frachtschiff** N cargo ship, freighter
Frage F ['fra:gə] ⟨~; ~n⟩ question; *Angelegenheit a.* matter; **j-m e-e ~ stellen** ask sb a question; → infrage
'Fragebogen M questionnaire
'fragen V/T & V/I ask (**nach, um** for); **nach dem Weg/der Zeit ~** ask the way/the

time; **sich ~** wonder

'Fragesteller(in) M ⟨~s; ~⟩ (F) ⟨~in; ~innen⟩ questioner **'Fragezeichen** N question mark (*a. fig*)

'fraglich ADJ doubtful, uncertain; *betreffend* in question

'fraglos ADV undoubtedly, unquestionably

Fragment N [fra'gmɛnt] ⟨~(e)s; ~e⟩ fragment

'fragwürdig ADJ dubious

Fraktion F [fraktsi'o:n] ⟨~; ~en⟩ PARL (parliamentary) party

frakti'onslos ADJ independent **Frakti'onsvorsitzende(r)** M/F(M) ⟨~n; ~n⟩ POL leader of a *od* the parliamentary party **Frakti'onszwang** M obligation to vote according to party policy, *Br* whip

Franken M ['fraŋkən] ⟨~s; ~⟩ *Währung* (Swiss) franc

frankieren V/T [fraŋ'ki:rən] ⟨*kein ge*⟩ stamp; *maschinell* frank

Fran'kiermaschine F franking machine

Frankreich N ['fraŋkraiç] ⟨~s⟩ France

Franzose M [fran'tso:zə] ⟨~n; ~n⟩ Frenchman; **die ~n** *pl* the French *pl*

Französin F [fran'tsø:zɪn] ⟨~; ~nen⟩ Frenchwoman

fran'zösisch ADJ, **Fran'zösisch** N ⟨~(s)⟩ French; → englisch

Fraß M [fra:s] ⟨~es⟩ *umg* muck, pigswill

Frau F [frau] ⟨~; ~en⟩ woman; *Ehefrau* wife; **~ X** Mrs X; *ob verheiratet oder nicht* Ms X

'Frauenarzt M, **'Frauenärztin** F gynaecologist, *US* gynecologist **'Frauenbewegung** F POL women's movement **'frauenfeindlich** ADJ anti-women **'Frauenhaus** N women's refuge **'Frauenklinik** F gynaecological *od US* gynecological hospital

Fräulein N ['frɔylain] ⟨~s; ~⟩ young lady; *veraltet: als Anrede* Miss; *Kellnerin* waitress, Miss

'fraulich ADJ womanly, feminine

frech [frɛç] **A** ADJ cheeky, *bes US* fresh; *dreist* brazen; *kess* saucy **B** ADV *grinsen* cheekily

'Frechheit F ⟨~; ~en⟩ cheek; *Dreistigkeit* brazenness

frei [frai] **A** ADJ free (**von** from, of); *Beruf* independent; *Journalist etc* freelance; *nicht besetzt* vacant (*a. WC*); *freimütig* candid, frank; SPORT unmarked; **ein ~er Tag** a day off; **im Freien** outdoors; **Zimmer ~** room(s) to let *od US* rent **B** ADV *herumlaufen etc* freely; **~ sprechen** *ohne Manuskript* speak* without notes; **~ stehen** *leer stehen* be* unoccupied; SPORT be* unmarked

'Freibad N open-air swimming-pool **'freibekommen** V/T ⟨*irr, kein ge*⟩ **e-n Tag** *etc* **~** get* a day *etc* off **'Freiberufler(in)** M ⟨~s; ~⟩ (F) ⟨~in; ~innen⟩ freelancer, freelance **'freiberuflich** ADJ freelance, self-employed **'Freiexemplar** N free copy **'Freigabe** F release

'freigeben ⟨*irr*⟩ **A** V/T *Informationen* release; **j-m e-n Tag ~** give* sb a day *etc* off; **eine Straße (für den Verkehr) ~** open a street (to traffic) **B** V/I **j-m ~** give* sb time off

'freigebig ADJ generous

'Freigepäck N FLUG baggage allowance

'freihaben V/I ⟨*irr*⟩ have* a holiday; *im Büro etc* have* a day off; **morgen haben wir frei** we've got tomorrow off; *von Schülern* there's no school tomorrow

'Freihafen M free port

'freihalten V/T ⟨*irr*⟩ *Platz* keep*, save; *j-n einladen* treat

'Freihandel M free trade **'Freihandelsabkommen** N **Zentraleuropäisches ~** Central European Free Trade Agreement **'Freihandelszone** F free trade area; **Europäische ~ (EFTA)** European Free Trade Association (EFTA)

freihändig ADV ['fraihɛndɪç] with no hands

'Freiheit F ⟨~; ~en⟩ freedom, liberty

'Freiheitsstrafe F JUR prison sentence

'Freikarte F free ticket

'Freilandhaltung F **Eier aus ~** free-range eggs

'freilassen V/T ⟨*irr*⟩ release, set* free

'Freilassung F ⟨~; ~en⟩ release

'Freilicht- ZSSGN open-air

'freimachen V/T *Brief* stamp; **sich ~** *ausziehen* undress; **sich ~ von** *von Ängsten etc* free o.s. from, throw* off

freimütig ['fraimy:tɪç] **A** ADJ frank **B** ADV *zugeben etc* frankly

'freinehmen VT ‹irr› **(sich) e-n Tag** *etc* **~** take* a day *etc* off
'freischaffend ADJ freelance
'Freischaltcode M unlock(ing) code, connecting *od* enabling code **'Freisprechanlage** F *für Handy* hands-free set
'freisprechen VT ‹irr› JUR acquit (**von** of)
'Freispruch M JUR acquittal
'Freistaat M POL free state
'freistehen VI ‹irr› **es steht dir frei zu** ... you are free to ...
'freistellen VT **j-n ~** exempt sb (**von** from) (*a.* MIL); **j-m etw ~** leave* sth (up) to sb **'Freistellung** F exemption; **~ bestimmter horizontaler/vertikaler Vereinbarungen** exemptions for certain horizontal/vertical agreements
'Freitag M Friday
'freitags ADV on Fridays
'freiwillig **A** ADJ voluntary **B** ADV *mitkommen etc* voluntarily; **sich ~ melden** volunteer (**zu** for)
'Freiwillige(r) M/F(M) ‹~n; ~n› volunteer
'Freizeit F free *od* leisure time
'Freizeitangebot N leisure activities *pl*; *Einrichtungen* leisure facilities *pl* **'Freizeiteinrichtungen** PL leisure facilities *pl* **'Freizeitgestaltung** F leisure-time activities *pl* **'Freizeitindustrie** F leisure industry **'Freizeitkleidung** F leisurewear **'Freizeitpark** M amusement park **'Freizeitzentrum** N leisure centre *od US* center
freizügig ADJ ['fraitsy:gıç] *großzügig* generous; *Erziehung* permissive; *Film* explicit
'Freizügigkeit F ‹~› POL free movement; *Großzügigkeit* generosity; *der Erziehung* permissiveness
fremd ADJ [frɛmt] strange; *ausländisch* foreign; *unbekannt* unknown; **ich bin auch ~ hier** I'm a stranger here myself
'fremdartig ADJ strange
'Fremde F ‹~› **in der ~** abroad
'Fremde(r) M/F(M) ‹~n; ~n› stranger; *Ausländer* foreigner
'Fremdenfeindlichkeit F xenophobia **'Fremdenführer(in)** M(F) (tourist) guide **'Fremdenverkehr** M tourism **'Fremdenverkehrsbüro** N tourist (information) office **'Fremdenzimmer** N **~ (zu vermieten)** room(s) to let
'Fremdfinanzierung F ‹~; ~en› external funding **'fremdgehen** VI ‹irr, s› *umg* be* unfaithful **'Fremdkapital** N outside capital **'Fremdkörper** M MED foreign body; *fig* alien element
'Fremdsprache F foreign language
'Fremdsprachenkorrespondent(in) M ‹~en; ~en› (F) ‹~in; ~innen› foreign correspondence clerk
'Fremdsprachensekretärin F bilingual secretary **'fremdsprachig** ADJ, **fremdsprachlich** ADJ foreign-language
'Fremdwort N ‹*pl* Fremdwörter› foreign word; **Pünktlichkeit ist für ihn ein ~** he doesn't know the meaning of the word punctuality
Frequenz F [fre'kvɛnts] ‹~; ~en› PHYS frequency
Fresse F ['frɛsə] ‹~; ~n› *sl* big (fat) mouth, *Br* gob; *Gesicht* mug
'fressen VT ‹fraß, gefressen› *Tier* eat*; *umg*: *Mensch* gobble
Freude F ['frɔydə] ‹~; ~n› joy, delight; *Vergnügen* pleasure; **an etw ~ haben** enjoy sth
'freudig **A** ADJ joyful, cheerful; *Ereignis, Erwartung* happy **B** ADV *berichten* joyfully; **~ überrascht** pleasantly surprised
freuen VT ['frɔyən] **es freut mich, dass** ... I'm glad *od* pleased (that) ...; **sich ~ über** be* pleased *od* glad about; **ich freue mich (schon) darauf, dich zu sehen** I'm looking forward to seeing you
Freund M [frɔynt] ‹~(e)s; ~e› friend; *in Beziehung* boyfriend
'Freundin F ‹~; ~nen› friend; *in Beziehung* girlfriend
'freundlich **A** ADJ friendly; *liebenswürdig* kind; *Raum, Farben* cheerful **B** ADV *begrüßen* in a friendly manner
'freundlicher'weise ADJ kindly
'Freundlichkeit F ‹~; ~en› friendliness, kindness
'Freundschaft F ‹~; ~en› friendship; **~ schließen** make* friends
'freundschaftlich **A** ADJ friendly **B** ADV **~ auseinandergehen** part as friends
'Frieden M ‹~s; ~› peace; **~ schließen** make* peace; **lass mich in ~!** leave me alone!
'Friedensbewegung F peace move-

ment **'friedenserhaltend** ADJ peacekeeping **'Friedensforschung** F peace research, peace studies *pl* **'Friedensnobelpreis** M Nobel Peace Price **'Friedenspolitik** F policy of peace **'Friedensverhandlungen** PL peace negotiations *pl od* talks *pl* **'Friedensvertrag** M peace treaty

'Friedhof M cemetery; *um e-e Kirche* graveyard

'friedlich ADJ peaceful

'friedliebend ADJ peace-loving

frieren V/I ['fri:rən] ⟨fror, gefroren⟩ ⟨s⟩ freeze*; ⟨h⟩ **ich friere, mich friert** I'm *od* I feel cold; *stärker* I'm freezing

Frikadelle F [frika'dɛlə] ⟨~; ~n⟩ rissole

frisch [frɪʃ] **A** ADJ fresh; *kühl* cool; *Wäsche, Blatt Papier* clean **B** ADV **~ gestrichen!** wet *od US a.* fresh paint!; **~ verheiratet** just married; **sich ~ machen** freshen up

'Frische F ⟨~⟩ freshness; *Kühle* coolness

'Frischhaltebeutel M food bag **'Frischhaltefolie** F cling film, *US* plastic wrap **'Frischhaltepackung** F airtight pack **'Frischkäse** M cream cheese

Friseur(in) [frɪ'zø:r(ɪn)] M ⟨~s; ~e⟩ (F) ⟨~in; ~innen⟩ hairdresser; *Herrenfriseur a.* barber

Fri'seursalon M hairdresser's (shop); *für Herren a.* barber's (shop)

Friseuse F [fri'zø:zə] ⟨~; ~n⟩ hairdresser

fri'sieren V/T ⟨*kein ge*⟩ *umg: Auto* soup up; **j-n ~** do* sb's hair

Fri'sör *etc* → Friseur(in) *etc*

Frist F [frɪst] ⟨~; ~en⟩ (fixed) period of time; *Zeitpunkt* deadline; *Aufschub* extension

'fristlos ADJ & ADV without notice

Fri'sur F ⟨~; ~en⟩ hairstyle, hairdo

frittieren V/T [frɪ'ti:rən] ⟨*kein ge*⟩ deep-fry

froh ADJ [fro:] glad (**über** about); *fröhlich* cheerful; *glücklich* happy; **~es Fest!** Happy *od* Merry Christmas!

fröhlich ['frø:lɪç] **A** ADJ cheerful, happy **B** ADV *lächeln etc* cheerfully

'Fröhlichkeit F ⟨~⟩ cheerfulness

fromm ADJ [frɔm] ⟨~er *od* frömmer, ~ste *od* frömmste⟩ religious, pious; *Christ, Moslem etc* devout; **~er Wunsch** pious hope

Fron'leichnam M ⟨~(e)s⟩ ⟨*kein Artikel*⟩ REL Corpus Christi

frontal ADJ & ADV [frɔn'ta:l] AUTO head-on

Fron'talzusammenstoß M head-on collision

'Frontantrieb M AUTO front-wheel drive

FRONTEX ['frɔntɛks] ABK *für* frontières extérieures *Europäische Agentur für die operative Zusammenarbeit an den Außengrenzen* FRONTEX

Frosch M [frɔʃ] ⟨~(e)s; Frösche⟩ ZOOL frog

Frost M [frɔst] ⟨~(e)s; Fröste⟩ frost

frösteln V/I ['frœstəln] shiver (*a. fig*)

'Frostschutzmittel N AUTO antifreeze

Frottee N *od* M [frɔ'te:] ⟨~(s); ~s⟩ terry (-cloth), towelling, *US* toweling

Frucht F [frʊxt] ⟨~; Früchte⟩ BOT fruit (*a. fig*); **tropische Früchte** tropical fruit; *bei Fruchtarten* tropical fruits; **Früchte tragen** *a. fig* bear* fruit

'fruchtbar ADJ BIOL, AGR fertile; *fig* fruitful

'Fruchtbarkeit F ⟨~⟩ fertility; *fig* fruitfulness

'fruchtlos ADJ fruitless, futile

'Fruchtsaft M fruit juice

früh ADJ & ADV [fry:] early; **zu ~ kommen** be* early; **~ genug** soon enough; **heute/morgen ~** this/tomorrow morning; **um vier Uhr ~** at four o'clock in the morning

'Frühaufsteher(in) M ⟨~s; ~⟩ (F) ⟨~in; ~innen⟩ early riser

'Frühe F **in aller ~** very early in the morning

'früher **A** ADJ *ehemalig* former; *vorherig* previous; **in ~en Zeiten** in the past **B** ADV earlier; *in der Vergangenheit* at one time, formerly; **~ oder später** sooner or later; **ich habe ~ (einmal) ...** I used to ...

frühestens ADV ['fry:əstəns] at the earliest

'Frühgeburt F MED premature birth; *Kind* premature baby **'Frühjahr** N spring **'Frühjahrsputz** M spring cleaning

'Frühling M ⟨~s; ~e⟩ spring

früh'morgens ADV early in the morning

'frühreif ADJ precocious
'Frühstück N breakfast
'frühstücken V/I have* breakfast
'Frühstücksbüfett N breakfast buffet **'Frühstücksfernsehen** N breakfast television
Frust M [frust] ⟨~(e)s⟩ *umg*, **Frustrati'on** [frustratsi'o:n] F ⟨~; ~en⟩ frustration
frust'rieren V/T ⟨*kein ge*⟩ frustrate
Fuchs M [fuks] ⟨~es; Füchse⟩ fox; **schlauer ~** *fig* crafty devil
'fühlbar *fig* **A** ADJ noticeable **B** ADV *wärmer etc* noticeably
fühlen V/T & V/I & V/R ['fy:lən] feel*; *ahnen a.* sense; **j-m den Puls ~** take* sb's pulse
'Fuhre F ⟨~; ~n⟩ load; *von Taxi* fare
führen ['fy:rən] **A** V/T lead*; *herumführen, lenken, leiten* guide; *geleiten, bringen* take*; *Betrieb, Haushalt* run*, manage; *Waren* sell*, deal* in; *Buch, Konto* keep*; *Gespräch* have*; *Namen* bear*; MIL command; **j-n ~ durch** show* sb round; **sich ~** conduct o.s. **B** V/I lead* (**zu** to; *a. fig*); SPORT *a.* be* leading *od* ahead
'führend ADJ leading
'Führer M ⟨~s; ~⟩ *Buch* guide (book)
'Führer(in) M ⟨~s; ~⟩ Ⓕ ⟨~in; ~innen⟩ leader (*a.* POL); *Fremdenführer* guide; *Leiter* head, chief
'Führerschein M AUTO driving licence, *US* driver's license
'Führung F ⟨~; ~en⟩ leadership; *von Unternehmen etc* management; *in Museum etc* (guided) tour; **gute ~** good conduct; **in ~ gehen** take* the lead; **in ~ sein** *od* **liegen** be* in the lead
'Führungskraft F executive **'Führungsqualitäten** PL leadership qualities *pl* **'Führungszeugnis** N certificate of good conduct
'Fuhrunternehmen N haulage *od US* trucking company
füllen V/T & V/R ['fylən] fill (*a. Zahn*); *Kissen, Geflügel etc* stuff; **etw in Säcke/Dosen ~** put* sth into sacks/cans
'Füller M ⟨~s; ~⟩, **'Füllfederhalter** M fountain pen
'Füllung F ⟨~; ~en⟩ filling (*a. Zahnfüllung*); *von Kissen, Braten* stuffing
Fund M [funt] ⟨~(e)s; ~e⟩ discovery; *Gefundenes* find
Fundament N [funda'mɛnt] ⟨~(e)s; ~e⟩ ARCH foundations *pl*; *fig* basis, foundation
Fundamenta'list(in) M ⟨~en; ~en⟩ Ⓕ ⟨~in; ~innen⟩ fundamentalist
'Fundbüro N lost-property office, *US* lost and found (office) **'Fundgegenstand** M item of lost property **'Fundgrube** F *fig* treasure trove
fundiert ADJ [fun'di:rt] *Argument* well-founded; *Wissen* sound
fünf ADJ [fynf] five
Fünf F ⟨~; ~en⟩ five; *Note etwa* E
'Fünfeck N ⟨~(e)s; ~e⟩ pentagon **'fünffach** **A** ADJ fivefold; **die ~e Menge** five times the amount **B** ADV fivefold, five times **Fünflinge** PL ['fynflɪŋə] quintuplets *pl* **Fünf'sternehotel** N five-star hotel
'Fünfte(r) M/F(M) ⟨~n; ~n⟩ fifth
'fünfte(r, -s) ADJ fifth
Fünftel N ['fynftəl] ⟨~s; ~⟩ fifth
'fünftens ADV fifth(ly)
'fünfzehn ADJ fifteen
'fünfzehnte(r, -s) ADJ fifteenth
fünfzig ADJ ['fynftsɪç] fifty
fungieren V/I [fuŋ'gi:rən] ⟨*kein ge*⟩ **~ als** act as, function as
Funk M [fuŋk] ⟨~s⟩ radio (*a. zssgn; Bild, Taxi etc*); **über** *od* **durch ~** by radio
Funke M ['fuŋkə] ⟨~ns; ~n⟩ spark; *fig a.* glimmer
funkeln V/I ['fuŋkəln] sparkle, glitter; *von Sternen* twinkle
'funken V/T radio, transmit
'Funker(in) M ⟨~s; ~⟩ Ⓕ ⟨~in; ~innen⟩ radio operator
'Funkfrequenzen PL radio frequencies *pl* **'Funkgerät** N radio set **'Funkhaus** N broadcasting centre *od US* center **'Funksignal** N radio signal **'Funkspruch** M radio message **'Funkstreife** F patrol car
Funktion F [fuŋktsi'o:n] ⟨~; ~en⟩ function; *Stellung* position
Funktio'när(in) M ⟨~s; ~e⟩ Ⓕ ⟨~in; ~innen⟩ official (*a.* SPORT), functionary
funktio'nieren V/I ⟨*kein ge*⟩ work
Funkti'onstaste F function key
'Funkturm M radio tower **'Funkverkehr** M radio communication
für PRÄP [fy:r] ⟨*akk*⟩ for; *im Namen von* on behalf of; **~ immer** forever; **Tag ~ Tag** day after day; **Wort ~ Wort** word by word; **~ sich** *arbeiten, wohnen etc* by one-

self; **was ~ …?** what (kind *od* sort of) …?; **das Für und Wider** the pros and cons

Furcht F [fʊrçt] ⟨~⟩ fear; *stärker* dread (*beide* **vor** of); **aus** *od* **vor ~, dass** for fear that

'furchtbar A ADJ terrible, awful B ADV *spät etc* terribly

fürchten ['fʏrçtən] A V/T fear, be* afraid of; *stärker* dread; **ich fürchte, …** I'm afraid …; **sich ~** be* afraid (**vor** of) B V/I **~ um** fear for

G

'fürchterlich A ADJ terrible, awful B ADV *kalt etc* terribly

'furchterregend ADJ frightening

'furchtsam ADJ timid

fürei'nander ADV for each other

Furnier N [fʊr'ni:r] ⟨~s; ~e⟩ veneer

'Fürsorge F care; **öffentliche ~** public welfare; **sie leben von der ~** they are on social security, *US* they are on welfare

'Fürsorgeempfänger(in) M(F) person on social security, *US* person on welfare

'fürsorglich ADJ caring

'Fürsprache F recommendation; **~ für j-n einlegen** put* in a word for sb (**bei** with)

Furz M [fʊrts] ⟨~es; Fürze⟩ *vulg* fart

'furzen V/I *vulg* fart

Fusion F [fuzi'o:n] ⟨~; ~en⟩ WIRTSCH merger

fusio'nieren V/I ⟨*kein ge*⟩ WIRTSCH merge

Fusi'onsvertrag M **~ der Europäischen Gemeinschaft** Merger Treaty, Treaty establishing the European Community

Fuß M [fu:s] ⟨~es; Füße⟩ foot; *von Lampe* stand; *von Glas* stem; **zu ~** on foot; **zu ~ gehen** walk; **gut zu ~ sein** be* a good walker; **~ fassen** become* established; **auf freiem ~** at liberty

'Fußabdruck M footprint **'Fußabstreifer** M ⟨~s; ~⟩ doormat

'Fußball M soccer, *Br a.* football; *Ball* soccer ball, *Br a.* football

'Fußballspiel N soccer *od Br a.* football match **'Fußballspieler(in)** M(F) soccer *od Br a.* football player

'Fußboden M floor; *Fußbodenbelag* flooring **'Fußbodenheizung** F underfloor heating **'Fußbremse** F AUTO footbrake

Fussel F ['fʊsəl] ⟨~; ~n⟩ piece of fluff *od US* lint; **~n** *pl* fluff *sg*, *US* lint *sg*

'fusseln V/I shed* a lot of fluff

Fußgänger(in) ['fu:sgɛŋər(ɪn)] M ⟨~s; ~⟩ (F) ⟨~in; ~innen⟩ pedestrian

'Fußgängerampel F pedestrian lights *pl* **'Fußgängerüberweg** M pedestrian crossing **'Fußgängerzone** F pedestrian precinct *od US* zone

'Fußgelenk N ankle **'Fußmarsch** M ⟨~es; Fußmärsche⟩ march **'Fußnote** F footnote **'Fußpflege** F pedicure; MED chiropody, *US a.* podiatry **'Fußpilz** M MED athlete's foot **'Fußsohle** F sole (of the foot) **'Fußspur** F footprint; *Fährte* track **'Fußstapfen** PL **in j-s ~ treten** follow in sb's footsteps **'Fußtritt** M kick **'Fußweg** M footpath; **e-e Stunde ~** an hour's walk, an hour on foot

Futter¹ N ['fʊtər] ⟨~s⟩ AGR: *allg* feed; AGR: *Heu etc* fodder; *Hundefutter etc* food; *umg*: *Essen* grub

'Futter² N ⟨~s; ~⟩ TECH, *Mantelfutter etc* lining

füttern¹ V/T ['fʏtərn] *Tier* feed*

'füttern² V/T *Kleid etc* line

'Futternapf M (feeding) bowl

'Fütterung F ⟨~; ~en⟩ feeding

G

G N [ge:] ⟨~; ~⟩ G (*a.* MUS)

Gabe F ['ga:bə] ⟨~; ~n⟩ gift, present; MED dose; *Begabung* talent, gift; **e-e milde ~** alms *pl*

Gabel F ['ga:bəl] ⟨~; ~n⟩ fork; *von Telefon* cradle

'gabeln V/R fork

'Gabelstapler M ⟨~s; ~⟩ fork-lift (truck)

'Gabelung F ⟨~; ~en⟩ fork

gaffen V/I ['gafən] *umg* gawp, *US* rubberneck

'Gaffer(in) M ⟨~s; ~⟩ (F) ⟨~in; ~innen⟩ *umg* gawper, *US* rubberneck(er)

Gag M [gɛk] ⟨~s; ~s⟩ gag; *Werbung* gimmick

Gage F ['ga:ʒə] ⟨~; ~n⟩ fee
gähnen V/I ['gɛ:nən] yawn (*a. fig*)
Galerie F [galə'ri:] ⟨~; ~n⟩ gallery
Galgen M ['galgən] ⟨~s; ~⟩ gallows *sg*
'Galgenfrist F reprieve **'Galgenhumor** M gallows humour *od US* humor
Galle F ['galə] ⟨~; ~n⟩ gall bladder; *Sekret* bile (*a. fig*)
'Gallenblase F ANAT gall bladder **'Gallenstein** M MED gallstone
gammeln V/I ['gaməln] *umg* bum around
Gang M [gaŋ] ⟨~(e)s; Gänge⟩ walk; *von Pferd* gait; *Durchgang* passage; *von Kirche*, FLUG aisle; *Flur* corridor; AUTO gear; GASTR course; **etw in ~ bringen** get* sth going, start sth; **in ~ kommen** get* started; **im ~e sein** be* going on; **in vollem ~e** in full swing
gängig ADJ ['gɛŋɪç] current; WIRTSCH popular
'Gangschaltung F gears *pl*
Ganove M [ga'no:və] ⟨~n; ~n⟩ *umg* crook
Gans F [gans] ⟨~; Gänse⟩ goose
Gänsehaut F ['gɛnzə-] *fig* goose pimples *pl*, gooseflesh; **dabei kriege ich e-e ~** it gives me the creeps **'Gänsemarsch** M **im ~** in single *od US* Indian file
ganz [gants] **A** ADJ whole; *ungeteilt, vollständig a.* entire; *umg: heil a.* undamaged, intact; *Betrag, Stunde a.* full; **den ~en Tag** all day; **die ~e Zeit** all the time; **sein ~es Geld** all his money **B** ADV *völlig* completely, totally; *sehr* very; *ziemlich* quite, fairly; **sie war ~ allein** she was all by herself; **~ aus Holz** *etc* all wood *etc*; **~ und gar** completely, totally; **~ und gar nicht** not at all; **~ wie du willst** just as you like; **nicht ~** not quite
'Ganze(s) N ⟨~n⟩ **das ~** the whole thing; **aufs ~ gehen** go* all out; **im ~n** in all, altogether
gänzlich ADV ['gɛntslɪç] completely, entirely
ganztägig ADV ['gantstɛ:gɪç] **~ geöffnet** open all day **'Ganztagsbeschäftigung** F full-time job **'Ganztagsschule** F all-day school; *Prinzip* all-day schooling
gar [ga:r] **A** ADJ *Essen* done **B** ADV **~ nicht** not at all; **~ nichts** nothing at all; **~ zu ...** (a bit) too ...
Garage F [ga'ra:ʒə] ⟨~; ~n⟩ garage
Garantie F [garan'ti:] ⟨~; ~n⟩ guarantee; *bes* WIRTSCH warranty
garan'tieren V/T & V/I ⟨*kein ge*⟩ guarantee (**für etw** sth)
Garan'tieschein M guarantee
Garderobe F [gardə'ro:bə] ⟨~; ~n⟩ *Kleidung* wardrobe, clothes *pl*; *Garderobenraum* cloakroom, *US* checkroom; *für Schauspieler* dressing room; *im Haus* coat rack; *freistehend* coat stand
Garde'robenfrau F cloakroom *od US* checkroom attendant **Garde'robenmarke** F cloakroom *od US* coatcheck ticket **Garde'robenständer** M coat stand
Gardine F [gar'di:nə] ⟨~; ~n⟩ curtain
Garn N [garn] ⟨~(e)s; ~e⟩ *Faden* thread; *Baumwollgarn* cotton
Garnitur F [garni'tu:r] ⟨~; ~en⟩ set; *Möbel* suite
Garten M ['gartən] ⟨~s; Gärten⟩ garden
'Gartenarbeit F gardening **'Gartenbau** M horticulture **'Gartenlokal** N beer garden **'Gartenstadt** F garden city
Gärtner(in) ['gɛrtnər(ɪn)] M ⟨~s; ~⟩ (F) ⟨~in; ~innen⟩ gardener
Gärtne'rei F ⟨~; ~en⟩ *Betrieb* nursery
Gärung F ['gɛ:rʊŋ] ⟨~; ~en⟩ fermentation
Gas N [ga:s] ⟨~es; ~e⟩ gas; **~ geben** AUTO accelerate, *umg* step on the gas
'gasförmig ADJ gaseous **'Gashahn** M gas tap, *US* gas valve *od* cock **'Gasheizung** F gas heating **'Gasherd** M gas cooker *od* stove **'Gasleitung** F gas main **'Gasmaske** F gas mask **'Gasofen** M *Heizung* gas fire; *Backofen* gas oven **'Gaspedal** N AUTO accelerator, *US a.* gas pedal
Gasse F ['gasə] ⟨~; ~n⟩ lane, alley
Gast M [gast] ⟨~(e)s; Gäste⟩ guest; *Besucher* visitor; *im Lokal etc* customer
'Gastarbeiter(in) M(F) *neg!* foreign worker
Gästebuch N ['gɛstə-] visitors' book **'Gästehaus** N guesthouse **'Gästezimmer** N guest room, spare (bed)room
'Gastfamilie F host family **'gastfreundlich** ADJ hospitable **'Gast-**

G

freundschaft F hospitality **'Gastgeber** M ⟨~s; ~⟩ host; **die ~** *pl* SPORT the home team *sg* **'Gastgeberin** F ⟨~; ~nen⟩ hostess **'Gasthaus** N, **'Gasthof** M pub, *bes US* bar; *mit Unterkunft* guesthouse
'Gastland N host country
'gastlich **A** ADJ hospitable **B** ADV *aufnehmen etc* hospitably
Gastronomie F [gastrono'mi:] ⟨~⟩ *Gaststättengewerbe* restaurant trade; *Kochkunst* gastronomy
'Gastspiel N THEAT guest performance **'Gaststätte** F restaurant **'Gastwirt** M landlord **'Gastwirtin** F landlady **'Gastwirtschaft** F pub, *bes US* bar
'Gaswerk N gasworks *sg od pl* **'Gaszähler** M gas meter
Gatte M ['gatə] ⟨~n; ~n⟩ husband
'Gattin F ⟨~; ~nen⟩ wife
Gattung F ['gatʊŋ] ⟨~; ~en⟩ type, sort; BIOL genus; *Literatur, Kunst* genre
GAU [gau] ⟨~s; ~s⟩ ABK *für* größter anzunehmender Unfall MCA, maximum credible accident, *US* worst-case scenario
Gaumen M ['gaumən] ⟨~s; ~⟩ ANAT palate (*a. fig*)
Gauner(in) ['gaunər(ɪn)] M ⟨~s; ~⟩ (F) ⟨~in; ~innen⟩ crook, swindler
Gebäck N [gə'bɛk] ⟨~(e)s; ~e⟩ pastries *pl*; *Plätzchen* biscuits *pl*, *US* cookies *pl*
ge'bannt ADJ **wie ~** spellbound; **wie ~ vor dem Fernseher sitzen** sit* mesmerized in front of the telly
Gebärde F [gə'bɛ:rdə] ⟨~; ~n⟩ gesture
ge'bärden V/R ⟨*pperf* gebärdet⟩ behave, act (**wie** like)
gebären V/T [gə'bɛ:rən] ⟨gebor, geboren⟩ give* birth to
Ge'bärmutter F ⟨~; Gebärmütter⟩ ANAT womb, uterus
Gebäude N [gə'bɔydə] ⟨~s; ~⟩ building
geben V/T ['ge:bən] ⟨gab, gegeben⟩ give*; *reichen a.* hand, pass; *Karten* deal*; *Versprechen* make*; **Unterricht ~** teach*; **lass dir e-e Quittung ~** ask for a receipt; **von sich ~** utter; *Rauch etc* give* off; **sich ~** *nachlassen* pass; *besser werden* get* better; **j-m die Schuld ~** blame sb; **es gibt ...** there is ..., *pl* there are ...; **das gibt Ärger** there'll be trouble; **was gibt's?** what's up?; TV *etc* what's on?; **was gibt es zum Mittagessen?** what's for lunch?; **das gibt's nicht** I don't believe it; *verbietend* that's not on; **dem hab ich's aber gegeben!** *umg* I really let him have it!
Gebet N [gə'be:t] ⟨~(e)s; ~e⟩ prayer
Gebiet N [gə'bi:t] ⟨~(e)s; ~e⟩ region, area; POL territory; *fig* field
Ge'bietskörperschaft F regional authority
ge'bietsweise ADV **~ Regen** scattered showers; **~ bewölkt/sonnig** cloudy/sunny in some areas
ge'bildet ADJ educated; *belesen* well-read
Gebirge N [gə'bɪrgə] ⟨~s; ~⟩ mountains *pl*
ge'birgig ADJ mountainous
Ge'biss N ⟨~es; ~e⟩ (set of) teeth *pl*; *künstliches* false teeth *pl*, dentures *pl*
Gebläse N [gə'blɛ:zə] ⟨~s; ~⟩ blower, fan
geboren ADJ [gə'bo:rən] born; **~e Moslener** née Moslener; **ich bin am ... ~** I was born on the ...
geborgen ADJ [gə'bɔrgən] safe, secure
Ge'borgenheit F ⟨~⟩ safety, security
Gebot N [gə'bo:t] ⟨~(e)s; ~e⟩ REL commandment; *Vorschrift* rule; *Erfordernis* requirement; *bei e-r Auktion* bid
Ge'brauch M ⟨~(e)s; Gebräuche⟩ use
ge'brauchen V/T ⟨*pperf* gebraucht⟩ use; **gut zu ~ sein** be* useful; **nicht zu ~ sein** be* useless; **ich könnte ... ~** I could do with ...
gebräuchlich ADJ [gə'brɔyçlɪç] *verbreitet* common; *üblich* normal, usual
Ge'brauchsanleitung F, **Ge'brauchsanweisung** F instructions *pl* (for use) **ge'brauchsfertig** ADJ ready for use
ge'braucht **A** ADJ used; *Waren a.* second-hand **B** ADV *kaufen* second-hand
Ge'brauchtwagen M used *od* second-hand car **Ge'brauchtwagenhändler(in)** M(F) used *od* second-hand car dealer
gebrechlich ADJ [gə'brɛçlɪç] frail; *altersschwach* infirm
Gebrüder PL [gə'bry:dər] brothers *pl*
Ge'brüll N ⟨~(e)s⟩ roar(ing)
Gebühr F [gə'by:r] ⟨~; ~en⟩ **Gebühr(en** *pl*) charge; *für Post* postage; *Abgabe* dues

pl
ge'bührend A ADJ due; *angemessen* proper B ADV *loben etc* duly
Ge'bühreneinheit F TEL unit **Ge'bührenerhöhung** F increase in charges **ge'bührenfrei** ADJ & ADV free of charge; TEL free of charge, *US* toll-free **Ge'bührenordnung** F scale of charges **ge'bührenpflichtig** ADJ chargeable; **~e Straße** toll road; **~e Verwarnung** fine
gebunden ADJ [gə'bʊndən] bound; *fig a.* tied (**an** to)
Geburt F [gə'bu:rt] ⟨~; ~en⟩ birth; **von ~** by birth; **von ~ an** from birth
Ge'burtenkontrolle F birth control **Ge'burtenrate** F birthrate **Ge'burtenregelung** F birth control **Ge'burtenrückgang** M fall in the birthrate **ge'burtenschwach** ADJ *Jahrgänge* with a low birthrate **ge'burtenstark** ADJ with a high birthrate **Ge'burtenziffer** F birthrate
gebürtig ADJ [gə'bʏrtɪç] **er ist ~er Schweizer** he is Swiss by birth
Ge'burtsanzeige F birth announcement **Ge'burtsdatum** N date of birth **Ge'burtsjahr** N year of birth **Ge'burtsland** N native country **Ge'burtsort** M birthplace **Ge'burtstag** M birthday; **herzlichen Glückwunsch zum ~!** happy birthday!
Ge'burtstagsfeier F birthday party **Ge'burtstagsgeschenk** N birthday present **Ge'burtstagskind** N birthday boy/girl
Ge'burtsurkunde F birth certificate
Gebüsch N [gə'bʏʃ] ⟨~(e)s; ~e⟩ bushes *pl*, shrubbery
gedacht ADJ [gə'daxt] *Linie* imaginary; **es ist als Überraschung ~** it's meant to be a surprise; **für wen ist das ~?** who is that meant for?
Gedächtnis N [gə'dɛçtnɪs] ⟨~ses; ~se⟩ memory; **aus dem ~** from memory; **zum ~ an** in memory of; **im ~ behalten** remember
Ge'dächtnisfeier F commemoration **Ge'dächtnislücke** F memory lapse **Ge'dächtnisschwund** M [-ʃvʊnt] ⟨~(e)s⟩ MED amnesia; *vorübergehend* blackout
Gedanke M [gə'daŋkə] ⟨~ns; ~n⟩ thought; *Einfall* idea; **was für ein ~!** what an idea!; **in ~n (verloren)** lost in thought; **sich ~n machen über** think* about; *besorgt* be* worried *od* concerned about; **j-s ~n lesen** read* sb's mind
Ge'dankenaustausch M exchange of ideas **Ge'dankengang** M train of thought **ge'dankenlos** A ADJ thoughtless B ADV *handeln etc* without thinking
Gedeck N [gə'dɛk] ⟨~(e)s; ~e⟩ place setting; **ein ~ auflegen** set* a place
ge'deihen VI ⟨gedieh, gediehen, s⟩ thrive*, prosper; *wachsen* grow*; *blühen* flourish
ge'denken VI ⟨*irr, pperf* gedacht⟩ think* of; *ehrend* commemorate
Ge'denkfeier F commemoration **Ge'denkminute** F **e-e ~** a minute's *od US* moment's silence **Ge'denkstätte** F memorial **Ge'denktafel** F plaque
Gedicht N [gə'dɪçt] ⟨~(e)s; ~e⟩ poem
gediegen ADJ [gə'di:gən] solid; *geschmackvoll* tasteful
Ge'dränge N ⟨~s⟩ crowd, crush
Geduld F [gə'dʊlt] ⟨~⟩ patience
ge'dulden V/R ⟨*pperf* geduldet⟩ wait
ge'duldig A ADJ patient B ADV *warten etc* patiently
ge'ehrt ADJ honoured, *US* honored; *in Briefen* **Sehr ~er Herr Brecht** Dear Mr Brecht
ge'eignet ADJ *passend* suitable; *befähigt* suited; *richtig* right; **~e Maßnahmen** appropriate steps
Gefahr F [gə'fa:r] ⟨~; ~en⟩ danger; *Bedrohung* threat; *Risiko* risk; **auf eigene ~** at one's own risk; **außer ~** out of danger, safe
gefährden V/T [gə'fɛ:rdən] ⟨*pperf* gefährdet⟩ endanger; *aufs Spiel setzen* risk, jeopardize
gefährlich ADJ [gə'fɛ:rlɪç] dangerous; *riskant* risky
ge'fahrlos A ADJ safe B ADV safely
Gefährte M [gə'fɛ:rtə] ⟨~n; ~n⟩, **Ge'fährtin** F ⟨~; ~nen⟩ companion
Gefälle N [gə'fɛlə] ⟨~s; ~⟩ slope, gradient
Ge'fallen[1] M ⟨~s; ~⟩ favour, *US* favor; **j-n um e-n ~ bitten** ask a favour of sb
Ge'fallen[2] N ⟨~s⟩ **~ finden an** like
ge'fallen VI ⟨*irr, pperf* gefallen⟩ please;

G

es gefällt mir I like it; **wie gefällt dir ...?** how do you like ...?; **sich etw ~ lassen** put* up with sth
ge'fällig ADJ pleasant, agreeable; *entgegenkommend* obliging, kind; **j-m ~ sein** do* sb a favour *od US* favor
Ge'fälligkeit F ⟨~; ~en⟩ kindness; *Gefallen* favour, *US* favor
ge'fälligst ADV **sei ~ still!** *umg* be quiet, will you!
ge'fangen ADJ captive; *im Gefängnis* imprisoned; **~ halten** keep* prisoner; **~ nehmen** take* prisoner; *fig* captivate
Ge'fangene(r) M/F(M) ⟨~n; ~n⟩ prisoner; *Sträfling* convict
Gefangennahme F [gə'faŋənna:mə] ⟨~⟩ capture (*a.* MIL)
Ge'fangenschaft F ⟨~⟩ captivity; *im Gefängnis* imprisonment; **in ~ sein** be* a prisoner of war
Gefängnis N [gə'fɛŋnɪs] ⟨~ses; ~se⟩ prison, jail; **ins ~ kommen** go* to jail *od* prison; **er wurde zu drei Jahren ~ verurteilt** he was sentenced to three years in prison
Ge'fängnisstrafe F prison sentence
Gefäß N [gə'fɛ:s] ⟨~es; ~e⟩ container; ANAT vessel
gefasst [gə'fast] **A** ADJ calm; **auf etw ~ sein** be* prepared for sth **B** ADV *aufnehmen* calmly
Gefecht N [gə'fɛçt] ⟨~(e)s; ~e⟩ MIL battle; **j-n außer ~ setzen** put* sb out of action
Ge'flügel N ⟨~s⟩ poultry
Ge'flügelpest F bird flu, avian influenza **Ge'flügelsalat** M chicken salad
ge'fragt ADJ **~ sein** be* in demand, be* popular
ge'frieren V/I ⟨*irr, pperf* gefroren, s⟩ freeze*
Ge'frierfach N freezer (compartment) **Ge'frierfleisch** N frozen meat **ge'friergetrocknet** ADJ freeze-dried **Ge'frierpunkt** M freezing point **Ge'frierschrank** M upright freezer **Ge'friertruhe** F freezer, deep-freeze
Gefühl N [gə'fy:l] ⟨~s; ~e⟩ feeling; *Sinn, Gespür a.* sense; *bes kurzes* sensation; *Gemütsbewegung* feeling, emotion
ge'fühllos **A** ADJ *Hände etc* numb; *herzlos* unfeeling **B** ADV **sich ~ verhalten** show* a lack of feeling
ge'fühlsbetont ADJ emotional
ge'fühlvoll **A** ADJ *empfindsam* sensitive; *rührselig* sentimental **B** ADV sensitively; *rührselig* sentimentally
ge'gebenen'falls ADV if necessary
gegen PRÄP ['ge:gən] ⟨*akk*⟩ against; *ungefähr* around, *bes Br a.* about; *im Austausch für* for; *verglichen mit* compared with; **~ e-n Baum fahren** drive* into a tree; **etwas ~ Husten** something for a cough
'Gegen- ZSSGN *Angriff, Argument* counter- **'Gegenbesuch** M return visit **'Gegenbeweis** M JUR counterevidence
Gegend F ['ge:gənt] ⟨~; ~en⟩ region, area; *Landschaft* countryside; *Wohngegend* neighbourhood, *US* neighborhood; **hier in der ~** around here
gegenei'nander ADV against one another *od* each other
'Gegenfahrbahn F AUTO opposite lane **'Gegengewicht** N counterweight; **ein ~ bilden zu etw** counterbalance sth **'Gegenkandidat(in)** M(F) rival candidate **'Gegenleistung** F quid pro quo; **als ~** in return (**für** for) **'Gegenmaßnahme** F countermeasure **'Gegenmittel** N antidote (*a. fig*) **'Gegenrichtung** F opposite direction **'Gegensatz** M contrast; *Gegenteil* opposite; **im ~ zu** in contrast to *od* with
gegensätzlich ADJ ['ge:gənzɛtslɪç] opposing, conflicting
'Gegenschlag M *fig* retaliation; MIL reprisal **'Gegenseite** F opposite side
'gegenseitig **A** ADJ mutual **B** ADV *sich helfen* each other, one another **'Gegenseitigkeit** F ⟨~⟩ **auf ~ beruhen** be* mutual
'Gegensprechanlage F intercom
'Gegenstand M object; *Thema* subject
'gegenstandslos ADJ *unbegründet* unfounded; *belanglos* irrelevant
'Gegenstimme F PARL vote against, no; **nur drei ~n** only three votes against *od* three noes **'Gegenstück** N counterpart
'Gegenteil N opposite; **im ~** on the contrary
'gegenteilig ADJ contrary, opposite
gegen'über ADV & PRÄP ⟨*dat*⟩ opposite; *fig: zu j-m* to, toward(s); *im Vergleich zu*

compared with
Gegen'über N ⟨~s; ~⟩ **mein ~** *am Tisch* the person opposite (me)
gegen'überstehen VI ⟨*irr*⟩ face; *Problemen* be* faced with; **sich ~** *Mannschaften* meet* **Gegen'überstellung** F *bes* JUR confrontation
'Gegenverkehr M oncoming traffic
Gegenwart F ['ge:gənvart] ⟨~⟩ present (time); *Anwesenheit* presence; GRAM present (tense)
gegenwärtig ['ge:gənvɛrtɪç] **A** ADJ present, current **B** ADV *zurzeit* at present, at the moment
'Gegenwehr F resistance **'Gegenwind** M head wind **'gegenzeichnen** VT countersign **'Gegenzug** M countermove; **im ~** *als Reaktion* in response, in retaliation
Gegner(in) ['ge:gnər(ɪn)] M ⟨~s; ~⟩ (F) ⟨~in; ~innen⟩ opponent (*a.* SPORT), adversary; MIL enemy
'gegnerisch ADJ opposing; MIL enemy
Ge'hackte(s) N ⟨~n⟩ mince, *US* ground meat
Gehalt[1] M [gə'halt] ⟨~(e)s; ~e⟩ *Inhalt* content
Ge'halt[2] N ⟨~(e)s; Gehälter⟩ *Bezahlung* salary, pay
Ge'haltsabrechnung F salary statement, pay slip **Ge'haltserhöhung** F (pay) rise, increase in salary, *US* raise **Ge'haltsgruppe** F salary bracket **Ge'haltskonto** N current account, *US* checking account **Ge'haltszettel** M *umg* payslip
ge'haltvoll ADJ substantial; *nahrhaft* nutritious
gehässig [gə'hɛsɪç] **A** ADJ spiteful, malicious **B** ADV *lachen* spitefully
Ge'hässigkeit F ⟨~; ~en⟩ spite(-fulness), malice
Gehäuse N [gə'hɔyzə] ⟨~s; ~⟩ case, casing; ZOOL shell; *Kerngehäuse* core
geheim ADJ [gə'haim] secret; **~ halten** keep* secret
Ge'heimagent(in) M(F) secret agent **Ge'heimdienst** M secret service **Ge'heimhaltungspflicht** F obligation to maintain confidentiality
Ge'heimnis N ⟨~ses; ~se⟩ secret; *Rätselhaftes* mystery
ge'heimnisvoll ADJ mysterious
Ge'heimnummer F TEL ex-directory *od US* unlisted number **Ge'heimpolizei** F secret police **Ge'heimzahl** F PIN number
ge'hemmt ADJ inhibited, self-conscious
gehen VI ['ge:ən] ⟨ging, gegangen, s⟩ go*; *zu Fuß* walk; *weggehen* leave*; *funktionieren* (*a. fig*) work; *von Ware* sell*; *dauern* last; **über die Straße ~** cross the road; **einkaufen/schwimmen ~** go* shopping/swimming; **~ wir!** let's go!; **das geht nicht** that's impossible; **das geht schon** that's OK; **wie geht es dir/Ihnen?** how are you?; **es geht mir gut** I'm fine; **es geht mir schlecht** I'm not feeling well; **der Film geht zwei Stunden** the film lasts two hours; **~ in** *passen* go* into; **~ nach** *von Straße etc* lead* to; *von Fenster etc* face; *urteilen* go* *od* judge by; **es geht nichts über …** there is nothing like …; **worum geht es?** what is it about?; **darum geht es nicht** that's not the point; **sich ~ lassen** let* o.s. go
Gehirn N [gə'hɪrn] ⟨~(e)s; ~e⟩ brain; *Verstand* brain(s *pl*)
Ge'hirnerschütterung F MED concussion **Ge'hirnschlag** M MED stroke **Ge'hirnwäsche** F brainwashing
Gehör N [gə'hø:r] ⟨~(e)s⟩ (sense of) hearing; **nach dem ~** by ear; **sich ~ verschaffen** make* o.s. heard
ge'horchen VI ⟨*pperf* gehorcht⟩ obey; **nicht ~** disobey
ge'hören VI ⟨*pperf* gehört⟩ belong (*dat od* **zu** to); **wem gehört es?** whose is it?, who does it belong to?; **gehört dir das?** does this belong to you?, is this yours?; **es gehört sich** it is proper *od* right; **es gehört sich nicht** it is not done
ge'hörig **A** ADJ *gebührend* proper; *nötig* necessary; *tüchtig* decent; **zu etw ~** belonging to sth **B** ADV properly; **j-n ~ ausschimpfen** give* sb a good telling-off
ge'hörlos ADJ deaf; **die Gehörlosen** *pl* the deaf *pl*
gehorsam [gə'ho:rza:m] **A** ADJ obedient **B** ADV **er ist ~ ins Bett gegangen** he did as he was told and went to bed
Ge'horsam M ⟨~s⟩ obedience
Gehsteig M ['ge:ʃtaik] ⟨~(e)s; ~e⟩, **'Gehweg** M pavement, *US* sidewalk
Geige F ['gaigə] ⟨~; ~n⟩ violin, *umg* fiddle

geil ADJ [gail] *umg*: *großartig* great, fantastic; *sexuell* horny, *Br a.* randy; *pej* lecherous, lewd
Geisel F ['gaizəl] ⟨~; ~n⟩ hostage; **j-n als ~ nehmen** take* sb hostage
'Geiseldrama N hostage crisis **'Geiselnehmer(in)** M ⟨~s; ~⟩ (F) ⟨~in; ~innen⟩ hostage-taker
Geist M [gaist] ⟨~(e)s; ~er⟩ spirit; *Seele a.* soul; *Sinn, Gemüt, Verstand* mind; *Witz* wit; *Gespenst* ghost; **der Heilige ~** the Holy Ghost *od* Spirit

G

'Geisterfahrer(in) M(F) **der Unfall wurde von einem Geisterfahrer verursacht** AUTO the accident was caused by someone driving on the wrong side of the road
'geistesabwesend ADJ absent-minded **'Geistesblitz** M brainwave, *US* brainstorm **'Geistesgegenwart** F presence of mind **'geistesgegenwärtig** **A** ADJ alert; *schlagfertig* quick-witted **B** ADV *handeln etc* with great presence of mind **'geistesgestört** ADJ mentally disturbed **'geisteskrank** ADJ mentally ill **'Geisteskrankheit** F mental illness **'Geisteswissenschaften** PL **die ~** the arts *pl*, the humanities *pl* **'Geisteszustand** M mental state
'geistig **A** ADJ mental; *Arbeit, Fähigkeiten* intellectual; *nicht körperlich* spiritual; **~es Eigentum** intellectual property **B** ADV **~ behindert** mentally handicapped
geistlich ADJ ['gaitlıç] religious; *kirchlich* ecclesiastical; *Geistliche betreffend* clerical
'Geistliche(r) M/F(M) ⟨~n; ~n⟩ clergyman; *Frau* clergywoman; *beide* priest; *bes protestantisch* minister; **die Geistlichen** *pl koll* the clergy *pl*
'geistlos ADJ inane, silly **'geistreich** **A** ADJ witty **B** ADV *schreiben etc* wittily
Geiz M [gaits] ⟨~es⟩ meanness, miserliness
'Geizhals M miser, skinflint
'geizig ADJ mean, miserly
Ge'jammer N ⟨~s⟩ moaning, complaining
gekonnt [gə'kɔnt] **A** ADJ masterly, skilful, *US* skillful **B** ADV *meistern etc* skilfully, *US* skillfully
ge'kränkt ADJ hurt, offended
Gel N [ge:l] ⟨~s; ~e⟩ gel

Gelächter N [gə'lɛçtər] ⟨~s; ~⟩ laughter
Gelände N [gə'lɛndə] ⟨~s; ~⟩ area; *Baugelände* site; **hügeliges ~** hilly terrain *od* ground; **auf dem ~** *e-s Betriebs etc* on the premises
Ge'lände- ZSSGN *Lauf, Ritt etc* cross-country
Ge'ländefahrzeug N all-terrain vehicle **ge'ländegängig** ADJ AUTO all-terrain
Ge'länder N ⟨~s; ~⟩ *Treppengeländer* banisters *pl*; *Geländerstange* (hand)rail; *Brückengeländer* railing; *Balkongeländer* parapet
Ge'ländewagen M off-road *od* all-terrain vehicle
ge'langen V/I ⟨*pperf* gelangt, s⟩ **~ an** *od* **nach** reach, get* to; **~ in** get* *od* come* into; **zu Ruhm ~** achieve fame; **zu Reichtum ~** acquire a fortune; **zu einer Einigung ~** come* to an agreement
ge'lassen **A** ADJ calm, composed **B** ADV *hinnehmen etc* calmly
geläufig ADJ [gə'lɔyfıç] common; *vertraut* familiar; **das ist mir nicht ~** I'm not familiar with that
gelaunt ADJ [gə'launt] **schlecht/gut ~ sein** be* in a bad/good mood
gelb ADJ [gɛlp] yellow; *Ampel* amber, *US* yellow
'gelblich ADJ yellowish
Geld N [gɛlt] ⟨~(e)s; ~er⟩ money; **~er** *pl* money *sg*, funds *pl*; **um ~ spielen** play for money; **etw zu ~ machen** turn sth into cash
'Geldangelegenheiten PL money *od* financial matters *pl* **'Geldanlage** F investment **'Geldautomat** M cash machine *od* dispenser, ATM **'Geldbeutel** M, **'Geldbörse** F purse **'Geldbuße** F fine **'Geldgeber(in)** M ⟨~s; ~⟩ (F) ⟨~in; ~innen⟩ financial backer **'Geldgeschäfte** PL financial transactions *pl* **'geldgierig** ADJ avaricious **'Geldinstitut** N financial institution **'Geldknappheit** F, **'Geldmangel** M lack of money **'Geldmittel** PL funds *pl*, means *pl* **'Geldschein** M (bank)note, *US* bill **'Geldschrank** M safe **'Geldstrafe** F fine **'Geldstück** N coin **'Geldumtausch** M exchanging of money **'Geldverlegenheit** F financial embarrassment; **in ~ sein** be* short

of funds **'Geldverschwendung** F waste of money **'Geldwäsche** F money laundering **'Geldwechsel** M currency exchange; *Schild* bureau de change **'Geldwechsler** M ⟨~s; ~⟩ *Person* moneychanger; *Maschine* change machine

ge'legen ADJ *an einem Ort* situated, located; *passend* convenient, opportune; **es kommt mir sehr ~** it couldn't come at a better time

Ge'legenheit F ⟨~; ~en⟩ *Anlass* occasion; *günstige* opportunity, chance; **bei dieser ~** on this occasion; **ich werde dich bei ~ besuchen** I'll visit you when I get the chance

Ge'legenheitsarbeit F casual work; *Stelle* casual job **Ge'legenheitsarbeiter(in)** M(F) casual worker **Ge'legenheitskauf** M bargain

gelegentlich [gə'le:gəntlıç] **A** ADJ occasional **B** ADV occasionally; **ich werde dich ~ besuchen** I'll visit you when I get the chance

Gelenk N [gə'lɛnk] ⟨~(e)s; ~e⟩ ANAT, TECH, BOT joint

ge'lernt ADJ *Arbeiter* skilled, trained

geliebt ADJ [gə'li:pt] dear

Ge'liebte(r) M/F(M) ⟨~n; ~n⟩ lover

ge'linde [gə'lındə] **A** ADJ mild **B** ADV **~ gesagt** to put it mildly

gelingen V/I [gə'lıŋən] ⟨gelang, gelungen, s⟩ succeed; *gut geraten* turn out well; **es gelang mir, es zu tun** I managed to do it, I succeeded in doing it

Ge'lingen N ⟨~s⟩ success; **gutes ~!** good luck!

gelten ['gɛltən] ⟨galt, gegolten⟩ **A** V/I *gültig sein* be* valid; SPORT count; *von Preis, Gesetz* apply; **~ für** apply to; **~ als** be* regarded as, be* considered to be; **~ lassen** accept (**als** as) **B** V/T *wert sein* be* worth; *fig* count for

'geltend ADJ current; **~ machen** *Anspruch, Recht* assert; **s-n Einfluss (bei j-m) ~ machen** bring* one's influence to bear (on sb)

'Geltung F ⟨~⟩ **etw zur ~ bringen** show* sth to advantage; **zur ~ kommen** be* shown to advantage; **sich ~ verschaffen** earn respect

gelungen ADJ [gə'lʊŋən] successful

gemächlich [gə'mɛ:çlıç] **A** ADJ leisurely **B** ADV *erledigen etc* in a leisurely fashion

Gemälde N [gə'mɛ:ldə] ⟨~s; ~⟩ painting, picture

Ge'mäldegalerie F art *od* picture gallery

gemäß PRÄP [gə'mɛ:s] ⟨*dat*⟩ in accordance with

ge'mäßigt ADJ moderate; *Klima, Zone* temperate

gemein [gə'main] **A** ADJ *boshaft* mean; *Witz* nasty, unfunny; *Trick* dirty; *gewöhnlich* common; **etw ~ haben (mit)** have* sth in common (with) **B** ADV **j-n ~ behandeln** be* mean to sb

Gemeinde F [gə'maində] ⟨~; ~n⟩ F municipality; *Verwaltung a.* local authority; REL parish; *in der Kirche* congregation

Ge'meindeamt N local authority; *Gebäude* local authority offices *pl* **Ge'meinderat** M ⟨~(e)s; Gemeinderäte⟩ local council; *Person* local councillor, *US* local councilman **Ge'meinderätin** F ⟨~; ~nen⟩ *Person* local councillor, *US* local councilwoman **Ge'meindesteuern** PL council tax *sg*, *US* local taxes *pl* **Ge'meindezentrum** N community centre *od US* center

Ge'meinheit F ⟨~; ~en⟩ meanness; **das war e-e ~** *Tat* that was a mean thing to do; *Worte* that was a mean thing to say

ge'meinnützig ADJ [-nʏtsıç] nonprofit

ge'meinsam **A** ADJ common; *Ziele, Erklärung* joint; *Freunde, Bekannte* mutual; **etw ~ haben (mit)** have* sth in common (with) **B** ADV together; **es gehört uns ~** it belongs to both of us

Ge'meinschaft F ⟨~; ~en⟩ community

Ge'meinschaftskasse F pool **Ge'meinschaftsmethode** F *der EU* Community procedure *od* method **Ge'meinschaftsmittel** PL **Finanzierung aus ~n** Community funding **Ge'meinschaftsproduktion** F co-production **Ge'meinschaftsrecht** N *der EU* Community law **Ge'meinschaftssteuer** F *der EU* Community tax **Ge'meinschaftswährung** F common *od* single currency; *innerhalb der EU* single European currency

Ge'meinwohl N public welfare

ge'meinwohlorientiert ADJ **~e Leis-**

tungen public-welfare services
Gemisch N [gəˈmɪʃ] ⟨~(e)s; ~e⟩ mixture (*a.* CHEM) (**aus** of)
geˈmischt ADJ mixed
Gemüse N [gəˈmy:zə] ⟨~s; ~⟩ vegetables *pl*
Geˈmüsehändler(in) M(F) greengrocer; *Laden* greengrocer's
geˈmustert ADJ patterned
Gemüt N [gəˈmy:t] ⟨~(e)s; ~er⟩ *Gefühle* mind, emotions *pl*; *Wesen, Charakter* nature; **ein sonniges ~ haben** have* a cheerful nature, be* a cheerful soul
geˈmütlich ADJ *behaglich* comfortable, cosy; *ungezwungen, angenehm* pleasant, relaxed; *Tempo* leisurely, relaxed; **mach es dir ~** make yourself at home
Geˈmütlichkeit F ⟨~⟩ *Behaglichkeit* cosiness; **etw in aller ~ tun** do* sth in a nice relaxed way
Geˈmütsverfassung F state of mind
Gen N [ge:n] ⟨~s; ~e⟩ gene
genau [gəˈnau] **A** ADJ *exakt* exact, precise; *korrekt* accurate; *sorgfältig* careful; **Genaueres** further details *pl* **B** ADV exactly; *zuhören* closely; **~ um 10 Uhr** at 10 o'clock sharp; **~ der** … that very …; **es ~ nehmen (mit etw)** be* particular (about sth); **es mit der Wahrheit nicht so ~ nehmen** be* economical with the truth; **ich weiß es ~** I'm absolutely certain *od* sure; **ich weiß ~, dass** … I know for a fact that …
Geˈnauigkeit F ⟨~⟩ *Exaktheit* exactness, precision; *Korrektheit* accuracy
geˈnauso ADV just the same; **~ schön** just as nice; **~ wie** just like
geˈnauso ˈgut ADV just as well
geˈnauso ˈwenig ADV just as little
geˈnehmigen V/T ⟨*pperf* genehmigt⟩ *erlauben* permit; *Antrag, Plan* approve
Geˈnehmigung F ⟨~; ~en⟩ permission; *von Antrag, Plan* approval; *Dokument* permit
geˈnehmigungspflichtig ADJ requiring official approval
Generaldirektion F [geneˈra:l-] top management; *der EU* Directorate-General **Geneˈraldirektor(in)** M(F) chairman, chief executive officer (CEO), managing director, *US* president, *Frau a.* chairwoman; *der EU* Director-General **Geneˈralkonsul(in)** M(F) consul general **Geneˈralkonsulat** N consulate general **Geneˈralprobe** F THEAT dress rehearsal **Geneˈralsekretär(in)** M(F) secretary general **Geneˈralsekretariat** N office of the secretary general; **~ des Rates** *EU* General Secretariat of the Council **Geneˈralstreik** M general strike **Geneˈralversammlung** F general meeting **Geneˈralvertreter(in)** M(F) WIRTSCH general agent
Generation F [genəratsiˈo:n] ⟨~; ~en⟩ generation
Generatiˈonenkonflikt M generation gap
Geneˈrator M ⟨~s; Generaˈtoren⟩ generator
geneˈrell **A** ADJ general **B** ADV *ablehnen etc* generally
genesen V/I [gəˈne:zən] ⟨genas, genesen, s⟩ recover (**von** from), get* well
Geˈnesung F ⟨~; ~en⟩ recovery
Genetik F [geˈne:tɪk] ⟨~⟩ genetics *sg*
geˈnetisch ADJ genetic; **~er Fingerabdruck** genetic fingerprint
Genf N [gɛnf] ⟨~s⟩ Geneva
Genfer See M [ˈgɛnfərˈze:] Lake Geneva
ˈGenforschung F genetic research
genial [geniˈa:l] **A** ADJ brilliant, mega **B** ADV brilliantly; **das hast du ~ gelöst** that's a brilliant solution
Genialiˈtät F ⟨~⟩ genius
Genick N [gəˈnɪk] ⟨~(e)s; ~e⟩ (back of the) neck
Genie N [ʒeˈni:] ⟨~s; ~s⟩ genius
genieren V/R [ʒeˈni:rən] ⟨*kein ge*⟩ be* embarrassed; **ich geniere mich vor ihm** he makes me feel embarrassed
geˈnießbar ADJ *essbar* edible; *trinkbar* drinkable
genießen V/T [gəˈni:sən] ⟨genoss, genossen⟩ enjoy
Geˈnießer(in) M ⟨~s; ~⟩ (F) ⟨~in; ~innen⟩ *beim Essen* gourmet
ˈGenmais M genetically modified maize, *US* genetically engineered corn
ˈGenmanipulation F genetic engineering **ˈgenmanipuliert** ADJ *Nahrungsmittel* genetically engineered, genetically modified, GM
geˈnormt ADJ standardized
Genosse M [gəˈnɔsə] ⟨~n; ~n⟩ POL comrade

Ge'nossenschaft F ⟨~; ~en⟩ cooperative

ge'nossenschaftlich ADJ WIRTSCH cooperative

Ge'nossin F ⟨~; ~nen⟩ POL comrade

'Gentechnik F genetic engineering

'gentechnisch ADJ genetic; **~ verändert** genetically modified, genetically engineered; **~ veränderte Organismen (GVO)** genetically modified organisms (GMO) **'Gentechnologie** F genetic engineering

genug ADV [gə'nu:k] enough

Genüge F [gə'ny:gə] ⟨~⟩ **das kenne ich zur ~** I know that only too well

ge'nügen V/I ⟨*pperf* genügt⟩ be* enough; **das genügt (mir)** that's enough (for me), that'll do (for me)

ge'nügend ADJ & ADV enough

ge'nügsam A ADJ easily satisfied; *im Essen* frugal; *bescheiden* modest B ADV *leben* modestly

Genugtuung F [gə'nu:ktu:ʊŋ] ⟨~; ~en⟩ satisfaction

Genuss M [gə'nʊs] ⟨~es; Genüsse⟩ pleasure; *von Nahrung* consumption; **das war ein ~** that was a real treat; *Essen a.* that was delicious

ge'öffnet ADJ open

Geografie F [geogra'fi:] ⟨~⟩ geography

geo'grafisch ADJ geographical

Geologie F [geolo'gi:] ⟨~⟩ geology

geo'logisch ADJ geological

geo'metrisch ADJ geometric

geothermisch ADJ [geo'tɛrmɪʃ] geothermal

Gepäck N [gə'pɛk] ⟨~(e)s⟩ luggage, baggage

Ge'päckabfertigung F FLUG baggage check-in **Ge'päckablage** F luggage *od* baggage rack **Ge'päckaufbewahrung** F left-luggage office, *US* baggage room **Ge'päckausgabe** F FLUG baggage reclaim **Ge'päckkontrolle** F baggage check **Ge'päckschalter** M BAHN: *Gepäckaufbewahrung* left-luggage office, *US* baggage room; BAHN: *Gepäckaufgabe* luggage *od* baggage office; FLUG baggage check-in **Ge'päckschein** M luggage ticket, *US* baggage check **Ge'päckschließfach** N luggage *od US* baggage locker **Ge'päckstück** N piece of luggage *od US* baggage **Ge'päckträger** M porter; *am Fahrrad* carrier **Ge'päckwagen** M trolley

ge'panzert ADJ armoured, *US* armored

ge'pflegt ADJ *Person* well-groomed, neat; *fig: Stil, Sprache* cultivated; **der Garten ist sehr ~** the garden is well looked after

Gepflogenheit F [gə'pflo:gənhait] ⟨~; ~en⟩ habit, custom

gerade [gə'ra:də] A ADJ straight (*a. fig*); *Zahl* even; *direkt* direct; *Haltung* upright, erect B ADV just; *in aufrechter Haltung* straight; **nicht ~** not exactly; **das ist es ja ~!** that's just it!; **~ deshalb** that's just why; **~ rechtzeitig** just in time; **warum ~ ich?** why me (of all people)?; **da wir ~ davon sprechen** speaking of that; **ich wollte ~ anrufen** I was just about to phone

Ge'rade F ⟨~n; ~n⟩ straight line; *auf der Rennbahn* straight

gerade'aus ADV straight on *od* ahead

geradehe'raus A ADJ frank B ADV frankly; **um es ~ zu sagen** to be frank

ge'radestehen V/I ⟨*irr*⟩ **~ für** answer for **ge'radewegs** ADV straight **ge'radezu** ADV simply

Gerät N [gə'rɛ:t] ⟨~(e)s; ~e⟩ device; *kleines* gadget; *Elektrogerät* appliance; *Radiogerät, Fernsehgerät* set; KOLL: *Gerätschaften, a.* SPORT, *im Labor etc* equipment; *Handwerksgerät, Gartengerät* tool; *feinmechanisches, optisches* instrument; *Küchengerät* utensil; *Turngerät* apparatus

ge'raten V/I ⟨*irr, pperf* geraten, s⟩ *ausfallen* turn out; **gut ~** turn out well; **an etw ~** *zufällig finden* come* across sth; **~ in** get* into; **in Brand ~** catch* fire

Gerate'wohl N **aufs ~** *auswählen* at random; *mitbringen, anrufen etc* on the off chance; **aufs ~ losfahren** set* off without having made any plans

geräumig ADJ [gə'rɔymɪç] spacious, roomy

Geräusch N [gə'rɔyʃ] ⟨~(e)s; ~e⟩ sound; *unerwünschtes* noise

ge'räuschlos A ADJ noiseless (*a.* TECH) B ADV *laufen etc* without a sound **ge'räuschvoll** A ADJ noisy B ADV *laufen etc* noisily

gerecht [gə'rɛçt] A ADJ fair; *Strafe, Belohnung* just; **~ werden** do* justice to;

Wünschen meet* **B** ADV *teilen etc* fairly
ge'rechtfertigt ADJ justified, justifiable
Ge'rechtigkeit F ⟨~⟩ justice
Ge'rede N ⟨~s⟩ talk; *Klatsch* gossip
ge'reizt **A** ADJ *Person* irritable **B** ADV *reagieren etc* irritably
Gericht[1] N [gə'rɪçt] ⟨~(e)s; ~e⟩ *Speise* dish
Ge'richt[2] N ⟨~(e)s; ~e⟩ JUR court; **vor ~** in court; **vor ~ stehen** stand* trial; **j-n vor ~ stellen** bring* sb to trial; **vor ~ gehen** go* to court
ge'richtlich **A** ADJ judicial **B** ADV **~ vorgehen** take* legal action
Ge'richtsbarkeit F ⟨~⟩ jurisdiction **Ge'richtsgebäude** N law court(s *pl*), *bes US* courthouse **Ge'richtshof** M law court; **der ~ der Europäischen Gemeinschaften** the Court of Justice of the European Communities **Ge'richtsmedizin** F forensic medicine **Ge'richtssaal** M courtroom **Ge'richtsstand** M place of jurisdiction **Ge'richtsverfahren** N lawsuit **Ge'richtsverhandlung** F hearing; *Strafgerichtsverhandlung* trial **Ge'richtsvollzieher(in)** M ⟨~s; ~⟩ F ⟨~in; ~innen⟩ bailiff, *US* marshal **Ge'richtsweg** M **auf dem ~** by taking legal proceedings, through the courts
gering ADJ [gə'rɪŋ] *Menge, Anzahl* small; *Wert* little; *Entfernung* short; *unbedeutend* slight; *niedrig* low; **von ~er Bedeutung** of minor *od* little importance; **~ schätzen** think* little of
geringfügig [gə'rɪŋfy:gɪç] **A** ADJ slight, minor; *Betrag, Vergehen* petty **B** ADV *verbessern etc* slightly **geringschätzig** [gɛ'rɪŋʃɛtsɪç] **A** ADJ contemptuous **B** ADV *sich äußern* contemptuously
ge'ringste(r, -s) ADJ slightest; **nicht im Geringsten** not in the slightest
Ge'ringverdiener(in) M ⟨~s; ~⟩ F ⟨~in; ~innen⟩ person on low income, low-wage earner
gerinnen V/I [gə'rɪnən] ⟨gerann, geronnen, s⟩ coagulate; *von Milch* curdle; *von Blut* clot
Gerippe N [gə'rɪpə] ⟨~s; ~⟩ skeleton (*a. fig*); TECH framework
gerissen ADJ [gə'rɪsən] *fig* cunning, crafty
Germanist(in) [gɛrma'nɪst(ɪn)] M ⟨~en; ~en⟩ F ⟨~in; ~innen⟩ German specialist; *Student* German student
Germa'nistik F ⟨~⟩ German
gern(e) ADV ['gɛrn(ə)] ⟨lieber, am liebsten⟩ gladly; *bereitwillig* willingly; **ich hätte ~** … I would like …, I'd like …; **etw ~ tun** like doing sth, like to do sth; **etw sehr ~ tun** love doing sth, love to do sth; **~ geschehen!** not at all!, you're welcome!
'gernhaben V/T ⟨*irr*⟩ **j-n ~** like sb, be* fond of sb
Gerste F ['gɛrstə] ⟨~⟩ barley
Geruch M [gə'rʊx] ⟨~(e)s; Gerüche⟩ smell; *bes schlechter* odour, *US* odor; *Duft* scent
ge'ruchlos ADJ odourless, *US* odorless; *Seife* unscented
Ge'ruchssinn M (sense of) smell
Gerücht N [gə'rʏçt] ⟨~(e)s; ~e⟩ rumour, *US* rumor
ge'rührt ADJ touched, moved
Gerümpel N [gə'rʏmpəl] ⟨~s⟩ junk
Gerüst N [gə'rʏst] ⟨~(e)s; ~e⟩ *Baugerüst* scaffolding; *fig* framework
gesamt ADJ [gə'zamt] whole, entire; **ihr ~es Geld** *etc* all her money *etc*
Ge'samt- ZSSGN *Ergebnis, Gewicht etc* total
Ge'samtausgabe F complete edition **Ge'samtbetrag** M total (amount) **Ge'samtgewinn** M total profit **Ge'samtschule** F comprehensive (school)
Gesandte(r) M [gə'zantə] ⟨~n; ~n⟩, **Ge'sandtin** F ⟨~; ~nen⟩ POL envoy
Gesang M [gə'zaŋ] ⟨~(e)s; Gesänge⟩ singing; *Lied* song
Gesäß N [gə'zɛ:s] ⟨~es; ~e⟩ buttocks *pl*, bottom
Geschäft N [gə'ʃɛft] ⟨~(e)s; ~e⟩ business; *Laden* shop, *US* store; *Vereinbarung* deal; **mit j-m ~e machen** do* business with sb
ge'schäftehalber ADV on business
ge'schäftig **A** ADJ busy **B** ADV **~ hin und her eilen** rush around busily
Ge'schäftigkeit F ⟨~⟩ activity
ge'schäftlich **A** ADJ *Ton* businesslike; **~e Vereinbarung** business agreement **B** ADV **~ verreist** away on business
Ge'schäftsbeziehungen PL business

connections *pl* (**zu** with) **Ge'schäftsbrief** M business letter **Ge'schäftsessen** N business lunch **Ge'schäftsfrau** F businesswoman **Ge'schäftsfreund** M business associate **Ge'schäftsführer(in)** M(F) manager; *von Verein* secretary **Ge'schäftsführung** F management **Ge'schäftsinhaber(in)** M(F) proprietor; *Frau a.* proprietress **Ge'schäftsjahr** N financial year; **das laufende ~** the current financial year **Ge'schäftslage** F business situation **Ge'schäftsleitung** F management **Ge'schäftsmann** M ⟨*pl* Geschäftsleute⟩ businessman **ge'schäftsmäßig** A ADJ businesslike B ADV *erledigen* in a businesslike way **Ge'schäftsordnung** F rules *pl* (of procedure); PARL standing orders *pl* **Ge'schäftspartner(in)** M(F) (business) partner *od* associate **Ge'schäftsräume** PL (business) premises *pl* **Ge'schäftsreise** F business trip **Ge'schäftsschluss** M closing time **Ge'schäftssitz** M place of business **Ge'schäftsstelle** F office **Ge'schäftsstraße** F shopping street **Ge'schäftsstunden** PL office hours *pl*; *von Laden* opening hours *pl* **Ge'schäftsträger** M POL chargé d'affaires **ge'schäftstüchtig** ADJ efficient; **er ist sehr ~** he has a good head for business **Ge'schäftsverbindung** F business connection **Ge'schäftsviertel** N commercial *od US a.* downtown district **Ge'schäftszeit** F, **Ge'schäftszeiten** PL office hours *pl*; *von Laden* opening hours *pl* **Ge'schäftszweig** M branch (of business)

geschehen V/I [gə'ʃeːən] ⟨geschah, geschehen, s⟩ happen; *getan werden* be* done; **es geschieht ihm recht** it serves him right

Ge'schehen N ⟨~s⟩ events *pl*, happenings *pl*

gescheit ADJ [gə'ʃait] *klug* clever, bright; *vernünftig* sensible

Geschenk N [gə'ʃɛŋk] ⟨~(e)s; ~e⟩ present, gift

Ge'schenkgutschein M gift voucher **Ge'schenkpackung** F gift box **Ge'schenkpapier** N wrapping paper

Geschichte F [gə'ʃɪçtə] ⟨~; ~n⟩ story; *Angelegenheit* business; *vergangene Zeit* history

ge'schichtlich ADJ historical

Geschick N [gə'ʃɪk] ⟨~(e)s⟩ fate, destiny; *Geschicklichkeit* skill; *bes körperliche* dexterity

Ge'schicklichkeit F ⟨~⟩ skill; *bes körperliche* dexterity

ge'schickt A ADJ skilful, *US* skillful; *klug* clever B ADV *vorgehen etc* skilfully, *US* skillfully; *klug* cleverly

Geschirr N [gə'ʃɪr] ⟨~(e)s; ~e⟩ *beim Abspülen* dishes *pl*; *Teller etc* crockery; *Porzellan* china; *Küchengeschirr* pots and pans *pl*; *Pferdegeschirr* harness; **~ spülen** wash *od* do* the dishes, *Br* do* the washing-up

Ge'schirrspülmaschine F dishwasher **Ge'schirrspülmittel** N washing-up *od US* dishwashing liquid **Ge'schirrtuch** N ⟨~(e)s; Geschirrtücher⟩ tea cloth

Geschlecht N [gə'ʃlɛçt] ⟨~(e)s; ~er⟩ sex; *Gattung* species; *Abstammung* lineage, family; *Generation* generation; GRAM gender

ge'schlechtlich ADJ sexual

Ge'schlechtskrankheit F venereal disease **Ge'schlechtsverkehr** M (sexual) intercourse

geschlossen [gə'ʃlɔsən] A ADJ closed; **~e Gesellschaft** private party B ADV *gemeinsam* as one; **~ hinter j-m stehen** stand* solidly behind sb

Geschmack M [gə'ʃmak] ⟨~(e)s; Geschmäcke *od umg hum* Geschmäcker⟩ taste (*a. fig*); *Aroma* flavour, *US* flavor; **~ finden an** develop a taste for

ge'schmacklos A ADJ tasteless B ADV *eingerichtet etc* tastelessly

Ge'schmacklosigkeit F ⟨~; ~en⟩ tastelessness (*a. fig*); **das war e-e ~** that was in bad taste

Ge'schmack(s)sache F **das ist ~** that's a matter of taste

Ge'schmackssinn M (sense of) taste

ge'schmackvoll A ADJ tasteful B ADV *eingerichtet etc* tastefully

geschmeidig [gə'ʃmaidɪç] A ADJ supple B ADV **sich ~ bewegen** move supply

Geschöpf N [gə'ʃœpf] ⟨~(e)s; ~e⟩ creature

Geschoss N [gə'ʃɔs] ⟨~es; ~e⟩ *aus einer*

Waffe missile; *Kugel* bullet; *Stockwerk* floor, storey, *US* story; **im ersten ~** on the first *od US* second floor

Ge'schrei N ⟨~s⟩ shouting, yelling; *Angstgeschrei* screams *pl*; *von Baby* crying; *fig*: *Aufhebens* fuss

Ge'schwätz N ⟨~es⟩ chatter; *Klatsch* gossip

ge'schwätzig ADJ talkative; *klatschend* gossipy

geschweige KONJ [gə'ʃvaigə] **~ (denn)** let alone

G

Geschwindigkeit F [gə'ʃvɪndɪçkait] ⟨~; ~en⟩ speed; PHYS velocity; **mit e-r ~ von …** at a speed of …

Ge'schwindigkeitsbegrenzung F, **Ge'schwindigkeitsbeschränkung** F ⟨~; ~en⟩ speed limit **Ge'schwindigkeitsüberschreitung** F ⟨~; ~en⟩ speeding

Geschwister PL [gə'ʃvɪstər] *zwei* brother and sister; *mehr als zwei* brothers and sisters; *bes* JUR siblings; **hast du noch ~?** have you got any brothers or sisters?

geschwollen [gə'ʃvɔlən] **A** ADJ MED swollen; *fig* pompous **B** ADV *reden etc* pompously

Geschworene(r) M/F(M) [gə'ʃvo:rənə] ⟨~n; ~n⟩ juror; **die ~n** *pl* the jury *sg od pl*

Ge'schworenengericht N *etwa* jury court

Geschwulst F [gə'ʃvʊlst] ⟨~; Geschwülste⟩ MED growth, tumour, *US* tumor

Geschwür N [gə'ʃvy:r] ⟨~s; ~e⟩ MED ulcer

Geselle M [gə'zɛlə] ⟨~n; ~n⟩ **er ist Schneidergeselle** he's a qualified tailor

Ge'sellenbrief M journeyman's certificate

ge'sellig ADJ *Person* sociable; *Tier* social; **~es Beisammensein** get-together

Ge'sellin F ⟨~; ~nen⟩ **sie ist Friseurgesellin** she's a qualified hairdresser

Gesellschaft F [gə'zɛlʃaft] ⟨~; ~en⟩ society; *Umgang* company; *Abendgesellschaft etc* party; *Firma* company; **Europäische ~** European Company; **j-m ~ leisten** keep* sb company

Ge'sellschafter(in) M ⟨~s; ~⟩ (F) ⟨~in; ~innen⟩ WIRTSCH partner

ge'sellschaftlich ADJ social

Ge'sellschafts- ZSSGN *Kritik* social

Ge'sellschaftsordnung F social order **Ge'sellschaftspolitik** F social policy **Ge'sellschaftsrecht** N company law, *US* corporate law **Ge'sellschaftsreise** F group tour **Ge'sellschaftsschicht** F stratum of society, social stratum **Ge'sellschaftssystem** N social system

Gesetz N [gə'zɛts] ⟨~es; ~e⟩ law; PARL *Einzelgesetz a.* act

Ge'setzbuch N statute book **Ge'setzentwurf** M bill **ge'setzgebend** ADJ legislative **Ge'setzgeber** M ⟨~s; ~⟩ POL legislature; *bes US* law makers **Ge'setzgebung** F ⟨~⟩ legislation

ge'setzlich **A** ADJ *Bestimmungen* legal; *Erbe, Anspruch* lawful **B** ADV legally; **~ geschützt** registered

ge'setzlos ADJ lawless

ge'setzmäßig ADJ *legal* legal, lawful

ge'setzt **A** ADJ staid; *Alter* mature **B** KONJ **~ den Fall, …** supposing …

ge'setzwidrig ADJ illegal, unlawful

Gesicht N [gə'zɪçt] ⟨~(e)s; ~er⟩ face; **j-m etw ins ~ sagen** say* sth to sb's face; **j-m wie aus dem ~ geschnitten sein** be* the spitting image of sb

Ge'sichtsausdruck M ⟨*pl* Gesichtsausdrücke⟩ expression, look **Ge'sichtsfarbe** F complexion **Ge'sichtspunkt** M point of view

ge'sinnt ADJ [gə'zɪnt] **politisch** *etc* **~** politically *etc* minded; **j-m feindlich ~ sein** be* ill-disposed towards sb

Ge'sinnung F ⟨~; ~en⟩ attitude; *grundsätzliche Einstellung* convictions *pl*

ge'sittet **A** ADJ civilized **B** ADV *sich benehmen etc* in a civilized way

ge'sondert **A** ADJ separate **B** ADV *besprechen etc* separately

ge'spannt **A** ADJ tense (*a. fig*); **ich bin ~ auf …** I can't wait to see …; **ich bin ~, ob/wie …** I wonder if/how … **B** ADV *zuhören etc* intently

Gespenst N [gə'ʃpɛnst] ⟨~(e)s; ~er⟩ ghost; *fig* spectre, *US* specter

Gespött N [gə'ʃpœt] ⟨~(e)s⟩ mockery, ridicule; **j-n zum ~ machen** make* a laughing stock of sb

Gespräch N [gə'ʃprɛ:ç] ⟨~(e)s; ~e⟩ talk (*a.* POL), conversation; TEL call; **mit j-m ins ~ kommen** get* talking with *od* to sb

ge'sprächig ADJ talkative

Ge'sprächseinheit F TEL unit
Ge'spür N ⟨~s⟩ feel (**für** for)
Gestalt F [gə'ʃtalt] ⟨~; ~en⟩ shape, form; *Figur, Person* figure; *in Roman etc* character
ge'stalten V/T ⟨*pperf* gestaltet⟩ *Fest etc* organize; *entwerfen* design
Ge'staltung F ⟨~; ~en⟩ *von Fest etc* organization; *Entwerfen* design; *Raumgestaltung* interior design
geständig ADJ [gə'ʃtɛndɪç] **~ sein** have* confessed
Geständnis N [gə'ʃtɛntnɪs] ⟨~ses; ~se⟩ confession (*a. fig*)
Gestank M [gə'ʃtaŋk] ⟨~(e)s⟩ stench, stink
gestatten V/T [gə'ʃtatən] ⟨*pperf* gestattet⟩ allow, permit; **~ Sie, dass ich ...?** do *od* would you mind if I ...?
Geste F ['ge:stə] ⟨~; ~n⟩ gesture (*a. fig*)
ge'stehen V/T & V/I ⟨*irr, pperf* gestanden⟩ confess; **einen Mord** *etc* **~** confess to a murder *etc*
Ge'stein N ⟨~(e)s; ~e⟩ rock
Gestell N [gə'ʃtɛl] ⟨~(e)s; ~e⟩ *Ständer* stand; *Sockel* base; *Regal* shelves *pl*; *Fassung, Rahmen* frame
gestern ADV ['gɛstərn] yesterday; **~ Abend** last night, yesterday evening
ge'streift ADJ striped
gestrig ADJ ['gɛstrɪç] yesterday's, of yesterday
Gestrüpp N [gə'ʃtrʏp] ⟨~(e)s; ~e⟩ undergrowth
Gesuch N [gə'zu:x] ⟨~(e)s; ~e⟩ application, request
gesund [gə'zʊnt] ⟨gesünder, gesündeste⟩ **A** ADJ healthy; *fig a.* sound; **(wieder) ~ werden** get* well (again), recover **B** ADV *essen etc* healthily
Ge'sundheit F ⟨~⟩ health; **~!** *beim Niesen* bless you!
ge'sundheitlich **A** ADJ **~er Zustand** state of health; **aus ~en Gründen** for health reasons **B** ADV **~ geht es ihm gut** he is in good health
Ge'sundheitsamt N Environmental Health Department, *US* Public Health Department **Ge'sundheitspolitik** F health policy **ge'sundheitsschädlich** ADJ unhealthy **Ge'sundheitssystem** N health (care) system **Ge'sundheitswesen** N health sector **Ge'sundheitszeugnis** N health certificate **Ge'sundheitszustand** M state of health
ge'sundschreiben V/T ⟨*irr*⟩ certify as fit **ge'sundschrumpfen** V/T & V/R slim down
Getränk N [gə'trɛŋk] ⟨~(e)s; ~e⟩ drink
Ge'tränkeautomat M drinks machine **Ge'tränkekarte** F *im Restaurant* wine list; *im Café* list of beverages
Getreide N [gə'traidə] ⟨~s; ~⟩ grain, cereals *pl*
ge'trennt **A** ADJ separate **B** ADV *bezahlen etc* separately; **~ leben** live apart
Getriebe N [gə'tri:bə] ⟨~s; ~⟩ AUTO gears *pl*; *Getriebekasten* gearbox
Ge'triebeöl N gear(box) oil **Ge'triebeschaden** M gear(box) trouble
ge'trost ADV *bedenkenlos* safely
Getto N ['gɛto] ⟨~s; ~s⟩ ghetto
Getue N [gə'tu:ə] ⟨~s⟩ fuss
Gewächs N [gə'vɛks] ⟨~es; ~e⟩ plant; MED growth
ge'wachsen ADJ **j-m ~ sein** be* a match for sb; **e-r Sache ~ sein** be* able to cope with sth
Ge'wächshaus N greenhouse, hothouse
ge'wagt ADJ daring; *fig*: *Witz etc* risqué
ge'wählt ADJ *Stil* refined
Gewähr F [gə'vɛ:r] ⟨~⟩ **für etw ~ leisten** guarantee sth; **ohne ~** subject to change
ge'währen V/T ⟨*pperf* gewährt⟩ grant
ge'währleisten V/T ⟨*pperf* gewährleistet⟩ guarantee
Gewahrsam M [gə'va:rza:m] ⟨~s⟩ **j-n in ~ nehmen** take* sb into custody; **etw in ~ nehmen** take* sth into safekeeping
Gewalt F [gə'valt] ⟨~; ~en⟩ force, violence (*a. Gewalttätigkeit*); *Macht* power; *Beherrschung* control; **mit ~** by force; **es ist höhere ~** it is an act of God; **häusliche ~** domestic violence; **in s-e ~ bringen** seize by force; **die ~ verlieren über** lose* control over
Ge'waltherrschaft F tyranny
ge'waltig **A** ADJ tremendous; *riesig* huge **B** ADV **sich ~ irren** be* very much mistaken
ge'waltlos **A** ADJ nonviolent **B** ADV *demonstrieren etc* without violence **Ge'waltlosigkeit** F ⟨~⟩ nonviolence
ge'waltsam **A** ADJ violent **B** ADV

G

wach halten etc by force; **etw ~ öffnen** force sth open **ge'walttätig** A ADJ violent B ADV *vorgehen etc* violently **Ge'walttätigkeit** F violence; *Tat* act of violence **Ge'waltverbrechen** N violent crime, crime of violence

gewandt ADJ [gə'vant] *flink* nimble; *geschickt* skilful, *US* skillful; *Redner* accomplished; *geistig* clever

Ge'wandtheit F ⟨~⟩ nimbleness; *Geschicktheit* skill; *Auftreten* ease

G

Gewässer N [gə'vɛsər] ⟨~s; ~⟩ body of water; **~** *pl* waters *pl*

Ge'wässerschutz M prevention of water pollution

Gewebe N [gə've:bə] ⟨~s; ~⟩ fabric; BIOL tissue

Gewehr N [gə've:r] ⟨~(e)s; ~e⟩ *allg* gun; *Büchse* rifle; *Flinte* shotgun

Gewerbe N [gə'vɛrbə] ⟨~s; ~⟩ trade, business

Ge'werbefreiheit F freedom of trade, freedom to conduct business **Ge'werbepark** M industrial estate, business park, *US* trading estate **Ge'werbeschein** M trade licence *od US* license

ge'werblich ADJ commercial

ge'werbsmäßig ADJ professional

Gewerkschaft F [gə'vɛrkʃaft] ⟨~; ~en⟩ (trade) union, *US* labor union

Ge'werkschaft(l)er(in) M ⟨~s; ~⟩ (F) ⟨~in; ~innen⟩ trade *od US* labor unionist

ge'werkschaftlich A ADJ (trade *od US* labor) union B ADV **~ organisiert** organized

Ge'werkschafts- ZSSGN (trade *od US* labor) union ... **Ge'werkschaftsbund** M trade *od US* labor union federation

Gewicht N [gə'vɪçt] ⟨~(e)s; ~e⟩ weight (*a. fig*); **~ legen auf** stress, emphasize

gewillt ADJ [gə'vɪlt] **~ sein, etw zu tun** be* prepared *od* willing to do sth

Gewinde N [gə'vɪndə] ⟨~s; ~⟩ TECH thread

Gewinn M [gə'vɪn] ⟨~(e)s; ~e⟩ WIRTSCH profit (*a. fig*); *Lotteriegewinn* prize; *Spielgewinn* winnings *pl*

Ge'winnanteil M share in the profits; *Dividende* dividend **Ge'winnbeteiligung** F profit sharing **ge'winnbringend** ADJ profitable **Ge'winneinbruch** M slump in profits

ge'winnen ⟨gewann, gewonnen⟩ A VT win*; *Vorteil, Zeit, Einfluss* gain; *Erdöl, Kohle* extract; *Eindruck* get* B VI win*; **an Geschwindigkeit/Erfahrung ~** gain speed/experience

Ge'winner(in) M ⟨~s; ~⟩ (F) ⟨~in; ~innen⟩ winner

Ge'winnmitnahme F [-na:mə] ⟨~; ~n⟩ profit taking **Ge'winnspanne** F profit margin **Ge'winn-und-Ver'lust-Rechnung** F profit and loss account **Ge'winnwarnung** F profit warning **Ge'winnzahl** F winning number

gewiss [gə'vɪs] A ADJ certain; **ein ~er Herr Maschke** a certain Mr Maschke B ADV certainly

Gewissen N [gə'vɪsən] ⟨~s; ~⟩ conscience

ge'wissenhaft A ADJ conscientious B ADV *prüfen etc* conscientiously **ge'wissenlos** A ADJ unscrupulous B ADV *handeln etc* unscrupulously

Ge'wissensbisse PL pangs *pl* of conscience **Ge'wissensfrage** F matter of conscience **Ge'wissenskonflikt** M moral dilemma

Ge'wissheit F ⟨~⟩ certainty; **mit ~** *sagen, wissen* for certain *od* sure

Gewitter N [gə'vɪtər] ⟨~s; ~⟩ thunderstorm

gewöhnen VT & VR [gə'vø:nən] ⟨*pperf* gewöhnt⟩ get* (sb) used to sth; **sich daran ~, etw zu tun** get* used to doing sth

Gewohnheit F [gə'vo:nhait] ⟨~; ~en⟩ habit (**etw zu tun** of doing sth)

ge'wohnheitsmäßig ADJ habitual **Ge'wohnheitsrecht** N customary right; *als Rechtssystem* common law

gewöhnlich [gə'vø:nlɪç] A ADJ *üblich* usual; *Leben, Ereignis* ordinary, normal; *im negativen Sinne* common B ADV *normalerweise* usually; **wie ~** as usual

gewohnt ADJ [gə'vo:nt] usual; **etw (zu tun) ~ sein** be* used to (doing) sth

Gewühl N [gə'vy:l] ⟨~(e)s⟩ crowd, throng

Gewürz N [gə'vʏrts] ⟨~es; ~e⟩ spice

Ge'würzgurke F gherkin

Gezeiten PL [gə'tsaitən] tide(s *pl*)

Ge'zeitenenergie F tidal energy

ge'zielt A ADJ *Frage, Maßnahme* specific B ADV *vorgehen etc* purposefully, in a very focused way

gezwungen [gə'tsvʊŋən] **A** ADJ forced, unnatural **B** ADV **~ lachen** force a laugh
Ghetto N → Getto
Gicht F [gɪçt] ⟨~⟩ MED gout
Giebel M ['gi:bəl] ⟨~s; ~⟩ gable
Gier F [gi:r] ⟨~⟩ greed (**nach** for)
'gierig **A** ADJ greedy (**nach, auf** for) **B** ADV *essen etc* greedily
gießen V/T & V/I ['gi:sən] ⟨goss, gegossen⟩ pour; TECH cast*; *Blumen* water
'Gießkanne F watering can
Gift N [gɪft] ⟨~(e)s; ~e⟩ poison; ZOOL *a.* venom (*a. fig*)
'Giftgas N poison(ous) *od* toxic gas
'giftig ADJ poisonous; ZOOL *a.* venomous (*a. fig*); MED toxic
'Giftmüll M toxic waste **'Giftpilz** M poisonous mushroom, (poisonous) toadstool **'Giftstoff** M toxic substance; *in der Umwelt* pollutant
gigantisch ADJ [gɪ'gantɪʃ] gigantic
Gipfel M ['gɪpfəl] ⟨~s; ~⟩ *von Berg* top, summit; *von Politikern* summit; *fig*: *Höhepunkt* height; **das ist der ~!** that's the limit!
'Gipfelkonferenz F summit (meeting) **'gipfeln** V/I culminate **'Gipfeltreffen** N POL summit meeting
Gips M [gɪps] ⟨~es; ~e⟩ plaster (of Paris); **in ~** MED in plaster
Girokonto N ['ʒi:ro-] current *od US* checking account
Gitarre F [gi'tarə] ⟨~; ~n⟩ guitar
Gitter N ['gɪtər] ⟨~s; ~⟩ *vor Fenster, Tür* grille; *im Fußboden* grating; *aus Holz* lattice; **hinter ~n** *umg* behind bars
Glanz M [glants] ⟨~es⟩ shine; TECH *a.* gloss; *fig* brilliance; *Pracht* splendour, *US* splendor
glänzen V/I ['glɛntsən] shine* (**in** at) (*a. fig*), gleam; *funkeln* glitter
'glänzend ADJ shining, shiny; FOTO glossy; *fig* brilliant
'Glanzleistung F brilliant achievement **'Glanzzeit** F heyday
Glas N [gla:s] ⟨~es; Gläser⟩ glass; *für Marmelade etc* jar
gläsern ADJ ['glɛ:zərn] glass
'Glasfaser F glass fibre *od US* fiber
glasieren V/T [gla'zi:rən] ⟨*kein ge*⟩ glaze; *Kuchen* ice, *US* frost
'glasig ADJ glassy
'glas'klar ADJ crystal-clear (*a. fig*)
'Glasscheibe F pane (of glass)
Glasur F [gla'zu:r] ⟨~; ~en⟩ glaze; *auf Kuchen* icing, *US* frosting
glatt [glat] **A** ADJ smooth (*a. fig*); *schlüpfrig* slippery; *Haare* straight; *fig*: *Lüge* downright; *Sieg* clear **B** ADV *schleifen* smooth; *umg*: *vergessen* clean; **~ rasiert** cleanshaven
Glätte F ['glɛtə] ⟨~⟩ smoothness (*a. fig*); *von Straße, Weg* slipperiness
'Glatteis N (black) ice, *US* (glare) ice; **es herrscht ~** the roads are icy; **j-n aufs ~ führen** *umg* mislead* sb
'glattgehen V/I ⟨*irr*, s⟩ *umg* go* smoothly
Glatze F ['glatsə] ⟨~; ~n⟩ bald head; *sl*: *Skinhead* skinhead; **e-e ~ haben** be* bald
Glaube M ['glaubə] ⟨~ns⟩ belief; *Vertrauen*, REL faith (*beide* **an** in); **j-m/etw ~n schenken** believe sb/sth
'glauben V/T & V/I believe; *meinen a.* think*, *US a.* guess; **~ an** believe in (*a.* REL); **das glaube ich dir** I believe you
'glaubhaft ADJ credible, plausible
gläubig ADJ ['glɔybɪç] religious; *fromm* devout; **die Gläubigen** *pl* the faithful *pl*
'Gläubiger(in) M ⟨~s; ~⟩ (F) ⟨~in; ~innen⟩ WIRTSCH creditor
'Gläubigerschutz M creditor protection, protection of creditors
'glaubwürdig ADJ credible; *verlässlich* reliable
gleich [glaiç] **A** ADJ same; *Rechte, Lohn* equal; **auf die ~e Art** in the same way; **zur ~en Zeit** at the same time; **das ist mir ~** it's all the same to me; **ganz ~, wann** *etc* no matter when *etc*; **das Gleiche** the same; **(ist) ~** MATH equals, is **B** ADV *genauso* equally; *auf gleiche Weise* the same, alike; *sofort* at once, right away; *sehr bald* in a moment *od* minute; **sie sind ~ groß/alt** they are the same size/age; **~ nach/neben** right after/next to; **~ gegenüber** just opposite; **es ist ~ 5** it's almost 5 o'clock; **bis ~!** see you later!; **ich bin ~ wieder da!** I won't be long!; **~ gesinnt** like-minded
gleichaltrig ADJ ['glaiçʔaltrɪç] **sie sind ~** they are the same age **'gleichberechtigt** ADJ **~ sein** have* equal rights **'Gleichberechtigung** F equal rights *pl* (*gen* for) **'gleichbleibend** ADJ constant, steady

'gleichen VI ⟨glich, geglichen⟩ be* like; *äußerlich* look like
'gleichfalls ADV also, likewise; **danke, ~!** thanks, the same to you! **'gleichgeschlechtlich** ADJ same-sex; **~e Ehe** same-sex marriage **'gleichgesinnt** ADJ like-minded **'Gleichgewicht** N balance (*a. fig*) **'gleichgültig** ADJ indifferent (**gegenüber** to); **das ist mir ~** I don't care **'Gleichgültigkeit** F indifference

G

'Gleichheit F ⟨~⟩ equality
'Gleichheitsgrundsatz M, **'Gleichheitsprinzip** N principle of equality before the law
'gleichkommen VI ⟨*irr*, s⟩ **e-r Sache ~** amount to sth; **j-m ~** equal sb (**an** in) **'gleichlautend** ADJ identical **'gleichmäßig** **A** ADJ *regelmäßig* regular; *gleichbleibend* constant; *Verteilung* even **B** ADV *verteilen* evenly **'gleichnamig** ADJ **der ~e Film** *etc* the film *etc* of the same name **'gleichseitig** ADJ MATH equilateral **'gleichsetzen** VT, **'gleichstellen** VT equate (*dat*, **mit** to, with); *j-n* put* on an equal footing (*dat*, **mit** with) **'Gleichstellung** F **~ von Frauen und Männern** equal rights for men and women **'Gleichstrom** M ELEK direct current, *abk* DC
'gleichwertig ADJ equally good; **j-m ~ sein** be* a match for sb (*a.* SPORT) **'gleichzeitig** **A** ADJ simultaneous **B** ADV **beide ~** both at the same time
Gleis N [glais] ⟨~es; ~e⟩ track, rails *pl*; *Bahnsteig* platform
gleiten VI ['glaitən] ⟨glitt, geglitten, s⟩ glide; *rutschen* slide*
'gleitend ADJ **~e Arbeitszeit** flexitime, *US* flextime
'Gleitzeit F flexitime, *US* flextime
Gletscher M ['glɛtʃər] ⟨~s; ~⟩ glacier
Glied N [gli:t] ⟨~(e)s; ~er⟩ *Arm, Bein* limb; *männliches* penis; *Verbindungsglied* link
gliedern VT ['gli:dərn] structure; *in Teile* divide (**in** into)
'Gliederung F ⟨~; ~en⟩ structure; *Inhaltsübersicht e-s Aufsatzes* outline
'Gliedmaßen PL limbs *pl*
glimpflich ADV ['glɪmpflɪç] **~ davonkommen** get* off lightly
glitschig ADJ ['glɪtʃɪç] slippery
glitzern VI ['glɪtsərn] glitter, sparkle; *von Sternen* twinkle
global [glo'ba:l] **A** ADJ global **B** ADV *behandeln* globally
Globali'sierung F ⟨~⟩ globalization; **~ der Wirtschaft** globalization of the economy
Globali'sierungsgegner(in) M(F) anti-globalization protester
Glo'balsteuerung F overall control
Globus M ['glo:bʊs] ⟨~ *od* ~ses; ~se⟩ globe
Glocke F ['glɔkə] ⟨~; ~n⟩ bell
Glotze F ['glɔtsə] ⟨~; ~n⟩ *umg* box, *US* tube
'glotzen VI *umg* gape, stare
Glück N [glʏk] ⟨~(e)s⟩ (good) luck; *Gefühl* happiness; **~ haben** be* lucky; **zum ~** fortunately; **viel ~!** good luck!; **auf gut ~** on the off chance
'glücklich **A** ADJ happy; *Gewinner, Zufall, Sieg* lucky **B** ADV *verheiratet etc* happily
'glücklicher'weise ADV fortunately
'Glücksbringer M ⟨~s; ~⟩ lucky charm **'Glücksfall** M stroke of luck **'Glücksspiel** N game of chance; **das ~** *koll* gambling **'Glücksspieler(in)** M(F) gambler **'Glückstag** M lucky day
'Glückwunsch M congratulations *pl*; **herzlichen ~!** congratulations!; *zum Geburtstag* happy birthday!
'Glühbirne F (light) bulb
'glühen VI ['gly:ən] glow (**vor** with) (*a. fig*)
'Glühwein M mulled wine
GmbH F [ge:ʔɛmbe:'ha:] ⟨~; ~s⟩ *abk für* Gesellschaft mit beschränkter Haftung limited company, *Br* Ltd, *US* close(d) corporation
GMO [ge:ʔɛm'ʔo:] ABK *für* gemeinsame Marktorganisation CMO
Gnade F ['gna:də] ⟨~; ~n⟩ mercy; *bes* REL *a.* grace; *Gunst* favour, *US* favor
'Gnadenfrist F reprieve **'Gnadengesuch** N JUR petition for mercy **'gnadenlos** ADJ merciless
gnädig ADJ ['gnɛ:dɪç] gracious; *Strafe* lenient; *bes* REL *barmherzig* merciful
Gold N [gɔlt] ⟨~(e)s⟩ gold; **~ gewinnen** win* gold, win* a gold medal
'Goldbarren M gold bar *od* ingot; KOLL bullion

'golden ADJ gold; *fig* golden
'goldgelb ADJ golden (yellow) **Gold-gräber(in)** ['gɔltgrɛ:bər(ın)] M ⟨~s; ~⟩ F ⟨~in; ~innen⟩ gold digger **'Gold-grube** F *fig* goldmine **'Goldmine** F goldmine **'Goldpreis** M gold price, price of gold **'Goldschmied(in)** M(F) goldsmith **'Goldstück** N gold coin
Golf[1] M [gɔlf] ⟨~(e)s; ~e⟩ GEOG gulf
Golf[2] N ⟨~s⟩ SPORT golf
'Golfplatz M golf course **'Golf-schläger** M golf club **'Golfspie-ler(in)** M(F) golfer
Gondel F ['gɔndəl] ⟨~; ~n⟩ gondola; *Lift-gondel a.* cabin
gönnen V/T ['gœnən] **j-m etw ~** not (be)-grudge sb sth; **sich etw ~** allow o.s. sth
'gönnerhaft A ADJ patronizing B ADV *behandeln etc* patronizingly
googeln® V/I & V/T ['gu:gəln] *mit Google® recherchieren* google®
'gotisch ADJ Gothic
Gott M [gɔt] ⟨~es; Götter⟩ God; MYTH god; **~ sei Dank** thank God; **um ~es willen!** for God's *od* heaven's sake!
'Gottesdienst M (church) service; **zum ~ gehen** go* to church
Göttin F ['gœtın] ⟨~; ~nen⟩ goddess
'göttlich A ADJ divine (*a. fig*) B ADV *fig: singen etc* divinely
Gouverneur(in) [guvɛr'nø:r(ın)] M ⟨~s; ~e⟩ F ⟨~in; ~innen⟩ governor
Grab N [gra:p] ⟨~(e)s; Gräber⟩ grave; *Grabmal* tomb
'Graben M ⟨~s; Gräben⟩ ditch; MIL trench
'graben V/T & V/I ⟨grub, gegraben⟩ dig* (**nach** for)
'Grabmal N ⟨~(e)s; -mäler *od geh* ~e⟩ tomb; *Ehrenmal* monument **'Grab-stein** M tombstone, gravestone
Grad M *od* N [gra:t] ⟨~(e)s; ~e *od mit Anzahl* ~⟩ degree; MIL rank; **15 ~ Kälte** 15 degrees below zero; **bis zu e-m gewissen ~** up to a point
graduell ADJ [gradu'ɛl] *Unterschied* minimal
Graf M [gra:f] ⟨~en; ~en⟩ count; *in GB* earl
Graffiti PL [gra'fi:ti] graffiti *sg*
Grafik F ['gra:fık] ⟨~; ~en⟩ KOLL graphic arts *pl*; *Druck* print; MATH, TECH graph; *Ausgestaltung* artwork; IT graphics *pl*
'Grafiker(in) M ⟨~s; ~⟩ F ⟨~in; ~innen⟩ graphic artist
'Grafikkarte F COMPUT graphics card
Gräfin F ['grɛ:fın] ⟨~; ~nen⟩ countess
'grafisch A ADJ graphic B ADV **etw ~ darstellen** show* sth on a graph
'Grafschaft F ⟨~; ~en⟩ county
Gramm N [gram] ⟨~s; ~e *od mit Anzahl* ~⟩ gram; **200 ~** two hundred grams
Granate F [gra'na:tə] ⟨~; ~n⟩ MIL shell
grandios [grandi'o:s] A ADJ magnificent B ADV *bewältigen etc* magnificently
Granit M [gra'ni:t] ⟨~s; ~e⟩ granite
Grapefruit F ['gre:pfru:t] ⟨~; ~s⟩ grapefruit
'Graphik *etc* → Grafik *etc*
Gras N [gra:s] ⟨~es; Gräser⟩ grass
grassieren V/I [gra'si:rən] ⟨*kein ge*⟩ rage, be* rife
grässlich ['grɛslıç] A ADJ atrocious B ADV *langweilig* terribly; *schmecken* revolting
Gräte F ['grɛ:tə] ⟨~; ~n⟩ (fish)bone
Gratifikation F [gratifikatsi'o:n] ⟨~; ~en⟩ bonus
gratis ADV ['gra:tıs] free (of charge)
'Gratisprobe F free sample
Gratulant(in) [gratu'lant(ın)] M ⟨~en; ~en⟩ F ⟨~in; ~innen⟩ well-wisher
Gratulati'on F ⟨~; ~en⟩ congratulations *pl*
gratu'lieren V/I ⟨*kein ge*⟩ **j-m (zu etw) ~** congratulate sb (on sth); **j-m zum Geburtstag ~** wish sb a happy birthday; **gratuliere!** congratulations!
grau ADJ [grau] grey, *US* gray; **~ werden** go* grey
'Graubrot N wheat and rye bread; *Laib* wheat and rye loaf
Gräuel M ['grɔyəl] ⟨~s; ~⟩ horror
'Gräueltat F atrocity
'grauenhaft A ADJ dreadful; *Verbrechen a.* appalling B ADV *hässlich* dreadfully
'grausam A ADJ cruel B ADV *quälen* cruelly
'Grausamkeit F ⟨~; ~en⟩ cruelty
'Grauzone F *fig* grey *od US* gray area
gra'vierend ADJ [gra'vi:rənt] serious; *Unterschied* significant
greifen ['graifən] ⟨griff, gegriffen⟩ A V/T seize, take* hold of B V/I *fig: von Maßnahmen* take* effect; **~ nach** reach for;

G

fest grab at; **sie griff in ihre Handtasche** she reached into her handbag
Greis(in) [grais ('graizɪn)] M ⟨~es; ~e⟩ (F) ⟨~in; ~innen⟩ old man; *Frau* old woman
'greisenhaft ADJ senile (*a.* MED)
grell ADJ [grɛl] *Licht* glaring, harsh; *Farbe* garish; *Ton* shrill
Grenze F ['grɛntsə] ⟨~; ~n⟩ border; *Linie* boundary; *fig* limit
'grenzen V/I **~ an** border on (*a. fig*)
'grenzenlos A ADJ boundless B ADV *erstaunt etc* extremely
'Grenzfall M borderline case **'Grenzformalitäten** PL passport and customs formalities *pl* **'Grenzkontrolle** F border check *od* control **'Grenzland** N borderland **'Grenzlinie** F borderline, boundary (line) (*beide a. fig*); POL demarcation line **'Grenzpolizei** F border police *pl* **'Grenzstein** M boundary stone **'Grenzübergang** M border crossing (point) **'grenzüberschreitend** ADJ cross-border **'Grenzzwischenfall** M border incident
'Greuel → Gräuel
Grieche M ['gri:çə] ⟨~n; ~n⟩ Greek
'Griechenland N ⟨~s⟩ Greece
'Griechin F ⟨~; ~nen⟩ Greek
'griechisch ADJ, **'Griechisch** N Greek; → englisch
Grieß M [gri:s] ⟨~es; ~e⟩ semolina
Griff M [grɪf] ⟨~(e)s; ~e⟩ grip; *beim Ringen* hold; *von Tür, Messer etc* handle
'griffbereit ADJ (ready) to hand, handy
Grill M [grɪl] ⟨~s; ~s⟩ grill; **Steak vom ~** grilled steak
'grillen A V/T grill B V/I have* a barbecue
Grimasse F [gri'masə] ⟨~; ~n⟩ grimace; **~n schneiden** pull faces
grinsen V/I ['grɪnzən] grin (**über** at); *höhnisch* sneer (**über** at)
'Grinsen N ⟨~s⟩ grin; *höhnisches* sneer
Grippe F ['grɪpə] ⟨~; ~n⟩ flu
'Grippeepidemie F flu epidemic **'Grippeimpfung** F flu vaccination **'grippekrank** ADJ down with flu **'Grippevirus** N flu virus **'Grippewelle** F major flu outbreak
grob [gro:p] ⟨gröber, gröbste⟩ A ADJ *Sand, Stoff etc* coarse; *Fehler, Lüge* gross; *Person, Benehmen* crude, coarse; *unhöflich* rude; *Arbeit, Fläche, Skizze* rough B ADV **~ geschätzt** at a rough estimate; **etw ~ zerkleinern** chop sth up coarsely
'Grobheit F ⟨~; ~en⟩ coarseness; *Frechheit* rudeness; *Worte* crude remark
Grönland N ['grø:nlant] ⟨~s⟩ Greenland
Groschen M ['grɔʃən] ⟨~s; ~⟩ *österr* HIST groschen; **keinen ~ wert** *fig* not worth a penny *od US* cent
groß ADJ [gro:s] ⟨größer, größte⟩ big; *Fläche, Umfang, Zahl* large; *erwachsen* grown-up, big; *sehr viel, stark* great; **es ist zwei mal drei Meter ~** it's two metres by three metres; **~es Geld** notes *pl*, *US* bills *pl*; **~e Ferien** summer holidays *pl*, *US* summer vacation *sg*; **Groß und Klein** young and old; **im Großen und Ganzen** on the whole; *hoch(gewachsen)* tall; **wie ~ bist du?** how tall are you?; **ich bin doch schon ~ genug** I'm not a kid any more; **mein ~er Bruder** *altersmäßig* my big brother; **ein ~es A** a capital *od* big A; **~e Freude** great joy; **~e Eile** big rush; **~e Schmerzen haben** be* in great pain
'Großabnehmer(in) M(F) WIRTSCH bulk purchaser **'Großaktionär(in)** M(F) major shareholder *od US* stockholder
'großartig A ADJ wonderful B ADV *spielen etc* wonderfully; **sich ~ amüsieren** have* a wonderful time
'Großaufnahme F close-up **'Großbank** F ⟨*pl* Großbanken⟩ major bank **'Großbildschirm** M large screen **Großbritannien** N [gro:sbri'taniən] ⟨~s⟩ (Great) Britain **'Großbuchstabe** M capital (letter)
Größe F ['grø:sə] ⟨~; ~n⟩ size; *Körpergröße* height; MATH quantity; *Bedeutung* greatness; *Person* celebrity; **welche ~ hast du?** what size do you take?
'Großeinkauf M bulk purchase **'Großeltern** PL grandparents *pl*
'Größenordnung F scale; **in e-r ~ von** of *od* in *od US* on the order of
'großen'teils ADV largely, mainly
'Größenwahn M megalomania
'Großfamilie F extended family **'Großhandel** M wholesale trade **'Großhandelspreis** M WIRTSCH wholesale price **'Großhändler(in)** M(F) wholesaler **'Großhandlung** F WIRTSCH wholesale business *od* compa-

ny **'Großindustrie** F big industry **'Großindustrielle(r)** M/F(M) ⟨~n; ~n⟩ big industrialist **'Großmacht** F great power **'Großmarkt** M hypermarket; *für Einzelhändler* wholesale market **'Großmaul** N *umg* bigmouth **'Großmutter** F ⟨~; Großmütter⟩ grandmother **'Großraum** M **der ~ München** Greater Munich **'Großraumbüro** N open-plan office **'Großraumflugzeug** N wide-body jet **'Großraumlimousine** F people carrier, MPV **'großschreiben** V/T ⟨*irr*⟩ **etw ~** write* sth with a capital letter **'Großschreibung** F capitalization **'Großstadt** F city **'großstädtisch** ADJ urban **'Großstadtverkehr** M city traffic

'größten'teils ADV mostly, mainly

'großtun V/I ⟨*irr*⟩ show* off; *mit Worten* boast, brag; **sich mit etw ~** boast *od* brag about sth

'Großunternehmen N WIRTSCH large *od* big company, large-scale *od* big enterprise **'Großunternehmer(in)** M(F) big businessman; *Frau* big businesswoman **'Großvater** M grandfather **'Großverdiener(in)** M ⟨~s; ~⟩ (F) ⟨~in; ~innen⟩ big earner **'Großwetterlage** F general weather situation; POL general situation **'großziehen** V/T ⟨*irr*⟩ *Kind* bring* up, raise; *Tiere* raise, rear

großzügig ['gro:stsy:gɪç] **A** ADJ generous; *Erziehung* liberal; *Planung* large-scale; *Räume* spacious **B** ADV generously; **j-n ~ beschenken** give* sb a generous present

'Großzügigkeit F ⟨~⟩ generosity; *von Räumen* spaciousness

Grube F ['gru:bə] ⟨~; ~n⟩ pit; *Bergwerk a.* mine

grübeln V/I ['gry:bəln] brood (**über** over)

grün ADJ [gry:n] green (*a.* POL); **j-n ~ und blau schlagen** beat* sb black and blue

'Grünanlage F park **'Grünbuch** N POL Green Paper

Grund M [grʊnt] ⟨~(e)s; Gründe⟩ reason; *Ursache* cause; *Boden* ground; AGR soil; *des Meeres etc* bottom; **~ und Boden** property, land; **aus diesem ~(e)** for this reason; **von ~ auf** thoroughly; **im ~e (genommen)** basically; → aufgrund, zugrunde

'Grund- ZSSGN *Regel, Wortschatz etc* basic **'Grundbegriffe** PL basics *pl*, fundamentals *pl* **'Grundbesitz** M property, land **'Grundbesitzer(in)** M(F) landowner

gründen V/T ['grʏndən] *Stadt, Staat* found; *Firma, Partei etc* set* up, establish; *Familie* start; **sich ~ auf** be* based on

'Gründer(in) M ⟨~s; ~⟩ (F) ⟨~in; ~innen⟩ founder

'grund'falsch ADJ totally wrong **'Grundfläche** F GEOM base; *von Zimmer etc* area **'Grundfreiheiten** PL *EU* fundamental freedoms *pl* **'Grundgedanke** M basic idea **'Grundgesetz** N constitution **'Grundkapital** N WIRTSCH capital stock, share capital **'Grundkenntnisse** PL basic knowledge *sg* **'Grundlage** F basis; **die ~n** *pl e-r Wissenschaft etc* the basics *pl* **'Grundlagenforschung** F pure research **'grundlegend** **A** ADJ fundamental, basic **B** ADV *ändern etc* fundamentally

gründlich ['grʏntlɪç] **A** ADJ thorough **B** ADV *säubern etc* thoroughly

'grundlos *fig* **A** ADJ groundless, unfounded **B** ADV *weinen etc* for no reason **'Grundnahrungsmittel** PL basic foodstuffs *pl*, basic food *sg*

Grün'donnerstag M REL Maundy Thursday

'Grundrechnungsart F basic arithmetical operation **'Grundrecht** N fundamental right; *Gesetz* basic *od* fundamental law **'Grundrechtecharta** F *EU* Charter of Fundamental Rights **'Grundriss** M ARCH ground plan **'Grundsatz** M principle

grundsätzlich ['grʊntzɛtslɪç] **A** ADJ fundamental **B** ADV **ich bin ~ dagegen** I'm against it on principle; **sie ist ~ damit einverstanden** she agrees with it in principle

'Grundschule F primary school, *US* elementary *od* grade school **'Grundsicherung** F POL guaranteed minimum income **'Grundstein** M ARCH foundation stone; *fig* foundations *pl* **'Grundstück** N plot (of land), *US a.* lot; *Bauplatz* site; *Haus nebst Zubehör* property **'Grundstücksmakler(in)** M(F) estate

G

agent, *US* real estate agent, *US* realtor
'Gründung F ⟨~; ~en⟩ *von Stadt, Staat* foundation; *von Firma, Partei etc* setting up, establishment
'grundver'schieden ADJ totally different **'Grundwasser** N groundwater **'Grundwasserspiegel** M ground-water level **'Grundzahl** F cardinal number **'Grundzug** M main feature, characteristic; **Grundzüge** *pl* POL broad guidelines *pl*; **Grundzüge der Wirtschaftspolitik** broad economic policy guidelines
'Grüne(r) M/F(M) ⟨~n; ~n⟩ POL Green; **die ~n** *pl* the Greens *pl*
'Grünfläche F green space **'Grüngürtel** M green belt
'grünlich ADJ greenish
'Grünspan M ⟨~(e)s⟩ verdigris
Gruppe F ['grʊpə] ⟨~; ~n⟩ group
'Gruppenarbeit F teamwork; SCHULE *a.* group work, work in groups **'Gruppenreise** F group travel; **eine ~ nach England planen** plan a group tour to England
grup'pieren V/T ⟨*kein ge*⟩ group; **sich ~** form a group; form groups
Grusel- ZSSGN ['gru:zəl-] *Film, Geschichte etc* horror
'gruselig ADJ eerie, creepy; *Film, Geschichte etc* spine-chilling
'gruseln V/T **es gruselt mich** *umg* it gives me the creeps
Gruß M [gru:s] ⟨~es; Grüße⟩ greeting; MIL salute; **viele Grüße an ...** give my regards to ...; *herzlicher* love to ...; **mit freundlichen Grüßen** Yours sincerely; **herzliche Grüße** Best wishes; *herzlicher* Love
grüßen V/T ['gry:sən] say* hello to; *begrüßen a.* greet; MIL salute; **(die) Sabine lässt (euch) ~** Sabine sends (you) her regards; *herzlicher* Sabine sends (you) her love; **grüß dich!** hello!
gucken V/I ['gʊkən] look
gültig ADJ ['gʏltɪç] valid
'Gültigkeit F ⟨~⟩ validity; **s-e ~ verlieren** *Pass, Fahrkarte etc* expire
Gummi M *od* N ['gʊmi] ⟨~s; ~s⟩ rubber; *in Kleidung* elastic; *Gummiband* rubber band, *bes Br a.* elastic band; *Radiergummi* eraser, *Br a.* rubber; *umg: Kondom* rubber
'Gummi- ZSSGN *Ball, Sohle, Stiefel etc* rubber
'Gummiband N ⟨*pl* Gummibänder⟩ rubber band, *bes Br a.* elastic band
'Gummiboot N rubber dinghy
gum'mieren V/T ⟨*kein ge*⟩ gum
'Gummiknüppel M truncheon, *US* nightstick **'Gummistiefel** M wellington (boot), *US* rubber boot
Gunst F [gʊnst] ⟨~⟩ favour, *US* favor, goodwill; **zu meinen ~en** in my favour; → zugunsten
günstig ['gʏnstɪç] **A** ADJ favourable, *US* favorable **(für** to); *passend* convenient; *Preis, Angebot* good; **e-e ~e Gelegenheit** a chance; **im ~sten Fall** at best **B** ADV **etw ~ kaufen** buy* sth for a good price; **~ verlaufen** go* well
gurgeln V/I ['gʊrgəln] MED gargle; *von Wasser* gurgle
Gurke F ['gʊrkə] ⟨~; ~n⟩ cucumber; *Gewürzgurke* gherkin
Gurt M [gʊrt] ⟨~(e)s; ~e⟩ belt (*a.* AUTO, FLUG); *Haltegurt, Tragegurt* strap
Gürtel M ['gʏrtəl] ⟨~s; ~⟩ belt
'Gürtelreifen M AUTO radial tyre *od US* tire
'Gurtmuffel M AUTO *umg sb who refuses to wear a seat belt* **'Gurtpflicht** F AUTO compulsory wearing of seat belts
Guss M [gʊs] ⟨~es; Güsse⟩ *Regen* downpour; TECH casting; *Zuckerguss* icing, *US* frosting; **aus e-m ~** *fig* of a piece
'Gusseisen N cast iron **'gusseisern** ADJ cast-iron
gut [gu:t] ⟨besser, beste⟩ **A** ADJ good; *Wetter a.* fine; **ganz ~** not bad; **also ~!** all right (then)!; **schon ~!** it's OK!; **(wieder) ~ werden** come* right (again), be* all right; **~e Reise!** have a nice trip!; **in etw ~ sein** be* good at sth **B** ADV well; *aussehen, klingen, riechen, schmecken* good; **~ aussehend** good-looking; **~ gebaut** well-built; **~ gehen** go* well; **wenn alles ~ geht** if nothing goes wrong; **es geht mir ~** I'm well; *finanziell* I'm doing well; **~ gelaunt** in a good mood; **~ gemeint** well-meant; **du hast es ~** you're lucky; **es ist ~ möglich** it may well be; **es gefällt mir ~** I like it a lot; **~ gemacht!** well done!; **mach's ~!** take care!; **so ~ wie** as good as
Gut N ⟨~(e)s; Güter⟩ *Landgut* estate; **Güter** *pl* goods *pl*

'Gutachten N ['gu:tʔaxtən] ⟨~s; ~⟩ expert opinion; *Zeugnis* certificate
'Gutachter(in) M ⟨~s; ~⟩ (F) ⟨~in; ~innen⟩ expert
'gutartig ADJ good-natured; MED benign **'gut'bürgerlich** ADJ **~e Küche** good plain cooking **Gutdünken** N ['gu:tdʏŋkən] ⟨~s⟩ **nach ~** at one's discretion
'Gute(s) N ⟨~n⟩ good; **~s tun** do* good; **alles ~!** all the best!
Güte F ['gy:tə] ⟨~⟩ goodness, kindness; *e-r Ware* quality; **meine ~!** *umg* goodness me!
'Güterbahnhof M goods depot, *US* freight depot **'Gütergemeinschaft** F JUR community of property; **in ~ leben** have* joint property **'Gütertrennung** F JUR separation of property; **in ~ leben** have* separate property **'Güterverkehr** M freight traffic, *Br a.* goods traffic **'Güterwagen** M goods wagon, *US* freight car **'Güterzug** M freight train, *Br a.* goods train
'gutgläubig ADJ credulous **'Guthaben** N ⟨~s; ~⟩ (credit) balance **'gutheißen** V/T ⟨*irr*⟩ approve of
gütig ['gy:tıç] **A** ADJ good, kind **B** ADV *lächeln* kindly
'gütlich ADV **sich ~ einigen** come* to an amicable settlement
'gutmachen V/T *Schaden* make* good; *Fehler* put* right
gutmütig ADJ ['gu:tmy:tıç] good-natured
'Gutmütigkeit F ⟨~⟩ good nature
'Gutschein M coupon, *bes Br* voucher
'gutschreiben V/T ⟨*irr*⟩ **j-m etw ~** credit sth to sb's account **'Gutschrift** F credit **'guttun** V/I ⟨*irr*⟩ **ah, das tut gut!** ah, that's better! **'gutwillig** ADJ willing
GVO [ge:fau'ʔo:] ABK *für* gentechnisch veränderte Organismen GMO
Gymnasium N [gʏm'na:ziʊm] ⟨~s; Gymnasien⟩ *etwa* grammar school, *US* high school
Gymnastik F [gʏm'nastık] ⟨~⟩ exercises *pl*; *Disziplin* gymnastics *sg*
Gynäkologe M [gynɛko'lo:gə] ⟨~n; ~n⟩, **Gynäko'login** F ⟨~; ~nen⟩ gynaecologist, *US* gynecologist

H

H N [ha:] ⟨~; ~⟩ H; MUS B
Haar N [ha:r] ⟨~(e)s; ~e⟩ hair; **kämm dir die ~e** comb your hair; **sie hat sich die ~e schneiden lassen** she had her hair cut; **sich aufs ~ gleichen** look absolutely identical; **um ein ~** very nearly
'Haarausfall M hair loss **'Haarbürste** F hairbrush
'Haaresbreite F **um ~** by a hair's breadth
'Haarfarbe F **was für eine ~ hat sie?** what colour *od US* color hair does she have? **'haarge'nau** ADV *umg* precisely; **(stimmt) ~!** dead right! **'haar'klein** ADV *umg* in great detail **'Haarklemme** F hairgrip, *US* bobby pin **'Haarnadelkurve** F hairpin bend **'haar'scharf** ADV *umg*: *knapp* by a hair's breadth **'Haarschnitt** M haircut **Haarspalte'rei** F ⟨~; ~en⟩ hair-splitting **'Haarspange** F (hair)slide, *US* barrette **'Haarspray** M *od* N hairspray **'haarsträubend** ADJ hair-raising; *skandalös* shocking **'Haartrockner** M hairdryer **'Haarwäsche** F shampoo **'Haarwaschmittel** N shampoo
Hab N [ha:p] **~ und Gut** belongings *pl*
Habe F ['ha:bə] ⟨~⟩ belongings *pl*, possessions *pl*
'haben ⟨hatte, gehabt⟩ **A** V/T *besitzen* have*, have* got; **hast du ein Fahrrad?** do you have a bike?, have you got a bike?; **ich habe kein Fahrrad** I don't have a bike, I haven't got a bike; *empfinden* **Hunger/Durst ~** be* hungry/thirsty; *Eigenschaft* **welche Farbe hat ...?** what colour *od US* color is ...?, what's the colour *od US* color of ...?; **Ferien** *od* **Urlaub ~** be* on holiday *od US* vacation; **er hat Geburtstag** it's his birthday; **welches Datum ~ wir heute?** what's the date today?, what's today's date?; **zu ~ sein** *Ware etc* be* available; **wieder zu ~ sein** *umg* be* free again; **was hast du?** what's the matter with you?; **da ~ wir's!** there

we are!; **hab dich nicht so!** *umg* don't make a fuss!

B VAUX have*; **ich habe ihn gesehen** *gerade* I've seen him; *zu bestimmtem Zeitpunkt* I saw him; **ich habe ihn nicht gesehen** *bis jetzt* I haven't *od* I've not seen him; *zu bestimmtem Zeitpunkt* I didn't see him; **ich hatte es vergessen** I had forgotten; **das hätte ich nie geglaubt** I would never have believed it

'Haben N ⟨~s⟩ credit

'Habenseite F WIRTSCH credit side **'Habenzinsen** PL interest *sg* on deposits

H

'Habgier F greed

'habgierig ADJ greedy

Habseligkeiten PL ['ha:pze:lıçkaitən] belongings *pl*, possessions *pl*

hacken V/T ['hakən] chop; *Loch* hack; AGR hoe; *Vogel* peck (**nach** at)

'Hacker(in) M ⟨~s; ~⟩ (F) ⟨~in; ~innen⟩ IT hacker

'Hackfleisch N mince, *US* ground meat

'Hackordnung F pecking order

Hafen M ['ha:fən] ⟨~s; Häfen⟩ harbour, *US* harbor; *großer* port

'Hafenanlagen PL docks *pl* **'Hafenarbeiter** M docker, *US a.* longshoreman **'Hafengebühren** PL harbour *od US* harbor dues *pl* **'Hafenpolizei** F port police *pl* **'Hafenrundfahrt** F boat tour of the harbour *od US* harbor **'Hafenstadt** F port; *am Meer a.* seaport **'Hafenviertel** N dockland(s *pl*)

Hafer M ['ha:fər] ⟨~s⟩ oats *pl*

'Haferbrei M porridge, *US* oatmeal **'Haferflocken** PL (rolled) oats *pl*

Haft F [haft] ⟨~⟩ imprisonment; *Gewahrsam* custody; **in ~ sein** be* under arrest; **drei Jahre ~** three years in prison

'haftbar ADJ **~ für** liable for

'Haftbefehl M arrest warrant

haften V/I ['haftən] stick*, adhere (**an** to); **~ für** be* liable for

Häftling M ['hɛftlıŋ] ⟨~s; ~e⟩ prisoner

'Haftpflicht F JUR liability **'Haftpflichtversicherung** F liability insurance; AUTO third party insurance

'Haftung F ⟨~; ~en⟩ JUR liability; **Gesellschaft mit beschränkter ~** limited company, *US* close(d) corporation

Hagel M ['ha:gəl] ⟨~s; ~⟩ hail; *fig* volley

'hageln **A** V/I hail **B** V/T **es hagelte Proteste** there was a volley of protest

'Hagelschauer M hail shower

Hahn[1] M [ha:n] ⟨~(e)s, Hähne⟩ *Vogel* cock, *US a.* rooster

Hahn[2] M ⟨~(e)s, Hähne *od* ~en⟩ *Wasserhahn* tap, *US a.* faucet

Hähnchen N ['hɛ:nçən] ⟨~s; ~⟩ chicken

Hai M [hai] ⟨~(e)s; ~e⟩ shark

Häkchen N ['hɛ:kçən] ⟨~s; ~⟩ small hook; *Zeichen* tick, *US* check

'Haken M ⟨~s; ~⟩ hook (*a. beim Boxen*); *Kleiderhaken a.* peg; *Zeichen* tick, *US* check; *umg* catch

halb ADJ & ADV [halp] half; **e-e ~e Stunde** half an hour; **ein ~es Pfund** half a pound; **die ~e Summe** half the amount; **~ drei** half past two, *umg* half two; **~ gar** underdone; **~ rechts/links spielen** play inside right/left; **zum ~en Preis** (at) half-price; **auf ~em Wege (entgegenkommen)** (meet*) halfway; **~ so viel** half as much; **(mit j-m) halbe-halbe machen** *umg* go* halves *od* fifty-fifty (with sb)

'halbamtlich ADJ semiofficial **'Halbbruder** M half-brother **'Halbdunkel** N semi-darkness

'Halbe F ⟨~n; ~n⟩ *umg etwa* pint (of beer)

'Halbfabrikat N semifinished product **'halbfett** ADJ *Käse* medium-fat; *Schrift* semi-bold

halbieren V/T [hal'bi:rən] ⟨*kein ge*⟩ halve; *mit einem Messer* cut* in half; GEOM bisect

'Halbinsel F peninsula **'Halbjahr** N six months *pl* **'halbjährig** ADJ six-month **'halbjährlich** **A** ADJ half-yearly **B** ADV *stattfinden* twice-yearly, twice a year **'Halbkreis** M semicircle **'Halbkugel** F hemisphere **'Halbleiter** M semiconductor **'halbmast** ADV **~ flaggen** fly* the flags at half-mast **'Halbmond** M half-moon; *Form* crescent **'Halbpension** F half-board, *US* room plus one meal **'Halbschuh** M low shoe **'Halbschwester** F half-sister **'halbtags** ADV **~ arbeiten** work part-time **'Halbtagsarbeit** F, **'Halbtagsbeschäftigung** F part-time job **'Halbtagskraft** F part-time worker, part-timer

'halbtrocken ADJ *Sekt, Wein* semidry,

demisec **'halbwegs** ADV *fig: leidlich* reasonably
Halde F ['haldə] ⟨~; ~n⟩ slope; *Bergbau* dump
Hälfte F ['hɛlftə] ⟨~; ~n⟩ half; **die ~ von** half of; **etw zur ~ tun** half do* sth
'Halfter N ⟨~s; ~⟩ *od* F ⟨~; ~n⟩ *Pistolenhalfter* holster
'Halle F ⟨~; ~n⟩ hall; *Hotelhalle* lobby; **in der ~ spielen** play indoors
'Hallenbad N indoor (swimming) pool
hallo INT [ha'lo: *od* 'halo] hello
Halm M [halm] ⟨~(e)s; ~e⟩ *Grashalm* blade; *Getreidehalm* stalk; *Strohhalm* straw
Halogenscheinwerfer M [halo'ge:n-] AUTO halogen headlight
Hals M [hals] ⟨~(e)s; Hälse⟩ neck (*a. einer Flasche*), *Kehle* throat; **~ über Kopf** in a great hurry; **sich vom ~ schaffen** get* rid of; **es hängt mir zum ~ heraus** *umg* I'm fed up with it; **er steckt bis zum ~ in Arbeit/Schulden** he's up to his neck in work/debt
'Halsband N ⟨*pl* Halsbänder⟩ *für Hund etc* collar **'Halsentzündung** F sore throat **'Halskette** F necklace **'Halsschmerzen** PL **~ haben** have* a sore throat **'Halstuch** N ⟨~(e)s; -tücher⟩ scarf
Halt M [halt] ⟨~(e)s; ~e⟩ hold; *Stütze* support (*a. fig*); *Zwischenhalt* stop; *fig: innerer* strength; **~ machen** stop; **vor nichts ~ machen** stop at nothing
halt **A** INT stop!; MIL halt! **B** ADV *umg: eben* just; **so ist es ~** that's the way it is
'haltbar ADJ durable; *Lebensmittel* non--perishable; *Argument etc* tenable; **(lange) ~ sein** *Lebensmittel* keep* (well); **~ bis ...** best before ... **'Haltbarkeit** F ⟨~⟩ durability; *fig* tenability **'Haltbarkeitsdatum** N best-before date
'halten ⟨hielt, gehalten⟩ **A** VT hold*; *in Zustand, Versprechen, Tier* keep*; *Rede* make*; *Vortrag* give*; *Torwart* save; **~ für** regard as; *irrtümlich* (mis)take* for; **(viel/wenig) ~ von** think* (highly/little) of; **sich ~** last; *von Essen, in Richtung oder Zustand* keep*; **sich gut ~** *in e-r Prüfung* do* well; **sich ~ an** keep* to **B** VI hold*; *von Lebensmitteln* keep*; *von Freundschaft, Ehe* last; *anhalten* stop; **~ zu** stand* by
'Halter M ⟨~s; ~⟩ *Besitzer* owner; *für Geräte etc* holder
'Haltestelle F stop; BAHN *a.* station **'Halteverbot** N no stopping; *Bereich* no-stopping zone **'Halteverbotsschild** N no-stopping sign
'haltlos ADJ weak; *unbegründet* baseless
'haltmachen VI stop; **vor nichts ~** stop at nothing
'Haltung F ⟨~; ~en⟩ *Körperhaltung* posture; *fig* attitude (**zu** towards)
Hamburg N ['hamburk] ⟨~s⟩ Hamburg
'Hamburger M ['hɛmbœrgər] ⟨~s; ~⟩ *Frikadelle* burger
hämisch ['hɛmɪʃ] **A** ADJ malicious **B** ADV *lachen etc* maliciously; **sich ~ über etw freuen** gloat over sth
Hammel M ['haməl] ⟨~s; ~⟩ wether, castrated ram
'Hammelfleisch N mutton
Hammer M ['hamər] ⟨~s; Hämmer⟩ hammer (*a.* SPORT)
Hämorr(ho)iden PL [hɛmɔ'ri:dən] haemorrhoids *pl*, *US* hemorrhoids *pl*, piles *sg od pl*
Hand F [hant] ⟨~; Hände⟩ hand; **von ~, mit der ~** by hand; **etw bei der ~** *od* **zur ~ haben** have* sth handy; **aus erster ~** first-hand; **aus zweiter ~** second-hand; **j-n an die ~ nehmen** take* sb by the hand; **sich die ~ geben** shake* hands; **ich habe mir in die ~ geschnitten** I've cut my hand; **Hände hoch/weg!** hands up/off!; **~ voll** → Handvoll
'Handarbeit F *Nadelarbeit* needlework (*a. Schulfach*); *fertiges Produkt* handmade article; **es ist ~** it's handmade **'Handbetrieb** M manual operation **'Handbremse** F handbrake, *US* parking brake **'Handbuch** N manual, handbook
Händchen N ['hɛntçən] ⟨~s; ~⟩ **~ halten** hold* hands
Händedruck M ['hɛndə-] ⟨*pl* Händedrücke⟩ handshake
Handel M ['handəl] ⟨~s⟩ commerce, business; *Handelsverkehr* trade; *Markt* market; *abgeschlossener* transaction, deal; **~ treiben** trade (**mit j-m** with sb); **mit etw ~ treiben** deal* in sth
'handeln VI act; *feilschen* bargain, haggle (*beide* **um** over); **mit j-m ~** WIRTSCH trade with sb; **mit Waren ~** trade *od* deal* in goods; **~ von** be* about, deal*

with; **worum handelt es sich?** what's it about?
'Handelsabkommen N trade agreement **'Handelsbank** F merchant *od* commercial bank **'Handelsbeziehungen** PL trade relations *pl* **'Handelsbilanz** F balance of trade **'handelseinig** ADJ **~ werden** come* to terms **'Handelsgesellschaft** F company; **offene ~** general partnership **'Handelskammer** F chamber of commerce **'Handelsklasse** F grade **'Handelspartner(in)** M(F) trading partner **'Handelsschranke** F trade barrier **'Handelsschule** F commercial college **'Handelsspanne** F profit margin **'handelsüblich** ADJ customary *od* usual in the trade; *Größe, Verpackung* standard commercial **'Handelsvertreter(in)** M(F) sales representative **'Handelsware** F commodity; **~n** *pl* merchandise *sg*, commodities *pl*; **„keine ~"** *Post* "no commercial value"
'Handfeger M ⟨~s; ~⟩ brush **'Handfläche** F palm **'handgearbeitet** ADJ handmade **'Handgelenk** N wrist **'Handgepäck** N hand luggage *od* baggage **'handgeschrieben** ADJ handwritten **'Handgranate** F hand grenade **'handgreiflich** ADJ **~ werden** turn violent **'handhaben** V/T *Werkzeug* use; *Maschine* operate; *Vorschrift, Gesetz* apply
Handikap N ['hɛndikɛp] ⟨~s; ~s⟩ handicap (*a.* SPORT)
Händler(in) ['hɛndlər(ɪn)] M ⟨~s; ~⟩ (F) ⟨~in; ~innen⟩ dealer
'handlich ADJ handy
Handlung F ['handlʊŋ] ⟨~; ~en⟩ *von Film, Roman etc* story, plot; *Tat* act, action
'Handlungsweise F conduct, behaviour, *US* behavior
Handout N ['hɛntʔaut] ⟨~s; ~s⟩ handout
Handschellen PL ['hantʃɛlən] handcuffs *pl*; **j-m ~ anlegen** handcuff sb **'Handschlag** M handshake **'Handschrift** F **e-e gute ~ haben** have* good handwriting **'handschriftlich** ADJ handwritten **'Handschuh** M glove **'Handschuhfach** N glove compartment **'Handtasche** F handbag, *US a.* purse **'Handtuch** N ⟨~(e)s; Handtücher⟩ towel **'Handvoll** ADJ **e-e ~ Reis/Leute** a handful of rice/people
'Handwerk N trade; *bes Kunsthandwerk* craft **'Handwerker** M ⟨~s; ~⟩ workman; *Kunsthandwerker* craftsman **'Handwerkerin** F ⟨~; ~nen⟩ *Kunsthandwerkerin* craftswoman **'Handwerkszeug** N tools *pl*
Handy N ['hɛndi] ⟨~(s); ~s⟩ mobile (phone), *US* cell(ular) phone
'Handynummer F mobile number, *US* cell phone number
Hang M [haŋ] ⟨~(e)s; Hänge⟩ slope; *fig* tendency (**zu** towards)
hängen ['hɛŋən] **A** V/I ⟨hing, gehangen⟩ hang* (**an** *Wand etc* on; *Decke etc* from); **~ an** *fig* be* fond of; *stärker* be* devoted to; **~ bleiben** get* stuck; **er blieb mit der Hose am Zaun ~** he got his trousers caught on the fence; **alles, woran ich hänge** everything that is dear to me **B** V/T ⟨hängte *od* hing, gehängt *od* gehangen⟩ hang*; **er wurde gehängt** he was hanged
hänseln V/T ['hɛnzəln] tease (**wegen** about)
hantieren V/I [han'ti:rən] ⟨*kein ge*⟩ **~ mit** use; **~ an** fiddle about with
Happen M ['hapən] ⟨~s; ~⟩ *Imbiss* bite (to eat), snack
harmlos ADJ ['harmlo:s] harmless; *Verletzung* minor
Harmonie F [harmo'ni:] ⟨~; ~n⟩ harmony (*a.* MUS)
harmo'nieren V/I ⟨*kein ge*⟩ harmonize (**mit** with)
har'monisch **A** ADJ harmonious **B** ADV *verlaufen etc* harmoniously
harmonisieren V/T [harmoni'zi:rən] ⟨*kein ge*⟩ harmonize
Harmoni'sierung F ⟨~; ~en⟩ harmonization
Harn M [harn] ⟨~(e)s; ~e⟩ urine
hart [hart] ⟨härter, härteste⟩ **A** ADJ hard; *Bursche, Kerl* tough; SPORT rough; *Strafe* severe; **der ~e Kern** *in der EU* the hard core; **~ zu j-m sein** be* hard on sb; **~ gekocht** hard-boiled **B** ADV *arbeiten* hard; *bestrafen* severely; **~ im Nehmen sein** *umg* be* a toughie
Härte F ['hɛrtə] ⟨~; ~n⟩ hardness; *Widerstandsfähigkeit* toughness; *von Sport* roughness; *Strenge* severity; *des Lebens*

hardship
'Härtefall M case of hardship
'härten V/T harden
'hartgesotten ADJ ['hartgezɔtən] *fig* hard-boiled **'hartherzig** ADJ hard--hearted **hartnäckig** ['hartnɛkɪç] **A** ADJ stubborn (*a. Krankheit*); *beharrlich* persistent **B** ADV *weigern* stubbornly; *beharrlich* persistently
Harz¹ N [ha:rts] ⟨~es; ~e⟩ resin; *Geigenharz* rosin
Harz² M ⟨~es⟩ **der ~** the Harz Mountains
Haschisch N *od* M ['haʃɪʃ] ⟨~(s)⟩ hashish
Hase M ['ha:zə] ⟨~n; ~n⟩ hare
Haselnuss F ['ha:zəl-] hazelnut
Hass M [has] ⟨~es⟩ hatred (**auf, gegen** of, for), hate
'hassen V/T hate
hässlich ['hɛslɪç] **A** ADJ ugly; *fig* nasty **B** ADV *benehmen etc* nastily
Hast F [hast] ⟨~⟩ haste, hurry
'hasten V/I ⟨s⟩ hurry, hasten
'hastig **A** ADJ hasty, hurried **B** ADV *abreisen etc* hastily
Haube F ['haubə] ⟨~; ~n⟩ bonnet; *Schwesternhaube* cap; *Motorhaube* bonnet, *US* hood; *von Vogel* crest
hauchen V/T & V/I ['hauxən] breathe
hauen V/T ['hauən] ⟨haute *od* hieb, gehauen *od umg* gehaut⟩ *umg*: *schlagen* hit*; *prügeln* thrash, *Kind a.* spank; *Statue* carve; *Loch* cut*; **sich ~** (have* a) fight*
Haufen M ['haufən] ⟨~s; ~⟩ pile, heap; **ein ~ Geld/Leute** *umg* loads *pl* of money/people
häufen V/T ['hɔyfən] pile (up), heap (up); **sich ~** *fig* be* on the increase
häufig ['hɔyfɪç] **A** ADJ frequent **B** ADV *besuchen etc* frequently, often
Haupt N [haupt] ⟨~(e)s; Häupter⟩ head (*a. fig*)
'Hauptaktionär(in) M(F) principal shareholder *od US* stockholder **'Hauptbahnhof** M main *od* central station **'Hauptbeschäftigung** F main occupation **'Hauptbestandteil** M main ingredient **'Hauptdarsteller(in)** M(F) lead **'Haupteingang** M main entrance **'Hauptfach** N main subject, *US* major **'Hauptfigur** F main character **'Hauptgericht** N main course **'Hauptgeschäftsstelle** F head office **'Hauptgeschäftsstraße** F main shopping street **'Hauptgeschäftszeit** F peak shopping hours *pl* **'Hauptgewinn** M first prize **'Hauptgrund** M main reason **'Hauptmenü** N IT main menu **'Hauptperson** F *umg* centre *od US* center of attention **'Hauptplatine** F [-plati:nə] ⟨~; ~n⟩ COMPUT main board **'Hauptpostamt** N main post office **'Hauptquartier** N headquarters *pl* **'Hauptreisezeit** F peak tourist season **'Hauptrolle** F THEAT lead, leading part **'Hauptsache** F main thing; *in Diskussion, Rede etc* main point
'hauptsächlich **A** ADJ main, chief **B** ADV *sich interessieren* mainly
'Hauptsaison F peak season **'Hauptsendezeit** F TV peak viewing time, prime time **'Hauptspeicher** M COMPUT main memory **'Hauptstadt** F capital **'Hauptstraße** F main road; *im Stadtzentrum* main street **'Hauptteil** M main part; *einer Präsentation a.* main body **'Hauptverkehrsstraße** F main road **'Hauptverkehrszeit** F rush hour **'Hauptversammlung** F general meeting **'Hauptwohnsitz** M main place of residence
Haus N [haus] ⟨~es; Häuser⟩ house; *Gebäude* building; **zu ~e** at home; **nach ~e gehen/bringen** go*/take* home
'Hausangestellte(r) M/F(M) ⟨~n; ~n⟩ domestic (servant) **'Hausapotheke** F medicine cabinet **'Hausarzt** M, **'Hausärztin** F family doctor, *Br a.* GP **'Hausaufgaben** PL homework *sg*, *US a.* assignment; **s-e ~ machen** *a. fig* do* one's homework **'Hausbesetzer(in)** M ⟨~s; ~⟩ (F) ⟨~in; ~innen⟩ squatter **'Hausbesetzung** F squatting **'Hausbesitzer(in)** M(F) house owner **'Hauseigentümer(in)** M(F) house owner **'Hauseinweihung** F house--warming (party) **'Hausfrau** F housewife **'Hausfriedensbruch** M JUR trespass **'hausgemacht** ADJ home-made
'Haushalt M ⟨~(e)s; ~e⟩ household; *häusliche Arbeiten* housekeeping; POL

H

budget; (j-m) **den ~ führen** keep* house (for sb)

Haushälter(in) ['haushɛltər(ɪn)] M ⟨~s; ~⟩ (F) ⟨~in; ~innen⟩ housekeeper

'Haushaltsdefizit N budget deficit **'Haushaltsdisziplin** F budgetary discipline **'Haushaltsgeld** N housekeeping money **'Haushaltskonsolidierung** F budgetary consolidation **'Haushaltsplan** M budget **'Haushaltswaren** PL household articles *pl*

'Hausherr M head of the household; *Gastgeber* host **'Hausherrin** F ⟨~; ~nen⟩ lady of the house; *Gastgeberin* hostess

H

Hausierer(in) [hau'zi:rər(ɪn)] M ⟨~s; ~⟩ (F) ⟨~in; ~innen⟩ pedlar, hawker

häuslich ADJ ['hɔyslɪç] domestic; *gern zu Hause* home-loving

'Hausmann M ⟨*pl* Hausmänner⟩ house husband **'Hausmarke** F house wine; *Sekt* house champagne **'Hausmeister(in)** M(F) janitor, *Br a.* caretaker **'Hausnummer** F house number **'Hausordnung** F house rules *pl* **'Hausrat** M household effects *pl* **'Hausschlüssel** M front-door key **'Hausschuh** M slipper

Hausse F ['ho:s(ə)] ⟨~; ~n⟩ WIRTSCH rise, boom

'Haussuchung F ⟨~; ~en⟩ house search **'Haussuchungsbefehl** M search warrant **'Haustier** N *Nutztier* domestic animal; *von Tierliebhaber* pet **'Haustür** F front door **'Hausverwaltung** F property management **'Hauswirt(in)** M(F) landlord; *Frau* landlady **'Hauswirtschaft** F housekeeping **'Hauswirtschaftslehre** F domestic science, home economics *sg*

Haut F [haut] ⟨~; Häute⟩ skin; *Teint* complexion; **bis auf die ~ durchnässt** soaked to the skin

'Hautabschürfung F ⟨~; ~en⟩ graze **'Hautarzt** M, **'Hautärztin** F dermatologist **'Hautausschlag** M rash **'hauteng** ADJ skin-tight **'Hautfarbe** F skin colour *od US* color; *Teint* complexion **'Hautkrankheit** F skin disease **'Hautkrebs** M MED skin cancer **'Hautpflege** F skin care

Hebamme F ['he:pʔamə] ⟨~; ~n⟩ midwife

'Hebebühne F hydraulic lift

Hebel M ['he:bəl] ⟨~s; ~⟩ lever

heben VT ['he:bən] ⟨hob, gehoben⟩ lift (*a.* AUTO, SPORT); *Arm, Glas* raise (*a. Wrack*); *hochwinden* hoist; *fig* improve; *Niveau a.* raise; **sich ~** *von Vorhang etc* rise*, go* up

Heck N [hɛk] ⟨~(e)s; ~e *od* ~s⟩ *von Schiff* stern; *von Flugzeug* tail; *von Auto* rear (*a. zssgn*)

Hecke F ['hɛkə] ⟨~; ~n⟩ hedge

'Heckenschütze M sniper

'Heckklappe F tailgate **'Heckmotor** M rear engine **'Heckscheibe** F rear window **'Heckscheibenheizung** F rear-window defroster **'Heckscheibenwischer** M rear (-window) wiper

Heer N [he:r] ⟨~(e)s; ~e⟩ MIL army; *fig a.* host

Hefe F ['he:fə] ⟨~; ~n⟩ yeast

'Hefeteig M yeast dough

Heft N [hɛft] ⟨~(e); ~e⟩ notebook; *Schulheft* exercise book; *dünnes Buch* booklet; *Ausgabe* issue, number

'heften VT fix, fasten (**an** to); *mit Nadeln, Reißzwecken* pin (**an** to); *Saum, Naht* tack, baste; *Blätter* stitch

'Hefter M ⟨~s; ~⟩ stapler; *Ordner* file

heftig ['hɛftɪç] **A** ADJ *Sturm, Angriff* violent; *Streit, Kritik* fierce; *Regen, Schlag* heavy; *sl: sehr gut* brilliant **B** ADV *sich streiten* fiercely; *regnen etc* heavily

'Heftklammer F staple **'Heftpflaster** N plaster, *US* Band Aid®

'Hehler(in) ['he:lər(ɪn)] M ⟨~s; ~⟩ (F) ⟨~in; ~innen⟩ receiver (of stolen goods)

Hehlerei F [he:lə'rai] ⟨~; ~en⟩ receiving (stolen goods)

Heide F ['haidə] ⟨~; ~n⟩ BOT heath

'heidnisch ADJ heathen

heikel ADJ ['haikəl] ⟨-kl-⟩ delicate, tricky; *umg: Person* fussy

heil ADJ [hail] *Person* unhurt, unharmed; *Sache* undamaged, intact; **wieder ~ sein** be* ok again

'Heilbad N health resort, spa

'heilbar ADJ curable

'heilen **A** VT cure **B** VI ⟨s⟩ heal

'Heilgymnastik F physiotherapy

heilig ADJ ['hailɪç] holy; *Gott geweiht* sacred (*a. fig*); **der ~e Martin** Saint Martin

Heilig'abend M Christmas Eve

'Heilige(r) M/F(M) ⟨~n; ~n⟩ saint
'Heilkraft F healing *od* curative power
'Heilkraut N medicinal herb
'heillos ADJ *fig: Durcheinander* hopeless
'Heilmittel N remedy, cure (*beide a. fig*)
'Heilpraktiker(in) M ⟨~s; ~⟩ (F) ⟨~in; ~innen⟩ nonmedical practitioner
'heilsam ADJ *fig* salutary
'Heilsarmee F Salvation Army
'Heilung F ⟨~; ~en⟩ cure; *von Krankheit, Kranken* curing; *von Wunde* healing
heim ADV [haim] home
Heim N ⟨~(e)s; ~e⟩ home; *für Jugendliche, Obdachlose a.* hostel
'Heim- ZSSGN *Computer, Spiel etc* home
'Heimarbeit F outwork **'Heimarbeiter(in)** M(F) outworker
Heimat F ['haima:t] ⟨~⟩ home; *Land* home country; *Stadt* home town; **in der/meiner ~** at home
'Heimatanschrift F home address
'Heimathafen M home port **'heimatlos** ADJ homeless **'Heimatort** M home town *od* village **'Heimatstadt** F home town **'Heimatvertriebene(r)** M/F(M) ⟨~n; ~n⟩ displaced person
'heimbringen V/T ⟨*irr*⟩ *j-n* take* *od* see* home **'heimgehen** V/I ⟨*irr*, s⟩ go* home
'heimisch ADJ local; *Tiere, Pflanzen* native (**in** to); *Gefühl* homelike, *US* hom(e)y; **sich ~ fühlen** feel* at home
'Heimkehr F ⟨~⟩ return (home)
'heimkehren V/I ⟨s⟩ return home, come* back **'heimkommen** V/I ⟨*irr*, s⟩ come* *od* return home
'heimlich **A** ADJ secret **B** ADV *heiraten etc* secretly
'Heimlichkeit F ⟨~; ~en⟩ secrecy; **~en** *pl* secrets *pl*
'Heimreise F journey home
'heimtückisch **A** ADJ malicious; *Krankheit* insidious; *Mord* treacherous **B** ADV maliciously; *ermorden* treacherously
'heimwärts ADV homewards, *US a.* homeward **'Heimweg** M way home
'Heimweh N homesickness; **~ haben** be* homesick (**nach** for) **'Heimwerker(in)** M ⟨~s; ~⟩ (F) ⟨~in; ~innen⟩ DIY enthusiast
Heirat F ['haira:t] ⟨~; ~en⟩ marriage
'heiraten **A** V/I get* married, marry **B** V/T marry, get* married to
'Heiratsantrag M proposal (of marriage); **j-m e-n ~ machen** propose to sb **'Heiratsschwindler(in)** M(F) *person who makes spurious marriage proposal for purposes of fraud*
heiser ['haizər] **A** ADJ hoarse **B** ADV *sprechen* in a hoarse voice
'Heiserkeit F ⟨~⟩ hoarseness
heiß [hais] **A** ADJ *Wetter, Thema, Tipp* hot; *Liebesaffäre* passionate; *Diskussion, Kampf* fierce; **mir ist ~** I'm *od* I feel hot **B** ADV *diskutieren etc* passionately; **~ umstritten** extremely controversial
heißen V/I ['haisən] ⟨hieß, geheißen⟩ be* called; *bedeuten* mean*; **wie heißt du?** what's your name?; **ich heiße Theresa** my name's Theresa; **wie heißt das?** what's that called?, what do you call that?; **was heißt ... auf Englisch?** what's the English for ...?; **es heißt im Text ...** it says in the text ...; **das heißt** that is (*abk* **d. h.** i. e.)
heiter ADJ ['haitər] cheerful; *Film, Geschichte etc* amusing; *Wetter, Tag* fine; **aus ~em Himmel** *fig* out of the blue
'Heiterkeit F ⟨~⟩ cheerfulness; *Belustigung* amusement
'heizen **A** V/T heat **B** V/I have* the heating on; ⟨s⟩ *sl: schnell fahren* put* one's foot down; **mit Gas/mit Öl/elektrisch ~** have* gas/oil-fired/electric heating; **mit Kohle ~** burn* coal
'Heizkessel M boiler **'Heizkörper** M radiator **'Heizkraftwerk** N thermal power station **'Heizmaterial** N fuel **'Heizöl** N fuel oil
'Heizung F ⟨~; ~en⟩ heating; *Heizkörper* radiator
Held M [hɛlt] ⟨~en; ~en⟩ hero
'heldenhaft ADJ heroic
'Heldin F ⟨~; ~nen⟩ heroine
helfen V/I ['hɛlfən] ⟨half, geholfen⟩ help; **j-m bei etw ~** help sb with sth; **~ gegen** *Mittel etc* be* good for; **er weiß sich zu ~** he can manage *od* cope; **es hilft nichts** it's no use
'Helfer(in) M ⟨~s; ~⟩ (F) ⟨~in; ~innen⟩ helper; *Mitarbeiter* assistant
'Helfershelfer(in) M(F) accomplice
Helgoland N ['hɛlgolant] ⟨~s⟩ Heligoland
hell [hɛl] **A** ADJ *Licht, Himmel, Zimmer*

bright; *Farbe* light; *Kleidung* light-coloured, *US* light-colored; *Klang* clear; *fig*: *intelligent* bright; **~es Bier** *etwa* lager, *US* beer; **es wird schon ~** it's getting light already; **der ~e Wahnsinn** absolute madness **B** ADV *scheinen etc* brightly
'hellblau ADJ light blue **'hellblond** ADJ very fair
'hellhörig ADJ **das Haus ist sehr ~** you can hear everything in this house; **er wurde ~** he pricked up his ears **'Hellseher(in)** M ⟨~s; ~⟩ F ⟨~in; ~innen⟩ clairvoyant
Helm M [hɛlm] ⟨~(e)s; ~e⟩ helmet

Hemd N [hɛmt] ⟨~(e)s; ~en⟩ shirt; *Unterhemd* vest, *US* undershirt
Hemisphäre F [hɛmi'sfɛːrə] ⟨~; ~n⟩ hemisphere
hemmen VT ['hɛmən] *Bewegung, Lauf etc* check; *Fortschritt etc* hamper
'Hemmung F ⟨~; ~en⟩ inhibition; *moralische* scruple
'hemmungslos **A** ADJ uninhibited; *moralisch* unscrupulous **B** ADV *weinen etc* uninhibitedly; *moralisch* unscrupulously
Hengst M [hɛŋst] ⟨~es; ~e⟩ stallion
Henkel M ['hɛŋkəl] ⟨~s; ~⟩ handle
Henne F ['hɛnə] ⟨~; ~n⟩ hen
her ADV [heːr] *hierher* here; **~ damit!** give me that!; **vom Inhalt** *etc* **~** as far as the content *etc* is concerned; → her sein
herab ADV [hɛ'rap] down; **die Treppe ~** down the stairs, downstairs
he'rablassen VR ⟨*irr*⟩ **sich dazu ~, etw zu tun** *fig* condescend to do sth **he'rablassend** **A** ADJ condescending **B** ADV *behandeln etc* condescendingly **he'rabsehen** VI ⟨*irr*⟩ **~ auf** *fig* look on **he'rabsetzen** VT reduce; *fig* disparage
heran ADV [hɛ'ran] **~ an** close *od* near to; *mit Bewegung* up to
He'ranführungshilfen PL *der EU* pre-accession aid *sg* **He'ranführungsstrategie** F *der EU* pre-accession strategy **he'rangehen** VI ⟨*irr*, s⟩ **~ an** go* up to; *fig*: *Aufgabe, Problem etc* set* about **he'rankommen** VI ⟨*irr*, s⟩ **~ an** *mit der Hand* be* able to reach; *bekommen* get* hold of; *fig*: *leistungsmäßig* be* able to compare with **he'ranwachsen** VI ⟨*irr*, s⟩ grow* up (**zu** into) **He'ranwachsende(r)** M/F(M) ⟨~n; ~n⟩ adolescent
herauf ADV [hɛ'rauf] up; **die Treppe ~** up the stairs, upstairs
he'raufbeschwören VT ⟨*irr, kein ge*⟩ call up; *verursachen* cause, provoke **he'raufkommen** VI ⟨*irr*, s⟩ come* up
heraus ADV [hɛ'raus] out; **aus … ~** *fig* as a result of …; **zum Fenster ~** out of the window; **~ mit der Sprache!** out with it!
he'rausbekommen VT ⟨*irr, kein ge*⟩ get* out; *Geld* get* back; *Geheimnis* find* out; *Lösung* work out **he'rausbringen** VT ⟨*irr*⟩ bring* out (*a. Produkt, Buch etc*); *Theaterstück* stage; **er konnte kein Wort ~** he couldn't say a word **he'rausfinden** ⟨*irr*⟩ **A** VT *Lösung o. Ä.* find*; *fig* find* out, discover **B** VI find* one's way out **He'rausforderer** M ⟨~s; ~⟩, **He'rausforderin** F ⟨~; ~nen⟩ challenger **he'rausfordern** VT challenge; *provozieren* provoke **He'rausforderung** F challenge; *Provokation* provocation
he'rausgeben VT ⟨*irr*⟩ *zurückgeben* give* back; *ausliefern* give* up; *Buch, Zeitung* publish; *als Bearbeiter* edit; *Vorschriften* issue; **j-m drei Euros ~** *Wechselgeld* give* sb three euros change; **j-m auf zwanzig Euro ~** give* sb change for twenty euros
He'rausgeber(in) M ⟨~; ~⟩ F ⟨~in; ~innen⟩ publisher; *Bearbeiter* editor
he'raushalten VT ⟨*irr*⟩ **sich aus etw ~** keep* out of sth **he'rauskommen** VI ⟨*irr*, s⟩ come* out; *von Buch a.* be* published; *von Briefmarken* be* issued; **~ aus** come* out of; *wegkommen* get* out of; **groß ~** *umg* be* a big success **he'rausnehmen** VT ⟨*irr*⟩ take* out (**aus** of); *Spieler* take* off; **sich Freiheiten ~** take* liberties **he'rausreden** VR make* excuses; *erfolgreich* talk one's way out **he'rausstellen** VT put* out; *fig* emphasize; **sich ~ als** turn out to be **he'raussuchen** VT pick out; **j-m etw ~** find* sb sth **he'rausziehen** VT ⟨*irr*⟩ pull out; *Zahn a.* extract
herb ADJ [hɛrp] *Geschmack* tart; *Wein etc* dry; *fig* harsh; *Enttäuschung* bitter
her'beiführen VT *fig* bring* about
Herberge F ['hɛrbɛrgə] ⟨~; ~n⟩ *Jugendherberge* youth hostel

'Herbergsmutter F, **'Herbergsvater** M warden
Herbst M [hɛrpst] ⟨~es; ~e⟩ autumn, *US a.* fall
'herbstlich ADJ autumn(al), *US a.* fall
Herd M [he:rt] ⟨~(e)s; ~e⟩ stove, *Br a.* cooker; *fig* centre, *US* center; MED focus, seat
Herde F ['he:rdə] ⟨~; ~n⟩ *Viehherde, Schweineherde etc* herd (*a. fig pej*); *Schafherde, Gänseherde etc* flock
herein ADV [hɛ'rain] in; **~!** come in!
he'reinbrechen V/I ⟨*irr*, s⟩ *fig*: *von Nacht* fall*; **~ über** *Unglück etc* befall*
he'reinfallen V/I ⟨*irr*, s⟩ **auf j-n ~** *fig* be* taken in by sb; **auf einen Trick ~** *fig* fall* for a trick **he'reinkommen** V/I ⟨*irr*, s⟩ come* in **he'reinlegen** V/T **j-n ~** take* sb for a ride
'Herfahrt F **auf der ~** on the way here
'herfallen V/I ⟨*irr*, s⟩ **~ über** attack (*a. fig*: *Essen*); *umg*: *kritisieren* pull to pieces
'Hergang M ⟨~(e)s⟩ **j-m den ~ schildern** tell* sb what happened
'hergeben V/T ⟨*irr*⟩ *weggeben* give* away; **gib sofort das Buch her!** hand that book over immediately!; **sich ~ für** lend* o.s. to; **das Thema gibt nicht viel her** *umg* there's not much to this topic
Hering M ['he:rɪŋ] ⟨~s; ~e⟩ herring
'herkommen V/I ⟨*irr*, s⟩ come* here; **wo kommst du her?** where do you come from? **herkömmlich** ADJ ['he:rkœmlɪç] conventional (*a.* MIL) **Herkunft** F ['he:rkʊnft] ⟨~⟩ origin; **er ist Schweizer ~** he's of Swiss origin **'Herkunftsland** N country of origin **'Herkunftslandprinzip** N → Ursprungslandprinzip
Heroin N [hero'i:n] ⟨~s⟩ heroin
Herr M [hɛr] ⟨~(e)n; ~en⟩ gentleman; *Besitzer, Gebieter* master; **der ~** REL the Lord; **~ Lang** Mr Lang; **Sehr geehrter ~ Lang** *in Briefen* Dear Mr Lang; **~ Lang!** *zu Lehrer* sir!; **~ der Lage** master of the situation
'Herrenbekleidung F menswear **'Herrenfriseur(in)** M(F) men's hairdresser; *Mann a.* barber **'herrenlos** ADJ abandoned; *Tier* stray **'Herrenmode** F men's fashions *pl* **'Herrentoilette** F men's toilet *od US* restroom, *Br a.* gents *sg*
'herrichten V/T *vorbereiten* get* ready; **sich ~** *gut anziehen* get* dressed up; *sich schminken* put* on one's make-up
'herrlich ADJ wonderful
Herrschaft F ['hɛrʃaft] ⟨~; ~en⟩ rule; *Macht* power; *Kontrolle* control (**über** of); *von König* reign; **die ~ verlieren über** lose* control of
herrschen V/I ['hɛrʃən] rule (**über** over); **es herrschte Frieden** there was peace; **unter den ~den Bedingungen** under the (prevailing) circumstances
'Herrscher(in) M ⟨~s; ~⟩ (F) ⟨~in; ~innen⟩ ruler; *König* sovereign, monarch
'herrschsüchtig ADJ domineering, *umg* bossy
'herrühren V/I **~ von** come* from, be* due to
'her sein V/I ⟨*irr*, s⟩ **das ist lange her** that was a long time ago
'herstellen V/T make*, produce; *industriell a.* manufacture; *fig* establish
'Hersteller M ⟨~s; ~⟩ manufacturer, maker
'Herstellung F production; *fig* establishment
'Herstellungskosten PL production costs *pl*
herüber ADV [hɛ'ry:bər] over **he'rüberkommen** V/I ⟨*irr*, s⟩ come* over
herum ADV [hɛ'rʊm] around; *im Kreis* round; **nach links ~** round to the left; **um ... ~** around ... (*a. ungefähr*); **anders ~** *umg* the other way round
he'rumführen V/T **j-n (in der Stadt** *etc*) **~** show* sb (a)round (the town *etc*) **he'rumgehen** V/I ⟨*irr*, s⟩ walk around (**um etw** sth); *von Gerücht* go* around; **etw ~ lassen** pass sth around **he'rumhängen** V/I ⟨*irr*⟩ *umg* hang* out **he'rumkommen** V/I ⟨*irr*, s⟩ (**weit** *od* **viel**) **~** get* around; **um etw ~** *fig* get* (a)round sth **he'rumkriegen** V/T **j-n ~, etw zu tun** *umg* talk sb round to doing sth, get* sb to do sth **he'rumlaufen** V/I ⟨*irr*, s⟩ *umg* walk around **he'rumlungern** V/I [-lʊŋərn] *umg* hang* around **he'rumreichen** V/T pass *od* hand round **he'rumschlagen** V/R ⟨*irr*⟩ **sich mit einem Problem ~** *umg* have* a problem to sort out **he'rumsitzen** V/I ⟨*irr*⟩ *umg* sit* around **he-**

H

'rumsprechen VR ⟨irr⟩ get* around **he'rumtreiben** VR ⟨irr⟩ *umg* hang* around

He'rumtreiber(in) M ⟨~s; ~⟩ (F) ⟨~in; ~innen⟩ tramp

herunter ADV [hɛ'rʊntər] down; **die Treppe ~** down the stairs, downstairs

he'runterfahren VT ⟨irr⟩ IT shut* down **he'runtergekommen** ADJ *Gegend, Viertel* run-down; *Person* down-at-heel **he'runterladen** VT ⟨irr⟩ IT download **he'runterspielen** VT *fig* play down

H

hervor ADV [hɛr'fo:r] out; **aus ... ~** out of ...

her'vorbringen VT ⟨irr⟩ produce (*a. fig*); *Früchte* yield; *Wort* utter **her'vorgehen** VI ⟨irr, s⟩ **es geht aus dem Brief hervor, dass ...** it can be seen from the letter that ...; **als Sieger aus etw ~** emerge victorious from sth **her'vorheben** VT ⟨irr⟩ *fig* emphasize, stress **her'vorragend** *fig* **A** ADJ outstanding, excellent; *Persönlichkeit* prominent **B** ADV *spielen etc* excellently **her'vortun** VR ⟨irr⟩ distinguish o.s. (**als** as)

Herz N [hɛrts] ⟨~ens; ~en⟩ heart (*a. fig*); *Spielkartenfarbe* hearts *pl*; *Einzelkarte* heart; **j-m das ~ brechen** break* sb's heart; **sich ein ~ fassen** take* heart; **mit ganzem ~en** whole-heartedly; **schweren ~ens** with a heavy heart; **sich etw zu ~en nehmen** take* sth to heart; **es nicht übers ~ bringen, etw zu tun** not have* the heart to do sth; **etw auf dem ~en haben** have* sth on one's mind; **j-n ins ~ schließen** take* sb to one's heart

'Herzanfall M MED heart attack

'Herzenslust F **nach ~** to one's heart's content **'Herzenswunsch** M dearest wish

'Herzfehler M heart defect

'herzhaft **A** ADJ hearty **B** ADV *lachen etc* heartily

'herzig ADJ sweet, lovely

'Herzinfarkt M [-ɪnfarkt] ⟨~(e)s; ~e⟩ heart attack **'Herzklopfen** N ⟨~s⟩ palpitations *pl*; **er hatte ~ (vor ...)** his heart was pounding (with ...) **'herzkrank** ADJ **er ist ~** he has a heart condition

'herzlich **A** ADJ *Empfang, Lächeln* warm, friendly; *Worte* kind **B** ADV **~ gern** with pleasure; **~ empfangen werden** get* a warm welcome

'herzlos **A** ADJ heartless **B** ADV *handeln* heartlessly

Herzog(in) ['hɛrtso:k (-o:gɪn)] M ⟨~s; Herzöge⟩ (F) ⟨~in; ~innen⟩ duke; *Frau* duchess

'Herzschlag M heartbeat; *Herzversagen* heart failure **'Herzschrittmacher** M pacemaker **'Herztransplantation** F heart transplant **'Herzversagen** N MED heart failure **'herzzerreißend** ADJ heartrending

Hessen N ['hɛsən] ⟨~s⟩ Hesse

'hessisch ADJ Hessian

Hetze F ['hɛtsə] ⟨~; ~n⟩ hurry, rush; *Aufhetzung* agitation (**gegen** against); *gegen Politiker etc* smear campaign (**gegen** against)

'hetzen **A** VT rush; *verfolgen* hunt, chase; **e-n Hund auf j-n ~** set* a dog on sb **B** VI ⟨s⟩ *eilen* hurry, rush; ⟨h⟩ POL *etc* stir up hatred (**gegen** against)

Heu N [hɔy] ⟨~(e)s⟩ hay

Heuche'lei F ⟨~; ~en⟩ hypocrisy

heucheln ['hɔyçəln] **A** VI be* hypocritical **B** VT feign

'Heuchler(in) M ⟨~s; ~⟩ (F) ⟨~in; ~innen⟩ hypocrite

'heuchlerisch ADJ hypocritical

heuern VT ['hɔyərn] SCHIFF hire

heulen VI ['hɔylən] howl; *umg: weinen* bawl; *von Motor* roar; *von Sirene* wail

'Heuschnupfen M hay fever **'Heuschrecke** F ⟨~; ~n⟩ grasshopper; *schädliche* locust

heute ADV ['hɔytə] today; **~ Abend** this evening, tonight; **~ früh, ~ Morgen** this morning; **~ in acht Tagen** a week from now, *Br a.* today week; **~ vor acht Tagen** a week ago today

'heutig ADJ **die ~e Zeitung/Generation** *etc* today's paper/generation *etc*; **das ~e Deutschland** present-day Germany, Germany today

'heutzutage ADV nowadays, these days

Hexe F ['hɛksə] ⟨~; ~n⟩ witch (*a. fig*); **alte ~** *umg* (old) hag

'Hexenschuss M lumbago

Hieb M [hi:p] ⟨~(e)s; ~e⟩ blow; *Fausthieb a.* punch; *Peitschenhieb a.* lash; **~e** *pl* beating *sg*, thrashing *sg*

hier ADV [hiːr] here; *anwesend* present; **~ draußen** out here; **~ entlang!** this way!

'hie'ran ADV here; *hängen, kleben etc* on this; **~ ist kein Zweifel möglich** there can be no doubt about this

Hierarchie F [hierar'çiː] ⟨~; ~n⟩ hierarchy

'hie'rauf ADV on this; *zeitlich* then; *daraufhin* hereupon; **~ bezieht sich ihre Kritik** this is what she's critical of

'hie'raus ADV from this (*a. fig*)

'hier'bei ADV *in diesem Fall* here, in this case; *bei dieser Gelegenheit* on this occasion

'hierbleiben V/I ⟨*irr*, s⟩ stay here

'hier'durch ADV *dadurch* because of this; *hiermit* hereby

'hier'für ADV for this

'hier'her ADV here; **bis ~** up to here; **bis ~ und nicht weiter!** that's enough!

'hier'hin ADV here; **bis ~** up to here

'hie'rin ADV in this (*a. fig*)

'hier'mit ADV with this; *hierdurch* hereby

'hier'nach ADV after this; *demzufolge* according to this

'hie'rüber ADV *örtlich* over here; *über dieses Thema* about this

'hie'runter ADV under here; *dazwischen* among these; *verstehen* by this

'hier'von ADV *von diesem Gegenstand* of this; *von dieser Menge* of these; *hierüber* about this

'hier'zu ADV *zu diesem Zweck* for this; *dazu* to this; *zu diesem Punkt* about this

hiesig ADJ ['hiːzɪç] local

Hilfe F ['hɪlfə] ⟨~; ~n⟩ help; *Beistand* aid (*a.* WIRTSCH), assistance (*a.* MED); *bei Katastrophen* relief; **Erste ~** first aid; **um ~ rufen** call for help; **~!** help!; **j-m zu ~ kommen** come* to sb's assistance; → mithilfe

'Hilfemenü N IT help menu **'Hilferuf** M call for help **'Hilfestellung** F support

'hilfIos **A** ADJ helpless (**gegenüber** in the face of) **B** ADV *zusehen etc* helplessly

'hilfreich ADJ helpful

'Hilfsaktion F relief action **'Hilfsarbeiter(in)** M(F) unskilled worker

'hilfsbedürftig ADJ **~ sein** be* in need of help; *Not leidend* be* needy

'hilfsbereit ADJ helpful **'Hilfsbereitschaft** F readiness to help, helpfulness **'Hilfsmittel** N aid (*a.* TECH) **'Hilfsorganisation** F relief organization

Himbeere F ['hɪm-] ⟨~; ~n⟩ raspberry

Himmel M ['hɪməl] ⟨~s; ~⟩ sky; REL, *fig* heaven; **am ~** in the sky; **~ und Hölle** *Kinderspiel* hopscotch; **um ~s willen** for heaven's sake; **unter freiem ~** out of doors

'Himmelfahrt F Ascension Day

'Himmelsrichtung F direction; *vom Kompass* cardinal point

'himmlisch ADJ heavenly; *fig a.* wonderful

hin ADV [hɪn] there; **bis ~ zu** as far as; **bis Weihnachten ist es noch lange ~** Christmas is still a long way off; **auf s-e Bitte ~** at his request; **auf s-n Rat ~** on his advice; **~ und her** to and fro, back and forth; **~ und wieder** now and then; **~ und zurück** there and back; **zweimal Köln ~ und zurück** two returns to Cologne, *US* two round-trip tickets to Cologne; → hin sein

hinab ADV [hɪ'nap] down; **die Treppe ~** downstairs, down the stairs; **die Straße** *etc* **~** down the road *etc*

'hinarbeiten V/I **~ auf** work towards

hinauf ADV [hɪ'nauf] up; **die Treppe ~** upstairs, up the stairs; **die Straße** *etc* **~** up the street *etc*

hi'naufgehen V/I ⟨*irr*, s⟩ go* up; *fig: mit Preisen etc a.* rise*

hinaus ADV [hɪ'naus] out; **aus … ~** out of …; **in … ~** out into …; **auf Jahre ~** for years (to come); **~ (mit dir)!** (get) out!, out you go!

hi'nausgehen V/I ⟨*irr*, s⟩ go* out (**aus** of); **~ über** go* beyond; **~ auf** *von Fenster, Zimmer* look out onto **hi'nauslaufen** V/I ⟨*irr*, s⟩ run* out (**aus** of); **~ auf** come* *od* amount to **hi'nausschieben** V/T ⟨*irr*⟩ put* off, postpone **hi'nauswerfen** V/T ⟨*irr*⟩ throw* out (**aus** of); *fig a.* kick out; *entlassen* sack, fire

hi'nauswollen V/I **auf etw ~** aim at sth; *mit Worten* drive* *od* get* at sth; **hoch ~** aim high

'Hinblick M **im ~ auf** *wegen* in view of; *hinsichtlich* with regard to

'hinbringen V/T ⟨*irr*⟩ take* there

hinderlich ADJ ['hɪndərlɪç] **j-m ~ sein**

get* in sb's way
'hindern VT **j-n (daran) ~, etw zu tun** prevent sb from doing sth
'Hindernis N ⟨~ses; ~se⟩ obstacle (*a. fig*)
Hindu M ['hɪndu] ⟨~(s); ~(s)⟩ Hindu
Hindu'ismus M ⟨~⟩ Hinduism
hin'durch ADV through; **das ganze Jahr** *etc* **~** throughout the year *etc*
hinein ADV [hɪ'nain] in; **~ mit dir!** in you go!; **bis tief in die Nacht ~** well into the night
hi'neingehen VI ⟨*irr*, s⟩ go* in; **~ in** go* into
'Hinfahrt F journey out **'hinfallen** VI ⟨*irr*, s⟩ fall* (down) **'hinfällig** ADJ *Person* frail; *ungültig* invalid **'hingerissen** ADJ **völlig ~ sein** be* absolutely captivated **'hingucken** VI *umg* look; **zu j-m ~** look at sb; **wo guckst du denn wieder hin!** what are you looking at!
Hingucker M ['hɪngʊkər] ⟨~s; ~⟩ *umg* eye-catcher **'hinhalten** VT ⟨*irr*⟩ *Gegenstand* hold* out; **j-n ~** put* sb off
hinken VI ['hɪŋkən] ⟨h *od mit Bewegung* s⟩ limp
'hinkommen VI ⟨*irr*, s⟩ get* there; **wo kommen die Tassen hin?** where do the cups go?; **das kommt ungefähr hin** *umg* that's more or less right
'hinkriegen VT *umg* manage; **kriegst du das wieder hin?** *bei Reparatur* can you fix it?
'hinlänglich ADV *informiert* sufficiently
'hinlegen VT put* down; **sich ~** lie* down
'hinnehmen VT ⟨*irr*⟩ *ertragen* put* up with
'Hinreise F journey out
'hinreißen VT ⟨*irr*⟩ **sich dazu ~ lassen, etw zu tun** get* carried away and do sth
'hinreißend ADJ captivating
'hinrichten VT execute
'Hinrichtung F execution
'hin sein VI ⟨*irr*, s⟩ *umg*: *kaputt* have* had it; *umg*: *erschöpft* be* done in
'hinsetzen VT put* down; **sich ~** sit* down
'Hinsicht F **in dieser/jeder ~** in this/every respect; **in vieler ~** in many respects; **in gewisser ~** in a way
'hinsichtlich PRÄP ⟨*gen*⟩ with regard to
'hinstellen VT *abstellen* put* (down); **j-n/etw ~ als** make* sb/sth out to be
hinten ADV ['hɪntən] at the back; *im Auto etc* in the back; **von ~** from behind
hinter PRÄP ['hɪntər] ⟨*akk od dat*⟩ behind; **~ j-m her sein** be* after sb; **er ist ~ ihrem Geld her** he's after her money; **etw ~ sich bringen** get* sth over with
'Hinter- ZSSGN *Eingang, Reifen* rear
Hinterbliebene(r) M/F(M) [hɪntər'bli:bənə(r)] ⟨~n; ~n⟩ **der/die ~** the surviving dependant; **die ~n** the bereaved *pl*; JUR the surviving dependants *pl*
hinterei'nander ADV *räumlich* one behind the other; **dreimal ~** three times in a row; **drei Wochen ~** for three weeks on end
'Hintergedanke M ulterior motive
hinter'gehen VT ⟨*irr, kein ge*⟩ deceive
'Hintergrund M background (*a. fig*)
hinterhältig ADJ ['hɪntərhɛltɪç] devious, underhanded **'Hinterhaus** N building at the rear **hinter'her** ADV behind; *zeitlich* afterwards **'Hinterhof** M backyard **'Hinterkopf** M back of the head **'Hinterland** N hinterland
hinter'lassen VT ⟨*irr, kein ge*⟩ *Fingerabdrücke, Frau u. Kinder* leave* behind; *Eindruck, Nachricht* leave*; **j-m etw ~** leave* sth to sb
Hinter'lassenschaft F ⟨~; ~en⟩ estate
hinter'legen VT ⟨*kein ge*⟩ leave* (**bei** with)
'Hinterlist F deceit(fulness); *Trick* trick
'hinterlistig ADJ deceitful
'Hintermann M ⟨*pl* Hintermänner⟩ **mein ~** the person behind me; *Auto* the car behind me; **die Hintermänner des Anschlags** *etc* the people behind the attack *etc*
'Hintern M ⟨~s; ~⟩ *umg* bottom, behind
hinterrücks ADV ['hɪntərrʏks] from behind
'Hinterseite F back **'Hinterteil** N *umg* bottom, behind **'Hintertreppe** F back stairs *pl* **'Hintertür** F back door
hinter'ziehen VT ⟨*irr, kein ge*⟩ *Steuern* evade
hinüber ADV [hɪ'ny:bər] over
hi'nüber sein VI ⟨*irr*, s⟩ *umg*: *kaputt* have* had it; *verdorben* have* gone off
hinunter ADV [hɪ'nʊntər] down; **die**

Treppe ~ downstairs, down the stairs; **die Straße ~** down the road **hi'nuntergehen** VI & VT ⟨*irr*, s⟩ go* down; **die Treppe ~** *a.* go* downstairs
Hinweg M ['hınve:k] way there
hinwegkommen VI [hın'vɛk-] ⟨*irr*, s⟩ **über etw ~** get* over sth **hin'wegsehen** VI ⟨*irr*⟩ **über etw ~** *fig* ignore sth
Hinweis M ['hınvais] ⟨~es; ~e⟩ *Verweis* reference (**auf** to); *Wink* tip (**auf** as to); *Anzeichen* indication (**auf** of)
'hinweisen ⟨*irr*⟩ **A** VT **j-n auf etw ~** point sth out to sb **B** VI **~ auf** point to; *fig a.* indicate
'Hinweisschild N, **'Hinweistafel** F sign
'hinwerfen VT ⟨*irr*⟩ throw* down; **alles ~** *umg: aufgeben* pack it all in
'hinziehen VR ⟨*irr*⟩ extend, stretch (*bis da* **bis zu** to); *zeitlich* drag on
hin'zufügen VT add (*dat*, **zu** to) (*a. fig*)
hin'zukommen VI ⟨*irr*, s⟩ *ankommen* come* along; *hinzugefügt werden* be* added; **hinzu kommt, dass ...** add to this ..., and what's more ... **hin'zuziehen** VT ⟨*irr*⟩ *Arzt, Experten etc* call in, consult
Hirn N [hırn] ⟨~(e)s; ~e⟩ brain; *fig* brains *pl*
'hirnrissig ADJ *umg* crazy
hissen VT ['hısən] hoist
Historiker(in) [hıs'to:rıkər(ın)] M ⟨~s; ~⟩ (F) ⟨~in; ~innen⟩ historian
his'torisch **A** ADJ historical; *von geschichtlicher Bedeutung* historic **B** ADV *belegt etc* historically
Hit M [hıt] ⟨~(s); ~s⟩ hit
'Hitliste F charts *pl*
Hitze F ['hıtsə] ⟨~⟩ heat
'Hitzewelle F heat wave
'hitzig ADJ *Typ, Charakter* hot-tempered; *Debatte* heated
'Hitzkopf M hothead **'Hitzschlag** M heatstroke
HIV-'negativ ADJ [ha:ʔi:fau-] HIV-negative **HIV-'positiv** ADJ HIV-positive
H-Milch F ['ha:-] long-life milk
Hobby N ['hɔbi] ⟨~s; ~s⟩ hobby
'Hobby- ZSSGN amateur ...
Hobel M ['ho:bəl] ⟨~s; ~⟩ plane; *Küchengerät* slicer
hoch [ho:x] ⟨höher, höchste⟩ **A** ADJ high; *Baum, Haus etc* tall; *Strafe* heavy, severe; *Gast* distinguished; *Alter* great; *Schnee* deep; *Summe* large; *Beamte* high-ranking; **10 ~ 4** 10 to the power of 4; **in hohem Maße** highly, greatly; **Hoher Vertreter** *EU* High Representative; **das ist mir zu ~** *fig* that's above my head **B** ADV high; *sehr* highly; **3000 Meter ~** *fliegen etc* 3,000 metres up; **~ verschuldet** heavily in debt; **j-m etw ~ und heilig versprechen** promise sb sth solemnly; **Klaus lebe ~!** three cheers for Klaus!; **20, wenn es ~ kommt** *umg* 20 at the most
Hoch[1] N ⟨~s; ~s⟩ METEO high (*a. fig*)
Hoch[2] N ⟨~s; ~s⟩ **ein dreifaches ~ auf ...!** three cheers for ...!
'Hochachtung F great respect (**vor** for)
'hochachtungsvoll ADV *an Briefende* Yours sincerely
'Hochbau M **Hoch- und Tiefbau** structural and civil engineering **'hochbegabt** ADJ highly gifted **'Hochbetrieb** M **in den Geschäften herrscht ~** *umg* it's very busy in the shops
'hochdeutsch ADJ standard German
'Hochdruck M high pressure (*a. fig*); **mit ~ arbeiten** *umg* work at full stretch (**an** on) **'Hochdruckgebiet** N METEO high-pressure area **'Hochebene** F plateau
'hochfahren ⟨*irr*⟩ **A** VI ⟨s⟩ *aus Schlaf* wake* with a start; *erschreckt* start; *wütend* flare up; *umg: in Auto nach Norden fahren, Fahrstuhl* go* up **B** VT COMPUT boot up; *Produktion* increase
'Hochform F **in ~** in top form
'Hochfrequenz F high frequency (*a. zssgn*) **'Hochgebirge** N high mountains *pl*
'hochgehen ⟨*irr*, s⟩ **A** VI *hinaufgehen* go* up; *von Preisen, Vorhang* go* up; *umg: wütend werden* hit* the roof; *umg: von Bombe* go* off; **j-n ~ lassen** *umg: Verbrecher* bust* sb **B** VT **die Treppe ~** go* upstairs
'Hochgenuss M real treat **'hochhackig** ADJ high-heeled **'Hochhaus** N high rise **'hochheben** VT ⟨*irr*⟩ lift
'Hochkonjunktur F WIRTSCH boom
'Hochland N uplands *pl* **'Hochofen** M blast furnace **'hochprozentig** ADJ *Alkohol* high-proof **'Hoch-**

rechnung F projection **'Hochsaison** F high season **'Hochschule** F college; *Universität* university **'Hochseefischerei** F deep-sea fishing **'Hochsommer** M midsummer **'Hochspannung** F high voltage; *fig* great tension

höchst ADV [hø:çst] highly, most, extremely; **~ unwahrscheinlich** highly *od* most unlikely

'Höchst- ZSSGN maximum, top

'Hochstapler(in) M ⟨~s; ~⟩ (F) ⟨~in; ~innen⟩ con man; *Frau* con woman

höchste(r, -s) ADJ ['hø:çstə] highest; *Baum, Haus etc* tallest; *Bedeutung, Freude* greatest; *Gefahr* extreme; **es ist ~ Zeit, dass du in die Schule gehst** it's high time you went to school; **das ~ der Gefühle** the ultimate

'höchstens ADV at most; *außer* except; **~ ein Genie könnte ...** only a genius could ...

'Höchstform F **in ~** in top form **'Höchstgeschwindigkeit** F top speed; *Begrenzung* speed limit; **mit ~** at top speed **'Höchstleistung** F top performance; *von Maschine, bei Produktion* maximum output **'Höchstmaß** N maximum (**an** of) **'Höchstpreis** M maximum price; **zum ~** at the highest price **'Höchststand** M highest level **'höchstwahr'scheinlich** ADV most likely *od* probably

'Hochtechnologie F high technology **'Hochtouren** PL **die Vorbereitungen laufen auf ~** *umg* preparations are running at full steam **'Hochverrat** M high treason **'Hochwasser** N ⟨~s; ~⟩ *von Fluss* high water; *von Meer* high tide; *Überschwemmung* flood; **der Fluss hat ~** the river is swollen; *über die Ufer* the river is in flood **'hochwertig** ADJ high-quality; *Produkt* top-end

Hochzeit F ['hɔxtsait] wedding

'Hochzeits- ZSSGN *Geschenk, Kleid, Tag etc* wedding

'Hochzeitsreise F honeymoon

Hocke F ['hɔkə] ⟨~; ~n⟩ crouch, squat; **in die ~ gehen** crouch *od* squat (down)

'Hocker M ⟨~s; ~⟩ stool

Hoden M ['ho:dən] ⟨~s; ~⟩ testicle

Hof M [ho:f] ⟨~(e)s; Höfe⟩ yard; *Bauernhof* farm; *Innenhof* courtyard; *Fürstenhof* court

hoffen ['hɔfən] **A** VT hope; **das Beste ~** hope for the best; **ich hoffe es** I hope so; **ich will es nicht ~** I hope not **B** VI hope (**auf** for); *zuversichtlich* trust in; **ich hoffe nicht** I hope not

'hoffentlich ADV hopefully; *als Antwort* I hope so; **~ nicht** I hope not

'Hoffnung F ⟨~; ~en⟩ hope (**auf** of); **sich ~en machen** have* hopes; **die ~ aufgeben** give* up hope

'hoffnungslos **A** ADJ hopeless **B** ADV *sich verlaufen etc* hopelessly **'hoffnungsvoll** **A** ADJ hopeful; *vielversprechend* promising **B** ADV *fragen* hopefully

höflich ['hø:fliç] **A** ADJ polite (**zu** to) **B** ADV *bitten etc* politely

'Höflichkeit F ⟨~; ~en⟩ politeness

Höhe F ['hø:ə] ⟨~; ~n⟩ height; FLUG, ASTROL, GEOG altitude *Anhöhe* hill; *Gipfel* peak (*a. fig*); *von Summe, Strafe* amount; *Niveau* level; *Ausmaß* extent; MUS pitch; **auf gleicher ~ mit** level with; **in die ~** up; **ich bin nicht ganz auf der ~** *umg* I'm not feeling quite up to the mark

'Hoheitsgebiet N territory; **~ der EU** EU territory **'Hoheitsgewässer** PL territorial waters *pl* **'Hoheitszeichen** N national emblem

'Höhenangst F vertigo **'Höhenmesser** M ⟨~s; ~⟩ altimeter **'Höhensonne®** F sunlamp, ultraviolet lamp

'Höhepunkt M climax (*a. von Theaterstück, sexuell*); *von Krise, Karriere* height; *von Abend, Veranstaltung, Reise* highlight, high point

'höherschalten VT **etw ~** turn sth up

hohl ADJ [ho:l] hollow (*a. fig*); **mit der ~en Hand** in the hollow of one's hand

Höhle F ['hø:lə] ⟨~; ~n⟩ cave; *von Raubtier* den, lair

'Hohlmaß N measure of capacity

Hohn M [ho:n] ⟨~(e)s⟩ scorn, derision

'höhnisch **A** ADJ scornful; **~es Grinsen** sneer; **~es Gelächter** jeers **B** ADV *lachen etc* scornfully

Holdinggesellschaft F ['ho:ldıŋ-] WIRTSCH holding company

holen VT ['ho:lən] get*, fetch; *abholen* pick up, fetch; *Atem* draw*; *Polizei, ans Telefon* call; **j-n ~ lassen** send* for sb; **sich ~** *Krankheit* catch*, get*; *Rat* seek*

Holland N ['hɔlant] ⟨~s⟩ Holland
Holländer M ['hɔlɛndər] ⟨~s; ~⟩ Dutchman; **er ist ~** he's Dutch; **die ~** *pl* the Dutch *pl*
'Holländerin F ⟨~; ~nen⟩ Dutchwoman; **sie ist ~** she's Dutch
'holländisch ADJ, **'Holländisch** N Dutch; → englisch
Hölle F ['hœlə] ⟨~; ~n⟩ hell; **in die ~ kommen** go* to hell
'Höllen'lärm M **ein ~** a hell of a noise
'höllisch A ADJ infernal; *umg*: *Hitze etc* appalling B ADV *umg*: *sehr* incredibly
holperig ['hɔlpərɪç] A ADJ bumpy; *Sprache* jerky B ADV *sprechen etc* jerkily
Holz N [hɔlts] ⟨~es; Hölzer⟩ wood; *Nutzholz* timber, *US a.* lumber; **aus ~** made of wood, wooden
hölzern ADJ ['hœltsərn] wooden (*a. fig*); *ungeschickt* clumsy
'Holzfäller M ⟨~s; ~⟩ woodcutter, *US a.* lumberjack
'holzig ADJ woody; *Gemüse* stringy
'Holzkohle F charcoal **'Holzweg** M **auf dem ~ sein** *fig* be* barking up the wrong tree **'Holzwurm** M woodworm
Homoehe F ['ho:mo-] *umg* gay marriage, same-sex marriage
homöopathisch ADJ [homøo'pa:tɪʃ] homeopathic
homosexu'ell ADJ homosexual
Homosexu'elle(r) M/F(M) ⟨~n; ~n⟩ homosexual
Hongkong N ['hɔŋkɔŋ] ⟨~s⟩ Hong Kong
Honig M ['ho:nɪç] ⟨~s; ~e⟩ honey
Honorar N [hono'ra:r] ⟨~s; ~e⟩ fee
hono'rieren V/T ⟨*kein ge*⟩ *anerkennen* reward; **j-n ~** pay* (a fee to) sb (**für** for)
Hopfen M ['hɔpfən] ⟨~s; ~⟩ hop; *Brauhopfen* hops *pl*
'hörbar A ADJ audible B ADV *atmen etc* audibly
horchen V/I ['hɔrçən] listen (**auf** to); *heimlich* eavesdrop
Horde F ['hɔrdə] ⟨~; ~n⟩ horde
hören ['hø:rən] A V/T hear*; *Radio, Musik etc* listen to B V/I hear*; *gehorchen* listen; **auf j-n ~** listen to sb; **von j-m ~** hear* from sb; *durch Dritte* hear* about sb; **lass von dir ~!** keep in touch!; **er hört schwer** his hearing is bad; **hör(t) mal!** listen!; *erklärend a.* look (here)!; **nun** *od* **also hör(t) mal!** *Einwand* now look here!
'Hörer M ⟨~s; ~⟩ listener; *Telefonhörer* receiver
'Hörerin F ⟨~; ~nen⟩ listener
'Hörgerät N hearing aid
'hörig ADJ **j-m ~ sein** be* sb's slave
Horizont M [hori'tsɔnt] ⟨~(e)s; ~e⟩ horizon (*a. fig*); **s-n ~ erweitern** broaden one's horizons; **das geht über meinen ~** that's beyond me
horizon'tal A ADJ horizontal B ADV *verlaufen etc* horizontally
Hormon N [hɔr'mo:n] ⟨~s; ~e⟩ hormone
Horn N [hɔrn] ⟨~(e)s; Hörner⟩ horn
Hörnchen N ['hœrnçən] ⟨~s; ~⟩ croissant
'Hornhaut F area of hard skin, callus; *vom Auge* cornea
Horoskop N [horo'sko:p] ⟨~s; ~e⟩ horoscope
Horrorfilm M ['hɔrɔr-] horror film *od US* movie
'Hörsaal M lecture hall **'Hörspiel** N radio play **'Hörweite** F **in/außer ~** within/out of earshot
Hose F ['ho:zə] ⟨~; ~n⟩ trousers *pl*, *US* pants *pl*; **e-e ~** a pair of trousers *od US* pants; **kurze ~** shorts *pl*
'Hosenanzug M trouser *od US* pant suit **'Hosenschlitz** M flies *pl* **'Hosentasche** F trouser *od US* pants pocket **'Hosenträger** PL braces *pl*, *US* suspenders *pl*
Hospiz N [hɔs'pi:ts] ⟨~es; ~e⟩ hospice
Hotel N [ho'tɛl] ⟨~s; ~s⟩ hotel
Ho'telbuchung F hotel reservation **Ho'teldirektor(in)** M(F) hotel manager **Ho'telgewerbe** N hotel industry **Ho'telverzeichnis** N list of hotels **Ho'telzimmer** N hotel room
Hubraum M ['hu:p-] cubic capacity
hübsch [hʏpʃ] A ADJ pretty; *Zimmer, Aussicht* lovely; *umg*: *Summe* tidy B ADV *angezogen etc* nicely
'Hubschrauber M ⟨~s; ~⟩ helicopter
'Hubschrauberlandeplatz M heliport
Huckepackverkehr M ['hʊkəpak-] motorail transport, *US* piggyback transportation
Huf M [hu:f] ⟨~(e)s; ~e⟩ hoof
'Hufeisen N horseshoe

Hüfte F ['hʏftə] ⟨~; ~n⟩ hip
'Hüftgelenk N hip joint **'Hüfthose** F hip huggers *pl*, hipsters *pl*
Hügel M ['hy:gəl] ⟨~s; ~⟩ hill
hügelig ADJ ['hy:gəlɪç] hilly
Huhn N [hu:n] ⟨~(e)s; Hühner⟩ chicken; *Henne* hen
Hühnchen N ['hy:nçən] ⟨~s; ~⟩ chicken; **ein ~ zu rupfen haben** *umg* have* a bone to pick
Hühnerauge N ['hy:nər-] corn **'Hühnerbrühe** F *Suppe* chicken broth; *zum Kochen* chicken stock **'Hühnerei** N hen's egg **'Hühnerfarm** F [-farm] ⟨~; ~en⟩ poultry *od* chicken farm **'Hühnerstall** M henhouse
Hülle F ['hʏlə] ⟨~; ~n⟩ cover; *Buchhülle* jacket; *Plattenhülle* sleeve, *US* jacket; *Schirmhülle* sheath; **in ~ und Fülle** in abundance
Hülse F ['hʏlzə] ⟨~; ~n⟩ TECH case (*a. Patronenhülse*); *Schote* pod; *Getreidehülse* husk
Hülsenfrüchte PL ['-frʏçtə] pulses *pl*
human [hu'ma:n] **A** ADJ humane **B** ADV *behandeln etc* humanely
humanitär ADJ [humani'tɛ:r] humanitarian; **~e Hilfe** humanitarian aid
Humani'tät F ⟨~⟩ humanity
Hu'mankapital N human capital **Hu'manressourcen** PL human resources *pl*
Hummer M ['hʊmər] ⟨~s; ~⟩ lobster
Humor M [hu'mo:r] ⟨~s⟩ humour, *US* humor; **keinen ~ haben** have* no sense of humour
Humorist(in) [humo'rɪst(ɪn)] M ⟨~en; ~en⟩ (F) ⟨~in; ~innen⟩ humorist
hu'morvoll **A** ADJ humorous **B** ADV *schreiben etc* humorously
Hund M [hʊnt] ⟨~(e)s; ~e⟩ dog; *junger Hund* puppy; **fauler ~** *umg* lazy sod
'Hundehütte F kennel, *US* doghouse **'Hundekuchen** M dog biscuit **'Hundeleine** F leash, *Br a.* lead **'hunde'müde** ADJ dog-tired
hundert ADJ ['hʊndərt] a hundred, *betont* one hundred
'Hundert N ⟨~s; ~e⟩ hundred; **~e von** hundreds of; **zu ~en** in their hundreds
'Hundert'jahrfeier F centenary, *US a.* centennial **'hundertjährig** ADJ hundred-year-old; **e-e ~e Entwicklung** a hundred years of development; **das ~e Jubiläum** the centenary **'hundertmal** ADV a hundred times; **~ besser** *umg* miles better **'hundertprozentig** *umg* **A** ADJ one hundred percent; **mit ~er Sicherheit wird er ...** he's guaranteed to ..., it's a dead cert that he'll ... **B** ADV *bestimmt* definitely
'hundertste(r, -s) ADJ hundredth
'hundertstel ADJ ['hʊndərtstəl] ⟨*inv*⟩ **drei ~ Sekunden** three hundredths of a second
'hundert'tausend ADJ a hundred thousand, *betont* one hundred thousand
Hündin F ['hʏndɪn] ⟨~; ~nen⟩ bitch
Hunger M ['hʊŋər] ⟨~s⟩ hunger; **~ bekommen** get* hungry; **~ haben** be* hungry; **vor ~ sterben** *umg*: *ausgehungert sein* be* starving; **~ leiden** go* hungry, starve; **~ auf etw haben** feel* like sth
'Hungerlohn M starvation wages *pl*
'hungern V/I go* hungry; *ernsthaft, dauernd* starve; **nach Anerkennung ~** crave recognition
'Hungersnot F famine
'Hungerstreik M hunger strike **'Hungertod** M (death from) starvation
'hungrig ADJ hungry (*fig* **nach** for)
Hupe F ['hu:pə] ⟨~; ~n⟩ horn
'hupen V/I sound one's horn, hoot
hüpfen V/I ['hʏpfən] ⟨s⟩ hop; *springen* jump; *von Ball* bounce
'Hupverbot N ban on sounding one's horn; *Schild* no horn signals
Hürde F ['hʏrdə] ⟨~; ~n⟩ hurdle; *fig a.* obstacle
Hure F ['hu:rə] ⟨~; ~n⟩ whore, prostitute
'huschen V/I ⟨s⟩ flit, dart; *von Lächeln* flit
husten V/I ['hu:stən] cough
'Husten M ⟨~s; ~⟩ cough
'Hustenanfall M coughing fit **'Hustenbonbon** N *od* M cough sweet **'Hustensaft** M cough syrup
Hut[1] M [hu:t] ⟨~(e)s; Hüte⟩ *Kopfbedeckung* hat
Hut[2] F ⟨~⟩ **auf der ~ vor etw/j-m sein** be* on one's guard against sth/sb
hüten V/T ['hy:tən] *Schafe, Kühe etc* mind, tend; *Kind, Haus* look after; **das Bett ~**

be* confined to bed; **sich ~ vor** beware of; **sich ~, etw zu tun** be* careful not to do sth

Hütte F ['hʏtə] ⟨~; ~n⟩ hut; *schäbige* shack; *Häuschen* cottage; *Berghütte* mountain hut; TECH: *Eisenhütte* ironworks *sg*

'Hüttenkäse M cottage cheese

Hydrant M [hy'drant] ⟨~en; ~en⟩ hydrant

hydraulisch [hy'draulɪʃ] **A** ADJ hydraulic **B** ADV *öffnen* hydraulically

Hygiene F [hygi'e:nə] ⟨~⟩ hygiene

hygi'enisch **A** ADJ hygienic **B** ADV *verpackt etc* hygienically

Hymne F ['hʏmnə] ⟨~; ~n⟩ hymn; *Nationalhymne* national anthem

hyperaktiv ADJ [hypər?ak'ti:f] hyperactive

Hypnose F [hʏp'no:zə] ⟨~; ~n⟩ hypnosis

Hypnotiseur(in) [hʏpnoti'zø:r(ɪn)] M ⟨~s; ~e⟩ F ⟨~in; ~innen⟩ hypnotist

hyp'notisieren V/T ⟨*kein ge*⟩ hypnotize

Hypothek F [hypo'te:k] ⟨~; ~en⟩ mortgage; **e-e ~ aufnehmen** take* out a mortgage

Hypo'thekenzinsen PL mortgage interest *sg*

Hypothese F [hypo'te:zə] hypothesis

hypo'thetisch ADJ hypothetical

Hysterie F [hʏste'ri:] ⟨~; ~n⟩ hysteria

hys'terisch **A** ADJ hysterical **B** ADV *reagieren etc* hysterically

I

I N [i:] ⟨~; ~⟩ I

i. A. ABK *für* im Auftrag p. p.

ICE® [i:tse:'?e:] ⟨~(s); ~(s)⟩ ABK *für* Intercityexpress® intercity express (train)

ich PERS PR [ɪç] I; **~ selbst** I myself; **~ bin's** it's me; **~ nicht** not me

ideal [ide'a:l] **A** ADJ ideal **B** ADV **~ liegen** *Haus etc* be* ideally situated

Ide'al N ⟨~s; ~e⟩ ideal

Ide'alfall M ideal case; **im ~** ideally

Idea'lismus M ⟨~⟩ idealism

Idea'list(in) M ⟨~en; ~en⟩ F ⟨~in; ~innen⟩ idealist

Idee F [i'de:] ⟨~; ~n⟩ idea

i'deenreich ADJ full of ideas, imaginative

identifizieren V/T [idɛntifi'tsi:rən] ⟨*kein ge*⟩ identify; **sich mit j-m/etw ~** identify with sb/sth

i'dentisch ADJ identical (**mit** to)

Identi'tät F ⟨~⟩ identity

Identi'tätskarte F *österr* identity card

Identi'tätskrise F identity crisis

Ideologie F [ideolo'gi:] ⟨~; ~n⟩ ideology

ideo'logisch **A** ADJ ideological **B** ADV *motiviert etc* ideologically

Idiot(in) [idi'o:t(ɪn)] M ⟨~en; ~en⟩ F ⟨~in; ~innen⟩ idiot

idi'otensicher ADJ foolproof

idi'otisch **A** ADJ idiotic **B** ADV *sich verhalten etc* idiotically

Idol N [i'do:l] ⟨~s; ~e⟩ idol

Igel M ['i:gəl] ⟨~s; ~⟩ hedgehog

igno'rieren V/T ⟨*kein ge*⟩ ignore

ihm PERS PR [i:m] *Person* (to) him; *nach* PRÄP him; *Sache* (to) it; *nach* PRÄP it; **sie gab es ~** she gave it (to) him, she gave him it; **sie hat ~ die Haare geschnitten** she cut his hair; **ein Freund von ~** a friend of his

ihn PERS PR [i:n] *Person* him; *Sache* it

ihnen PERS PR ['i:nən] (to) them; *nach* PRÄP them; **sie gab es ~** she gave it (to) them, she gave them it; **sie hat ~ die Haare geschnitten** she cut their hair; **ein Freund von ~** a friend of theirs

'Ihnen PERS PR (to) you; *nach* PRÄP you; **ich gebe es ~** I'll give it (to) you, I'll give you it; **soll ich ~ die Haare schneiden?** shall I cut your hair?; **ein Freund von ~** a friend of yours

ihr¹ PERS PR [i:r] *Person*: *sg* (to) her; *nach* PRÄP her; *Sache* (to) it; *nach* PRÄP it; *pl* you; **er gab es ~** he gave it (to) her, he gave her it; **er hat ~ die Haare geschnitten** he cut her hair; **ein Freund von ~** a friend of hers

ihr² **A** ADJ *Person*: *sg* her; *Sache* its; *pl* their **B** POSS PR: *sg* hers; *pl* theirs; **das ist ihrer/ihre/ihres** *sg* that's hers; *pl* that's theirs

Ihr **A** ADJ your **B** POSS PR yours; **das ist Ihrer/Ihre/Ihres** that's yours

'ihrer'seits ADV: *sg* for her part; *von ihr* on her part; *pl* for their part; *von ihnen* on their part
'Ihrer'seits ADV for your part; *von Ihnen* on your part
'ihres'gleichen INDEF PR ⟨*inv*⟩ *e-e Person* her equals *pl*; *Leute wie sie* her kind *pl*; *mehrere* their equals *pl*; *Leute wie sie* their kind *pl*
'Ihres'gleichen INDEF PR your equals *pl*; *Leute wie Sie* your kind *pl*
'ihret'wegen ADV *für e-e Person* for her sake; *wegen ihr* because of her; *für mehrere* for their sake; *wegen ihnen* because of them
'Ihret'wegen ADV for your sake; *wegen Ihnen* because of you
Ikone F [i'ko:nə] ⟨~; ~n⟩ icon (*a. fig*)
illegal ['ılega:l] **A** ADJ illegal **B** ADV *arbeiten etc* illegally
Illusion F [ıluzi'o:n] ⟨~; ~en⟩ illusion; **sich ~en machen** delude o.s.
illusorisch ADJ [ılu'zo:rıʃ] illusory
Illustration F [ılustratsi'o:n] ⟨~; ~en⟩ illustration
illustrieren V/T [ılʊs'tri:rən] ⟨*kein ge*⟩ illustrate
Illus'trierte F ⟨~n; ~n⟩ magazine
im PRÄP [ım] in the; **~ Bett** in bed; **~ Kino** at the cinema *od US* movies; **~ Fernsehen** on television; **~ Bus/Zug** on the bus/train; **~ ersten Stock** on the first *od US* second floor; **~ Mai** in May; **~ Jahre 2011** in (the year) 2011; **etw ~ Stehen** *etc* **tun** do* sth standing up *etc*; → in
Image N ['ımıtʃ] ⟨~(s); ~s⟩ image
imaginär ADJ [imagi'nɛ:r] imaginary
Imbiss M ['ımbıs] ⟨~es; ~e⟩ snack
'Imbissbude F, **'Imbissstube** F snack bar
imitieren V/T [imi'ti:rən] ⟨*kein ge*⟩ imitate
Imker(in) ['ımkər(ın)] M ⟨~s; ~⟩ (F) ⟨~in; ~innen⟩ beekeeper
immatriku'lieren V/T & V/R [ımatriku'li:rən] ⟨*kein ge*⟩ UNIV enrol, *US* enroll, register
immer ADV ['ımər] always; **~ mehr** more and more; **~ höher** higher and higher; **~ komplizierter** more and more complicated; **~ wieder** again and again; **~ geradeaus gehen** keep* going straight on; **~ noch** still; **~ wenn** every time, whenever; **für ~** for ever, for good; **schon ~** always; **was/wann/wer/wo (auch) ~** whatever/whenever/whoever/wherever
'immer'hin ADV *schließlich* after all; *zumindest, wenigstens* at least
'immer'zu ADV all the time, constantly
Immigrant(in) [ımi'grant(ın)] M ⟨~en; ~en⟩ (F) ⟨~in; ~innen⟩ immigrant
Immission F [ımısi'o:n] ⟨~; ~en⟩ immission, (harmful effects *pl* of) noise, pollutants *pl etc*
Immissi'onsschutz M protection from noise, pollutants *etc* **Immissi'onswert** M immission level, level of noise, pollution *etc*
Immobilien PL [ımo'bi:liən] property *sg*, real estate *sg*
Immo'bilienmakler(in) M(F) estate agent, *US* real estate agent
immun ADJ [ı'mu:n] immune (**gegen** to) (*a. fig*)
Immuni'tät F ⟨~⟩ immunity
Imperialismus M [ımperia'lısmʊs] ⟨~⟩ imperialism
impfen V/T ['ımpfən] vaccinate (**gegen** against); **sich gegen Röteln ~ lassen** be* vaccinated against German measles, have* a German measles vaccination
'Impfpass M vaccination card **'Impfschein** M vaccination certificate
'Impfstoff M vaccine
'Impfung F ⟨~; ~en⟩ vaccination
imponieren V/I [ımpo'ni:rən] ⟨*kein ge*⟩ **j-m ~** impress sb
impo'nierend ADJ impressive
Import M [ım'pɔrt] ⟨~(e)s; ~e⟩ import
Im'portbeschränkungen PL import restrictions *pl*
Importeur(in) [ımpɔr'tø:r(ın)] M ⟨~s; ~e⟩ (F) ⟨~in; ~innen⟩ importer
impor'tieren V/T ⟨*kein ge*⟩ import
imposant ADJ [ımpo'zant] impressive, imposing
impotent ADJ ['ımpotɛnt] impotent
'Impotenz F ⟨~⟩ impotence
imprägnieren V/T [ımprɛ'gni:rən] ⟨*kein ge*⟩ *gegen Wasser* waterproof
improvisieren V/T & V/I [ımprovi'zi:rən] ⟨*kein ge*⟩ improvise
Impuls M [ım'pʊls] ⟨~es; ~e⟩ impulse; *Anstoß* stimulus
impul'siv **A** ADJ impulsive **B** ADV *han-*

deln etc impulsively
imstande ADJ [ɪm'ʃtandə] **~ sein, etw zu tun** be* capable of doing sth
in [ɪn] **A** PRÄP ⟨*akk od dat*⟩ *räumlich, innerhalb* in; *legen, stellen* in(to); *zeitlich* in; *während* during; **überall ~ London** all over London; **~ der Stadt** *Stadtmitte* in town; **~ der Schule** *beim Unterricht* at school; **~ die Schule gehen** *als Schüler* go* to school; **ins Kino** to the cinema; **ins Bett** to bed; **warst du schon mal ~ London?** have you ever been to London?; **~ dieser/der nächsten Woche** this/next week; **~ diesem Alter/Augenblick** at this age/moment; **~ der Nacht** at night, during the night; **heute ~ acht Tagen** a week from now, *Br a.* today week; **heute ~ e-m Jahr** this time next year; **gut sein ~** be* good at; **~ Eile** in a hurry; **~ Reparatur** under repair; **ins Deutsche** into German; → **im** **B** ADJ **~ sein** *umg* be* in
'Inbegriff M epitome
'inbegriffen ADJ **Mahlzeiten ~** meals included, including meals
in'dem KONJ **er gewann, ~ er mogelte** *dadurch, dass* he won by cheating
Inder(in) ['ɪndər(ɪn)] M ⟨~s; ~⟩ F ⟨~in; ~innen⟩ Indian
Index M ['ɪndɛks] ⟨~es; ~e *od* Indizes⟩ index
Indianer(in) [ɪndi'a:nər(ɪn)] M ⟨~s; ~⟩ F ⟨~in; ~innen⟩ (American) Indian, Native American
indi'anisch ADJ Indian
Indien N ['ɪndiən] ⟨~s⟩ India
'indirekt **A** ADJ indirect; **~e Steuern** indirect taxes **B** ADV *sagen etc* indirectly
'indisch ADJ Indian; **Indischer Ozean** Indian Ocean
'indiskret **A** ADJ indiscreet **B** ADV *handeln etc* indiscreetly
Indiskreti'on F ⟨~; ~en⟩ indiscretion
indiskutabel ADJ [ɪndisku'ta:bəl] ⟨-bl-⟩ **es ist ~** it's out of the question
Individualtourismus M [ɪndividʊ'a:l-] individual tourism
individu'ell **A** ADJ individual **B** ADV individually; **etw ~ anpassen** adapt sth to individual needs
Individuum N [ɪndi'vi:duʊm] ⟨~s; Individuen⟩ individual
Indiz N [ɪn'di:ts] ⟨~es; ~ien⟩ indication, sign; **~ien** *pl* JUR circumstantial evidence *sg*
Indonesien N [ɪndo'ne:ziən] ⟨~s⟩ Indonesia
industriali'sieren V/T ⟨*kein ge*⟩ industrialize
Industriali'sierung F ⟨~⟩ industrialization
Industrie F [ɪndʊs'tri:] ⟨~; ~n⟩ industry
Indus'trie- ZSSGN industrial
Indus'trieabfälle PL industrial waste *sg* **Indus'triegebiet** N industrial area **Indus'trieländer** PL industrialized nations
industri'ell **A** ADJ industrial **B** ADV *gefertigt etc* industrially
Industri'elle(r) M/F(M) ⟨~n; ~n⟩ industrialist
Indus'triespionage F industrial espionage **Indus'triestaat** M industrialized nation **Indus'trie- und 'Handelskammer** F chamber of industry and commerce
inei'nander ADV into one another, into each other; **~ verliebt sein** be* in love (with each other)
inei'nanderfließen V/I ⟨*irr*, s⟩ flow into each other, merge **inei'nandergreifen** V/I ⟨*irr*⟩ interlock; *fig* be* interconnected
Infektion F [ɪnfɛktsi'o:n] ⟨~; ~en⟩ infection
Infekti'onskrankheit F infectious disease
infizieren V/T [ɪnfi'tsi:rən] ⟨*kein ge*⟩ infect
Inflation F [ɪnflatsi'o:n] ⟨~; ~en⟩ inflation
inflationär ADJ [ɪnflatsio'nɛ:r] inflationary
inflati'onsbereinigt ADJ inflation-adjusted, adjusted for inflation **Inflati'onsrate** F inflation rate, rate of inflation
Infoblatt N ['ɪnfoblat] handout **'Infobrief** M info letter
in'folge PRÄP ⟨*gen*⟩ owing to, due to
in'folge'dessen ADV consequently
'Infomaterial N info
Informatik F [ɪnfɔr'ma:tɪk] ⟨~⟩ computer science
Infor'matiker(in) M ⟨~s; ~⟩ F ⟨~in; ~innen⟩ computer scientist

Informati'on F ⟨~; ~en⟩ information; *Schalter* information desk; **die neuesten ~en** *pl* the latest information *sg*; **e-e ~** a piece of information, some information

Informati'onsaustausch M exchange of information **Informati'onsgesellschaft** F information society **Informati'onsmaterial** N information(al material) **Informati'onsschalter** M information desk **Informati'onstechnologie** F information technology

informieren V/T [ɪnfɔr'mi:rən] ⟨*kein ge*⟩ inform; **falsch ~** misinform; **sich ~** find* out (**über** about)

in'frage ADV **~ stellen** *von Person* question; *gefährden, von Sache* jeopardize; **~ kommen** be* a possibility; **das kommt nicht ~** that's out of the question

infrarot ADJ ['ɪnfra-] PHYS infrared **'Infrastruktur** F infrastructure

Ingenieur(in) [ɪnʒeni'ø:r(ɪn)] M ⟨~s; ~e⟩ (F) ⟨~in; ~innen⟩ engineer

Ingwer M ['ɪŋvər] ⟨~s⟩ ginger

Inhaber(in) ['ɪnha:bər(ɪn)] M ⟨~s; ~⟩ (F) ⟨~in; ~innen⟩ owner; *von Amt, Titel, Rekord etc* holder

Inhalt M ['ɪnhalt] ⟨~(e)s; ~e⟩ contents *pl* (*a. Überschrift in Buch*); *Rauminhalt* volume; *von Film, Buch* content; *Sinn* meaning

'Inhaltsangabe F summary **'Inhaltsverzeichnis** N *von Buch* table of contents; IT directory

Initia'tivbewerbung F unsolicited job application

Initiative F [initsia'ti:və] ⟨~; ~n⟩ initiative; **die ~ ergreifen** take* the initiative

Initia'tivrecht N right of initiative

inklusive [ɪnklu'zi:və] **A** PRÄP ⟨*gen*⟩ including **B** ADV **bis zum 5. Mai ~** up to and including 5th May

Inklu'sivpreis M all-inclusive price

'inkompatibel ADJ ⟨-bl-⟩ incompatible

'inkonsequent **A** ADJ inconsistent **B** ADV *handeln etc* inconsistently

'Inkonsequenz F inconsistency

In'krafttreten N ⟨~s⟩ coming into force, taking effect

'Inland N **im ~** at home; *im Landesinneren* inland; **im In- und Ausland** at home and abroad

'Inlandflug M domestic *od* internal flight

inländisch ADJ ['ɪnlɛndɪʃ] domestic

in'mitten PRÄP ⟨*gen*⟩ in the middle of

innen ADV ['ɪnən] *im Haus, Gebäude* inside; **nach ~** inwards; **es ist ~ schwarz** it's black (on the) inside

'Innenarchitektur F interior design

'Innenhof M inner courtyard **'Innenminister(in)** M(F) interior minister; *in GB* Home Secretary; *in USA* Secretary of the Interior **'Innenministerium** N interior ministry; *in GB* Home Office; *in USA* Department of the Interior

'Innenpolitik F home affairs *pl*; *bestimmte* domestic policy **'innenpolitisch** ADJ domestic, internal **'Innenseite** F inside; **auf der ~** (on the) inside

'Innenstadt F (town) centre *od US* center; *von Großstadt* (city) centre *od US* center

'innerbetrieblich ADJ internal

'innere(r, -s) ADJ ['ɪnərə] inner (*a. seelisch*); *Krankheiten, Angelegenheiten* internal

'Innere(s) N ⟨~n⟩ inside; *von Gebäude, Wagen a.* interior; *von Land* interior

Innereien PL [ɪnə'raiən] *als Essen* offal *sg*; *von Fisch* guts *pl*

innerhalb PRÄP ['ɪnərhalp] ⟨*gen*⟩ within; **~ des Hauses** inside the house

'innerlich **A** ADJ inner; MED internal **B** ADV **~ war sie ...** inwardly she was ...

Innovation F [ɪnovatsi'o:n] ⟨~; ~en⟩ innovation

Innovati'onsschub M wave of innovations

innovativ ADJ [ɪnova'ti:f] innovative

'inoffiziell **A** ADJ unofficial **B** ADV *bestätigen etc* unofficially

ins PRÄP [ɪns] → in

Insasse M ['ɪnzasə] ⟨~n; ~n⟩, **'Insassin** F ⟨~; ~nen⟩ *in Bus* passenger; *in Auto* occupant; *in Anstalt* inmate

'Insassenversicherung F passenger insurance

insbesondere ADV [ɪnsbə'zɔndərə] particularly, especially

'Inschrift F inscription

Insekt N [ɪn'zɛkt] ⟨~s; ~en⟩ insect, *US a.* bug

In'sektenschutzmittel N insect repellent **In'sektenstich** M insect bite;

Bienenstich, Wespenstich insect sting
Insel F ['ɪnzəl] ⟨~; ~n⟩ island; **die Britischen ~n** *pl* the British Isles *pl*
'Inselbewohner(in) M(F) islander
Inserat N [ɪnze'ra:t] ⟨~(e)s; ~e⟩ advertisement
inse'rieren V/T & V/I ⟨*kein ge*⟩ advertise
insge'heim ADV secretly
insge'samt ADV *zusammen* altogether; *insgesamt gesehen* on the whole; **~ 200** 200 altogether, 200 in all
Insidergeschäft N ['ɪnzaidər-] WIRTSCH insider deal **'Insiderhandel** M insider trading **'Insiderinformationen** PL inside information *sg* **'Insidertipp** M insider tip
in'sofern **A** ADV as far as that goes **B** KONJ **~ als** in so far as
insolvent ADJ ['ɪnzɔlvɛnt] WIRTSCH insolvent
Insolvenz F [ɪnzɔl'vɛnts] ⟨~; ~en⟩ WIRTSCH insolvency
Insol'venzantrag M application for insolvency proceedings; **~ stellen** file for insolvency **Insol'venzverfahren** N insolvency proceedings *pl* **Insol'venzverwalter(in)** M(F) official receiver
Inspekti'on F ⟨~; ~en⟩ inspection; AUTO service
Inspektor(in) [ɪn'spɛktɔr (-'to:rɪn)] M ⟨~s; ~en⟩ F ⟨~in; ~innen⟩ inspector
inspizieren V/T [ɪnʃpi'tsi:rən] ⟨*kein ge*⟩ inspect
Installateur(in) [ɪnstala'tø:r(ɪn)] M ⟨~s; ~e⟩ F ⟨~in; ~innen⟩ *Klempner* plumber; *für Gas* gas fitter; *Elektroinstallateur* electrician
instal'lieren V/T ⟨*kein ge*⟩ put* in, install (*a.* IT)
instand ADV [ɪn'ʃtant] **etw ~ halten** keep* sth in good condition, maintain sth; **etw ~ setzen** repair sth; *renovieren* renovate sth
In'standhaltung F maintenance
inständig ADV ['ɪnʃtɛndɪç] **j-n ~ bitten** implore sb
In'standsetzung F ⟨~; ~en⟩ repair; *Renovierung* renovation
Instanz F [ɪn'stants] ⟨~; ~en⟩ authority; JUR instance
Instinkt M [ɪn'stɪŋkt] ⟨~(e)s; ~e⟩ instinct
instink'tiv **A** ADJ instinctive **B** ADV *reagieren etc* instinctively
Institut N [ɪnsti'tu:t] ⟨~(e)s; ~e⟩ institute
Instituti'on F ⟨~; ~en⟩ institution
institutionell ADJ [ɪnstitutsio'nɛl] institutional; **~es Gleichgewicht** *in der EU* institutional balance
Instrument N [ɪnstru'mɛnt] ⟨~(e)s; ~e⟩ instrument; **politisches ~** political instrument
inszenieren V/T [ɪnstse'ni:rən] ⟨*kein ge*⟩ direct; *fig*: *Aufstand, Skandal* engineer
Insze'nierung F ⟨~; ~en⟩ *Aufführung* production
intakt ADJ [ɪn'takt] intact
Integration F [ɪntegratsi'o:n] ⟨~⟩ integration
Integrati'onsdynamik F integration dynamic **Integrati'onsfonds** M integration fund **Integrati'onsniveau** N level of integration **Integrati'onspolitik** F integration policy
inte'grieren V/T ⟨*kein ge*⟩ integrate
intellektuell ADJ [ɪntɛlɛktu'ɛl] intellectual
Intellektu'elle(r) M/F(M) ⟨~n; ~n⟩ intellectual
intelligent [ɪntɛli'gɛnt] **A** ADJ intelligent **B** ADV *spielen etc* intelligently
Intelli'genz F ⟨~⟩ intelligence; *gesellschaftliche Gruppe* intelligentsia
Intelli'genzquotient M intelligence quotient
intensiv [ɪntɛn'zi:f] **A** ADJ *gründlich* intensive; *Gefühl, Schmerz* intense **B** ADV *gründlich* intensively; *stark* intensely
Inten'sivkurs M crash course **Inten'sivstation** F intensive care unit; **auf der ~ sein** be* in intensive care
interaktiv ADJ [ɪntərʔak'ti:f] interactive
interessant ADJ [ɪntərɛ'sant] interesting
Inte'resse N ⟨~s; ~n⟩ interest (**an, für** in); **~ haben an** be* interested in; **ich habe kein ~ daran, das zu tun** I'm not interested in doing that
Inte'resselosigkeit F ⟨~⟩ indifference
Inte'ressengebiet N field of interest
Inte'ressengemeinschaft F community of interests; *Menschen a.* group of people with common interests; WIRTSCH combine, pool
Interes'sent(in) M ⟨~en; ~en⟩ F ⟨~in; ~innen⟩ interested person; *an Kauf*

prospective buyer
interes'sieren VT ⟨*kein ge*⟩ **j-n für etw ~** get* sb interested in sth; **sich ~ für** be* interested in; **das interessiert mich nicht** I'm not interested in that, that doesn't interest me
interes'siert ADJ interested (**an** in)
Intergouvernementalismus M [intərguvɛrnəmɛnta'lɪsmʊs] ⟨~⟩ intergovernmentalism
Intergroup F ['ɪntərgru:p] ⟨~; ~s⟩ *der EU* intergroup
interinstitutionell ADJ [ɪntərʔɪnstitutsio'nɛl] interinstitutional
interkulturell ADJ [ɪntərkʊltu'rɛl] interracial
intern [ɪn'tɛrn] **A** ADJ internal **B** ADV *regeln etc* internally
Inter'nat N ⟨~(e)s; ~e⟩ boarding school
internatio'nal **A** ADJ international **B** ADV *bekannt etc* internationally
Internet N ['ɪntərnɛt] ⟨~s⟩ Internet, Net; **im ~** on the Internet *od* Net; **im ~ surfen** surf the Internet *od* Net
'Internetadresse F website address **'Internetanschluss** M Internet connection **'Internetauktion** F online *od* Internet auction **'internetbasiert** ADJ Internet-based; **~e Anwendung** Internet-based application **'Internetcafé** N Internet café **'internetfähig** ADJ web-enabled, Internet-enabled **'Internethändler(in)** M(F) online trader *od* dealer **'Internetnutzer(in)** M ⟨~s; ~⟩ (F) ⟨~in; ~innen⟩ Internet user **'Internetportal** N [-pɔrta:l] ⟨~(e)s; ~e⟩ web *od* Internet portal **'Internetseite** F website **'Internetzugang** M Internet access
interpretieren VT [ɪntərpre'ti:rən] ⟨*kein ge*⟩ interpret
Interrail®-Karte F ['ɪntəre:l-] interrail ticket
Intervall N [intər'val] ⟨~s; ~e⟩ interval (*a.* MUS)
intervenieren VI [ɪntərve'ni:rən] ⟨*kein ge*⟩ intervene
Interview N [ɪntər'vju:] ⟨~s; ~s⟩ interview
inter'viewen VT ⟨*kein ge*⟩ interview
intim ADJ [ɪn'ti:m] intimate (**mit** with) (*a. sexuell*)
In'timsphäre F privacy
'intolerant ADJ intolerant (**gegen** of)
'Intoleranz F intolerance
Intranet N ['ɪntranɛt] ⟨~; ~s⟩ intranet
Intrige F [ɪn'tri:gə] ⟨~; ~n⟩ intrigue, plot
intri'gieren VI ⟨*kein ge*⟩ (plot and) scheme
Intuition F [ɪntuitsi'o:n] ⟨~; ~en⟩ intuition
intui'tiv **A** ADJ intuitive **B** ADV *erkennen etc* intuitively
Invalide M/F [ɪnva'li:də] ⟨~n; ~n⟩ invalid
Inva'lidenrente F disability pension
Invalidi'tät F ⟨~⟩ disability
Inventar N [ɪnvɛn'ta:r] ⟨~s; ~e⟩ *Liste* inventory; *Einrichtungsgegenstände* fittings *pl*; *Maschinen* equipment
Inventur F [ɪnvɛn'tu:r] ⟨~; ~en⟩ stocktaking; **~ machen** do* stocktaking
investieren VT & VI [ɪnvɛs'ti:rən] ⟨*kein ge*⟩ invest (**in** in) (*a. fig*)
Investiti'on F ⟨~; ~en⟩ investment
Investiti'onsfonds M **Europäischer ~ (EIF)** European Investment Fund (EIF)
inwie'fern KONJ & ADV, **inwie'weit** KONJ & ADV in what way; *in welchem Ausmaß* to what extent
in'zwischen ADV meanwhile, in the meantime; *jetzt* now; *bis spätestens dann* by then
IQ [i:'ku:] ⟨~(s); ~(s)⟩ ABK *für* Intelligenzquotient IQ, intelligence quotient
Irak M [i'ra:k] ⟨~s⟩ **(der) ~** Iraq
I'raker(in) M ⟨~s; ~⟩ (F) ⟨~in; ~innen⟩ Iraqi
i'rakisch ADJ Iraqi
Iran M [i'ra:n] ⟨~s⟩ **(der) ~** Iran
I'raner(in) M ⟨~s; ~⟩ (F) ⟨~in; ~innen⟩ Iranian
i'ranisch ADJ Iranian
Ire M ['i:rə] ⟨~n; ~n⟩ Irishman; **er ist ~** he's Irish; **die ~n** *pl* the Irish *pl*
irgend ADV ['ɪrgənt]; ZSSGN some...; *verneint, fragend, im Bedingungssatz* any...; **wenn ~ möglich** if at all possible; **wenn du ~ kannst** if you possibly can; **~ so ein ...** *umg* some ...
'irgend'ein INDEF PR some; *verneint, fragend, im Bedingungssatz* any; **ruf mich an, wenn es ~ Problem gibt** ring me if there's any problem
'irgend'eine(r, -s) INDEF PR *Person* someone, somebody; *verneint, fragend, im Bedingungssatz* anyone, anybody; *Sa-*

che any
'irgend'etwas INDEF PR something; *verneint, fragend, im Bedingungssatz* anything
'irgend'jemand INDEF PR someone, somebody; *verneint, fragend, im Bedingungssatz* anyone, anybody
'irgend'wann ADV *unbestimmt* sometime (or other); *beliebig* (at) any time
'irgend'wie ADV somehow (or other)
'irgend'wo ADV somewhere; *verneint, fragend, im Bedingungssatz* anywhere; **wirf es nicht einfach ~ hin** don't just chuck it anywhere
'Irin F ⟨~; ~nen⟩ Irishwoman; **sie ist ~** she's Irish
'irisch ADJ Irish
Irland N ['ɪrlant] ⟨~s⟩ Ireland
Ironie F [iro'ni:] ⟨~; ~n⟩ irony
ironisch [i'ro:nɪʃ] **A** ADJ ironic **B** ADV *lächeln etc* ironically
'irre ADJ mad, crazy; *verwirrt* confused; *umg: sagenhaft* terrific
'Irre(r) M/F(M) ⟨~n; ~n⟩ lunatic; *Mann a.* madman; *Frau a.* madwoman
'irreführen V/T *fig* mislead* **'irreführend** ADJ misleading **'irremachen** V/T confuse
irren ['ɪrən] **A** V/R be* wrong, be* mistaken; **sich in etw ~** get* sth wrong; **sich in j-m ~** be* wrong about sb; **wenn ich mich nicht irre** if I'm not mistaken **B** V/I ⟨s⟩ wander
'Irrenhaus N **hier geht es zu wie im ~** *umg* it's like a madhouse in here
irritieren V/T [ɪri'ti:rən] ⟨*kein ge*⟩ irritate; *verwirren* confuse
irri'tierend ADJ exasperating, annoying
'Irrsinn M madness
'irrsinnig **A** ADJ mad; *umg: Tempo, Sturm* terrific **B** ADV *umg: reich etc* incredibly
'Irrtum M ⟨~s; -tümer⟩ mistake, error; **im ~ sein** be* mistaken
irrtümlich ['ɪrty:mlɪç] **A** ADJ mistaken **B** ADV *aus Versehen* by mistake; *glauben* mistakenly
'irrtümlicher'weise ADV mistakenly
ISDN [i:ʔɛsde:'ʔɛn] ABK *für* integrated services digital network ISDN
Islam M [ɪs'la:m] ⟨~(s)⟩ Islam
is'lamisch ADJ Islamic
Island N ['i:slant] ⟨~s⟩ Iceland
Isländer(in) ['i:slɛndər(ɪn)] M ⟨~s; ~⟩ (F) ⟨~in; ~innen⟩ Icelander; **er ist Isländer** he's from Iceland, he's an Icelander
'isländisch ADJ, **'Isländisch** N Icelandic; → englisch
Isolationshaft F [izolatsi'o:ns-] solitary confinement
Iso'lierband N ⟨*pl* Isolierbänder⟩ insulating tape
isolieren V/T [izo'li:rən] ⟨*kein ge*⟩ isolate; ELEK, TECH insulate
Iso'lierstation F isolation ward
Iso'lierung F ⟨~; ~en⟩ isolation; ELEK, TECH insulation
Israel N ['ɪsrae:l] ⟨~s⟩ Israel
Israeli M/F [ɪsra'e:li] ⟨~; ~(s)⟩ Israeli
isra'elisch ADJ Israeli
IT [ai'ti:] ABK *für* Informationstechnologie IT, information technology
Italien N [i'ta:liən] ⟨~s⟩ Italy
Itali'ener(in) M ⟨~s; ~⟩ (F) ⟨~in; ~innen⟩ Italian
itali'enisch ADJ, **Itali'enisch** N Italian; → englisch

J

J N [jɔt] ⟨~; ~⟩ J
ja ADV [ja:] yes; **~?** *tatsächlich* really?; *am Telefon* hello?; **wenn ~** if so; **da ist er ~!** there he is!; **ich sagte es Ihnen ~** I told you so; **ich glaube ~** I think so; **das sage ich ~** that's what I'm saying; **das ist ~ unglaublich** that's really incredible; **ich bin ~ schließlich ...** after all, I am ...; **tut es ~ nicht!** don't you dare do it!; **sei ~ vorsichtig!** do be careful!; **vergessen Sie es ~ nicht!** be sure not to forget it!; **~, weißt du nicht?** why, don't you know?; **du kommst doch, ~?** you're coming, aren't you?
Jacht F [jaxt] ⟨~; ~en⟩ yacht
Jacke F ['jakə] ⟨~; ~n⟩ jacket, *US a.* coat; *Strickjacke* cardigan
Jackett N [ʒa'kɛt] ⟨~s; ~s⟩ jacket, *US a.* coat
Jagd F [ja:kt] ⟨~; ~en⟩ hunting; *einzelne*

Jagd hunt; *Verfolgung* hunt (**auf** for); *Suche* search (**nach** for); *Jagdrevier* hunting ground; **auf (die) ~ gehen** go* hunting; **~ machen auf** hunt for (*a. fig*)

'Jagdzeit F open *od* hunting *od* shooting season

jagen ['ja:gən] **A** VT & VI hunt; *verfolgen* hunt; **j-n aus dem Haus** *etc* **~** drive* *od* chase sb out of the house *etc*; **etw in die Luft ~** blow* sth up **B** VI ⟨s⟩ *fig*: *rasen* race

Jäger M ['jɛ:gər] ⟨~s; ~⟩ hunter, huntsman; *Jagdflugzeug* fighter (plane)

'Jägerin F ⟨~; ~nen⟩ huntress, huntswoman

Jahr N [ja:r] ⟨~(e)s; ~e⟩ year; **ein halbes ~** six months *pl*; **einmal im ~** once a year; **im Jahr(e) 2011** in (the year) 2011; **er ist sieben ~e alt** he's seven (years old); **ein 20 ~e altes Auto** a twenty-year-old car; **mit 18 ~en, im Alter von 18 ~en** at (the age of) eighteen; **heute vor e-m ~** a year ago today

jahr'aus ADV **~, jahrein** year in, year out

'Jahrbuch N yearbook

'jahrelang **A** ADJ years of **B** ADV *warten* for years

'Jahres- ZSSGN *Bericht, Einkommen* annual

'Jahresabonnement N annual *od* yearly subscription **'Jahresabschluss** M WIRTSCH annual accounts *pl* **'Jahresanfang** M beginning of the year **'Jahresausgleich** M *Steuer* annual adjustment of income tax **'Jahresbericht** M annual report **'Jahresbilanz** F WIRTSCH annual balance sheet **'Jahreseinkommen** N annual income **'Jahresende** N end of the year **'Jahreshauptversammlung** F WIRTSCH annual general meeting **'Jahrestag** M anniversary **'Jahreswechsel** M turn of the year **'Jahreszahl** F date **'Jahreszeit** F season

'Jahrgang M *Schüler, Studenten* year, *US a.* class; *von Wein* vintage; **der ~ 2000** those *pl* born in 2000; *Schüler* the class of 2000; *Studenten* the students *pl* of 20000, *US a.* the class of 2000; **sie ist mein ~** she was born in the same year as me; *Schülerin, Studentin* she was in the same year as me

Jahr'hundert N century

Jahr'hundertwende F turn of the century

-jährig ADJ [-jɛ:rıç] **ein dreijähriges Kind** a three-year-old child; **nach zweijähriger Abwesenheit** after a two-year absence

jährlich ['jɛ:rlıç] **A** ADJ annual **B** ADV every year, annually; **zweimal ~** twice a year

'Jahrmarkt M fair **Jahr'tausend** N ⟨~s; ~e⟩ millennium **Jahr'zehnt** N ⟨~(e)s; ~e⟩ decade

Jalousie F [ʒalu'zi:] ⟨~; ~n⟩ (venetian) blind

Jammer M ['jamər] ⟨~s⟩ misery; **es ist ein ~** it's a real shame

jämmerlich ['jɛmərlıç] **A** ADJ miserable, wretched; *Anblick* pitiful **B** ADV *versagen etc* miserably

jammern VI ['jamərn] moan (**über** about)

'jammer'schade ADJ **es ist ~, dass ...** it's a crying shame that ...

Januar M ['janua:r] ⟨~(s); ~e⟩, **Jänner** ['jɛnər] M ⟨~s; ~⟩ *österr* January; **im ~** in January

Japan N ['ja:pan] ⟨~s⟩ Japan

Ja'paner(in) [ja'pa:nər(ın)] M ⟨~s; ~⟩ (F) ⟨~in; ~innen⟩ Japanese; **die Japaner** *pl* the Japanese *pl*

ja'panisch ADJ, **Ja'panisch** N Japanese; → englisch

Jargon M [ʒar'gõ:] ⟨~s; ~s⟩ jargon

'Jastimme F PARL aye, *US* yea

jawohl ADV [ja'vo:l] that's right; MIL yes, sir; *bei der Marine* aye aye, sir

'Jawort N ⟨*pl* ~e⟩ **j-m sein ~ geben** say* yes to sb

je [je:] **A** ADV *jemals* ever; *jeweils* each; **der beste Film, den ich ~ gesehen habe** the best film I've ever seen; **~ zwei Pfund** two pounds each; **Gruppen von ~ zehn bilden** form groups of ten; **zwei Euro ~ Kilo** two euros a *od* per kilo; **~ nach Größe/Geschmack** according to size/taste **B** KONJ **~ nachdem** it depends; **~ nachdem, wie/ob** depending on how/whether; **~ eher, desto besser** the sooner the better

Jeans PL [dʒi:ns] ⟨~; ~⟩ jeans *pl*; **ich brauche neue ~** I need a new pair of jeans

'Jeansjacke F denim jacket

jede(r, -s) INDEF PR ['je:də] *insgesamt gesehen* every; *einzeln gesehen* each; *beliebig* any; *von zweien* either; **jeder weiß das** everybody knows that; **du kannst jeden fragen** you can ask anyone; **jeder von uns/euch** each of us/you; **jeder, der ...** whoever ...; **jeden zweiten Tag** every other day; **jeden Augenblick** any moment (now)
'jedenfalls ADV at any rate
'jedermann INDEF PR everybody, everyone
'jeder'zeit ADV (at) any time
je'doch ADV & KONJ however
jeher ADV ['je:he:r] **von ~** always
jemals ADV ['je:ma:ls] ever
jemand INDEF PR ['je:mant] ⟨*gen* ~(e)s, *dat* ~(e)(m), *akk* ~(e)(n)⟩ someone, somebody; *fragend, verneint, im Bedingungssatz* anyone, anybody
jene(r, -s) DEM PR ['je:nə] that; *pl* those *pl*; *alleinstehend* that one, *pl* those *pl*; *von zwei vorher erwähnten Personen oder Sachen* the former; **dies und jenes** this and that
jenseits ['je:nzaits] **A** PRÄP ⟨*gen*⟩ on the other side of; *fig* beyond **B** ADV on the other side
'Jenseits N ⟨~⟩ next world, hereafter
jetzt ADV [jɛtst] now; *heutzutage a.* nowadays; **bis ~** up to now, so far; **erst ~** only now; **~ gleich** right now, right away; **für ~** for now, for the present; **von ~ an** from now on
jeweilig ADJ ['je:vailıç] respective; *herrschend* prevailing; **die ~en Umstände** the particular circumstances
jeweils ADV ['je:vails] *je* each; *gleichzeitig* at a time
jiddisch ADJ ['jıdıʃ], **'Jiddisch** N Yiddish; → englisch
Job M [dʒɔp] ⟨~s; ~s⟩ job
jobben V/I ['dzɔbən] *umg* work
'Jobbörse F job exchange **'Jobcenter** N ['-sɛntər] ⟨~s; ~⟩ job centre, *US* employment office **'Jobkiller** M *umg* job killer **'Jobmaschine** F *umg* job-creation machine **Jobsharing** N ['dʒɔpʃe:rıŋ] ⟨~s⟩ job sharing
Jockey M ['dʒɔke] ⟨~s; ~s⟩ jockey
Jod N [jo:t] ⟨~(e)s⟩ iodine
Joga N ['jo:ga] ⟨~(s)⟩ yoga
joggen V/I ['dʒɔgən] ⟨s⟩ jog
'Jogger(in) M ⟨~s; ~⟩ (F) ⟨~in; ~innen⟩ jogger
'Jogging N ⟨~s⟩ jogging
'Jogginganzug M tracksuit
Joghurt M *od* N ['jo:gʊrt] ⟨~(s); ~(s)⟩ yog(h)urt
Johannisbeere F [jo'hanıs-] **Rote ~** redcurrant; **Schwarze ~** blackcurrant
Joker M ['jo:kər *od* 'dʒo:kər] ⟨~s; ~⟩ joker; *fig* trump card
jonglieren V/T & V/I [ʒɔŋ'gli:rən] ⟨*kein ge*⟩ juggle; **mit etw ~** juggle sth (*a. fig*)
Joule N [dʒu:l] ⟨~(s); ~⟩ joule
Journa'lismus M [ʒʊrna'lısmʊs] ⟨~⟩ journalism
Journa'list(in) M ⟨~en; ~en⟩ (F) ⟨~in; ~innen⟩ journalist
Jubel M ['ju:bəl] ⟨~s⟩ cheering, cheers *pl*; *Freude* rejoicing
'jubeln V/I cheer; *sich freuen* rejoice
Jubiläum N [jubi'lɛ:ʊm] ⟨~s; Jubiläen⟩ anniversary; **50-jähriges ~** fiftieth anniversary
jucken ['jʊkən] **A** V/I itch; *von Stoff, Kleidungsstück* be* itchy **B** V/T **es juckt mich am Arm** my arm's itching; **mein Pullover juckt mich** my sweater's itchy
Jude M ['ju:də] ⟨~n; ~n⟩, **Jüdin** ['jy:dın] F ⟨~; ~nen⟩ Jew; **er ist Jude** he's Jewish
jüdisch ADJ ['jy:dıʃ] Jewish
Jugend F ['ju:gənt] ⟨~⟩ youth; *junge Menschen* young people *pl*; **die heutige ~** young people today, today's youth
'Jugendamt N youth welfare office **'Jugendarbeitslosigkeit** F youth unemployment **'jugendfrei** ADJ **~er Film** U(-rated) *od US* G(-rated) film; **nicht ~ 18** **'Jugendgericht** N juvenile court **'Jugendherberge** F youth hostel **'Jugendkriminalität** F juvenile delinquency
'jugendlich ADJ young; *jung wirkend* youthful
'Jugendliche(r) M/F(M) ⟨~n; ~n⟩ young person; *männlich a.* youth; JUR juvenile; *pl* young people *pl*
'Jugendstil M Art Nouveau **'Jugendstrafanstalt** F young people's detention centre, *US a.* reformatory **'Jugendzentrum** N youth centre *od US* center
Juli M ['ju:li] ⟨~(s); ~s⟩ July
Jumbojet M ['jʊmbodʒɛt] ⟨~(s); ~s⟩ jum-

J

bo (jet)

jung [jʊŋ] ⟨jünger, jüngste⟩ **A** ADJ young **B** ADV **~ sterben** die young

'Junge M ⟨~n; ~n, *umg a.* Jungs⟩ boy; *junger Mann* lad

'Junge(s) N ⟨~n; ~n⟩ ZOOL baby; *pl* young *pl*; *Hund* puppy; *Katze* kitten; *Raubtier* cub; **~ bekommen** *od* **werfen** have* young

jünger ADJ ['yŋər] younger

'Jungfrau F virgin; ASTROL Virgo

'Junggeselle M bachelor

'Junggesellin F single woman

jüngste(r, -s) ADJ ['jvŋstə] youngest; *Ereignisse, Werk* latest; **in ~r Zeit** lately, recently

Juni M ['ju:ni] ⟨~(s); ~s⟩ June

junior ADJ ['ju:niɔr] junior (*a.* SPORT)

'Junior M ⟨~s; ~en⟩ junior (*a.* SPORT); *Juniorchef* boss's son

'Juniorchef(in) M(F) boss's son *od* daughter

K

Juniorin F [ju'nio:rɪn] ⟨~; ~nen⟩ SPORT junior

'Juniorpartner(in) M(F) junior partner **'Juniorprofessor(in)** M(F) UNIV assistant professor **'Juniorprofessur** F UNIV assistant professorship

Jura PL [ju:ra] *Studienfach* law

Jurist(in) [ju'rɪst(ɪn)] M ⟨~en; ~en⟩ (F) ⟨~in; ~innen⟩ lawyer; *Student* law student

ju'ristisch **A** ADJ legal **B** ADV *korrekt etc* legally; **gegen j-n ~ vorgehen** take* legal proceedings against sb

Jury F [ʒy'ri:] ⟨~; ~s⟩ jury

Justitiar(in) [jʊstitsi'a:r(ɪn)] M ⟨~s; ~e⟩ (F) ⟨~in; ~innen⟩ legal adviser

Justiz F [jʊs'ti:ts] ⟨~⟩ *Rechtsprechung* justice; *Behörde* judiciary; *Gerichte* courts *pl*

Jus'tizbeamte(r) M, **Jus'tizbeamtin** F judicial officer

justiziell ADJ [jʊstitsi'ɛl] judicial; **Europäisches Justizielles Netz für Strafsachen** European Judicial Network in Criminal Matters; **~e Zusammenarbeit** judicial cooperation

Jus'tizirrtum M miscarriage of justice **Jus'tizminister(in)** M(F) justice minister; *in GB etwa* Lord Chancellor; *in USA etwa* Attorney General **Jus'tizministerium** N ministry of justice; *in USA* Department of Justice

Juwelier(in) [juve'li:r(ɪn)] M ⟨~s; ~e⟩ (F) ⟨~in; ~innen⟩ jeweller, *US* jeweler

K

K N [ka:] ⟨~; ~⟩ K

Kabarett N [kaba'rɛt] ⟨~s; ~s *od* ~e⟩ (satirical) revue

Kabel N ['ka:bəl] ⟨~s; ~⟩ cable

'Kabelanschluss M TV cable TV connection; **~ haben** have* cable TV **'Kabelfernsehen** N cable TV **'Kabelfernsehnetze** PL cable TV networks *pl*

Kabeljau M ['ka:bəljau] ⟨~s; ~e *od* ~s⟩ cod

'Kabelnetz N cable network

Kabine F [ka'bi:nə] ⟨~; ~n⟩ *von Schiff, Flugzeug* cabin; *Umkleidekabine* cubicle; SPORT dressing room; *von Seilbahn* car; *Wahlkabine* booth

Ka'binenbahn F cable railway, *US* aerial tramway

Kabinett N [kabi'nɛt] ⟨~s; ~e⟩ POL cabinet

Kachel F ['kaxəl] ⟨~; ~n⟩ tile

'Kachelofen M tiled stove

Kadaver M [ka'da:vər] ⟨~s; ~⟩ carcass

Käfer M ['kɛ:fər] ⟨~s; ~⟩ beetle (*a. Auto*)

Kaffee M ['kafe *od* ka'fe:] ⟨~s; ~s⟩ coffee; **~ kochen** make* coffee; **~ mit/ohne Milch** white/black coffee

'Kaffeeautomat M coffee machine **'Kaffeebohne** F coffee bean **'Kaffeefahrt** F *cheap coach trip combined with a sales promotion* **'Kaffeefilter** M coffee filter **'Kaffeekanne** F coffeepot **'Kaffeemaschine** F coffee maker; *Automat* coffee machine **'Kaffeepause** F coffee break

Käfig M ['kɛ:fɪç] ⟨~s; ~e⟩ cage (*a. fig*)

kahl ADJ [ka:l] *Mensch* bald; *Baum, Fels, Wand* bare; *Landschaft* barren

Kahn M [ka:n] ⟨~(e)s; Kähne⟩ boat; *Lastkahn* barge

Kai M [kai] ⟨~s; ~s⟩ quay, wharf

Kaiser(in) ['kaizər(ɪn)] M ⟨~s; ~⟩ (F) ⟨~in; ~innen⟩ emperor; *Frau* empress

'Kaiserreich N empire **'Kaiserschnitt** M caesarean, *US* cesarean

Kajüte F [ka'jy:tə] ⟨~; ~n⟩ cabin

Kakao M [ka'kau] ⟨~s; ~s⟩ cocoa; *Getränk a.* (hot) chocolate; *kalter* chocolate milk

Ka'kaopulver N cocoa (powder)

Kalb N [kalp] ⟨~(e)s; Kälber⟩ calf

'Kalbfleisch N veal

Ka'lender M ⟨~s; ~⟩ calendar; *Taschenkalender* diary

Ka'lenderjahr N calendar year

Kaliber N [ka'li:bər] ⟨~s; ~⟩ calibre, *US* caliber (*a. fig*)

Kalk M [kalk] ⟨~(e)s; ~e⟩ lime; *zum Tünchen* whitewash; *Kalkstein* limestone; *Kreide* chalk; *in Knochen* calcium

'Kalkstein M limestone

Kalkulation F [kalkulatsi'o:n] ⟨~; ~en⟩ calculation; *Kostenberechnung* estimate

kalkulieren V/T [kalku'li:rən] ⟨*kein ge*⟩ calculate

Kalorie F [kalo'ri:] ⟨~; ~n⟩ calorie

kalo'rienarm ADJ, **kalo'rienreduziert** ADJ low-calorie **kalo'rienreich** ADJ high-calorie

kalt ADJ [kalt] ⟨kälter, kälteste⟩ cold (*a. Krieg*); **mir ist ~** I'm cold; **es/mir wird ~** it's/I'm getting cold; **den Wein ~ stellen** chill the wine

kaltblütig ['kaltbly:tıç] **A** ADJ cold-blooded (*a. fig*) **B** ADV *umbringen etc* in cold blood

Kälte F ['kɛltə] ⟨~⟩ cold; *fig: von Person, Farbe* coldness; **vor ~ zittern** shiver with cold; **fünf Grad ~** five degrees below zero

'Kälteeinbruch M cold snap **'Kälteperiode** F, **'Kältewelle** F cold spell

'Kaltfront F METEO cold front **'kaltlassen** V/T ⟨*irr*⟩ **das lässt mich kalt** that leaves me cold **'Kaltluft** F cold air **'Kaltmiete** F basic rent without heating

Kalzium N ['kaltsiʊm] ⟨~s⟩ calcium

Kamera F ['kamera] ⟨~; ~s⟩ camera

Kamerad(in) [kamə'ra:t (-'ra:dın)] M ⟨~en; ~en⟩ F ⟨~in; ~innen⟩ friend, pal; *als Begleiter* companion; *beim Militär* comrade

Kame'radschaft F ⟨~⟩ comradeship

kame'radschaftlich **A** ADJ friendly **B** ADV *sich verhalten* in a friendly way

'Kamerafrau F camerawoman **'Kameramann** M ⟨*pl* Kameramänner *od* Kameraleute⟩ cameraman **'kamerascheu** ADJ camera-shy

Kamille F [ka'mılə] ⟨~; ~n⟩ camomile (*a. zssgn*)

Kamin M [ka'mi:n] ⟨~s; ~e⟩ fireplace; *Schornstein* chimney; **am ~** by the fire (-side)

Kamm M [kam] ⟨~(e)s; Kämme⟩ comb (*a. von Hahn*); *Bergkamm, Wellenkamm* crest

kämmen V/T ['kɛmən] comb; **j-n ~** comb sb's hair; **er kämmte sich (die Haare)** he combed his hair

Kammer F ['kamər] ⟨~; ~n⟩ (small) room; *Abstellkammer* cubbyhole, *bes US* closet; *Dachkammer* garret; POL, WIRTSCH chamber; JUR division

Kampagne F [kam'panjə] ⟨~; ~n⟩ campaign

Kampf M [kampf] ⟨~(e)s; Kämpfe⟩ fight (*a. fig*) (**um, für** for); *schwerer* struggle (*a. fig*); MIL fighting *kein pl*, combat; *Schlacht* battle (*a. fig*); *Wettkampf* contest; *Boxkampf* fight, bout; *innerer* conflict

kämpfen V/I ['kɛmpfən] fight* (**gegen** against; **mit** with; **um, für** for) (*a. fig*); *ringen* struggle, wrestle (*beide a. fig*); **mit den Tränen ~** fight* back the tears

'Kämpfer(in) M ⟨~s; ~⟩ F ⟨~in; ~innen⟩ fighter (*a. fig*)

'kämpferisch ADJ aggressive (*a.* SPORT)

'Kampfflugzeug N combat aircraft **'Kampfgruppe** F combat force **'Kampfhund** M fighting dog **'Kampfkraft** F fighting strength

Kanada N ['kanada] ⟨~s⟩ Canada

Kanadier(in) [ka'na:diər(ın)] M ⟨~s; ~⟩ F ⟨~in; ~innen⟩ Canadian

ka'nadisch ADJ Canadian

Kanal M [ka'na:l] ⟨~s; Kanäle⟩ *künstlicher* canal; *natürlicher* channel (*a.* TV, TECH, *fig*); *Abwasserkanal* sewer, drain; **der ~** *Ärmelkanal* the (English) Channel

Kanalisation F [kanalizatsi'o:n] ⟨~; ~en⟩ sewerage system; *von Fluss* canalization

kanali'sieren V/T ⟨*kein ge*⟩ install sewers in; *Fluss* canalize; *fig* channel

Ka'naltunnel M Channel Tunnel

Kanaren PL [ka'na:rən], **Kanarische**

K

Inseln PL [ka'na:rɪʃə'ʔɪnzəln] Canaries *pl*, Canary Islands *pl*
Kandidat(in) [kandi'da:t(ɪn)] M ⟨~en; ~en⟩ F ⟨~in; ~innen⟩ candidate
Kandidatur F [kandida'tu:r] ⟨~; ~en⟩ candidacy, *Br a.* candidature
kandi'dieren VI ⟨*kein ge*⟩ run* *od bes Br* stand* for election; **~ für** run* for
Kaninchen N [ka'ni:nçən] ⟨~s; ~⟩ rabbit
Kanister M [ka'nɪstər] ⟨~s; ~⟩ can
Kanne F ['kanə] ⟨~; ~n⟩ *Kaffeekanne, Teekanne* pot; *Milchkanne* can, *größere* churn; *Ölkanne, Gießkanne* can
Kanone F [ka'no:nə] ⟨~; ~n⟩ gun, cannon; *sl*: *Revolver* shooter, *US* rod; *umg*: *Könner* ace
Kante F ['kantə] ⟨~; ~n⟩ edge
Kantine F [kan'ti:nə] ⟨~; ~n⟩ canteen
Kanton M [kan'to:n] ⟨~s; ~e⟩ *der Schweiz* canton
Kanzel F ['kantsəl] ⟨~; ~n⟩ REL pulpit; FLUG cockpit
Kanzlei F [kants'lai] ⟨~; ~en⟩ office
Kanzler(in) ['kantslər(ɪn)] M ⟨~s; ~⟩ F ⟨~in; ~innen⟩ *a. Bundeskanzler* chancellor; *an e-r Universität* vice-chancellor, *US* chancellor
'Kanzleramt N POL *Gebäude* chancellor's office, chancellory; *Posten* chancellorship **'Kanzlerkandidat(in)** M(F) candidate for the office of chancellor
'Kanzlerkandidatur F POL candidacy for the chancellorship
Kap N [kap] ⟨~s; ~s⟩ GEOG cape
Kapazität F [kapatsi'tɛ:t] ⟨~; ~en⟩ capacity; *fig* authority
Kapazi'tätsauslastung F capacity utilization **Kapazi'tätserweiterung** F increase in capacity
Kapelle F [ka'pɛlə] ⟨~; ~n⟩ REL chapel; MUS band
kapieren VT [ka'pi:rən] ⟨*kein ge*⟩ *umg* get*; **kapiert?** got it?
Kapi'tal N ⟨~s; ~ien *od* ~e⟩ capital
Kapi'talanlage F (capital) investment **Kapi'talaufwand** M capital expenditure **Kapi'talertrag** M capital yield **Kapi'talertragssteuer** F capital gains tax **Kapi'talflucht** F capital flight **Kapi'talgesellschaft** F joint-stock company, *US* corporation **Kapi'talhilfe** F financial aid **kapi'talintensiv** ADJ capital-intensive
kapitalisieren VT [kapitali'zi:rən] ⟨*kein ge*⟩ capitalize
Kapitalismus M [kapita'lɪsmʊs] ⟨~⟩ capitalism
Kapita'list(in) M ⟨~en; ~en⟩ F ⟨~in; ~innen⟩ capitalist
kapita'listisch ADJ capitalist
Kapi'talmarkt M capital market **Kapi'talverbrechen** N serious crime; *mit Todesstrafe bestraft* capital crime **Kapi'talverkehr** M **freier ~** free movement of capital
Kapitän(in) [kapi'tɛ:n(ɪn)] M ⟨~s; ~e⟩ F ⟨~in; ~innen⟩ captain (*a.* SPORT)
Kapitel N [ka'pɪtəl] ⟨~s; ~⟩ chapter (*a. fig*); **das ist ein anderes ~** *umg* that's another story
Kapitulation F [kapitulatsi'o:n] ⟨~; ~en⟩ surrender (*a. fig*)
kapitu'lieren VI ⟨*kein ge*⟩ surrender; *fig a.* give* up (**vor** in the face of)
Kappe F ['kapə] ⟨~; ~n⟩ cap; *von Flasche, Schreibstift a.* top
Kapsel F ['kapsəl] ⟨~; ~n⟩ *Arzneimittel, in Raumfahrt, von Pflanze* capsule; *Hülse* case, box
kaputt ADJ [ka'pʊt] broken (*a. Ehe*); *Fahrstuhl, Maschine* out of order; *erschöpft* shattered; *Ruf, Gesundheit* ruined; **die Birne ist ~** the bulb's gone; **etw ~ machen** break* sth
ka'puttgehen VI ⟨*irr*, s⟩ break*; *von Auto, Maschine* break* down; *von Ehe* break* up **ka'puttlachen** VR *umg* kill o.s. laughing
Kapuze F [ka'pu:tsə] ⟨~; ~n⟩ hood; *Mönchskapuze* cowl
Karaffe F [ka'rafə] ⟨~; ~n⟩ carafe; *mit Stöpsel* decanter
Karambolage F [karambo'la:ʒə] ⟨~; ~n⟩ AUTO collision, crash
Karamellbonbon N *od* M [kara'mɛl-] toffee, caramel
Karat N [ka'ra:t] ⟨~(e)s; ~e *od mit Anzahl* ~⟩ carat; **18 ~ haben** be* 18 carats
Kar'freitag M [ka:r-] Good Friday
karg ADJ [kark], **kärglich** ADJ ['kɛrklɪç] *Lohn, Vorrat* meagre, *US* meager; *Essen, Leben* frugal; *Boden* poor
Karibik F [ka'ri:bɪk] ⟨~⟩ **die ~** the Caribbean
kariert ADJ [ka'ri:rt] checked; *Papier*

squared
Karies F ['ka:riɛs] ⟨~⟩ (tooth) decay
Karikatur F [karika'tu:r] ⟨~; ~en⟩ caricature (*a. fig*)
Karikatu'rist(in) M ⟨~en; ~en⟩ (F) ⟨~in; ~innen⟩ cartoonist
kari'kieren V/T ⟨*kein ge*⟩ caricature
Karneval M ['karnəval] ⟨~s; ~e *od* ~s⟩ carnival
Kärnten N ['kɛrntən] ⟨~s⟩ Carinthia
Karo N ['ka:ro] ⟨~s; ~s⟩ *auf Stoff* check; *auf Papier* square; *Spielkartenfarbe* diamonds *pl*; *Einzelkarte* diamond
Karosserie F [karɔsə'ri:] ⟨~; ~n⟩ body
Karotte F [ka'rɔtə] ⟨~; ~n⟩ carrot
Karre F ['karə] ⟨~; ~n⟩, **'Karren** M ⟨~s; ~⟩ cart; *Schubkarren* wheelbarrow; *umg*: *Auto* jalopy
Karriere F [kari'e:rə] ⟨~; ~n⟩ career; **~ machen** get* to the top
Kar'samstag M [ka:r-] Easter Saturday
Karte F ['kartə] ⟨~; ~n⟩ card; *Landkarte* map; *Seekarte* chart; *Fahrkarte, Eintrittskarte* ticket; *Speisekarte* menu; *Glückwunschkarte* greetings card; *Visitenkarte* business card
Kartei F [kar'tai] ⟨~; ~en⟩ card index
Kar'teikarte F index card **Kar'teikasten** M card-index box
Kartell N [kar'tɛl] ⟨~s; ~e⟩ WIRTSCH cartel
Kar'tellamt N antitrust commission; *in Deutschland* Federal Cartel Office; *in GB* Monopolies and Mergers Commission **Kar'tellgesetz** N antitrust law **Kar'tellregeln** PL antitrust rules *pl*
'Kartenspiel N card game; *Karten* pack *od* deck of cards **'Kartentelefon** N cardphone **'Kartenverkauf** M sale of tickets; *Stelle* ticket office; *für Theater, Kino* box office **'Kartenvorverkauf** M advance booking; *Stelle* booking office; *für Theater, Kino* box office
Kartoffel F [kar'tɔfəl] ⟨~; ~n⟩ potato; *Ofenkartoffel* jacket potato, baked potato
Kar'toffelbrei M mashed potatoes *pl* **Kar'toffelchips** PL *Br* crisps *pl*, *US* (potato) chips *pl* **Kar'toffelkloß** M, **Kar'toffelknödel** M potato dumpling **Kar'toffelpuffer** M potato fritter **Kar'toffelpüree** N mashed potatoes *pl* **Kar'toffelsalat** M potato salad
Karton M [kar'tɔŋ] ⟨~s; ~s⟩ *Material* cardboard; *Schachtel* cardboard box
Karussell N [karʊ'sɛl] ⟨~s; ~e *od* ~s⟩ roundabout, *US* car(r)ousel
Karwoche F ['ka:r-] **die ~** Holy Week
Käse M ['kɛ:zə] ⟨~s; ~⟩ cheese; *fig umg* rubbish, *US* garbage
Kaserne F [ka'zɛrnə] ⟨~; ~n⟩ barracks *pl*
Kasino N [ka'zi:no] ⟨~s; ~s⟩ *Spielkasino* casino
Kasse F ['kasə] ⟨~; ~n⟩ *Ladenkasse* till; *Registrierkasse* cash register; *im Supermarkt* checkout; *Kassentisch* cash desk; *Zahlstelle e-r Bank* (cashier's) counter; *im Theater, Kino* box office; *Krankenkasse* health insurance scheme; **gut bei ~ sein** *umg* be* flush; **knapp bei ~ sein** *umg* be* a bit hard up
'Kassenarzt M, **'Kassenärztin** F *doctor who treats patients who are members of health insurance schemes* **'Kassenbeleg** M receipt, *US a.* sales slip *od* check **'Kassenbestand** M cash balance **'Kassenbon** M receipt, *US a.* sales slip *od* check **'Kassenerfolg** M box-office success **'Kassenpatient(in)** M(F) *patient who is a member of a health insurance scheme* **'Kassenschlager** M big seller; *Film, Musical* blockbuster **'Kassenwart(in)** M [-vart(ɪn)] ⟨~(e)s; ~e⟩ (F) ⟨~in; ~innen⟩ treasurer **'Kassenzettel** M receipt, *US a.* sales slip *od* check
Kassette F [ka'sɛtə] ⟨~; ~n⟩ cassette, tape; *für Schmuck etc* box, case; *für Bücher* slipcase; *für Geld* cashbox
Kas'settenrekorder M cassette recorder
kassieren [ka'si:rən] ⟨*kein ge*⟩ **A** V/T *Beiträge, Miete etc* collect; *umg*: *verdienen* make*; *umg*: *kriegen* get*; *umg*: *Führerschein* take* away **B** V/I take* the money; *umg*: *verdienen* make* money; **dürfte ich bei Ihnen ~?** can I give you your bill now?
Kas'sierer(in) M ⟨~s; ~⟩ (F) ⟨~in; ~innen⟩ cashier; *von Beiträgen etc* collector
Kastanie F [kas'ta:niə] ⟨~; ~n⟩ chestnut
Kasten M ['kastən] ⟨~s; Kästen⟩ box (*a. fig*: *Fernseher, Radio*); *Behälter, Geigenkasten* case; *Bier, Sprudel etc* crate; *österr*: *Schrank* cupboard
Kat M [kat] ⟨~s; ~s⟩ AUTO *umg* catalytic converter

Katalog M [kata'lo:k] ⟨~(e)s; ~e⟩ catalogue, *US* catalog
Kata'logpreis M list price
Katalysator M [kataly'za:tɔr] ⟨~s; ~en⟩ CHEM catalyst; AUTO catalytic converter
Kataly'satorauto N car with a catalytic converter
Katapult N *od* M [kata'pʊlt] ⟨~(e)s; ~e⟩ catapult
katapul'tieren V/T ⟨*kein ge*⟩ catapult
katastrophal [katastro'fa:l] **A** ADJ disastrous **B** ADV **sich ~ auswirken** have* disastrous consequences
Kata'strophe F ⟨~; ~n⟩ disaster, catastrophe (*beide a. fig*)
Kata'strophengebiet N disaster area **Kata'strophenschutz** M disaster control
Kategorie F [katego'ri:] ⟨~; ~n⟩ category
Kater M ['ka:tər] ⟨~s; ~⟩ tomcat; *nach Alkohol* hangover
Kathedrale F [kate'dra:lə] ⟨~; ~n⟩ cathedral
Katholik(in) [kato'li:k(ɪn)] ⟨~en; ~en⟩ (F) ⟨~in; ~innen⟩ Catholic
ka'tholisch ADJ Catholic
Kätzchen N ['kɛtsçən] ⟨~s; ~⟩ *junge Katze* kitten; *Katze* pussy; *Blüte* catkin
Katze F ['katsə] ⟨~; ~n⟩ cat
'Katzensprung M **bis zum Bahnhof ist es nur ein ~** the station is only a stone's throw away
kauen V/T & V/I ['kauən] chew; **an etw ~** chew (on) sth; **hör auf, an den Nägeln zu ~!** stop biting your nails!
kauern V/I ⟨s⟩ & V/R ['kauərn] crouch, squat
Kauf M [kauf] ⟨~(e)s; Käufe⟩ purchase (*a.* WIRTSCH), buy; *Kaufen* purchasing, buying; **ein guter ~** a bargain, a good buy; **etw zum ~ anbieten** offer sth for sale; **etw in ~ nehmen** *fig* accept sth
'Kaufanreiz M incentive to buy
'kaufen V/T buy* (*a. fig*), purchase
Käufer(in) ['kɔyfər(ɪn)] M ⟨~s; ~⟩ (F) ⟨~in; ~innen⟩ buyer; *Kunde* customer
'Käuferverhalten N buying habits *pl*
'Kauffrau F businesswoman **'Kaufhaus** N department store **'Kaufkraft** F purchasing power **'Kaufleute** PL business people *pl*
käuflich ADJ ['kɔyflɪç] **~ sein** be* for sale; *fig* be* open to bribery
'Kaufmann M ⟨*pl* Kaufleute⟩ *Händler* dealer, trader; *Geschäftsmann* businessman; *Einzelhändler* shopkeeper, *US* storekeeper
kaufmännisch ADJ ['kaufmɛnɪʃ] commercial, business; **~er Angestellter** clerk
'Kaufvertrag M contract of sale
'Kaugummi M ⟨~s; ~s⟩ (chewing) gum
kaum ADV [kaum] hardly; **es ist ~ zu glauben** it's hard to believe; **~ hatte sie ..., da ...** no sooner had she ... than ...
Kaution F [kautsi'o:n] ⟨~; ~en⟩ *für Wohnung, Mietauto etc* deposit; JUR bail; **er wurde gegen ~ freigelassen** he was released on bail
Kegel M ['ke:gəl] ⟨~s; ~⟩ *beim Kegeln* skittle; *beim Bowling* pin; MATH, TECH cone
'Kegelbahn F skittle alley; *beim Bowling* bowling alley
'kegeln V/I play skittles; *beim Bowling* bowl; **~ gehen** *Bowling* go* bowling
Kehle F ['ke:lə] ⟨~; ~n⟩ throat; **aus voller ~** at the top of one's voice
'Kehlkopf M larynx
'Kehre F ['ke:rə] ⟨~; ~n⟩ *Kurve* sharp bend
'kehren[1] V/T *fegen* sweep*
'kehren[2] V/T **sie hat ihnen den Rücken gekehrt** she turned her back on them; **in sich gekehrt sein** be* an introvert
'Kehrseite F other side; *fig* downside; **die ~ der Medaille** the other side of the coin
'kehrtmachen V/I turn around
Keil M [kail] ⟨~(e)s; ~e⟩ wedge; *um ein Rad zu blockieren* chock
'Keilriemen M AUTO fan belt
Keim M [kaim] ⟨~(e)s; ~e⟩ *Krankheitserreger* germ; *Trieb* shoot; *fig* seed(s *pl*); **etw im ~ ersticken** nip sth in the bud
'keimen V/I *von Samen* germinate; *sprießen* sprout; *fig* form, grow*
'keimfrei ADJ sterile **'keimtötend** ADJ germicidal **'Keimzelle** F germ cell; *fig* germ
kein ADJ [kain] **kein(e)** no, not ... any; **~ anderer** no one else; **ich habe ~ Geld (mehr)** I don't have any (more) money; **du bist ~ Kind mehr** you're not a child any more *od* any longer

keine(r, -s) INDEF PR ['kaınə] *Personen* no one, nobody; *Sachen* none, not ... any; **~r von beiden** neither (of the two); **ich will keins von ihnen** I don't want any of them; **~r von uns** *bei zwei Personen* neither of us; *bei mehreren Personen* none of us
'keines'falls ADV on no account, under no circumstances **'keines'wegs** ADV not at all
'keinmal ADV not once
Keks M [ke:ks] ⟨~(e)(s); ~e⟩ biscuit, *US* cookie
Kelle F ['kɛlə] ⟨~; ~n⟩ *Löffel* ladle; *Maurerkelle* trowel
Keller M ['kɛlər] ⟨~s; ~⟩ cellar; *bewohnt* basement
'Kellergeschoss N basement **'Kellerwohnung** F basement flat *od US* apartment
Kellner(in) ['kɛlnər(ın)] M ⟨~s; ~⟩ (F) ⟨~in; ~innen⟩ waiter; *Frau* waitress
'keltern V/T ['kɛltərn] press
Kenia N ['ke:nia] ⟨~s⟩ Kenya
kennen V/T ['kɛnən] ⟨kannte, gekannt⟩ know*; **wir ~ uns schon** we've already met
'kennenlernen V/T get* to know; *zum ersten Mal treffen* meet*; **als ich dich kennenlernte** when I first met you
'Kenner(in) M ⟨~s; ~⟩ (F) ⟨~in; ~innen⟩ expert; *Kunstkenner, Weinkenner* connoisseur
'kenntlich ADJ **~ machen** mark
Kenntnis F ['kɛntnıs] ⟨~; ~se⟩ knowledge; **~ nehmen von** take* notice of; **etw zur ~ nehmen** take* note of sth; **gute ~se in etw haben** have* a good knowledge of sth
'Kennwort N ⟨*pl* Kennwörter⟩ password **'Kennzeichen** N *Markierung* mark, sign; *Merkmal* (distinguishing) feature, characteristic; *am Auto* registration *od US* license number **'kennzeichnen** V/T mark; *fig* characterize
kentern V/I ['kɛntərn] ⟨s⟩ capsize
Keramik F [ke'ra:mık] ⟨~; ~en⟩ **aus ~ sein** be* pottery; *Fliese* be* ceramic
Kerbe F ['kɛrbə] ⟨~; ~n⟩ notch
Kerl M [kɛrl] ⟨~s; ~e, *nordd* ~s⟩ *umg* guy, *bes Br* bloke; **armer ~** poor devil; **er ist ein anständiger ~** he's a decent sort
Kern M [kɛrn] ⟨~(e)s; ~e⟩ *von Obst* pip, seed; *von Kirsche, Pfirsich etc* stone; *von Nuss* kernel; TECH core (*a. Reaktorkern*); PHYS nucleus (*a. Atomkern*); *fig* core, heart
'Kern- ZSSGN *Energie, Physik etc* nuclear
'Kerneuropa N core Europe **'Kernforschung** F nuclear research **'Kerngehäuse** N core **'kerngesund** ADJ **~ sein** *umg* be* as fit as a fiddle
'kernig ADJ *Mann* robust; *Satz, Sprache etc* pithy; **~ sein** *Obst* be* full of pips *od* seeds
'Kernkraft F nuclear power **'Kernkraftgegner(in)** M(F) anti-nuclear protester **'Kernkraftwerk** N nuclear power station
'kernlos ADJ seedless **'Kernreaktor** M nuclear reactor **'Kernspaltung** F nuclear fission **'Kerntechnik** F nuclear technology **'Kernwaffe** F nuclear weapon **'kernwaffenfrei** ADJ **~e Zone** nuclear-free zone **'Kernwaffenversuch** M nuclear test **'Kernzeit** F core time
Kerze F ['kɛrtsə] ⟨~; ~n⟩ candle; *Turnübung* shoulder stand
Kessel M ['kɛsəl] ⟨~s; ~⟩ *Teekessel* kettle; *Heizkessel, Dampfkessel* boiler; *Behälter* tank
Ketchup N *od* M ['kɛtʃap] ⟨~(s); ~s⟩ ketchup
Kette F ['kɛtə] ⟨~; ~n⟩ chain (*a. fig*); *Halskette* necklace
'ketten V/T chain (**an** to)
'Ketten- ZSSGN *Raucher, Reaktion* chain
'Kettenfahrzeug N tracked vehicle
keuchen V/I ['kɔyçən] pant
'Keuchhusten M whooping cough
Keule F ['kɔylə] ⟨~; ~n⟩ club; *von Lamm etc* leg
'keulen V/T *Tiere* cull
'Keulung F ⟨~; ~en⟩ cull(ing)
Kfz N [ka:ʔɛf'tsɛt] ⟨~(s); ~(s)⟩ *abk für* Kraftfahrzeug motor vehicle
Kf'z-Brief M, **Kf'z-Schein** M vehicle registration document **Kf'z-Steuer** F road *od US* automobile tax **Kf'z-Versicherung** F car insurance **Kf'z-Werkstatt** F garage
kichern V/I ['kıçərn] giggle (**über** at)
kidnappen V/T ['kıtnɛpən] kidnap
'Kidnapper(in) M ⟨~s; ~⟩ (F) ⟨~in; ~in-

K

nen⟩ kidnapper
Kiefer[1] M ['ki:fər] ⟨~s; ~⟩ jaw
'Kiefer[2] F ⟨~; ~n⟩ BOT pine
'Kieferchirurg(in) M(F) oral surgeon
Kiel M [ki:l] ⟨~(e)s; ~e⟩ SCHIFF keel
Kieme F ['ki:mə] ⟨~; ~n⟩ gill
Kies M [ki:s] ⟨~es; ~e⟩ gravel; *sl: Geld* dough
Kieselstein M ['ki:zəl-] pebble
Killer(in) ['kılər(ın)] M ⟨~s; ~⟩ (F) ⟨~in; ~innen⟩ hit man; *Frau* hit woman
Kilo N ['ki:lo] ⟨~s; ~(s)⟩, **Kilo'gramm** N kilo(gram), *Br a.* kilogramme
Kilo'hertz N kilohertz **Kilo'meter** M *od* N kilometre, *US* kilometer **Kilo'watt** N kilowatt
Kind N [kınt] ⟨~(e)s; ~er⟩ child; *Kleinkind* baby; **sie erwartet ein ~** she's expecting a baby; **von ~ auf** from childhood
'Kinderarzt M, **'Kinderärztin** F paediatrician, *US* pediatrician **'Kinderbetreuung** F childminding, *US* childcare provision **'Kinderermäßigung** F reduction for children **'Kinderfahrkarte** F children's ticket **'Kinderfreibetrag** M child allowance, *US* children's allowance **'kinderfreundlich** ADJ very fond of children; *Wohnung etc* suitable for children **'Kindergarten** M nursery school, kindergarten **'Kindergärtner(in)** M(F) nursery-school teacher **'Kindergeld** N child benefit **'Kinderhort** M [-hɔrt] ⟨~(e)s; ~e⟩ after-school centre *od US* center **'Kinderkrankheit** F childhood illness; *fig: von neuer Maschine etc* teething troubles *pl* **'Kinderkrippe** F [-krıpə] ⟨~; ~n⟩ crèche, *US* daycare center **'kinderlieb** ADJ **~ sein** be* fond of children **'kinderlos** ADJ childless **'Kindermädchen** N nurse(maid), *Br* nanny **'Kinderportion** F child's *od* children's portion **'Kindersitz** M child seat **'Kinderspiel** N **das ist ein ~** *fig* that's child's play **'Kinderspielplatz** M children's playground **'Kindertagesstätte** F day nursery, *US* daycare center **'Kinderwagen** M pram, *US* baby carriage **'Kinderzimmer** N children's room
'Kindesalter N childhood; **sie ist noch im ~** she's still a child **'Kindesmisshandlung** F child abuse
'Kindheit F ⟨~⟩ childhood; **von ~ an** from childhood
'kindisch **A** ADJ childish **B** ADV *sich benehmen etc* childishly
'kindlich ADJ childlike
Kinn N [kın] ⟨~(e)s; ~e⟩ chin
Kino N ['ki:no] ⟨~s; ~s⟩ cinema, *US* movie theater; **ins ~ gehen** go* to the cinema *od bes US* the movies
'Kinobesucher(in) M(F), **'Kinogänger(in)** [-gɛŋər(ın)] M ⟨~s; ~⟩ (F) ⟨~in; ~innen⟩ cinemagoer, *bes US* moviegoer **'Kinovorstellung** F showing (of a film *od US* movie)
Kiosk M ['ki:ɔsk] ⟨~(e)s; ~e⟩ kiosk
'Kippe F ['kıpə] ⟨~⟩ **es steht auf der ~** it's touch and go; **er steht auf der ~** it's touch and go with him
'kippen **A** V/I ⟨s⟩ tip over; *von Spiel* turn round **B** V/T *Fenster, Tisch etc* tilt; *schütten* tip
Kirche F ['kırçə] ⟨~; ~n⟩ church; **in die** *od* **zur ~ gehen** go* to church
'Kirchenlied N hymn **'Kirchensteuer** F church tax
'kirchlich **A** ADJ church *attr*, ecclesiastical **B** ADV **sich ~ trauen lassen** have* a church wedding
'Kirchturm M steeple; *Spitze* spire; *ohne Spitze* church tower
Kirsche F ['kırʃə] ⟨~; ~n⟩ cherry
Kissen N ['kısən] ⟨~s; ~⟩ *Kopfkissen* pillow; *Sitzkissen, Luftkissen* cushion
Kiste F ['kıstə] ⟨~; ~n⟩ box; *Lattenkiste* crate (*a. umg: Auto, Flugzeug*); *für Wein* case
Kita F ['ki:ta] ⟨~; ~s⟩ *abk für* Kindertagesstätte day nursery, *US* daycare center
Kitchenette F [kıtʃə'nɛt] ⟨~; ~s⟩ kitchenette
Kitsch M [kıtʃ] ⟨~(e)s⟩ kitsch
'kitschig ADJ kitschy
Kitt M [kıt] ⟨~(e)s; ~e⟩ cement; *Glaserkitt* putty
Kittel M ['kıtəl] ⟨~s; ~⟩ *Arbeitskittel, Kittelschürze* overall, *US* workcoat; *Arztkittel* (white) coat
'kitten V/T cement; *Fensterscheibe* putty
Kitzel M ['kıtsəl] ⟨~s⟩ tickle; *fig* thrill
'kitzeln V/I & V/T tickle; **mich kitzelt's am Fuß** my foot's tickling
kitzlig ADJ ['kıtslıç] ticklish (*a. fig*)
Kiwi F ['ki:vi] ⟨~; ~s⟩ kiwi fruit

K

Klage F ['kla:gə] ⟨~; ~n⟩ complaint; *Wehklage* lament; JUR action, (law)suit
'klagen V/I complain (**über** of, about; **bei** to); *wehklagen* lament; JUR go* to court; **gegen j-n ~** sue sb
Kläger(in) ['klɛ:gər(ɪn)] M ⟨~s; ~⟩ (F) ⟨~in; ~innen⟩ plaintiff
kläglich ['klɛ:klɪç] **A** ADJ miserable (*a. fig*); *Anblick* pitiful **B** ADV *versagen etc* miserably
klamm ADJ [klam] numb; *feucht* clammy
Klammer F ['klamər] ⟨~; ~n⟩ *Büroklammer, Haarklammer* clip; *Heftklammer* staple; *Wäscheklammer* (clothes) peg, *US* (clothes) pin; *Zahnklammer* brace; MATH, *in Text* bracket; TECH clamp
'klammern V/T attach (**an** to); *Wäsche* peg, *US* pin (**an** on); **sich ~ an** cling* to
Klamotten PL [kla'mɔtən] *umg* clothes *pl*, gear *sg*
Klang M [klaŋ] ⟨~(e)s; Klänge⟩ sound; *Tonqualität* tone; *Gläserklang* clink; *Glockenklang* ringing
'klangvoll ADJ sonorous; *fig* illustrious
'Klappbett N folding bed
Klappe F ['klapə] ⟨~; ~n⟩ flap; *Klappdeckel* (hinged) lid; *an Lkw* tailgate; TECH, ANAT valve; *umg*: *Mund* trap
'klappen **A** V/T **nach oben ~** raise; *Sitz* put* *od* fold up; **nach unten ~** lower; *Sitz* put* *od* fold down; **es lässt sich (nach hinten) ~** it folds (back) **B** V/I work; *gut gehen* work out; **wenn alles klappt** if all goes well
klappern V/I ['klapərn] rattle; *von Geschirr* clatter; **mit etw ~** rattle sth; **sie klapperte mit den Zähnen** her teeth were chattering
'Klappfahrrad N folding bicycle **'Klapphandy** N clamshell (phone), flip phone, *Br* flip mobile (phone), *US* flip (cell)phone **'Klappmesser** N clasp *od* jack knife
'klapprig ADJ *Auto, Möbel etc* rickety; *Person* shaky, doddery
'Klappsitz M folding seat **'Klappstuhl** M folding chair
Klaps M [klaps] ⟨~es; ~e⟩ pat
klar [kla:r] **A** ADJ clear (*a. fig*); **ist dir ~, dass …?** do you realize that …?; **das ist mir (nicht ganz) ~** I (don't quite) understand; **(na) ~!** of course!; **alles ~?** everything okay?; **sich über etw im Klaren sein** be* clear about sth **B** ADV *sprechen etc* clearly
'Kläranlage F sewage works *sg*
klären ['klɛ:rən] **A** V/T purify; *Wasser a.* treat; *Sachverhalt* clear up **B** V/I clear (the ball)
'Klarheit F ⟨~⟩ clarity (*a. fig*)
'klarkommen V/I ⟨*irr*, s⟩ *umg* **mit etw/j-m ~** be* able to cope with sth/sb; **kommst du klar?** can you cope?; **gut mit j-m ~** get* along well with sb
'klarmachen V/T **j-m etw ~** make* sth clear to sb **'Klarsichtfolie** F clingfilm, *US* plastic wrap **'Klarsichtpackung** F transparent pack **'klarstellen** V/T **etw ~** make* sth clear
'Klasse F ['klasə] ⟨~; ~n⟩ class (*a.* POL); *Schulklasse Br a.* form, *US a.* grade; *Klassenzimmer* classroom; **ganz große ~!** *umg* brilliant!; **erster ~ reisen** travel first-class
klasse ADJ ⟨*inv*⟩ *umg*: *großartig* great, fantastic
klassifizieren V/T [klasifi'tsi:rən] ⟨*kein ge*⟩ classify
Klassifi'zierung F ⟨~; ~en⟩ classification
Klassiker M ['klasɪkər] ⟨~s; ~⟩ classic
'klassisch ADJ *die Antike u. die Musik betreffend* classical; *Fehler, Kostüm* classic
Klatsch M [klatʃ] ⟨~(e)s⟩ *umg* gossip
'klatschen **A** V/I *Beifall klatschen* clap, applaud; ⟨s⟩ *ins Wasser* splash; *umg*: *schlagen* smack; *umg*: *tratschen* gossip; **er klatschte in die Hände** he clapped his hands **B** V/T *umg* slap; **Beifall ~** clap, applaud
'klatsch'nass ADJ *umg* soaking wet
klauen V/T ['klauən] *umg* pinch, nick; **j-m etw ~** pinch *od* nick sth from sb
Klausel F ['klauzəl] ⟨~; ~n⟩ JUR clause; *Bedingung* condition
Klavier N [kla'vi:r] ⟨~s; ~e⟩ piano
'Klebeband N ⟨*pl* Klebebänder⟩ sticky tape, adhesive tape
kleben ['kle:bən] **A** V/T stick* (**an, in** to, into); *reparieren* stick* together; **j-m eine ~** *umg* clout sb **B** V/I stick* (**an** to); *klebrig sein* be* sticky; **~ an** *fig* cling* to
'klebrig ADJ sticky
'Klebstoff M adhesive; *Leim* glue
kleckern ['klɛkərn] *umg* **A** V/I make* a mess **B** V/T spill*

K

Klecks M [klɛks] ⟨~es; ~e⟩ *umg*: *Tintenklecks* (ink)blot; *Farbklecks* blob; *Sahne etc* blob
Klee M [kleː] ⟨~s⟩ clover
Kleid N [klait] ⟨~(e)s; ~er⟩ dress; **~er** *pl*; *Kleidung* clothes *pl*
'Kleiderbügel M (coat) hanger **'Kleiderbürste** F clothes brush **'Kleiderhaken** M coat hook **'Kleiderschrank** M wardrobe **'Kleiderständer** M coat stand
'Kleidung F ⟨~; ~en⟩ clothes *pl*, clothing
'Kleidungsstück N piece of clothing
klein [klain] **A** ADJ small; *Finger, Bruder* little; *von Wuchs* short; *Fehler* minor; *Pause* short; **als ich ~ war** when I was little; **von ~ auf** from an early age; **die Kleinen** the little ones **B** ADV **ein ~ wenig** a little bit; **~ gedruckt** in small print; **~ schneiden** cut* up (into small pieces)
'Kleinanzeige F small *od US* want ad **'Kleinbildkamera** F 35 mm camera **'Kleinfamilie** F nuclear family **'Kleingedruckte(s)** N ⟨~n⟩ **das ~** the small print **'Kleingeld** N change
'Kleinigkeit F ⟨~; ~en⟩ little thing; *Geschenk* little something; *unwichtige Sache* trifle; *zu essen* snack; **das ist für ihn e-e ~** *leicht* that's child's play to him
'Kleinkind N small child, toddler **'Kleinkram** M *umg*: *Gegenstände* odds and ends *pl*; *Angelegenheiten* trifles *pl* **'kleinkriegen** V/T **j-n ~** *umg* cut* sb down to size **'kleinlaut** ADJ subdued
'kleinlich ADJ petty; *geizig* mean; *pedantisch* fussy
'Kleinstadt F small town **'kleinstädtisch** ADJ small-town, provincial
'Kleinstbetrieb M micro-enterprise
'Kleinunternehmen N small enterprise **'Kleinwagen** M small car
Klemme F ['klɛmə] ⟨~; ~n⟩ TECH clamp; *Haarklemme* (hair) clip; **in der ~ sitzen** *umg* be* in a fix, be* in a tight spot
'klemmen **A** V/T jam; *stecken* stick*; **er hat sich den Finger (in der Schublade) geklemmt** he got his finger caught (in the drawer) **B** V/I *von Tür, Fenster etc* be* stuck, be* jammed; **sich hinter etw ~** *umg* get* stuck into sth
Klempner(in) ['klɛmpnər(ɪn)] M ⟨~s; ~⟩ F ⟨~in; ~innen⟩ plumber

'Kletterhalle F indoor climbing centre *od US* center
'klettern V/I ['klɛtərn] ⟨s⟩ climb; **auf e-n Baum ~** climb (up) a tree
'Kletterpflanze F climber
Klettverschluss® M ['klɛt-] Velcro® fastening *od* fastener
klicken V/I ['klɪkən] click (*a.* IT)
Klient(in) [kli'ɛnt(ɪn)] M ⟨~en; ~en⟩ F ⟨~in; ~innen⟩ client
Klima N ['kliːma] ⟨~s; ~s *od* Kli'mate⟩ climate; *fig a.* atmosphere
'Klimaanlage F air-conditioning **'Klimakatastrophe** F climatic disaster **'Klimaschutz** M climate protection
kli'matisch ADJ climatic
klimatisiert ADJ [klimati'ziːrt] air-conditioned
'Klimaveränderung F climate change, change in the climate **'Klimawandel** M climate change, change in the climate
Klinge F ['klɪŋə] ⟨~; ~n⟩ blade
Klingel F ['klɪŋəl] ⟨~; ~n⟩ bell
'klingeln V/I *an der Tür* ring* (the bell); *von Wecker, Telefon* ring*; **bei j-m ~** ring* sb's bell; **es hat geklingelt** there's someone at the door; *in der Schule* the bell's gone
'Klingelton M ⟨~(e)s; Klingeltöne⟩ *von Handy* ring tone
klingen V/I ['klɪŋən] ⟨klang, geklungen⟩ sound; *von Glocke, Metall* ring*; *von Gläsern* clink; **traurig/müde ~** sound sad/tired
Klinik F ['kliːnɪk] ⟨~; ~en⟩ clinic; *Krankenhaus* hospital
'klinisch **A** ADJ clinical **B** ADV **~ tot** clinically dead
Klinke F ['klɪŋkə] ⟨~; ~n⟩ (door) handle
Klippe F ['klɪpə] ⟨~; ~n⟩ cliff; *Felsblock* rock; *fig* obstacle
klirren V/I ['klɪrən] *von Fenstern* rattle; *von Gläsern* clink; *von Schwertern* clash; *von Münzen, Schlüsseln* jingle
Klischee N [kli'ʃeː] ⟨~s; ~s⟩ cliché
Kli'scheevorstellung F clichéd idea
Klo N [kloː] ⟨~s; ~s⟩ *umg* loo, *US* john
klobig ADJ ['kloːbɪç] bulky; *Hände, Nase* big
Klon M [kloːn] ⟨~s; ~e⟩ clone
'klonen V/T clone
'Klonschaf N sheep clone, cloned

sheep

'Klopapier N *umg* toilet *od Br a.* loo paper

klopfen ['klɔpfən] **A** V/I *von Herz, Puls* beat*; *an die Tür* knock; *auf die Schulter* tap; *tätschelnd* pat; *von Motor* knock; **es klopft** there's someone at the door **B** V/T *Nagel* knock, drive* (**in** into); *Teppich* beat*; *Fleisch* pound

Klosett N [klo'zɛt] ⟨~s; ~s⟩ lavatory, toilet, *US a.* bathroom

Klo'settpapier N toilet paper *od* tissue

Kloß M [klo:s] ⟨~es; Klöße⟩ GASTR dumpling; **ich hatte einen ~ im Hals** *umg* I had a lump in my throat

Kloster N ['klo:stər] ⟨~s; Klöster⟩ *Mönchskloster* monastery; *Nonnenkloster* convent

Klotz M [klɔts] ⟨~es; Klötze⟩ block

Klub M [klʊp] ⟨~s; ~s⟩ club

Kluft F [klʊft] ⟨~; Klüfte⟩ *zwischen Felsen* crevice; *Abgrund* abyss; *fig: Gegensatz* gulf

klug ADJ [klu:k] ⟨klüger, klügste⟩ clever, intelligent; *vernünftig* wise; **daraus/aus ihm werde ich nicht ~** I don't know what to make of it/of him

'Klugheit F ⟨~; ~en⟩ cleverness, intelligence; *Vernunft* wisdom

KMU PL [ka:ʔɛm'ʔu:] *abk für* kleine und mittlere Unternehmen SMEs *pl*

knabbern V/T & V/I ['knabərn] nibble; **~ an** nibble

Knäckebrot N ['knɛkə-] crispbread

knacken ['knakən] **A** V/T *Nüsse* crack (*a. umg: Geldschrank, Geheimkode*); *umg: Auto* break* into; *umg: Schloss* force **B** V/I ⟨s⟩ crack; *von Zweig* snap; ⟨h⟩ *von Feuer* crackle; **es knackt im Radio** the radio's crackling; **an etw zu ~ haben** *umg* have* sth to chew on

'knackig ADJ *Gemüse, Obst, Brötchen* crunchy; *umg: Mädchen, Typ* tasty; *umg: Po* sexy

Knacks M [knaks] ⟨~es; ~e⟩ *umg* crack (*a. Geräusch*); *fig* defect; **ihre Ehe hat e-n ~** their marriage is in trouble

Knall M [knal] ⟨~(e)s; ~e⟩ *allg* bang; *von Peitsche* crack; *von Korken* pop

'knallen **A** V/I bang; *von Tür a.* slam; *von Schuss* ring* out; *von Peitsche* crack; *von Korken* pop; ⟨s⟩ *umg: prallen* crash (**gegen** into); **j-m e-e ~** *umg* clout sb **B** V/T *Tür* bang, slam; *irgendwohin werfen* fling*; *gegen etw werfen* bang

'knall'rot ADJ *umg* bright red

knapp [knap] **A** ADJ *Vorräte, Lebensmittel* scarce; *Kost, Lohn, Rente* meagre, *US* meager; *Mehrheit* slim; *knapp bemessen* limited; *Sieg, Entkommen* narrow; *Kleidungsstück* tight; *Schreiben, Überblick* brief; **e-e ~e Stunde/Meile** just under an hour/a mile; **mit ~er Not** only just, barely; **das war ~** that was close **B** ADV *verlieren etc* narrowly; **in ~ zwei Stunden** in just under two hours

'Knappheit F ⟨~⟩ shortage

Knast M [knast] ⟨~(e)s; ~e *od* Knäste⟩ *umg* jail

Knäuel N ['knɔyəl] ⟨~s; ~⟩ ball; *wirres* tangle

knaus(e)rig ADJ ['knauz(ə)rɪç] *umg* stingy

knautschen V/T & V/I ['knautʃən] crumple

'Knautschzone F AUTO crumple zone

Knebel M ['kne:bəl] ⟨~s; ~⟩ gag (*a. fig*)

'knebeln V/T gag (*a. fig*)

kneifen ['knaifən] ⟨kniff, gekniffen⟩ **A** V/T pinch; **er hat sie in den Arm gekniffen** he pinched her arm **B** V/I pinch; *fig umg* chicken out (**vor** of)

'Kneifzange F pincers *pl*

Kneipe F ['knaipə] ⟨~; ~n⟩ *umg* pub, *bes US* bar

'kneten V/T knead; *formen* mould, *US* mold

Knick M [knɪk] ⟨~(e)s; ~e⟩ *Falte* crease; *in Schlauch, Draht* kink; *Kurve* bend

'knicken V/T *falten* fold, crease; *Zweig* snap; **nicht ~!** do not bend!

Knie N [kni:] ⟨~s; ~ ['kni:(ə)]⟩ knee

knien V/I [kni:(ə)n] ⟨kniete, gekniet⟩ kneel* (**vor** before)

'Kniescheibe F kneecap **'Kniestrumpf** M knee(-length) sock

Kniff M [knɪf] ⟨~(e)s; ~e⟩ *Falte* crease, fold; *Zwicken* pinch; *fig* trick

'kniff(e)lig ADJ tricky

knipsen ['knɪpsən] *umg* **A** V/T take* a photo of; *lochen* punch, clip **B** V/I take* photos

knirschen V/I ['knɪrʃən] crunch; **mit den Zähnen ~** grind* one's teeth

knistern V/I ['knɪstərn] *von Feuer* crackle; *von Papier* rustle; **mit etw ~** rustle sth

knittern VT & VI ['knɪtərn] crease
Knoblauch M ['kno:plaux] ⟨~(e)s⟩ garlic
Knöchel M ['knœçəl] ⟨~s; ~⟩ ankle; *Fingerknöchel* knuckle
Knochen M ['knɔxən] ⟨~s; ~⟩ bone; **Fleisch mit/ohne ~** meat on/off the bone
'Knochenbruch M fracture
'knochig ADJ bony
Knödel M ['knø:dəl] ⟨~s; ~⟩ GASTR dumpling
Knopf M [knɔpf] ⟨~(e)s; Knöpfe⟩ button (*a. als Schalter*)
'Knopfdruck M **auf ~** at the touch of a button
Knorpel M ['knɔrpəl] ⟨~s; ~⟩ *in Fleisch* gristle; ANAT cartilage
Knospe F ['knɔspə] ⟨~; ~n⟩ bud
knoten VT ['kno:tən] tie
'Knoten M ⟨~s; ~⟩ knot (*a.* SCHIFF); *Haarknoten* bun; *Geschwulst* lump

K

Know-how N [no:'hau] ⟨~(s)⟩ know-how
Knüller M ['knʏlər] ⟨~s; ~⟩ *umg* smash hit; *in der Presse* sensation
knüpfen VT ['knʏpfən] tie (**an** to); *Teppich, Netz* knot; **Bedingungen an etw ~** attach conditions to sth
Knüppel M ['knʏpəl] ⟨~s; ~⟩ stick, club; *Polizeiknüppel* truncheon, *US* nightstick
knurren VI ['knʊrən] growl; *fig* grumble (**über** about); *von Magen* rumble
knusp(e)rig ADJ ['knʊsp(ə)rɪç] crisp
knutschen VI ['knu:tʃən] *umg* smooch, *Br* snog
k. o. [ka'ʔo:] **A** ADJ knocked out; *fig* shattered **B** ADV **j-n ~ schlagen** knock sb out
koalieren VI [koʔa'li:rən] ⟨*kein ge*⟩ POL form a coalition (**mit** with)
Koalition F [koʔalitsi'o:n] ⟨~; ~en⟩ coalition
Koaliti'onspartner M coalition partner **Koaliti'onsregierung** F coalition government **Koaliti'onsvereinbarung** F coalition agreement
Koch M [kɔx] ⟨~(e)s; Köche⟩ cook; *im Lokal a.* chef
'Kochbuch N cookbook, cookery book
'kochen **A** VT cook; *Eier, Wasser, Wäsche* boil; *Kaffee, Tee* make* **B** VI cook, do* the cooking; **gut ~** be* a good cook; **kocht das Wasser schon?** is the water boiling yet?; **vor Wut ~** boil with rage
'Kochgelegenheit F cooking facilities *pl*
Köchin F ['kœçɪn] ⟨~; ~nen⟩ cook; *im Lokal a.* chef
'Kochnische F kitchenette **'Kochplatte** F *von Herd* hotplate **'Kochsalz** N cooking salt **'Kochtopf** M saucepan
Kode M [ko:t] ⟨~s; ~s⟩ code
Köder M ['kø:dər] ⟨~s; ~⟩ bait (*a. fig*)
'ködern VT lure (*a. fig*)
Kodex M ['ko:dɛks] ⟨~(es); ~e *od* Kodizes⟩ code
kodieren VT [ko'di:rən] ⟨*kein ge*⟩ encode
Kodifikation F [kodifikatsi'o:n] ⟨~; ~en⟩ **~ der Rechtsvorschriften** *EU* consolidation of legislation
Koffein N [kɔfe'i:n] ⟨~s⟩ caffeine
koffe'infrei ADJ decaffeinated
Koffer M ['kɔfər] ⟨~s; ~⟩ (suit)case; *Schrankkoffer* trunk
Kofferkuli M ['kɔfərku:li] ⟨~s; ~s⟩ (luggage) trolley, *US* baggage cart **'Kofferradio** N portable radio **'Kofferraum** M boot, *US* trunk
Kohäsionsfonds M [kohɛzi'o:nsfõ:] cohesion fund
Kohl M [ko:l] ⟨~(e)s; ~e⟩ cabbage
Kohle F ['ko:lə] ⟨~; ~n⟩ coal; *zum Zeichnen* charcoal; ELEK carbon; *umg: Geld* dough
'Kohlehydrat N [-hydra:t] ⟨~(e)s; ~e⟩ carbohydrate
'Kohlen- ZSSGN CHEM *Dioxid etc* carbon
'Kohlenbergwerk N coalmine, colliery **'Kohlensäure** F *im Getränk* fizz; **mit ~** sparkling, carbonated; **ohne ~** still, non-carbonated **'kohlensäurehaltig** ADJ sparkling, carbonated **'Kohlenstoff** M carbon **'Kohlen'wasserstoff** M hydrocarbon
'Kohlkopf M cabbage
Kohlrabi M [ko:l'ra:bi] ⟨~(s); ~(s)⟩ kohlrabi
Koje F ['ko:jə] ⟨~; ~n⟩ SCHIFF bunk, berth
Kokain N [koka'i:n] ⟨~s⟩ cocaine
kokett ADJ [ko'kɛt] coquettish
Kokosnuss F ['ko:kɔs-] coconut
Koks M [ko:ks] ⟨~es; ~e⟩ coke (*a. sl: Kokain*); *umg: Geld* dough

Kolben M ['kɔlbən] ⟨~s; ~⟩ *Gewehrkolben* butt; TECH piston; *Glaskolben* flask

Kollege M [kɔ'le:gə] ⟨~n; ~n⟩, **Kol'legin** F ⟨~; ~nen⟩ colleague

Kollegium N [kɔ'le:giʊm] ⟨~s; Kollegien⟩ teaching staff *sg od pl*

Kollektion F [kɔlɛktsi'o:n] ⟨~; ~en⟩ collection

kollektiv [kɔlɛk'ti:f] **A** ADJ collective; **~e Verteidigung** *der EU* collective defence **B** ADV *handeln etc* collectively

Kollek'tiv N ⟨~s; ~e *od* ~s⟩ collective (*a. zssgn*)

Kollision F [kɔlizi'o:n] ⟨~; ~en⟩ collision; *fig* clash

Kolonie F [kolo'ni:] ⟨~; ~n⟩ colony

koloni'sieren V/T ⟨*kein ge*⟩ colonize

Kolonne F [ko'lɔnə] ⟨~; ~n⟩ column; MIL: *Wagenkolonne* convoy

kolossal [kolɔ'sa:l] **A** ADJ gigantic; *umg*: *Freude etc* tremendous; *umg*: *Irrtum* huge **B** ADV *umg*: *sich freuen* tremendously

Koma N ['ko:ma] ⟨~s; ~s *od* ~ta⟩ coma; **im ~** in a coma

Kombi M ['kɔmbi] ⟨~(s); ~s⟩ estate (car), *US* station wagon

Kombination F [kɔmbinatsi'o:n] ⟨~; ~en⟩ combination (*a. beim Fußball, Schach, von Schloss*); *Kleidung* ensemble; *Montur* overalls *pl*; *Fliegerkombination* flying suit; *Folgerung* deduction

kombi'nieren ⟨*kein ge*⟩ **A** V/T combine **B** V/I reason

Komfort M [kɔm'fo:r] ⟨~s⟩ *Ausstattung* (modern) conveniences *pl*, *Br* mod cons *pl*; *Luxus* luxury

komfortabel ADJ [kɔmfɔr'ta:bəl] ⟨-bl-⟩ comfortable; *Hotel a.* well-appointed; *luxuriös* luxurious

Komik F ['ko:mɪk] ⟨~⟩ humour, *US* humor; *Wirkung* comic effect

'Komiker(in) M ⟨~s; ~⟩ Ⓕ ⟨~in; ~innen⟩ comedian

'komisch ADJ funny; *fig a.* strange

Komitee N [komi'te:] ⟨~s; ~s⟩ committee; **Europäisches ~ für Normung** European Committee for Standardization

Komitologie F [komitɔlo'gi:] ⟨~⟩ comitology

Komma N ['kɔma] ⟨~s; ~s *od* ~ta⟩ comma; **sechs ~ vier (6,4)** six point four (6.4)

kommandieren [kɔman'di:rən] ⟨*kein ge*⟩ **A** V/T command **B** V/I *das Kommando haben* be* in command; *Befehle geben* give* orders

Kommando N [kɔ'mando] ⟨~s; ~s⟩ command; *Befehl a.* order; MIL *Gruppe* commando; **das ~ haben** be* in command (**über** of)

kommen V/I ['kɔmən] ⟨kam, gekommen, s⟩ come*; *ankommen* arrive; *gelangen* get*; *erreichen* reach; **es kommt jemand** someone's coming; **wann kommt der nächste Bus?** when's the next bus?; **zu spät ~** be* late; **sie ist nicht weit gekommen** she didn't get far; **j-n ~ lassen** send* for sb; **etw ~ lassen** order sth; **zur Schule ~** start school; **ins Gefängnis/Krankenhaus ~** go* to jail/hospital; **er kommt aus Spanien** he's from Spain; **~ auf** *Idee* think* of, hit* upon; *sich erinnern* remember; **hinter etw ~** find* sth out; **um etw ~** lose* sth; *verpassen* miss sth; **zu etw ~** *erhalten* come* by sth; **ich bin nicht dazu gekommen, den Brief zu schreiben** I didn't get round to writing the letter; **wieder zu sich ~** come* round, come* to; **wohin kommt ...?** where does ... go?; **daher kommt es, dass ...** that's why ...; **wie kommt es, dass ...?** how is it that ...?, how come ...?

Kommentar M [kɔmɛn'ta:r] ⟨~s; ~e⟩ commentary; *Stellungnahme* comment (**zu** on)

Kommentator(in) [kɔmɛn'ta:tɔr (-'to:rɪn)] M ⟨~s; ~en⟩ Ⓕ ⟨~in; ~innen⟩ commentator

kommen'tieren V/T ⟨*kein ge*⟩ comment on; *Text, Gesetz* write* a commentary on; *in Sportsendung etc* commentate on

Kommerz M [kɔ'mɛrts] ⟨~es⟩ commercialism

kommerzialisieren V/T [kɔmɛrtsiali'zi:rən] ⟨*kein ge*⟩ commercialize

kommerziell ADJ [kɔmɛrtsi'ɛl] commercial

Kommissar(in) [kɔmɪ'sa:r(ɪn)] M ⟨~s; ~e⟩ Ⓕ ⟨~in; ~innen⟩ commissioner (*a. der EU*); *bei Polizei* superintendent, *US* captain

Kommission F [kɔmɪsi'o:n] ⟨~; ~en⟩ commission; *Ausschuss a.* committee; **Europäische ~** European Commission; **in ~** on commission

Kommunal- ZSSGN [kɔmu'na:l-] *Politik etc* local

Kommu'nalabgaben PL local taxes *pl* **Kommu'nalpolitik** F local politics *pl* **Kommu'nalwahlen** PL local elections *pl*

Kommune F [kɔ'mu:nə] ⟨~; ~n⟩ commune; *Gemeinde* local authority

Kommunikation F [kɔmunikatsi'o:n] ⟨~⟩ communication

Kommunismus M [kɔmu'nɪsmʊs] ⟨~⟩ communism

Kommu'nist(in) M ⟨~en; ~en⟩ (F) ⟨~in; ~innen⟩ communist

kommu'nistisch ADJ communist

Komödie F [ko'mø:diə] ⟨~; ~n⟩ comedy; **~ spielen** *pej* put* on an act, play-act

kompakt [kɔm'pakt] **A** ADJ compact **B** ADV *gebaut etc* compactly

Kompass M ['kɔmpas] ⟨~es; ~e⟩ compass

K

kompatibel ADJ [kɔmpa'ti:bəl] ⟨-bl-⟩ compatible

Kompatibilität F [kɔmpatibili'tɛ:t] ⟨~; ~en⟩ compatibility

Kompensation F [kɔmpɛnzatsi'o:n] ⟨~; ~en⟩ compensation

Kompensati'onsgeschäft N barter transaction

kompensieren V/T [kɔmpɛn'zi:rən] ⟨*kein ge*⟩ compensate for

kompetent ADJ [kɔmpe'tɛnt] *befähigt* competent; *sachverständig* expert (**in** *dat* at, in, on); *zuständig* responsible (**für** for)

Kompe'tenz F ⟨~; ~en⟩ competence

Kompe'tenzbereich M area *od* sphere of responsibility **Kompe'tenzteam** N team of experts **Kompe'tenzverteilung** F distribution of powers **Kompe'tenzzentrum** N centre *od US* center of competence

komplett [kɔm'plɛt] **A** ADJ complete **B** ADV *umg: verrückt etc* completely

Komplex M [kɔm'plɛks] ⟨~es; ~e⟩ complex (*a.* PSYCH)

Kompliment N [kɔmpli'mɛnt] ⟨~(e)s; ~e⟩ compliment; **j-m ein ~ machen** pay* sb a compliment

Komplize M [kɔm'pli:tsə] ⟨~n; ~n⟩ accomplice

komplizieren V/T [kɔmpli'tsi:rən] ⟨*kein ge*⟩ complicate

kompli'ziert **A** ADJ complicated; **~er Bruch** MED compound fracture **B** ADV *sich ausdrücken etc* in a complicated way

Kom'plizin F ⟨~; ~nen⟩ accomplice

Komplott N [kɔm'plɔt] ⟨~(e)s; ~e⟩ plot, conspiracy; **ein ~ schmieden** conspire (**gegen** against)

Komponente F [kɔmpo'nɛntə] ⟨~; ~n⟩ component

Kompost M [kɔm'pɔst] ⟨~(e)s; ~e⟩ compost

komprimieren V/T [kɔmpri'mi:rən] ⟨*kein ge*⟩ compress (*a. Daten*); *fig* condense

Kompromiss M [kɔmpro'mɪs] ⟨~es; ~e⟩ compromise

kompro'misslos ADJ uncompromising

Kondition F [kɔnditsi'o:n] ⟨~; ~en⟩ condition (*a.* SPORT); **er hat (e-e) gute/schlechte ~** he's in good/poor shape

Konditorei F [kɔndito'rai] ⟨~; ~en⟩ cake shop; *mit Café* café

Kondom N [kɔn'do:m] ⟨~s; ~e⟩ condom

Konfektion F [kɔnfɛktsi'o:n] ⟨~; ~en⟩ *Kleidung* ready-made clothing

Konfekti'ons- ZSSGN ready-made, off--the-peg

Konferenz F [kɔnfe'rɛnts] ⟨~; ~en⟩ conference

Konfe'renzraum M conference room

Konfession F [kɔnfɛsi'o:n] ⟨~; ~en⟩ denomination

konfessio'nell ADJ denominational

konfiszieren V/T [kɔnfɪs'tsi:rən] ⟨*kein ge*⟩ confiscate

Konfitüre F [kɔnfi'ty:rə] ⟨~; ~n⟩ jam

Konflikt M [kɔn'flɪkt] ⟨~(e)s; ~e⟩ conflict

konfrontieren V/T [kɔnfrɔn'ti:rən] ⟨*kein ge*⟩ confront

konfus [kɔn'fu:s] **A** ADJ confused **B** ADV *reden etc* in a confused way

Kongress M [kɔn'grɛs] ⟨~es; ~e⟩ conference, convention; **der ~** *Parlament der USA* Congress

König M ['kø:nɪç] ⟨~s; ~e⟩ king (*a. fig*)

'Königin F ⟨~; ~nen⟩ queen (*a. fig*)

'königlich ADJ royal; *Bewirtung, Geschenk* lavish

'Königreich N kingdom

Konjunktur F [kɔnjʊŋk'tu:r] ⟨~; ~en⟩ WIRTSCH economic situation

Konjunk'tureinbruch M (economic) slump **Konjunk'turklima** N economic climate

konkret ADJ [kɔn'kre:t] concrete

Konkurrent(in) [kɔnkʊ'rɛnt(ɪn)] M ⟨~en; ~en⟩ (F) ⟨~in; ~innen⟩ competitor, rival

Konkur'renz F ⟨~; ~en⟩ competition (*a. Personen*); **j-m ~ machen** compete with sb; **außer ~** outside of the official competition

konkur'renzfähig ADJ competitive

Konkur'renzkampf M competition

konkur'renzlos ADJ unrivalled, *US* unrivaled

konkur'rieren V/I ⟨*kein ge*⟩ compete

Konkurs M [kɔn'kʊrs] ⟨~es; ~e⟩ bankruptcy; **in ~ gehen, ~ machen** go* bankrupt

können V/AUX & V/T & V/I ['kœnən] ⟨konnte, gekonnt⟩ can*; *im Futur, Present Perfect u. Past Perfect* be* able to; *dürfen* can*, may*; *im Futur, Present Perfect u. Past Perfect* be* allowed to; **kann ich ...?** can *od* may I ...?; **du kannst nicht** you cannot *od* can't; **er konnte nicht aufhören** he couldn't stop, he wasn't able to stop; **er hätte es machen ~** he could have done it; **ich kann nicht mehr** I can't go on; *essen* I can't manage *od* eat any more; **sie kann Englisch** she can speak English; **es kann sein** it may be; **ich kann nichts dafür** it's not my fault

'Können N ⟨~s⟩ ability, skill

'Könner(in) M ⟨~s; ~⟩ (F) ⟨~in; ~innen⟩ expert

konsequent [kɔnze'kvɛnt] **A** ADJ consistent **B** ADV consistently

Konse'quenz F ⟨~; ~en⟩ consistency; *Beharrlichkeit* resoluteness; *Folge* consequence; **die ~en ziehen** draw* the obvious conclusion

konservativ ADJ [kɔnzɛrva'ti:f] conservative; POL Conservative

Konserva'tive(r) M/F(M) ⟨~n; ~n⟩ Conservative

Konserven PL [kɔn'zɛrvən] canned food *sg*, *Br a.* tinned food *sg*

Kon'servenbüchse F, **Kon'servendose** F can, *Br a.* tin

konser'vieren V/T ⟨*kein ge*⟩ preserve

Konser'vierungsstoff M preservative

Konsolidierung F [kɔnzoli'di:rʊŋ] ⟨~; ~en⟩ consolidation; **~ der Rechtsvorschriften** *EU* consolidation of legislation

Konsortium N [kɔn'zɔrtsiʊm] ⟨~s; Konsortien⟩ WIRTSCH consortium

konstant ADJ [kɔn'stant] *Geschwindigkeit etc* constant; *Leistung* consistent

konstituieren V/R [kɔnstitu'i:rən] ⟨*kein ge*⟩ POL be* set up

konstruieren V/T [kɔnstru'i:rən] ⟨*kein ge*⟩ construct (*a.* GRAM, GEOM); *entwerfen* design

Konstrukteur(in) [kɔnstrʊk'tø:r(ɪn)] M ⟨~s: ~e⟩ (F) ⟨~in; ~innen⟩ designer

Konstrukti'on F ⟨~; ~en⟩ construction (*a.* GRAM); *Entwurf* design

konstruktiv ADJ [kɔnstrʊk'ti:f] constructive; **~e Enthaltung** POL constructive *od* positive abstention

Konsul(in) ['kɔnzʊl(ɪn)] M ⟨~s; ~n⟩ (F) ⟨~in; ~innen⟩ consul

Konsu'lat N ⟨~(e)s; ~e⟩ consulate

Konsultation F [kɔnzʊltatsi'o:n] ⟨~; ~en⟩ consultation

konsul'tieren V/T ⟨*kein ge*⟩ consult

Konsum M [kɔn'zu:m] ⟨~s⟩ consumption; *Genossenschaft, Laden* cooperative, co-op

Kon'sumartikel M consumer item; *pl* consumer goods *pl*

Konsu'ment(in) M ⟨~en; ~en⟩ (F) ⟨~in; ~innen⟩ consumer

kon'sumfreudig ADJ consumerist, consumption-oriented **Kon'sumgesellschaft** F consumer(ist) society

konsu'mieren V/T ⟨*kein ge*⟩ consume

Kon'sumtempel M *pej* temple of consumerism **Kon'sumverhalten** N consumer habits *pl*; **umweltfreundliches ~** green consumerism

Kontakt M [kɔn'takt] ⟨~(e)s; ~e⟩ contact (*a.* ELEK); **~ aufnehmen** get* in contact *od* in touch (**mit** with); **~ haben** *od* **in ~ stehen mit** be* in contact *od* in touch with; **den ~ verlieren** lose* contact *od* touch (**zu** with)

kon'taktfreudig ADJ sociable **Kon'taktlinsen** PL contact lenses *pl*

kontern V/I ['kɔntərn] counter (*a. fig*)

Kontinent M ['kɔntinɛnt] ⟨~(e)s; ~e⟩ continent; **der ~** *europäisches Festland* the Continent

Kontinentaleuropa N [kɔntinɛn'ta:l-] the Continent, continental Europe **Kontinen'talklima** N continental climate

Konto N ['kɔnto] ⟨~s; Konten⟩ account; **das geht auf mein ~** *fig* that's my doing;

K

ich zahle that's on me
'Kontoauszug M (bank) statement **'Kontonummer** F account number **'Kontostand** M bank balance **'Kontoüberziehung** F overdraft
Kontrast M [kɔn'trast] ⟨~(e)s; ~e⟩ contrast (*a.* FOTO, TV)
Kontrolle F [kɔn'trɔlə] ⟨~; ~n⟩ control; *Aufsicht* supervision; *Prüfung* check; **die ~ verlieren über** lose* control of; **etw unter ~ bringen** bring* sth under control
Kontrolleur(in) [kɔntrɔ'lø:r(ɪn)] M ⟨~s; ~e⟩ Ⓕ ⟨~in; ~innen⟩ inspector
kontrol'lieren V/T ⟨*kein ge*⟩ *(über)prüfen* check; *beherrschen, überwachen* control; **j-n ~** check up on sb
Kontroverse F [kɔntro'vɛrzə] ⟨~; ~n⟩ controversy
Konvent M [kɔn'vɛnt] ⟨~(e)s; ~e⟩ **Europäischer ~** European Convention
Konventionalstrafe F [kɔnvɛntsio'na:l-] penalty (for breach of contract), default penalty
konventio'nell ADJ conventional
Konvergenz F [kɔnvɛr'gɛnts] ⟨~; ~en⟩ convergence
Konver'genzkriterium N POL convergence criterion **Konver'genzprogramm** N convergence programme *od US* program
Konversation F [kɔnvɛrzatsi'o:n] ⟨~; ~en⟩ conversation
konver'tierbar ADJ convertible
Konver'tierbarkeit F ⟨~⟩ convertibility
konvertieren V/T [kɔnvɛr'ti:rən] ⟨*kein ge*⟩ convert
Konver'tierung F ⟨~; ~en⟩ conversion
Konzentration F [kɔntsɛntratsi'o:n] ⟨~; ~en⟩ concentration
Konzentrati'onslager N concentration camp
konzen'trieren V/T & V/R ⟨*kein ge*⟩ concentrate (**auf** on)
konzentrisch ADJ [kɔn'tsɛntrɪʃ] concentric; **~e Kreise** POL concentric circles
Konzept N [kɔn'tsɛpt] ⟨~(e)s; ~e⟩ rough draft; *Plan* plan; **j-n aus dem ~ bringen** put* sb off
Konzern M [kɔn'tsɛrn] ⟨~(e)s; ~e⟩ group, combine
Konzert N [kɔn'tsɛrt] ⟨~(e)s; ~e⟩ concert; *Musikstück* concerto
konzertiert ADJ [kɔntsɛr'ti:rt] **~e Aktion** concerted action
Konzession F [kɔntsɛsi'o:n] ⟨~; ~en⟩ concession; *Genehmigung* licence, *US* license
Kooperation F [koʔoperatsi'o:n] ⟨~; ~en⟩ cooperation
kooperativ ADJ [koʔopera'ti:f] cooperative
kooperieren V/I [koʔope'ri:rən] ⟨*kein ge*⟩ cooperate
koordinieren V/T [koʔordi'ni:rən] ⟨*kein ge*⟩ coordinate
Koordi'nierungskreis M *EU* coordination group *od* committee **Koordi'nierungsmethode** F **offene ~** *EU* open method of coordination
Kopf M [kɔpf] ⟨~(e)s; Köpfe⟩ head (*a. fig*); **ein kluger ~** an intelligent person; **pro ~** per person; **~ hoch!** chin up!; **j-m über den ~ wachsen** outgrow* sb; *fig* be* too much for sb; **sich den ~ über etw zerbrechen** rack one's brains over sth; **sich etw aus dem ~ schlagen** put* sth out of one's mind; **er hat nur Fußball im ~** all he thinks about is football; **die Melodie/er geht mir nicht mehr aus dem ~** I can't get the tune/him out of my mind; **etw auf den ~ stellen** turn sth upside down; **~ an ~** neck and neck; **von ~ bis Fuß** from head to toe
'Kopfbahnhof M terminus **'Kopfbedeckung** F headgear; **ohne ~** bareheaded **'Kopfhörer** PL headphones *pl* **'Kopfkissen** N pillow **'kopflos** A ADJ headless; *fig* panicky B ADV **~ umherlaufen** run* around in a panic **'Kopfrechnen** N mental arithmetic **'Kopfsalat** M lettuce **'Kopfschmerzen** PL headache *sg*; **~ haben** have* a headache **'Kopfschmerztablette** F headache pill *od* tablet **'Kopftuch** N ⟨~(e)s; Kopftücher⟩ headscarf **'kopf'über** ADV headfirst (*a. fig*) **'Kopfzerbrechen** N ⟨~s⟩ **j-m ~ bereiten** be* a headache
Kopie F [ko'pi:] ⟨~; ~n⟩ copy
ko'pieren V/T ⟨*kein ge*⟩ copy *a.* IT
Ko'pierer M ⟨~s; ~⟩, **Ko'piergerät** N (photo)copier
Kopilot(in) M(F) ['ko:pilo:t(ɪn)] FLUG copi-

lot
Koran M [ko'ra:n] ⟨~s; ~e⟩ Koran
Korb M [kɔrp] ⟨~(e)s; Körbe⟩ basket; **j-m e-n ~ geben** *umg: abweisen* turn sb down
Korea N [ko're:a] ⟨~s⟩ Korea
Kore'aner(in) M ⟨~s; ~⟩ F ⟨~in; ~innen⟩ Korean
kore'anisch ADJ, **Kore'anisch** N Korean; → englisch
Kork M [kɔrk] ⟨~(e)s; ~e⟩ cork
'Korken M ⟨~s; ~⟩ cork
'Korkenzieher M ⟨~s; ~⟩ corkscrew
Korn[1] N [kɔrn] ⟨~(e)s; Körner⟩ grain (*a. Getreide*); *Samenkorn* seed
Korn[2] M ⟨~(e); ~⟩ *umg* schnapps
Körper M ['kœrpər] ⟨~s; ~⟩ body; GEOM solid
'Körperbau M build, physique **'körperbehindert** ADJ (physically) disabled *od* handicapped **'Körpergeruch** M body odour *od US* odor, BO **'Körpergewicht** N (body) weight **'Körpergröße** F height **'Körperkraft** F physical strength
'körperlich **A** ADJ physical **B** ADV **~ behindert** physically handicapped
'Körperpflege F personal hygiene
'Körperschaft F ⟨~; ~en⟩ corporation
'Körperschaftssteuer F corporation tax
'Körperteil M part of the body **'Körperverletzung** F bodily injury
korrekt [kɔ'rɛkt] **A** ADJ correct **B** ADV *sich verhalten etc* correctly
Korrektur F [kɔrɛk'tu:r] ⟨~; ~en⟩ correction
Korrek'turband N ⟨*pl* Korrekturbänder⟩ correction tape
Korrespondent(in) [kɔrɛspɔn'dɛnt(ɪn)] M ⟨~en; ~en⟩ F ⟨~in; ~innen⟩ correspondent
Korrespon'denz F ⟨~; ~en⟩ correspondence
korrespon'dieren V/I ⟨*kein ge*⟩ correspond (**mit** with)
Korridor M ['kɔrido:r] ⟨~s; ~e⟩ corridor; *Flur* hall
korrigieren V/T [kɔri'gi:rən] ⟨*kein ge*⟩ correct
korrupt ADJ [kɔ'rʊpt] corrupt
Korrupti'on F ⟨~; ~en⟩ corruption
Korsika N ['kɔrzika] ⟨~s⟩ Corsica
Kosmetik F [kɔs'me:tɪk] ⟨~⟩ beauty care; *Mittel* cosmetics *pl*
Kos'metikerin F ⟨~; ~nen⟩ beautician
Kos'metikkoffer M vanity case **Kos'metiksalon** M beauty parlour *od US* parlor
kosmetisch ADJ [kɔs'me:tɪʃ] cosmetic
Kosmos M ['kɔsmɔs] ⟨~⟩ cosmos
Kost F [kɔst] ⟨~⟩ food
'kostbar ADJ precious, valuable
'Kostbarkeit F ⟨~; ~en⟩ precious object, treasure (*a. fig*)
kosten[1] V/T ['kɔstən] cost* (*a. fig*), be*; *Zeit* take*; **was** *od* **wie viel kostet ...?** how much is ...?, how much does ... cost?
'kosten[2] V/T *probieren* taste, try
'Kosten PL costs *pl*, cost *sg*; *Unkosten* expenses *pl*; *Gebühren* charges *pl*; **auf j-s ~** at sb's expense; **auf seine ~ kommen** *umg* get* one's money's worth; **auf ~ ihrer Gesundheit** at the cost of her health
'Kostendämpfung F ⟨~; ~en⟩ curbing of costs **'kostendeckend** ADJ cost-covering **'Kostenerstattung** F refund (of expenses) **'Kostenexplosion** F runaway costs *pl* **'Kostenfaktor** M cost factor **'kostengünstig** ADJ reasonable **'kostenlos** **A** ADJ free **B** ADV *erhalten etc* free of charge
'Kostenvoranschlag M estimate
köstlich ['kœstlɪç] **A** ADJ delicious; *fig* priceless **B** ADV **sich ~ amüsieren** have* a great time
'kostspielig ADJ expensive, costly
Kostüm N [kɔs'ty:m] ⟨~s; ~e⟩ costume; *Damenkostüm* suit
Kot M [ko:t] ⟨~(e)s; ~e⟩ excrement
Kotelett N [kot'lɛt] ⟨~s; ~s⟩ chop; *von Kalb* cutlet
'Kotflügel M wing, *US* fender
kotzen V/I ['kɔtsən] *sl* puke; **das ist zum Kotzen** it's bloody awful
Krabbe F ['krabə] ⟨~; ~n⟩ *Krebs* crab; *Garnele* shrimp, *größere* prawn
krabbeln V/I ['krabəln] ⟨s⟩ crawl
Krach M [krax] ⟨~(e)s; Kräche⟩ crash, bang; *Lärm* noise; *Streit* row
'krachen V/I ⟨s *od mit Bewegung* s⟩ crash (*a. von Donner, Auto*); *von Schuss* ring* out; *von Eis* crack; **es hat gekracht** *umg: Unfall* there's been a crash
Kraft F [kraft] ⟨~; Kräfte⟩ *körperliche, see-*

lische strength; PHYS, POL force; *Fähigkeit, Wirksamkeit* power (*a.* ELEK, TECH); *Energie* energy; **mit letzter ~** making one final effort; **in ~ sein/setzen/treten** be* in/put* into/come* into force
'Kraftfahrer(in) M(F) driver, motorist **'Kraftfahrzeug** N motor vehicle
kräftig ['krɛftɪç] **A** ADJ strong (*a. Farbe*); *Schlag* powerful; *Essen* substantial; *tüchtig* good; *Händedruck* firm **B** ADV *schütteln etc* well
'kraftlos ADJ *schwach* weak, feeble **'Kraftprobe** F trial of strength **'Kraftstoff** M fuel **'Kraftwerk** N power station
Kragen M ['kra:gən] ⟨~s; ~⟩ collar
Kralle F ['kralə] ⟨~; ~n⟩ claw (*a. fig*)
Kram M [kra:m] ⟨~(e)s⟩ *umg* stuff; *Angelegenheit* business
Krampf M [krampf] ⟨~(e)s; Krämpfe⟩ cramp; *Zuckung* spasm, convulsion **'Krampfader** F varicose vein **'krampfhaft** ADJ *fig*: *Lachen, Heiterkeit* forced; *Versuch* desperate
Kran M [kra:n] ⟨~(e)s; Kräne⟩ crane
krank ADJ [kraŋk] ⟨kränker, kränkste⟩ sick; **~ sein/werden** be*/fall* ill *od* sick
'Kranke(r) M/F(M) ⟨~n; ~n⟩ sick person; *Patient* patient; **die ~n** *pl* the sick *pl*
kränken V/T ['krɛŋkən] **j-n ~** hurt* sb's feelings
'Krankengeld N sickness benefit **'Krankengymnastik** F physiotherapy **'Krankenhaus** N hospital **'Krankenkasse** F health insurance scheme **'Krankenpflege** F nursing **'Krankenpfleger** M (male) nurse **'Krankenschein** M health insurance certificate **'Krankenschwester** F nurse **'krankenversichert** ADJ **~ sein** have* health insurance **'Krankenversicherung** F health insurance **'Krankenwagen** M ambulance
'krankhaft **A** ADJ pathological (*a. fig*) **B** ADV *eifersüchtig etc* pathologically
'Krankheit F ⟨~; ~en⟩ illness, sickness; *bestimmte* disease
'Krankheitserreger M germ
kränklich ADJ ['krɛŋklɪç] sickly
'krankmelden V/R *telefonisch* call in sick
Kranz M [krants] ⟨~es; Kränze⟩ wreath; *fig* ring, circle

krass [kras] **A** ADJ *Unterschied* stark; *Fall* blatant; *Worte* blunt; **voll ~** *sl*: *extrem gut* really wicked; *sl*: *extrem schlecht* total crap **B** ADV **~ gesagt** to put it bluntly
'kratzen **A** V/T scratch; *abkratzen* scrape (**von** off); **kratz mich am Rücken** scratch my back; **der Pullover kratzt mich** the pullover's itchy **B** V/R scratch o.s.
Kraut N [kraut] ⟨~(e)s; Kräuter⟩ herb; *Kohl* cabbage; *von Rüben* tops *pl*; *umg*: *Tabak* weed
Kräutertee M ['krɔytərte:] herb tea
Krawall M [kra'val] ⟨~s; ~e⟩ riot; *umg*: *Lärm* row, racket; **~ machen** make* a row *od* racket
Krawatte F [kra'vatə] ⟨~; ~n⟩ tie; *US a.* necktie
kreativ ADJ [krea'ti:f] creative
Kreativi'tät F ⟨~⟩ creativity
Krebs M [kre:ps] ⟨~es; ~e⟩ *Krabbe* crab; *Flusskrebs* crayfish; MED cancer; ASTROL Cancer; **~ erregend** carcinogenic **'krebserregend** ADJ carcinogenic **'Krebsforschung** F cancer research **'Krebsvorsorge** F, **'Krebsvorsorgeuntersuchung** F cancer screening
Kredit M [kre'di:t] ⟨~(e)s; ~e⟩ credit; *Darlehen* loan; **auf ~** on credit **Kre'dithai** M loan shark **Kre'ditinstitut** N credit *od* financial institution **Kre'ditkarte** F credit card **Kre'ditrahmen** M credit plan **kre'ditwürdig** ADJ creditworthy
Kreide F ['kraidə] ⟨~; ~n⟩ chalk
Kreis M [krais] ⟨~es; ~e⟩ circle (*a. fig*); *Bezirk* district; **im ~** *sitzen etc* in a circle **'Kreisdiagramm** N pie chart
Kreisel M ['kraizəl] ⟨~s; ~⟩ (spinning) top; TECH gyroscope; *Kreisverkehr* roundabout, *US* traffic circle
'kreisen V/I ⟨s⟩ *von Vogel, Flugzeug* circle; *von Blut* circulate; **um die Sonne** *etc* **~** go* around *od* orbit the sun *etc*
'kreisförmig ADJ circular **'Kreislauf** M *von Blut, Geld* circulation; *des Lebens, der Natur* cycle **'Kreislaufstörungen** PL circulatory trouble *sg* **'Kreisverkehr** M roundabout, *US* traffic circle
Kreml M ['krɛml] ⟨~s⟩ Kremlin
Kreta N ['kre:ta] ⟨~s⟩ Crete
Kreuz N [krɔyts] ⟨~es; ~e⟩ cross (*a. fig*);

Kruzifix crucifix; *Rücken* (small of the) back; *Spielkartenfarbe* clubs *pl*; *Einzelkarte* club; *Autobahnkreuz* intersection; MUS sharp; **mir tut das ~ weh** I've got backache; **über ~** crosswise
'kreuzen **A** VT cross **B** VI ⟨s⟩ *von Schiff* cruise **C** VR cross; *von Plänen, Ansichten* clash
'Kreuzfahrt F SCHIFF cruise **'Kreuzschmerzen** PL backache *sg*
'Kreuzung F ⟨~; ~en⟩ *von Straßen* crossroads *sg*, *bes US* intersection; BIOL: *Kreuzen* cross(breed)ing; *Produkt* cross (*a. fig*)
'Kreuzverhör N cross-examination; **ins ~ nehmen** cross-examine **'Kreuzworträtsel** N crossword (puzzle) **'Kreuzzug** M crusade (*a. fig*)
kriechen VI ['kri:çən] ⟨kroch, gekrochen, s⟩ crawl; *verstohlen* creep*; **(vor j-m) ~** *fig* crawl (to sb)
'Kriechspur F slow lane
Krieg M [kri:k] ⟨~(e)s; ~e⟩ war (*a. fig*); **j-m den ~ erklären** declare war on sb; **~ führen gegen** be* at war with; **~ führend** warring, belligerent
kriegen VT ['kri:gən] *umg* get*; *Kriminellen, Zug, Bus a.* catch*; **sie kriegt ein Baby** she's having a baby; **ich kriege noch fünf Euro von dir** you still owe me five euros
'kriegerisch ADJ *Volk* warlike; *Aktion, Konflikt* military
'Kriegführung F warfare
'Kriegsdienstverweigerer M ⟨~s; ~⟩ conscientious objector **'Kriegsdienstverweigerung** F conscientious objection **'Kriegserklärung** F declaration of war **'Kriegsgefangene(r)** M/F(M) ⟨~n; ~n⟩ prisoner of war, POW **'Kriegsgefangenschaft** F captivity **'Kriegsgericht** N court martial **'Kriegsschauplatz** M theatre *od US* theater of war **'Kriegsverbrechen** N war crime **'Kriegsverbrecher(in)** M(F) war criminal
Krimi M ['kri:mi] ⟨~(s); ~(s)⟩ *umg* (crime) thriller; *Roman a.* detective novel
Kriminalbeamte(r) M [krimi'na:l-] ⟨~n; ~n⟩, **Krimi'nalbeamtin** F detective **Krimi'nalpolizei** F criminal investigation department **Krimi'nalroman** M (crime) thriller, detective novel
kriminell ADJ [krimi'nɛl] criminal (*a. fig*)
Krimi'nelle(r) M/F(M) ⟨~n; ~n⟩ criminal
Krise F ['kri:zə] ⟨~; ~n⟩ crisis
'Krisenherd M trouble spot **'Krisenmanagement** N crisis management **'Krisenstab** M crisis committee
Kriterium N [kri'te:riʊm] ⟨~s; Kriterien⟩ criterion
Kritik F [kri'ti:k] ⟨~; ~en⟩ criticism (**an** of); *Rezension* review; **an j-m ~ üben** criticize sb
Kritiker(in) ['kri:tikər(ɪn)] M ⟨~s; ~⟩ (F) ⟨~in; ~innen⟩ critic
kri'tiklos **A** ADJ uncritical **B** ADV *akzeptieren etc* uncritically
'kritisch **A** ADJ critical (*a. fig*) (**gegenüber** of) **B** ADV *bewerten* critically
kriti'sieren VT ⟨*kein ge*⟩ criticize; *rezensieren* review
Kroate M [kro'a:tə] ⟨~n; ~n⟩ Croatian, Croat
Kroatien N [kro'a:tsiən] ⟨~s⟩ Croatia
Kro'atin F ⟨~; ~nen⟩ Croatian, Croat
kro'atisch ADJ, **Kro'atisch** N Croatian; → englisch
Krone F ['kro:nə] ⟨~; ~n⟩ crown (*a. Zahnkrone*); *Adelskrone* coronet
krönen VT ['krø:nən] crown; **j-n zum König ~** crown sb king
'Kronprinz M crown prince **'Kronprinzessin** F crown princess
Krücke F ['krʏkə] ⟨~; ~n⟩ crutch
Krug M [kru:k] ⟨~(e)s; Krüge⟩ jug, *US* pitcher; *Bierkrug* mug; *mit Deckel* tankard
krumm ADJ [krʊm] crooked (*a. fig*: *Geschäft etc*); *Rücken* bent
krümmen VT ['krʏmən] bend* (*a.* TECH); **sich ~ vor Schmerzen** writhe in pain
'Krümmung F ⟨~; ~en⟩ bend (*a. in Straße, Fluss*), curve (*a.* ARCH); GEOG, MATH, MED curvature
Krüppel M ['krʏpəl] ⟨~s; ~⟩ cripple
Kuba N ['ku:ba] ⟨~s⟩ Cuba
Ku'baner(in) M ⟨~s; ~⟩ (F) ⟨~in; ~innen⟩ Cuban
ku'banisch ADJ Cuban
Kübel M ['ky:bəl] ⟨~s; ~⟩ bucket, *bes US* pail; *größerer* tub
Kubikmeter M *od* N [ku'bi:k-] cubic metre *od US* meter
Küche F ['kʏçə] ⟨~; ~n⟩ kitchen; **die italienische ~** Italian cooking *od* cuisine;

K

gutbürgerliche ~ good plain cooking; **kalte/warme ~** cold/hot meals *pl*
Kuchen M ['ku:xən] ⟨~s; ~⟩ cake; *mit Teigdeckel* pie
'Küchengeräte PL kitchen utensils *pl*; *elektrische* kitchen appliances *pl*
Kugel F ['ku:gəl] ⟨~; ~n⟩ ball; *Gewehrkugel* bullet; GEOM, GEOG sphere; *am Weihnachtsbaum* bauble; *beim Kugelstoßen* shot
'Kugellager N ball bearing **'Kugelschreiber** M ⟨~s; ~⟩ (ballpoint) pen, *Br* biro® **'kugelsicher** ADJ bullet-proof
Kuh F [ku:] ⟨~; Kühe⟩ cow
kühl [ky:l] **A** ADJ cool (*a. fig*); **mir ist ~** I'm a bit chilly **B** ADV *behandeln etc* coolly; **etw ~ lagern** keep* sth in a cool place; **~ servieren** serve chilled
'Kühlbox F coolbox
'Kühle F ⟨~⟩ cool(ness); *fig* coolness
'kühlen V/T cool; *Getränke* chill; *Lebensmittel* refrigerate
'Kühler M ⟨~s; ~⟩ *von Auto* radiator
'Kühlerhaube F bonnet, *US* hood
'Kühlmittel N coolant **'Kühlschrank** M fridge, refrigerator **'Kühltasche** F cool bag **'Kühltruhe** F freezer, deep-freeze **'Kühlwasser** N cooling water
Küken N ['ky:kən] ⟨~s; ~⟩ chick (*a. fig*)
Kuli M ['ku:li] ⟨~s; ~s⟩ *umg* pen, *Br* biro®
kulinarisch ADJ [kuli'na:rɪʃ] culinary
Kulissen PL [ku'lɪsən] *Dekorationsstücke* scenery *sg*; **hinter den ~** *fig* behind the scenes
Kult M [kʊlt] ⟨~(e)s; ~e⟩ cult (*a. fig*)
'kultig ADJ *sl* trendy
kultivieren V/T [kʊlti'vi:rən] ⟨*kein ge*⟩ cultivate (*a. fig*)
'Kultstatus M cult status; **~ haben** *od* **genießen** have* *od* enjoy cult status
Kultur F [kʊl'tu:r] ⟨~; ~en⟩ *Kunst, Literatur etc* culture (*a.* BIOL); *Staatswesen, Bauwerke etc* civilization; AGR cultivation
Kul'turabkommen N cultural agreement **Kul'turangebot** N range of cultural events **Kul'turaustausch** M cultural exchange **Kul'turbeutel** M toilet bag
kultu'rell ADJ cultural
Kul'turlandschaft F cultural landscape **Kul'turprogramm** N cultural program(me) **Kul'turschock** M culture shock **Kul'turzentrum** N cultural centre *od US* center; *Gebäude* arts centre *od US* center
Kultusminister(in) M(F) ['kʊltʊs-] minister of education and cultural affairs
'Kultusministerium N ministry of education and cultural affairs
Kummer M ['kʊmər] ⟨~s⟩ grief, sorrow; *Verdruss* trouble, worry; **~ haben mit** have* problems with
kümmerlich ADJ ['kymərlɪç] miserable; *dürftig* poor
'kümmern V/R & V/T **sich um j-n/etw ~** look after sb/sth, take* care of sb/sth; **sie kümmert sich nicht darum, was die Leute denken** she doesn't care (about) what people think; **was kümmert mich das?** what do I care?
Kumpel M ['kʊmpəl] ⟨~s; ~ *od umg* ~s⟩ *Bergmann* miner; *umg*: *Freund* mate, *bes US* buddy
kündbar ADJ ['kʏntba:r] *Vertrag* terminable; **er ist nicht ~** he cannot be dismissed
Kunde M ['kʊndə] ⟨~n; ~n⟩ customer
'Kundendienst M customer service; *Abteilung* customer service department
'Kundenkreditbank F finance house, *US* sales finance company
'Kundenservice M customer service; *Abteilung* customer service department
'Kundgebung F ⟨~; ~en⟩ rally
kündigen ['kʏndɪgən] **A** V/T *Vertrag* terminate; *Mitgliedschaft, Abonnement* cancel; *Freundschaft* break* off **B** V/I *von Mieter* give* notice that one is moving out; *von Arbeitnehmer* hand in one's notice; **j-m ~** give* sb (his/her) notice
'Kündigung F ⟨~; ~en⟩ notice; *Frist* period of notice; *von Vertrag* termination; *von Mitgliedschaft, Abonnement* cancellation
'Kündigungsschutz M protection against unlawful dismissal
'Kundin F ⟨~; ~nen⟩ customer
'Kundschaft F ⟨~⟩ customers *pl*
Kunst F [kʊnst] ⟨~; Künste⟩ art; *Fertigkeit a.* skill; **die ~ zu schreiben** the art of writing
'Kunst- ZSSGN *Herz, Licht etc* artificial
'Kunstdünger M artificial fertilizer
'Kunstfaser F synthetic fibre *od US* fi-

K

ber **'Kunstfehler** M professional error **'Kunstleder** N imitation leather
Künstler(in) ['kʏnstlər(ɪn)] M ⟨~s; ~⟩ (F) ⟨~in; ~innen⟩ artist; MUS, THEAT *a.* performer
'künstlerisch ADJ artistic
'künstlich **A** ADJ artificial (*a. Intelligenz*); *Zähne* false; *Fasern* synthetic; *See* man-made **B** ADV artificially; **sich ~ aufregen** get* worked up about nothing
'Kunstseide F rayon **'Kunststoff** M plastic (*a. zssgn*) **'Kunststück** N trick; *fig* feat **'kunstvoll** **A** ADJ artistic; *kompliziert* elaborate **B** ADV artistically; *ausdrücken* elaborately **'Kunstwerk** N work of art
Kupfer N ['kʊpfər] ⟨~s⟩ copper
Kupon M [ku'põː] coupon
kuppeln V/I ['kʊpəln] AUTO use the clutch
'Kupplung F ⟨~; ~en⟩ clutch; *für Waggons, Anhänger* coupling
'Kupplungspedal N clutch pedal
Kur F [kuːr] ⟨~; ~en⟩ course of treatment; *am Kurort* cure; **zur** *od* **auf ~ gehen/sein** go*/be* on a cure
'Kuraufenthalt M stay at a health resort **'Kurbad** N health resort, spa
Kurbel F ['kʊrbəl] ⟨~; ~n⟩ crank; *zum Aufziehen, für Rollo* winder
Kürbis M ['kʏrbɪs] ⟨~ses; ~se⟩ pumpkin
Kurde M ['kʊrdə] ⟨~n; ~n⟩, **'Kurdin** F ⟨~; ~nen⟩ Kurd
'Kurgast M patient (at a health resort); *Urlauber* visitor (to a health resort) **'Kurhaus** N assembly rooms *pl*
Kurier M [ku'riːr] ⟨~s; ~e⟩ courier
ku'rieren V/T ⟨*kein ge*⟩ cure (*a. fig*) (**von** of)
'Kurort M health resort
Kurs M [kʊrs] ⟨~es; ~e⟩, *fig* SCHIFF, FLUG, *Lehrgang* course; *Wechselkurs* (exchange) rate; *Börsenkurs* price; **~ nehmen auf** *von Schiff* set* course for
'Kursabfall M fall in share prices **'Kursanstieg** M rise in share prices **'Kursbuch** N BAHN (railway *od US* railroad) timetable
'Kursgewinn M market gain *od* profit
kur'sieren V/I ⟨*kein ge*, h *od* s⟩ circulate (*a. fig*); *von Gerücht* go* around
'Kurswagen M BAHN through coach *od US* car
Kurtaxe F ['kuːrtaksə] ⟨~; ~n⟩ health-resort tax
Kurve F ['kʊrvə] ⟨~; ~n⟩ curve (*a.* MATH); *Straßenkurve* bend
'Kurvendiagramm N graph **'Kurvenlage** F **e-e gute ~ haben** AUTO corner well **'kurvenreich** ADJ winding
kurz [kʊrts] ⟨kürzer, kürzeste⟩ **A** ADJ short; *zeitlich a.* brief; *Blick* quick; **~e Hose** shorts *pl*; **(bis) vor Kurzem** (until) recently; **(erst) seit Kurzem** (only) for a short time **B** ADV **~ vorher/darauf** shortly before/after(wards); **~ vor uns** just ahead of us; **~ nacheinander** in quick succession; **~ weggehen** *etc* go* away *etc* for a moment; **~ gesagt** in short; **zu ~ kommen** come* off badly; *zu wenig bekommen* go* short; **~ angebunden** curt
'Kurzarbeit F short time **'kurzarbeiten** V/I work short time **'Kurzarbeiter(in)** M(F) short-time worker **'kurzärmelig** ADJ short-sleeved
Kürze F ['kʏrtsə] ⟨~⟩ shortness; **in ~** shortly, soon
'kürzen V/T *Kleid, Hose etc* shorten (**um** by); *Rede, Text, Film* cut*; *Buch* abridge; *Ausgaben, Arbeitszeit etc* cut*, reduce; MATH reduce
'kurzer'hand ADV straightaway
'kurzfristig **A** ADJ *Vertrag, Kredit etc* short-term **B** ADV *in kurzer Zeit* at short notice
'kürzlich ADV recently
'Kurznachrichten PL news summary *sg* **'Kurzparkzone** F short-stay *od US* short-term parking zone **'Kurzschluss** M ELEK short circuit **'kurzsichtig** **A** ADJ shortsighted (*a. fig*), *bes US* nearsighted **B** ADV *handeln etc* shortsightedly **'Kurzstrecke** F short distance **'Kurztrip** M short break
'Kürzung F ⟨~; ~en⟩ cut, reduction (*gen* in); MATH reduction
'Kurzwahl F TEL speed dial **'Kurzwahltaste** F speed-dial button
Ku'sine F ⟨~; ~n⟩ cousin
Kuss M [kʊs] ⟨~es; Küsse⟩ kiss
küssen V/T ['kʏsən] kiss; **sich ~** kiss
Küste F ['kʏstə] ⟨~; ~n⟩ coast; *Ufer* shore; **an der ~** on the coast; **an die ~** *spülen* ashore; *fahren* to the coast

K

'Küstenschifffahrt F coastal shipping **'Küstenwache** F coastguard
Kutsche F ['kʊtʃə] ⟨~; ~n⟩ carriage; *geschlossene* coach
Kuwait N [ku'vait] ⟨~s⟩ Kuwait

L

L N [ɛl] ⟨~; ~⟩ L
labil ADJ [la'bi:l] unstable; *Gesundheit* delicate; *Kreislauf* poor
Labor N [la'bo:r] ⟨~s; ~s *od* ~e⟩ laboratory, lab
Laborant(in) [labo'rant(ɪn)] M ⟨~en; ~en⟩ (F) ⟨~in; ~innen⟩ laboratory *od* lab technician
La'borversuch M laboratory experiment
Labyrinth N [laby'rɪnt] ⟨~(e)s; ~e⟩ maze; *fig a.* labyrinth
Lache F ['laxə] ⟨~; ~n⟩ pool (*a. Blut*); *nach Regen* puddle
lächeln V/I ['lɛçəln] smile
'Lächeln N ⟨~s⟩ smile
lachen V/I ['laxən] laugh (**über** at)
'Lachen N ⟨~s⟩ laugh; *Gelächter* laughter; **j-n zum ~ bringen** make* sb laugh
lächerlich ['lɛçərlɪç] **A** ADJ ridiculous; **j-n/sich ~ machen** make* a fool of sb/o.s. **B** ADV *wenig, klein etc* ridiculously
Lachs M [laks] ⟨~es; ~e⟩ salmon
Lack M [lak] ⟨~(e)s; ~e⟩ varnish; *Farblack* lacquer; *an Auto* paint(work); *Nagellack* polish, *Br a.* varnish
la'ckieren V/T ⟨*kein ge*⟩ varnish; *mit Farblack* lacquer; *Auto, Nägel* paint
'Ladefläche F loading area **'Ladegerät** N battery charger
laden V/T ['la:dən] ⟨lud, geladen⟩ load (*a. Waffe, Computerprogramm*); *Batterie* charge; **etw auf sich ~** burden o.s. with sth
Laden M ['la:dən] ⟨~s; Läden⟩ shop, *bes US* store; *Fensterladen* shutter; *umg* place
'Ladendieb(in) M(F) shoplifter **'Ladendiebstahl** M shoplifting **'Ladeninhaber(in)** M(F) shopkeeper, *bes US* storekeeper **'Ladenkasse** F till **'Ladenöffnungszeit** F shop *od bes US* store opening hours *pl* **'Ladenpreis** M retail price **'Ladenschluss** M closing time; **nach ~** after hours **'Ladenschlussgesetz** N *law regulating shop closing times* **'Ladenschlusszeit** F closing time **'Ladenstraße** F shopping street **'Ladentisch** M counter
'Laderampe F loading ramp **'Laderaum** M loading space; SCHIFF hold
Ladung F ['la:dʊŋ] ⟨~; ~en⟩ load; SCHIFF, FLUG cargo; ELEK, MIL charge
Lage F ['la:gə] ⟨~; ~n⟩ *räumliche* position; *Platz* location; *Schicht* layer; *Situation* situation; **in der ~ sein, etw zu tun** be* able to do sth, be* in a position to do sth
Lager N ['la:gər] ⟨~s; ~⟩ camp (*a. fig*); *Vorrat* stock; *Lagerstätte* bed; GEOL deposit; TECH bearing; **etw auf ~ haben** *Waren* have* sth in stock; *Witze* have* sth at the ready
'Lagerbestand M stock **'Lagerhaltung** F *Lagerung* storage; *Verwaltung* stockkeeping **'Lagerhaltungskosten** PL storage costs *pl* **'Lagerhaus** N warehouse
'lagern **A** V/I camp; *von Waren* be* stored **B** V/T store, keep*; **etw kühl ~** keep* sth in a cool place; **e-n Kranken bequem ~** put* a sick person in a comfortable position
'Lagerraum M storeroom
'Lagerung F ⟨~⟩ storage
lahm ADJ [la:m] *gelähmt* lame (*a. fig: Ausrede*); *langweilig* dull; *langsam* sluggish
lähmen V/T ['lɛ:mən] paralyse, *US* paralyze (*a. fig*); *Verkehr a.* bring* to a standstill
'lahmlegen V/T paralyse, *US* paralyze; *Verkehr a.* bring* to a standstill
Lähmung F ⟨~; ~en⟩ paralysis (*a. fig*)
Laib M [laip] ⟨~(e)s; ~e⟩ loaf
Laie M ['laiə] ⟨~n; ~n⟩ layman; *Schauspieler* amateur
'laienhaft ADJ *Arbeit* amateurish
Laken N ['la:kən] ⟨~s; ~⟩ sheet
Lamm N [lam] ⟨~(e)s; Lämmer⟩ lamb
'Lammfell N lambskin
Lampe F ['lampə] ⟨~; ~n⟩ lamp, light; *Glühlampe* bulb

Land N [lant] ⟨~(e)s; Länder⟩ *Festland, Acker* land (*a. poet*); *Staat, Gegensatz zur Stadt* country; *Landbesitz* land, property; *Bundesland* state, *in Österreich* province; **an ~ gehen** go* ashore; **auf dem ~** in the country; **aufs ~ fahren** go* into the country; **außer ~es gehen** go* abroad

'Landarbeiter(in) M(F) farm worker **'Landbevölkerung** F rural population

'Landebahn F runway **'Landeerlaubnis** F permission to land

land'einwärts ADV inland

landen V/I ['landən] ⟨s⟩ land; **~ in** *fig* end up in

'Landeplatz M FLUG landing field

'Ländervorwahl F country code

'Landesgrenze F national border

'Landesinnere(s) N ⟨~n⟩ interior

'Landesregierung F state government; *in Österreich* provincial government **'Landessprache** F national language **'landesüblich** ADJ customary **'Landesverrat** M treason **'Landesverteidigung** F national defence *od US* defense **'Landeswährung** F national currency

'Landflucht F rural exodus **'Landfriedensbruch** M JUR breach of the peace **'Landgericht** N *etwa* regional court **'Landgewinnung** F ⟨~⟩ land reclamation **'Landkarte** F map **'Landkreis** M district

ländlich ADJ ['lɛntlɪç] rural; **~e Entwicklung** rural development

'Landschaft F ⟨~; ~en⟩ countryside; *schöne* scenery; *Bild* landscape **'landschaftlich** ADJ scenic; *regional* regional **'Landschaftspflege** F land management

'Landsmann M ⟨*pl* Landsleute⟩ fellow countryman, compatriot **Landsmännin** F ['lantsmɛnɪn] ⟨~; ~nen⟩ fellow countrywoman, compatriot

'Landstraße F country road; *nicht Autobahn* ordinary road **'Landstreicher(in)** M ⟨~s; ~⟩ (F) ⟨~in; ~innen⟩ tramp, *US a.* hobo **'Landstreitkräfte** PL land forces *pl* **'Landtag** M state parliament; *Gebäude* state parliament building

Landung F ['landʊŋ] ⟨~; ~en⟩ landing

'Landweg M **auf dem ~** by land **'Landwirt(in)** M(F) farmer **'Landwirtschaft** F agriculture, farming; *Bauernhof* farm **'landwirtschaftlich** ADJ agricultural

lang [laŋ] ⟨länger, längste⟩ **A** ADJ long; *umg*: *Person* tall; **es ist zwei Meter ~** it's two metres long; **vor ~er Zeit** a long time ago; **seit Langem** for a long time; **über kurz oder ~** sooner or later **B** ADV **den ganzen Tag ~** all day long; **drei Jahre/einige Zeit ~** for three years/some time; **~ erwartet** long-awaited; **diese Straße ~** along this street

'langärmelig ADJ long-sleeved

'lange ADV ⟨länger, am längsten⟩ a long time; *seit langer Zeit* for a long time; **es ist schon ~ her** it was long ago; **noch ~ hin** still a long way off; **es dauert nicht ~** it won't take long; **ich bleibe nicht ~ fort** I won't be long; **wie ~ noch?** how much longer?

Länge F ['lɛŋə] ⟨~; ~n⟩ length; GEOG longitude; *umg*: *von Person* height; **e-e ~ von drei Meter/Stunden haben** be* three metres/hours long; **er ist der ~ nach hingefallen** he fell flat on his face; **etw in die ~ ziehen** drag sth out; **sich in die ~ ziehen** drag on

langen V/I ['laŋən] *umg*: *greifen* reach (**nach** for; **in** into); *umg*: *genügen* be* enough; **mir langt es** I've had enough

'Längengrad M degree of longitude **'Längenmaß** N unit of length

Langeweile F ['laŋəvailə] ⟨~⟩ boredom; **~ haben** be* bored

'langfristig **A** ADJ long-term **B** ADV **~ (gesehen)** in the long term **'langjährig** ADJ *Freundschaft, Rivalität* longstanding; **~e Erfahrung** many years *pl* of experience **langlebig** ADJ ['laŋle:bɪç] long-lived; WIRTSCH durable; **~e Gebrauchsgüter** (consumer) durables

länglich ADJ ['lɛŋlɪç] oblong

längs [lɛŋs] **A** PRÄP ⟨*gen*⟩ along(side) **B** ADV lengthwise

'langsam **A** ADJ slow; *allmählich* gradual **B** ADV slowly; *allmählich* gradually; **~er werden** *od* **fahren** slow down; **es wird ~ Zeit, dass wir gehen** it's about time we were going

'Langspielplatte F long-playing record, *meist* LP

längst ADV [lɛŋst] **das ist ~ vorbei** that's long past; **ich weiß es ~** I've known it for a long time; **er sollte ~ da sein** he should have been here long ago
'längstens ADV *höchstens* at (the) most
'Langstrecken- ZSSGN long-distance; FLUG, MIL long-range
'langweilen V/T bore; **sich ~** be* bored
'langweilig ADJ boring
'Langwelle F long wave **'langwierig** ADJ lengthy, protracted **'Langzeit-** ZSSGN long-term **'langzeitarbeitslos** ADJ long-term unemployed **'Langzeitarbeitslosigkeit** F long-term unemployment
Lappalie F [la'pa:liə] ⟨~; ~n⟩ trifle
Lappen M ['lapən] ⟨~s; ~⟩ cloth; *Staublappen* duster
läppisch ADJ ['lɛpɪʃ] *umg* silly; *Summe* ridiculous
Lappland N ['laplant] ⟨~s⟩ Lapland
Laptop M ['lɛptɔp] ⟨~s; ~s⟩ laptop
Lärm M [lɛrm] ⟨~s⟩ noise
'Lärmbekämpfung F noise abatement **'Lärmbelästigung** F noise pollution **'Lärmemission** F noise emission; *stärker* noise pollution **'Lärmschutz** M noise protection **'Lärmschutzwand** F noise barrier
lasch ADJ [laʃ] *umg* lax; *energielos* listless
Laserdrucker M ['le:zər-] laser printer **'Laserstrahl** M laser beam **'Lasertechnik** F laser technology
lassen V/T & V/AUX ['lasən] ⟨ließ, gelassen⟩ *erlauben* let*; *an e-m Ort, in e-m bestimmten Zustand* leave*; **j-n etw tun ~** let* sb do sth; *veranlassen* make* sb do sth; **j-n/etw zu Hause ~** leave* sb/sth at home; **sie hat sich die Haare schneiden ~** she had *od* got her hair cut; **sein Leben ~ für** give* one's life for; **j-n kommen ~** call sb in; **es lässt sich machen** it can be done; **er kann das Lügen nicht ~** he can't stop lying; **lass das!** stop it!; **lass uns gehen!** let's go!
lässig ['lɛsɪç] **A** ADJ casual; *nachlässig* careless; *umg: leicht* easy **B** ADV *gekleidet etc* casually; *nachlässig* carelessly; *umg: leicht* easily
Last F [last] ⟨~; ~en⟩ load (*a. fig*); *Bürde* burden (*a. fig*); *Gewicht* weight (*a. fig*); **j-m zur ~ fallen** be* a burden on sb; **j-m etw zur ~ legen** charge sb with sth
'Lastauto N → Lastwagen
'lasten V/I **auf j-m ~** weigh sb down; *fig* weigh on sb
'Lastenaufzug M goods lift, *US* freight elevator
Laster[1] M ['lastər] ⟨~s; ~⟩ *umg: Lkw* truck, *Br a.* lorry
'Laster[2] N ⟨~s; ~⟩ *schlechte Gewohnheit* vice
lästern V/I ['lɛstərn] **über j-n/etw ~** run* sb/sth down
lästig ADJ ['lɛstɪç] annoying; **j-m ~ sein** annoy sb
Last-Minute-Angebot N ['la:st'mɪnɪt-] last-minute offer
'Lastschrift F WIRTSCH debit entry **'Lastwagen** M truck, *Br a.* lorry **'Lastwagenfahrer(in)** M(F) truck driver, *Br a.* lorry driver, *US a.* trucker
La'teinamerika N Latin America **La'teinamerikaner(in)** M(F) Latin American **la'teinamerikanisch** ADJ Latin American
Laterne F [la'tɛrnə] ⟨~; ~n⟩ lantern; *Straßenlaterne* streetlight
Latte F ['latə] ⟨~; ~n⟩ slat; SPORT bar
Laub N [laup] ⟨~(e)s⟩ leaves *pl*
Lauch M [laux] ⟨~(e)s; ~e⟩ leeks *pl*; **eine Stange ~** a leek
Lauf M [lauf] ⟨~(e)s; Läufe⟩ *Laufen* run; *Wettlauf* race; *Strecke, Verlauf* course; *Gewehrlauf* barrel; **im ~e des Tages** some time during the day; **im ~(e) der Zeit** in the course of time
'Laufbahn F career
'laufen V/I & V/T ⟨lief, gelaufen, s⟩ run* (*a.* TECH, AUTO, WIRTSCH, *fig*); *gehen* walk; *funktionieren* work; **mir läuft die Nase** my nose is running; **was läuft im Kino?** what's on at the cinema *od bes US* the movies?; **j-n ~ lassen** let* sb go; *straffrei* let* sb off; **wie läuft's so?** *umg* how are things?
'laufend **A** ADJ current; *ständig* continual; *Ausgaben, Kosten* regular; **auf dem Laufenden sein** be* up to date **B** ADV continually; *regelmäßig* regularly; *immer* always
'Laufsteg M catwalk **'Laufwerk** N COMPUT drive **'Laufzeit** F *von Vertrag etc* duration, term; *von DVD etc* running time
Laune F ['launə] ⟨~; ~n⟩ mood; *plötzli-*

che whim; **gute/schlechte ~ haben** be* in a good/bad mood

'launenhaft ADJ, **'launisch** ADJ moody; *mürrisch* bad-tempered

Laus F [laus] ⟨~; Läuse⟩ ZOOL louse

'Lauschangriff M bugging operation

lauschen V/I ['lauʃən] listen (*dat* to); *heimlich a.* eavesdrop

laut[1] [laut] A ADJ loud; *lärmend* noisy B ADV loud, loudly; *vorlesen, denken* aloud; **~er, bitte!** speak up, please!

laut[2] PRÄP ⟨*gen od dat*⟩ according to

'lauten V/I *von Text* read*; *von Name, Antwort* be*

läuten V/I & V/T ['lɔytən] ring*; **es läutet (an der Tür)** there's someone at the door

'lauter ADV ['lautər] *Unsinn, Dankbarkeit* sheer; *nichts als* nothing but; *viele* a lot of

'Lautsprecher M (loud)speaker **'Lautstärke** F loudness; *von Radio, Verstärker etc* volume; **mit voller ~** (at) full blast **'Lautstärkeregler** M volume control

lauwarm ADJ ['lauvarm] lukewarm (*a. fig*)

Lawine F [la'vi:nə] ⟨~; ~n⟩ avalanche (*a. fig*)

leben ['le:bən] A V/I live (**von** on); *am Leben sein* be* alive; **es lebe der König!** long live the king! B V/T live

'Leben N ⟨~s; ~⟩ life; **am ~ bleiben** stay alive; *überleben* survive; **am ~ sein** be* alive; **sich das ~ nehmen** take* one's (own) life, commit suicide; **ums ~ kommen** lose* one's life, be* killed; **um sein ~ laufen/kämpfen** run*/fight* for one's life; **mein ~ lang** all my life

'lebend ADJ living; **~e Tiere** live animals

lebendig ADJ [le'bɛndɪç] living; *fig* lively

'Lebensbedingungen PL living conditions *pl* **'Lebensdauer** F life-span; *von Maschine, Batterie etc* life **'Lebenserwartung** F life expectancy **'Lebensgefahr** F mortal danger; **in ~ sein** be* in danger of one's life; *Kranker* be* in a critical condition; **außer ~ sein** be* out of danger **'lebensgefährlich** A ADJ extremely dangerous; *Krankheit* very serious B ADV **~ verletzt** critically injured **'Lebensgefährte** M, **'Lebensgefährtin** F partner **'Lebenshaltungskosten** PL cost *sg* of living **'lebenslänglich** A ADJ **~e Freiheitsstrafe** life sentence B ADV *einsperren* for life **'Lebenslauf** M curriculum vitae, CV, *US* résumé **'Lebensmittel** PL food *sg*; *Waren a.* groceries *pl* **'Lebensmittelabteilung** F food department **'Lebensmittelgeschäft** N grocer's (shop *od US* store) **'Lebensmittelimitat** N imitation food **'Lebensmittelkette** F food chain **'Lebensmittelsicherheit** F food safety **'Lebensmittelvergiftung** F MED food poisoning **'Lebenspartnerschaft** F long-term relationship; **eingetragene ~** civil partnership *od US* union **'Lebensqualität** F quality of life **'Lebensstandard** M standard of living **'Lebensstellung** F permanent position, job for life **'Lebensunterhalt** M **s-n ~ verdienen** earn one's living (**als** as; **mit** by) **'Lebensversicherung** F life insurance

Leber F ['le:bər] ⟨~; ~n⟩ liver

'lebhaft A ADJ lively; *Schilderung, Erinnerungen* vivid; *Verkehr* heavy B ADV *schildern* vividly

leck ADJ [lɛk] leaking, leaky

Leck N ⟨~(e)s; ~e⟩ leak

lecken[1] V/T & V/I ['lɛkən] lick; **~ an** lick

'lecken[2] V/I *undicht sein* leak

lecker ADJ ['lɛkər] delicious, tasty

Leder N ['le:dər] ⟨~s; ~⟩ leather

'ledern ADJ *aus Leder* leather

'Lederwaren PL leather goods *pl*

ledig ADJ ['le:dɪç] single, unmarried

'lediglich ADV only

leer ADJ [le:r] empty (*a. fig*); *unbewohnt a.* vacant; *Seite, Blatt Papier* blank; *Batterie* dead, *Br a.* flat; **~ stehen** be* empty, be* unoccupied

'Leere F ⟨~⟩ emptiness (*a. fig*)

'leeren V/T & V/R empty

'Leergut N empties *pl* **'Leertaste** F COMPUT space bar

'Leerung F ⟨~; ~en⟩ *von Briefkasten* collection, *US* mail pick-up

legal [le'ga:l] A ADJ legal B ADV *erwerben etc* legally

legali'sieren V/T ⟨*kein ge*⟩ legalize

Legali'sierung F ⟨~; ~en⟩ legalization

legen V/T ['le:gən] put*; *vorsichtig* lay* (*a. Eier, Teppich, Kabel*); **sich ~** *hinlegen* lie* down (**auf** on); *fig: von Sturm etc* die down; *von Schmerz* wear* off

Legislative F [legɪsla'ti:və] ⟨~; ~n⟩ legislature

Legislaturperiode F [legisla'tu:r-] legislative session

legitim ADJ [legi'ti:m] legitimate

Lehne F ['le:nə] ⟨~; ~n⟩ *Rückenlehne* back(rest); *Armlehne* arm(rest)

'lehnen V/T & V/I & V/R lean* (**an, gegen** against; **auf** on)

Lehre F ['le:rə] ⟨~; ~n⟩ *das Lehren* teaching; *Wissenschaft* science; *Theorie* theory; REL, POL teachings *pl*, doctrine; *abschreckende Erfahrung* lesson; *e-r Geschichte* moral; *e-s Lehrlings* apprenticeship; **in der ~ sein** be* apprenticed (**bei** to)

'lehren V/T teach*; *zeigen* show*; **j-n lesen ~** teach* sb (how) to read

'Lehrer(in) M ⟨~s; ~⟩ (F) ⟨~in; ~innen⟩ teacher; *für Skilaufen, Yoga etc* instructor

'Lehrgang M course **'Lehrjahr** N year (of apprenticeship) **'Lehrling** M ⟨~s; ~e⟩ apprentice **'Lehrstelle** F apprenticeship

Leib M [laip] ⟨~(e)s; ~er⟩ body; **mit ~ und Seele** heart and soul; **sich j-n vom ~ halten** *umg* keep* sb at arm's length

'leiblich ADJ physical; *Mutter* natural

'Leibrente F life annuity **'Leibwächter(in)** M(F) bodyguard

Leiche F ['laiçə] ⟨~; ~n⟩ corpse, (dead) body

'Leichenschauhaus N morgue **'Leichenwagen** M hearse

leicht [laiçt] **A** ADJ light (*a. fig*); *einfach* easy, simple; *geringfügig* slight, minor; TECH lightweight **B** ADV *mühelos, schnell* easily; *geringfügig* slightly; **j-m etw ~ machen** make* sth easy for sb; **~ möglich** quite possible; **das ist ~ gesagt** it's not as easy as that; **~ verständlich** easy to understand

'leichtfallen V/I ⟨*irr*, s⟩ **es fällt mir (nicht) leicht (zu ...)** it's (not) easy for me (to ...) **'leichtgläubig** ADJ credulous

'Leichtigkeit F ⟨~⟩ **mit ~** *fig* with ease, easily

'leichtmachen V/T **j-m etw ~** make* sth easy for sb **'Leichtmetall** N light metal **'leichtnehmen** V/T ⟨*irr*⟩ **etw ~** not worry about sth; *Krankheit* make* light of sth **'Leichtsinn** M carelessness; *stärker* recklessness **'leichtsinnig** **A** ADJ careless; *stärker* reckless **B** ADV *handeln* carelessly; *stärker* recklessly

Leid N [lait] ⟨~(e)s⟩ sorrow, grief; *Schmerz* pain

leiden V/T & V/I ['laidən] ⟨litt, gelitten⟩ suffer (**an, unter** from); **j-n gut ~ können** like sb; **ich kann ... nicht ~** I don't like ...; *stärker* I can't stand ...

'Leiden N ⟨~s; ~⟩ suffering; *Krankheit* illness

'Leidenschaft F ⟨~; ~en⟩ passion

'leidenschaftlich **A** ADJ passionate **B** ADV passionately; **sie geht ~ gern ins Theater** she loves going to the theatre

leider ADV ['laidər] unfortunately; **~ ja/nein** I'm afraid so/not

'Leidtragende(r) M/F(M) ⟨~n; ~n⟩ **er ist der ~ dabei** he's the one who suffers for it

'leidtun V/I ⟨*irr*⟩ **es tut mir leid** I'm sorry (**um** for; **wegen** about;); **es tut mir leid, dass ich zu spät komme** I'm sorry for being late; **er tut mir leid** I feel sorry for him

'Leiharbeit F contract work

leihen V/T ['laiən] ⟨lieh, geliehen⟩ **j-m etw ~** lend* *od bes US* loan sb sth; **sich etw ~** borrow sth; *mieten* hire *od* rent sth (**von** from)

'Leihgebühr F hire charge, *bes US* rental fee; *für Buch* lending fee **'Leihhaus** N pawnshop, pawnbroker's (shop) **'Leihwagen** M rental *od Br a.* hire car

Leine F ['lainə] ⟨~; ~n⟩ *für Wäsche* line; *für Hund* leash, *Br a.* lead

Leinen N ['lainən] ⟨~s; ~⟩ linen; *Segeltuch* canvas; **in ~ gebunden** *Buch etc* clothbound

'Leinwand F canvas; *für Filme u. Dias* screen

leise ['laizə] **A** ADJ quiet; *Stimme a.* low; *Musik* soft; *fig* slight, faint **B** ADV quietly; *sprechen a.* in a low voice; **etw ~r stellen** turn sth down

Leiste F ['laistə] ⟨~; ~n⟩ *für Ränder* edging strip; ANAT groin

'leisten V/T do*; *schaffen* manage; *vollbringen* achieve, accomplish; *Eid* take*; **gute Arbeit ~** do* a good job; **sich etw ~** *sich gönnen, kaufen* treat o.s. to sth; **ich kann es mir (nicht) ~** *kaufen* I can('t) afford it

'Leistung F ⟨~; ~en⟩ performance; *besondere* achievement; *Ergebnis* result; TECH output; *Dienstleistung* service; *Geldleistung* payment; *Sozialleistung* benefit; **schulische ~en** *pl* school work *sg*

'leistungsbezogen ADJ performance-related **'Leistungsbilanz** F *eines Unternehmens* balance of payments on current account **'Leistungsdruck** M pressure **'leistungsfähig** ADJ efficient (*a.* TECH, WIRTSCH); *körperlich* fit **'Leistungsfähigkeit** F efficiency (*a.* TECH, WIRTSCH); *körperliche* fitness **'Leistungsgesellschaft** F meritocracy, achievement-oriented society **'Leistungsprinzip** N achievement *od* performance principle

'Leitbild N *im Management* overall concept; *Vorbild* model; **~ der Mode** leader of fashion

leiten V/T ['laitən] lead* (*a. Partei, Mannschaft etc*); *fig* guide; PHYS, MUS conduct; *Geschäft* run*, be* in charge of; *Diskussion, Versammlung* chair; *Verkehr* direct; *als Moderator* host

'leitend ADJ leading; PHYS conductive; **~e Stellung** managerial position; **~e(r) Angestellte(r)** executive

Leiter[1] F ['laitər] ⟨~; ~n⟩ *zum Steigen* ladder (*a. fig*)

'Leiter[2] M ⟨~s; ~⟩ leader; PHYS, MUS conductor; *von Firma* manager; *von Amt* head; *von Diskussion, Versammlung* chair (-man); *von Schule* headmaster, head (teacher), *US* principal

'Leiterin F ⟨~; ~nen⟩ leader; MUS conductor; *von Firma* manager(ess); *von Amt* head; *von Diskussion, Versammlung* chair (-woman); *von Schule* headmistress, head (teacher), *US* principal

'Leitlinien PL guidelines *pl* **'Leitplanke** F crash barrier, *US* guardrail

Leitung F ['laitʊŋ] ⟨~; ~en⟩ *von Firma* management (*a. Personen*); *Büro* head office; *Vorsitz* chairmanship; *künstlerische* direction; TECH *Hauptleitung* main; *im Haus* pipe; ELEK, TEL line; **die ~ haben** be* in charge; **unter der ~ von** MUS conducted by; **eine lange ~ haben** *umg* be* slow on the uptake

'Leitungsrohr N pipe **'Leitungswasser** N tap water

'Leitwährung F WIRTSCH key currency **'Leitzins** M WIRTSCH key interest rate, base rate, *US* prime rate

lenken V/T ['lɛŋkən] *Fahrzeug* steer; *Kind* guide; *Staat* control; *Verkehr* direct; *j-s Aufmerksamkeit* draw* (**auf** to)

'Lenkrad N steering wheel

'Lenkung F ⟨~; ~en⟩ *Vorrichtung* steering

lernen V/T & V/I ['lɛrnən] learn*; *für die Schule, für Prüfung* study; **schwimmen** *etc* **~** learn* (how) to swim *etc*

lesbisch ADJ ['lɛsbɪʃ] lesbian

lesen V/I & V/T ['le:zən] ⟨las, gelesen⟩ read*; *Trauben, Beeren* pick; *Wein* harvest; **das liest sich wie ...** it reads like ...

'lesenswert ADJ worth reading

'Leser(in) M ⟨~s; ~⟩ (F) ⟨~in; ~innen⟩ reader

'Leserbrief M letter to the editor

'leserlich ADJ legible

'Lesestoff M reading matter **'Lesezeichen** N bookmark

'Lesung F ⟨~; ~en⟩ reading (*a.* PARL)

Lette M ['lɛtə] ⟨~n; ~n⟩, **'Lettin** F ⟨~; ~nen⟩ Latvian

lettisch ADJ ['lɛtɪʃ], **'Lettisch** N Latvian; → englisch

'Lettland N ⟨~s⟩ Latvia

letzte(r, -s) ADJ ['lɛtstə] last; *neueste* latest; **am ~n Montag** last Monday; **in ~r Zeit** lately, recently; **als Letzter ankommen** *etc* arrive *etc* last; **Letzter sein** be* last (*a.* SPORT); **das ist das Letzte!** *umg* that really is the limit!

'letztens ADV finally; *kürzlich* recently

letztere(r, -s) ADJ ['lɛtstərə] **der/die/das Letztere** the latter

Leuchte F ['lɔyçtə] ⟨~; ~n⟩ light

'leuchten V/I shine*; *schwächer* glow

'Leuchtfarbe F luminous paint **'Leuchtreklame** F neon sign **'Leucht(stoff)röhre** F fluorescent tube **'Leuchtturm** M lighthouse

leugnen ['lɔygnən] **A** V/T deny (**etw getan zu haben** having done sth) **B** V/I deny everything

Leute PL ['lɔytə] people *pl*; **was werden die ~ sagen?** what will people say?

Lexikon N ['lɛksikɔn] ⟨~s; Lexika⟩ encyclopedia; *Wörterbuch* dictionary

Libanon M ['li:banɔn] ⟨~s⟩ Lebanon *meist ohne bestimmten Artikel verwendet*

liberal ADJ [libə'ra:l] liberal
Libe'rale(r) M/F(M) ⟨~n; ~n⟩ liberal
Libyen N ['li:byən] ⟨~s⟩ Libya
'Libyer(in) M ⟨~s; ~⟩ (F) ⟨~in; ~innen⟩ Libyan
'libysch ADJ Libyan
Licht N [lɪçt] ⟨~(e)s; ~er⟩ light; **~ machen** switch *od* turn the light on; **ans ~ kommen/bringen** come*/bring* to light
'Lichtbild N photograph; *Dia* slide **'Lichtblick** M *fig* ray of hope **'lichtempfindlich** ADJ light-sensitive; FOTO sensitive
lichten V/T ['lɪçtən] *Wald* thin out; **den Anker ~** weigh anchor; **sich ~** thin out
'Lichtgeschwindigkeit F speed of light **'Lichthupe** F (headlight) flasher; **die ~ betätigen** flash one's lights **'Lichtschalter** M light switch **'Lichtschutzfaktor** M (sun protection) factor
Lid N [li:t] ⟨~(e)s; ~er⟩ eyelid
'Lidschatten M eye shadow
lieb ADJ [li:p] *geliebt* dear; *liebenswert a.* sweet; *nett, freundlich* nice, kind; *Kind* good; **Liebe Andrea** *in Briefen* Dear Andrea; **~ gewinnen** get* fond of; **~ haben** be* fond of; *stärker* love
Liebe F ['li:bə] ⟨~⟩ love (**zu** of, for); **~ auf den ersten Blick** love at first sight
'lieben V/T love; *j-n a.* be* in love with; *sexuell* make* love to
'liebenswürdig ADJ kind
'Liebenswürdigkeit F ⟨~; ~en⟩ kindness
lieber ADV ['li:bər] rather, sooner; **etw ~ mögen (als)** prefer sth (to), like sth better (than); **ich möchte ~ (nicht) ...** I'd rather (not) ...; **du solltest ~ (nicht) ...** you'd better (not) ...; **das ist mir ~** I prefer that
'liebevoll **A** ADJ loving **B** ADV *anlächeln, vorbereiten* lovingly
'Liebhaber(in) M ⟨~s; ~⟩ (F) ⟨~in; ~innen⟩ lover (*a. fig*)
'Liebhaber- ZSSGN *Preis, Stück etc* collector's
Liebhabe'rei F ⟨~; ~en⟩ hobby
'Liebhaberpreis M collector's price **'Liebhaberstück** N collector's item
'lieblich ADJ lovely; *Wein* sweet
'Liebling M ⟨~s; ~e⟩ darling (*a. als Anrede*); *Günstling* favourite, *US* favorite
'Lieblings- ZSSGN favourite, *US* favorite
liebste(r, -s) ADJ ['li:pstə] favourite, *US* favorite
'liebsten ADV **am ~ würde ich gehen** I'd really like to go; **am ~ jogge ich** I like jogging best (of all); **am ~ esse ich...** my favourite *od US* favorite food is ...
Liechtenstein N ['lɪçtənʃtain] ⟨~s⟩ Liechtenstein
Lied N [li:t] ⟨~(e)s; ~er⟩ song
Lieferant(in) [lifə'rant(ɪn)] M ⟨~en; ~en⟩ (F) ⟨~in; ~innen⟩ supplier
lieferbar ADJ ['li:fərba:r] available **'Lieferbedingungen** PL terms *pl* of delivery **'Lieferfrist** F delivery period; *Zeitpunkt* delivery deadline
liefern V/T ['li:fərn] *zustellen* deliver; *beschaffen* supply; **j-m etw ~** deliver sth to sb; *beschaffen* supply sb with sth
'Lieferschein M delivery note
'Lieferung F ⟨~; ~en⟩ delivery; *Beschaffung* supply
'Lieferwagen M (delivery) van **'Lieferzeit** F lead time, delivery period
liegen V/I ['li:gən] ⟨lag, gelegen⟩ lie*; *gelegen sein* be* (situated); *sein* be*; **(krank) im Bett ~** be* (ill) in bed; **nach Osten/zur Straße ~** face east/the street; **es liegt viel Schnee** there's a lot of snow; **daran liegt es(, dass ...)** that's why (...); **es/er liegt mir nicht** it's/he's is not my cup of tea; **mir liegt viel daran** it means a lot to me; **es liegt (nicht) an dir** it's (not) your fault; **~ bleiben** *nicht aufstehen* lie* there; *im Bett* stay in bed; *vergessen werden* be* left behind; **~ lassen** *vergessen* leave* behind; **j-n links ~ lassen** ignore sb, give* sb the cold shoulder
'Liegesitz M reclining seat **'Liegestuhl** M deckchair **'Liegewagen** M couchette car
Lift M [lɪft] ⟨~(e)s; ~e *od* ~s⟩ lift, *US* elevator; *Skilift* (ski) lift
lila ADJ ['li:la] ⟨*inv*⟩ purple; *heller* lilac
Limit N ['lɪmɪt] ⟨~s; ~s⟩ WIRTSCH limit
Limonade F [limo'na:də] ⟨~; ~n⟩ pop, *US a.* soda; *Zitronenlimonade* lemonade, *US* lemon soda
lindern V/T ['lɪndərn] relieve, alleviate
'Linderung F ⟨~⟩ relief, alleviation
Linie F ['li:niə] ⟨~; ~n⟩ line; **auf s-e ~ achten** watch one's weight; **die ~ 4**

Bus the number 4; **in erster ~** first and foremost; **auf ganzer** *od* **der ganzen ~** totally, completely
'Linienbus M regular bus **'Linienflug** M scheduled flight **'Linienmaschine** F FLUG scheduled plane **'linientreu** ADJ **~ sein** follow the party line
lin(i)ieren V/T [li'ni:rən (-ni'i:-)] *⟨kein ge⟩* rule
Link M [lɪŋk] ⟨~s; ~s⟩ IT link
'Linke(r) M/F(M) ['lɪŋkə] ⟨~n; ~n⟩ POL leftist, left-winger
linke(r, -s) ADJ ['lɪŋkə] left; POL left-wing; **auf der ~n Seite** on the left(-hand) side
linkisch ADJ ['lɪŋkɪʃ] awkward, clumsy
links ADV [lɪŋks] on the left (*a.* POL); *abbiegen* left; *bügeln* on the wrong side; *tragen* inside out; **nach ~** (to the) left; **~ von** to the left of
'Linksabbieger(in) M ⟨~s; ~⟩ Ⓕ ⟨~in; ~innen⟩ motorist *etc* turning left **'Linksextremismus** M POL left-wing extremism **'Linksextremist(in)** M(F) left-wing extremist **'linksextremistisch** ADJ extreme left-wing *attr*
'Linkshänder(in) M ⟨~s; ~⟩ Ⓕ ⟨~in; ~innen⟩ left-hander; **er ist Linkshänder** he is left-handed **'linksradikal** ADJ POL extreme left-wing *attr* **'Linksradikale(r)** M/F(M) ⟨~n; ~n⟩ left-wing extremist **'Linkssteuerung** F AUTO left-hand drive **'Linksverkehr** M **es herrscht ~** they drive on the left
Linse F ['lɪnzə] ⟨~; ~n⟩ lentil; *im Auge, Fotoapparat etc* lens
Lippe F ['lɪpə] ⟨~; ~n⟩ lip
'Lippenstift M lipstick
liquidieren V/T [likvi'di:rən] *⟨kein ge⟩ Firma, j-n, a.* POL liquidate; *Betrag* charge
Liquidität F [likvidi'tɛ:t] ⟨~; ~en⟩ liquidity
Lissabon-Strategie F ['lɪsabɔn-] Lisbon Strategy **'Lissabon-Vertrag** M Treaty of Lisbon
List F [lɪst] ⟨~; ~en⟩ trick; *Listigkeit* cunning
Liste F ['lɪstə] ⟨~; ~n⟩ list; **schwarze ~** blacklist
'Listenpreis M WIRTSCH list price
listig ADJ ['lɪstɪç] cunning, crafty
Litauen N ['li:tauən] ⟨~s⟩ Lithuania
'Litauer(in) M ⟨~s; ~⟩ Ⓕ ⟨~in; ~innen⟩ Lithuanian
'litauisch ADJ, **'Litauisch** N Lithuanian; → englisch
Liter M *od* N ['li:tər] ⟨~s; ~⟩ litre
Literatur F [lɪtəra'tu:r] ⟨~; ~en⟩ literature
Livesendung F ['laif-] live programme *od US* program, live broadcast
Lizenz F [li'tsɛnts] ⟨~; ~en⟩ licence, *US* license
Lkw M, **LKW** M ['ɛlka:ve:] ⟨~(s); ~s⟩ *abk für* Lastkraftwagen truck, *Br a.* lorry **'Lkw-Maut** F toll for trucks
Lob N [lo:p] ⟨~(e)s⟩ praise
Lobby F ['lɔbi] ⟨~; ~s⟩ lobby
Lobbying N ['lɔbiɪŋ] ⟨~s⟩ lobbying
loben V/T ['lo:bən] praise
Loch N [lɔx] ⟨~(e)s; Löcher⟩ hole (*a. fig*); *im Reifen* puncture; *pej; umg: Wohnung, Stadt* dump, hole
'lochen V/T *Papier* punch a hole in; punch holes in; *Fahrkarte* punch (*a.* TECH)
'Locher M ⟨~s; ~⟩ (hole) punch
Locke F ['lɔkə] ⟨~; ~n⟩ curl; *Strähne, Büschel* lock
locker ADJ ['lɔkər] *Schraube, Knopf etc* loose; *Seil* slack; *fig: lässig* relaxed; **das schaffe ich ~** *umg* I'll manage that, no problem
'lockerlassen V/I *⟨irr⟩* **sie hat nicht lockergelassen(, bis ...)** *umg* she wouldn't give up (until ...)
'lockern V/T loosen; *Seil* slacken; *Griff, Muskeln* relax (*a. fig*); **sich ~** *von Schraube, Knopf etc* become* loose; *fig* become* more relaxed
Löffel M ['lœfəl] ⟨~s; ~⟩ spoon; *Schöpflöffel* ladle; **ein ~ voll** a spoonful
Logbuch N ['lɔkbu:x] log
Logik F ['lo:gɪk] ⟨~⟩ logic
'logisch **A** ADJ logical **B** ADV *nachdenken, handeln etc* logically
'logischer'weise ADV obviously
Logo N ['lo:go] ⟨~s; ~s⟩ *Firmenzeichen* logo
Lohn M [lo:n] ⟨~(e)s; Löhne⟩ wages *pl*, pay; *fig* reward
'Lohndumping N wage dumping **'Lohnempfänger(in)** M(F) wage earner, *US* wageworker
'lohnen V/R be* worthwhile, be* worth it; **der Film lohnt sich** the film's worth seeing
'lohnend ADJ profitable; *fig* rewarding

L

'Lohnerhöhung F (pay) rise, *US* raise **'Lohngruppe** F wage bracket **'lohnintensiv** ADJ wage-intensive **'Lohn-'Preis-Spirale** F wage-price spiral **'Lohnsteuer** F income tax **'Lohnsteuerjahresausgleich** M annual adjustment of income tax **'Lohnsteuerkarte** F income-tax card **'Lohnstopp** M wage freeze

Lokal N [lo'ka:l] ⟨~(e)s; ~e⟩ restaurant; *Kneipe* pub, *bes US* bar

Lo'kal- ZSSGN *Zeitung etc* local

Lo'kalblatt N local paper **Lo'kalpresse** F local press **Lo'kalverbot** N **~ haben in** (*dat*) be* banned from

Lokomotive F [lokomo'ti:və] ⟨~; ~n⟩ engine

Lomé-Abkommen N ['lo:me-] Lomé Convention

los ADJ & ADV [lo:s] *ab, fort* off; *Schraube, Brett etc* loose; **j-n/etw ~ sein** be* rid of sb/sth; **was ist ~?** what's the matter?, *umg* what's up?; *geschieht* what's going on?; **hier ist nicht viel ~** there's nothing much going on here; **da ist was ~!** *umg* that's where the action is!; **also ~!** *umg* okay, let's go!

Los N ⟨~es; ~e⟩ lot; *bei Lotterie* ticket; *fig* lot, fate; **durch das ~ entscheiden** decide by drawing lots

löschen V/T ['lœʃən] *Brand, Kerze* put* out, extinguish; *Licht* put* out, turn off; *Durst* quench; *Tinte* blot; *an der Tafel* wipe off; *Zeile, Aufnahme* erase; IT delete; SCHIFF unload

lose ['lo:zə] **A** ADJ loose (*a. fig*) **B** ADV *verkaufen* loose

'Lösegeld N ransom

lösen V/T ['lø:zən] *Knoten* undo*; *Schraube* loosen; *Bremse* release; *ablösen* take* off; *Rätsel* solve; *Konflikt* settle; *Karte* buy*, get*; *auflösen* dissolve (*a.* CHEM); **sich ~** *von Knoten* come* undone; *von Schraube* work (itself) loose; *von Tapete* come* off; *fig* free o.s. (**von** from)

'losfahren V/I ⟨*irr*, s⟩ leave*; *mit Auto* drive* off **'losgehen** V/I ⟨*irr*, s⟩ leave*; *anfangen* start, begin*; *von Schuss* go* off; **auf j-n ~** go* for sb; **jetzt geht das schon wieder los!** *umg* here we go again! **'loslassen** V/T ⟨*irr*⟩ let* go; **den Hund ~ auf** set* the dog on

löslich ADJ ['lø:slıç] soluble

'losmachen V/T untie **'losmüssen** V/I ⟨*irr*⟩ *umg* **jetzt müssen wir aber los** we have to be off, we must be going **'losschnallen** V/T unbuckle; **sich ~** AUTO, FLUG unfasten one's seatbelt

Lösung F ['lø:zʊŋ] ⟨~; ~en⟩ solution (*a.* CHEM); *von Konflikt* settlement

'Lösungsmittel N solvent

'loswerden V/T ⟨*irr*, s⟩ *umg* get* rid of; *Geld* spend*

Lotion F [lotsi'o:n] ⟨~; ~en⟩ lotion

Lotse M ['lo:tsə] ⟨~n; ~n⟩, **'Lotsin** F ⟨~; ~nen⟩ SCHIFF pilot

'Lotsendienst M AUTO driver-guide service

Lotterie F [lɔtə'ri:] ⟨~; ~n⟩ lottery

Lotto N ['lɔto] ⟨~s; ~s⟩ lottery; **(im) ~ spielen** do* the lottery

Löwe M ['lø:və] ⟨~n; ~n⟩ lion; ASTROL Leo

loyal [loa'ja:l] **A** ADJ loyal **B** ADV *handeln etc* loyally

Lücke F ['lʏkə] ⟨~; ~n⟩ gap (*a. fig*); *in Gesetz* loophole

Luft F [lʊft] ⟨~; Lüfte⟩ air; **an der frischen ~** (out) in the fresh air; **(frische) ~ schöpfen** get* a breath of fresh air; **die ~ anhalten** hold* one's breath (*a. fig*); **tief ~ holen** take* a deep breath; **in die ~ fliegen/sprengen** blow* up

'Luftangriff M air raid **'Luftaufnahme** F aerial photograph **'Luftballon** M balloon **'Luftbrücke** F airlift **'luftdicht** **A** ADJ airtight **B** ADV **~ verschlossen** airtight **'Luftdruck** M PHYS, TECH air pressure

lüften ['lʏftən] **A** V/T air; *Geheimnis* reveal **B** V/I *in Zimmer* let* some air into the room

'Luftfahrt F aviation **'Luftfeuchtigkeit** F humidity **'Luftfilter** N *od* M TECH air filter **'Luftfracht** F air freight **'Luftkissenboot** N hovercraft **'Luftkurort** M climatic health resort **'luftleer** ADJ **~er Raum** vacuum **'Luftlinie** F **50 km ~** 50 km as the crow flies **'Luftloch** N airhole; FLUG air pocket **'Luftmatratze** F airbed **'Luftpost** F airmail; **mit** *od* **per ~** (by) airmail **'Luftpostbrief** M airmail letter **'Lufttemperatur** F air temperature

Lüftung F ['lʏftʊŋ] ⟨~; ~en⟩ airing;

TECH ventilation
'Luftveränderung F change of air **'Luftverkehr** M air traffic **'Luftverschmutzung** F air pollution **'Luftwaffe** F air force **'Luftweg** M **auf dem ~** by air
Lüge F ['ly:gə] ⟨~; ~n⟩ lie
'lügen V/I ⟨log, gelogen⟩ lie; **das ist gelogen** that's a lie
'Lügner(in) M ⟨~s; ~⟩ (F) ⟨~in; ~innen⟩ liar
Lumpen M ['lʊmpən] ⟨~s; ~⟩ rag; **in ~** in rags
Lunchpaket N ['lanʃ-] packed lunch
Lunge F ['lʊŋə] ⟨~; ~n⟩ lungs *pl*; **(auf) ~ rauchen** inhale
'Lungenentzündung F pneumonia **'Lungenkrebs** M MED lung cancer
Lupe F ['lu:pə] ⟨~; ~n⟩ magnifying glass; **unter die ~ nehmen** *umg* scrutinize
Lust F [lʊst] ⟨~; Lüste⟩ desire; *sinnliche* lust; *Vergnügen* pleasure, delight; **~ auf etw haben** feel* like sth; **~ haben, etw zu tun** feel* like doing sth; **ich habe keine ~** I don't feel like it, I'm not in the mood; **die ~ an etw verlieren** lose* all interest in sth; **j-m die ~ an etw nehmen** make* sb lose all interest in sth
lüstern ADJ ['lʏstərn] *sexuell* lascivious, *pej* lecherous
'lustig **A** ADJ funny; *fröhlich* cheerful; **er ist sehr ~** he's full of fun; **es war sehr ~** it was great fun; **sich ~ machen über** make* fun of **B** ADV **auf der Party ging es sehr ~ zu** the party was great fun
'lustlos **A** ADJ indifferent, unenthusiastic **B** ADV *tun, zuschauen etc* indifferently, unenthusiastically
lutschen ['lʊtʃən] **A** V/T suck **B** V/I **~ an** suck
Luxemburg N ['lʊksəmbʊrk] ⟨~s⟩ Luxembourg
'Luxemburger Kompro'miss M Luxembourg Compromise *od* Accords *pl*
luxuriös [lʊksuri'ø:s] **A** ADJ luxurious **B** ADV *eingerichtet etc* luxuriously
Luxus M ['lʊksʊs] ⟨~⟩ luxury
'Luxusartikel M luxury (item) **'Luxusausführung** F de luxe version **'Luxushotel** N luxury hotel
Luzern N [lu'tsɛrn] ⟨~s⟩ Lucerne
Lymphdrüse F ['lʏmf-] lymph gland

M

M N [ɛm] ⟨~; ~⟩ M
'machbar ADJ feasible
machen V/T ['maxən] *tun* do*; *herstellen, zubereiten, verursachen* make*; *Essen a.* prepare; *in Ordnung bringen, reparieren* fix (*a. fig*); *ausmachen, betragen* be*, come* to; *Prüfung* take*, *erfolgreich* pass; *Reise, Ausflug* go* on; *Erfahrung* have*; **was machst du da?** what are you doing there?; **(seine) Hausaufgaben ~** do* one's homework; **mach, was du willst!** do what you like!; **was macht er?** what's he doing?; *beruflich* what does he do?; **das kann man doch nicht ~** you can't do that!; **was** *od* **wie viel macht das?** how much is that?; **j-n traurig/etw nass ~** make* sb sad/sth wet; **mach's gut!** take care (of yourself)!, see you!; **(das) macht nichts** it doesn't matter; **mach dir nichts d(a)raus!** never mind!, don't worry!; **das macht mir nichts aus** I don't mind
'Macher(in) M ⟨~s; ~⟩ (F) ⟨~in; ~innen⟩ man/woman of action, doer
Macho M ['matʃo] ⟨~(s); ~s⟩ macho type
Macht F [maxt] ⟨~; Mächte⟩ power (**über** over); **an der ~** in power; **an die ~ kommen** come* to power
'Machtapparat M machinery of power **'Machtbefugnis** F power, authority **'Machthaber(in)** M ⟨~s; ~⟩ (F) ⟨~in; ~innen⟩ ruler
mächtig ['mɛçtɪç] **A** ADJ powerful; *riesig* enormous, huge **B** ADV *umg*: *klug, stolz* incredibly
'Machtkampf M power struggle **'machtlos** ADJ powerless **'Machtmissbrauch** M abuse of power **'Machtpolitik** F power politics *sg* **'Machtübernahme** F takeover **'Machtwechsel** M transition of power
Mädchen N ['mɛ:tçən] ⟨~s; ~⟩ girl; *Dienstmädchen* maid
'Mädchenname M girl's name; *e-r Frau* maiden name

M

Magazin N [maga'tsi:n] ⟨~s; ~e⟩ *Zeitschrift, von Waffe* magazine; *Lager* store (-room); MIL magazine; *Sendung* magazine programme *od US* program
Magen M ['ma:gən] ⟨~s; Mägen *od* ~⟩ stomach
'Magenbeschwerden PL stomach trouble *sg* **Magen-'Darm-Infektion** F gastroenteritis **'Magengeschwür** N stomach ulcer **'Magensäure** F PHYSIOL gastric *od* stomach acid **'Magenschmerzen** PL stomach ache *sg* **'Magenverstimmung** F indigestion
mager ADJ ['ma:gər] *Person, Körper* thin; *Käse etc* low-fat; *Fleisch* lean; *fig: Gewinn* meagre, *US* meager
'Magermilch F skimmed milk **'Magersucht** F anorexia
Magister M [ma'gɪstər] ⟨~s; ~⟩ UNIV *etwa* Master of Arts
Magnet M [ma'gne:t] ⟨~(e)s *od* ~en; ~e⟩ magnet (*a. fig*)
Ma'gnetband N ⟨*pl* Magnetbänder⟩ magnetic tape
ma'gnetisch ADJ magnetic (*a. fig*)
Ma'gnetplatte F magnetic disk
mähen V/T ['mɛ:ən] *Rasen* mow*; *Gras* cut*; *Getreide* reap
mahlen V/T ['ma:lən] ⟨*pperf* gemahlen⟩ grind*
'Mahlzeit F meal; *für Baby* feed; **~!** *guten Appetit!* enjoy your meal!
'Mahnbescheid M reminder
mahnen V/T ['ma:nən] **j-n (schriftlich) ~** send* sb a reminder
'Mahngebühr F reminder fee
'Mahnung F ⟨~; ~en⟩ *Brief* reminder
Mai M [mai] ⟨~(e)s *od* ~; ~e⟩ May; **der Erste ~** May Day
Mail F [me:l] ⟨~; ~s⟩ e-mail; **an j-n eine ~ schicken** e-mail *od* mail sb, send sb an e-mail *od* a mail
Mais M [mais] ⟨~es; ~e⟩ maize, *US* corn; *aus der Dose* sweetcorn, *US* corn
'Maiskolben M (corn)cob; *als Gericht* corn on the cob
makaber ADJ [ma'ka:bər] ⟨-br-⟩ macabre
Makel M ['ma:kəl] ⟨~s; ~⟩ blemish (*a. fig*)
Makler(in) ['ma:klər(ɪn)] M ⟨~s; ~⟩ F ⟨~in; ~innen⟩ *Grundstücksmakler, Wohnungsmakler* estate agent, *US* real estate agent; *Börsenmakler* broker
'Maklergebühr F fee, commission
mal ADV [ma:l] MATH times, multiplied by; *beim Messen* by; *umg: früher* once; *zukünftig* some day; **ein 7 ~ 4 Meter großer Raum** a room 7 metres by 4
Mal[1] N ⟨~(e)s; ~e⟩ time; **zum ersten/letzten ~** for the first/last time; **mit e-m ~(e)** *plötzlich* all of a sudden; **ein für alle ~(e)** once and for all
Mal[2] N ⟨~(e)s; ~e⟩ *Zeichen* mark; *Muttermal* birthmark, mole
malen V/T & V/I ['ma:lən] paint (*a. streichen*)
'Maler(in) M ⟨~s; ~⟩ F ⟨~in; ~innen⟩ painter (*a. Handwerker*)
'malerisch ADJ *fig* picturesque
Mallorca N [ma'jɔrka] ⟨~s⟩ Majorca
'malnehmen V/T ⟨*irr*⟩ multiply (**mit** by)
Malta N ['malta] ⟨~s⟩ Malta
Mama F ['mama] ⟨~; ~s⟩ *umg* mum(my), *US* mom(my)
man INDEF PR [man] you; *förmlich* one; *j-d* someone, somebody; *die Leute* they *pl*, people *pl*; **wie schreibt ~ das?** how do you spell that?; **~ hat ihr das Fahrrad gestohlen** someone *od* somebody stole her bike, her bike was stolen; **~ sagt, dass ...** they *od* people say (that) ...; **~ hat mir gesagt ...** I was told ...
Management N ['mɛnɪdʒmənt] ⟨~s; ~s⟩ management
managen V/T ['mɛnɪdʒən] manage; *zustande bringen* fix
Manager(in) ['mɛnɪdʒər(ɪn)] M ⟨~s; ~⟩ F ⟨~in; ~innen⟩ manager (*a.* SPORT)
'Managerkrankheit F stress-related illness
manch(er, -e, -es) INDEF PR [manç] *einige* some; *viele* many; **mancher Politiker** *etc* many politicians *pl etc*, many a politician *etc*
'manchmal ADV sometimes
Mandant(in) [man'dant(ɪn)] M ⟨~en; ~en⟩ F ⟨~in; ~innen⟩ client
Mandat N [man'da:t] ⟨~(e)s; ~e⟩ POL mandate; *Sitz* seat
Manda'tar(in) M ⟨~s; ~e⟩ F ⟨~in; ~innen⟩ *österr* Member of Parliament, *abk* MP, *US* representative; *im Landtag* representative
Mandel F ['mandəl] ⟨~; ~n⟩ almond; **~n**

M

pl ANAT tonsils *pl*
'Mandelentzündung F tonsillitis
Mangel[1] M ['maŋəl] ⟨~s; Mängel⟩ *Fehlen* lack (**an** of); *Knappheit* shortage (**an** of); TECH defect, fault; *e-r Leistung* (*a. in der Schule*) shortcoming; **aus ~ an** for lack *od* want of
'Mangel[2] F ⟨~; ~n⟩ *Wäschemangel* mangle
'Mangelberuf M understaffed *od* shortage occupation **'mangelhaft** ADJ *Qualität, Arbeit* poor; *Ware* faulty, defective; *Schulleistung, Note* poor, unsatisfactory
Mängelhaftung F ['mɛŋəl-] JUR liability for defects **Mängelrüge** F ['mɛŋəl-] JUR notification of defects, complaint
'mangels PRÄP ⟨*gen*⟩ for lack *od* want of
'Mangelware F **~ sein** be* scarce
Manieren PL [ma'ni:rən] manners *pl*
Manifest N [mani'fɛst] ⟨~(e)s; ~e⟩ manifesto
Manipulation F [manipulatsi'o:n] ⟨~; ~en⟩ manipulation
manipulieren V/T [manipu'li:rən] ⟨*kein ge*⟩ manipulate
Mann M [man] ⟨~(e)s; Männer⟩ man; *Ehemann* husband; **zehn Euro pro ~** ten euros each
Männchen N ['mɛnçən] **~s; ~** ZOOL male
Mannequin N ['manəkɛ̃] ⟨~s; ~s⟩ model
männlich ADJ ['mɛnlɪç] BIOL male; *Aussehen, Eigenschaften, Frau*, GRAM masculine
'Mannschaft F ⟨~; ~en⟩ SPORT team (*a. fig*); SCHIFF, FLUG crew
Manöver N [ma'nø:vər] ⟨~s; ~⟩ manoeuvre, *US* maneuver
manö'vrieren V/I ⟨*kein ge*⟩ manoeuvre, *US* maneuver
Mantel M ['mantəl] ⟨~s; Mäntel⟩ coat; *von Autoreifen*, TECH casing; *von Fahrradreifen* tyre, *US* tire
'Manteltarif M WIRTSCH terms *pl* of the framework agreement on pay and conditions **'Manteltarifvertrag** M framework agreement on pay and conditions
manuell ADJ [manu'ɛl] manual
Manuskript N [manu'skrɪpt] ⟨~(e)s; ~e⟩ manuscript; *druckreifes* copy
Mappe F ['mapə] ⟨~; ~n⟩ *für Dokumente* folder; *Aktentasche* briefcase; *Schulmappe* school bag
Märchen N ['mɛ:rçən] ⟨~s; ~⟩ fairy tale (*a. fig*); **~ erzählen** *fig* tell* stories
Margarine F [marga'ri:nə] ⟨~; ~n⟩ margarine
Marienkäfer M [ma'ri:ən-] ladybird, *US* lady bug
Marihuana N [marihu'a:na] ⟨~s⟩ marijuana
Marine F [ma'ri:nə] ⟨~; ~n⟩ navy
maritim ADJ [mari'ti:m] maritime
Mark[1] F [mark] *historisch: Währung* ⟨~; ~⟩ mark; **die Deutsche ~** the German Mark, the deutschmark; **fünf ~** five marks
Mark[2] N ⟨~(e)s⟩ *Knochenmark* marrow; *Fruchtmark* pulp
Marke F ['markə] ⟨~; ~n⟩ *von Lebensmittel, Kleidungsstück etc* brand; *von Fahrzeug, Gerät* make; *Briefmarke* stamp; *Erkennungsmarke* badge, tag; *Zeichen* mark
'Markenartikel M branded *od* proprietary product; *pl* branded *od* proprietary goods *pl* **'markenbewusst** ADJ brand conscious **'Markenbewusstsein** N brand awareness **'Markenerzeugnis** N branded *od* proprietary product; **~se** *pl* branded *od* proprietary goods *pl*
'Markenimage N brand image
'Markentreue F brand loyalty
'Markenzeichen N trademark (*a. fig*)
Marker M ['markər] ⟨~s; ~⟩ *Stift* highlighter
Marketing N ['markətɪŋ] ⟨~s⟩ WIRTSCH marketing
'Marketingabteilung F marketing department **'Marketingstrategie** F marketing strategy
markieren [mar'ki:rən] ⟨*kein ge*⟩ **A** V/T mark (*a.* SPORT); *umg: so tun als ob* act; *Text* select, highlight **B** V/I *umg* put* it on
Mar'kierung F ⟨~; ~en⟩ *Zeichen* mark
Markt M [markt] ⟨~(e)s; Märkte⟩ market; *Marktplatz* market place; **etw auf den ~ bringen** WIRTSCH put* sth on the market
'Marktanalyse F market analysis
'Marktanteil M market share, share of the market **'marktbeherrschend** ADJ dominant, market-dominating; **~ sein** dominate the market;

M

~e Stellung dominant position in the market **'Markteinführung** F market launch **'Marktforschung** F market research **'Marktführer(in)** M(F) market leader **'Marktlücke** F gap in the market **'Marktmacht** F market power **'Marktorganisation** F **gemeinsame ~ (GMO)** Common Market Organization (CMO); **~ für Agrarerzeugnisse** organization of the market in agricultural products **'Marktplatz** M market place **'Marktpotenzial** N market potential **'Marktwert** M market value **'Marktwirtschaft** F market economy; **(freie) ~** free enterprise (economy); **soziale ~** social market economy

Marmelade F [marmə'la:də] ⟨~; ~n⟩ jam; *Orangenmarmelade* marmalade

'Marschflugkörper M MIL cruise missile

marschieren V/I [mar'ʃi:rən] ⟨*kein ge*, s⟩ march; *laufen* walk

Marsmensch M ['mars-] Martian

Martinshorn N ['marti:ns-] siren

Marxismus M [mar'ksɪsmʊs] ⟨~⟩ Marxism

M

Mar'xist(in) M ⟨~en; ~en⟩ (F) ⟨~in; ~innen⟩ Marxist

mar'xistisch ADJ Marxist

März M [mɛrts] ⟨~(e)(s); ~e⟩ March

Marzipan N [martsi'pa:n] ⟨~s; ~e⟩ marzipan

Masche F ['maʃə] ⟨~; ~n⟩ *Strickmasche* stitch; *Netzmasche* mesh; *umg*: *Trick* trick; *Mode* fad, craze

Maschine F [ma'ʃi:nə] ⟨~; ~n⟩ machine; *Motor* engine; *Flugzeug* plane; *Motorrad* bike, machine; **etw mit der ~ schreiben** type sth

maschinell [maʃi'nɛl] **A** ADJ machine *attr* **B** ADV by machine; **~ hergestellt** machine-made

Ma'schinenbau M mechanical engineering **Ma'schinengewehr** N machine gun **ma'schinenlesbar** ADJ machine-readable **Ma'schinenpistole** F submachine gun

Masern PL ['ma:zərn] measles *sg*

Maske F ['maskə] ⟨~; ~n⟩ mask (*a.* IT, *fig*); THEAT make-up

mas'kieren V/T ⟨*kein ge*⟩ mask; **sich ~** put* on a mask; *sich verkleiden* dress up

Maß[1] N [ma:s] ⟨~es; ~e⟩ *Maßeinheit* measure; *fig* extent, degree; **~e** *pl von Person* measurements *pl*; *von Raum etc* dimensions *pl*, measurements *pl*; **~e und Gewichte** weights and measures; **ein Anzug** *etc* **nach ~** a made-to-measure suit *etc*; **in gewissem/hohem ~e** to a certain/high degree; **in zunehmendem ~e** increasingly

Maß[2] F ⟨~; ~⟩ *Bier* litre *od US* liter of beer

Massage F [ma'sa:ʒə] ⟨~; ~n⟩ massage

Massaker N [ma'sa:kər] ⟨~s; ~⟩ massacre

Masse F ['masə] ⟨~; ~n⟩ mass; *Substanz* substance; *Menschenmasse* crowd, crowds *pl*; **e-e ~ Geld/Arbeit** *umg* loads *pl od* heaps *pl* of money/work; **die (breite) ~**, POL **die ~n** *pl* the masses *pl*

'Maßeinheit F unit of measurement

'Massen- ZSSGN *Grab, Mörder* mass

'Massenabfertigung F *a. pej* mass processing **'Massenabsatz** M mass sale **'Massenandrang** M crush **'Massenarbeitslosigkeit** F mass unemployment **'Massenartikel** M mass-produced product; *pl* mass-produced goods *pl* **'Massenentlassungen** PL mass redundancies *pl* **'massenhaft** ADV *umg* masses *od* loads of **'Massenkarambolage** F pileup **'Massenmedien** PL mass media *pl* **'Massenproduktion** F mass production **'Massentierhaltung** F factory farming **'Massentourismus** M mass tourism **'Massenverkehrsmittel** N means *sg* of public transport *od US* transportation **'Massenvernichtungswaffen** PL weapons of mass destruction

Masseur M [ma'sø:r] ⟨~s; ~e⟩ masseur

Masseurin F [ma'sø:rɪn] ⟨~; ~nen⟩ masseuse

'maßgebend ADJ, **'maßgeblich** ADJ *verbindlich* authoritative; *beträchtlich* substantial, considerable **'maßhalten** V/I ⟨*irr*⟩ be* moderate

mas'sieren V/T ⟨*kein ge*⟩ massage

mäßig ['mɛ:sɪç] **A** ADJ moderate; *dürftig* poor **B** ADV moderately; *essen, trinken, rauchen* in moderation

'mäßigen V/T moderate; **sich ~** *von Person* restrain o.s.

'Mäßigung F ⟨~⟩ moderation, re-

straint
massiv ADJ [ma'siːf] solid; *fig* massive
'maßlos **A** ADJ *Essen, Trinken etc* immoderate; *Übertreibung* gross **B** ADV **das ist ~ übertrieben** that's a gross exaggeration **Maßnahme** F ['-naːmə] ⟨~; ~n⟩ measure, step **'Maßnahmenkatalog** M catalogue *od US* catalog of measures
'Maßstab M scale; *fig* standard; **im ~ 1:50** on a scale of 1:50 *od* one to fifty
Mast[1] M [mast] ⟨~(e)s; ~e(n)⟩ *auf Schiff, von Antenne* mast; *von Flagge* pole; *von Stromleitung* pylon
Mast[2] F ⟨~; ~e⟩ *Schweinemast, Gänsemast etc* fattening
Material N [materi'aːl] ⟨~s; ~ien⟩ material (*a. fig*); *Arbeitsmaterial* materials *pl*
Materi'alfehler M material defect
Materialismus M [materia'lɪsmʊs] ⟨~⟩ materialism
Materia'list(in) M ⟨~en; ~en⟩ (F) ⟨~in; ~innen⟩ materialist
materia'listisch ADJ materialistic
Materie F [ma'teːriə] ⟨~; ~n⟩ matter (*a. fig*); *Thema* subject (matter)
materi'ell **A** ADJ material; *finanziell* financial; *materialistisch* materialistic **B** ADV *unterstützen* financially
Mathematik F [matema'tiːk] ⟨~⟩ mathematics *sg*
Mathe'matiker(in) M ⟨~s; ~⟩ (F) ⟨~in; ~innen⟩ mathematician
mathe'matisch ADJ mathematical
Matinee F [mati'neː] ⟨~; ~n⟩ THEAT *etc* morning performance; *von Film* morning showing
Matratze F [ma'tratsə] ⟨~; ~n⟩ mattress
Matrose M [ma'troːzə] ⟨~n; ~n⟩ sailor; *Dienstgrad* seaman
matt [mat] **A** ADJ *schwach* weak; *erschöpft* exhausted, worn out; *Farbe* dull; *Foto* matt; *Glas* frosted; *Glühbirne* pearl; *Licht* dim; **~ sein** *beim Schach* be* checkmated **B** ADV *lächeln* weakly; **j-n ~ setzen** checkmate sb
Matte F ['matə] ⟨~; ~n⟩ mat
Mauer F ['mauər] ⟨~; ~n⟩ wall
Maul N [maul] ⟨~(e)s; Mäuler⟩ mouth; **halt's ~!** *sl* shut up!
'Maulwurf M mole
Maurer(in) ['maurər(ɪn)] M ⟨~s; ~⟩ (F) ⟨~in; ~innen⟩ bricklayer
Maus F [maus] ⟨~; Mäuse⟩ mouse (*a.* COMPUT)
'Mausklick M ⟨~s; ~s⟩ mouse click; **per ~** by clicking the mouse **Mauspad** N ['mauspɛt] ⟨~s; ~s⟩ mouse mat, mousepad
Maut F [maut] ⟨~; ~en⟩ toll; *für Lastwagen* heavy goods vehicle toll
'Mautstelle F toll gate **'Mautstraße** F toll road, *US a.* turnpike **'Mautsystem** N toll system
maximal [maksi'maːl] **A** ADJ maximum **B** ADV **~ vier Leute** four people at (the) most
maximieren V/T [maksi'miːrən] ⟨*kein ge*⟩ maximize
Maxi'mierung F ⟨~; ~en⟩ maximization
Maximum N ['maksimʊm] ⟨~s; Maxima⟩ maximum
Mayonnaise F [majɔ'nɛːzə] ⟨~; ~n⟩ mayonnaise
Mazedonien N [matse'doːniən] ⟨~s⟩ Macedonia
Maze'donier(in) M ⟨~s; ~⟩ (F) ⟨~in; ~innen⟩ Macedonian
Mechanik F [me'çaːnɪk] ⟨~; ~en⟩ mechanics *sg*; *Mechanismus* mechanism
Me'chaniker(in) M ⟨~s; ~⟩ (F) ⟨~in; ~innen⟩ mechanic
me'chanisch **A** ADJ mechanical (*a. fig*) **B** ADV *antworten, sprechen etc* mechanically
mechanisieren V/T [meçani'ziːrən] ⟨*kein ge*⟩ mechanize
Mechanismus M [meça'nɪsmʊs] ⟨~; -men⟩ mechanism
meckern V/I ['mɛkərn] *von Ziege* bleat; *fig* moan, grumble (**über** about)
Mecklenburg-Vorpommern N ['mɛklənburk'foːrpɔmərn] ⟨~s⟩ Mecklenburg-Lower Pomerania
Medaille F [me'daljə] ⟨~; ~n⟩ medal
Medien PL ['meːdiən] *Massenmedien* media *pl*; *Unterrichtsmittel* teaching aids *pl*; *technische Medien* audio-visual aids *pl*
'Medienbericht M *meist pl* media report, report in the media; **~en zufolge** according to media reports, according to reports in the media **'Medienereignis** N media event **'Medienindustrie** F media industry **'Medienkompetenz** F media literacy **'Me-**

dienlandschaft F media landscape *od* environment **'Medienrummel** M media hype **'medienübergreifend** ADJ cross-media **'Medienvielfalt** F (great) variety of media **'Medienwissenschaften** PL media studies *sg*
Medikament N [medika'mɛnt] ⟨~(e)s; ~e⟩ medicine, drug
medikamentös ADJ & ADV [medikamen'tø:s] with drugs
Medizin F [medi'tsi:n] ⟨~; ~en⟩ *Wissenschaft, Medikament* medicine (**gegen** for)
medi'zinisch A ADJ medical B ADV **sich ~ behandeln lassen** have* medical treatment
medi'zinisch-'technische Assis'tentin F medical laboratory assistant
Meer N [me:r] ⟨~(e)s; ~e⟩ sea (*a. fig*); **am ~** by the sea; **ans ~ fahren** go* to the seaside
'Meerenge F straits *pl*
'Meeresfrüchte PL seafood *sg* **'Meeresspiegel** M sea level
'Meerrettich M horseradish
Megabyte N ['me:gabait] megabyte
Mehl N [me:l] ⟨~(e)s; ~e⟩ flour; *grobes* meal
mehr INDEF PR & ADV [me:r] more; **immer ~** more and more; **ich kann nicht ~ stehen** I can't stand any more *od* any longer; **noch ~** even more; **nie ~** never again; **es ist kein … ~ da** there isn't any … left; **ich habe nichts ~** I've got nothing left
'Mehrarbeit F extra work; *Überstunden* overtime **'Mehraufwand** M additional expenditure (**an** *dat* of) **'mehrdeutig** ADJ ambiguous
'Mehreinnahmen PL additional earnings *pl*
'mehrere ADJ & INDEF PR several
'Mehrheit F ⟨~; ~en⟩ majority
'Mehrheitswahlrecht N majority voting system
'Mehrkosten PL extra costs *pl* **'mehrmals** ADV several times **'Mehrparteiensystem** N multiparty system **'mehrsprachig** A ADJ multilingual B ADV **~ aufwachsen** grow* up speaking several languages **'Mehrwegflasche** F returnable bottle **'Mehrwertsteuer** F VAT, value-added tax, *US* sales tax
'Mehrzweck- ZSSGN *Fahrzeug, Halle etc* multi-purpose
meiden V/T ['maidən] ⟨mied, gemieden⟩ avoid
Meile F ['mailə] ⟨~; ~n⟩ mile
'meilenweit ADV for miles
mein [main] A ADJ my; **~e Schwester** my sister B POSS PR mine; **das ist ~er/~e/~(e)s** that's mine
'Meineid M perjury
meinen V/T ['mainən] *glauben, e-r Ansicht sein* think*; *sagen wollen, beabsichtigen, sprechen von* mean*; *sagen* say*; **meinst du (wirklich)?** do you (really) think so?; **sie ~ es gut** they mean well
'meinet'wegen ADV *von mir aus* I don't mind!; *für mich* for my sake; *wegen mir* because of me; **~ kann sie gehen** she can go as far as I'm concerned
'Meinung F ⟨~; ~en⟩ opinion (**über, von** about, of); **meiner ~ nach** in my opinion; **der ~ sein, dass** be* of the opinion that, feel* that; **s-e ~ ändern** change one's mind; **ich bin deiner ~** I agree with you; **ich bin anderer ~** I don't agree, I disagree; **wir sind derselben ~** we agree; **j-m die ~ sagen** give* sb a piece of one's mind
'Meinungsaustausch M exchange of views (**über** on) **'Meinungsforscher(in)** M(F) pollster **'Meinungsforschung** F opinion polling **'Meinungsforschungsinstitut** N polling organization **'Meinungsumfrage** F opinion poll **'Meinungsumschwung** M shift in opinion **'Meinungsverschiedenheit** F disagreement (**über** about)
'Meistbegünstigungsklausel F WIRTSCH, POL most-favo(u)red-nation clause **'Meistbietende(r)** M/F(M) ⟨~n; ~n⟩ highest bidder
meiste(r, -s) ['maistə] A ADJ most; **das ~ (davon)** most of it; **die ~n (von ihnen)** most of them; **die ~n (Leute)** most people; **die ~ Zeit** most of the time B ADV *meistens* usually
'meistens ADV usually; *die meiste Zeit* most of the time
Meister(in) ['maistər(ɪn)] M ⟨~s; ~⟩ (F) ⟨~in; ~innen⟩ *Handwerker, Künstler, a. fig* master; *Sportler* champion
'Meldebehörde F registration office

M

melden VT ['mɛldən] report (*a. im Radio etc*) (**bei** to); **etw (bei) j-m ~** *amtlich* notify sb of sth; **sich ~** *im Unterricht* put* one's hand up; *von sich hören lassen* get* in touch (**bei** with); *beim Direktor etc* report (**bei** to; **für, zu** for); *polizeilich anmelden* register (**bei** with); *am Telefon* answer (the phone); *zu Prüfung etc* enter (**für, zu** for); *freiwillig* volunteer

'Meldepflicht F obligatory registration; MED duty of notification **'meldepflichtig** ADJ subject to registration; MED notifiable **'Meldezettel** M registration form

'Meldung F ⟨~; ~en⟩ report (*a. in der Zeitung, im Radio etc*); *Mitteilung* announcement; *amtlich* notification; *Anmeldung* registration (**bei** with); *zu Prüfung, Wettbewerb* entry (**für, zu** for)

Melodie F [melo'di:] ⟨~; ~n⟩ tune, melody

Melone F [me'lo:nə] ⟨~; ~n⟩ melon; *Hut* bowler (hat), *US* derby

Memorystick M ['mɛmərɪstɪk] ⟨~s; ~s⟩ COMPUT memory stick

Menge F ['mɛŋə] ⟨~; ~n⟩ *Anzahl* amount, quantity; *Menschenmenge* crowd; MATH set; **e-e ~** *umg: viel* a lot, lots; **e-e ~ Geld** *umg* a lot of *od* lots of money

'Mengenrabatt M WIRTSCH bulk discount

Menorca N [me'nɔrka] ⟨~s⟩ Minorca, Menorca

Mensa F ['mɛnza] ⟨~; ~s *od* Mensen⟩ refectory, *US* cafeteria

Mensch M [mɛnʃ] ⟨~en; ~en⟩ *als Lebewesen* human (being); *einzelner* person, individual; **der ~** *als Gattung* man; **die ~en** *pl* people *pl*; *die Menschheit* mankind *sg*; **kein ~** no one, nobody; **~!** *bewundernd* wow!; *verärgert, entnervt* bloody hell!

'Menschenhandel M human trafficking **'Menschenkenntnis** F **~ haben** know* human nature **'Menschenleben** N human life **'Menschenmenge** F crowd **'Menschenrechte** PL human rights *pl* **'Menschenrechtskonvention** F convention on human rights **'menschen'unwürdig** ADJ degrading; *Unterkunft* unfit for human habitation **'Menschenverstand** M **der gesunde ~** common sense **'Menschenwürde** F human dignity

'Menschheit F ⟨~⟩ **die ~** mankind, the human race

'menschlich **A** ADJ *den Menschen betreffend* human; *menschenwürdig* humane **B** ADV *human* humanely

'Menschlichkeit F ⟨~⟩ humanity

Menstruation F [mɛnstruatsi'o:n] ⟨~; ~en⟩ menstruation

Mentalität F [mɛntali'tɛ:t] ⟨~; ~en⟩ mentality

Menü N [me'ny:] ⟨~s; ~s⟩ fixed-price menu, *Br a.* set menu; IT menu

Me'nüführung F IT menu assistance

MEP [ɛm'?e:'pe:] M ⟨~s; ~s⟩ (F) ⟨~; ~s⟩ *abk für* Mitglied des Europäischen Parlaments MEP

'Merkblatt N leaflet

'merken VT ['mɛrkən] *wahrnehmen* notice; *spüren* feel*; *entdecken* find* out; **sich etw ~** remember sth

'merklich **A** ADJ noticeable **B** ADV *spürbar* noticeably

'Merkmal N ⟨~s; ~e⟩ feature

'merkwürdig **A** ADJ strange, odd **B** ADV *ruhig etc* strangely

'merkwürdiger'weise ADV strangely enough

messbar ADJ ['mɛsba:r] measurable **'Messbecher** M measuring jug

Messe F ['mɛsə] ⟨~; ~n⟩ WIRTSCH (trade) fair; REL mass (*a.* MUS); MIL, SCHIFF mess; **zur ~ gehen** REL go* to mass

'Messeausweis M trade fair pass **'Messebesucher(in)** M(F) visitor to the (trade) fair **'Messegelände** N exhibition centre *od US* center **'Messehalle** F exhibition hall

'messen VT ⟨maß, gemessen⟩ measure; *Temperatur, Blutdruck, Puls* take*; **sie kann sich nicht mit ihm ~** she's no match for him; **gemessen an** compared with

'Messeneuheit F new product (*launched at a trade fair*)

Messer N ['mɛsər] ⟨~s; ~⟩ knife; **bis aufs ~** *umg* to the bitter end

'Messestadt F trade fair city; **die ~ Leipzig** Leipzig, the city famous for its trade fairs

Messing N ['mɛsɪŋ] ⟨~s⟩ brass

'Messinstrument N measuring instrument

'Messung F ⟨~; ~en⟩ measurement; *Ablesung* reading

Metall N [me'tal] ⟨~s; ~e⟩ metal; **aus ~** metal

me'tallen ADJ, **me'tallisch** ADJ metallic; *aus Metall* metal

Meteor M [mete'o:r] ⟨~s; ~e⟩ meteor

Meteorit M [meteo'ri:t] ⟨~en *od* ~s; ~en⟩ meteorite

Meteorologe M [meteoro'lo:gə] ⟨~n; ~n⟩ meteorologist

Meteorolo'gie F ⟨~⟩ meteorology

Meteoro'login F ⟨~; ~nen⟩ meteorologist

meteoro'logisch ADJ meteorological

Meter M *od* N ['me:tər] ⟨~s; ~⟩ metre, *US* meter

'Metermaß N *Band* tape measure

Methode F [me'to:də] ⟨~; ~n⟩ method

me'thodisch **A** ADJ methodical **B** ADV *vorgehen etc* methodically

metrisch ADJ ['me:trɪʃ] metric

Metropole F [metro'po:lə] ⟨~; ~n⟩ metropolis

Metzger(in) ['mɛtsgər(ɪn)] M ⟨~s; ~⟩ (F) ⟨~in; ~innen⟩ butcher; **zum Metzger gehen** go* to the butcher's

Metzge'rei F ⟨~; ~en⟩ butcher's (shop)

Mexikaner(in) [mɛksi'ka:nər(ɪn)] M ⟨~s; ~⟩ (F) ⟨~in; ~innen⟩ Mexican

mexi'kanisch ADJ Mexican

Mexiko N ['mɛksiko] ⟨~s⟩ Mexico

MEZ [ɛmʔe:'tsɛt] ABK *für* Mitteleuropäische Zeit CET, Central European Time

mich PERS PR [mɪç] me; **~ (selbst)** myself

Miene F ['mi:nə] ⟨~; ~n⟩ expression, look; **gute ~ zum bösen Spiel machen** grin and bear* it

mies [mi:s] *umg* **A** ADJ lousy, rotten **B** ADV **sich ~ gegenüber j-m verhalten** be* rotten to sb; **sich ~ fühlen** feel* grotty

Miete F ['mi:tə] ⟨~; ~n⟩ rent; *für Auto etc* hire charge, *US* rental fee; **zur ~ wohnen** be* a tenant; *als Untermieter* lodge (**bei** with)

'mieten V/T rent; *Auto, Boot etc* rent, *Br a.* hire; *pachten* lease; SCHIFF, FLUG charter

'Mieter(in) M ⟨~s; ~⟩ (F) ⟨~in; ~innen⟩ tenant; *Untermieter* lodger

'Mietkauf M lease-purchase agreement (*with option for lessee to buy at end of lease term*)

'Mietshaus N block of flats, *US* apartment building

'Mietvertrag M *für Wohnung* lease; *für Auto etc* hire contract, rental contract

'Mietwagen M hire car, rental car

Migräne F [mi'grɛ:nə] ⟨~; ~n⟩ migraine

Migrant(in) [mi'grant(ɪn)] M ⟨~en; ~en⟩ (F) ⟨~in; ~innen⟩ migrant

Migration F [migratsi'o:n] F ⟨~; ~en⟩ migration

Migrati'onshintergrund M **mit ~** from an immigrant background

Mikro- ZSSGN ['mikro] *Prozessor* micro-

'Mikrochip M microchip **Mikrofiche** N *od* M ['-fi:ʃ] ⟨~s; ~s⟩ microfiche **'Mikrofilm** M microfilm

Mikrofon N [mikro'fo:n] ⟨~s; ~e⟩ microphone, *umg* mike

Mikroskop N [mikro'sko:p] ⟨~s; ~e⟩ microscope

mikro'skopisch **A** ADJ microscopic **B** ADV *klein* microscopically; *untersuchen* under the microscope

'Mikrowellenherd M microwave

Milch F [mɪlç] ⟨~⟩ milk

'Milchprodukte PL dairy products *pl* **'Milchpulver** N powdered milk **'Milchsee** M milk lake **'Milchstraße** F Milky Way **'Milchtüte** F milk carton **'Milchwirtschaft** F dairy farming

mild [mɪlt] **A** ADJ mild; *Strafe, Richter* lenient; *Licht* soft; *Lächeln* gentle **B** ADV *urteilen* leniently

milde ADV ['mɪldə] **~ gesagt** *od* **ausgedrückt** to put it mildly

'Milde F ⟨~⟩ mildness; *Nachsicht* leniency; **~ walten lassen** be* lenient

'mildern V/T ['mɪldərn] *Schmerzen, Leid* lessen; *Strafe, Urteil* mitigate

'mildernd ADJ **~e Umstände** mitigating circumstances

Milieu N [mili'ø:] ⟨~s; ~s⟩ *Herkunft, soziales Umfeld* social background; *Umwelt* environment

Militär N [mili'tɛ:r] ⟨~s⟩ military, armed forces *pl*; *Heer* army

Mili'tärdienst M military service **Mili'tärdiktatur** F military dictatorship

mili'tärisch ADJ military

Mili'tärregierung F military government
Milliarde F [mɪli'ardə] ⟨~; ~n⟩ billion
Milli'ardengrab N *fig* expensive white elephant
Milli'liter M *od* N millilitre, *US* milliliter
Milli'meter M *od* N millimetre, *US* millimeter
Million F [mɪli'o:n] ⟨~; ~en⟩ million
Millionär(in) [mɪlio'nɛ:r(ɪn)] M ⟨~s; ~e⟩ (F) ⟨~in; ~innen⟩ millionaire; *weiblich a.* millionairess
Mindereinnahme F ['mɪndər-] shortfall in receipts **'Minderheit** F ⟨~; ~en⟩ minority **'Minderheitsregierung** F minority government **'minderjährig** ADJ **~ sein** be* underage, be* a minor **'Minderjährige(r)** M/F(M) ⟨~n; ~n⟩ minor **'Minderjährigkeit** F ⟨~⟩ minority **'minderwertig** ADJ inferior; *Waren, Material* poor-quality **'Minderwertigkeit** F inferiority; *von Waren, Material* poor quality **'Minderwertigkeitskomplex** M inferiority complex
Mindest- ZSSGN ['mɪndəst] *Lohn etc* minimum
'Mindestalter N minimum age
mindeste(r, -s) ADJ ['mɪndəstə] slightest; **das Mindeste** the (very) least; **nicht im Mindesten** not in the least, not at all
'mindestens ADV at least
'Mindestgebot N reserve price **'Mindesthaltbarkeitsdatum** N best-before date **'Mindestkapital** N minimum capital **'Mindestlohn** M minimum wage **'Mindestumtausch** M minimum currency exchange
Mineral N [mine'ra:l] ⟨~s; ~e *od* ~ien⟩ mineral
Mine'ralöl N mineral oil **Mine'ralölsteuer** F mineral oil tax **Mine'ralwasser** N mineral water
minimal [mini'ma:l] **A** ADJ *geringfügig* minimal, minimum **B** ADV *verbessert etc* marginally; *verändern etc* slightly
Minimum N ['mi:nimʊm] ⟨~s; Minima⟩ minimum (**an** of)
Minister(in) [mi'nɪstər(ɪn)] M ⟨~s; ~⟩ (F) ⟨~in; ~innen⟩ minister, *Br a.* secretary of state, *US* secretary
Minis'terium N ⟨~s; Ministerien⟩ ministry, *US* department
Mi'nisterpräsident(in) M(F) *von Bundesland* minister president **Mi'nisterrat** M council of ministers; *der EU* Council of Ministers
minus KONJ & ADV ['mi:nʊs] minus; **bei 10 Grad ~** at 10 degrees below zero, at minus ten
'Minus N ⟨~; ~⟩ *Fehlbetrag* deficit; **im ~ sein** be* in the red
'Minusbetrag M deficit
Minute F [mi'nu:tə] ⟨~; ~n⟩ minute
Mi'nutenzeiger M minute hand
mir PERS PR [mi:r] (to) me; *nach* PRÄP me; **er gab es ~** he gave it (to) me, he gave me it; **ich muss ~ die Haare kämmen** I must comb my hair; **ein Freund von ~** a friend of mine
mischen V/T ['mɪʃən] mix; *Tabak-, Tee-, Kaffeesorten* blend; *Karten* shuffle; **sich unters Volk ~** mingle with the crowd
'Mischung F ⟨~; ~en⟩ mixture; *von Tabak, Tee, Kaffee* blend; *von Pralinen, Gebäck etc* assortment (*alle* **aus** of)
miserabel ADJ [mizə'ra:bəl] ⟨-bl-⟩ *umg* lousy, rotten
missachten V/T [mɪs'ʔaxtən] ⟨*kein ge*⟩ *nicht beachten* disregard, ignore; *verachten* despise **'Missachtung** F disregard; *Verachtung* contempt **'Missbildung** F deformity, malformation
miss'billigen V/T ⟨*kein ge*⟩ disapprove of **'Missbrauch** M *sexuell* sexual abuse; *von Medikamenten, Amt* abuse; *von Spenden* misuse **miss'brauchen** V/T ⟨*kein ge*⟩ *sexuell* sexually abuse; *Medikamente, Amt* abuse; *Spenden* misuse **'Misserfolg** M failure **'Missernte** F bad harvest, crop failure **miss'fallen** V/I ⟨*irr, pperf* missfallen⟩ **es missfiel ihm** he didn't like it **'Missfallen** N ⟨~s⟩ displeasure **'Missgeschick** N mishap **miss'glücken** V/I ⟨*kein ge,* s⟩ fail **miss'gönnen** V/T ⟨*kein ge*⟩ **j-m etw ~** (be)grudge sb sth **'Missgriff** M mistake **miss'handeln** V/T ⟨*kein ge*⟩ ill-treat, maltreat (*a. fig*) **Miss'handlung** F ill-treatment, maltreatment
Mission F [mɪsi'o:n] ⟨~; ~en⟩ mission (*a.* POL, *fig*)
'Misskredit M **in ~ bringen** discredit; **in ~ geraten** *od* **kommen** be* discredited **misslingen** V/I [mɪs'lɪŋən] ⟨misslang, misslungen, s⟩ fail; **der Versuch**

ist mir misslungen my attempt failed **'Missmanagement** N mismanagement **miss'raten** A V/I ⟨irr, *kein ge*, s⟩ **die Zeichnung ist (mir) ~** the drawing didn't turn out right B ADJ *Kind* wayward **miss'trauen** V/I ⟨*kein ge*⟩ distrust, mistrust **'Misstrauen** N ⟨~s⟩ distrust, mistrust (*beide* **gegenüber** of) **'Misstrauensantrag** M motion of no confidence **'Misstrauensvotum** N vote of no confidence **'misstrauisch** ADJ distrustful, mistrustful **'Missverhältnis** N disproportion, imbalance; *Diskrepanz* discrepancy, disparity **'Missverständnis** N ⟨~ses; ~se⟩ misunderstanding **'missverstehen** V/T ⟨*irr, kein ge*⟩ misunderstand* **'Misswirtschaft** F mismanagement

Mist M [mɪst] ⟨~(e)s⟩ *von Kühen, Pferden etc* dung; *zum Düngen* manure; *umg*: *Unsinn* rubbish, *bes US* trash; **(so ein) ~!** damn it!

mit [mɪt] A PRÄP ⟨*dat*⟩ with; **~ Gewalt** by force; **~ Absicht** on purpose; **~ dem Auto/der Bahn** *etc* by car/train *etc*; **~ 20 Jahren** at (the age of) 20; **~ 100 Stundenkilometern** at 100 kilometres per hour; **~ lauter Stimme** in a loud voice; **~ anderen Worten** in other words; **ein Mann ~ dem Namen ...** a man by the name of ...; **wie wär's ~ einem Glas Milch?** how about a glass of milk?; **und was ist ~ dir?** and what about you? B ADV **warst du ~ dabei?** were you there?; **das ist ~ der Grund dafür, dass ...** that's one of the reasons why ...

'Mitarbeit F *Zusammenarbeit* cooperation; *an Projekt* collaboration; *Hilfe* assistance; *in der Schule* participation **'Mitarbeiter(in)** M(F) *Kollege* colleague; *an Projekt* collaborator; *Angestellte* employee; *untergeordnet* assistant; **freier Mitarbeiter** freelancer **'Mitarbeiterstab** M staff *sg od pl*

'mitbekommen V/T ⟨*irr, kein ge*⟩ *umg*: *verstehen* get*; *hören* catch* **'mitbenutzen** V/T ⟨*kein ge*⟩ share **'Mitbestimmung** F codetermination; WIRTSCH *a.* worker participation **'Mitbestimmungsrecht** N *im Betrieb* right of worker participation **'Mitbewerber(in)** M(F) competitor; *für Stelle* fellow applicant **'Mitbewohner(in)** M(F) *in Wohnung* flatmate, *US* roommate **'mitbringen** V/T ⟨*irr*⟩ bring* (with one); **j-m etw ~** bring* sb sth

Mitbringsel N ['mɪtbrɪŋzəl] ⟨~s; ~⟩ *umg* little present; *Reisemitbringsel* souvenir

'Mitbürger(in) M(F) fellow citizen **'Miteigentümer(in)** M(F) joint owner **mitei'nander** ADV with each other, with one another; *zusammen* together **'Mitentscheidungsverfahren** N POL codecision procedure **'miterleben** V/T ⟨*kein ge*⟩ *Krieg etc* live through **'mitfahren** V/I ⟨*irr*, s⟩ **mit j-m ~** go* with sb; **j-n ~ lassen** give* sb a lift *od US a.* a ride **'Mitfahrgelegenheit** F lift, *US a.* ride **'Mitfahrzentrale** F car pool(ing) service **'mitgeben** V/T ⟨*irr*⟩ **j-m etw ~** give* sb sth (to take along) **'mitgehen** V/I ⟨*irr*, s⟩ go* (along); **mit j-m ~** go* with sb; **etw ~ lassen** *umg* walk off with sth **'Mitglied** N member (**bei** of) **'Mitgliedsausweis** M membership card **'Mitgliedsbeitrag** M subscription **'Mitgliedschaft** F ⟨~⟩ membership **'Mitgliedsland** N POL member country **'Mitgliedsstaat** M POL member state **'mithaben** V/T ⟨*irr*⟩ **ich habe kein Geld mit** I haven't got any money with me *od* on me **'mithalten** V/I ⟨*irr*⟩ keep* up (**mit** with) **mithilfe** ADV & PRÄP [mɪt'hɪlfə] ⟨*gen*⟩ **~ (von)** with the help of; *fig a.* by means of **'Mitinhaber(in)** M(F) joint owner

'mitkommen V/I ⟨*irr*, s⟩ come* along (**mit** with); *fig*: *Schritt halten* keep* up (**mit** with); *verstehen* follow; **er kommt in der Schule gut/schlecht mit** he's doing well/badly at school

'Mitleid N pity (**mit** for); **aus ~** out of pity; **~ haben mit** feel* sorry for **'mitleiderregend** ADJ pitiful **'mitleidig** ADJ compassionate

'mitmachen A V/I join in; **bei etw ~** take* part in sth B V/T take* part in; *die Mode* follow; *erleben* go* through **'mitnehmen** V/T ⟨*irr*⟩ take* (with one); *fig*: *belasten* take* it out of; **j-n (im Auto) ~** give* sb a lift *od US a.* a ride **'mitreden** V/T **da kann ich nicht ~** I can't join in the conversation **'Mitreisende(r)** M/F(M) ⟨~n; ~n⟩ fellow passenger **'mitreißen** V/T ⟨*irr*⟩ *von Lawine,*

Strömung sweep* away; *fig*: *begeistern* carry away **'mitschneiden** VT ⟨*irr*⟩ RADIO, TV record **'mitschreiben** ⟨*irr*⟩ **A** VT take* down; *Test* take*, do* **B** VI take* notes **'Mitschuld** F partial responsibility **'mitschuldig** ADJ **~ sein** be* partly to blame (**an** for)

'Mittag M midday, noon; **heute ~** at midday today; **zu ~ essen** have* lunch

'Mittagessen N lunch; **was gibt's zum ~?** what's for lunch?

'mittags ADV at midday; **12 Uhr ~** 12 o'clock noon

'Mittagspause F lunch break **'Mittagszeit** F lunchtime

Mitte F ['mɪtə] ⟨~; ~n⟩ middle; *Mittelpunkt* centre, *US* center (*a.* POL); **~ Juli** in the middle of July, in mid-July; **sie ist ~ dreißig** she's in her mid-thirties

'mitteilen VT **j-m etw ~** tell* sb sth, *amtlich* inform sb of sth

'Mitteilung F communication; *Benachrichtigung* notification; *Bekanntgabe* announcement; *Erklärung* statement

Mittel N ['mɪtəl] ⟨~s; ~⟩ *Hilfsmittel* means *sg*; *Methode* way; *Maßnahme* measure; *Heilmittel* remedy (**gegen** for) (*a. fig*); *Durchschnitt* average; MATH mean; PHYS medium; *pl*: *Geldmittel* means *pl*; *öffentliche* funds *pl*

'Mittelalter N Middle Ages *pl* **'Mittelding** N cross (**zwischen** between) **'mitteleuropäisch** ADJ **~e Zeit** Central European Time **'mittelfristig** **A** ADJ medium-term **B** ADV *planen* for the medium term **'Mittelgebirge** N low mountain range **'mittelgroß** ADJ medium-sized; **er ist ~** he's of medium height **'Mittelklasse** F WIRTSCH medium price range; **Hotel der ~** → Mittelklassehotel; **Hotel der gehobenen ~** superior hotel; **Wagen der ~** → Mittelklassewagen **'Mittelklassehotel** N good hotel **'Mittelklassewagen** M middle-of-the-range car **'mittelmäßig** ADJ mediocre; *durchschnittlich* average **'Mittelmeer** N **das ~** the Mediterranean **'Mittelmeerländer** PL Mediterranean countries *pl* **'Mittelmeerraum** M Mediterranean (region) **'Mittelpunkt** M centre, *US* center

'mittels PRÄP ⟨*gen*⟩ by means of

'Mittelschicht F middle classes *pl* **'Mittelstand** M middle class(es *pl*); WIRTSCH small and medium-sized enterprises *pl* **'mittelständisch** ADJ [-ʃtɛndɪʃ] middle-class; **~e Betriebe** small and medium-sized enterprises **'Mittelstreifen** M central reservation, *US* median (strip) **'Mittelwelle** F medium wave

'mitten ADV **~ in** in the middle of

mitten'drin ADV *umg* in the middle

mitten'durch ADV *umg* through the middle; *entzwei* in two

'Mitternacht F midnight

mittlere(r, -s) ADJ ['mɪtlərə] middle; *durchschnittlich* average; **der Mittlere Osten** the Middle East; **der Mittlere Westen** the Midwest; **~s Unternehmen** medium-sized enterprise

'mittler'weile ADV in the meantime

Mittwoch M ['mɪtvɔx] ⟨~(e)s; ~e⟩ Wednesday

'mittwochs ADV on Wednesdays

'mitverantwortlich ADJ jointly responsible (**für** for) **'Mitverantwortung** F share of the responsibility

'Mitwirkung F participation

'mixen VT ['mɪksən] mix

'Mixer M ⟨~s; ~⟩ *Küchengerät* blender

mobben VT ['mɔbən] harass, bully

Mobbing N ['mɔbɪŋ] ⟨~s⟩ harassment *od* bullying in the workplace

Möbel PL ['mø:bəl] ⟨~s; ~⟩ furniture *sg* **'Möbelspedition** F removal firm **'Möbelstück** N piece of furniture **'Möbelwagen** M removal *od US* moving van

mobil ADJ [mo'bi:l] mobile

Mo'bilfunk M mobile *od US* cellular communications *pl* **Mo'bilfunknetz** N mobile *od US* cellular network

Mobilität F [mobili'tɛ:t] ⟨~⟩ mobility; **berufliche ~** occupational mobility

mo'bilmachen VI MIL mobilize **Mo'bilmachung** F ⟨~; ~en⟩ MIL mobilization **Mo'bilnetz** N TEL mobile *od US* cellular network **Mo'biltelefon** N mobile (phone), *US* cellphone

möblieren VT [mø'bli:rən] ⟨*kein ge*⟩ furnish

Mode F ['mo:də] ⟨~; ~n⟩ fashion; **(in) ~ sein** be* in fashion; **mit der ~ gehen** follow the fashion

Modell N [mo'dɛl] ⟨~s; ~e⟩ model; **j-m**

M

~ **stehen** *od* **sitzen** pose *od* sit* for sb

Modem N ['mo:dɛm] ⟨~s; ~s⟩ modem

Moderator(in) [mode'ra:tɔr (-'to:rɪn)] M ⟨~s; ~en⟩ (F) ⟨~in; ~innen⟩ presenter

mode'rieren V/T ⟨*kein ge*⟩ present

modern[1] V/I ⟨s *od* h⟩ ['mo:dərn] rot, decay

modern[2] ADJ [mo'dɛrn] modern; *modisch* fashionable

moderni'sieren V/T ⟨*kein ge*⟩ modernize

'Modeschmuck M costume jewellery *od US* jewelry **'Modeschöpfer** M couturier **'Modeschöpferin** F ⟨~; ~nen⟩ couturière **'Modewort** N ⟨*pl* Modewörter⟩ vogue word, in word

'modisch **A** ADJ fashionable **B** ADV *sich kleiden etc* fashionably

Modul N [mo'du:l] ⟨~s; ~e⟩ module (*a.* COMPUT)

Mofa N ['mo:fa] ⟨~s; ~s⟩ moped

mogeln V/I ['mo:gəln] *umg* cheat

'Mogelpackung F deceptive packaging

mögen V/T & V/AUX ['mø:gən] ⟨mochte, gemocht⟩ like; **er mag sie** he likes her; **er mag sie nicht** he doesn't like her, he dislikes her; **etw lieber ~** prefer sth; **ich möchte lieber bleiben** I'd rather stay, I'd prefer to stay; **was möchten Sie?** what would you like?; **ich möchte, dass du es weißt** I'd like you to know; **es mag sein(, dass ...)** it may be (that ...)

möglich ADJ ['mø:klɪç] possible; **alle ~en** all sorts of; **alles Mögliche** all sorts of things; **nicht ~!** no kidding!

'möglicher'weise ADV possibly

'Möglichkeit F ⟨~; ~en⟩ possibility; *Gelegenheit* opportunity; *Aussicht* chance; **nach ~** if possible

'möglichst ADV **~ bald** *etc* as soon *etc* as possible

Möhre F ['mø:rə] ⟨~; ~n⟩, **Mohrrübe** F ['mo:r-] carrot

Molekül N [mole'ky:l] ⟨~s; ~e⟩ molecule

Molkerei F [mɔlkə'rai] ⟨~; ~en⟩ dairy

Moment M [mo'mɛnt] ⟨~(e)s; ~e⟩ moment; **(e-n) ~ bitte!** just a moment please!; **im ~** at the moment

momentan [momɛn'ta:n] **A** ADJ present **B** ADV at present

Monarch(in) [mo'narç(ɪn)] M ⟨~en; ~en⟩ (F) ⟨~in; ~innen⟩ monarch

Monar'chie F ⟨~; ~n⟩ monarchy

Monat M ['mo:nat] ⟨~s; ~e⟩ month; **zweimal im** *od* **pro ~** twice a month; **sie ist im vierten ~** *umg*: *schwanger* she's nearly four months pregnant

'monatelang ADV for months

'monatlich ADJ & ADV monthly

'Monatseinkommen N monthly income **'Monatskarte** F monthly season ticket, *US* commuter ticket **'Monatsrate** F monthly instalment *od US* installment

Mond M [mo:nt] ⟨~(e)s; ~e⟩ moon

monetär ADJ [mone'tɛ:r] monetary

Monitor M ['mo:nitɔr] ⟨~s; ~e *od* -en⟩ monitor

Monitoring N ['mo:nito:rɪŋ] ⟨~s⟩ monitoring

Monopol N [mono'po:l] ⟨~s; ~e⟩ monopoly

monopolisieren V/T [monopoli'zi:rən] ⟨*kein ge*⟩ monopolize

monoton [mono'to:n] **A** ADJ monotonous **B** ADV *sprechen etc* monotonously

Monoxid N ['mo:nɔksi:t] monoxide

Monster N ['mɔnstər] ⟨~s; ~⟩ monster

Montag M ['mo:nta:k] Monday

Montage F [mɔn'ta:ʒə] ⟨~; ~n⟩ *Zusammenbau* assembly; *Anbringen* fixing; *Einbau* installation; **auf ~ sein** be* away on a job

Mon'tageband N ⟨*pl* Montagebänder⟩ assembly line **Mon'tagehalle** F assembly shop

'montags ADV on Mondays

Montanindustrie F [mɔn'ta:n-] coal, iron, and steel industries *pl* **Mon'tanunion** F HIST European Coal and Steel Community

Monteur(in) [mɔn'tø:r(ɪn)] M ⟨~s; ~e⟩ (F) ⟨~in; ~innen⟩ TECH fitter; AUTO, FLUG mechanic

montieren V/T [mɔn'ti:rən] ⟨*kein ge*⟩ *zusammensetzen* assemble; *anbringen* fit; *einbauen* install

Monument N [monu'mɛnt] ⟨~(e)s; ~e⟩ monument

Moped N ['mo:pɛt] ⟨~s; ~s⟩ moped

Moral F [mo'ra:l] ⟨~⟩ *Sittlichkeit* morals *pl*, moral standards *pl*; *von Geschichte etc* moral; *Stimmung* morale

mo'ralisch A ADJ moral B ADV *bedenklich, verpflichtet* morally
Moratorium N [mora'to:riʊm] ⟨~s; Moratorien⟩ moratorium
Mord M [mɔrt] ⟨~(e)s; ~e⟩ murder (**an** of); *durch Attentat* assassination (**an** of); **e-n ~ begehen** commit (a) murder
'Mordanschlag M POL assassination attempt
Mörder(in) ['mœrdər(ɪn)] M ⟨~s; ~⟩ F ⟨~in; ~innen⟩ murderer; *durch Attentat* assassin
'Mordkommission F murder squad, *US* homicide division **'Mordverdacht** M suspicion of murder **'Mordversuch** M attempted murder
morgen ADV ['mɔrgən] tomorrow; **~ Abend/früh/Mittag** tomorrow night/morning/lunchtime; **~ in e-r Woche** a week (from) tomorrow; **~ um diese Zeit** this time tomorrow
'Morgen M ⟨~s; ~⟩ morning; **am (frühen) ~** (early) in the morning; **am nächsten ~** the next morning; **heute ~** this morning; **guten ~!** good morning!
'Morgengrauen N ⟨~s⟩ dawn; **im** *od* **beim ~** at dawn **'Morgenmuffel** M **sie ist ein ~** she's not a morning person
'morgens ADV in the morning; **von ~ bis abends** from morning till night
morgig ADJ ['mɔrgɪç] **die ~en Ereignisse** tomorrow's events; **der ~e Tag** tomorrow
Morphium N ['mɔrfiʊm] ⟨~s⟩ morphine
Moschee F [mɔ'ʃe:] ⟨~; ~n⟩ mosque
Mosel F ['mo:zəl] ⟨~⟩ **die ~** the Moselle
Moskau N ['mɔskau] ⟨~s⟩ Moscow
Moskito M [mɔs'ki:to] ⟨~s; ~s⟩ mosquito
Mos'kitonetz N mosquito net
Moslem(in) ['mɔslɛm(ɪn)] M ⟨~s; ~s⟩ F ⟨~in; ~innen⟩ Muslim
mos'lemisch ADJ Muslim
Motel N ['mo:tɛl *od* mo'tɛl] ⟨~s; ~s⟩ motel
Motiv N [mo'ti:f] ⟨~s; ~e⟩ motive; *in Bild, Musikstück* motif
Motivation F [motivatsi'o:n] ⟨~; ~en⟩ motivation
moti'vieren V/T ⟨*kein ge*⟩ motivate
Motor M ['mo:tɔr] ⟨~s; ~en⟩ *von Fahrzeug* engine; *Elektromotor, Außenbordmotor* motor
'Motorboot N motorboat **'Motorhaube** F bonnet, *US* hood **'Motoröl** N engine oil **'Motorrad** N motorbike, motorcycle; **~ fahren** ride* a motorbike **'Motorradfahrer(in)** M(F) motorcyclist, *umg* biker **'Motorroller** M (motor) scooter
Motto N ['mɔto] ⟨~s; ~s⟩ motto
MP3-Player M [ɛmpe:'draiple:ər] ⟨~s; ~⟩ MP3 player
MTA [ɛmte:'ʔa:] ⟨~; ~s⟩ ABK *für* medizinisch-technische(r) Assistent(in) medical technician
Mücke F ['mʏkə] ⟨~; ~n⟩ gnat, midge; *tropische* mosquito
'Mückenstich M gnat bite; *von tropischer Mücke* mosquito bite
müde ['my:də] A ADJ tired; *matt* weary; *schläfrig* sleepy; **~ sein/werden** be*/get* tired B ADV *lächeln* wearily
'Müdigkeit F ⟨~⟩ tiredness
'Muffel M ⟨~s; ~⟩ *umg: Griesgram* sourpuss
Mühe F ['my:ə] ⟨~; ~n⟩ trouble; *Anstrengung* effort; **es macht mir keine ~** it's no trouble; **sich große ~ geben** go* to a lot of trouble; **mit Müh und Not** only just
'mühelos ADV without difficulty
Mühle F ['my:lə] ⟨~; ~n⟩ *Gebäude, für Pfeffer* mill; *für Kaffee* grinder
'mühsam A ADJ laborious B ADV *sich bewegen etc* with difficulty
Müll M [mʏl] ⟨~s⟩ rubbish, *US* garbage; *in Massen* waste
'Müllabfuhr F refuse *od US* garbage collection; *Einrichtung* refuse *od US* garbage collection service **'Müllbeseitigung** F waste disposal **'Müllbeutel** M (dust)bin liner, *US* garbage bag
'Mullbinde F gauze bandage
'Müllcontainer M rubbish *od US* garbage skip **'Mülldeponie** F dump **'Mülleimer** M rubbish bin, *US* garbage can **'Müllentsorgung** F waste disposal **'Müllfahrer** M dustbinman, *US* garbage man *od* collector **'Müllhalde** F dump **'Müllhaufen** M rubbish *od US* garbage heap **'Müllmann** M ⟨*pl* Müllmänner⟩ dustbinman, *US* garbage man **'Müllschlucker** M ⟨~s; ~⟩ refuse *od US* garbage chute **'Mülltonne** F dustbin, *US* garbage can **'Müll-**

trennung F waste separation **'Müllverbrennungsanlage** F (waste) incineration plant **'Müllwagen** M bin lorry, *US* garbage truck
Multi M ['mʊlti] ⟨~s; ~s⟩ WIRTSCH *umg* multinational
multikultu'rell ADJ multicultural
multilateral ADJ ['mʊltilatera:l] WIRTSCH, POL multilateral
'multinational ADJ multinational
Multiplikation F [mʊltiplikatsi'o:n] ⟨~; ~en⟩ multiplication
multipli'zieren V/T ⟨*kein ge*⟩ multiply (**mit** by)
Mund M [mʊnt] ⟨~(e)s; Münder⟩ mouth; **den ~ voll nehmen** *umg* talk big; **halt den ~!** *umg* shut up!
münden V/I ['mʏndən] ⟨s *od* h⟩ **~ in** *von Fluss* flow into; *von Straße* lead* into
'Mundgeruch M bad breath
mündig ADJ ['mʏndıç] *Bürger* responsible; **~ werden** *volljährig* come* of age
mündlich ['mʏntlıç] **A** ADJ verbal; *Prüfung* oral **B** ADV *abmachen* verbally; *prüfen* orally
Munition F [munitsi'o:n] ⟨~⟩ ammunition
munter ADJ ['mʊntər] *wach* awake; *lebhaft* lively; *fröhlich* cheerful; **j-n wieder ~ machen** perk sb up
Münze F ['mʏntsə] ⟨~; ~n⟩ coin
'Münzeinwurf M *Schlitz* (coin) slot **'Münztankstelle** F coin-operated filling station **'Münztelefon** N pay phone **'Münzwechsler** M ⟨~s; ~⟩ change machine
murmeln V/T & V/I ['mʊrməln] murmur
murren V/I ['mʊrən] grumble (**über** about)
mürrisch ['mʏrıʃ] **A** ADJ sullen, grumpy **B** ADV *sagen etc* sullenly, grumpily
Muschel F ['mʊʃəl] ⟨~; ~n⟩ *Tier* mussel; *Muschelschale* shell
Museum N [mu'ze:ʊm] ⟨~s; Museen⟩ museum
Musik F [mu'zi:k] ⟨~; ~en⟩ music
musi'kalisch ADJ musical
Mu'sikanlage F stereo (system)
Mu'sikbox F jukebox
'Musiker(in) M ⟨~s; ~⟩ (F) ⟨~in; ~innen⟩ musician
Mu'sikinstrument N musical instrument **Mu'sikkassette** F music cassette
Muskel M ['mʊskəl] ⟨~s; ~n⟩ muscle
'Muskelkater M (e-n) **~ haben** *umg* be* stiff, be* aching
muskulös ADJ [mʊsku'lø:s] muscular
Müsli N ['my:sli] ⟨~s; ~s⟩ muesli, *US* granola
Muss N [mʊs] ⟨~⟩ **es ist ein ~** it's a must
Muße F ['mu:sə] ⟨~⟩ leisure; *Freizeit* spare time
müssen V/I & V/AUX ['mʏsən] ⟨musste, gemusst⟩ must*, have* (got) to; **ich musste lachen** I had to laugh; **sie muss krank sein** she must be ill; **du musst es nicht tun** you don't have to do it; **das müsstest du (doch) wissen** you should know, you ought to know; **muss das sein?** is that really necessary?
müßig ADJ ['my:sıç] *untätig* idle; *unnütz* useless
Muster N ['mʊstər] ⟨~s; ~⟩ pattern; *Probestück* sample; *Vorbild* model
'mustergültig, **'musterhaft** **A** ADJ exemplary **B** ADV **sich ~ benehmen** behave perfectly **'Musterhaus** N showhouse **'Musterkollektion** F WIRTSCH sample collection
'mustern V/T **j-n ~** *neugierig* eye sb; *abschätzend* size sb up; *vor dem Wehrdienst* give sb a medical
'Musterung F ⟨~; ~en⟩ *für Wehrdienst* medical
Mut M [mu:t] ⟨~(e)s⟩ courage; **j-m ~ machen** encourage sb; **den ~ verlieren** lose* heart; → zumute
'mutig **A** ADJ courageous, brave **B** ADV *verteidigen etc* courageously
mutmaßen V/T ['mu:tma:sən] speculate
'mutmaßlich ADJ suspected
Mutter[1] F ['mʊtər] ⟨~; Mütter⟩ mother
'Mutter[2] F ⟨~; ~n⟩ TECH nut
mütterlich ADJ ['mʏtərlıç] *Frau, Fürsorge, Liebe* motherly; *Gefühle, Pflichten, Erbe* maternal
'mütterlicher'seits ADV **Onkel** *etc* **~** maternal uncle *etc*, uncle *etc* on my mother's side
'Mutterliebe F motherly love **'Muttermal** N birthmark, mole **'Mutterschaftsurlaub** M maternity leave **'Mutterschutz** M legal protection of expectant and nursing mothers **'Muttersprache** F mother tongue **'Mut-**

tersprachler(in) M ⟨~s; ~⟩ F ⟨~in; ~innen⟩ native speaker **'Muttertag** M Mother's Day
'mutwillig **A** ADJ wanton **B** ADV *zerstören etc* wantonly
Mütze F ['mʏtsə] ⟨~; ~n⟩ cap; *Wollmütze* hat
MWSt ABK *für* Mehrwertsteuer VAT, value-added *od US* sales tax

N

N¹ N [ɛn] ⟨~; ~⟩ N
N² ABK *für* Nord(en) north
Nabel M ['na:bəl] ⟨~s; ~⟩ *am Körper* navel
nach ADV & PRÄP [na:x] ⟨*dat*⟩ *örtlich* to; *hinter* after; *zeitlich* after, *bei Uhrzeit* past, *US* after; *gemäß* according to; **~ Hause** home; **abfahren ~** leave* for; **der Zug ~ Wien** the train for *od* to Vienna, the Vienna train; **~ rechts** (to the) right; **~ Süden** south(wards); **~ oben** up; *im Haus* up(stairs); **~ unten** down; *im Haus* down(-stairs); **~ vorn/hinten** to the front/back; **der Reihe ~** one after the other; **es ist zehn ~ vier** it's ten past *od US* after four; **fünf ~ halb drei** twenty-five to three; **s-e Uhr ~ dem Radio stellen** set* one's watch by the radio; **~ meiner Uhr** by my watch; **~ Gewicht/Zeit** by weight/the hour; **suchen/fragen ~** look/ask for; **~ riechen/schmecken ~** smell/taste of; **~ und ~** gradually; **~ wie vor** still
nachahmen V/T ['na:xʔa:mən] imitate; *parodieren* take* off
'Nachahmung F ⟨~; ~en⟩ imitation
Nachbar(in) ['naxba:r(ɪn)] M ⟨~n; ~n⟩ F ⟨~in; ~innen⟩ neighbour, *US* neighbor
'Nachbarschaft F ⟨~⟩ neighbourhood, *US* neighborhood
'Nachbarschaftspolitik F neighbourhood *od US* neighborhood policy
'Nachbau M ⟨~(e)s; ~ten⟩ reproduction **'nachbauen** V/T reproduce, copy
'Nachbeben N aftershock **'nachbessern** V/T touch up **'nachbestellen** V/T ⟨*kein ge*⟩ order some more; WIRTSCH place a repeat order for **'Nachbestellung** F WIRTSCH repeat order (*gen* for)
nach'dem KONJ after, when; **je ~ wie** *etc* depending on how *etc*
'nachdenken V/I ⟨*irr*⟩ think* (**über** about); **ich brauche Zeit zum Nachdenken** I need time to think (about it)
'nachdenklich ADJ thoughtful; **es machte ihn ~** it made him think
'Nachdruck M ⟨*pl* ~e⟩ emphasis, stress; *von Buch* reprint; **mit ~** *sagen* emphatically; *fordern* forcefully **'nachdrucken** V/T reprint **'nachdrücklich** **A** ADJ emphatic; *Forderung* forceful **B** ADV *raten, empfehlen* strongly
nachei'nander ADV one after the other; **drei Tage ~** three days running; **kurz ~** in quick succession
'nachfahren V/I ⟨*irr, s*⟩ *mit Auto, Fahrrad* follow **'Nachfolge** F succession; **j-s ~ antreten** succeed sb **'nachfolgen** V/I ⟨s⟩ follow; **j-m ~** succeed sb
'Nachfolger(in) M ⟨~s; ~⟩ F ⟨~in; ~innen⟩ successor **'nachforschen** V/I investigate **'Nachforschung** F investigation **'Nachfrage** F inquiry; WIRTSCH demand (**nach** for) **'nachfragen** V/I inquire, ask **'nachfühlen** V/T **das kann ich dir ~** I know how you feel
'nachfüllen V/T refill **'Nachfüllpackung** F refill (pack) **'nachgeben** V/I ⟨*irr*⟩ give* (way); *fig* give* in (*dat* to)
'Nachgebühr F surcharge
'nachgehen V/I ⟨*irr, s*⟩ follow (*a. fig*); *e-m Vorfall etc* investigate; *von Uhr* be* slow; **s-r Arbeit ~** go* about one's work
'Nachgeschmack M aftertaste (*a. fig*)
nachgiebig ADJ ['-gi:bɪç] yielding, soft (*beide a. fig*)
'nachhaltig **A** ADJ lasting; POL sustainable; **~e Entwicklung** sustainable development **B** ADV **j-n ~ beeinflussen** have* a lasting influence on sb
nach'hause ADV home
nach'her ADV afterwards; *später* later; **bis ~!** see you later!
'nachholen V/T *Versäumtes, Lernstoff* catch* up on; *Prüfung* do* sth later; *Spiel* play sth later **'nachkommen** V/I ⟨*irr, s*⟩ *später kommen* come* later, follow later; *e-m Wunsch, Befehl etc* comply with

'Nachkriegs- ZSSGN *Generation etc* post-war
Nachlass M ['na:xlas] ⟨~es; ~e *od* Nachlässe⟩ *Preisermäßigung* reduction, discount; *Erbschaft* estate
'nachlassen VI ⟨*irr*⟩ *von Schmerz, Wirkung* wear* off; *von Augen, Gehör, Gedächtnis* get* bad; *von Qualität, Konzentration* drop off; *von Sturm, Regen* let* up
'Nachlassgericht N JUR probate court
'nachlässig **A** ADJ careless **B** ADV *gekleidet etc* carelessly
'Nachlassverwalter(in) M(F) JUR executor; *Frau a.* executrix
'nachlaufen VI ⟨*irr*, s⟩ run* after **'nachlesen** VT ⟨*irr*⟩ *nachschlagen* look up **'nachliefern** VT supply at a later date **'nachlösen** VT buy on the train *etc* **'nachmachen** VT *nachahmen* imitate; *kopieren* copy; *fälschen* forge; *umg: Prüfung* do* *od* take* later **'Nachmittag** M afternoon; **heute ~** this afternoon; **am ~** in the afternoon **'nachmittags** ADV in the afternoon **Nachnahme** F ['-na:mə] ⟨~; ~n⟩ cash *od US* collect on delivery; **etw per ~ schicken** send* sth COD **'Nachnahmesendung** F COD letter *od* parcel **'Nachname** M surname, last name **'nachprüfen** VT check, double-check **'nachrechnen** VT check, double-check **'nachreisen** VI ⟨s⟩ join *sb* later
'Nachricht F ['na:xrıçt] ⟨~; ~en⟩ news *sg; Botschaft* message; *Bericht* report; **e-e gute/schlechte ~** good/bad news *sg*
'Nachrichten PL *im Radio, Fernsehen* news *sg*
'Nachrichtendienst M news service; MIL intelligence service **'Nachrichtensatellit** M communications satellite **'Nachrichtensprecher(in)** M(F) newsreader, *US* newscaster **'Nachrichtentechnik** F telecommunications *pl*
'nachrüsten VI rearm
'Nachsaison F off-peak season; **in der ~** out of season **'nachschicken** VT → nachsenden **'nachschlagen** ⟨*irr*⟩ **A** VT look up **B** VI **~ in** consult **'Nachschlüssel** M duplicate key; *Dietrich* skeleton key **'Nachschub** M ['na:xʃu:p] ⟨~(e)s⟩ supply; (*a.* MIL) supplies *pl* (**an** *dat* of)
'nachsehen ⟨*irr*⟩ **A** VI **~ (ob/wann** *etc*) have* a look (whether/when *etc*); **j-m ~** gaze after sb **B** VT *prüfen* check (*a.* TECH); *Schularbeiten* mark, correct; *nachschlagen* look up **'Nachsendeantrag** M forwarding request, application to redirect mail **'nachsenden** VT ⟨*a. irr*⟩ send* on, forward; **bitte ~!** please forward! **'Nachspeise** F dessert, *Br a.* sweet, pudding **'Nachspiel** N *fig* consequences *pl*
'nächst'beste(r, -s) ADJ *beliebige* first; *qualitativ* next-best
nächste(r, -s) ADJ ['nɛ:çstə] *örtlich, zeitlich* next; *nächstliegend* nearest (*a. Angehörige*); **am ~n Tag** the next day; **in ~r Zeit** in the near future; **was kommt als Nächstes?** what comes next?; **der Nächste bitte!** next please!; **sie ist als Nächste dran** it's her turn next
Nacht F [naxt] ⟨~; Nächte⟩ night; **Tag und ~** night and day; **die ganze ~** all night (long); **heute ~** *letzte* last night; *kommende* tonight
'Nachtarbeit F night work **'Nachtdienst** M night duty; **~ haben** be* on night duty; *Apotheke* be* open all night
'Nachteil M disadvantage; **im ~ sein** be* at a disadvantage (**gegenüber** compared with)
'nachteilig **A** ADJ disadvantageous **B** ADV **sich ~ auswirken** have* a detrimental effect
'Nachtfahrverbot N ban on nighttime driving **'Nachtflug** M night flight **'Nachtflugverbot** N ban on nighttime flying **'Nachthemd** N nightdress, *bes US* nightgown; *für Männer* nightshirt
'Nachtisch M dessert
'Nachtklub M nightclub, *US a.* nightspot **'Nachtleben** N nightlife
nächtlich ADJ ['nɛçtlıç] *allnächtlich* nightly; **die ~e Stadt** the town at *od* by night
'nachtragen VT ⟨*irr*⟩ **j-m etw ~** *fig* hold* sth against sb **'nachtragend** ADJ unforgiving
nachträglich ['na:xtrɛ:klıç] **A** ADJ *zusätzlich* additional; *später* later; *Wünsche* belated **B** ADV *gratulieren* belatedly; *ändern* afterwards

nachts ADV [naxts] at night; **um 10 Uhr ~** at 10 p.m., at 10 o'clock at night; **um drei Uhr ~** at 3 a. m., at three o'clock in the morning
'Nachtschicht F night shift; **~ haben** be* on night shift
'nachwachsen VI ⟨*irr*, s⟩ grow*again
'Nachwahl F by-election, *US* special election **Nachweis** M ['na:xvais] ⟨~es; ~e⟩ proof, evidence **'nachweisbar** ADJ demonstrable; CHEM, TECH detectable **'nachweisen** VT ⟨*irr*⟩ prove; CHEM, TECH detect **'nachweislich** ADV *falsch, richtig* demonstrably
'Nachwirkung F aftereffects *pl*; **~en** *pl von Krise etc* aftermath *sg*
'Nachwuchs M *Kind* offspring *sg*; *Kinder* offspring *pl*; **der wissenschaftliche ~** the younger generation of academics
'Nachwuchs- ZSSGN *Autor, Schauspieler* promising *od* up-and-coming young
'nachzahlen VT **50 Euro ~** pay* 50 euros extra **'nachzählen** VT check; *Wechselgeld* count **'Nachzahlung** F additional *od* extra payment **Nachzügler(in)** ['na:xtsy:klər(ın)] M ⟨~s; ~⟩ F ⟨~in; ~innen⟩ latecomer
Nacken M ['nakən] ⟨~s; ~⟩ (back *od* nape of the) neck
'Nackenstütze F headrest
nackt [nakt] **A** ADJ naked; *in der Kunst*, FOTO nude; *Arme, Wand, Boden* bare; *Wahrheit* plain; **völlig ~** stark naked **B** ADV *baden* in the nude; **sich ~ ausziehen** strip; **j-n ~ malen** paint sb in the nude
'Nacktbadestrand M nudist beach
Nadel F ['na:dəl] ⟨~; ~n⟩ needle; *Stecknadel, Haarnadel* pin; *Brosche* brooch
Nagel M ['na:gəl] ⟨~s; Nägel⟩ nail; **an den Nägeln kauen** bite* one's nails
'Nagellack M nail polish *od Br a.* varnish
'nageln VT nail (**an** to)
'nagel'neu ADJ *umg* brand-new
nah ADJ [na:] → nahe
'Nahaufnahme F close-up **'Nahbereich** M surrounding area; **der ~ von Ulm** the area around Ulm
nahe ['na:hə] **A** ADJ near, close (**bei** to); **der Nahe Osten** the Middle East; **in ~r Zukunft** in the near future; **die ~ Autobahn** the nearby motorway **B** ADV **~ gelegen** nearby; **den Tränen ~ sein** be* nearly in tears; **~ verwandt** closely related
Nähe F ['nɛ:ə] ⟨~⟩ closeness, nearness; *Umgebung* neighbourhood, *US* neighborhood, vicinity; **in der ~** nearby; **aus der ~** from close up; **in der ~ des Bahnhofs** near the station; **ganz in der ~** quite near, close by; **in deiner ~** near you
'nahegehen VI ⟨*irr*, s⟩ **j-m ~** affect sb deeply **'nahekommen** VI ⟨*irr*, s⟩ come* close to **'nahelegen** VT **j-m etw ~** suggest sth to sb **'naheliegen** VI ⟨*irr*⟩ suggest itself; *stärker* be* obvious
'naheliegend ADJ obvious
'nahen VI ⟨s⟩ approach
nähen ['nɛ:ən] **A** VI sew* **B** VT *schneidern* make*; *reparieren, befestigen* sew*; *Wunde* stitch up
'Nähere(s) N ⟨~n⟩ details *pl*, particulars *pl*
'Naherholungsgebiet N nearby recreational area
nähern VR ['nɛ:ərn] **sich (j-m/etw) ~** approach (sb/sth)
'nahe'zu ADV nearly, almost
'Nähmaschine F sewing machine
'nahrhaft ADJ nutritious
'Nährstoff M nutrient
Nahrung F ['na:rʊŋ] ⟨~⟩ food
'Nahrungsmittel PL food *sg* (*a. zssgn*), foodstuffs *pl*
'Nährwert M nutritional value
Naht F [na:t] ⟨~; Nähte⟩ seam; *von Wunde* stitches *pl*
'Nahverkehrszug M local train
'Nähzeug N sewing kit
naiv ADJ [na'i:f] naive (*a. Kunst, Maler*)
Naivi'tät F ⟨~⟩ naivety
Name M ['na:mə] ⟨~ns; ~n⟩ name; **j-n nur dem ~n nach kennen** know* sb only by name
namens ADV ['na:məns] by the name of, called
'namentlich ADV by name
nämlich ADV ['nɛ:mlıç] *das heißt* that is (to say), namely; **er war ~ krank** *begründend* he was ill, you see
Narbe F ['narbə] ⟨~; ~n⟩ scar
Narkose F [nar'ko:zə] ⟨~; ~n⟩ anaesthesia, *US* anesthesia; *Mittel* anaesthetic, *US* anesthetic; **in ~** under anaesthetic *od US* anesthetic
Narr M [nar] ⟨~en; ~en⟩ fool; *Bücher-,*

N

Computer- ...freak; **j-n zum ~en halten** make* a fool of sb
'narrensicher ADJ foolproof
naschen V/I & V/T ['naʃən] nibble (**an** at); **gern ~** be* a nibbler; *Süßes* have* a sweet tooth
Nase F ['na:zə] ⟨~; ~n⟩ nose; **putz dir die ~** blow* your nose; **sie bohrte in der ~** she was picking her nose; **die ~ voll haben** be* fed up (**von** with); (**mit etw**) **auf die ~ fallen** *umg* come* a cropper (with sth)
'Nasenbluten N ⟨~s⟩ nosebleed **'Nasenspray** M *od* N nasal spray
nass ADJ [nas] ⟨nässer *od* ~er, nässeste *od* ~este⟩ wet; **triefend ~** soaking (wet); **sich ~ rasieren** have* a wet shave; *als Gewohnheit* shave wet
Nässe F ['nɛsə] ⟨~⟩ wet
'nasskalt ADJ cold and damp, raw
Nation F [natsi'o:n] ⟨~; ~en⟩ nation
natio'nal ADJ national
Natio'nalfeiertag M national holiday **Natio'nalgericht** N national dish **Natio'nalhymne** F national anthem
Nationa'lismus M ⟨~⟩ nationalism
nationa'listisch ADJ nationalist(ic)
Nationali'tät F ⟨~; ~en⟩ nationality
Natio'nalpark M national park
Natio'nalrat[1] M *Parlament schweiz* National Council; *österr* National Assembly
Natio'nalrat[2] M, **Natio'nalrätin** F ⟨~; ~nen⟩ *schweiz* member of the National Council; *österr* deputy to the National Assembly
Natio'nalsozialismus M National Socialism, Nazism **Natio'nalsozialist(in)** M(F) National Socialist, Nazi **natio'nalsozialistisch** ADJ National Socialist, Nazi
NATO F ['na:to] ⟨~⟩ *abk für* North Atlantic Treaty Organization NATO
Natur F [na'tu:r] ⟨~; ~en⟩ nature; **von ~ (aus)** by nature; **in der freien ~** (out) in the open; *Tiere* in the wild
Na'turgesetz N law of nature **na'turgetreu** **A** ADJ lifelike **B** ADV **etw ~ nachbauen** make* a lifelike copy of sth **Na'turkatastrophe** F natural disaster
natürlich [na'ty:rlıç] **A** ADJ natural **B** ADV *selbstverständlich, erwartungsgemäß* of course, naturally
Na'turpark M nature reserve **Na'turschätze** PL natural resources *pl* **Na'turschutz** M nature conservation; **unter ~ stehen** be* protected **Naturschützer(in)** [na'tu:rʃʏtsər(ın)] M ⟨~s; ~⟩ (F) ⟨~in; ~innen⟩ conservationist **Na'turschutzgebiet** N nature reserve **Na'turwissenschaft** F (natural) science
Navi N ['navi] ⟨~s; ~s⟩ *umg* sat nav *umg*, *US* navigation system
Navigationssystem N [navigatsi'o:ns-] (satellite) navigation system
Nebel M ['ne:bəl] ⟨~s; ~⟩ fog; *leichter* mist; *Dunst* haze; *künstlicher* smoke
'Nebelscheinwerfer M fog lamp **'Nebelschlussleuchte** F rear fog lamp
neben PRÄP ['ne:bən] ⟨*akk od dat*⟩ next to, beside; *außer* besides, apart from; *verglichen mit* compared with; **~ anderem** among other things
neben'an ADV next door
neben'bei ADV in addition, at the same time; **~ (gesagt)** by the way
'Nebenberuf M second job, sideline **'nebenberuflich** ADV as a sideline
nebenei'nander ADV next to each other; *bestehen, leben* side by side **'Nebeneinkünfte** PL, **Nebeneinnahmen** PL extra money *sg* **'Nebenkosten** PL extras *pl* **'Nebenprodukt** N by-product **'Nebenrolle** F minor part *od* role (*a. fig*); *kleine, für bekannte Schauspieler* cameo (part *od* role) **'Nebensache** F minor matter; **das ist ~** that's not so important **'nebensächlich** ADJ unimportant **'Nebenstelle** F TEL extension **'Nebenstraße** F side street; *Landstraße* minor road **'Nebentisch** M **am ~** at the next table **'Nebenverdienst** M extra income **'Nebenwirkung** F side effect **'Nebenzimmer** N adjoining room; *im Lokal* side room
'neblig ADJ foggy; *schwächer* misty; *dunstig* hazy
Neffe M ['nɛfə] ⟨~n; ~n⟩ nephew
negativ ['ne:gati:f] **A** ADJ negative **B** ADV *sich auswirken etc* negatively
'Negativ N ⟨~s; ~e⟩ negative
nehmen V/T ['ne:mən] ⟨nahm, genommen⟩ take*; **j-m etw ~** take* sth (away)

from sb (*a. fig*); **sich etw ~** take* sth; **sich einen Anwalt ~** get* o.s. a lawyer; **etw zu sich ~** eat* sth; **j-n zu sich ~** have* sb come and live with one; **j-n an die Hand ~** take* sb by the hand

Neid M [nait] ⟨~(e)s⟩ envy

'neidisch ADJ envious (**auf** of)

Neigung F ['naigʊŋ] ⟨~; ~en⟩ *von Straße* slope; *fig: Hang* inclination (**zu** to); *Tendenz* tendency; *Veranlagung* disposition (**zu** for)

nein ADV [nain] no; **ich glaube ~** I don't think so

Nein N ⟨~(s); ~(s)⟩ no; **sie blieb bei ihrem ~** she stuck to her refusal

nennen V/T ['nɛnən] ⟨nannte, genannt⟩ call; *erwähnen* mention; *angeben* name; *Grund, Name* give*; **sich ~** call o.s., be* called (**nach** after, *US* for); **man nennt ihn/es ...** he/it is called ...; **das nenne ich ...!** that's what I call ...!

'nennenswert ADJ worth mentioning

'Nenner M ⟨~s; ~⟩ MATH, *a. fig* denominator

'Nennwert M nominal *od* face value; **zum ~** at par

neokonservativ ADJ ['neo-] neo-conservative, *umg* neocon **'neoliberal** ADJ neo-liberal, *umg* neolib

'Neonlicht N ['ne:ɔn-] neon light **'Neonreklame** F neon sign **'Neonröhre** F neon tube

Nepp M [nɛp] ⟨~s⟩ *umg* rip-off

'neppen V/T *umg* rip off, fleece

'Nepplokal N *umg* clip joint

Nerv M [nɛrf] ⟨~s; ~en⟩ nerve; **j-m auf die ~en fallen** *od* **gehen** *umg* get* on sb's nerves; **die ~en behalten/verlieren** keep*/lose* one's head

'nerven *umg* **A** V/T **j-n ~** get* on sb's nerves **B** V/I be* a pain in the neck

'Nervenarzt M, **'Nervenärztin** F neurologist **'nervenaufreibend** ADJ nerve-racking **'Nervenbelastung** F nervous strain **'Nervenbündel** N *umg* bag *od* bundle of nerves **'Nervenheilanstalt** F psychiatric hospital **'Nervenklinik** F psychiatric clinic **'nervenkrank** ADJ *geisteskrank* mentally ill **'Nervensäge** F *umg* pain in the neck **'Nervenzusammenbruch** M nervous breakdown

nervös [nɛr'vø:s] **A** ADJ nervous **B** ADV *lachen etc* nervously

Nervosität F [nɛrvozi'tɛ:t] ⟨~⟩ nervousness

Nest N [nɛst] ⟨~(e)s; ~er⟩ nest; *umg: öder Ort* one-horse town; *umg: elendes* dump

Netikette F [nɛtɪ'kɛtə] ⟨~⟩ IT netiquette

nett [nɛt] **A** ADJ nice; *freundlich a.* kind; **sei so ~ und mach die Tür zu** would you mind closing the door? **B** ADV **sich ~ unterhalten** have* a nice chat

netto ADV ['nɛto] net

'Nettoeinkommen N net income **'Nettogehalt** N net salary **'Nettozahler** M *Land* net contributor

Netz N [nɛts] ⟨~es; ~e⟩ net; BAHN, TEL, IT network; ELEK mains *pl*; *von Spinne* web; **ans ~ gehen** *Kraftwerk* come* on line; **das ~** *Internet* the Net

'Netzanschluss M ELEK mains connection **'Netzbetreiber** M ⟨~s; ~⟩ *bei Mobilfunk* network provider **'Netzhaut** F retina **'Netzkarte** F runaround ticket, *US* unlimited pass **'Netzteil** N power unit **'Netzwerk** N network **'Netzwerkkarte** F COMPUT network card

neu [nɔy] **A** ADJ new; *frisch, erneut a.* fresh; **~ere Sprachen** modern languages; **~este Nachrichten/Mode** latest news *Sg*/ fashion; **von Neuem** anew, afresh; **seit Neuestem** since very recently; **viel Neues** a lot of new things; **was gibt es Neues?** what's the news?, what's new? **B** ADV **~ beginnen** *von vorne* make* a fresh start; **~ auflegen** *erneut* publish a new edition of; **~ ordnen** reorganize; **~ bearbeitet** revised; **~ eröffnet** newly-opened

'neuartig ADJ novel

'Neubau M ⟨~(e)s; ~ten⟩ new building

'Neubaugebiet N new housing estate *od US* development **'Neubauwohnung** F new flat *od US* apartment

'neuer'dings ADV recently

'Neuerscheinung F new release

'Neuerung F ⟨~; ~en⟩ innovation

'Neufassung F new *od* revised version; **~ der Rechtsvorschriften** *EU* recasting of legislation **'Neugestaltung** F reorganization; *Entwerfen* redesign

'Neugier(de) F ['nɔygi:r(də)] ⟨~⟩ curiosity **'neugierig** ADJ inquisitive; *umg pej* nos(e)y; **~ auf** curious about; **~ sein, ob**

N

... wonder if ...
'Neuheit F ⟨~; ~en⟩ novelty
'Neuigkeit F ⟨~; ~en⟩ news *sg*; **~en** news *sg*; **e-e ~** some news *sg*, a piece of news
'Neujahr N New Year's Day; **Prost ~!** Happy New Year!
'neulich ADV the other day, recently
neun ADJ [nɔyn] nine
'neunfach **A** ADJ ninefold; **die ~e Menge** four times the amount **B** ADV ninefold, nine times
'Neunte(r) M/F(M) ⟨~n; ~n⟩ ninth
'neunte(r, -s) ADJ ninth
Neuntel N ['nɔyntəl] ⟨~s; ~⟩ ninth
'neuntens ADV ninthly
'neunzehn ADJ nineteen
'neunzehnte(r, -s) ADJ nineteenth
neunzig ADJ ['nɔyntsıç] ninety
Neurose F [nɔy'ro:zə] ⟨~; ~n⟩ neurosis
neu'rotisch ADJ neurotic
Neu'seeland N ⟨~s⟩ New Zealand
Neu'seeländer(in) [-lɛndər(ın)] M ⟨~s; ~⟩ (F) ⟨~in; ~innen⟩ New Zealander
neutral [nɔy'tra:l] **A** ADJ neutral **B** ADV **sich ~ verhalten** remain neutral
Neutrali'tät F ⟨~⟩ neutrality
'Neuverfilmung F remake **'neuwertig** ADJ nearly new **'Neuzeit** F **die ~** modern times *pl*
NGO [ɛnge:'ʔo:] ABK *für* Nichtregierungsorganisation NGO
nicht ADV [nıçt] not; **überhaupt ~** not at all; **~ (ein)mal, gar ~ erst** not even; **noch ~** not yet; **sie wohnen ~ mehr hier** they don't live here any more; **sie ist nett, ~ (wahr)?** she's nice, isn't she?; **du kennst ihn, ~ (wahr)?** you know him, don't you?; **~ so ... wie** not as ... as; **~ besser** *etc* **als** no better *etc* than; **ich mag es ~ – ich auch ~** I don't like it – neither do I, me neither; **(bitte) ~!** (please) don't!
'Nicht- ZSSGN *Mitglied, Schwimmer etc* non-
'Nichtbeachtung F non-observance **'Nichtberücksichtigung** F omission **'Nichtbeteiligung** F POL opting out
Nichte F ['nıçtə] ⟨~; ~n⟩ niece
'Nichteinmischung F noninterference, nonintervention
'nichtig ADJ [nıçtıç] trivial; JUR void, invalid
'Nichtigerklärung F POL annulment
'Nichtraucher(in) M(F) non-smoker
'Nichtraucher- ZSSGN non-smoking, no-smoking **'Nichtraucherzone** F non-smoking area
'Nichtregierungsorganisation F non-governmental organization
nichts INDEF PR [nıçts] nothing; **ich habe ~ gekauft** I didn't buy anything; **~ (anderes) als** nothing but; **gar ~** nothing at all
Nichts N ⟨~⟩ nothingness; *Person, Sache* nothing; **aus dem ~** *erscheinen* from nowhere; *etw aufbauen* from nothing
nichtsdesto'weniger ADV nevertheless
'Nichtskönner(in) M(F) bungler **'nichtssagend** ADJ meaningless; *Antwort* vague; *farblos* colourless, *US* colorless, dull
'Nichtzutreffende(s) N ⟨~n⟩ **~s streichen** delete as applicable
nicken V/I ['nıkən] nod; **mit dem Kopf ~** nod one's head
nie ADV [ni:] never; **fast ~** hardly ever; **~ und nimmer** never ever
nieder ['ni:dər] **A** ADJ low **B** ADV down
'Niedergang M decline **'niedergeschlagen** ADJ depressed **'Niederlage** F defeat **Niederlande** PL ['ni:dərlandə] **die ~** the Netherlands *pl* **Niederländer** M ['ni:dərlɛndər] ⟨~s; ~⟩ Dutchman; **er ist ~** he's Dutch; **die ~** *pl* the Dutch *pl* **'Niederländerin** F ⟨~; ~nen⟩ Dutchwoman; **sie ist ~** she's Dutch **'niederländisch** ADJ, **'Niederländisch** N Dutch; → englisch
'niederlassen V/R ⟨irr⟩ *seinen Wohnsitz nehmen* settle (down); **sich als Arzt** *etc* **~** set* up as a doctor *etc* **'Niederlassung** F ⟨~; ~en⟩ *als Arzt etc* setting up; *Filiale* branch **'niederlegen** V/T lay* down (*a. Waffen*); *Amt* give* up; **die Arbeit ~** go* on strike
'Niedersachsen N Lower Saxony
'Niederschlag M *Regen* rain(fall) (*nur sg*); *radioaktiver* fallout; CHEM precipitate; *beim Boxen* knockdown
'niederschlagen V/T ⟨irr⟩ knock down; *Aufstand* put* down; JUR *Verfahren* quash; **sich ~** CHEM precipitate; **sich ~ in** *sich ausdrücken* find* expression in

'niederschlagsarm ADJ *Wetter* not very rainy/snowy; **eine ~e Region** a region with low levels of precipitation **'niederschlagsreich** ADJ *Wetter* very rainy/snowy; **eine ~e Region** a region with high levels of precipitation
niedlich ADJ ['ni:tlɪç] cute, sweet
niedrig ['ni:drɪç] **A** ADJ low (*a. fig*); *Strafe* light **B** ADV **~ fliegen** fly* low
'Niedriglohnsektor M low-wage sector
'niemals ADV never
niemand INDEF PR ['ni:mant] no one, nobody; **ich habe ~en gehört** I didn't hear anyone *od* anybody; **~ von ihnen** none of them
'Niemandsland N no-man's-land
Niere F ['ni:rə] ⟨~; ~n⟩ kidney
nieseln V/I ['ni:zəln] drizzle
'Nieselregen M drizzle
niesen V/I ['ni:zən] sneeze
Niete¹ F ['ni:tə] ⟨~; ~n⟩ rivet; *an Kleidungsstück* stud
'Niete² F ⟨~; ~n⟩ *Los* blank; *umg: Versager* dead loss
Nikotin N [niko'ti:n] ⟨~s⟩ nicotine
niko'tinarm ADJ low-nicotine, low in nicotine
nippen V/I ['nɪpən] sip (**an** at)
nirgends ADV ['nɪrgənts], **'nirgendwo** ADV nowhere
Nische F ['ni:ʃə] ⟨~; ~n⟩ *in Wand, a. fig* niche; *größer* recess
Niveau N [ni'vo:] ⟨~s; ~s⟩ level (*a. fig*)
nobel ADJ ['no:bəl] ⟨-bl-⟩ *großzügig* noble; *teuer, vornehm* posh; *umg: toll* fantastic
Nobelpreis M [no'bɛl-] Nobel Prize
noch ADV [nɔx] still; **immer ~** still; **er ist ~ nicht angekommen** he hasn't arrived yet; **~ nie** never (before); **er hat nur ~ zehn Euro/Minuten** he's only got ten euros/minutes left; **(sonst) ~ etwas?** anything else?; **ich möchte ~ etwas (Tee)** I'd like some more (tea); **~ ein ..., bitte** another ..., please; **~ einmal** once more, (once) again; **~ zwei Stunden** another two hours, two more hours; **~ besser/schlimmer** even better/worse; **~ gestern** only yesterday; **und wenn es (auch) ~ so ... ist** however ... it may be, no matter how ... it may be
'nochmalig ADJ **e-e ~e Aufforderung** *etc* another request *etc*
'nochmals ADV again, once more
Nominaleinkommen N [nomi'na:l-] nominal income **Nomi'nalwert** M nominal *od* face value
nomi'nieren V/T ⟨*kein ge*⟩ nominate
nonstop ADV [nɔn'stɔp] nonstop **Non'stopflug** M nonstop flight
'Nord'afrika N North Africa
'Norda'merika N North America **'nordameri'kanisch** ADJ North American **'norddeutsch** ADJ North German **'Norddeutsche(r)** M/F(M) ⟨~n; ~n⟩ North(ern) German **'Norddeutschland** N North(ern) Germany
Norden M ['nɔrdən] ⟨~s⟩ north; **nach ~** north(wards)
Nordic Walking N ['nɔrdɪk 'wɔ:kɪŋ] ⟨~s⟩ Nordic Walking
'Nord'irland N Northern Ireland
'Nordko'rea N North Korea
nördlich ['nœrtlɪç] **A** ADJ northern; *Kurs, Wind* northerly **B** ADV **~ von** north of
'Nordlicht N northern lights *pl*; *umg: Person* Northerner **Nord'osten** M northeast **'nord'östlich** ADJ northeastern; *Kurs, Wind* northeasterly
Nord-'Ostsee-Kanal M Kiel Canal
'Nordpol M North Pole **Nordrhein-Westfalen** N ['nɔrtrainvɛst'fa:lən] ⟨~s⟩ North Rhine-Westphalia
'Nordsee F North Sea **Nord'westen** M northwest **nord'westlich** ADJ northwestern; *Kurs, Wind* northwesterly
'nörgeln V/I ['nœrgəln] carp (**an** about)
'Nörgler(in) M ⟨~s; ~⟩ (F) ⟨~in; ~innen⟩ carper
Norm F [nɔrm] ⟨~; ~en⟩ norm, standard
nor'mal ADJ normal; **nicht ganz ~** *umg* not quite right in the head
Nor'malbenzin N regular petrol *od US* gas
nor'maler'weise ADV normally, usually
Nor'malfall M normal case; **im ~** normally
normali'sieren V/R ⟨*kein ge*⟩ return to normal
Nor'malverbraucher M average consumer
'normen V/T standardize
'Normung F ⟨~; ~en⟩ standardization

Norwegen N ['nɔrve:gən] ⟨~s⟩ Norway **'Norweger(in)** M ⟨~s; ~⟩ (F) ⟨~in; ~innen⟩ Norwegian

'norwegisch ADJ, **'Norwegisch** N Norwegian; → englisch

Not F [no:t] ⟨~; Nöte⟩ *allg* need; *Mangel a.* want; *Armut* poverty; *Elend* hardship, misery; *Bedrängnis* trouble; *seelische* distress; **in ~ sein** be* in trouble; **~ leidend** *Bevölkerung* needy, impoverished; **zur ~** if need be, if necessary

Notar(in) [no'ta:r(ın)] M ⟨~s; ~e⟩ (F) ⟨~in; ~innen⟩ notary (public)

notariell ADV [notari'ɛl] **~ beglaubigt** attested by (a) notary

'Notarzt M, **'Notärztin** F emergency doctor **'Notarztwagen** M emergency doctor's car **'Notaufnahme** F casualty, *US* emergency room **'Notausgang** M emergency exit **'Notbremse** F emergency brake **'Notdienst** M emergency duty **'notdürftig** **A** ADJ meagre, *US* meager; *behelfsmäßig* makeshift **B** ADV **etw ~ reparieren** patch sth up

Note F ['no:tə] ⟨~; ~n⟩ *Schulnote* mark, *US* grade; MUS note; **~n** *pl* MUS music *sg*; **ihre persönliche ~** *fig* her personal touch

N

'Notfall M emergency; **für den ~** just in case **'notfalls** ADV if necessary **'notgedrungen** ADV **etw ~ tun** be* forced to do sth

no'tieren V/T & V/I [no'ti:rən] ⟨*kein ge*⟩ make* a note of, note (down); *an der Börse* quote (**mit** at); **an der Börse notiert sein** be* quoted *od* listed on the stock market; **bei 59 Euro ~** be* quoted at 59 euros

No'tierung F ⟨~; ~en⟩ WIRTSCH quotation

nötig ADJ ['nø:tıç] necessary; **etw ~ haben** need sth; **das Nötigste** the essentials *pl*; **etw dringend ~ haben** need sth badly

'Nötigung F ⟨~; ~en⟩ coercion

Notiz F [no'ti:ts] ⟨~; ~en⟩ note; *in der Zeitung* item; **keine ~ von etw/j-m nehmen** take* no notice of sth/sb, ignore sth/sb; **sich ~en machen** take* notes

No'tizblock M ⟨~(e)s; ~s *od* Notizblöcke⟩ notepad, memo pad **No'tizbuch** N notebook

'Notlage F crisis **'notlanden** V/I ⟨s⟩ make* an emergency landing **'Notlandung** F FLUG emergency landing **'notleidend** ADJ *Kredit* unsecured; *Wechsel, Wertpapier Br* dishonoured, *US* dishonored **'Notlösung** F temporary solution

notorisch ADJ [no'to:rıʃ] notorious

'Notruf M emergency call; *Notrufnummer* emergency number **'Notrufnummer** F emergency number **'Notrufsäule** F emergency phone **'Notsignal** N distress signal **'Notstand** M POL state of emergency **'Notstandsgebiet** N depressed area; *bei Katastrophen* disaster area **'Notstandsgesetze** PL emergency laws *pl* **'Notwehr** F self-defence, *US* self-defense **'notwendig** ADJ necessary; *unvermeidlich* inevitable **'Notwendigkeit** F ⟨~; ~en⟩ necessity

Novelle F [no'vɛlə] ⟨~; ~n⟩ novella; PARL amendment

November M [no'vɛmbər] ⟨~(s); ~⟩ November

Nr. ABK *für* Nummer No., no., number

Nu M [nu:] ⟨~⟩ **im ~** in a flash

Nuance F [ny'ã:sə] ⟨~; ~n⟩ shade; *sprachliche, stilistische* nuance

nüchtern ['nvçtərn] **A** ADJ *nicht betrunken, Einschätzung, Urteil* sober; *sachlich* matter-of-fact; **auf ~en Magen** on an empty stomach; **~ werden/machen** sober up **B** ADV *betrachten, beurteilen* matter-of-factly

Nudeln PL ['nu:dəln] pasta *sg*; *in Suppe, chinesische* noodles *pl*

nuklear ADJ [nukle'a:r] nuclear

Nukle'armedizin F nuclear medicine

Nukle'arwaffe F nuclear weapon

null ADJ [nʊl] zero, *Br a.* nought; *am Telefon* 0 [əʊ]; SPORT nil, nothing; *Tennis* love; **fünf Grad unter/über ~** five degrees below/above zero; **~ Fehler** no mistakes; **zwei zu ~** two-nil; **drei Komma ~** three point zero; **~ Uhr fünfzehn** quarter past midnight; **gleich ~ sein** *Chancen* be* nil; **bei ~ anfangen** *umg* start from scratch

Null F ⟨~; ~en⟩ zero, *Br a.* nought; *am Telefon* 0 [əʊ]; *umg: Person* dead loss

'Nullpunkt M zero; **den ~ erreichen, auf den ~ sinken** *fig* hit* rock bottom **'Nulltarif** M **zum ~** free **'Nullwachstum** N WIRTSCH zero growth

Nummer F ['numər] ⟨~; ~n⟩ number; *Zeitung, Zeitschrift a.* issue; *Größe* size

nummerieren V/T [nume'ri:rən] ⟨*kein ge*⟩ number

'Nummernkonto N numbered account **'Nummernschild** N numberplate, *US* license plate

nun ADV [nu:n] now; *also, na* well; **es ist ~ mal so** that's just the way it is

nur ADV [nu:r] only, just; *bloß* merely; *nichts als* nothing but; **er tut ~ so** he's just pretending; **~ so (zum Spaß)** just for fun; **warte ~!** just you wait!; **mach ~!, ~ zu!** go ahead!; **~ für Erwachsene** (for) adults only

Nuss F [nʊs] ⟨~; Nüsse⟩ nut

Nutte F ['nʊtə] ⟨~; ~n⟩ *umg* tart, *US a.* hooker

nutzbar ADJ ['nʊtsba:r] usable; **~ machen** utilize; *Bodenschätze* exploit; *Boden* cultivate

'nutzbringend **A** ADJ profitable **B** ADV *verwenden* profitably

nütze ADJ ['nʏtsə] **zu nichts ~ sein** be* useless; **zu etw ~ sein** be* of some use

'nutzen, nützen **A** V/I **j-m ~** be* of use to sb; **es nützt nichts(, es zu tun)** it's no use (doing it) **B** V/T use, make* use of; *Gelegenheit* take* advantage of

'Nutzen M ⟨~s⟩ use; *Gewinn* profit, gain; *Vorteil* advantage; **~ ziehen aus** benefit from; **zum ~ von** for the benefit of

'Nutzlast F payload

'nützlich ADJ useful

'nutzlos ADJ useless; **es ist ~, ihm Ratschläge zu geben** it's no use giving him advice

'Nutzung F ⟨~; ~en⟩ use

O

O¹ N [o:] ⟨~; ~⟩ O

O² ABK *für* Ost(en) E, east

o. Ä. ABK *für* oder Ähnliche(s) or the like

ob KONJ [ɔp] whether, if; **als ~** as if, as though; **sie tut so, als ~ sie krank wäre** she's pretending to be ill; **und ~!** and how!, you bet!

'obdachlos ADJ homeless

'Obdachlose(r) M/F(M) ⟨~n; ~n⟩ homeless person; **die ~n** *pl* the homeless *pl*

Obduktion F [ɔpdʊktsi'o:n] ⟨~; ~en⟩ autopsy

obduzieren V/T [ɔpdu'tsi:rən] ⟨*kein ge*⟩ perform an/the autopsy on

oben ADV ['o:bən] above; *in der Höhe* up; *obenauf* on (the) top; *an Gegenstand* at the top (*a. fig: beruflich*); *an der Oberfläche* on the surface; *im Haus* upstairs; **da ~** up there; **von ~ bis unten** from top to bottom; *von Person* from top to toe; **links ~** (at the) top left; **siehe ~** see above; **~ ohne** *umg* topless; **von ~ herab** *fig* condescendingly, patronizingly; **~ erwähnt** *od* **genannt** above-mentioned

'oben'auf ADV on (the) top; *auf der Oberfläche* on the surface; **~ sein** *fig* be* feeling great **'oben'drauf** ADV on top **'oben'drein** ADV on top of that

Ober M ['o:bər] ⟨~s; ~⟩ waiter; **Herr ~!** waiter!

'Oberbürgermeister(in) M(F) mayor, *Br* Lord Mayor

obere(r, -s) ADJ ['o:bərə] upper, top; *Flussabschnitt* upper

'Oberfläche F surface (*a. fig*); MATH surface area; **an der ~** on the surface

'oberflächlich **A** ADJ superficial **B** ADV *behandeln etc* superficially

'oberhalb PRÄP ⟨*gen*⟩ above

'Oberhand F **die ~ gewinnen** get* the upper hand (**über** over) **'Oberhaus** N *in GB* House of Lords **'oberirdisch** ADJ ELEK overhead; **~e Rohre** surface pipes **'Oberkellner(in)** M(F) head waiter; *Frau* head waitress **'Oberkör-**

per M upper body; **den ~ frei machen** strip to the waist **'Oberlippe** F upper lip **'Oberösterreich** N Upper Austria **'Oberschicht** F upper class(es *pl*)
oberste(r, -s) ADJ ['o:bərstə] uppermost, top(most); *in Hierarchie* highest; *wichtigste* first
'Oberteil N top
Obhut F ['ɔphu:t] ⟨~⟩ care, charge; **in s-e ~ nehmen** take* care of
obige(r, -s) ADJ ['o:bɪgə] above
Objekt N [ɔp'jɛkt] ⟨~(e)s; ~e⟩ object (*a.* GRAM); *Immobilie* property
objektiv [ɔpjɛk'ti:f] **A** ADJ objective **B** ADV *betrachten, beurteilen etc* objectively
Objek'tiv N ⟨~s; ~e⟩ lens
Objektivi'tät F ⟨~⟩ objectivity
Obligation F [ɔbligatsi'o:n] ⟨~; ~en⟩ WIRTSCH bond, debenture
obliga'torisch ADJ compulsory
Obrigkeit F ['o:brɪçkait] ⟨~; ~en⟩ authorities *pl*
Obst N [o:pst] ⟨~(e)s⟩ fruit
'Obstbaum M fruit tree **'Obstgarten** M orchard **'Obstkuchen** M fruit flan *od US* pie **'Obstplantage** F fruit plantation **'Obst- und Ge'müsehändler(in)** M greengrocer, *US* vegetable seller
obszön ADJ [ɔps'tsø:n] obscene
ob'wohl KONJ although, though
öde ADJ ['ø:də] desolate; *unbebaut* barren; *fig* dull, dreary
oder KONJ ['o:dər] or; **~ aber** *sonst* or else, otherwise; **~ vielmehr** or rather; **~ so** or something like that; **er kommt doch, ~?** he's coming, isn't he?; **du kennst ihn ja nicht, ~ doch?** you don't know him, or do you?
OECD F [o:'ʔe:tse:'de:] ⟨~⟩ *abk für* Organization for Economic Cooperation and Development *Organisation für wirtschaftliche Zusammenarbeit und Entwicklung* OECD
Ofen M ['o:fən] ⟨~s; Öfen⟩ *für Holz, Kohle etc* stove; *Backofen* oven; TECH furnace
offen ['ɔfən] **A** ADJ open (*a. fig*); *Stelle* vacant; *ehrlich* frank, open; **~e Methode der Koordinierung** POL open method of coordination **B** ADV *zugeben* openly; **~ gesagt** frankly; **~ stehen** *Tür etc* be* open; **~ s-e Meinung sagen** speak* one's mind
'offenbar **A** ADJ obvious **B** ADV *anscheinend* apparently
Offen'barungseid M oath of disclosure; **den ~ leisten** swear* an oath of disclosure **'Offenheit** F ⟨~⟩ *fig* openness; *Ehrlichkeit a.* frankness **'offensichtlich** **A** ADJ obvious **B** ADV *falsch, richtig etc* obviously
offensiv ADJ [ɔfɛn'zi:f] offensive
Offen'sive F ⟨~; ~n⟩ offensive
'offenstehen V/I ⟨*irr*⟩ *Rechnung* be* outstanding; **j-m ~** be* open to sb
öffentlich ['œfəntlɪç] **A** ADJ public; **der ~e Dienst** the civil *od* public service; **~e Verkehrsmittel** *pl* public transport *sg*, *US* public transportation *sg*; **~e Schulen** *pl* state *od US* public schools *pl* **B** ADV *auftreten etc* publicly
'Öffentlichkeit F ⟨~⟩ **die ~** the public; **in aller ~** in public, openly; **etw an die ~ bringen** make* sth public
'Öffentlichkeitsarbeit F public relations *pl* **'Öffentlichkeitsdefizit** N POL democratic deficit
Offerte F [ɔ'fɛrtə] ⟨~; ~n⟩ WIRTSCH offer; *bei Ausschreibungen* tender, bid
offiziell [ɔfitsi'ɛl] **A** ADJ official **B** ADV *anerkennen etc* officially
offiziös ADJ [ɔfitsi'ø:s] semi-official
öffnen ['œfnən] **A** V/T & V/R open *a.* IT **B** V/I **j-m ~** open the door to sb
'Öffner M ⟨~s; ~⟩ opener
'Öffnung F ⟨~; ~en⟩ opening
'Öffnungszeiten PL opening hours *pl*
oft ADV [ɔft] ⟨öfter⟩ often
ohne KONJ & PRÄP ['o:nə] ⟨*akk*⟩ without; **~ mich!** count me out!; **~ dass sie es wusste** without her knowing it
'Ohnmacht F ⟨~; ~en⟩ unconsciousness; *Hilflosigkeit* helplessness; **in ~ fallen** faint, pass out
'ohnmächtig **A** ADJ unconscious; *hilflos* helpless; **~ werden** faint, pass out **B** ADV *hilflos* helplessly
Ohr N [o:r] ⟨~(e)s; ~en⟩ ear; **j-n übers ~ hauen** *umg* take* sb for a ride; **bis über beide ~en verliebt** head over heels in love; **bis über die ~en verschuldet** up to one's ears in debt
'Ohrenschmerzen PL earache *sg*
'Ohrenzeuge M, **'Ohrenzeugin** F earwitness
'Ohrfeige F slap in the face (*a. fig*)

'ohrfeigen V/T **j-n ~** slap sb's face **'Ohrring** M earring
Ökobewegung F ['ø:ko-] ecological movement **'Ökobilanz** F life-cycle analysis **'Ökofonds** M eco fund, green fund **Ökoladen** M health food shop *od bes US* store
Ökologe M [øko'lo:gə] ⟨~n; ~n⟩ ecologist
Ökologie F [økolo'gi:] ⟨~⟩ ecology
Öko'login F ⟨~; ~nen⟩ ecologist
öko'logisch ADJ ecological; **~e Landwirtschaft** organic farming
Ökonomie F [økono'mi:] ⟨~⟩ *Sparsamkeit* economy; WIRTSCH economics *sg*
ökonomisch [øko'no:mɪʃ] **A** ADJ *sparsam* economical; WIRTSCH economic **B** ADV *sparsam*, WIRTSCH economically
'Ökosystem N ecosystem
Oktan N [ɔk'ta:n] ⟨~s⟩ CHEM octane **Ok'tanzahl** F AUTO octane number *od* rating
Oktober M [ɔk'to:bər] ⟨~(s); ~⟩ October
Öl N [ø:l] ⟨~(e)s; ~e⟩ oil; **nach ~ suchen/bohren** search/drill for oil; **auf ~ stoßen** strike* oil
Oldtimer M ['oʊldtaimər] ⟨~s; ~⟩ *Auto* vintage car
'ölen V/T oil; TECH *a.* lubricate
'Ölfarbe F oil (paint) **'Ölfilter** M *od* N AUTO oil filter **'Ölförderland** N oil-producing country **'Ölförderung** F oil production **'Ölheizung** F oil-fired heating
'ölig ADJ oily (*a. fig*)
oliv ADJ [o'li:f] ⟨*inv*⟩ olive
Olive F [o'li:və] ⟨~; ~n⟩ olive
O'livenöl N olive oil
'Ölleitung F oil pipeline **'Ölmessstab** M AUTO dipstick **'Ölpest** F oil pollution **'Ölquelle** F oil well **'Ölsardinen** PL canned sardines *pl*, *Br a.* tinned sardines *pl* **'Ölstand** M oil level **'Öltanker** M oil tanker **'Ölteppich** M oil slick **'Ölvorkommen** N oil resources *pl*; *Ölfeld* oilfield **'Ölwechsel** M oil change
Olympia- ZSSGN [o'lʏmpia-] *Mannschaft, Sieger etc* Olympic
Olympiade F [olʏmpi'a:də] ⟨~; ~n⟩ Olympic Games *pl*, Olympics *pl*
olympisch ADJ [o'lʏmpɪʃ] Olympic; **Olympische Spiele** Olympic Games

Oma F ['o:ma] ⟨~; ~s⟩ *umg* grandma
Ombudsfrau F ['ɔmbʊtsfrau], **'Ombudsmann** M ⟨~(e)s; Ombudsmänner⟩ *Frau* ombudswoman; *Mann* ombudsman
Omnibus M ['ɔmnibʊs] ⟨~ses; ~se⟩ → Bus
Onkel M ['ɔŋkəl] ⟨~s; ~ *od umg* ~s⟩ uncle
online ADV ['ɔnlain] IT online
Onlinebanking N ['ɔnlainbɛŋkɪŋ] ⟨~s⟩ online *od* Internet banking **'Onlinebetrieb** M online operation **'Onlinedienst** M online service **'Onlineshop** M [-ʃɔp] ⟨~s; ~s⟩ online shop *od US* store **'Onlineshopping** N online *od* Internet shopping
Opa M ['o:pa] ⟨~s; ~s⟩ *umg* grandpa, grandad
Operation F [opəratsi'o:n] ⟨~; ~en⟩ operation
Operati'onssaal M operating theatre *od US* room **Operati'onsschwester** F MED theatre *od US* operating-room nurse
operieren [opə'ri:rən] ⟨*kein ge*⟩ **A** V/T **j-n ~** operate on sb (**wegen** for); **operiert werden** be* operated on, have* an operation; **sich ~ lassen** have* an operation **B** V/I MED, MIL operate; *vorgehen* proceed
Opfer N ['ɔpfər] ⟨~s; ~⟩ sacrifice (*a. fig*); *von Unfall, Verbrechen etc* victim; **ein ~ bringen** make* a sacrifice; **j-m/etw zum ~ fallen** fall* victim to sb/sth
'opfern V/T & V/I sacrifice (*a. fig*)
Opposition F [ɔpozitsi'o:n] ⟨~; ~en⟩ opposition (*a.* PARL)
oppositionell ADJ [ɔpozitsio'nɛl] oppositional
Oppositi'onsführer(in) M(F) opposition leader **Oppositi'onspartei** F opposition party
Optik F ['ɔptɪk] ⟨~⟩ PHYS optics *sg*; FOTO optical system
'Optiker(in) M ⟨~s; ~⟩ (F) ⟨~in; ~innen⟩ optician
optimal [ɔpti'ma:l] **A** ADJ optimal **B** ADV *gestaltet etc* optimally
Optimismus M [ɔpti'mɪsmʊs] ⟨~⟩ optimism
Opti'mist(in) M ⟨~en; ~en⟩ (F) ⟨~in; ~innen⟩ optimist

O

opti'mistisch A ADJ optimistic B ADV *beurteilen etc* optimistically
Option F [ɔptsi'o:n] ⟨~; ~en⟩ option
'optisch ADJ visual; PHYS optical
Orange F [o'rã:ʒə] ⟨~; ~n⟩ orange
O'rangensaft M orange juice
Orden M ['ɔrdən] ⟨~s; ~⟩ *Auszeichnung* decoration; *Medaille* medal; REL order
ordentlich ['ɔrdəntlıç] A ADJ *Person, Zimmer, Haushalt etc* tidy, neat; *Leben* orderly; *richtig, sorgfältig* proper; *gründlich* thorough; *anständig* decent (*a. umg*); *Mitglied, Professor* full; *Leistung* reasonable; *umg*: *tüchtig, kräftig* good B ADV *zusammenlegen etc* tidily, neatly; *sich benehmen etc* properly; **s-e Sache ~ machen** do* a good job
Order F ['ɔrdər] ⟨~; ~s⟩ WIRTSCH order
'ordern V/T WIRTSCH order
ordinär ADJ [ɔrdi'nɛ:r] vulgar; *alltäglich* ordinary
ordnen V/T ['ɔrdnən] *anordnen* arrange, sort (out); *Akten* file; *Angelegenheiten* settle, put* in order; *Gedanken* order
'Ordner M ⟨~s; ~⟩ *Aktenordner* file; *Mappe* folder *a.* IT; *Person* steward
'Ordnerin F ⟨~; ~nen⟩ (female) steward
'Ordnung F ⟨~; ~en⟩ *allg* order; *Ordentlichkeit* tidiness, orderliness; *Vorschriften* rules *pl*; *Anordnung* arrangement; *System* system; *Rang* class; BIOL order; **in ~ sein** be* all right; TECH be* in order; *Person* be* okay; **in ~ bringen** put* right (*a. fig*); *Zimmer etc* tidy up; *reparieren* repair, fix (*a. fig*); **~ halten** keep* things tidy; **etwas ist nicht in ~ (mit ...)** there is something wrong (with ...); **das geht in ~** that's fine
'ordnungsgemäß A ADJ correct B ADV *handeln, parken etc* correctly **'Ordnungsstrafe** F fine, penalty
Organ N [ɔr'ga:n] ⟨~s; ~e⟩ organ
Or'ganbank F ⟨*pl* Organbanken⟩ MED organ bank **Or'ganempfänger(in)** M(F) MED organ recipient **Or'ganhandel** M sale of (human) organs
Organigramm N [ɔrgani'gram] ⟨~(e)s; ~e⟩ diagram of a *od* the company's organizational structure
Organisation F [ɔrganizatsi'o:n] ⟨~; ~en⟩ organization
Organisator(in) [ɔrgani'za:tɔr (-'to:rın)] M ⟨~s; ~en⟩ F ⟨~in; ~innen⟩ organizer
organisa'torisch ADJ organizational
or'ganisch ADJ organic; *Defekt, Leiden* physical
organi'sieren V/T ⟨*kein ge*⟩ organize; *umg*: *beschaffen* get* hold of; **sich ~** organize; *gewerkschaftlich a.* unionize
organi'siert ADJ organized; *gewerkschaftlich a.* unionized; **~e Kriminalität** organized crime
Organismus M [ɔrga'nısmʊs] ⟨~; -men⟩ organism
Or'ganspender(in) M(F) organ donor
Or'ganspenderausweis M organ donor card **Or'ganverpflanzung** F ⟨~; ~en⟩ MED organ transplant
orientalisch ADJ [oriɛn'ta:lıʃ] oriental; *vom Nahen Osten* Middle Eastern
orientieren V/T [oriɛn'ti:rən] ⟨*kein ge*⟩ *j-n* inform (**über** about); **sich ~** orientate o.s. (*a. fig*) (**an, nach** by; *fig* towards); *erkundigen* inform o.s. (**über** about)
Orien'tierung F ⟨~⟩ orientation; *Information* information; **die ~ verlieren** lose* one's bearings
Orien'tierungssinn M sense of direction
original [origi'na:l] A ADJ original; *echt* genuine, real B ADV *direkt* live; *Schweizer Käse etc* genuine, real
Origi'nal N ⟨~s; ~e⟩ original; *fig* character
Origi'nal- ZSSGN *Aufnahme etc* original
Origi'nalübertragung F RADIO, TV live broadcast **Origi'nalverpackung** F original packaging
origi'nell ADJ original; *komisch* witty
Orkan M [ɔr'ka:n] ⟨~(e)s; ~e⟩ hurricane
Ort M [ɔrt] ⟨~(e)s; ~e⟩ *allg* place; *Dorf* village; *Stadt* (small) town; *Schauplatz* scene; **an ~ und Stelle** on the spot; **vor ~** *fig* on the spot
orthodox ADJ [ɔrto'dɔks] orthodox
örtlich ['œrtlıç] A ADJ local B ADV **j-n ~ betäuben** give* sb a local anaesthetic *od US* anesthetic
'Örtlichkeiten PL ['œrtlıçkaitən] locality *sg*
ortsansässig ADJ ['ɔrtsanzɛsıç] local
'Ortschaft F ⟨~; ~en⟩ place; *Dorf* village
'Ortsgespräch N local call **'Ortskenntnis** F **~ besitzen** know* a place

'Ortsname M place name **'Ortsnetz** N TEL local exchange **'Ortsschild** N place-name sign **'Ortstarif** M TEL local rates *pl* **'Ortszeit** F local time
Öse F ['ø:zə] ⟨~; ~n⟩ eye; *Schuhöse* eyelet
'Ostblock M *historisch neg!* Eastern bloc **'ostdeutsch** ADJ East German **'Ostdeutsche(r)** M/F(M) ⟨~n; ~n⟩ East German **'Ostdeutschland** N Eastern Germany; POL East Germany
'Osten M ⟨~s⟩ east; **nach ~** east(wards)
'Osterei N Easter egg **'Osterhase** M Easter bunny
Ostern N ['o:stərn] ⟨~; ~⟩ Easter; **an** *od* **zu ~** at Easter; **frohe ~!** Happy Easter!
Österreich N ['ø:stəraiç] ⟨~s⟩ Austria
'Österreicher(in) M ⟨~s; ~⟩ (F) ⟨~in; ~innen⟩ Austrian
'österreichisch ADJ Austrian
'Oster'sonntag M Easter Sunday
östlich ['œstlıç] **A** ADJ eastern; *Kurs, Wind* easterly **B** ADV **~ von** east of
'Ostsee F **die ~** the Baltic (Sea)
outen V/T ['autən] *umg* out; **sich ~** come* out
oval ADJ [o'va:l] oval
O'val N ⟨~s; ~e⟩ oval
Overheadprojektor M ['o:vərhɛt-] overhead projector
Oxid N [ɔ'ksi:t] ⟨~(e)s; ~e⟩ oxide
oxi'dieren V/T & V/I ⟨*kein ge*, h *od* s⟩ oxidize
Ozean M ['o:tsea:n] ⟨~s; ~e⟩ ocean
Ozon N [o'tso:n] ⟨~s⟩ ozone
O'zonalarm M ozone warning **O'zonloch** N hole in the ozone layer **O'zonschicht** F ozone layer **O'zonwerte** PL ozone levels *pl*

P

P N [pe:] ⟨~; ~⟩ P
paar INDEF PR [pa:r] **ein ~** a few, a couple of
Paar N ⟨~(e)s; ~e⟩ pair; *Mann u. Frau* couple; **ein ~ (neue) Schuhe** a (new) pair of shoes
'paarmal ADV **ein ~** a few times
'paarweise ADV in pairs, in twos
Pacht F [paxt] ⟨~; ~en⟩ lease; *Pachtzins* rent
'pachten V/T lease
Pächter(in) ['pɛçtər(ın)] M ⟨~s; ~⟩ (F) ⟨~in; ~innen⟩ leaseholder; *von Bauernhof* tenant (farmer)
'Pachtvertrag M lease **'Pachtzins** M rent
Päckchen N ['pɛkçən] ⟨~s; ~⟩ small parcel; *Packung* packet, *bes US* pack
packen ['pakən] **A** V/T *Koffer, Sachen* pack; *Paket* make* up; *ergreifen* grab, seize (**an** by); *fig: mitreißen* grip; *umg: Prüfung* get*, pass **B** V/I pack
'Packen M ⟨~s; ~⟩ bundle; *Haufen* pile (*a. fig*)
'Packer(in) M ⟨~s; ~⟩ (F) ⟨~in; ~innen⟩ packer
'Packpapier N wrapping *od* brown paper
'Packung F ⟨~; ~en⟩ *für Kaugummi, Kekse etc* packet, *bes US* pack
'Packungsbeilage F *bei Medikament* instructions *pl* for use
Pädophile(r) M/F(M) [pɛdo'fi:lə] ⟨~n; ~n⟩ paedophile, *US* pedophile
Page M ['pa:ʒə] ⟨~n; ~n⟩ *Hotelpage* page (-boy), *US* bellhop
Paket N [pa'ke:t] ⟨~(e)s; ~e⟩ package (*a. fig*); *Packung* packet; *zum Verschicken* parcel
Pa'ketannahme F parcel counter **Pa'ketkarte** F parcel dispatch form **Pa'ketpost** F parcel post **Pa'ketschalter** M parcels counter **Pa'ketzustellung** F parcel delivery
Pakistan N ['pa:kısta:n] ⟨~s⟩ Pakistan
Pakis'tani M ⟨~(s); ~(s)⟩ F ⟨~; ~(s)⟩ Pak-

P

istani
pakis'tanisch ADJ Pakistani
Pakt M [pakt] ⟨~(e)s; ~e⟩ pact
Palast M [pa'last] ⟨~(e)s; Paläste⟩ palace
Palästina N [palɛs'ti:na] ⟨~s⟩ Palestine
Palästinenser(in) [palɛsti'nɛnzər(ın)] ⟨~s; ~⟩ (F) ⟨~in; ~innen⟩ Palestinian
palästi'nensisch ADJ Palestinian
Palme F ['palmə] ⟨~; ~n⟩ palm (tree)
Pampelmuse F [pampəl'mu:zə] ⟨~; ~n⟩ grapefruit
Pandemie F [pande'mi:] ⟨~; ~n⟩ MED pandemic
paniert ADJ [pa'ni:rt] breaded
Panik F ['pa:nık] ⟨~; ~en⟩ panic; **in ~ geraten** panic; **j-n in ~ versetzen** throw* sb into a panic
'panisch ADJ **~e Angst vor etw haben** be* absolutely terrified of sth
Panne F ['panə] ⟨~; ~n⟩ breakdown; *fig* hitch; **e-e ~ haben** *mit dem Auto* break* down
'Pannendienst M, **'Pannenhilfe** F breakdown *od US* towing service
Pantoffel M [pan'tɔfəl] ⟨~s; ~n⟩ slipper; **unter dem ~ stehen** *umg* be* henpecked
Panzer M ['pantsər] ⟨~s; ~⟩ *Panzerung, Rüstung* armour, *US* armor (*a. fig*); *Fahrzeug* tank; *von Schildkröte, Käfer etc* shell
'Panzerglas N bulletproof glass
'Panzerschrank M safe
Papa M ['papa] ⟨~s; ~s⟩ *umg* dad(dy), *bes US* pa
Papagei M [papa'gai] ⟨~s *od* ~en; ~e(n)⟩ parrot
Papier N [pa'pi:r] ⟨~s; ~e⟩ paper; **~e** *pl* papers *pl*, documents *pl*; *Ausweise* papers *pl*
Pa'pier- ZSSGN *Handtuch, Tüte* paper
Pa'piergeld N paper money **Pa'pierkorb** M wastepaper basket, *US* wastebasket; IT recycle bin **Pa'pierkrieg** M **ein langer ~** *fig* a lot of red tape **Pa'piertaschentuch** N tissue, paper handkerchief
'Pappbecher M paper cup
Pappe F ['papə] ⟨~; ~n⟩ cardboard
'Pappkarton M cardboard box; *kleiner* carton **'Pappmaschee** N ['papmaʃe:] ⟨~s; ~s⟩ papier mâché **'Pappteller** M paper plate
Paprika[1] M ['paprika] ⟨~s; ~(s)⟩ *od* F ⟨~; ~(s)⟩ *Paprikaschote* (sweet) pepper; **gefüllte ~** stuffed peppers
'Paprika[2] M ⟨~s; ~(s)⟩ *Gewürz* paprika
'Paprikaschote F pepper, *US* bell pepper
Papst M [pa:pst] ⟨~(e)s; Päpste⟩ pope
päpstlich ADJ ['pɛ:pstlıç] papal
Parabolantenne F [para'bo:l-] TV parabolic aerial *od bes US* antenna
Paradies N [para'di:s] ⟨~es; ~e⟩ paradise
para'diesisch ADJ *fig* heavenly
paradox ADJ [para'dɔks] paradoxical
Paragraf M [para'gra:f] ⟨~en; ~en⟩ JUR section, article; *Absatz* paragraph
parallel ADJ & ADV [para'le:l] parallel (**zu** to)
Paral'lele F ⟨~; ~n⟩ parallel (line); *fig* parallel
Parameter M [pa'rame:tər] ⟨~s; ~⟩ parameter
paraphieren V/T [para'fi:rən] ⟨*kein ge*⟩ initial
Parasit M [para'zi:t] ⟨~en; ~en⟩ parasite (*a. fig*)
Parfüm N [par'fy:m] ⟨~s; ~e⟩ perfume, *Br a.* scent
Parfümerie F [parfymə'ri:] ⟨~; ~n⟩ perfumery
parfü'mieren V/T ⟨*kein ge*⟩ perfume, scent; **sich ~** put* on perfume
Park M [park] ⟨~s; ~s⟩ park
'Parkdeck N parking level
'parken V/I & V/T park; **Parken verboten!** no parking
Parkett N [par'kɛt] ⟨~(e)s; ~e⟩ parquet (floor); *im Theater, Kino* stalls *pl*, *US* orchestra; *Tanzparkett* dance floor
Par'ketthandel M *Börse* floor trade
'Parkgebühr F parking fee **'Park(hoch)haus** N multi-storey car park, *US* parking garage **'Parkkralle** F wheel clamp, *US* Denver boot **'Parklücke** F parking space **'Parkmöglichkeit** F place to park; **es besteht keine ~ mehr** there's nowhere to park anymore; **kostenlose ~** free parking **'Parkplatz** M car park, *US* parking lot; **e-n ~ suchen/finden** look for/find* somewhere to park **'Parkscheibe** F parking disc *od US* disk **'Parksünder(in)** M(F) parking offender **'Parkuhr** F parking meter **'Parkverbot** N

im ~ stehen be* in a no-parking zone
'Parkwächter(in) M(F) park keeper; *von Parkplatz* car park *od US* parking lot attendant
Parlament N [parla'mɛnt] ⟨~(e)s; ~e⟩ parliament; **Europäisches ~** European Parliament
parlamen'tarisch ADJ parliamentary; **~er Ausschuss** parliamentary committee
Parodie F [paro'di:] ⟨~; ~n⟩ parody, takeoff (**auf** of)
Parole F [pa'ro:lə] ⟨~; ~n⟩ MIL password; *fig* watchword; POL slogan
Partei F [par'tai] ⟨~; ~en⟩ party (*a.* POL); *bei Streit, Debatte* side; **für j-n ~ ergreifen** side with sb, take* sides with sb
par'teiisch A ADJ bias(s)ed B ADV **~ urteilen** be* bias(s)ed in one's judgment
par'teilich ADJ POL party *attr*
par'teilos ADJ independent
Par'teimitglied N POL party member **Par'teiprogramm** N party manifesto **Par'teitag** M (party) conference *od* convention **Par'teivorsitzende(r)** M/F(M) ⟨~n; ~n⟩ party leader **Par'teizugehörigkeit** F party membership
Partie F [par'ti:] ⟨~; ~n⟩ *Spiel* game; *Teil* part (*a.* MUS); *umg: Heirat* match
Partner(in) ['partnər(ɪn)] M ⟨~s; ~⟩ (F) ⟨~in; ~innen⟩ partner
'Partnerschaft F ⟨~; ~en⟩ partnership; *zwischen Städten* twinning
'Partnerstadt F twin town
Party F ['pa:rti] ⟨~; ~s⟩ party
'Partyservice M catering service
Pass M [pas] ⟨~es; Pässe⟩ passport; *Gebirgspass, bei Ballspielen* pass; **langer ~** *bei Ballspielen* long ball
passabel ADJ [pa'sa:bəl] ⟨-bl-⟩ passable
Passage F [pa'sa:ʒə] ⟨~; ~n⟩ passage; *Einkaufspassage* arcade
Passagier(in) [pasa'ʒi:r(ɪn)] M ⟨~s; ~e⟩ (F) ⟨~in; ~innen⟩ passenger
Passa'gierflugzeug N passenger plane; *großes* airliner
Passant(in) [pa'sant(ɪn)] M ⟨~en; ~en⟩ (F) ⟨~in; ~innen⟩ passerby
'Passbild N passport photo(graph)
passen VI ['pasən] *größenmäßig* fit (**j-m** sb; **auf/zu etw** sth); *bei Kartenspiel,* SPORT pass; **j-m ~** *zusagen* suit sb; **passt es dir morgen?** would tomorrow suit you *od* be all right (with you)?; **das/er passt mir gar nicht** I don't like that/him at all; **~ zu** *farblich, im Stil* go* with, match; **gut zueinander ~** → zueinanderpassen
'passend A ADJ *geeignet* suitable, fitting; *Worte, Moment* right; *farblich, im Stil* matching B ADV **hast du es ~?** do you have the right money?
Passerelle-Klausel F ['pasərɛlə-] POL passerelle clause
pas'sierbar ADJ passable
passieren [pa'si:rən] ⟨*kein ge*⟩ A VI ⟨s⟩ *sich ereignen* happen (**j-m** to sb) B VT *vorbeifahren* pass through; *Brücke, Fluss, Grenze* cross
Pas'sierschein M pass, permit
passiv ['pasi:f] A ADJ passive B ADV passively; **sich ~ verhalten** remain passive
'Passivrauchen N ⟨~s⟩ passive smoking
'Passkontrolle F *Stelle* passport control; *das Kontrollieren* passport check **'Passstraße** F mountain pass **'Passwort** N ⟨*pl* Passwörter⟩ password
Paste F ['pastə] ⟨~; ~n⟩ paste
Pastete F [pas'te:tə] ⟨~; ~n⟩ pie; *zum Streichen* pâté
Pate M ['pa:tə] ⟨~n; ~n⟩ godfather
'Patenkind N godchild
'Patenschaft F ⟨~; ~en⟩ sponsorship
Patent N [pa'tɛnt] ⟨~(e)s; ~e⟩ patent; *Offizierspatent* commission
Pa'tentamt N patent office **Pa'tentanwalt** M, **Pa'tentanwältin** F patent lawyer
paten'tieren VT ⟨*kein ge*⟩ patent; **etw ~ lassen** take* out a patent on sth
Pa'tentinhaber(in) M(F) patentee, holder of a patent
pathetisch ADJ [pa'te:tɪʃ] melodramatic
Patient(in) [patsi'ɛnt(ɪn)] M ⟨~en; ~en⟩ (F) ⟨~in; ~innen⟩ patient
Pati'entenkartei F patients' file
Patin F ['pa:tɪn] ⟨~; ~nen⟩ godmother
patriotisch [patri'o:tɪʃ] A ADJ patriotic B ADV *handeln etc* patriotically
Patrio'tismus M ⟨~⟩ patriotism
Patrone F [pa'tro:nə] ⟨~; ~n⟩ cartridge
Patsche F ['patʃə] ⟨~; ~n⟩ **in der ~ sitzen** *umg* be* in a fix
'patsch'nass ADJ *umg* soaking wet
Patzer M ['patsər] ⟨~s; ~⟩ *umg* blunder

P

Pau'schalangebot N all-inclusive offer, package deal
Pauschale F [pau'ʃa:lə] ⟨~; ~n⟩ lump sum; *Gebühr* flat rate
Pau'schalgebühr F flat rate **Pau'schalreise** F package tour **Pau'schalurlaub** M package holiday **Pau'schalurteil** N sweeping judg(e)ment
Pause F ['pauzə] ⟨~; ~n⟩ *Arbeitspause* break; *Schulpause* break, *US* recess; *in Theater* interval, *US* intermission; *Sprechpause* pause; *Ruhepause* rest (*a.* MUS)
'pausenlos ADJ & ADV nonstop
Paybackkarte F ['pe:bɛk-] loyalty card
Pazifik M [pa'tsi:fɪk] **der ~** the Pacific (Ocean)
Pazifismus M [patsi'fɪsmʊs] ⟨~⟩ pacifism
Pazi'fist(in) M ⟨~en; ~en⟩ (F) ⟨~in; ~innen⟩ pacifist
pazi'fistisch ADJ pacifist
PC M [pe:'tse:] ⟨~(s); ~(s)⟩ *abk für* Personal Computer PC **P'C-Benutzer(in)** M(F) PC user
PDF F [pe:de:'ʔɛf] ⟨~; ~s⟩ *abk für* portable document format PDF, pdf **PD'F-Datei** F PDF file, pdf file
Pech N [pɛç] ⟨~(e)s; ~e⟩ pitch; *fig* bad luck; **~ haben** be* unlucky
Pedal N [pe'da:l] ⟨~s; ~e⟩ pedal
pedantisch ADJ [pe'dantɪʃ] pedantic, fussy
Pegel M ['pe:gəl] ⟨~s; ~⟩ *Wasserstand* water level; *von Lärm* level
peinlich ['painlɪç] **A** ADJ *unangenehm* embarrassing; **es war mir ~** I was *od* felt embarrassed **B** ADV **~ genau sein** be* meticulous
Peking N ['pe:kɪŋ] ⟨~s⟩ Peking
Pellkartoffeln PL ['pɛl-] potatoes *pl* boiled in their skins
Pelz M [pɛlts] ⟨~es; ~e⟩ fur; *abgezogener* skin
Pendel N ['pɛndəl] ⟨~s; ~⟩ pendulum
'Pendelbus M shuttle bus
'pendeln V/I ⟨s⟩ swing*; *von Zug, Fähre etc* shuttle; *von Person* commute
'Pendelverkehr M shuttle service; *Berufsverkehr* commuter traffic
'Pendler(in) M ⟨~s; ~⟩ (F) ⟨~in; ~innen⟩ commuter
Penis M ['pe:nɪs] ⟨~; ~se⟩ penis
Penizillin N [penitsɪ'li:n] ⟨~s; ~e⟩ MED penicillin
'Penner(in) ['pɛnər(ɪn)] M ⟨~s; ~⟩ (F) ⟨~in; ~innen⟩ *umg* tramp, *US a.* hobo
Pension F [pãzi'o:n] ⟨~; ~en⟩ pension; *Gästehaus* guesthouse; **in ~ sein** be* retired
Pensionär(in) [pãzio'nɛ:r(ɪn)] M ⟨~s; ~e⟩ (F) ⟨~in; ~innen⟩ pensioner; *Pensionsgast* guest
pensio'nieren V/T ⟨*kein ge*⟩ pension off; **sich ~ lassen** retire
Pensio'nierung F ⟨~; ~en⟩ retirement
Pensi'onsalter N retirement age **Pensi'onsfonds** M pension fund **Pensi'onsgast** M paying guest
Pensum N ['pɛnzʊm] ⟨~s; Pensen *od* Pensa⟩ quota
Peperoni F [pepe'ro:ni] ⟨~; ~⟩ chilli
per PRÄP [pɛr] ⟨*akk, kein Artikel*⟩ *pro* per; *durch, mit* by
perfekt [pɛr'fɛkt] **A** ADJ perfect; **~ machen** *festlegen* settle **B** ADV perfectly
Performance F [pə'fɔ:məns] ⟨~; ~s⟩ WIRTSCH performance
Periode F [peri'o:də] ⟨~; ~n⟩ period (*a. von Frau*)
peri'odisch **A** ADJ periodic **B** ADV *auftreten etc* periodically
Peripherie F [perife'ri:] ⟨~; ~n⟩ periphery; *von Stadt* outskirts *pl*
Periphe'riegerät N COMPUT peripheral
Perle F ['pɛrlə] ⟨~; ~n⟩ pearl; *aus Glas, Holz etc* bead
Persien N ['pɛrziən] ⟨~s⟩ Persia
Person F [pɛr'zo:n] ⟨~; ~en⟩ person; *Figur* character; **ein Tisch für drei ~en** a table for three
Perso'nal N ⟨~s⟩ staff, personnel; **zu wenig ~ haben** be* understaffed
Perso'nalabbau M job cuts *pl* **Perso'nalabteilung** F human resources *od* personnel department **Perso'nalakte** F personal file **Perso'nalausweis** M identity card **Perso'nalberater(in)** M(F) human resources *od* personnel consultant **Perso'nalbüro** N human resources *od* personnel department **Perso'nalchef(in)** M(F) human resources *od* personnel manager
Personal Com'puter M ['pœrsənəl-]

personal computer
Perso'nalentwicklung F human resources development
Personalien PL [pɛrzo'na:liən] particulars *pl*, personal details *pl*
Perso'nalmangel M shortage of staff, staff shortage; **an ~ leiden** be* understaffed **Perso'nalvertretung** F staff representation
per'sonenbezogen ADJ **~e Daten** *pl* personal data *pl od sg* **Per'sonenkraftwagen** M motorcar, *US* auto (-mobile) **Per'sonenverkehr** M passenger services *pl*, passenger transport *od US* transportation; **freier ~** POL free movement of persons **Per'sonenzug** M passenger train; *Nahverkehrszug* local train
personifizieren V/T [pɛrzonifi'tsi:rən] ⟨*kein ge*⟩ personify
persönlich [pɛr'zø:nlɪç] **A** ADJ personal; **~e Daten** personal details **B** ADV *erscheinen* personally
Per'sönlichkeit F ⟨~; ~en⟩ personality
Perspektive F [pɛrspɛk'ti:və] ⟨~; ~n⟩ perspective; *Aussicht* prospect
pervers ADJ [pɛr'vɛrs] perverted
Pessimismus M [pɛsi'mɪsmʊs] ⟨~⟩ pessimism
Pessi'mist(in) M ⟨~en; ~en⟩ (F) ⟨~in; ~innen⟩ pessimist
pessi'mistisch **A** ADJ pessimistic **B** ADV *beurteilen etc* pessimistically
Pestizid N [pɛsti'tsi:t] ⟨~s; ~e⟩ pesticide
Petersilie F [pe:tər'zi:liə] ⟨~; ~n⟩ parsley
Petition F [petitsi'o:n] ⟨~; ~en⟩ petition
Petiti'onsausschuss M committee on petitions **Petiti'onsrecht** N right of petition
Petroleum N [pe'tro:leum] ⟨~s⟩ paraffin, *US* kerosene
Pfad M [pfa:t] ⟨~(e)s; ~e⟩ path (*a.* IT), track
Pfahl M [pfa:l] ⟨~(e)s; Pfähle⟩ stake; *Pfosten* post
Pfand N [pfant] ⟨~(e)s; Pfänder⟩ security; *Gegenstand* pledge; *Flaschenpfand* deposit; *im Spiel* forfeit
'Pfandbrief M mortgage bond
pfänden V/T ['pfɛndən] seize
'Pfandflasche F returnable bottle
'Pfandhaus N pawnshop, pawnbroker's (shop) **'Pfandleiher(in)** M ⟨~s; ~⟩ (F) ⟨~in; ~innen⟩ pawnbroker
'Pfandschein M pawn ticket
'Pfändung F ⟨~; ~en⟩ seizure
Pfanne F ['pfanə] ⟨~; ~n⟩ (frying) pan, *US a.* skillet
'Pfannkuchen M pancake
Pfarrer(in) ['pfarər(ɪn)] M ⟨~s; ~⟩ (F) ⟨~in; ~innen⟩ *evangelisch* minister, pastor; *katholisch* priest; *anglikanisch* vicar
Pfeffer M ['pfɛfər] ⟨~s; ~⟩ pepper
'Pfefferminze F ⟨~⟩ peppermint
Pfeife F ['pfaifə] ⟨~; ~n⟩ whistle; *Orgelpfeife, Tabakspfeife* pipe
'pfeifen V/I & V/T ⟨pfiff, gepfiffen⟩ whistle (**j-m** to sb); **~ auf** *umg* not give* a damn about
Pfeil M [pfail] ⟨~(e)s; ~e⟩ arrow
'Pfeiler M ⟨~s; ~⟩ pillar; *Brückenpfeiler* pier; **~ der Europäischen Union** pillars of the European Union
Pfennig M ['pfɛnɪç] ⟨~s; ~e *od mit Mengenangabe* ~⟩ *historisch: Münze* pfennig; *fig* penny
Pferd N [pfe:rt] ⟨~(e)s; ~e⟩ horse (*a. Turngerät*); *Schachfigur* knight; **zu ~e** on horseback; **aufs ~ steigen** get* on *od* mount a horse
'Pferderennen N horse racing; *einzelnes Rennen* horse race **'Pferdeschwanz** M *Frisur* ponytail **'Pferdestärke** F horsepower
Pfiff M [pfɪf] ⟨~(e)s; ~e⟩ whistle; *fig* style
'pfiffig ADJ smart
Pfingsten N ['pfɪŋstən] ⟨~; ~⟩ Whitsun (**zu, an** at), *US* Pentecost; **zu** *od* **an ~** at Whitsun, *US* at Pentecost
'Pfingst'montag M Whit Monday
'Pfingst'sonntag M Whit Sunday, *US* Pentecost
Pfirsich M ['pfɪrzɪç] ⟨~s; ~e⟩ peach
Pflanze F ['pflantsə] ⟨~; ~n⟩ plant
'pflanzen V/T plant
'Pflanzenfett N vegetable fat
'pflanzenfressend ADJ herbivorous
'pflanzlich ADJ **~e Fette/Öle** vegetable fats/oils
Pflaster N ['pflastər] ⟨~s; ~⟩ *für Wunden* plaster, *US* Band-Aid®; *Straßenpflaster* road surface, *US* pavement
Pflaume F ['pflaumə] ⟨~; ~n⟩ plum; *Backpflaume* prune; *umg* twit

Pflege F ['pfle:gə] ⟨~; ~n⟩ care; MED *a.* nursing; *von Garten, Beziehungen* cultivation; TECH maintenance
'Pflege- ZSSGN *Eltern, Kind, Sohn* foster; *Kosten, Personal etc* nursing
'pflegebedürftig ADJ **ein ~er alter Mann** an old man who needs caring for
'Pflegefall M constant-care patient
'Pflegeheim N nursing home **'pflegeleicht** ADJ easy-care
'pflegen V/T care for, look after; *Kranke a.* nurse; TECH maintain; *Garten, Beziehungen, Künste* cultivate; *Brauch* keep* up; **sie pflegte oft zu sagen, ...** she often used to say ..., she would often say ...
'Pflegepersonal N MED nursing staff
'Pfleger(in) M ⟨~s; ~⟩ (F) ⟨~in; ~innen⟩ (male) nurse; *Frau* nurse
'Pflegeversicherung F nursing care insurance
Pflicht F [pflɪçt] ⟨~; ~en⟩ duty; SPORT compulsories *pl*; **es ist ~** it's compulsory
'pflichtbewusst A ADJ conscientious B ADV *handeln etc* conscientiously
'Pflichtbewusstsein N sense of duty **'Pflichtgefühl** N sense of duty
'Pflichtumtausch M compulsory exchange of currency **'Pflichtversicherung** F compulsory insurance
pflücken V/T ['pflʏkən] pick
Pflug M [pflu:k] ⟨~(e)s; Pflüge⟩ plough, *US* plow
Pforte F ['pfɔrtə] ⟨~; ~n⟩ *Tor* gate; *Tür* door; *Eingang* entrance
Pförtner M ['pfœrtnər] ⟨~s; ~⟩ doorkeeper, *Br a.* porter
Pfosten M ['pfɔstən] ⟨~s; ~⟩ post (*a. beim Fußball etc*)
Pfote F ['pfo:tə] ⟨~; ~n⟩ paw (*a. fig*)
Pfropfen M ['pfrɔpfən] ⟨~s; ~⟩ stopper; *aus Kork* cork; *aus Watte, Stöpsel* plug; MED clot
Pfund N [pfʊnt] ⟨~(e)s; ~e *od with amount* ~⟩ *Währung, Gewicht* pound
Pfusch M [pfʊʃ] ⟨~(e)s⟩ *umg: schlechte Arbeit* botch-up
'pfuschen V/I *umg* bungle
'Pfuscher(in) M ⟨~s; ~⟩ (F) ⟨~in; ~innen⟩ *umg* bungler
Pfusche'rei F ⟨~; ~en⟩ *umg* botch-up
Pfütze F ['pfʏtsə] ⟨~; ~n⟩ puddle
Phänomen N [fɛno'me:n] ⟨~s; ~e⟩ phenomenon
phänome'nal ADJ phenomenal
Phanta'sie *etc* → Fantasie *etc*
Phantom N [fan'to:m] ⟨~s; ~e⟩ phantom
Phan'tombild N Identikit® picture, Photofit® picture
pharmazeutisch ADJ [farma'tsɔytɪʃ] pharmaceutical
Phase F ['fa:zə] ⟨~; ~n⟩ phase (*a.* ELEK, *von Mond*), stage
Philippinen PL [filɪ'pi:nən] **die ~** the Philippines *pl*
Philosoph(in) [filo'zo:f(ɪn)] M ⟨~en; ~en⟩ (F) ⟨~in; ~innen⟩ philosopher
Philoso'phie F ⟨~; ~n⟩ philosophy
philoso'phieren V/I ⟨*kein ge*⟩ philosophize (**über** about)
philo'sophisch A ADJ philosophical B ADV *betrachten, denken etc* philosophically
phlegmatisch ADJ [flɛg'ma:tɪʃ] lethargic
pH-neutral ADJ [pe:'ha:-] pH-balanced
Phosphor M ['fɔsfɔr] ⟨~s⟩ phosphorus
'Photo *etc* → Foto *etc*
Phrase F ['fra:zə] ⟨~; ~n⟩ *pej* cliché
pH-Wert M [pe:'ha:ve:rt] pH value
Physik F [fy'zi:k] ⟨~⟩ physics *sg*
physi'kalisch A ADJ physical B ADV *unmöglich etc* physically
Physiker(in) ['fy:zɪkər(ɪn)] M ⟨~s; ~⟩ (F) ⟨~in; ~innen⟩ physicist
physisch ['fy:zɪʃ] A ADJ physical B ADV *unterlegen* physically
Pickel[1] M ['pɪkl] ⟨~s; ~⟩ *auf Haut* pimple, spot
'Pickel[2] M ⟨~s; ~⟩ *Werkzeug* pick(axe), *US* pick(ax); *Eispickel* ice pick
'pickelig ADJ pimply, spotty
Picknick N ['pɪknɪk] ⟨~s; ~s *od* ~e⟩ picnic; **(ein) ~ machen** have* a picnic
'picknicken V/I (have* a) picnic
piep(s)en V/I ['pi:p(s)ən] *von Vogel* chirp, cheep; ELEK bleep
piercen V/T ['pi:rsən] **sich ~ lassen** have* one's nose/lip/tongue *etc* pierced
Piercing N ['pi:rsɪŋ] ⟨~s; ~s⟩ (body) piercing; **ein ~ in der Lippe/Nase haben** have* a pierced lip/nose
pikant ADJ [pi'kant] spicy; *Witz etc a.* risqué
Pille F ['pɪlə] ⟨~; ~n⟩ pill; **die ~ nehmen**

umg be* on the pill
Pilot(in) [pi'lo:t(ɪn)] M ⟨~en; ~en⟩ (F) ⟨~in; ~innen⟩ pilot
Pi'lotprojekt N pilot project **Pi'lotstudie** F pilot study
Pilz M [pɪlts] ⟨~es; ~e⟩ mushroom; *giftiger* toadstool; MED fungal infection
pingelig ADJ ['pɪŋəlɪç] *umg* fussy
'pinkeln V/I *umg* (have* a) pee
'Pinnwand F pinboard
Pinsel M ['pɪnzəl] ⟨~s; ~⟩ (paint)brush
Pinzette F [pɪn'tsɛtə] ⟨~; ~n⟩ tweezers *pl*
Pionier(in) [pio'ni:r(ɪn)] M ⟨~s; ~e⟩ (F) ⟨~in; ~innen⟩ pioneer; MIL engineer
Pirat M [pi'ra:t] ⟨~en; ~en⟩ pirate
Piraterie F [piratə'ri:] ⟨~; ~en⟩ *im Medienbereich, bei Produkten* piracy
PISA-Studie F ['pi:za-] PISA study
Piste F ['pɪstə] ⟨~; ~n⟩ track; *Skipiste* piste; FLUG runway
Pistole F [pɪs'to:lə] ⟨~; ~n⟩ pistol, gun
Pizza F ['pɪtsa] ⟨~; ~s *od* Pizzen⟩ pizza
Pizzeria F [pɪtse'ri:a] ⟨~; ~s⟩ pizzeria
Pkw M, **PKW** M ['pe:ka:ve:] ⟨~(s); ~(s)⟩ *abk für* Personenkraftwagen car, *US a.* automobile
plädieren V/I [plɛ'di:rən] ⟨*kein ge*⟩ argue (**für** for); JUR plead (**für** for)
Plädoyer N [plɛdva'je:] ⟨~s; ~s⟩ JUR final speech
Plage F ['pla:gə] ⟨~; ~n⟩ *Ärgernis* nuisance; *Mühsal* grind; *Insektenplage etc* plague
'plagen V/T bother; *mit Fragen* pester; **sich ~** slave away (**mit** at)
Plakat N [pla'ka:t] ⟨~(e)s; ~e⟩ poster; *bei Demonstrationen* placard
Plakette F [pla'kɛtə] ⟨~; ~n⟩ *Abzeichen* badge
Plan M [pla:n] ⟨~(e)s; Pläne⟩ plan; *Stadtplan* map
Plane F ['pla:nə] ⟨~; ~n⟩ tarpaulin
'planen V/T plan
'Planer(in) M ⟨~s; ~⟩ (F) ⟨~in; ~innen⟩ planner
Planet M [pla'ne:t] ⟨~en; ~en⟩ planet
planieren V/T [pla'ni:rən] ⟨*kein ge*⟩ level, grade
Pla'nierraupe F TECH bulldozer
Planke F ['plaŋkə] ⟨~; ~n⟩ plank, board
'planlos **A** ADJ unmethodical; *ziellos* aimless **B** ADV *arbeiten etc* unmethodically; *ziellos* aimlessly
'planmäßig **A** ADJ **~e Ankunft/Abfahrt** scheduled time of arrival/departure **B** ADV according to plan; *ankommen* on time
Plantage F [plan'ta:ʒə] ⟨~; ~n⟩ plantation
'Planung F ⟨~; ~en⟩ planning
'Planwirtschaft F planned economy
Plastik[1] F ['plastɪk] ⟨~; ~en⟩ *Skulptur* sculpture
'Plastik[2] N ⟨~s⟩ plastic
'Plastik- ZSSGN *Besteck, Tüte etc* plastic
'plastisch **A** ADJ *Kunst, Chirurgie* plastic; *räumlich* three-dimensional; *fig* graphic **B** ADV *fig*: *darstellen* graphically
Platin N ['pla:ti:n] ⟨~s⟩ platinum
platonisch ADJ [pla'to:nɪʃ] *Beziehung* platonic
plätschern V/I ['plɛtʃərn] splash
platt ADJ [plat] flat; *banal* trite; *umg*: *vor Staunen* flabbergasted
'Platte F ⟨~; ~n⟩ *aus Metall, Glas* sheet; *aus Stein, Beton* slab; *aus Holz* board; *Paneel* panel; *Schallplatte* record; COMPUT disk; *Teller* dish; *umg*: *Glatze* bald patch; **kalte ~** cold cuts *pl*
'Plattform F platform (*a. fig*) **'Plattfuß** M **Plattfüße haben** MED have* flat feet; **e-n ~ haben** AUTO *umg* have* a flat (tyre *od US* tire)
Platz M [plats] ⟨~es; Plätze⟩ *Ort, Stelle, Rang* place; *Lage, Bauplatz* site; *Raum* room, space; *öffentlicher* square; *Sitzplatz* seat; **es ist (nicht) genug ~** there's (not) enough room; **~ machen für** make* room for; *vorbeilassen* make* way for; **~ nehmen** take* a seat, sit* down; **ist dieser ~ noch frei?** is this seat taken?; **j-n vom ~ stellen** send* sb off; **auf die Plätze, fertig, los!** on your marks, get set, go!; **er ist auf ~ zwei** he came in second
'Platzanweiser(in) M ⟨~s; ~⟩ (F) ⟨~in; ~innen⟩ usher; *Frau* usherette
Plätzchen N ['plɛtsçən] ⟨~s; ~⟩ spot, little place; *Gebäck* biscuit, *US* cookie
platzen V/I ['platsən] ⟨s⟩ *zerplatzen* burst*; *reißen* split*; *explodieren* explode, blow* up; *fig*: *scheitern* fall* through; *von Vorstellung, Konferenz etc* be* called off; *von Freundschaft* break* up; **~ vor** *fig* be* bursting with
platzieren V/T [pla'tsi:rən] ⟨*kein ge*⟩

P

place; **sich ~** SPORT be* placed
Plat'zierung F ⟨~; ~en⟩ placing
'Platzkarte F seat reservation **'Platzpatrone** F blank (cartridge) **'Platzregen** M downpour **'Platzreservierung** F seat reservation **'Platzwunde** F cut, laceration
plaudern V/I ['plaudərn] chat, have* a chat
Playback N ['ple:bɛk] ⟨~⟩ TV *etc* miming; **~ singen** *od* **spielen** mime
pleite ADJ ['plaitə] *umg* broke
'Pleite F ⟨~; ~n⟩ *umg* bankruptcy; *fig* flop; **~ machen** go* bust
'pleitegehen V/I ⟨*irr*, s⟩ go* bust
Plenum N ['ple:nʊm] ⟨~s; Plena⟩ POL plenum
Plombe F ['plɔmbə] ⟨~; ~n⟩ seal; *Zahnplombe* filling
plom'bieren V/T ⟨*kein ge*⟩ seal; *Zahn* fill
plötzlich ['plœtslɪç] **A** ADJ sudden **B** ADV suddenly, all of a sudden
plump [plʊmp] **A** ADJ clumsy **B** ADV *sich ausdrücken etc* clumsily
'plumpsen V/I ⟨s⟩ thud; *in Flüssigkeit* plop
'Plünderer M ⟨~s; ~⟩, **'Plünderin** F ⟨~; ~nen⟩ looter, plunderer
plündern V/I & V/T ['plʏndərn] loot, plunder; *hum*: *Konto, Kühlschrank etc* raid
plus ADV & KONJ & PRÄP [plʊs] ⟨*gen*⟩ plus; **bei 10 Grad ~** at 10 degrees above zero
Plus N ⟨~⟩ *Gewinn* profit; *Vorteil* advantage
'Plusbetrag M profit
Po M [po:] ⟨~s; ~s⟩ *umg* bottom, behind
Pöbel M ['pø:bəl] ⟨~s⟩ mob, rabble
Pocke F ['pɔkə] ⟨~; ~n⟩ pock; **~n** *pl* smallpox *sg*
'Pockenimpfung F smallpox vaccination
Podcast M ['pɔtka:st] ⟨~s; ~s⟩ podcast
Podest N [po'dɛst] ⟨~(e)s; ~e⟩ platform; *fig* pedestal
Podium N ['po:diʊm] ⟨~s; Podien⟩ podium, platform
'Podiumsdiskussion F panel discussion
Pointe F [po'ɛ̃:tə] ⟨~; ~n⟩ punch line
Poker N ['po:kər] ⟨~s⟩ poker
'pokern V/I play poker
Pol M [po:l] ⟨~s; ~e⟩ pole
po'lar ADJ polar

Pole M ['po:lə] ⟨~n; ~n⟩ Pole; **er ist ~** he's Polish
Polemik F [po'le:mɪk] ⟨~; ~en⟩ *Angriff* polemic
po'lemisch ADJ polemical
polemi'sieren V/I ⟨*kein ge*⟩ polemicize
'Polen N ⟨~s⟩ Poland
Police F [po'li:sə] ⟨~; ~n⟩ policy
polieren V/T [po'li:rən] ⟨*kein ge*⟩ polish
Poliklinik F ['po:li-] outpatients' clinic
'Polin F ⟨~; ~nen⟩ Pole; **sie ist ~** she's Polish
Politesse F [poli'tɛsə] ⟨~; ~n⟩ traffic warden
Politik F [poli'ti:k] ⟨~; ~en⟩ *allg* politics *sg*; *bestimmte Politik, fig*: *Taktik* policy; **~ des leeren Stuhls** *EU* empty chair policy
Po'litiker(in) [pɔ'li:tikər(ɪn)] M ⟨~s; ~⟩ (F) ⟨~in; ~innen⟩ politician
po'litisch **A** ADJ political **B** ADV *aktiv*; *tätig etc* politically
politi'sieren V/I ⟨*kein ge*⟩ talk politics
Polizei F [poli'tsai] ⟨~; ~en⟩ police *pl*
Poli'zeiauto N police car **Poli'zeibeamte(r)** M ⟨~n; ~n⟩, **Poli'zeibeamtin** F police officer
poli'zeilich **A** ADJ police **B** ADV **er wird ~ gesucht** the police are looking for him
Poli'zeirevier N police station; *Bezirk* police district, *US* precinct **Poli'zeischutz** M police protection **Poli'zeistaat** M police state **Poli'zeistreife** F police patrol **Poli'zeistunde** F closing time **Poli'zeiwache** F police station
Polizist(in) [poli'tsɪst(ɪn)] M ⟨~en; ~en⟩ (F) ⟨~in; ~innen⟩ policeman; *Frau* policewoman
polnisch ADJ ['pɔlnɪʃ], **'Polnisch** N Polish; → englisch
Polohemd N ['po:lo-] polo shirt
Polster N ['pɔlstər] ⟨~s; ~⟩ *Sesselpolster* upholstery; *in Kleidung* padding; *für Schulter* pad; *fig*: *finanzielles* cushion, bolster
Polyester N [poly'ʔɛstər] ⟨~s; ~⟩ polyester
Pommes frites PL [pɔm'frɪt] (French) fries *pl*, *Br a.* chips *pl*
pompös ADJ [pɔm'pø:s] grandiose
Pony[1] N ['pɔni] ⟨~s; ~s⟩ *Pferd* pony
'Pony[2] M ⟨~s; ~s⟩ *Frisur* fringe, *US* bangs

pl
Pool M [puːl] ⟨~s; ~s⟩ pool (*a.* WIRTSCH)
Popgruppe F [ˈpɔp-] pop group
ˈPopmusik F pop music **ˈPopsänger(in)** M(F) pop singer
populär ADJ [popuˈlɛːr] popular
Populariˈtät F ⟨~⟩ popularity
Pore F [ˈpoːrə] ⟨~; ~n⟩ pore
Porno M [ˈpɔrno] ⟨~s; ~s⟩, **ˈPornofilm** M porn film *od bes US* movie, blue movie
porös ADJ [poˈrøːs] porous
Porree M [ˈpɔre] ⟨~s; ~s⟩ leeks *pl*
Portemonnaie N [pɔrtmɔˈneː] ⟨~s; ~s⟩ purse
Portier M [pɔrtiˈeː] ⟨~s; ~s⟩ doorman, *Br a.* porter
Portion F [pɔrtsiˈoːn] ⟨~; ~en⟩ *Essen* helping; *im Restaurant* portion
Portmoˈnee → Portemonnaie
Porto N [ˈpɔrto] ⟨~s; ~s *od* Porti⟩ postage
ˈportofrei ADV postage paid
Porträt N [pɔˈrtrɛː] ⟨~s; ~s⟩ portrait
Portugal N [ˈpɔrtugal] ⟨~s⟩ Portugal
Portugiese M [pɔrtuˈgiːzə] ⟨~n; ~n⟩, **Portuˈgiesin** F ⟨~; ~nen⟩ Portuguese; **die Portugiesen** *pl* the Portuguese *pl*
portuˈgiesisch ADJ, **Portuˈgiesisch** N Portuguese; → englisch
Porzellan N [pɔrtsɛˈlaːn] ⟨~s; ~e⟩ china (*a. Geschirr*), porcelain
Pose F [ˈpoːzə] ⟨~; ~n⟩ pose
Position F [pozitsiˈoːn] ⟨~; ~en⟩ position (*a. fig*)
positiv [ˈpoːziti:f] **A** ADJ positive **B** ADV *sich auswirken etc* positively
Post® F [pɔst] ⟨~⟩ *Institution* post; *Briefe, Pakete* post, mail; *Postamt* post office; **mit der ~** by post *od* mail
ˈPostamt N post office **ˈPostanweisung** F money order **ˈPostbeamte(r)** M ⟨~n; ~n⟩, **ˈPostbeamtin** F post-office clerk **ˈPostbote** M postman, *US* mailman **ˈPostbotin** F postwoman, *US* mailwoman
ˈPosten M ⟨~s; ~⟩ post; *Anstellung a.* position; *Wache* guard; *Rechnungsposten* item; *Waren* lot
ˈPostfach N PO box
posˈtieren V/T ⟨*kein ge*⟩ post, station; **sich ~** station o.s.
ˈPostkarte F postcard **ˈpostlagernd** ADJ & ADV poste restante, *US* general delivery **ˈPostleitzahl** F postcode, *US* zip code **ˈPostsparbuch** N post-office savings book **ˈPoststempel** M postmark **ˈpostwendend** ADV by return (of post), by return mail **ˈPostwertzeichen** N postage stamp **ˈPostwurfsendung** F bulk mail consignment; *pl a.* bulk mail *sg* **ˈPostzustellung** F mail delivery
Potenz F [poˈtɛnts] ⟨~; ~en⟩ MED potency; MATH power; **die zweite/dritte ~ zu drei** three squared/cubed
Pracht F [praxt] ⟨~⟩ splendour, *US* splendor, magnificence
prächtig [ˈprɛçtɪç] **A** ADJ splendid, magnificent; *fig a.* great **B** ADV *sich verstehen etc* splendidly
prägen V/T [ˈprɛːgən] *in Material* stamp; *Münzen* mint; *Wort* coin; *fig*: *j-n* shape; *von Kummer* leave* a mark on
prahlen V/I [ˈpraːlən] boast, brag (*beide* **mit** about)
Prahleˈrei F ⟨~; ~en⟩ boasting, bragging
Praktiˈkant(in) M ⟨~en; ~en⟩ (F) ⟨~in; ~innen⟩ trainee
ˈPraktiken PL practices *pl*
ˈPraktiker(in) M ⟨~s; ~⟩ (F) ⟨~in; ~innen⟩ practical man; *Frau* practical woman
Praktikum N [ˈpraktikʊm] ⟨~s; Praktika⟩ (period of) practical training; *in Büro* work placement
praktisch [ˈpraktɪʃ] **A** ADJ practical; *nützlich a.* useful, handy; **~er Arzt** general practitioner **B** ADV *denken, handeln etc* practically; *so gut wie a.* virtually
praktiˈzieren V/I ⟨*kein ge*⟩ practise, *US* practice
prall ADJ [pral] *Brieftasche, Muskeln* bulging; *Schenkel, Tomate* firm; *Busen, Po* well-rounded; *Sonne* blazing
ˈprallen V/I ⟨s⟩ **~ gegen** *od* **auf** bump into; *stärker* crash into
Prämie F [ˈprɛːmiə] ⟨~; ~n⟩ premium; *Preis* prize; *Leistungsprämie* bonus
prämieren V/T [prɛˈmiːrən] ⟨*kein ge*⟩ award a prize to
Präparat N [prɛpaˈraːt] ⟨~(e)s; ~e⟩ preparation
präparieren V/T [prɛpaˈriːrən] ⟨*kein ge*⟩

P

zerlegen dissect
Präsentation F [prezɛntatsi'o:n] ⟨~; ~en⟩ presentation
präsen'tieren V/T ⟨*kein ge*⟩ present
Präservativ N [prezɛrva'ti:f] ⟨~s; ~e⟩ condom
Präsident(in) [prezi'dɛnt(ın)] M ⟨~en; ~en⟩ (F) ⟨~in; ~innen⟩ president; *Vorsitzender* chairman; *Frau* chairwoman; **~ der Europäischen Kommission** President of the European Commission
Präsidium N [prɛ'zi:dium] ⟨~s; Präsidien⟩ *Polizeipräsidium* headquarters *pl*; *Vorstand* management committee
prasseln V/I ['prasəln] ⟨h *od mit Bewegung* s⟩ *von Regen* patter; *von Feuer* crackle
Präventivverfahren N [prɛvɛn'ti:f-] POL preventive mechanism
Praxis F ['praksıs] ⟨~; Praxen⟩ practice (*a.* MED, JUR); MED: *Praxisräume* surgery, *US* office **'Praxisgebühr** F MED practice fee, *US* office fee
Präzedenzfall M [prɛtse'dɛntsfal] precedent
präzis(e) [prɛ'tsi:s (-'tsi:zə)] **A** ADJ precise **B** ADV *ausführen, beschreiben etc* precisely
präzi'sieren V/T ⟨*kein ge*⟩ specify
Präzisi'on F ⟨~⟩ precision
predigen V/I & V/T ['pre:dıgən] preach
Predigt F ['pre:dıçt] ⟨~; ~en⟩ sermon
Preis M [prais] ⟨~es; ~e⟩ price (*a. fig*); *im Wettbewerb* prize; *für Film* award; *Belohnung* reward; **um jeden ~** at all costs
'Preisänderung F change in price; **~en vorbehalten** subject to change **'Preisanstieg** M price rise, rise in prices **'Preisausschreiben** N competition **'preisbewusst** ADJ price-conscious **'Preisempfehlung** F recommended price; **unverbindliche ~** recommended retail price
'preisen V/T ⟨pries, gepriesen⟩ praise
'Preiserhöhung F price increase **'Preisermäßigung** F price reduction **'preisgeben** V/T ⟨*irr*⟩ abandon; *Geheimnis* reveal, give* away **'preisgekrönt** ADJ prize-winning; *Film* award-winning **'Preisgericht** N jury **'Preislage** F price range **'Preisliste** F price list **'Preisnachlass** M discount **'Preisniveau** N price level **'Preisrätsel** N competition **'Preisschild** N price tag **'Preissenkung** F price cut **'Preisstabilität** F price stability **'Preisstopp** M price freeze **'Preisträger(in)** M(F) prizewinner; *für Film* award-winner **'Preisverleihung** F awards ceremony **'preiswert** **A** ADJ cheap, inexpensive **B** ADV *einkaufen etc* cheap(ly)
prellen V/T ['prɛlən] *Ball* bounce; *fig* cheat (**um** out of); **sich das Knie ~** bruise one's knee
'Prellung F ⟨~; ~en⟩ bruise
Premiere F [prəmi'e:rə] ⟨~; ~n⟩ first night, premiere
Premierminister(in) M(F) [prəmi'e:-] prime minister
Prepaidhandy N ['pri:pe:t-] prepaid mobile phone, *US* prepaid cell phone **'Prepaidkarte** F prepaid card
Presse F ['prɛsə] ⟨~; ~n⟩ press; *Saftpresse* squeezer
'Presse- ZSSGN *Konferenz* press
'Presseagentur F press agency **'Presseausweis** M press card **'Pressebericht** M press report **'Pressefotograf(in)** M(F) press photographer **'Pressefreiheit** F freedom of the press **'Pressemeldung** F press report
'pressen V/T press; *Obst* squeeze; **j-n/etw an sich ~** hold* sb/sth tight
'Pressetribüne F press box **'Pressevertreter(in)** M(F) reporter
'Pressluft- ZSSGN *Bohrer, Hammer* pneumatic
Prestige N [prɛs'ti:ʒə] ⟨~s⟩ prestige
Pres'tigeverlust M loss of prestige *od* face
Preuße M ['prɔysə] ⟨~n; ~n⟩, **'Preußin** F ⟨~; ~nen⟩ Prussian
'preußisch ADJ Prussian
prickeln V/I ['prıkəln] *von Haut, Finger etc* tingle; *von Mineralwasser* sparkle
Priester M ['pri:stər] ⟨~s; ~⟩ priest
prima ['pri:ma] ⟨*inv*⟩ *umg* **A** ADJ great, brilliant **B** ADV *spielen, schlafen etc* brilliantly
primär [pri'mɛ:r] **A** ADJ primary **B** ADV *denken an etc* primarily
Pri'märrecht N POL primary law
primitiv [primi'ti:f] **A** ADJ primitive **B** ADV *leben etc* primitively

Prinz M [prɪnts] ⟨~en; ~en⟩ prince
Prinzessin F [prɪn'tsɛsɪn] ⟨~; ~nen⟩ princess
Prinzip N [prɪn'tsi:p] ⟨~s; ~ien⟩ principle; **im ~** in principle; **aus ~** on principle; **~ der begrenzten Einzelermächtigung** POL principle of conferred powers; **~ der verstärkten Zusammenarbeit** POL principle of reinforced cooperation
prinzipi'ell ADV *im Prinzip* in principle; *aus Prinzip* on principle
Priorität F [priori'tɛ:t] ⟨~; ~en⟩ priority
Prisma N ['prɪsma] ⟨~s; Prismen⟩ prism
privat [pri'va:t] **A** ADJ private; *persönlich* personal **B** ADV privately; *sprechen a.* in private
Pri'vat- ZSSGN *Leben etc* private
Pri'vatadresse F private *od* home address **Pri'vatangelegenheit** F private matter; **das ist meine ~** that's my own business **Pri'vatbesitz** M private property; **in ~** privately owned **Pri'vatdetektiv(in)** M(F) private detective **Pri'vateigentum** N private property **Pri'vatfernsehen** N commercial television; *Privatsender* private TV company
privati'sieren V/T ⟨*kein ge*⟩ privatize
Privati'sierung F ⟨~; ~en⟩ privatization
Pri'vatklinik F private clinic **Pri'vatleben** N private life **Pri'vatpatient(in)** M(F) private patient **Pri'vatquartier** N private accommodation **Pri'vatsphäre** F privacy **Pri'vatvorsorge** F *für das Alter* private pension scheme; *für die Gesundheit* private health insurance scheme **Pri'vatwirtschaft** F private enterprise
Privileg N [privi'le:k] ⟨~(e)s; ~ien⟩ privilege
privilegiert ADJ [privile'gi:rt] privileged; **~e Partnerschaft** *EU* privileged partnership
pro PRÄP [pro:] ⟨*akk kein Artikel*⟩ per; **10 Euro ~ Stunde** 10 euros an *od* per hour; **zwei Euro ~ Stück** two euros each
Pro N ⟨~s⟩ **das ~ und Kontra** the pros and cons *pl*
Probe F ['pro:bə] ⟨~; ~n⟩ *Erprobung* test, trial; *Muster, Beispiel* sample; MATH proof; THEAT rehearsal; **auf ~** on a trial basis; **j-n/etw auf die ~ stellen** put* sb/sth to the test
'Probealarm M fire drill **'Probefahrt** F test drive
'proben V/I & V/T THEAT rehearse
'probeweise ADV on a trial basis
'Probezeit F trial period
pro'bieren V/T ⟨*kein ge*⟩ try; *kosten a.* taste
Problem N [pro'ble:m] ⟨~s; ~e⟩ problem
Problematik F [proble'ma:tɪk] ⟨~⟩ problem(s *pl*)
proble'matisch ADJ problematic
Produkt N [pro'dʊkt] ⟨~(e)s; ~e⟩ *a. Ergebnis*, MATH product
Produkti'on F ⟨~; ~en⟩ production; *Produktionsmenge a.* output
Produkti'onsabläufe PL production processes *pl* **Produkti'onsausfall** M loss of production **Produkti'onskosten** PL production costs *pl* **Produkti'onsmenge** F production, output **Produkti'onsmittel** PL means *pl* of production **Produkti'onsrückgang** M fall in production **Produkti'onssteigerung** F increase in production **Produkti'onszeit** F manufacturing time
produktiv [produk'ti:f] **A** ADJ productive **B** ADV *zusammenarbeiten* productively
Produktivität F [produktivi'tɛ:t] ⟨~⟩ productivity
Produktivi'tätszuwachs M productivity growth
Produzent(in) [produ'tsɛnt(ɪn)] M ⟨~en; ~en⟩ (F) ⟨~in; ~innen⟩ producer
produzieren V/T [produ'tsi:rən] ⟨*kein ge*⟩ produce
professionell [profɛsio'nɛl] **A** ADJ professional **B** ADV *gemacht etc* professionally
Professor(in) [prɔ'fɛsɔr (-fɛ'so:rɪn)] M ⟨~s; ~en⟩ (F) ⟨~in; ~innen⟩ professor
Profi M ['pro:fi] ⟨~s; ~s⟩ *umg* pro
'Profi- ZSSGN *Boxer, Fußballer etc* professional
Profil N [pro'fi:l] ⟨~s; ~e⟩ *Seitenansicht* profile; *Reifenprofil* tread
profi'lieren V/R ⟨*kein ge*⟩ make* one's mark
Profit M [pro'fi:t] ⟨~(e)s; ~e⟩ profit
profitabel ADJ [profi'ta:bəl] ⟨-bl-⟩ profitable

P

profi'tieren VI ⟨*kein ge*⟩ profit (**von** from)
Prognose F [prog'no:zə] ⟨~; ~n⟩ prediction; *Wetterprognose* forecast; MED prognosis
Programm N [pro'gram] ⟨~s; ~e⟩ programme, *US* program; *Fernsehkanal* channel; IT program
Pro'grammentwurf M POL draft programme *od US* program **Pro'grammfehler** M IT bug
program'mieren VT ⟨*kein ge*⟩ program
Program'mierer(in) M ⟨~s; ~⟩ (F) ⟨~in; ~innen⟩ programmer
Program'mierfehler M bug **Program'miersprache** F programming language
Projekt N [pro'jɛkt] ⟨~(e)s; ~e⟩ project
Pro'jektor M ⟨~s; -'toren⟩ projector
Pro-'Kopf-Einkommen N per capita income
Prokura F [pro'ku:ra] ⟨~; Prokuren⟩ (full) power of attorney
Prokurist(in) [proku'rɪst(ɪn)] M ⟨~en; ~en⟩ (F) ⟨~in; ~innen⟩ authorized signatory
Proletarier(in) [prole'ta:riər(ɪn)] M ⟨~s; ~⟩ (F) ⟨~in; ~innen⟩ proletarian
Promi ['promi] M ⟨~s; ~s⟩ (F) ⟨~; ~s⟩ *umg* celeb, celebrity
Pro'millegrenze F alcohol limit
prominent ADJ [promi'nɛnt] prominent
Promi'nenz F ⟨~⟩ prominent people *pl*
prompt [prɔmpt] **A** ADJ prompt; *Antwort a.* quick **B** ADV promptly; *wie erwartet* of course
Propaganda F [propa'ganda] ⟨~⟩ propaganda
Propeller M [pro'pɛlər] ⟨~s; ~⟩ propeller
Prophet(in) [pro'fe:t(ɪn)] M ⟨~en; ~en⟩ (F) ⟨~in; ~innen⟩ prophet
prophezeien VT [profe'tsaiən] ⟨*kein ge*⟩ prophesy, predict
Prophe'zeiung F ⟨~; ~en⟩ prophecy, prediction
Proportion F [propɔrtsi'o:n] ⟨~; ~en⟩ proportion
Proporz M [pro'pɔrts] ⟨~es; ~e⟩ proportional representation
proppenvoll ADJ ['prɔpən'fɔl] *umg* jam-packed
Prospekt M [pro'spɛkt] ⟨~(e)s; ~e⟩ brochure, pamphlet
prost INT [pro:st] cheers!; **~ Neujahr!** Happy New Year!
Prostituierte(r) M/F(M) [prostitu'i:rtə] ⟨~n; ~n⟩ prostitute
Protest M [pro'tɛst] ⟨~(e)s; ~e⟩ protest; **aus ~ gegen** in protest at
Protestant(in) [protɛs'tant(ɪn)] M ⟨~en; ~en⟩ (F) ⟨~in; ~innen⟩ Protestant
protes'tantisch ADJ Protestant
protes'tieren VI ⟨*kein ge*⟩ protest
Pro'testkundgebung F protest
Pro'testpartei F POL protest party
Prothese F [pro'te:zə] ⟨~; ~n⟩ *Arm-, Beinprothese* artificial limb; *Zahnprothese* dentures *pl*
Protokoll N [proto'kɔl] ⟨~s; ~e⟩ *bei Sitzung* minutes *pl*; *bei Gericht* record; *diplomatisches* protocol
Proto'kollführer(in) M(F) minute-taker; JUR clerk of the court; **wer ist ~?** who's taking the minutes?
protokol'lieren ⟨*kein ge*⟩ **A** VT *Sitzung* take* the minutes of **B** VI *bei Sitzung* take* the minutes
Prototyp M ['pro:toty:p] prototype
protzen VI ['prɔtsən] *umg* show* off; **mit etw ~** show* sth off
'protzig ADJ *umg* showy, flashy
Proviant M [provi'ant] ⟨~s; ~e⟩ provisions *pl*, food
Provider M [pro'vaidər] ⟨~s; ~⟩ Internet Service Provider, ISP
Provinz F [pro'vɪnts] ⟨~; ~en⟩ province; *im Gegensatz zur Großstadt* provinces *pl*
provinzi'ell ADJ *pej* provincial
Provision F [provizi'o:n] ⟨~; ~en⟩ commission
Provisi'onsbasis F **auf ~** on a commission basis
provisorisch [provi'zo:rɪʃ] **A** ADJ temporary, provisional **B** ADV temporarily; **etw ~ reparieren** patch sth up
Provisorium N [provi'zo:riʊm] ⟨~s; Provisorien⟩ stopgap; *Zahn* provisional filling
provozieren VT [provo'tsi:rən] ⟨*kein ge*⟩ provoke
Prozent N [pro'tsɛnt] ⟨~(e)s; ~e *od mit Anzahl* ~⟩ per cent; **~e** *pl umg* discount *sg*
Pro'zentsatz M percentage

P

prozentu'al ADJ percentage *attr*; **~er Anteil** percentage

Prozess M [pro'tsɛs] ⟨~es; ~e⟩ *Vorgang* process (*a.* TECH, CHEM *etc*); JUR *Klage* action; *Rechtsstreit* lawsuit, case; *Strafprozess* trial; **e-n ~ gewinnen/verlieren** win*/lose* a case

prozes'sieren V/I ⟨*kein ge*⟩ go* to court; **gegen j-n ~** bring* an action against sb, take* sb to court

Pro'zessor M ⟨~s; ~en⟩ processor

prüde ADJ ['pry:də] prudish; **~ sein** be* a prude

prüfen V/T ['pry:fən] *Schüler, Bewerber* examine, test; *nachprüfen* check; *überprüfen* inspect (*a.* TECH); *erproben* test; *Vorschlag, Angebot* consider

'Prüfer(in) M ⟨~s; ~⟩ (F) ⟨~in; ~innen⟩ examiner; TECH tester

'Prüfling M ⟨~s; ~e⟩ candidate

'Prüfung F ⟨~; ~en⟩ exam, examination; *Nachprüfung* check; *Überprüfung* inspection; *Erprobung* test; **e-e ~ bestehen/nicht bestehen** pass/fail an exam

Prügel PL ['pry:gəl] ⟨~s; ~⟩ **(e-e Tracht) ~ bekommen** *umg* get* a (good) hiding *od* thrashing

Prüge'lei F ⟨~; ~en⟩ *umg* fight

PS[1] [pe:'ʔɛs] ABK *für* Pferdestärke HP, horsepower

PS[2] ABK *für* Postskript PS

Pseudonym N [psɔydo'ny:m] ⟨~s; ~e⟩ pseudonym

Psyche F ['psy:çə] ⟨~; ~n⟩ psyche

Psychiater(in) [psyçi'a:tər(ın)] M ⟨~s; ~⟩ (F) ⟨~in; ~innen⟩ psychiatrist

psychi'atrisch ADJ psychiatric

'psychisch **A** ADJ *Krankheit, Belastung* mental; *Probleme* psychological **B** ADV **~ krank** mentally ill

Psychoanalyse F [psyçoʔana'ly:zə] psychoanalysis

Psycho'loge M ⟨~n; ~n⟩ psychologist (*a. fig*)

Psycholo'gie F ⟨~⟩ psychology

Psycho'login F ⟨~; ~nen⟩ psychologist (*a. fig*)

psycho'logisch **A** ADJ psychological **B** ADV *geschickt etc* psychologically

Psychose F [psy'ço:zə] ⟨~; ~n⟩ psychosis

psychoso'matisch ADJ psychosomatic

Pubertät F [pubɛr'tɛ:t] ⟨~⟩ puberty

Publikum N ['pu:blikʊm] ⟨~s⟩ *Zuschauer, Zuhörer* audience; SPORT spectators *pl*; *Leser* readers *pl*

'Publikumsgeschmack M public taste

publizieren V/T [publi'tsi:rən] ⟨*kein ge*⟩ *Buch etc* publish

Pudding M ['pʊdıŋ] ⟨~s; ~e *od* ~s⟩ blancmange

Puder M ['pu:dər] ⟨~s; ~⟩ powder

Puff[1] M [pʊf] ⟨~s; ~s⟩ *umg*: *Bordell* brothel

Puff[2] M ⟨~(e)s; Püffe⟩ *Stoß* thump; *in die Rippen* poke

'Puffer M ['pʊfər] ⟨~s; ~⟩ BAHN, *fig* buffer

Pulli M ['pʊli] ⟨~s; ~s⟩, **Pullover** [pʊ'lo:vər] M ⟨~s; ~⟩ sweater, *Br a.* jumper

Puls M [pʊls] ⟨~es; ~e⟩ pulse; *Pulszahl* pulse rate

'Pulsader F artery

pul'sieren V/I ⟨*kein ge*⟩ pulsate (*a. fig*)

Pult N [pʊlt] ⟨~(e)s; ~e⟩ desk; *Rednerpult, Lesepult* lectern

Pulver N ['pʊlfər] ⟨~s; ~⟩ powder

'pulv(e)rig ADJ powdery

pulveri'sieren V/T ⟨*kein ge*⟩ pulverize

'Pulverkaffee M instant coffee **'Pulverschnee** M powder snow

pumm(e)lig ADJ ['pʊm(ə)lıç] *umg* chubby, plump

Pumpe F ['pʊmpə] ⟨~; ~n⟩ pump

'pumpen **A** V/T TECH pump; *umg*: *entleihen* borrow (**von** from); **j-m etw ~** *umg*: *verleihen* lend* sb sth **B** V/I TECH pump

Punkt M [pʊŋkt] ⟨~(e)s; ~e⟩ point (*a. fig*); *Tupfen* dot; *Satzzeichen* full stop, *US* period; *Stelle* spot, place; **um ~ zehn (Uhr)** at ten (o'clock) sharp; **nach ~en** *gewinnen, verlieren* on points

'punkten V/I SPORT score

punktieren V/T [pʊŋk'ti:rən] ⟨*kein ge*⟩ dot; MED puncture

pünktlich ['pʏŋktlıç] **A** ADJ punctual; **~ sein** be* on time, be* punctual **B** ADV *ankommen etc* on time, punctually; **~ um drei Uhr** at three o'clock sharp

'Pünktlichkeit F ⟨~⟩ punctuality

Pupille F [pu'pılə] ⟨~; ~n⟩ pupil

Puppe F ['pʊpə] ⟨~; ~n⟩ doll (*a. umg*: *Mädchen*); THEAT puppet; *für Crashtests*

dummy pupa
pur ADJ [pu:r] pure (*a. fig*); *Whisky etc* neat, *US* straight
pürieren V/T [py'ri:rən] ⟨*kein ge*⟩ *in Mixer* liquidize
purzeln V/I ['pʊrtsəln] ⟨s⟩ tumble (*a. fig: Preise*)
Puste F ['pu:stə] ⟨~⟩ *umg* breath; **aus der ~** out of breath
'pusten V/I blow*; *keuchen* puff
Pute F ['pu:tə] ⟨~; ~n⟩ turkey; *weibliches Tier a.* turkey hen
'Puter M ⟨~s; ~⟩ turkey; *männliches Tier a.* turkey cock
Putsch M [pʊtʃ] ⟨~(e)s; ~e⟩ putsch, coup (d'état)
'putschen V/I stage a coup
'Putschversuch M attempted putsch *od* coup (d'état)
Putz M [pʊts] ⟨~es⟩ plaster; **unter ~ verlegen** *Leitungen* conceal, plaster over
'putzen **A** V/T clean; *wischen* wipe; **sich die Nase ~** blow* one's nose; **sich die Zähne ~** brush one's teeth **B** V/I do* the cleaning; **~ (gehen)** work as a cleaner
'Putzfrau F cleaner, cleaning lady **'Putzlappen** M cloth **'Putzmittel** N cleaner
Puzzle N ['pazəl] ⟨~s; ~s⟩ jigsaw (puzzle)
Pyjama M [py'dʒa:ma] ⟨~s; ~s⟩ pyjamas *pl*, *US* pajamas *pl*
Pyramide F [pyra'mi:də] ⟨~; ~n⟩ pyramid (*a.* MATH)
Pyrenäen PL [pyre'nɛ:ən] Pyrenees *pl*

Q

Q N [ku:] ⟨~; ~⟩ Q
Quadrat N [kva'dra:t] ⟨~(e)s; ~e⟩ square
Qua'drat- ZSSGN *Meter, Wurzel* square
qua'dratisch ADJ square; MATH *Gleichung* quadratic
Qua'dratmeter M *od* N square metre *od US* meter **Qua'dratmeterpreis** M price per square metre *od US* meter
Qual F [kva:l] ⟨~; ~en⟩ torment, agony
quälen V/T ['kvɛ:lən] *foltern* torture; *fig* torment; *mit Fragen* pester; **sich ~** *abmühen* struggle (**mit** with)
Qualifikation F [kvalifikatsi'o:n] ⟨~; ~en⟩ qualification
qualifizieren V/T & V/R [kvalifi'tsi:rən] ⟨*kein ge*⟩ qualify
qualifi'ziert ADJ qualified; **~e Mehrheit** POL qualified majority
Qualität F [kvali'tɛ:t] ⟨~; ~en⟩ quality
qualita'tiv **A** ADJ qualitative **B** ADV qualitatively; **~ hochwertig** high-quality
Quali'täts- ZSSGN *Arbeit* high-quality
Quali'tätskontrolle F quality control **Quali'tätsmanagement** N quality management **quali'tätsorientiert** ADJ quality-oriented **Quali'tätssicherung** F quality assurance **Quali'tätsstandard** M quality standard **Quali'tätsware** F quality goods *pl*
Qualm M [kvalm] ⟨~(e)s⟩ (thick) smoke
'qualmen V/I smoke (*a. umg: Person*)
'qualvoll **A** ADJ agonizing (*a. seelisch*) **B** ADV *sterben* in agony
Quantität F [kvanti'tɛ:t] ⟨~; ~en⟩ quantity
quantita'tiv **A** ADJ quantitative **B** ADV *bestimmen etc* quantitatively
Quarantäne F [karan'tɛ:nə] ⟨~; ~n⟩ quarantine; **unter ~ stellen** put* in quarantine
Quark M [kvark] ⟨~s⟩ quark
Quartal N [kvar'ta:l] ⟨~s; ~e⟩ quarter
Quarz M [kva:rts] ⟨~es; ~e⟩ quartz (*a. zssgn*)
'Quarzuhr F quartz clock; *Armbanduhr* quartz watch
Quästor(in) ['kvɛstɔr (-'to:rın)] M ⟨~s; ~en⟩ (F) ⟨~in; ~innen⟩ *des Europäischen Parlaments* quaestor
Quatsch M [kvatʃ] ⟨~(e)s⟩ *umg* nonsense, *Br a.* rubbish; **~ machen** mess around; *scherzen* kid, joke
'quatschen V/I *umg* talk nonsense, *Br a.* talk rubbish; *plaudern* chat
Quecksilber N ['kvɛkzılbər] mercury
Quelle F ['kvɛlə] ⟨~; ~n⟩ spring; *von Fluss* source (*a. fig*); *Ölquelle* well
quellen V/I ['kvɛlən] ⟨quoll, gequollen, s⟩ pour (**aus** from)
'Quellenangabe F reference **'Quellensteuer** F withholding tax
quer ADV [kve:r] *schräg* diagonally, cross-

wise; **~ über den Rasen** straight across the lawn; **kreuz und ~** *durcheinander* all over the place; **kreuz und ~ durch Irland fahren** travel all over Ireland
'Quere F ⟨~⟩ **j-m in die ~ kommen** *umg* get* in sb's way
'Querschnitt M cross-section (*a. fig*) **'querschnitt(s)gelähmt** ADJ paraplegic **'Querstraße** F side street; **die zweite ~ rechts** the second turning on the right
Querulant(in) [kveru'lant(ɪn)] M ⟨~en; ~en⟩ F ⟨~in; ~innen⟩ complainer
'quetschen V/T & V/R ['kvɛtʃən] squeeze; **ich habe mir den Finger gequetscht** I've squashed my finger
'Quetschung F ⟨~; ~en⟩ bruise
quietschen V/I ['kvi:tʃən] squeal, *von Bremsen, Reifen a.* screech; *von Tür, Bett etc* squeak
quitt ADJ [kvɪt] **mit j-m ~ sein** be* quits *od* even with sb (*a. fig*)
quit'tieren V/T ⟨*kein ge*⟩ *bestätigen* give* a receipt for; **den Dienst ~** resign
'Quittung F ⟨~; ~en⟩ receipt; *fig* consequence
Quizsendung F ['kvɪs-] quiz programme *od US* program
Quote F ['kvo:tə] ⟨~; ~n⟩ quota; *Anteil* share; *Rate* rate; *Einschaltquote* ratings *pl*
'Quotenbringer M ⟨~s; ~⟩ TV ratings booster **'Quotenhit** M TV ratings hit **'Quotenregelung** F quota system
Quotient M [kvotsi'ɛnt] ⟨~en; ~en⟩ quotient

R

R N [ɛr] ⟨~; ~⟩ R
Rabatt M [ra'bat] ⟨~(e)s; ~e⟩ discount
rabiat [rabi'a:t] **A** ADJ *grob* rough **B** ADV *behandeln etc* roughly
Rache F ['raxə] ⟨~⟩ revenge
Rachen M ['raxən] ⟨~s; ~⟩ throat
rächen V/T ['rɛçən] avenge; **sich an j-m für etw ~** take* revenge on sb for sth
Rad N [ra:t] ⟨~(e)s; Räder⟩ wheel; *Fahrrad* bike; **~ fahren** cycle; **ich fahre mit dem ~** I go* by bike; **~ schlagen** *beim Turnen* do* a cartwheel; *Pfau* spread* its tail
Radar N *od* M [ra'da:r] ⟨~s⟩ radar
Ra'darfalle F speed trap **Ra'darkontrolle** F radar speed check **Ra'darschirm** M radar screen
Radau M [ra'dau] ⟨~s⟩ *umg* row, racket
'radeln V/I ⟨s⟩ *umg* cycle
'Radfahrer(in) M(F) cyclist
radieren V/T [ra'di:rən] ⟨*kein ge*⟩ erase, rub out; *in Metall* etch
Ra'diergummi M eraser, *Br a.* rubber
Radieschen N [ra'di:sçən] ⟨~s; ~⟩ radish
radikal [radi'ka:l] **A** ADJ radical **B** ADV radically; **~ vorgehen gegen** take* radical steps against
Radi'kale(r) M/F(M) ⟨~n; ~n⟩ radical
Radika'lismus M ⟨~⟩ radicalism
Radio N ['ra:dio] ⟨~s; ~s⟩ radio; **im ~** on the radio; **~ hören** listen to the radio
radioaktiv ADJ [radio?ak'ti:f] radioactive; **~er Niederschlag** fallout **Radioaktivi'tät** F ⟨~⟩ radioactivity
'Radiorekorder M cassette radio **'Radiowecker** M clock radio
Radius M ['ra:diʊs] ⟨~; Radien⟩ radius
'Radkappe F hubcap
'Radler M ⟨~s; ~⟩ *Getränk* shandy
'Radrennen N cycle racing; *einzelnes Rennen* cycle race **'Radsport** M cycling **'Radtour** F bike ride **'Radweg** M cycle path, *US* bikeway
raffen V/T ['rafən] *Stoff, Gardine etc* gather; *kürzen* cut*; *umg: verstehen* get*; **an sich ~** grab
Raffinerie F [rafinə'ri:] ⟨~; ~n⟩ refinery
raffi'niert **A** ADJ refined (*a. fig: verfeinert*); *schlau* clever **B** ADV *schlau* cleverly
ragen V/I ['ra:gən] tower (**über** over); **aus etw ~** rise* from sth; *horizontal* jut out of sth
Rahm M [ra:m] ⟨~(e)s⟩ cream
rahmen V/T ['ra:mən] frame; *Dia* mount
Rahmen M ['ra:mən] ⟨~s; ~⟩ *von Bild, Tür, Fahrrad etc* frame; *fig* framework; *Bereich* scope; *von Dia* mount; *von Fahrzeug* chassis; *Hintergrund* setting; **einheitlicher institutioneller ~** *der EU* single institutional framework; **im ~ der Festspiele** as part of the festival; **aus dem**

~ **fallen** be* out of the ordinary
'Rahmenbedingungen PL environment, context, conditions *pl*; *eines Vertrags* general conditions *pl* **'Rahmenbeschluss** M POL framework decision **'Rahmenprogramm** N *von Veranstaltung etc* supporting programme *od US* program; *Rahmenplan* framework
Rakete F [ra'ke:tə] ⟨~; ~n⟩ rocket; MIL missile; **ferngelenkte ~** guided missile
Ra'ketenbasis F MIL missile base *od* site
rammen V/T ['ramən] ram (*a. beim Fahren*)
Rampe F ['rampə] ⟨~; ~n⟩ ramp
'Rampenlicht N footlights *pl*; *fig* limelight
Ramsch M [ramʃ] ⟨~(e)s; ~e⟩ junk, trash
Rand M [rant] ⟨~(e)s; Ränder⟩ edge; *von Teller, Tasse, Brille* rim; *von Hut, Glas* brim; *von Blatt Papier, Seite* margin; **am Rand(e) des Ruins/Krieges** on the brink of ruin/war
randalieren V/I [randa'li:rən] ⟨*kein ge*⟩ rampage
Randa'lierer(in) M ⟨~s; ~⟩ (F) ⟨~in; ~innen⟩ hooligan
'Randbemerkung F marginal note; *fig* comment **'Randgruppe** F fringe group **'Randstreifen** M shoulder
Rang M [raŋ] ⟨~(e)s; Ränge⟩ rank (*a.* MIL); *in Wettbewerb* place; THEAT circle, balcony; **Ränge** *pl in Stadion* stands *pl*; **ersten ~es** first-rate
rangieren [rã'ʒi:rən] ⟨*kein ge*⟩ **A** V/T BAHN shunt, *US* switch **B** V/I *fig* rank (**vor** before)
'Rangordnung F hierarchy
ranzig ADJ ['rantsıç] rancid
rar ADJ [ra:r] rare, scarce
Rari'tät F ⟨~; ~en⟩ rarity
rasch [raʃ] **A** ADJ quick; *sofortig* prompt **B** ADV quickly
rasen V/I ['ra:zən] ⟨s⟩ race, speed; ⟨h⟩ *von Sturm, vor Wut* rage; ⟨h⟩ *vor Begeisterung* roar; ~ **gegen** crash into
Rasen M ['ra:zən] ⟨~s; ~⟩ lawn
'rasend ADJ *Tempo* breakneck; *wütend* furious; *Schmerz* agonizing; *Kopfschmerzen* splitting; *Beifall* thunderous; **j-n ~ machen** drive* sb mad
'Rasenmäher M ⟨~s; ~⟩ lawnmower
Raser(in) ['ra:zər(ın)] M ⟨~s; ~⟩ (F) ⟨~in; ~innen⟩ AUTO *umg* speed merchant, *US* speed demon
Rasierapparat M [ra'zi:r-] razor; *elektrischer* shaver **Ra'siercreme** F shaving cream
ra'sieren V/T & V/R ⟨*kein ge*⟩ shave
Ra'sierklinge F razor blade **Ra'sierschaum** M shaving foam **Ra'sierseife** F shaving soap **Ra'sierwasser** N aftershave (lotion) **Ra'sierzeug** N shaving tackle *od* equipment
raspeln V/T ['raspəln] *Äpfel etc* grate
Rasse F ['rasə] ⟨~; ~n⟩ race; *bei Tieren* breed
'Rassen- ZSSGN *Konflikt etc* racial
'Rassendiskriminierung F racial discrimination **'Rassentrennung** F racial segregation **'Rassenunruhen** PL race riots *pl*
Ras'sismus M ⟨~⟩ racism
Ras'sist(in) M ⟨~en; ~en⟩ (F) ⟨~in; ~innen⟩ racist
ras'sistisch ADJ racist
Rast F [rast] ⟨~; ~en⟩ rest; *Pause* break
'rastlos ADJ restless **'Rastplatz** M resting place; *an Straße* lay-by, *US* rest area **'Raststätte** F services *pl*
Ra'sur F ⟨~; ~en⟩ shave
Rat M [ra:t] ⟨~(e)s⟩ advice; *Ratschlag* piece of advice; *Versammlung* council; **Europäischer ~** European Council; **~ der Europäischen Union** Council of the European Union; **~ der Gemeinden und Regionen Europas** Council of European Municipalities and Regions; **~ der Ostseestaaten** Council of the Baltic Sea States; **j-n um ~ fragen** ask sb's advice, ask sb for advice; **j-n zu ~e ziehen** consult sb
Rate F ['ra:tə] ⟨~; ~n⟩ installment; *Geburtenrate, Inflationsrate etc* rate
'raten V/T & V/I ⟨riet, geraten⟩ advise; *erraten* guess; *Rätsel* solve; **j-m ~, etw zu tun** advise sb to do sth; **rate mal!** (have a) guess!
'Ratenkauf M hire purchase, *US* installment plan **'Ratenzahlung** F **etw auf ~ kaufen** buy* sth on hire purchase *od US* on the installment plan
'Ratgeber M ⟨~s; ~⟩ adviser; *Buch* guide (**über** to) **'Ratgeberin** F ⟨~; ~nen⟩ adviser **'Rathaus** N town *od US* city hall

Ratifikation F [ratifikatsi'o:n] ⟨~; ~en⟩ ratification
ratifizieren V/T [ratifi'tsi:rən] ⟨*kein ge*⟩ ratify
Ration F [ratsi'o:n] ⟨~; ~en⟩ ration
ratio'nal A ADJ rational B ADV *handeln etc* rationally
rationalisieren V/T [ratsionali'zi:rən] ⟨*kein ge*⟩ rationalize
Rationali'sierung F ⟨~; ~en⟩ rationalization
ratio'nell A ADJ efficient B ADV *arbeiten etc* efficiently
ratio'nieren V/T ⟨*kein ge*⟩ ration
'ratlos ADJ helpless; **~ sein** be* at a loss
'ratsam ADJ advisable, wise **'Ratschlag** M piece of advice; **ein paar gute Ratschläge** some good advice *sg*
Rätsel N ['rɛ:tsəl] ⟨~s; ~⟩ puzzle; *Rätselfrage* riddle (*beide a. fig*); *Geheimnis* mystery
'rätselhaft ADJ puzzling; *geheimnisvoll* mysterious
'Ratspräsidentschaft F *EU* Presidency (of the Council) **'Ratsvorsitz** M *EU* Presidency (of the Council); **den ~ übernehmen** take* over Presidency (of the Council)
Ratte F ['ratə] ⟨~; ~n⟩ rat (*a. fig pej*)
rau ADJ [rau] rough (*a. fig*); *Klima* harsh; *Stimme* hoarse; *Hände* chapped; *Hals* sore
Raub M [raup] ⟨~(e)s⟩ robbery; *Menschenraub* kidnapping; *Beute* loot, booty
'Raubbau M overexploitation (**an** of); **~ mit s-r Gesundheit treiben** ruin one's health
'rauben V/T steal*; *entführen* kidnap; **j-m etw ~** rob sb of sth (*a. fig*)
Räuber(in) ['rɔybər(ın)] M ⟨~s; ~⟩ (F) ⟨~in; ~innen⟩ robber
'Raubkopie F pirate copy **'Raubmord** M robbery with murder **'Raubmörder(in)** M(F) robber and murderer **'Raubtier** N predator, beast of prey **'Raubüberfall** M robbery; *auf Einzelperson* mugging
Rauch M [raux] ⟨~(e)s⟩ smoke; CHEM fumes *pl*
'rauchen V/I & V/T smoke; CHEM fume; **Rauchen verboten** no smoking
'Raucher M ⟨~s; ~⟩ smoker (*a.* BAHN)
'Räucher- ZSSGN *Aal, Speck* smoked
'Raucherin F ⟨~; ~nen⟩ smoker
'räuchern V/T ['rɔyçərn] smoke
'rauchig ADJ smoky
'Rauchmelder M ⟨~s; ~⟩ smoke detector **'Rauchverbot** N smoking ban
'Raufasertapete F woodchip paper
raufen ['raufən] A V/T **sich die Haare ~** tear* one's hair B V/I fight*
Raufe'rei F ⟨~; ~en⟩ fight
rauh *etc* → rau *etc*
Raum M [raum] ⟨~(e)s; Räume⟩ room; *Platz a.* space; *Gebiet* area; PHYS, *Weltraum* space; **~ der Freiheit, der Sicherheit und des Rechts** *EU* area of freedom, security and justice
'Raumanzug M spacesuit
räumen V/T ['rɔymən] *Wohnung* move out of, vacate; *Hotelzimmer* check out of; *Straße, Saal, Lager etc* clear (**von** of); *bei Gefahr* evacuate (*a.* MIL); **s-e Sachen in ... ~** put* one's things (away) in ...
'Raumfähre F space shuttle
'Raumfahrt F space travel; *Wissenschaft* astronautics *sg*
'Raumfahrt- ZSSGN *Programm, Technik* space **'Raumfahrtzentrum** N space centre *od US* center
'Raumflug M space flight **'Rauminhalt** M volume **'Raumkapsel** F space capsule **'Raumlabor** N space lab
räumlich ADJ ['rɔymlıç] spatial; *dreidimensional* three-dimensional
'Raumschiff N spacecraft; *bemanntes a.* spaceship **'Raumsonde** F space probe **'Raumstation** F space station
'Räumung F ⟨~; ~en⟩ clearing; *bei Gefahr* evacuation (*a.* MIL); *von Wohnung* vacation; JUR eviction
'Räumungsverkauf M clearance sale
raus INT [raus] (get) out!
Rausch M [rauʃ] ⟨~(e)s; Räusche⟩ drunkenness, intoxication; *umg: Drogenrausch* high; *fig* ecstasy; **e-n ~ haben/bekommen** be*/get* drunk
'rauschen V/I *von Wasser* rush; *von Bach* murmur; *von Sturm* roar; ⟨s⟩ *fig: eilen* sweep*
'rauschend ADJ *Applaus* thunderous; **~es Fest** lavish celebration
'Rauschgift N drug, narcotic; KOLL drugs *pl*, narcotics *pl*
'Rauschgiftdezernat N [-detsɛrna:t]

R

⟨~(e)s; ~e⟩ drug squad **'Rauschgifthandel** M drug trafficking **'Rauschgifthändler(in)** M(F) drug dealer, drug trafficker **'rauschgiftsüchtig** ADJ drug-addicted; **~ sein** be* addicted to drugs **'Rauschgiftsüchtige(r)** M/F(M) ⟨~n; ~n⟩ drug addict

räuspern V/R ['rɔyspərn] clear one's throat

'rausschmeißen V/T ⟨irr⟩ *umg* throw* out; *aus Firma* kick out, give* the sack

Razzia F ['ratsia] ⟨~; Razzien⟩ raid

Reagenzglas N [rea'gɛnts-] test tube

reagieren V/I [rea'gi:rən] ⟨*kein ge*⟩ react (**auf** to) (*a.* MED, CHEM)

Reaktion F [reaktsi'o:n] ⟨~; ~en⟩ reaction (**auf** to) (*a.* MED, CHEM)

Reaktor M [re'aktɔr] ⟨~s; Reak'toren⟩ reactor

real ADJ [re'a:l] real; *realistisch* realistic

Re'aleinkommen N real income

reali'sieren V/T ⟨*kein ge*⟩ realize

Rea'lismus M ⟨~⟩ realism

Rea'list(in) M ⟨~en; ~en⟩ (F) ⟨~in; ~innen⟩ realist

rea'listisch **A** ADJ realistic **B** ADV *einschätzen etc* realistically

Reali'tät F ⟨~; ~en⟩ reality

Rebell(in) [re'bɛl(ın)] M ⟨~en; ~en⟩ (F) ⟨~in; ~innen⟩ rebel

rebel'lieren V/I ⟨*kein ge*⟩ rebel (**gegen** against)

re'bellisch ADJ rebellious

Rechen M ['rɛçən] ⟨~s; ~⟩ rake

'Rechenanlage F computer **'Rechenaufgabe** F sum; **~n lösen** do* sums **'Rechenfehler** M miscalculation **'Rechenmaschine** F calculator

Rechenschaft F ['rɛçənʃaft] ⟨~⟩ **(j-m) ~ über etw ablegen** account (to sb) for sth; **j-n zur ~ ziehen** call sb to account (**für** for)

'Rechenschaftsbericht M report, statement

'Rechenzentrum N computer centre *od US* center

recherchieren V/I [reʃɛr'ʃi:rən] ⟨*kein ge*⟩ **für ein Projekt ~** research a project

rechnen ['rɛçnən] **A** V/I calculate; *in der Schule* do* sums; **~ mit** expect; *bauen auf* count on; **mit uns kannst du nicht ~!** count us out! **B** V/T *Aufgabe* work out, do*; *zählen* count (**zu** among) **C** V/R be* profitable

'Rechnen N ⟨~s⟩ arithmetic

'Rechner M ⟨~s; ~⟩ *Gerät* calculator; *Computer* computer

'rechnergesteuert ADJ computer-controlled

'rechnerisch ADJ arithmetical

'Rechnung F ⟨~; ~en⟩ calculation; *Aufgabe* sum, problem; *von Firma etc* invoice, bill; *im Lokal* bill, *US a.* check; **die ~, bitte!** can I have the bill, please?; **das geht auf meine ~** that's on me

'Rechnungsbetrag M invoice total **'Rechnungshof** M National Audit Office, *US* General Accounting Office; **Europäischer ~** European Court of Auditors **'Rechnungsjahr** N financial *od* fiscal year **'Rechnungslegungsgrundsätze** PL accounting standards *pl*

recht [rɛçt] **A** ADJ **ist es dir ~?** do you mind? **B** ADV *ziemlich* quite, rather; *richtig* right(ly); **ich weiß nicht ~** I don't really know; **es geschieht dir ~** it serves you right; **erst ~** all the more; **erst ~ nicht** even less; **du kommst gerade ~** you're just in time (**zu** for) **C** **j-m ~ geben** agree with sb; **~ haben** be* right

Recht N ⟨~(e)s; ~e⟩ right (**auf** to); *Gesetz* law; *Gerechtigkeit* justice; **gleiches ~** equal rights *pl*; **im ~ sein** be* in the right; **er hat es mit (vollem) ~ getan** he was (perfectly) right to do so; **ein ~ auf etw haben** be* entitled to sth

'Rechte(r) M/F(M) ⟨~n; ~n⟩ POL right-winger, rightist

rechte(r, -s) ['rɛctə] ADJ *Hand, Winkel etc* right; *richtig, passend: Ort, Zeitpunkt* right, proper; POL right-wing; **auf der ~n Seite** on the right(-hand side); **am ~n Ort** in the right place

'Rechteck N ⟨~(e)s; ~e⟩ rectangle

'rechteckig ADJ rectangular **'rechtfertigen** V/T & V/R justify (**vor** to) **'Rechtfertigung** F ⟨~; ~en⟩ justification **'rechthaberisch** ADJ **sie ist so ~** she thinks she knows it all

'rechtlich **A** ADJ legal **B** ADV *zulässig etc* legally

'rechtmäßig ADJ *berechtigt* lawful, legitimate; *gesetzmäßig* legal

'Rechtmäßigkeit F ⟨~⟩ lawfulness, legitimacy; *Gesetzmäßigkeit* legality

rechts ADV [rɛçts] on the right (*a.* POL); *abbiegen, schauen* right; **nach ~** (to the) right; **~ von** to the right of; **von ~** from the right
'Rechts- ZSSGN POL right-wing
'Rechtsabbieger(in) M ⟨~s; ~⟩ (F) ⟨~in; ~innen⟩ motorist *etc* turning right
'Rechtsakt M legal act **'Rechtsanspruch** M legal claim (**auf** to)
'Rechtsanwalt M, **'Rechtsanwältin** F lawyer **'Rechtsberater(in)** M(F) legal adviser
'rechtschaffen **A** ADJ honest; *gesetzestreu* law-abiding **B** ADV *handeln* honestly
'Rechtschreibfehler M spelling mistake **'Rechtschreibprogramm** N IT spellchecker **'Rechtschreibreform** F spelling reform **'Rechtschreibung** F spelling
'Rechtsextremismus M POL right-wing extremism **'Rechtsextremist(in)** M(F) right-wing extremist
'rechtsextremistisch ADJ extreme right-wing *attr*
'Rechtsfall M (law) case **'Rechtsgrundlage** F legal basis **'Rechtshänder(in)** ['rɛçtshɛndər(ɪn)] M ⟨~s; ~⟩ (F) ⟨~in; ~innen⟩ right-hander; **er ist Rechtshänder** he is right-handed
'Rechtsinstrument N legal instrument **'Rechtspersönlichkeit** F legal personality; **~ der Union** legal personality of the Union
'Rechtsprechung F ⟨~; ~en⟩ jurisdiction
'rechtsradikal ADJ extreme right-wing *attr* **'Rechtsradikale(r)** M/F(M) ⟨~n; ~n⟩ right-wing extremist **'Rechtsrahmen** M regulatory framework
'Rechtsschutz M legal protection; *Versicherung* legal costs insurance
'Rechtsschutzversicherung F legal costs insurance **'Rechtsstaat** M constitutional state, state governed by the rule of law **'Rechtsstaatlichkeit** F ⟨~⟩ rule of law **'Rechtssteuerung** F AUTO right-hand drive
'Rechtsstreit M lawsuit, action
'Rechtsverkehr M **in Deutschland ist ~** in Germany they drive on the right
'Rechtsvorschriften PL legislation
'Rechtsweg M legal process, course of law; **auf dem ~** by taking legal action; **den ~ beschreiten** take* legal action; **der ~ ist ausgeschlossen** the judges' decision is final **'rechtswidrig** **A** ADJ illegal, unlawful **B** ADV *handeln etc* illegally
rechtwinklig ADJ ['rɛçtvɪŋklɪç] right-angled
'rechtzeitig **A** ADJ punctual **B** ADV *pünktlich* on time; *zu bestimmtem Ereignis* in time (**zu** for)
re'cycelbar ADJ recyclable
recyceln V/T [ri'saikəln] ⟨*kein ge*⟩ recycle
Recycling N [ri'saiklɪŋ] ⟨~s⟩ recycling
Re'cyclingpapier N recycled paper
Redakteur(in) [redak'tøːr(ɪn)] M ⟨~s; ~e⟩ (F) ⟨~in; ~innen⟩ editor
Redakti'on F ⟨~; ~en⟩ *Tätigkeit* editing; *Personen* editorial staff *sg od pl*, editors *pl*; *Büro* editorial office
redaktio'nell ADJ editorial
Rede F ['reːdə] ⟨~; ~n⟩ speech; *Gerede* talk (**von** of); **e-e ~ halten** make* a speech; **j-n zur ~ stellen** take* sb to task; **es ist nicht der ~ wert** it's not worth mentioning
'redegewandt ADJ eloquent
'reden **A** V/I talk, speak* (**mit** to; **über** about); **ich möchte mit dir ~** I'd like to talk to you; **die Leute ~** people talk; **j-n zum Reden bringen** get* sb to talk; **er kann gut ~** he's a good speaker **B** V/T say*; *Unsinn* talk
Redner(in) ['reːdnər(ɪn)] M ⟨~s; ~⟩ (F) ⟨~in; ~innen⟩ speaker
'Rednerpult N lectern
reduzieren V/T [redu'tsiːrən] ⟨*kein ge*⟩ reduce (**auf** to)
Reeder(in) ['reːdər(ɪn)] M ⟨~s; ~⟩ (F) ⟨~in; ~innen⟩ shipowner
Reede'rei F ⟨~; ~en⟩ shipping company
reell ADJ [re'ɛl] *Preis* reasonable, fair; *Chance* real; *Firma* reputable
Referat N [refe'raːt] ⟨~(e)s; ~e⟩ paper; *Bericht* report; **ein ~ halten** read* *od* give* a paper
Refe'rent(in) [refe'rɛnt(ɪn)] M ⟨~en; ~en⟩ (F) ⟨~in; ~innen⟩ *Redner* speaker
Refe'renz F ⟨~; ~en⟩ reference
Refe'renzwert M reference value
refe'rieren V/I ⟨*kein ge*⟩ read* *od* give* a paper; *berichten* report (*beide* **über** on)

reflektieren [reflɛk'tiːrən] ⟨*kein ge*⟩ **A** V/T reflect on; PHYS reflect **B** V/I reflect (**über** on)
Reflex M [re'flɛks] ⟨~es; ~e⟩ *Reaktion* reflex (*a. zssgn*)
Reform F [re'fɔrm] ⟨~; ~en⟩ reform
Re'former(in) M ⟨~s; ~⟩ (F) ⟨~in; ~innen⟩ reformer
Re'formhaus N health food shop *od US* store
refor'mieren V/T ⟨*kein ge*⟩ reform
Re'formkost F health food(s *pl*) **Re'formpolitik** F reformist policy
Regal N [re'gaːl] ⟨~s; ~e⟩ shelves *pl*; **etw ins ~ stellen** put* sth on the shelf
rege ADJ ['reːgə] lively; *Verkehr* busy; *geistig, körperlich* active
Regel F ['reːgəl] ⟨~; ~n⟩ rule; *Monatsblutung* period; **in der ~** as a rule
'regelmäßig **A** ADJ regular (*a.* GRAM) **B** ADV *sich treffen etc* regularly; *immer* always
'regeln V/T regulate; *Temperatur etc a.* adjust; *Verkehr* control; *Angelegenheit* settle
'Regelung F ⟨~; ~en⟩ regulation; *von Temperatur, Lautstärke etc a.* adjustment; *von Verkehr* control; *von Angelegenheit* settlement
'regelwidrig ADJ **~ sein** be* against the regulations; SPORT be* unfair; **~es Spiel** foul play
regen V/T & V/R ['reːgən] move, stir
Regen M ['reːgən] ⟨~s; ~⟩ rain; **starker ~** heavy rain(fall)
'Regenbogen M rainbow **'Regenguss** M downpour **'Regenmantel** M raincoat **'Regenschauer** M shower **'Regenschirm** M umbrella **'Regentag** M rainy day **'Regentropfen** M raindrop **'Regenwald** M rainforest **'Regenwetter** N rainy weather **'Regenzeit** F rainy season
Regie F [re'ʒiː] ⟨~⟩ THEAT, *Film* direction; **unter der ~ von** directed by; **~ führen** direct
regieren [re'giːrən] ⟨*kein ge*⟩ **A** V/I rule; *von Monarch a.* reign **B** V/T rule, govern
Re'gierung F ⟨~; ~en⟩ government, *a.* administration; *von Monarch* reign; **an der ~ sein** be* in government *od* office; **an die ~ kommen** come* into power *od* office
Re'gierungsbezirk M administrative district **Re'gierungschef(in)** M(F) head of government **Re'gierungskonferenz** F *EU* intergovernmental conference **Re'gierungswechsel** M change of government **Re'gierungszusammenarbeit** F *EU* intergovernmental cooperation
Regime N [re'ʒiːm] ⟨~s; ~ [-mə]⟩ regime
Re'gimekritiker(in) M(F) dissident
Region F [regi'oːn] ⟨~; ~en⟩ region
regional ADJ [regio'naːl] regional
Regisseur(in) [reʒɪ'søːr(ɪn)] M ⟨~s; ~e⟩ (F) ⟨~in; ~innen⟩ director
Register N [re'gɪstər] ⟨~s; ~⟩ register (*a.* MUS); *in Büchern* index
registrieren V/T [regɪs'triːrən] ⟨*kein ge*⟩ register; *bemerken* notice
Regis'trierkasse F cash register
'Regler M ⟨~s; ~⟩ control
regnen V/I ['reːgnən] rain; **es regnet** it's raining; **es regnet in Strömen** it's pouring (with rain)
'regnerisch ADJ rainy
Regress M [re'grɛs] ⟨~es; ~e⟩ WIRTSCH, JUR recourse
Re'gressanspruch M right to compensation **re'gresspflichtig** ADJ liable to recourse, liable for compensation
regulär ADJ [regu'lɛːr] regular; *üblich* normal
regu'lierbar ADJ adjustable; *steuerbar* controllable
regulieren V/T [regu'liːrən] ⟨*kein ge*⟩ regulate, adjust; *steuern* control
Regu'lierungsbehörde F regulatory body, regulatory authority
'Regung F ⟨~; ~en⟩ movement; *Gefühlsregung* emotion; *Eingebung* impulse
'regungslos ADJ & ADV motionless
rehabili'tieren V/T ⟨*kein ge*⟩ rehabilitate
Reibe F ['raibə] ⟨~; ~n⟩ grater
'reiben V/I & V/T ⟨rieb, gerieben⟩ rub; *zerkleinern* grate; **sich die Augen/Hände ~** rub one's eyes/hands
'Reibung F ⟨~; ~en⟩ PHYS, TECH friction
'reibungslos **A** ADJ frictionless; *fig* smooth **B** ADV *fig: verlaufen* smoothly
reich [raiç] **A** ADJ rich (**an** in), wealthy; *Ernte, Vorräte* abundant **B** ADV *verziert, ausgestattet etc* richly

R

Reich N [raiç] ⟨~(e)s; ~e⟩ empire; *eines Königs* kingdom; *fig* realm, world
'Reiche(r) M/F(M) ⟨~n; ~n⟩ rich man; *Frau* rich woman; **die ~n** the rich *pl*
reichen ['raiçən] **A** V/T **j-m etw ~** hand *od* pass sb sth; **sie reichte mir die Hand** she held out her hand to me, she gave me her hand **B** V/I *ausreichen* be* enough; **~ bis** reach to, come* up to; **~ nach** reach (out) for; **das reicht** that'll do; **mir reicht's!** I've had enough!
'reichhaltig ADJ *Essen* rich
'reichlich **A** ADJ *Trinkgeld* generous; *Essen* ample; **~ Zeit/Geld** plenty of time/ money **B** ADV *ziemlich* rather; *großzügig* generously
'Reichtum M ⟨~s; Reichtümer⟩ wealth (**an** of) (*a. fig*)
'Reichweite F reach; *von Flugzeug, Geschütz, Sender* range; **außer/in (j-s) ~** out of/within (sb's) reach
reif ADJ [raif] ripe; *Mensch* mature
'Reife F ⟨~⟩ ripeness; *fig* maturity
'reifen V/I ⟨s⟩ ripen; *fig* mature
'Reifen M ⟨~s; ~⟩ hoop; *von Fahrzeug* tyre, *US* tire
'Reifendruck M tyre *od US* tire pressure **'Reifenpanne** F puncture, *bes US umg* flat **'Reifenwechsel** M tyre *od US* tire change
'reiflich **A** ADJ careful **B** ADV *überlegen* carefully
Reihe F ['raiə] ⟨~; ~n⟩ row (*a. Sitzreihe*), line; *Anzahl* number; *Serie* series; **ich bin an der ~** it's my turn; **immer der ~ nach!** *reden etc* one at a time; *etw machen* one thing at a time
'Reihenfolge F order **'Reihenhaus** N terraced house, *US* row house **'reihenweise** ADV in rows; *fig umg* by the dozen
rein [rain] **A** ADJ pure (*a. fig*); *sauber* clean; *Gewissen* clear; *Wahrheit* plain; *nichts als* pure, sheer **B** ADV **~ zufällig** purely by chance; **~ gar nichts** absolutely nothing
'Reinfall M *umg* flop; *Enttäuschung* letdown
'Reingewinn M net profit
'Reinheit F ⟨~⟩ purity (*a. fig*); *Sauberkeit* cleanness
'reinigen V/T clean; MED cleanse; *chemisch* dry-clean; *fig* purify
'Reinigung F ⟨~; ~en⟩ cleaning; MED cleansing; *fig* purification; *Geschäft* (dry) cleaner's *sg*; **(chemische) ~** *Vorgang* dry-cleaning
'Reinigungsmittel N cleaner
'reinlegen V/T *täuschen* con
'Reinschrift F fair copy
'reinziehen V/T ⟨*irr*⟩ *sl* **sich etw ~** *Film, CD etc* take* sth in
Reis M [rais] ⟨~es⟩ rice
Reise F ['raizə] ⟨~; ~n⟩ *allg* trip; *längere* journey; SCHIFF voyage; *Rundreise* tour; **auf ~n sein** be* travelling *od US* traveling; **e-e ~ machen** go* on a trip; **gute ~!** have a good trip!
'Reiseandenken N souvenir **'Reiseapotheke** F first-aid kit **'Reisebekanntschaft** F acquaintance made while travelling *od US* traveling; **er ist eine ~** I met him while travelling *od US* traveling **'Reisebüro** N travel agent's **'reisefertig** ADJ ready to start **'Reiseführer** M *Buch* guide(book) **'Reisegepäck** N → Gepäck **'Reisegepäckversicherung** F baggage insurance **'Reisegesellschaft** F party of tourists; *Veranstalter* tour operator **'Reisegruppe** F party of tourists **'Reisekosten** PL travel expenses *pl* **'Reisekrankheit** F travel sickness **'Reiseleiter(in)** M(F) tour guide, courier **'Reiselektüre** F reading matter (for a trip); **etw als ~ mitnehmen** take* sth to read on the trip
'reisen V/I ⟨s⟩ travel; **durch Italien ~** tour Italy; **ins Ausland ~** go* abroad
'Reisende(r) M/F(M) ⟨~n; ~n⟩ traveller, *US* traveler; *Tourist* tourist; *Fahrgast* passenger
'Reisepass M passport **'Reiseprospekt** M travel brochure **Reise'rücktrittskostenver'sicherung** F travel cancellation insurance **'Reiseruf** M RADIO emergency message **'Reisescheck** M traveller's cheque, *US* traveler's check **'Reisespesen** PL travel expenses *pl* **'Reisetasche** F travel bag **'Reisethrombose** F MED deep vein thrombosis (*abk* **DVT**), *umg* economy class syndrome **'Reiseunterlagen** PL travel documents *pl* **'Reiseverkehr** M holiday *od US* vacation traffic **'Reisewecker** M travelling *od US* trav-

eling alarm clock **'Reisewetterbericht** M holiday *od US* vacation weather report **'Reiseziel** N destination
'Reißbrett N drawing board
reißen ['raisən] ⟨riss, gerissen⟩ **A** VT *zerreißen* tear*, rip; *zerren* pull; *töten* kill; *Latte* knock down; *umg*: *Witze* crack; **etw in Stücke ~** tear* sth to pieces; **etw aus dem Zusammenhang ~** take* sth out of context; **an sich ~** seize, grab; **sich um etw ~** fight for sth **B** VI ⟨s⟩ *zerreißen* tear*, rip; *von Kette etc* break*; ⟨h⟩ *beim Gewichtheben* snatch; **an etw ~** pull at sth
'reißend ADJ *Bach, Fluss* torrential; **~en Absatz finden** sell* like hot cakes
'Reißnagel M → Reißzwecke **'Reißverschluss** M zip, *US* zipper; **den ~ an etw schließen/öffnen** zip up/unzip sth **'Reißzwecke** F [-tsvɛkə] ⟨~; ~n⟩ drawing pin, *US* thumbtack
reiten VI ['raitən] ⟨s⟩ & VT ⟨ritt, geritten⟩ ride*
'Reiten N ⟨~s⟩ riding
'Reiter(in) M ⟨~s; ~⟩ (F) ⟨~in; ~innen⟩ rider
'Reitpferd N saddle *od* riding horse
Reiz M [raits] ⟨~es; ~e⟩ appeal, attraction; *Kitzel* thrill; MED, PSYCH stimulus; **es hat (für ihn) den ~ verloren** it's lost its appeal (for him)
'reizbar ADJ irritable
'reizen **A** VT irritate (*a.* MED); *ärgern a.* annoy; *Tier* torment; *herausfordern* provoke; *anziehen* appeal to, attract; *verlocken* tempt **B** VI *beim Kartenspiel* bid*
'reizend ADJ charming; *hübsch* lovely
'Reizklima N bracing climate **'reizlos** ADJ unattractive **'Reizthema** N emotive issue **'Reizüberflutung** F ⟨~⟩ overstimulation **'reizvoll** ADJ attractive
Reklamation F [reklamatsi'o:n] ⟨~; ~en⟩ complaint
Reklame F [re'kla:mə] ⟨~; ~n⟩ advertising; *Anzeige* advertisement, *umg* ad; **~ machen für** advertise, promote
rekla'mieren VI ⟨*kein ge*⟩ complain (**wegen** about)
Rekord M [re'kɔrt] ⟨~(e)s; ~e⟩ record; **e-n ~ aufstellen** set* a record
Rekorder M [re'kɔrdər] ⟨~s; ~⟩ recorder
rekrutieren VT [rekru'ti:rən] ⟨*kein ge*⟩ recruit

relativ [rela'ti:f] **A** ADJ relative **B** ADV *heiß, klein etc* relatively
Religion F [religi'o:n] ⟨~; ~en⟩ religion; *Schulfach* religious instruction *od* education
religiös ADJ [religi'ø:s] religious
Reling F ['re:lɪŋ] ⟨~; ~s *od* ~e⟩ rail
rempeln VT ['rɛmpəln] *umg* jostle
Rendezvous N [rãdə'vu:] ⟨~; ~⟩ rendezvous
Rendite F [rɛn'di:tə] ⟨~; ~n⟩ WIRTSCH yield
rennen VI & VT ['rɛnən] ⟨rannte, gerannt, s⟩ run* (**gegen** into); **um die Wette ~** have* a race
'Rennen N ⟨~s; ~⟩ race (*a. fig*)
'Rennfahrer(in) M(F) AUTO racing driver; *Radrennfahrer* racing cyclist **'Rennpferd** N racehorse **'Rennrad** N racing bike **'Rennsport** M racing **'Rennwagen** M racing car
renommiert ADJ [renɔ'mi:rt] renowned
renovieren VT [reno'vi:rən] ⟨*kein ge*⟩ renovate; *Innenraum* redecorate
rentabel ADJ [rɛn'ta:bəl] ⟨-bl-⟩ profitable
Rentabilität F [rɛntabili'tɛ:t] ⟨~⟩ profitability
Rente F ['rɛntə] ⟨~; ~n⟩ pension; **in ~ gehen** retire
'Rentenalter N retirement age **'Rentenversicherung** F pension scheme
rentieren VR [rɛn'ti:rən] ⟨*kein ge*⟩ be* worthwhile; *Unternehmen etc* be* profitable; **das rentiert sich nicht** it's not worth it
'Rentner(in) ['rɛntnər(ɪn)] M ⟨~s; ~⟩ (F) ⟨~in; ~innen⟩ pensioner
Repara'tur F ⟨~; ~en⟩ repair
Repara'turwerkstatt F repair shop; AUTO garage
repa'rieren VT ⟨*kein ge*⟩ repair, mend
Reportage F [repɔr'ta:ʒə] ⟨~; ~n⟩ report
Re'porter(in) M ⟨~s; ~⟩ (F) ⟨~in; ~innen⟩ reporter
Repräsentant(in) [reprɛzɛn'tant(ɪn)] M ⟨~en; ~en⟩ (F) ⟨~in; ~innen⟩ representative
Repräsen'tantenhaus N *US* PARL House of Representatives
repräsentativ ADJ [reprɛzɛnta'ti:f] representative (**für** of); *imposant* impressive

repräsen'tieren V/T ⟨*kein ge*⟩ represent

Repressalie F [reprɛ'sa:liə] ⟨~; ~n⟩ reprisal

reprivatisieren V/T [reprivati'zi:rən] ⟨*kein ge*⟩ WIRTSCH denationalize, reprivatize

Reprivati'sierung F ⟨~; ~en⟩ denationalization, reprivatization

Reproduktion F [reprodʊktsi'o:n] reproduction

reprodu'zieren V/T ⟨*kein ge*⟩ reproduce

Republik F [repu'bli:k] ⟨~; ~en⟩ republic

Republi'kaner(in) M ⟨~s; ~⟩ (F) ⟨~in; ~innen⟩ republican

republi'kanisch ADJ republican

Reser'vat N ⟨~(e)s; ~e⟩ *Wildreservat* reserve; *Indianerreservat* reservation

Reserve F [re'zɛrvə] ⟨~; ~n⟩ reserve (*a.* MIL)

Re'serve- ZSSGN *Kanister, Rad etc* spare

reser'vieren V/T ⟨*kein ge*⟩ reserve; **etw ~ lassen** reserve sth; **j-m e-n Platz ~** keep* *od* save a seat for sb

reser'viert ADJ reserved (*a. fig*)

Reser'vierung F ⟨~; ~en⟩ reservation

Resignati'on F ⟨~; ~en⟩ resignation

resignieren V/I [rezɪ'gni:rən] ⟨*kein ge*⟩ give* up

resi'gniert ADJ resigned

resolut ADJ [rezo'lu:t] decisive

Resolution F [rezolutsi'o:n] ⟨~; ~en⟩ POL *Beschluss* resolution; *Bittschrift* petition

resozialisieren V/T [rezotsiali'zi:rən] ⟨*kein ge*⟩ rehabilitate

Resoziali'sierung F ⟨~; ~en⟩ rehabilitation

Respekt M [re'spɛkt] ⟨~(e)s⟩ respect (**vor** for)

respek'tieren V/T ⟨*kein ge*⟩ respect

res'pektlos ADJ disrespectful

res'pektvoll ADJ respectful

Ressort N [rɛ'so:r] ⟨~s; ~s⟩ department

Ressource F [rɛ'sʊrsə] ⟨~; ~n⟩ resource; **erneuerbare ~n** renewable resources

Rest M [rɛst] ⟨~(e)s; ~e⟩ rest; *Stoffrest* remnant; MATH remainder; **~e** *pl Überreste* remains *pl*, remnants *pl*; *Essen* leftovers *pl*; **das gab ihm den ~** that finished him off

Restaurant N [rɛsto'rã:] ⟨~s; ~s⟩ restaurant

restaurieren V/T [rɛstau'ri;rən] ⟨*kein ge*⟩ restore

'Restbestand M WIRTSCH remaining stock **'Restbetrag** M balance

'restlich ADJ remaining

'restlos ADV completely

'Restmüll M non-recyclable waste **'Resturlaub** M unused holiday *od US* vacation

Resultat N [rezʊl'ta:t] ⟨~(e)s; ~e⟩ result (*a.* SPORT, MATH), outcome

retten V/T ['rɛtən] save, rescue (**aus, vor** from)

'Retter(in) M ⟨~s; ~⟩ (F) ⟨~in; ~innen⟩ rescuer

'Rettung F ⟨~; ~en⟩ rescue (**aus, vor** from); **das war s-e ~** that saved him

'Rettungsboot N lifeboat **'Rettungsmannschaft** F rescue party **'Rettungsring** M life belt, life buoy **'Rettungsschwimmer(in)** M(F) lifeguard

Reue F ['rɔyə] ⟨~⟩ remorse, repentance (**über** for)

reumütig ADJ ['rɔymy:tɪç] repentant, remorseful

Revanche F [re'vã:ʃ(ə)] ⟨~; ~n⟩ revenge; **j-m ~ geben** SPORT give* sb a return game

revan'chieren V/R ⟨*kein ge*⟩ *sich rächen* have* one's revenge (**bei, an** on); **ich werde mich (bei dir) ~** *für Hilfe etc* I'll return the favour *od US* favor

revidieren V/T [revi'di:rən] ⟨*kein ge*⟩ revise; WIRTSCH audit

Revier N [re'vi:r] ⟨~s; ~e⟩ *allg* district; *Polizeidienststelle* station; *von Tier*, *fig* territory

Revision F [revizi'o:n] WIRTSCH audit; JUR appeal; *Änderung* revision

Revolte F [re'vɔltə] ⟨~; ~n⟩ revolt

Revolution F [revolutsi'o:n] ⟨~; ~en⟩ revolution

revolutio'när ADJ [revolutsio'nɛ:r] revolutionary

Revolutio'när(in) M ⟨~s; ~e⟩ (F) ⟨~in; ~innen⟩ revolutionary

revolutionieren V/T [revolutsio'ni:rən] ⟨*kein ge*⟩ revolutionize

Revolver M [re'vɔlvər] ⟨~s; ~⟩ revolver,

gun
Rezept N [re'tsɛpt] ⟨(e)s; ~e⟩ MED prescription; *Kochrezept* recipe (*a. fig: Mittel*)
re'zeptfrei ADJ **~es Medikament** over-the-counter medicine
Rezeption F [retsɛptsi'o:n] ⟨~; ~en⟩ *in Hotel* reception
re'zeptpflichtig ADJ **~es Medikament** prescription-only medicine
Rezession F [retsɛsi'o:n] ⟨~; ~en⟩ recession
R-Gespräch N ['ɛr-] TEL reverse-charge *od US* collect call
Rhein M [rain] ⟨~s⟩ **der ~** the Rhine
'Rheinland-'Pfalz N ⟨von ~⟩ Rhineland-Palatinate
rhetorisch ADJ [re'to:rɪʃ] rhetorical
Rheuma N ['rɔyma] ⟨~s⟩ rheumatism
rhythmisch ['rʏtmɪʃ] **A** ADJ rhythmic **B** ADV *sich bewegen etc* rhythmically
'Rhythmus M ⟨~; Rhythmen⟩ rhythm
richten V/T ['rɪçtən] *reparieren* fix; *(vor)bereiten* get* ready, prepare; *Haar* do*, fix; **~ an** *Brief, Anfrage* address to; *Frage* put* to; **~ auf** direct *od* turn to; *Waffe, Kamera* point at; **sich an j-n ~** turn to sb; **sich ~ nach** *Vorschriften* keep* to; *Mode, Beispiel* follow; *abhängen von* depend on; **ich richte mich ganz nach dir** I leave it to you
'Richter(in) M ⟨~s; ~⟩ (F) ⟨~in; ~innen⟩ judge
'richterlich ADJ judicial
'Richtgeschwindigkeit F recommended speed
richtig ['rɪçtɪç] **A** ADJ *allg* right; *korrekt a.* correct; *echt, wirklich, typisch* real **B** ADV *machen* right, correctly; *nett, böse* really; **meine Uhr geht ~** my watch is right
'Richtigkeit F ⟨~⟩ correctness
'richtigstellen V/T correct
'Richtlinien PL guidelines *pl; der EU* directives *pl* **'Richtpreis** M recommended price **'Richtschnur** F ⟨~; ~en⟩ *fig* guiding principle
'Richtung F ⟨~; ~en⟩ direction; POL tendency; *Kunstrichtung* style; **in nördlicher ~** north; **in ~ München** towards Munich
riechen V/I & V/T ['ri:çən] ⟨roch, gerochen⟩ smell* (**nach** of); **~ an** smell; **j-n nicht ~ können** *umg* not be* able to stand sb
Riegel M ['ri:gəl] ⟨~s; ~⟩ bolt; *Schokoriegel* bar; **ein ~ Schokolade** a whole row of a bar of chocolate
Riemen M ['ri:mən] ⟨~s; ~⟩ strap; *Gürtel*, TECH belt; SCHIFF oar
Riese M ['ri:zə] ⟨~n; ~n⟩ giant (*a. fig*)
rieseln V/I ['ri:zəln] ⟨s⟩ *von Wasser, Sand* trickle; *von Regen* drizzle; *von Schnee* fall* gently
'Riesener'folg M huge success; *Film, Theaterstück a.* smash hit **'riesen'groß** ADJ huge, enormous **'Riesenrad** N Ferris wheel, *Br a.* big wheel
'riesig **A** ADJ huge, enormous **B** ADV *umg: sehr* incredibly
Riff N [rɪf] ⟨~(e)s; ~e⟩ reef
Rille F ['rɪlə] ⟨~; ~n⟩ groove
Rind N [rɪnt] ⟨~(e)s; ~er⟩ cow; *Fleisch* beef; **~er** *pl* cattle *pl*
Rinde F ['rɪndə] ⟨~; ~n⟩ *Baumrinde* bark; *Käserinde* rind; *Brotrinde* crust
'Rinderbraten M roast beef; *roher* joint of beef **'Rinderwahn(sinn)** M mad cow disease
'Rindfleisch N beef
'Rind(s)leder N cowhide
Ring M [rɪŋ] ⟨~(e)s; ~e⟩ ring (*a. fig*); *Straße* ring road; *in U-Bahn* circle line
'Ringbuch N ring binder
'ringen ⟨rang, gerungen⟩ **A** V/I wrestle (**mit** with) (*a. fig*); **~ um** struggle for; **nach Atem ~** gasp for breath **B** V/T **die Hände ~** wring* one's hands
'Ringfinger M ring finger **'ringförmig** ADJ circular
rings ADV [rɪŋs] **~ um** all around
'ringshe'rum ADV all around
'Ringstraße F ring road, *US* beltway
Rinne F ['rɪnə] ⟨~; ~n⟩ channel; *Dachrinne* gutter
'rinnen V/I ⟨rann, geronnen, s⟩ run* (*a. von Schweiß*); *strömen* flow, stream
Rinnsal N ['rɪnza:l] ⟨~(e)s; ~e⟩ rivulet; *von Blut etc* trickle **'Rinnstein** M gutter
Rippe F ['rɪpə] ⟨~; ~n⟩ rib
Risiko N ['ri:ziko] ⟨~s; Risiken⟩ risk; **ein ~ eingehen** take* a risk; **kein ~ eingehen** take* no risks; **auf eigenes ~** at one's own risk
'Risikoanalyse F risk analysis **'Risikobewertung** F **wissenschaftliche ~** scientific risk assessment **'Risiko-**

management N risk management
riskant ADJ [rɪsˈkant] risky
ris'kieren V/T ⟨kein ge⟩ risk
Riss M [rɪs] ⟨~es; ~e⟩ *in Papier, Stoff* tear, rip; *Sprung* crack; *in der Haut* chap; *fig* rift
'rissig ADJ cracked; *Haut, Hände etc* chapped
Ritt M [rɪt] ⟨~(e)s; ~e⟩ ride
Ritter M [ˈrɪtər] ⟨~s; ~⟩ knight; **zum ~ schlagen** knight
'ritterlich ADJ *fig* chivalrous
Rivale M [riˈvaːlə] ⟨~n; ~n⟩, **Ri'valin** F ⟨~; nen⟩ rival
rivali'sieren V/I ⟨kein ge⟩ compete
Rivali'tät F ⟨~; ~en⟩ rivalry
Roaming N [ˈroːmɪŋ] ⟨~s⟩ TEL roaming
Roboter M [ˈrɔbɔtər] ⟨~s; ~⟩ robot
robust ADJ [roˈbʊst] robust
Rock[1] M [rɔk] ⟨~(e)s; Röcke⟩ *Kleidungsstück* skirt
Rock[2] M ⟨~s⟩ MUS rock
roden V/T [ˈroːdən] clear
Roggen M [ˈrɔgən] ⟨~s⟩ rye
roh [roː] **A** ADJ *ungekocht* raw; *unbearbeitet, brutal* rough; **mit ~er Gewalt** with brute force **B** ADV *behandeln* roughly; *essen* raw
'Rohbau M ⟨~(e)s; ~ten⟩ shell **'Rohkost** F raw vegetables and fruit *pl* **'Rohling** M ⟨~s; ~e⟩ TECH blank **'Rohmaterial** N raw material **'Rohöl** N crude oil
Rohr N [roːr] ⟨~(e)s; ~e⟩ pipe; *Schilf* reed; *Bambus* cane
Röhre F [ˈrøːrə] ⟨~; ~n⟩ tube; *Leitungsröhre* pipe; ELEK valve, *US* tube
'Rohrleitung F pipe; *Fernleitung* pipeline; **~en** *pl Leitungssystem im Haus* plumbing **'Rohrzucker** M cane sugar
'Rohstoff M raw material **'rohstoffarm** ADJ lacking in raw materials **'rohstoffreich** ADJ rich in raw materials
'Rollbahn F taxiway
Rolle F [ˈrɔlə] ⟨~; ~n⟩ roll (*a. beim Turnen*); TECH roller; *Taurolle, Drahtrolle* coil; *unter Möbeln* caster; *in Film, Theaterstück* part, role (*beide a. fig*); **e-e ~ Garn** a reel *od* spool of thread; **das spielt keine ~** that doesn't matter, that makes no difference; **aus der ~ fallen** forget* o.s.
'rollen V/I ⟨s⟩ & V/T roll; *von Flugzeug* taxi
'Roller M ⟨~s; ~⟩ scooter
'Rollkragen M polo neck, *US* turtleneck (*a. zssgn*) **'Rollkragenpullover** M polo-neck sweater, *US* turtleneck (sweater) **'Rollladen** M shutters *pl*
'Rollo N ⟨~s; ~s⟩ blind, *US a.* shade
'Rollschuh M roller skate; **~ laufen** roller-skate **'Rollstuhl** M wheelchair **'Rollstuhlfahrer(in)** M(F) wheelchair user **'Rolltreppe** F escalator
Roman M [roˈmaːn] ⟨~s; ~e⟩ novel
Romantik F [roˈmantɪk] ⟨~⟩ romance; *Kunstrichtung* Romanticism; *Epoche* Romantic period
ro'mantisch ADJ romantic; *in der Kunst* Romantic
römisch ADJ [ˈrøːmɪʃ] Roman
röntgen V/T [ˈrœntgən] X-ray
'Röntgenaufnahme F, **'Röntgenbild** N X-ray **'Röntgengerät** N X-ray machine **'Röntgenstrahlen** PL X-rays *pl*
rosa ADJ [ˈroːza] ⟨*inv*⟩ pink
Rose F [ˈroːzə] ⟨~; ~n⟩ rose
'Rosenkohl M (Brussels) sprouts *pl*
'rosig ADJ rosy (*a. fig*)
Rosine F [roˈziːnə] ⟨~; ~n⟩ raisin
Rost M [rɔst] ⟨~(e)s; ~e⟩ *an Metall* rust; TECH grate; *Bratrost* grill
'rosten V/I rust
rösten V/T [ˈrøːstən] roast; *Brot* toast; *in der Pfanne* fry
'Rostfleck M spot of rust **'rostfrei** ADJ rustproof; *Stahl* stainless
'rostig ADJ rusty (*a. fig*)
rot ADJ [roːt] ⟨röter *od* ~er, röteste *od* ~este⟩ red (*a.* POL); **~ werden** blush; **~ glühend** red-hot; **in den ~en Zahlen** in the red
Rot N ⟨~s; ~⟩ red; **die Ampel steht auf ~** the lights are red; **bei ~** at red
'rotblond ADJ *Haar* sandy; *Mensch* sandy-haired
Röteln PL [ˈrøːtəln] German measles *pl*
'röten V/R redden
'rothaarig ADJ red-haired
'Rothaarige(r) M/F(M) ⟨~n; ~n⟩ redhead
rotieren V/I [roˈtiːrən] ⟨kein ge⟩ rotate, revolve
'Rotkohl M red cabbage
'rötlich ADJ reddish
'Rotstift M red pencil **'Rotwein** M

R

red wine
Route F ['ru:tə] ⟨~; ~n⟩ route
Routine F [ru'ti:nə] ⟨~⟩ routine; *Erfahrung* experience
Rou'tinekontrolle F routine check **rou'tinemäßig** ADJ routine **Rou'tinesache** F routine matter
routi'niert **A** ADJ experienced, professional **B** ADV professionally
Rowdy M ['raudi] ⟨~s; ~s⟩ hooligan
Rübe F ['ry:bə] ⟨~; ~n⟩ turnip; *Zuckerrübe* (sugar) beet
'rüberbringen V/T ⟨irr⟩ *umg* **etw gut ~** put* sth across well
Rubrik F [ru'bri:k] ⟨~; ~en⟩ heading; *Teil e-r Zeitung* section
Ruck M [rʊk] ⟨~(e)s; ~e⟩ jerk; POL swing
Rückantwort F ['rʏk-] reply **'Rückantwortkarte** F reply-paid postcard
'ruckartig **A** ADJ jerky **B** ADV *sich bewegen etc* jerkily; *anhalten* with a jerk
'rückbestätigen V/T ⟨kein ge⟩ reconfirm **'Rückblende** F flashback (**auf** to) **'Rückblick** M review (**auf** of); **im ~** in retrospect **'rückdatieren** V/T ⟨nur inf und pperf rückdatiert⟩ backdate
rücken ['rʏkən] **A** V/T move, shift **B** V/I ⟨s⟩ move; *Platz machen* move over; **näher ~** approach
Rücken M ['rʏkən] ⟨~s; ~⟩ back
'Rückendeckung F *fig* backing, support **'Rückenmark** N spinal cord **'Rückenschmerzen** PL backache *sg* **'Rückenwind** M **~ haben** have* a following wind *od* tailwind
'rückerstatten V/T ⟨nur inf und pperf rückerstattet⟩ refund **'Rückerstattung** F refund **'Rückfahrkarte** F return (ticket), *US* round-trip ticket **'Rückfahrscheinwerfer** M AUTO reversing *od US* backup light **'Rückfahrt** F return journey; **auf der ~** on the way back **'Rückfall** M relapse **'rückfällig** ADJ **~ werden** relapse **'Rückflug** M return flight **'Rückfrage** F query **'rückfragen** V/I ⟨nur inf und pperf⟩ check (**bei** with) **'Rückgabe** F return; *zum Torhüter* back pass **'Rückgang** M *fig* drop, fall (*beide gen* in); *der Verkaufszahlen* fall-off; *Rezession* recession **'rückgängig** ADJ **~ machen** cancel; *Beschluss* reverse; IT undo* **'Rückgrat** N ⟨~(e)s; ~e⟩ spine, backbone (*a. fig*) **'Rückhalt** M support **'Rückkauf** M repurchase **'Rückkehr** F ⟨~⟩ return; **freiwillige ~** *in Heimatland* voluntary repatriation **'Rückkehrfonds** M *der EU* return fund **'Rückkopplung** F [-kɔplʊŋ] ⟨~; ~en⟩ feedback (*a. fig*) **'Rücklage** F reserve(s *pl*); *Ersparnisse* savings *pl* **'rückläufig** ADJ falling; *Tendenz* downward **'Rücklicht** N rear light, taillight **'rücklings** ADV backwards; *von hinten* from behind **'Rückporto** N return postage **'Rückreise** F return journey; **auf der ~** on the way back **'Rückreiseverkehr** M homebound traffic **'Rückreisewelle** F surge of homebound traffic
Rucksack M ['rʊkzak] rucksack, *großer* backpack **'Rucksacktourismus** M backpacking **'Rucksacktourist(in)** M(F) backpacker
'Rückschlag M SPORT return; *fig* setback **'Rückschluss** M conclusion **'Rückschritt** M backward step **'Rückseite** F back; *von Münze* reverse; *von Platte* flip side; **siehe ~** see overleaf **'Rücksendung** F return
'Rücksicht F ⟨~⟩ consideration; **auf j-n ~ nehmen** show* consideration for sb
'rücksichtslos **A** ADJ inconsiderate; *skrupellos* ruthless; *Fahren, Fahrer* reckless, dangerous **B** ADV *handeln, behandeln etc* inconsiderately; *skrupellos* ruthlessly **'rücksichtsvoll** **A** ADJ considerate (**gegen** towards) **B** ADV *sich verhalten etc* considerately; **j-n ~ behandeln** show consideration for sb
'Rücksitz M *im Auto* back seat **'Rückspiegel** M rear-view mirror **'Rückstand** M CHEM residue; **mit der Arbeit im ~ sein** be* behind with one's work; **mit e-m Tor im ~ sein** be* down by one goal **'rückständig** ADJ *fig* backward; *Land a.* underdeveloped; **~e Miete** rent arrears *pl* **'Rückstau** M AUTO tailback, *US* back-up **'Rückstelltaste** F backspace key **'Rücktritt** M *vom Amt* resignation; *vom Vertrag* withdrawal **'rückvergüten** V/T ⟨nur inf und pperf rückvergütet⟩ refund **'Rückvergütung** F refund
rückwärts ADV ['rʏkvɛrts] backwards; **~ aus/in ... fahren** back out of/into ...

R

'Rückwärtsgang M reverse (gear)

'Rückweg M way back **'rückwirkend** **A** ADJ *Erhöhung, Zahlung* backdated **B** ADV **die Erhöhung gilt ~ vom 1. März** the increase is backdated to March 1st **'Rückwirkung** F repercussion (**auf** on) **'Rückzahlung** F repayment **'Rückzieher** M ⟨~s; ~⟩ *beim Fußball* overhead kick; **e-n ~ machen** *umg* back out (**von** of) **'Rückzug** M retreat

Ruder N ['ru:dər] ⟨~s; ~⟩ *Steuerruder, Seitenruder* rudder; *Riemen* oar; **am ~** at the helm (*a. fig*)

'Ruderboot N rowing boat, *US* rowboat

'rudern V/I & V/T ⟨h *od mit Bewegung* s⟩ row

Ruf M [ru:f] ⟨~(e)s; ~e⟩ call (*fig* **nach** for); *Schrei* cry, shout; *Ansehen* reputation

'rufen V/I & V/I ⟨rief, gerufen⟩ call (*a. Arzt etc*); *schreien* cry, shout; **~ nach** call for (*a. fig*); **j-n ~ lassen** send* for sb; **um Hilfe ~** call *od* cry for help

'Rufnummer F telephone number **'Rufnummernanzeige** F caller display **'Rufweite** F **außer/in ~** out of/within earshot

Rüge F ['ry:gə] ⟨~; ~n⟩ reproof (**wegen** for)

'rügen V/T reprove (**wegen** for)

Ruhe F ['ru:ə] ⟨~⟩ *Stille* quiet, calm; *Schweigen* silence; *Erholung, Stillstand,* PHYS rest; *Frieden* peace; *Gemütsruhe* calm(ness); **zur ~ kommen** come* to rest; *sich entspannen* get* some peace; **lass mich in ~!** stop bothering me!, leave me alone!; **ich will meine ~ haben** I want some peace and quiet; **etw in ~ tun** take* one's time doing sth; **(die) ~ bewahren** keep* calm, keep* cool; **sich zur ~ setzen** retire; **~, bitte!** (be) quiet, please!

'ruhen V/I rest (**auf** on); *stillstehen* be* at a standstill

'Ruhepause F break **'Ruhestand** M retirement; **in den ~ gehen** *od* **treten** retire; **im ~ sein** be* retired **'Ruhestandsalter** N retirement age **'Ruhestörung** F disturbance of the peace **'Ruhetag** M *von Geschäft* closing day; **montags ~ haben** be* closed on Mondays

'ruhig **A** ADJ quiet; *schweigsam a.* silent; *unbewegt* calm, *Mensch a.* cool; TECH smooth **B** ADV *sitzen etc* quietly; *wohnen* in a quiet area; **du kannst ~ bleiben** you can stay if you like

Ruhm M [ru:m] ⟨~(e)s⟩ fame; POL, MIL *a.* glory

rühmen V/T ['ry:mən] praise (**wegen** for); **sich e-r Sache ~** boast of sth

'Rühreier PL scrambled eggs *pl*

rühren V/T ['ry:rən] stir; *bewegen* move; *fig: innerlich* move, touch

'rührend ADJ touching, moving; *liebevoll* very kind

'Ruhrgebiet N **das ~** the Ruhr

'rührig ADJ active

'rührselig ADJ sentimental

'Rührung F ⟨~⟩ emotion

Ruin M [ru'i:n] ⟨~s⟩ ruin

Ru'ine F ⟨~; ~n⟩ ruin

rui'nieren V/T ⟨*kein ge*⟩ ruin

rülpsen V/I ['rylpsən] burp, belch

Rumäne M [ru'mɛ:nə] ⟨~n; ~n⟩ Romanian

Ru'mänien N [ru'mɛ:niən] ⟨~s⟩ Romania

Ru'mänin F ⟨~; ~nen⟩ Romanian

ru'mänisch ADJ, **Ru'mänisch** N Romanian; → englisch

Rummel M ['rʊməl] ⟨~s⟩ *umg: Geschäftigkeit* (hustle and) bustle; *Reklamerummel* ballyhoo; **großen ~ machen um** make* a big fuss *od* to-do about

'Rummelplatz M *umg* fairground

rumoren V/I [ru'mo:rən] ⟨*kein ge*⟩ rumble (*a. von Magen*)

Rumpf M [rʊmpf] ⟨~(e)s; Rümpfe⟩ ANAT trunk; SCHIFF hull; FLUG fuselage

rümpfen V/T ['rympfən] **die Nase ~** turn one's nose up (**über** at)

rund [rʊnt] **A** ADJ round (*a. fig*) **B** ADV *ungefähr* about, around; **~ um** (a)round; *fig* all about

Runde F ['rʊndə] ⟨~; ~n⟩ round (*a. fig u.* SPORT); *beim Rennsport* lap; **die ~ machen** *umg: sich herumsprechen* do* the rounds; **über die ~n kommen** *umg* get* by

'Rundfahrt F tour (**durch** of)

'Rundfunk M radio; *Gesellschaft* broadcasting corporation; **im ~** on the radio; **im ~ übertragen** broadcast*

'Rundfunkhörer(in) M(F) (radio) lis-

R

tener **'Rundfunksender** M radio station **'Rundfunksprecher(in)** M(F) broadcaster
'rundlich ADJ plump, chubby
'Rundreise F tour (**durch** of) **'Rundschreiben** N circular
'Rundung F ⟨~; ~en⟩ curve
'rund'weg ADV flatly
runter ADV ['rʊntər] *umg* down; **die Treppe ~** down the stairs, downstairs
'runtermachen V/T *umg: scharf kritisieren* slag off **'runterscrollen** V/T IT scroll down
Runzel F ['rʊntsəl] ⟨~; ~n⟩ wrinkle
'runz(e)lig ADJ wrinkled
'runzeln V/T **die Stirn ~** frown (**über** at)
Rüpel M ['ry:pəl] ⟨~s; ~⟩ lout
'rüpelhaft **A** ADJ loutish **B** ADV *sich benehmen* loutishly, like a lout
ruppig ADJ ['rʊpɪç] gruff
Ruß M [ru:s] ⟨~es⟩ soot
Russe M ['rʊsə] ⟨~n; ~n⟩ Russian
Rüssel M ['rʏsəl] ⟨~s; ~⟩ *von Elefant* trunk; *von Schwein* snout
'rußen V/I smoke
'rußig ADJ sooty
'Russin F ⟨~; ~nen⟩ Russian
'russisch ADJ, **'Russisch** N Russian; → englisch
Russland N ['rʊslant] ⟨~s⟩ Russia
rüsten ['rʏstən] **A** V/I MIL arm **B** V/R prepare, get* ready (**für** for); arm o.s. (**gegen** for)
'rüstig ADJ sprightly, vigorous
rustikal ADJ [rʊsti'ka:l] rustic
'Rüstung F ⟨~; ~en⟩ *Waffen* armaments *pl*, arms *pl*; *Ritterrüstung* armour, *US* armor
'Rüstungsindustrie F armaments industry **'Rüstungswettlauf** M arms race
'rutschen V/I ⟨s⟩ *ausrutschen* slip (*a. von Rock, Hose etc*); *gleiten* slide*; AUTO skid; *umg: rücken* move up
'rutschig ADJ slippery
rütteln ['rʏtəln] **A** V/T shake* **B** V/I jolt; **an der Tür ~** rattle the door

S

S

S¹ N [ɛs] ⟨~; ~⟩ S
S² ABK *für* Süd(en) S, south
S. ABK *für* Seite p., page
s. ABK *für* siehe see
Saal M [za:l] ⟨~(e)s; Säle⟩ hall
Saat F [za:t] ⟨~; ~en⟩ *Säen* sowing; *Saatgut* seeds *pl* (*a. fig*), seed; *junge Saat* crop(s *pl*)
Sabotage F [zabo'ta:ʒə] ⟨~; ~n⟩ sabotage
Saboteur(in) [zabo'tø:r(ɪn)] M ⟨~s; ~e⟩ (F) ⟨~in; ~innen⟩ saboteur
sabo'tieren V/T ⟨*kein ge*⟩ sabotage
'Sachbearbeiter(in) M(F) ['zax-] official in charge **'Sachbeschädigung** F damage to property **'Sachbuch** N nonfiction book; **Sachbücher** *pl koll* nonfiction *sg* **'sachdienlich** ADJ **~e Hinweise** relevant information *sg*
Sache F ['zaxə] ⟨~; ~n⟩ thing; *Angelegenheit* matter, business; *(Streit)Frage* issue, question; *Anliegen* cause; JUR case; **~n** *pl allg* things *pl*; *Kleidung a.* clothes *pl*; **zur ~ kommen** come* to the point; **bei der ~ bleiben** keep* to the point; **nicht zur ~ gehören** be* irrelevant
'sachgerecht **A** ADJ proper **B** ADV *verwenden etc* properly **'Sachkapital** N real *od* nonmonetary capital **'Sachkenntnis** F expert knowledge **'sachkundig** ADJ *Urteil, Stellungnahme etc* expert **'Sachlage** F situation, state of affairs
'sachlich **A** ADJ *objektiv* objective; *nüchtern* matter-of-fact; *Gründe* practical **B** ADV *beurteilen, argumentieren etc* objectively; *richtig, falsch* factually
'Sachschaden M damage to property
Sachsen N ['zaksən] ⟨~s⟩ Saxony
Sachsen-Anhalt N ['zaksən'ʔanhalt] ⟨~s⟩ Saxony-Anhalt
sacht [zaxt] **A** ADJ *sanft* gentle; *langsam* slow **B** ADV *sanft* gently; *langsam* slowly; (**immer**) **~e!** *umg* (take it) easy!
'Sachverhalt M ⟨~(e)s; ~e⟩ facts *pl*
'Sachverstand M expertise **'Sach-**

verständige(r) M/F(M) ⟨~n; ~n⟩ expert; JUR expert witness **'Sachwert** M real value **'Sachzwänge** PL practical considerations *pl*
Sack M [zak] ⟨~(e)s; Säcke⟩ sack; **alter ~** *pej* old bugger
'Sackgasse F dead end, cul-de-sac; **in e-e ~ geraten** reach a dead end; *Gespräche* reach an impasse, reach deadlock
Sadismus M [za'dɪsmʊs] ⟨~⟩ sadism
Sa'dist(in) M ⟨~en; ~en⟩ (F) ⟨~in; ~innen⟩ sadist
sa'distisch ADJ sadistic
säen V/T & V/I ['zɛːən] sow* (*a. fig*)
Safe M [seːf] ⟨~s; ~s⟩ safe
Saft M [zaft] ⟨~(e)s; Säfte⟩ juice (*a. umg: Strom*); *Baumsaft* sap
'saftig ADJ juicy; *Wiese* lush; *Preis, Rechnung* steep
Sage F ['zaːgə] ⟨~; ~n⟩ legend, myth (*a. fig*)
Säge F ['zɛːgə] ⟨~; ~n⟩ saw
'Sägemehl N sawdust
sagen V/I & V/T ['zaːgən] say*; **j-m etw ~** tell* sb sth; **wie sagt man ... auf Englisch?** how do you say ... in English?, what's the English for ...?; **die Wahrheit ~** tell* the truth; **er lässt dir ~ ...** he asked me to tell you ...; **~ wir ...** (let's) say ...; **man sagt, er sei ...** he is said to be ...; **er lässt sich nichts ~** he won't listen to reason; **etw/nichts zu ~ haben** *Einfluss* have* a say/no say in things; **das sagt mir nichts** it doesn't mean anything to me; **unter uns gesagt** between you and me
'sägen V/T & V/I saw*
'sagenhaft **A** ADJ legendary; *fig umg* fantastic **B** ADV *fig umg* incredibly
Sahara F [za'haːra] ⟨~⟩ Sahara
Sahne F ['zaːnə] ⟨~⟩ cream
Saison F [zɛ'zõː] ⟨~; ~s⟩ season; **außerhalb/in der ~** out of/in season
sai'sonabhängig ADJ, **sai'sonbedingt** ADJ seasonal **sai'sonbereinigt** ADJ seasonally adjusted
Saite F ['zaitə] ⟨~; ~n⟩ string
Sakko M *od* N ['zako] ⟨~s; ~s⟩ jacket
Sakristei F [zakrɪs'tai] ⟨~; ~en⟩ vestry, sacristy
Salat M [za'laːt] ⟨~(e)s; ~e⟩ lettuce; *Gericht* salad
Sa'latsoße F salad dressing
Salbe F ['zalbə] ⟨~; ~n⟩ ointment
Saldo M ['zaldo] ⟨~s; ~s *od* Saldi⟩ balance
'Saldoübertrag M balance carried forward
Salmonellen PL [zalmo'nɛlən] salmonella *sg*
Salmo'nellenvergiftung F MED salmonella poisoning
Salon M [za'lõː] ⟨~s; ~s⟩ *Modesalon, Friseursalon* salon; *Zimmer* drawing room
salopp [za'lɔp] **A** ADJ casual; *nachlässig* sloppy; *Ausdrucksweise* slangy **B** ADV casually; *nachlässig* sloppily; **sich ~ ausdrücken** use a lot of slang
Salpeter M [zal'peːtər] ⟨~s⟩ saltpetre, *US* saltpeter, nitre, *US* niter
Salz N [zalts] ⟨~es; ~e⟩ salt
'salzarm ADJ low-salt; **~ sein** be* low in salt
Salzburg N ['zaltsbʊrk] ⟨~s⟩ Salzburg
'salzen V/T ⟨*pperf* gesalzen⟩ put* salt on; *Soße, Salat etc* put* salt in
'salzig ADJ salty
'Salzkartoffeln PL boiled potatoes *pl*
'salzlos ADJ salt-free **'Salzsäure** F hydrochloric acid **'Salzstange** F pretzel stick **'Salzstreuer** M ⟨~s; ~⟩ salt cellar *od US* shaker **'Salzwasser** N salt water; *zum Kochen* salted water
Samen M ['zaːmən] ⟨~s; ~⟩ seed (*a. fig*); *Sperma* sperm
'Samenbank F ⟨*pl* ~en⟩ sperm bank **'Samenerguss** M ejaculation **'Samenflüssigkeit** F semen **'Samenkorn** N BOT seedcorn **'Samenspender** M sperm donor
'Sammel- ZSSGN ['zaməl-] *Begriff etc* collective
'Sammelband M ⟨*pl* Sammelbände⟩ anthology **'Sammelbestellung** F joint *od* collective order **'Sammelbüchse** F collecting box **'Sammelkonto** N collective account
sammeln V/T ['zaməln] collect; *Pilze, Beeren* pick, gather; *Eindrücke* gather; **sich ~** assemble; *fig* compose o.s.
'Sammelplatz M meeting place
Sammler(in) ['zamlər(ɪn)] M ⟨~s; ~⟩ (F) ⟨~in; ~innen⟩ collector
'Sammlung F ⟨~; ~en⟩ collection
Samstag M ['zamstaːk] Saturday
'samstags ADV on Saturdays

samt PRÄP [zamt] ⟨*dat*⟩ together with
Samt M ⟨~(e)s; ~e⟩ velvet
sämtlich ADJ ['zɛmtlɪç] **~e** *pl alle* all the; **Shakespeares ~e Werke** the complete works of Shakespeare
Sanatorium N [zana'to:riʊm] ⟨~s; Sanatorien⟩ sanatorium, *US a.* sanitarium
Sand M [zant] ⟨~(e)s⟩ sand
Sandale F [zan'da:lə] ⟨~; ~n⟩ sandal
'Sandbank F ⟨*pl* Sandbänke⟩ sandbank
'sandig ADJ sandy
'Sandkasten M sandpit, *US* sandbox **'Sandpapier** N sandpaper **'Sandsack** M sandbag; *beim Boxen* punchbag **'Sandstrand** M sandy beach **'Sanduhr** F hourglass
sanft [zanft] **A** ADJ gentle; *Stimme, Musik, Licht, Farbe* soft; *Tod* peaceful **B** ADV gently; **~ entschlafen** pass away peacefully
'sanftmütig ADJ gentle
Sänger(in) ['zɛŋər(ɪn)] M ⟨~s; ~⟩ (F) ⟨~in; ~innen⟩ singer
sanieren V/T [za'ni:rən] ⟨*kein ge*⟩ *Stadtteil* redevelop; *Gebäude* renovate; *Betrieb* turn around
Sa'nierung F ⟨~; ~en⟩ *von Stadtteil* redevelopment; *von Gebäude* renovation; *von Betrieb* turning around
Sa'nierungsgebiet N redevelopment area
sanitär ADJ [zani'tɛ:r] sanitary
Sanitäter(in) [zani'tɛ:tər(ɪn)] M ⟨~s; ~⟩ (F) ⟨~in; ~innen⟩ paramedic; MIL medical orderly, medic
Sankt M/F [zaŋkt] ⟨*inv*⟩ Saint, *abk* St
Sanktion F [zaŋktsi'o:n] ⟨~; ~en⟩ sanction; **gegen einen Staat ~en verhängen** impose sanctions on a state
sanktionieren V/T [zaŋktsio'ni:rən] ⟨*kein ge*⟩ sanction
Sardinien N [zar'di:niən] ⟨~s⟩ Sardinia
Sarg M [zark] ⟨~(e)s; Särge⟩ coffin, *US a.* casket
Sarkasmus M [zar'kasmʊs] ⟨~; Sarkasmen⟩ sarcasm; *Bemerkung* sarcastic remark
sar'kastisch **A** ADJ sarcastic **B** ADV *sich äußern etc* sarcastically
Satellit M [zatɛ'li:t] ⟨~en; ~en⟩ satellite (*a. fig*); **über ~** by *od* via satellite
Satel'liten- ZSSGN *Bild, Staat etc* satellite
Satel'litenfernsehen N satellite television **Satel'litenfunk** M satellite communications *pl* **satel'litengestützt** ADJ satellite-based, satellite *attr* **Satel'litennavigationssystem** N satellite navigation system **Satel'litenschüssel** F satellite dish
Satire F [za'ti:rə] ⟨~; ~n⟩ satire (**auf** on)
sa'tirisch **A** ADJ satirical **B** ADV *sich ausdrücken etc* satirically
satt [zat] **A** ADJ **~ sein** *gesättigt* be* full (up), have* had enough (to eat); **es macht ~** it's filling; **~e Preise** *umg* steep prices **B** ADV **sich ~ essen** have* a good square meal
Sattel M ['zatəl] ⟨~s; Sättel⟩ saddle
'satteln V/T saddle
'Sattelschlepper M articulated lorry, *US* semi(trailer)
'satthaben V/T ⟨*irr*⟩ **etw/j-n ~** *umg* be* fed up with sth/sb
sättigen ['zɛtɪgən] **A** V/T satisfy; *ernähren* feed*; CHEM, WIRTSCH saturate **B** V/I *von Essen* be* filling
'Sättigung F ⟨~; ~en⟩ CHEM, WIRTSCH saturation
Satz M [zats] ⟨~es; Sätze⟩ GRAM sentence; *Sprung* leap; *beim Tennis, zusammengehörige Dinge* set; WIRTSCH rate; MUS movement
'Satzung F ⟨~; ~en⟩ statutes *pl*; *von Partei* regulation
Sau F [zau] ⟨~; Säue⟩ sow; *Wildschwein* wild sow; *sl* pig; **j-n zur ~ machen** *sl* really lay* into sb
sauber ['zaubər] **A** ADJ clean; *ordentlich* neat; *anständig* respectable; *ironisch* fine, nice; **~ halten** keep* clean; **~ machen** clean **B** ADV *ordentlich* neatly
'Sauberkeit F ⟨~⟩ cleanliness; *Ordentlichkeit* neatness; *Anständigkeit* respectability
'saubermachen V/T & V/I clean
säubern V/T ['zɔybərn] clean; MED cleanse; **~ von** clear of; *fig*: POL purge of
'Säuberung F ⟨~; ~en⟩, **'Säuberungsaktion** F POL purge
Sauce → Soße
Saudi-Araber(in) [zaudiʔ'arabər(ɪn)] M(F) Saudi (Arabian) **Saudi-A'rabien** N ⟨~s⟩ Saudi (Arabia) **saudi-a'rabisch** ADJ Saudi (Arabian)
sauer ADJ ['zauər] ⟨-re⟩ sour (*a. fig*: *Gesicht*); CHEM acid; *Gurke* pickled; *wütend*

S

mad (**auf** at), cross (**auf** with); **~ werden** turn sour; *fig* get* mad; **saurer Regen** acid rain

'Sauerkraut N sauerkraut

säuerlich ADJ ['zɔyərlıç] slightly sour (*a. fig*)

'Sauerstoff M oxygen **'Sauerstoffgerät** N breathing apparatus **'Sauerstoffmangel** M ⟨~s⟩ oxygen starvation **'Sauerstoffmaske** F oxygen mask **'Sauerteig** M sourdough

saufen ['zaufən] ⟨soff, gesoffen⟩ **A** V/T drink*; *umg: von Mensch* knock back **B** V/I drink*; *umg: von Mensch* booze

Säufer(in) ['zɔyfər(ın)] M ⟨~s; ~⟩ (F) ⟨~in; ~innen⟩ *umg* boozer

saugen V/I & V/T ['zaugən] ⟨saugte *od* sog, gesaugt *od* gesogen⟩ suck (**an etw** sth); *mit dem Staubsauger* vacuum, *Br* hoover

Säugetier N ['zɔygə-] mammal

Säugling M ['zɔyklıŋ] ⟨~s; ~e⟩ baby

'Säuglingsnahrung F baby food(s *pl*) **'Säuglingspflege** F infant care **'Säuglingsschwester** F infant nurse **'Säuglingsstation** F neonatal care unit **'Säuglingssterblichkeit** F infant mortality

Säule F ['zɔylə] ⟨~; ~n⟩ column; *Pfeiler* pillar (*a. fig*)

'Säulendiagramm N bar chart

'saumäßig *sl* **A** ADJ lousy; **~es Glück haben** be* damn lucky **B** ADV *schlecht, gut* damn; *wehtun* like hell

Sauna F ['zauna] ⟨~; ~s *od* -en⟩ sauna

Säure F ['zɔyrə] ⟨~; ~n⟩ CHEM acid

'säurehaltig ADJ acidic

sausen V/I ['zauzən] ⟨s⟩ *umg* rush; ⟨h⟩ *von Ohren* buzz; *von Wind* howl

S-Bahn® F ['ɛsba:n] suburban railway, *US* rapid transit system; *Zug* suburban *od US* rapid transit train

'S-Bahnhof M suburban train station, *US* rapid transit station

scannen V/T & V/I ['skɛnən] scan

'Scanner M ⟨~s; ~⟩ scanner

Schabe F ['ʃa:bə] ⟨~; ~n⟩ cockroach

schäbig ['ʃɛ:bıç] **A** ADJ shabby; *gemein a.* mean **B** ADV *gekleidet* shabbily (*a. fig: handeln etc*)

Schablone F [ʃa'blo:nə] ⟨~; ~n⟩ stencil; *fig* stereotype

Schach N [ʃax] ⟨~s; ~s⟩ chess; **~!** check!; **~ und matt!** checkmate!; **j-n in ~ halten** keep* sb in check

'Schachcomputer M chess computer

'schach'matt ADJ checkmated; *fig umg* dead beat; **~!** checkmate!; **j-n ~ setzen** checkmate sb

Schacht M [ʃaxt] ⟨~(e)s; Schächte⟩ shaft

Schachtel F ['ʃaxtəl] ⟨~; ~n⟩ box; *Zigaretten* packet, *bes US* pack

schade ADJ ['ʃa:də] **es ist ~** it's a shame *od* pity; **wie ~!** what a shame *od* pity!; **zu ~ für** too good for

Schädel M ['ʃɛ:dəl] ⟨~s; ~⟩ skull; *umg: Kopf* head

'Schädelbruch M fractured skull

schaden V/I ['ʃa:dən] damage, harm; *j-m* harm; **das schadet deiner Gesundheit** that's bad for your health; **das schadet nichts** it won't do any harm

'Schaden M ⟨~s; Schäden⟩ damage (**an** to); *körperlich* injury; TECH, MED defect; WIRTSCH loss; *Nachteil* disadvantage; **j-m ~ zufügen** do* sb harm

'Schadenersatz M damages *pl*; **~ leisten** pay* damages **'Schadenfreiheitsrabatt** M AUTO no-claims bonus

'Schadenfreude F **~ empfinden über** gloat over **'schadenfroh** **A** ADJ **über etw ~ sein** gloat over sth **B** ADV *sagen, lachen* gloatingly

'Schadensfall M claim **'Schadensregulierung** F ⟨~; ~en⟩ settlement of claims

schadhaft ADJ ['ʃa:thaft] damaged; *mangelhaft* defective, faulty; *Haus etc* in disrepair; *Rohr etc* leaking; *Zähne* decayed

schädigen V/T ['ʃɛ:dıgən] damage, harm; *j-n* harm

'schädlich ADJ harmful; **es ist ~ für die Gesundheit** it's bad for your health

'Schädling M ⟨~s; ~e⟩ pest

'Schädlingsbekämpfung F pest control **'Schädlingsbekämpfungsmittel** N pesticide

'Schadsoftware F IT malicious software, malware **'Schadstoff** M harmful substance; *umweltschädlicher* pollutant **'schadstoffarm** ADJ *Treibstoff* low-emission **'schadstoffbelastet** ADJ *Umwelt* polluted **'Schadstoffbelastung** F pollution level **'schadstofffrei** ADJ *Treibstoff* zero-emission, emission-free

S

Schaf N [ʃa:f] ⟨~(e)s; ~e⟩ sheep
Schäfer(in) ['ʃɛ:fər(ɪn)] M ⟨~s; ~⟩ (F) ⟨~in; ~innen⟩ shepherd
schaffen[1] V/T ['ʃafən] ⟨schuf, geschaffen⟩ *erschaffen* create; *bewirken, bereiten* cause
'**schaffen**[2] **A** V/T; *bewältigen* manage; *bringen* take*; *Prüfung* pass; **j-n ~** *umg: erschöpfen* do* sb in; **es ~** make* it; *Erfolg haben a.* succeed; **es ~, etw zu tun** manage to do sth; **das wäre geschafft** that's (that) done **B** V/I *bes südd: arbeiten* work; **j-m zu ~ machen** cause sb worry; **sich zu ~ machen an** *unbefugt* tamper with
Schaffner(in) ['ʃafnər(ɪn)] M ⟨~s; ~⟩ (F) ⟨~in; ~innen⟩ *im Zug* ticket inspector
'**Schafwolle** F sheep's wool '**Schafzucht** F sheep breeding
schal ADJ [ʃa:l] *Getränk* flat; *Witz* stale
Schal M ⟨~s; ~s *od* ~e⟩ scarf
Schale F ['ʃa:lə] ⟨~; ~n⟩ *Schüssel* bowl, *flacher* dish; *Eierschale, Nussschale* shell; *Obstschale, Kartoffelschale* skin, *abgeschält* peel
schälen ['ʃɛ:lən] **A** V/T peel; *Eier, Nüsse* shell **B** V/R **sich ~** *von Haut* peel
Schall M [ʃal] ⟨~(e)s; ~e *od* Schälle⟩ sound
'**Schalldämpfer** M ⟨~s; ~⟩ *an Waffe* silencer; AUTO silencer, *US* muffler '**schalldicht** ADJ soundproof
'**schallend** ADJ **~es Gelächter** roars of laughter; **eine ~e Ohrfeige** a real slap in the face
'**Schallgeschwindigkeit** F speed of sound '**Schallmauer** F sound barrier '**Schallplatte** F record
schalten ['ʃaltən] **A** V/I AUTO change *od US a.* shift gear; *umg: verstehen* get* it; *umg: reagieren* react; **auf Rot ~** *Ampel* change to red **B** V/T *mit einem Schalter* switch
Schalter[1] M ['ʃaltər] ⟨~s; ~⟩ BAHN ticket window; *Postschalter, Bankschalter* counter; *von Fluglinie* desk
'**Schalter**[2] M ⟨~s; ~⟩ ELEK switch
'**Schalterschluss** M closing time '**Schalterstunden** PL business hours *pl*
'**Schalthebel** M AUTO gear lever *od US* shift; TECH, FLUG control lever; ELEK switch lever '**Schaltjahr** N leap year
'**Schalttafel** F switchboard, control panel '**Schaltuhr** F time switch
'**Schaltung** F ⟨~; ~en⟩ AUTO gear change, *US a.* gearshift; ELEK circuit
schämen V/R ['ʃɛ:mən] be* ashamed (*gen*, **wegen** of); **schäm dich!** shame on you!; **du solltest dich (was) ~!** you ought to be ashamed of yourself!
'**schamlos** **A** ADJ shameless; *unanständig* indecent **B** ADV shamelessly; *unanständig* indecently; **~ lügen** tell* a shameless lie/shameless lies
Schande F ['ʃandə] ⟨~⟩ disgrace; **zu meiner ~** to my shame
'**Schandfleck** M blot; *Schande* disgrace; *Anblick* eyesore
schändlich ['ʃɛntlɪç] **A** ADJ disgraceful **B** ADV *betrügen, behandeln etc* disgracefully
Schar F [ʃa:r] ⟨~; ~en⟩ *von Menschen* crowd; *von Vögeln* flock
'**scharen** V/R **sich ~ um** gather round
scharf [ʃarf] ⟨schärfer, schärfste⟩ **A** ADJ sharp (*a. fig: Kritik*, FOTO); *Beobachter* close; *Essen, Gewürz* hot; *Geruch* pungent; *Reinigungsmittel, Säure* caustic; *Wind, Kälte* biting; *Tempo* high; *Fernsehbild* clear; *Hund* fierce; *Lehrer, Prüfer* tough; *Munition, Bombe* live; *erregt* horny; *aufreizend* hot; **~ sein auf** be* keen on; *sexuell* be* hot for **B** ADV *beobachten, prüfen, zuhören* closely; *kritisieren, bremsen* sharply; *nachdenken* hard; **~ sehen/hören** have* sharp eyes/ears; **~ stellen** FOTO focus; **~ gewürzt** hot
Schärfe F ['ʃɛrfə] ⟨~; ~n⟩ sharpness (*a.* FOTO); *Härte* severity; *von Essen, Gewürz* spiciness
'**Scharfsinn** M astuteness '**scharfsinnig** **A** ADJ astute **B** ADV *schließen, bemerken etc* astutely
Scharnier N [ʃar'ni:r] ⟨~s; ~e⟩ hinge
Schatten M ['ʃatən] ⟨~s; ~⟩ *Schattenbild* shadow (*a. fig*); *schattige Stelle* shade; **e-n ~ auf etw werfen** cast* a shadow over sth; **über seinen ~ springen** force o.s.; **j-n/etw in den ~ stellen** *fig* put* sb/sth in the shade
'**Schattenkabinett** N POL shadow cabinet
Schat'tierung F ⟨~; ~en⟩ *Farbton* shade (*a. fig*)
'**schattig** ADJ shady

Schatz M [ʃats] ⟨~es; Schätze⟩ treasure; *Liebling* love
'Schatzamt N Treasury, *US* Treasury Department
schätzen V/T ['ʃɛtsən] estimate (**auf** at); *Wertgegenstand, Gebäude* value (**auf** at); *Person, hoch achten* think* highly of; *vermuten* reckon, *US a.* guess; **wie alt schätzt du ihn?** how old do you think he is?; **etw zu ~ wissen** appreciate sth
'Schatzkanzler(in) M(F) Chancellor of the Exchequer **'Schatzmeister(in)** M(F) treasurer
'Schätzpreis M estimate, estimated price
'Schätzung F ⟨~; ~en⟩ estimate; *von Wertgegenstand, Gebäude* valuation
'Schätzwert M estimated value
Schau F [ʃau] ⟨~; ~en⟩ show; **etw zur ~ stellen** display sth (*a. fig*)
Schauder M ['ʃaudər] ⟨~s; ~⟩ shudder; *vor Kälte* shiver
'schaudern V/I shudder; *vor Kälte* shiver (*beide* **vor** with)
'schauen V/I look (**auf** at, **aus** out of); **schau mal, ob ...** go and see if ...
Schauer M ['ʃauər] ⟨~s; ~⟩ *Regenschauer* shower; *Schauder* shudder; *vor Kälte* shiver
'schauerlich ADJ *unangenehm* dreadful, horrible
Schaufel F ['ʃaufəl] ⟨~; ~n⟩ shovel; *Kehrschaufel* dustpan
'Schaufenster N shop window
'Schaufensterauslage F window display **'Schaufensterbummel** M **e-n ~ machen** go* window-shopping **'Schaufensterdekoration** F window dressing
Schaukel F ['ʃaukəl] ⟨~; ~n⟩ swing
'schaukeln **A** V/I swing*; *von Boot, mit Schaukelstuhl* rock **B** V/T rock
'Schaukelstuhl M rocking chair
'Schaulustige PL onlookers *pl*, *US umg* rubberneck(er)s *pl*
Schaum M [ʃaum] ⟨~(e)s; Schäume⟩ foam; *Bierschaum* froth, head; *Seifenschaum* lather
schäumen V/I ['ʃɔymən] foam (*a. fig*); *von Bier* froth; *von Seife* lather; **vor Wut ~** be* fuming
'Schaumfestiger M ⟨~s; ~⟩ styling mousse **'Schaumgummi** M foam rubber
'schaumig ADJ foamy; *Bier* frothy
'Schauplatz M scene
schaurig ADJ ['ʃauriç] *unangenehm* dreadful, horrible
'Schauspiel N play; *fig* spectacle
'Schauspieler M ⟨~s; ~⟩ actor (*a. fig*)
'Schauspielerin F ⟨~; ~nen⟩ actress, actor (*a. fig*)
'Schausteller(in) M ⟨~s; ~⟩ (F) ⟨~in; ~innen⟩ fairground worker
Scheck M [ʃɛk] ⟨~s; ~s⟩ cheque, *US* check (**über** for)
'Scheckbetrüger(in) M(F) cheque *od US* check fraudster **'Scheckbuch** N chequebook, *US* checkbook **'Scheckgebühr** F cheque *od US* check charge **'Scheckheft** N chequebook, *US* checkbook **'Scheckkarte** F cheque card, *US* check cashing card
Scheibe F ['ʃaibə] ⟨~; ~n⟩ disc, *US* disk; *von Brot, Käse, Wurst etc* slice; *Fensterscheibe* pane; *von Auto* window; *Schießscheibe* target
'Scheibenbremse F AUTO disc *od US* disk brake **'Scheibenwaschanlage** F AUTO windscreen *od US* windshield washer **'Scheibenwischer** M windscreen *od US* windshield wiper
Scheide F ['ʃaidə] ⟨~; ~n⟩ sheath; ANAT vagina
'scheiden ⟨schied, geschieden⟩ **A** V/T separate, part (**von** from); *Ehe* dissolve; **sich ~ lassen** get* divorced; **sie lässt sich von ihm ~** she's divorcing him **B** V/I ⟨s⟩ **~ aus** *Amt etc* retire from; **aus dem Leben ~** *euph* depart this life
'Scheidung F ⟨~; ~en⟩ divorce
'Scheidungsklage F divorce suit
Schein[1] M [ʃain] ⟨~(e)s; ~e⟩ *Geldschein* note, *US a.* bill; *Bescheinigung* certificate; UNIV credit; *Formular* form
Schein[2] M ⟨~(e)s⟩ *Lichtschein* light; *fig* appearances *pl*; **etw (nur) zum ~ tun** (only) pretend to do sth; **der ~ trügt** appearances can be deceptive
'Scheinasylant(in) M(F) bogus asylum-seeker
'scheinbar **A** ADJ apparent, seeming **B** ADV **es hat ihn ~ nicht gestört** it didn't seem to bother him
'scheinen V/I ⟨schien, geschienen⟩ shine*; *fig* seem, appear

S

'Scheinfirma F dummy *od* front company
'scheinheilig A ADJ hypocritical B ADV **~ tun** *umg* act (the) innocent
'Scheinwerfer M ⟨~s; ~⟩ AUTO headlight; *Suchscheinwerfer* searchlight; THEAT spotlight
'Scheiß- ZSSGN *vulg* damn, *Br* bloody
Scheiße F ['ʃaisə] ⟨~⟩ *vulg* shit, crap (*a. fig*); **~!** shit!
'scheiße'gal ADJ **das ist mir ~** *umg* I couldn't give a damn (about that)
'scheißen V/I ⟨schiss, geschissen⟩ *vulg* shit*, crap
Scheitel M ['ʃaitəl] ⟨~s; ~⟩ parting, *US* part; **sich e-n ~ ziehen** part one's hair
scheitern V/I ['ʃaitərn] ⟨s⟩ *fig* fail (**an** because of); **zum Scheitern verurteilt sein** be* doomed to failure
Schema N ['ʃe:ma] ⟨~s; ~s *od* ~ta *od* Schemen⟩ pattern, system; *Zeichnung* diagram
sche'matisch A ADJ schematic; *Arbeit* mechanical B ADV **etw ~ darstellen** show* sth in a diagram
Schengen-Abkommen N ['ʃɛŋən-] Schengen Agreement **Schengen-Be'sitzstand** M Schengen acquis **'Schengener 'Abkommen** N Schengen Agreement **'Schengener Über'einkommen** N Schengen Convention
Schenkel M ['ʃɛŋkəl] ⟨~s; ~⟩ *Oberschenkel* thigh; MATH side
schenken V/T ['ʃɛŋkən] give* (as a present)
'Schenkung F ⟨~; ~en⟩ gift
'Schenkungssteuer F gift tax, *Br a.* capital transfer tax **'Schenkungsurkunde** F deed of gift *od* donation
Scherbe F ['ʃɛrbə] ⟨~; ~n⟩ (broken) piece, fragment
Schere F ['ʃe:rə] ⟨~; ~n⟩ scissors *pl* (*a.* SPORT); *von Krebs, Hummer etc* claw
scheren[1] V/T ['ʃe:rən] ⟨schor, geschoren⟩ *Schaf* shear*; *Hecke* clip; *Haare* crop
'scheren[2] V/R bother (**um** about)
Scherereien PL [ʃe:rə'raiən] trouble *sg*, bother *sg*
Scherz M [ʃɛrts] ⟨~es; ~e⟩ joke; **im** *od* **zum ~** as a joke
'scherzen V/I joke (**über** about)
'scherzhaft A ADJ jokey B ADV **es war ~ gemeint** it was meant as a joke
scheu ADJ [ʃɔy] shy (*a. Pferd*)
'scheuen A V/I shy (**vor** at) B V/T shy away from; **sich ~, etw zu tun** shy away from doing sth
scheuern V/T & V/I ['ʃɔyərn] scrub; *Topf* scour; **wund ~** chafe
scheußlich ['ʃɔyslıç] A ADJ horrible B ADV *kalt etc* horribly
Schi *etc* → Ski *etc*
Schicht F [ʃıçt] ⟨~; ~en⟩ layer; *Farbe* coat; *dünne Schicht* film; *Arbeitsschicht* shift; *der Gesellschaft* class; **~ arbeiten** work shifts
'Schichtarbeit F shift work **'Schichtarbeiter(in)** M(F) shift worker **'Schichtdienst** M shift work
'schichten V/T arrange in layers; *stapeln* pile up
'Schichtwechsel M change of shift
'schichtweise ADV in layers
schick [ʃık] A ADJ smart, stylish; *in* trendy B ADV *gekleidet etc* smartly
Schick M ⟨~(e)s⟩ chic, style
'schicken V/T send* (**an, nach, zu** to); **das schickt sich nicht** that isn't done
Schickeria F [ʃıkə'ri:a] ⟨~⟩ *umg* smart set
Schickimicki M ['ʃıki'mıki] ⟨~s; ~s⟩ *umg pej* trendy
Schicksal N ['ʃıkza:l] ⟨~s; ~e⟩ fate, destiny; *Los* lot
'Schiebedach N sliding roof, sunroof
schieben V/T ['ʃi:bən] ⟨schob, geschoben⟩ push; **die Schuld auf j-n ~** put* the blame on sb
'Schieber M ⟨~s; ~⟩ TECH slide; *Riegel* bolt; *umg*: *Schwarzhändler* black marketeer
'Schiebetür F sliding door
'Schiebung F ⟨~; ~en⟩ *umg* fix (*a.* SPORT)
Schiedsgericht N ['ʃi:ts-] court of arbitration; *Sport etc* jury **'Schiedsspruch** M JUR arbitration (award) **'Schiedsverfahren** N JUR arbitration proceedings *pl*
schief [ʃi:f] A ADJ crooked; *schräg* sloping; MATH oblique; *fig*: *Bild, Vergleich* false B ADV **das Bild hängt ~** the picture isn't straight
Schiefer M ['ʃi:fər] ⟨~s; ~⟩ slate
'schiefgehen V/I ⟨*irr*, s⟩ go* wrong

schielen VI ['ʃi:lən] squint
'Schienbein N shin; *Knochen* shinbone
Schiene F ['ʃi:nə] ⟨~; ~n⟩ rail; MED splint
'Schienenverkehr M rail traffic
schießen VI & VT ['ʃi:sən] ⟨schoss, geschossen⟩ shoot* (*a. fig*), fire (*beide* **auf** at); *Tor* score
Schieße'rei F ⟨~; ~en⟩ shooting; *Kampf* shoot-out
Schiff N [ʃɪf] ⟨~(e)s; ~e⟩ ship; *Kirchenschiff* nave; **mit dem ~** by ship
'schiffbar ADJ navigable **'Schiffbau** M shipbuilding **'Schiffbruch** M shipwreck; **~ erleiden** be* shipwrecked; *fig* fail **'Schifffahrt** F shipping
'Schiffsladung F shipload; *Fracht* cargo **'Schiffsreise** F voyage; *Vergnügungsreise* cruise **'Schiffswerft** F shipyard
Schikane F [ʃi:'ka:nə] ⟨~; ~n⟩, **Schikanen** PL harassment *sg*; *von Mitschülern* bullying *sg*; **aus reiner ~** out of sheer spite; **mit allen ~n** *umg* with all the trimmings
schika'nieren VT ⟨*kein ge*⟩ harass; *Mitschüler* bully
Schild¹ N [ʃɪlt] ⟨~(e)s; ~er⟩ *allg* sign (*a.* AUTO); *Namensschild, Firmenschild* plate
Schild² M ⟨~(e)s; ~e⟩ *zum Schutz* shield
'Schilddrüse F thyroid (gland)
schildern VT ['ʃɪldərn] *beschreiben* describe; *Erlebnis, Vorkommnis etc* tell* about
'Schilderung F ⟨~; ~en⟩ description; *Bericht* account
Schimmel¹ M ['ʃɪməl] ⟨~s; ~⟩ *Pferd* white horse
'Schimmel² M ⟨~s⟩ *Belag, an Brot* mould, *US* mold
'schimm(e)lig ADJ mouldy, *US* moldy
'schimmeln VI ⟨h *od* s⟩ go* mouldy *od US* moldy
Schimmer M ['ʃɪmər] ⟨~s; ~⟩ glimmer (*a. fig*), gleam; **ich habe keinen blassen ~** *umg* I haven't got a clue
'schimmern VI glimmer, gleam
'schimpfen ['ʃɪmpfən] **A** VT tell* off **B** VI complain, grumble (**über** about); **mit j-m ~** tell* sb off
schinden VT ['ʃɪndən] ⟨schindete, geschunden⟩ maltreat; *Arbeiter a.* overwork; **sich ~** slave away
Schinde'rei F ⟨~; ~en⟩ drudgery
Schinken M ['ʃɪŋkən] ⟨~s; ~⟩ ham; *umg: dickes Buch* fat tome; **gekochter ~** gammon
Schirm M [ʃɪrm] ⟨~(e)s; ~e⟩ *Regenschirm* umbrella; *Sonnenschirm* sunshade; *Bildschirm, Schutzschirm* screen; *Anzeige* display; *Lampenschirm* shade
'Schirmherr(in) M(F) patron
'Schirmherrschaft F patronage; **unter der ~ von** under the auspices of
Schlacht F [ʃlaxt] ⟨~; ~en⟩ battle (**bei** of)
'schlachten VT slaughter, kill
'Schlachter(in) M ⟨~s; ~⟩ (F) ⟨~in; ~innen⟩ butcher
'Schlachtfeld N battlefield
'Schlachthof M slaughterhouse
Schlaf M [ʃla:f] ⟨~(e)s⟩ sleep; **e-n leichten/festen ~ haben** be* a light/sound sleeper
'Schlafanzug M pyjamas *pl*, *US* pajamas *pl*
Schläfe F ['ʃlɛfə] ⟨~; ~n⟩ temple
'schlafen VI ⟨schlief, geschlafen⟩ sleep*; *nicht aufpassen* be* asleep; **~ gehen, sich ~ legen** go* to bed; **fest ~** be* fast asleep; **j-n ~ legen** put* sb to bed; **mit j-m ~** make* love to sb, sleep* with sb
schlaff ADJ [ʃlaf] slack (*a. fig*); *Haut, Muskeln* flabby; *kraftlos* limp
'Schlafgelegenheit F place to sleep
'schlaflos ADJ sleepless **'Schlaflosigkeit** F ⟨~⟩ sleeplessness, insomnia
'Schlafmittel N MED soporific (drug); *als Tablette* sleeping pill
schläfrig ADJ ['ʃlɛ:frɪç] sleepy, drowsy
'Schlafsaal M dormitory **'Schlafsack** M sleeping bag **'Schlaftablette** F sleeping pill **'Schlafwagen** M sleeping car, *Br a.* sleeper
'Schlafzimmer N bedroom
Schlag M [ʃla:k] ⟨~(e)s; Schläge⟩ *allg* blow; *mit offener Hand* slap; *Faustschlag* punch; *leichter* pat, tap; *Uhrschlag, Blitzschlag, beim Tennis* stroke; ELEK shock; *von Herz, Puls* beat; *Schlaganfall* stroke; *fig: Unglück* shock, blow; **Schläge** *pl Prügel* beating *sg*
'Schlagader F artery **'Schlaganfall** M stroke **'schlagartig** **A** ADJ sudden **B** ADV suddenly **'Schlagbaum** M bar-

rier **'Schlagbohrer** M TECH percussion drill
'schlagen ⟨schlug, geschlagen⟩ **A** V/T hit*; *verprügeln, besiegen* beat*; *mit offener Hand* slap; *mit Faust* punch; *leicht* pat, tap; *Baum* fell, cut* down; *Sahne* whip; **e-n Nagel in etw ~** hammer a nail into sth; **sich ~** fight* (**um** over); **sich geschlagen geben** admit defeat **B** V/I *von Herz, Puls* beat*; *von Uhr, Blitz* strike*; **j-m auf die Schulter ~** slap sb on the back; **mit der Faust auf den Tisch/gegen die Tür ~** bang on the table/on the door
'Schlager M ⟨~s; ~⟩ *Lied* pop song; *Hit* hit
Schläger M ['ʃlɛːgər] ⟨~s; ~⟩ *für Tennis, Squash* racket; *für Tischtennis, Kricket, Baseball* bat; *für Golf* club; *für Hockey* stick; *brutaler Mensch* thug
Schläge'rei F ⟨~; ~en⟩ fight, brawl
'schlagfertig **A** ADJ quick-witted **B** ADV *antworten* quick-wittedly **'Schlagloch** N pothole **'Schlagsahne** F whipping cream; *geschlagen* whipped cream **'Schlagseite** F SCHIFF list; **~ haben** SCHIFF be* listing; *umg: Betrunkener* be* a bit unsteady on one's feet **'Schlagstock** M truncheon, *US* nightstick **'Schlagzeile** F headline
Schlamm M [ʃlam] ⟨~(e)s; ~e *od* Schlämme⟩ mud
'schlammig ADJ muddy
schlampig ['ʃlampɪç] **A** ADJ sloppy **B** ADV *gemacht etc* sloppily
Schlange F ['ʃlaŋə] ⟨~; ~n⟩ *Tier* snake; *Menschenschlange, Autoschlange* queue, *US* line; **~ stehen** queue (up), *US* line up, stand* in line (**nach** for)
schlängeln V/R ['ʃlɛŋəln] *von Pfad* wind* *od* snake (its way); *von Person* worm one's way
'Schlangenlinie F wavy line; **in ~n fahren** weave* about
schlank ADJ [ʃlaŋk] slim
schlapp ADJ [ʃlap] *umg: erschöpft* worn out; *schwach* listless
'Schlappe F ⟨~; ~n⟩ *umg* setback
'schlappmachen V/I *umg: körperlich* flake out; *aufgeben* give* up
schlau [ʃlau] **A** ADJ *klug* clever; *listig* cunning; **ich werde aus ihr nicht ~** I can't make her out **B** ADV *etw anstellen etc* cleverly; *listig* cunningly
Schlauch M [ʃlaux] ⟨~(e)s; Schläuche⟩ tube; *zum Spritzen* hose
'Schlauchboot N rubber dinghy
Schlaufe F ['ʃlaufə] ⟨~; ~n⟩ loop
schlecht [ʃlɛçt] **A** ADJ *allg* bad; *Qualität, Leistung a.* poor; **~er als** worse than; **das ~este ...** the worst ...; **~e Zeiten** hard times; **mir ist/wird ~** I feel sick; **~ aussehen** *krank* look ill; **sich ~ fühlen** feel* bad; **~ werden** *Lebensmittel* go* off *od bes US* bad **B** ADV badly; **es geht ihm ~** he's in a bad way; *finanziell* he's doing badly; **~ gelaunt** in a bad mood; **das kann ich ~ sagen** I can't really say that
'schlechtmachen V/T run* down
Schlecht'wetterperiode F spell of bad weather
schleichen V/I ['ʃlaiçən] ⟨schlich, geschlichen, s⟩ creep* (*a. fig*); *langsam fahren* crawl
'Schleichwerbung F plugging; **für etw ~ machen** plug sth
Schleife F ['ʃlaifə] ⟨~; ~n⟩ bow; *Zierschleife* ribbon; *Flussschleife*, FLUG, IT loop
schleifen[1] ['ʃlaifən] **A** V/T *ziehen* drag; *mitnehmen* drag along **B** V/I *reiben* rub
'schleifen[2] V/T ⟨schliff, geschliffen⟩ *glätten* grind*; *schärfen* sharpen; *Holz* sand; *Glas, Edelsteine* cut*; **j-n ~** *fig umg* drill sb hard
Schleim M [ʃlaim] ⟨~(e)s; ~e⟩ slime; MED mucus; *im Hals* phlegm
'Schleimhaut F mucous membrane
'schleimig ADJ slimy (*a. fig*); MED mucous
schlemmen V/I ['ʃlɛmən] feast
'Schlemmer(in) M ⟨~s; ~⟩ (F) ⟨~in; ~innen⟩ gourmet
schleppen V/T ['ʃlɛpən] drag (*a. fig*); AUTO, SCHIFF tow; **sich ~** *Person* drag o.s.
'schleppend ADJ sluggish; *Redeweise* drawling
'Schlepper M ⟨~s; ~⟩ AUTO tractor; SCHIFF tug(boat)
'Schlepper(in) M ⟨~s; ~⟩ (F) ⟨~in; ~innen⟩ *umg: Kundenwerber* tout
Schleuder F ['ʃlɔydər] ⟨~; ~n⟩ catapult (*a.* FLUG), *US* slingshot; *Trockenschleuder* spin-drier
'schleudern **A** V/T fling*, hurl; *Wäsche* spin-dry **B** V/I ⟨s⟩ *von Fahrzeug* skid; **ins**

Schleudern kommen *Fahrzeug* go* into a skid; *fig*: *Person* get* confused

'Schleuderpreis M giveaway price

'Schleudersitz M ejector *od US* ejection seat; *fig* hot seat

schleunigst ADV ['ʃlɔynɪçst] at once, immediately

Schleuse F ['ʃlɔyzə] ⟨~; ~n⟩ *Klappe* sluice; SCHIFF lock

Schleusung F ['ʃlɔyzʊŋ] ⟨~; ~en⟩ **die ~ von Migranten** the smuggling of migrants

schlicht [ʃlɪçt] **A** ADJ simple, plain **B** ADV *falsch etc* simply

'schlichten V/T settle

'Schlichter(in) M ⟨~s; ~⟩ F ⟨~in; ~innen⟩ mediator

'Schlichtung F ⟨~; ~en⟩ settlement

schließen V/T & V/I ['ʃliːsən] ⟨schloss, geschlossen⟩ *Fenster, Tür, Laden* shut*, close; *Fabrik, für immer* shut* down, close down; IT close; *Brief, Rede* close, finish; *Vertrag* sign; *Kompromiss* make*; **etw aus etw ~** conclude sth from sth

'Schließfach N *am Bahnhof* (left-luggage *od US* baggage) locker; *Bankschließfach* safe-deposit box

'schließlich ADV finally; *am Ende* in the end; *immerhin* after all

schlimm ADJ [ʃlɪm] bad; *furchtbar* awful; **~er als** worse than; **unsere ~ste ...** our worst ...; **das ist nicht** *od* **halb so ~** it's not as bad as that; **das Schlimme daran** the bad thing about it

'schlimmsten'falls ADV at (the) worst

Schlinge F ['ʃlɪŋə] ⟨~; ~n⟩ loop; *zusammenziehbar* noose; *Falle* snare (*a. fig*); MED sling

'schlingen V/T ⟨schlang, geschlungen⟩ *binden* tie; *Schal* wrap (**um** round); *Essen* gobble; **sich um etw ~** *Schlange, Pflanze* wind* itself round sth

Schlitten M ['ʃlɪtən] ⟨~s; ~⟩ sledge, *US* sled; *Pferdeschlitten* sleigh; SPORT toboggan; *umg*: *Auto* flash car; **~ fahren** go* sledging *od US* sledding

'Schlittschuh M ice-skate; **~ laufen** ice-skate

Schlitz M [ʃlɪts] ⟨~es; ~e⟩ slit; *Hosenschlitz* flies *pl*, *bes US* fly; *Einwurfschlitz* slot

Schloss[1] N [ʃlɔs] ⟨~es; Schlösser⟩ *an Tür etc* lock; **ins ~ fallen** *Tür* slam shut; **hinter ~ und Riegel sitzen** be* behind bars

Schloss[2] N ⟨~es; Schlösser⟩ *Burg* castle; *Palast* palace

'Schlosser(in) M ⟨~s; ~⟩ F ⟨~in; ~innen⟩ mechanic, fitter

Schlosse'rei F ⟨~; ~en⟩ metalwork shop

schlottern V/I ['ʃlɔtərn] shake*, tremble (**vor** with); *umg*: *von Hose etc* bag

Schlucht F [ʃlʊxt] ⟨~; ~en⟩ gorge, ravine

schluchzen V/I ['ʃlʊxtsən] sob

Schluck M [ʃlʊk] ⟨~(e)s; ~e⟩ *kleiner* sip; *großer* gulp; *Menge* drop

'Schluckauf M ⟨~s⟩ hiccups *pl*; **(e-n) ~ haben** have* (the) hiccups

'schlucken V/T & V/I swallow (*a. fig*)

'Schluckimpfung F oral vaccination

schludrig ADJ ['ʃluːdrɪç] slapdash

schlüpfen V/I ['ʃlʏpfən] ⟨s⟩ slip; *von Vogel* hatch (out); **in/aus etw ~** *von Kleidungsstück* slip sth on/off, slip into/out of sth

'Schlüpfer M ⟨~s; ~⟩ panties *pl*, *Br a.* knickers *pl*

schlüpfrig ADJ ['ʃlʏpfrɪç] slippery; *fig*: *Witz* risqué

Schluss M [ʃlʊs] ⟨~es; Schlüsse⟩ end; *Abschluss, Schlussfolgerung* conclusion; *von Film, Roman etc* ending; **am** *od* **zum ~** at the end; *schließlich* in the end; **~ machen** finish; *sich trennen* break* up; **mit etw ~ machen** stop sth; **(ganz) bis zum ~** to the (very) end; **~ für heute!** that's all for today!

'Schlussakte F *EU* final act

'Schlussbilanz F WIRTSCH annual balance sheet; *nach Abwicklung eines Unternehmens* final balance sheet

Schlüssel M ['ʃlʏsəl] ⟨~s; ~⟩ key (*a. fig u. zssgn*) (**für, zu** to)

'Schlüsselbein N collarbone

'Schlüsselbund M ⟨~(e)s; ~e⟩ bunch of keys **'Schlüsseldienst** M locksmith **'Schlüsselindustrie** F key industry **'Schlüsselloch** N keyhole **'Schlüsselstellung** F key position

'Schlussfolgerung F conclusion

schlüssig ADJ ['ʃlʏsɪç] *Beweis* conclusive; **sich ~ werden** make* up one's mind (**über** about)

'Schlusskurs M WIRTSCH closing price

'Schlusslicht N AUTO taillight

'Schlussnotierung F WIRTSCH closing quotation **'Schlussphase** F final stage(s *pl*) **'Schlussverkauf** M (end--of-season) sale
Schmach F [ʃma:x] ⟨~⟩ disgrace, shame
schmächtig ADJ ['ʃmɛçtɪç] slight
schmackhaft ADJ ['ʃmakhaft] tasty
schmal ADJ [ʃma:l] ⟨~er *od* schmäler, ~ste *od* schmälste⟩ narrow; *Figur* thin, slender
schmälern V/T ['ʃmɛ:lərn] *fig* detract from
'Schmalspur- ZSSGN *fig* small-time
Schmalz N [ʃmalts] ⟨~es; ~e⟩ fat; *Schweineschmalz* lard; *fig* schmaltz
'schmalzig ADJ *fig* schmaltzy
schmarotzen V/I [ʃma'rɔtsən] ⟨*kein ge*⟩ *umg* sponge (**bei** on)
Schma'rotzer M ⟨~s; ~⟩ *Tier, Pflanze* parasite; *fig a.* sponger
Schma'rotzerin F ⟨~; ~nen⟩ *fig* sponger
schmatzen V/I ['ʃmatsən] eat* noisily; **mit den Lippen ~** smack one's lips
schmecken V/I & V/T ['ʃmɛkən] taste (**nach** of); **gut/süß ~** taste good/sweet; **(wie) schmeckt dir ...?** (how) do you like ...? (*a. fig*); **lass es dir ~** enjoy your meal
Schmeichelei F [ʃmaiçə'lai] ⟨~; ~en⟩ flattery
'schmeichelhaft ADJ flattering
'schmeicheln V/I **j-m ~** flatter sb
'Schmeichler(in) M ⟨~s; ~⟩ (F) ⟨~in; ~innen⟩ flatterer
'schmeichlerisch ADJ flattering
schmeißen ['ʃmaisən] ⟨schmiss, geschmissen⟩ *umg* **A** V/T *werfen* chuck, throw* **B** V/I **mit Geld um sich ~** throw* one's money around
schmelzen V/I ['ʃmɛltsən] ⟨s⟩ & V/T ⟨schmolz, geschmolzen⟩ melt*; *Schnee a.* thaw; *Erz* smelt
'Schmelzkäse M cheese spread
Schmerz M [ʃmɛrts] ⟨~es; ~en⟩ pain; *anhaltender* ache; *fig* pain, grief; **~en haben** be* in pain
'schmerzen V/I & V/T hurt* (*a. fig*); *anhaltend* ache; **mir schmerzt die Schulter** my shoulder's hurting
'schmerzhaft ADJ painful (*a. fig*)
'schmerzlos ADJ painless
'Schmerzmittel N painkiller
'schmerzstillend ADJ painkilling
Schmetterling M ['ʃmɛtərlɪŋ] ⟨~s; ~e⟩ butterfly (*a. Schwimmstil*)
Schmied(in) [ʃmi:t ('ʃmi:dɪn)] M ⟨~(e)s; ~e⟩ (F) ⟨~in; ~innen⟩ (black)smith
'Schmiedeeisen N wrought iron
'schmieden V/T forge; *Pläne* make*
Schmiere F ['ʃmi:rə] ⟨~; ~n⟩ grease
'schmieren V/T TECH grease, lubricate; *Butter, Aufstrich* spread*; *unsauber schreiben* scrawl
Schmiere'rei F ⟨~; ~en⟩ scrawl; *Wandschmiererei* graffiti *sg*
'Schmiergeld N bribe
'schmierig ADJ greasy; *schmutzig* dirty; *umg*: *kriecherisch* slimy
'Schmiermittel N TECH lubricant
'Schmierpapier N scrap *od US* scratch paper
Schminke F ['ʃmɪŋkə] ⟨~; ~n⟩ make-up (*a.* THEAT)
'schminken V/T **j-n ~** make* sb up; **sich ~** make* o.s. up
Schmirgelpapier N ['ʃmɪrgəl-] sandpaper
schmollen V/I ['ʃmɔlən] sulk, be* sulky
schmoren V/T & V/I ['ʃmo:rən] braise, stew; **j-n ~ lassen** *umg* leave* sb to stew
Schmuck M [ʃmʊk] ⟨~(e)s⟩ jewellery, *US* jewelry; *Zierde* decoration, ornament
schmücken V/T ['ʃmʏkən] decorate
Schmuggel M ['ʃmʊgəl] ⟨~s⟩ smuggling
'schmuggeln V/T & V/I smuggle
'Schmuggelware F smuggled goods *pl*
'Schmuggler(in) ['ʃmʊglər(ɪn)] M ⟨~s; ~⟩ (F) ⟨~in; ~innen⟩ smuggler
schmunzeln V/I ['ʃmʊntsəln] smile to o.s
schmusen V/I ['ʃmu:zən] *umg* **(mit j-m) ~** cuddle (sb); *von Liebespaar* kiss and cuddle (with sb), smooch (with sb)
Schmutz M [ʃmʊts] ⟨~es⟩ dirt; *stärker* filth (*beide a. fig*)
'schmutzig ADJ dirty (*a. fig*); *stärker* filthy; **~ werden, sich ~ machen** get* dirty
'Schmutzwasser N ⟨~s; Schmutzwässer⟩ waste water
Schnabel M ['ʃna:bəl] ⟨~s; Schnäbel⟩ *von Vogel* beak, bill
Schnalle F ['ʃnalə] ⟨~; ~n⟩ buckle
Schnäppchen N ['ʃnɛpçən] ⟨~s; ~⟩ bar-

gain
schnappen [ˈʃnapən] **A** VI **~ nach** *beißen* snap at; *greifen* snatch at; **nach Luft ~** gasp for breath **B** VT *umg: fangen* catch*
ˈSchnappschuss M snap(shot)
Schnaps M [ʃnaps] ⟨~es; Schnäpse⟩ schnapps
schnarchen VI [ˈʃnarçən] snore
schnaufen VI [ˈʃnaufən] pant, puff
Schnauze F [ˈʃnautsə] ⟨~; ~n⟩ *von Schwein* snout; *von Hund* muzzle; *umg: von Auto, Flugzeug* nose; *vulg: Mund* trap; **halt die ~!** *vulg* shut your trap!
Schnecke F [ˈʃnɛkə] ⟨~; ~n⟩ snail; *Nacktschnecke* slug
ˈSchneckenhaus N snail shell **ˈSchneckenpost** F *umg* snail mail **ˈSchneckentempo** N **im ~** at a snail's pace
Schnee M [ʃneː] ⟨~s⟩ snow (*a. sl: Kokain*)
ˈSchneeball M snowball **ˈSchneeballsystem** N WIRTSCH pyramid *od* snowball system **ˈschneebedeckt** ADJ snow-covered; *Bergspitze a.* snow-capped **ˈSchneefall** M snowfall **ˈSchneeflocke** F snowflake **ˈSchneegrenze** F snow line **ˈSchneekette** F snow chain **ˈSchneemann** M ⟨*pl* Schneemänner⟩ snowman **ˈSchneematsch** M slush **ˈSchneepflug** M snowplough, *US* snowplow **ˈschneesicher** ADJ with snow guaranteed **ˈSchneesturm** M snowstorm, blizzard
Schneid M [ʃnait] ⟨~(e)s⟩ *umg* guts *pl*
ˈSchneidbrenner M TECH cutting blowpipe *od* torch
ˈschneiden VT & VI ⟨schnitt, geschnitten⟩ cut* (*a. fig: nicht beachten*); *Film, Tonband a.* edit; *schnitzen* carve; *Linie,* MATH intersect; **e-e Kurve ~** cut* a corner
Schneider(in) [ˈʃnaidər(ɪn)] M ⟨~s; ~⟩ (F) ⟨~in; ~innen⟩ tailor; *für Damen* dressmaker
Schneideˈrei F ⟨~; ~en⟩ tailoring; *für Damenmode* dressmaking; *Werkstatt* tailor's, *für Damenmode* dressmaker's
ˈschneidern **A** VI *als Hobby* make* clothes **B** VT *Hose* make*
ˈSchneidezahn M incisor
schneien VI [ˈʃnaiən] snow

schnell [ʃnɛl] **A** ADJ quick; *Auto, Läufer etc a.* fast; *Puls, Anstieg* rapid, quick **B** ADV quickly; *fahren etc a.* fast; **es geht ~** it won't take long; **das ging aber ~!** that was quick!; **(mach) ~!** hurry up!
ˈSchnell- ZSSGN *Dienst, Paket, Zug etc* express
ˈSchnellgaststätte F fast-food restaurant **ˈSchnellgericht** N GASTR quick meal; *Fertiggericht* ready meal **ˈSchnellhefter** M folder
ˈSchnelligkeit F ⟨~⟩ speed
ˈSchnellimbiss M snack bar **ˈSchnellkurs** M crash course **ˈSchnellreinigung** F express dry cleaning
ˈschnellstens ADV as quickly as possible
ˈSchnellstraße F motorway, *US* expressway
Schnickschnack M [ˈʃnɪkʃnak] ⟨~(e)s⟩ *umg* frills *pl*
Schnitt M [ʃnɪt] ⟨~(e)s; ~e⟩ cut (*a. fig*); *Durchschnitt* average; **im ~** *Durchschnitt* on average
Schnitte F [ˈʃnɪtə] ⟨~; ~n⟩ slice; *belegtes Brot* open sandwich
ˈSchnittfläche F section
ˈschnittig ADJ stylish
ˈSchnittkäse M cheese slices *pl* **ˈSchnittlauch** M chives *pl* **ˈSchnittmengendiagramm** N Venn diagram **ˈSchnittmuster** N pattern **ˈSchnittpunkt** M (point of) intersection **ˈSchnittstelle** F cut; COMPUT interface **ˈSchnittwunde** F cut
Schnitzel[1] N [ˈʃnɪtsəl] ⟨~s; ~⟩ cutlet; **Wiener ~** schnitzel
ˈSchnitzel[2] N *od* M ⟨~s; ~⟩ *Holzschnitzel* chip; *Papierschnitzel* scrap
schnitzen VT [ˈʃnɪtsən] carve
ˈSchnitzer M ⟨~s; ~⟩ *umg: Fehler* howler
Schnorchel M [ˈʃnɔrçəl] ⟨~s; ~⟩ snorkel
schnorren VT [ˈʃnɔrən] *umg* cadge (**bei** from)
ˈSchnorrer(in) M ⟨~s; ~⟩ (F) ⟨~in; ~innen⟩ *umg* cadger
schnüffeln VI [ˈʃnʏfəln] sniff (**an** at); *fig umg* snoop (around)
ˈSchnüffler(in) M ⟨~s; ~⟩ (F) ⟨~in; ~innen⟩ *fig umg* snoop(er); *Detektiv* sleuth
Schnuller M [ˈʃnʊlər] ⟨~s; ~⟩ dummy,

S

US pacifier
Schnupfen M ['ʃnʊpfən] ⟨~s; ~⟩ cold; **e-n ~ haben/bekommen** have*/catch* a cold
'Schnupperkurs M *umg* taster course
schnuppern V/I ['ʃnʊpərn] sniff (**an** at)
'Schnupperpreis M WIRTSCH *umg* introductory price
Schnur F [ʃnuːr] ⟨~; Schnüre⟩ string; ELEK lead, flex; **e-e ~** *zum Binden* a piece of string
Schnürchen N ['ʃnyːrçən] ⟨~s; ~⟩ **es klappte wie am ~** *umg* it went beautifully *od* like a dream
schnüren V/T ['ʃnyːrən] *Schuhe* lace (up); *verschnüren* tie up
'schnurge'rade ADV dead straight
'schnurlos ADJ **~es Telefon** cordless (phone)
'Schnurrbart M moustache, *US* mustache
schnurren V/I ['ʃnʊrən] *von Katze, Motor* purr
'Schnürschuh M lace-up (shoe)
Schnürsenkel M ['ʃnyːrzɛŋkəl] ⟨~s; ~⟩ shoelace, *US a.* shoestring
'schnur'stracks ADV directly, straight; *sofort* straightaway
Schock M [ʃɔk] ⟨~(e)s; ~s⟩ shock; **unter ~ stehen** be* in (a state of) shock
scho'ckieren V/T ⟨*kein ge*⟩ shock; **über etw schockiert sein** be* shocked at sth
Schokolade F [ʃoko'laːdə] ⟨~; ~n⟩ chocolate; **e-e Tafel ~** a bar of chocolate
'Schokoriegel M chocolate bar
Scholle F ['ʃɔlə] ⟨~; ~n⟩ *Erdscholle* clod; *Eisscholle* (ice) floe; *Fisch* plaice, *US* flounder
schon ADV [ʃoːn] already; *jemals* ever; *sogar* even; **~ damals** even then; **~ 1963** as early as 1963; **~ der Gedanke, dass** the very idea that; **ist sie ~ da/zurück?** has she come/is she back yet?; **habt ihr das ~ gesehen?** have you seen it yet?; **ich wohne hier ~ seit zwei Jahren** I've been living here for two years now; **ich kenne ihn ~, aber ...** I do know him, but ...; **er macht das ~** he'll do it all right; **das ist ~ möglich** that's quite possible; **~ gut!** it's OK!
schön [ʃøːn] **A** ADJ beautiful; *Mann, Junge* handsome; *Gegenstand* lovely, nice; *Wetter* fine, beautiful; *gut, angenehm, nett* nice (*a. ironisch*); **(na) ~** all right **B** ADV *gut* well; **~ warm/kühl** nice and warm/cool; **ganz ~ teuer/schnell** pretty expensive/fast; **j-n ganz ~ erschrecken/überraschen** give* sb quite a start/surprise; **sich ~ machen** do* o.s. up
schonen V/T ['ʃoːnən] take* care of, go* easy on (*a.* TECH); *j-n* go* easy on; *j-s Leben* spare; **sich ~** take* it easy; *für etw* save o.s.
'schonend **A** ADJ gentle; *Mittel a.* mild **B** ADV **~ umgehen mit** take* care of; *Glas, Zerbrechliches* handle with care; **j-m etw ~ beibringen** break* sth to sb gently
'Schönheit F ⟨~; ~en⟩ beauty
'Schönheitschirurg(in) M(F) cosmetic surgeon
'Schonung F ⟨~; ~en⟩ care; *Ruhe* rest; *Erhaltung* preservation; *Bäume* new tree plantation
'schonungslos **A** ADJ relentless; *Offenheit* brutal **B** ADV relentlessly; *offen* brutally
Schön'wetterlage F stable area of high pressure **Schön'wetterperiode** F period of fine weather
schöpfen V/T ['ʃœpfən] scoop; *mit e-r Kelle* ladle; *aus e-m Brunnen* draw*
'Schöpfer M ⟨~s; ~⟩ creator; REL Creator
'Schöpferin F ⟨~; ~nen⟩ creator
'schöpferisch ADJ creative
'Schöpfung F ⟨~; ~en⟩ creation; REL Creation
Schorf M [ʃɔrf] ⟨~(e)s; ~e⟩ scab
Schornstein M ['ʃɔrnʃtain] chimney; SCHIFF, BAHN funnel
'Schornsteinfeger(in) M ⟨~s; ~⟩ (F) ⟨~in; ~innen⟩ chimney sweep
Schoß M [ʃoːs] ⟨~es; Schöße⟩ lap; *Mutterleib* womb
Schote F ['ʃoːtə] ⟨~; ~n⟩ BOT pod
Schotte M ['ʃɔtə] ⟨~n; ~n⟩ Scot(sman); **er ist ~** he's Scottish, he's a Scot; **die ~n** *pl* the Scots *pl*, the Scottish (people) *pl*
Schotter M ['ʃɔtər] ⟨~s; ~⟩ *Steine* gravel; *umg Geld* dough
'Schottin F ⟨~; ~nen⟩ Scot(swoman); **sie ist ~** she's Scottish, she's a Scot
'schottisch ADJ Scottish; *typische Produkte* Scotch

'Schottland N ⟨~s⟩ Scotland
schräg [ʃrɛːk] **A** ADJ sloping; *Linie* diagonal **B** ADV **~ gegenüber** diagonally opposite
Schramme F ['ʃramə] ⟨~; ~n⟩ scratch
'schrammen V/T scratch
Schrank M [ʃraŋk] ⟨~(e)s; Schränke⟩ cupboard; *Wandschrank* cupboard, *US* closet; *Kleiderschrank* wardrobe, *US* closet
Schranke F ['ʃraŋkə] ⟨~; ~n⟩ barrier (*a. fig*); **~n** *pl Grenzen* limits *pl*, bounds *pl*
Schraube F ['ʃraubə] ⟨~; ~n⟩ screw; *am Schiff* propeller
'schrauben V/T screw
'Schraubenschlüssel M spanner, *US* wrench **'Schraubenzieher** M ⟨~s; ~⟩ screwdriver
'Schraubstock M vice, *US* vise **'Schraubverschluss** M screw top *od* cap
Schrebergarten M ['ʃreːbərgartən] allotment, *US* garden plot
Schreck M [ʃrɛk] ⟨~(e)s; ~e⟩ fright; **j-m e-n ~ einjagen** give* sb a fright, scare sb
'Schrecken M ⟨~s; ~⟩ terror; *plötzlicher* fright; *Gräuel* horror
'schreckhaft ADJ jumpy; *Pferd* skittish
'schrecklich **A** ADJ awful, terrible **B** ADV *umg: sehr* really
Schrei M [ʃrai] ⟨~(e)s; ~e⟩ shout, cry; *brüllend* yell; *Angstschrei* scream; *von Baby, Tier, Vogel* cry (**nach** for); **es ist der letzte ~** *umg* it's all the rage
'Schreibarbeit F desk work, *bes pej* paperwork **'Schreibblock** M ⟨~(e)s; ~s *od* Schreibblöcke⟩ writing pad **'Schreibbüro** N typing bureau
schreiben V/T & V/I ['ʃraibən] ⟨schrieb, geschrieben⟩ write* (**j-m** to sb); *tippen* type; *rechtschreiben* spell*; *Rechnung* make* out; *Klassenarbeit* do*; **etw falsch ~** misspell* sth; **wie schreibt man ...?** how do you spell ...?; **eine Zwei ~** *Note* get* a B
'Schreiben N ⟨~s; ~⟩ *Brief* letter
'schreibfaul ADJ **~ sein** be* lazy about writing letters **'Schreibfehler** M spelling mistake **'schreibgeschützt** ADJ read-only, write-protected **'Schreibkraft** F typist **'Schreibmaschine** F typewriter; **mit der ~ geschrieben** typed, typewritten **'Schreibmaschinenpapier** N typing paper **'Schreibschutz** M write protection **'Schreibtisch** M desk
'Schreibung F ⟨~; ~en⟩ spelling
'Schreibunterlage F *auf Schreibtisch* desk mat **'Schreibwaren** PL stationery *sg* **'Schreibwarengeschäft** N stationer's, stationery shop
'schreien V/I & V/T ⟨schrie, geschrie(e)n⟩ shout; *brüllend* yell; *kreischend* scream; *von Baby, Tier, Vogel* cry (**nach** for); **~ vor Schmerz/Angst** cry out in pain/terror; **es war zum Schreien** *umg* it was a scream
'schreiend ADJ *Farben* loud; *Unrecht* flagrant
Schreiner(in) ['ʃrainər(ɪn)] M ⟨~s; ~⟩ (F) ⟨~in; ~innen⟩ joiner; *Möbelschreiner* cabinet-maker
schreiten V/I ['ʃraitən] ⟨schritt, geschritten, s⟩ stride*
Schrift F [ʃrɪft] ⟨~; ~en⟩ *Handschrift* writing, handwriting; *Zeichensystem* script; *gedruckte* type; *Aufschrift* writing; *Veröffentlichung* work; **~en** *pl Werke* works *pl*, writings *pl*; **die Heilige ~** the Scriptures *pl*
'Schriftart F script; *gedruckte* typeface **'Schriftdeutsch** N standard German
'schriftlich **A** ADJ written **B** ADV *festhalten etc* in writing
'Schriftsatz M JUR written statement **'Schriftsteller(in)** M ⟨~s; ~⟩ (F) ⟨~in; ~innen⟩ writer, author **'Schriftverkehr** M, **'Schriftwechsel** M correspondence **'Schriftzeichen** N character, letter
schrill ADJ [ʃrɪl] *Ton, Stimme* shrill; *Frisur, Farben* garish; *Typ* eccentric
Schritt M [ʃrɪt] ⟨~(e)s; ~e⟩ step (*a. fig*); *groß* stride; *in Maßangaben* pace; **~e unternehmen** take* steps; **~ für ~** step by step; **~ halten mit** keep* up with; **~ fahren!** dead slow, drive at walking pace
'Schrittmacher M pacemaker (*a.* MED), pacesetter
'schrittweise ADV step by step, gradually
schroff [ʃrɔf] **A** ADJ *zerklüftet* jagged; *fig: unfreundlich* brusque; *krass* sharp **B** ADV *barsch* brusquely; *ablehnen* flatly
Schrott M [ʃrɔt] ⟨~(e)s; ~e⟩ scrap (metal); *umg: Ramsch* junk; *umg: Blödsinn* rubbish, *bes US* trash; **ein Auto zu ~ fahren**

wreck a car
'Schrottplatz M scrapyard
schrubben V/T ['ʃrʊbən] scrub
schrumpfen V/I ['ʃrʊmpfən] ⟨s⟩ shrink*
Schub M [ʃu:p] ⟨~(e)s; Schübe⟩ PHYS, TECH thrust
'Schubfach N drawer **'Schubkarre** F wheelbarrow **'Schubkraft** F PHYS, TECH thrust **'Schublade** F ⟨~; ~n⟩ drawer
Schubs M [ʃʊps] ⟨~es; ~e⟩ *umg* push
'schubsen V/T *umg* push
schüchtern ['ʃʏçtərn] **A** ADJ shy; *zaghaft* timid **B** ADV *fragen, lächeln etc* shyly; *zaghaft* timidly
'Schüchternheit F ⟨~⟩ shyness
Schuft M [ʃʊft] ⟨~(e)s; ~e⟩ *umg pej* bastard; THEAT *etc* villain
'schuften V/I *umg* slave away
Schuh M [ʃu:] ⟨~(e)s; ~e⟩ shoe; **j-m etw in die ~e schieben** *umg* put* the blame for sth on sb
'Schuhcreme F shoe polish **'Schuhgeschäft** N shoe shop *od US* store **'Schuhgröße** F shoe size
'Schulabschluss M school-leaving qualification **'Schulbildung** F school education
schuld ADJ [ʃʊlt] **an etw ~ sein** be* to blame for sth; **du bist selbst (daran) ~** it's your own fault
Schuld F ⟨~⟩ JUR, *Schuldgefühl* guilt; *Verantwortung* blame; REL sin; **j-m die ~ (an etw) geben** blame sb (for sth); **es ist (nicht) deine ~** it's (not) your fault; **an etw ~ haben** be* to blame for sth
'schuldbewusst ADJ *Miene* guilty
'schulden V/T **j-m etw ~** owe sb sth (*a. fig*)
'Schulden PL debts; **~ haben** be* in debt; **~ machen** run* up debts
'Schuldenberg M mountain of debt **'schuldenfrei** ADJ free from *od* of debt; *Grundbesitz* unencumbered
'schuldig ADJ *juristisch, moralisch* guilty (*gen* of); **(an etw) ~ sein** *verantwortlich* be* to blame (for sth); **j-m etw ~ sein** owe sb sth
'Schuldige(r) M/F(M) ⟨~n; ~n⟩ culprit; JUR guilty person
'schuldlos ADJ innocent (**an** *dat* of)
'Schuldner(in) ['ʃʊldnər(ɪn)] M ⟨~s; ~⟩ F ⟨~in; ~innen⟩ debtor
'Schuldschein M promissory note, IOU (= I owe you)
Schule F ['ʃu:lə] ⟨~; ~n⟩ school (*a. fig*); **höhere ~** secondary school, *US* high school; **auf** *od* **in der ~** at school; **in die** *od* **zur ~ gehen/kommen** go* to/start school; **die ~ fängt um ... an** school begins at ...
'schulen V/T train
'Schulenglisch N school-level English
Schüler(in) ['ʃy:lər(ɪn)] M ⟨~s; ~⟩ F ⟨~in; ~innen⟩ *jünger* pupil, *US* student; *älter* student
'Schulferien PL school holidays *pl od US* vacation *sg* **'Schulleiter** M headmaster, head (teacher), *US* principal **'Schulleiterin** F headmistress, head (teacher), *US* principal
Schulter F ['ʃʊltər] ⟨~; ~n⟩ shoulder
'Schulterblatt N shoulder blade **'schulterfrei** ADJ strapless
'Schulung F ⟨~; ~en⟩ training
'Schulzeit F school days *pl*
schummeln V/I ['ʃʊməln] *umg* cheat
Schund M [ʃʊnt] ⟨~(e)s⟩ trash, junk
Schuppe F ['ʃʊpə] ⟨~; ~n⟩ *von Fisch* scale; **~n** *pl in den Haaren* dandruff *sg*
Schuppen M ['ʃʊpən] ⟨~s; ~⟩ *Gebäude* shed; **ein vornehmer ~** *umg* a fancy joint
schüren V/T ['ʃy:rən] *Feuer* poke; *fig* stir up
schürfen V/I ['ʃʏrfən] *suchen* prospect (**nach** for)
'Schürfwunde F graze
Schurwolle F ['ʃu:r-] **reine ~** pure new wool
Schürze F ['ʃʏrtsə] ⟨~; ~n⟩ apron
Schuss M [ʃʊs] ⟨~es; Schüsse *od mit Anzahl* ~⟩ shot (*a.* SPORT); *Spritzer* dash; *sl: Drogeninjektion* shot, fix; **~ fahren** *beim Skifahren* schuss
Schüssel F ['ʃʏsəl] ⟨~; ~n⟩ bowl; *Wasserschüssel* basin; *Suppenschüssel* tureen
schuss(e)lig ADJ ['ʃʊs(ə)lɪç] scatterbrained
'Schusswaffe F firearm **'Schusswunde** F gunshot *od* bullet wound
Schuster(in) ['ʃu:stər(ɪn)] M ⟨~s; ~⟩ F ⟨~in; ~innen⟩ shoemaker
Schutt M [ʃʊt] ⟨~(e)s⟩ rubble, debris
schütteln V/T ['ʃʏtəln] shake*; **er schüttelte den Kopf** he shook his head; **sie**

S

schüttelte ihm die Hand she shook his hand, she shook hands with him
schütten ['ʃʏtən] **A** VT tip; *Flüssigkeit* pour **B** VI **es schüttet** *umg* it's pouring (with rain)
Schutz M [ʃʊts] ⟨~es⟩ protection (**gegen, vor** against, from); *Zuflucht* shelter (**gegen, vor** from); *Deckung* cover; **zum ~ gegen** *od* **vor** as a safeguard against; **j-n in ~ nehmen** stand* up for sb
'Schutzbrief M AUTO travel insurance certificate **'Schutzbrille** F goggles *pl*
Schütze M ['ʃʏtsə] ⟨~n; ~n⟩ marksman; MIL rifleman; MIL private; *Jäger* hunter; *Torschütze* scorer; ASTROL Sagittarius; **ein guter ~** a good shot
'schützen VT protect (**gegen, vor** against, from); *gegen Wetter* shelter (**gegen, vor** from); *sichern* safeguard
'Schutzgeld N protection money **'Schutzgelderpressung** F protection racket **'Schutzgewahrsam** M JUR protective custody **'Schutzhelm** M (safety) helmet **'Schutzimpfung** F inoculation; *Pockenschutzimpfung* vaccination **'Schutzkleidung** F protective clothing
Schützling M ['ʃʏtslɪŋ] ⟨~s; ~e⟩ protégé, *weiblich* protégée; *Kind* charge
'schutzlos **A** ADJ unprotected; *wehrlos* defenceless, *US* defenseless **B** ADV **j-m ~ ausgeliefert sein** be* totally at sb's mercy **'Schutzmaßnahme** F safety measure **'Schutznormen** PL *EU* standards *pl* **'Schutzumschlag** M dust jacket, dust cover
schwach [ʃvax] ⟨schwächer, schwächste⟩ **A** ADJ weak (*a. fig*); *Leistung, Schüler, Gesundheit, Gedächtnis* poor; *Ton, Hoffnung, Erinnerung* faint; *Licht* dim; **~e Augen haben** have* poor eyesight; **~ werden** *nicht widerstehen können* waver; **schwächer werden** grow* weak; *nachlassen* decline **B** ADV *schlecht* poorly; *sich erinnern* vaguely
Schwäche F ['ʃvɛçə] ⟨~; ~n⟩ weakness (*a. fig*); *Altersschwäche* infirmity; *Nachteil, Mangel* shortcoming
'schwächen VT weaken (*a. fig*); *vermindern* lessen
'schwächlich ADJ feeble; *zart* delicate, frail
'schwachsinnig ADJ feeble-minded; *fig umg* stupid, crazy
'Schwachstrom M ELEK low-voltage current
schwafeln VI ['ʃva:fəln] rabbit on
Schwager M ['ʃva:gər] ⟨~s; Schwäger⟩ brother-in-law
Schwägerin F ['ʃvɛ:gərɪn] ⟨~; ~nen⟩ sister-in-law
Schwall M [ʃval] ⟨~(e)s; ~e⟩ gush; *fig* torrent
Schwamm M [ʃvam] ⟨~(e)s; Schwämme⟩ sponge
'schwammig **A** ADJ spongy; *Gesicht* puffy; *vage* hazy, vague **B** ADV *vage* vaguely
schwanger ADJ ['ʃvaŋər] pregnant
'Schwangerschaft F ⟨~; ~en⟩ pregnancy
'Schwangerschaftsabbruch M abortion **'Schwangerschaftstest** M pregnancy test
schwanken VI ['ʃvaŋkən] sway; *von Schiff a.* roll; ⟨s⟩ *wanken, torkeln* stagger; **~ zwischen … und …** *fig*: *unschlüssig sein* waver between … and …; *von Preisen, Temperatur* fluctuate between … and …
'Schwankung F ⟨~; ~en⟩ fluctuation
Schwanz M [ʃvants] ⟨~es; Schwänze⟩ tail (*a.* FLUG, ASTRON); *vulg*: *Penis* cock
Schwarm M [ʃvarm] ⟨~(e)s; Schwärme⟩ *von Insekten, Menschen* swarm; *von Fischen* shoal; *von Vögeln* flock; *Idol* idol; **du bist ihr ~** *umg* she's got a crush on you
schwärmen[1] VI ['ʃvɛrmən] ⟨s⟩ *von Insekten, Menschen* swarm
'schwärmen[2] VI **~ für** *begeistert sein* be* mad about; *verehren* adore, worship; *verliebt sein* have* a crush on; **~ von** *begeistert erzählen* rave about
schwarz [ʃvarts] ⟨schwärzer, schwärzeste⟩ **A** ADJ black (*a. fig*); **Schwarzes Brett** notice board, *US* bulletin board; **das Schwarze Meer** the Black Sea **B** ADV **~ auf weiß** in black and white
'Schwarzarbeit F work on the side, illicit work **'schwarzarbeiten** VI do* work on the side, do* illicit work, *umg* moonlight **'Schwarzarbeiter(in)** M(F) illicit worker, *umg* moonlighter **'Schwarzbrot** N dark rye bread
'Schwarze(r) M/F(M) ⟨~n; ~n⟩ black

man; *Frau* black woman; **die ~n** *pl* black people *pl*, the blacks *pl*
schwärzen VT ['ʃvɛrtsən] blacken
'schwarzfahren VI ⟨*irr*, s⟩ dodge paying the fare **'Schwarzfahrer(in)** M(F) fare-dodger **'Schwarzhandel** M black market; *Tätigkeit* black marketeering; **im ~** on the black market **'Schwarzhändler(in)** M(F) black marketeer **'Schwarzmarkt** M black market **'Schwarzmarktpreis** M black-market price **'schwarzsehen** VI ⟨*irr*⟩ be* pessimistic (**für** about) **'Schwarzwald** M Black Forest **'schwarz-'weiß** **A** ADJ black-and-white (*a. zssgn*) **B** ADV *fotografieren etc* in black and white
'schwatzen VI ['ʃvatsən], **schwätzen** VI ['ʃvɛtsən] *plaudern* chat; *im Unterricht* talk; *klatschen* gossip; *unaufhörlich, ausführlich* chatter
'Schwätzer(in) M ⟨~s; ~⟩ (F) ⟨~in; ~innen⟩ gasbag; *Klatschmaul* gossip
'Schwebebahn F overhead monorail (system)
'schweben VI ⟨h *od mit Bewegung* s⟩ be* suspended; *über etw* hover (*a. fig*); *gleiten* float; JUR be* pending; **in Gefahr ~** be* in danger
Schwede M ['ʃveːdə] ⟨~n; ~n⟩, **'Schwedin** F ⟨~; ~nen⟩ Swede; **er/sie ist Schwede/Schwedin** he's/she's Swedish, he's/she's a Swede
'Schweden N ⟨~s⟩ Sweden
'schwedisch ADJ, **'Schwedisch** N Swedish; → englisch
Schwefel M ['ʃveːfəl] ⟨~s⟩ sulphur, *US* sulfur
'Schwefelsäure F sulphuric *od US* sulfuric acid
schweigen VI ['ʃvaigən] ⟨schwieg, geschwiegen⟩ be* silent; **(über etw) ~** keep* quiet (about sth); **ganz zu ~ von** to say nothing of
'Schweigen N ⟨~s⟩ silence; **j-n zum ~ bringen** silence sb
'schweigsam ADJ quiet
Schwein N [ʃvain] ⟨~(e)s; ~e⟩ pig, *US a.* hog; *Fleisch* pork; *Schmutzfink* (filthy) pig; *umg: Schuft* swine, bastard; **~ haben** *umg* be* lucky
'Schweinebraten M roast pork; *roher* joint of pork **'Schweinefleisch** N pork **'Schweinegrippe** F swine flu
Schweine'rei F ⟨~; ~en⟩ *Unordnung* mess; *Gemeinheit* dirty trick; *Schande* disgrace; **~en** *pl Unanständigkeiten* filth *sg*
'Schweinestall M pigsty (*a. fig*)
'schweinisch ADJ *fig* filthy
'Schweinsleder N pigskin
Schweiß M [ʃvais] ⟨~es⟩ sweat, perspiration
'schweißen VT weld
'Schweißer(in) M ⟨~s; ~⟩ (F) ⟨~in; ~innen⟩ welder
'schweißgebadet ADJ soaked in sweat
Schweiz F [ʃvaits] ⟨~⟩ **die ~** Switzerland
'Schweizer **A** M ⟨~s; ~⟩ Swiss; **die ~** *pl* the Swiss *pl* **B** ADJ ⟨*inv*⟩ Swiss
'Schweizerin F ⟨~; ~nen⟩ Swiss
'schweizerisch ADJ Swiss
schwelen VI ['ʃveːlən] smoulder, *US* smolder (*a. fig*)
schwelgen VI ['ʃvɛlgən] **~ in** revel in
Schwelle F ['ʃvɛlə] ⟨~; ~n⟩ *a. fig* threshold; *von Eisenbahnschienen* sleeper, *US* tie
schwellen VI & VT ['ʃvɛlən] ⟨schwoll, geschwollen, s⟩ swell*
'Schwellenland N newly industrialized country, emerging economy
'Schwellung F ⟨~; ~en⟩ swelling
Schwemme F ['ʃvɛmə] ⟨~; ~n⟩ WIRTSCH glut (**an** of)
'schwemmen VT **j-n/etw an Land ~** wash sb/sth ashore
schwenken ['ʃvɛŋkən] **A** VT *Fahne, Hut etc* wave; TECH swing*, swivel; *beim Kochen* toss **B** VI AUTO turn; TECH swing*, swivel; *von Kamera* pan
schwer [ʃveːr] **A** ADJ *an Gewicht* heavy (*a. Musik, Parfüm*); *schwierig* difficult, hard (*a. Arbeit*); *Wein, Zigarre* strong; *Essen* rich; *Krankheit, Fehler, Unfall, Schaden* serious; *Strafe* severe; *Gewitter, Kämpfe, Ausschreitungen* heavy, violent; **100 Pfund ~ sein** weigh 100 pounds; **es ~ haben** have* a hard time **B** ADV *enttäuscht* bitterly; *arbeiten* hard; **~ zu sagen** difficult *od* hard to say; **ich bin ~ erkältet** I've got a bad cold; **~ krank** seriously ill; **~ vedaulich** hard to digest; **~ verletzt** seriously injured; **~ verständlich** difficult to understand; **das will ich ~ hoffen** *umg* I really hope so; **j-m etw ~ machen** make* sth difficult for sb

'Schwere F ⟨~⟩ weight; *fig* seriousness

'schwerfallen V/I ⟨*irr*, s⟩ be* difficult (*dat* for) **'schwerfällig** ADJ *unbeholfen* awkward, clumsy; *langsam* slow **'Schwergewicht** N heavyweight; *fig* (main) emphasis **'schwerhörig** ADJ **~ sein** be* hard of hearing **'Schwerindustrie** F heavy industry **'Schwerkraft** F gravity **'Schwermetall** N heavy metal **'schwermütig** ADJ melancholy **'Schwerpunkt** M centre *od US* center of gravity; *fig* (main) emphasis **'Schwerpunktstreik** M WIRTSCH selective strike

Schwert N [ʃve:rt] ⟨~(e)s; ~er⟩ sword

'schwertun V/R ⟨*irr*⟩ **sich mit etw ~** have* difficulty with sth **'Schwerverbrecher(in)** M(F) serious offender **'schwerwiegend** ADJ *fig* serious

Schwester F ['ʃvɛstər] ⟨~; ~n⟩ sister; *Ordensschwester* nun; *als Anrede* Sister; MED nurse

Schwieger- ZSSGN ['ʃvi:gər-] *Eltern, Mutter, Sohn* -in-law; **Schwiegervater** father-in-law

Schwiele F ['ʃvi:lə] ⟨~; ~n⟩ callus

schwierig ADJ ['ʃvi:rɪç] difficult

'Schwierigkeit F ⟨~; ~en⟩ difficulty; **ohne ~en** without difficulty; **in ~en geraten** get* into trouble *sg*; **~en haben, etw zu tun** have* difficulty *sg* (in) doing sth

'Schwimmbad N swimming pool

schwimmen V/I ['ʃvɪmən] ⟨schwamm, geschwommen, h *od mit Bewegung* s⟩ swim*; *von Gegenstand* float; **~ gehen** go* swimming

'Schwimmer(in) M ⟨~s; ~⟩ (F) ⟨~in; ~innen⟩ swimmer

'Schwimmweste F life jacket

Schwindel M ['ʃvɪndəl] ⟨~s⟩ MED dizziness, giddiness; *fig*: *Betrug* swindle; *Lüge* lie

'Schwindelanfall M attack of dizziness **'schwindelerregend** ADJ dizzy **'Schwindelfirma** F bogus company **'schwindelfrei** ADJ **~ sein** have* a good head for heights

'schwindeln V/I ['ʃvɪndəln] *umg*: *lügen* fib

schwinden V/I ['ʃvɪndən] ⟨schwand, geschwunden, s⟩ dwindle

'Schwindler(in) M ⟨~s; ~⟩ (F) ⟨~in; ~innen⟩ swindler; *Lügner* liar

'schwindlig ADJ ['ʃvɪndlɪç] dizzy, giddy; **mir ist ~** I feel dizzy

'schwingen ⟨schwang, geschwungen⟩ **A** V/I *pendeln* swing*; *vibrieren* vibrate **B** V/T *Fahne, Axt etc* wave

'Schwingung F ⟨~; ~en⟩ *Vibrieren* vibration

Schwips M [ʃvɪps] ⟨~es; ~e⟩ **e-n ~ haben** *umg* be* tipsy

schwitzen V/I ['ʃvɪtsən] sweat, perspire; **ins Schwitzen kommen** start sweating; *fig* get* into a sweat

schwören ['ʃvø:rən] ⟨schwor, geschworen⟩ **A** V/I swear*; *vor Gericht* take* the oath; **~ auf** *fig* swear* by **B** V/T swear*

schwul ADJ [ʃvu:l] *umg* gay; *pej* queer

schwül ADJ [ʃvy:l] close, sultry

'Schwule(r) M ⟨~n; ~n⟩ gay (man)

Schwung M [ʃvʊŋ] ⟨~(e)s; Schwünge⟩ swing; *fig* verve, zest; *Energie* drive; **in ~ kommen** get* going; **j-n/etw in ~ bringen** get* sb/sth going

'schwunghaft ADJ *Handel* brisk, flourishing **'schwungvoll** **A** ADJ *lebhaft* lively (*a. Melodie*); *energisch* energetic **B** ADV *lebhaft* in a lively manner; *energisch* energetically

Schwur M [ʃvu:r] ⟨~(e)s; Schwüre⟩ oath

'Schwurgericht N *etwa* jury court

Screening N ['skri:nɪŋ] ⟨~s; ~s⟩ *in der EU* screening

scrollen V/I ['skro:lən] IT scroll

SE [ɛs'ʔe:] ABK *für* Societas Europaea *Europäische Gesellschaft* SE

sechs ADJ [zɛks] six

Sechs F ⟨~; ~en⟩ six; *Note etwa* F

'Sechseck N ⟨~(e)s; ~e⟩ hexagon **'sechseckig** ADJ hexagonal

'Sechserpack M ⟨~(e)s; ~e⟩ six-pack

'sechsfach **A** ADJ sixfold; **die ~e Menge** six times the amount **B** ADV sixfold, six times

'sechsmal ADV six times

Sechste(r) M/F(M) ⟨~n; ~n⟩ sixth

sechste(r, -s) ADJ ['zɛkstə] sixth

Sechstel N ['zɛkstəl] ⟨~s; ~⟩ sixth

'sechstens ADV ['zɛkstəns] sixth(ly)

sechzehn ADJ ['zɛçtse:n] sixteen

sechzig ADJ ['zɛçtsɪç] sixty

See¹ M [ze:] ⟨~s; ~n⟩ lake

See² F ⟨~⟩ sea; **auf ~** at sea; **auf hoher ~**

out at sea; **an der ~** by the sea; **an die ~ fahren** go* to the seaside; **in ~ stechen** put* to sea; **zur ~ fahren** be* a sailor
'Seebad N seaside resort **'Seeblick** M view of the sea *od* lake **'Seefahrt** F navigation **'Seegang** M **hoher ~** heavy seas *pl* **'Seehafen** M seaport **'Seekarte** F nautical chart **'seekrank** ADJ seasick **'Seekrankheit** F seasickness
Seele F ['ze:lə] ⟨~; ~n⟩ soul (*a. fig*)
'Seelenruhe F **in aller ~** calmly
'seelisch **A** ADJ mental, psychological **B** ADV *krank* mentally
'Seeluft F sea air **'Seemacht** F sea power **'Seemann** M ⟨*pl* Seeleute⟩ sailor, seaman **'Seemeile** F nautical mile **'Seenot** F **in ~ geraten** get* into distress **'Seeräuber(in)** M(F) pirate **'Seereise** F voyage; *Kreuzfahrt* cruise **'Seeschlacht** F naval battle **'Seestreitkräfte** PL naval forces *pl*, navy *sg* **'seetüchtig** ADJ seaworthy **'Seeweg** M sea route; **auf dem ~** by sea
Segel N ['ze:gəl] ⟨~s; ~⟩ sail
'Segelboot N sailing boat, *US* sailboat **'Segelflugzeug** N glider
'segeln VI ⟨h *od mit Bewegung* s⟩ sail
'Segelschiff N sailing ship
Segen M ['ze:gən] ⟨~s; ~⟩ blessing (*a. fig*)
Segler(in) ['ze:glər(in)] M ⟨~s; ~⟩ (F) ⟨~in; ~innen⟩ SPORT: *Mann* yachtsman; *Frau* yachtswoman
sehen VI & VT ['ze:ən] ⟨sah, gesehen⟩ see*; *Sendung, Spiel a.* watch; *hinsehen* look; *bemerken* notice; **sieh mal!** look!; **ich sehe nicht gut** I can't see very well; **~ nach** *sich kümmern um* look after; **sich ~ lassen** *kommen* show* up; **das sieht man (kaum)** it (hardly) shows; **siehst du** *erklärend* (you) see; *vorwurfsvoll* I told you; **siehe oben/unten/Seite ...** see above/below/page ...; **das siehst du falsch/richtig** you've got it wrong/right; **j-n nur vom Sehen kennen** only know* sb by sight
'sehenswert ADJ *Film* worth seeing **'Sehenswürdigkeit** F ⟨~; ~en⟩ sight; **die Sehenswürdigkeiten besichtigen** go* sightseeing, see* the sights
'Sehkraft F (eye)sight
Sehne F ['ze:nə] ⟨~; ~n⟩ ANAT tendon; *Bogensehne* string
sehnen V/R ['ze:nən] **sich ~ nach** long for; *stärker* yearn for; **sich danach ~, etw zu tun** be* longing to do sth
'Sehnerv M optic nerve
'Sehnsucht F longing; *stärker* yearning
'sehnsüchtig **A** ADJ longing; *stärker* yearning **B** ADV longingly; *stärker* yearningly; **etw ~ erwarten** long for sth
sehr ADV [ze:r] *vor adj & adv* very; *mit Verben* very much, a lot; **~ viel** a lot; **nicht ~ viel** not very much; **danke ~!** thank you very much!
'Sehtest M eye test
seicht ADJ [zaiçt] shallow (*a. fig*)
Seide F ['zaidə] ⟨~; ~n⟩ silk
Seife F ['zaifə] ⟨~; ~n⟩ soap
'Seifenblase F soap bubble **'Seifenlauge** F [-laugə] ⟨~; ~n⟩ (soap)suds *pl* **'Seifenoper** F TV soap (opera) **'Seifenschale** F soap dish **'Seifenschaum** M lather
Seil N [zail] ⟨~(e)s; ~e⟩ rope; *von Seilbahn* cable
'Seilbahn F cable railway, *US* aerial tramway; **mit der ~ fahren** go* by cable car *od US* aerial tramway **'Seilhüpfen** N ⟨~s⟩, **'Seilspringen** N ⟨~s⟩ skipping, *US* jumping rope
sein[1] VI [zain] ⟨war, gewesen, s⟩ be*; *mit Vergangenheitsform* have*; **sie ist alt** she's *od* she is old; **er ist gegangen** he's *od* he has gone; **sie wären geblieben** they would have stayed; **ich bin's** it's me; **er ist Rechtsanwalt** he's a lawyer; **lass das ~!** stop it!
sein[2] ADJ & POSS PR his; *bei Mädchen* her; *bei Sache, Tier* its; *unbestimmt, nach man* one's; **das ist ~er/~e/~(e)s** that's his; *bei Mädchen* that's hers; **jeder hat ~e Sorgen** everyone has their problems, everyone has his or her problems
Sein N ⟨~s⟩ existence
'seiner'seits ADV for his part; *von ihm* on his part
'seinerzeit ADV at that time, in those days
'seines'gleichen PRON ⟨*inv*⟩ his equals *pl*; *Leute wie er* his kind *pl*; **j-n wie ~ behandeln** treat sb as an equal
'seinet'wegen ADV *für ihn* for his sake; *wegen ihm* because of him
seit KONJ & PRÄP [zait] ⟨*dat*⟩ since; *bei Zeit-*

S

raum for; **~ 2010** since 2010; **ich lerne ~ drei Jahren Englisch** I've been learning English for three years; **~ Langem/Kurzem** for a long/short time

seit'dem A ADV since then B KONJ since; **~ sie diesen Job hat, ist sie viel glücklicher** since she's had this job she's much happier

Seite F ['zaitə] ⟨~; ~n⟩ side (*a. fig*); *Buchseite* page; **auf der linken ~** on the left(-hand side); **auf der e-n/anderen ~** *fig* on the one/other hand; **~ an ~** side by side; **zur ~ gehen** move aside; **j-m zur ~ stehen** stand* by sb; **die ~n wechseln** SPORT change ends; *fig* change camps; **die Gelben ~n®** ≈ the Yellow Pages®

'Seitenansicht F side view; IT print preview **'Seitenblick** M sidelong glance **'Seitenhieb** M *fig* sideswipe

'seitens PRÄP ⟨*gen*⟩ on the part of

'Seitensprung M *umg* affair **'Seitenstechen** N ⟨~s⟩ stitch **'Seitenstraße** F side street **'Seitenstreifen** M verge, *US* shoulder

seit'her ADV since then

'seitlich A ADJ **~er Eingang/Wind** *etc* side entrance/wind *etc* B ADV *angebracht etc* at the side; *zusammenstoßen* side-on

'seitwärts ADV sideways; *auf der Seite* to the side

Sekretär M [zekre'tɛːr] ⟨~s; ~e⟩ secretary; *Schreibtisch* bureau

Sekretariat N [zekretari'aːt] ⟨~(e)s; ~e⟩ (secretary's) office

Sekre'tärin F ⟨~; ~nen⟩ secretary

Sekt M [zɛkt] ⟨~(e)s; ~e⟩ sparkling wine

Sekte F ['zɛktə] ⟨~; ~n⟩ sect

Sektion F [zɛktsi'oːn] ⟨~; ~en⟩ section; *Obduktion* autopsy

Sektor M ['zɛktɔr] ⟨~s; -'toren⟩ sector (*a. fig*)

Sekunde F [ze'kʊndə] ⟨~; ~n⟩ second; **auf die ~** on the dot

Se'kundenzeiger M second hand

selbe(r, -s) ADJ ['zɛlbə] same

'selber PRON ['zɛlbər] → selbst A

selbst [zɛlpst] A PRON **ich ~** I ... myself; **du ~** you ... yourself; **er ~** he ... himself; **sie ~** she ... herself; **Sie ~** you ... yourself, *pl* you ... yourselves; **~ gemacht** homemade; **wir haben es ~ getan** we did it ourselves; **mach es ~** do it yourself; **ich habe den Chef ~ gesprochen** I spoke to the boss himself; **es funktioniert von ~** it works by itself B ADV *sogar* even

selbständig ADJ ['zɛlpʃtɛndɪç] → selbstständig

'Selbstauslöser M ⟨~s; ~⟩ FOTO self-timer **'Selbstbedienung** F self-service **'Selbstbedienungs-** ZSSGN self-service **'Selbstbedienungsladen** M self-service shop *od US* store **'Selbstbedienungsrestaurant** N self-service restaurant, cafeteria **'Selbstbeherrschung** F self-control **'Selbstbestimmung** F self-determination

'selbstbewusst A ADJ self-confident B ADV *handeln etc* self-confidently

'Selbstbewusstsein N self-confidence **'Selbsterhaltungstrieb** M survival instinct **'Selbsthilfe** F self-help **'Selbsthilfegruppe** F self-help group **'Selbstkostenpreis** M **zum ~** at cost (price) **'selbstkritisch** A ADJ self-critical B ADV *nachdenken etc* self-critically

'selbstlos A ADJ unselfish B ADV *handeln etc* unselfishly

'Selbstmord M suicide **'Selbstmordanschlag** M suicide attack *od* bombing **'Selbstmordattentat** N suicide attack *od* bombing **'Selbstmordattentäter(in)** M(F) suicide attacker, suicide bomber **'Selbstmörder(in)** M(F) suicide

'selbstsicher A ADJ self-confident B ADV *auftreten, sprechen etc* self-confidently

'Selbstsicherheit F self-confidence

selbstständig ['zɛlpstʃtɛndɪç] A ADJ *unabhängig* independent; *beruflich* self-employed; **sich ~ machen** *beruflich* set* up on one's own B ADV *denken etc* independently

'Selbstständige(r) M/F(M) ⟨~n; ~n⟩ self-employed person

'Selbstständigkeit F ⟨~⟩ independence

'Selbststudium N self-study, private study **'selbsttätig** A ADJ automatic B ADV *schließen, öffnen* automatically **'Selbsttäuschung** F self-deception **'Selbstverpfleger(in)** M ⟨~s; ~⟩ (F)

⟨~in; ~innen⟩ self-caterer **'Selbstverpflegung** F self-catering; **mit ~** self-catering, *US* with cooking facilities **'Selbstversorger(in)** M ⟨~s; ~⟩ (F) ⟨~in; ~innen⟩ **~ sein** be* self-sufficient *od* self-reliant; *Selbstverpfleger* be* self-catering **'Selbstversorgung** F self-sufficiency, self-reliance; *Selbstverpflegung* self-catering

'selbstverständlich A ADJ natural; **das ist ~** that goes without saying B ADV of course, naturally; **~!** of course!

'Selbstverständlichkeit F ⟨~; ~en⟩ **das ist doch e-e ~!** don't mention it!

'Selbstverteidigung F self-defence, *US* self-defense **'Selbstvertrauen** N self-confidence **'Selbstverwaltung** F self-government **'Selbstwertgefühl** N self-esteem **'Selbstzweck** M end in itself

selig ADJ ['ze:lɪç] REL blessed; *verstorben* late; *überglücklich* overjoyed

selten ['zɛltən] A ADJ rare, scarce B ADV *nicht oft* rarely, seldom

'Seltenheit F ⟨~; ~en⟩ rarity

Selters® N ['zɛltərs] ⟨~⟩, **'Selterswasser** N ⟨~s; Selterswässer⟩ mineral water, *US a.* seltzer

seltsam ['zɛltza:m] A ADJ strange, odd B ADV *sich verhalten etc* strangely

Semester N [ze'mɛstər] ⟨~s; ~⟩ term, *US* semester

Seminar N [zemi'na:r] ⟨~s; ~e⟩ UNIV: *Institut* department; *Lehrveranstaltung* seminar; *Priesterseminar* seminary; *Lehrerseminar* teacher training college

Semi'narraum M meeting room

Semmel F ['zɛməl] ⟨~; ~n⟩ *Brötchen* roll

sen. ABK *für* senior Snr, senior

Senat M [ze'na:t] ⟨~(e)s; ~e⟩ senate

Senator(in) [ze'na:tɔr (-'to:rɪn)] M ⟨~s; ~en⟩ (F) ⟨~in; ~innen⟩ senator

senden¹ V/T ['zɛndən] ⟨sendete *od* sandte, gesendet *od* gesandt⟩ *Brief, Fax, Gruß* send*

'senden² V/T RADIO, TV broadcast*; *über e-e Funkanlage* transmit

'Sender M ⟨~s; ~⟩ *Radiosender* radio station; *Fernsehsender* television station; *Anlage, Gerät* transmitter

'Sendeschluss M close-down

'Sendung F ⟨~; ~en⟩ *Programm* programme, *US* program; *Warensendung* consignment; *Paket* parcel; **auf ~ sein** be* on the air

Senf M [zɛnf] ⟨~(e)s; ~e⟩ mustard

senil ADJ [ze'ni:l] senile

Senili'tät F ⟨~⟩ senility

senior ADJ ['ze:nio:r] *nach Namen* Senior

Senior(in) ['ze:nio:r (ze:'nio:rɪn)] M ⟨~s; ~en⟩ (F) ⟨~in; ~innen⟩ senior (*a.* SPORT); **~en** *pl Rentner* senior citizens *pl*

'Seniorchef(in) M(F) WIRTSCH *head of a family firm*

Seni'orenheim N old people's home

senken V/T ['zɛŋkən] lower (*a. Stimme*); *Kopf a.* bow; *Kosten, Preise etc* reduce, lower; **sich ~** *von Nebel, Vorhang, Schranke* come* down; *von Boden, Haus* subside; *von Dunkelheit, Stimme* fall*

'senkrecht A ADJ vertical; *im Kreuzworträtsel* down B ADV vertically; **~ nach oben/unten** straight up/down

'Senkrechtstarter(in) M ⟨~s; ~⟩ (F) ⟨~in; ~innen⟩ whizzkid

Sensation F [zɛnzatsi'o:n] ⟨~; ~en⟩ sensation

sensatio'nell ADJ sensational

Sensati'ons- ZSSGN *Nachricht, Presse* sensational

Sensati'onsmache F ⟨~⟩ sensationalism

sensibel ADJ [zɛn'zi:bəl] ⟨-bl-⟩ sensitive

sensibilisieren V/T [zɛnzibili'zi:rən] ⟨*kein ge*⟩ sensitize (**für** to)

sentimental ADJ [zɛntimɛn'ta:l] sentimental; **~ werden** get* soppy

Sentimentali'tät F ⟨~; ~en⟩ sentimentality

separat [zepa'ra:t] A ADJ separate B ADV *waschen etc* separately

September M [zɛp'tɛmbər] ⟨~(s); ~⟩ September

Serbe M ['zɛrbə] ⟨~n; ~n⟩ Serb

Serbien N ['zɛrbɪən] ⟨~s⟩ Serbia

'Serbin F ⟨~; ~nen⟩ Serb

'serbisch ADJ, **'Serbisch** N Serbian; → englisch

Serie F ['ze:riə] ⟨~; ~n⟩ series (*a. Senderreihe*); *Briefmarken, Münzen* set; **eine ~** a series; **in ~ hergestellt werden** be* mass-produced

'serienmäßig A ADJ *Ausstattung* standard B ADV **es wird ~ mit … geliefert** it is supplied with … as standard

'Seriennummer F serial number

'Serienwagen M AUTO standard-type car
seriös ADJ [zeri'ø:s] *anständig* respectable; *ehrlich* honest; *Firma* reputable; *Zeitung* serious
Serum N ['ze:rʊm] ⟨~s; Seren⟩ serum
Service[1] N [zɛr'vi:s] ⟨~(s); ~⟩ *Satz Geschirr* service
Service[2] M ['zœrvɪs] ⟨~; ~s⟩ *Bedienung, Kundendienst* service (*a. beim Tennis*)
servieren V/T & V/I [zɛr'vi:rən] ⟨*kein ge*⟩ serve (*a. beim Tennis*)
Serviette F [zɛrvi'ɛtə] ⟨~; ~n⟩ serviette, *bes US* napkin
Servobremse F ['zɛrvo-] AUTO servo *od* power brake **'Servolenkung** F power steering
Sessel M ['zɛsəl] ⟨~s; ~⟩ armchair
sesshaft ADJ ['zɛshaft] **~ werden** settle down
Set N [sɛt] ⟨~(s); ~s⟩ *Platzdeckchen* place mat
setzen ['zɛtsən] **A** V/T *legen, hintun* put*; *einpflanzen* plant; *Text, Segel, Frist* set*; **Geld auf ein Pferd ~** put* money on *od* bet* on a horse; **sich ~** sit* down; *e-n Bodensatz bilden* settle; **sich ~ auf** *Pferd, Rad* get* on, mount; **sich ins Auto ~** get* into the car; **sich zu j-m ~** sit* beside *od* with sb; **setz dich bitte!** take *od* have a seat!; **~ Sie es auf meine Rechnung** put it on my bill **B** V/I **~ über** *springen* jump over; *Fluss* cross; **~ auf** *wetten* bet* on, back
'Setzer(in) M ⟨~s; ~⟩ (F) ⟨~in; ~innen⟩ typesetter
Seuche F ['zɔyçə] ⟨~; ~n⟩ epidemic
'Seuchengefahr F danger of an epidemic
seufzen V/I ['zɔyftsən] sigh
'Seufzer M ⟨~s; ~⟩ sigh
Sex M [zɛks] ⟨~(es)⟩ sex
Sexismus M [zɛ'ksɪsmʊs] ⟨~⟩ sexism
Se'xist(in) M ⟨~en; ~en⟩ (F) ⟨~in; ~innen⟩ sexist
se'xistisch ADJ sexist
Sexual- [sɛ'ksua:l-] ZSSGN *Erziehung, Leben etc* sex
Sexuali'tät F ⟨~⟩ sexuality
Sexu'alverbrechen N sex crime
sexuell [zɛksu'ɛl] **A** ADJ sexual; **~e Belästigung** sexual harassment **B** ADV *erregt etc* sexually
sexy ADJ ['zɛksi] ⟨*inv*⟩ sexy
Shampoo N [ʃam'pu:] ⟨~s; ~s⟩ shampoo
Shorts PL [ʃɔrts] shorts *pl*
Show F [ʃo:] ⟨~; ~s⟩ TV *etc* show
sich REFL PR [zɪç] *sg; männlich* himself; *weiblich* herself; *sächlich* itself; *pl* themselves; *nach Sie* yourself; *pl* yourselves; *unbestimmt, nach man* oneself; **~ ansehen** *im Spiegel* look at o.s.; *einander* look at each other; **sie hat ~ das Bein gebrochen** she's broken her leg; **er machte die Tür hinter ~ zu** he closed the door behind him; **sie hat ~ sehr gefreut** she was very pleased
sicher ['zɪçər] **A** ADJ safe, secure (**vor** from); TECH proof (**gegen** against); *gewiss, überzeugt* certain, sure; *zuverlässig* reliable; *selbstsicher* self-confident; **(sich) ~ sein** be* sure (**e-r Sache** about sth, **dass** that) **B** ADV *fahren, verwahren etc* safely; *natürlich* of course, *US a.* surely; *gewiss* certainly; *wahrscheinlich* probably; **~!** of course!, *bes US a.* sure!
'Sicherheit F ⟨~; ~en⟩ security (*a.* MIL, POL, WIRTSCH); *körperliche* safety (*a.* TECH); *Gewissheit* certainty; *Zuverlässigkeit* reliability; *Selbstvertrauen* self-confidence; *Können* skill; **mit ~!** definitely!; **(sich) in ~ bringen** get* to safety
'Sicherheits- ZSSGN *Glas, Schloss etc* safety
'Sicherheitsbeamte(r) M ⟨~n; ~n⟩, **'Sicherheitsbeamtin** F security guard **'Sicherheitsgurt** M seat belt **'Sicherheitskontrolle** F security check **'Sicherheitskopie** F backup (copy) **'Sicherheitskräfte** PL security forces *pl* **'Sicherheitsmaßnahme** F safety measure; POL security measure **'Sicherheitsnadel** F safety pin **'Sicherheitspolitik** F security policy **'Sicherheitsrisiko** N security risk **'Sicherheitsschloss** N safety lock **'Sicherheitsstrategie** F **Europäische ~** European Security Strategy **'Sicherheits- und Ver'teidigungsidentität** F **Europäische ~** European Security and Defence Identity **'Sicherheits- und Ver'teidigungspolitik** F security and defence *od US* defense policy
'sicherlich ADV certainly; *wahrscheinlich*

S

probably; **~!** of course!, *bes US a.* sure!
'sichern V/T secure (*a.* MIL, TECH); *schützen* protect, safeguard; IT save; **sich etw ~** secure sth
'sicherstellen V/T secure, guarantee; *beschlagnahmen* seize; **~, dass** ensure that
'Sicherung F ⟨~; ~en⟩ securing; *Schutz* safeguarding; IT saving; ELEK fuse
'Sicherungsdiskette F back-up disk **'Sicherungskasten** M fuse box **'Sicherungskopie** F backup (copy); **e-e ~ machen (von)** back up
Sicht F [zɪçt] ⟨~⟩ visibility; *Aussicht* view; **in ~ kommen** come* into view; **außer ~** out of sight; **auf lange ~** in the long run; *planen* for the long term; **aus meiner ~** *fig* from my point of view
'sichtbar **A** ADJ visible **B** ADV *sich verbessern* visibly
'sichten V/T sight; *fig* sort through
'sichtlich ADV visibly
'Sichtweite F **außer/in ~** out of/within sight
sie PERS PR [ziː] she; *als Objekt* her; (*a. Schiff, Staat*); *Sache* it; *pl* they; *als Objekt* them; **~ war's nicht** it wasn't her; **ich habe ~ gerade noch gesehen** *Personen, Sachen* I've just seen them
Sie PERS PR *sg u. pl* you; **sehen ~!** look!
Sieb N [ziːp] ⟨~(e)s; ~e⟩ sieve; *Teesieb* strainer
sieben[1] V/T ['ziːbən] sieve, sift; *fig* weed out
'sieben[2] ADJ seven
'Sieben F ⟨~; ~en⟩ seven
'siebenfach **A** ADJ sevenfold; **die ~e Menge** seven times the amount **B** ADV sevenfold, seven times
Siebte(r) M/F(M) ['ziːptə] ⟨~n; ~n⟩ seventh
'siebte(r, -s) ADJ seventh
'Siebtel N [ziːptəl] ⟨~s; ~⟩ seventh
'siebtens ADV seventh(ly)
siebzehn ADJ ['ziːptseːn] seventeen
siebzig ADJ ['ziːptsɪç] seventy
siedeln V/I ['ziːdəln] settle
sieden V/T & V/I ['ziːdən] ⟨sott *od* siedete, gesotten *od* gesiedet⟩ boil
'Siedepunkt M boiling point (*a. fig*)
'Siedler(in) ['ziːdlər(ɪn)] M ⟨~s; ~⟩ (F) ⟨~in; ~innen⟩ settler
'Siedlung F ⟨~; ~en⟩ settlement; *Wohnsiedlung* housing estate *od US* development
Sieg M [ziːk] ⟨~(e)s; ~e⟩ victory; SPORT *a.* win
Siegel N ['ziːgəl] ⟨~s; ~⟩ seal (*a. fig*)
'Siegellack M sealing wax **'Siegelring** M signet ring
'siegen V/I ['ziːgən] win*; **~ über** defeat
'Sieger(in) M ⟨~s; ~⟩ (F) ⟨~in; ~innen⟩ winner
'siegreich ADJ winning, *stärker* victorious (*a.* POL, MIL)
siezen V/T ['ziːtsən] **j-n ~** address sb as „Sie" *od* in the formal form
Signal N [zɪ'gnaːl] ⟨~s; ~e⟩ signal
signali'sieren V/T ⟨*kein ge*⟩ signal
Signatur F [zɪgna'tuːr] ⟨~; ~en⟩ signature; **elektronische ~** electronic signature
signieren V/T [zɪ'gniːrən] ⟨*kein ge*⟩ sign
'Silbentrennung F hyphenation
Silber N ['zɪlbər] ⟨~s⟩ silver (*a. Medaille*); *Tafelsilber a.* silverware
'Silberhochzeit F silver wedding **'Silbermünze** F silver coin
'silbern ADJ silver
Silhouette F [zilu'ɛtə] ⟨~; ~n⟩ silhouette; *von Stadt a.* skyline
Silikon N [zili'koːn] ⟨~s; ~e⟩ silicone
Silvester M *od* N [zɪl'vɛstər] ⟨~s; ~⟩ New Year's Eve; **~ feiern** see* the New Year in
SIM-Karte F ['zɪmkartə] TEL sim card
Sims M *od* N [zɪms] ⟨~es; ~e⟩ ledge; *von Fenster* (window)sill
simsen V/I ['zɪmzən] *umg* text, send* a text message/text messages
Simulant(in) [zimu'lant(ɪn)] M ⟨~en; ~en⟩ (F) ⟨~in; ~innen⟩ malingerer
Simulati'on F ⟨~; ~en⟩ simulation
simu'lieren ⟨*kein ge*⟩ **A** V/I *Krankheit vortäuschen* malinger, sham **B** V/T TECH simulate
simultan [zimʊl'taːn] **A** ADJ simultaneous **B** ADV *übersetzen* simultaneously
Simul'tandolmetscher(in) M(F) simultaneous interpreter *od* translator
singen V/T & V/I ['zɪŋən] ⟨sang, gesungen⟩ sing*; **falsch/richtig ~** sing* out of/in tune
sinken V/I ['zɪŋkən] ⟨sank, gesunken, s⟩ sink* (*a. fig: von Person*), go* down; *von Sonne* go* down, set*; *von Preisen, Temperatur etc* fall*, drop

Sinn M [zɪn] ⟨~(e)s; ~e⟩ sense (**für** of); *Verstand, Denken* mind; *Bedeutung* sense, meaning; *e-r Sache* point, idea; **etw im ~ haben** have* sth in mind; **es hat keinen ~ (zu warten** *etc*) it's no use *od* good (waiting *etc*); **das ergibt keinen ~** that doesn't make sense

'sinnentstellend ADJ **e-e ~e Übersetzung** *etc* a translation *etc* that distorts the meaning

'Sinnesorgan N sense organ **'Sinnestäuschung** F hallucination **'Sinneswandel** M change of mind

'sinnlich ADJ *die Sinne betreffend* sensuous; *Wahrnehmung* sensory; *erotisch* sensual

'Sinnlichkeit F ⟨~⟩ *Erotik* sensuality

'sinnlos **A** ADJ senseless; *zwecklos* pointless; **es ist ~ zu warten** there's no point in waiting **B** ADV senselessly; *zwecklos* pointlessly; **~ betrunken** blind drunk

'Sinnlosigkeit F ⟨~; ~en⟩ senselessness; *Zwecklosigkeit* pointlessness

'sinnvoll **A** ADJ meaningful; *vernünftig* sensible; *nützlich* useful **B** ADV *vernünftig* sensibly

Sintflut F ['zɪntflu:t] **die ~** REL the Flood

Sirene F [zi're:nə] ⟨~; ~n⟩ siren

Sirup M ['zi:rʊp] ⟨~s; ~e⟩ *Fruchtsirup* syrup; *Zuckersirup* treacle, *US* molasses *sg*

Sitte F ['zɪtə] ⟨~; ~n⟩ custom; **~n** *pl Moral* morals *pl*; *Benehmen* manners *pl*; **in Schottland ist es ~, ...** it's the custom in Scotland ...

'sittenwidrig **A** ADJ immoral **B** ADV *handeln etc* immorally

Situation F [zituatsi'o:n] ⟨~; ~en⟩ situation

Sitz M [zɪts] ⟨~es; ~e⟩ seat (*a.* PARL); *von Institution, Firma* headquarters *pl*; *von Kleidungsstück* fit

'sitzen V/I ⟨saß, gesessen⟩ sit* (**an** at; **auf** on); *sich befinden* be*; *stecken* be* stuck; *passen* fit; *umg: im Gefängnis* do* time; **im Parlament ~** have* a seat in parliament; **~ bleiben** *in der Schule* have* to repeat a year; **bleib ~!** don't get up!; **~ auf** be* left with; **j-n ~ lassen** *verlassen* walk out on sb; *versetzen* stand* sb up; *im Stich lassen* leave* sb in the lurch; **das lasse ich nicht auf mir ~** I won't take that lying down

'Sitzgelegenheit F seat **'Sitzplatz** M seat **'Sitzstreik** M sit-down strike

'Sitzung F ⟨~; ~en⟩ session (*a.* PARL, IT); *Besprechung* meeting

'Sitzungsperiode F PARL session **'Sitzungsprotokoll** N minutes *pl* **'Sitzungssaal** M conference hall

Sizilien N [zi'tsi:liən] ⟨~s⟩ Sicily

Skala F ['ska:la] ⟨~; -len *od* ~s⟩ scale; *fig* range

Skandal M [skan'da:l] ⟨~s; ~e⟩ scandal

skandalös [skanda'lø:s] **A** ADJ scandalous **B** ADV *sich benehmen* scandalously

Skan'dalpresse F gutter press

Skandinavien N [skandi'na:viən] ⟨~s⟩ Scandinavia

Skelett N [ske'lɛt] ⟨~(e)s; ~e⟩ skeleton (*a.* TECH)

Skepsis F ['skɛpsɪs] ⟨~⟩ scepticism, *US* skepticism

'Skeptiker(in) M ⟨~s; ~⟩ (F) ⟨~in; ~innen⟩ sceptic, *US* skeptic

'skeptisch **A** ADJ sceptical, *US* skeptical **B** ADV *beurteilen* sceptically, *US* skeptically

Ski M [ʃi:] ⟨~s; ~ *od* ~er⟩ ski; **~ laufen** *od* **fahren** ski

'Skifahren N ⟨~s⟩ skiing **'Skifahrer(in)** M(F) skier **'Skigebiet** N ski area **'Skilaufen** N ⟨~s⟩ skiing **'Skilehrer(in)** M(F) skiing instructor **'Skilift** M ski lift **'Skischuh** M ski boot **'Skisport** M skiing **'Skiurlaub** M skiing holiday

Skizze F ['skɪtsə] ⟨~; ~n⟩ sketch; *fig* outline

skiz'zieren V/T ⟨*kein ge*⟩ sketch; *fig* outline

Sklave M ['skla:və] ⟨~n; ~n⟩ slave (*a. fig*)

'Sklavenhandel M slave trade

Sklave'rei F ⟨~⟩ slavery (*a. fig*)

'Sklavin F ⟨~; ~nen⟩ slave

'sklavisch **A** ADJ slavish (*a. fig*) **B** ADV *gehorchen etc* slavishly

Skonto N ['skɔnto] ⟨~s; ~s⟩ cash discount

Skorpion M [skɔrpi'o:n] ⟨~s; ~e⟩ scorpion; ASTROL Scorpio

Skrupel M ['skru:pəl] ⟨~s; ~⟩ scruple, qualm; **~ haben, etw zu tun** have* scruples about doing sth

'skrupellos **A** ADJ unscrupulous **B** ADV *handeln* unscrupulously

Skulptur F [skʊlpˈtuːr] ⟨~; ~en⟩ sculpture
skypen® V/I [ˈskaipn] ⟨geskypt, h⟩ *über das Internet telefonieren* skype
Slawe M [ˈslaːvə] ⟨~n; ~n⟩, **ˈSlawin** F ⟨~; ~nen⟩ Slav
ˈslawisch ADJ Slavonic, *bes US* Slavic
Slip M [slɪp] ⟨~s; ~s⟩ briefs *pl*; *Damenslip a.* panties *pl*
ˈSlipeinlage F pantyliner
Slowake M [sloˈvaːkə] ⟨~n; ~n⟩ Slovak
Slowakei F [slovaˈkai] ⟨~⟩ Slovakia
Sloˈwakin F ⟨~; ~nen⟩ Slovak
sloˈwakisch ADJ, **Sloˈwakisch** N Slovak; → englisch
Slowenien N [sloˈveːniən] ⟨~s⟩ Slovenia
Sloˈwenier(in) M ⟨~s; ~⟩ (F) ⟨~in; ~innen⟩ Slovenian, Slovene
sloˈwenisch ADJ, **Sloˈwenisch** N Slovenian; → englisch
Slum M [slam] ⟨~s; ~s⟩ slum
ˈSlumbewohner(in) M(F) slum dweller
Small Talk M [ˈsmoːltoːk] ⟨~s; ~s⟩ small talk
Smog M [smɔk] ⟨~(s); ~s⟩ smog
ˈSmogalarm M smog alert
Smoking M [ˈsmoːkɪŋ] ⟨~s; ~s⟩ dinner jacket, *US a.* tuxedo
SMS [ɛsʔɛmˈʔɛs] F ⟨~; ~⟩ *abk für* Short Message Service SMS; **j-m eine ~ schicken** send* sb a text message, text sb
Snob M [snɔp] ⟨~s; ~s⟩ snob
Snobismus M [snoˈbɪsmʊs] ⟨~⟩ snobbery
snoˈbistisch ADJ snobbish
so [zoː] **A** ADV so; *auf diese Weise* like this *od* that, this *od* that way; *solch* such; **~ ein(e) ...** such a ...; **~ sehr** so much; **red nicht ~ viel** don't talk so much; **doppelt ~ viel** twice as much; **~ viel wie möglich** as much as possible; **~ weit sein** *bereit* be* ready; **es ist ~ weit** it's time; **und ~ weiter** and so on; **oder ~ etwas** or something like that; **zehn Euro oder ~** about ten euros, ten euros or so **B** KONJ → sodass **C** INT **~!** right!; *fertig* that's it!; **ach ~!** I see!
s. o. ABK *für* siehe oben see above
soˈbald KONJ as soon as; **ich komme, ~ ich kann** I'll come as soon as I can
Socke F [ˈzɔkə] ⟨~; ~n⟩ sock
Sockel M [ˈzɔkəl] ⟨~s; ~⟩ base; *von Statue* pedestal (*a. fig*)

S

soˈdass KONJ so that
Sodbrennen N [ˈzoːtbrɛnən] ⟨~s⟩ heartburn
soˈeben ADV just
Sofa N [ˈzoːfa] ⟨~s; ~s⟩ sofa
soˈfern KONJ if, provided that; **~ ... nicht** unless
soˈfort ADV at once, immediately; *gleich* in a minute
Soˈfortbildkamera F instant *od* Polaroid® camera
Software F [ˈzɔftvɛːr] ⟨~; ~s⟩ software
ˈSoftwarepaket N software package
soˈgar ADV even; **reich, ~ sehr reich** rich, in fact very rich
ˈsogenannt ADJ so-called
soˈgleich ADV at once, immediately
Sohle F [ˈzoːlə] ⟨~; ~n⟩ sole
Sohn M [zoːn] ⟨~(e)s; Söhne⟩ son
Sojabohne F [ˈzoːja-] soya bean
soˈlange KONJ as long as
Solarbatterie F [zoˈlaːr-] solar battery
Soˈlarenergie F solar energy
Solarium N [zoˈlaːriʊm] ⟨~s; Solarien⟩ solarium, *US* tanning studio
Soˈlarzelle F solar cell
solch DEM PR [zɔlç] such; **~e Sachen** things like that, such things; **ich habe ~en Hunger** I'm so hungry
Soldat(in) [zɔlˈdaːt(ɪn)] M ⟨~en; ~en⟩ (F) ⟨~in; ~innen⟩ soldier
Söldner(in) [ˈzœldnər(ɪn)] M ⟨~s; ~⟩ (F) ⟨~in; ~innen⟩ mercenary
solidarisch ADJ [zoliˈdaːrɪʃ] **sich ~ erklären mit** declare one's solidarity with
solide [zoˈliːdə] **A** ADJ solid; *fig* sound; *Preise* reasonable; *Person, Firma* respectable **B** ADV **~ gebaut** solidly built
Soll N [zɔl] ⟨~(s)⟩ debit; *Plan-Soll* target, quota; **~ und Haben** debit and credit
sollen V/I & V/AUX [ˈzɔlən] *geplant, bestimmt* be* to; *angeblich, verpflichtet* be* supposed to; **du sollst nach Hause kommen** you're to come home; **er soll klug sein** he's supposed to be clever; **(was) soll ich ...?** (what) shall I ...?; **du solltest ...** you should ..., you ought to ...; **was soll das?** what's the idea?; **das hätte er nicht machen ~** he shouldn't have *od* he oughtn't to have done that
ˈSollseite F WIRTSCH debit side **ˈSollzinsen** PL WIRTSCH debtor interest *sg*
solvent ADJ [zɔlˈvɛnt] solvent

Solvenz F [zɔl'vɛnts] ⟨~; ~en⟩ solvency
so'mit KONJ therefore, so; *hiermit* so
Sommer M ['zɔmər] ⟨~s; ~⟩ summer
'Sommeranfang M beginning of summer **'Sommerfahrplan** M summer timetable *od US* schedule **'Sommerferien** PL summer holidays *pl od US* vacation *sg*
'sommerlich ADJ summery; **~e Kleidung** summer clothes *pl*
'Sommerreifen M AUTO normal tyre *od US* tire **'Sommerschlussverkauf** M summer sales *pl* **'Sommersprosse** F [-ʃprɔsə] ⟨~; ~n⟩ freckle **'sommersprossig** ADJ freckled **'Sommerzeit** F *Jahreszeit* summertime; *Uhrzeit* summer time, *US* daylight saving time
Sonde F ['zɔndə] ⟨~; ~n⟩ probe (*a.* MED)
Sonder- ZSSGN ['zɔndər-] *Ausgabe, Wunsch, Zug* special **'Sonderangebot** N special offer; **im ~** on special offer **'Sonderfahrt** F excursion **'Sonderfall** M special case **'sonderlich** ADV **nicht ~** not particularly **'Sondermüll** M hazardous waste
sondern KONJ ['zɔndərn] but; **nicht nur ..., ~ auch** not only ... but also
'Sonderpreis M special price **'Sondersendung** F special **'Sonderzeichen** N IT special character
Sondierungsgespräche PL [zɔn'diːrʊŋs-] exploratory talks *pl*
Sonnabend M ['zɔnʔaːbɛnt] Saturday
'sonnabends ADV on Saturdays
Sonne F ['zɔnə] ⟨~; ~n⟩ sun
'sonnen V/R sun o.s., sunbathe
'Sonnenaufgang M sunrise **'Sonnenbad** N **ein ~ nehmen** sunbathe **'Sonnenbank** F ⟨*pl* Sonnenbänke⟩ sunbed **'Sonnenbrand** M sunburn **'Sonnenbrille** F sunglasses *pl* **'Sonnencreme** F sun cream **'Sonnenenergie** F solar energy **'Sonnenfinsternis** F eclipse of the sun, solar eclipse **'sonnen'klar** ADJ crystal-clear **'Sonnenkollektor** M solar panel **'Sonnenschein** M sunshine **'Sonnenschirm** M sunshade **'Sonnenschutz** M, **'Sonnenschutzmittel** N sunscreen **'Sonnenseite** F sunny side (*a. fig*) **'Sonnenstich** M sunstroke **'Sonnenstrahl** M sunbeam
'Sonnensystem N solar system
'Sonnenuntergang M sunset
'sonnig ADJ sunny (*a. fig*)
Sonntag M ['zɔntaːk] Sunday
'sonntags ADV on Sundays
'Sonntagsfahrer(in) M(F) *pej* Sunday driver
sonst ADV [zɔnst] *außerdem* else; *andernfalls* otherwise, or (else); *normalerweise* normally, usually; **~ noch etwas/jemand?** anything/anyone else?; **~ noch Fragen?** any other questions?; **~ nichts** nothing else; **alles wie ~** everything as usual; **nichts ist wie ~** nothing is as it used to be
'sonstig ADJ other
Sorge F ['zɔrgə] ⟨~; ~n⟩ worry; *Ärger* trouble; *Fürsorge* care; **sich um j-n ~n machen** worry *od* be* worried about sb; **keine ~!** don't worry!
'sorgen V/I **für j-n ~** care for sb, take* care of sb; **für etw ~** see* to sth; *Unterhaltung, Heiterkeit* provide sth; **dafür ~, dass** see* (to it) that; **sich ~ um** worry *od* be* worried about
'Sorgenkind N problem child
'Sorgerecht N custody
Sorgfalt F ['zɔrkfalt] ⟨~⟩ care
sorgfältig ['zɔrkfɛltɪç] **A** ADJ careful **B** ADV *arbeiten etc* carefully
'sorglos **A** ADJ carefree; *nachlässig* careless **B** ADV in a carefree way; *nachlässig* carelessly
'Sorglosigkeit F ⟨~; ~en⟩ carefreeness; *Nachlässigkeit* carelessness
Sorte F ['zɔrtə] ⟨~; ~n⟩ sort, kind
sortieren V/T [zɔr'tiːrən] ⟨*kein ge*⟩ sort; *ordnen* arrange
Sortiment N [zɔrti'mɛnt] ⟨~(e)s; ~e⟩ *Warenangebot* range (**an** of)
Soße F ['zoːsə] ⟨~; ~n⟩ sauce; *Bratensoße* gravy; *Salatsoße* dressing
Soundkarte F ['zauntkartə] sound card, audio card
Souvenir N [zuvə'niːr] ⟨~s; ~s⟩ souvenir
souverän [zuvə'rɛːn] **A** ADJ *Staat, Regierung* sovereign; (*überlegen*) superior **B** ADV **~ beherrschen** *Lage, Gebiet* be* in complete command of; *Sprache* have* an excellent command of
Souveräni'tät F ⟨~⟩ POL sovereignty
so'viel KONJ as far as
so'weit KONJ as far as

S

so'wie KONJ as well as, and ... as well; *zeitlich* as soon as
sowie'so ADV anyway, in any case
so'wohl KONJ **~ Lehrer als (auch) Schüler** teachers as well as students, both teachers and students
sozial [zotsi'a:l] **A** ADJ social; **~er Dialog** social dialogue; **~e Eingliederung** social inclusion **B** ADV *eingestellt etc* socially
Sozi'alabgaben PL social security contributions *pl* **Sozi'alarbeiter(in)** M(F) social worker **Sozi'alcharta** F *der EU* Social Charter **Sozi'aldemokrat(in)** M(F) Social Democrat **sozi'aldemokratisch** ADJ social democratic **Sozi'alhilfe** F income support, *US* welfare; **~ beziehen** be* on income support, *US* be* on welfare
sozialisieren V/T [zotsiali'zi:rən] ⟨*kein ge*⟩ *j-n* socialize; *Betrieb etc* nationalize
Sozia'lismus M ⟨~⟩ socialism
Sozia'list(in) M ⟨~en; ~en⟩ (F) ⟨~in; ~innen⟩ socialist
sozia'listisch ADJ socialist
Sozi'alpartner PL social partners *pl* **Sozi'alpolitik** F social policy **Sozi'alprodukt** N (gross) national product **Sozi'alschutz** M social protection **Sozi'alstaat** M welfare state **Sozi'alsystem** N welfare system **Sozi'alversicherung** F social security **Sozi'alwohnung** F *etwa* council flat, *US* public housing unit
Soziologe M [zotsio'lo:gə] ⟨~n; ~n⟩ sociologist
Soziolo'gie F ⟨~⟩ sociology
Sozio'login F ⟨~; ~nen⟩ sociologist
sozio'logisch ADJ sociological
sozu'sagen ADV so to speak
Spaghetti PL [ʃpa'gɛti] spaghetti *sg*
Spähsoftware F ['ʃpɛ:-] spyware
Spalt M [ʃpalt] ⟨~(e)s; ~e⟩ crack, gap
'Spalte F ⟨~; ~n⟩ crack, gap; *in Text* column
'spalten V/T ⟨*pperf* gespaltet *od* gespalten⟩ split* (*a.* PHYS, *fig*); **sich ~** *Gruppe, Partei etc* split* (up)
'Spaltung F ⟨~; ~en⟩ splitting; PHYS fission; *von Gruppe, Partei etc* split
Spam N [spɛm] ⟨~s; ~s⟩ IT spam **'Spamfilter** M spam filter
spammen V/T & V/I ['spɛmən] spam
Späne PL ['ʃpɛ:nə] shavings *pl*
Spange F ['ʃpaŋə] ⟨~; ~n⟩ *Haarspange* slide, *US* barrette; *Zahnspange* brace
Spanien N ['ʃpa:niən] ⟨~s⟩ Spain
'Spanier(in) M ⟨~s; ~⟩ (F) ⟨~in; ~innen⟩ Spaniard; **er ist Spanier** he's Spanish, he's a Spaniard; **die Spanier** *pl* the Spanish *pl*, the Spaniards *pl*
'spanisch ADJ, **'Spanisch** N Spanish; → englisch
Spanne F ['ʃpanə] ⟨~; ~n⟩ *Zeitraum* period; *Gewinnspanne* margin
'spannen **A** V/T *Stoff, Plane etc* stretch; *Seil, Saite* tighten; *Leine* put* up; *Bogen* draw* **B** V/I *von Kleidungsstück* be* too tight
'spannend **A** ADJ gripping, exciting **B** ADV *geschrieben etc* grippingly
'Spannung F ⟨~; ~en⟩ tension (*a.* TECH, POL, PSYCH); ELEK voltage; *in Roman, Film etc* suspense
'Spannweite F span; *fig* range
Spanplatte F ['ʃpa:n-] chipboard
'Sparbuch N savings book **'Sparbüchse** F piggy bank, *Br a.* money box
sparen V/I & V/T ['ʃpa:rən] save; *sich einschränken* economize; **~ für** *od* **auf** save (up) for
'Sparer(in) M ⟨~s; ~⟩ (F) ⟨~in; ~innen⟩ saver
'Sparkasse F savings bank **'Sparkonto** N savings account
spärlich ['ʃpɛ:rlıç] **A** ADJ scanty; **er hat e-n ~en Haarwuchs** he doesn't have much hair **B** ADV *bekleidet* scantily; **das Konzert war ~ besucht** there were very few people at the concert
'Sparpaket N POL package of austerity measures, austerity package
'sparsam **A** ADJ economical; *Person* thrifty **B** ADV **~ leben** lead* a frugal life; **mit etw ~ umgehen** use sth sparingly
'Sparsamkeit F ⟨~⟩ economy; *von Person* thrift
'Sparschwein N piggy bank **'Sparzins** M WIRTSCH interest on savings
Spaß M [ʃpa:s] ⟨~es; Späße⟩ fun; *Scherz* joke; **aus ~** for fun; **nur zum ~** just for fun; **es macht viel/keinen ~** it's great/no fun; **es macht mir ~** I enjoy it; **~ an etw haben** enjoy sth; **j-m den ~ verderben** spoil* sb's fun; **er macht nur/keinen ~** he's only/not joking; **keinen ~ verstehen** have* no sense of humour

od US humor; **viel ~!** have fun!
'spaßen VI joke
spät ADJ & ADV [ʃpɛ:t] late; **am ~en Nachmittag** late in the afternoon; **wie ~ ist es?** what time is it?; **von früh bis ~** from morning till night; **(fünf Minuten) zu ~ kommen** be* (five minutes) late; **bis ~er!** see you (later)!
Spaten M ['ʃpa:tən] ⟨~s; ~⟩ spade
spätestens ADV ['ʃpɛ:təstəns] at the latest
Spatz M [ʃpats] ⟨~en *od* ~es; ~en⟩ sparrow; *Kosewort* darling
spazieren fahren VI [ʃpa'tsi:rənfa:rən] ⟨*irr*, s⟩ *im Auto* go* for a drive **spa'zieren gehen** VI ⟨*irr*, s⟩ go* for a walk
Spa'ziergang M walk; **e-n ~ machen** go* for a walk **Spa'ziergänger(in)** [-gɛŋər(ɪn)] M ⟨~s; ~⟩ F ⟨~in; ~innen⟩ person going for a walk
Speck M [ʃpɛk] ⟨~(e)s; ~e⟩ *vom Schwein* bacon fat; *durchwachsen* bacon; *beim Menschen* fat
Spediteur(in) [ʃpedi'tø:r(ɪn)] M ⟨~s; ~e⟩ F ⟨~in; ~innen⟩ haulier, *US* hauler; *Möbelspediteur* remover, *US* mover
Spediti'on F ⟨~; ~en⟩ haulage firm; *Möbelspedition* removal *od US* moving firm
Speichel M ['ʃpaiçəl] ⟨~s⟩ saliva
Speicher M ['ʃpaiçər] ⟨~s; ~⟩ storehouse; *Wasserspeicher* tank; *Dachboden* attic, loft; COMPUT memory
'Speicherdichte F ⟨~⟩ storage density **'Speicherkapazität** F IT memory (capacity); *von Festplatte* storage capacity
'speichern VT store; IT: *sichern* save **(auf** to, **als** as)
'Speicherung F ⟨~; ~en⟩ storage; IT: *Sicherung* saving
speien VT ['ʃpaiən] ⟨spie, gespie(e)n⟩ spit*; *Wasser* spout; *von Vulkan* spew
Speise F ['ʃpaizə] ⟨~; ~n⟩ food; *Gericht* dish; **~n und Getränke** food and drink
'Speiseeis N ice cream **'Speisekammer** F larder, pantry **'Speisekarte** F menu
'speisen **A** VI dine **B** VT *zu essen geben* feed* (*a.* ELEK)
'Speiseröhre F gullet **'Speisesaal** M dining hall **'Speisewagen** M BAHN dining car, *US a.* diner
Spektakel M [ʃpɛk'ta:kəl] ⟨~s; ~⟩ hullabaloo
Spekulant(in) [ʃpeku'lant(ɪn)] M ⟨~en; ~en⟩ F ⟨~in; ~innen⟩ speculator
Spekulati'on F ⟨~; ~en⟩ speculation (*a.* WIRTSCH)
speku'lieren VI ⟨*kein ge*⟩ speculate (*a.* WIRTSCH) **(auf** on; **mit** in)
Spende F ['ʃpɛndə] ⟨~; ~n⟩ donation; *Beitrag* contribution
'spenden VT donate; *Blut* give*; *Schatten* provide
'Spendenaufruf M appeal (for donations) **'Spendenbescheinigung** F donation receipt **'Spendenkonto** N donation account
'Spender(in) M ⟨~s; ~⟩ F ⟨~in; ~innen⟩ donor (*a. Blutspender, Organspender*)
spen'dieren VI ⟨*kein ge*⟩ **j-m etw ~** treat sb to sth
Sperma N ['ʃpɛrma] ⟨~s; Spermen *od* ~ta⟩ sperm
'Sperre F ⟨~; ~n⟩ *Schranke* barrier; TECH locking device; *Straßensperre* road block; *Verbot* ban; SPORT suspension; PSYCH mental block
'sperren VT *Straße* close (off); *Strom etc* cut* off; *Scheck* stop; *Konto* block, freeze*; SPORT suspend; *behindern* obstruct; **~ in** *Hund etc* shut* (up) in
'Sperrholz N plywood **'Sperrkonto** N blocked account **'Sperrmüll** M bulky refuse **'Sperrmüllabfuhr** F removal of bulky refuse **'Sperrstunde** F chucking-out time
'Sperrung F ⟨~; ~en⟩ *von Straße* closing (off)
Spesen PL ['ʃpe:zən] expenses *pl*
'Spesenkonto N expense account
Spezialausbildung F [ʃpe'tsia:l-] special training **Spezi'aleffekte** PL special effects *pl* **Spezi'algebiet** N specialist field **Spezi'algeschäft** N specialist shop *od US* store
speziali'sieren V/R ⟨*kein ge*⟩ specialize (auf in); **wir sind/haben uns auf ... spezialisiert** we specialize in ...
Spezia'list(in) M ⟨~en; ~en⟩ F ⟨~in; ~innen⟩ specialist
Speziali'tät F ⟨~; ~en⟩ speciality, *US* specialty
Speziali'tätenrestaurant N speciality *od US* specialty restaurant

S

speziell [ʃpetsi'ɛl] **A** ADJ special; *Frage, Fall* specific, particular **B** ADV especially
spezifisch ADJ [ʃpe'tsi:fɪʃ] specific; **~es Gewicht** specific gravity
Sphäre F ['sfɛ:rə] ⟨~; ~n⟩ sphere (*a. fig*)
Spiegel M ['ʃpi:gəl] ⟨~s; ~⟩ mirror (*a. fig*)
'Spiegelbild N reflection (*a. fig*) **'Spiegelei** N fried egg **'spiegel'glatt** ADJ *Straße* very slippery; *Meer, Wasser etc* glassy
'spiegeln V/I & V/T reflect (*a. fig*); *glänzen* shine*; **sich ~** be* reflected (*a. fig*)
'Spiegelung F ⟨~; ~en⟩ reflection
Spiel N [ʃpi:l] ⟨~(e)s; ~e⟩ *Gesellschaftsspiel, Brettspiel* game; SPORT game, match; *das Spielen, Spielweise* play; *Glücksspiel* gambling; *fig* game; **auf dem ~ stehen** be* at stake; **etw aufs ~ setzen** risk sth
'Spielautomat M slot *od Br a.* fruit machine **'Spielbank** F ⟨*pl* Spielbanken⟩ casino **'Spielbrett** N board
'spielen V/I & V/T play (*a. fig*) (**um** for); *als Schauspieler* act; *aufführen* perform; *beim Glücksspiel* gamble; **Lotto ~** do* the lottery; **Gitarre** *etc* **~** play the guitar *etc*; **den Beleidigten** *etc* **~** act offended *etc*; **der Roman spielt in …** the novel is set in …
'spielend ADV *fig* easily
'Spieler(in) M ⟨~s; ~⟩ (F) ⟨~in; ~innen⟩ player; *Glücksspieler* gambler
'Spielfilm M feature film **'Spielhalle** F amusement arcade **'Spielkasino** N casino **'Spielmarke** F counter, chip **'Spielplan** M THEAT *etc* programme, *US* program **'Spielplatz** M playground **'Spielraum** M *fig* leeway **'Spielregel** F rule **'Spielsachen** PL toys *pl* **'Spielschulden** PL gambling debt **'Spielverderber(in)** M ⟨~s; ~⟩ (F) ⟨~in; ~innen⟩ spoilsport **'Spielwaren** PL toys *pl* **'Spielzeug** N toy; *Spielsachen* toys *pl*
Spieß M [ʃpi:s] ⟨~es; ~e⟩ *Bratspieß* spit; *Fleischspieß* skewer; *Waffe* spear
'Spießer(in) M ⟨~s; ~⟩ (F) ⟨~in; ~innen⟩ *pej* square, stuffy type
'spießig **A** ADJ square, uncool **B** ADV **sich ~ anziehen** wear* really uncool clothes
Spinat M [ʃpi'na:t] ⟨~(e)s; ~e⟩ spinach
Spind M [ʃpɪnt] ⟨~(e)s; ~e⟩ locker
Spinne F ['ʃpɪnə] ⟨~; ~n⟩ spider
spinnen ['ʃpɪnən] ⟨spann, gesponnen⟩ **A** V/T *Garn* spin* **B** V/I *umg* be* crazy; *Unsinn reden* talk nonsense
'Spinner(in) M ⟨~s; ~⟩ (F) ⟨~in; ~innen⟩ *umg* nutcase
'Spinnwebe F ⟨~; ~n⟩ cobweb
Spion M [ʃpi'o:n] ⟨~s; ~e⟩ spy; *Guckloch* spyhole
Spionage F [ʃpio'na:ʒə] ⟨~⟩ spying, espionage
spio'nieren V/I ⟨*kein ge*⟩ spy; *umg: schnüffeln* snoop
Spi'onin F ⟨~; ~nen⟩ spy
Spirale F [ʃpi'ra:lə] ⟨~; ~n⟩ spiral; *zur Verhütung* coil
spi'ralförmig ADJ spiral
Spirituosen PL [ʃpiritu'o:zən] spirits *pl*, *US a.* liquor *sg*
Spiritus M ['ʃpi:ritʊs] ⟨~; ~se⟩ spirit (*a. zssgn*)
spitz ADJ [ʃpɪts] pointed (*a. fig: Bemerkung*); *Messer, Bleistift* sharp; *Winkel* acute; *umg: sexuell* horny, *Br a.* randy; **e-e ~e Zunge haben** *umg* have* a sharp tongue
'Spitze F ⟨~; ~n⟩ point; *von Nase, Finger* tip; *von Turm* spire; *von Baum, Berg* top; *von Pfeil, Unternehmen* head; *Stoff* lace; **an der ~** at the top (*a. fig*); *im Rennen* in the lead; **das Auto fährt 160 ~** *umg* the car has a top speed of 160
spitze ADJ ['ʃpɪtsə] **er/das ist ~!** *umg* he's/that's great!
Spitzel M ['ʃpɪtsəl] ⟨~s; ~⟩ informer
'spitzen V/T *Bleistift* sharpen; **er spitzte die Ohren** he pricked up his ears
'Spitzen- ZSSGN top
'Spitzenreiter(in) M(F) SPORT leader **'Spitzentechnologie** F high technology, hi-tech **'Spitzenverdiener(in)** M ⟨~s; ~⟩ (F) ⟨~in; ~innen⟩ top earner **'Spitzenzeit** F *Verkehr* peak hours *pl*; SPORT record time
'spitzfindig ADJ nitpicking **'Spitzfindigkeit** F ⟨~; ~en⟩ nitpicking **'Spitzname** M nickname
Splitter M ['ʃplɪtər] ⟨~s; ~⟩ splinter
'splittern V/I ⟨s⟩ splinter
'splitter'nackt ADJ *umg* stark naked
sponsern V/T ['ʃpɔnzərn] sponsor
Sponsor(in) ['ʃpɔnzo:r (-'zo:rɪn)] M ⟨~s; ~en⟩ (F) ⟨~in; ~innen⟩ sponsor
spontan [ʃpɔn'ta:n] **A** ADJ spontaneous

B ADV *reagieren etc* spontaneously
Spontanei'tät F ⟨~⟩ spontaneity
Sport M [ʃpɔrt] ⟨~(e)s⟩ sport; *Schulsport in der Halle* PE, physical education; **~ treiben** do* sport; **wann haben wir ~?** when do we have games?
'Sport- ZSSGN *Geschäft, Nachrichten* sports
'Sportart F (type of) sport **'Sportgeschäft** N sports shop *od US* store **'Sporthalle** F sports hall **'Sportkleidung** F sportswear
'Sportler(in) M ⟨~s; ~⟩ (F) ⟨~in; ~innen⟩ sportsman; *Frau* sportswoman
'sportlich **A** ADJ sporting (*a. fig: fair*); *Figur, Typ* athletic; *Kleidung* casual **B** ADV *fair* sportingly; *gekleidet* casually; **sich ~ betätigen** do* sport
'Sportplatz M playing field **'Sportverein** M sports club **'Sportwagen** M sports car; *für Kinder* pushchair, *US* stroller
Spott M [ʃpɔt] ⟨~(e)s⟩ mockery; *Hohn* derision; *verächtlicher* scorn
'spott'billig ADJ *umg* dirt cheap
'spotten V/I **über j-n/etw ~** mock sb/sth
spöttisch ADJ ['ʃpœtɪʃ] mocking; *höhnisch* derisive
'Spottpreis M **für e-n ~** dirt cheap
Sprache F ['ʃpra:xə] ⟨~; ~n⟩ language (*a. fig*); *das Sprechen, Sprechweise* speech; **in englischer ~** in English; **zur ~ kommen** come* up; **etw zur ~ bringen** bring* sth up
'Sprachendienst M *der EU* translation department **'Sprachenschule** F language school
'Spracherkennung F ⟨~⟩ IT speech recognition **'Sprachfehler** M speech defect **'Sprachgebrauch** M usage **'Sprachkenntnisse** PL knowledge *sg* of languages; **gute englische ~ haben** have* a good knowledge of English
'Sprachkurs M language course
'sprachlich **A** ADJ linguistic; *Fehler* grammatical **B** ADV **~ richtig** grammatically correct
'sprachlos ADJ speechless **'Sprachreise** F language trip **'Sprachrohr** N *fig* mouthpiece **'Sprachtelefondienst** M voice telephony **'Sprachunterricht** M language teaching
Spray M *od* N [ʃpre:] ⟨~s; ~s⟩ spray
'Spraydose F spray can, aerosol (can)
'Sprechanlage F intercom **'Sprechblase** F speech bubble
'sprechen V/T & V/I ['ʃprɛçən] ⟨sprach, gesprochen⟩ speak* (**j-n, mit j-m** to sb); *reden, sich unterhalten* talk (**mit** to) (*beide* **über, von** about); **sprichst du Französisch?** can *od* do you speak French?; **sie ist nicht zu ~** she can't see anyone; **es spricht für ihn, dass ...** it's a point in his favour *od US* favor that ...; **alles spricht dafür, dass sie recht hat** everything points to her being right
'Sprecher(in) M ⟨~s; ~⟩ (F) ⟨~in; ~innen⟩ speaker; *Ansager* announcer; *Nachrichtensprecher* newsreader, *US* newscaster; *von Gruppe, Partei* spokesperson
'Sprechstunde F office hours *pl*; MED surgery *od US* office hours *pl* **'Sprechzimmer** N consulting room, *US a.* office
spreizen V/T ['ʃpraitsən] spread*
sprengen V/T ['ʃprɛŋən] *mit Sprengstoff* blow* up; *Fels, Gestein* blast; *Wäsche* sprinkle with water; *Rasen* water; *Versammlung* break* up
'Sprengkopf M warhead **'Sprengkörper** M, **'Sprengstoff** M explosive
'Sprengung F ⟨~; ~en⟩ *mit Sprengstoff* blowing up; *von Fels* blasting
Sprichwort N ['ʃprɪçvɔrt] ⟨*pl* Sprichwörter⟩ proverb, saying
'sprichwörtlich ADJ proverbial (*a. fig*)
'Springbrunnen M fountain
'springen V/I ['ʃprɪŋən] ⟨sprang, gesprungen, s⟩ jump, leap*; *von Ball* bounce; *beim Schwimmen* dive*; *von Glas, Porzellan etc* crack; *zerspringen* break*; *platzen* burst*; **in die Höhe/zur Seite ~** jump up/aside
'Springerstiefel PL bovver boots *pl*
'Springflut F spring tide
Sprit M [ʃprɪt] ⟨~(e)s; ~e⟩ *umg: Benzin* juice
Spritze F ['ʃprɪtsə] ⟨~; ~n⟩ MED injection; *Instrument* syringe
'spritzen V/I ⟨h *od mit Bewegung* s⟩ & V/T splash; *sprühen* spray (*a.* TECH, AGR); MED inject; *von Fett* spatter; *von Blut* gush (**aus** from); **j-m etw ~** give* sb an injection of sth, inject sb with sth
'Spritzer M ⟨~s; ~⟩ splash; *kleine Menge*

S

drop
'Spritzpistole F spray gun **'Spritztour** F *umg* spin
spröde ADJ ['ʃprø:də] *Material* brittle; *Haut* rough; *Mensch* standoffish
Spruch M [ʃprʊx] ⟨~(e)s; Sprüche⟩ saying; *Entscheidung* decision
'Spruchband N ⟨*pl* Spruchbänder⟩ banner
Sprudel M ['ʃpru:dəl] ⟨~s; ~⟩ sparkling mineral water
'sprudeln V/I bubble (*a. fig* **vor** with)
'Sprühdose F spray can, aerosol (can)
sprühen ['ʃpry:ən] **A** V/T spray; *Funken* throw* out **B** V/I spray; *von Funken* fly*
'Sprühregen M drizzle
Sprung M [ʃprʊŋ] ⟨~(e)s; Sprünge⟩ jump, leap; *beim Schwimmen* dive; *Riss* crack
Spucke F ['ʃpʊkə] ⟨~⟩ *umg* spit
'spucken V/I & V/T spit*; *umg*: *sich übergeben* throw* up
'spuken V/I **~ in** haunt; **hier spukt es** this place is haunted
Spule F ['ʃpu:lə] ⟨~; ~n⟩ spool, reel; *Garnspule* bobbin; ELEK coil
'Spüle F ⟨~; ~n⟩ sink
spülen V/T & V/I ['ʃpy:lən] *ausspülen* rinse; *auf der Toilette* flush (the toilet); **(Geschirr) ~** do* *od* wash the dishes, *Br a.* wash up
'Spülmaschine F dishwasher **'Spülmittel** N washing-up *od US* dish-washing liquid
Spur F [ʃpu:r] ⟨~; ~en⟩ *von Fuß, Wagen* track(s *pl*); *Fährte* trail; *Abdruck* print; *Fahrspur* lane; *Tonbandspur* track; *kleine Menge* trace (*a. fig*); **j-m auf der ~ sein** be* on sb's trail; **auf der richtigen/falschen ~ sein** be* on the right/wrong track
spüren V/T ['ʃpy:rən] feel*; *instinktiv a.* sense; *wahrnehmen* notice
'spurlos ADV *verschwinden* without trace
Staat M [ʃta:t] ⟨~(e)s; ~en⟩ state
'Staatenbund M confederation
'staatenlos ADJ stateless
'staatlich **A** ADJ state *attr* **B** ADV by the state; **~ geprüft** state-certified
'Staatsangehörige(r) M/F(M) ⟨~n; ~n⟩ citizen, national **'Staatsangehörigkeit** F ⟨~⟩ nationality **'Staatsanwalt** M, **'Staatsanwältin** F public prosecutor, *US* district attorney
'Staatsbesuch M state visit
'Staatsbürger(in) M(F) citizen, national **'Staatschef(in)** M(F) head of state
'Staatsdienst M civil service
'staatseigen ADJ state-owned
'Staatsexamen N *final exam taken by trainee teachers and medical and law students* **'Staatsfeiertag** M national holiday **'Staatsfeind** M public enemy
'staatsfeindlich ADJ subversive
'Staatshaushalt M (national) budget
'Staatskasse F treasury **'Staatsmann** M ⟨*pl* Staatsmänner⟩ statesman
'Staatsoberhaupt N head of state
'Staatssekretär(in) M(F) undersecretary **'Staatsstreich** M coup d'état
'Staatsvertrag M (international) treaty
Stab M [ʃta:p] ⟨~(e)s; Stäbe⟩ *aus Metall, Holz* bar; *Staffelstab, Dirigentenstab* baton; *beim Stabhochsprung* pole; *Hirtenstab, Pilgerstab, Mitarbeiterstab* staff
Stäbchen PL ['ʃtɛ:pçən] *Essstäbchen* chopsticks *pl*
stabil [ʃta'bi:l] **A** ADJ stable (*a.* WIRTSCH, POL); *robust* sturdy, solid **B** ADV *gebaut* solidly
stabili'sieren V/T & V/R ⟨*kein ge*⟩ stabilize
Stabili'sierungsprozess M POL stabilization process
Stabili'tät F ⟨~⟩ stability
Stabili'tätspolitik F policy of stability
Stabili'tätsprogramm N stability programme *od US* program **Stabili'täts- und 'Wachstumspakt** M *EU* Stability and Growth Pact
Stachel M ['ʃtaxəl] ⟨~s; ~n⟩ *von Pflanze* prickle; *Dorn* thorn; *von Tier* spine; *von Insekt* sting
'Stacheldraht M barbed wire
'stachelig ADJ prickly
Stadion N ['ʃta:diɔn] ⟨~s; -ien⟩ stadium
Stadium N ['ʃta:diʊm] ⟨~s; -ien⟩ stage
Stadt F [ʃtat] ⟨~; Städte⟩ town; *Großstadt* city; *Stadtverwaltung* council; **die ~ Köln** the city of Cologne; **in die ~ fahren** go* (in)to town, *US a.* go* downtown
'Stadtautobahn F urban motorway *od US* expressway **'Stadtbild** N townscape; cityscape **'Stadtbummel** M stroll through the town; **e-n ~ machen**

S

go* for a stroll through the town
Städtebau M ['ʃtɛ:tə-] urban development **'Städtepartnerschaft** F town twinning
'Städter(in) ['ʃtɛtər(ın)] M ⟨~s; ~⟩ (F) ⟨~in; ~innen⟩ town dweller; *Großstädter* city dweller
'Stadtführer M town guide; *für Großstadt* city guide **'Stadtgebiet** N urban area **'Stadtgespräch** N **~ sein** *fig* be* the talk of the town
'städtisch ADJ urban; POL municipal
'Stadtmauer F city wall **'Stadtmensch** M town person; *Großstadtmensch* city person **'Stadtmitte** F town centre *od US* center; *von Großstadt* city centre *od US* center **'Stadtplan** M street map **'Stadtrand** M outskirts *pl* **'Stadtrat** M town council, *von Großstadt* city council; *Person* town councillor *od US* councilman; *von Großstadt* city councillor *od US* councilman **'Stadträtin** F ⟨~; ~nen⟩ town councillor *od US* councilwoman; *von Großstadt* city councillor *od US* councilwoman **'Stadtrundfahrt** F sightseeing tour **'Stadtstreicher(in)** M ⟨~s; ~⟩ (F) ⟨~in; ~innen⟩ vagrant, tramp **'Stadtteil** M, **'Stadtviertel** N district **'Stadtzentrum** N → Innenstadt
staffeln V/T ['ʃtafəln] grade
Stagflation F [ʃtakflatsi'o:n] ⟨~⟩ stagflation
Stagnation F [ʃtagnatsi'o:n] ⟨~; ~en⟩ stagnation
stagnieren V/I [ʃtak'ni:rən] ⟨*kein ge*⟩ stagnate
Stahl M [ʃta:l] ⟨~(e)s; Stähle *od* ~e⟩ steel (*a. zssgn; Helm, Wolle etc*)
'Stahlkammer F strongroom **'Stahlrohrmöbel** PL tubular steel furniture *sg* **'Stahlwerk** N steelworks *pl*
Stall M [ʃtal] ⟨~(e)s; Ställe⟩ *Pferdestall* stable; *Kuhstall* cowshed; *Schweinestall* (pig)sty
Stamm M [ʃtam] ⟨~(e)s; Stämme⟩ *Baumstamm* trunk; *Volksstamm* tribe; *Wortstamm* stem; *fig*: *Kern e-r Firma, Mannschaft etc* regulars *pl*
'Stammaktie F WIRTSCH ordinary share, *US* common stock **'Stammaktionär(in)** M(F) WIRTSCH ordinary shareholder, *US* common stockholder
'Stammbaum M family tree; *von Tier* pedigree
'stammen V/I **~ aus** *od* **von** *allg* come* from; *zeitlich* date from
'Stammgast M regular **'Stammhaus** N WIRTSCH parent firm **'Stammkapital** N WIRTSCH share capital, *US* capital stock **'Stammkneipe** F *umg* local, *US* favorite bar **'Stammkunde** M, **'Stammkundin** F regular (customer)
Stand M [ʃtant] ⟨~(e)s; Stände⟩ *das Stehen* standing position; *Halt* footing; *Standplatz* stand; *Verkaufsstand* stall, stand; *Wasserstand* height, level; *von Thermometer* reading; *fig*: *Niveau, Höhe* level; *soziale Stellung* social standing, status; *Klasse* class; SPORT score; *Lage* state; *Zustand* condition; **etw auf den neuesten ~ bringen** bring* sth up to date; **e-n schweren ~ haben** *umg* have* a hard time (of it); **aus dem ~** *fig* off the cuff; → außerstande, imstande, instand, zustande
Standard M ['ʃtandart] ⟨~s; ~s⟩ standard (*a. zssgn*)
'Standardlaufwerk N default drive
Ständer M ['ʃtɛndər] ⟨~s; ~⟩ *Gestell* stand; *umg*: *Erektion* hard-on
'Standesamt N registry office, *US* registry of vital statistics; *für Eheschließungen* registry office, *US* marriage license bureau **'standesamtlich** ADJ **~e Trauung** civil marriage, *Br a.* registry-office wedding **'Standesbeamte(r)** M ⟨~n; ~n⟩, **Standesbeamtin** F registrar; *für Eheschließungen* registrar, *US* civil magistrate
'standhaft **A** ADJ steadfast **B** ADV *sich weigern* steadfastly **'standhalten** V/I ⟨*irr*⟩ withstand*; *Versuchung* resist; **j-m ~** stand* up to sb
ständig ['ʃtɛndıç] **A** ADJ constant; *Adresse, Mitglied* permanent; *Einkommen* fixed; **~e Vertretung** *in der EU* permanent representation **B** ADV *unterbrechen* constantly
'Standlicht N parking light **'Standort** M position; *von Betrieb* location **'Standplatz** M stand **'Standpunkt** M point of view; **gemeinsamer ~** *der EU* common position **'Standspur** F hard shoulder, *US* shoulder

Stange F ['ʃtaŋə] ⟨~; ~n⟩ pole; *Metallstange* rod, bar; *Zigaretten* carton; *Sellerie, Lakritze* stick
Stängel M ['ʃtɛŋəl] ⟨~s; ~⟩ stalk, stem
'Stangenbrot N French bread; *Laib* French loaf, *Br a.* French stick
Stanniol N [ʃtani'o:l] ⟨~s; ~e⟩ tin foil
Stapel M ['ʃta:pəl] ⟨~s; ~⟩ pile, stack; **vom ~ lassen** SCHIFF launch; *fig* come* out with; **vom ~ laufen** SCHIFF be* launched
'Stapellauf M launch
'stapeln V/T pile up, stack
stapfen V/I ['ʃtapfən] ⟨s⟩ trudge, plod
Star[1] M [ʃta:r] ⟨~(e)s; ~e⟩ *Vogel* starling; **grauer ~** MED cataracts *pl*
Star[2] M [ʃta:r, sta:r] ⟨~s; ~s⟩ *Person* star
stark [ʃtark] ⟨stärker, stärkste⟩ **A** ADJ strong (*a. fig: Kaffee, Tabak etc*); *mächtig, kraftvoll a.* powerful; *Raucher, Regen, Frost, Verkehr* heavy; *Erkältung* bad; *Wand* strong, thick; *umg: toll* great **B** ADV *viel* a lot; *betonen, beeinflussen* strongly; *regnen* heavily; *beschädigt* badly; **~ erkältet sein** have* a bad cold
Stärke F ['ʃtɛrkə] ⟨~; ~n⟩ strength; *Macht* power; *Intensität* intensity; *Maß* degree; *von Wand* strength, thickness; *Wäschestärke, Speisestärke* starch
'stärken V/T strengthen (*a. fig*); *Wäsche* starch; **sich ~** *etw essen* fortify o.s.
'Starkstrom M high-voltage *od* heavy current
'Stärkung F ⟨~; ~en⟩ strengthening (*a. fig*); *Imbiss* refreshment
starr [ʃtar] **A** ADJ stiff; *unbeweglich* rigid (*a. fig: streng,* TECH); **~er Blick** stare; **~ vor Kälte/Entsetzen** frozen/scared stiff **B** ADV **~ festhalten an** cling* to
'starren V/I stare (**auf** at)
'starrköpfig [-kœpfıç] **A** ADJ stubborn, obstinate **B** ADV *beharren auf etc* stubbornly **'Starrsinn** M stubbornness, obstinacy
Start M [ʃtart] ⟨~(e)s; ~s⟩ start (*a. fig*); *von Flugzeug* take-off; *von Rakete* lift-off
'Startautomatik F AUTO automatic choke (control) **'Startbahn** F runway **'startbereit** ADJ **~ sein** be* ready to start; FLUG be* ready for take-off
'starten **A** V/I ⟨s⟩ start; *von Flugzeug* take* off; *von Rakete* lift off; *e-e Reise beginnen* set* off (**nach** for) **B** V/T start; *Rakete* launch (*a. fig: Kampagne*); **neu ~** IT restart
'Starthilfe F **j-m ~ geben** AUTO give* sb a jump start **'Starthilfekabel** N AUTO jump leads *pl, US* jumper cables *pl* **'Startkapital** N start-up capital
'Startschuss M SPORT **auf den ~ warten** wait for the starting gun to go off; **den ~ zu etw geben** *fig* give* the green light for sth
Stasimitarbeiter(in) ['ʃta:zi-] M(F) Stasi informer
Station F [ʃtatsi'o:n] ⟨~; ~en⟩ station; *Haltestelle* stop; *Krankenstation* ward
stationär [ʃtatsio'nɛ:r] **A** ADJ **~er Patient** in-patient **B** ADV *behandeln* as an in-patient
statio'nieren V/T ⟨*kein ge*⟩ station; *Raketen* deploy
Statistik F [ʃta'tıstık] ⟨~; ~en⟩ statistics *pl*
Sta'tistiker(in) M ⟨~s; ~⟩ (F) ⟨~in; ~innen⟩ statistician
sta'tistisch **A** ADJ statistical **B** ADV **~ gesehen** statistically
Stativ N [ʃta'ti:f] ⟨~s; ~e⟩ tripod
statt PRÄP [ʃtat] ⟨*gen od dat*⟩ instead of; **~ zu arbeiten** instead of working
statt'dessen ADV instead
Stätte F ['ʃtɛtə] ⟨~; ~n⟩ place; *e-s Unglücks* scene
'stattfinden V/I ⟨*irr*⟩ take* place
'stattlich ADJ imposing; *Summe, Gewinn* handsome
Statue F ['ʃta:tuə] ⟨~; ~n⟩ statue
Status M ['ʃta:tʊs] ⟨~; ~ [-tu:s]⟩ status
'Statusleiste F IT status bar **'Statussymbol** N status symbol
Statut N [ʃta'tu:t] ⟨~(e)s; ~en⟩ statute, regulation; **~ der Abgeordneten des Europäischen Parlaments** statute for members of the European Parliament
Stau M [ʃtau] ⟨~(e)s; ~s *od* ~e⟩ AUTO traffic jam
Staub M [ʃtaup] ⟨~(e)s; Stäube⟩ dust; **~ wischen** dust
'Staubecken N reservoir
'staubig ADJ dusty
'staubsaugen V/I & V/T vacuum, *Br a.* hoover **'Staubsauger** M vacuum cleaner, *Br a.* hoover® **'Staubtuch** N ⟨~(e)s; -tücher⟩ duster
'Staudamm M dam

S

'stauen V/T *Fluss* dam (up); **sich ~** *von Autos* tail back
staunen V/I ['ʃtaunən] be* amazed (**über** at)
'Staunen N ⟨~s⟩ amazement
'Stausee M reservoir
stechen V/I & V/T ['ʃtɛçən] ⟨stach, gestochen⟩ *von Nadel, Dorn etc* prick; *von Biene, Wespe* sting*; *von Mücke* bite*; *mit Messer* stab; *durchstechen* pierce; *von Sonne* beat* down; **mit etw in etw ~** stick* sth in(to) sth; **sich ~** prick o.s. (**an** on)
'stechend ADJ *Blick* piercing; *Schmerz* stabbing
'Stechkarte F clocking-in card
'Stechuhr F time clock
'Steckbrief M JUR "wanted" poster; *Beschreibung* description **'steckbrieflich** ADV JUR **er wird ~ gesucht** a warrant is out for his arrest **'Steckdose** F socket
stecken ['ʃtɛkən] **A** V/T *irgendwohin tun* put*, *bes umg* stick*; TECH insert (**in** into); *anstecken* pin (**an** to, on); AGR plant **B** V/I *sich befinden* be*; *festsitzen* be* stuck; **~ bleiben** get* stuck (*a. fig*)
'Stecker M ⟨~s; ~⟩ plug
'Stecknadel F pin **'Steckplatz** M slot
Steg M [ʃte:k] ⟨~(e)s; ~e⟩ *über Bach* footbridge; *Landesteg, Bootssteg* jetty; *Brett* plank; MUS bridge
stehen V/I ['ʃte:ən] ⟨stand, gestanden⟩ stand*; *sich befinden, sein* be*; *aufrecht stehen* stand* up; **es steht ihr** it suits her; **wie steht es** *od* **das Spiel?** what's the score?; **hier steht, dass …** it says here that …; **wie steht es mit deiner Arbeit?** how's your work going?; **wie stehst du dazu?** what do you think (about it)?; **~ bleiben** stop; *von Zeit* stand* still; **~ lassen** leave*; *vergessen* leave* behind; **alles ~ und liegen lassen** drop everything; **sich e-n Bart ~ lassen** grow* a beard; **~ auf** *umg: mögen* be* really keen on; *Mädchen, Junge* fancy *Br*, like; **~ für** stand* for; **unter Drogen ~** be* under the influence of drugs
'Stehen N ⟨~s⟩ **etw im ~ tun** do* sth standing up; **das Auto zum ~ bringen** stop the car
'Stehlampe F floor lamp, *Br a.* standard lamp
stehlen V/T & V/I ['ʃte:lən] ⟨stahl, gestohlen⟩ steal* (*a. fig*)
'Stehplatz M **ich habe nur noch e-n ~ bekommen** I had to stand; **Stehplätze** standing room *sg*
steif [ʃtaif] **A** ADJ stiff (*a. fig*) (**vor** with) **B** ADV *fig* stiffly; **das Eiweiß ~ schlagen** beat* the egg white until stiff; **~ gefroren** frozen stiff
steigen V/I ['ʃtaigən] ⟨stieg, gestiegen, s⟩ *klettern, von Flugzeug* climb; *von Preis, Temperatur* rise*, go* up; *von Spannung, Aufregung* grow*; *umg: stattfinden* be*, happen; **~ auf** *Stuhl* climb on(to); *Baum, Berg* climb; *Fahrrad* get* on(to); **~ in** *Auto* get* in(to); *Bus, Zug* get* on(to); **~ von** get* off; **~ aus** *Auto* get* out of; *Bus, Zug* get* off; **aus dem Bett ~** get* out of bed; **e-n Drachen ~ lassen** fly* a kite
steigern V/T ['ʃtaigərn] increase; *verstärken* heighten; *verbessern* improve; GRAM compare; **sich ~** increase; *von Person* improve, get* better
'Steigerung F ⟨~; ~en⟩ increase; *Verstärkung* heightening; *Verbesserung* improvement; GRAM comparison
'Steigung F ⟨~; ~en⟩ gradient; *Hang* slope; *ansteigende Strecke* hill
steil [ʃtail] **A** ADJ steep (*a. fig u. zssgn*) **B** ADV *abfallen etc* steeply
'Steilküste F steep coast
Stein M [ʃtain] ⟨~(e)s; ~e⟩ stone (*a. Edelstein*, BOT, MED); *beim Brettspiel* piece; **mir fällt ein ~ vom Herzen** that's a weight off my mind
'Steinbock M ibex; ASTROL Capricorn
'Steinbruch M quarry **'Steingut** N ⟨~(e)s; ~e⟩ earthenware
'steinig ADJ stony
'Steinkohle F coal **Steinmetz(in)** ['ʃtainmɛts(ɪn)] M ⟨~en; ~e(n)⟩ (F) ⟨~in; ~innen⟩ stonemason **'stein'reich** ADJ *umg* filthy rich **'Steinschlag** M falling rocks *pl* **'Steinzeit** F Stone Age
Stelle F ['ʃtɛlə] ⟨~; ~n⟩ *Ort* place, *genauer* spot; *Punkt* point; *Fleck* patch; *in Text, Musik* place, *Passage* passage; *Arbeitsstelle* job; *Dienststelle, Beratungsstelle* office; *Behörde* authority; MATH figure; **freie ~** vacancy *Br*, job opening; **an erster ~ stehen/kommen** be*/come* first; **an j-s ~** in sb's place; **ich an deiner ~** if I were you; **auf der ~** instantly

'stellen VT *allg* put*, place; *Uhr, Aufgabe, Falle* set*; *Verbrecher* catch*; *Ultimatum* give*; **(j-m) e-e Frage ~** ask (sb) a question; **etw leiser/lauter ~** turn sth down/up; **j-n vor etw ~** *Problem etc* present sb with sth; **sich ~** give* o.s. up (*dat* to); **sich ~ gegen** *fig* oppose; **sich ~ hinter** *fig* back; **sich schlafend** *etc* **~** pretend to be asleep *etc*; **stell dich dorthin!** (go and) stand over there!; **sich gut mit j-m ~** get* well in with sb

'Stellenabbau M job cuts *pl*, downsizing **'Stellenangebot** N *in der Zeitung* vacancy *Br*, job ad; **~e** *als Rubrik* situations vacant, *US* job openings; **ich habe ein ~** I've been offered a job **'Stellenanzeige** F job advertisement **'Stellengesuch** N *Anzeige* "employment wanted" advertisement **'Stellensuche** F **auf ~ sein** be* job-hunting **'Stellenvermittlung** F employment agency **'stellenweise** ADV in places

'Stellung F ⟨~; ~en⟩ position; **zu etw ~ nehmen** comment on sth

Stellungnahme F ['ʃtɛlʊŋna:mə] ⟨~; ~n⟩ comment (**zu** on); **eine ~ abgeben** make* a statement (**zu** on)

'stellungslos ADJ unemployed, jobless

'stellvertretend ADJ *amtlich* acting, deputy

'Stellvertreter(in) M(F) representative; *amtlich* deputy

Stempel M ['ʃtɛmpəl] ⟨~s; ~⟩ stamp; *Poststempel* postmark; *auf Silber, Gold* hallmark

'Stempelkissen N ink pad

'stempeln **A** VT stamp; *entwerten* cancel; *Brief* postmark; *Gold, Silber* hallmark **B** VI **~ gehen** *umg* be* on the dole

'Stempeluhr F time clock

'Stengel → Stängel

Stenografie F [ʃtenogra'fi:] ⟨~; ~n⟩ shorthand

stenogra'fieren VT ⟨*kein ge*⟩ **etw ~** take* sth down in shorthand

Stenogramm N [ʃteno'gram] ⟨~s; ~e⟩ shorthand notes *pl*

Stenotypist(in) [ʃtenoty'pɪst(ɪn)] M ⟨~en; ~en⟩ (F) ⟨~in; ~innen⟩ shorthand typist

Steppdecke F ['ʃtɛp-] quilt

sterben VI ['ʃtɛrbən] ⟨starb, gestorben, s⟩ die (**an** of) (*a. fig* **vor** of); **im Sterben liegen** be* dying

'sterblich ADJ mortal

'Sterblichkeit F ⟨~⟩ mortality

Stereoanlage F ['ʃte:reo-] stereo (system)

steril ADJ [ʃte'ri:l] sterile (*a. fig*)

Sterilisati'on F ⟨~; ~en⟩ sterilization

sterili'sieren VT ⟨*kein ge*⟩ sterilize

Stern M [ʃtɛrn] ⟨~(e)s; ~e⟩ star (*a. fig*)

'Sternchen N ⟨~s; ~⟩ *im Text* asterisk

'Sternenbanner N [-banər] ⟨~s; ~⟩ Stars and Stripes *sg*

'sternklar ADJ starry

'Sternschnuppe F [-ʃnʊpə] ⟨~; ~n⟩ shooting star **'Sternstunde** F **eine ~ der Menschheit** a great moment in human history **'Sternwarte** F [-vartə] ⟨~; ~n⟩ observatory **'Sternzeichen** N star sign, sign of the zodiac

stetig ['ʃte:tɪç] **A** ADJ constant; *gleichmäßig* steady **B** ADV *sinken steigen etc* steadily

stets ADV [ʃte:ts] always

Steuer¹ N ['ʃtɔyər] ⟨~s; ~⟩ AUTO (steering) wheel; SCHIFF helm; FLUG controls *pl*

'Steuer² F ⟨~; ~n⟩ tax (**auf** on)

'Steueraufkommen N ⟨~s; ~⟩ tax yield **'Steuerbefreiung** F tax exemption **'Steuerberater(in)** M(F) tax adviser **'Steuerbord** N starboard **'Steuererhöhung** F tax increase **'Steuererklärung** F tax return **'Steuerermäßigung** F tax allowance **'Steuerflucht** F tax evasion **'steuerfrei** ADJ & ADV tax-free **'Steuerfreibetrag** M tax-free allowance **'Steuergelder** PL tax money *sg*, taxes *pl* **'Steuerharmonisierung** F tax harmonization **'Steuerhinterziehung** F tax evasion **'Steuerkarte** F tax card **'Steuerklasse** F tax bracket **'Steuerknüppel** M FLUG control column *od* stick **'Steuermann** M ⟨*pl* Steuerleute *od* Steuermänner⟩ helmsman; *beim Rudern* cox

'steuern VT & VI steer; SCHIFF *a.* navigate; FLUG pilot, fly; TECH, *fig: leiten* control

'Steueroase F [-oa:zə] ⟨~; ~n⟩, **'Steuerparadies** N tax haven **'steuerpflichtig** ADJ taxable **'Steu-**

errad N AUTO, SCHIFF (steering) wheel **'Steuerrückzahlung** F tax rebate **'Steuersatz** M rate (of taxation) **'Steuersenkung** F tax cut
'Steuerung F ⟨~; ~en⟩ *Vorrichtung* controls *pl*; *das Steuern*: ELEK, TECH control (*a. fig*)
'Steuervorauszahlung F advance payment of taxes **'Steuerzahler(in)** M ⟨~s; ~⟩ (F) ⟨~in; ~innen⟩ taxpayer
Steward M ['stju:ərt] ⟨~s; ~s⟩ steward
Stewardess F ['stju:ərdɛs] ⟨~; ~en⟩ stewardess, air hostess
Stich M [ʃtɪç] ⟨~(e)s; ~e⟩ *Nadelstich* prick; *von Biene, Wespe* sting; *von Mücke* bite; *mit Messer* stab; *beim Nähen* stitch; *Bild* engraving; *beim Kartenspiel* trick; **j-n im ~ lassen** let* sb down; *verlassen* abandon sb, desert sb
'sticheln VI *fig* make* digs (**gegen** at)
'stichhaltig ADJ valid, sound; *unwiderlegbar* watertight; **diese Theorie ist nicht ~** this theory doesn't hold water **'Stichprobe** F spot check; **~n machen** spot-check (**bei etw** sth) **'Stichtag** M cutoff date; *letzter Termin* deadline **'Stichwahl** F runoff **'Stichwort** N ⟨*pl* Stichwörter *od* Stichworte⟩ THEAT cue; *im Lexikon* headword; **~e** *pl Notizen* notes *pl*; **das Wichtigste in ~en** an outline of the main points **'Stichwortverzeichnis** N index
Stickstoff M ['ʃtɪkʃtɔf] nitrogen
Stiefbruder M ['ʃti:f-] stepbrother
Stiefel M ['ʃti:fəl] ⟨~s; ~⟩ boot
Stiefeltern PL ['ʃti:f-] stepparents *pl* **'Stiefmutter** F stepmother **'Stiefschwester** F stepsister **'Stieftochter** F stepdaughter **'Stiefvater** M stepfather
Stiel M [ʃti:l] ⟨~(e)s; ~e⟩ *Griff* handle; *Besenstiel* stick; *von Glas, Pfeife* stem; *von Blume* stalk, stem; *von Obst* stalk; **ein Eis am ~** an ice lolly, *US* a Popsicle®
Stier M [ʃti:r] ⟨~(e)s; ~e⟩ bull; ASTROL Taurus
'Stierkampf M bullfight
Stift M [ʃtɪft] ⟨~(e)s; ~e⟩ pen; *Bleistift* pencil; *Farbstift* crayon; *Metallstift* pin; *Holzstift* peg
'stiften VT *Unruhe, Verwirrung etc* cause; *spenden* donate
'Stiftung F ⟨~; ~en⟩ *Organisation* foundation
Stil M [ʃti:l] ⟨~(e)s; ~e⟩ style (*a. fig*)
still [ʃtɪl] **A** ADJ quiet; *schweigend* silent; *unbewegt* still; *heimlich* secret; **sei(d) ~!** be quiet! **B** ADV quietly; *schweigend* silently; *unbewegt* still; **halt ~!** keep still!; **~ sitzen** sit* still; **sich ~ verhalten** keep* quiet; *körperlich* keep* still
'Stille F ⟨~⟩ quiet(ness); *Schweigen* silence; **in aller ~** quietly; *heimlich* secretly
'stillen VT *Baby* breastfeed*; *Schmerz* relieve; *Hunger, Neugier* satisfy; *Durst* quench
'stillhalten VI ⟨*irr*⟩ *fig* keep* quiet **'stilllegen** VT close down
'stillos ADJ **~ sein** lack style
'stillschweigend *fig* **A** ADJ tacit **B** ADV tacitly; **etw ~ hinnehmen** put* up with sth without complaining **'Stillstand** M standstill; *von Verhandlungen* deadlock; **zum ~ bringen/kommen** stop (*a. Blutung*); *Verkehr, Produktion* bring*/come* to a standstill **'stillstehen** VI ⟨*irr*⟩ have* stopped; *von Verkehr, Produktion* have* come to a standstill
'stilvoll **A** ADJ stylish **B** ADV *eingerichtet etc* stylishly
'Stimmabgabe F ['ʃtɪm-] voting **'Stimmband** N ⟨*pl* Stimmbänder⟩ vocal cord **'stimmberechtigt** ADJ **~ sein** be* entitled to vote **'Stimmbruch** M **er ist im ~** his voice is breaking
Stimme F ['ʃtɪmə] ⟨~; ~n⟩ voice; POL vote; **sich der ~ enthalten** abstain
'stimmen **A** VI *richtig sein* be* right (*a. von Rechnung*); *wahr sein* be* true; POL vote (**für** for; **gegen** against); **es stimmt etwas nicht (damit/mit ihm)** there's something wrong (with it/with him); **stimmt so!** *beim Bezahlen* keep the change! **B** VT MUS tune; **j-n traurig** *etc* **~** make* sb sad *etc*
'Stimmenanteil M share of the vote; **ein ~ von 3%** three per cent of the votes **'Stimmengewichtung** F ⟨~; ~en⟩ weighting of votes
'Stimmenthaltung F abstention **'Stimmrecht** N right to vote
'Stimmung F ⟨~; ~en⟩ mood; *Atmosphäre a.* atmosphere; *allgemeine* feeling; **alle waren in ~** everyone was having fun
'stimmungsvoll ADJ atmospheric

'Stimmzettel M ballot paper
stinken V/I ['ʃtɪŋkən] ⟨stank, gestunken⟩ stink* (*a. fig*) (**nach** of); **das/er stinkt mir** *umg* I'm sick of *od* fed up with it/him
'stink'faul ADJ *umg* bone-idle **'stink-'reich** ADJ *umg* filthy rich, loaded **'stink'sauer** ADJ *umg* hopping mad
Stipendiat(in) [ʃtipɛndi'a:t(ɪn)] M ⟨~en; ~en⟩ Ⓕ ⟨~in; ~innen⟩ scholarship holder
Sti'pendium N ⟨~s; Stipendien⟩ scholarship
Stippvisite F ['ʃtɪp-] *umg* flying visit
Stirn F [ʃtɪrn] ⟨~; ~en⟩ forehead
'Stirnrunzeln N ⟨~s⟩ frown
stöbern V/I ['ʃtø:bərn] *umg* rummage (around) (**nach** for)
stochern V/I ['ʃtɔxərn] **im Feuer ~** poke the fire; **im Essen ~** pick at one's food; **in den Zähnen ~** pick one's teeth
Stock M [ʃtɔk] ⟨~(e)s; Stöcke⟩ stick; *Rohrstock* cane; *Stockwerk* storey, *US* story, floor; **im ersten ~** on the first *od US* second floor
'Stockbett N bunk bed **'stock'dunkel** ADJ *umg* pitch dark
stocken V/I ['ʃtɔkən] stop; *unsicher werden* falter; *von Verkehr* be* held up
'stockend **A** ADJ *Stimme* faltering; *Verkehr* congested **B** ADV *sprechen etc* falteringly
'Stockwerk N floor, storey, *US* story; **im ersten ~** on the first *od US* second floor
Stoff M [ʃtɔf] ⟨~(e)s; ~e⟩ *Gewebe* material, fabric; *Tuch* cloth; CHEM, PHYS substance; *fig*: *Material* material; *Thema* subject (matter); *sl*: *Rauschgift* stuff
'Stofftier N soft toy animal **'Stoffwechsel** M metabolism
stöhnen V/I ['ʃtø:nən] groan, moan (*a. fig*)
Stollen M ['ʃtɔlən] ⟨~s; ~⟩ *im Bergbau* tunnel, gallery
stolpern V/I ['ʃtɔlpərn] ⟨s⟩ stumble, trip (**über** over); **über etw ~** *fig* stumble on sth
stolz [ʃtɔlts] **A** ADJ proud (**auf** of) **B** ADV *zeigen, ankündigen etc* proudly
Stolz M ⟨~es⟩ pride (**auf** in)
stopfen ['ʃtɔpfən] **A** V/T *Socken, Loch in e-m Kleidungsstück* darn, mend; *hineinstopfen* stuff; *Pfeife* fill **B** V/I **das stopft** *verstopft* that gives you constipation
Stopp M ['ʃtɔp] ⟨~s; ~s⟩ stop; *Lohnstopp, Preisstopp* freeze
'stoppen V/I & V/T stop (*a. fig*); *mit der Stoppuhr* time
'Stopplicht N AUTO brake light
'Stoppschild N stop sign **'Stoppuhr** F stopwatch
Stöpsel M ['ʃtœpsəl] ⟨~s; ~⟩ stopper; *in Wanne, Becken* plug
stören ['ʃtø:rən] **A** V/T disturb; *ärgern* bother, annoy; *unterbrechen* interrupt; *Unterricht, Zeremonie* disrupt; **lass dich nicht ~!** don't let me disturb you!; **darf ich Sie kurz ~?** can I trouble you for a minute?; **es/er stört mich nicht** it/he doesn't bother me, I don't mind (it)/him; **stört es dich, (wenn ich ...)?** do you mind (if I ...)? **B** V/I *im Weg sein* be* in the way; **darf ich kurz ~?** can I interrupt for a second?; **(bitte) nicht ~!** *auf Schild* (please) do not disturb
Störenfried M ['ʃtø:rənfri:t] ⟨~(e)s; ~e⟩ troublemaker; *Eindringling* intruder
'Störfall M *in Kernkraftwerk* accident
stornieren V/T [ʃtɔr'ni:rən] ⟨*kein ge*⟩ *Auftrag* cancel
Stor'nierung F ⟨~; ~en⟩ cancellation
Stor'nierungsgebühr F cancellation fee
Storno N ['ʃtorno] ⟨~s; Storni⟩, **'Stornogebühr** F → Stornierung, Stornierungsgebühr
störrisch ['ʃtœrɪʃ] **A** ADJ stubborn, obstinate **B** ADV stubbornly
'Störung F ⟨~; ~en⟩ *Ruhestörung* disturbance; *Unterbrechung* interruption; *von Unterricht, Zeremonie* disruption; TECH: *Fehler* fault; *Betriebsstörung* breakdown; *Verkehrsstörung* holdup; TV, RADIO interference
Stoß M [ʃto:s] ⟨~es; Stöße⟩ *Schubs* push, shove; *mit e-r Waffe* thrust; *Fußstoß* kick; *Kopfstoß* butt; *in die Rippen* dig; *Schlag* blow; *Erschütterung* shock; *von Wagen* jolt; *Aufprall* bump; TECH, PHYS impact; *Stapel, Haufen* pile, stack
'Stoßdämpfer M ⟨~s; ~⟩ shock absorber
'stoßen V/T & V/I ⟨stieß, gestoßen⟩ *schubsen* push, shove; *mit e-r Waffe* thrust*; *mit dem Fuß* kick; *mit dem Kopf* butt; *schlagen* knock; *zerstoßen* pound;

j-n in die Rippen ~ dig* sb in the ribs; **sich den Kopf ~** bang one's head (an on); ⟨s⟩ **~ auf** *fig: zufällig* come* across; *Schwierigkeiten, Widerstand* meet* with; *Öl* strike*; ⟨s⟩ **~ gegen** *od* **an** bump into

'Stoßstange F bumper; **die Autos standen ~ an ~** the traffic was bumper to bumper **'Stoßverkehr** M rush-hour traffic **'Stoßzeit** F rush hour; *in Geschäft, Betrieb* busy period

stottern VI & VT ['ʃtɔtərn] stutter

Str. ABK *für* Straße St, Street

'Strafanstalt F prison, *US a.* penitentiary **'strafbar** ADJ punishable; **sich ~ machen** commit an offence *od US* offense

'Strafe F ['ʃtra:fə] ⟨~; ~n⟩ punishment; WIRTSCH, SPORT, *fig* penalty; *Geldstrafe* fine; **20 Euro ~ zahlen müssen** be* fined 20 euros; **zur ~** as a punishment

straff [ʃtraf] **A** ADJ tight; *fig* strict **B** ADV **etw ~ ziehen** pull sth tight

'straffrei ADJ **~ ausgehen** go* unpunished **'Strafgefangene(r)** M/F(M) ⟨~n; ~n⟩ prisoner, convict **'Strafgesetz** N criminal law

sträflich ['ʃtrɛ:flɪç] **A** ADJ inexcusable **B** ADV *vernachlässigen* badly

Sträfling M ['ʃtrɛ:flɪŋ] ⟨~s; ~e⟩ prisoner, convict

'Strafmandat N ticket **'Strafprozess** M criminal action, trial **'Strafsache** F JUR criminal matter **'Straftat** F criminal offence *od US* offense **'Strafzettel** M ticket

Strahl M [ʃtra:l] ⟨~(e)s; ~en⟩ ray (*a. fig*); *Lichtstrahl, Funkstrahl a.* beam; *Blitzstrahl* flash; *Wasserstrahl, Luftstrahl* jet

'strahlen VI *von Sonne* shine* (brightly); *glänzen* gleam; *Strahlen aussenden* radiate, *radioaktiv* be* radioactive; *fig* beam (**vor** with); **~der Sonnenschein** brilliant sunshine

'Strahlentherapie F radiotherapy

'Strahler M ⟨~s; ~⟩ *Lampe* spotlight

'Strahlung F ⟨~; ~en⟩ radiation

'strahlungsarm ADJ low-radiation

Strähne F ['ʃtrɛ:nə] ⟨~; ~n⟩ strand; *blonde, graue etc* streak; **sich ~n machen lassen** have* highlights (put in one's hair)

Strand M [ʃtrant] ⟨~(e)s; Strände⟩ beach; **am ~** on the beach

'stranden VI ⟨s⟩ run* aground; *fig* fail

'Strandgut N flotsam and jetsam **'Strandkorb** M roofed wicker beach chair **'Strandnähe** F **in ~** near the beach **Strandpromenade** F ['ʃtrantpromə'na:də] ⟨~; ~n⟩ promenade

Strapaze F [ʃtra'pa:tsə] ⟨~; ~n⟩ strain

strapa'zieren VT ⟨*kein ge*⟩ *Nerven, Augen* strain; *abnutzen* be* hard on; **j-n ~** take* it out of sb

strapa'zierfähig ADJ hardwearing, *US* longwearing

strapaziös ADJ [ʃtrapatsi'ø:s] strenuous; *nervlich* taxing

Straße F ['ʃtra:sə] ⟨~; ~n⟩ road; *in der Stadt* street; *Meerenge* strait; **auf der ~** on the road; *in der Stadt* in *od US* on the street

'Straßenarbeiten PL road repairs *pl*, *Br a.* roadworks *pl* **'Straßenbahn** F tram, *US* streetcar **'Straßenbahnhaltestelle** F tram *od US* streetcar stop **'Straßenbenutzungsgebühr** F road toll **'Straßencafé** N pavement *od US* sidewalk café **'Straßenkarte** F road map **'Straßenkehrer(in)** M ⟨~s; ~⟩ (F) ⟨~in; ~innen⟩ road sweeper **'Straßenkreuzung** F crossroads *sg*, intersection **'Straßenlage** F roadholding **'Straßenrand** M roadside **'Straßensperre** F road block **'Straßenverhältnisse** PL road conditions *pl* **'Straßenverkehrsordnung** F Highway Code **'Straßenverkehrssicherheit** F road safety

strategisch [ʃtra'te:gɪʃ] **A** ADJ strategic; **~e Partnerschaft** *zwischen EU und Drittländern* strategic partnership **B** ADV *denken, handeln* strategically

sträuben VR ['ʃtrɔybən] *von Federn* ruffle up; *von Fell* bristle; **ihm sträubten sich die Haare** his hair stood on end; **sich ~ gegen** resist; **sie sträubt sich dagegen, es zu tun** she is reluctant to do it

Strauch M [ʃtraux] ⟨~(e)s; Sträucher⟩ bush, shrub

Strauß[1] M [ʃtraus] ⟨~es; Sträuße⟩ *Blumenstrauß* bunch of flowers, *als Geschenk* bouquet

Strauß[2] M ⟨~es; ~e⟩ *Vogel* ostrich

streben VI ['ʃtre:bən] strive* (**nach** for, after)

'Streber(in) M ⟨~s; ~⟩ (F) ⟨~in; ~innen⟩ pushy type; *in der Schule* swot, *US* grind

Strecke F ['ʃtrɛkə] ⟨~; ~n⟩ *Entfernung* distance (*a.* SPORT); *Route* route; *Eisenbahnlinie* line; *Rennstrecke* course; *Abschnitt, Fläche* stretch; MATH *Linie* line; **zur ~ bringen** kill; *fig* hunt down
'strecken VT *Körperteil, Vorräte* stretch; *verdünnen* thin out
'streckenweise ADV in places
Streich M [ʃtraiç] ⟨~(e)s; ~e⟩ *fig* trick, prank; **j-m e-n ~ spielen** play a trick on sb; **auf e-n ~** *umg* in one go
'Streicheleinheiten PL love and attention
streicheln ['ʃtraiçəln] **A** VT stroke **B** VI **er streichelte ihr übers Haar** he stroked her hair
streichen VT & VI ['ʃtraiçən] ⟨strich, gestrichen⟩ *mit Farbe* paint; *Butter etc* spread*; *Buchstaben etc* cross out; *Auftrag, Flug* cancel; *Gelder* cut*; **etw von e-r Liste ~** cross sth off a list; **mit der Hand über etw ~** run* one's hand over sth
'Streichholz N match **'Streichholzschachtel** F matchbox
'Streichung F ⟨~; ~en⟩ *von Auftrag, Flug, Programm* cancellation; *Kürzung* cut; *im Text* deletion
Streife F ['ʃtraifə] ⟨~; ~n⟩ patrol (*a. Einheit*); **(auf) ~ gehen** go* on patrol; *Polizist* be* on one's beat
streifen ['ʃtraifən] **A** VT *leicht berühren* brush (against); *von Auto* scrape (against); *von Kugel* graze; *Thema* touch on **B** VI ⟨s⟩ **~ durch** roam, wander through
'Streifen M ⟨~s; ~⟩ stripe; *schmales Stück* strip; *auf der Straße* line
'Streifenpolizist(in) M(F) patrolman; *Frau* patrolwoman **'Streifenwagen** M patrol *od* squad car
Streik M [ʃtraik] ⟨~(e)s; ~s⟩ strike; **in (den) ~ treten** go* on strike
'Streikbrecher(in) M ⟨~s; ~⟩ (F) ⟨~in; ~innen⟩ strikebreaker
'streiken VI strike* (*a. umg: von Person*); **das Auto streikt** *umg* the car's not working, *Br* the car's packed up
'Streikende(r) M/F(M) ⟨~n; ~n⟩ striker
'Streikposten M picket **'Streikrecht** N right to strike
Streit M [ʃtrait] ⟨~(e)s; ~e⟩ quarrel; *Wortstreit a.* argument; POL dispute; **~ anfangen** pick a quarrel; **~ suchen** be* looking for trouble
'streiten VI & VR ⟨stritt, gestritten⟩ quarrel, argue (*beide* **wegen, über** about, over); **sich ~ um** fight* for
'Streitfrage F point at issue
'streitig ADJ **j-m etw ~ machen** dispute sb's right to sth
'Streitkräfte PL (armed) forces *pl*
'streitsüchtig ADJ quarrelsome
streng [ʃtrɛŋ] **A** ADJ *Eltern, Regeln, Lehrer* strict; *Winter, Kritik, Strafe* severe, harsh; *Blick, Aussehen* stern; *Geruch, Geschmack* pungent **B** ADV *verboten, vertraulich* strictly; **~ geheim** top secret; **~ genommen** strictly speaking
'Strenge F ⟨~⟩ strictness; *von Winter, Kritik, Strafe* severity; harshness; *von Blick, Aussehen* sternness
'strenggläubig ADJ strict
Stress M [ʃtrɛs] ⟨~es; ~e⟩ stress; *umg: Ärger* hassle; **im ~ sein** be* under stress, be* stressed out
'stressen VT *umg* stress out
'stressfrei ADJ stress-free
'stressig ADJ stressful
'Stresstest M stress test
streuen ['ʃtrɔyən] **A** VT scatter; *Salz, Zucker* sprinkle; *Gehweg, Straße* grit **B** VI *die Straßen streuen* grit the roads; PHYS scatter
Strich M [ʃtrɪç] ⟨~(e)s; ~e⟩ *Linie* line; *als Zeichen* mark; *Pinselstrich* stroke; **auf den ~ gehen** *umg* be* on the game
'Strichcode M, **'Strichkode** M bar code **'Strichjunge** M *umg* rent boy **'Strichmädchen** N *umg* tart **'strichweise** ADV in places; **~ Regen** scattered showers
Strick M [ʃtrɪk] ⟨~(e)s; ~e⟩ cord; *dicker* rope
'Strick- ZSSGN *Muster, Nadel etc* knitting
'stricken VT & VI knit
'Strickjacke F cardigan **'Strickzeug** N knitting
Striemen M ['ʃtri:mən] ⟨~s; ~⟩ welt, weal
strittig ADJ ['ʃtrɪtɪç] controversial
Stroh N [ʃtro:] ⟨~(e)s⟩ straw; *Dachstroh* thatch
'Strohdach N thatched roof **'Strohhalm** M straw
Strom M [ʃtro:m] ⟨~(e)s; Ströme⟩ *Elektri-*

S

zität electricity; *Fluss* river; *Strömung* current; **ein ~ von** a stream of (*a. fig*); **es gießt in Strömen** it's pouring (with rain)
strom'ab(wärts) ADV downstream
strom'auf(wärts) ADV upstream
'Stromausfall M power failure
strömen V/I ['ʃtrø:mən] ⟨s⟩ stream; *von Regen* pour; *fig*: *von Menschen* stream, pour
'Stromkreis M circuit **'stromlinienförmig** ADJ streamlined **'Stromschnelle** F ⟨~; ~n⟩ rapids *pl* **'Stromstärke** F amperage
'Strömung F ⟨~; ~en⟩ current; *fig* trend
'Stromversorgung F power supply **'Stromzähler** M electricity meter
strotzen V/I ['ʃtrɔtsən] **~ vor** be* full of; *Stolz, Kraft etc* be* bursting with
Struktur F [ʃtrʊk'tu:r] ⟨~; ~en⟩ structure; *von Stoff* texture
Struk'turfonds M POL structural fund **Struk'turwandel** M POL structural change
Strumpf M [ʃtrʊmpf] ⟨~(e)s; Strümpfe⟩ stocking; *Socke* sock
'Strumpfhose F tights *pl*, *bes US* panty hose *pl*
Stück N [ʃtʏk] ⟨~(e)s; ~e *od mit Anzahl* ~⟩ piece; *Teil a.* part; *Zucker* lump; *Vieh* head (*a. pl*); THEAT play; *Seife* bar; **1 Euro das ~** 1 euro each; **im** *od* **am ~** *Käse, Wurst* unsliced; **er ist ein ganzes ~ größer** he is quite a bit bigger
'stückweise ADV bit by bit (*a. fig*); WIRTSCH by the piece **'Stückwerk** N **~ sein/bleiben** be*/remain a patchwork
Student(in) [ʃtu'dɛnt(ɪn)] M ⟨~en; ~en⟩ (F) ⟨~in; ~innen⟩ student
Stu'dentenausweis M student identity card
Studie F ['ʃtu:diə] ⟨~; ~n⟩ study (**über** of)
'Studienabbrecher(in) M ⟨~s; ~⟩ (F) ⟨~in; ~innen⟩ university *od* college dropout **'Studienabschluss** M *Prüfungen* final examinations *pl*; *Diplom* degree **'Studienaufenthalt** M study visit (**in** *dat* to) **'Studienplatz** M college place; *an der Universität* university place
studieren V/T & V/I [ʃtu'di:rən] ⟨*kein ge*⟩ study
Studio N ['ʃtu:dio] ⟨~s; ~s⟩ studio
Studium N ['ʃtu:diʊm] ⟨~s; Studien⟩ studies *pl*; **das ~ der Medizin** the study of medicine
Stufe F ['ʃtu:fə] ⟨~; ~n⟩ step; *Niveau* level; *Stadium, Raketenstufe* stage
Stuhl M [ʃtu:l] ⟨~(e)s; Stühle⟩ chair; MED stool
'Stuhlgang M **~ haben** have* a bowel movement
stülpen V/T ['ʃtʏlpən] put* (**auf** on; **über** over)
stumm [ʃtʊm] **A** ADJ dumb; *fig* silent **B** ADV *dasitzen etc* silently
Stümper(in) ['ʃtʏmpər(ɪn)] M ⟨~s; ~⟩ (F) ⟨~in; ~innen⟩ *umg* bungler
stumpf [ʃtʊmpf] **A** ADJ blunt; *ohne Glanz* dull (*a. fig*) **B** ADV *starren, blicken* dully
Stumpf M ⟨~(e)s; Stümpfe⟩ stump; *von Kerze* stub
'stumpfsinnig ADJ dull; *Arbeit a.* monotonous
Stunde F ['ʃtʊndə] ⟨~; ~n⟩ hour; *Unterrichtsstunde* lesson
stunden V/T ['ʃtʊndən] **j-m etw ~** give* sb time to pay sth
'Stundenkilometer PL **80 ~** 80 kilometres *od US* kilometers an hour **'stundenlang** **A** ADJ **nach ~em Warten** after hours of waiting **B** ADV *warten* for hours **'Stundenlohn** M hourly wage **'Stundenplan** M timetable, *US* schedule **'stundenweise** ADV *pro Stunde* by the hour **'Stundenzeiger** M hour hand
stündlich ['ʃtʏntlɪç] **A** ADJ hourly **B** ADV *fahren etc* hourly, every hour
'Stundung F ⟨~; ~en⟩ deferment of payment
Stupsnase F ['ʃtʊps-] *umg* snub nose
stur [ʃtu:r] **A** ADJ stubborn; *stärker* pigheaded **B** ADV *beharren etc* stubbornly; *stärker* pigheadedly
Sturm M [ʃtʊrm] ⟨~(e)s; Stürme⟩ storm (*a. fig*); *von Begeisterung* wave
stürmen ['ʃtʏrmən] **A** V/T MIL storm; *Geschäfte* besiege **B** V/I SPORT attack; ⟨s⟩ *rennen* rush, storm
stürmisch ['ʃtʏrmɪʃ] **A** ADJ stormy; *leidenschaftlich* passionate; *Beifall* thunderous; *Protest* vehement **B** ADV *protestieren* vehemently
'Sturmwarnung F gale warning
Sturz M [ʃtʊrts] ⟨~es; Stürze⟩ fall (*a. fig*);

von Regierung, Politiker downfall, *gewaltsamer* overthrow
stürzen ['ʃtʏrtsən] **A** VI ‹s› fall* (*a. fig*); *laut* crash; *rennen* rush, dash; *werfen* throw*; **sich ~ aus/auf** throw* o.s. out of/at; **schwer ~** have* a bad fall; **er stürzte ins Zimmer** he burst into the room; **sich ins Wasser ~** plunge into the water; **sich auf j-n ~** *angreifen* pounce on sb; *aus Zuneigung* fall* on sb **B** VT *Regierung, Politiker* bring* down; *gewaltsam* overthrow*; *Kuchen* turn out; **j-n ins Unglück ~** ruin sb
'Sturzhelm M crash helmet
Stütze F ['ʃtʏtsə] ‹~; ~n› support (*a. fig*)
'stützen VT support (*a. fig*); **sie stützte die Arme auf den Tisch** she rested her arms on the table; **sich ~ auf** lean* on; *fig* be* based on
'stutzig ADJ **j-n ~ machen** make* sb wonder; *argwöhnisch* make* sb suspicious; **~ werden** begin* to wonder; *argwöhnisch* become* suspicious
'Stützpunkt M MIL base (*a. fig*)
stylen VR ['stailən] *umg* **sich ~** get* done up
Styropor® N [ʃtyro'po:r] ‹~s› polystyrene, *US* Styrofoam®
subjektiv [zʊpjɛk'ti:f] **A** ADJ subjective **B** ADV *betrachten* subjectively
subsidiär ADJ [zʊpzidi'ɛ:r] POL subsidiary; **~er Schutz** *von Flüchtlingen* subsidiary protection; **~e Zuständigkeit** subsidiary powers *pl*
Subsidiarität F [zʊpzidiari'tɛ:t] ‹~› POL subsidiarity
Subsidiari'tätsprinzip N POL subsidiarity principle
Substanz F [zʊp'stants] ‹~; ~en› substance (*a. fig*)
subtrahieren VT [zʊptra'hi:rən] ‹*kein ge*› subtract
Subtrakti'on F ‹~; ~en› subtraction
Subunternehmer(in) M(F) ['zʊp-] subcontractor
Subvention F [zʊpvɛntsi'o:n] ‹~; ~en› subsidy
subventio'nieren VT ‹*kein ge*› subsidize
Suche F ['zu:xə] ‹~; ~n› search (**nach** for); **auf der ~ nach etw sein** be* looking for sth
'suchen VT & VI *allg* **~ (nach)** look for; *stärker* search for; **was hat er hier zu ~?** *umg* what's he doing here?; **er hat hier nichts zu ~** *umg* he has no business being here
'Sucher M ‹~s; ~› FOTO viewfinder
'Suchmaschine F IT search engine
Sucht F [zʊxt] ‹~; Süchte› addiction (*a. zssgn*); *Besessenheit* mania (*beide* **nach** for)
süchtig ADJ ['zʏçtɪç] **~ sein** be* addicted (**nach** to); **das macht ~** it's addictive
'Süchtige(r) M/F(M) ‹~n; ~n› addict
'Suchwort N ‹*pl* Suchwörter› search word
'Süd'afrika N *Staat* South Africa; *Region* Southern Africa **'Südafri'kaner(in)** M(F) South African **'südafri'kanisch** ADJ South African **'Süda'merika** N South America **'Südameri'kaner(in)** M(F) South American **'südameri'kanisch** ADJ South American **'süddeutsch** ADJ South German **'Süddeutsche(r)** M/F(M) ‹~n; ~n› South German **'Süddeutschland** N South Germany
Süden M ['zy:dən] ‹~s› south; **nach ~** south(wards)
'Südeu'ropa N Southern Europe **'Südfrüchte** PL tropical fruits *pl* **'Südko'rea** N South Korea
'südlich **A** ADJ southern; *Kurs, Wind* southerly **B** ADV **~ von** south of
Süd'osten M southeast **süd'östlich** ADJ southeastern; *Kurs, Wind* southeasterly **'Südpol** M South Pole **'Südsee** F **die ~** the South Seas *pl* **'Südstaaten** PL **die ~** *der USA* the Southern States *pl* **Süd'westen** M southwest **süd'westlich** ADJ southwestern; *Kurs, Wind* southwesterly
Summe F ['zʊmə] ‹~; ~n› sum (*a. fig*); *Geldsumme a.* amount; *Gesamtsumme* total
summen ['zʊmən] **A** VI *von Person, Gerät* hum; *von Insekt* buzz **B** VT hum
sum'mieren VR ‹*kein ge*› add up (**auf** to)
Sumpf M [zʊmpf] ‹~(e)s; Sümpfe› marsh; *subtropischer* swamp
'sumpfig ADJ marshy; *in subtropischen Ländern* swampy
Sünde F ['zʏndə] ‹~; ~n› sin (*a. fig*)
'Sündenbock M *umg* scapegoat
Super N ['zu:pər-] ‹~s; ~› *Benzin* four-

star (petrol), *US* premium (gas)
'Super- ZSSGN *Mann, Star* super-
'Supermacht F superpower
'Supermarkt M supermarket
Suppe F ['zʊpə] ⟨~; ~n⟩ soup
Supranationalismus M [zupranatsio-na'lɪsmʊs] ⟨~⟩ supranationalism
Surfbrett N ['zœrf-] surfboard; *zum Windsurfen* sail board
surfen V/I ['zœrfən] ⟨h *od mit Bewegung* s⟩ surf (*a.* IT); *windsurfen* windsurf
Surfer(in) ['zœrfər(ɪn)] M ⟨~s; ~⟩ (F) ⟨~in; ~innen⟩ surfer
Sushi N ['zu:ʃi] ⟨~s; ~s⟩ sushi
Suspensionsklausel F [zʊspɛnsi'o:ns-] suspension clause
süß ADJ [zy:s] sweet (*a. fig*)
'süßen V/T sweeten
'Süßigkeiten PL sweets *pl*, *US* candy *sg*
'Süßkartoffel F sweet potato, *US* yam
'süßlich ADJ sweetish; *fig* mawkish
'süß'sauer ADJ *Gericht* sweet-and-sour
'Süßspeise F dessert **'Süßstoff** M sweetener **'Süßwasser** N fresh water
'Süßwasser- ZSSGN freshwater
Symbol N [zym'bo:l] ⟨~s; ~e⟩ symbol
Sym'bolik F ⟨~⟩ symbolism
sym'bolisch A ADJ symbolic B ADV *darstellen etc* symbolically
Sym'bolleiste F IT tool bar
Symmetrie F [zyme'tri:] ⟨~; ~n⟩ symmetry
sym'metrisch A ADJ symmetrical B ADV *angeordnet etc* symmetrically
Sympathie F [zympa'ti:] ⟨~; ~n⟩ liking (**für** for); *Mitgefühl* sympathy
Sympa'thiestreik M sympathy strike
Sympathisant(in) [zympati'zant(ɪn)] M ⟨~en; ~en⟩ (F) ⟨~in; ~innen⟩ sympathizer
sym'pathisch ADJ nice; **er ist mir ~** I like him
Symptom N [zymp'to:m] ⟨~s; ~e⟩ symptom (**für** of)
symptomatisch ADJ [zympto'ma:tɪʃ] symptomatic (**für** of)
Synagoge F [zyna'go:gə] ⟨~; ~n⟩ synagogue
synchron ADJ [zyn'kro:n] synchronous
synchroni'sieren V/T ⟨*kein ge*⟩ synchronize; *Film* dub
Synthese F [zyn'te:zə] ⟨~; ~n⟩ synthesis
synthetisch [zyn'te:tɪʃ] A ADJ synthetic B ADV *produzieren etc* synthetically
Syrer(in) ['zy:rər(ɪn)] M ⟨~s; ~⟩ (F) ⟨~in; ~innen⟩ Syrian
Syrien N ['zy:riən] ⟨~s⟩ Syria
'syrisch ADJ Syrian
System N [zys'te:m] ⟨~s; ~e⟩ system
syste'matisch A ADJ systematic B ADV *vorgehen, arbeiten etc* systematically
Sys'temfehler M system error **Sys'temsteuerung** F control panel
Szene F ['stse:nə] ⟨~; ~n⟩ scene (*a. fig*); **(j-m) e-e ~ machen** make* a scene; **sich in ~ setzen** put* o.s. in the limelight

T

T N [te:] ⟨~; ~⟩ T
Tabak M ['ta(:)bak] ⟨~s; ~e⟩ tobacco
'Tabakwaren PL tobacco products *pl*
tabellarisch ADJ [tabɛ'la:rɪʃ] tabulated, tabular
Tabelle F [ta'bɛlə] ⟨~; ~n⟩ table (*a.* SPORT)
Ta'bellenkalkulation F IT spreadsheet
Tablett N [ta'blɛt] ⟨~(e)s; ~e *od* ~s⟩ tray
Tablette F [ta'blɛtə] ⟨~; ~n⟩ tablet, pill
tabu ADJ [ta'bu:] taboo
Ta'bu N ⟨~s; ~s⟩ taboo
Tabulator M [tabu'la:tɔr] ⟨~s; ~en⟩ COMPUT tab key
Tachometer M [taxo'me:tər] ⟨~s; ~⟩ speedometer
Tadel M ['ta:dəl] ⟨~s; ~⟩ censure, rebuke
'tadellos A ADJ faultless, perfect B ADV *sitzen etc* perfectly; *sich benehmen* irreproachably
'tadeln V/T censure, rebuke (**wegen** for)
Tafel F ['ta:fəl] ⟨~; ~n⟩ *in der Schule* board; *Schild* sign; *Gedenktafel* plaque; *Schokolade* bar
'Tafelwein M table wine
Tag M [ta:k] ⟨~(e)s; ~e⟩ day; *Tageslicht* daylight; **welchen ~ haben wir heute?** what day is it today?; **alle zwei ~e** every other day; **alle paar ~e** every few days; **dreimal am ~** three times a day; **heu-**

te/morgen in 14 ~en two weeks from today/tomorrow; **e-s ~es** one day; **den ganzen ~** all day (long); **am ~** during the day; **~ und Nacht** day and night, night and day; **am helllichten ~** in broad daylight; **ein freier ~** a day off; **guten ~!** *morgens* hello!, good morning!; *nachmittags* hello!, good afternoon!; **(j-m) Guten ~ sagen** say* hello (to sb); **sie hat ihre ~e** *umg* she's got her period; **unter ~e** underground; → zutage

tag'aus ADV **~, tagein** day in, day out

'Tagebau M ⟨~(e)s; ~e⟩ opencast mining **'Tagebuch** N diary; **~ führen** keep* a diary **'tagelang** ADV for days

'tagen V/I *von Personen* meet*; *von Gericht, Parlament* sit*

'Tagesanbruch M **bei ~** at daybreak **'Tagesausflug** M day trip **'Tagesfahrt** F day trip **'Tagesgespräch** N **(das) ~ sein** be* the topic of the day **'Tageskarte** F *Fahrkarte* day ticket; **die ~** *im Restaurant* today's menu **'Tageskurs** M *Wertpapiere* current market price; *Devisen* current exchange rate **'Tageslicht** N daylight; **etw ans ~ bringen** bring* sth to light **'Tageslichtprojektor** M overhead projector **'Tagesmutter** F ⟨~; Tagesmütter⟩ childminder, *US* day-care provider **'Tagesordnung** F agenda; **zur ~ übergehen** *fig* carry on as normal **'Tagesordnungspunkt** M item on the agenda **'Tagespresse** F daily press **'Tagesrückfahrkarte** F day return (ticket), *US* one-day round-trip ticket **'Tagesschau** F news *sg* **'Tageszeit** F time of (the) day; **zu jeder Tages- und Nachtzeit** at all hours (of the day and night) **'Tageszeitung** F daily (news)paper

'tageweise ADV *pro Tag* by the day

täglich ['tɛːklɪç] **A** ADJ daily **B** ADV every day, daily; **sechs Stunden/zweimal ~** six hours/twice a day

'Tagschicht F day shift; **~ haben** be* on day shift

'tagsüber ADV during the day

'Tagung F ⟨~; ~en⟩ conference **'Tagungsausstattung** F *von Hotel* conference equipment **'Tagungsort** M conference venue

Taille F ['taljə] ⟨~; ~n⟩ waist; *am Kleid a.* waistline

Taiwan N ['taivan] ⟨~s⟩ Taiwan

Takt M [takt] ⟨~(e)s; ~e⟩ MUS: *Rhythmus* beat; *von Walzer etc* time; *Takteinheit* bar; AUTO stroke; *Feingefühl* tact; **den ~ halten/schlagen** keep*/beat* time; **im 3/4 ~** in 3/4 time

'Taktik F ⟨~; ~en⟩ MIL tactics *pl* (*a. fig*)

'Taktiker(in) M ⟨~s; ~⟩ (F) ⟨~in; ~innen⟩ tactician

'taktisch **A** ADJ tactical **B** ADV **~ vorgehen** use tactics

'taktlos **A** ADJ tactless **B** ADV *sich verhalten, benehmen etc* tactlessly **'taktvoll** **A** ADJ tactful **B** ADV *hinweisen auf etc* tactfully

Tal N [taːl] ⟨~(e)s; Täler⟩ valley

Talent N [ta'lɛnt] ⟨~(e)s; ~e⟩ talent, gift; *Person* talented person; **~e** *pl Personen* talent *sg*

talen'tiert ADJ talented, gifted

Talisman M ['taːlɪsman] ⟨~s; ~e⟩ talisman, charm

Talkmaster(in) ['toːkmaːstər(ɪn)] M ⟨~s; ~⟩ (F) ⟨~in; ~innen⟩ chat-show *od US* talk-show host **Talkshow** F ['toːkʃoː] chat *od US* talk show

Tampon M ['tampɔn] ⟨~s; ~s⟩ tampon

Tang M [taŋ] ⟨~(e)s; ~e⟩ seaweed

Tank M [taŋk] ⟨~(e)s; ~s⟩ tank

'tanken V/I get* some petrol *od US* gas

'Tanker M ⟨~s; ~⟩ tanker

'Tankstelle F petrol *od US* gas station **Tankwart(in)** ['taŋkvart(ɪn)] M ⟨~(e)s; ~e⟩ (F) ⟨~in; ~innen⟩ petrol-pump *od US* gas-station attendant

Tanne F ['tanə] ⟨~; ~n⟩ fir (tree)

'Tannenbaum M *Weihnachtsbaum* Christmas tree

Tante F ['tantə] ⟨~; ~n⟩ aunt; **~ Anita** Aunt Anita

Tante-Emma-Laden M [tantə'ʔɛma-] *umg* corner shop, *US* mom-and-pop store

Tantiemen PL [tan'tjeːmən] royalties *pl*

Tanz M [tants] ⟨~es; Tänze⟩ dance

'tanzen V/I & V/T ⟨h *od mit Bewegung* s⟩ dance

'Tänzer(in) ['tɛntsər(ɪn)] M ⟨~s; ~⟩ (F) ⟨~in; ~innen⟩ dancer

Tapete F [ta'peːtə] ⟨~; ~n⟩ wallpaper

tapezieren V/T [tape'tsiːrən] ⟨*kein ge*⟩

(wall)paper
tapfer ['tapfər] **A** ADJ brave **B** ADV *sich verteidigen etc* bravely
'Tapferkeit F ⟨~⟩ bravery
Tara F ['ta:ra] ⟨~; Taren⟩ WIRTSCH tare
Tarif M [ta'ri:f] ⟨~s; ~e⟩ rate; *Fahrpreis* fare; *Lohntarif* (wage) scale
Ta'rifautonomie F free collective bargaining **Ta'riferhöhung** F pay increase **Ta'rifkonflikt** M pay dispute **Ta'riflohn** M standard wage **Ta'rifpartner** M social partner, party to a wage agreement; *pl* union(s) and management **Ta'rifverhandlungen** PL wage negotiations *pl*, collective bargaining *sg* **Ta'rifvertrag** M collective agreement
tarnen V/T ['tarnən] camouflage; *fig* disguise
'Tarnung F ⟨~; ~en⟩ camouflage
Tasche F ['taʃə] ⟨~; ~n⟩ bag; *in Kleidung* pocket
'Taschenbuch N paperback **'Taschendieb(in)** M(F) pickpocket **'Taschengeld** N pocket money, *US* allowance **'Taschenlampe** F torch, *US* flashlight **'Taschenmesser** N penknife, *US* pocketknife **'Taschenrechner** M pocket calculator **'Taschentuch** N handkerchief, *umg* hankie; *aus Papier* tissue
Tasse F ['tasə] ⟨~; ~n⟩ cup
Tastatur F [tasta'tu:r] ⟨~; ~en⟩ keyboard
Taste F ['tastə] ⟨~; ~n⟩ key
'tasten **A** V/I feel*, grope (**nach** for); *ungeschickt* fumble (**nach** for) **B** V/T feel*; **sich ~** feel* *od* grope one's way (*a. fig*)
'Tastenkombination F COMPUT shortcut, hotkey **'Tastentelefon** N push-button phone
'Tastsinn M sense of touch
Tat F [ta:t] ⟨~; ~en⟩ act; *Heldentat, Untat* deed; *Handeln* action; *Straftat* offence, *US* offense; **e-e gute ~** a good deed; **j-n auf frischer ~ ertappen** catch* sb in the act
'tatenlos **A** ADJ passive **B** ADV *zusehen* passively
Täter(in) ['tɛ:tər(ɪn)] M ⟨~s; ~⟩ (F) ⟨~in; ~innen⟩ culprit; JUR offender
tätig ADJ ['tɛ:tɪç] active (*a. Vulkan*); *geschäftig* busy; **~ sein als/bei** work as/for
'Tätigkeit F ⟨~; ~en⟩ activity; *Arbeit* work; *Beruf* job; *Beschäftigung* occupation
'Tatkraft F energy
'tatkräftig **A** ADJ energetic, active **B** ADV *unterstützen etc* actively
'tätlich **A** ADJ violent; **~ werden gegen** assault **B** ADV **~ angreifen** assault
'Tätlichkeiten PL (acts *pl* of) violence; JUR assault (and battery)
'Tatort M scene of the crime
tätowieren V/T [tɛto'vi:rən] ⟨*kein ge*⟩ tattoo; **er hat sich am Arm ~ lassen** he's had his arm tattooed
Täto'wierung F ⟨~; ~en⟩ *Bild* tattoo
'Tatsache F fact
'tatsächlich **A** ADJ actual, real **B** ADV actually; *wirklich* really
Tau[1] N [tau] ⟨~(e)s; ~e⟩ *Seil* rope
Tau[2] M ⟨~(e)s⟩ *Wasser* dew
taub ADJ [taup] deaf (*fig* **gegen** to); *Finger, Füße etc* numb (**vor Kälte** with cold)
Taube F ['taubə] ⟨~; ~n⟩ pigeon; *Friedenssymbol* dove
'Taubheit F ⟨~⟩ deafness; *von Fingern, Füßen etc* numbness
'taubstumm ADJ *neg!* deaf and dumb
'Taubstumme(r) M/F(M) ⟨~n; ~n⟩ deaf mute
tauchen ['tauxən] **A** V/I ⟨h *od mit Bewegung* s⟩ dive* (**nach** for); *als Sport* go* skin-diving; *von U-Boot* dive*, submerge; *unter Wasser bleiben* stay underwater **B** V/T *eintauchen* dip (**in** into); *j-n* duck
'Taucher(in) M ⟨~s; ~⟩ (F) ⟨~in; ~innen⟩ diver; *Sportler* skin-diver
tauen V/I & V/T ['tauən] thaw, melt
Taufe F ['taufə] ⟨~; ~n⟩ REL baptism; *Namenstaufe* christening
'taufen V/T REL baptize; **j-n (auf den Namen Michael) ~** christen sb (Michael)
'Taufschein M certificate of baptism
taugen V/I ['taugən] be* suitable (**zu, für** for); **nichts ~** be* no good
'Taugenichts M ⟨~(e)(s); ~e⟩ good-for-nothing
'tauglich ADJ MIL **~ sein** be* fit for service
Tausch M [tauʃ] ⟨~(e)s; ~e⟩ exchange, swap; **im ~ für** *od* **gegen** in exchange for
'tauschen V/T exchange, swap (**gegen** for); *wechseln* change (*a. Geld*); **ich möchte nicht mit ihm ~** I wouldn't like to be in his shoes

T

täuschen ['tɔyʃən] **A** VT deceive; **sich ~** be* mistaken (**in** about); **sich ~ lassen von** be* taken in by **B** VI be* deceptive; *in der Schule* cheat; SPORT feint
'täuschend **A** ADJ *Ähnlichkeit* striking **B** ADV **er sieht ihm ~ ähnlich** he looks just like him
'Tauschgeschäft N exchange (deal), *umg* swap
'Täuschung F ⟨~; ~en⟩ deception; *Selbsttäuschung* delusion; *in der Schule* cheating
tausend ADJ ['tauzənt] a thousand, *betont* one thousand
'Tausend F ⟨~; ~en⟩ thousand; **~e von** thousands of; **zu ~en** by the thousand
'tausendmal ADV **ich hab dir schon ~ gesagt, dass ...** I've told you a thousand times that ...
'tausendste(r, -s) ADJ thousandth
'tausendstel ADJ ['tauzəndstəl] ⟨*inv*⟩ **drei ~ Sekunden** three thousandths of a second
'Tausendstel N ⟨~s; ~⟩ thousandth
'Tauwetter N thaw
Taxameter M *od* N [taksa'me:tər] ⟨~s; ~⟩ taximeter
Taxi N ['taksi] ⟨~s; ~s⟩ taxi, cab
'Taxifahrer(in) M(F) taxi *od* cab driver
'Taxistand M taxi rank, *US* cabstand
Technik F ['tɛçnɪk] ⟨~; ~en⟩ technology (*a. Maschinen*); *angewandte* engineering; *Verfahren* technique (*a. im Sport, in der Kunst, Musik*)
'Techniker(in) M ⟨~s; ~⟩ (F) ⟨~in; ~innen⟩ engineer; *im Sport, in der Kunst, Musik* technician
'technisch **A** ADJ technical (*a. Gründe, Daten, Zeichnen*); *technisch-wissenschaftlich* technological (*a. Fortschritt, Zeitalter*); **~e Hochschule** technical college **B** ADV *machbar etc* technically; *technisch-wissenschaftlich* technologically
Technologie F [tɛçnolo'gi:] ⟨~; ~n⟩ technology
Technolo'giepark M technology *od* science park **Technolo'gietransfer** M technology transfer
techno'logisch **A** ADJ technological **B** ADV *fortgeschritten etc* technologically
Tee M [te:] ⟨~s; ~s⟩ tea; **(e-n) ~ trinken** have* some tea; **(e-n) ~ machen** *od* **kochen** make* some tea
'Teebeutel M teabag **'Teekanne** F teapot **'Teelöffel** M teaspoon
Teer M [te:r] ⟨~(e)s; ~e⟩ tar
'teeren VT tar
'Teesieb N tea strainer **'Teetasse** F teacup
Teich M [taiç] ⟨~(e)s; ~e⟩ pond
Teig M [taik] ⟨~(e)s; ~e⟩ dough
'Teigwaren PL pasta *sg*
Teil M *od* N [tail] ⟨~(e)s; ~e⟩ part; *Anteil* share, portion; *Bestandteil* part, component; **zum ~** partly, in part; **zum größten ~** mostly
'Teil- ZSSGN *Ansicht, Erfolg etc* partial
'teilbar ADJ divisible
'Teilbetrag M partial amount; *Rate* instalment, *US* installment
'Teilchen N ⟨~s; ~⟩ particle
'teilen VT divide; *mit anderen* share; **sich ~** *von Straße etc* fork
'Teilerfolg M partial success
'teilhaben VI ⟨*irr*⟩ **~ an** share in
'Teilhaber(in) M ⟨~s; ~⟩ (F) ⟨~in; ~innen⟩ partner
'Teilkaskoversicherung F AUTO partial coverage insurance **'Teillieferung** F part delivery
Teilnahme F ['tailna:mə] ⟨~⟩ participation (**an** in); *am Unterricht* attendance (**an** at); *fig* interest (**an** in); *Anteilnahme* sympathy (**an** for)
'teilnahmslos **A** ADJ apathetic **B** ADV *zusehen, dasitzen etc* apathetically
'Teilnahmslosigkeit F ⟨~⟩ apathy
'teilnehmen VI ⟨*irr*⟩ **~ an** take* part in, participate in; *Freude, Schmerz etc* share (in); **am Unterricht ~** attend classes
'Teilnehmer(in) M ⟨~s; ~⟩ (F) ⟨~in; ~innen⟩ participant; UNIV student; SPORT competitor
teils ADV [tails] partly
'Teilstrecke F *Reise, Rennen* stage, leg
'Teilung F ⟨~; ~en⟩ division
'teilweise ADV partly, in part
'Teilzahlung F part payment; *Rate* instalment, *US* installment; *Ratenzahlung* → Abzahlung **'Teilzeit** F **~ arbeiten** work part-time **'Teilzeitarbeit** F part-time work **'Teilzeitbasis** F **auf ~ arbeiten** work part-time **'Teilzeitmodell** N part-time working arrangements *pl*

Teint M [tɛ̃:] ⟨~s; ~s⟩ complexion
Tel. ABK *für* Telefon tel., telephone
Telearbeit F ['te:le-] telework
Telefon N [tele'fo:n *od* 'te:lefo:n] ⟨~s; ~e⟩ phone, telephone; **am ~** on the phone; **~ haben** be* on the phone, *US* have* a phone; **ans ~ gehen** answer the phone
Tele'fonanruf M (tele)phone call **Tele'fonanschluss** M (tele)phone connection **Tele'fonapparat** M (tele)phone
Telefonat N [telefo'na:t] ⟨~(e)s; ~e⟩ (tele)phone conversation; *Anruf* (tele)phone call
Tele'fonbuch N phone book, telephone directory **Tele'fongebühr** F line rental charge; *für e-n Anruf* call charge **Tele'fongespräch** N (tele)phone conversation
telefo'nieren VI ⟨*kein ge*⟩ make* a phone call; *gerade* be* on the phone; **mit j-m ~** speak* to sb on the phone; *gerade* be* on the phone to sb
tele'fonisch **A** ADJ telephone **B** ADV *sprechen etc* over the phone; **sind Sie ~ erreichbar?** can you be contacted by phone?
Telefo'nist(in) M ⟨~en; ~en⟩ (F) ⟨~in; ~innen⟩ (switchboard) operator, *Br a.* telephonist
Tele'fonkarte F phonecard **Tele'fonkonferenz** F teleconference **Tele'fonleitung** F (tele)phone line **Tele'fonnetz** N (tele)phone network **Tele'fonnummer** F (tele)phone number **Tele'fonzelle** F phone box *od US* booth **Tele'fonzentrale** F *e-r Firma etc* switchboard
Telegramm N [tele'gram] ⟨~s; ~e⟩ telegram **Telekommunikation** F ['te:le-] telecommunications *pl* **'telemedizinisch** ADJ **~e Dienste** telemedicine services **'Teleobjektiv** N telephoto lens
Teller M ['tɛlər] ⟨~s; ~⟩ plate; **ein ~ voll** a plateful
'Tellerwäscher(in) M ⟨~s; ~⟩ (F) ⟨~in; ~innen⟩ dishwasher; **vom Tellerwäscher zum Millionär** from rags to riches
Tempel M ['tɛmpəl] ⟨~s; ~⟩ temple
Temperament N [tɛmpera'mɛnt] ⟨~(e)s; ~e⟩ temperament; *Schwung* liveliness; **~ haben** be* full of life
tempera'mentlos ADJ lifeless **tempera'mentvoll** ADJ lively
Temperatur F [tɛmpera'tu:r] ⟨~; ~en⟩ temperature; **j-s ~ messen** take* sb's temperature
Tempo N ['tɛmpo] ⟨~s; ~s *od* Tempi⟩ speed; MUS tempo; **mit ~ 100** at (a speed of) 100 an hour; **in rasendem ~** at breakneck speed
'Tempolimit N AUTO speed limit
Tendenz F [tɛn'dɛnts] ⟨~; ~en⟩ *wirtschaftliche, politische etc* trend; *Neigung* tendency
tendenziös ADJ [tɛndɛntsi'ø:s] tendentious
ten'dieren VI ⟨*kein ge*⟩ tend (**zu** towards); **dazu ~, etw zu tun** tend to do sth
Tennis N ['tɛnɪs] ⟨~⟩ tennis
Teppich M ['tɛpɪç] ⟨~s; ~e⟩ carpet; *Vorleger* rug
'Teppichboden M (fitted) carpet **'Teppichfliese** F carpet tile
Termin M [tɛr'mi:n] ⟨~s; ~e⟩ date; *letzter Termin* deadline; *Arzttermin etc* appointment; **e-n ~ vereinbaren/absagen** make*/cancel an appointment
Ter'minabsprache F scheduling of a meeting
Terminal N ['tœrmɪnəl] ⟨~s; ~s⟩ FLUG, COMPUT terminal
Ter'minbestätigung F confirmation of a meeting **Ter'minkalender** M appointments diary, *US* planner
Terrasse F [tɛ'rasə] ⟨~; ~n⟩ *neben e-m Haus* patio; *an e-m Hang* terrace
Terri'torium N ⟨~s; -ien⟩ territory
Terror M ['tɛrɔr] ⟨~s⟩ terror
'Terroranschlag M terrorist attack
terrori'sieren VT ⟨*kein ge*⟩ terrorize
Terro'rismus M ⟨~⟩ terrorism
Terro'rismusbekämpfung F fight against terrorism
Terro'rist(in) M ⟨~en; ~en⟩ (F) ⟨~in; ~innen⟩ terrorist
terro'ristisch ADJ terrorist
'Terrornetz N, **'Terrornetzwerk** N terror network, terrorist network
'Terrorzelle F terrorist cell
Tesafilm® M ['te:za-] adhesive tape
Test M [tɛst] ⟨~(e)s; ~s⟩ test
Testament N [tɛsta'mɛnt] ⟨~(e)s; ~e⟩

will; **sein ~ machen** make* a will; **das Alte/Neue ~** the Old/New Testament
testamen'tarisch ADV in one's will
Testa'mentseröffnung F reading of the will **Testa'mentsvollstrecker(in)** M ⟨~s; ~⟩ Ⓕ ⟨~in; ~innen⟩ executor; *Frau a.* executrix
'Testbild N TV test card, *US* test pattern
'testen V/T test
'Testperson F subject (of an experiment), participant (in an experiment)
Tetanus M ['te(:)tanʊs] ⟨~⟩ tetanus
teuer ['tɔyər] ⟨-re⟩ **A** ADJ expensive, *bes Br* dear; **wie ~ ist es?** how much is it? **B** ADV *gekleidet* expensively; *fig: erkauft* dearly
Teuerung F ['tɔyərʊŋ] ⟨~; ~en⟩ rise in prices
'Teuerungsrate F rate of price increases
Teufel M ['tɔyfəl] ⟨~s; ~⟩ devil (*a. fig*); **wer/wo/was zum ~ ...?** *umg* who/where/what the devil *od* hell ...?; **weiß der ~** *umg* God knows
'Teufelskreis M vicious circle
'teuflisch **A** ADJ *Plan, Verbrechen* devilish, diabolical **B** ADV *wehtun* like hell; *kalt* bitterly
Text M [tɛkst] ⟨~(e)s; ~e⟩ text; *unter Bild* caption; *Liedtext* words *pl*, lyrics *pl*; *von Schauspieler* lines *pl*
'Texter(in) M ⟨~s; ~⟩ Ⓕ ⟨~in; ~innen⟩ MUS lyricist; *Werbetexter* copy-writer
Textilien PL [tɛks'ti:liən] textiles *pl*
'Textverarbeitung F word processing
'Textverarbeitungsprogramm N word processor
Thai[1] [tai] M ⟨~; ~s⟩ Ⓕ ⟨~; ~s⟩ Thai
Thai[2] N *Sprache* Thai
Thailand N ['tailant] ⟨~s⟩ Thailand
Thailänder(in) ['tailɛndər(ɪn)] M ⟨~s; ~⟩ Ⓕ ⟨~in; ~innen⟩ Thai
'thailändisch ADJ Thai
Theater N [te'a:tər] ⟨~s; ~⟩ theatre, *US* theater; **ins ~ gehen** go* to the theatre *od US* theater; **~ machen** *fig umg* make* a fuss (**um, wegen** about)
The'aterfestival N drama festival **The'aterkarte** F theatre *od US* theater ticket **The'aterkasse** F theatre *od US* theater box office **The'aterstück** N play
Theke F ['te:kə] ⟨~; ~n⟩ *in e-r Gaststätte* bar; *im Laden* counter
Thema N ['te:ma] ⟨~s; Themen⟩ subject, topic; *Leitgedanke*, MUS theme; **kein ~** *umg* no problem
Themse F ['tɛmzə] ⟨~⟩ **die ~** the Thames
Theologie F [teolo'gi:] ⟨~; ~n⟩ theology
theo'logisch ADJ theological
Theoretiker(in) [teo're:tikər(ɪn)] M ⟨~s; ~⟩ Ⓕ ⟨~in; ~innen⟩ theorist
theo'retisch **A** ADJ theoretical **B** ADV *richtig etc* theoretically
Theo'rie F ⟨~; ~n⟩ theory
Therapeut(in) [tera'pɔyt(ɪn)] M ⟨~en; ~en⟩ Ⓕ ⟨~in; ~innen⟩ therapist
Thera'pie F ⟨~; ~n⟩ therapy
Thermometer N [tɛrmo'me:tər] ⟨~s; ~⟩ thermometer
Thermosflasche® F ['tɛrmɔsflaʃə] thermos® (flask), *US* thermos® (bottle)
Thermostat N [tɛrmo'sta:t] ⟨~(e)s *od* ~en; ~e(n)⟩ thermostat
These F ['te:zə] ⟨~; ~n⟩ thesis
Thrombose F [trɔm'bo:zə] ⟨~; ~n⟩ thrombosis
Thron M [tro:n] ⟨~(e)s; ~e⟩ throne
'Thronfolger(in) M ⟨~s; ~⟩ Ⓕ ⟨~in; ~innen⟩ heir to the throne
Thunfisch M ['tu:nfɪʃ] tuna (fish)
Thüringen N ['ty:rɪŋən] ⟨~s⟩ Thuringia
Tick M [tɪk] ⟨~s; ~s⟩ *umg: Angewohnheit* quirk
'ticken V/I tick
Ticket N ['tɪkɪt] ⟨~s; ~s⟩ ticket
tief [ti:f] **A** ADJ deep (*a. fig*); *niedrig* low (*a. Ausschnitt*) **B** ADV *graben etc* deep; **~ schlafen** be* fast asleep; **~ atmen** take* a deep breath, breathe deeply; **bis ~ in die Nacht** late into the night
Tief N ⟨~s; ~s⟩ METEO depression, low; PSYCH depression; WIRTSCH low
'Tiefdruckgebiet N METEO low-pressure area
'Tiefe F ⟨~; ~n⟩ depth (*a. fig*)
'Tiefebene F lowland(s *pl*) **'Tiefflug** M low-level flight **'Tiefgarage** F underground garage, *Br a.* underground car park **'tiefgekühlt** ADJ frozen **'Tiefkühlfach** N freezer compartment **'Tiefkühlkost** F frozen food **'Tiefkühlschrank** M upright freezer

T

'Tiefkühltruhe F freezer, deep-freeze **'Tiefpunkt** M low **'Tiefstand** M low
Tier N [ti:r] ⟨~(e)s; ~e⟩ animal; **hohes ~** *umg* bigwig, big shot
'Tierarzt M, **'Tierärztin** F vet **'Tierfreund(in)** M(F) animal lover **'Tierhandlung** F pet shop **'Tierheim** N animal home
'tierisch **A** ADJ animal *attr*; *fig* bestial, brutish **B** ADV *umg*: *wehtun* like hell; **~ Angst haben** *umg* be* dead scared
'Tierklinik F veterinary clinic **'tierlieb** ADJ fond of animals **'Tiermedizin** F veterinary medicine **Tierquäle'rei** F ⟨~; ~en⟩ cruelty to animals **'Tierschutz** M protection of animals **'Tierschutzverein** M society for the prevention of cruelty to animals; *in GB* RSPCA **'Tierversuch** M animal experiment
Tiger M ['ti:gər] ⟨~s; ~⟩ tiger
'Tigerstaat M WIRTSCH tiger economy
tilgen V/T ['tɪlgən] *Schulden* pay* off; *fig* wipe out
'Tilgung F ⟨~; ~en⟩ repayment; redemption
'Tilgungsfonds M sinking fund
Tinte F ['tɪntə] ⟨~; ~n⟩ ink
'Tintenstrahldrucker M inkjet (printer)
Tipp M [tɪp] ⟨~s; ~s⟩ tip; *vertraulich* tip-off; *Wette* bet; **j-m e-n ~ geben** give* sb a tip; *vertraulich* tip sb off
tippen ['tɪpən] **A** V/I *schreiben* type; *raten* guess; *im Lotto* do* the lottery; *im Toto* do* the pools; **~ an/auf** *berühren* tap **B** V/T *schreiben* type
'Tippfehler M *umg* typing error, typo
Tirol N [ti'ro:l] ⟨~s⟩ Tyrol
Tisch M [tɪʃ] ⟨~(e)s; ~e⟩ table; **am ~ sitzen** sit* at the table; **bei ~** at the table; **den ~ decken** set* *od Br a.* lay* the table
'Tischdecke F tablecloth
Tischler(in) ['tɪʃlər(ɪn)] M ⟨~s; ~⟩ (F) ⟨~in; ~innen⟩ joiner; *Kunsttischler* cabinet-maker
'Tischrede F after-dinner speech
Titel M ['ti:təl] ⟨~s; ~⟩ title
'Titelbild N cover picture **'Titelblatt** N, **'Titelseite** F *von Buch* title page; *von Zeitung* front page; *von Zeitschrift* front cover

Toast M [to:st] ⟨~(e)s; ~e *od* ~s⟩ toast; *Scheibe* piece *od* slice of toast
'toasten V/T toast
Tochter F ['tɔxtər] ⟨~; Töchter⟩ daughter
'Tochtergesellschaft F subsidiary (company)
Tod M [to:t] ⟨~(e)s; ~e⟩ death (*a. fig*) (**durch** from)
'Todesängste PL **~ ausstehen** *fig* be* scared to death **'Todesanzeige** F death notice **'Todesfall** M death **'Todesopfer** N casualty **'Todesstrafe** F death penalty **'Todesursache** F cause of death **'Todesurteil** N death sentence
'Todfeind(in) M(F) deadly enemy
'tod'krank ADJ terminally ill; *sehr krank* seriously ill
tödlich ['tø:tlɪç] **A** ADJ fatal; *todbringend* deadly (*a. fig*) **B** ADV *verletzen, verlaufen* fatally; **sich ~ langweilen** be* bored to death; **~ verunglücken** be* killed (in an accident)
'tod'müde ADJ *umg* dog-tired, dead tired
To-do-Liste F [tu'du:-] to-do list
'tod'sicher *umg* **A** ADJ sure-fire **B** ADV definitely
Toilette F [toa'lɛtə] ⟨~; ~n⟩ toilet, *US a.* bathroom; **~n** *pl* toilets *pl*, *US* rest rooms *pl*; **sie ist auf der ~** she's gone to the toilet *od US* bathroom
Toi'lettenfrau F, **Toi'lettenmann** M lavatory attendant **Toi'lettenpapier** N toilet paper
tolerant ADJ [tole'rant] tolerant (**gegen** of, towards)
Tole'ranz F ⟨~; ~en⟩ tolerance (*a.* TECH)
tole'rieren V/T ⟨*kein ge*⟩ tolerate
toll [tɔl] **A** ADJ *wild* wild; *umg*: *großartig* great, fantastic **B** ADV *umg*: *großartig* fantastically
'tollkühn ADJ daredevil *attr* **Tollpatsch** M ['tɔlpatʃ] ⟨~(e)s; ~e⟩ *umg* clumsy oaf **'Tollwut** F rabies **'tollwütig** ADJ rabid
Tomate F [to'ma:tə] ⟨~; ~n⟩ tomato
Tombola F ['tɔmbola] ⟨~; ~s⟩ raffle
Ton[1] M [to:n] ⟨~(e)s; ~e⟩ *Erde* clay
Ton[2] M ⟨~(e)s; Töne⟩ *Klang, Geräusch* sound (*a. in Fernsehen, Radio, Film*); MUS

tone, *Note* note; *Farbton* shade, tone; *Sprechweise* tone; *Betonung* stress; **keinen ~ herausbringen** not say* a word; **es gehört zum guten ~** it's the done thing

'Tonband N ⟨*pl* Tonbänder⟩ tape; *Gerät* tape recorder **'Tonbandgerät** N tape recorder

tönen ['tø:nən] **A** V/I sound **B** V/T tint

Tonne F ['tɔnə] ⟨~; ~n⟩ *Fass* barrel; *Gewichtseinheit* tonne, metric ton

'Tontechniker(in) M(F) sound engineer

'Tönung F ⟨~; ~en⟩ *Farbton* tint (*a. im Haar*)

Topf M [tɔpf] ⟨~(e)s; Töpfe⟩ pot; *Kochtopf a.* pan

'Töpfer(in) ['tœpfər(ɪn)] M ⟨~s; ~⟩ (F) ⟨~in; ~innen⟩ potter

Töpfe'rei F ⟨~; ~en⟩ pottery (*a. Werkstatt*)

Tor N [to:r] ⟨~(e)s; ~e⟩ gate (*a. beim Skilaufen*); *beim Fußball, Hockey etc* goal; **ein ~ schießen** score (a goal); **im ~ stehen** be* in goal, keep* goal

Torf M [tɔrf] ⟨~(e)s⟩ peat

Torfmull M ['tɔrfmʊl] ⟨~s⟩ garden peat

torkeln V/I ['tɔrkəln] ⟨h *od mit Bewegung* s⟩ stagger

Torte F ['tɔrtə] ⟨~; ~n⟩ *Sahnetorte* gateau; *Obsttorte* flan, *US* pie

'Tortengrafik F pie chart

Torwart(in) ['to:rvart(ɪn)] M ⟨~(e)s; ~e⟩ (F) ⟨~in; ~innen⟩ goalkeeper, goalie

tot [to:t] **A** ADJ dead (*a. fig*); **sie war sofort ~** she died instantly **B** ADV **~ umfallen** drop dead

total [to'ta:l] **A** ADJ total, complete **B** ADV *völlig* totally; **etw ~ gut finden** *umg* think* sth's really cool

To'talausverkauf M clearance sale; *wegen Geschäftsaufgabe a.* closing-down sale

totalitär ADJ [totali'tɛ:r] totalitarian

To'talschaden M **er hatte (einen) ~** his car was a write-off, *US* he totaled his car

'totarbeiten V/R *umg* work o.s. to death **'totärgern** V/R *umg* be* totally hacked off

'Tote(r) M/F(M) ⟨~n; ~n⟩ dead man; *Frau* dead woman; *Leiche* (dead) body, corpse; **die Toten** *pl* the dead *pl*; **es gab zehn Tote** ten people died

töten V/T ['tø:tən] kill

'Totenkopf M skull; *Symbol* skull and crossbones **'Totenschein** M death certificate

'totlachen V/R *umg* kill o.s. laughing

Toto N *od* M ['to:to] ⟨~s; ~s⟩ (football) pools *pl*; **(im) ~ spielen** do* the pools

'Totoschein M pools coupon

'totschießen V/T ⟨*irr*⟩ shoot* dead

'Totschlag M manslaughter **'totschlagen** V/T ⟨*irr*⟩ **j-n ~** beat* sb to death; **die Zeit ~** kill time **'totschweigen** V/T ⟨*irr*⟩ hush up

Tötung F ['tø:tʊŋ] ⟨~; ~en⟩ killing; JUR homicide

Toupet N [tu'pe:] ⟨~s; ~s⟩ toupee

Tour F [tu:r] ⟨~; ~en⟩ *Ausflug* trip, excursion; *längere* tour (**durch** of); TECH turn, revolution; **auf ~en kommen** AUTO pick up speed; *fig* get* going; **krumme ~en** *umg* underhand methods

Tou'rismus M ⟨~⟩ tourism

Tou'rismusgeschäft N tourist industry

Tou'rist(in) M ⟨~en; ~en⟩ (F) ⟨~in; ~innen⟩ tourist

Tou'ristenklasse F FLUG economy class

tou'ristisch ADJ tourist *attr*

Tournee F [tʊr'ne:] ⟨~; ~n *od* ~s⟩ tour; **auf ~ sein/gehen** be*/go* on tour

Trabantenstadt F [tra'bantən-] satellite town

Tracht F [traxt] ⟨~; ~en⟩ costume; *Schwesterntracht* uniform; *Amtstracht* dress; **e-e ~ Prügel** a good hiding

Tradition F [traditsi'o:n] ⟨~; ~en⟩ tradition

traditio'nell **A** ADJ traditional **B** ADV *hergestellt etc* traditionally

'tragbar ADJ *Gerät* portable; *Kleidung* wearable; *fig* bearable; *Person* acceptable

Trage F ['tra:gə] ⟨~; ~n⟩ stretcher

träge ADJ ['trɛ:gə] lazy; PHYS inert

tragen ['tra:gən] ⟨trug, getragen⟩ **A** V/T carry (*a. Waffe*); *Kleidung, Schmuck, Brille* wear*; *ertragen, a. Früchte, Folgen, Namen* bear*; *Verantwortung* take*; **welche Größe trägst du?** which size do you take?; **ich trage es immer bei mir** I always have it on me; **sich gut ~** *von Stoff, Mantel etc* wear* well **B** V/I *von*

Baum bear* fruit; *tragfähig sein* hold*

Träger M ['trɛ:gər] ⟨~s; ~⟩ *an Kleidung* (shoulder) strap; TECH support; ARCH girder; *von Decke, Dach* beam

'Träger(in) M ⟨~s; ~⟩ (F) ⟨~in; ~innen⟩ *Person* porter; *von Amt, Titel* bearer

'trägerlos ADJ *Kleid* strapless

'Tragetasche F shopping bag, *Br a.* carrier (bag); *für Babys* carrycot, *US* portacrib®

'Tragfähigkeit F load-bearing capacity; SCHIFF tonnage

'Tragfläche F FLUG wing

'Trägheit F ⟨~; ~en⟩ laziness; PHYS inertia

Tragik F ['tra:gɪk] ⟨~⟩ tragedy

'tragisch **A** ADJ tragic **B** ADV *enden etc* tragically

'Tragweite F range; *fig* significance

Trainer(in) ['trɛ:nər(ɪn)] M ⟨~s; ~⟩ (F) ⟨~in; ~innen⟩ trainer, coach

trai'nieren VI & VT ⟨*kein ge*⟩ *allg* train; *Person, Mannschaft a.* coach

'Training N ⟨~s; ~s⟩ training

'Trainingsanzug M tracksuit

Traktor M ['traktɔr] ⟨~s; ~en⟩ tractor

trampen VI ['trɛmpən] ⟨s⟩ hitchhike

'Tramper(in) M ⟨~s; ~⟩ (F) ⟨~in; ~innen⟩ hitchhiker

Träne F ['trɛ:nə] ⟨~; ~n⟩ tear; **in ~n ausbrechen** burst* into tears

'Tränengas N tear gas

Transaktion F [trans?aktsi'o:n] ⟨~; ~en⟩ transaction

transeuropäisch ADJ [trans?ɔyro'pɛ:ɪʃ] trans-European; **~e Netze** trans-European networks

Transfer M [trans'fɛr] ⟨~s; ~s⟩ transfer (*a.* SPORT)

Transfor'mator M ⟨~s; ~en⟩ transformer

Transfusi'on F ⟨~; ~en⟩ MED transfusion

transgen ADJ [trans'ge:n] transgenic

Transistor M [tran'zɪstɔr] ⟨~s; ~en⟩ transistor (*a. zssgn*)

Transit M [tran'zɪt *od* 'tran-] ⟨~s; ~e⟩ transit (*a. zssgn*)

Tran'sithalle F FLUG transit lounge **Tran'sitpassagier(in)** M(F), **Tran'sitreisende(r)** M/F(M) ⟨~n; ~n⟩ transit passenger **Tran'sitstrecke** F transit road *od* route **Tran'sitvisum** N transit visa

transparent ADJ [transpa'rɛnt] transparent

Transpa'rent N ⟨~(e)s; ~e⟩ banner

Transpa'renz F ⟨~⟩ *bes* POL transparency

Transplantation F [transplantatsi'o:n] ⟨~; ~en⟩ MED transplant

transplan'tieren VT ⟨*kein ge*⟩ MED transplant

Transport M [trans'pɔrt] ⟨~(e)s; ~e⟩ transport; *Sendung* shipment

trans'portfähig ADJ transportable

transpor'tieren VT ⟨*kein ge*⟩ transport

Trans'portkosten PL transport(ation) costs *pl*; *Speditionskosten* forwarding costs *pl* **Trans'portmittel** N means *sg* of transport(ation) **Trans'portunternehmen** N haulier, *US* hauler **Trans'portunternehmer(in)** M(F) haulier, *US* hauler **Trans'portwesen** N transport(ation)

Traube F ['traubə] ⟨~; ~n⟩ bunch of grapes; *einzelne Beere* grape; *fig* cluster; **~n** *pl* grapes *pl*

'Traubensaft M grape juice **'Traubenzucker** M glucose

trauen[1] VT ['trauən] marry; **sich ~ lassen** get* married

'trauen[2] VI **j-m/etw ~** trust sb/sth; **sich ~, etw zu tun** dare (to) do sth; **ich traute meinen Ohren nicht** I couldn't believe my ears

Trauer F ['trauər] ⟨~⟩ grief, sorrow; *um j-n* mourning; **in ~** in mourning (*a. Kleidung*)

'trauern VI mourn (**um** for)

träufeln VT ['trɔyfəln] trickle

Traum M [traum] ⟨~(e)s; Träume⟩ dream (*a. fig*)

'Traum- ZSSGN *Beruf, Mann etc* dream

träumen VI & VT ['trɔymən] dream* (*a. fig*) (**von** about, of); *nicht aufpassen* daydream*; **schlecht ~** have* bad dreams

'Träumer(in) M ⟨~s; ~⟩ (F) ⟨~in; ~innen⟩ dreamer (*a. fig*)

Träume'rei F ⟨~; ~en⟩ *fig* daydream, reverie (*a.* MUS)

'traumhaft **A** ADJ *wunderbar* fantastic **B** ADV *schön etc* fantastically

traurig ['traurɪç] **A** ADJ sad (**über, wegen** about) **B** ADV *sagen, ansehen etc* sadly

'Traurigkeit F ⟨~⟩ sadness
'Trauring M wedding ring **'Trauschein** M marriage certificate
'Trauung F ⟨~; ~en⟩ wedding
'Trauzeuge M best man **'Trauzeugin** F maid of honour *od US* honor; *verheiratet* matron of honour *od US* honor
Travellerscheck M ['trɛvələrʃɛk] → Reisescheck
Treff M [trɛf] ⟨~s; ~s⟩ *umg* meeting place
treffen ['trɛfən] ⟨traf, getroffen⟩ **A** VT *Ziel* hit* (*a. fig*); *begegnen* meet* (*a.* SPORT); *kränken* hurt*; *Maßnahmen* take*; *Entscheidung* make*; **du hast ihn gut getroffen** *auf Foto* that's a good photo of him; **sich ~ (mit j-m)** meet* (sb) **B** VI *mit Schuss, Schlag etc* hit*; **nicht ~** miss
'Treffen N ⟨~s; ~⟩ meeting
'treffend **A** ADJ *Bemerkung, Vergleich etc* apt **B** ADV aptly
'Treffer M ⟨~s; ~⟩ hit (*a. fig: Erfolg,* IT); *Tor* goal; *Gewinn* win
'Treffpunkt M meeting place
Treibeis N ['traip-] drift ice
treiben ['traibən] ⟨trieb, getrieben⟩ **A** VT *irgendwohin* drive* (*a.* TECH *u. fig*); *Sport* do*; *j-n antreiben* push; *Knospen, Blätter* put* forth; *umg: machen, tun* be* up to, do*; **es (mit j-m) ~** *umg* do* it (with sb) **B** VI ⟨s⟩ *im Wasser, in der Luft* drift (*a. fig*); ⟨s⟩ *von Keimlingen* sprout; ⟨s⟩ *von Knospen* come* out
'Treiben N ⟨~s⟩ *Tun* activities *pl*; *Vorgänge* goings-on *pl*; **geschäftiges ~** bustle
'treibend ADJ **~e Kraft** driving force
'Treiber M ⟨~s; ~⟩ COMPUT driver
'Treibhaus N hothouse, greenhouse **'Treibhauseffekt** M greenhouse effect **'Treibhausgas** N greenhouse gas **'Treibsand** M quicksand **'Treibstoff** M fuel
Trend M [trɛnt] ⟨~s; ~s⟩ trend (**zu** towards); **im ~ liegen** *umg* be* trendy
'Trendforscher(in) M(F) trend spotter **'Trendwende** F change in trend
'trennen VT separate; *Arm, Bein* sever; *Kämpfer* part, separate *Länder, Gruppen, Wort* divide; *Rassen* segregate; *unterscheiden* distinguish between; TEL disconnect; **sich ~** *von Personen* split* up, separate; *von Straßen* part; **sich von j-m ~** leave* sb; **sich von etw ~** part with sth
'Trennschärfe F RADIO selectivity
'Trennung F ⟨~; ~en⟩ separation; *Aufteilung* division; *Rassentrennung* segregation; *Unterscheidung* distinction
'Trennwand F partition
Treppe F ['trɛpə] ⟨~; ~n⟩ stairs *pl*; *im Freien* steps *pl*; **e-e ~** a staircase, a flight of stairs; *im Freien* a flight of steps
'Treppengeländer N banister **'Treppenhaus** N staircase; *Flur* hall
Tresor M [tre'zoːr] ⟨~s; ~e⟩ safe; *Banktresor* strongroom, vault
Tre'sorfach N safe deposit box **Tre'sorraum** M strongroom, vault
treten VI ⟨s⟩ & VT ['treːtən] ⟨trat, getreten⟩ *einen Stoß geben* kick (**nach** at); *gehen* step (**aus** out of; **in** into; **auf** onto); *Rad fahren* pedal (away); **~ auf** *den Fuß setzen* step on (*a. Gas, Bremse*), tread* on
treu ADJ [trɔy] *Ehemann, Hund* faithful (*dat* to); *Freund, Anhänger, Diener* loyal (*dat* to); *ergeben* devoted; **seinen Prinzipien** *etc* **~ bleiben** remain true to one's principles *etc*
'Treue F ⟨~⟩ *eheliche* fidelity; *von Freund, Anhänger, Diener* loyalty; *von Hund* faithfulness
Treuhänder(in) ['trɔyhɛndər(ɪn)] M ⟨~s; ~⟩ (F) ⟨~in; ~innen⟩ trustee
treuhänderisch ADV ['trɔyhɛndərɪʃ] **etw ~ verwalten** hold* sth in trust
'Treuhandgesellschaft F trust company
'treuherzig **A** ADJ trusting **B** ADV **j-n ~ ansehen** look trustingly at sb
'treulos **A** ADJ disloyal (**gegen** to) **B** ADV *handeln etc* disloyally
Tribüne F [tri'byːnə] ⟨~; ~n⟩ *Rednertribüne* platform; *Zuschauertribüne* stand
Trichter M ['trɪçtər] ⟨~s; ~⟩ funnel; *Erdtrichter* crater
Trick M [trɪk] ⟨~s; ~s⟩ trick
'Trickbetrüger(in) M(F) confidence trickster **'Trickfilm** M *Zeichentrickfilm* cartoon
Trieb M [triːp] ⟨~(e)s; ~e⟩ BOT shoot; *Drang* urge; *Instinkt* drive; *Geschlechtstrieb* sex drive
'Triebwerk N engine **'Triebwerkschaden** M engine fault
triefen VI ['triːfən] drip (**von, vor** with);

mir trieft die Nase my nose is running
triftig ADJ ['trɪftɪç] convincing; *Grund a.* good
Trilog M [tri'lo:k] ⟨~(e)s; ~e⟩ trialogue
trinkbar ADJ drinkable
'trinken V/T & V/I ['trɪŋkən] ⟨trank, getrunken⟩ drink* (**auf** to); **e-n Tee/Saft ~** have* a cup of tea/a glass of juice; **e-n ~ gehen** go* for a drink
'Trinker(in) M ⟨~s; ~⟩ (F) ⟨~in; ~innen⟩ drinker
'Trinkgeld N tip; **j-m (e-n Euro) ~ geben** tip sb (one euro) **'Trinkspruch** M toast **'Trinkwasser** N drinking water
Trio N ['tri:o] ⟨~s; ~s⟩ trio
Tritt M [trɪt] ⟨~(e)s; ~e⟩ *Fußtritt* kick; *Schritt* step; **j-m e-n ~ versetzen** kick sb, give* sb a kick
'Trittbrettfahrer(in) M(F) *pej* freeloader
Triumph M [tri'ʊmf] ⟨~(e)s; ~e⟩ triumph
trocken ['trɔkən] **A** ADJ dry (*a. fig*) **B** ADV **sich ~ rasieren** dry-shave
'Trockenheit F ⟨~⟩ dryness; *Dürre* drought
'trockenlegen V/T drain; *Baby* change
trocknen V/I ⟨s⟩ & V/T ['trɔknən] dry
'Trockner M ⟨~s; ~⟩ dryer
Trödel M ['trø:dəl] ⟨~s⟩ junk
'Trödelmarkt M flea market
'trödeln V/I dawdle
Troika F ['trɔyka] ⟨~; ~s⟩ troika
'Trommelfell N eardrum
trommeln V/I & V/T ['trɔməln] drum
Tropen PL ['tro:pən] **die ~** the tropics *pl*
'Tropen- ZSSGN tropical
Tropf M [trɔpf] ⟨~(e)s; ~e⟩ MED drip; **am ~ hängen** be* on a drip
tröpfeln V/I & V/T ['trœpfəln] drip; **es tröpfelt** *regnet* it's spitting
tropfen V/I ⟨h *od mit Bewegung* s⟩ & V/T ['trɔpfən] drip (*a. von Hahn*)
'Tropfen M ⟨~s; ~⟩ drop (*a. fig*); **ein ~ auf den heißen Stein** a drop in the ocean
'tropfenweise ADV drop by drop
Trophäe F [tro'fɛ:ə] ⟨~; ~n⟩ trophy (*a. fig*)
tropisch ADJ ['tro:pɪʃ] tropical
Trost M [tro:st] ⟨~es⟩ comfort, consolation; **ein schwacher ~** cold comfort; **du bist wohl nicht (recht) bei ~!** *umg* you must be out of your mind!
trösten V/T ['trø:stən] comfort, console; **sich ~** console o.s. (**mit** with)
'tröstlich ADJ comforting
'trostlos ADJ miserable; *Ort* desolate
'Trostlosigkeit F ⟨~⟩ misery; *von Gegend* desolation
'Trostpreis M consolation prize
Trott M [trɔt] ⟨~(e)s; ~e⟩ trot; **der alte ~** *umg* the old routine
Trottel M ['trɔtəl] ⟨~s; ~⟩ *umg* dope
trotz PRÄP [trɔts] ⟨*gen od dat*⟩ in spite of, despite
Trotz M ⟨~es⟩ defiance; **j-m zum ~** in defiance of sb
'trotzdem ADV still, nevertheless
'trotzen V/I defy; *schmollen* sulk
'trotzig ADJ defiant, *Kind* awkward
trüb(e) ADJ [try:p ('try:bə)] *Flüssigkeit* cloudy; *Licht* dim; *Wetter, Himmel, Tag, Farben* dull; *Stimmung* gloomy
Trubel M ['tru:bəl] ⟨~s⟩ (hustle and) bustle
trüben V/T ['try:bən] *fig*: *Freude etc* spoil*, mar
trügen ['try:gən] ⟨trog, getrogen⟩ **A** V/T deceive **B** V/I be* deceptive
'trügerisch ADJ deceptive
'Trugschluss M fallacy
Truhe F ['tru:ə] ⟨~; ~n⟩ chest
Trümmer PL ['trʏmər] ruins *pl*; *Schutt* debris *sg*; *von Flugzeug, Fahrzeug* wreckage *sg*; *Stücke* pieces *pl*, bits *pl*
Trumpf M [trʊmpf] ⟨~(e)s; Trümpfe⟩ trump (card); *fig* trump card; **Herz ist ~** hearts are trumps; **s-n ~ ausspielen** *fig* play one's trump card
'Trunkenheit F ⟨~⟩ **~ am Steuer** drink *od* drunk driving
Trupp M [trʊp] ⟨~s; ~s⟩ band, party
'Truppe F ⟨~; ~n⟩ MIL unit; THEAT company; **~n** *pl* MIL troops *pl*
Trust M [trast] ⟨~(e)s; ~e *od* ~s⟩ WIRTSCH trust
Truthahn M ['tru:t-] turkey
Tscheche M ['tʃɛçə] ⟨~n; ~n⟩ Czech
Tschechien N ['tʃɛçiən] ⟨~s⟩ the Czech Republic
'Tschechin F ⟨~; ~nen⟩ Czech
'tschechisch ADJ, **'Tschechisch** N Czech; **die Tschechische Republik** the Czech Republic; → englisch

tschüs(s) INT [tʃʏs] bye
T-Shirt N ['tiːʃœrt] ⟨~s; ~s⟩ T-shirt
Tube F ['tuːbə] ⟨~; ~n⟩ tube
Tuberkulose F [tubɛrku'loːzə] ⟨~; ~n⟩ tuberculosis
Tuch N [tuːx] ⟨~(e)s; Tücher⟩ cloth; *Halstuch, Kopftuch* scarf; *Staubtuch* duster
tüchtig ['tʏçtɪç] **A** ADJ *fähig* capable, competent; *leistungsfähig* efficient; *umg*: *ordentlich* good **B** ADV *arbeiten etc* hard; *umg*: *sehr* good and proper; **~ zulangen** *od* **zugreifen** *umg* tuck in
'Tüchtigkeit F ⟨~⟩ *Fähigkeit* capability, competence; *Leistungsfähigkeit* efficiency
tückisch ADJ ['tʏkɪʃ] *boshaft* malicious; *Krankheit* insidious; *gefährlich* treacherous
Tugend F ['tuːgənt] ⟨~; ~en⟩ virtue
Tumor M ['tuːmɔr] ⟨~s; ~en⟩ MED tumour, *US* tumor
Tumult M [tu'mʊlt] ⟨~(e)s; ~e⟩ uproar
tun V/T & V/I [tuːn] ⟨tat, getan⟩ do*; *Schritt* take*; *umg*: *legen, stellen etc* put*; **j-m etw ~** *umg* do* sth to sb; **zu ~ haben** have* work to do; *beschäftigt sein* be* busy; **ich weiß (nicht), was ich ~ soll** *od* **muss** I (don't) know what to do; **sie tut so, als ob sie krank wäre** she's pretending to be ill; **das hat damit nichts zu ~** that hasn't got anything to do with it; **ein Bleistift tut's auch** a pencil will do
tünchen V/T ['tʏnçən] whitewash
Tunesien N [tu'neːziən] ⟨~s⟩ Tunisia
Tunnel M ['tʊnəl] ⟨~s; ~(s)⟩ tunnel
tupfen V/T ['tʊpfən] dab
Tupfer M ['tʊpfər] ⟨~s; ~⟩ swab
Tür F [tyːr] ⟨~; ~en⟩ door (*a. fig*); **an die ~ gehen** answer the door; **j-n vor die ~ setzen** throw* sb out; **Tag der offenen ~** open day
Turbine F [tʊr'biːnə] ⟨~; ~n⟩ turbine
'Türgriff M door handle
Türke M ['tʏrkə] ⟨~n; ~n⟩ Turk; **er ist ~** he's Turkish
Tür'kei F ⟨~⟩ **die ~** Turkey
'Türkin F ⟨~; ~nen⟩ Turk; **sie ist ~** she's Turkish
türkis ADJ [tʏr'kiːs] turquoise
'türkisch ADJ ['tʏrkɪʃ], **'Türkisch** N Turkish; → englisch
'Türklinke F door handle
Turm M [tʊrm] ⟨~(e)s; Türme⟩ tower; *Kirchturm a.* steeple; *Schachfigur* rook, castle
türmen V/T ['tʏrmən] pile up; **sich ~** pile up
turnen V/I ['tʊrnən] do* gymnastics
'Turnen N ⟨~s⟩ gymnastics *sg*; *Schulfach* PE, gym
'Turner(in) M ⟨~s; ~⟩ (F) ⟨~in; ~innen⟩ gymnast
'Turnhalle F gym(nasium)
Turnier N [tʊr'niːr] ⟨~s; ~e⟩ tournament
'Turnschuh M trainer, *US* sneaker
turnusmäßig ['tʊrnʊs-] **A** ADJ rotating; *Treffen* regular **B** ADV in rotation, in turn; *sich treffen* regularly; **die Präsidentschaft ~ übernehmen** take* one's turn at the presidency
'Türöffner M door opener **'Türrahmen** M doorframe **'Türschild** N doorplate **'Türsprechanlage** F entryphone **'Türsteher(in)** M ⟨~s; ~⟩ (F) ⟨~in; ~innen⟩ bouncer
Tusche F ['tʊʃə] ⟨~; ~n⟩ India ink; *Wasserfarbe* watercolour, *US* watercolor
Tussi F ['tʊsi] ⟨~; ~s⟩ *sl, a. pej* bird
Tüte F ['tyːtə] ⟨~; ~n⟩ bag; *für Milch* carton
TÜV [tʏf] ⟨~⟩ ABK *für* Technischer Überwachungs-Verein *Br etwa* MOT (test), *US* vehicle inspection; **durch/nicht durch den ~ kommen** *Auto* pass/fail its MOT, *US* pass/fail its inspection
twittern® V/I & V/T ['twɪtərn] *Textnachricht über den Internetdienst Twitter® versenden* twitter, tweet
Typ M [tyːp] ⟨~s; ~en⟩ type; *Modell* model; *umg*: *Mann* guy, fellow
Typhus M ['tyːfʊs] ⟨~⟩ typhoid
'typisch ADJ typical (**für** of)
Tyrann M [ty'ran] ⟨~en; ~en⟩ tyrant
tyranni'sieren V/T ⟨*kein ge*⟩ tyrannize; *fig a.* bully

U

U N [u:] ⟨~; ~⟩ U
u. a.[1] ABK *für* unter anderem among other things
u. a.[2] ABK *für* und andere and others
'U-Bahn F underground, *US* subway; *Londoner* Tube, underground
'U-Bahnhof M underground *od Londoner meist* Tube *od US* subway station **'U-Bahn-Netz** N underground *od Londoner meist* Tube *od US* subway system
übel ['y:bəl] ⟨-bl-⟩ **A** ADJ bad; **mir ist/wird ~** I feel sick **B** ADV *ausgehen* badly; **~ nehmen** take* offence *od US* offense at; **sie nahm es ihm übel** she held it against him; **~riechend** foul-smelling; *Atem* foul
'Übel N ⟨~s; ~⟩ *notwendiges etc* evil; **das kleinere ~** the lesser of two evils
'Übelkeit F ⟨~⟩ nausea
'Übeltäter(in) M(F) *bes hum* culprit
üben V/T & V/I ['y:bən] practise, *US* practice; **Klavier ~** practise *od US* practice the piano
über PRÄP ['y:bər] ⟨*akk od dat*⟩ over; *oberhalb a.* above (*a. fig*); *mehr als* over, more than; *quer über* across (*a. Straße, Fluss etc*); *bei Thema* about; *bei Vortrag, Buch etc* about, on; *bei Rechnung* for; **~ Nacht bleiben** stay overnight; **~ München nach Rom** to Rome via Munich; **froh/traurig ~** glad/sad about; **sich ärgern ~** be* angry about; **lachen ~** laugh at
'überall ADV everywhere; **~ in ...** throughout ..., all over ...
'Überangebot N WIRTSCH oversupply (**an** *dat* of)
über'anstrengen V/T ⟨*kein ge*⟩ overstrain; **sich ~** overstrain o.s.
über'arbeiten V/T ⟨*kein ge*⟩ *Text* revise; **sich ~** overwork
'überaus ADV most, extremely
'überbelichten V/T ⟨*kein ge*⟩ overexpose
über'bieten V/T ⟨*irr, kein ge*⟩ *auf e-r Auktion* outbid* (**um** by); *fig*: *Rekord etc* beat*; *Person* outdo*
Überbleibsel N ['y:bərblaipsəl] ⟨~s; ~⟩ remnant; *pl* remains *pl*; *Essensreste* leftovers *pl*
'Überblick M view (**über** over); *fig* overview (**über** of); *Vorstellung* general idea; **den ~ behalten/verlieren** keep*/lose* track of things
über'blicken V/T ⟨*kein ge*⟩ overlook; *fig*: *Lage etc* have* an overview of **über'bringen** V/T ⟨*irr, kein ge*⟩ **j-m etw ~** deliver sth to sb **über'brücken** V/T ⟨*kein ge*⟩ bridge (*a. fig*) **über'buchen** V/T ⟨*kein ge*⟩ overbook **über'dauern** V/T ⟨*kein ge*⟩ outlast, survive **über'denken** V/T ⟨*irr, kein ge*⟩ **etw ~** think* sth over **'überdimensional** ADJ oversized **'Überdosis** F MED overdose **'Überdruck** M ⟨*pl* Überdrücke⟩ PHYS, TECH overpressure, excess pressure
Überdruss M ['y:bərdrʊs] ⟨~es⟩ weariness; **wir haben es bis zum ~ getan** we did it till we were sick of it
überdrüssig ADJ ['y:bərdrʏsɪç] **j-s/etw ~ sein** be* weary of sb/sth
'überdurchschnittlich ADJ above-average **'übereifrig** ADJ overzealous **über'eilen** V/T ⟨*kein ge*⟩ rush; **nichts ~!** don't rush things! **über'eilt** ADJ overhasty
überei'nander ADV on top of each other; *sprechen etc* about each other
überei'nanderschlagen V/T ⟨*irr*⟩ **die Beine ~** cross one's legs
über'einkommen V/I ⟨*irr, s*⟩ agree
Über'einkommen N ⟨~s; ~⟩ POL convention
Übereinkunft F [y:bər'ʔainkʊnft] ⟨~; Übereinkünfte⟩ agreement
über'einstimmen V/I *von Angaben, Aussagen* tally, correspond (**mit** with); **mit j-m ~** agree with sb (**in** on)
Über'einstimmung F agreement; *von Angaben, Aussagen* correspondence; **in ~ mit etw** in accordance with sth
über'fahren V/T ⟨*irr, kein ge*⟩ **j-n ~** run* sb over, knock sb down; **e-e Ampel ~** go* through a set of traffic lights
'Überfahrt F crossing
'Überfall M attack (**auf** on); *Banküberfall* raid (**auf** on), hold-up; *Straßenraub* mugging (**auf** of); MIL raid (**auf** on); *auf ein Land* invasion (**auf** of)

über'fallen VT ‹irr, kein ge› attack; *Bank* raid, hold* up; *auf der Straße* mug; MIL raid; *Land* invade **'überfällig** ADJ overdue **über'fliegen** VT ‹irr, kein ge› fly* over; *schnell lesen* glance over, skim

'Überfluss M abundance (**an** of); *Wohlstand* affluence; **etw im ~ haben** have* sth in abundance **'überflüssig** ADJ superfluous; *unnötig* unnecessary

über'fluten VT ‹kein ge› flood (*a. fig*)

über'fordern VT ‹kein ge› *Kräfte, Geduld etc* overtax; *Person* expect too much of **über'fragt** ADJ **da bin ich ~** you've got me there, I simply don't know

über'führen VT ‹kein ge› *transportieren* transfer; *Leichnam* transport; JUR convict (**des Mordes** *etc* of murder *etc*)

Über'führung F *Transport* transfer; *von Leichnam* transportation; JUR conviction; *Brücke* flyover, *US* overpass; *Fußgängerüberführung* footbridge

über'füllt ADJ overcrowded; *Regal* overfilled

'Übergang M *Weg* crossing; *fig: Phase* transition (*a.* MUS) **'Übergangslösung** F interim solution **'Übergangsphase** F transitional *od* interim phase **'Übergangsregierung** F caretaker government **'Übergangsstadium** N transitional stage

über'geben VT ‹irr, kein ge› **j-m etw ~** hand sth over to sb; MIL surrender sth to sb; **sich ~** vomit, *Br a.* be* sick

'übergehen[1] VI ‹irr, s› **zu etw ~** move on to sth; **~ in** *sich verändern etc* change *od* turn (in)to; *von Farbe* merge into

über'gehen[2] VT ‹irr, kein ge› **j-n ~** pass sb over; **sich übergangen fühlen** feel* left out, feel* ignored

'übergeschnappt ADJ *umg* cracked

'Übergewicht N *fig*, MIL, WIRTSCH predominance; **(zehn Kilo) ~ haben** be* (ten kilos) overweight **'überglücklich** ADJ delighted; **~ sein** be* overjoyed **'übergreifen** VI ‹irr› **~ auf** *fig* spread* to; **ineinander ~** overlap **'Übergriff** M infringement (**auf** of); *Gewaltakt* act of violence **'Übergröße** F **Hemden** *etc* **in ~n** outsize shirts *etc*

über'handnehmen VI ‹irr› get* out of hand

über'häufen VT ‹kein ge› *mit Arbeit* swamp; *mit Geschenken, Ehrungen* shower

über'haupt ADV *Verneinung verstärkend* at all; **~ nicht** not at all; *sowieso, eigentlich* anyway; **kannst du ~ tippen?** can you really type?; **was willst du ~?** what do you want then?

über'heblich ADJ arrogant

über'höht ADJ excessive

über'holen ‹kein ge› **A** VT overtake* (*a.* SPORT *u. fig*), pass; TECH overhaul **B** VI overtake*

Über'holspur F AUTO overtaking *od* passing lane

über'holt ADJ outdated **über'hören** VT ‹kein ge› miss, not catch*; *absichtlich* ignore **'überirdisch** ADJ supernatural

über'laden VT ‹irr, kein ge› overload (*a.* ELEK); *fig* clutter

'Überlandbus M long-distance coach *od US* bus

über'lassen VT ‹irr, kein ge› **j-m etw ~** let* sb have sth; *fig: Entscheidung etc* leave* sth to sb; **j-n sich selbst ~** leave* sb to himself/herself

über'lasten VT ‹kein ge› overload; *fig* overburden

'überlaufen[1] VI ‹irr, s› MIL desert; *von Behälter, Wasser* overflow

über'laufen[2] ADJ overcrowded; **mit Touristen ~** overrun with tourists

über'leben VT & VI ‹kein ge› survive (*a. fig*) **Über'lebende(r)** M/F(M) ‹~n; ~n› survivor

über'legen[1] **A** VT **(sich) etw ~** think* about sth, think* sth over; **ich habe es mir anders überlegt** I've changed my mind **B** VI think*

über'legen[2] ADJ superior (**j-m** to sb)

Über'legenheit F ‹~› superiority

über'legt **A** ADJ considered **B** ADV *handeln* in a considered fashion

Über'legung F ‹~; ~en› consideration; **ohne ~** without thinking

'überleiten VI **~ zu** lead* up to **'Überleitung** F ‹~; ~en› transition (*a.* MUS) **über'liefern** VT ‹kein ge› hand down, pass on **über'liefert** ADJ traditional **Über'lieferung** F *Brauch* tradition **über'listen** VT ‹kein ge› outwit **'Übermacht** F ‹~› superiority; MIL superior forces *pl*; **in der ~ sein** be* superior **'übermächtig** ADJ superior; *fig: Gefühl etc* overpowering

U

'Übermaß N ⟨~es⟩ excess (**an** of) **'übermäßig** **A** ADJ excessive **B** ADV *hoch etc* excessively **'übermenschlich** ADJ superhuman
über'mitteln V/T ⟨kein ge⟩ *Gruß etc* convey
Über'mittlung F ⟨~; ~en⟩ transmission
'übermorgen ADV the day after tomorrow
über'müdet ADJ overtired
Über'müdung F ⟨~; ~en⟩ overtiredness
'übernächste(r, -s) ADJ **~ Woche** *etc* the week *etc* after next
über'nachten V/I ⟨kein ge⟩ spend* the night
Über'nachtung F ⟨~; ~en⟩ overnight stay; **~ mit Frühstück** bed and breakfast
Übernahme F ['y:bərna:mə] ⟨~; ~n⟩ taking over; *von Betrieb* takeover; *von Idee* adoption
'Übernahmeangebot N WIRTSCH takeover bid
'übernational ADJ supranational **'übernatürlich** ADJ supernatural
über'nehmen V/T ⟨irr, kein ge⟩ take* over; *Idee, Brauch, Namen a.* adopt; *Verantwortung, Risiko, Arbeit, Schulden* take* on; *Belegschaft* keep* on; *erledigen* take* care of; **sich ~** overdo* it; *finanziell* overstretch o.s.
'Überproduktion F WIRTSCH overproduction **über'prüfen** V/T ⟨kein ge⟩ check; POL: *Person* screen **Über'prüfung** F *Überprüfen* checking; *Kontrolle* check; POL: *von Person* screening **über'queren** V/T ⟨kein ge⟩ cross
überraschen V/T [y:bər'raʃən] ⟨kein ge⟩ surprise; **j-n beim Stehlen** *etc* **~** catch* sb stealing *etc*
über'raschend **A** ADJ surprising; *Entwicklung* unexpected **B** ADV *sterben* unexpectedly; **~ gut** surprisingly well
Über'raschung F ⟨~; ~en⟩ surprise
'überreagieren V/I ⟨kein ge⟩ overreact
über'reden V/T ⟨kein ge⟩ persuade; **j-n dazu ~, etw zu tun** persuade sb to do sth **Über'redung** F ⟨~⟩ persuasion
'überregional ADJ national **über'reichen** V/T ⟨kein ge⟩ present, hand over; **j-m etw ~** present sb with sth
Über'reichung F ⟨~⟩ presentation
über'reizt ADJ *nervlich* overwrought; *zu erregt* overexcited
'Überrest M remains *pl*; **~e** *pl e-r Kultur* relics *pl*; *e-r Mahlzeit* leftovers *pl* **über'rumpeln** V/T ⟨kein ge⟩ **j-n ~** take* sb by surprise **übersättigt** ADJ [y:bər'zɛtıçt] *Markt* glutted; *Person* sated
'Überschall- ZSSGN supersonic
über'schatten V/T ⟨kein ge⟩ *fig* overshadow **über'schätzen** V/T ⟨kein ge⟩ overestimate **'Überschlag** M *beim Turnen* somersault; FLUG loop; *Schätzung* rough estimate
über'schlagen ⟨irr, kein ge⟩ **A** V/T *Kosten, Zahl etc* make* a rough estimate of; *auslassen* skip; **die Beine ~** cross one's legs; **sich ~** *von Auto* turn over; *von Person* go* head over heels; *vor Eifer* fall* over o.s.; *von Stimme* crack **B** V/I ⟨s⟩ **~ in** *fig*: *Wut etc* turn into
'überschnappen V/I ⟨s⟩ *umg* crack up
über'schneiden V/R ⟨irr, kein ge⟩ overlap (*a. fig*); *Linien* intersect; *zeitlich* clash **über'schreiben** V/T ⟨irr, kein ge⟩ **j-m etw ~** make* sth over to sb
über'schreiten V/T ⟨irr, kein ge⟩ cross; *fig* exceed; *Höhepunkt* pass; **die Geschwindigkeit ~** exceed the speed limit
'Überschrift F heading; *Schlagzeile* headline **'Überschuss** M surplus (**an** of) **'überschüssig** ADJ [-ʃʏsıç] surplus **'Überschussproduktion** F WIRTSCH surplus production
über'schütten V/T ⟨kein ge⟩ **~ mit** *bedecken* cover with; *Geschenken* shower with; **j-n mit Lob ~** heap praise on sb
überschwänglich ['y:bərʃvɛŋlıç] **A** ADJ effusive **B** ADV *begrüßen, danken* effusively
über'schwemmen V/T ⟨kein ge⟩ flood; *fig* inundate **Über'schwemmung** F ⟨~; ~en⟩ flood **'Übersee** F ⟨kein Artikel⟩ **in/nach ~** overseas; **aus ~** from overseas **'Überseehandel** M overseas trade
überseeisch ADJ ['y:bərze:ıʃ] overseas
über'sehen V/T ⟨irr, kein ge⟩ *Fehler etc* overlook; *absichtlich* ignore; *Folgen* assess; **ich habe dich in der Menge ~** I didn't see you in the crowd
über'setzen[1] V/T ⟨kein ge⟩ translate (**aus** from; **in** into)
'übersetzen[2] **A** V/I ⟨s⟩ cross (**über e-n**

U

Fluss a river) **B** VT *ans andere Ufer* take* over
Über'setzer(in) M ⟨~s; ~⟩ F ⟨~in; ~innen⟩ translator
Über'setzung F ⟨~; ~en⟩ translation (**aus** from; **in** into); TECH transmission ratio
Über'setzungsbüro N, **Über'setzungsdienst** M translation agency **Über'setzungsprogramm** N IT translation program **Über'setzungssoftware** F IT translation software
'Übersicht F ⟨~; ~en⟩ overview (**über** of); *Zusammenfassung* outline, summary; **die ~ verlieren** lose* track of things
'übersichtlich ADJ clear; *Gelände* open; *Supermarkt, Bibliothek* clearly laid-out
'Übersichtskarte F general map
'übersiedeln VI ⟨s⟩ move (**nach** to)
über'spitzt **A** ADJ exaggerated **B** ADV in an exaggerated way; **etw ~ formulieren** overstate sth
über'springen VT ⟨irr, kein ge⟩ **etw ~** jump (over) sth; SPORT *a.* clear sth; *auslassen* skip sth
über'stehen[1] VT ⟨irr, kein ge⟩ **etw ~** *Krankheit* get* over sth; *überleben* survive sth; *hinter sich bringen* come* through sth
'überstehen[2] VI ⟨irr⟩ *von Brett etc* jut out
über'steigen VT ⟨irr, kein ge⟩ *fig* exceed; **das übersteigt meine Kräfte/Fähigkeiten** that's beyond me **über'stimmen** VT ⟨kein ge⟩ outvote; *Antrag* vote down **'Überstunden** PL overtime *sg*; **~ machen** work overtime **'Überstundenzuschlag** M overtime premium **über'stürzen** VT ⟨kein ge⟩ rush (into); **sich ~** *von Entwicklungen* follow in rapid succession **über'stürzt** ADJ hasty **über'teuert** ADJ overpriced **über'tönen** VT ⟨kein ge⟩ drown out
Übertrag M ['y:bərtra:k] ⟨~(e)s; Überträge⟩ WIRTSCH amount carried over
über'tragbar ADJ transferable; MED transmissible
über'tragen VT & VI ⟨irr, kein ge⟩ *senden* broadcast*; *übersetzen* translate; *Krankheit*, TECH: *Kraft* transmit (**auf** to); *Besitz, Wissen* transfer; *Blut* transfuse; **etw auf etw ~** *anwenden* apply sth to sth
Über'tragung F ⟨~; ~en⟩ *Sendung* broadcast; *Übersetzung* translation; *von Krankheit*, TECH transmission; *von Besitz, Wissen* transfer; *von Blut* transfusion
über'treffen VT ⟨irr, kein ge⟩ *besser sein als* be* better than; *in der Leistung* surpass (*a. Erwartungen*); **j-n an Fleiß** *etc* **~** be* more hard-working *etc* than sb
über'treiben VI & VT ⟨irr, kein ge⟩ exaggerate; *Tätigkeit* overdo*
Über'treibung F ⟨~; ~en⟩ exaggeration
'übertreten[1] VI ⟨irr, s⟩ SPORT overstep; **~ zu** POL go* over to, defect to; REL convert to; *von Fluss* overflow*
über'treten[2] VT ⟨irr, kein ge⟩ *Regeln, Bestimmungen etc* break*, violate
Über'tretung F ⟨~; ~en⟩ violation **über'trieben** **A** ADJ exaggerated; *übermäßig* excessive **B** ADV *zu sehr* excessively **'Übertritt** M POL defection (**zu** to); REL conversion (**zu** to)
übervölkert ADJ [y:bər'fœlkərt] overpopulated
über'wachen VT ⟨kein ge⟩ supervise, oversee*; *leiten* control; *polizeilich* keep* under surveillance; *über Video* monitor
Über'wachung F ⟨~⟩ supervision; *Leitung* control; *polizeiliche* surveillance; *über Video* monitoring
Über'wachungsausschuss M POL supervisory committee
überwältigen VT & VI [y:bər'vɛltɪgən] ⟨kein ge⟩ *Dieb etc* overpower; *fig* overwhelm
über'wältigend ADJ *fig* overwhelming
über'weisen VT & VI ⟨irr, kein ge⟩ *Geld* transfer (**j-m, an j-n** to sb's account); *per Post* remit; *Patienten* refer (**an** to)
Über'weisung F *von Geld* transfer; *per Post* remittance; *von Patienten* referral
Über'weisungsformular N transfer form **Über'weisungsschein** M MED referral slip
über'wiegen VI ⟨irr, kein ge⟩ predominate
'überwiegend **A** ADJ predominant; *Mehrheit* vast **B** ADV predominantly
über'winden VT ⟨irr, kein ge⟩ overcome* (*a. fig*); **er konnte sich nicht ~, das zu tun** he couldn't bring himself to do it
'Überzahl F **in der ~ sein** be* in the majority

U

über'zeugen VT ⟨*kein ge*⟩ convince (**von** of), persuade; **j-n davon ~, dass** convince sb that; **sich ~ von** make* sure of; **sich ~, dass** make* sure that; **sich selbst ~** see* for o.s.
über'zeugt ADJ convinced
Über'zeugung F ⟨~; ~en⟩ conviction
über'ziehen VT ⟨*irr, kein ge*⟩ *bedecken* cover; *Konto* overdraw* (**um** by); **die Betten frisch ~** change the beds
Über'ziehung F ⟨~; ~en⟩ overdraft
Über'ziehungskredit M overdraft facility
üblich ADJ ['y:plıç] usual, normal; **es ist ~** *Brauch* it's the custom; **wie ~** as usual
'U-Boot N submarine
übrig ADJ ['y:brıç] remaining; **die Übrigen** *pl* the others *pl*, the rest *pl*; **~ sein/haben** be*/have* left; **ist noch Brot ~?** is there any bread left?; **~ bleiben** be* left (over); **es blieb mir nichts anderes ~(, als das zu tun)** I had no choice (but to do that); **(j-m) etw ~ lassen** leave* (sb) sth
übrigens ADV ['y:brıgəns] by the way
'Übung F ⟨~; ~en⟩ exercise; *das Üben, Erfahrung* practice
Ufer N ['u:fər] ⟨~s; ~⟩ shore; *Flussufer* bank; **ans ~ gelangen** get* ashore; *Flussufer* get* to the bank
Ufo N ['u:fo] ⟨~s; ~s⟩, **UFO** ABK *für* unbekanntes Flugobjekt UFO, unidentified flying object
Uhr F [u:r] clock; *Armbanduhr* watch; **es ist drei ~** it's three o'clock; **um vier ~** at four o'clock; **wie viel ~ ist es?** what time is it?, what's the time?; **rund um die ~** round the clock
'Uhrarmband N watchstrap **'Uhrwerk** N clock mechanism; *von Armbanduhr* watch mechanism **'Uhrzeiger** M hand **'Uhrzeigersinn** M **im ~** clockwise; **entgegen dem ~** anti-clockwise, *US* counterclockwise **'Uhrzeit** F time
Ukraine F [ukra'i:nə *od* u'krainə] ⟨~⟩ **die ~** the Ukraine
UKW [u:ka:'ve:] ⟨*kein Artikel*⟩ ABK *für* Ultrakurzwelle FM, frequency modulation
Ultimatum N [ʊlti'ma:tʊm] ⟨~s; Ultimaten⟩ ultimatum
um [ʊm] **A** KONJ & PRÄP ⟨*akk*⟩ *räumlich* (a)round; **~ zehn (Uhr)** at ten (o'clock); **bitten ~** ask for; **sich Sorgen machen ~** worry about; **~ Geld** for money; **~ e-e Stunde/10 cm/drei Euro** by an hour/10 cm/three euros; **~ etw zu tun** (in order) to do sth; **er ist zu krank, ~ zu arbeiten** he's too ill to work; **~ ehrlich zu sein** to be honest; → umso, um sein **B** ADV *ungefähr* about, around
'Umbau M ⟨~(e)s; ~ten⟩ rebuilding; *zu etw* conversion (**zu** into)
'umbauen VT rebuild*; *zu etw* convert (**zu** into)
'umblättern VI turn (over) the page
'umbringen VT ⟨*irr*⟩ kill; **sich ~** kill o.s. (*a. fig*)
'umbuchen VT *Flug* change
'Umbuchung F booking change
'umdenken VI ⟨*irr*⟩ change one's way of thinking
'umdisponieren VI ⟨*kein ge*⟩ change one's plans
'umdrehen VT turn round; *die obere Seite nach unten* turn over; *Schlüssel* turn; **sich ~** turn round; *im Liegen* turn over; **sich nach j-m ~** turn round to look at sb
Um'drehung F turn; PHYS, TECH revolution
umei'nander ADV **sie kümmern sich ~** they look after each other
'umfahren¹ VT ⟨*irr*⟩ *umstoßen* knock down
um'fahren² VT ⟨*irr, kein ge*⟩ *Hindernis, Stadt etc* drive* round; SCHIFF sail round
'umfallen VI ⟨*irr, s*⟩ fall* over; *zusammenbrechen* collapse; **tot ~** drop dead
'Umfang M *von Kreis, der Erde* circumference; *Größe* size; *Ausmaß* extent; **in großem ~** on a large scale
'umfangreich ADJ extensive; *massig* voluminous
'Umfeld N environment
'Umfrage F survey, (opinion) poll
'Umgang M **guten/schlechten ~ haben** keep* good/bad company; **~ haben mit** associate with; **beim ~ mit** when dealing with
umgänglich ADJ ['ʊmgɛŋlıç] affable
'Umgangsformen PL manners *pl*
'Umgangssprache F colloquial speech; **die englische ~** colloquial English
um'geben VT ⟨*irr, kein ge*⟩ surround (**mit** with, **von** by)

U

Um'gebung F ⟨~; ~en⟩ surroundings *pl*; *Milieu* environment; **in unmittelbarer ~ von** in the immediate vicinity of
'umgehen[1] VI ⟨*irr*, s⟩ *von Gerücht* go* round; **~ (können) mit** (know* how to) deal* with, (know* how to) handle; *Maschine* (know* how to) use
um'gehen[2] VT ⟨*irr, kein ge*⟩ avoid; *Schwierigkeit, Verbot* get* round; *Stadt* bypass
'umgehend ADV immediately
Um'gehungsstraße F bypass; *Ringstraße* ring road, *US* beltway
'umgekehrt **A** ADJ opposite; *Reihenfolge* reverse; **die Sache ist genau ~** exactly the opposite is the case **B** ADV the other way round; **und ~** and vice versa
'umhören VR ask around (**nach** for)
'umkehren **A** VI ⟨s⟩ turn back **B** VT *Reihenfolge, Entwicklung* reverse
'umkippen **A** VT *umstoßen* knock over **B** VI ⟨s⟩ *umfallen* fall* over; *ohnmächtig werden* faint; *von Boot, Auto* overturn
'Umkleidekabine F changing cubicle **'Umkleideraum** M changing room
'umkommen VI ⟨*irr*, s⟩ be* killed, die (**bei** in); **~ vor** *umg* be* dying of
'Umkreis M **im ~ von** within a radius of
um'kreisen VT ⟨*kein ge*⟩ circle; ASTRON revolve around; *Satellit etc* orbit
'Umland N surrounding area
'Umlauf M circulation; PHYS, TECH rotation; *Schreiben* circular; **in ~ bringen** put* into circulation, circulate
'Umlaufbahn F orbit
'umlegen VT *verlegen* move; *Hebel* pull; *Lehne* fold down; *Zaun, Baum etc* bring* down; *sl: töten* bump off; **(sich) etw ~** put* sth on; **die Kosten ~ auf** share the costs between
'umleiten VT divert
'Umleitung F diversion, *US* detour
'umliegend ADJ surrounding
'umrechnen VT convert (**in** into)
'Umrechnung F conversion
'Umrechnungskurs M exchange rate
'umreißen[1] VT ⟨*irr*⟩ *niederreißen* tear* down; *umstoßen* knock down
um'reißen[2] VT ⟨*irr, kein ge*⟩ *skizzieren* outline
'Umriss M outline
'umrühren VT stir
'umrüsten VT TECH convert (**auf** *akk* to)
'umsatteln VI **~ von ... auf** *fig* switch from ... to
'Umsatz M turnover
'Umsatzbeteiligung F sales commission **'Umsatzrückgang** M drop in sales **'Umsatzsteigerung** F sales increase **'Umsatzsteuer** F turnover tax **'Umsatzziel** N sales target
'umschalten VT & VI switch (**auf** to); *beim Fernsehen* switch over
'umschauen VR → umsehen
'Umschlag M *Briefumschlag* envelope; *Hülle* cover; *Buchumschlag* jacket; MED compress; WIRTSCH: *Umladen* transfer; *plötzliche Veränderung* sudden change
'umschlagen ⟨*irr*⟩ **A** VT *Baum* cut* down, fell; *Ärmel* turn up; *Kragen* turn down; *Seite* turn over; WIRTSCH: *umladen* transfer **B** VI ⟨s⟩ *von Boot* turn over; *von Wetter, Situation etc* change suddenly
'Umschlagplatz M trading centre *od US* center
'umschreiben[1] VT ⟨*irr*⟩ *umgestalten* rewrite*
um'schreiben[2] VT ⟨*irr, kein ge*⟩ *paraphrasieren* paraphrase
'umschulden VT *Kredit etc* convert; *Firma etc* reschedule the debts of
'umschulen **A** VT retrain (**zu** as); *Schüler* transfer to another school **B** VI retrain
'Umschulung F *berufliche* retraining
'Umschweife PL **ohne ~** *sagen* straight out; *tun* straightaway
'Umschwung M sudden change
'umsehen VR ⟨*irr*⟩ *nach allen Seiten blicken* look round (**nach** for); *zurückblicken* look round (**nach** at); **sich im Laden ~** look round the shop; **sich ~ nach** *suchen* look for
'um sein VI ⟨*irr*, s⟩ be* over; **die Zeit ist um** time's up
'umsetzen VT move (*a. Schüler*); WIRTSCH sell*; **~ in** *Energie etc* convert into; **etw in die Tat ~** put* sth into action; **sich ~** change places
'Umsetzung F ⟨~; ~en⟩ *Realisierung* realization; *eines Plans* implementation; *eines Gesetzes* transposition; *Umwandlung* conversion (**in** *akk* into)
'umso KONJ **~ mehr** all the more; **~ wichtiger** all the more important; **~ bes-**

ser! so much the better!
um'sonst ADV free (of charge); *arbeiten* for nothing; *vergebens* in vain
'Umstand M circumstance; *Tatsache* fact; *Einzelheit* detail; **unter Umständen** possibly; **unter keinen Umständen** under no circumstances; **ich will Ihnen keine Umstände machen** I don't want to put you to any trouble; **mach dir keine Umstände** don't go to any trouble
umständlich ['ʊmʃtɛntlɪç] **A** ADJ *ungeschickt* awkward; *kompliziert* complicated; *langatmig* long-winded **B** ADV *beschreiben, erklären etc* in a roundabout way
'umsteigen V/I ⟨irr, s⟩ change (**nach** for); *wechseln* switch (**auf** to)
'umstellen[1] V/T *allg* change (**auf** to); *anders einstellen* switch (**auf** to); *auf Gas etc* convert (**auf** to); *anpassen* adjust (**auf** to); *neu ordnen* rearrange (u. *Möbel*); *Uhr* change; **sich ~ auf** change to, switch to; *anpassen* adjust to, get* used to
um'stellen[2] V/T ⟨kein ge⟩ *umzingeln* surround
'Umstellung F change; *andere Einstellung* switch; *auf Gas etc* conversion; *Anpassung* adjustment; *Neuordnung* rearrangement
'umstimmen V/T **j-n ~** change sb's mind; **sie lässt sich nicht ~** her mind is made up
umstritten ADJ [ʊm'ʃtrɪtən] controversial
umstrukturieren V/T ['ʊmʃtrukturi:rən] ⟨kein ge⟩ restructure
'Umstrukturierung F ⟨~; ~en⟩ restructuring
'Umsturz M coup; *von Regierung* overthrow
'umstürzen **A** V/I ⟨s⟩ fall* over; *von Auto* overturn **B** V/T *umwerfen* knock over
'Umtausch M exchange (**gegen** for)
'umtauschen V/T exchange (**gegen** for); *Geld* change (**in** into)
'Umtauschkurs M exchange rate
'umwandeln V/T transform; **~ in** convert into
'Umwandlung F transformation; *in etw* conversion (**in** into)
'Umweg M detour (**über** via), roundabout way (*a. fig*); **ein ~ von zehn Minuten** a ten-minute detour; **auf Umwegen** *fig* in a roundabout way
'Umwelt F environment
'umweltbedingt ADJ environmental
'Umweltbelastung F (environmental) pollution **'umweltbewusst** ADJ environmentally aware **'Umweltbewusstsein** N environmental awareness **'Umweltforschung** F ecology **'umweltfreundlich** ADJ environmentally friendly, ecofriendly **'Umwelthaftung** F environmental liability **'Umweltkrankheit** F environmental illness **'Umweltpolitik** F environmental policy **'Umweltqualität** F quality of the environment **'Umweltschäden** PL damage *sg* to the environment **'umweltschädlich** ADJ environmentally harmful **'Umweltschutz** M conservation, environmental protection **'Umweltschützer(in)** M ⟨~s; ~⟩ (F) ⟨~in; ~innen⟩ environmentalist, conservationist **'Umweltschutzpapier** N recycled paper **'Umweltverschmutzer(in)** M ⟨~s; ~⟩ (F) ⟨~in; ~innen⟩ polluter **'Umweltverschmutzung** F pollution **'umweltverträglich** ADJ environmentally compatible, not harmful to the environment
'Umweltzerstörung F environmental destruction, ecocide
'umwerfen V/T ⟨irr⟩ *umstoßen* knock over; *Pläne* throw*; **sich etw ~** throw* sth on; **j-n ~** *Alkohol* knock sb out; *erstaunen* flabbergast sb
'umziehen V/I ⟨irr, s⟩ move (**nach** to); ⟨h⟩ **sich ~** change, get* changed
'Umzug M move (**nach** to); *Festzug* parade
'unabhängig **A** ADJ independent (**von** of); **~ davon, ob** regardless of whether **B** ADV **~ voneinander** independently of each other
'Unabhängigkeit F independence (**von** from)
'unabsichtlich **A** ADJ unintentional **B** ADV *machen etc* unintentionally
'unachtsam **A** ADJ careless **B** ADV *umgehen mit etc* carelessly
'Unachtsamkeit F carelessness
unan'fechtbar ADJ incontestable
'unangebracht ADJ inappropriate
'unangemessen **A** ADJ unreasonable; *unzureichend* inadequate **B** ADV *teuer,*

U

lang unreasonably
'unangenehm A ADJ unpleasant; *peinlich* embarrassing; **es ist mir ~** I feel awkward about it B ADV **~ auffallen** make* a bad impression
'unannehmbar ADJ unacceptable
'Unannehmlichkeiten PL trouble *sg*, difficulties *pl*
'unansehnlich ADJ unsightly
'unanständig A ADJ indecent; *stärker* obscene B ADV *sich benehmen* indecently; *stärker* obscenely
unan'tastbar ADJ inviolable
'unaufdringlich ADJ unobtrusive
'unauffällig A ADJ discreet B ADV *gehen, sich kleiden* discreetly; *unbemerkt* without anyone noticing
unauf'findbar ADJ **~ sein** be* nowhere to be found
'unaufgefordert ADV without being asked, of one's own accord
unauf'hörlich A ADJ continual B ADV *reden, regnen* continually
'unaufmerksam ADJ inattentive
'Unaufmerksamkeit F inattentiveness
'unaufrichtig ADJ insincere
unaus'stehlich ADJ *Art, Person* unbearable
'unbeabsichtigt ADJ unintentional
'unbebaut ADJ undeveloped
'unbedacht A ADJ thoughtless B ADV *handeln etc* thoughtlessly
'unbedenklich ADJ safe, harmless
'unbedeutend ADJ insignificant; *geringfügig* minor
'unbedingt A ADJ absolute, unconditional B ADV really; *brauchen* badly; **~ nötig** absolutely necessary; **~!** definitely!; **nicht ~** not necessarily
unbe'fahrbar ADJ impassable
'unbefangen A ADJ *unparteiisch* unbiased, impartial; *ohne Hemmung* uninhibited B ADV *urteilen etc* impartially; *ohne Hemmung* uninhibitedly

U

'unbefriedigend ADJ unsatisfactory
'unbefriedigt ADJ dissatisfied; *enttäuscht* disappointed
'unbegabt ADJ untalented
unbe'greiflich ADJ **es ist mir ~, wie ...** I don't understand how ...
'unbegrenzt A ADJ unlimited; **auf ~e Dauer** indefinitely B ADV *haltbar, gültig* indefinitely
'unbegründet ADJ unfounded
'Unbehagen N uneasiness; *körperliches* discomfort
'unbehaglich ADJ uneasy; *körperlich* uncomfortable
'unbehandelt ADJ untreated
unbehelligt ADJ ['ʊnbəhɛlɪçt] unhindered
'unbeherrscht A ADJ *Reaktion, Bewegung* uncontrolled; **~ sein** have* no self-control B ADV *reagieren* in an uncontrolled way
unbeholfen ['ʊnbəhɔlfən] A ADJ clumsy B ADV *sich bewegen* clumsily
unbe'irrt A ADJ unwavering B ADV *festhalten an etc* unwaveringly
'unbekannt ADJ unknown; **sie/diese Gegend ist mir ~** I don't know her/this area
'Unbekannte F ⟨~n; ~n⟩ MATH unknown (quantity)
'Unbekannte(r) M/F(M) ⟨~n; ~n⟩ *Person* stranger
'unbekümmert A ADJ *sorglos* carefree B ADV in a carefree manner; **~ leben** live a carefree life
unbe'lehrbar ADJ **er ist ~** he'll never learn
'unbeliebt ADJ unpopular (**with** bei); **er ist überall ~** nobody likes him
'unbemannt ADJ unmanned
'unbemerkt ADJ & ADV unnoticed
'unbenutzt ADJ unused
'unbequem A ADJ uncomfortable; *lästig* awkward B ADV *sitzen etc* uncomfortably
unbe'rechenbar ADJ unpredictable
'unberechtigt A ADJ unauthorized; *ungerechtfertigt* unjustified B ADV *parken* without authorization; *ungerechtfertigt* without justification
'unbeschädigt ADJ undamaged
'unbeschränkt ADJ unlimited; *Macht a.* absolute
unbe'schreiblich A ADJ indescribable B ADV *gut, langweilig* indescribably
'unbeständig ADJ changeable; *Wetter a.* unsettled
'unbestätigt ADJ unconfirmed
'unbestechlich ADJ incorruptible; *fig* unwavering
'unbestimmt ADJ indefinite (*a.* GRAM);

unsicher uncertain; *Gefühl, Angaben etc* vague; **auf ~e Zeit** indefinitely
unbe'streitbar A ADJ indisputable B ADV *richtig, falsch etc* indisputably
'unbestritten ADJ undisputed
'unbeteiligt A ADJ *nicht verwickelt* uninvolved; *gleichgültig* indifferent; **er ist daran ~** he's not involved in it B ADV *zusehen* indifferently
'unbewacht ADJ unguarded; *Parkplatz* unattended; **in e-m ~en Augenblick** when no one was watching
'unbewaffnet ADJ unarmed
'unbeweglich ADJ *nicht zu bewegen* immovable; *bewegungslos* motionless; *Gesichtsausdruck* fixed; *steif* stiff; *geistig* inflexible
unbe'wohnbar ADJ uninhabitable
'unbewohnt ADJ uninhabited; *Gebäude* unoccupied, empty
'unbewusst A ADJ unconscious B ADV *ablehnen etc* unconsciously
unbe'zahlbar ADJ *fig* priceless (*a. komisch*)
'unblutig A ADJ bloodless B ADV *enden, verlaufen* without bloodshed
'unbrauchbar ADJ useless
und KONJ [ʊnt] and; **~?** well?; **na ~?** *umg* so what?; **du ~ mutig?** *umg* you brave?
'undankbar ADJ ungrateful (**gegen** to); *Aufgabe* thankless
'Undankbarkeit F ingratitude, ungratefulness; *von Aufgabe* thanklessness
un'denkbar ADJ unthinkable, inconceivable
'undeutlich A ADJ indistinct; *Schrift* illegible; *vage* vague B ADV *sprechen etc* indistinctly; *schreiben* illegibly
'undicht ADJ leaky; **dieses Fenster ist ~** this window lets in draughts
undurch'führbar ADJ impracticable
'undurchsichtig ADJ opaque; *Mensch, Pläne* mysterious
'uneben ADJ uneven
'Unebenheit F unevenness; *Stelle* bump
'unecht ADJ *Gefühle, Haar* false; *künstlich* artificial; *Juwelen etc* imitation; *Gemälde* fake; *Geld* counterfeit; *Lachen* forced
'unehrlich ADJ dishonest
'uneigennützig A ADJ unselfish B ADV *handeln etc* unselfishly
'uneinig ADJ **(sich) ~ sein** disagree (**über** about, on)
'unempfänglich ADJ insusceptible (**für** to)
'unempfindlich ADJ insensitive (**gegen** to); *fig*: *gegen Beleidigungen etc* immune (**gegen** to); *haltbar* durable
un'endlich A ADJ infinite; *endlos* endless, never-ending B ADV endlessly; *sehr* incredibly; **~ viel/viele** no end of
Un'endlichkeit F infinity (*a. fig*)
unent'behrlich ADJ indispensable (**für** to)
'unentgeltlich A ADJ free B ADV free of charge; *arbeiten* for nothing
'unentschieden A ADJ undecided; SPORT drawn B ADV *enden* in a draw; **es steht ~** the score is even
'unentschlossen ADJ undecided; *ohne Entschlusskraft* indecisive
unentwegt ADV [ʊnʔɛnt'veːkt] tirelessly; *unaufhörlich* continuously
'unerfahren ADJ inexperienced
'unerfreulich ADJ unpleasant
'unerheblich ADJ irrelevant (**für** to); *geringfügig* insignificant
uner'hört A ADJ *empörend* outrageous; *sehr groß, stark* incredible B ADV *sehr* incredibly
'unerkannt A ADJ unrecognized B ADV *entkommen* without being recognized
uner'klärlich ADJ inexplicable; **es ist mir ~** it's a mystery to me
unerlässlich ADJ [ʊnʔɛr'lɛslɪç] essential
'unerlaubt A ADJ forbidden; *unbefugt* unauthorized B ADV without authorization; *dem Unterricht fernbleiben* without permission
'unerledigt ADJ unfinished; *Post* unanswered; *Aufträge etc* unfulfilled
unermüdlich [ʊnʔɛr'myːtlɪç] A ADJ untiring B ADV *versuchen, üben* untiringly
uner'reichbar ADJ inaccessible; *fig* unattainable
'unerreicht ADJ unequalled, *US* unequaled
uner'schütterlich A ADJ unshak(e)able B ADV **~ an etw festhalten** stick* to sth steadfastly
uner'schwinglich A ADJ *Preise* exorbitant; **für j-n ~ sein** be* beyond sb's means B ADV *teuer* exorbitantly
uner'setzlich ADJ irreplaceable; *Scha-*

den irreparable
uner'träglich **A** ADJ unbearable **B** ADV *heiß, laut etc* unbearably
'unerwartet **A** ADJ unexpected **B** ADV *gewinnen, sterben etc* unexpectedly
'unerwünscht ADJ unwelcome; *Kind* unwanted
'unfähig ADJ incompetent; **~ sein, etw zu tun** be* incapable of doing sth; *außerstande* be* unable to do sth
'Unfähigkeit F incompetence; **die ~, etw zu tun** the inability to do sth
'Unfall M accident
'Unfallflucht F **~ begehen** commit a hit-and-run offence *od US* offense **'Unfallopfer** N casualty **'Unfallstelle** F **die ~** the scene of the accident **'Unfallversicherung** F accident insurance
un'fehlbar ADJ infallible (*a.* REL); *Instinkt* unerring
'unfrankiert ADJ unstamped
'unfrei ADJ *Volk* subjugated; *unfrankiert* unstamped
'unfreiwillig **A** ADJ involuntary; *Humor, Witz* unconscious **B** ADV **sie musste ~ gehen** she was forced to go
'unfreundlich **A** ADJ unfriendly (**zu** to); *Wetter* unpleasant; *Zimmer, Tag* cheerless **B** ADV in an unfriendly manner
'Unfrieden M discord; **~ stiften** make* mischief
'unfruchtbar ADJ *Person, Boden* infertile; *Diskussion etc* fruitless
'Unfruchtbarkeit F *von Person, Boden* infertility
Unfug M ['ʊnfu:k] ⟨~(e)s⟩ nonsense; **~ treiben** get* up to mischief
Ungar(in) ['ʊŋgar(ɪn)] M ⟨~n; ~n⟩ (F) ⟨~in; ~innen⟩ Hungarian
'ungarisch ADJ, **'Ungarisch** N Hungarian; → englisch
'Ungarn N ⟨~s⟩ Hungary
'ungeachtet PRÄP ⟨*gen*⟩ regardless of; *trotz* despite
'ungeahnt ADJ undreamt-of
'ungebeten ADJ uninvited
'ungebildet ADJ uneducated
'ungebräuchlich ADJ uncommon, unusual
'ungedeckt ADJ *Scheck* uncovered; SPORT unmarked
'Ungeduld F impatience
'ungeduldig **A** ADJ impatient **B** ADV *warten* impatiently
'ungeeignet ADJ unsuitable (**für, zu** for); **sie ist fürs Studium ~** she's unsuited to studying
ungefähr ['ʊngəfɛ:r] **A** ADJ approximate; *Vorstellung, Umrisse* rough **B** ADV about, approximately; **wann ~?** what sort of time?; **~ um neun** around nine; **so ~** something like that; **etw ~ beschreiben** give* a rough description of sth
'ungefährlich ADJ harmless; *sicher* safe
'ungeheuer **A** ADJ enormous (*a. fig*) **B** ADV *reich* enormously
'Ungeheuer N ⟨~s; ~⟩ monster (*a. fig*)
'ungehorsam ADJ disobedient
'Ungehorsam M disobedience
'ungekündigt ADJ **in ~er Stellung** not under notice
'ungekürzt ADJ unabridged; **~e Fassung** *von Film* uncut version
'ungelegen ADJ inconvenient
'ungelernt ADJ unskilled
'ungemütlich ADJ uncomfortable; **~ werden** *umg* get* nasty
'ungenau **A** ADJ *nicht präzise* imprecise; *unrichtig* inaccurate; *ungefähr* vague **B** ADV *nicht präzise* imprecisely; *unrichtig* inaccurately; *ungefähr* vaguely
'Ungenauigkeit F imprecision; *Unrichtigkeit* inaccuracy
'ungenießbar ADJ inedible; *Getränk* undrinkable; *umg: Person* unbearable
'ungepflegt ADJ *Garten etc* neglected; *Person, Haar* untidy
'ungerade ADJ *Zahl* odd
'ungerecht **A** ADJ unfair, unjust **B** ADV *behandeln etc* unfairly, unjustly
'Ungerechtigkeit F injustice, unfairness
'ungern ADV reluctantly; **ich mache es ~** I don't like doing it
'ungeschickt **A** ADJ clumsy; *taktlos* tactless **B** ADV *sich ausdrücken etc* clumsily
'ungeschützt ADJ unprotected (*a. Sex*); *Tor* undefended
'ungesetzlich **A** ADJ illegal **B** ADV *handeln etc* illegally
'ungestört ADJ & ADV undisturbed

U

'ungestraft ADJ **~ davonkommen** go* unpunished

'ungesund A ADJ unhealthy (*a. fig*) B ADV unhealthily; **~ leben** have* an unhealthy lifestyle

Ungetüm N ['ʊngəty:m] ⟨~(e)s; ~e⟩ monster; *fig* monstrosity

'ungewiss ADJ uncertain; **j-n im Ungewissen lassen** keep* sb in the dark (**über** about)

'Ungewissheit F uncertainty

'ungewöhnlich A ADJ unusual B ADV *kalt, groß etc* unusually

'ungewohnt ADJ strange, unfamiliar; *unüblich* unusual; **es ist für mich noch ~** I haven't got used to it yet

Ungeziefer N ['ʊngətsi:fər] ⟨~s⟩ vermin *pl*, pests *pl*

'ungezwungen A ADJ relaxed, informal; *Person* easygoing B ADV in a relaxed manner; *sich unterhalten* informally

un'glaublich A ADJ incredible B ADV *schnell, groß, reich etc* incredibly

'unglaubwürdig ADJ untrustworthy; *Geschichte, Entschuldigung* incredible

'ungleich A ADJ *verschieden* different; *unähnlich* dissimilar; *Kampf* unequal B ADV **~ groß/lang sein** be* a different size/length

'ungleichmäßig A ADJ uneven; *unregelmäßig* irregular B ADV *verteilen etc* unevenly; *schlagen etc* irregularly

'Unglück N ⟨~(e)s; ~e⟩ *Pech* bad luck; *Unheil* misfortune; *Unfall* accident; *Katastrophe* disaster; *Elend* misery; **das bringt ~** that's unlucky

'unglücklich A ADJ *traurig* unhappy; *bedauernswert* unfortunate (*a. Umstände, Zusammentreffen etc*) B ADV *traurig* unhappily; **~ stürzen** have* a bad fall

'unglücklicher'weise ADV unfortunately

'ungültig ADJ invalid; **etw für ~ erklären** declare sth null and void

'ungünstig ADJ unfavourable, *US* unfavorable; *Zeitpunkt, Termin* inconvenient; *Wetter* bad

'ungut ADJ **ein ~es Gefühl bei etw haben** have misgivings *pl* about sth; **nichts für ~!** no offence *od US* offense!

un'haltbar ADJ *Argument, Theorie* untenable; *Zustände* intolerable; *Torschuss* unstoppable

'unhandlich ADJ unwieldy

'Unheil N *Unglück* disaster; *Übel* evil; *Unfug* mischief

'unheilbar A ADJ incurable B ADV **~ krank** terminally ill

'unheimlich A ADJ creepy, eerie; *fig umg* incredible; **er/es ist mir ~** he/it gives me the creeps; **einen ~en Hunger haben** *umg* be* incredibly hungry B ADV *umg: sehr* incredibly

'unhöflich A ADJ impolite, rude B ADV *fragen etc* impolitely; **sich j-m gegenüber ~ benehmen** be* rude to sb

'Unhöflichkeit F impoliteness; *stärker* rudeness

'unhygienisch ADJ unhygienic

Uniform F [uni'fɔrm] ⟨~; ~en⟩ uniform

'uninteressant ADJ uninteresting; **das ist (völlig) ~ für mich** that's of no interest to me (at all)

Union F [uni'o:n] ⟨~; ~en⟩ union; **Europäische ~** European Union; **~ der Industrie- und Arbeitgeberverbände Europas** Union of Industrial and Employers' Confederations of Europe

Uni'onsbürgerschaft F citizenship of the Union, EU citizenship

Universaldienst M [univɛr'za:l-] POL universal service **Univer'salerbe** M, **Univer'salerbin** F sole heir

Universität F [univɛrzi'tɛ:t] ⟨~; ~en⟩ university; **an der ~** at university; **an der ~ ...** at the University of ...; **auf die** *od* **zur ~ gehen** go* to university

Universum N [uni'vɛrzʊm] ⟨~s⟩ universe

'unklar A ADJ unclear; *ungewiss* uncertain; *verworren* confused; **es ist mir ~, wie ...** I've no idea how ...; **j-n im Unklaren lassen** leave* sb in the dark B ADV *sich ausdrücken* unclearly

'Unklarheit F lack of clarity; *Ungewissheit* uncertainty

'unklug A ADJ unwise B ADV *handeln etc* unwisely

'Unkosten PL expenses *pl*, costs *pl*; **sich in ~ stürzen** go* to great expense

'unkritisch ADJ uncritical

'unkündbar ADJ *Stellung* permanent

'unleserlich A ADJ illegible B ADV *schreiben* illegibly

'unlogisch A ADJ illogical B ADV *argumentieren etc* illogically

U

'unmäßig A ADJ excessive B ADV excessively; *essen, trinken* to excess

'Unmenge F loads *sg od pl* (**von** of)

'Unmensch M monster, brute

'unmenschlich A ADJ inhuman B ADV *handeln, behandeln etc* inhumanly

'Unmenschlichkeit F inhumanity

'unmissverständlich A ADJ unambiguous B ADV unambiguously; **j-m ~ die Meinung sagen** tell* sb exactly what one thinks

'unmittelbar A ADJ immediate; *Zugverbindung* direct B ADV **~ nach/hinter** right after/behind; **~ darauf** immediately afterwards; **~ bevorstehen** be* imminent

'unmöbliert ADJ unfurnished

un'möglich A ADJ impossible B ADV *sich benehmen* impossibly; **ich kann es ~ tun** I can't possibly do it

'unmündig ADJ *Kind* underage

'unnachgiebig ADJ inflexible

un'nahbar ADJ unapproachable

'unnatürlich ADJ unnatural (*a. fig*); *geziert* affected

'unnötig A ADJ unnecessary B ADV *sich aufregen, sorgen etc* unnecessarily

'unordentlich A ADJ untidy B ADV *herumliegen etc* untidily

'Unordnung F mess; **etw in ~ bringen** mess sth up

'unparteiisch A ADJ impartial B ADV *urteilen, bewerten etc* impartially

'unpassend ADJ unsuitable; *Augenblick* inconvenient; *unschicklich* improper; *unangebracht* inappropriate

'unpassierbar ADJ impassable

unpässlich ADJ ['ʊnpɛslɪç] **~ sein, sich ~ fühlen** be* indisposed, feel* unwell; **sie ist ~** *euph* it's that time of the month

'unpersönlich ADJ impersonal (*a.* GRAM)

'unpolitisch ADJ unpolitical

'unpraktisch ADJ impractical

'unpünktlich A ADJ unpunctual; *Zug, Flug etc* late B ADV *ankommen, abfahren* late

'unrecht A ADJ wrong B ADV *handeln* wrongly; **j-m ~ tun** wrong sb; **~ haben** be* wrong

'Unrecht N injustice, wrong; **im ~ sein** be* in the wrong; **j-m ein ~ antun** do* sb an injustice; **zu ~** wrongly

'unrechtmäßig A ADJ unlawful B ADV *verurteilen etc* unlawfully; **etw ~ besitzen** be* in unlawful possession of sth

'unregelmäßig A ADJ irregular (*a.* GRAM) B ADV *atmen, schlagen* irregularly

'Unregelmäßigkeit F irregularity

'unreif ADJ unripe; *fig* immature

'unrentabel ADJ ⟨-bl-⟩ unprofitable

'unrichtig ADJ incorrect, wrong

'Unruhe F ⟨~; ~n⟩ *Nervosität* restlessness; *innerliche* unease; *Besorgnis* anxiety; POL unrest; *Lärm* noise; **~n** *pl* disturbances *pl*; *stärker* riots *pl*

'Unruheherd M troublespot **'Unruhestifter(in)** M ⟨~s; ~⟩ (F) ⟨~in; ~innen⟩ troublemaker

'unruhig A ADJ *nervös* restless; *innerlich* uneasy; *besorgt* worried (**wegen** about); *laut* noisy; *See* rough; *Zeit* troubled B ADV *nervös* restlessly; *laut* noisily; **~ schlafen** sleep* fitfully

uns PERS PR [ʊns] us; *einander* each other; **~ (selbst)** ourselves; **er hat es ~ gegeben** he gave it to us, he gave us it; **wir setzten ~** we sat down; **ein Freund von ~** a friend of ours

'unsachgemäß A ADJ improper B ADV *ausführen etc* improperly

'unsachlich ADJ unobjective, **~ werden** lose* one's objectivity

'unsauber ADJ *schmutzig* dirty; *unordentlich* messy; SPORT unfair; *Methoden, Geschäfte* underhand

'unschädlich ADJ harmless

un'schätzbar ADJ invaluable; *Wert* inestimable

'unscheinbar ADJ inconspicuous; *einfach* plain

'unschlüssig ADJ undecided (**über** about); **ich bin mir ~, ob …** I can't decide whether …

'unschön ADJ unsightly; *unangenehm* unpleasant

'Unschuld F innocence; *Jungfräulichkeit* virginity

'unschuldig ADJ innocent (**an** of); **(noch) ~ sein** be* (still) a virgin

'unselbstständig ADJ **~ sein** be* dependent on others

'Unselbstständigkeit F lack of independence, dependence on others

unser POSS PR ['ʊnzər] our; **das ist unserer/unsere/unseres** that's ours; **der/**

die/das Uns(e)re ours

'unserer'seits ADV for our part; *von uns* on our part

'unseret'wegen ADV for our sake; *wegen uns* because of us; *von uns aus* as far as we're concerned

'unsicher **A** ADJ *gefährlich* unsafe; *gefährdet* insecure; *ungewiss* uncertain; *nicht verlässlich* unreliable; *gehemmt* insecure, self-conscious; **ich bin mir ~, ob** ... I'm not sure whether ... **B** ADV *gehemmt* self-consciously; *gehen* unsteadily

'Unsicherheit F *Gefährlichkeit* dangerousness, unsafeness; *Gefährdetsein* insecurity; *Ungewissheit* uncertainty; *Gehemmtsein* insecurity

'Unsinn M nonsense; **~ machen** fool around

'unsinnig ADJ nonsensical; *absurd* absurd

'unsittlich ADJ immoral, indecent

'unsozial ADJ antisocial

un'sterblich **A** ADJ immortal (*a. fig*) **B** ADV **~ verliebt** madly in love (**in** with)

'Unstimmigkeit F ⟨~; ~en⟩ discrepancy; **~en** *pl Streit* disagreements *pl*

'unsympathisch ADJ disagreeable; **er/es ist mir ~** I don't like him/it

'untätig **A** ADJ inactive; *müßig* idle **B** ADV *herumstehen etc* idly

'Untätigkeit F inactivity; *Müßiggang* idleness

'Untätigkeitsklage F JUR proceedings *pl* for a failure to act

'untauglich ADJ unsuitable (**für** for); MIL unfit (**für** for)

un'teilbar ADJ indivisible

unten ADV ['ʊntən] below; *im Haus* downstairs; *in e-r Kiste etc* at the bottom; **nach ~** down; *im Haus* downstairs; **da ~** down there; **~ (auf der Seite** *etc*) at the bottom (of the page *etc*); **~ im Tal/im Süden** down in the valley/in the south; **siehe ~** see below; **von oben bis ~** from top to bottom

unter PRÄP ['ʊntər] ⟨*akk od dat*⟩ *räumlich* under(neath); *rangmäßig* below; *weniger als* under, less than; *zwischen* among; **Kinder ~ 16 Jahren** children under 16; **~ uns (gesagt)** between you and me; **was verstehst du ~ ...?** what do you understand by ...?; **sie ist ~ der Nummer 1205 zu erreichen** you can get her on 1205

'unterbesetzt ADJ understaffed

'Unterbewusstsein N subconscious; **im ~** subconsciously

unter'bieten V/T ⟨*irr, kein ge*⟩ *Preis, Konkurrenten* undercut*; *Rekord* beat*

unter'binden V/T ⟨*irr, kein ge*⟩ *fig* put* a stop to; *verhindern* prevent

unter'brechen V/T ⟨*irr, kein ge*⟩ interrupt; *Arbeit, Studium, Urlaub* break* off; *Reise* break*; *Stromversorgung etc* cut* off

Unter'brechung F ⟨~; ~en⟩ interruption; *Pause* break; *von Arbeit etc* breaking off; *von Stromversorgung etc* cutting off

'unterbringen V/T ⟨*irr*⟩ *Dinge* put*; **j-n ~** *über Nacht* put* sb up; *bei e-r Firma* find* a job for sb (**bei** with)

'Unterbringung F ⟨~; ~en⟩ accommodation

unter'dessen ADV meanwhile, in the meantime

unter'drücken V/T ⟨*kein ge*⟩ *Volk, Minderheit* oppress; *Gefühl, Lachen, Informationen* suppress; *Aufstand* put* down

Unter'drückung F ⟨~; ~en⟩ oppression; *von Gefühl, Informationen* suppression

untere(r, -s) ADJ ['ʊntərə] lower (*a. fig*)

unterei'nander ADV *miteinander* among themselves; among yourselves; among ourselves; *gegenseitig* each other; *räumlich* one below the other

'unterentwickelt ADJ underdeveloped

'unterernährt ADJ undernourished

'Unterernährung F malnutrition

Unter'führung F underpass, *Br a.* subway; *für den Verkehr* underpass

'Untergang M *von Sonne, Mond* setting; *von Schiff* sinking; *fig: von Person* downfall; *von Kultur* decline; *von Reich* fall

'untergehen V/I ⟨*irr, s*⟩ go* down; *von Sonne a.* set*; *von Schiff* sink*, go* down; *von Kultur* decline; *von Reich* fall*

'untergeordnet ADJ subordinate; *zweitrangig* secondary

'Untergeschoss N basement

'Untergewicht N underweight; **~ haben** be* underweight

'Untergrund M *Bodenschicht* subsoil; POL underground

'Untergrundbahn F → U-Bahn

'unterhalb **A** PRÄP ⟨*gen*⟩ below **B** ADV

~ von below

'Unterhalt M keep, maintenance (*a.* JUR); *Instandhalten* maintenance, upkeep

unter'halten VT ⟨*irr, kein ge*⟩ *Publikum etc* entertain; *Familie etc* support; *instand halten* maintain; **sich ~** talk (**mit** to, with); **sich (gut) ~** enjoy o.s.

unter'haltsam ADJ entertaining

'Unterhaltsanspruch M maintenance claim, claim for maintenance **'Unterhaltsbeihilfe** F maintenance grant **'unterhaltsberechtigt** ADJ entitled to maintenance **'Unterhaltskosten** PL maintenance costs *pl* **'unterhaltspflichtig** ADJ **~ sein** be* liable for maintenance **'Unterhaltszahlung** F maintenance payment

Unter'haltung F ⟨~; ~en⟩ *Gespräch* talk, conversation; *Vergnügen* entertainment (*a. im Fernsehen etc*)

'Unterhändler(in) M(F) negotiator **'Unterhaus** N Lower House; *in GB* House of Commons **'Unterhemd** N vest, *US* undershirt **'Unterhose** F **(e-e) ~** (a pair of) underpants *pl*; *Damenunterhose* (a pair of) panties *pl*, *Br a.* (a pair of) pants *pl* **'unterirdisch** ADJ & ADV underground

'unterkommen VI ⟨*irr, s*⟩ **wir sind bei Freunden untergekommen** friends put us up; **bei e-r Firma ~** *umg* find* work *od* a job with a firm

'unterkriegen VT *umg* **lass dich (von ihm) nicht ~!** don't let him get you down!

Unterkunft F ['ʊntərkʊnft] ⟨~; Unterkünfte⟩ accommodation, *US* accommodations *pl*; MIL quarters *pl*; **~ und Verpflegung** board and lodging

'Unterlage F TECH base; *auf Schreibtisch* mat; **~n** *pl Urkunden etc* documents *pl*

unter'lassen VT ⟨*irr, kein ge*⟩ **es ~, etw zu tun** fail to do sth; **~ Sie das!** stop that!

Unter'lassung F ⟨~; ~en⟩ omission

Unter'lassungsklage F JUR action for a prohibitory injunction

unter'legen ADJ inferior (*dat* to)

Unter'legene(r) M/F(M) ⟨~n; ~n⟩ loser; *Schwächere* underdog

Unter'legenheit F ⟨~⟩ inferiority

unter'liegen VI ⟨*irr, kein ge, s*⟩ be* defeated (**j-m** by sb); **e-r Sache ~** *bestimmt werden* be* subject to sth **'Untermieter(in)** M(F) lodger, subtenant

unter'nehmen VT ⟨*irr, kein ge*⟩ *Reise, Ausflug* go* on; *Versuch* make*; **etwas/nichts ~** do* something/nothing (**gegen etw** about sth), take* action/no action (**gegen j-n** against sb)

Unter'nehmen N ⟨~s; ~⟩ *Firma* company, business; *Vorhaben* undertaking; MIL operation; **kleine und mittlere ~** small and medium-sized enterprises

Unter'nehmensberater(in) M(F) management consultant **Unter'nehmensberatung** F management consultancy **Unter'nehmensdelikt** N corporate malpractice **Unter'nehmensführung** F management **Unter'nehmensgründung** F setting-up of a business **Unter'nehmenspolitik** F *der EU* enterprise policy **Unter'nehmenszusammenschluss** M concentration (of enterprises)

Unter'nehmer(in) M ⟨~; ~⟩ F ⟨~in; ~innen⟩ entrepreneur; *Arbeitgeber* employer

unter'nehmungslustig ADJ enterprising; *abenteuerlustig* adventurous

Unter'redung F ⟨~; ~en⟩ talk

Unterricht M ['ʊntərɪçt] ⟨~(e)s; ~e⟩ instruction, teaching; *Schulunterricht* classes *pl*, lessons *pl*; **j-m ~ (in Englisch** *etc*) **geben** teach* sb (English *etc*)

unter'richten VI & VT ⟨*kein ge*⟩ teach*; *informieren* inform (**über** of)

unter'sagen VT ⟨*kein ge*⟩ forbid* **unter'schätzen** VT ⟨*kein ge*⟩ underestimate **unter'scheiden** VT & VI ⟨*irr, kein ge*⟩ distinguish (**zwischen** between; **von** from); *auseinanderhalten* tell* apart; **sich ~** differ (**von** from; **in** in) **Unter'scheidung** F distinction

Unterschied M ['ʊntərʃiːt] ⟨~(e)s; ~e⟩ difference; **im ~ zu** unlike

'unterschiedlich **A** ADJ different; *schwankend* varying **B** ADV *behandeln etc* differently; **~ groß** *etc* **sein** vary in size *etc*

unter'schlagen VT ⟨*irr, kein ge*⟩ *Geld* embezzle; *fig* hold* back (*dat* from) **Unter'schlagung** F ⟨~; ~en⟩ *von Geld* embezzlement **unter'schreiben** VT & VI ⟨*irr, kein ge*⟩ sign **'Unterschrift**

F signature **'Unterschriftenmappe** F signature blotting book **'Unterseite** F bottom
unterste(r, -s) ADJ ['ʊntərstə] lowest; *räumlich a.* bottom
unter'stehen ⟨*irr, kein ge*⟩ **A** VI *einer Behörde etc* come* under; **j-m ~** be* subordinate to sb **B** VR **~ Sie sich(, das zu tun)!** don't you dare (do that)!
'unterstellen¹ VT *stellen* put*; *lagern* store; **sich ~** take* shelter
unter'stellen² VT ⟨*kein ge*⟩ *annehmen* assume; **ich will Ihnen nicht ~, dass Sie ...** I don't want to insinuate that you ...
Unter'stellung F *Behauptung* insinuation **unter'streichen** VT ⟨*irr, kein ge*⟩ underline (*a. fig*) **unter'stützen** VT ⟨*kein ge*⟩ support **Unter'stützung** F ⟨~; ~en⟩ support; *soziale, staatliche* aid; *Fürsorge* social security, *US* welfare
unter'suchen VT ⟨*kein ge*⟩ examine (*a.* MED); JUR investigate; CHEM test (**auf** for); **sich ~ lassen** MED have* a (medical) checkup
Unter'suchung F ⟨~; ~en⟩ examination (*a.* MED); JUR investigation; CHEM test
Unter'suchungsgefangene(r) M/F(M) ⟨~n; ~n⟩ prisoner on remand, remand prisoner **Unter'suchungsgefängnis** N remand prison **Unter'suchungshaft** F **in ~ sein** be* on remand **Unter'suchungsrichter(in)** M(F) examining magistrate
'Untertasse F saucer
'untertauchen **A** VI ⟨s⟩ dive*; *von U-Boot a.* submerge; *fig* disappear (**in** into); *nach e-m Skandal, Verbrechen etc* go* underground **B** VT duck
'Unterteil M bottom **unter'teilen** VT ⟨*kein ge*⟩ subdivide **Unter'teilung** F subdivision **'Untertitel** M subtitle **unter'treiben** VT & VI ⟨*irr, kein ge*⟩ understate **Unter'treibung** F ⟨~; ~en⟩ understatement **'untervermieten** VT ⟨*kein ge*⟩ sublet* **'Unterwäsche** F underwear
unterwegs ADV [ʊntər've:ks] on the way (**nach** to); **(viel) ~ sein** be* away (a lot), travel a lot
unter'weisen VT ⟨*irr, kein ge*⟩ instruct (**in** in)
'Unterwelt F underworld (*a. fig*)
unter'werfen VT ⟨*irr, kein ge*⟩ *Volk, Land* subjugate; **sich ~** submit (*dat* to); **e-r Sache unterworfen sein** be* subject to sth
unterwürfig ADJ ['ʊntərvʏrfɪç] servile
unter'zeichnen VT ⟨*kein ge*⟩ sign
Unter'zeichnerstaat M signatory state **Unter'zeichnete(r)** M/F(M) ⟨~n; ~n⟩ undersigned **Unter'zeichnung** F signing
unter'ziehen VR ⟨*irr, kein ge*⟩ *e-r Behandlung etc* undergo* *e-r Prüfung* take*
un'tragbar ADJ unacceptable
'untreu ADJ unfaithful (*dat* to)
un'tröstlich ADJ inconsolable
'unüberlegt **A** ADJ thoughtless **B** ADV *handeln etc* thoughtlessly
'unübersichtlich ADJ *Situation* confused; **~e Kurve** blind corner; **die Karte ist ziemlich ~** it's impossible to find anything on this map
unumgänglich ADJ ['ʊnʔʊmgɛŋlɪç] inevitable; *notwendig* indispensable
unum'stritten ADJ undisputed
'ununterbrochen **A** ADJ uninterrupted; *ständig* continuous **B** ADV *reden, regnen* nonstop
'unveränderlich ADJ unchanging
unver'antwortlich **A** ADJ irresponsible **B** ADV *handeln etc* irresponsibly
unver'besserlich ADJ incorrigible
'unverbindlich ADJ *Art, Worte* noncommittal; **ein ~es Angebot** *etc* an offer *etc* that isn't binding
unver'einbar ADJ incompatible
'unverfänglich ADJ harmless
'unvergänglich ADJ immortal
'unvergesslich ADJ unforgettable
unver'gleichlich ADJ incomparable
'unverhältnismäßig ADV disproportionately; **~ hoch** excessive
'unverheiratet ADJ unmarried, single
'unverkäuflich ADJ **es ist ~** it's not for sale; *nicht gefragt* it's unsal(e)able
unver'kennbar **A** ADJ unmistakable **B** ADV **das ist ~ ein Picasso** that's unmistakably a Picasso
'unverletzt ADJ unhurt
unvermeidlich ADJ [ʊnfɛr'maitlɪç] inevitable
'unvermittelt **A** ADJ sudden **B** ADV *aufhören, bremsen etc* suddenly

'Unvermögen N ⟨~s⟩ inability
'unvermögend ADJ without means
'unvermutet A ADJ unexpected B ADV *anfangen, aufhören etc* unexpectedly
'unvernünftig A ADJ unreasonable; *töricht* stupid B ADV unreasonably; *töricht* stupidly
unverschämt ['ʊnfɛrʃɛ:mt] A ADJ impertinent; *Preis* outrageous; *Glück* incredible B ADV impertinently; *teuer* incredibly
'Unverschämtheit F ⟨~; ~en⟩ impertinence (*a. Bemerkung*)
'unverschuldet ADV through no fault of one's own
unversehens ADV ['ʊnfɛrze:əns] unexpectedly, all of a sudden
unversehrt ADJ ['ʊnfɛrze:rt] unhurt; *Sache* undamaged
'unverständlich ADJ *undeutlich* unintelligible; **es ist mir ~, wie ...** I don't understand how ...
'unversucht ADJ **nichts ~ lassen** try everything
unverwüstlich ADJ [ʊnfɛr'vy:stlɪç] *Material* indestructible; *Gesundheit* robust; *Humor* irrepressible
unverzüglich [ʊnfɛr'tsy:klɪç] A ADJ immediate B ADV *anfangen etc* immediately
'unvollendet ADJ unfinished
'Unvollkommenheit F imperfection; *Unvollständigkeit* incompleteness
'unvollständig A ADJ incomplete B ADV *durchführen etc* incompletely
'unvorbereitet ADJ unprepared
'unvoreingenommen A ADJ unbiased, impartial B ADV *urteilen etc* impartially
'unvorhergesehen ADJ unforeseen
unvor'hersehbar ADJ unforeseeable
'unvorsichtig A ADJ careless B ADV *umgehen mit etc* carelessly
'Unvorsichtigkeit F ⟨~; ~en⟩ carelessness
unvor'stellbar A ADJ unimaginable; **es ist mir ~, wie ...** I can't imagine how ... B ADV *schnell, heiß* incredibly
'unvorteilhaft ADJ unfavourable, *US* unfavorable; *Geschäft* unprofitable; *Kleid, Frisur* unflattering
'unwahr ADJ untrue
'Unwahrheit F untruth
'unwahrscheinlich A ADJ unlikely, improbable; *umg*: *groß* incredible B ADV *umg*: *sehr* incredibly
unweigerlich ADV [ʊn'vaigərlɪç] inevitably
'unweit PRÄP ⟨*gen*⟩ not far from
'unwesentlich A ADJ irrelevant; *geringfügig* negligible B ADV *kleiner etc* negligibly
'Unwetter N storm
'unwichtig ADJ unimportant
unwider'ruflich A ADJ irrevocable B ADV **~ feststehen** be* absolutely certain
unwider'stehlich ADJ irresistible
'unwillig A ADJ indignant (**über** at); *widerwillig* reluctant B ADV *gehorchen etc* reluctantly
unwillkürlich ADV ['ʊnvɪlky:rlɪç] involuntarily; **ich musste ~ lachen** *etc* I couldn't help laughing *etc*
'unwirklich ADJ unreal
'unwirksam ADJ ineffective; JUR inoperative
'unwirtschaftlich ADJ uneconomic
'unwissend ADJ ignorant **'Unwissenheit** F ⟨~⟩ ignorance
'unwohl ADJ unwell; *unbehaglich* uneasy; **mir ist ~** I don't feel well
unzählig [ʊn'tsɛ:lɪç] A ADJ innumerable, countless B ADV **~ viele (Menschen** *etc*) a huge number (of people *etc*)
'unzeitgemäß ADJ old-fashioned
'unzerbrechlich ADJ unbreakable
'Unzucht F ⟨~⟩ JUR **gewerbsmäßige ~** prostitution; **~ mit Kindern** illicit sexual relations *pl* with children
'unzufrieden ADJ dissatisfied (**mit** with) **'Unzufriedenheit** F dissatisfaction (**mit** with)
'unzulänglich ADJ inadequate
'unzulässig ADJ inadmissible
'unzumutbar ADJ unacceptable
'unzurechnungsfähig ADJ **er ist ~** he's not responsible for his actions; **j-n für ~ erklären lassen** have* sb certified
'Unzurechnungsfähigkeit F lack of criminal responsibility, *US a.* incompetence
'unzureichend A ADJ insufficient B ADV *ausgerüstet, geschützt etc* insufficiently
'unzusammenhängend ADJ incoherent

'unzutreffend ADJ incorrect; **Unzutreffendes bitte streichen!** delete as applicable

'unzuverlässig ADJ unreliable

üppig ADJ ['ʏpɪç] *Vegetation* luxuriant, lush; *Leben* luxurious; *Figur, Frau* voluptuous; *Mahl* sumptuous

Urabstimmung F ['u:r-] WIRTSCH strike ballot

'uralt ADJ ancient (*a. fig hum*)

Uran N [u'ra:n] ⟨~s⟩ uranium

urbar ADJ ['u:rba:r] **~ machen** cultivate; *Wüste, Sumpf* reclaim

'Urbevölkerung F indigenous people, original inhabitants *pl*; *Australiens* aborigines *pl* **'Ureinwohner(in)** M(F) native; *Australiens* aborigine **'Urenkel** M great-grandson **'Urenkelin** F great-granddaughter **'Urgroßmutter** F great-grandmother **'Urgroßvater** M great-grandfather

'Urheberrechte PL copyright *sg* (**an** on, for) **'urheberrechtlich** ADV **~ geschützt** protected by copyright

Urin M [u'ri:n] ⟨~s; ~e⟩ urine

Urkunde F ['u:rkʊndə] ⟨~; ~n⟩ document; *Zeugnis, Ehrenurkunde* certificate

'Urkundenfälschung F forgery of documents

Urlaub M ['u:rlaup] ⟨~(e)s; ~e⟩ *Ferien* holiday, *US* vacation; *amtlich*, MIL leave; **in** *od* **im ~ sein** be* on holiday *od US* vacation; **in ~ gehen** go* on holiday *od US* vacation; **e-n Tag/ein paar Tage ~ nehmen** take* a day/a few days off

Urlauber(in) ['u:rlaubər(ɪn)] M ⟨~s; ~⟩ (F) ⟨~in; ~innen⟩ holidaymaker, *US* vacationer

'Urlaubsanschrift F holiday *od US* vacation address **'Urlaubsgeld** N holiday *od US* vacation pay **'Urlaubsort** M holiday *od US* vacation resort **'Urlaubsreise** F holiday *od US* vacation trip **'Urlaubsvertretung** F *Person* holiday *od US* vacation replacement **'Urlaubszeit** F holiday *od US* vacation period *od* season

Urne F ['ʊrnə] ⟨~; ~n⟩ urn; *Wahlurne* ballot box

'Ursache F cause; *Grund* reason; **keine ~!** not at all!, you're welcome!

'Ursprung M origin; **römischen ~s** of Roman origin

ursprünglich ['u:rʃprʏŋlɪç] **A** ADJ original; *natürlich* natural **B** ADV *zuerst* originally

'Ursprungsland N WIRTSCH country of origin **'Ursprungslandprinzip** N country of origin principle

Urteil N ['ʊrtail] ⟨~s; ~e⟩ judg(e)ment (*a. Urteilsvermögen*); JUR *Strafmaß* sentence

'urteilen V/I judge (**nach** by); **über j-n/etw ~** judge sb/sth

Urwald M ['u:rvalt] primeval forest; *Dschungel* jungle

USA [u:ʔɛs'ʔa:] ABK *für* United States of America USA *sg*

USB-Stick M [u:ʔɛs'be:stɪk] ⟨~s; ~s⟩ COMPUT USB flash drive, USB key

usw. ABK *für* und so weiter etc., and so on

Utensilien PL [utɛn'zi:liən] utensils *pl*

Utopie F [uto'pi:] ⟨~; ~n⟩ utopia

utopisch ADJ [u'to:pɪʃ] utopian

V

V N [fau] ⟨~; ~⟩ V

vage ['va:gə] **A** ADJ vague **B** ADV *andeuten etc* vaguely

Vagina F ['va:gina *od* va'gi:na] ⟨~; Vaginen⟩ vagina

Vakuum N ['va:kuʊm] ⟨~s; -kua *od* -kuen⟩ vacuum (*a. zssgn*)

'vakuumverpackt ADJ vacuum-packed

Valuta F [va'lu:ta] ⟨~; Valuten⟩ WIRTSCH foreign currency

Van M [vɛn] ⟨~s; ~s⟩ people carrier, MPV

Vandalismus M [vanda'lismʊs] ⟨~⟩ vandalism

variabel ADJ [vari'a:bəl] ⟨-bl-⟩ variable

Variante F [vari'antə] ⟨~; ~n⟩ variant

vari'ieren V/I & V/T ⟨*kein ge*⟩ vary

Vase F ['va:zə] ⟨~; ~n⟩ vase

Vater M ['fa:tər] ⟨~s; Väter⟩ father; REL Father

'Vaterland N native country

väterlich ADJ ['fɛ:tərlɪç] paternal; *fig a.*

fatherly
'väterlicherseits ADV **mein Großvater ~** my grandfather on my father's side, my paternal grandfather
'Vaterschaft F ⟨~; ~en⟩ fatherhood; *bes* JUR paternity **'Vaterschaftsklage** F paternity suit **'Vaterschaftsurlaub** M paternity leave
Vatikan M [vati'ka:n] ⟨~s⟩ Vatican
'V-Ausschnitt M V-neck
Veganer(in) [ve'ga:nər(ın)] M ⟨~s; ~⟩ (F) ⟨~in; ~innen⟩ vegan
Vegetarier(in) [vege'ta:riər(ın)] M ⟨~s; ~⟩ (F) ⟨~in; ~innen⟩ vegetarian
vege'tarisch **A** ADJ vegetarian **B** ADV **~ essen** eat* vegetarian food
Vegetation F [vegetatsi'o:n] ⟨~; ~en⟩ vegetation
vege'tieren V/I ⟨*kein ge*⟩ vegetate
Vene F ['ve:nə] ⟨~; ~n⟩ vein
Ventil N [vɛn'ti:l] ⟨~s; ~e⟩ valve; *fig* outlet
Ventilation F [vɛntilatsi'o:n] ⟨~; ~en⟩ ventilation
Venti'lator M ⟨~s; ~en⟩ fan
ver'abreden V/T ⟨*kein ge*⟩ arrange, fix; **sich ~** make* a date (**mit** with); *geschäftlich* make* an appointment (**mit** with)
Ver'abredung F ⟨~; ~en⟩ *Termin* appointment; *privat* date
ver'abschieden V/T ⟨*kein ge*⟩ *Gast* say* goodbye to; *Gesetz* pass; *förmlich: entlassen* dismiss; **sich ~** say* goodbye (**von** to)
Ver'abschiedung F ⟨~; ~en⟩ dismissal; *von Gesetz* passing
ver'achten V/T ⟨*kein ge*⟩ despise
verächtlich [fɛr'ʔɛçtlıç] **A** ADJ contemptuous; *verachtenswert* contemptible **B** ADV *ansehen etc* contemptuously
Ver'achtung F contempt
verallge'meinern V/T & V/I ⟨*kein ge*⟩ generalize
ver'altet ADJ out-of-date; **~ sein** be* out of date
ver'änderlich ADJ changeable (*a. Wetter*), variable (*a.* MATH, GRAM)
ver'ändern V/T & V/R ⟨*kein ge*⟩ change
Ver'änderung F ⟨~; ~en⟩ change
ver'ängstigt ADJ frightened
ver'anlagen V/T ⟨*kein ge*⟩ *steuerlich* assess
ver'anlagt ADJ inclined (**zu, für** to); **künstlerisch ~** artistically inclined
Ver'anlagung F ⟨~; ~en⟩ disposition (*a.* MED); *künstlerische, musikalische* bent; *steuerliche* assessment
ver'anlassen V/T ⟨*kein ge*⟩ *anordnen* arrange for; **j-n ~, etw zu tun** make* sb do sth
Ver'anlassung F ⟨~; ~en⟩ cause (**zu** for)
ver'anschlagen V/T ⟨*kein ge*⟩ estimate (**auf** at)
ver'anstalten V/T ⟨*kein ge*⟩ organize
Ver'anstalter(in) M ⟨~s; ~⟩ (F) ⟨~in; ~innen⟩ organizer
Ver'anstaltung F ⟨~; ~en⟩ event
Ver'anstaltungskalender M calendar of events **Ver'anstaltungsort** M venue
ver'antworten V/T ⟨*kein ge*⟩ take* responsibility for
ver'antwortlich ADJ responsible (**für** for); **j-n für etw ~ machen** hold* sb responsible for sth
Ver'antwortung F ⟨~; ~en⟩ responsibility (**für** for); **die ~ für etw tragen** be* responsible for sth; **auf eigene ~** at one's own risk; **j-n zur ~ ziehen** call sb to account
Ver'antwortungsbewusstsein N, **Ver'antwortungsgefühl** N sense of responsibility **ver'antwortungslos** **A** ADJ irresponsible **B** ADV *handeln etc* irresponsibly
ver'arbeiten V/T ⟨*kein ge*⟩ process (*a. Daten*); *fig* digest; *Verlust etc* come* to terms with; **etw zu etw ~** make* sth into sth; **~de Industrie** manufacturing industry
ver'armt ADJ impoverished
ver'ausgaben V/R ⟨*kein ge*⟩ overspend*; *fig* exhaust o.s.
Ver'band M ⟨~(e)s; Verbände⟩ MED bandage; *Vereinigung* association; MIL unit
Ver'band(s)kasten M first-aid box **Ver'band(s)zeug** N dressing materials *pl*
ver'bergen V/T ⟨*irr, kein ge*⟩ hide*, conceal (**vor** from); **sich ~** hide*
ver'bessern V/T ⟨*kein ge*⟩ improve; *berichtigen* correct; **sich ~** improve; *beim Sprechen* correct o.s.; *beruflich, sozial* better o.s.
Ver'besserung F ⟨~; ~en⟩ improve-

ment; *Berichtigung* correction

ver'biegen VT ⟨*irr, kein ge*⟩ bend*

ver'bieten VT ⟨*irr, kein ge*⟩ forbid*; *amtlich a.* prohibit

ver'billigen VT ⟨*kein ge*⟩ reduce in price **ver'billigt** ADJ reduced, at a reduced price

ver'binden VT ⟨*irr, kein ge*⟩ *Wunde, Verwundeten* bandage (up); *miteinander,* TECH connect; *kombinieren* combine; *vereinen* unite; *Vorstellung, Wort* associate; **sich ~** CHEM combine; **j-n ~** TEL put* sb through (**mit** to); **falsch verbunden!** TEL wrong number!; **j-m die Augen ~** blindfold sb; **damit sind beträchtliche Kosten verbunden** that involves considerable cost

ver'bindlich ADJ *bindend* binding; *gefällig* friendly

Ver'bindlichkeit F ⟨~; ~en⟩ friendliness; **~en** *pl* liabilities *pl*

Ver'bindung F ⟨~; ~en⟩ *allg* connection; *Kombination* combination; CHEM *Substanz* compound; UNIV society, *US* fraternity; **sich in ~ setzen mit** get* in touch with; **in ~ bleiben** keep* in touch

verbissen [fɛr'bɪsən] **A** ADJ *Mensch, Kampf* dogged **B** ADV *kämpfen* doggedly

ver'blassen VI ⟨*kein ge, s*⟩ fade (*a. fig*)

Ver'bleib M ⟨~(e)s⟩ whereabouts *pl*

ver'bleiben VI ⟨*irr, kein ge, s*⟩ *übrig bleiben* remain; **uns ~ nur zehn Tage** we only have ten days left; **wir sind so verblieben, dass wir uns noch einmal treffen** we've arranged to meet again

ver'bleit ADJ *Benzin* leaded

verblüffen VT [fɛr'blʏfən] ⟨*kein ge*⟩ amaze

ver'blühen VI ⟨*kein ge, s*⟩ fade (*a. fig*)

ver'bluten VI ⟨*kein ge, s*⟩ bleed* to death

ver'borgen ADJ hidden, concealed; **im Verborgenen** in secret

Verbot N [fɛr'bo:t] ⟨~(e)s; ~e⟩ ban (**von** on)

ver'boten ADJ forbidden; *amtlich a.* prohibited (**für** to); **Rauchen/Zutritt ~** no smoking/entry

Ver'botsschild N no parking *od* no smoking *etc* sign

Ver'brauch M ⟨~(e)s⟩ consumption (**an, von** of)

ver'brauchen VT ⟨*kein ge*⟩ consume, use up

Ver'braucher(in) M ⟨~; ~⟩ (F) ⟨~in; ~innen⟩ consumer

Ver'braucherkredit M consumer credit **Ver'brauchermarkt** M hypermarket, *US* supercenter **Ver'braucherschutz** M consumer protection **Ver'braucherzentrale®** F consumer advice centre *od US* center

Ver'brauchsgüter PL consumer goods *pl* **Ver'brauchssteuer** F excise duty

Ver'brechen N ⟨~s; ~⟩ crime

Ver'brecher(in) M ⟨~s; ~⟩ (F) ⟨~in; ~innen⟩ criminal

ver'brecherisch ADJ criminal

ver'breiten VT & VR ⟨*kein ge*⟩ spread* (**in, über** through)

Ver'breitung F ⟨~; ~en⟩ spreading, spread

ver'brennen VI ⟨s⟩ & VT ⟨*irr, kein ge*⟩ burn*; *Leiche* cremate; **sich ~** burn* o.s.

Ver'brennung F ⟨~; ~en⟩ burning; TECH combustion; *von Leichen* cremation; *Wunde* burn

Ver'brennungsmotor M internal combustion engine

ver'bringen VT ⟨*irr, kein ge*⟩ spend*

ver'buchen VT ⟨*kein ge*⟩ *im Geschäftsbuch etc* enter; *auf e-m Konto* credit (**auf** to)

verbünden VR [fɛr'bʏndən] ⟨*kein ge*⟩ form an alliance (**mit** with)

Ver'bündete(r) M/F(M) ⟨~n; ~n⟩ ally (*a. fig*)

ver'bürgen VR ⟨*kein ge*⟩ **sich ~ für** vouch for

ver'büßen VT ⟨*kein ge*⟩ serve

Verdacht M [fɛr'daxt] ⟨~(e)s; ~e⟩ suspicion; **~ schöpfen** become* suspicious (**gegen** of)

verdächtig [fɛr'dɛçtɪç] **A** ADJ suspicious **B** ADV *sich verhalten etc* suspiciously

Ver'dächtige(r) M/F(M) ⟨~n; ~n⟩ suspect

ver'dächtigen VT ⟨*kein ge*⟩ suspect; **j-n e-r Sache ~** suspect sb of sth

Ver'dächtigung F ⟨~; ~en⟩ suspicion

verdammen VT [fɛr'damən] ⟨*kein ge*⟩ condemn (**zu** to), damn (*a.* REL)

ver'dammt ADJ & ADV *umg* damned, damn; **~ (noch mal)!** damn (it)!; **~ gut** damn(ed) good

ver'dampfen VI ⟨*kein ge*, s⟩ evaporate
ver'danken VT ⟨*kein ge*⟩ **j-m/e-r Sache etw ~** owe sth to sb/sth
verdauen VT [fɛr'dauən] ⟨*kein ge*⟩ digest (*a. fig*)
ver'daulich ADJ digestible; **leicht/schwer ~** easy/hard to digest
Ver'dauung F ⟨~⟩ digestion
Ver'deck N ⟨~(e)s; ~e⟩ top
ver'decken VT ⟨*kein ge*⟩ cover up; *fig* conceal; **verdeckte(r) Ermittler(in)** undercover agent
verderben [fɛr'dɛrbən] ⟨verdarb, verdorben⟩ **A** VI ⟨s⟩ *von Lebensmittel* go* off **B** VT spoil* (*a. Spaß, Appetit*); **sich die Augen ~** ruin one's eyes; **er hat sich den Magen verdorben** he's got an upset stomach
ver'derblich ADJ perishable; *fig* pernicious
ver'dienen VT ⟨*kein ge*⟩ *Geld* earn, make*; *Lob, Strafe etc* deserve
Verdienst[1] M [fɛr'di:nst] ⟨~(e)s; ~e⟩ earnings *pl*; *Gewinn* profit
Ver'dienst[2] N ⟨~(e)s; ~e⟩ achievement; **es ist sein ~, dass ...** it's thanks to him that ...
Ver'dienstausfall M loss of earnings
ver'dient ADJ *Lob, Strafe* well-deserved
ver'doppeln VT & VR ⟨*kein ge*⟩ double; *Anstrengungen* redouble
verdorben ADJ [fɛr'dɔrbən] spoilt (*a. fig*); *Charakter* bad; *Magen* upset; **~ sein** *Lebensmittel* have* gone off
verdorren VI [fɛr'dɔrən] ⟨*kein ge*, s⟩ wither; *von Wiese* dry up
ver'drängen VT ⟨*kein ge*⟩ *Person* push out (**aus** of); *ersetzen* supersede, replace; PHYS displace; PSYCH suppress, repress
ver'drehen VT ⟨*kein ge*⟩ twist; *fig a.* distort; **sie hat die Augen verdreht** she rolled her eyes; **j-m den Kopf ~** *umg* turn sb's head
ver'dreifachen VT & VR ⟨*kein ge*⟩ treble, triple
ver'dummen ⟨*kein ge*⟩ **A** VT dumb down **B** VI ⟨s⟩ **bei dieser Arbeit verdummt man** this sort of work dumbs you down
Ver'dunkelungsgefahr F JUR danger of collusion
ver'dünnen VT ⟨*kein ge*⟩ dilute (*a.* CHEM); *Farbe, Soße* thin (down)
ver'dunsten VI ⟨*kein ge*, s⟩ evaporate
ver'dursten VI ⟨*kein ge*, s⟩ die of thirst
ver'ehren VT ⟨*kein ge*⟩ *bewundern* admire; *anbeten, a. fig* worship
Ver'ehrer(in) M ⟨~s; ~⟩ (F) ⟨~in; ~innen⟩ admirer (*a. e-r Frau etc*)
Ver'ehrung F ⟨~⟩ admiration; *Anbetung, a. fig* worship
ver'eidigen VT ⟨*kein ge*⟩ **j-n ~** swear* sb in
Verein M [fɛr'ʔain] ⟨~(e)s; ~e⟩ club (*a. Sportverein*); *eingetragener* society, association
ver'einbar ADJ compatible (**mit** with)
vereinbaren VT [fɛr'ʔainba:rən] ⟨*kein ge*⟩ agree; *Treffen, Tag etc* arrange
Ver'einbarung F ⟨~; ~en⟩ agreement; *von Treffen, Tag etc* arrangement
ver'einen VT ⟨*kein ge*⟩ unite (**zu** into)
ver'einfachen VT ⟨*kein ge*⟩ simplify
Ver'einfachung F ⟨~; ~en⟩ simplification; **~ der Rechtsvorschriften** simplification of legislation
ver'einheitlichen VT ⟨*kein ge*⟩ standardize
Ver'einheitlichung F ⟨~; ~en⟩ standardization
ver'einigen VT & VR ⟨*kein ge*⟩ unite (**zu** into); *Firmen* merge (**zu** into)
ver'einigt ADJ **die Vereinigten Staaten (von Amerika)** the United States (of America) *sg*; **das Vereinigte Königreich** the United Kingdom
Ver'einigung F ⟨~; ~en⟩ union; *von Firmen* merging; *Bündnis* alliance
ver'einsamen VI ⟨*kein ge*, s⟩ become* lonely *od* isolated; **vereinsamt** lonely, isolated
ver'eint ADJ **die Vereinten Nationen** the United Nations *sg*
ver'einzelt **A** ADJ occasional **B** ADV **~ Regen** scattered showers
ver'eist ADJ *Straße* icy; *Türschloss, Kühlschrank* iced-up; *See* frozen
ver'eiteln VT ⟨*kein ge*⟩ thwart
ver'erben VT ⟨*kein ge*⟩ **j-m etw ~** leave* sth to sb; MED pass sth on to sb; **sich ~** be* passed on (**auf** to) (*a.* MED *u. fig*)
Ver'erbung F ⟨~; ~en⟩ BIOL heredity
ver'ewigen VT ⟨*kein ge*⟩ immortalize
ver'fahren VI ⟨*irr, kein ge*⟩ proceed; **~ mit** deal* with; **sich ~** get* lost

Ver'fahren N ⟨~s; ~⟩ procedure, method; TECH process; JUR proceedings *pl* (**gegen** against)
Ver'fall M *von Gebäude* dilapidation; *Niedergang* decline; *Ablauf* expiry, *US* expiration
ver'fallen A VI ⟨*irr, kein ge, s*⟩ *von Gebäude* become* dilapidated; *fig* decline; *ablaufen* expire; *e-m Laster etc* become* a slave to; **(wieder) ~ in** lapse (back) into; **~ auf** hit* (up)on B ADJ *Gebäude* dilapidated; **j-m ~ sein** be* sb's slave
Ver'fallsdatum N expiry *od US* expiration date (*a. von Medikamenten*); *von Lebensmitteln* best-before date
ver'fälschen VT ⟨*kein ge*⟩ falsify; *Wahrheit, Bericht etc* distort
verfänglich ADJ [fɛr'fɛŋlɪç] delicate, tricky; *peinlich* embarrassing
ver'fassen VT ⟨*kein ge*⟩ write*
Ver'fasser(in) M ⟨~s; ~⟩ (F) ⟨~in; ~innen⟩ author
Ver'fassung F ⟨~; ~en⟩ *gesundheitlich* state (of health); *seelisch* state of mind; POL constitution; **in guter/schlechter ~ sein** be* in good/bad shape
ver'fassungsmäßig ADJ constitutional **Ver'fassungsvertrag** M constitutional treaty **ver'fassungswidrig** ADJ unconstitutional
ver'faulen VI ⟨*kein ge, s*⟩ rot, decay
ver'fehlen VT ⟨*kein ge*⟩ miss; **sich ~** miss each other
ver'feindet ADJ hostile; **sie sind (miteinander) ~** they're enemies
ver'fliegen VI ⟨*irr, kein ge, s*⟩ *von Zeit* fly* by; *von Begeisterung* disappear
ver'fluchen VT ⟨*kein ge*⟩ curse
ver'flucht ADJ & ADV *umg* damned, damn; **~ (noch mal)!** damn (it)!; **~ heiß** damn(ed) hot
ver'folgen VT ⟨*kein ge*⟩ pursue (*a. fig: Ziel, Politik*); *jagen* hunt (*a. Kriminellen*); POL, REL persecute; *Spuren, Nachrichten, Spiel* follow; **gerichtlich ~** prosecute; **dieser Gedanke verfolgt mich** I'm haunted by this thought
Ver'folgung F ⟨~; ~en⟩ pursuit (*a. Radsport*); *Jagd* hunt; POL, REL persecution; **gerichtliche ~** prosecution
Ver'folgungswahn M paranoia
ver'frachten VT ⟨*kein ge*⟩ *schicken* ship; *laden* load; *umg: Person, Gegenstand* bundle (**in** into)
ver'früht ADJ premature
ver'fügbar ADJ available
ver'fügen ⟨*kein ge*⟩ A VT decree, order B VI **~ über j-n/etw** have* sb/sth at one's disposal
Ver'fügung F ⟨~; ~en⟩ *Anordnung* decree, order; **j-m zur ~ stehen** be* at sb's disposal; **j-m etw zur ~ stellen** put* sth at sb's disposal
ver'führen VT ⟨*kein ge*⟩ seduce; **j-n dazu ~, etw zu tun** entice sb into doing sth
ver'führerisch ADJ seductive; *verlockend* tempting
Ver'führung F seduction
vergangen ADJ [fɛr'gaŋən] last; *Zeiten, Jahre* past; **im ~en Jahr** last year
Ver'gangenheit F ⟨~; ~en⟩ past; GRAM past (tense)
vergänglich ADJ [fɛr'gɛŋlɪç] transitory
Ver'gaser M ⟨~s; ~⟩ carburettor, *US* carburetor
ver'geben VT ⟨*irr, kein ge*⟩ *Preis, Stipendium, Auftrag* award (**an** to); *Chance* throw* away; *verzeihen* forgive*
ver'gebens ADV in vain
ver'geblich A ADJ futile B ADV *versuchen, warten etc* in vain
Ver'gebung F ⟨~⟩ forgiveness
ver'gehen VI ⟨*irr, kein ge, s*⟩ *von Zeit* go* by, pass; *nachlassen* wear* off; **~ vor** be* dying of; **mir ist der Appetit vergangen** I've lost my appetite
Ver'gehen N ⟨~s; ~⟩ JUR offence, *US* offense
ver'gelten VT ⟨*irr, kein ge*⟩ repay*; **j-m etw ~** repay* sb for sth
Ver'geltung F ⟨~; ~en⟩ *Rache* retaliation (*a.* MIL)
Ver'geltungsmaßnahme F reprisal **Ver'geltungsschlag** M act of reprisal
vergemeinschaftet ADJ [fɛrgə'mainʃaftət] communitized
Verge'meinschaftung F ⟨~; ~en⟩ communitization
vergessen VT [fɛr'gɛsən] ⟨vergaß, vergessen⟩ forget*; *liegen lassen a.* leave*
ver'gesslich ADJ forgetful
vergeuden VT [fɛr'gɔydən] ⟨*kein ge*⟩ waste
Ver'geudung F ⟨~; ~en⟩ waste
verge'waltigen VT ⟨*kein ge*⟩ rape; *fig*

violate
Verge'waltigung F ⟨~; ~en⟩ rape; *fig* violation
vergewissern V/R [fɛrgəˈvɪsərn] ⟨*kein ge*⟩ make* sure (**e-r Sache** of sth; **ob, dass** that)
ver'giften V/T ⟨*kein ge*⟩ poison (*a. fig*); *Umwelt, Luft* pollute
Ver'giftung F ⟨~; ~en⟩ poisoning; *von Umwelt, Luft* pollution
Ver'gleich M ⟨~(e)s; ~e⟩ comparison; JUR settlement; **im ~ zu** compared to *od* with
ver'gleichbar ADJ comparable (**mit** to, with)
ver'gleichen V/T ⟨*irr, kein ge*⟩ compare (**mit** to, with); **Thomas ist mit ihm nicht zu ~** you can't compare Thomas with him
Ver'gleichsverfahren N JUR composition proceedings *pl* **ver'gleichsweise** ADV comparatively
vergnügen V/R [fɛrˈgny:gən] ⟨*kein ge*⟩ enjoy o.s.
Ver'gnügen N ⟨~s; ~⟩ pleasure, enjoyment; *Spaß* fun; **viel ~!** have fun!, have a good time!
ver'gnügt **A** ADJ happy **B** ADV *singen, spielen etc* happily
Ver'gnügung F ⟨~; ~en⟩ pleasure; *zum Zeitvertreib* amusement, entertainment
Ver'gnügungspark M amusement park **ver'gnügungssüchtig** ADJ pleasure-seeking **Ver'gnügungsviertel** N night-life district
ver'golden V/T ⟨*kein ge*⟩ gild*; *Schmuck* gold-plate
vergriffen ADJ [fɛrˈgrɪfən] *Buch* out-of--print; **~ sein** be* out of print
ver'größern V/T ⟨*kein ge*⟩ enlarge (*a.* FOTO); *Raum, Fläche* extend; *vermehren* increase; *mit e-r Lupe etc* magnify; **sich ~** grow*; *zunehmen* increase; *von Unternehmen, Organisation etc* expand
Ver'größerung F ⟨~; ~en⟩ FOTO enlargement; *mit e-r Lupe etc* magnification; *Vermehrung* increase
Ver'größerungsglas N magnifying glass
Ver'günstigung F ⟨~; ~en⟩ privilege; *finanzielle* concession
vergüten V/T [fɛrˈgy:tən] ⟨*kein ge*⟩ **j-m etw ~** *Unkosten* reimburse sb for sth; *Arbeit* pay* sb for sth
Ver'gütung F ⟨~; ~en⟩ reimbursement
ver'haften V/T ⟨*kein ge*⟩ arrest
Ver'haftung F ⟨~; ~en⟩ arrest
ver'halten[1] V/R ⟨*irr, kein ge*⟩ *von Person* behave; **sich ruhig ~** keep* quiet; *unbewegt* keep* calm
ver'halten[2] ADJ restrained; *Ton* subdued
Ver'halten N ⟨~s⟩ behaviour, *US* behavior, conduct
ver'haltensgestört ADJ disturbed, maladjusted **Ver'haltenskodex** M code of conduct
Verhältnis N [fɛrˈhɛltnɪs] ⟨~ses; ~se⟩ *Beziehung, a.* POL *etc* relationship (**zu** with); *Einstellung* attitude (**zu** to); *zahlenmäßig* proportion; MATH ratio; *Liebesverhältnis* affair; **im ~ von 2:1** in a ratio of 2:1; **im ~ zu** compared to *od* with; **~se** *pl* circumstances *pl*; *soziale* conditions *pl*; **über seine ~se leben** live beyond one's means
ver'hältnismäßig ADV relatively **Ver'hältnismäßigkeit** F ⟨~⟩ proportionality **Ver'hältniswahlrecht** N proportional representation
ver'handeln ⟨*kein ge*⟩ **A** V/I negotiate; **~ über** negotiate **B** V/T JUR *Fall* hear*
Ver'handlung F ⟨~; ~en⟩ negotiation; JUR hearing; *strafrechtliche* trial
Ver'handlungsbasis F WIRTSCH asking price
ver'hängen V/T ⟨*kein ge*⟩ cover (**mit** with); *Strafe, Verbot etc* impose (**über** on)
Ver'hängnis N ⟨~ses; ~se⟩ fate; *Unheil* disaster
ver'hängnisvoll ADJ fatal, disastrous
ver'harmlosen V/T ⟨*kein ge*⟩ play down
verheerend ADJ [fɛrˈhe:rənt] disastrous
ver'heilen V/I ⟨*kein ge*, s⟩ heal (up)
ver'heimlichen V/T ⟨*kein ge*⟩ **(j-m) etw ~** keep* sth secret (from sb)
ver'heiratet ADJ married (**mit** to)
ver'helfen V/I ⟨*irr, kein ge*⟩ **j-m zu etw ~** help sb to get sth
ver'hindern V/T ⟨*kein ge*⟩ prevent; **ich konnte nicht ~, dass er wegging** I couldn't prevent *od* stop him from going
ver'hindert ADJ **sie war (wegen Krank-**

heit *etc*) **~** she couldn't come (because she was ill *etc*); **ein verhinderter Künstler** *umg* a would-be artist

Ver'hinderung F ⟨~; ~en⟩ prevention

Ver'hör N ⟨~(e)s; ~e⟩ interrogation

ver'hören¹ V/T ⟨*kein ge*⟩ interrogate, question

ver'hören² V/R ⟨*kein ge*⟩ mishear*

ver'hungern V/I ⟨*kein ge*, s⟩ starve to death, die of starvation

ver'hüten ⟨*kein ge*⟩ **A** V/T prevent **B** V/I *e-e Schwangerschaft verhindern* take* precautions

Ver'hütungsmittel N contraceptive

ver'irren V/R ⟨*kein ge*⟩ get* lost, lose* one's way

ver'jagen V/T ⟨*kein ge*⟩ chase away

verjähren V/I [fɛr'jɛ:rən] ⟨*kein ge*, s⟩ come* under the statute of limitations

ver'jährt ADJ statute-barred

Ver'jährungsfrist F statutory period of limitation, limitation period

ver'kabelt ADJ **~ sein** TV be* on cable

ver'kalkt ADJ **~ sein** *Kessel etc* be* furred up; *umg*: *Person* be* senile

Ver'kauf M sale; *Abteilung* sales *sg*; **zum ~** for sale

ver'kaufen V/T ⟨*kein ge*⟩ sell*; **zu ~ sein** be* (up) for sale; **sich gut ~** *von Ware* sell* well; *von Person* sell* o.s. well

Ver'käufer(in) M(F) seller; *im Geschäft* shop assistant, *US* (sales)clerk; *von Autos etc* salesman, *Frau* saleswoman

ver'käuflich ADJ **~ sein** be* for sale; **schwer ~ sein** be* hard to sell

Ver'kaufserlöse PL sales revenue *sg* **Ver'kaufsleiter(in)** M(F) sales manager **ver'kaufsoffen** ADJ **~er Samstag** all-day shopping on Saturday **Ver'kaufspreis** M retail *od* selling price **Ver'kaufszahlen** PL sales figures *pl*

Verkehr M [fɛr'ke:r] ⟨~(e)s⟩ *Straßenverkehr* traffic; *öffentlicher* transport, *US* transportation; *Umgang* contact, dealings *pl*; *Geschlechtsverkehr* intercourse; *Umlauf* circulation; **starker/schwacher ~** heavy/light traffic

ver'kehren ⟨*kein ge*⟩ **A** V/I *von Bus, Zug etc* run*; **~ in** *Lokal etc* frequent; **~ mit** associate with, mix with **B** V/T turn (**in** into); **etw ins Gegenteil ~** reverse sth

Ver'kehrsader F arterial road **Ver'kehrsampel** F traffic lights *pl* **Ver'kehrsaufkommen** N ⟨~s⟩ volume of traffic, traffic volume **Ver'kehrsbehinderung** F holdup; JUR obstruction of traffic **ver'kehrsberuhigt** ADJ **~e Zone** area with traffic calming **Ver'kehrsberuhigung** F traffic calming **Ver'kehrschaos** N gridlock **Ver'kehrsdelikt** N traffic offence *od US* violation **Ver'kehrsflugzeug** N airliner **Ver'kehrsfunk** M traffic news *sg* **Ver'kehrskontrolle** F vehicle spot-check **Ver'kehrsmanagementsysteme** PL transport management systems *pl* **Ver'kehrsmeldung** F traffic announcement; *pl* traffic news *sg* **Ver'kehrsminister(in)** M(F) minister of transport, *US* secretary of transportation **Ver'kehrsministerium** N ministry of transport, *US* department of transportation **Ver'kehrsmittel** N means of transport *od US* transportation; **öffentliche ~** *pl* public transport *sg od US* transportation *sg* **Ver'kehrsopfer** N road casualty **Ver'kehrspolizei** F traffic police *pl* **Ver'kehrspolizist(in)** M(F) traffic policeman; *Frau* traffic policewoman **Ver'kehrsregel** F traffic regulation **Ver'kehrsrowdy** M *umg* road hog **ver'kehrssicher** ADJ *Fahrzeug* roadworthy **Ver'kehrssicherheit** F road safety; *von Fahrzeug* roadworthiness **Ver'kehrssprache** F *der EU* working language **Ver'kehrssünder(in)** M(F) traffic offender **Ver'kehrsteilnehmer(in)** M(F) road user **Ver'kehrsunfall** M road accident; *schwerer* (car) crash **Ver'kehrsverbindung** F (road *od* rail) link (**nach, zu** to) **Ver'kehrszeichen** N road sign

verkehrt ADJ & ADV [fɛr'ke:rt] *falsch* wrong; **~ herum** the wrong way round; *mit dem Kopf nach unten* upside down; *mit der Innenseite nach außen* inside out

ver'kennen V/T ⟨*irr, kein ge*⟩ misjudge

Ver'kettung F ⟨~; ~en⟩ **~ unglücklicher Umstände** chain of unfortunate circumstances

ver'klagen V/T ⟨*kein ge*⟩ JUR sue (**auf, wegen** for)

verklappen V/T [fɛr'klapən] ⟨*kein ge*⟩ dump

Ver'klappung F ⟨~; ~en⟩ (marine)

dumping

ver'kleiden VT ⟨kein ge⟩ dress up; *als Tarnung* disguise; TECH cover; *täfeln* panel; **sich ~** dress up; *als Tarnung* disguise o.s. (**als** as a)

Ver'kleidung F ⟨~; ~en⟩ *Kleidung* costume; *als Tarnung* disguise; TECH covering; *Täfelung* panelling, *US* paneling

ver'kleinern VT ⟨kein ge⟩ reduce (*a.* FOTO); *Zimmer, Gebiet etc* make* smaller

Ver'kleinerung F ⟨~; ~en⟩ reduction

ver'klemmt ADJ *Person* inhibited

Ver'knappung F ⟨~; ~en⟩ shortage

ver'knüpfen VT ⟨kein ge⟩ tie together; *fig* combine; *in Zusammenhang bringen* connect

ver'kommen **A** VI ⟨irr, kein ge, s⟩ *von Gebäude* become* run-down; *von Person* go* to the bad **B** ADJ *Gebäude* run-down; *verwahrlost* neglected; *Person* seedy; *moralisch* depraved

ver'kraften VT ⟨kein ge⟩ cope with

ver'krüppelt ADJ crippled

verkünden VT [fɛr'kʏndən] ⟨kein ge⟩ announce; *Urteil* pronounce; REL preach

Ver'kündung F ⟨~; ~en⟩ announcement; *von Urteil* pronouncement; REL preaching

ver'kürzen VT ⟨kein ge⟩ shorten; *Arbeitszeit a.* reduce; **sich die Zeit ~** while away the time

ver'laden VT ⟨irr, kein ge⟩ load (**auf** onto; **in** into)

Verlag M [fɛr'la:k] ⟨~(e)s; ~e⟩ publishing house *od* company

ver'lagern VT & VR ⟨kein ge⟩ shift (**auf** to) (*a. fig: Schwerpunkt etc*)

ver'langen VT ⟨kein ge⟩ ask for; *fordern* demand; *beanspruchen* claim; *Preis* ask; *erfordern* call for; **du wirst am Telefon verlangt** you're wanted on the phone

Ver'langen N ⟨~s; ~⟩ *Wunsch, Begierde* desire (**nach** for); *Sehnen* longing (**nach** for); **auf ~** on demand

verlängern VT [fɛr'lɛŋərn] ⟨kein ge⟩ lengthen; *zeitlich* extend (**um** by) (*a. Leben*, WIRTSCH)

Ver'längerungskabel N extension lead *od US* cord

ver'langsamen VT & VR ⟨kein ge⟩ slow down (*a. fig*)

Verlass M [fɛr'las] **auf ihn ist kein ~** you can't rely on him

ver'lassen VT ⟨irr, kein ge⟩ leave*; **sich ~ auf** rely on; **ich verlasse mich darauf, dass du das machst** I'm relying on you to do that

verlässlich ADJ [fɛr'lɛslɪç] reliable

Ver'lauf M course

ver'laufen VI ⟨irr, kein ge, s⟩ *von Farben etc* run*; *von Veranstaltung etc* go*; ⟨h⟩ **sich ~** *sich verirren* get* lost, lose* one's way

ver'lauten VI ⟨kein ge, s⟩ **etwas/nichts ~ lassen** say* something/nothing; **wie verlautet** as reported

ver'legen[1] VT ⟨kein ge⟩ *Betrieb, Haltestelle etc* move; *Brille, Schlüssel etc* mislay*; *Teppichboden, Kabel etc* lay*; *zeitlich* put* off, postpone (**auf** until); *Buch* publish

ver'legen[2] **A** ADJ embarrassed **B** ADV *lächeln etc* in embarrassment

Ver'legenheit F ⟨~⟩ embarrassment; *Lage* embarrassing situation; **j-n in ~ bringen** embarrass sb

Ver'leger(in) M ⟨~s; ~⟩ (F) ⟨~in; ~innen⟩ publisher

Verleih [fɛr'lai] M ⟨~(e)s; ~e⟩ hire, *US* rental; *Betrieb* hire *od US* rental company; *Filmverleih* distributor(s *pl*)

ver'leihen VT ⟨irr, kein ge⟩ lend*, *bes US* loan (**an** to); *vermieten* rent out, *Br a.* hire out; *Preis, Orden* award; *Recht* grant

Ver'leihung F ⟨~; ~en⟩ *von Preis, Orden, Titel* award(ing); *von Recht* granting

ver'lesen VT ⟨irr, kein ge⟩ *laut lesen* read* out; **sich ~** make* a slip; **ich muss mich ~ haben** I must have misread it

ver'letzen VT ⟨kein ge⟩ hurt* (*a. fig*), injure; *Gesetz, Recht etc* violate; **sich ~** hurt* o.s.

Ver'letzte(r) M/F(M) ⟨~n; ~n⟩ injured person; **die ~n** *pl* the injured *pl*

Ver'letzung F ⟨~; ~en⟩ injury; *von Gesetz, Recht etc* violation

verleumden VT [fɛr'lɔymdən] ⟨kein ge⟩ defame; JUR *mündlich* slander; *schriftlich* libel

ver'leumderisch ADJ slanderous; *schriftlich* libellous, *US* libelous

Ver'leumdung F ⟨~; ~en⟩ defamation; JUR *mündliche* slander; *schriftliche* libel

ver'lieben VR ⟨kein ge⟩ fall* in love (**in** with)

ver'liebt **A** ADJ *Blick* amorous; **~ sein** be* in love (**in** with) **B** ADV **j-n ~ ansehen** look at sb lovingly
verlieren V/T & V/I [fɛr'li:rən] ⟨verlor, verloren⟩ lose*
Ver'lierer(in) M ⟨~s; ~⟩ (F) ⟨~in; ~innen⟩ loser
ver'loben V/R ⟨*kein ge*⟩ get* engaged (**mit** to)
Ver'lobte(r) M/F(M) ⟨~n; ~n⟩ fiancé; *Frau* fiancée
Ver'lobung F ⟨~; ~en⟩ engagement
ver'lockend ADJ tempting
Ver'lockung F ⟨~; ~en⟩ temptation
ver'logen ADJ *Mensch* untruthful; **er ist ~** he's a liar
verloren ADJ [fɛr'lo:rən] lost; **~ gehen** go^ missing
Verlust M [fɛr'lʊst] ⟨~(e)s; ~e⟩ loss (**an** of) (*a. fig*); **~e** *pl* MIL casualties *pl*
ver'machen V/T ⟨*kein ge*⟩ **j-m etw ~** leave* sth to sb
Vermächtnis N [fɛr'mɛçtnɪs] ⟨~ses; ~se⟩ legacy (*a. fig*)
ver'markten V/T ⟨*kein ge*⟩ market; *pej* commercialize
Ver'marktung F ⟨~; ~en⟩ marketing; *pej* commercialization
ver'mehren V/T ⟨*kein ge*⟩ increase (**um** by); **sich ~** increase (**um** by); BIOL reproduce, ZOOL *a.* breed*
ver'meidbar ADJ avoidable
ver'meiden V/T ⟨*irr, kein ge*⟩ avoid; **(es) ~, etw zu tun** avoid doing sth
ver'meidlich ADJ avoidable
vermeintlich ADJ [fɛr'maintlɪç] supposed
Vermerk M [fɛr'mɛrk] ⟨~(e)s; ~e⟩ note
ver'merken V/T ⟨*kein ge*⟩ make* a note of
ver'mieten V/T ⟨*kein ge*⟩ *Wohnung etc* rent (out), *Br a.* let* (out); *Autos, Boote etc* rent out, *Br a.* hire out; **zu ~** *von Wohnung etc* to rent, *Br a.* to let; *von Autos, Booten etc* for rent, *Br a.* for hire
Ver'mieter(in) M(F) landlord; *Frau* landlady
Ver'mietung F ⟨~; ~en⟩ *von Wohnung etc* renting (out), *Br a.* letting (out); *von Autos, Booten etc* rental, *Br a.* hire
ver'mindern V/T ⟨*kein ge*⟩ reduce; **sich ~** decrease
ver'missen V/T ⟨*kein ge*⟩ miss; **ich vermisse meinen Pass** I can't find my passport
ver'misst ADJ [fɛr'mɪst] missing; **j-n als ~ melden** report sb missing
Ver'misste(r) M/F(M) ⟨~n; ~n⟩ missing person; **die ~n** *pl* the missing *pl*
vermitteln [fɛr'mɪtəln] ⟨*kein ge*⟩ **A** V/T *Treffen etc* arrange; *Eindruck* give*; *Wissen* pass on; **j-m etw ~** *Wohnung, Job* get* *od* find* sb sth **B** V/I mediate (**zwischen** between)
Ver'mittler(in) M ⟨~s; ~⟩ (F) ⟨~in; ~innen⟩ mediator, go-between; WIRTSCH agent
Ver'mittlung F ⟨~; ~en⟩ *zwischen Streitenden* mediation; *Herbeiführung* arranging; *Stelle* agency
Ver'mittlungsausschuss M POL conciliation committee
Ver'mögen N ⟨~s; ~⟩ fortune (**an** in) (*a. fig umg*); *Besitz* property, possessions *pl*; WIRTSCH assets *pl*
Ver'mögensberatung F investment consultancy **Ver'mögensbildung** F wealth creation, asset formation **Ver'mögenssteuer** F property tax **Ver'mögensverhältnisse** PL financial circumstances *pl* **Ver'mögenswerte** PL assets *pl*
vermummt ADJ [fɛr'mʊmt] masked
Ver'mummungsverbot N ban on wearing masks (at demonstrations)
vermuten V/T [fɛr'mu:tən] ⟨*kein ge*⟩ suspect; *annehmen* suppose; **ich vermute: ja** I expect so
ver'mutlich ADV probably
Ver'mutung F ⟨~; ~en⟩ suspicion; *Annahme* supposition; *bloße* speculation
ver'nachlässigen V/T ⟨*kein ge*⟩ neglect
ver'nehmen V/T ⟨*irr, kein ge*⟩ hear*; JUR question
Ver'nehmung F ⟨~; ~en⟩ questioning
ver'netzen V/T ⟨*kein ge*⟩ IT network; **sich ~** link up
vernichten V/T [fɛr'nɪçtən] ⟨*kein ge*⟩ destroy; *ausrotten* exterminate
ver'nichtend **A** ADJ devastating (*a. fig*); *Blick* withering; *Antwort, Niederlage* crushing **B** ADV **j-n ~ schlagen** annihilate sb
Ver'nichtung F ⟨~; ~en⟩ destruction; *Ausrottung* extermination

Vernunft F [fɛrˈnʊnft] ⟨~⟩ reason; **~ annehmen, zur ~ kommen** see* reason; **j-n zur ~ bringen** make* sb see reason

vernünftig [fɛrˈnʏnftɪç] **A** ADJ sensible; *Preis* reasonable; *umg: ordentlich* decent **B** ADV *handeln etc* sensibly

verˈöffentlichen VT ⟨*kein ge*⟩ publish

Verˈöffentlichung F ⟨~; ~en⟩ publication

verˈordnen VT ⟨*kein ge*⟩ order; **(j-m) etw ~** MED prescribe sth (for sb) (**gegen** for)

Verˈordnung F ⟨~; ~en⟩ order

verˈpachten VT ⟨*kein ge*⟩ lease

Verˈpächter(in) M(F) lessor

verˈpacken VT ⟨*kein ge*⟩ pack; *als Paket* parcel up; TECH package; *einwickeln* wrap up

Verˈpackung F *Material* packaging; *Papierverpackung* wrapping

Verˈpackungsmaterial N packaging material **Verˈpackungsmüll** M packaging waste

verˈpassen VT ⟨*kein ge*⟩ *Bus, Gelegenheit* miss

verpesten VT [fɛrˈpɛstən] ⟨*kein ge*⟩ pollute, contaminate

verˈpfänden VT ⟨*kein ge*⟩ pawn; *Haus* mortgage; *fig* pledge

verˈpflegen VT ⟨*kein ge*⟩ feed*

Verˈpflegung F ⟨~⟩ *Essen* food

verˈpflichten VT ⟨*kein ge*⟩ oblige; *einstellen* engage; *Sportler* sign; **sich ~, etw zu tun** undertake* to do sth

verˈpflichtet ADJ **~ sein/sich ~ fühlen, etw zu tun** be*/feel* obliged to do sth

Verˈpflichtung F ⟨~; ~en⟩ *moralische* obligation; *Pflicht* duty; WIRTSCH, JUR liability; *übernommene* commitment; SPORT signing

verˈpfuschen VT ⟨*kein ge*⟩ *umg* bungle, botch (up)

verˈprügeln VT ⟨*kein ge*⟩ beat* up

Verrat M [fɛrˈraːt] ⟨~(e)s⟩ betrayal (**an** of); *Treulosigkeit* treachery (**an** towards); *Landesverrat* treason (**an** against)

verˈraten VT ⟨*irr, kein ge*⟩ betray (*a. fig*), give* away; **aber nicht ~!** don't tell anyone!; **sich ~** betray o.s., give* o.s. away; **soll ich dir etwas ~?** shall I tell you a secret?

Verräter(in) [fɛrˈrɛːtər(ɪn)] M ⟨~s; ~⟩ (F) ⟨~in; ~innen⟩ traitor

verˈräterisch ADJ treacherous; *fig* revealing

verˈrechnen VT ⟨*kein ge*⟩ *gutschreiben* offset* (**mit** against); **sich ~** make* a mistake; *fig* miscalculate; **sich um e-n Euro ~** be* one euro out

Verˈrechnung F offset; **nur zur ~** *Scheckvermerk* account payee only, *US* for deposit only

Verˈrechnungsscheck M crossed cheque, *US* voucher check

verˈregnet ADJ rainy, wet

verˈreisen VI ⟨*kein ge*, s⟩ go* away

verˈreist ADJ **sie ist (geschäftlich) ~** she's away (on business)

verrenken VT [fɛrˈrɛŋkən] ⟨*kein ge*⟩ dislocate; **sich den Arm ~** twist one's arm; **sich den Hals ~** crane one's neck

verringern VT [fɛrˈrɪŋərn] ⟨*kein ge*⟩ reduce; **sich ~** decrease

Verˈringerung F ⟨~; ~en⟩ reduction; *Abnahme* decrease

verˈrosten VI ⟨*kein ge*, s⟩ rust, get* rusty (*a. fig*)

verrückt ADJ [fɛrˈrʏkt] mad, crazy (*a. fig* **nach** about); **wie ~** like mad; **~ werden** go* mad, go* crazy; **j-n ~ machen** drive* sb mad; → verrücktspielen

Verˈrückte(r) M/F(M) ⟨~n; ~n⟩ lunatic; *Mann a.* madman; *Frau a.* madwoman

verˈrücktspielen VI *umg: von Gerät etc* act up, play up; *von Person* act crazy

Verˈruf M **j-n/etw in ~ bringen** bring* sb/sth into disrepute; **in ~ kommen** fall* into disrepute

verˈrufen ADJ disreputable

verˈsagen ⟨*kein ge*⟩ **A** VI *allg* fail (*a.* MED); *von Fahrzeug, Maschine* break* down; *von Waffe* misfire **B** VT **j-m etw ~** deny *od* refuse sb sth

Verˈsagen N ⟨~s⟩ failure

Verˈsager(in) M ⟨~s; ~⟩ (F) ⟨~in; ~innen⟩ failure

verˈsammeln VT ⟨*kein ge*⟩ gather, assemble; **sich ~** meet*, assemble

Verˈsammlung F meeting, assembly

Versand M [fɛrˈzant] ⟨~(e)s⟩ dispatch; *Abteilung* dispatch department

Verˈsand- ZSSGN *Katalog etc* mail-order

Verˈsandhaus N mail-order firm **Verˈsandhauskatalog** M mail-order catalogue *od US* catalog **Verˈsandkosten** PL shipping costs *pl* **Ver-**

'sandschein M shipping note

versäumen VT [fɛr'zɔymən] ⟨*kein ge*⟩ miss; **~, etw zu tun** fail to do sth

Ver'säumnis N ⟨~ses; ~se⟩ *Unterlassung* omission; *in der Schule, im Beruf* absence (*gen* from)

ver'schaffen VT ⟨*kein ge*⟩ **j-m etw ~** get* sb sth; **sich etw ~** get* sth

ver'schärfen VT ⟨*kein ge*⟩ *verschlimmern* aggravate; *Kontrollen, Zensur* tighten up; *erhöhen* increase; **sich ~** *schlimmer werden* get* worse

ver'schenken VT ⟨*kein ge*⟩ give* away (**an** to)

verscheuchen VT [fɛr'ʃɔyçən] ⟨*kein ge*⟩ scare away; *fig* drive* away

ver'schicken VT ⟨*kein ge*⟩ send* off; WIRTSCH dispatch

ver'schieben VT ⟨*irr, kein ge*⟩ move, shift; *zeitlich* postpone, put* off (**auf** until); **sich ~** shift; *zeitlich* be* postponed, be* put off (*beide* **auf** until)

Ver'schiebung F ⟨~; ~en⟩ shifting; *zeitliche* postponement

verschieden [fɛr'ʃi:dən] **A** ADJ different (**von** from); **~e** *pl mehrere* various; **~er Meinung sein** disagree **B** ADV **sie sind ~ groß/hoch** they're different sizes/heights

ver'schiedenartig ADJ different; *mannigfaltig* various

Ver'schiedenheit F ⟨~; ~en⟩ difference

ver'schiffen VT ⟨*kein ge*⟩ ship

Ver'schiffung F ⟨~; ~en⟩ shipment

ver'schimmeln VI ⟨*kein ge, s*⟩ go* mouldy *od US* moldy

ver'schlechtern VT ⟨*kein ge*⟩ make* worse; **sich ~** get* worse, deteriorate

Ver'schlechterung F ⟨~; ~en⟩ deterioration, worsening

Verschleiß M [fɛr'ʃlais] ⟨~es⟩ wear and tear; **einen großen ~ an Schuhen haben** get* through a lot of shoes

ver'schleißen VI ⟨s⟩ & VT ⟨verschliss, verschlissen⟩ wear* out

Ver'schleißteil N wearing part

ver'schleppen VT ⟨*kein ge*⟩ *irgendwohin bringen* carry off; POL displace; *in die Länge ziehen* draw* out; *Krankheit* protract

ver'schließen VT ⟨*irr, kein ge*⟩ close; *abschließen* lock (up); **die Augen/Ohren vor etw ~** close one's eyes/ears to sth

ver'schlimmern VT ⟨*kein ge*⟩ make* worse; **sich ~** get* worse, deteriorate

ver'schlossen ADJ closed; *abgeschlossen* locked; *fig* withdrawn, reserved

ver'schlucken VT ⟨*kein ge*⟩ swallow (*a. fig: Worte etc*); *fig: verschwinden lassen* swallow up; **sich ~** choke (**an** on); **ich habe mich verschluckt** it went down the wrong way

Ver'schluss M *an Kleidung, Schmuck* fastener; *Schnappverschluss* catch; *Schloss* lock; *Deckel* lid; *Schraubverschluss* top; *Pfropfen* stopper; FOTO shutter; **unter ~** under lock and key

ver'schlüsseln VT ⟨*kein ge*⟩ encode

verschmähen VT [fɛr'ʃmɛ.ən] ⟨*kein ge*⟩ scorn, disdain

ver'schmutzen ⟨*kein ge*⟩ **A** VT get* dirty, dirty; *Umwelt, Luft* pollute **B** VI ⟨s⟩ get* dirty; *von Umwelt, Luft* get* polluted

Ver'schmutzung F ⟨~; ~en⟩ soiling; *Schmutz* dirt; *der Umwelt* pollution

ver'schonen VT ⟨*kein ge*⟩ spare; **j-n mit etw ~** spare sb sth

ver'schreiben VT ⟨*irr, kein ge*⟩ **(j-m) etw ~** MED prescribe sth (for sb) (**gegen** for); **sich ~** make* a mistake; **sich e-r Sache ~** devote o.s. to sth

ver'schreibungspflichtig ADJ prescription-only

ver'schrotten VT ⟨*kein ge*⟩ scrap

ver'schulden VT ⟨*kein ge*⟩ be* responsible for, cause; **sich ~** get* into debt

Ver'schulden N ⟨~s⟩ **ohne mein ~** through no fault of mine

ver'schuldet ADJ **~ sein** be* in debt

Ver'schuldung F ⟨~; ~en⟩ debts *pl*

ver'schütten VT ⟨*kein ge*⟩ *Flüssigkeit* spill*; *bedecken* bury

ver'schweigen VT ⟨*irr, kein ge*⟩ keep* quiet about; **j-m etw ~** keep* sth from sb

verschwenden VT [fɛr'ʃvɛndən] ⟨*kein ge*⟩ waste

Ver'schwender(in) M ⟨~s; ~⟩ (F) ⟨~in; ~innen⟩ spendthrift

ver'schwenderisch ADJ wasteful; *Leben* extravagant; *üppig* lavish

Ver'schwendung F ⟨~; ~en⟩ waste

ver'schwinden VI ⟨*irr, kein ge, s*⟩ disappear, vanish; **verschwinde!** *umg* beat it!

Ver'schwinden N ⟨~s⟩ disappearance
verschwommen ADJ [fɛr'ʃvɔmən] blurred (*a.* FOTO); *fig* vague, hazy
ver'schwören V/R ⟨*irr, kein ge*⟩ conspire, plot
Ver'schwörer(in) M ⟨~s; ~⟩ (F) ⟨~in; ~innen⟩ conspirator
Ver'schwörung F ⟨~; ~en⟩ conspiracy, plot
verschwunden ADJ [fɛr'ʃvʊndən] missing
ver'sehen V/T ⟨*irr, kein ge*⟩ **~ mit** provide with; **sich ~** *e-n Fehler machen* make* a mistake
Ver'sehen N ⟨~s; ~⟩ mistake, error; **aus ~** accidentally
ver'sehentlich ADV by mistake, unintentionally
ver'senden V/T ⟨*irr, kein ge*⟩ send* off; WIRTSCH dispatch
ver'setzen V/T ⟨*kein ge*⟩ *an e-e andere Stelle* move; *Baum a.* transplant; *verpfänden* pawn; **j-n ~** *dienstlich* transfer sb; *Schüler* move sb up, *US* promote sb; *umg*: *bei Verabredung* stand* sb up; **j-m e-n Schlag/Tritt ~** hit*/kick sb; **sich in j-s Lage ~** put* o.s. in sb's place
ver'seuchen V/T ⟨*kein ge*⟩ contaminate
Ver'sicherer M ⟨~s; ~⟩ insurer
ver'sichern V/T ⟨*kein ge*⟩ *bei e-r Versicherung* insure (**bei** with, **mit** for); *behaupten* assert; **sich ~** *bei e-r Versicherung* insure o.s.; **j-m etw ~** assure sb of sth; **er versicherte sich, dass ...** he made sure that ...
Ver'sicherte(r) M/F(M) ⟨~n; ~n⟩ **der/die ~** the insured
Ver'sicherung F insurance; *Vertrag* insurance policy; *Firma* insurance company; *Erklärung* assurance
Ver'sicherungsagent(in) M(F) insurance agent **Ver'sicherungsgesellschaft** F insurance company **Ver'sicherungsgewerbe** N insurance **Ver'sicherungskarte** F → grün **Ver'sicherungsnehmer(in)** M ⟨~s; ~⟩ (F) ⟨~in; ~innen⟩ insured (party) **Ver'sicherungspolice** F, **Ver'sicherungsschein** M insurance policy
ver'sinken V/I ⟨*irr, kein ge, s*⟩ sink*
Version F [vɛrzi'o:n] ⟨~; ~en⟩ version
versöhnen V/T [fɛr'zø:nən] ⟨*kein ge*⟩ reconcile; **sich (wieder) ~** make* it up (**mit** with)
ver'söhnlich ADJ conciliatory
Ver'söhnung F ⟨~; ~en⟩ reconciliation; POL appeasement
ver'sorgen V/T ⟨*kein ge*⟩ *sich kümmern um* take* care of, look after; *Familie* support; *beliefern* supply
Ver'sorgung F ⟨~⟩ *Unterhalt* support; *Betreuung* care; **die ~ e-r Stadt** *etc* **mit etw** the supply of sth to a town *etc*
Ver'sorgungsengpass M supply bottleneck *od* shortage **Ver'sorgungslücke** F supply gap **Ver'sorgungsschwierigkeiten** PL supply problems *pl*
ver'späten V/R ⟨*kein ge*⟩ be* late
ver'spätet ADJ & ADV late; *Glückwünsche* belated
Ver'spätung F ⟨~; ~en⟩ lateness; *Zug, Flug usw* delay; **eine Stunde ~ haben** *Zug, Flug etc* be* delayed one hour, be* one hour late
ver'sperren V/T ⟨*kein ge*⟩ block; *zuschließen* lock; **j-m die Sicht ~** obstruct sb's view
ver'spotten V/T ⟨*kein ge*⟩ make* fun of, ridicule
ver'sprechen[1] V/T ⟨*irr, kein ge*⟩ promise (*a. fig*); **sich zu viel ~** expect too much (**von** of)
ver'sprechen[2] V/R ⟨*irr, kein ge*⟩ make* a mistake
Ver'sprechen N ⟨~s; ~⟩ promise; **ein ~ halten/brechen** keep*/break* a promise; **j-m ein ~ geben** make* sb a promise
Ver'sprecher M ⟨~s; ~⟩ slip of the tongue
ver'staatlichen V/T ⟨*kein ge*⟩ nationalize
Ver'staatlichung F ⟨~; ~en⟩ nationalization
Verstädterung F [fɛr'ʃtɛtərʊŋ] ⟨~; ~en⟩ urbanization
Verstand M [fɛr'ʃtant] ⟨~(e)s⟩ *Intellekt* mind, intellect; *Vernunft* reason, common sense; *Intelligenz* intelligence, brains *pl*; **nicht bei ~ sein** be* out of one's mind, not be* in one's right mind; **den ~ verlieren** go* out of one's mind
ver'standesmäßig **A** ADJ rational **B** ADV *begreifen etc* rationally
ver'ständigen V/T ⟨*kein ge*⟩ inform, notify (**von** of); **sich ~** communicate; *sich*

einigen come* to an agreement (**über** about)

Ver'ständigung F ⟨~; ~en⟩ *Benachrichtigung* notification; *Kommunikation* communication (*a.* TEL); *Einigung* agreement

verständlich [fɛr'ʃtɛntlıç] **A** ADJ *begreiflich* understandable; *Theorie, Text etc* comprehensible; *hörbar* audible; *klar* intelligible; **schwer/leicht ~ sein** be* difficult/easy to understand; **j-m etw ~ machen** make* sth clear to sb; **sich ~ machen** make* o.s. understood; *gegen Lärm* make* o.s. heard **B** ADV *sprechen etc* clearly

Verständnis N [fɛr'ʃtɛntnıs] ⟨~ses⟩ *Begreifen, Einfühlungsvermögen* understanding (**für** of); *Mitgefühl a.* sympathy; **(viel) ~ haben** be* (very) understanding; **~ haben für** understand*

ver'ständnislos **A** ADJ uncomprehending; *Blick* blank; *ohne Mitgefühl* unsympathetic **B** ADV *den Kopf schütteln etc* uncomprehendingly; *ohne Mitgefühl* unsympathetically **ver'ständnisvoll** **A** ADJ understanding; *Blick* knowing **B** ADV *ansehen etc* understandingly

ver'stärken V/T ⟨*kein ge*⟩ *intensivieren* increase; *zahlenmäßig* reinforce (*a.* MIL); TECH strengthen, reinforce; ELEK amplify; **verstärkte qualifizierte Mehrheit** POL reinforced qualified majority; **verstärkte Zusammenarbeit** *in der EU* enhanced cooperation

Ver'stärker M ⟨~s; ~⟩ *Gerät* amplifier

Ver'stärkung F *Zunahme* increase (*gen* in); *zahlenmäßige* reinforcement (*a.* MIL); *Truppen etc* reinforcements *pl*; TECH strengthening; ELEK, PHYS amplification

verstauchen V/T [fɛr'ʃtauxən] ⟨*kein ge*⟩ sprain

Versteck N [fɛr'ʃtɛk] ⟨~(e)s; ~e⟩ hiding place; *von Verbrecher* hideout

ver'stecken V/T & V/R ⟨*kein ge*⟩ hide* (**vor** from) (*a. fig*)

ver'stehen V/T & V/I ⟨*irr, kein ge*⟩ understand*; *akustisch* catch*, get*; *einsehen* see*; *sich im Klaren sein* realize; **es ~, etw zu tun** know* how to do sth; **j-m zu ~ geben, dass** give* sb to understand that; **~ Sie(?)** you see(?); **falsch ~** misunderstand*; **was ~ Sie unter ...?** what do you understand by ...?; **er versteht etwas davon** he knows a thing or two about it; **sich (gut) ~** get* on (well) (**mit** with); **es versteht sich von selbst** it goes without saying

ver'steigern V/T ⟨*kein ge*⟩ auction

Ver'steigerung F auction

ver'stellbar ADJ adjustable

ver'stellen V/T ⟨*kein ge*⟩ *anders einstellen* adjust; *falsch einstellen* set* wrong; *umstellen* move; *versperren* block; *Stimme, Handschrift* disguise; **sich ~** *Person* pretend, put* on an act; *s-e Gefühle verbergen* hide* one's feelings

ver'steuern V/T ⟨*kein ge*⟩ pay* tax on

ver'stimmen V/T ⟨*kein ge*⟩ put* out of tune; *fig* annoy

ver'stimmt ADJ out of tune; *Magen* upset; *verärgert* annoyed, disgruntled

Ver'stimmung F ⟨~; ~en⟩ annoyance, disgruntlement

ver'stopfen V/T ⟨*kein ge*⟩ plug (up); *versperren* block

ver'stopft ADJ *Nase* blocked; *Person* constipated

Ver'stopfung F ⟨~; ~en⟩ blockage; MED constipation

verstorben ADJ [fɛr'ʃtɔrbən] late

Ver'storbene(r) M/F(M) ⟨~n; ~n⟩ **der/die ~** the deceased; **die ~n** *pl* the deceased *pl*

Ver'stoß M *gegen Anstand etc* offence, *US* offense (**gegen** against); *gegen Gesetz, Regeln* violation (**gegen** of)

ver'stoßen ⟨*irr, kein ge*⟩ **A** V/T expel (**aus** from); *Person* disown **B** V/I **~ gegen** *den Anstand etc* offend against; *Gesetz* violate; *Regeln* be* against

ver'strahlt ADJ (radioactively) contaminated

ver'streichen ⟨*irr, kein ge*⟩ **A** V/I ⟨s⟩ *von Zeit* pass, go* by; *von Frist* expire **B** V/T spread*

verstümmeln V/T [fɛr'ʃtʏməln] ⟨*kein ge*⟩ mutilate; *Text etc a.* garble

Ver'stümmelung F ⟨~; ~en⟩ mutilation

ver'stummen V/I ⟨*kein ge*, s⟩ *von Person* fall* silent; *von Gespräch, Musik etc* stop; *langsam* die down

Versuch M [fɛr'zu:x] ⟨~(e)s; ~e⟩ try, attempt; *Probe* trial, test; PHYS experiment (an on); **mit etw/j-m e-n ~ machen** give* sth/sb a trial

ver'suchen ⟨*kein ge*⟩ **A** VT try, attempt; *kosten* try, taste; REL *j-n* tempt; **es noch einmal ~** *bei Spiel* have* another go *od* try **B** VI try; **versuch mal!** *koste mal* try it!

Ver'suchskaninchen N *fig* guinea pig **Ver'suchsstadium** N **es ist noch im ~** it's still at the experimental stage **ver'suchsweise** ADV by way of a trial; *auf Probe* on a trial basis

Ver'suchung F ⟨~; ~en⟩ temptation; **j-n in ~ führen** tempt sb

ver'tagen VT & VR ⟨*kein ge*⟩ adjourn (**auf** until)

Ver'tagung F adjournment

ver'tauschen VT ⟨*kein ge*⟩ exchange (**mit** for); *aus Versehen* mix up (**mit** with)

verteidigen VT [fɛr'taidɪgən] ⟨*kein ge*⟩ defend; **sich ~** defend o.s.

Ver'teidiger(in) M ⟨~s; ~⟩ (F) ⟨~in; ~innen⟩ defender (*a.* SPORT); JUR defence *od US* defense counsel

Ver'teidigung F ⟨~; ~en⟩ defence, *US* defense

Ver'teidigungs- ZSSGN *Haushalt, Politik etc* defence, *US* defense

Ver'teidigungsminister(in) M(F) Minister of Defence, *US* Secretary of Defense **Ver'teidigungsministerium** N Ministry of Defence, *US* Department of Defense

ver'teilen VT ⟨*kein ge*⟩ distribute; *austeilen a.* hand out; *räumlich* spread* out; *Farbe, Creme etc* spread*; **sich ~** spread out*

Ver'teiler M ⟨~s; ~⟩ TECH distributor

Ver'teilung F distribution

ver'tiefen VT & VR ⟨*kein ge*⟩ deepen (*a. fig*); **sich ~ in** become* absorbed in

Ver'tiefung F ⟨~; ~en⟩ depression, hollow; *fig: von Wissen, innerhalb der EU* deepening

vertikal [vɛrti'ka:l] **A** ADJ vertical **B** ADV *anordnen* vertically

Vertikale F [vɛrti'ka:lə] ⟨~n; ~n⟩ vertical

ver'tilgen VT ⟨*kein ge*⟩ exterminate; *umg: essen* demolish

Vertrag M [fɛr'tra:k] ⟨~(e)s; Verträge⟩ contract; POL treaty

ver'tragen VT ⟨*irr, kein ge*⟩ *aushalten* stand*, bear*; **ich kann … nicht ~** *Essen, Alkohol* … doesn't agree with me; *Lärm, Hitze* I can't stand *od* bear …; **er kann viel ~** he can take a lot; *Spaß* he can take a joke; *Alkohol* he can hold his drink; **ich/es könnte … ~** *umg* I/it could do with …; **sich (gut) ~** get* on (well) (**mit** with); **sie ~ sich wieder** they've made it up

ver'traglich **A** ADJ contractual **B** ADV contractually

verträglich ADJ [fɛr'trɛ:klɪç] *Person* easy-going; *Essen* (easily) digestible

Ver'tragshändler(in) M(F) appointed dealer **Ver'tragsverletzungsverfahren** N infringement proceedings *pl* **Ver'tragswerkstatt** F authorized repairers *pl*

ver'trauen VI ⟨*kein ge*⟩ trust (**auf** in)

Ver'trauen N ⟨~s⟩ trust (**zu, in** in); **im ~ (gesagt)** between you and me

ver'trauenerweckend ADJ **(wenig) ~ sein** *od* **aussehen** inspire (little) confidence

Ver'trauensarzt M, **Ver'trauensärztin** F medical examiner **Ver'trauensfrage** F **die ~ stellen** PARL ask for a vote of confidence **Ver'trauenssache** F **das ist ~** it's a matter of trust; *vertraulich* it's a confidential matter **Ver'trauensstellung** F position of trust **ver'trauensvoll** **A** ADJ trusting; *zuversichtlich* confident **B** ADV trustingly; *zuversichtlich* confidently **Ver'trauensvotum** N vote of confidence **ver'trauenswürdig** ADJ trustworthy

ver'traulich **A** ADJ confidential; *plump-vertraulich* familiar **B** ADV *behandeln* confidentially *od* in confidence

Ver'traulichkeit F ⟨~; ~en⟩ confidentiality; familiarity

ver'traut ADJ familiar (**mit** with); *Freund* close (**mit** to); **es ist mir ~** I'm familiar with it; **sich mit etw ~ machen** familiarize o.s. with sth

Ver'trautheit F ⟨~⟩ familiarity; *von Freunden* closeness

ver'treiben VT ⟨*irr, kein ge*⟩ drive* *od* chase away (*a. fig*); *Zeit* pass; *verkaufen* sell*; **~ aus** drive* out of

Ver'treibung F ⟨~; ~en⟩ expulsion (**aus** from)

ver'treten ⟨*irr, kein ge*⟩ **A** VT *Kollegen, Lehrer etc* stand* in for; *Interessen, a.* POL, PARL, WIRTSCH represent; JUR act for, represent; **j-s Sache ~** JUR plead sb's case; **die Ansicht ~, dass** argue that; **sich den Fuß ~** sprain one's ankle; **sich die Beine ~** stretch one's legs **B** VI *von Lehrer* stand* in, take* someone else's class(es)

Ver'treter(in) M ⟨~s; ~⟩ F ⟨~in; ~innen⟩ *Ersatz* stand-in; POL representative; WIRTSCH agent, representative; *Handelsvertreter* sales representative, *US* (traveling) salesman, *weiblich* (traveling) saleswoman; *von Arzt* locum, *US* locum tenens; **der Hohe Vertreter** *EU* the High Representative

Ver'tretung F ⟨~; ~en⟩ *Ersatz* stand-in; *Lehrer* supply teacher, *US* substitute (teacher); *von Interessen, a.* WIRTSCH, POL representation; **die ~ für j-n übernehmen** stand^A in for sb

Ver'trieb M ⟨~(e)s⟩ sale; *Abteilung* sales department

Ver'triebene(r) M/F(M) ⟨~n; ~n⟩ exile

Ver'triebsabteilung F sales department **Ver'triebsleiter(in)** M(F) sales manager **Ver'triebswege** PL distribution channels *pl*

ver'tun VR ⟨*irr, kein ge*⟩ *umg* make* a mistake

ver'übeln VT ⟨*kein ge*⟩ **j-m etw ~** hold* sth against sb

ver'üben VT ⟨*kein ge*⟩ commit

ver'unglücken VI ⟨*kein ge, s*⟩ have* an accident; *fig* go* wrong; **tödlich ~** die in an accident

ver'unreinigen VT ⟨*kein ge*⟩ get* dirty, dirty; *Umwelt, Luft* pollute

ver'unsichern VT ⟨*kein ge*⟩ unsettle

ver'untreuen VT ⟨*kein ge*⟩ embezzle

Ver'untreuung F ⟨~; ~en⟩ embezzlement

ver'ursachen VT ⟨*kein ge*⟩ cause

Ver'ursacherprinzip N "polluter pays" principle

ver'urteilen VT ⟨*kein ge*⟩ condemn (**zu** to); JUR sentence (**zu** to); *schuldig sprechen* convict (**wegen** of)

Ver'urteilung F ⟨~; ~en⟩ condemnation; JUR sentencing; *Schuldigsprechen* conviction

ver'vielfältigen VT ⟨*kein ge*⟩ make* copies of, duplicate

Ver'vielfältigung F ⟨~; ~en⟩ duplication; *Abzug* copy

ver'vollständigen VT ⟨*kein ge*⟩ complete

ver'wählen VR ⟨*kein ge*⟩ dial the wrong number

ver'walten VT ⟨*kein ge*⟩ manage; POL administer

Ver'walter(in) M ⟨~s; ~⟩ F ⟨~in; ~innen⟩ manager; POL administrator

Ver'waltung F ⟨~; ~en⟩ management; POL administration

Ver'waltungs- ZSSGN administrative

Ver'waltungskosten PL administrative costs *pl*

ver'wandeln VT ⟨*kein ge*⟩ transform, change (**in** into); PHYS, CHEM convert (**in** into); **sich ~** change; **sich ~ in** turn *od* change into

Ver'wandlung F transformation, change; PHYS, CHEM conversion

verwandt ADJ [fɛr'vant] related (**mit** to)

Ver'wandte(r) M/F(M) ⟨~n; ~n⟩ relative, relation; **der nächste ~** the next of kin

Ver'wandtschaft F ⟨~; ~en⟩ relationship; *Verwandte* relations *pl*, relatives *pl*

ver'warnen VT ⟨*kein ge*⟩ caution; *beim Fußball* book

Ver'warnung F caution; *beim Fußball* booking

ver'wechseln VT ⟨*kein ge*⟩ mix up, confuse; **~ mit** mistake* for

Ver'wechs(e)lung F ⟨~; ~en⟩ mistake

ver'weigern VT ⟨*kein ge*⟩ refuse; *Befehl* disobey; **j-m s-e Hilfe ~** refuse to help sb; **den Kriegsdienst ~** refuse to do military service

Ver'weigerung F refusal

Verweis M [fɛr'vais] ⟨~es; ~e⟩ reprimand; *im Text* reference (**auf** to)

ver'weisen VT ⟨*irr, kein ge*⟩ refer (**auf, an** to); *hinauswerfen* expel (*gen* from)

ver'wenden VT ⟨*irr, kein ge*⟩ use; *Zeit* spend* (**auf** on)

Ver'wendung F use

ver'werfen VT ⟨*irr, kein ge*⟩ drop, give* up; *ablehnen* reject

ver'werten VT ⟨*kein ge*⟩ use, make* use of

ver'wickelt ADJ *fig* complicated; **in etw ~ sein/werden** be*/get* involved in sth

Ver'wicklung F ⟨~; ~en⟩ *fig* involvement (**in** in); *Komplikation* complication

ver'wirklichen VT ⟨*kein ge*⟩ realize; **sich ~** *Wunsch, Befürchtung etc* come* true; **sich (selbst) ~** fulfil o.s., *US* fulfill

o.s.
Ver'wirklichung F ⟨~; ~en⟩ realization
ver'wirren V/T ⟨*kein ge*⟩ *fig* confuse
ver'wirrt ADJ *fig* confused
Ver'wirrung F ⟨~; ~en⟩ *fig* confusion
ver'witwet ADJ widowed
verwöhnen V/T [fɛr'vø:nən] ⟨*kein ge*⟩ spoil*
ver'wöhnt ADJ spoilt
ver'worren ADJ [fɛr'vɔrən] confused
ver'wundbar ADJ vulnerable (*a. fig*)
ver'wunden V/T ⟨*kein ge*⟩ wound
Ver'wunderung F ⟨~⟩ surprise
Ver'wundete(r) M/F(M) ⟨~n; ~n⟩ wounded person, casualty; **die ~n** *pl* the wounded *pl*
Ver'wundung F ⟨~; ~en⟩ *Wunde* wound
ver'wüsten V/T ⟨*kein ge*⟩ devastate, ravage
Ver'wüstung F ⟨~; ~en⟩ devastation
ver'zählen V/R ⟨*kein ge*⟩ count wrong, miscount
ver'zeichnen V/T ⟨*kein ge*⟩ record; *fig*: *erzielen* achieve; *erleiden* suffer
Ver'zeichnis N ⟨~ses; ~se⟩ *Liste* list; *amtliches* register; *Stichwortverzeichnis* index; IT directory
verzeihen V/T & V/I [fɛr'tsaiən] ⟨verzieh, verziehen⟩ forgive*; **j-m etw ~** forgive* sb for sth
Ver'zeihung F ⟨~⟩ forgiveness; **(j-n) um ~ bitten** apologize (to sb); **~!** (I'm) sorry!; *vor Bitten etc* excuse me!
ver'zerren V/T ⟨*kein ge*⟩ distort (*a. fig*); **sich ~** become* distorted
Ver'zerrung F distortion (*a. fig*)
Verzicht M [fɛr'tsɪçt] ⟨~(e)s; ~e⟩ **der ~ auf etw** doing without sth; *Aufgabe* giving sth up; *förmlich* the renunciation of sth (*a.* JUR)
ver'zichten V/I ⟨*kein ge*⟩ **~ auf** do* without; *aufgeben* give* up; *förmlich* renounce (*a.* JUR); **auf e-e Antwort ~** refrain from answering; **danke, ich verzichte** thanks but no thanks
ver'ziehen ⟨*irr, kein ge*⟩ **A** V/I ⟨s⟩ move (**nach** to) **B** V/T *Kind* spoil*; **das Gesicht ~** make* a face; **er verzog keine Miene** he didn't bat an eyelid; **sich ~** *von Holz* warp; *von Gewitter, Nebel etc* pass; *umg*: *verschwinden* disappear
verzieren V/T [fɛr'tsi:rən] ⟨*kein ge*⟩ decorate
Ver'zierung F ⟨~; ~en⟩ decoration
ver'zinsen ⟨*kein ge*⟩ **A** V/T pay* interest on **B** V/R yield *od* bear* interest
Ver'zinsung F ⟨~; ~en⟩ payment of interest; *Zinssatz* interest rate
ver'zögern V/T ⟨*kein ge*⟩ delay; **sich ~** be* delayed
Ver'zögerung F ⟨~; ~en⟩ delay
ver'zollen V/T ⟨*kein ge*⟩ pay* duty on; **haben Sie etwas zu ~?** do you have anything to declare?
Ver'zug M ⟨~(e)s⟩ delay; **im ~ sein** be* behind (**mit** with); **in ~ geraten** fall* behind (**mit** with)
ver'zweifeln V/I ⟨*kein ge*, s⟩ despair (**an** of)
ver'zweifelt **A** ADJ desperate **B** ADV *suchen, versuchen etc* desperately
Ver'zweiflung F ⟨~⟩ despair; **j-n zur ~ bringen** drive* sb to despair
Veto N ['ve:to] ⟨~s; ~s⟩ veto; **sein ~ gegen etw einlegen** veto sth
'Vetorecht N power of veto
Vetter M ['fɛtər] ⟨~s; ~n⟩ cousin
'Vetternwirtschaft F nepotism
vgl. ABK *für* vergleiche cf., compare
vibrieren V/I [vi'bri:rən] ⟨*kein ge*⟩ vibrate; *von Stimme* quaver
Video N ['vi:deo] ⟨~s; ~s⟩ video (*a. zssgn; Kamera, Kassette etc*); **etw auf ~ aufnehmen** video sth, tape sth
'Videoband N ⟨*pl* Videobänder⟩ videotape **'Videofilm** M video film **'Videogerät** N video recorder, *Br a.* video, *US a.* VCR **'Videokassette** F video cassette **'Videorekorder** M video recorder, *Br a.* video, *US a.* VCR **'Videospiel** N video game **'Videotext** M teletext **Videothek** F [video'te:k] ⟨~; ~en⟩ video shop *od US* store **'Videoüberwachung** F closed circuit television
Vieh N [fi:] ⟨~(e)s⟩ *Nutztiere* livestock; *Rinder* cattle *pl*; **20 Stück ~** 20 head of livestock; *Rinder* 20 head of cattle
'Viehzucht F stockbreeding **'Viehzüchter(in)** M(F) stockbreeder
viel [fi:l] **A** ADJ a lot of, lots of; **~e** *a.* many; **das ~e Geld** all that money; **nicht ~** not much; **nicht ~e** not many; **zu ~** too much; **zu ~e** too many; **sehr ~** a

V

great deal of; **sehr ~e** a great many; **ziemlich ~/~e** quite a lot of **B** ADV *arbeiten etc* a lot; **sehr ~** a great deal; **ziemlich ~** quite a lot; **~ besser** much better; **~ teurer** much more expensive; **~ zu ~** far too much; **~ zu wenig** not nearly enough; **~ lieber** much rather; **~ beschäftigt** very busy **C** PRON a lot; **sie sagt nicht ~** she doesn't say a lot; **~e** a lot; *viele Leute* a lot of people, lots of people

'vieler'lei ADJ ⟨*inv*⟩ all kinds *od* sorts of

'vielfach **A** ADJ multiple **B** ADV *wiederholt* many times; *in vielen Fällen* in many cases; *oft* often; **ein ~ ausgezeichneter Film** a multi-award-winning film

'Vielfache(s) N ⟨~n⟩ multiple; **um ein ~s größer** *etc* many times bigger *etc*

Vielfalt F ['fi:lfalt] ⟨~⟩ great variety (*gen*, **an, von** of); **biologische ~** biodiversity

vielleicht ADV [fi'laiçt] perhaps, maybe; **das war ~ kalt!** it was so cold!

vielmals ADV ['fi:lma:ls] **(ich) danke (Ihnen) ~** thank you very much; **entschuldigen Sie ~** I'm very sorry, I do apologize

vielmehr KONJ [fi:l'me:r *od* 'fi:lme:r] rather

'vielsagend **A** ADJ meaningful **B** ADV *anschauen* meaningfully **'vielseitig** ADJ *Mensch, Gerät* versatile; *abwechslungsreich* varied **'Vielseitigkeit** F ⟨~⟩ versatility **'vielversprechend** ADJ & ADV promising **Viel'völkerstaat** M multiracial state

vier ADJ [fi:r] four; **auf allen ~en** on all fours; **unter ~ Augen** in private, privately

Vier F ⟨~; ~en⟩ four; *Note etwa* D

'Viereck N ⟨~(e)s; ~e⟩ four-sided figure, quadrilateral; *Rechteck* rectangle; *Quadrat* square **'viereckig** ADJ four-sided; *rechteckig* rectangular; *quadratisch* square **'vierfach** **A** ADJ fourfold; **die ~e Menge** four times the amount; **~e Ausfertigung** four copies *pl* **B** ADV fourfold, four times **'viermal** ADV four times **'Vierradantrieb** M four-wheel drive **'vierseitig** ADJ four-sided; MATH *a.* quadrilateral **'Viersitzer** M ⟨~s; ~⟩ four-seater **'vierspurig** ADJ four-lane; **~ sein** have* four lanes

viert ADV [fi:rt] **wir sind zu ~** there are four of us

'Vierte(r) M/F(M) ⟨~n; ~n⟩ fourth

'vierte(r, -s) ADJ fourth

viertel ADJ ['fɪrtəl] ⟨*inv*⟩ **ein ~ Liter** a quarter (of a litre); **~ sechs** a quarter past *od US* after five; **drei ~ sechs** a quarter to *od US* of six

'Viertel N ⟨~s; ~⟩ quarter (*a. Stadtviertel*); **~ vor/nach drei** a quarter to/past *od US* after three

Viertel'jahr N quarter, three months *pl* **'vierteljährlich** **A** ADJ quarterly **B** ADV *erscheinen* every three months, quarterly

'vierteln V/T quarter

Viertel'stunde F quarter of an hour

'viertens ADV fourth(ly)

'vierzehn ADJ fourteen; **~ Tage** *pl* two weeks *pl*, *Br a.* a fortnight *sg*

vierzig ADJ ['fɪrtsɪç] forty

Vietnam N [viɛt'nam] ⟨~s⟩ Vietnam, Viet Nam

Villa F ['vɪla] ⟨-; Villen⟩ villa

violett ADJ [vio'lɛt] purple; *heller* violet

'Virenschutzprogramm N IT antivirus software **'virensicher** ADJ virus-protected

virtuell ADJ [vɪrtu'ɛl] **~e Realität** virtual reality

Virus N *od* M ['vi:rʊs] ⟨~; Viren⟩ *a.* IT virus

'Virusinfektion F MED virus *od* viral infection

Vision F [vizi'o:n] ⟨~; ~en⟩ vision

Visitenkarte F [vi'zi:tən-] (business) card

Visum N ['vi:zʊm] ⟨~s; Visa *od* Visen⟩ visa

vital ADJ [vi'ta:l] vigorous

Vitali'tät F ⟨~⟩ vigour, *US* vigor

Vitamin N [vita'mi:n] ⟨~s; ~e⟩ vitamin

vita'minarm ADJ low in vitamins **vita'minreich** ADJ rich in vitamins **Vita'mintablette** F vitamin pill

Vize- ZSSGN ['fi:tsə-] *Präsident etc* vice-

Vogel M ['fo:gəl] ⟨~s; Vögel⟩ bird; **e-n ~ haben** *umg* be* crazy; **den ~ abschießen** *umg* take* the biscuit

'Vogelfutter N bird food; *Samen* birdseed **'Vogelgrippe** F avian flu, bird flu

vögeln V/T & V/I ['fø:gəln] *vulg* screw

'Vogelperspektive F **etw aus der ~**

V

sehen have* a bird's-eye view of sth **'Vogelschutzgebiet** N bird sanctuary

Volk N [fɔlk] ⟨~(e)s; Völker⟩ *Nation* people *pl*, nation; *ethnische Gruppe* people *sg*; **das ~** *Masse, Leute* the people *pl*

Völkermord M ['fœlkər-] genocide **'Völkerrecht** N international law **'völkerrechtlich** A ADJ under international law; *Thema, Frage* of international law; *Anspruch, Haftung* international; **~er Vertrag** international treaty B ADV *regeln, entscheiden* by international law; *klären* according to international law; *bindend sein* under international law **'Völkerwanderung** F *a. fig* exodus

'Volksabstimmung F referendum **'Volksfest** N festival; *Jahrmarkt* fair **'Volkshochschule** F adult education centre *od US* center; *Kurse* evening classes *pl* **'Volksrepublik** F people's republic; **die ~ China** the People's Republic of China

'volkstümlich ADJ [-ty:mlɪç] popular; *herkömmlich* traditional

'Volkswirt(in) M(F) economist **'Volkswirtschaft** F (national) economy; *Fach* economics *sg* **'Volkswirtschaftslehre** F economics *sg* **'Volkszählung** F census

voll [fɔl] A ADJ full (*a. fig*); *besetzt, umg: satt* full (up); *umg: betrunken* plastered; *Haar* thick; *Wahrheit* whole; **drei ~e Wochen** three whole weeks; **~ von ..., ~(er)** ... full of ...; *Schmutz, Flecken etc* covered with ...; **nicht für ~ nehmen** not take* seriously B ADV fully; *völlig* completely, totally; *zahlen* in full; *direkt, genau* right; **~ und ganz** completely, totally; **~ cool** *sl* really *od* dead cool; **~ entwickelt** fully developed

vollauf ADV ['fɔlʔauf *od* fɔl'ʔauf] completely

'vollautomatisch ADJ fully automatic **'Vollbart** M full beard **'Vollbeschäftigung** F full employment **voll'bringen** V/T ⟨*irr, kein ge*⟩ accomplish, achieve; *Wunder* perform **voll'enden** V/T ⟨*kein ge*⟩ complete, finish **Voll'endung** F ⟨~⟩ completion

'voller ADJ **~ Leute** full of people, crowded; **~ Komplexe stecken** have* a lot of complexes

voll'führen V/T ⟨*kein ge*⟩ perform **'vollfüllen** V/T fill (up)

'Vollgas N **mit ~** at full throttle; **~ geben** *umg* step on it

völlig ['fœlɪç] A ADJ complete, total B ADV completely; **~ unmöglich** absolutely impossible

'volljährig ADJ **~ sein/werden** be*/come* of age; **er ist noch nicht ~** he's still underage **'Volljährigkeit** F ⟨~⟩ majority **'Vollkaskoversicherung** F comprehensive insurance **voll'kommen** A ADJ complete; *perfekt* perfect B ADV completely **Voll'kommenheit** F ⟨~⟩ perfection **'Vollkornbrot** N wholemeal *od US* whole wheat bread; *Laib* wholemeal *od US* whole wheat loaf **'vollmachen** V/T fill (up); **um das Unglück vollzumachen** to crown it all

'Vollmacht F ⟨~; ~en⟩ authority; JUR power of attorney; **~ haben** be* authorized

'Vollmilch F full-cream *od US* whole milk **'Vollmond** M full moon **'Vollpension** F full board

'vollständig A ADJ complete B ADV *zerstört, erhalten etc* completely

voll'strecken V/T ⟨*kein ge*⟩ carry out; *Testament* execute **Voll'streckung** F ⟨~; ~en⟩ carrying out; *von Testament* execution; **~ einer Forderung** enforcement of a claim **Voll'streckungstitel** M JUR enforcement order **'volltanken** V/T **bitte ~** fill it up, please **'Volltext** M IT full text **'Volltextsuche** F IT full text search **'Vollversammlung** F plenary session **'vollwertig** ADJ full **'Vollwertkost** F wholefoods *pl* **'vollzählig** A ADJ complete B ADV **sie sind ~ erschienen** every one of them turned up **'Vollzeitstelle** F full-time position **voll'ziehen** V/T ⟨*irr, kein ge*⟩ carry out; *Trauung* perform; **sich ~** take* place **Voll'ziehung** F, **Voll'zug** M carrying out; *von Trauung* performance

Volontär(in) [volɔn'tɛ:r(ɪn)] M ⟨~s; ~e⟩ (F) ⟨~in; ~innen⟩ trainee

Volt N [vɔlt] ⟨~ *od* ~(e)s; ~⟩ volt

'Voltzahl F voltage

Volumen N [vo'lu:mən] ⟨~s; ~ *od* Volumina⟩ volume

vom PRÄP [fɔm] **~ 1. bis zum 5. Mai** from

V

1st to 5th May; **das kommt ~ vielen Arbeiten** that comes from working too much; **sie hat keine Ahnung ~ Tanzen** she doesn't know the first thing about dancing; → *a.* von

von PRÄP [fɔn] ⟨*dat*⟩ *räumlich, zeitlich* from; *Zugehörigkeit, für Genitiv* of; *Urheber, beim Passiv* by; *über j-n oder etw* about; **südlich ~** south of; **weit ~** far from; **~ rechts/links** from the right/left; **~ Hamburg nach …** from Hamburg to …; **~ morgens bis abends** from morning till night; **~ nun an** from now on; **ein Brief/Geschenk ~ Max** a letter/gift from Max; **drei ~ ihnen** three of them; **ein Freund ~ mir** a friend of mine; **die Freunde ~ Andrea** Andrea's friends; **der König/Bürgermeister ~ …** the King/Mayor of …; **ein Buch/Bild ~ Orwell/Renoir** a book/painting by Orwell/Renoir; **~ wem ist das Buch/der Film?** who's the book/film by?; **ich bin ~ dem Geschrei aufgewacht** I was woken up by the shouting; **müde ~ der Arbeit** tired from work; **es war nett/gemein ~ dir** it was nice/mean of you; **reden/hören ~** talk/hear* about *od* of you; **ein Kind ~ zehn Jahren** a child of ten; **eine Reise ~ drei Tagen** a three-day journey, a journey of three days; **ein Tisch ~ zwei Meter Länge** a two-metre long table; **~ Beruf/Geburt** by profession/birth; **~ selbst** by itself; **~ mir aus können wir gehen** as far as I'm concerned we can go; **~ mir aus** if you like

vonei'nander ADV from each other

vonstattengehen VI [fɔn'ʃtatən-] ⟨*irr, s*⟩ go*

vor PRÄP [fo:r] ⟨*akk od dat*⟩ *räumlich* in front of; *außerhalb* outside; *zeitlich, Reihenfolge* before; *wegen* with; **~ der Klasse** in front of the class; **~ der Schule** in front of *od* outside the school; **sie steht ~ der Tür** she's at the door; **~ j-m liegen** be* ahead of sb (*a. fig*, SPORT); **~ der Schule** before school; **fünf (Minuten) ~ zehn** five (minutes) to ten; **~ einem Jahr/einer Stunde** a year/an hour ago; **ich bin ~ dir dran** I'm before you; **~ Kälte/Angst zittern** tremble with cold/fear; **ich konnte ~ Lachen kaum sprechen** I could hardly talk for laughing; **wo bin ich sicher ~ ihm?** where am I safe from him?; **~ j-m Angst haben** be* afraid of sb; **was geht da ~ sich?** what's going on, what's happening?; **~ sich hin grinsen/singen** grin/sing* to oneself; **~ allem** above all

'Vorabend M evening before; **am ~** (+ *gen*) on the eve of (*a. fig*)

vo'rangehen VI ⟨*irr, s*⟩ go* in front; *fig* lead* the way; *von Projekt, Arbeiten etc* make* progress **vo'rankommen** VI ⟨*irr, s*⟩ get* on; *von Projekt, Arbeiten etc* make* progress

'Voranmeldung F booking, reservation **'Voranschlag** M estimate **'Vorarbeit** F **~ leisten** *fig* pave the way (**für** for) **'vorarbeiten** VI work in advance **'Vorarbeiter(in)** M(F) foreman; *Frau* forewoman

voraus ADV [fo'raus] **j-m ~ sein** *fig* be* ahead of sb; **im Voraus** in advance

vo'rausgehen VI ⟨*irr, s*⟩ **(j-m) ~** go* ahead (of sb); *an der Spitze* go* in front (of sb); **e-r Sache ~** *sich früher ereignen als* precede sth **vo'rausgesetzt** ADJ **~, dass** provided (that), providing (that) **vo'raushaben** VT ⟨*irr*⟩ **j-m etw ~** have* the advantage of sth over sb **Vo'rauskasse** F WIRTSCH cash in advance **Vo'raussage** F prediction; *bei Wetter, Wirtschaft* forecast **vo'raussagen** VT predict; *Wetter, wirtschaftliche Entwicklung a.* forecast* **vo'raussehen** VT ⟨*irr*⟩ foresee*; **es war vorauszusehen(, dass …)** it was to be expected (that …) **vo'raussetzen** VT *annehmen* assume; *erfordern* require; **etw (als selbstverständlich) ~** take* sth for granted **Vo'raussetzung** F ⟨~; ~en⟩ *Vorbedingung* condition; *Annahme* assumption; **die Voraussetzungen erfüllen** meet* the requirements; **unter der ~, dass** on condition that **Vo'raussicht** F ⟨~⟩ foresight; **aller ~ nach** in all probability **vo'raussichtlich** ADV probably **Vo'rauszahlung** F advance payment

'Vorbehalt M ⟨~(e)s; ~e⟩ reservation

'vorbehalten **A** VT ⟨*irr, kein ge*⟩ **sich (das Recht) ~, etw zu tun** reserve the right to do sth **B** ADJ *förmlich* **j-m ~ sein** be* reserved for sb

vor'bei ADV *zeitlich* over; *aus, beendet* finished; *vergangen* gone; *räumlich* past, by; **~ an** past; **jetzt ist alles ~** it's all over now; **~!** *daneben* missed!

vor'beifahren VI ⟨*irr*, s⟩ go* *od* drive* past, pass (**an j-m/etw** sb/sth) **vor'beigehen** VI ⟨*irr*, s⟩ go* *od* walk past, pass (**an j-m/etw** sb/sth); *fig: von Leid etc* pass; *nicht treffen* miss **vor'beikommen** VI ⟨*irr*, s⟩ pass (**an etw** sth); *an e-m Hindernis* get* past (**an etw** sth); *umg: besuchen* drop in (**bei j-m** on sb) **vor'beilassen** VT ⟨*irr*⟩ **j-n ~** let* sb past

'Vorbemerkung F preliminary remark

'vorbereiten VT & VR ⟨*kein ge*⟩ prepare (**auf** for) **'Vorbereitung** F ⟨~; ~en⟩ preparation (**auf** for) **'vorbestellen** VT ⟨*kein ge*⟩ book in advance; *Tisch, Platz, Zimmer, Karten etc a.* reserve; *Waren* order in advance **'Vorbestellung** F advance booking; *von Tisch, Platz, Zimmer, Karten etc a.* reservation; *von Waren* advance order **'vorbestraft** ADJ **~ sein** have* a criminal record

'vorbeugen **A** VT *Kopf, Oberkörper* bend* forward (*a.* **sich ~**) **B** VI **einer Sache ~** prevent sth **'vorbeugend** ADJ preventive **'Vorbeugung** F prevention

'Vorbild N model; **j-m ein ~ sein** be* an example to sb; **sich j-n zum ~ nehmen** follow sb's example **'Vorbildfunktion** F **e-e ~ haben** be* a role model **'vorbildlich** **A** ADJ exemplary **B** ADV **sich ~ verhalten** behave in an exemplary fashion

'Vorbildung F previous knowledge; *Erfahrung* previous experience; *schulische* educational background

'vorbringen VT ⟨*irr*⟩ *Angelegenheit* bring* forward; *Beweis* produce; *Wunsch, Forderungen* express; *sagen* say*

'vordatieren VT ⟨*kein ge*⟩ postdate

'Vorder- ZSSGN *Ansicht, Rad, Tür, Zahn* front

vordere(r, -s) ADJ ['fɔrdərə] front

'Vordergrund M foreground (*a. fig*); **im ~ stehen** *Thema etc* be* to the fore

'Vorderseite F front; *von Münze* head

'vordränge(l)n VR *in e-r Schlange* push in **'vordringen** VI ⟨*irr*, s⟩ advance; **~ (bis) zu** work one's way through to (*a. fig*) **'vordringlich** **A** ADJ urgent **B** ADV **etw ~ behandeln** give* sth priority

'Vordruck M ⟨*pl* ~e⟩ form, *US a.* blank

'voreilig **A** ADJ hasty, rash; **~e Schlüsse ziehen** jump to conclusions **B** ADV *handeln etc* hastily

vorei'nander ADV **sie haben Angst ~** they're afraid of each other

'voreingenommen ADJ prejudiced, biased

'Voreingenommenheit F ⟨~⟩ prejudice, bias

'vorenthalten VT ⟨*irr, kein ge*⟩ **j-m etw ~** keep* sth (back) from sb, withhold* sth from sb

'Vorentscheidung F preliminary decision

'vorerst ADV for the time being

Vorfahr(in) ['fo:rfa:r(ɪn)] M ⟨~en; ~en⟩ (F) ⟨~in; ~innen⟩ ancestor

'vorfahren VI ⟨*irr*, s⟩ drive* up (**vor** to); *weiter* drive* on (**bis zu** to); *nach vorne* drive* forward

'Vorfahrt F right of way, priority; **j-m die ~ nehmen** fail to give way to sb **'Vorfahrt(s)schild** N right-of-way sign **'Vorfahrt(s)straße** F priority road

'Vorfall M incident, occurrence

'vorfallen VI ⟨*irr*, s⟩ happen, occur

'vorführen VT *Film, Mode* show*; *Theaterstück, Kunststück* perform; *Gerät, Methode etc* demonstrate (**j-m** to sb)

'Vorführung F *von Film* showing; *von Theaterstück etc* performance; *von Gerät, Methode* demonstration

'Vorgang M event, occurrence; *Akte* file; BIOL, TECH process; **den ~ schildern** give* an account of what happened

Vorgänger(in) ['fo:rgɛŋər(ɪn)] M ⟨~s; ~⟩ (F) ⟨~in; ~innen⟩ predecessor **'vorgefertigt** ADJ prefabricated; *Meinung* preconceived

'vorgehen VI ⟨*irr*, s⟩ *nach vorn gehen* go* forward; *umg: früher gehen* go* on ahead; *geschehen* go* on; *wichtiger sein* come* first; *handeln* act; *verfahren* proceed; *von Uhr* be* fast; **gegen j-n ~** JUR take* legal action against sb; *Polizei* take* tough action against sb

'Vorgehen N ⟨~s⟩ action (**gegen** against) **'Vorgeschmack** M foretaste (**auf, von** of) **'Vorgesetzte(r)** M/F(M) ⟨~n; ~n⟩ superior **'vorgestern** ADV the day before yesterday **'vorgreifen**

VI ⟨irr⟩ anticipate
'vorhaben VT ⟨irr⟩ plan; **~, etw zu tun** intend *od* plan to do sth; **hast du heute Abend schon was vor?** have you got anything on tonight?; **was hat er jetzt wieder vor?** what's he up to now?
'Vorhaben N ⟨~s; ~⟩ plan **'vorhalten** ⟨irr⟩ **A** VI last **B** VT **j-m etw ~** hold* sth in front of sb; *fig* reproach sb with sth **'Vorhaltungen** PL reproaches *pl*; **j-m ~ machen** reproach sb (**wegen etw** with sth)
vorhanden ADJ [fo:r'handən] *verfügbar* available; *bestehend* existing; **~ sein** *bestehen* exist; **es ist nichts mehr ~** there's nothing left **Vor'handensein** N ⟨~s⟩ existence
'Vorhang M curtain
'Vorhängeschloss N padlock
'vorher ADV before; *im Voraus* in advance, beforehand
vor'hergehen VI ⟨irr, s⟩ precede
vor'herig ADJ previous
'Vorherrschaft F predominance **'vorherrschen** VI predominate, prevail **'vorherrschend** ADJ predominant, prevailing
Vor'hersage F prediction; *bei Wetter, Wirtschaft* forecast **vor'hersagen** VT predict; *Wetter, wirtschaftliche Entwicklung* forecast* **vor'hersehbar** ADJ foreseeable
vorhin ADV ['fo:rhın *od* fo:r'hın] just now, a little while ago
vorig ADJ ['fo:rıç] last; *früher* previous; **~e Woche** last week
'vorinstalliert ADJ pre-installed **'vorjährig** ADJ **das vorjährige Treffen** *etc* the previous year's meeting *etc* **'Vorkaufsrecht** N right of first refusal
Vorkehrungen PL ['fo:rke:ruŋən] **~ treffen** take* precautions *pl*
'Vorkenntnisse PL previous knowledge *sg* (**in** of); *Erfahrung* previous experience *sg* (**in** of)
'vorkommen VI ⟨irr, s⟩ *existieren* be* found; *geschehen* happen; **es kommt mir komisch vor** it seems strange to me; **sich dumm** *etc* **~** feel* stupid *etc*
'Vorkommen N ⟨~s; ~⟩ *von Bodenschätzen* deposit; *Vorhandensein* occurrence
'Vorkommnis N ⟨~ses; ~se⟩ incident, occurrence
'Vorkriegs- ZSSGN prewar
'vorladen VT ⟨irr⟩ summon
'Vorladung F summons
'Vorlage F *Muster* pattern; *Unterbreitung* presentation; PARL bill; **etw als ~ nehmen** copy from sth
'vorlassen VT ⟨irr⟩ **j-n ~** let* sb go first; *vorbei* let* sb past **'Vorläufer(in)** M(F) forerunner **'vorläufig** **A** ADJ provisional, temporary **B** ADV for the time being **'vorlegen** VT present; *Unterlagen, Zeugnisse* produce; *zeigen* show* **'Vorleger** M ⟨~s; ~⟩ rug; *Matte* mat
'vorlesen VT ⟨irr⟩ read* out; **j-m etw ~** read* sth (out) to sb
'Vorlesung F lecture (**über** on; **vor** to); **e-e ~ halten** (give* a) lecture
'vorletzte(r, -s) ADJ last but one; **~ Nacht/Woche** the night/week before last; **am ~n Sonntag** (on) the Sunday before last
'Vorliebe F preference
vor'liebnehmen VI ⟨irr⟩ **mit etw ~** make* do with sth
'vorliegen VI ⟨irr⟩ **es liegen (keine) … vor** there are (no) …; **was liegt gegen ihn vor?** what is he charged with? **'vorliegend** ADJ present
'vormachen VT **kannst du es mir ~?** can you show me how to do it?; **j-m etwas ~** *zur Täuschung* fool sb
'Vormachtstellung F supremacy
'Vormarsch M MIL advance (*a. fig*)
'vormerken VT make* a note of; **j-n ~** put* sb's name down **'Vormittag** M morning; **heute ~** this morning; **am ~** in the morning **'vormittags** ADV in the morning; **sonntags ~** on Sunday mornings **'Vormund** M ⟨~(e)s; ~e *od* Vormünder⟩ guardian **'Vormundschaft** F ⟨~; ~en⟩ guardianship
vorn(e) ADV ['fɔrn(e)] in front; **nach ~** forward; **von ~** from the front; *zeitlich* from the beginning; **j-n von ~ sehen** see* sb's face; **noch einmal von ~ anfangen** start all over again
'Vorname M first name
vornehm ['fo:rne:m] **A** ADJ distinguished; *fein, teuer etc* elegant, smart; *edel, adlig* noble; **die ~e Gesellschaft** (high) society **B** ADV *wohnen, gekleidet* elegantly; **~ tun** put* on airs

'vornehmen VT ⟨irr⟩ *ausführen* carry out; *Änderungen* make*; **sich etw ~** *Aufgabe etc* tackle sth; **sich ~, etw zu tun** decide *od* resolve to do sth; **sich fest vorgenommen haben, etw zu tun** be* determined to do sth; **sich j-n ~** take* sb to task (**wegen** about, for)

'Vorort M suburb

Vor-'Ort-Service M on-site service

'Vorort(s)zug M local train

'Vorprogramm N supporting programme *od US* program

'vorprogrammieren VT ⟨*kein ge*⟩ preprogramme, *US* preprogram; **das war vorprogrammiert** *fig* that was bound to happen

'Vorrang M precedence, priority (**vor** over); *österr*: AUTO right of way

'vorrangig **A** ADJ high-priority **B** ADV *behandeln* as a priority

Vorrat M ['fo:rra:t] ⟨~(e)s; Vorräte⟩ supply, stock (**an** of); *Rohstoffe* resources *pl*, reserves *pl*; **e-n ~ an etw anlegen** stock up on *od* with sth

vorrätig ADJ ['fo:rrɛ:tɪç] in stock; *verfügbar* available

'Vorrecht N privilege **'Vorredner(in)** M(F) previous speaker **'Vorrichtung** F device **'Vorruhestand** M early retirement; **in den ~ treten** take* early retirement **'Vorsaison** F low season **'Vorsatz** M resolution; *Absicht* intention; JUR intent

'vorsätzlich ['fo:rzɛtslɪç] **A** ADJ deliberate; JUR wilful, *US* willful **B** ADV *lügen etc* deliberately; JUR wilfully, *US* willfully

'Vorschau F preview (**auf** of)

'Vorschein M **etw zum ~ bringen** produce sth; *fig* bring* sth to light; **zum ~ kommen** appear; *fig* come* to light

'vorschießen VT ⟨*irr*⟩ *Geldbetrag* advance **'Vorschlag** M suggestion, proposal **'vorschlagen** VT ⟨*irr*⟩ suggest, propose

'vorschnell **A** ADJ hasty, rash **B** ADV *handeln etc* hastily

'vorschreiben VT ⟨*irr*⟩ *fig* prescribe; **j-m ~, was/wie ...** tell* sb what/how ...; **ich lasse mir nichts ~** I won't be dictated to

'Vorschrift F rule, regulation; *Anweisung* instruction; **Dienst nach ~ machen** work to rule

'vorschriftsmäßig **A** ADJ correct **B** ADV *kleiden, durchführen etc* correctly **'vorschriftswidrig** ADJ & ADV contrary to regulations; **~es Parken** illegal parking

'Vorschuss M advance

'vorsehen VT ⟨*irr*⟩ plan; JUR provide for; **j-n für etw ~** have* sb in mind for sth; **sich ~** watch out (**vor** for)

'vorsetzen VT **j-m etw ~** *anbieten* offer sb sth; *fig* serve sth up to sb

'Vorsicht F ⟨~⟩ care; **~!** look *od* watch out!, (be) careful!; **~, Glas!** glass, with care; **~, Stufe!** mind the step

'vorsichtig **A** ADJ careful **B** ADV *fahren etc* carefully

'vorsichtshalber ADV to be on the safe side **'Vorsichtsmaßnahme** F precaution

'Vorsitz M chair(manship); *in der EU* presidency; **den ~ haben** be* in the chair, preside (**bei** over, at); **~ des Rates der Union** *EU* presidency of the Council of the European Union; **den ~ führen** POL hold* the presidency **'Vorsitzende(r)** M/F(M) ⟨~n; ~n⟩ chair(person); *Mann a.* chairman; *Frau a.* chairwoman **'Vorsorge** F precaution; **~ treffen** take* precautions **'vorsorgen** VI make* provision, provide (*beide*: **für** for) **'Vorsorgeprinzip** N precautionary principle **'Vorsorgeuntersuchung** F checkup

'vorsorglich **A** ADJ precautionary **B** ADV as a precaution; **~ mehr Geld mitnehmen** take* more money to be on the safe side

'Vorspeise F starter **'Vorspieg(e)lung** F ⟨~; ~en⟩ **unter ~ falscher Tatsachen** under false pretences *od US* pretenses

'vorsprechen ⟨*irr*⟩ **A** VT *Wort, Satz etc* say* (**j-m** for sb) **B** VI call (**bei** on); *bei Einstellung* audition

'Vorsprung M SPORT lead; ARCH projection; **e-n ~ haben** be* leading (**von** by); **e-n ~ von zwei Jahren haben** be* two years ahead

'Vorstadt F suburb

'Vorstand M *von Betrieb* board (of directors); *von Verein* committee

'Vorstandsetage F executive floor

'vorstehen VI ⟨*irr*⟩ protrude, stick*

V

out; *e-r Organisation etc* be* the head of, head; **~de Zähne** protruding teeth
'vorstellen VT *bekannt machen* introduce (**j-n j-m** sb to sb); *Uhr* put* forward (**um** by); **sich ~** *bekannt machen* introduce o.s. (**j-m** to sb); **sich ~ bei** *Firma etc* have* an interview with; **sich etw ~** imagine sth; **so stelle ich mir ... vor** that's my idea of ...; **kannst du dir etwas darunter ~?** does that mean anything to you?
'Vorstellung F THEAT performance; *im Kino* showing; *Idee* idea; *Erwartung* expectation; *Bekanntmachen* introduction; *Vorstellungsgespräch* interview
'Vorstellungsgespräch N interview
'Vorstoß M MIL advance; *Versuch* attempt **'Vorstrafe** F previous conviction **'vorstrecken** VT *Geld* advance **'Vorstufe** F preliminary stage **'vortäuschen** VT feign; **j-m ~, dass** pretend that
'Vorteil M advantage (*a.* SPORT); **die ~e und Nachteile** the pros and cons, the advantages and disadvantages
'vorteilhaft ADJ advantageous (**für** to); *Kleid, Farbe etc* flattering
Vortrag M ['fo:rtra:k] ⟨~(e)s; Vorträge⟩ talk; *akademischer* lecture; MUS, *Gedichtvortrag* recital; **e-n ~ halten** give* a talk (**über** about) **'vortragen** VT ⟨*irr*⟩ MUS perform; *Gedicht* recite; *berichten über* present; *äußern* express
vo'rübergehend **A** ADJ temporary **B** ADV *schließen, inhaftieren* temporarily
'Voruntersuchung F JUR, MED preliminary examination **'Vorurteil** N prejudice **'vorurteilslos** ADJ unprejudiced, unbiased **'Vorverkauf** M advance booking; **Karten im ~ besorgen** buy* tickets in advance **'Vorverkaufsstelle** F advance booking office
'vorverlegen VT ⟨*kein ge*⟩ *zeitlich* bring* forward (**um** by) **'Vorwahl** F TEL dialling code, *US* area code; POL preliminary election, *US* primary **'Vorwand** M ⟨~(e)s; Vorwände⟩ pretext, excuse
vorwärts ADV ['fo:rvɛrts] forward; **~!** let's go!
'vorwärtskommen VI ⟨*irr*, s⟩ make* headway (*a. fig*); *im Leben, Beruf* get* on
vor'wegnehmen VT ⟨*irr*⟩ anticipate
'vorweisen VT ⟨*irr*⟩ produce, show*; **etw ~ können** *Fähigkeiten* possess sth
'vorwerfen VT ⟨*irr*⟩ **j-m etw ~** reproach sb with sth
'vorwiegend ADV predominantly, chiefly
'Vorwort N ⟨*pl* ~e⟩ preface, foreword
'Vorwurf M reproach; **j-m Vorwürfe machen** reproach sb (**wegen** for)
'vorwurfsvoll **A** ADJ reproachful **B** ADV *sagen, anblicken* reproachfully
'Vorzeichen N omen, sign; MATH sign
'vorzeigen VT show*; *Karte etc a.* produce
'vorzeitig **A** ADJ early; *Altern* premature **B** ADV early; *altern* prematurely
'vorziehen VT ⟨*irr*⟩ *bevorzugen* prefer (*dat* to); *Vorhänge* draw*; **j-n ~** *bevorzugt behandeln* favour *od US* favor sb
'Vorzimmer N anteroom; *Büro* outer office **'Vorzimmerdame** F receptionist
'Vorzug M *Vorteil* advantage; *gute Eigenschaft* merit; **e-r Sache den ~ geben** give* preference to sth
vorzüglich [fo:r'tsy:klɪç] **A** ADJ excellent **B** ADV excellently; **sie kocht ~** she's an excellent cook
'vorzugsweise ADV preferably
Votum N ['vo:tʊm] ⟨~s; Voten *od* Vota⟩ vote
vulgär ADJ [vʊl'gɛ:r] vulgar
Vulkan M [vʊl'ka:n] ⟨~s; ~e⟩ volcano
vul'kanisch ADJ volcanic

W

W[1] N [ve:] ⟨~; ~⟩ W
W[2] ABK *für* West(en) W, west; *abk für* Watt W, watt(s)
Waage F ['va:gə] ⟨~; ~n⟩ scales *pl*, *US* scale *sg*; *Feinwaage* balance; ASTROL Libra; **e-e ~** a pair of scales
'waag(e)recht **A** ADJ horizontal; *im Kreuzworträtsel* across **B** ADV *liegen etc* horizontally
wach ADJ [vax] awake; **~ werden** wake*

(up); *fig* awake*
Wache F ['vaxə] ⟨~; ~n⟩ guard (*a.* MIL); *Posten a.* sentry; SCHIFF, *Krankenwache* watch; *Polizeiwache* (police) station; **~ halten** keep* watch
'wachen V/I (keep*) watch (**über** over)
'Wachmann M ⟨*pl* Wachmänner *od* Wachleute⟩ watchman
'wachrütteln V/T rouse
Wachs N [vaks] ⟨~es; ~e⟩ wax (*a. zssgn; Figur etc*)
'wachsam **A** ADJ watchful, vigilant **B** ADV *beobachten, aufpassen* vigilantly
'Wachsamkeit F ⟨~⟩ watchfulness, vigilance
wachsen[1] V/I ['vaksən] ⟨wuchs, gewachsen, s⟩ grow*; **sich e-n Bart ~ lassen** grow* a beard
'wachsen[2] V/T *mit Wachs* wax
'Wachstum N ⟨~s⟩ growth
'Wachstumsrate F WIRTSCH growth rate
Wächter(in) ['vɛçtər(ɪn)] M ⟨~s; ~⟩ (F) ⟨~in; ~innen⟩ guard; *auf Parkplatz, in Museum* attendant
'wack(e)lig ADJ ['vak(ə)lɪç] wobbly; *Zahn, Schraube* loose; *fig* shaky
'Wackelkontakt M loose contact
'wackeln V/I ['vakəln] *von Tisch, Leiter etc* be* wobbly; *von Zahn, Schraube* be* loose; *von Haus, Wänden* shake*; *fig* be* shaky; **mit den Hüften ~** wiggle one's hips; **mit dem Kopf ~** waggle one's head; **mit dem Schwanz ~** wag its tail
Wade F ['va:də] ⟨~; ~n⟩ calf
Waffe F ['vafə] ⟨~; ~n⟩ weapon (*a. fig*); **~n** *pl* weapons *pl*; MIL arms *pl*
'Waffengewalt F **mit ~** by force of arms **'Waffenschein** M gun licence *od US* license **'Waffenstillstand** M armistice (*a. fig*); *zeitweiliger* truce
'wagen V/T risk; **(es) ~, etw zu tun** dare to do sth; **sich aus dem Haus** *etc* **~** venture out of the house *etc*
Wagen M ['va:gən] ⟨~s; ~⟩ *Auto* car; *Eisenbahnwagen, Straßenbahnwagen* carriage, *US* car; *Pferdewagen* cart
'Wagenheber M ⟨~s; ~⟩ jack
Waggon M [va'gɔ̃:] ⟨~s; ~s⟩ carriage, *US* car; *Güterwaggon* goods wagon, *US* freight car
'waghalsig ADJ reckless
Wagnis N ['va:knɪs] ⟨~ses; ~se⟩ venture, risk
'Wagniskapital N venture capital
Wahl F [va:l] ⟨~; ~en⟩ choice; *andere* alternative; *Auslese* selection; POL election; *Wahlvorgang* voting, poll; *Abstimmung* vote; **s-e ~ treffen** make* one's choice; **keine (andere) ~ haben** have* no choice *od* alternative; **zur ~ gehen** vote
'Wahlbeobachter(in) M(F) election observer **'wahlberechtigt** ADJ entitled to vote **'Wahlbeteiligung** F (voter) turnout **'Wahlbezirk** M electoral district
wählen V/T & V/I ['vɛ:lən] choose*; *auswählen* pick, select; *Stimme abgeben* vote; *in ein Amt* elect; TEL dial; **j-n/e-e Partei ~** vote for sb/a party
'Wähler(in) M ⟨~s; ~⟩ (F) ⟨~in; ~innen⟩ voter
'Wahlergebnis N election result
'wählerisch ADJ choosy (**in** about)
'Wählerschaft F ⟨~⟩ electorate, voters *pl*
'Wahlgang M ballot; **im ersten ~** in the first ballot **'Wahlkabine** F polling booth **'Wahlkampf** M election campaign **'Wahlkreis** M constituency **'Wahllokal** N polling station *od US* place **'wahllos** ADV indiscriminately **'Wahlprogramm** N election platform **'Wahlrecht** N right to vote; **aktives/passives ~** right to vote/right to stand **'Wahlrede** F election speech
'Wählscheibe F TEL dial
'Wahlurne F ballot box **'Wahlverfahren** N electoral procedure **'Wahlversammlung** F election rally **'Wahlzettel** M ballot paper
Wahn M [va:n] ⟨~(e)s⟩ delusion; *Besessenheit* mania
'Wahnsinn M madness (*a. fig*), insanity; **~!** incredible!
'wahnsinnig **A** ADJ mad (*a. fig*), insane; *umg*: *Angst etc* incredible **B** ADV *umg*: *sehr* incredibly; *verliebt* madly
'Wahnsinnige(r) M/F(M) ⟨~n; ~n⟩ lunatic; *Mann a.* madman; *Frau a.* madwoman
'Wahnvorstellung F delusion, hallucination
wahr ADJ [va:r] true; *wirklich* real; *echt* genuine; **sie ist schlau, nicht ~?** she's clever, isn't she?; **sie sind aus Rom, nicht ~?** they're from Rome, aren't

they?
wahren VT ['va:rən] *Interessen, Rechte* protect; **den Schein ~** keep* up appearances
während ['vɛ:rənt] **A** PRÄP ⟨*gen*⟩ during **B** KONJ while; *bei Gegensatz a.* whereas
'wahrhaben VT ⟨*nur inf*⟩ **er wollte es nicht ~** he didn't want to accept it
'Wahrheit F ⟨~; ~en⟩ truth
'wahrheitsgemäß **A** ADJ truthful **B** ADV *berichten, darstellen etc* truthfully
'wahrnehmbar ADJ noticeable, perceptible **'wahrnehmen** VT ⟨*irr*⟩ *Geräusch, Lichtschein etc* notice, perceive; *Gelegenheit, Vorteil* seize, take*; *Interessen* look after **'Wahrnehmung** F ⟨~; ~en⟩ *mit den Sinnen* perception
wahr'scheinlich **A** ADJ probable, likely **B** ADV probably; **~ gewinnt er (nicht)** he's (not) likely to win
Wahr'scheinlichkeit F ⟨~; ~en⟩ probability, likelihood; **aller ~ nach** in all probability *od* likelihood
Währung F ['vɛ:rʊŋ] ⟨~; ~en⟩ currency
'Währungs- ZSSGN *Politik etc* monetary
'Währungseinheit F currency unit **'Währungsfonds** M monetary fund **'Währungsordnung** F monetary system **'Währungspolitik** F monetary policy **'Währungsreform** F currency reform **'Währungsschlange** F currency snake **'Währungssystem** N monetary system **'Währungsumstellung** F currency conversion **'Währungsunion** F monetary union
'Wahrzeichen N symbol
Waise F ['vaizə] ⟨~; ~n⟩ orphan
Wal M [va:l] ⟨~(e)s; ~e⟩ whale
Wald M [valt] ⟨~(e)s; Wälder⟩ wood; *größer* forest
'Waldbrand M forest fire **'Waldsterben** N ⟨~s⟩ disappearance of forests
Waliser M [va'li:zər] ⟨~s; ~⟩ Welshman; **er ist ~** he's Welsh; **die ~** *pl* the Welsh *pl*
Wa'liserin F ⟨~; ~nen⟩ Welshwoman; **sie ist ~** she's Welsh
wa'lisisch ADJ, **Wa'lisisch** N Welsh; → englisch
Walkman® M ['vo:kmɛn] ⟨~s; ~s *od* Walkmen®⟩ Walkman®, personal stereo
'Wallfahrt F pilgrimage
Walnuss F ['valnʊs] walnut
Walze F ['valtsə] ⟨~; ~n⟩ roller (*a. Straßenwalze, von Druckmaschine*)
wälzen VT ['vɛltsən] roll; **ein Problem ~** turn a problem over in one's mind; **sich ~** *von Person* roll around; *im Bett* toss and turn
Walzer M ['valtsər] ⟨~s; ~⟩ waltz; **~ tanzen** waltz
Wand F [vant] ⟨~; Wände⟩ wall; *fig* barrier
Wandel M ['vandəl] ⟨~s⟩ change
'Wanderer M ⟨~s; ~⟩, **'Wanderin** F ⟨~; ~nen⟩ hiker
wandern VI ['vandərn] ⟨s⟩ *zur Erholung* walk, hike; *umherstreifen, a. fig: von Blick, Gedanken* wander
'Wanderung F ⟨~; ~en⟩ walk, hike; *von Tieren, Vögeln, Völkern* migration
'Wandkalender M wall calendar
'Wandlung F ⟨~; ~en⟩ change
Wange F ['vaŋə] ⟨~; ~n⟩ cheek
wanken VI ['vaŋkən] ⟨h *od mit Bewegung* s⟩ *von Person* stagger, reel; *von Boden* rock
wann ADV [van] when; **seit ~ ist er da?** how long has he been here?; **bis ~ bleibst du?** how long are you staying?, when are you staying until?
Wanne F ['vanə] ⟨~; ~n⟩ tub; *Badewanne* bath(tub)
Wanze F ['vantsə] ⟨~; ~n⟩ *Tier, umg: Abhörgerät* bug
Wappen N ['vapən] ⟨~s; ~⟩ (coat of) arms *pl*
wappnen V/R ['vapnən] *fig* arm o.s. (**mit** with; **gegen** against)
Ware F ['va:rə] ⟨~; ~n⟩ *koll* goods *pl*; *Artikel* article; *Produkt* product; **~n** *pl* goods *pl*
'Warenangebot N range of goods **'Warenhaus** N department store **'Warenlager** N stock; *Gebäude* warehouse **'Warenprobe** F sample **'Warensendung** F consignment of goods; *Post* trade sample **'Warentest** M product test **'Warenverkehr** M movement of goods **'Warenzeichen** N trademark
warm [varm] ⟨wärmer, wärmste⟩ **A** ADJ warm (*a. fig*); *Essen, Getränk* hot; **mir ist ~** I'm warm; **schön ~** nice and warm; **etw ~ halten/stellen** keep* sth

warm; **etw ~ machen** warm sth up **B** ADV *sich anziehen* warmly; **~ essen** have* a hot meal

Wärme F ['vɛrmə] ⟨~⟩ warmth; PHYS heat

'Wärmeisolierung F heat insulation

'Wärmflasche F hot-water bottle

'warmherzig ADJ warmhearted

'Warmmiete F rent including heating

Warm'wasserversorgung F hot-water supply

'Warnblinkanlage F AUTO hazard warning lights *pl* **'Warndreieck** N warning triangle

'warnen V/T ['varnən] warn (**vor** about); **j-n davor ~, etw zu tun** warn sb not to do sth

'Warnschild N warning sign **'Warnsignal** N warning signal **'Warnstreik** M token strike

'Warnung F ⟨~; ~en⟩ warning

Warschau N ['varʃau] ⟨~s⟩ Warsaw

'Warteliste F waiting list

warten[1] V/I ['vartən] wait (**auf** for); **j-n ~ lassen** keep* sb waiting

'warten[2] V/T TECH service

Wärter(in) ['vɛrtər(ɪn)] M ⟨~s; ~⟩ (F) ⟨~in; ~innen⟩ *im Museum* attendant; *im Zoo* keeper; *im Gefängnis* prison guard, *Br a.* warder

'Wartesaal M waiting room **'Warteschlange** F queue, *US* line **'Wartezimmer** N waiting room

'Wartung F ⟨~; ~en⟩ servicing

warum ADV [va'rʊm] why

was [vas] **A** INT PR what; **~?** *überrascht etc, wie bitte?* what?; **~ ist?** what is it?, what's up?; **~ gibt's?** what is it?, what's up?; *zu essen* what's for lunch/dinner *etc*?; **~ soll's?** so what?; **~ kostet das?** how much is it?; **~ weiß ich?** how should I know?; **~ für ein Auto ist das?** what kind *od* sort of (a) car is that?; **~ für eine Farbe/Größe?** what colour *od US* color/size?; **~ für ein Unsinn/e-e gute Idee!** what nonsense/a good idea! **B** REL PR what; **~ (auch) immer** whatever; **alles, ~ ich habe/brauche** all I have/need; **das Beste, ~ ich kenne** the best I know; **…, ~ mich ärgerte …**, which annoyed me **C** INDEF PR *umg* something; **soll ich dir ~ mitbringen?** do you want me to bring you anything?; → etwas

'Waschanlage F car wash **'waschbar** ADJ washable **'Waschbecken** N washbasin, *US a.* washbowl

Wäsche F ['vɛʃə] ⟨~; ~n⟩ washing, laundry; *Bettwäsche, Tischwäsche* linen; *Unterwäsche* underwear; **in der ~** in the wash

'Wäscheklammer F clothes peg, *US* clothespin **'Wäscheleine** F clothesline

'waschen V/T & V/R ['vaʃən] ⟨wusch, gewaschen⟩ wash; **sich die Haare/Hände ~** wash one's hair/hands; **Wäsche ~** do* the laundry

Wäsche'rei F ⟨~; ~en⟩ laundry; *Waschsalon* laund(e)rette, *US* laundromat®

'Wäschetrockner M (tumble-)dryer; *Wäscheständer* clotheshorse

'Waschlappen M flannel, facecloth, *US* washcloth **'Waschmaschine** F washing machine, *US a.* washer **'waschmaschinenfest** ADJ machine-washable **'Waschpulver** N washing powder **'Waschraum** M washroom **'Waschsalon** M laund(e)rette, *US* laundromat **'Waschstraße** F car wash

Wasser N ['vasər] ⟨~s; ~⟩ water; **mir läuft das ~ im Mund zusammen** my mouth's watering

'Wasserdampf M steam **'wasserdicht** ADJ waterproof; SCHIFF watertight (*a. fig*) **'Wasserhahn** M tap, *US a.* faucet

wäss(e)rig ADJ ['vɛs(ə)rɪç] watery; **j-m den Mund ~ machen** make* sb's mouth water

'Wasserkessel M kettle **'Wasserkraft** F water power **'Wasserkraftwerk** N hydroelectric power station **'Wasserlauf** M watercourse **'Wasserleitung** F water pipe; *Rohrsystem* water pipes *pl* **'Wassermangel** M water shortage **'Wassermann** M ⟨*pl* Wassermänner⟩ ASTROL Aquarius **'Wasserrohr** N water pipe **'Wasserspiegel** M water level **'Wassersport** M water sport; KOLL water sports *pl* **'Wasserspülung** F flush; **Toilette mit ~** flush toilet **'Wasserstand** M water level **'Wasserstandsanzeiger** M water gauge *od US a.* gage **'Wasserstoff** M hydrogen **'Wasserstrahl** M jet of water **'Wasserstra-**

ße F waterway **'Wasserverschmutzung** F water pollution **'Wasserversorgung** F water supply **'Wasserwaage** F spirit level, *US a.* level **'Wasserweg** M **auf dem ~** by water **'Wasserwerfer** M ⟨~s; ~⟩ water cannon **'Wasserwerk** N, **Wasserwerke** PL waterworks *sg od pl* **'Wasserzeichen** N watermark

waten V/I ['va:tən] ⟨s⟩ wade

Watt N [vat] ⟨~s; ~⟩ ELEK watt

Watte F ['vatə] ⟨~; ~n⟩ cotton wool, *US* absorbent cotton

'Wattestäbchen N cotton bud, *US* Q-tip®

WC N [ve:'tse:] ⟨~(s); ~(s)⟩ WC

Web N [vɛp] ⟨~(s)⟩ Web; **im ~ surfen** surf the Web

'Webadresse F web address

weben V/I & V/I ['ve:bən] ⟨webte *od geh* wob, gewoben⟩ weave*

'Webseite F web page **'Website** F [-sait] ⟨~; ~s⟩ website

Wechsel M ['vɛksəl] ⟨~s; ~⟩ change; *Geldwechsel* exchange; *Bankwechsel* bill of exchange

'Wechselgeld N change **'wechselhaft** ADJ changeable **'Wechseljahre** PL menopause *sg* **'Wechselkurs** M exchange rate **'Wechselkursmechanismus** M exchange rate mechanism **'Wechselkursrisiko** N exchange risk **'Wechselkursschwankungen** PL exchange rate *od* currency fluctuations *pl* **'Wechselkursstabilität** F exchange rate stability

'wechseln V/T & V/I *allg* change (*a. Hemd, Schule*); *austauschen* exchange; *variieren* vary; *abwechseln* alternate

'wechselnd ADJ varying

'wechselseitig **A** ADJ mutual **B** ADV *sich bedingen, ausschließen* mutually

'Wechselstrom M alternating current, *abk* AC **'Wechselstube** F bureau de change **'Wechselwähler(in)** M(F) POL floating voter **'Wechselwirkung** F interaction

'Weckdienst M alarm call service

wecken V/T ['vɛkən] wake* (up); *fig: Erinnerung* bring* back; *Neugier* arouse

'Wecker M ⟨~s; ~⟩ alarm clock

wedeln V/I ['ve:dəln] *beim Skifahren* wedel; **mit etw ~** wave sth; **der Hund wedelte mit dem Schwanz** the dog wagged its tail

weder KONJ ['ve:dər] **~ ... noch ...** neither ... nor ...; **~ noch** *als Antwort* neither

Weg M [ve:k] ⟨~(e)s; ~e⟩ way (*a. fig*); *Straße* road; *Pfad* path; *Reiseweg* route; *Fußweg* walk; *Wanderweg* trail; **auf legalem ~** by legal means; **j-m im ~ sein** be* in sb's way; **j-m aus dem ~ gehen** get* out of sb's way; *fig* keep* out of sb's way; **vom ~ abkommen** lose* one's way; → zuwege

weg ADV [vɛk] *entfernt, fort, verreist* away; *verschwunden, verloren* gone; *los, ab* off; **sie ist schon ~** *umg* she's already gone; **Finger ~!** (keep your) hands off!; **nichts wie ~!** *umg* let's get out of here!; **~ sein** *umg: bewusstlos* be* out

'wegbringen V/T ⟨*irr*⟩ take* away

wegen PRÄP ['ve:gən] ⟨*gen od dat*⟩ because of; *infolge* due to, owing to; **j-n ~ Mordes anklagen/verurteilen/vor Gericht stellen** charge sb with/convict sb of/try sb for murder

'wegfahren ⟨*irr*⟩ **A** V/I ⟨s⟩ leave*; *von Auto, Fahrer* drive* off; *verreisen* go* away **B** V/T take* away

'Wegfahrsperre F immobilizer

'wegfallen V/I ⟨*irr*, s⟩ *in e-m Text* be* dropped; JUR no longer apply; **... werden ~** there will be no more ...

'Weggang M departure

'weggehen V/I ⟨*irr*, s⟩ leave*; *umg: von Schmerz etc* go* away; *umg: von Fleck* come* out; *umg: von Ware* sell*

'wegkommen V/I ⟨*irr*, s⟩ *umg: weggehen können* get* away; *verloren gehen* disappear; **gut/schlecht ~** come* off well/badly

'weglassen V/T ⟨*irr*⟩ **etw ~** leave* sth out **'weglaufen** V/I ⟨*irr*, s⟩ run* away **'weglegen** V/T put* away; *beiseite* put* aside **'wegmüssen** V/I ⟨*irr*⟩ *umg* have* to go; **ich muss jetzt weg** I must be off now **'wegnehmen** V/T ⟨*irr*⟩ take* away (**von** from); *Platz, Zeit* take* up; *stehlen* steal*; **j-m etw ~** take* sth (away) from sb **'wegräumen** V/T clear away **'wegschicken** V/T send* away; *mit der Post* send* **'wegsehen** V/I ⟨*irr*⟩ look away

'Wegweiser M ⟨~s; ~⟩ signpost; *fig*

guide
'Wegwerf- ZSSGN *Geschirr, Rasierer* disposable; *Flasche* non-returnable
'wegwerfen V/T ⟨irr⟩ throw* away (*a. fig*)
'Wegwerfflasche F non-returnable bottle **'Wegwerfgesellschaft** F throwaway society
'wegziehen ⟨irr⟩ **A** V/I ⟨s⟩ move away **B** V/T pull away
wehen V/I ['veːən] *von Wind* blow*; *von Haaren, Fahne etc* flutter
'Wehen PL MED labour *od US* labor pains *pl*
'wehleidig ADJ self-pitying; *Stimme* whining
Wehr[1] N [veːr] ⟨~(e)s; ~e⟩ *Stauanlage* weir
Wehr[2] F ⟨~⟩ **sich zur ~ setzen** defend o.s.
'Wehrdienst M military service
'Wehrdienstverweigerer M ⟨~s; ~⟩, **'Wehrdienstverweigerin** F ⟨~; ~nen⟩ conscientious objector
'wehren V/R defend o.s. (**gegen** against); *fig* fight* (**gegen etw** sth)
'wehrlos **A** ADJ defenceless, *US* defenseless; *fig* helpless **B** ADV **j-m ~ ausgeliefert sein** be* completely at sb's mercy
'Wehrpflicht F compulsory military service **'wehrpflichtig** ADJ liable for military service **'Wehrpflichtige(r)** M/F(M) ⟨~n; ~n⟩ *Soldat* conscript, *US* draftee
'wehtun V/I ⟨irr⟩ hurt*; **j-m ~** hurt* sb; *fig a.* hurt* sb's feelings; **sich ~** hurt* o.s.
'Weibchen N ['vaipçən] ⟨~s; ~⟩ ZOOL female
'weiblich ADJ female; GRAM, *Art, Stimme, Kleidung* feminine
weich [vaiç] **A** ADJ soft (*a. fig*); *zart* tender; *Ei* soft-boiled; **~ werden** soften; *fig* give* in; **mir wurden die Knie ~** I went weak at the knees **B** ADV softly, gently; **~ gekocht** *Ei* soft-boiled
Weiche F ['vaiçə] ⟨~; ~n⟩ BAHN points *pl*, *US* switch; **die ~n stellen** *fig* set* the course (**für** for)
weichen V/I ['vaiçən] ⟨wich, gewichen, s⟩ *kapitulieren* give* way (*dat* to), yield (*dat* to); *verschwinden* go* (away)
'weichlich ADJ soft; *körperlich* weak
'Weichling M ⟨~s; ~e⟩ softy; *körperlich* weakling
'Weichspüler M ⟨~s; ~⟩ (fabric) softener
'Weide F ['vaidə] ⟨~; ~n⟩ *Grasfläche* pasture; **die Kühe auf die ~ treiben** put* the cows out to pasture
weigern V/R ['vaigərn] refuse
'Weigerung F ⟨~; ~en⟩ refusal
Weihnachten N ['vainaxtən] ⟨~; ~⟩ Christmas; *geschr. a.* Xmas; **frohe ~!** Merry Christmas!
'weihnachtlich ADJ Christmas *attr*
'Weihnachtsbaum M Christmas tree **'Weihnachtseinkäufe** PL Christmas shopping *sg* **'Weihnachtsferien** PL Christmas holidays *pl od US* vacation *sg* **'Weihnachtsgeld** N Christmas bonus **'Weihnachtsgeschenk** N Christmas present **'Weihnachtskarte** F Christmas card **'Weihnachtslied** N (Christmas) carol **'Weihnachtsmann** M ⟨*pl* Weihnachtsmänner⟩ **der ~** Father Christmas, Santa Claus **'Weihnachtsmarkt** M Christmas market **'Weihnachtstag** M **der erste ~** Christmas Day; **der zweite ~** Boxing Day, *US* the day after Christmas **'Weihnachtszeit** F **die ~** Christmas time
weil KONJ [vail] because; *da* since, as
'Weilchen N ⟨~s⟩ **ein ~** a little while
Weile F ['vailə] ⟨~⟩ **e-e ~** a while
Wein M [vain] ⟨~(e)s; ~e⟩ wine; *Rebe* vine
'Weinbeere F grape **'Weinberg** M vineyard **'Weinbrand** M brandy
weinen V/I ['vainən] cry (**vor** with; **über, wegen** over; **um** for)
'weinerlich ADJ whining
'Weinessig M wine vinegar **'Weinfass** N wine cask *od* barrel **'Weinflasche** F wine bottle **'Weingegend** F wine-growing area **'Weingut** N wine-growing estate, *US* winery **'Weinkarte** F wine list **'Weinkeller** M wine cellar **'Weinlese** F ⟨~; ~n⟩ grape harvest **'Weinlokal** N wine bar **'Weinprobe** F wine tasting **'Weinrebe** F [-reːbə] ⟨~; ~n⟩ vine **'Weinstock** M vine **'Weintraube** F grape
weise ['vaizə] **A** ADJ wise **B** ADV *handeln etc* wisely

W

Weise F ['vaizə] ⟨~; ~n⟩ *Art u. Weise* way; MUS tune; **auf diese/die gleiche ~** this/the same way; **auf meine/seine ~** my/his way; **auf heimtückische** *etc* **~** in a malicious *etc* way, maliciously *etc*; **in gewisser ~** in a way

'**weisen** ⟨wies, gewiesen⟩ **A** V/T **j-m den Weg ~** show* sb the way; **j-n von** *od* **aus etw ~** expel sb from sth; **etw von sich ~** repudiate **B** V/I **~ auf** point at

'**Weisheit** F ⟨~; ~en⟩ wisdom; *Spruch* saying; **ich bin mit meiner ~ am Ende** I'm at my wit's end

'**Weisheitszahn** M wisdom tooth

'**weismachen** V/T **j-m ~, dass** make* sb believe that; **du kannst mir nichts ~** you can't fool me

weiß ADJ [vais] white

'**Weißbrot** N white bread; *Laib* white loaf '**Weißbuch** N POL White Paper

'**Weiße(r)** M/F(M) ⟨~n; ~n⟩ white; *Mann a.* white man; *Frau a.* white woman; **die ~n** *pl* the whites *pl*

'**Weißkohl** M, **Weißkraut** N white *od US* green cabbage

'**weißlich** ADJ whitish

'**Weißwein** M white wine

'**Weisung** F ⟨~; ~en⟩ instruction, directive

weit [vait] **A** ADJ wide; *Kleidung* big; *Reise, Weg* long; **wie ~ ist es bis zu …?** how far is it to …?; **wie ~ bist du?** how far have you got?; **ich bin so ~** I'm ready **B** ADV *räumlich* far (*a. fig*), a long way; **~ weg** far away (**von** from); **von Weitem** from a distance; **~ und breit** far and wide; **wie ~ ist es noch?** how much farther is ist?; *zeitlich* a long time; **~ vorne liegen** SPORT be* a long way in the lead; **~ nach Mitternacht** long *od* well after midnight; **bei Weitem** by far; **bei Weitem nicht so** not nearly as; **~ über** well over; **~ besser** far *od* much better; **zu ~ gehen** go* too far; **er wird es ~ bringen** he'll go* far; **wir haben es ~ gebracht** we've come a long way; **~ geöffnet** wide open; **~ reichend** far-reaching; **~ verbreitet** widespread

'**weit'aus** ADV **~ besser** *etc* far *od* much better *etc*; **~ das Beste** *etc* by far the best *etc*

'**Weitblick** M farsightedness

'**Weite** F ⟨~; ~n⟩ width; *weite Fläche* expanse; SPORT distance

'**weiter** ADV further; **(mach) ~!** go on!; **(geh) ~!** keep moving!; **was geschah ~?** what happened after that?; **und so ~** and so on *od* forth; **nichts ~** nothing else; **nichts ~ als** nothing but; **~ nichts?** is that all?

'**weiterarbeiten** V/I go* on working

'**weiterbilden** V/R continue one's education; *beruflich* continue one's training, do* further training '**Weiterbildung** F further education; *berufliche* further training

weitere(r, -s) ADJ ['vaitərə] further; **alles Weitere** the rest; **bis auf Weiteres** until further notice; **ohne Weiteres** easily

'**Weitere(s)** N ⟨~n⟩ more, further details *pl*

'**weitergeben** V/T ⟨*irr*⟩ pass on (*dat*, **an** to) '**weitergehen** V/I ⟨*irr*, s⟩ go* on; *fig a.* continue '**weiterhin** ADV *ferner* furthermore; **etw ~ tun** go* on doing sth, continue to do sth '**weiterkommen** V/I ⟨*irr*, s⟩ get* further; *fig*: *beruflich* get* on in life; **ich komme nicht weiter** *bei Aufgabe, Rätsel etc* I'm stuck '**weitermachen** **A** V/I carry on, continue (*beide* **mit** with) **B** V/T carry on with

'**Weiterverkauf** M resale

'**weitgehend** **A** ADJ considerable; *Pläne, Ideen* far-reaching **B** ADV *unbekannt, unbewohnt etc* largely

'**weitläufig** **A** ADJ *Haus, Anlagen etc* spacious; *Verwandter* distant **B** ADV **~ verwandt** distantly related

'**weitreichend** ADJ far-reaching

'**weitsichtig** ADJ longsighted, *US* farsighted; *fig* farsighted

Weizen M ['vaitsən] ⟨~s⟩ wheat

welche(r, -s) ['vɛlçə] **A** INT PR what; *auswählend* which; **~r? which one?**; **~r von beiden?** which of the two?; **welch ein Anblick!** what a sight! **B** REL PR who, that; *bei Sachen* which, that; **zeig mir, ~r es war** show me who it was **C** INDEF PR *umg* some; *in Fragen* any; **hast du Kaugummi? – ja, ich habe ~n** have you got any gum? – yes, I've got some

welk ADJ [vɛlk] *Blume, Pflanze* wilted; *Haut* flabby

Wellblech N ['vɛl-] corrugated iron

Welle F ['vɛlə] ⟨~; ~n⟩ wave (*a.* PHYS,

fig); *Frequenz* wavelength; *Maschinenteil* shaft
'Wellenbereich M waveband **'Wellenlänge** F wavelength **'Wellenlinie** F wavy line
Wellness F ['vɛlnɛs] ⟨~⟩ wellness
Wellpappe F ['vɛl-] corrugated cardboard
Welt F [vɛlt] ⟨~; ~en⟩ world; **auf der ~** in the world; **die ganze ~** the whole world; **auf der ganzen ~** all over the world, throughout the world; **das beste** *etc* ... **der ~** the best *etc* ... in the world; **zur** *od* **auf die ~ kommen** come* into the world, be* born; **zur ~ bringen** give* birth to
'Weltall N universe **'Weltanschauung** F world view **'Weltausstellung** F world fair **'Weltbank** F ⟨*pl* Weltbanken⟩ World Bank **'weltberühmt** ADJ world-famous **'weltfremd** ADJ naive **'Weltfriede(n)** M world peace **'Welthandel** M international trade **'Welthandelsorganisation** F World Trade Organization **'Weltkrieg** M world war; **der Erste/Zweite ~** World War I/II, the First/Second World War **'Weltlage** F international situation
'weltlich ADJ worldly; REL secular
'Weltmacht F world power **'Weltmarkt** M world market **'Weltmeer** N ocean **'Weltmeister(in)** M(F) world champion **'Weltmeisterschaft** F world championship; *im Fußball* World Cup **'Weltraum** M **der ~** (outer) space **'Weltreich** N empire **'Weltreise** F round-the-world trip **'Weltsprache** F universal language **'Weltstadt** F metropolis **'Weltuntergang** M end of the world **'weltweit** ADJ & ADV worldwide **'Weltwirtschaft** F world economy **'Welt'wirtschaftskrise** F worldwide economic crisis **'Weltwunder** N wonder of the world
wem [veːm] **A** INT PR who ... to; *förmlich* to whom; *auswählend* which (one) ... to; **~ von euch hat er es gegeben?** which (one) of you did he give it to?; **~ gehört es?** who does it belong to?; *förmlich* to whom does it belong? **B** REL PR anyone who ... to; *förmlich* anyone to whom; **~ es nicht gefällt** anyone who doesn't like it; **~ auch (immer)** who(so)ever ... to; *förmlich* to whom(so)ever
wen [veːn] **A** INT PR who; *förmlich* whom; *auswählend* which (one); **~ von euch?** which (one) of you?; **~ möchten Sie sprechen?** who would you like to speak to?; *förmlich* to whom would you like to speak? **B** REL PR anyone who; *förmlich* anyone whom; **~ auch (immer)** who(so)ever; *förmlich* whom(so)ever
Wende F ['vɛndə] ⟨~; ~n⟩ turn (*a. beim Schwimmen*); *Änderung* change
'Wendekreis M ASTROL, GEOG tropic; AUTO turning circle
Wendeltreppe F ['vɛndəl-] spiral staircase
wenden ['vɛndən] ⟨wendete *od* wandte, gewendet *od* gewandt⟩ **A** V/T turn; *Kleidungsstück* turn inside out **B** V/I turn round; **bitte ~** PTO, please turn over **C** V/R **sich ~** turn (*a. fig: von Glück*); **sich an j-n ~** turn to sb (**um Hilfe** for help)
'Wendepunkt M turning point
wenig INDEF PR & ADV ['veːnɪç] little; **~(e)** *pl* few; **nur ~e** not many; *ein paar* only a few; **wir haben (nur) ~ Zeit** we haven't got much time; **~ bekannt** little known; **er spricht ~** he doesn't talk much; **~r (als)** less (than); **am ~sten** least of all; **(nur) ein (klein) ~** (just) a little (bit)
'wenigstens ADV at least
wenn KONJ [vɛn] when; *falls* if; **~ auch** even though; **wie** *od* **als ~** as though, as if; **~ ich nur reich wäre!** if only I were rich!; **~ sie auch noch so ... sein mag** however ... she may be; **und ~ nun ...?** what if ...?
wer [veːr] **A** INT PR who; *auswählend* which (one); **~ von euch?** which (one) of you? **B** REL PR anyone who; **~ auch (immer)** who(so)ever
'Werbeabteilung F publicity department **'Werbeagentur** F advertising agency **'Werbefeldzug** M advertising campaign **'Werbefernsehen** N commercial television; *Werbung* TV adverts *pl od US* commercials *pl* **'Werbefilm** M promotional film **'Werbefunk** M radio commercials *pl* **'Werbegag** M promotion stunt **'Werbegeschenk** N promotional gift **'Werbekampagne** F publicity *od* advertising campaign

werben ['vɛrbən] ⟨warb, geworben⟩ **A** VI advertise (**für etw** sth); POL canvass (**für** for); **~ um** *Frau, Beliebtheit etc* court **B** VT *anwerben* recruit; *Stimmen, Kunden* canvass

Werbeslogan M ['vɛrbəslo:gən] ⟨~s; ~s⟩ advertising slogan **'Werbespot** M (TV) advert *od US* commercial

'Werbung F ⟨~; ~en⟩ advertising; *Anwerbung* recruitment; **für etw ~ machen** advertise sth

'Werbungskosten PL *Steuer* professional outlay *sg od* expenses *pl*

'Werdegang M *beruflicher* career; **beruflicher ~** *in Lebenslauf* employment history

werden ['ve:rdən] ⟨wurde, geworden, s⟩ **A** VI get*, become*; *sich wandeln* go*; *allmählich* grow*; *umg: ausfallen* turn out; **was willst du ~?** what do you want to be?; **er wird Lehrer/Vater** he's going to be a teacher/a father; **mir wird kalt/schlecht** I feel cold/sick; **es wird zur Gewohnheit/zum Problem** it's becoming a habit/a problem; **Zweite(r)** *etc* **~** come* second *etc*; **sie wird dieses Jahr 40** she'll be *od* turn 40 this year **B** V/AUX *Futur, in Fragen* will; *bei festem Entschluss* be* going to; **er wird kommen** he'll come; **wird er kommen?** will he come?; **er wird uns abholen** he's going to pick us up; **sie wird nicht da sein** she won't be there; **ich werde nichts essen** I won't eat anything **C** V/AUX; *Passiv* be*; **geliebt/getötet** *etc* **~** be* loved/killed *etc* (**von** by); **er wird geprüft** *jetzt gerade* he's being tested **D** V/AUX *zur Bildung des Konjunktivs* would; **ich würde gern kommen** I'd like to come; **würden Sie mir bitte helfen?** would you help me, please?

werfen VI & VT ['vɛrfən] ⟨warf, geworfen⟩ throw* (**nach j-m** at sb); FLUG *Bomben* drop; *Schatten* cast*; **Junge ~** ZOOL have* young; *von Hündin* have* puppies; *von Katze* have* kittens; **sich ~** throw* o.s.; *von Torwart* dive* (**nach** for)

Werft F [vɛrft] ⟨~; ~en⟩ SCHIFF shipyard, dockyard

Werk N [vɛrk] ⟨~(e)s; ~e⟩ work; *gutes* deed; TECH mechanism; *Fabrik* works *sg od pl*, factory

'Werkstatt F ⟨~; Werkstätten⟩ workshop; *Autowerkstatt* garage **'Werktag** M workday **'werktags** ADV on weekdays **'Werkzeug** N tool (*a. fig*); KOLL tools *pl*; *feines* instrument **'Werkzeugkasten** M toolbox

wert ADJ [ve:rt] worth; **nichts ~ sein** *fig* be* no good

Wert M ⟨~(e)s; ~e⟩ *allg* value; *Sinn, Nutzen* use; **~e** *pl Daten* data *sg od pl*, figures *pl*; **... im ~(e) von 100 Euro** 100 euros' worth of ...

'Wertgegenstand M valuable object; **Wertgegenstände** *pl* valuables *pl*

'wertlos ADJ worthless **'Wertpapiere** PL securities *pl* **'Wertpapiermärkte** PL securities markets *pl*

'Wertsachen PL valuables *pl* **'wertvoll** ADJ valuable

Wesen N ['ve:zən] ⟨~s; ~⟩ *Lebewesen* being; *Wesenskern* essence; *Natur* nature, character

'wesentlich **A** ADJ essential; *beträchtlich* considerable; **im Wesentlichen** essentially **B** ADV *größer etc* considerably

wes'halb ADV why

Wespe F ['vɛspə] ⟨~; ~n⟩ wasp

wessen INT PR ['vɛsən] whose

Weste F ['vɛstə] ⟨~; ~n⟩ waistcoat, *US* vest

Westen M ['vɛstən] ⟨~s⟩ west; **der ~** POL the West; **der Wilde ~** the Wild West; **nach ~** west(wards)

'Westeu'ropa N Western Europe

'westeuropäisch ADJ Western European; **Westeuropäische Union** Western European Union

'westlich **A** ADJ western; *Kurs, Wind* westerly; POL Western **B** ADV **~ von** west of

wes'wegen ADV why

Wettbewerb M ['vɛt-] ⟨~(e)s; ~e⟩ competition (*a.* WIRTSCH) **'Wettbewerbsbehörde** F competition authority **'wettbewerbsfähig** ADJ competitive **'Wettbewerbsfähigkeit** F competitiveness **'Wettbewerbsnachteil** M competitive disadvantage **'Wettbewerbsöffnung** F opening of the sector to competition **'Wettbewerbsparameter** PL parameters *pl* of competition **'Wettbewerbsregeln** PL competition rules *pl* **'Wettbewerbsverzerrung** F **zu ~en führen** distort competition **'Wettbewerbsvorteil** M competitive advantage **'wettbewerbswidrig** ADJ anticompetitive; **~e Vereinbarungen** anticompetitive *od* concerted agreements; **~ handeln** violate fair trade practices; *ungesetzlich* violate competition law *od US* antitrust law

'Wettbüro N betting office

Wette F ['vɛtə] ⟨~; ~n⟩ bet; **um die ~ laufen/fahren** have* a race (**mit** with)

'wetteifern V/I compete (**mit** with; **um** for)

'wetten V/I & V/T bet*; **mit j-m um zehn Euro ~** bet* sb ten euros; **~ auf** bet* on, back

Wetter N ['vɛtər] ⟨~s; ~⟩ weather

'Wetteramt N meteorological office **'Wetterbericht** M weather report **wetterfühlig** ADJ ['vɛtərfy:lıç] weather-sensitive **'Wetterkarte** F weather chart **'Wetterlage** F weather situation **'Wettervorhersage** F weather forecast

'Wettkampf M contest **'Wettkämpfer(in)** M(F) contestant **'Wettlauf** M race (**mit** against) **'Wettläufer(in)** M(F) runner **'wettmachen** V/T make* up for **'Wettrennen** N race **'Wettrüsten** N ⟨~s⟩ arms race

WEU F [ve:ʔe:'ʔu:] ⟨~⟩ *abk für* Westeuropäische Union WEU

Whirlpool® M ['vœrlpu:l] ⟨~s; ~s⟩ Jacuzzi®

Whiteboard N ['vaitbo:rt] ⟨~s; ~s⟩ whiteboard

wichtig ADJ ['vıçtıç] important; **etw/sich ~ nehmen** take* sth/o.s. seriously

'Wichtigkeit F ⟨~⟩ importance

'Wichtigtuer(in) M ⟨~s; ~⟩ (F) ⟨~in; ~innen⟩ pompous fool

'wichtigtuerisch ADJ pompous, pretentious

wickeln V/T ['vıkəln] *Baby* change; **~ in** wrap in; **~ um** *Schnur, Faden etc* wind* round; **e-n Schal um den Hals ~** wrap a scarf round one's neck

Widder M ['vıdər] ⟨~s; ~⟩ *Schafbock* ram; ASTROL Aries

wider PRÄP ['vi:dər] ⟨*akk*⟩ against; **~ Willen** against one's will; **~ Erwarten** contrary to expectations

wider'legen V/T ⟨*kein ge*⟩ refute, disprove; **j-n ~** prove sb wrong

'widerlich ADJ disgusting

'widerrechtlich **A** ADJ illegal, unlawful **B** ADV *betreten etc* illegally, unlawfully **'Widerrede** F protest; **keine ~!** no arguing! **'Widerruf** M revocation; *von Erklärung, Aussage etc* withdrawal **wider'rufen** V/T ⟨*irr, kein ge*⟩ revoke; *Erklärung, Aussage etc* withdraw* **'Widersacher(in)** M ⟨~s; ~⟩ (F) ⟨~in; ~innen⟩ adversary **wider'setzen** V/R ⟨*kein ge*⟩ **sich j-m/etw ~** oppose sb/sth **widerspenstig** ADJ ['-ʃpɛnstıç] unruly (*a. Haar etc*) **'widerspiegeln** V/T reflect (*a. fig*); **sich ~ in** be* reflected in (*a. fig*) **wider'sprechen** V/I ⟨*irr, kein ge*⟩ contradict **'Widerspruch** M contradiction; *Widerrede* protest **widersprüchlich** ADJ ['vi:dərʃ:prүçlıç] contradictory **'widerspruchslos** ADV *ohne Widerrede* without protest **'Widerstand** M resistance (*a.* ELEK), opposition; **~ leisten** put* up resistance (*dat* to) **'widerstandsfähig** ADJ resilient; MED, TECH resistant (**gegen** to) **'Widerstandskraft** F resistance **wider'stehen** V/I ⟨*irr, kein ge*⟩ resist **widerwärtig** ADJ ['vi:dərvɛrtıç] disgusting **'Widerwille** M aversion (**gegen** to); *Ekel* disgust (**gegen** at) **'widerwillig** **A** ADJ reluctant, unwilling **B** ADV *gehorchen, antworten* reluctantly

widmen V/T ['vıtmən] dedicate (*dat* to); **sich j-m/etw ~** devote o.s. to sb/sth

'Widmung F ⟨~; ~en⟩ dedication (**an** to)

widrig ADJ ['vi:drıç] adverse

wie [vi:] **A** ADV how; **~ geht es Kevin?** how's Kevin?; **~ ist er?** what's he like?; **~ ist das Wetter?** what's the weather like?; **~ heißen Sie?** what's your name?; **~ nennt man ...?** what do you call ...?; **~ wäre es mit ...?** what *od* how about ...?; **~ viel?** how much?; *Anzahl* how many?; **~ viele?** how many?; **~ bitte?** pardon? **B** KONJ *in Vergleichen* like; *vor adj od adv* as; **weiß ~ Schnee** (as) white as snow; **~ neu/verrückt** like new/mad; **so ... ~** as ... as; **~ (zum Beispiel)** such as, like; **~ üblich** as usual; **~ er sagte** as he said; **ich zeige/sage dir, ~ (...)** I'll show/tell you how (...) **C** KONJ *während* as; *als* when; **ich sah, ~ er rauskam** I saw him coming out

wieder ADV ['viːdər] again; **sie ist ~ da** she's back (again); **immer ~** again and again; **~ aufbauen** reconstruct; **~ aufnehmen** resume; **~ beleben** *Wirtschaft* revive
Wieder'aufbau M reconstruction **wieder'aufbauen** V/T ⟨*pperf* wiederaufgebaut⟩ reconstruct **Wieder'aufbereitung** F ⟨~; ~en⟩ reprocessing **Wieder'aufbereitungsanlage** F reprocessing plant **Wieder'aufnahme** F resumption **wieder'aufnehmen** V/T ⟨*irr, pperf* wiederaufgenommen⟩ resume **'wiederbekommen** V/T ⟨*irr, kein ge*⟩ get* back **'wiederbeleben** V/T ⟨*kein ge*⟩ *Bewusstlosen* resuscitate, revive **'Wiederbelebung** F resuscitation **'Wiederbelebungsversuch** M attempt at resuscitation **Wieder'einführung** F reintroduction **'Wiederentdeckung** F rediscovery **'wiedererkennen** V/T ⟨*irr, kein ge*⟩ recognize (**an** by) **'wiederfinden** V/T ⟨*irr*⟩ find* again; *fig* regain **'Wiedergabe** F TECH reproduction **'wiedergeben** V/T ⟨*irr*⟩ give* back, return; *schildern* describe; TECH reproduce **wieder'gutmachen** V/T ⟨*pperf* wiedergutgemacht⟩ *Schaden* compensate for; **wie kann ich's dir ~?** how can I make it up to you? **Wieder'gutmachung** F ⟨~; ~en⟩ *für Schaden* compensation; POL reparations *pl* **wieder'herstellen** V/T ⟨*pperf* wiederhergestellt⟩ restore
wieder'holen V/T ⟨*kein ge*⟩ repeat; *Lernstoff* revise, US review; *zurückholen* get* back; *Szene etc* replay; **sich ~** *von Person* repeat o.s.; *von Geschichte, Muster* repeat itself; *von Vorgang* recur
wieder'holt ADV repeatedly
Wieder'holung F ⟨~; ~en⟩ repetition; *von Lernstoff* revision, US review; *von Sendung* repeat; *e-r Szene* replay
'Wiederhören N **Auf ~!** goodbye! **'wiederkommen** V/I ⟨*irr, s*⟩ come* back, return **'wiedersehen** V/T ⟨*irr*⟩ see* again; **wann sehen wir uns wieder?** when shall we meet again? **'Wiedersehen** N ⟨~s; ~⟩ *Treffen* reunion; **Auf ~!** goodbye! **'Wiedervereinigung** F reunion; POL reunification **'wiederverwendbar** ADJ reusable **'Wiederverwendung** F reuse **'wiederverwertbar** ADJ recyclable **'wiederverwerten** V/T ⟨*kein ge*⟩ recycle **'Wiederverwertung** F ⟨~; ~en⟩ recycling **'Wiederwahl** F POL re-election
wiegen[1] V/T & V/I ['viːgən] ⟨wog, gewogen⟩ weigh
'wiegen[2] V/T *bewegen* rock (**in den Schlaf** to sleep)
Wien N [viːn] ⟨~s⟩ Vienna
Wiese F ['viːzə] ⟨~; ~n⟩ meadow
wie'so ADV why
wie'vielt ADV **zu ~ wart ihr?** how many of you were there?
wievielte(r, -s) ADJ [vi'fiːltə] **den Wievielten haben wir heute?** what's the date today?; **zum ~n Mal?** how many times?
wild [vɪlt] **A** ADJ wild (*a. fig*) (*umg*: **auf** about); *heftig* violent **B** ADV *ungebändigt, wütend* wildly; **wie ~** like mad; **~ leben** live in the wild
Wild N ⟨~(e)s⟩ game (*a. Fleisch*); *Fleisch vom Rotwild* venison
'Wilderer M ⟨~s; ~⟩, **'Wilderin** F ⟨~; ~nen⟩ poacher
'wildern V/I poach; *von Hund* attack game
'wild'fremd ADJ **ein ~er Mensch** a complete *od* total stranger **'Wildhüter(in)** M ⟨~s; ~⟩ (F) ⟨~in; ~innen⟩ gamekeeper **'Wildleder** N suede
'Wildnis F ⟨~; ~se⟩ wilderness
'Wildpark M game park *od* reserve **'Wildschwein** N wild boar
Wille M ['vɪlə] ⟨~ns⟩ will; *Absicht* intention; **s-n ~n durchsetzen** get* one's own way
'willen PRÄP ⟨*gen*⟩ **um j-s/e-r Sache ~** for the sake of sb/sth, for sb's/sth's sake
'Willenskraft F willpower **'willensstark** ADJ strong-willed
'willig **A** ADJ willing **B** ADV willingly
will'kommen ADJ welcome (**in** to); **~ heißen** welcome
willkürlich ['vɪlkyːrlɪç] **A** ADJ arbitrary; *Auswahl a.* random **B** ADV *festlegen* arbitrarily
wimmeln V/I ['vɪməln] **~ von** be* teeming with
Wimper F ['vɪmpər] ⟨~; ~n⟩ eyelash
'Wimperntusche F mascara

Wind M [vɪnt] ⟨~(e)s; ~e⟩ wind
Windel F ['vɪndəl] ⟨~; ~n⟩ nappy, *US* diaper
winden V/T ['vɪndən] ⟨wand, gewunden⟩ wind*; *mit e-r Winde* winch; **sich ~** *von Pfad, Pflanze, Schlange etc* wind* (its way); *vor Schmerz* writhe (**vor** in, with); *vor Verlegenheit* squirm (**vor** with)
'Windenergie F wind energy
'windig ADJ windy
'Windjacke F windcheater **'Windkraft** F wind power **'Windmühle** F windmill **'Windpocken** PL chickenpox *sg* **'Windrichtung** F wind direction **'Windschutzscheibe** F windscreen, *US* windshield **'Windstärke** F wind force **'windstill** ADJ calm **'Windstille** F calm **'Windstoß** M gust
'Windung F ⟨~; ~en⟩ bend; TECH turn
Wink M [vɪŋk] ⟨~(e)s; ~e⟩ sign; *fig* hint
Winkel M ['vɪŋkəl] ⟨~s; ~⟩ MATH angle; *Ecke* corner; *Plätzchen* spot; **im rechten ~ zu** at right angles to
'wink(e)lig ADJ *Wohnung, Stadt* full of nooks and crannies; *Gasse* winding
winken V/I ['vɪŋkən] *mit der Hand* wave (one's hand); *e-m Taxi* hail; **j-m ~** wave to sb; *herwinken* beckon sb
Winter M ['vɪntər] ⟨~s; ~⟩ winter
'Winteranfang M beginning of winter **'Winterfahrplan** M winter timetable *od US* schedule **'Wintergarten** M conservatory
'winterlich ADJ wintry
'Winterreifen M winter tyre *od US* tire **'Winterschlaf** M hibernation; **~ halten** hibernate **'Winterschlussverkauf** M January sales *pl* **'Wintersport** M winter sport; KOLL winter sports *pl* **'Winterurlaub** M winter holidays *pl od US* vacation *sg*
Winzer(in) ['vɪntsər(ɪn)] M ⟨~s; ~⟩ (F) ⟨~in; ~innen⟩ wine grower
winzig ADJ ['vɪntsɪç] tiny
wir PERS PR [viːr] we; **~ selbst** we ourselves; **~ drei** the three of us; **~ sind's** it's us; **~ nicht** not us
Wirbel M ['vɪrbəl] ⟨~s; ~⟩ whirl (*a. fig*); *im Fluss* eddy, *größer* whirlpool; ANAT vertebra; *im Haar* crown
'Wirbelsäule F spine **'Wirbelsturm** M cyclone, tornado
wirken ['vɪrkən] **A** V/I work; *(er)scheinen, aussehen* seem; **anregend** *etc* **~** have* a stimulating *etc* effect (**auf** on); **~ gegen** be* effective against; **~ als** act as **B** V/T **Wunder ~** work wonders *od* miracles
'wirklich **A** ADJ real **B** ADV really
'Wirklichkeit F ⟨~; ~en⟩ reality; **in ~** in reality, actually
'wirksam **A** ADJ effective **B** ADV *behandeln etc* effectively
'Wirkung F ⟨~; ~en⟩ effect
'wirkungslos ADJ ineffective **'wirkungsvoll** ADJ effective
wirr [vɪr] **A** ADJ confused; *Haar* tousled; **~es Zeug reden** talk gibberish **B** ADV **~ durcheinanderliegen** be* (in) a total mess
'Wirt(in) [vɪrt(ɪn)] M ⟨~(e)s; ~e⟩ (F) ⟨~in; ~innen⟩ *Gastwirt* landlord; *Gastwirtin* landlady
'Wirtschaft F ⟨~; ~en⟩ WIRTSCH, POL economy; *Geschäftswelt* business; *Gastwirtschaft* pub, *bes US* bar
'wirtschaften V/I *den Haushalt führen* keep* house; *finanziell* manage one's money *od* affairs; **gut/schlecht ~** be* a good/bad manager
'Wirtschaftler(in) M ⟨~s; ~⟩ (F) ⟨~in; ~innen⟩ economist
'wirtschaftlich **A** ADJ economic; *sparsam* economical **B** ADV economically; **es geht ihr ~ gut** her finances are good
'Wirtschafts- ZSSGN *Krise, System etc* economic
'Wirtschaftsabkommen N economic *od* trade agreement **'Wirtschaftsasylant(in)** M(F) economic migrant **'Wirtschaftsaufschwung** M economic upturn **'Wirtschaftsbeziehungen** PL economic *od* trade relations *pl* **'Wirtschaftsgipfel** M economic summit **'Wirtschaftskrise** F economic crisis **'Wirtschaftspolitik** F economic policy **'Wirtschaftsraum** M economic area **'Wirtschaftsteil** M *Zeitung* business section **'Wirtschafts- und Sozi'alausschuss** M *der EU* Economic and Social Committee **'Wirtschafts- und Währungsunion** F *der EU* Economic and Monetary Union **'Wirtschaftswachstum** N economic growth **'Wirtschaftswissenschaften** PL economics *sg od pl* **'Wirtschafts-**

wunder N economic miracle
'Wirtshaus N pub, *US* bar
wischen VT ['vɪʃən] wipe; **Staub ~** dust
'Wischer M ⟨~s; ~⟩ AUTO wiper **'Wischerblatt** N AUTO wiper blade
'wissbegierig ADJ **~ sein** be* eager to learn things
wissen VT & VI ['vɪsən] ⟨wusste, gewusst⟩ know* (**über, von** about); **ich möchte ~ …** I'd like to know …, I wonder …; **soviel ich weiß** as far as I know; **nicht, dass ich wüsste** not that I know of; **weißt du** you know; **weißt du noch?** do you remember?; **woher weißt du das?** how do you know (that)?; **man kann nie ~** you never know; **das musst du selbst ~** that's up to you; **ich will davon/von ihm nichts ~** I don't want anything to do with it/him
'Wissen N ⟨~s⟩ knowledge (**über** of); *praktisches a.* know-how; **meines ~s** to my knowledge, as far as I know
'Wissenschaft F ⟨~; ~en⟩ science
'Wissenschaftler(in) M ⟨~s; ~⟩ (F) ⟨~in; ~innen⟩ scientist; *Geisteswissenschaftler* academic
'wissenschaftlich A ADJ scientific; *geisteswissenschaftlich* academic B ADV *beweisen etc* scientifically; *geisteswissenschaftlich* academically
'Wissensgebiet N field of knowledge
'Wissenslücke F gap in one's knowledge **'wissenswert** ADJ **~ sein** be* worth knowing; **Wissenswertes** useful facts *pl*; **alles Wissenswerte** all you need to know (**über** about)
Witwe F ['vɪtvə] ⟨~; ~n⟩ widow
'Witwenrente F widow's pension
'Witwer M ⟨~s; ~⟩ widower
Witz M [vɪts] ⟨~es; ~e⟩ joke; *Geist* wit; **~e machen** *od* **reißen** crack jokes; **das soll wohl ein ~ sein!** *umg* you've got to be joking!
'witzig ADJ funny; *geistreich* witty
WLAN N [ve'la:n] ⟨~(s); ~s⟩ IT wireless (network *od* LAN), WiFi
wo [vo:] A ADV where; **zu e-r Zeit, ~ …** at a time when …; **überall, ~ ich hingehe** wherever I go B KONJ **~ du doch weißt, dass …** *obwohl* when you know …; **jetzt, ~ du da bist** now that you're here
wo'bei ADV **~ bist du?** what are you doing?; **~ mir einfällt …** which reminds me …
Woche F ['vɔxə] ⟨~; ~n⟩ week
'Wochen- ZSSGN *Lohn, Zeitung etc* weekly
'Wochenarbeitszeit F weekly working hours *pl* **'Wochenende** N weekend; **am ~** at *od* on the weekend **'Wochenendtrip** M weekend trip **'Wochenkarte** F weekly season ticket
'wochenlang A ADJ **wochenlanges Warten** (many) weeks of waiting B ADV for weeks **'Wochenlohn** M weekly wages *pl* **'Wochenmarkt** M weekly market **'Wochentag** M weekday
wöchentlich ADJ & ADV ['vœçəntlıç] weekly; **einmal ~** once a week
wo'durch ADV **~ hast du es gemerkt?** how did you notice?; **… ~ ich gemerkt habe, …** because of which I noticed …
wo'für ADV **~ brauchst du das?** what do you need that for?; **etwas, ~ ich keine Geduld habe** something for which I've no patience
wo'her ADV **~ kommst du?** where do you come from; **~ weißt du das?** how do you know (that)?
wo'hin ADV **~ gehst du?** where are you going?; **~ ich auch gehe** wherever I go
wohl ADV [vo:l] *gut* well; *vermutlich* probably; *vielleicht* perhaps; **~ oder übel** whether I/you *etc* like it or not; **~ kaum** hardly; **das kann man ~ sagen!** you can say that again!
Wohl N ⟨~(e)s⟩ well-being; **auf j-s ~ trinken** drink* to sb's health; **zum ~!** cheers!
'wohlbehalten ADV safely **'Wohlergehen** N ⟨~s⟩ welfare; **~ der Tiere** animal welfare **'Wohlfahrtsstaat** M welfare state **'wohlfühlen** V/R feel* well; *seelisch* feel* good; *in e-m Haus, bei j-m etc* feel* at home (**bei** with)
'wohlhabend ADJ well-to-do, well-off
'Wohlstand M prosperity, affluence
'Wohlstandsgesellschaft F affluent society **'Wohltat** F *Erleichterung* relief; *Segen* blessing **'Wohltäter(in)** M(F) benefactor; *Frau a.* benefactress
'wohltätig ADJ charitable; **für ~e Zwecke** for charity
'Wohltätigkeits- ZSSGN *Konzert etc* charity

W

'wohlwollend **A** ADJ benevolent **B** ADV *prüfen etc* favourably, *US* favorably
wohnen V/I ['vo:nən] live; *vorübergehend* stay (*beide* **in** in; **bei** with)
'Wohngebiet N residential area **'Wohngemeinschaft** F flatshare
'wohnlich ADJ comfortable, cosy, *US* cozy
'Wohnmobil N ⟨~s; ~e⟩ camper, *US a.* RV **'Wohnsiedlung** F housing estate *od US* development **'Wohnsitz** M place of residence; **ohne festen ~** of no fixed abode
'Wohnung F ⟨~; ~en⟩ flat, *US* apartment; **meine** *etc* **~** my *etc* place
'Wohnungsbau M ⟨~(e)s⟩ house building **'Wohnungsnot** F housing shortage
'Wohnwagen M caravan, *US* trailer; *zum Dauerwohnen* mobile home **'Wohnzimmer** N living room
Wolke F ['vɔlkə] ⟨~; ~n⟩ cloud
'Wolkenkratzer M ⟨~s; ~⟩ skyscraper
'wolkig ADJ cloudy
'Woll- ZSSGN *Schal etc* woollen, *US* woolen
Wolldecke F ['vɔl-] (woollen) *od US* (woolen) blanket
Wolle F ['vɔlə] ⟨~; ~n⟩ wool
wollen ['vɔlən] **A** V/AUX want; **sie wollte ihn nicht sehen** she didn't want to see him; **~ wir (gehen** *etc***)?** shall we (go *etc*)?; **~ Sie bitte …** will *od* would you please …; **ich will lieber bleiben** I'd prefer to stay; **willst du wohl aufhören!** will you stop it!; **es wollte nicht aufgehen** it wouldn't open **B** V/T want; **lieber ~** prefer; **sie will, dass ich komme** she wants me to come; **ich wollte, ich wäre/hätte …** I wish I were/had … **C** V/I want to; **ich will nicht** I don't want to; **wie/was/wann du willst** as/whatever/whenever you like
wo'mit ADV **~ hast du das gemacht?** what did you do it with?; **~ habe ich das verdient?** what have I done to deserve that?; **ein Werkzeug, ~ …** a tool with which …
wo'möglich ADV possibly
wo'ran ADV **~ denkst du?** what are you thinking about?; **~ liegt es, dass …?** how is it that …?; **~ sieht man, welche/ob …?** how can you tell which/if …?; **~ ist sie gestorben?** what did she die of?
wo'rauf ADV **~ wartest du?** what are you waiting for?; **~ hast du die Vase gestellt?** what did you put the vase on?; **~ er gesagt hat, …** to which he replied …
wo'raus ADV **~ ist es?** what's it made of?; **etwas, ~ man eine Sauce machen kann** something from which you can make a sauce, something you can make a sauce from
wo'rin ADV **~ bist du am besten?** *Schulfach* what are you best in?
Wort N [vɔrt] ⟨~(e)s; Wörter *od* ~e⟩ word; **mit anderen ~en** in other words; **sein ~ geben/halten/brechen** give*/keep*/break* one's word; **j-n beim ~ nehmen** take* sb at his/her word; **j-m ins ~ fallen** cut* sb short
'Wörterbuch N dictionary
'Wortführer M spokesman, spokesperson **'Wortführerin** F spokeswoman, spokesperson **'wortkarg** ADJ *Mensch* taciturn
wörtlich ['vœrtlıç] **A** ADJ literal; **~e Rede** direct speech **B** ADV word for word; **etw ~ nehmen** take* sth literally
wo'rüber ADV **~ lacht ihr?** what are you laughing about?; **ich weiß nicht, ~ ihr lacht** I don't know what you're laughing about
wo'rum ADV **~ geht's?** what's the problem? *in Film etc* what's it about?; **er macht alles, ~ du ihn bittest** he'll do anything you ask him to
wo'runter ADV **~ leidet sie?** what's she suffering from?; **der Name, ~ ich das abgespeichert habe** *umg* the name under which I saved it, the name I saved it under
wo'von ADV **~ redest du?** what are you talking about?; **das Leben, ~ ich träume** the life I dream of
wo'vor ADV **~ hast du Angst?** what are you afraid of?; **das Einzige, ~ ich Angst habe** the only thing of which I'm afraid, the only thing I'm afraid of
wo'zu ADV **~ hast du Lust?** what do you feel like doing?; **~?** what for?; **ich weiß nicht, ~ er das braucht** I don't know what he needs it for; **… ~ er mir rät** … which he advised me to do
Wrack N [vrak] ⟨~(e)s; ~s *od* ~e⟩ wreck (*a. fig*)

Wucher M ['vu:xər] ⟨~s⟩ profiteering; *bei Geldverleih* usury; **das ist absoluter ~!** that's an absolute rip-off!

'Wucherer M ⟨~s; ~⟩, **'Wucherin** F ⟨~; ~nen⟩ usurer

'Wuchermiete F extortionate *od* rack rent

'wuchern V/I ⟨s⟩ *von Pflanzen* grow* rampant; *von Geschwulst* grow* rapidly

'Wucherpreis M extortionate price

'Wucherung F ⟨~; ~en⟩ MED growth

'Wucherzinsen PL extortionate *od* usurious interest *sg*

Wuchs M [vu:ks] ⟨~es⟩ growth; *Gestalt* build

Wucht F [vʊxt] ⟨~; ~en⟩ force; **mit voller ~ gegen etw rennen/fahren** smash into sth

wühlen V/I ['vy:lən] *graben* dig*; *von Schwein* root; *suchen* rummage (**in** in, through; **nach** for)

wund ADJ [vʊnt] sore; **~e Stelle** sore; **~er Punkt** sore point

Wunde F ['vʊndə] ⟨~; ~n⟩ wound

Wunder N ['vʊndər] ⟨~s; ~⟩ miracle; *fig* wonder, marvel (**an** of); **~ wirken** work wonders; **(es ist) kein ~, dass ...** (it's) no wonder ...

'wunderbar **A** ADJ wonderful; *wie ein Wunder* miraculous **B** ADV *herrlich* wonderfully

'Wunderkind N child prodigy

'wundern V/T **es wundert mich** I'm surprised; **sich ~** be* surprised (**über** at)

'wunder'schön ADJ lovely **'wundervoll** **A** ADJ wonderful **B** ADV wonderfully

'Wundstarrkrampf M tetanus

Wunsch M [vʊnʃ] ⟨~(e)s; Wünsche⟩ wish (**nach** for) (*a. Glückwunsch*); *Bitte* request; **die besten Wünsche zum Geburtstag!** best wishes on your birthday!; **auf j-s ~** at sb's request; **nach ~** as desired; *wie geplant* as planned; **haben Sie noch e-n ~?** is there anything else (you'd like)?

'Wunschdenken N wishful thinking

wünschen V/T ['vʏnʃən] wish; **sich etw (zu Weihnachten/zum Geburtstag) ~** want sth (for Christmas/for one's birthday); **was ~ Sie?** *Verkäufer* can I help you?; **das habe ich mir (schon immer) gewünscht** that's what I've (always) wanted; **alles, was man sich nur ~ kann** everything one could wish for; **ich wünschte, ich wäre/hätte ...** I wish I were/had ...

'wünschenswert ADJ desirable

Würde F ['vʏrdə] ⟨~; ~n⟩ dignity; **unter j-s ~ sein** be* beneath sb

'würdelos ADJ undignified **'würdevoll** ADJ dignified

'würdig **A** ADJ worthy (*gen* of); *würdevoll* dignified **B** ADV in a dignified manner; *behandeln* with respect

'würdigen V/T appreciate; **j-n keines Blickes ~** ignore sb completely

'Würdigung F ⟨~; ~en⟩ appreciation

Wurf M [vʊrf] ⟨~(e)s; Würfe⟩ throw; ZOOL litter

Würfel M ['vʏrfəl] ⟨~s; ~⟩ cube (*a.* MATH); *Spielwürfel* dice

'würfeln **A** V/I throw* (the dice); *um etw* throw* dice (**um** for); *spielen* play dice **B** V/T *in Würfel schneiden* dice; **e-e Sechs ~** throw* a six

'Würfelzucker M lump sugar

'Wurfgeschoss N projectile

würgen ['vʏrgən] **A** V/T **j-n ~** choke sb, strangle sb **B** V/I choke (**an** on)

Wurm M [vʊrm] ⟨~(e)s; Würmer⟩ worm

Wurst F [vʊrst] ⟨~; Würste⟩ sausage

Würstchen N ['vʏrstçən] ⟨~s; ~⟩ frankfurter, *US a.* wiener

'Würstchenbude F, **'Würstchenstand** M sausage stand

Würze F ['vʏrtsə] ⟨~; ~n⟩ spice (*a. fig*), seasoning

Wurzel F ['vʊrtsəl] ⟨~; ~n⟩ root (*a.* MATH); **zweite/dritte ~** square/cube root; **~n schlagen** take* root; *fig* put* down roots

wüst [vy:st] **A** ADJ *Gegend, Land* desolate; *wirr* chaotic; *liederlich* wild **B** ADV **~ durcheinanderliegen** be* in complete chaos

'Wüste F ⟨~; ~n⟩ desert

Wut F [vu:t] ⟨~⟩ rage, fury; **e-e ~ haben** be* furious (**auf** with)

'Wutanfall M fit of rage

wütend ADJ ['vy:tənt] furious (**auf** with; **über** at)

WWU F [ve:ve:'ʔu:] ⟨~⟩ *abk für* Wirtschafts- und Währungsunion EMU

X

X N [ɪks] ⟨~; ~⟩ X
'X-Beine PL knock-knees *pl*
'x-beinig ADJ, **X-beinig** ADJ knock-kneed
'x-be'liebig ADJ **ein ~es Buch** *etc* any book *etc* (you like); **jeder x-Beliebige könnte …** anyone (you like) could …
x-förmig ADJ ['ɪksfœrmɪç] x-shaped
'x-'mal ADV *umg* umpteen times
x-te(r, -s) ADJ ['ɪkstə] **zum ~n Mal** *umg* for the umpteenth time

Y

Y N ['ʏpsilɔn] ⟨~; ~⟩ Y
Yacht F [jaxt] ⟨~; ~en⟩ yacht
Yoga N ['jo:ga] ⟨~(s)⟩ yoga
Yuppie M ['jʊpi] ⟨~s; ~s⟩ yuppie

Z

Z N [tsɛt] ⟨~; ~⟩ Z
Zacke F ['tsakə] ⟨~; ~n⟩, **'Zacken** M ⟨~s; ~⟩ point; *von Säge, Kamm* tooth; *von Gabel* prong
'zackig A ADJ pointed; *gezahnt* serrated; *Linie, Blitz, Felsen* jagged; *fig* brisk B ADV *schnell* briskly; **ein bisschen ~!** *umg* make it snappy!
zaghaft ['tsa:khaft] A ADJ timid B ADV *fragen, klopfen etc* timidly
zäh [tsɛ:] A ADJ tough (*a. fig*); *dickflüssig* thick; *beharrlich* dogged B ADV *beharrlich* doggedly; *langsam* slowly; **~ fließender Verkehr** slow-moving traffic
'zähflüssig ADJ thick; *Verkehr* slow-moving
'Zähigkeit F ⟨~⟩ toughness (*a. fig*)
Zahl F [tsa:l] ⟨~; ~en⟩ number; *Ziffer* figure; **arabische/römische ~en** Arabic/Roman numerals
'zahlbar ADJ payable (**an** to; **bei** at)
'zahlen A V/T *Summe, Miete, Steuern* pay*; *Ware, Leistung* pay* for B V/I pay*; **~, bitte!** the bill, please!, *US* the check, please
zählen V/T & V/I ['tsɛ:lən] count (**bis** to, up to; *fig*: **auf** on); **zu den besten … ~** be* one of the best …
'zahlenmäßig A ADJ numerical B ADV **j-m ~ überlegen sein** outnumber sb
'Zähler M ⟨~s; ~⟩ *Gerät* counter; *für Gas etc* meter; MATH numerator
'Zahlgrenze F fare stage **'Zahlkarte** F paying-in *od US* deposit slip **'zahllos** ADJ countless **'zahlreich** A ADJ numerous B ADV *kommen etc* in large numbers **'Zahltag** M payday
'Zahlung F ⟨~; ~en⟩ payment; **etw in ~ nehmen** take* sth in part exchange; **etw in ~ geben** trade sth in
'Zählung F ⟨~; ~en⟩ count; *Volkszählung* census
'Zahlungsanweisung F order to pay; *Überweisung* money order **'Zahlungsaufforderung** F request for payment **'Zahlungsbedingungen** PL terms *pl* of payment **'Zahlungsbefehl** M default summons *sg* **'Zahlungsbilanz** F balance of payments **'Zahlungsbilanzdefizit** N balance of payments deficit **'Zahlungsbilanzüberschuss** M surplus in the balance of payments **'zahlungsfähig** ADJ solvent **'Zahlungsmittel** N means *sg* of payment; *Banknoten, Münzen* currency; **gesetzliches ~** legal tender **'Zahlungsschwierigkeiten** PL financial difficulties *pl* **'Zahlungstermin** M payment deadline, date for payment **'zahlungsunfähig** ADJ insolvent **'Zahlungsverkehr** M payments *pl*; **elektronischer ~** electronic funds transfer (= EFT) **'Zahlungsverzug** M late payment
'Zahlwort N ⟨*pl* Zahlwörter⟩ numeral
zahm ADJ [tsa:m] tame (*a. fig*)

zähmen VT ['tsɛ:mən] tame; *fig* curb
Zahn M [tsa:n] ⟨~(e)s; Zähne⟩ tooth; TECH *a.* cog; **die dritten Zähne** false teeth *pl*
'Zahnarzt M, **'Zahnärztin** F dentist **'Zahnbehandlung** F dental treatment **'Zahnbelag** M plaque **'Zahnbürste** F toothbrush **'Zahncreme** F toothpaste **'Zahnfleisch** N gums *pl* **'Zahnlücke** F gap in one's teeth **'Zahnmedizin** F dentistry **'Zahnpasta** F [-pasta] ⟨~; Zahnpasten⟩ toothpaste **'Zahnrad** N gearwheel, cogwheel **'Zahnradbahn** F rack *od* cog railway **'Zahnschmerzen** PL toothache *sg* **'Zahnseide** F dental floss **'Zahnspange** F brace **'Zahnstein** M tartar **'Zahnstocher** M toothpick **'Zahntechniker(in)** M(F) dental technician
Zange F ['tsaŋə] ⟨~; ~n⟩ TECH pliers *pl*; *Kneifzange* pincers *pl*; *Greifzange, Zuckerzange* tongs *pl*; MED forceps *pl*; ZOOL pincer; **e-e ~** TECH a pair of pliers/pincers/tongs/forceps
zanken V/R ['tsaŋkən] quarrel, argue (**über, um** about, over)
Zapfhahn M ['tsapf-] tap, *US a.* faucet; AUTO nozzle **'Zapfpistole** F AUTO nozzle **'Zapfsäule** F petrol *od US* gas pump
zappelig ADJ ['tsapəlıç] fidgety
'zappeln V/I wriggle (*a. von Fisch etc*); *unruhig sein* fidget; **j-n ~ lassen** *fig* make* sb sweat
zappen V/I ['tsapən] *sl* zap, channel-hop
zart [tsa:rt] **A** ADJ delicate; *sanft* gentle; *Haut* soft; *Fleisch, Gemüse* tender **B** ADV *berühren etc* gently
zärtlich ['tsɛ:rtlıç] **A** ADJ tender, affectionate (**zu** towards); *Mutter etc* loving **B** ADV *ansehen etc* affectionately; *streicheln etc* tenderly
'Zärtlichkeit F ⟨~; ~en⟩ tenderness, affection; *Liebkosung* caress
Zauber M ['tsaubər] ⟨~s; ~⟩ magic (*a. fig*); *Zauberbann* (magic) spell
Zaube'rei F ⟨~; ~en⟩ magic
'Zauberer M ⟨~s; ~⟩ sorcerer, magician; *Zauberkünstler* magician, conjurer
'zauberhaft ADJ enchanting
'Zauberin F ⟨~; ~nen⟩ sorceress; *Zauberkünstlerin* magician, conjurer
'Zauberkraft F magic power **'Zauberkünstler(in)** M(F) magician, conjurer **'Zauberkunststück** N magic trick, conjuring trick
'zaubern **A** V/I do* magic; *von Zauberkünstler* do* magic tricks **B** V/T conjure (up) (*fig* **aus** out of)
'Zauberstab M (magic) wand
zaudern V/I ['tsaudərn] hesitate
Zaum M [tsaum] ⟨~(e)s; Zäume⟩ bridle; **j-n/etw im ~ halten** keep* sb/sth in check; **sich im ~ halten** control o.s.
Zaun M [tsaun] ⟨~(e)s; Zäune⟩ fence
z. B. ABK *für* zum Beispiel e.g., for example, for instance
Zebrastreifen M ['tse:bra-] zebra crossing, *US* crosswalk
Zeche F ['tsɛçə] ⟨~; ~n⟩ bill, *US a.* check; *Bergwerk* (coal)mine, pit; **die ~ zahlen** pay* the bill; *fig* foot the bill
Zeh M [tse:] ⟨~s; ~en⟩ toe
Zehe F ['tse:ə] ⟨~; ~n⟩ toe; *Knoblauchzehe* clove; **große/kleine ~** big/little toe
'Zehennagel M toenail **'Zehenspitze** F tip of one's toe; **auf ~n gehen** (walk on) tiptoe
zehn ADJ [tse:n] ten
Zehn F ⟨~; ~en⟩ ten
'Zehnerkarte F ten-trip ticket
'zehnfach **A** ADJ tenfold; **die ~e Menge** ten times the amount **B** ADV tenfold, ten times **'zehnmal** ADV ten times
'Zehnte(r) M/F(M) ⟨~n; ~n⟩ tenth
'zehnte(r, -s) ADJ tenth
'Zehntel N ['tse:ntəl] ⟨~s; ~⟩ tenth
'Zehntelsekunde F tenth of a second
'zehntens ADV tenth(ly)
Zeichen N ['tsaiçən] ⟨~s; ~⟩ sign; *Merkzeichen* mark; *Signal* signal; *Schriftzeichen*, IT character; **als (ein) ~ unserer Freundschaft** as a mark *od* token of our friendship
'Zeichenblock M ⟨~(e)s; Zeichenblöcke *od* ~s⟩ sketch pad **'Zeichenfolge** F IT string **'Zeichensetzung** F ⟨~⟩ punctuation **'Zeichensprache** F sign language **'Zeichentrickfilm** M animated film; *lustiger* cartoon
zeichnen V/I & V/T ['tsaiçnən] draw*; **von etw gezeichnet sein** *fig* be* marked by sth
'Zeichner(in) M ⟨~s; ~⟩ (F) ⟨~in; ~innen⟩ *von Beruf* graphic artist; *technisch*

draughtsman, *US* draftsman; *Frau* draughtswoman, *US* draftswoman

'Zeichnung F ⟨~; ~en⟩ drawing; *Grafik* diagram; ZOOL markings *pl*

'Zeigefinger M index finger, forefinger

zeigen ['tsaigən] **A** V/T show*; **j-m ~, wie …** show* sb how to …; **die Uhr zeigt …** the clock says …; **es zeigte sich, dass …** it turned out that … **B** V/I *irgendwohin* point; **(mit dem Finger) ~ auf** point (one's finger) at; **nach Norden ~** point north; **zeig mal!** let me see!

'Zeiger M ⟨~s; ~⟩ *Uhrzeiger* hand; *von Messinstrument* pointer, needle

Zeile F ['tsailə] ⟨~; ~n⟩ line; **j-m ein paar ~n schreiben** drop sb a line

Zeit F [tsait] ⟨~; ~en⟩ time; *Zeitalter a.* age, era; GRAM tense; **ich habe keine ~** I haven't got time; **die ~ ist um** time's up; **das hat ~** there's no rush; **vor einiger ~** some time ago; **in letzter ~** lately, recently; **e-e ~ lang** for some time, for a while; **… aller ~en …** of all time; **sich ~ lassen** take* one's time; **es wird ~, dass du gehst** it's about time you went; **das waren noch ~en** those were the days; **in der** *od* **zur ~** *gen* in the days of …; **zu Mozarts ~** in Mozart's time *od* day; → zurzeit

'Zeitabschnitt M period (of time) **'Zeitalter** N age **'Zeitarbeit** F temporary work **'Zeitarbeitsfirma** F employment agency **'Zeitarbeitskraft** F temp **'Zeitbombe** F time bomb (*a. fig*) **'Zeitdruck** M **unter ~ stehen** be* under time pressure, be* pressed for time **'zeitgemäß** ADJ modern, up-to-date **'Zeitgenosse** M, **'Zeitgenossin** F contemporary **'zeitgenössisch** ADJ [-gənœsɪʃ] contemporary **'Zeitgeschichte** F contemporary history **'Zeitgewinn** M gain in time **'Zeitkarte** F season ticket

zeit'lebens ADV all one's life

'zeitlich **A** ADJ *Reihenfolge* chronological; **ein großer/kleiner ~er Abstand** a long/short interval **B** ADV timewise; **etw ~ planen/abstimmen** time sth; **es ist ~ begrenzt** there's a time limit on it

'Zeitlupe F **in ~** in slow motion **'Zeitmanagement** N time management **'Zeitnot** F **in ~ sein** be* pressed for time **'Zeitplan** M timetable, *bes US* schedule **'Zeitpunkt** M time; *Augenblick* moment **'Zeitraffer** M ⟨~s; ~⟩ **im ~** speeded up **'zeitraubend** ADJ time-consuming **'Zeitraum** M period (of time) **'Zeitrechnung** F **unsere/die christliche ~** our/the Christian era **'Zeitschrift** F magazine; *Fachzeitschrift* journal **'zeitsparend** ADJ time-saving

Zeitung F ['tsaitʊŋ] ⟨~; ~en⟩ (news)paper

'Zeitungsabonnement N newspaper subscription **'Zeitungsartikel** M newspaper article **'Zeitungsausschnitt** M (newspaper) cutting *od US* clipping **'Zeitungsbericht** M newspaper report **'Zeitungskiosk** M newspaper kiosk, newsstand **'Zeitungsnotiz** F press item **'Zeitungspapier** N *altes* newspaper **'Zeitungsstand** M newsstand **'Zeitungsverkäufer(in)** M(F) news vendor, *US* newsdealer

'Zeitunterschied M time difference **'Zeitverlust** M loss of time **'Zeitverschiebung** F time difference **'Zeitverschwendung** F waste of time **'Zeitvertrag** M temporary contract **'Zeitvertreib** M ⟨~(e)s; ~e⟩ pastime; **zum ~** to pass the time

'zeitweilig **A** ADJ temporary **B** ADV *gelegentlich* occasionally; *vorübergehend* temporarily

'zeitweise ADV at times, occasionally; *vorübergehend* temporarily

'Zeitwert M WIRTSCH current value

'Zeitzeichen N time signal

Zelle F ['tsɛlə] ⟨~; ~n⟩ cell

'Zellstoff M, **Zellulose** [-'lo:zə] F ⟨~; ~n⟩ cellulose

Zelt N [tsɛlt] ⟨~(e)s; ~e⟩ tent; **die** *od* **seine ~e abbrechen** *fig* pack one's bags

'zelten V/I camp

'Zeltplatz M campsite

Zement M [tse'mɛnt] ⟨~(e)s; ~e⟩ cement

zemen'tieren V/T ⟨*kein ge*⟩ cement

Zensor(in) ['tsɛnzɔr (-'zo:rɪn)] M ⟨~s; ~en⟩ (F) ⟨~in; ~innen⟩ censor

Zensur [tsɛn'zu:r] F ⟨~; ~en⟩ censorship; *Behörde* censors *pl*; *Note* mark, *US* grade

Zentimeter M *od* N [tsɛnti'me:tər] centimetre, *US* centimeter

Zentner M ['tsɛntnər] ⟨~s; ~⟩ metric hundredweight, *US* 50 kilograms; *österr, schweiz* 100 kilograms
zentral [tsɛn'tra:l] **A** ADJ central (*a. fig*) **B** ADV *liegen, wohnen etc* centrally
Zen'tralbank F ⟨*pl* Zentralbanken⟩ central bank; **Europäische ~** European Central Bank **Zen'tralbankpräsident(in)** M(F) President of the Central Bank
Zen'trale F ⟨~; ~n⟩ *von Firma* head office; *von Polizei, Partei* headquarters *pl*; TEL *in Firma* switchboard; TECH control room
Zen'tralheizung F central heating
zentralisieren V/T [tsɛntrali'zi:rən] ⟨*kein ge*⟩ centralize
Zentralismus M [tsɛntra'lɪsmus] ⟨-⟩ POL centralism
Zen'tralverriegelung F ⟨~; ~en⟩ central locking
zen'trieren V/T ⟨*kein ge*⟩ centre, *US* center
Zentrum N ['tsɛntrum] ⟨~s; Zentren⟩ centre, *US* center
zer'brechen V/I ⟨s⟩ & V/T ⟨*irr, kein ge*⟩ smash, break*; *von Ehe, Freundschaft* break* up
zer'brechlich ADJ fragile
Zeremonie F [tseremo'ni: *od* -'mo:niə] ⟨~; ~n⟩ ceremony
Zer'fall M ⟨~(e)s; Zerfälle⟩ disintegration; *von Gebäude, Mauer etc* decay; *von Reich* decline
zer'fallen V/I ⟨*irr, kein ge, s*⟩ disintegrate; *von Gebäude, Mauer etc* decay; *von Reich* decline; **~ in** *in Bestandteile* break* down into
zer'gehen V/I ⟨*irr, kein ge, s*⟩ dissolve; *schmelzen* melt*
zer'kleinern V/T ⟨*kein ge*⟩ cut* *od* chop up; *zermahlen* grind*
zer'kratzen V/T ⟨*kein ge*⟩ scratch
zer'legen V/T ⟨*kein ge*⟩ take* apart *od* to pieces; TECH dismantle; *Fleisch* carve; CHEM, GRAM, *fig* analyse, *US* analyze
zer'mürben V/T ⟨*kein ge*⟩ wear* down
zer'mürbend ADJ wearing
zer'platzen V/I ⟨*kein ge, s*⟩ burst*
zer'quetschen V/T ⟨*kein ge*⟩ crush
zer'reiben V/T ⟨*irr, kein ge*⟩ pulverize
zer'reißen ⟨*irr, kein ge*⟩ **A** V/T *in Stücke* tear* to pieces; **sich die Hose** *etc* **~** tear* *od* rip one's trousers *etc* **B** V/I ⟨s⟩ tear*; *von Seil, Faden etc* break*
zerren ['tsɛrən] **A** V/T drag, pull **B** V/I **~ an** pull at
'Zerrung F ⟨~; ~en⟩ *Muskelzerrung* pulled muscle
zerrüttet ADJ [tsɛr'rʏtət] **~e Ehe/Verhältnisse** broken marriage/home
zerschellen V/I [tsɛr'ʃɛlən] ⟨*kein ge, s*⟩ be* smashed to pieces
zer'schlagen **A** V/T ⟨*irr, kein ge*⟩ smash (to pieces); *fig*: *Spionagering, Armee* smash; **sich ~** come* to nothing **B** ADJ **sich ~ fühlen** feel* worn out *od* shattered
zer'schneiden V/T ⟨*irr, kein ge*⟩ cut*; *in Stücke* cut* up
zer'setzen V/T ⟨*kein ge*⟩ decompose; *fig* undermine; **sich ~** decompose
zer'splittern V/I ⟨s⟩ & V/T ⟨*kein ge*⟩ *Holz, Knochen* splinter; *Glas* shatter
zer'springen V/I ⟨*irr, kein ge, s*⟩ *von Glas, Teller etc* crack; *völlig* shatter
zer'stören V/T ⟨*kein ge*⟩ destroy (*a. fig*)
zer'störerisch ADJ destructive
Zer'störung F destruction
zer'streuen V/T & V/R ⟨*kein ge*⟩ scatter; *Menschenmenge* disperse, break* up; **j-n/sich ~** *fig* take* sb's/one's mind off things
zer'streut *fig* ADJ absent-minded; *vorübergehend* distracted
Zer'streutheit F ⟨~⟩ absent-mindedness; *vorübergehende* distraction
Zer'streuung F ⟨~; ~en⟩ *fig* diversion, distraction
Zertifikat N [tsɛrtifi'ka:t] ⟨~(e)s; ~e⟩ certificate
Zertifizierungsstelle F [tsɛrtifi'tsi:ruŋs-] certification agency
Zettel M ['tsɛtəl] ⟨~s; ~⟩ piece of paper; *Nachricht* note; *Klebezettel* label, sticker
Zeug N [tsɔyk] ⟨~(e)s; ~e⟩ stuff (*a. fig pej*); *Sachen* things *pl* (*a. zssgn*; *Nähzeug, Schwimmzeug etc*); **er hat das ~ dazu** he's got what it takes; **dummes ~** nonsense
Zeuge M ['tsɔygə] ⟨~n; ~n⟩ witness
'zeugen[1] V/I JUR give* evidence (**für** for); **von etw ~** *fig* show* sth
'zeugen[2] V/T *Kind* father
'Zeugenaussage F testimony, evidence **'Zeugenbank** F ⟨*pl* Zeugen-

bänke⟩ witness box *od US* stand
'Zeugin F ⟨~; ~nen⟩ witness
Zeugnis N ['tsɔyknɪs] ⟨~ses; ~se⟩ *Schulzeugnis* (school) report, *US* report card; *Prüfungszeugnis* certificate; *vom Arbeitgeber* reference
z. H(d). ABK *für* zu Händen attn, attention
Zickzack M ['tsɪktsak] ⟨~(e)s; ~e⟩ zigzag; **im ~ laufen/fahren** zigzag
Ziegel M ['tsi:gəl] ⟨~s; ~⟩ brick; *Dachziegel* tile
'Ziegelstein M brick
ziehen ['tsi:ən] ⟨zog, gezogen⟩ **A** V/T pull (**aus** out of) (*a. Gesicht*); *herausziehen* pull out (**aus** of); *Waffe, Los, Linie* draw*; *Bremse* put* on; *Spielkarte* take*; *Spielfigur* move; *Hut* take* off (**vor** to); *Pflanzen* grow*; **zieh dir e-n Pulli übers T-Shirt** put a sweater on over your T-shirt; **j-n am Ärmel/an den Haaren ~** pull sb's sleeve/hair; **auf sich ~** *Aufmerksamkeit, Blicke* attract; **etw nach sich ~** lead* to sth; **sich ~** *erstrecken* extend; *dehnen* stretch; *Treffen, Rede* drag on **B** V/I pull (**an** at); ⟨s⟩ *sich bewegen, umziehen* move (**nach** to); ⟨s⟩ *von Vögeln, Volk* migrate; ⟨s⟩ *gehen* go*; ⟨s⟩ *reisen* travel; ⟨s⟩ *ziellos* wander, roam; *von Tee* brew; *von Ofen* draw*; **es zieht** there's a draught
Ziel N [tsi:l] ⟨~(e)s; ~e⟩ *Zielscheibe* target; *fig* aim, goal; *Reiseziel* destination; SPORT finish; **sich ein ~ setzen** set* o.s. a goal; **sein ~ erreichen** reach one's goal; **sich zum ~ gesetzt haben, etw zu tun** aim to do sth
'zielen V/I aim (**auf** at); **~ auf** *fig* be* aimed at
'Zielgruppe F WIRTSCH target group **'ziellos** **A** ADJ aimless **B** ADV *herumlaufen etc* aimlessly **'zielstrebig** **A** ADJ purposeful **B** ADV *handeln etc* purposefully **'Zielvorgaben** PL WIRTSCH objectives *pl*
ziemlich ['tsi:mlɪç] **A** ADJ **ein ~es Durcheinander** *etc* quite a mess *etc*; **mit ~er Sicherheit** with some certainty **B** ADV quite, rather; **~ viel/viele** quite a lot
'zierlich ADJ ['tsi:rlɪç] dainty
Ziffer F ['tsɪfər] ⟨~; ~n⟩ figure; **arabische/römische ~n** Arabic/Roman numerals
'Zifferblatt N face, dial
zig ADJ [tsɪç] ⟨*inv*⟩ *umg* umpteen
Zigarette F [tsiga'rɛtə] ⟨~; ~n⟩ cigarette
Zigarillo M [tsiga'rɪlo] ⟨~s; ~s⟩ cigarillo
Zigarre F [tsi'garə] ⟨~; ~n⟩ cigar
'zigmal ADV *umg* umpteen times
Zimmer N ['tsɪmər] ⟨~s; ~⟩ room
'Zimmereinrichtung F furniture **'Zimmerkellner(in)** M(F) room waiter; *Frau* room waitress **'Zimmermädchen** N (chamber)maid **'Zimmermann** M ⟨*pl* Zimmerleute⟩ carpenter **'Zimmernachweis** M accommodation office **'Zimmernummer** F room number **'Zimmerpflanze** F houseplant, indoor plant **'Zimmerservice** M room service **'Zimmersuche** F **auf ~ sein** be* looking for a room **'Zimmervermittlung** F accommodation service
zimperlich ['tsɪmpərlɪç] **A** ADJ *prüde* prudish; *weichlich* soft; **sei nicht so ~!** don't make such a fuss! **B** ADV **nicht gerade ~** *behandeln etc* none too gently
Zimt M [tsɪmt] ⟨~(e)s; ~e⟩ cinnamon
Zink N [tsɪŋk] ⟨~(e)s⟩ zinc
Zinn N [tsɪn] tin; *legiertes* pewter (*a. Zinngeschirr*)
Zins M [tsɪns] interest; **~en** *pl* interest *sg*; **3% ~en bringen** bear* interest at 3%
'Zinseszins M compound interest
'zinsgünstig ADJ low-interest **'zinslos** ADJ interest-free **'Zinsniveau** N level of interest rates **'Zinssatz** M interest rate
Zipfel M ['tsɪpfəl] ⟨~s; ~⟩ *von Tuch etc* corner; *von Mütze* point; *von Hemd* tail; *von Wurst* end
zirka ADV ['tsɪrka] → circa
Zirkel M ['tsɪrkəl] ⟨~s; ~⟩ MATH compasses *pl*; *Kreis* circle (*a. fig*)
Zirkulation F [tsɪrkulatsi'o:n] ⟨~⟩ circulation
zirkulieren V/I [tsɪrku'li:rən] ⟨*kein ge*⟩ circulate
Zirkus M ['tsɪrkʊs] ⟨~; ~se⟩ circus
zischen V/I & V/T ['tsɪʃən] *beim Sprechen, von Tier* hiss; *von Fett* sizzle; ⟨s⟩ *fig: sich schnell bewegen* whizz
Zitat N [tsi'ta:t] ⟨~(e)s; ~e⟩ quotation, *umg* quote
zi'tieren V/T ⟨*kein ge*⟩ quote; *vorladen* summon

Zitrone F [tsi'tro:nə] ⟨~; ~n⟩ lemon **Zi'tronenlimonade** F lemonade, *US* lemon soda **Zi'tronenpresse** F lemon squeezer **Zi'tronenschale** F lemon peel

'zitt(e)rig ADJ shaky

zittern V/I ['tsɪtərn] tremble, shake* (**vor** with); **~ vor** *Angst haben* be* scared of

zivil ADJ [tsi'vi:l] civilian; *umg*: *Preis* reasonable

Zi'vil N ⟨~s⟩ civilian clothes *pl*; **Polizist in ~** plainclothes policeman

Zi'vilbevölkerung F civilian population **Zi'vildienst** M community service (*for conscientious objectors*)

Zivilisati'on F ⟨~; ~en⟩ civilization

zivili'siert ADJ [tsivili'zi:rt] civilized

Zivi'list(in) M ⟨~en; ~en⟩ (F) ⟨~in; ~innen⟩ civilian

Zi'vilrecht N civil law **Zi'vilsache** F JUR civil matter **Zi'vilschutz** M civil defence *od US* defense

zocken V/I ['tsɔkən] *umg*: *um Geld spielen* gamble; *Karten spielen* play cards; *am Computer spielen* play computer games

'Zocker(in) M ⟨~s; ~⟩ (F) ⟨~in; ~innen⟩ *umg*: *Spieler* gambler; *der Risiken eingeht* chancer; IT gamester; *sl*: *Experte* expert; **er ist voll der Zocker** he's a real whizz-kid

zögern V/I ['tsø:gərn] hesitate

Zoll[1] M [tsɔl] ⟨~(e)s; Zölle⟩ *Behörde* customs *pl*; *Abgabe* duty

Zoll[2] M ⟨~(e)s; ~⟩ *Maß* inch

'Zollabfertigung F customs clearance **'Zollbeamte(r)** M ⟨~n; ~n⟩, **'Zollbeamtin** F customs officer **'Zollerklärung** F customs declaration **'zollfrei** ADJ & ADV duty-free **'Zollkontrolle** F customs check

Zöllner(in) ['tsœlnər(ɪn)] M ⟨~s; ~⟩ (F) ⟨~in; ~innen⟩ customs officer

'zollpflichtig ADJ dutiable **'Zollschranke** F customs barrier **'Zolltarif** M customs tariff **'Zollunion** F customs union

Zone F ['tso:nə] ⟨~; ~n⟩ zone

Zoo M [tso:] ⟨~s; ~s⟩ zoo

Zoolo'gie F ⟨~⟩ zoology

Zopf M [tsɔpf] ⟨~(e)s; Zöpfe⟩ plait, *US* braid

Zorn M [tsɔrn] ⟨~(e)s⟩ anger

'zornig **A** ADJ angry (**auf** with) **B** ADV *schreien, ansehen etc* angrily

zu [tsu:] **A** PRÄP ⟨*dat*⟩ *Richtung* to; *Ort, Zeit* at; *Zweck, Anlass* for; **sie ist ~ Anita gegangen** she's gone to Anita's; **~ Hause/Ostern** at home/Easter; **j-m etw ~ Weihnachten schenken** give* sb sth for Christmas; **der Schlüssel ~ …** the key to *od* for …; **4 ~ 1 gewinnen** win* four one; **1 ~ 1** *beim Sport* one all; **sie verkaufen CDs ~ fünf Euro** they're selling CDs for five euros; **zehn Briefmarken ~ einem Euro** ten stamps at one euro; **~ meiner Überraschung/Schande** to my surprise/shame; **~ Fuß/Pferd** on foot/horseback; **wir sind ~ dritt** there are three of us; **~ zweien** two by two; **er setzte sich ~ uns** he came and sat with us; → zum, zur

B ADV *übermäßig* too; *geschlossen* closed, shut; **Tür ~!** shut *od* close the door!; **das ist ein ~ großes Risiko** it's too much of a risk; **~ viel** too much; *Anzahl* too many; **einer ~ viel** one too many; **~ wenig** too little; *Anzahl* too few; **~ sehr** too much; **nur ~!** go on!

C KONJ *vor Infinitiv* to; **es ist ~ erwarten** it is to be expected; **Zimmer ~ vermieten** room to rent

zu'aller'erst ADV first of all **zu'aller'letzt** ADV last of all

Zubehör N ['tsu:bəhø:r] ⟨~(e)s; ~e⟩ accessories *pl*

'zubereiten V/T ⟨*kein ge*⟩ prepare

'Zubereitung F ⟨~; ~en⟩ preparation

'Zubringer M ⟨~s; ~⟩ feeder (road), access road

'Zubringerbus M feeder bus **'Zubringerstraße** F feeder road

Zucchini F *od* PL [tsu'ki:ni] courgette, *US* zucchini

Zucht F [tsʊxt] ⟨~; ~en⟩ ZOOL breeding; BOT cultivation; *Rasse* breed

züchten V/T ['tsʏçtən] ZOOL breed*; BOT grow*, cultivate

'Züchter(in) M ⟨~s; ~⟩ (F) ⟨~in; ~innen⟩ ZOOL breeder; BOT grower

'Zuchthaus N prison; *Strafe* imprisonment

zucken V/I ['tsʊkən] jerk; *krampfhaft* twitch; *vor Schmerz* wince; *von Blitz* flash; **mit den Schultern ~** shrug one's shoulders

Zucker M ['tsʊkər] ⟨~s; ~⟩ sugar; *umg*:

Zuckerkrankheit diabetes *sg*
'zuckerkrank ADJ diabetic **'Zuckerkranke(r)** M/F(M) ⟨~n; ~n⟩ diabetic **'Zuckerkrankheit** F diabetes *sg*
'zuckern V/T put* sugar in, sugar
'Zuckerrohr N sugar cane **'Zuckerrübe** F sugar beet
'Zuckung F ⟨~; ~en⟩ *nervöse* twitch; *Krampf* convulsion
'zudecken V/T cover (up)
'zudrehen V/T turn off; **j-m den Rücken ~** turn one's back on sb
'zudringlich ADJ pushy; **~ werden** start making passes (**zu** at)
zuei'nander ADV to each other
zuei'nanderpassen V/I **gut ~** *Paar* be* well suited
zu'erst ADV first; *anfangs* at first; *zunächst* first (of all)
'Zufahrt F approach (road); *zum Haus* drive(way)
'Zufahrtsstraße F access road
'Zufall M coincidence; **etw dem ~ überlassen** leave* sth to chance; **durch ~** by chance
'zufallen V/I ⟨*irr*, s⟩ *von Tür* slam (shut); **j-m ~** *von Aufgabe etc* fall* to sb; **mir fallen die Augen zu** I can't keep my eyes open
'zufällig **A** ADJ **e-e ~e Begegnung** a chance meeting **B** ADV by chance; **du hast nicht ~ meine Uhr gesehen, oder?** I don't suppose you've seen my watch, have you?
'Zuflucht F **~ suchen/finden** look for/find* refuge (**vor** from; **bei** with)
zu'folge PRÄP ⟨*dat, nach Substantiv*⟩ according to
zufrieden [tsu'fri:dən] **A** ADJ content(ed); *befriedigt* satisfied (**mit** with) **B** ADV *leben etc* contentedly
zu'friedengeben V/R ⟨*irr*⟩ **sich ~ mit** be* satisfied with
Zu'friedenheit F ⟨~⟩ contentment; *Befriedigtsein* satisfaction
zu'friedenlassen V/T ⟨*irr*⟩ **j-n ~** leave* sb alone **zu'friedenstellen** V/T satisfy **zu'friedenstellend** ADJ satisfactory
'zufügen V/T **j-m Schaden ~** do* sb harm; **j-m Schmerzen ~** cause sb pain
Zufuhr F ['tsu:fu:r] ⟨~; ~en⟩ supply
Zug M [tsu:k] ⟨~(e)s; Züge⟩ BAHN train; *von Menschen, Wagen* procession; *Festzug* parade; *Gesichtszug* feature; *Charakterzug* trait; *Hang* tendency; *beim Schach etc* move (*a. fig*); *Schwimmzug* stroke; *Ziehen* pull (*a.* TECH: *Griff*, PHYS); *beim Rauchen* drag, puff; *Zugluft* draught, *US* draft; *von Vögeln* migration; *Fachrichtung* stream; **mit dem ~ fahren** go* by train; **im ~e** *gen* in the course of; **in e-m ~** *ohne Unterbrechung* at one go; *sein Glas leeren* in one (go); **in groben Zügen** in broad outline
'Zugabe F *Zugeben* addition; THEAT encore
'Zugabteil N train compartment
'Zugang M access (*a. fig*); *Einfahrt, Eingang* entrance; **kein ~!** no entry; **~ zu den Dokumenten** *EU* access to documents; **bevorrechtigter ~** *zu Finanzierung* privileged access
zugänglich ADJ ['tsu:gɛŋlɪç] accessible (*dat*, **für** to) (*a. fig*)
'Zugangscode M IT access code
'Zuganschluss M connecting train, connection **'Zugbegleiter(in)** M(F) guard, *US* conductor
'zugeben V/T ⟨*irr*⟩ add; *gestehen* admit
'zugegeben ADV admittedly
'zugehen V/I ⟨*irr*, s⟩ *von Tür, Deckel etc* close, shut*; **es geht nicht zu** it won't shut; **~ auf** go* up to, approach (*a. fig*); **es geht auf 8 zu** it's getting on for 8; **laut/lustig ~** be* noisy/a lot of fun
Zugehörigkeit F ['tsu:gəhø:rɪçkait] ⟨~⟩ membership (**zu** of)
Zügel M ['tsy:gəl] ⟨~s; ~⟩ rein (*a. fig*)
'Zugeständnis N concession (**an** to)
'zugestehen V/T ⟨*irr*, *pperf* zugestanden⟩ **j-m etw ~** grant sb sth, concede sth to sb
'Zugführer(in) M(F) guard, *US* conductor
'zugig ADJ draughty, *US* drafty
'zugkräftig ADJ **~ sein** be* a draw
zu'gleich ADV at the same time
'Zugmaschine F AUTO tractor **'Zugpersonal** N BAHN train staff *pl*
'zugreifen V/I ⟨*irr*⟩ *mit der Hand* grab it/them; *fig* seize the opportunity; **greifen Sie zu!** *bei Tisch* help yourself!; *Werbung* buy now!; **~ auf** IT access
'Zugriff M IT access (**auf, zu** to) (*a. zssgn; Code, Zeit*)
zu'grunde ADV **~ gehen** go* to rack

and ruin; **~ gehen an** *sterben* die of; **e-r Sache ~ liegen** underlie* sth; **e-r Sache e-n Text** *etc* **~ legen** base sth on a text *etc*; **~ richten** ruin

'Zugschaffner(in) M(F) guard, *US* conductor **'Zugtelefon** N train telephone

zu'gunsten ADV & PRÄP ⟨*gen*⟩ **~ von** *od gen* in favour *od US* favor of; **e-e Sammlung ~** ... a collection in aid of ...

zu'gutehalten V/T ⟨*irr*⟩ **j-m ~, dass ...** make* allowance for the fact that ... **zu'gutekommen** V/I ⟨*irr*, s⟩ **j-m ~** be* for the benefit of sb

'Zugverbindung F train connection

'zuhaben V/I ⟨*irr*⟩ *umg* be* closed, be* shut

'zuhalten V/T ⟨*irr*⟩ *Tür etc* keep* shut; **sich die Ohren/Augen ~** cover one's ears/eyes; **sich die Nase ~** hold* one's nose

Zuhälter M ['tsu:hɛltər] ⟨~s; ~⟩ pimp

zu'hause ADV at home

Zu'hause N ⟨~(s)⟩ home

'zuhören V/I listen (*dat* to)

'Zuhörer(in) M(F) listener

'zukommen V/I ⟨*irr*, s⟩ **~ auf** come* up to; *fig* be* ahead of; **die Dinge auf sich ~ lassen** wait and see*

Zukunft F ['tsu:kʊnft] ⟨~⟩ future (*a.* GRAM)

zukünftig ['tsu:kʏnftɪç] **A** ADJ future; **~er Vater** father-to-be **B** ADV *in Zukunft* in future

'Zukunftsindustrie F sunrise industry **'Zukunftspläne** PL plans *pl* for the future

'Zulage F bonus

'zulassen V/T ⟨*irr*⟩ *nicht öffnen* keep* closed; *erlauben* allow; *beruflich* license; *Fahrzeug* register; **j-n zu etw ~** admit sb to sth; **j-n zu e-r Prüfung ~** allow sb to take an exam

zulässig ADJ ['tsu:lɛsɪç] permissible

'Zulassung F ⟨~; ~en⟩ permission; *berufliche* licensing; *von Fahrzeug* registration; *Fahrzeugschein* vehicle registration documents *pl*; *für bestimmte Stoffe* authorization

'zulegen V/T **sich etw ~** *umg* get* o.s. sth; *Namen* adopt sth

zu'leide ADV **j-m etw ~ tun** harm sb

zu'letzt ADV last; *in der Endphase* in the end; *schließlich* finally; **er kommt immer ~** he's always the last to arrive

zu'liebe ADV **dir/ihr ~** for your/her sake; **e-r Sache ~** for the sake of sth

zum PRÄP [tsʊm] to the; **~ ersten Mal** for the first time; **etwas ~ Kaffee** something with one's coffee; **~ Schwimmen** *etc* **gehen** go* swimming *etc*; **sie hat's mir ~ Geburtstag geschenkt** she gave it (to) me for my birthday; **~ Braten brauchst du Fett** you need fat for frying; → zu

'zumachen V/T & V/I close, shut*; *Laden für immer schließen* close *od* shut* down; *Mantel, Hemd etc* do* up

zu'mal KONJ especially since

zu'mindest ADV at least

zumüllen V/T ['tsu:mʏlən] *umg: mit Mail* spam

'zumutbar ADJ reasonable

zu'mute ADV **mir ist traurig** *etc* **~** I feel sad *etc*; **mir ist nicht danach ~** I'm not in the mood

'zumuten V/T **j-m etw ~** expect sth of sb; **sich zu viel ~** overdo* things

'Zumutung F ⟨~; ~en⟩ **das ist e-e ~** that's asking a bit much

zu'nächst ADV first (of all); *anfangs* at first; *vorerst* for the time being

Zunahme F ['tsu:na:mə] ⟨~; ~n⟩ increase (*gen*, **an** in)

'Zuname M → Familienname

zünden V/I ['tsʏndən] *von Motor, Rakete* ignite, fire

'Zünder M ⟨~s; ~⟩ fuse

'Zündkerze F spark plug **'Zündschlüssel** M ignition key

'Zündung F ⟨~; ~en⟩ AUTO ignition

'zunehmen ⟨*irr*⟩ **A** V/I increase; *von Person* put* on weight; *von Mond* wax; *von Tagen* get* longer; **~ an** gain in **B** V/T **drei Kilo ~** put* on three kilos

'Zuneigung F affection (**für, zu** for)

Zunft F ['tsʊnft] ⟨~; Zünfte⟩ HIST guild

Zunge F ['tsʊŋə] ⟨~; ~n⟩ tongue; **es liegt mir auf der ~** it's on the tip of my tongue

zu'nichtemachen V/T ruin

'zunicken V/I **j-m ~** nod to sb

zu'nutze ADV **sich etw ~ machen** make* (good) use of sth; *ausnutzen* take* advantage of sth

zur PRÄP [tsu:r *od* tsʊr] to the; **~ Schule/Kirche gehen** go* to school/church;

etw ~ **Hälfte tun** half do* sth; ~ **Belohnung** as a reward; → zu
zu'rande ADV ~ **kommen mit** be* able to cope with, *j-m a.* get* on with; *etw a.* come* to grips with
zu'rate ADV **j-n/etw ~ ziehen** consult sb/sth
'zurechnungsfähig ADJ ~ **sein** be* responsible for one's actions
'Zurechnungsfähigkeit F JUR responsibility
zurechtfinden V/R [tsuˈrɛçt-] ⟨irr⟩ find* one's way around; *fig* cope, manage **zu'rechtkommen** V/I ⟨irr, s⟩ **mit j-m ~** get* on *od* along with sb; **mit etw ~** cope with sth **zu'rechtmachen** V/T *umg* get* ready, prepare; **sich ~** do* o.s. up **zu'rechtweisen** V/T ⟨irr⟩ reprimand
'zureden V/I **j-m ~** encourage sb; *überreden* persuade
Zürich N [ˈtsyːrɪç] ⟨~s⟩ Zurich
'zurichten V/T **übel ~** *umg*: *Person* beat* up badly; *Gegenstände* make* a mess of, ruin
zurück ADV [tsuˈrʏk] back; *hinten* behind (*a. fig*); **einmal London und ~** a return (ticket) to London, *US* a round-trip ticket to London
zu'rückbehalten V/T ⟨irr, kein ge⟩ keep* back
zu'rückbekommen V/T ⟨irr, kein ge⟩ get* back
zu'rückbleiben V/I ⟨irr, s⟩ *an e-m Ort* stay behind; *nicht mithalten* fall* behind
zu'rückblicken V/I look back (**auf** at; *fig* on)
zu'rückbringen V/T ⟨irr⟩ *herbringen* bring* back; *hinbringen* take* back
zu'rückdatieren V/T ⟨kein ge⟩ backdate (**auf** to)
zu'rückerstatten V/T ⟨kein ge⟩ refund, reimburse
zu'rückfahren V/I ⟨irr, s⟩ return, go* back; AUTO drive* back
zu'rückfallen V/I ⟨irr, s⟩ *in Leistung* fall* behind; SPORT *a.* drop back
zu'rückfinden V/I ⟨irr⟩ find* one's way back (**nach, zu** to); *fig* return (**zu** to)
zu'rückfordern V/T **etw (von j-m) ~** ask (sb) for sth back
zu'rückführen V/T lead* back; **~ auf** attribute to
zu'rückgeben V/T ⟨irr⟩ give* back, return
zu'rückgeblieben ADJ *fig* backward; *geistig* retarded
zu'rückgehen V/I ⟨irr, s⟩ go* back, return; *fig*: *fallen* go* down; **es geht auf das Mittelalter zurück** it goes back to the Middle Ages
zu'rückgezogen **A** ADJ *Leben* secluded **B** ADV ~ **leben** live a secluded life
zu'rückgreifen V/I ⟨irr⟩ ~ **auf** *fig* fall* back on
zu'rückhalten **A** V/T hold* back **B** V/R hold* back, restrain o.s.; **sich mit dem Essen/Trinken ~** go* easy on the food/drink
zu'rückhaltend **A** ADJ restrained; *Mensch* reserved **B** ADV *reagieren etc* with restraint
Zu'rückhaltung F restraint; *von Mensch* reserve
zu'rückkehren V/I ⟨s⟩ return
zu'rückkommen V/I ⟨irr, s⟩ come* back, return (*fig* **auf** to)
zu'rücklassen V/T ⟨irr⟩ leave* behind
zu'rücklegen V/T *an s-n Platz* put* back; *Geld* put* aside, save; *Strecke* cover, do*; **j-m etw ~** put* sth on one side for sb, keep* sth for sb
zu'rücknehmen V/T ⟨irr⟩ take* back (*a. fig Worte etc*)
zu'rückrufen ⟨irr⟩ **A** V/T call back (*a.* TEL); *Produkte* recall; **sich etw ins Gedächtnis ~** recall sth **B** V/I TEL call back
zu'rückschrecken V/I ⟨s⟩ ~ **vor** *fig* shrink* from; **vor nichts ~** *fig* stop at nothing
zu'rückstellen V/T *an s-n Platz* put* back (*a. Uhr*); MIL defer; **j-m etw ~** *Ware* put* sth on one side for sb, keep* sth for sb
zu'rücktreten V/I ⟨irr, s⟩ step back; *von e-m Amt* resign (**von** from); *von Vertrag etc* withdraw* (**von** from)
zu'rückweisen V/T ⟨irr⟩ *ablehnen* turn down; *für falsch erklären* reject; JUR dismiss
zu'rückzahlen V/T pay* back (*a. fig*); **ich zahle es dir zurück** I'll pay you back; *fig* I'll pay you back for that
zur'zeit ADV at the moment, at present
'Zusage F ⟨~; ~n⟩ *Versprechen* promise; *Annahme* acceptance; *Einwilligung* agree-

ment
'zusagen **A** VT *versprechen* promise; **(j-m) s-e Hilfe ~** promise to help (sb); **~, etw zu tun** agree to do sth **B** VI *bei Einladung* accept; **j-m ~** *gefallen* appeal to sb
zusammen ADV [tsu'zamən] together; **alles ~** (all) in all; **das macht ~ 50 Euro** that makes 50 euros altogether; **wir haben ~ 1000 Euro** we've got 1000 euros between us
Zu'sammenarbeit F collaboration; POL cooperation; **verstärkte ~** *in der EU* enhanced cooperation **zu'sammenarbeiten** VI cooperate, collaborate (*beide*: **mit** with) **zu'sammenbrechen** VI ⟨*irr*, s⟩ collapse; *psychisch* break* down **Zu'sammenbruch** M collapse; *psychischer* breakdown **zu'sammenfassen** VT summarize, sum up **Zu'sammenfassung** F summary **zu'sammengehören** VI ⟨*pperf* zusammengehört⟩ belong together
Zu'sammenhalt M cohesion; *bes* POL solidarity; *einer Mannschaft* team spirit; **wirtschaftlicher, sozialer und territorialer ~** *in der EU* economic, social and territorial cohesion **zu'sammenhalten** ⟨*irr*⟩ **A** VT hold* together; *Gruppe* keep* together **B** VI hold* together; *von Gruppe* stick* together
Zu'sammenhang M *Beziehung* connection; *e-s Textes etc* context; **im ~ mit** in connection with; **im ~ stehen mit** be* connected with; **etw im ~ sehen** see* sth in context
zu'sammenhängen VI ⟨*irr*⟩ *fig* be* connected; **es hängt damit zusammen, dass ...** it's to do with the fact that ...
zu'sammenkommen VI ⟨*irr*, s⟩ *von Personen* get* together; *von Spenden* be* collected; **es kam alles zusammen** it all happened at once
Zusammenkunft F [tsu'zamənkʊnft] ⟨~; Zusammenkünfte⟩ meeting
zu'sammenlegen **A** VT *vereinigen* combine; *falten* fold up **B** VI *Geld sammeln* club together **zu'sammennehmen** VT ⟨*irr*⟩ *Mut, Kraft* muster (up); **sich ~** pull o.s. together **zu'sammenpassen** VI *von Dingen, Farben* go* together; *von Personen* be* suited **zu'sammenrechnen** VT add up
zu'sammenschließen VR ⟨*irr*⟩ join together, unite **Zu'sammenschluss** M union **zu'sammenschreiben** VT ⟨*irr*⟩ **etw ~** *als ein Wort* write* sth as one word **zu'sammensetzen** VT put* together; TECH assemble; **sich ~ aus** consist of, be* composed of **Zu'sammensetzung** F ⟨~; ~en⟩ composition; *Wort* compound; TECH *Vorgang* assembly **zu'sammenstellen** VT put* together (*a. fig*); *anordnen* arrange
Zu'sammenstoß M *von Fahrzeugen* crash, collision; *Aufprall* impact; *fig* clash **zu'sammenstoßen** VI ⟨*irr*, s⟩ *von Fahrzeugen* crash (**mit** into), collide (**mit** with); *fig* clash **zu'sammentun** VR ⟨*irr*⟩ get* together **zu'sammenzählen** VT add up **zu'sammenziehen** ⟨*irr*⟩ **A** VT *Schlinge* tighten; **sich ~** *von Muskeln etc* contract **B** VI ⟨s⟩ *in e-e Wohnung* move in together
'Zusatz M addition; *Substanz* additive
'Zusatz- ZSSGN supplementary; *Hilfs-* auxiliary
'Zusatzgerät N attachment; *Adapter* adapter
zusätzlich ['tsu:zɛtslıç] **A** ADJ additional, extra **B** ADV in addition; **~ etwas verdienen** earn a bit extra
'zuschauen VI watch (**bei etw** sth); **j-m ~** watch sb
'Zuschauer(in) M ⟨~s; ~⟩ F ⟨~in; ~innen⟩ spectator; TV viewer; *im Theater, Kino* member of the audience; **die Zuschauer** *pl im Theater, Kino* the audience *sg od pl*
'Zuschlag M extra charge; *Fahrkarte* supplement; *Gehalt* bonus; **j-m den ~ für etw geben** *bei Bauprojekt etc* award sth to sb; *bei Auktion* knock sth down to sb
'zuschlagen VI & VT ⟨*irr*⟩ *Tür, Deckel etc* slam shut; *von Boxer etc* hit* out; *fig: bei Angebot* go* for it; *von Schicksal* strike* a blow; *von Polizei* pounce; *von Mörder* strike*; **j-m etw ~** *Bauprojekt etc* award sth to sb; *bei Auktion* knock sth down to sb
'zuschließen ⟨*irr*⟩ **A** VT lock (up); *Tür* lock **B** VI lock up
'zuschrauben VT *Deckel* screw on; *Glas, Flasche* screw the top on
'zuschreiben VT ⟨*irr*⟩ **j-m etw ~** attrib-

ute sth to sb
'Zuschrift F letter
zu'schulden ADV **sich etwas/nichts ~ kommen lassen** do* something/nothing wrong
'Zuschuss M contribution (**zu** towards); *staatlicher* subsidy
'Zuschussbetrieb M subsidized firm
'zusehen V/I ⟨*irr*⟩ watch (**bei etw** sth); **j-m ~** watch sb; **~, dass** see* (to it) that
'zusehends ADV noticeably; *schnell* rapidly
'zusetzen **A** V/T add; *Geld* lose* **B** V/I lose* money; **j-m ~** press sb (hard)
'zusichern V/T **j-m etw ~** promise sb sth
'Zusicherung F promise
'zuspitzen V/R intensify
'Zustand M condition; **sie bekommt Zustände, wenn sie das sieht!** *umg* she'll have a fit if she sees that!
zu'stande ADV **etw ~ bringen** bring* sth about; **~ kommen** come* about; **es kam nicht ~** it didn't come off
zuständig ADJ ['tsu:ʃtɛndɪç] **~ sein für** be* responsible for; **die ~e Behörde** *etc* the relevant authority *etc*
'Zuständigkeit F ⟨~; ~en⟩ competence; JUR *a.* jurisdiction; *Verantwortlichkeit* responsibility; **funktionelle ~** *EU* functional competence; **sachliche ~** *EU* competence ratione materiae; **~ der Gemeinschaft** *EU* community powers *pl*; **explizite ~** *EU* explicit powers *pl*; **implizite ~** *EU* implicit powers *pl*; **subsidiäre ~** *EU* subsidiary powers *pl*
'zustehen V/I ⟨*irr*⟩ **es steht dir** *etc* **zu** you *etc* are entitled to it; **es steht ihm nicht zu, ...** he has no right to ...
'zusteigen V/I ⟨*irr*, s⟩ get* on
'zustellen V/T **(j-m) etw ~** deliver sth (to sb)
'Zustellung F ⟨~; ~en⟩ delivery
'zustimmen V/I agree (**e-r Sache** to sth; **j-m** with sb)
'Zustimmung F approval, consent; **(j-s) ~ finden** meet* with (sb's) approval
'Zustimmungsverfahren N POL assent procedure **'Zustimmungsvotum** N **~ zur Ernennung der Europäischen Kommission** confirmation of the European Commission
'zustoßen V/I ⟨*irr*, s⟩ **j-m ~** happen to sb
zu'tage ADV **~ bringen/kommen** bring*/come* to light
'Zutaten PL ingredients *pl*
'zuteilen V/T **j-m etw ~** allocate sb sth
'Zuteilung F allocation; *Ration* ration
zu'tiefst ADV profoundly
'zutragen V/T ⟨*irr*⟩ **j-m etw ~** *berichten* inform sb of sth; **sich ~** happen
'zutrauen V/T **j-m etw ~** think* sb is capable of sth; **sich zu viel ~** overrate o.s.
'Zutrauen N ⟨~s⟩ confidence (**zu** in)
'zutraulich ADJ trusting; *Tier* friendly
'zutreffen V/I ⟨*irr*⟩ be* correct; **~ auf** apply to, go* for
'zutreffend **A** ADJ correct **B** ADV *antworten etc* correctly
'Zutritt M entry; *Zugang* access; **~ verboten!** no entry!
zuverlässig ['tsu:fɛrlɛsɪç] **A** ADJ reliable **B** ADV *funktionieren* reliably; **sie arbeitet ~** she's a reliable worker
'Zuverlässigkeit F ⟨~⟩ reliability
Zuversicht F ['tsu:fɛrzɪçt] ⟨~⟩ confidence
'zuversichtlich **A** ADJ confident **B** ADV **~ in die Zukunft blicken** look confidently to the future
zu'vor ADV before; *zunächst* first
zu'vorkommen V/I ⟨*irr*, s⟩ **j-m ~** beat* sb to it; **e-r Sache ~** anticipate sth; *verhindern* forestall sth
zu'vorkommend ADJ obliging
Zuwachs M ['tsu:vaks] ⟨~es; Zuwächse⟩ increase, growth
zu'wege ADV **etw ~ bringen** bring* sth about
'zuweisen V/T ⟨*irr*⟩ **j-m etw ~** assign sth to sb
'zuwenden V/T ⟨*a. irr*⟩ **sich j-m/etw ~** turn to sb/sth (*a. fig: e-m Thema etc*)
'Zuwendung F *Geld* payment; *Aufmerksamkeit* attention
zu'wider ADJ **es ist mir ~** I hate it
zu'widerhandeln V/I act contrary to
'zuwinken V/I **j-m ~** wave to sb; *ein Zeichen geben* signal to sb
'zuzahlen V/T **ich musste 20 Euro ~** I had to pay an extra 20 euros
'zuziehen ⟨*irr*⟩ **A** V/T *Vorhänge* draw*; *Tür* pull shut; *Schlinge, Knoten* pull tight; *Spezialisten etc* bring* in; **sich etw ~** *Verletzung* sustain; *Krankheit* contract **B** V/I

⟨s⟩ move in

zuzüglich PRÄP ['tsu:tsy:klıç] ⟨*gen*⟩ plus

Zwang M [tsvaŋ] ⟨~(e)s; Zwänge⟩ pressure; *innerer* compulsion; *moralischer, sozialer* constraint; *Gewalt* force

zwängen V/T & V/R ['tsvɛŋən] squeeze

'zwanglos A ADJ informal B ADV *sich treffen, plaudern etc* informally

'Zwangsjacke F straitjacket (*a. fig*)

'Zwangslage F predicament

'zwangsläufig ADV inevitably; **es musste ~ so kommen** it was bound to happen **'Zwangsmaßnahme** F coercive measure; POL sanction **'Zwangsversteigerung** F compulsory auction **'Zwangsvollstreckung** F compulsory execution

zwanzig ADJ ['tsvantsıç] twenty

'Zwanzigste(r) M/F(M) ⟨~n; ~n⟩ twentieth

'zwanzigste(r, -s) ADJ twentieth

zwar ADV [tsva:r] **ich kenne ihn ~, aber ...** I do know him, but ..., I know him all right, but ...; **..., und ~ um sechs ...** – at six to be precise

Zweck M [tsvɛk] ⟨~(e)s; ~e⟩ purpose; **s-n ~ erfüllen** serve its purpose; **es hat keinen ~ zu warten** it's no use waiting

'zwecklos ADJ useless **'zweckmäßig** ADJ practical; *angebracht* wise; TECH, ARCH functional

zwecks PRÄP [tsvɛks] ⟨*gen*⟩ for the purpose of

zwei ADJ [tsvai] two

Zwei F [tsvai] ⟨~; ~en⟩ two; *Note etwa* B

'Zweibettzimmer N twin(-bedded) room **'zweideutig** A ADJ ambiguous; *Witz* suggestive B ADV *formuliert etc* ambiguously

'zweier'lei ADJ ⟨*inv*⟩ two different; **das ist ~** they're two completely different things

'zweifach A ADJ twofold; **die ~e Menge** double *od* twice the amount B ADV twofold; *zweimal* twice **'Zweifamilienhaus** N two-family house, *US* duplex (house)

Zweifel M ['tsvaifəl] ⟨~s; ~⟩ doubt (an about)

'zweifelhaft ADJ doubtful; *verdächtig* dubious **'zweifellos** ADV undoubtedly, without doubt

'zweifeln V/I **an etw/j-m ~** doubt sth/sb

'Zweifelsfall M **im ~** if there's any doubt

Zweig M [tsvaik] ⟨~(e)s; ~e⟩ branch (*a. fig*); *kleiner* twig

'Zweigstelle F branch **'Zweigstellenleiter(in)** M(F) branch manager

'zweimal ADV twice

'zweischneidig ADJ **das ist eine ~e Sache** it cuts both ways, it's a two-edged sword **'zweisprachig** A ADJ bilingual B ADV *geschrieben* in two languages; *aufwachsen* bilingually **'zweistündig** ADJ [-ʃtvndiç] two-hour

zweit ADV [tsvait] **sie waren zu ~** there were two of them; **wir gingen zu ~ hin** we went there together

'zweit'beste(r, -s) ADJ second-best

'Zweite(r) M/F(M) ⟨~n; ~n⟩ second

'zweite(r, -s) ADJ second; **eine ~ Tasse Tee** another cup of tea; **aus ~r Hand** second-hand

'zweitens ADV second(ly)

'zweitklassig ADJ second-rate

Zwei'zimmerwohnung F one-bedroom flat *od US* apartment

Zwerg M [tsvɛrk] ⟨~(e)s; ~e⟩ dwarf; *kleiner Mensch a.* midget; *Gartenzwerg* gnome

Zwetsch(g)e F ['tsvɛtʃ(g)ə] ⟨~; ~n⟩ plum

Zwiebel F ['tsvi:bəl] ⟨~; ~n⟩ onion; *Blumenzwiebel* bulb

Zwilling M ['tsvılıŋ] ⟨~s; ~e⟩ twin; **~e** ASTROL Gemini

zwingen V/T ['tsvıŋən] ⟨zwang, gezwungen⟩ force; **j-n dazu ~, etw zu tun** coerce sb into doing sth

zwischen PRÄP ['tsvıʃən] ⟨*akk od dat*⟩ between; *unter* among

'Zwischenablage F IT clipboard

'Zwischenaufenthalt M stop(over)

'Zwischendeck N SCHIFF 'tweendeck

'Zwischending N ⟨~(e)s; ~er⟩ *umg* cross **zwischen'durch** ADV in between **'Zwischenfall** M incident **'Zwischenhändler(in)** M(F) middleman **'Zwischenlandung** F stopover; **(Flug) ohne ~** non-stop (flight) **'zwischenmenschlich** ADJ interpersonal **'Zwischenraum** M space **'Zwischenstation** F stop; **~ machen** stop over (**in** in) **'Zwischenstecker** M ELEK adapter **'Zwischenzeit** F **in der ~** in the meantime

zwölf ADJ [tsvœlf] twelve
'Zwölfte(r) M/F(M) ⟨~n; ~n⟩ twelth
'zwölfte(r, -s) ADJ twelfth
Zyklus M ['tsy:klʊs] ⟨~; -klen⟩ cycle
Zylinder M [tsi'lɪndər] ⟨~s; ~⟩ *Hut* top hat; MATH, TECH cylinder
zy'lindrisch ADJ cylindrical
Zyniker(in) ['tsy:nikər(ɪn)] M ⟨~s; ~⟩ (F) ⟨~in; ~innen⟩ cynic
'zynisch **A** ADJ cynical **B** ADV *grinsen* cynically
Zy'nismus M ⟨~; Zynismen⟩ cynicism
Zypern N ['tsy:pərn] ⟨~s⟩ Cyprus
Zypriot M [tsypri'o:t] ⟨~en; ~en⟩, **Zypri'otin** F ⟨~; ~nen⟩ Cypriot(e)
zypri'otisch ADJ Cypriot(e)
Zyste F ['tsʏstə] ⟨~; ~n⟩ cyst

Anhang

Zahlen | Numerals

1 Kardinalzahlen | Cardinal numbers

0 *null* zero, nought
1 *eins* one
2 *zwei* two
3 *drei* three
4 *vier* four
5 *fünf* five
6 *sechs* six
7 *sieben* seven
8 *acht* eight
9 *neun* nine
10 *zehn* ten
11 *elf* eleven
12 *zwölf* twelve
13 *dreizehn* thirteen
14 *vierzehn* fourteen
15 *fünfzehn* fifteen
16 *sechzehn* sixteen
17 *siebzehn* seventeen
18 *achtzehn* eighteen
19 *neunzehn* nineteen
20 *zwanzig* twenty
21 *einundzwanzig* twenty-one
22 *zweiundzwanzig* twenty-two
30 *dreißig* thirty
31 *einunddreißig* thirty-one
40 *vierzig* forty
50 *fünfzig* fifty
60 *sechzig* sixty
70 *siebzig* seventy
80 *achtzig* eighty
90 *neunzig* ninety
100 *hundert* a *od* one hundred
101 *hundert(und)eins* a hundred and one
200 *zweihundert* two hundred
300 *dreihundert* three hundred
572 *fünfhundert(und)zweiundsiebzig* five hundred and seventy-two
1000 *(ein)tausend* a *od* one thousand
1002 *(ein)tausend(und)zwei* a *od* one thousand and two

1,000,000	a *od* one million	**1 000 000**	eine Million
2,000,000	two million	**2 000 000**	zwei Millionen
1,000,000,000	a *od* one billion	**1 000 000 000**	eine Milliarde
1,000,000,000,000	a *od* one trillion	10^{12}	eine Billion

2 Ordinalzahlen | Ordinal numbers

1st *erste* first
2nd *zweite* second
3rd *dritte* third
4th *vierte* fourth
5th *fünfte* fifth
6th *sechste* sixth
7th *siebte* seventh
8th *achte* eighth
9th *neunte* ninth
10th *zehnte* tenth
11th *elfte* eleventh
12th *zwölfte* twelfth
13th *dreizehnte* thirteenth
14th *vierzehnte* fourteenth
15th *fünfzehnte* fifteenth
16th *sechzehnte* sixteenth
17th *siebzehnte* seventeenth
18th *achtzehnte* eighteenth
19th *neunzehnte* nineteenth
20th *zwanzigste* twentieth
21st *einundzwanzigste* twenty-first
22nd *zweiundzwanzigste* twenty-second
23rd *dreiundzwanzigste* twenty-third
30th *dreißigste* thirtieth
31st *einunddreißigste* thirty-first
40th *vierzigste* fortieth
50th *fünfzigste* fiftieth
60th *sechzigste* sixtieth
70th *siebzigste* seventieth
80th *achtzigste* eightieth
90th *neunzigste* ninetieth
100th *hundertste* (one) hundredth
101st *hundertunderste* hundred and first
200th *zweihundertste* two hundredth
300th *dreihundertste* three hundredth
1000th *tausendste* (one) thousandth
1950th *(ein)tausendneunhundertfünfzigste* nineteen hundred and fiftieth
2000th *zweitausendste* two thousandth

3 Bruchzahlen und Rechenvorgänge | Fractions and other mathematical functions

$^{1}/_{2}$ *ein halb* a half
$1\ ^{1}/_{2}$ *anderthalb* one and a half
$2\ ^{1}/_{2}$ *zweieinhalb* two and a half
$^{1}/_{3}$ *ein Drittel* one *od* a third
$^{2}/_{3}$ *zwei Drittel* two thirds
$^{1}/_{4}$ *ein Viertel* one *od* a quarter, one fourth
$^{3}/_{4}$ *drei Viertel* three quarters, three fourths
$^{1}/_{5}$ *ein Fünftel* one *od* a fifth
$3\ ^{4}/_{5}$ *drei vier Fünftel* three and four fifths
$^{5}/_{8}$ *fünf Achtel* five eighths

75 %	*fünfundsiebzig Prozent* seventy-five percent
0.45	*null Komma vier fünf* (nought [nɔːt]) point four five
2.5	*zwei Komma fünf* two point five

7 + 8 = 15	*sieben und od plus acht ist fünfzehn* seven and *od* plus eight is *od* makes fifteen
9 – 4 = 5	*neun minus od weniger vier ist fünf* nine minus four is *od* makes five
2 × 3 = 6	*zwei mal drei ist sechs* two times three is *od* makes six
20 : 5 = 4	*zwanzig dividiert od geteilt durch fünf ist vier* twenty divided by five is *od* makes four

4 Britische Währung | British currency

£ 1 = 100 p

Münzen/Coins

1 p	a penny
2 p	two pence
5 p	five pence
10 p	ten pence
20 p	twenty pence
50 p	fifty pence
£ 1	one pound
£ 2	two pounds

Banknoten/Banknotes

£ 5	five pounds
£ 10	ten pounds
£ 20	twenty pounds
£ 50	fifty pounds

Unregelmäßige englische Verben

infinitive	simple past	past participle	Deutsch
arise	arose	arisen	aufkommen
awake	awoke	awoken	erwachen
be	was, were	been	sein
bear	bore	borne	(er)tragen; gebären
beat	beat	beaten	schlagen
become	became	become	werden
begin	began	begun	beginnen, anfangen
bend	bent	bent	biegen, beugen
beset	beset	beset	heimsuchen
bet	bet, betted	bet, betted	wetten
bid	bid	bid	bieten (*Auktion*), reizen (*Karten*)
bind	bound	bound	binden
bite	bit	bitten	beißen, stechen (*Insekt*)
bleed	bled	bled	bluten
blow	blew	blown	blasen, wehen (*Wind*)
break	broke	broken	brechen, kaputt machen, kaputtgehen
breed	bred	bred	züchten; erzeugen
bring	brought	brought	bringen
broadcast	broadcast	broadcast	senden (*Radio, TV*)
browbeat	browbeat	browbeaten	unter Druck setzen
build	built	built	bauen
burn	burnt (*Br*), burned	burnt (*Br*), burned	brennen
burst	burst	burst	platzen, sprengen (*Rohr*)
buy	bought	bought	kaufen
can	could	(been able)	können
cast	cast	cast	werfen
catch	caught	caught	fangen, erwischen
choose	chose	chosen	(aus)wählen
cling	clung	clung	sich klammern, eng anliegen (*Kleidung*)
come	came	come	kommen
cost	cost	cost	kosten
cost	costed	costed	veranschlagen
creep	crept	crept	kriechen, schleichen
cut	cut	cut	schneiden
deal	dealt	dealt	verteilen, dealen
dig	dug	dug	graben
dive	dived, dove (*US*)	dived	springen, tauchen

infinitive	simple past	past participle	Deutsch
do	did	done	machen, tun
draw	drew	drawn	zeichnen, ziehen
dream	dreamed, dreamt (*Br*)	dreamed, dreamt (*Br*)	träumen
drink	drank	drunk	trinken
drive	drove	driven	fahren, treiben
dwell	dwelt	dwelt	weilen
eat	ate	eaten	essen
fall	fell	fallen	fallen
feed	fed	fed	füttern, ernähren
feel	felt	felt	(sich) fühlen
fight	fought	fought	kämpfen
find	found	found	finden
flee	fled	fled	fliehen
fling	flung	flung	schleudern, werfen
fly	flew	flown	fliegen
forbid	forbade	forbidden	verbieten
foresee	foresaw	foreseen	vorhersehen
foretell	foretold	foretold	vorhersagen
forget	forgot	forgotten	vergessen
forgive	forgave	forgiven	verzeihen
forsake	forsook	forsaken	verlassen
freeze	froze	frozen	(ge)frieren, einfrieren
get	got	got, gotten (*US*)	bekommen
give	gave	given	geben
go	went	gone	gehen, fahren
grind	ground	ground	mahlen
grow	grew	grown	wachsen
hang	hung	hung	hängen
hang	hanged	hanged	erhängen
have	had	had	haben
hear	heard	heard	hören
hide	hid	hidden	verbergen, verstecken
hit	hit	hit	schlagen, treffen
hold	held	held	halten
hurt	hurt	hurt	verletzen, wehtun
keep	kept	kept	(be)halten
kneel	knelt, kneeled	knelt, kneeled	knien
know	knew	known	wissen, kennen
lay	laid	laid	legen
lead	led	led	(an)führen
lean	leant (*Br*), leaned	leant (*Br*), leaned	lehnen, sich neigen

infinitive	simple past	past participle	Deutsch
leap	leapt (*Br*), leaped	leapt (*Br*), leaped	springen
learn	learnt (*Br*), learned	learnt (*Br*), learned	lernen, erfahren
leave	left	left	(ver)lassen
lend	lent	lent	(ver)leihen
let	let	let	(zu)lassen
lie	lay	lain	liegen
light	lit, lighted	lit, lighted	(be)leuchten, anzünden
lose	lost	lost	verlieren
make	made	made	machen
may	might	–	können, dürfen
mean	meant	meant	bedeuten, meinen
meet	met	met	treffen, kennenlernen
mislay	mislaid	mislaid	verlegen
mislead	misled	misled	irreführen
misread	misread	misread	falsch lesen/verstehen
misspell	misspelt (*Br*), misspelled	misspelt (*Br*), misspelled	falsch schreiben
mistake	mistook	mistaken	falsch verstehen, sich irren
misunder-stand	misunderstood	misunderstood	missverstehen
mow	mowed	mown	mähen
must	(had to)	(had to)	müssen
offset	offset	offset	ausgleichen
outbid	outbid	outbid	überbieten
outdo	outdid	outdone	übertreffen
outgrow	outgrew	outgrown	ablegen
outrun	outran	outrun	davonlaufen
outshine	outshone	outshone	in den Schatten stellen
overcome	overcame	overcome	überwinden, überwältigen
overdo	overdid	overdone	übertreiben
overhear	overheard	overheard	zufällig mit anhören
override	overrode	overridden	aufheben
overrun	overran	overrun	einfallen (*Truppen*), überziehen (*Zeit*)
oversee	oversaw	overseen	beaufsichtigen
oversleep	overslept	overslept	verschlafen
overspend	overspent	overspent	zu viel ausgeben
overtake	overtook	overtaken	einholen, überholen
overthrow	overthrew	overthrown	stürzen (*Diktator*)
pay	paid	paid	(be)zahlen
put	put	put	setzen, stellen, legen

infinitive	simple past	past participle	Deutsch
quit	quit, quitted	quit, quitted	aufgeben, aufhören mit, verlassen
read	read	read	lesen
repay	repaid	repaid	zurückzahlen
reset	reset	reset	zurücksetzen, neu stellen
rethink	rethought	rethought	überdenken
rid	rid, ridded	rid, ridded	befreien, loswerden
ride	rode	ridden	reiten, fahren (*Fahrrad*)
ring	rang	rung	klingeln, läuten; anrufen
rise	rose	risen	steigen; aufstehen
run	ran	run	laufen, rennen, führen (*Geschäft*)
saw	sawed	sawed, sawn	sägen
say	said	said	sagen
see	saw	seen	sehen
seek	sought	sought	suchen, streben nach
sell	sold	sold	verkaufen
send	sent	sent	schicken, senden
set	set	set	setzen, stellen, legen
sew	sewed	sewn	nähen
shake	shook	shaken	schütteln, wackeln, zittern
shear	sheared	shorn, sheared	scheren
shed	shed	shed	verlieren (*Haare*), vergießen (*Tränen*), verbreiten (*Licht*)
shine	shone	shone	leuchten, scheinen
shit	shit, shat	shit, shat	scheißen
shoot	shot	shot	schießen
show	showed	shown	zeigen
shrink	shrank	shrunk	schrumpfen, einlaufen (*Kleidung*)
shut	shut	shut	schließen
sing	sang	sung	singen
sink	sank	sunk	(ver)senken, (ver)sinken (*Sonne*)
sit	sat	sat	sitzen
sleep	slept	slept	schlafen
slide	slid	slid	rutschen, gleiten
sling	slung	slung	schleudern
slink	slunk	slunk	schleichen
slit	slit	slit	(auf)schlitzen
smell	smelt (*Br*), smelled	smelt (*Br*), smelled	riechen
sow	sowed	sown, sowed	säen
speak	spoke	spoken	sprechen

infinitive	simple past	past participle	Deutsch
speed	sped, speeded	sped, speeded	flitzen
spell	spelt (*Br*), spelled	spelt (*Br*), spelled	schreiben, buchstabieren
spend	spent	spent	ausgeben (*Geld*), verbringen (*Zeit*)
spill	spilt, spilled	spilt, spilled	verschütten
spin	spun	spun	spinnen, drehen, wirbeln
spit	spat	spat	spucken
split	split	split	(zer)teilen
spoil	spoiled, spoilt (*Br*)	spoiled, spoilt (*Br*)	verderben
spread	spread	spread	ausbreiten, verteilen
spring	sprang, sprung	sprung	springen, entstehen
stand	stood	stood	stehen
steal	stole	stolen	stehlen
stick	stuck	stuck	kleben, stecken
sting	stung	stung	stechen, brennen
stink	stank	stunk	stinken
stride	strode	stridden	schreiten
strike	struck	struck	schlagen, stoßen, treffen
strive	strove	striven	bemüht sein, nach etw. streben
swear	swore	sworn	schwören, fluchen
sweep	swept	swept	fegen, kehren
swell	swelled	swollen	blähen, (an)schwellen
swim	swam	swum	schwimmen
swing	swung	swung	schwingen, schaukeln
take	took	taken	nehmen
teach	taught	taught	lehren, unterrichten
tear	tore	torn	(zer)reißen
tell	told	told	erzählen, sagen
think	thought	thought	denken, glauben, meinen
throw	threw	thrown	werfen
thrust	thrust	thrust	stoßen
tread	trod	trodden	treten, gehen
undercut	undercut	undercut	unterbieten (*Preis*)
undergo	underwent	undergone	durchmachen (*Entwicklung*)
underlie	underlay	underlain	zugrunde liegen
understand	understood	understood	verstehen
undertake	undertook	undertaken	übernehmen (*Aufgabe*)
underwrite	underwrote	underwritten	bürgen, versichern
undo	undid	undone	öffnen, rückgängig machen
unwind	unwound	unwound	abwickeln, abschalten
uphold	upheld	upheld	wahren (*Tradition*), hüten (*Gesetz*); bestätigen

infinitive	simple past	past participle	Deutsch
upset	upset	upset	umstoßen, ärgern
wake	woke, waked	woken, waked	(auf)wecken, aufwachen
wear	wore	worn	tragen (*Kleidung*)
weave	wove	woven	weben
wed	wedded, wed	wedded, wed	heiraten
weep	wept	wept	weinen
win	won	won	gewinnen
wind	wound	wound	wickeln, kurbeln
withdraw	withdrew	withdrawn	zurückziehen, abheben (*Geld*)
withhold	withheld	withheld	verweigern, vorenthalten
withstand	withstood	withstood	standhalten
wring	wrung	wrung	auswringen
write	wrote	written	schreiben

Abkürzungen und Symbole | Abbreviations and symbols

a.	auch	also
ABBR	Abkürzung	abbreviation
ABK	Abkürzung	abbreviation
ADJ	Adjektiv, Eigenschaftswort	adjective
ADV	Adverb, Umstandswort	adverb
AGR	Agrarwirtschaft, Landwirtschaft	agriculture
akk	Akkusativ, 4. Fall	accusative (case)
allg	allgemein	generally
ANAT	Anatomie	anatomy
ARCH	Architektur	architecture
ART	Artikel, Geschlechtswort	article
ASTROL	Astrologie	astrology
ASTRON	Astronomie	astronomy
attr	attributiv, beifügend	attributive use
AUTO	Auto und Kraftfahrzeuge	automobiles
AVIAT	Luftfahrt	aviation
BAHN	Bahn	railways
bes	besonders	especially
BIOL	Biologie	biology
BOT	Botanik, Pflanzenkunde	botany
Br	britisches Englisch	British English
CHEM	Chemie	chemistry
CJ	Konjunktion, Bindewort	conjunction
COMPUT	Computer	computers
COOK	Kochkunst und Gastronomie	cooking and gastronomy
dat	Dativ, 3. Fall	dative (case)
DEM PR	Demonstrativpronomen, hinweisendes Fürwort	demonstrative pronoun
ECON	Wirtschaft, Volkswirtschaft	commercial term, commerce
e-e	eine	a/an
ELEC	Elektrotechnik und Elektrizität	electrical engineering
ELEK	Elektrotechnik und Elektrizität	electrical engineering
e-m	einem	to a/an
e-n	einen	a/an
e-r	einer	of a/an, to a/an
e-s	eines	of a/an
esp	besonders	especially
etc	et cetera, und so weiter	et cetera, and so on
etw	etwas	something
euph	euphemistisch, beschönigend	euphemism
F, *f*	Femininum, weiblich	feminine

fig	figurativ, in übertragenem Sinn	figurative
FLUG	Luftfahrt	aviation
FOTO	Fotografie	photography
GASTR	Kochkunst und Gastronomie	cooking and gastronomy
gen	Genitiv, 2. Fall	genitive (case)
GEOG	Geografie	geography
GEOL	Geologie	geology
GEOM	Geometrie	geometry
GRAM	Grammatik	grammar
HIST	Geschichte	history
hum	humorvoll, scherzhaft	humorously
INDEF PR	Indefinitpronomen, unbestimmtes Fürwort	indefinite pronoun
inf	Infinitiv, Grundform des Verbs	infinitive
infml	umgangssprachlich	familiar, informal
INT	Interjektion, Ausruf	interjection
INTER PR	Interrogativpronomen, Fragefürwort	interrogative pronoun
inv	invariabel, unveränderlich	invariable
irr	irregulär, unregelmäßig	irregular
IT	Informatik, Computer und Informationstechnologie	computer science, information technology
j-d	jemand	somebody
j-m	jemandem	somebody, to somebody
j-n	jemanden	somebody
j-s	jemandes	somebody's
JUR	Rechtswesen	legal term, law
KOLL, *koll*	Kollektivum, Sammelwort	collective noun
KONJ	Konjunktion, Bindewort	conjunction
LING	Linguistik, Sprachwissenschaft	linguistics
M, *m*	Maskulinum, männlich	masculine
MATH	Mathematik	mathematics
MED	Medizin	medicine
METEO	Meteorologie	meteorology
M(F), *m(f)*	Maskulinum (Femininum), Maskulinum mit Femininendung in Klammern	masculine form with feminine ending in brackets
M/F, *m/f*	Maskulinum und Femininum	masculine and feminine
M/F(M), *m/f(m)*	Maskulinum und Femininum mit zusätzlicher Maskulinendung in Klammern (Maskulinform bei unbestimmtem Artikel)	masculine and feminine forms with additional masculine ending in brackets (masculine form used with the indefinite article)
M/F/N(M, N)	Maskulinum, Femininum und Neutrum (Maskulin- und Neut-	masculine, feminine and neutral (masculine and neutral forms used

	rumsform bei unbestimmtem Artikel)	with the indefinite article)
MIL	Militär, militärisch	military term
MUS	Musik	musical term
MYTH	Mythologie	mythology
N	Substantiv, Hauptwort	noun
N, *n*	Neutrum, sächlich	neuter
NAUT	Nautik, Schifffahrt	nautical
neg!	wird oft als beleidigend empfunden	often has negative connotations
nom	Nominativ, 1. Fall	nominative (case)
od	oder	or
o.s.	sich	oneself
österr	österreichische Variante	Austrian usage
PARL	Parlament, parlamentarischer Ausdruck	parliamentary term
PAST PART, *past part*	Partizip Perfekt	past participle
pej	pejorativ, abwertend	pejorative
PERS PR	Personalpronomen, persönliches Fürwort	personal pronoun
PHYS	Physik	physics
PHYSIOL	Physiologie	physiology
PL, *pl*	Plural, Mehrzahl	plural
poet	poetisch, dichterisch	poetic, poetically
POL	Politik	politics
POSS PR	Possessivpronomen, besitzanzeigendes Fürwort	possessive pronoun
pperf	Partizip Perfekt	past participle
PRÄP, *präp*	Präposition, Verhältniswort	preposition
PREP	Präposition, Verhältniswort	preposition
PRET, *pret*	Präteritum, Vergangenheit	preterite, (simple) past tense
PRON	Pronomen, Fürwort	pronoun
PSYCH	Psychologie	psychology
®	eingetragene Marke	registered trademark
RADIO	Radio, Rundfunk	radio
RAIL	Bahn	railways
REL	Religion	religion
REL PR	Relativpronomen, bezügliches Fürwort	relative pronoun
sb	jemand	somebody
SCHIFF	Nautik, Schifffahrt	nautical
SCHOOL	Schulwesen	school
SCHULE	Schulwesen	school
schweiz	schweizerische Variante	Swiss usage

s-e	seine	his, one's
SG, *sg*	Singular, Einzahl	singular
sl	Slang, saloppe Umgangssprache, Jargon	slang
s-m	seinem	to his, to one's
s-n	seinen	his, one's
SPORT	Sport	sports
SPORTS	Sport	sports
s-r	seiner	of his, of one's, to his, to one's
s-s	seines	of his, of one's
sth	etwas	something
TECH	Technik	engineering
TEL	Telefon, Nachrichtentechnik, Telekommunikation	telecommunications
THEAT	Theater	theatre
TV	Fernsehen	television
u.	und	and
umg	umgangssprachlich	familiar, informal
UNBEST	unbestimmt	indefinite
UNIV	Hochschulwesen, Universität	university
US	amerikanisches Englisch	American English
V/AUX	Hilfsverb	auxiliary verb
V/I	intransitives Verb, intransitives Tätigkeitswort	intransitive verb
V/R	reflexives Verb, rückbezügliches Tätigkeitswort	reflexive verb
V/T	transitives Verb, transitives Tätigkeitswort	transitive verb
vulg	vulgär	vulgar
WIRTSCH	Wirtschaft, Volkswirtschaft	commercial term, commerce
ZOOL	Zoologie	zoology
ZSSGN, *zssgn*	(in) Zusammensetzungen	(in) compounds
→	siehe	compare, see

A B C D E F G H I J K L M N O P Q R S T U V W X Y Z

Die ersten vier Buchstaben des ersten bzw. letzten Stichworts auf der Seite	PAUS ‖ 660
	Pau'schalangebot N all-inclusive offer, package deal
Stichwörter in Blau	**WLAN** N [ve'la:n] ⟨~(s); ~s⟩ IT wireless (network *od* LAN), WiFi
Wendungen und mehrgliedrige Ausdrücke in fetter Schrift	**'Zufall** M coincidence; **etw dem ~ überlassen** leave* sth to chance; **durch ~** by chance
Die Tilde ersetzt das vorausgehende Stichwort.	**Schotte** M ['ʃɔtə] ⟨~n; ~n⟩ Scot(sman); **er ist ~** he's Scottish, he's a Scot; **die ~n** *pl* the Scots *pl*, the Scottish (people) *pl*
Übersetzungen in Normalschrift	**Kamin** M [ka'mi:n] ⟨~s; ~e⟩ fireplace; *Schornstein* chimney
Wortart- bzw. Genusangaben bei Stichwörtern	**gültig** ADJ ['gʏltɪç] valid
	Bonbon N *od* M [bɔŋ'bɔŋ] ⟨~s; ~s⟩ sweet, *US* candy
Grammatikangaben zum Stichwort in spitzen Klammern	**'Botschafter(in)** M ⟨~s; ~⟩ F ⟨~in; ~innen⟩ ambassador